Dirección de marketing

DECIMOCUARTA EDICIÓN

PHILIP KOTLER
Northwestern University

KEVIN LANE KELLER
Dartmouth College

TRADUCCIÓN

María Astrid Mues Zepeda
Mónica Martínez Gay
Traductoras especialistas en temas de marketing

ADAPTACIÓN Y REVISIÓN TÉCNICA

María de la Luz Eloísa Ascanio Rivera
Profesora del Departamento de Mercadotecnia, División Negocios
Instituto Tecnológico y de Estudios Superiores de Monterrey (ITESM)
Campus Ciudad de México

REVISIÓN TÉCNICA

Miguel Hernández Espallardo
Universidad de Murcia
Facultad de Economía y Empresa
Campus de Espinardo, Murcia, España

Enrique Carlos Bianchi
Facultad de Ciencias Económicas
Universidad Nacional de Córdoba,
Argentina

Datos de catalogación bibliográfica

KOTLER, PHILIP Y KELLER, KEVIN

Dirección de Marketing

Decimocuarta edición

PEARSON EDUCACIÓN, México, 2012

ISBN: 978-607-32-1245-8

Área: Administración

Formato 21 × 27 cm Páginas: 808

ISBN 9780132102926

Edición en español:

Dirección Educación Superior:	Mario Contreras
Editor:	Guillermo Domínguez Chávez e-mail: guillermo.dominguez@pearson.com
Editor de Desarrollo:	Bernardino Gutiérrez Hernández
Supervisor de Producción:	Gustavo Rivas Romero
Gerencia Editorial Educación Superior Latinoamérica:	Marisa de Anta

DECIMOCUARTA EDICIÓN, 2012

ISBN VERSIÓN IMPRESA: 978-607-32-1245-8
ISBN VERSIÓN E-BOOK: 978-607-32-1250-2
ISBN E-CHAPTER: 978-607-32-1244-1

Impreso en México. *Printed in Mexico.*
1 2 3 4 5 6 7 8 9 0 - 15 14 13 12

Este libro se terminó de imprimir en el mes de Octubre de 2012, en Edamsa Impresiones, S.A. de C.V. Av. Hidalgo No. 111, Col. Fracc. San Nicolás Tolentino C.P. 09850, Del. Iztapalapa, México, D.F.

Este libro está dedicado a mi esposa y mejor amiga, Nancy, con amor.

– PK

Este libro está dedicado a mi esposa, Punam, y mis dos hijas,

Carolyn y Allison, con mucho amor y agradecimiento.

– KLK

Acerca de los autores

Philip Kotler

Philip Kotler es una de las mayores autoridades de marketing en el mundo. Es profesor distinguido de la cátedra S. C. Johnson & Son de Marketing Internacional en la Kellogg School of Management de la Northwestern University. Recibió su grado de maestría en economía en la University of Chicago y su doctorado en economía en el MIT. Hizo un posdoctorado en matemáticas en la Harvard University y otro sobre ciencias de la conducta en la University of Chicago.

El Dr. Kotler es coautor de **Principles of marketing (Marketing. Versión para Latinoamérica)** y **Marketing: An Introduction (Fundamentos de marketing)**. Su **Strategic Marketing for Nonprofit Organizations**, el bestseller máximo en esta especialidad, se encuentra en su séptima edición. Otros libros del Dr. Kotler incluyen **Marketing Models, The New Competition, Marketing Professional Services, Strategic Marketing for Educational Institutions, Marketing for Health Care Organizations, Marketing Congregations, High Visibility, Social Marketing, Marketing Places (Marketing internacional de lugares y destinos), The Marketing of Nations, Marketing for Hospitality and Tourism, Standing Room Only —Strategies for Marketing the Performing Arts, Museum Strategy and Marketing, Marketing Moves, Kotler on Marketing, Lateral Marketing: Ten Deadly Marketing Sins** y **Corporate Social Responsibility**.

Además, ha publicado más de cien artículos en importantes revistas especializadas entre las que se encuentran el **Harvard Business Review**, **Sloan Management Review**, **Business Horizons**, **California Management Review**, **Journal of Marketing**, **Journal of Marketing Research**, **Management Science**, **Journal of Business Strategy**, *y* **Futurist**. Es el único galardonado en tres ocasiones con el codiciado premio Alpha Kappa Psi al mejor artículo del año publicado en el **Journal of Marketing**.

El Dr. Kotler fue el primero en recibir el premio Distinguished Marketing Educator Award por parte de la American Marketing Association (AMA) en 1985. La European Association of Marketing Consultants and Sales Trainers le otorgó el Premio a la Excelencia en Marketing. Fue elegido como Líder en Pensamiento de Marketing por los miembros académicos de la AMA en una encuesta de 1975. También recibió el Paul Converse Award de la AMA en 1978 como reconocimiento a su original contribución al marketing. En 1995 la organización Sales and Marketing Executives International (SMEI) lo nombró Hombre de Marketing del Año. En 2002, el profesor Kotler recibió el Distinguished Educator Award por la Academy of Marketing Science. Además ha recibido grados de doctorado honoris causa por las universidades de Estocolmo y de Zurich, por la Universidad de Economía y Negocios de Atenas, la DePaul University, la Facultad de Economía y Negocios de Cracovia, Groupe H.E.C. de París, la Facultad de Ciencias Económicas y Administración Pública de Budapest y la Universidad de Economía y Administración de Empresas en Viena.

El profesor Kotler también ha ejercido como consultor de muchas empresas de gran prestigio, tanto estadounidenses como en el extranjero, entre ellas IBM, General Electric, AT&T, Honeywell, Bank of America, Merck, SAS Airlines y Michelin, además de otras en las áreas de estrategia y planeación de marketing, organización de marketing y marketing internacional.

Ha presidido el College of Marketing del Institute of Management Sciences, fue director de la American Marketing Association, miembro del consejo del Marketing Science Institute, director de Grupo MAC, miembro del consejo de Yankelovich Advisory Board y de Copernicus Advisory Board. También ha sido miembro del consejo de gobierno de la School of the Art Institute of Chicago y de la junta de asesores de la Drucker Foundation. Ha viajado por toda Europa, Asia y Sudamérica, asesorando y dando conferencias en muchas empresas sobre oportunidades globales de marketing.

Kevin Lane Keller

Kevin Lane Keller es ampliamente reconocido como uno de los principales académicos de los últimos 25 años. Es profesor de la cátedra de marketing E.B. Osborn en la Tuck School of Business en Dartmouth College. El profesor Keller es graduado de las universidades Cornell, Carnegie-Mellon y Duke. Imparte cursos de dirección de marketing y dirección estratégica de marcas en la maestría en administración de empresas en Dartmouth, e imparte conferencias en programas ejecutivos sobre esos temas.

Previamente fue miembro del cuerpo docente de la Graduate School of Business de la Stanford University, donde también estuvo al frente del grupo de marketing. También ha sido docente de marketing en la University of California en Berkeley y en la University of North Carolina en Chapel Hill; fue profesor invitado en la Duke University y en la Australian Graduate School of Management, con dos años de experiencia como consultor de marketing para Bank of America.

Su principal especialidad es la estrategia y planeación de marketing y la asignación de marcas. El interés específico de su investigación es cómo la comprensión de las teorías y conceptos relacionados con la conducta de los consumidores puede mejorar las estrategias de marketing. Sus investigaciones se han publicado en tres de las principales revistas especializadas de marketing: el **Journal of Marketing**, el **Journal of Marketing Research** y el **Journal of Consumer Research**, y ha participado en el consejo editorial de esas publicaciones. Tiene más de noventa artículos publicados y sus investigaciones han sido citadas en muchas ocasiones y ha recibido numerosos reconocimientos por ellos.

El profesor Keller es reconocido en el ámbito internacional como uno de los líderes en el estudio de las marcas y la asignación de marcas. Su libro de texto sobre el tema, **Strategic Brand Management** se utiliza en las principales escuelas de negocios y en las empresas líderes alrededor del mundo y se le ha llamado "la biblia de la asignación de marcas".

Ha participado activamente en diversos tipos de proyectos de marketing como consultor y asesor para algunas de las marcas más exitosas del mundo, como Accenture, American Express, Disney, Ford, Intel, Levi Strauss, Procter & Gamble y Samsung. También ha realizado otras actividades de consultoría para empresas como Allstate, Beiersdorf (Nivea), BlueCross BlueShield, Campbell's, Colgate, Eli Lilly, ExxonMobil, General Mills, GfK, Goodyear, Intuit, Johnson & Johnson, Kodak, L.L. Bean, Mayo Clinic, Nordstrom, Ocean Spray, Red Hat, SAB Miller, Shell Oil, Starbucks, Unilever y Young & Rubicam. También ha sido miembro del consejo académico del Marketing Science Institute.

Es un ponente altamente popular y solicitado, y ha ofrecido discursos e impartido seminarios de marketing a altos ejecutivos en diversos foros. Entre las empresas donde ha capacitado a la alta dirección y al personal de marketing se encuentran Cisco, Coca-Cola, Deutsche Telekom, GE, Google, IBM, Macy's, Microsoft, Nestle, Novartis y Wyeth. Ha impartido conferencias por todo el mundo: desde Seúl hasta Johanesburgo, desde Sidney hasta Estocolmo y desde Sao Paulo hasta Bombai. Ha sido el ponente principal en conferencias con cientos y miles de participantes.

Como entusiasta de los deportes, la música y el cine, en su "tiempo libre" ayuda en la dirección, comercialización y producción ejecutiva de uno de los grandes tesoros del rock and roll: The Church, así como de las leyendas del pop estadounidense Dwight Twilley y Tommy Keene. Además es inversionista y asesor principal de Second Motion Records. También es miembro del consejo de administración de la fundación The Doug Flutie Jr. Foundation for Autism y del Montshire Museum of Science. El profesor Keller vive en Etna, New Hampshire, con su esposa Punam (también profesora de marketing en Tuck) y sus dos hijas, Carolyn y Allison.

Contenido

PARTE 2 Identificación de las oportunidades de mercado 66

PARTE 3 Conexión con los clientes 122

PARTE 7 Comunicación de valor 474

CAPÍTULO 17 Diseño y gestión de comunicaciones integradas de marketing 474

CAPÍTULO 18 Gestión de las comunicaciones masivas: publicidad, promociones de ventas, eventos, experiencias y relaciones públicas 502

CAPÍTULO 19 Gestión de las comunicaciones personales: marketing directo e interactivo, recomendación de boca en boca y ventas personales 534

PARTE 8 Generación de crecimiento rentable a largo plazo 566

CAPÍTULO 20 Lanzamiento de nuevas ofertas de mercado 566

CAPÍTULO 21 Acceso a los mercados globales 594

Prefacio

Qué hay de nuevo en la decimocuarta edición

La meta primordial al revisar esta nueva edición de *Dirección de Marketing* era crear un texto de marketing tan completo, actual y atractivo como fuera posible. Donde lo requería se añadió material nuevo, se actualizó el que ya estaba y se eliminó el que no era relevante o era innecesario. De esta manera, la decimocuarta edición de *Dirección de marketing* permite a los profesores que han usado ediciones anteriores desarrollar y reforzar lo que han aprendido y ofrecer un texto inigualable en su amplitud, profundidad y relevancia a los estudiantes que utilizarán este texto por primera vez.

Hemos mantenido la reorganización en ocho partes que inició en la decimosegunda edición, así como muchas de las características que a lo largo de los años se han introducido y que han tenido gran aceptación, como los inicios de capítulo con temas específicos, los casos que enfatizan empresas o asuntos notables y los recuadros de Marketing en acción y Apuntes de marketing que proporcionan comentarios conceptuales profundos y prácticos.

Los cambios significativos en la decimocuarta edición incluyen lo siguiente:

- Nuevos casos de apertura de capítulo que invitan al lector a revisar el material que se presenta. Estos casos proporcionan muy buenos temas para análisis en el aula ya que incluyen una marca o empresa de actualidad.
- Casi la mitad de los casos son nuevos. Estos casos proporcionan ilustraciones vívidas de los conceptos presentados en el capítulo ya que presentan empresas y situaciones reales. Los casos incluyen gran variedad de productos, servicios y mercados, y muchos tienen ilustraciones en forma de anuncios o fotografías del producto.
- Al final de cada capítulo se incluyen dos minicasos de Marketing de excelencia que ponen de manifiesto los innovadores e intuitivos logros de marketing de organizaciones líder. Cada caso incluye preguntas que promueven el debate y el análisis en el salón de clases.
- En los últimos años se han producido cambios notorios en el entorno de marketing, sobre todo en lo referente a lo económico, lo natural y lo tecnológico. Esta nueva edición aborda estas tres áreas (a veces a través de subsecciones en los capítulos) y hace énfasis en el marketing durante las crisis económicas y las recesiones, en el auge de la sustentabilidad, en el marketing "ecológico" y en el creciente desarrollo del poder de la computación, Internet y los teléfonos móviles. Estas nuevas realidades buscan que para los especialistas de marketing tenga más importancia que nunca ser holísticos en lo que hacen (tema principal de este libro).
- El capítulo 19, que trata sobre comunicaciones personales, recibió una importante actualización con gran cantidad de material nuevo que refleja el cambiante panorama de los medios sociales y el entorno de las comunicaciones.
- El pronóstico ha sido trasladado al capítulo 3, donde embona bien con el material sobre el entorno de marketing.
- El capítulo 5 se ha renombrado como "Creación de relaciones de lealtad de largo plazo" para reflejar mejor su área más fuerte de análisis.
- Los capítulos 10 y 11 se reorganizaron y su material fue intercambiado. El capítulo 11 cambió de nombre a "Las relaciones con la competencia" para reconocer el significativo material que fue añadido sobre el marketing en la recesión económica.

De qué trata *Dirección de marketing*

Dirección de marketing es el libro más reconocido en marketing porque su contenido y organización reflejan constantemente los cambios en la teoría y la práctica de esta disciplina. La primera edición de *Dirección de marketing*, publicada en 1967, introdujo el concepto de que las empresas deben ser orientadas al cliente y al mercado. Sin embargo, contenía poca mención de lo que actualmente son temas fundamentales, como la segmentación, la orientación y el posicionamiento. Conceptos como el *brand equity*, el análisis de valor del cliente, el marketing de base de datos, el comercio electrónico, las redes de valor, los canales híbridos, la gestión de la cadena de suministro y las comunicaciones integradas de marketing ni siquiera formaban parte del vocabulario de marketing. *Dirección de marketing* continúa reflejando los cambios producidos en esta disciplina en los últimos 40 años.

Actualmente, las empresas venden bienes y servicios a través de una gran variedad de canales directos e indirectos. La publicidad masiva no es tan eficaz como antes, por lo que los especialistas de marketing están explorando nuevas formas de comunicación, como el marketing experiencial, el marketing de entretenimiento y el marketing viral. Los clientes dicen a las empresas qué tipo de productos o servicios desean y cuándo, dónde y cómo quieren comprarlos. Con mayor frecuencia ellos informan a otros consumidores lo que piensan sobre empresas y productos específicos, utilizando el correo electrónico, los blogs, los podcasts y otros medios digitales. Los mensajes de las empresas se están convirtiendo en una pequeña fracción de la "conversación" completa sobre los productos y servicios.

En respuesta, las empresas han pasado de gestionar carteras de *productos* a gestionar carteras de *clientes* y están recopilando bases de datos de clientes individuales para comprenderlos mejor y crear ofertas y mensajes personalizados. Están utilizando menos la estandarización de productos y servicios, y más la personalización y los nichos. Están sustituyendo los monólogos por diálogos con los clientes. Están mejorando sus métodos de medición de la rentabilidad del cliente y el valor de vida del cliente. Están tratando de medir la rentabilidad de su inversión en marketing y su impacto en el valor de los accionistas. También están preocupados por las implicaciones éticas y sociales de sus decisiones de marketing.

A medida que las empresas cambian, también lo hace su organización de marketing. El marketing ya no es un departamento de la empresa encargado de un número limitado de tareas, sino que asume una labor que abarca toda la empresa y que dirige la visión, la misión y la planificación estratégica de la empresa. El marketing incluye decisiones tales como a quién desea la empresa como cliente, cuáles necesidades quiere satisfacer, qué productos y servicios va a ofrecer, qué precios establecerá, qué tipo de comunicaciones enviará y recibirá, cuáles canales de distribución utilizará y qué alianzas desarrollará. El marketing sólo tiene éxito cuando todos los departamentos trabajan juntos para lograr los objetivos: cuando el departamento de ingeniería diseña los productos adecuados; el de finanzas proporciona los fondos necesarios; el de compras adquiere materiales de alta calidad; el de producción elabora productos de alta calidad y a tiempo; y el de contabilidad mide la rentabilidad de los distintos clientes, productos y áreas.

Para hacer frente a todos estos cambios, los especialistas de marketing están practicando el *marketing holístico,* que es el desarrollo, diseño e implementación de programas, procesos y actividades de marketing que reconocen la amplitud e interdependencias del entorno de marketing actual. Las cuatro dimensiones clave del marketing holístico son:

1. ***Marketing interno***: asegura que todos los miembros de la organización adopten los principios de marketing adecuados, en especial la alta dirección.
2. ***Marketing integrado***: asegura que se empleen y se combinen de la mejor manera los múltiples medios para crear, entregar y comunicar el valor.
3. ***Marketing de relaciones***: mantiene relaciones ricas y multidisciplinarias con los clientes, los miembros del canal y otros socios de marketing.
4. ***Rendimiento del marketing***: comprende los rendimientos financieros para el negocio a partir de las actividades y programas de marketing, y aborda las preocupaciones más amplias y sus efectos jurídicos, éticos, sociales y ambientales.

Estas cuatro dimensiones se entrelazan a lo largo del libro y a veces se describen ampliamente.
El texto hace énfasis en las siguientes tareas que constituyen la gestión del marketing moderno:

1. Desarrollo de estrategias y planes de marketing.
2. Identificación de las oportunidades de mercado.
3. Conexión con los clientes.
4. Creación de marcas fuertes.
5. Configuración de las ofertas de mercado.
6. Entrega y comunicación del valor.
7. Generación de crecimiento rentable a largo plazo.

Por qué *Dirección de marketing* es el líder en marketing

El marketing es de interés para todos, ya sean productos, servicios, propiedades, personas, lugares, eventos, información, ideas, u organizaciones de marketing. Al mismo tiempo que ha conservado su posición de respeto entre estudiantes, educadores y hombres de negocios, *Dirección de marketing* se mantiene actualizado. Los estudiantes (y profesores) saben que el libro está dirigido a ellos tanto en lo que se refiere al contenido como a la presentación.

Dirección de marketing debe su éxito en el mercado a su capacidad para maximizar tres dimensiones que caracterizan a los mejores libros de marketing: profundidad, amplitud y relevancia, que se miden con los siguientes criterios:

- ***Profundidad.*** ¿Tiene el libro sólidas bases académicas? ¿Contiene importantes conceptos teóricos, modelos y marcos? ¿Proporciona una guía conceptual para resolver problemas prácticos?
- ***Amplitud.*** ¿Cubre el libro todos los temas adecuados? ¿Proporciona la cantidad adecuada de énfasis sobre estos temas?
- ***Relevancia.*** ¿Atrae el libro al lector? ¿Es interesante su lectura? ¿Contiene muchos ejemplos convincentes?

Esta decimocuarta edición se basa en las fortalezas fundamentales de las ediciones anteriores, que en conjunto lo distinguen de todos los demás libros de dirección de marketing:

- ***Orientación empresarial.*** El libro se centra en las decisiones más importantes que enfrentan los gerentes de marketing y la alta dirección en sus esfuerzos por armonizar los objetivos, las capacidades y los recursos de la organización con las necesidades y las oportunidades del mercado.
- ***Enfoque analítico.*** *Dirección de marketing* presenta herramientas y marcos conceptuales para analizar los problemas recurrentes en la dirección de marketing. Los casos y ejemplos ilustran los principios, las estrategias y las prácticas de marketing eficaces.
- ***Perspectiva multidisciplinaria.*** El libro se basa en los ricos hallazgos de varias disciplinas científicas —economía, ciencias de la conducta, teoría de la administración y matemáticas— para crear los conceptos y herramientas fundamentales que se aplican directamente a los desafíos del marketing.
- ***Aplicaciones universales.*** El libro aplica el pensamiento estratégico al espectro completo del marketing: productos, servicios, personas, lugares, información, ideas y causas; mercados de consumo e industriales; organizaciones con y sin fines de lucro; empresas nacionales y extranjeras; empresas grandes y pequeñas; fabricantes e intermediarios; e industrias de alta y baja tecnología.
- ***Cobertura amplia y equilibrada.*** *Dirección de marketing* cubre todos los temas que un gerente de marketing bien informado necesita comprender para llevar a cabo un marketing estratégico, táctico y administrativo.

Apoyos para el estudiante (en inglés)

Mymarketinglab

Mymarketinglab le da la oportunidad de probarse a sí mismo en los conceptos y habilidades clave, de hacer un seguimiento de su progreso a través del curso y de utilizar las actividades del plan de estudios personalizado. Todo esto le ayudará a lograr el éxito en el salón de clases.

Sus características incluyen:

- ***Planes de estudio personalizados***: exámenes previos y posteriores con varias actividades que tienen como fin ayudarle a entender los conceptos y aplicarlos para reforzar su aprendizaje.
- ***Elementos interactivos***: abundantes actividades y ejercicios prácticos que le permiten experimentar y aprender de forma activa.
- ***Artículos sobre acontecimientos actuales***: artículos concisos y de gran relevancia sobre las noticias más recientes relacionadas con el marketing y con preguntas cortas para reflexión.
- ***Preguntas que retan el pensamiento crítico***: estas preguntas miden las habilidades de pensamiento crítico fundamentales a través del contexto de las aplicaciones de marketing. Para responderlas tendrá que reconocer supuestos, evaluar argumentos, identificar problemas, hacer inferencias, encontrar defectos lógicos y reconocer las similitudes entre los argumentos. El conocimiento del marketing que se adquiere a través del texto y en clase le ayudará a concentrarse en los temas correctos, pero aún así tendrá que emitir un juicio crítico a fin de obtener la respuesta correcta.

Galería de videos de Dirección de marketing

Haga que su aula sea "de interés periodístico". Hemos actualizado la biblioteca de videos de Dirección de marketing. A esta decimocuarta edición la acompaña una biblioteca completa de videos que incluyen secuencias centradas en los temas con entrevistas con importantes ejecutivos, información objetiva de presentadores de noticias reales, analistas de investigación del sector y expertos en campañas de marketing y publicidad. Una guía completa de videos, con resúmenes, preguntas para debate y sugerencias para la enseñanza, está disponible en Internet en el sitio Web de este libro.

The Marketing Plan Handbook, 4a edición, con Marketing Plan Pro

Marketing Plan Pro es un programa de software comercial altamente valorado que lo guía a través de todo el proceso del plan de marketing. El software es totalmente interactivo e incluye 10 muestras de planes de marketing, guías paso a paso y gráficos adaptables. Personalice su plan de marketing para satisfacer sus necesidades utilizando un asistente fácil de usar. Siga los pasos claramente definidos, desde la estrategia hasta la implementación. Haga clic para imprimir y su texto, hoja de cálculo y gráficos se unificarán para crear un plan de marketing de gran alcance. El nuevo *Marketing Plan Handbook*, de Marian Burk Wood, complementa el material del plan de marketing del texto con una guía detallada de lo que los estudiantes realmente necesitan saber. Un proceso de aprendizaje estructurado conduce a un plan de marketing completo y procesable. También se incluyen ejemplos del mundo real que ilustran los puntos clave, los ejemplos de planes de marketing y los recursos de Internet.

Reconocimientos

Esta decimocuarta edición tiene el sello de muchas personas.

De Philip Kotler: Mis colegas y asociados en la Kellogg School of Management en Northwestern University continúan teniendo un impacto importante en mi pensamiento: Nidhi Agrawal, Eric T. Anderson, James C. Anderson, Robert C. Blattberg, Miguel C. Brendl, Bobby J. Clader, Gregory S. Carpenter, Alex Chernev, Anne T. Coughlan, David Gal, Kent Grayson, Karsetn Hansen, Dipak C. Jain, Lakshman Krishnamurti, Angela Lee, Vincent Nijs, Yi Qian, Mohanbir S: Sawhney, Louis W. Stern, Brian Sternhal, Alice M. Tybout y Andris A. Zoltners. También deseo agradecer a la familia S.C. Johnson por el generoso apoyo a mi cátedra en la Kellog School. Completa el equipo en Northwestern mi antiguo decano, Donald P. Jacobs, y mi decano actual, Dipak Jain; ambos han brindado un apoyo generoso a mis investigaciones y a su redacción.

Algunos profesores del departamento de marketing tuvieron gran influencia en mi forma de pensar cuando ingresé a la Kellogg School, en especial Richard M. Clewett, Ralph Westfall, Harper W. Boyd y Sidney J. Levy. También quisiera agradecer a Gary Armstrong por nuestro trabajo en *Principles of Marketing*.

Estoy en deuda con los siguientes coautores para las ediciones internacionales de *Dirección de marketing* y *Principles of Marketing* quienes me han enseñado mucho a medida que trabajamos juntos para adaptar el pensamiento de gestión de marketing a los problemas de diferentes países:

- Swee-Hoon Ang y Siew-Meng Leong, National University of Singapore
- Chin-Tiong Tan, Singapore Management University
- Freidhelm W. Bliemel, Universität Kaiserslautern (Alemania)
- Linden Brown; Stewart Adam, Deakin University; Suzan Burton, Macquarie Graduate School of Management, y Sara Denize, University of Western Sidney (Australia)
- Bernard Dubois, Groupe HEC School of Management (Francia) y Delphine Manceau, ESCP-EAP European School of Management
- John Saunders, Loughborough University, y Veronica Wong, Warwick University (Reino Unido)
- Jacob Hornick, Tel Aviv University (Israel)
- Walter Giorgio Scott, Universita Cattolica del Sacro Cuore (Italia)
- Peggy Cunningham, Queen's University (Canadá)

También quiero expresar mi reconocimiento de cuanto he aprendido al trabajar con coautores de temas más especializados de marketing: Alan Andreasen, Christer Asplund, Paul N. Bloom, John Bowen, Roberta C. Clarke, Karen Fox, David Gretner, Michael Hamlin, Thomas Hayes, Donald Haider, Hooi Den Hua, Dipak Jain, Somkid Jatusripikad, Hermawan Kartajaya, Neil Kotler, Nancy Lee, Sandra Liu, Suvit Maesincee, James Maken, Waldemar Pfoertsch, Gustave Rath, Irving Rein, Eduardo Roberto, Joanne Scheff, Norman Shawchuck, Joel Shalowitz, Ben Shields, Francois SImon, Robert Stevens, Martin Stoller, Fernando Trias de Bes, Bruce Wrenn y David Young.

Mi deuda más importante continúa siendo con mi hermosa esposa, Nancy, que me brindó el tiempo, apoyo e inspiración necesarios para preparar esta edición. Es realmente nuestro libro.

De Kevin Lane Keller: Continuamente me beneficio de la sabiduría de mis colegas de marketing en Tuck —Punam Keller, Scott Neslin, Kusum Ailawadi, Praveen Kopalle, Jackie Luan, Peter Golder, Ellie Kyung, Fred Webster, Gert Assmus y John Farley— así como del liderazgo del decano Paul Danos. También reconozco con gratitud las invaluables investigaciones y contribuciones de enseñanza de mis colegas de la facultad y de mis colaboradores a través de todos estos años. Tengo una enorme deuda de gratitud con Jimm Bettman y Rick Staelin de la Duke University, quienes me ayudaron en los inicios de mi carrera en la academia y quienes han sido modelos positivos a seguir hasta el día de hoy. También agradezco todo lo que he aprendido al trabajar con muchos ejecutivos de la industria, quienes han compartido generosamente sus perspectivas y experiencias. Para esta decimocuarta edición recibí mucha ayuda de investigación extremadamente útil de dos antiguos MBA de Tuck, Jeff Davidson y Lowey Sichol, quienes fueron tan precisos, completos, confiables y animosos como se puedan imaginar. Alison Pearson aportó un apoyo administrativo insuperable. Por último, agradezco especialmente a Punam, mi esposa, y a mis hijas Carolyn y Allison quienes hacen que todo esto sea posible y que valga la pena.

Estamos en deuda con los siguientes colegas de otras universidades quienes revisaron esta nueva edición:

Jennifer Barr, Richard Stockton College; Lawrence Kenneth Duke, Drexel University LeBow College of Business; Barbara S. Faries, Mission College, Santa Clara, CA; William E. Fillner, Hiram College; Frank J. Franzak, Virginia Commonwealth University; Robert Galka, De Paul University; Albert N. Greco, Fordham University; John A. Hobbs, University of Oklahoma; Brian Larson, Widener University; Anthony Racka, Oakland Community College, Auburn Hills, MI; Jamie Ressler, Palm Beach Atlantic University; James E. Shapiro, University of New Haven; George David Shows, Louisiana Tech University

También agradecemos a los colegas que han revisado las ediciones anteriores de *Dirección de marketing*:

Homero Aguirre, TAMIU; Alan Au, University of Hong Kong,; Hiram Barksdale, University of Georgia; Boris Becker, Oregon State University; Sandy Becker, Rutgers University; Parimal Bhagat, Indiana University of Pennsylvania; Sunil Bhatla, Case Western Reserve University; Michael Bruce, Anderson University; Frederic Brunel, Boston University; John Burnett, University of Denver; Lisa Cain, University of California at Berkeley and Mills College; Surjit Chhabra, DePaul University; Yun Chu, Frostburg State University; Dennis Clayson, University of Northern Iowa; Bob Cline, University of Iowa; Brent Cunningham, Jacksonville State University; Hugh Daubek, Purdue University; John Deighton, University of Chicago; Kathleen Dominick, Rider University; Tad Duffy, Golden Gate University; Mohan Dutta, Purdue University; Barbara Dyer, University of North Carolina at Greensboro ; Jackkie Eastman, Valdosta State University; Steve Edison, University of Arkansas–Little Rock; Alton Erdem, University of Houston at Clear Lake; Elizabeth Evans, Concordia University; Barb Finer, Suffolk University; Chic Fojtik, Pepperdine University; Renee Foster, Delta State University; Ralph Gaedeke, California State University, Sacramento; Robert Galka, De Paul University; Betsy Gelb, University of Houston at Clear Lake; Dennis Gensch, University of Wisconsin, Milwaukee; David Georgoff, Florida Atlantic University; Rashi Glazer, University of California, Berkeley; Bill Gray, Keller Graduate School of Management; Barbara Gross, California State University at Northridge; Lewis Hershey, Fayetteville State University; Thomas Hewett, Kaplan University; Mary Higby, University of Detroit–Mercy; Arun Jain, State University of New York, Buffalo; Michelle Kunz, Morehead State University; Eric Langer, Johns Hopkins University; Even Lanseng, Norwegian School of Management; Ron Lennon, Barry University; Michael Lodato, California Lutheran University; Henry Loehr, Pfeiffer University–Charlotte; Bart Macchiette, Plymouth University; Susan Mann, Bluefield State College; Charles Martin, Wichita State University; H. Lee Matthews, Ohio State University; Paul McDevitt, University of Illinois at Springfield; Mary Ann McGrath, Loyola University, Chicago; John McKeever, University of Houston; Kenneth P. Mead, Central Connecticut State University; Henry Metzner, University of Missouri, Rolla; Robert Mika, Monmouth University; Mark Mitchell, Coastal Carolina University; Francis Mulhern, Northwestern University; Pat Murphy, University of Notre Dame; Jim Murrow, Drury College; Zhou Nan, University of Hong Kong; Nicholas Nugent, Boston College; Nnamdi Osakwe, Bryant & Stratton College; Donald Outland, University of Texas, Austin; Albert Page, University of Illinois, Chicago; Young-Hoon Park, Cornell University; Koen Pauwels, Dartmouth College; Lisa Klein Pearo, Cornell University; Keith Penney, Webster University; Patricia Perry, University of Alabama; Mike Powell, North Georgia College and State University; Hank Pruden, Golden Gate University; Christopher Puto, Arizona State University; Abe Qstin, Lakeland University; Lopo Rego, University of Iowa; Richard Rexeisen, University of St. Thomas; William Rice, California State University–Fresno; Scott D. Roberts, Northern Arizona University; Bill Robinson, Purdue University; Robert Roe, University of Wyoming; Jan Napoleon Saykiewicz, Duquesne University; Larry Schramm, Oakland University; Alex Sharland, Hofstra University; Dean Siewers, Rochester Institute of Technology; Anusorn Singhapakdi, Old Dominion University; Jim Skertich, Upper Iowa University; Allen Smith, Florida Atlantic University; Joe Spencer, Anderson University; Mark Spriggs, University of St. Thomas; Nancy Stephens, Arizona State University; Michael Swenso, Brigham Young University, Marriott School; Thomas Tellefsen, The College of Staten Island–CUNY; Daniel Turner, University of Washington; Sean Valentine, University of Wyoming; Ann Veeck, West Michigan University; R. Venkatesh, University of Pittsburgh; Edward Volchok, Stevens Institute of Management; D. J. Wasmer, St. Mary-of-the-Woods College; Zac Williams, Mississippi State University; Greg Wood, Canisius College; Kevin Zeng Zhou, University of Hong Kong

Una calurosa bienvenida y muchas gracias a las siguientes personas que contribuyeron con los casos de estudio desarrollados en la presente edición:

Mairead Brady, Trinity College; John R. Brooks, Jr., Houston Baptist University; Sylvain Charlebois, University of Regina; Geoffrey da Silva, Temasek Business School; Malcolm Goodman, Durham University; Torben Hansen, Copenhagen Business School; Abraham Koshy, Sanjeev Tripathi, and Abhishek, Indian Institute of Management Ahmedabad; Peter Ling, Edith Cowan University; Marianne Marando, Seneca College; Lu Taihong, Sun Yat-Sen University

El talentoso personal de Prentice Hall merece elogios por darle forma a la decimocuarta edición. Queremos agradecer a nuestra editora, Melissa Sabella, por su revisión del material. También damos las gracias a nuestra gerente de proyecto, Kierra Bloom, por su modo tan personal de asegurarse de que todo avanzara y se acomodara perfectamente, tanto en lo que corresponde al libro como a sus suplementos. Agradecemos en gran medida el destacado apoyo editorial de Elisa Adams, quien aportó su considerable talento como editora de desarrollo de esta edición. También deseamos reconocer el fino trabajo de producción de Ann Pulido; el trabajo de diseño creativo de Blair Brown y la asistencia editorial de Elizabeth Scarpa. Agradecemos a Denise Vaughn por su trabajo en el paquete de medios. Y finalmente muchas gracias a nuestra gerente de marketing, Anne Fahlgren.

Philip Kotler
Profesor distinguido de Marketing internacional.
Cátedra S. C. Johnson
Kellog School of Management
Northwestern University
Evanston, Illinois

Kevin Lane Keller
Profesor de marketing.
Cátedra E. B. Osborn
Tuck School of Business
Dartmouth College
Hanover, New Hampshire

Adiciones a la edición en español

Esta edición de Dirección de marketing ha sido adaptada en su lenguaje y conceptos y complementada con ejemplos y casos de Iberoamérica. Los traductores, adaptadores y revisores de esta obra se han esmerado en seleccionar los mejores términos y textos con el fin de mejorar la enseñanza y aprendizaje del marketing en los países hispanohablantes.

Agradecimientos

Los equipos editoriales de Pearson México y Pearson España agradecen especialmente a **Jesús García de Madariaga** y a **Javier Flores Zamora**, profesores de la Universidad Complutense de Madrid, por su invaluable contribución en la coordinación de los casos de estudio en video en español que acompañan a este texto. Su colaboración ha sido imprescindible para acceder a las empresas que han aceptado participar en los casos; dirigir las entrevistas y extraer de ellas el mayor beneficio para alumnos y profesores. Sobre todo, agradecemos su perseverancia y entusiasmo, lo que ha permitido que este recurso educativo resultara un éxito.

Pearson agradece también a los centros de estudio y profesores usuarios de esta obra su apoyo y retroalimentación, elementos fundamentales para la publicación de esta nueva edición de *Dirección de marketing*.

MÉXICO

Instituto Politécnico Nacional
Escuela Superior de Comercio y Administración
Norma Angélica Hernández Arteaga
Arsenio Martínez Cortés

Instituto Tecnológico Autónomo de México
Carlos Mondragón Liévano

Instituto Tecnológico de Chihuahua
Claudia Alvarado Delgadillo

Instituto Tecnológico de Mérida
Elsy María Bojórquez González
Carlos Herrera Méndez

Instituto Tecnológico de Veracruz
Veracruz
Perfecto Gabriel Trujillo Castro

Instituto Tecnológico y de Estudios Superiores de Occidente
Guadalajara
Enrique Hernández Medina

Instituto Tecnológico y de Estudios Superiores de Monterrey
Campus Ciudad Juárez
Enrique Portillo Pizaña

Campus Monterrey
Luis Antonio Araiza Gaytán
Adriana Carranza
Raquel Castaño
Claudia Miranda Zazueta
Ricardo Sánchez Montoya
César Sepúlveda
Salvador Treviño
Daniel Vázquez Maguirre
Cristina Villarreal Garza

Campus Saltillo
César Colonia Cabrera

Campus Puebla
Ruth Areli García León

Campus Sinaloa
Lucía Campaña Acosta

Campus Toluca
Lorena Carrete Lucero
Sara Isabel García López

Escuela de Graduados en Administración y Dirección de Empresas
Carlos Ruy Martínez Martínez
Claudia Quintanilla Domínguez

Instituto de Estudios Superiores de Tamaulipas
Silvia Valles

Universidad Autónoma del Estado de México
Facultad de Contaduría y Administración-Toluca
Gaspar Sandoval Vega
Jorge E. Robles Alvarez

Universidad Autónoma de Nuevo León
Facultad de Ingeniería Mecánica y Eléctrica
Alejandro Aguilar Meraz
Francisco Treviño Treviño

Universidad Autónoma de Tamaulipas
Facultad de Comercio, Administración y Ciencias Sociales
Homero Aguirre Milling

Universidad Autónoma de Yucatán
Facultad de Contaduría y Administración
Miguel Emilio Aguilar Arreola
Olivia Jiménez
Luis Alfredo Moreno Hijuelos

Universidad Anáhuac
México - Sur
Laura Alicia Calleros
Yazareht Gómez Tena

Universidad de Las Américas
Puebla
Rocío Moreno Senabria
Rogelio Soler Moncouquiol

Universidad de Monterrey
Reto Félix Heber

Universidad La Salle Victoria
Karla Cortez

Universidad Nacional Autónoma de México
Facultad de Contaduría y Administración
Juan Carlos Chávez Bermúdez
Clotilde Hernández Garnica
Claudio Maubert Viveros
Sonia Frida Medina Paz
Lidia Villaseñor Cadena
Carlos Villela De Lara
Romeo Vite López
José David Waldo Carmaño

Universidad Patria
Luis Enrique Pérez Novelo

Universidad Panamericana
Campus México
Roberto Garza Castillón Cantú

Universidad Popular Autónoma del Estado de Puebla
Puebla
Irma López Espinoza

Universidad Regiomontana
Facultad de Ciencias Económico-Administrativas
José Luis García Ávila

Universidad Veracruzana
Dora Emilia Aguirre Bautista

Universidad Villa Rica (UVM)
Rosa Mateo Morando

COLOMBIA

Institución Universitaria ESUMER
Jorge Baena

Universidad Autónoma de Occidente
Alfredo Beltrán Amador
Eduardo Castillo Coy

Universidad de Bogotá Jorge Tadeo Lozano
José Alberto Dueñas Guarnizo
Mónica Peñalosa Otero

Universidad de los Andes
Facultad de Administración
María Camila Venegas

Universidad de San Buenaventura
Álvaro Velasco Blanco

Universidad EAN
Orlando Martínez Gómez

Facultad de Estudios a Distancia
Sadoth Giraldo Acosta

Universidad Externado de Colombia
Facultad de Administración
Catalina Abadía Muchoz

Universidad EAFIT Medellín
Xavier Andrade
Diana Arizmendi
Mauricio Bejarano
Luz Patricia Jaramillo
Bernardo León Restrepo Builes
Jorge Humberto Rodríguez
Juan Carlos Sanclemente
Carlos Ariel Valencia

Universidad ICESI
Jose Roberto Concha Velasquez
Juan Antonio Gudziol Vidal

Universidad Javeriana Cali
Ricardo Castaño Robledo
María Cecilia Henríquez Daza
Rocío Morales

Universidad Nacional de Colombia
Facultad de Ciencias Económicas y Administrativas
Edgar Enrique Zapata Guerrero

Universitaria Agustiniana
Martha Eugenia Obregón

COSTA RICA

Instituto Tecnológico de Costa Rica
Rolando Gólcher González
Juan Quirós Sáenz

Universidad de Costa Rica
Edgar Chaves Solano
Humberto Martínez Salas

Universidad Latina de Costa Rica
Antonio Jiménez Fonseca

ECUADOR

Universidad de las Américas
Campus Quito
Ángelo Rutgers

Universidad Tecnológica Equinoccial
Campus Quito
Francisco Jara
Wilson Vera

GUATEMALA

Universidad de San Carlos de Guatemala
María Del Carmen Mejía

Universidad Mariano Gálvez
Magda Castillo
Julio Fuentes
Danilo Vásquez

Universidad Rafael Landívar
Juan José Alvarado
Rosamanda Morales

HONDURAS

Universidad Nacional Autónoma de Honduras (UNAH)
Campus Tegucigalpa
Reina Lovo
Marcela Rivera

Universidad Tecnológica Centroamericana (UNITEC)
Campus Tegucigalpa
Reina Fiallos
Yessica Gotti

Universidad Tecnológica de Honduras (UTH)
Campus Tegucigalpa
Ethel Flores
Sandra Lucio
Claudia Ramos
Campus San Pedro Sula
Moisés Alvarado
Héctor Maradiaga

PANAMÁ

Universidad Católica Santa María La Antigua
Estudios de Posgrados y Maestrías
Ricardo Fletcher

Universidad Latina de Panamá
Centro de Estudios de Posgrados y Maestrías
Ramiro Franceschi
José Juan García
Edwin González
Randall Hernández
Claribel Herrera
Luis Alberto Morales
Jorge Vilas

Universidad Latinoamericana de Ciencias y Tecnología
Dirección de Posgrados y Maestrías
Gabriel Ampudia
Gaspar Contreras
Elba de Rodríguez

Universidad Tecnológica de Panamá
Facultad de Ingeniería Industrial
Posgrados y Maestrías
Ariel Córdoba

VENEZUELA

Universidad Central de Venezuela (UCV)
Caracas
Ángel Oliveira

Universidad Católica Andrés Bello (UCAB)
Caracas
Ana Julia Guillén

Dirección de marketing

PARTE 1 Comprensión de la dirección de marketing

Capítulo **1** | La definición del marketing para el siglo XXI
Capítulo **2** | Desarrollo de estrategias y planes de marketing

En este capítulo responderemos las siguientes preguntas

1. **¿Por qué es importante el marketing?**
2. **¿Cuál es el alcance del marketing?**
3. **¿Cuáles son algunos conceptos fundamentales de marketing?**
4. **¿Cómo ha cambiado la dirección de marketing en los últimos años?**
5. **¿Cuáles son las tareas necesarias para tener éxito en la dirección de marketing?**

Uno de los factores fundamentales en la victoria de Barack Obama en las elecciones de 2008 en Estados Unidos fue un programa de marketing bien diseñado y ejecutado.

La definición del marketing para el siglo XXI

De manera formal o informal, las personas y organizaciones se involucran en un gran número de actividades a las que podríamos llamar marketing. El buen marketing se ha vuelto cada vez más importante para el éxito, pero lo que lo constituye se encuentra en evolución y cambio constantes. La elección de Barack Obama como el Presidente número 44 de Estados Unidos se atribuye en parte a la adopción de nuevas prácticas de marketing.

La campaña presidencial "Obama para América" combinó a un político carismático, un poderoso mensaje de esperanza y un programa de marketing moderno y minuciosamente integrado. El plan de marketing necesitaba lograr dos objetivos muy diferentes: aumentar el electorado mediante mensajes más amplios y al mismo tiempo dirigirse a públicos muy específicos. Las tácticas multimedia combinaron medios tanto online como offline, así como medios gratuitos y de pago. Cuando las investigaciones mostraron que cuanto más aprendían los votantes acerca de Obama, más se identificaban con él, se incluyeron en la campaña desde videos de formato largo hasta los tradicionales anuncios impresos, de emisiones y publicidad en exteriores. El equipo Obama, con ayuda de su agencia publicitaria GMMB, también colocó Internet en el corazón de la campaña, dejando que funcionara como "sistema nervioso central" de relaciones públicas, publicidad, trabajo de avanzada, recaudación de fondos y organización en los 50 estados. Su filosofía directriz era "crear herramientas online que ayudaran a las personas a autoorganizarse y que después no les estorbara". La tecnología fue un medio para "capacitar a la gente para que hiciera lo que les interesaba hacer desde el principio". Aunque las redes sociales como Facebook, Meetup, YouTube y Twitter fueron fundamentales, tal vez la herramienta digital más poderosa de Obama fuera una enorme lista de 13.5 millones de correos electrónicos. ¿Cuáles fueron los resultados de estos esfuerzos online? Cerca de 500 millones de dólares (la mayor parte en sumas de menos de 100 dólares) que se recaudaron online de 3 millones de donantes; 35 000 grupos organizados mediante el sitio web, My.BarackObama.com; 1 800 videos publicados en YouTube; la creación de la página más popular de Facebook y, por supuesto, la elección del siguiente presidente de Estados Unidos.[1]

El buen marketing no es accidental sino que es el resultado de una cuidadosa planificación y ejecución, utilizando herramientas y técnicas de última generación. Se convierte tanto en ciencia como en arte conforme los especialistas en marketing se esfuerzan para encontrar nuevas soluciones creativas a los desafíos generalmente complejos y profundos del entorno del marketing del siglo XXI. En este libro describiremos cómo los mejores especialistas en marketing equilibran la disciplina y la imaginación para enfrentar estas nuevas realidades del marketing. En este primer capítulo estableceremos los fundamentos mediante la revisión de importantes conceptos, herramientas, marcos y temas de marketing.

La importancia del marketing

La primera década del siglo XXI desafió a las empresas a prosperar financieramente e incluso a sobrevivir al enfrentar un entorno económico implacable. El marketing está desempeñando un rol fundamental al enfrentar esos desafíos. Las finanzas, la gestión de operaciones, la contabilidad y otras funciones empresariales realmente no tendrán relevancia sin la suficiente demanda para los productos y servicios de la empresa, para que ésta pueda tener beneficios. En otras palabras, una cosa no se concibe sin la otra. Así que el éxito financiero a menudo depende de la habilidad de marketing.

La importancia más amplia del marketing se extiende a la sociedad como un todo. El marketing ha ayudado a introducir y obtener la aceptación de nuevos productos que han hecho más fácil o han enriquecido la vida de la gente. Puede inspirar mejoras en los productos existentes conforme los especialistas en marketing innovan y mejoran su posición en el mercado. El marketing exitoso crea demanda para los productos y servicios, lo que a su vez crea empleos. Al contribuir al resultado final, el marketing exitoso también permite a las empresas participar más activamente en actividades socialmente responsables.[2]

Los CEO* reconocen el rol del marketing al construir marcas fuertes y una base de clientes leales, activos intangibles que contribuyen en gran medida al valor de una empresa. Los fabricantes de bienes de consumo, aseguradoras de gastos médicos, organizaciones no lucrativas y fabricantes de productos industriales, todos cacarean sus últimos logros de marketing. Actualmente muchos tienen un Director general de marketing (*Chief marketing officer*, CMO) con el fin de elevar las actividades de marketing al mismo nivel que otras actividades de nivel ejecutivo, como las de Director general de finanzas (Chief financial officer, CFO) o Director general de información (Chief information officer, CIO).[3]

Tomar las decisiones de marketing adecuadas no siempre es fácil. Una encuesta de más de mil ejecutivos de alto rango de marketing y ventas reveló que aunque el 83% sentían que las capacidades de marketing y ventas eran una prioridad principal para el éxito de su organización, al evaluar su efectividad real de marketing solamente el 6% sentía que estaba haciendo un trabajo "extremadamente bueno".[4]

Los especialistas en marketing deben decidir qué características deben incluirse en el diseño de un nuevo producto o servicio, qué precios deben fijarse, dónde vender los productos u ofrecer los servicios y cuánto gastar en publicidad, ventas, Internet o marketing móvil. Deben tomar esas decisiones en un entorno impulsado por Internet donde los consumidores, la competencia, la tecnología y las fuerzas económicas cambian rápidamente y las consecuencias de las palabras y acciones del responsable de marketing pueden multiplicarse rápidamente.

Domino's Cuando dos empleados en Conover, Carolina del Norte, subieron un video a YouTube que los mostraba preparando emparedados mientras se metían queso en la nariz y violando los estándares de los códigos de salud, Domino's aprendió una importante lección sobre relaciones públicas y comunicaciones de marca en la era moderna. Una vez que encontró a los empleados (que alegaron que el video era solamente una broma y que los emparedados nunca fueron entregados) los despidió. Sin embargo, en tan sólo unos días, el video se había descargado más de un millón de veces y existía una ola de publicidad negativa. Cuando las investigaciones mostraron que la percepción de calidad de la marca había cambiado de positiva a negativa en tan corto tiempo, la empresa tomó acciones agresivas mediante los medios sociales como Twitter, YouTube y otros.[5]

Después de que un video de mal gusto puesto en Internet por dos de sus empleados, Domino's Pizza aprendió una valiosa lección sobre el poder de las redes sociales.

Como aprendió Domino's, en la era de la conectividad es importante responder rápida y decisivamente. Mientras los especialistas en marketing se enfrentaban con este mundo cada vez más conectado, la recesión económica de 2008-2009 trajo consigo recortes presupuestarios y una intensa presión de la alta dirección para que cada dólar invertido en marketing funcionara. Más que nunca, los especialistas en marketing necesitan entender y adaptarse a los últimos acontecimientos del mercado. Se encuentran en mayor riesgo aquellas empresas que no vigilan cuidadosamente a sus clientes y a sus competidores, que no mejoran continuamente sus ofertas de valor y estrategias de marketing, o que no satisfagan a sus empleados, a sus accionistas, a sus proveedores y sus socios del canal de distribución en el proceso.

El marketing habilidoso es una búsqueda sin fin. Considere cómo algunas de las principales empresas impulsan su negocio:

- OfficeMax promovió una nueva línea de productos del organizador profesional Peter Walsh mediante videos en Internet y eventos en las tiendas donde expertos locales hacían demostraciones de su sistema de organización de la marca OfficeMax.
- eBay potenció su promoción de días festivos "Let's Make a Daily Deal" recreando aquel programa televisivo de concursos *Let's Make a Deal* en Times Square añadiendo un componente online para que la gente de fuera de la ciudad de Nueva York pudiera participar.
- Johnson & Johnson lanzó BabyCenter.com para ayudar a los nuevos padres. Se piensa que su éxito ha contribuido a las bajas en suscripciones que han sufrido las revistas sobre la crianza de los niños.

Los buenos especialistas de marketing siempre buscan nuevas maneras de satisfacer a los clientes y ganarle a la competencia.[6]

* En algunos países, a los CEO se les conoce como Consejeros delegados.

El alcance del marketing

Para prepararse y ser un especialista en marketing, es necesario entender lo que es el marketing, cómo funciona, quién lo hace y qué se comercializa.

¿Qué es el marketing?

El **marketing** trata de identificar y satisfacer las necesidades humanas y sociales. Una de las mejores y más cortas definiciones de marketing es "satisfacer las necesidades de manera rentable". Cuando eBay reconoció que la gente no era capaz de ubicar algunos de los artículos que más deseaba, creó un foro de atención online. Cuando IKEA se dio cuenta de que la gente quería buenos muebles a precios sustancialmente más bajos, los abarató. Ambas empresas demostraron inteligencia de marketing y convirtieron una necesidad individual o social en una oportunidad de negocios rentable.

La American Marketing Association ofrece la siguiente definición formal: *Marketing es la actividad o grupo de entidades y procedimientos para crear, comunicar, entregar e intercambiar ofertas que tienen valor para los consumidores, clientes, socios y la sociedad en general.*[7] Ajustarse a estos procesos de intercambio requiere una cantidad considerable de trabajo y habilidades. La *dirección de marketing* tiene lugar cuando al menos una parte del intercambio potencial piensa en los medios para obtener las respuestas deseadas de las otras partes. Así, la **dirección de marketing** es *el arte y la ciencia de elegir mercados meta (mercados objetivo) y de obtener, mantener y aumentar clientes mediante la generación, entrega y comunicación de un mayor valor para el cliente.*

Es posible distinguir entre la definición social y empresarial de marketing. Una definición social muestra la función que desempeña el marketing en la sociedad; por ejemplo, un especialista en marketing dijo que el rol del marketing es "entregar un estándar de vida más alto". A continuación, presentamos una definición social que cumple nuestro propósito: *El marketing es un proceso social por el cual tanto grupos como individuos obtienen lo que necesitan y desean mediante la creación, oferta y libre intercambio de productos y servicios de valor con otros grupos e individuos.*

Los gerentes a veces piensan que marketing es "el arte de vender productos", pero muchas personas se sorprenden cuando escuchan que vender *no* es lo más importante del marketing. La venta es tan sólo la punta del iceberg del marketing. Peter Drucker, un destacado teórico de los negocios, lo explica de la siguiente manera:

> Es posible suponer que siempre será necesario vender. Pero el propósito del marketing es hacer que las ventas sean superfluas. El propósito del marketing es conocer y entender tan bien al cliente que el producto o servicio se ajuste a él que se venda por sí solo. Idealmente, el marketing debe hacer que el cliente esté listo para comprar. Todo lo que se requeriría entonces sería que el producto o servicio estuviera disponible.[8]

Cuando Nintendo diseñó el sistema de juegos Wii, cuando Canon lanzó su línea de cámaras digitales ELPH y cuando Toyota introdujo al mercado su automóvil híbrido Prius, se encontraron desbordados en sus pedidos debido a que habían diseñado el producto adecuado a partir de un cuidadoso trabajo de marketing.

¿Qué se comercializa?

Los especialistas en marketing comercializan 10 tipos principales de artículos: bienes, servicios, eventos, experiencias, personas, lugares, propiedades, organizaciones, información e ideas.

BIENES Los bienes físicos constituyen el grueso de la producción de la mayoría de los países y de sus esfuerzos de marketing. Cada año, las compañías estadounidenses comercializan miles de millones de productos alimenticios frescos, envasados, en bolsas y congelados, y también millones de automóviles, frigoríficos (refrigeradores o neveras), televisores, máquinas y otros productos básicos de la economía moderna.

SERVICIOS Conforme avanzan las economías, una proporción cada vez mayor de sus actividades se centra en la producción de servicios. La economía de Estados Unidos actualmente produce una mezcla de 70 servicios por cada 30 productos. Los servicios incluyen el trabajo que realizan aerolíneas, hoteles, empresas de alquiler de automóviles, peluqueros y esteticistas, personas que trabajan en mantenimiento y reparaciones, contadores (o contables), banqueros, abogados, ingenieros, médicos, programadores de software y consultores de negocios. Muchas ofertas de mercado combinan bienes y servicios, como en el caso de las comidas rápidas.

EVENTOS Los especialistas en marketing promueven eventos basados en el tiempo como las principales ferias industriales, eventos artísticos y aniversarios de empresas. Los eventos deportivos mundiales tales como las Olimpiadas y la Copa Mundial se promueven fuertemente tanto hacia las empresas como hacia los aficionados.

Los Rolling Stones han realizado un trabajo excepcional al comercializar su rebelde rock and roll a públicos de todas las edades.

EXPERIENCIAS Al manejar varios bienes y servicios, una empresa puede crear, montar y comercializar experiencias. Magic Kingdom de Walt Disney World permite a sus clientes visitar un reino de hadas, un barco pirata o una mansión embrujada. También existe un mercado para las experiencias personalizadas tales como una semana en un campamento de béisbol con figuras retiradas del deporte, un campamento de rock and roll de cuatro días o una escalada al Monte Everest.[9]

PERSONAS Los artistas, músicos, CEO, médicos, abogados, financieros y otros profesionistas de alto nivel reciben ayuda de los mejores especialistas en marketing.[10] Algunas personas han hecho trabajos magistrales al autocomercializarse —David Beckham, Oprah Winfrey y los Rolling Stones—. El consultor de negocios Tom Peters, un maestro en la creación de marcas de uno mismo, aconseja que cada persona se convierta en una "marca".

LUGARES Las ciudades, estados, regiones y naciones enteras compiten para atraer turistas, residentes, fábricas y oficinas corporativas.[11] Los especialistas en marketing de lugares incluyen a los especialistas en desarrollo económico, agentes de bienes raíces, bancos comerciales, asociaciones locales de negocios y las agencias de publicidad y relaciones públicas. Un ejemplo exitoso de una campaña publicitaria provocativa es la realizada por Las Vegas Convention & Visitors Authority, "Lo que sucede aquí, se queda aquí", donde se presenta a Las Vegas como un "área de juegos infantiles" para adultos. Sin embargo, durante la recesión de 2008 la asistencia a convenciones decreció. Preocupados por su reputación picante y potencialmente engañosa, la entidad publicó un desplegado publicitario de una página completa en la revista *Business Week* para defender la capacidad de la ciudad para ser anfitriona de reuniones serias de negocios. Desafortunadamente, el éxito taquillero de la película *The Hangover* que se desarrolla en una libertina ciudad de Las Vegas, posiblemente no ayudó a que la ciudad se posicionara como un destino preferido para los negocios y el turismo.[12]

PROPIEDADES Las propiedades son derechos de propiedad intangible ya sea para propiedades reales (bienes raíces) como para propiedades financieras (acciones y bonos). Se compran y venden y estos intercambios requieren marketing. Los agentes de bienes raíces trabajan para propietarios o vendedores de propiedades, o compran y venden bienes inmuebles residenciales o comerciales. Las empresas de inversiones y los bancos comercializan valores tanto a inversionistas individuales como institucionales.

ORGANIZACIONES Las organizaciones trabajan para crear una imagen fuerte, favorable y única en las mentes de sus públicos meta. En el Reino Unido, el programa de marketing de Tesco "Cualquier cosa ayuda" refleja la atención al detalle en todo lo que hace la comercializadora de alimentos, tanto dentro de la tienda como en la comunidad y el medio ambiente. La campaña ha lanzado a Tesco a la cima del sector de cadenas de supermercados en el Reino Unido. Las universidades, museos, organizaciones de las artes escénicas, corporaciones y organizaciones sin fines de lucro usan el marketing para potenciar sus imágenes públicas y competir por el público y sus recursos económicos.

INFORMACIÓN La producción, la presentación y la distribución de información constituye una de las principales industrias.[13] La información es, en esencia, lo que los libros, escuelas y universidades producen, comercializan y distribuyen por un precio a los padres de familia, estudiantes y comunidades. El exCEO

Para una ciudad como Las Vegas que vive del turismo, el buen marketing es esencial.

de Siemens Medical Solutions en Estados Unidos, Tom McCausland dice: "[nuestro] producto no es necesariamente una radiografía o una resonancia magnética, sino información. Nuestro negocio es en realidad tecnología de información para el cuidado de la salud, y nuestro producto final es realmente un registro electrónico del paciente: información sobre pruebas de laboratorio, patología y medicamentos, así como dictado de voz de los médicos.[14]

IDEAS Toda oferta de mercado incluye una idea básica. Charles Revson de Revlon observaba: "En la fábrica producimos cosméticos; en la farmacia vendemos esperanza". Los productos y servicios son plataformas para entregar alguna idea o beneficio. Los expertos en marketing social se ocupan de promover ideas tales como "Los amigos no dejan a sus amigos conducir ebrios" o "Es terrible desperdiciar algo como la mente".

¿Quién comercializa?

ESPECIALISTAS EN MARKETING (MARKETERS) Y CLIENTES POTENCIALES Un **especialista en marketing** es alguien que busca una respuesta —captar la atención, una compra, un voto, un donativo— de un tercero, llamado **cliente potencial**. Si dos partes buscan vender algo entre sí, a ambas se les puede considerar especialistas en marketing.

Una de las áreas más importantes del marketing es el trabajo que realizan los especialistas en marketing social para promover conductas socialmente deseables.

Los especialistas en marketing tienen habilidad para estimular la demanda de sus productos, pero esa es una visión limitada de lo que hacen. Así como los profesionales de la producción y logística son responsables de la administración de suministros, los especialistas en marketing son responsables de la administración de la demanda. Buscan influir en el nivel, la coordinación del tiempo y la composición de la demanda para cumplir con los objetivos de la organización. Existen ocho estados posibles de demanda:

1. ***Demanda negativa.*** A los consumidores les desagrada el producto y podrían incluso pagar para evitarlo.
2. ***Demanda inexistente.*** Los consumidores no son conscientes o no tienen interés en un producto.
3. ***Demanda latente.*** Los consumidores podrían compartir una necesidad fuerte que no puede ser satisfecha por un producto existente.
4. ***Demanda decreciente.*** Los consumidores compran el producto con menor frecuencia o dejan de adquirirlo.
5. ***Demanda irregular.*** Las compras de los consumidores varían de acuerdo con la estación, el mes, la semana, el día o incluso según la hora del día.
6. ***Demanda completa.*** Los consumidores compran adecuadamente todos los productos que se colocan en el mercado.
7. ***Demanda excesiva.*** Existen más consumidores que quisieran adquirir el producto que los que es posible satisfacer.
8. ***Demanda malsana.*** Los consumidores pueden verse atraídos por productos que tienen consecuencias sociales indeseables.

En todos los casos, los especialistas en marketing deben identificar la causa o causas subyacentes del estado de la demanda y determinar un plan de acción para cambiar la demanda hacia un estado más deseable.

MERCADOS Tradicionalmente, un "mercado", era una ubicación física donde se reunían compradores y vendedores para comprar y vender bienes. Los economistas describen el *mercado* como el grupo de compradores y vendedores que realizan transacciones sobre un producto o clase de productos (como el mercado de vivienda o el mercado de granos).

En la figura 1.1 se muestran cinco mercados básicos y sus flujos de conexión. Los productores van a mercados de recursos (mercados de materia prima, de trabajo o de dinero), compran recursos y los transforman en bienes y servicios para vender productos terminados a los intermediarios, quienes a su vez los venden a los consumidores. Éstos venden su trabajo y reciben dinero con el que pagan los bienes y servicios. El gobierno recauda ingresos fiscales para comprar bienes de los mercados de recursos, de productores e intermediarios y utiliza los bienes y servicios para proveer servicios públicos. La economía de cada país y la mundial consiste en grupos de mercados que interactúan vinculados a través de procesos de intercambio.

Los especialistas en marketing usan el término **mercado** para abarcar varias agrupaciones de clientes. Perciben a los vendedores como miembros del sector industrial y a los compradores como miembros del mercado. Hablan sobre los mercados necesarios (el mercado de la dieta), mercados de productos (mercado de calzado), mercados demográficos (el mercado de la juventud) y mercados geográficos (el mercado chino); o extienden el concepto para abarcar, por ejemplo, mercados de votantes, de trabajo o de donantes.

|Fig. 1.1|

Estructura de los flujos en una economía moderna de intercambios

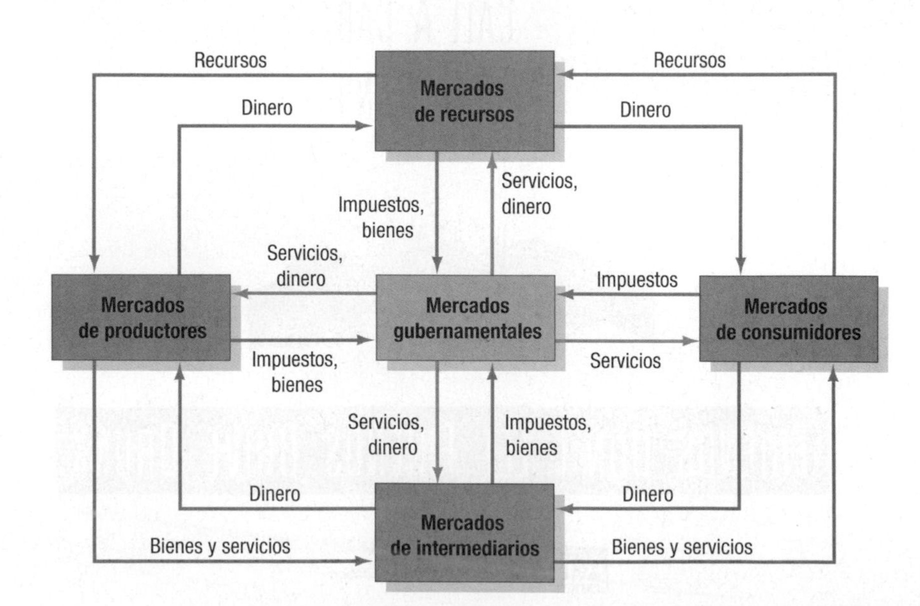

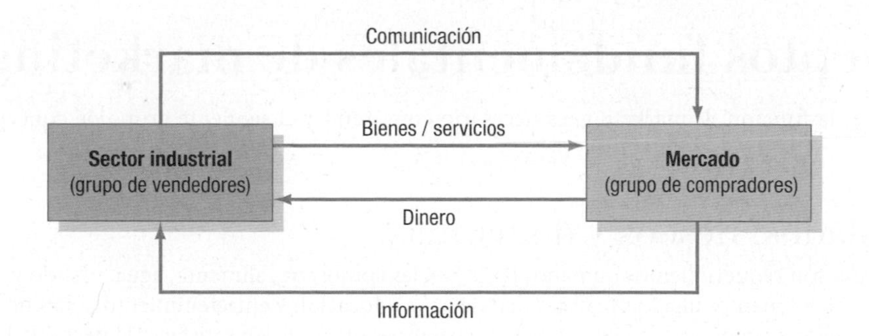

|Fig. 1.2|

Sistema de marketing simple

La figura 1.2 muestra la relación entre la industria y el mercado. Los compradores y los vendedores se conectan mediante cuatro flujos. Los vendedores mandan al mercado bienes, servicios y comunicaciones tales como anuncios y publicidad directa por correo; y a cambio reciben dinero e información tales como actitudes de los clientes y datos de ventas. El circuito interno muestra el intercambio de dinero por bienes y servicios; el circuito exterior muestra un intercambio de información.

MERCADOS DE CLIENTES CLAVE Considere los siguientes mercados de clientes clave: de consumo, industriales, globales y no lucrativos.

Mercados de consumidores. Las empresas que venden bienes y servicios de consumo masivo tales como jugos (zumos), cosméticos, calzado deportivo y viajes en avión gastan una gran cantidad de tiempo estableciendo una fuerte imagen de marca mediante el desarrollo de un producto y embalaje superiores, asegurando su disponibilidad y respaldándolo con comunicaciones atractivas y servicio confiable.

Mercados industriales. Las empresas que venden bienes y servicios a otras empresas a menudo se enfrentan con compradores profesionales y bien informados que tienen habilidad para evaluar ofertas competitivas. Los compradores industriales compran bienes para producir o revender un producto a otros y obtener una ganancia. Los especialistas en marketing de empresas deben demostrar cómo sus productos ayudarán a alcanzar un mayor ingreso o a disminuir los costos. La publicidad puede tener alguna influencia, pero la fuerza de ventas, el precio y la reputación de la empresa podrían tener mayor peso.

Mercados globales. Las empresas en el mercado global deben decidir a qué países entrarán; cómo entrar a cada uno de ellos [como exportador, licenciatario, socio en una empresa conjunta (*joint venture*), fabricante por contrato o como fabricante independiente]; cómo adaptar las características del producto o servicio a cada país; cómo fijar los precios en diferentes países y cómo diseñar comunicaciones para las diferentes culturas. Se enfrentan a requisitos diferentes para comprar y deshacerse de propiedades; diferencias culturales, de idioma, legales y políticas y fluctuaciones de divisas. Aun así, la recompensa puede ser enorme.

Mercados no lucrativos y gubernamentales. Las empresas que venden a organizaciones no lucrativas con poder de compra limitado, tales como iglesias, universidades, organizaciones caritativas y agencias del gobierno necesitan fijar sus precios cuidadosamente. Los precios de venta bajos afectan las características y calidad que el vendedor puede incluir en su oferta. Muchas compras gubernamentales requieren licitaciones y los compradores a menudo se centran en soluciones prácticas y favorecen la licitación más baja en ausencia de factores atenuantes.[15]

MERCADO, CIBERMERCADO Y METAMERCADO *El mercado* es el lugar físico, como una tienda donde uno hace las compras; el *cibermercado* es digital, como cuando se hacen compras por Internet.[16] Mohan Sawhney de la Northwestern University ha propuesto el concepto de *metamercado* para describir un grupo de productos y servicios complementarios estrechamente relacionados en la mente del consumidor, pero que se extienden a través de un grupo diverso de sectores industriales.

Los metamercados son el resultado de que los especialistas en marketing empaqueten un sistema que simplifica llevar a cabo estas actividades relacionadas con los productos/servicios. El metamercado automovilístico consiste en fabricantes de automóviles, concesionarios de automóviles nuevos y usados, entidades financieras, aseguradoras, mecánicos, distribuidores de refacciones, talleres de servicio, revistas de automóviles, anuncios clasificados en el periódico y sitios web relacionados en Internet.

Un comprador de algún automóvil atraerá muchas partes de este metamercado, creando una oportunidad para los *metaintermediarios* que le ayudarán a moverse sin problemas en este contexto. Edmund's (www.edmunds.com) permite que un comprador de automóviles encuentre determinadas características y precios para las diferentes opciones y que el comprador fácilmente haga clic hacia otros sitios y busque el concesionario con el precio de financiación más bajo, accesorios y automóviles usados. Los metaintermediarios también atienden otros metamercados tales como la propiedad de la vivienda, la crianza de los hijos y cuidados del bebé y las bodas.[17]

Conceptos fundamentales de marketing

Para entender la función de marketing, es necesario comprender el siguiente grupo de conceptos fundamentales.

Necesidades, deseos y demandas

Las *necesidades* son requerimientos humanos básicos tales como: aire, alimento, agua, vestido y refugio. Los humanos también tenemos una fuerte necesidad de ocio, educación y entretenimiento. Estas necesidades se convierten en *deseos* cuando se dirigen a objetos específicos que podrían satisfacer la necesidad. Un consumidor estadounidense necesita alimento, pero puede desear un emparedado de queso y carne y un té helado. Una persona de Afganistán necesita alimento y podría desear arroz, cordero y zanahorias. A las carencias les da forma la sociedad.

Las *demandas* son deseos de un producto específico respaldadas por la capacidad de pago. Muchas personas carecen de un Mercedes Benz, pero sólo unas cuantas pueden pagarlo. Las empresas deben medir no solamente cuántas personas quieren su producto, sino también cuántas carecen de él y pueden pagarlo.

Estas diferencias arrojan luz sobre la crítica frecuente de que los especialistas en marketing "crean necesidades" o "hacen que la gente compre cosas que no quieren". Los especialistas en marketing no crean las necesidades: las necesidades son preexistentes. Los especialistas en marketing junto con otros factores sociales simplemente influyen en los deseos. Podrían promover la idea de que un Mercedes Benz satisfará la necesidad de estatus social de un individuo. Sin embargo, no crean la necesidad del estatus social.

Algunos clientes tienen necesidades de las cuales no tienen conciencia plena o que no pueden expresar. ¿Qué significa cuando un cliente pide una "poderosa" podadora de césped o un hotel "pacífico"? El especialista en marketing debe investigar más allá. Es posible distinguir entre cinco tipos de necesidades:

1. Necesidades expresadas (El cliente quiere un automóvil barato).
2. Necesidades reales (El cliente quiere un coche cuyo costo de operación, y no el precio inicial, sea bajo).
3. Necesidades no expresadas (El cliente espera buen servicio por parte del concesionario).
4. Necesidades de placer (El cliente quisiera que el concesionario incluyera un sistema de navegación GPS a bordo del automóvil).
5. Necesidades secretas (El cliente quiere que sus amigos lo miren como un consumidor inteligente).

Al responder solamente a la necesidad expresada podría defraudar al consumidor.[18] Los consumidores no sabían mucho sobre los teléfonos móviles cuando éstos fueron lanzados, y Nokia y Ericsson lucharon para dar forma a las percepciones de los consumidores al respecto. Para obtener ventaja, las empresas deben ayudar a los clientes a que aprendan a saber qué es lo que quieren.

Mercados meta, posicionamiento y segmentación

No a todos les agrada el mismo cereal, restaurante, universidad o película. Por lo tanto, los especialistas en marketing empiezan por dividir al mercado en segmentos. Identifican y perfilan a grupos distintos de compradores que podrían preferir o requerir mezclas variadas de productos y servicios mediante el examen de diferencias demográficas, psicográficas y conductuales entre los compradores.

Después de identificar segmentos de mercado, el profesional de marketing decide cuál de ellos presenta las oportunidades más grandes, y esos segmentos serán sus *mercados meta*. Para cada uno, la empresa desarrolla una *oferta de mercado*, la cual *posicionará* en la mente de los compradores meta como algo que les entregará un beneficio central. Volvo desarrolla sus automóviles para compradores para los cuales la seguridad es una de las preocupaciones principales, posicionando sus vehículos como los más seguros que un cliente puede comprar.

Ofertas y marcas

Las empresas atienden las necesidades de los clientes ofreciendo una **propuesta de valor**, un conjunto de beneficios que satisfagan esas necesidades. La propuesta de valor intangible se hace física por medio de una *oferta* que puede ser una combinación de productos, servicios, información y experiencias.

Una *marca* es una oferta de una fuente conocida. El nombre de una marca como McDonald's lleva consigo muchas asociaciones en la mente de las personas y que componen su imagen: hamburguesas, limpieza, conveniencia, servicio cortés y arcos dorados. Todas las empresas se esfuerzan por crear una imagen de marca con tantas asociaciones de marca fuertes, favorables y únicas como sea posible.

Valor y satisfacción

El comprador elige las ofertas que de acuerdo con su percepción le entregan mayor *valor*, la suma de los beneficios y costos tangibles e intangibles. El valor, un concepto fundamental del marketing, es principalmente una combinación de calidad, servicio y precio llamada la *triada de valor del cliente*. Las percepciones de valor aumentan con la calidad y el servicio pero decrecen con el precio.

Es posible pensar en marketing como la identificación, creación, comunicación, entrega y vigilancia del valor del cliente. La *satisfacción* refleja el juicio que una persona se hace del rendimiento percibido de un producto en relación con las expectativas. Si el rendimiento es menor que las expectativas, el cliente se siente decepcionado. Si es igual a las expectativas, el cliente estará satisfecho. Si las supera, el cliente estará encantado.

Canales de marketing

Para llegar a un mercado meta, el especialista en marketing usa tres tipos de canales de marketing. Los *canales de comunicación* que entregan y reciben mensajes de los compradores meta y que incluyen los diarios, revistas, radio, televisión, correo, teléfono, carteles, pósters, folletos, CD, cintas de audio e Internet. Además de ellos, las empresas se comunican mediante la apariencia de sus tiendas minoristas, sitios de Internet y otros medios. Los especialistas en marketing cada vez aumentan el número de los canales de diálogo tales como correo electrónico, blogs y números de teléfono gratuitos además de los canales de monólogo como los anuncios.

El especialista en marketing utiliza *canales de distribución* para mostrar, vender o entregar el producto físico o servicio al comprador o usuario. Estos canales pueden ser directos por medio de Internet, correo o teléfono fijo o móvil; o indirectos mediante distribuidores, mayoristas, minoristas y agentes como los intermediarios.

Para llevar a cabo transacciones con los compradores potenciales, el especialista en marketing usa también los *canales de servicio* que incluyen bodegas, compañías de transporte, bancos y aseguradoras. Los especialistas en marketing ciertamente enfrentan un reto de diseño al escoger la mejor mezcla de canales de comunicación, distribución y servicio para sus ofertas.

Cadena de suministros

La cadena de suministros es una ampliación de canal mayor que abarca desde la materia prima, los componentes, hasta el producto terminado que se destina a los compradores finales. La cadena de suministros del café podría iniciar con los agricultores etíopes que plantan, cuidan y recolectan los granos de café, vendiendo su cosecha a los mayoristas o tal vez a una cooperativa de Comercio Justo. Si venden a través de la cooperativa, el café es lavado, secado y empaquetado para enviarlo por una Organización de Comercio Alternativo (ATO) que paga un mínimo de 1.26 dólares por libra. La ATO transporta el café a los países en vías de desarrollo donde lo puede vender directamente o por medio de canales minoristas. Cada empresa captura solamente un porcentaje determinado del valor total generado por el sistema de entrega de valor de la cadena de suministro. Cuando la empresa tiene competidores o se expande, su objetivo es capturar un porcentaje mayor del valor de la cadena de suministro.

Competencia

La competencia incluye todas las ofertas rivales reales y potenciales así como los sustitutos que un comprador pudiera considerar. Un fabricante de automóviles puede comprar acero a U.S. Steel en Estados Unidos, de una empresa en Japón o en Corea o de una microacería como Nucor y tener ahorros en sus costos, o también pudiera comprar aluminio a Alcoa con el fin de reducir el peso del automóvil, o bien comprar plásticos de ingeniería a Saudi Basic Industries Corporation (SABIC) en vez de acero. Es claro que U.S. Steel estaría pensando muy limitadamente sobre su competencia si creyera que solamente la constituyen otras empresas de acero integrado. En el largo plazo, es más probable que U.S. Steel resulte afectada por los productos sustitutos que por otras empresas acereras.

Entorno de marketing

El entorno de marketing consiste en el entorno funcional y el entorno general. El *entorno funcional* incluye a los actores que participan en la producción, distribución y promoción de la oferta. Éstos son la empresa, los proveedores, los distribuidores, los mayoristas y los clientes meta. En el grupo de proveedores se encuentran los proveedores de materiales y los de servicios como agencias de investigación de marketing, agencias de publicidad, bancos y aseguradoras, empresas de transporte y de telecomunicaciones. Los distribuidores y mayoristas incluyen los agentes, intermediarios, representantes de los fabricantes y otros que facilitan la identificación y venta a los clientes.

El *entorno general* se compone de seis elementos: el entorno demográfico, el económico, el sociocultural, el natural, el tecnológico y el político-legal. Los mercadólogos deben poner mucha atención a las tendencias y desarrollos en estos entornos y ajustar sus estrategias de marketing como sea necesario. Constantemente surgen nuevas oportunidades que esperan las astutas e ingenuas estrategias de marketing adecuadas. A continuación, dos buenos ejemplos.

Las Páginas verdes

Las Páginas Verdes De acuerdo con la tendencia actual y mundial para conservar el medio ambiente nace la iniciativa de la empresa Las Páginas Verdes. Las Páginas Verdes es una iniciativa de New Ventures México, una organización sin fines de lucro que tiene como misión promover el desarrollo económico sostenible a través de servicios estratégicos para empresas que responden a retos ambientales y sociales, fomentando así una cultura emprendedora y de consumo responsable en México. Las Páginas Verdes es una marca social que busca impulsar un movimiento de consumo responsable, a través de acciones orientadas a aumentar el número de personas que demandan alternativas sostenibles y vinculándolas con los productores y organizaciones que las ofrecen. Año con año edita su Directorio, disponible en versión impresa y online, reuniendo en un solo lugar la oferta verde disponible en México. Con proyectos como el directorio, Las Páginas Verdes presenta la sostenibilidad como un concepto fácilmente aplicable a la vida diaria e invita a empresas e individuos a tomar decisiones de consumo que garanticen su bienestar y el de las generaciones futuras.[19]

Allrecipes.com

Allrecipes.com Allrecipes.com ha cocinado una exitosa fórmula online al mezclar recetas publicadas tanto por individuos como por corporaciones que promueven sus productos como quesos de Kraft y la sopa Campbell's. Después de un aumento de casi 50 por ciento en visitas al sitio Web y visitantes únicos en 2009, el sitio de Internet rebasó al sitio de recetas de Food Network como el líder del mercado. Con decenas de miles de recetas publicadas, prospera gracias a la disposición de la gente para compartir recetas y la satisfacción que sienten si su receta se vuelve popular con otros usuarios. La naturaleza viral del éxito del sitio es evidente: ¡No gasta dinero en publicidad! Los usuarios tienden a pensar en éste como si fuera "su" sitio, no como una entidad con una gran empresa que la respalda.[20]

Las nuevas realidades del marketing

Se puede decir con confianza que el mercado no es lo que solía ser. Es dramáticamente diferente a lo que era hace apenas 10 años.

Principales fuerzas sociales

Actualmente, las fuerzas sociales principales, y en ocasiones interconectadas, han creado nuevas conductas, oportunidades y desafíos de marketing. A continuación se presentan 12 fuerzas fundamentales.

- ***Tecnología de información de redes.*** La revolución digital ha creado una Era de la Información que promete llevar a niveles más precisos de producción, comunicaciones más dirigidas y fijación de precios más relevante.
- ***Globalización.*** Los avances tecnológicos en transporte, envíos y comunicaciones han facilitado que las empresas comercialicen y que los consumidores compren en y desde casi todos los países del mundo. Los viajes internacionales continúan creciendo con las personas que trabajan y se divierten en otros países.
- ***Desregulación.*** Muchos países han liberalizado (desregulado) sectores industriales para crear una mayor competencia y mayores oportunidades de crecimiento. En Estados Unidos las leyes que restringían los servicios financieros, las telecomunicaciones y los servicios de electricidad se han relajado en el espíritu de una mayor competencia.
- ***Privatización.*** En muchos países las empresas públicas se han convertido en propiedad privada, igual que su alta dirección, con el fin de aumentar su eficiencia como sucedió con la enorme empresa de telecomunicaciones Telefónica CTC en Chile y la aerolínea internacional British Airways en el Reino Unido.

- ***Aumento de la competencia.*** La intensa competencia entre marcas nacionales y extranjeras eleva los costos de marketing y reduce los márgenes de beneficios (o ganancias). Los fabricantes de marcas además enfrentan a los poderosos minoristas que comercializan las marcas propias de sus tiendas. Muchas marcas fuertes se han convertido en megamarcas y se han extendido a una variedad de categorías de productos relacionadas, presentando así una importante amenaza competitiva.
- ***Convergencia industrial.*** Los límites sectoriales se borran conforme las empresas reconocen nuevas oportunidades en las intersecciones de dos o más sectores. Por ejemplo, las industrias de las computadoras (ordenadores) personales y de la electrónica de consumo convergen conforme Apple, Sony y Samsung lanzan un flujo de aparatos de entretenimiento, desde reproductores MP3 hasta televisores de plasma y cámaras de video. La tecnología digital impulsa esta convergencia masiva.[21]
- ***Transformación de los minoristas.*** Los minoristas basados en tiendas se enfrentan a la competencia de venta por catálogo, empresas de correo directo, diarios, revistas y anuncios de televisión directos al cliente, infomerciales y comercio electrónico. En respuesta, los minoristas emprendedores están incorporando el entretenimiento en sus tiendas con barras de café, exhibiciones y representaciones, comercializando más una "experiencia" que una variedad de productos. Dick's Sporting Goods ha crecido de ser sólo una tienda de cebo (carnada) y aparejos de pesca en Binghamton, Nueva York, a ser un minorista de artículos deportivos con más de 300 tiendas, con presencia en 30 estados. Parte de su éxito se debe a las características interactivas de sus tiendas, donde los clientes pueden probar los palos de golf en campos interiores de práctica, probar los zapatos en la pista para calzado y disparar con arco en el campo de tiro al arco.[22]

Empresas tradicionales participan como minoristas en Internet añadiendo ofertas online.

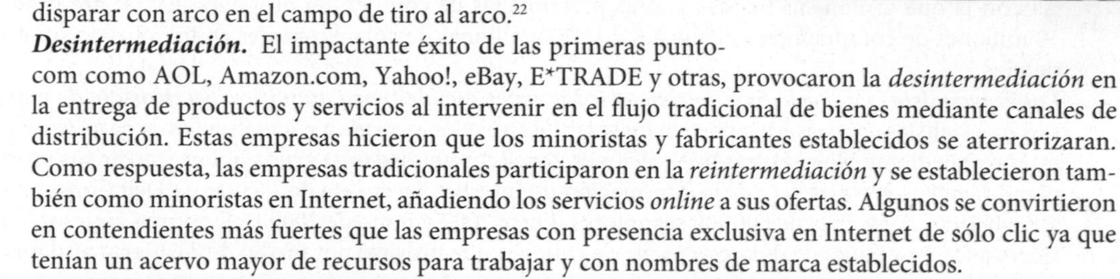

- ***Desintermediación.*** El impactante éxito de las primeras punto-com como AOL, Amazon.com, Yahoo!, eBay, E*TRADE y otras, provocaron la *desintermediación* en la entrega de productos y servicios al intervenir en el flujo tradicional de bienes mediante canales de distribución. Estas empresas hicieron que los minoristas y fabricantes establecidos se aterrorizaran. Como respuesta, las empresas tradicionales participaron en la *reintermediación* y se establecieron también como minoristas en Internet, añadiendo los servicios *online* a sus ofertas. Algunos se convirtieron en contendientes más fuertes que las empresas con presencia exclusiva en Internet de sólo clic ya que tenían un acervo mayor de recursos para trabajar y con nombres de marca establecidos.
- ***Poder de compra del consumidor.*** En parte, debido a la desintermediación por medio de Internet, los consumidores han aumentado sustancialmente su poder de compra. Desde su hogar, oficina o teléfono móvil pueden comparar características y precios de productos y hacer pedidos *online* desde cualquier parte del mundo, las 24 horas del día y los 7 días de la semana, omitiendo las ofertas locales y realizando ahorros significativos en los precios. Incluso los compradores de empresas pueden hacer una *subasta inversa* en la cual los vendedores compitan para atrapar su negocio. Pueden juntarse con otros para sumar sus compras y obtener importantes descuentos por volumen.
- ***Información del consumidor.*** Los consumidores pueden recopilar información tan amplia y profunda como quieran sobre prácticamente todo. Pueden acceder a enciclopedias *online*, diccionarios, información médica, calificaciones de películas, reportes de consumidores, periódicos y otras fuentes de información en muchos idiomas y de cualquier parte del mundo. Las conexiones personales y el contenido generado por los usuarios prosperan en las redes sociales tales como Facebook, Flickr (fotografías), Del.icio.us (vínculos), Digg (noticias), Wikipedia (artículos de enciclopedia) y YouTube (video).[23] Los sitios para establecer contactos —como Dogster para los amantes de los perros, TripAdvisor para los viajeros incansables y Moterus para motociclistas— juntan a consumidores con intereses comunes. En CarSpace.com los aficionados a los automóviles hablan sobre rines cromados,* el último modelo de BMW y dónde encontrar un buen mecánico local.[24]
- ***Participación de los consumidores.*** Los consumidores han encontrado una voz amplificada para influir en la opinión de sus similares y en la opinión pública. Las empresas han reconocido esto y los invitan a participar en el diseño e incluso en la comercialización de ofertas para aumentar su sentido de pertenencia y conexión. Los consumidores perciben a sus empresas favoritas como talleres de los que pueden obtener las ofertas que desean.
- ***Resistencia del consumidor.*** Actualmente, muchos consumidores sienten que hay pocas diferencias entre los productos, así que demuestran menor lealtad a la marca y se vuelven más sensibles al precio y a la calidad en su búsqueda de valor, y menos tolerantes al marketing indeseable. Un estudio hecho

*Se refiere a la parte metálica que cubre al neumático; conocido como *llanta* en algunos países.

por Yankelovich encontró niveles récord a resistencia al marketing por parte de los consumidores: la mayoría reportaron opiniones negativas sobre el marketing y la publicidad y dijeron que evitan los productos que perciben con un exceso de marketing.[25]

Nuevas capacidades de las empresas

Estas importantes fuerzas sociales crean desafíos complejos para el especialista en marketing, pero también han generado un nuevo grupo de capacidades para ayudar a las empresas a adaptarse y responder.

- ***Los especialistas en marketing pueden usar Internet como un poderoso canal de información y ventas.*** Internet aumenta el alcance geográfico de los especialistas en marketing para informar a los consumidores y promover productos por todo el mundo. Un sitio de Internet puede registrar productos y servicios, su historia, filosofía de negocios, oportunidades de empleo y otra información interesante. En 2006, un mercado de pulgas de Montgomery, Alabama, obtuvo popularidad nacional cuando el anuncio estilo rap de su dueño Sammy Stephens se propagó de manera viral por Internet. El anuncio que costó 1 500 dólares y fue visto más de 100 000 veces en YouTube, mandó a Stephens hasta el *The Ellen DeGeneres Show*. Stephens ahora vende camisetas, tonos para teléfonos móviles y mercancía de marca a través de su sitio Web, da consejos a minoristas sobre publicidad y es el anfitrión de cientos de visitantes que van de todo el mundo a visitar su tienda cada mes.[26]
- ***Los especialistas en marketing pueden recopilar mejor y más rica información sobre los mercados, clientes reales, clientes potenciales y competidores.*** Los especialistas en marketing pueden llevar a cabo investigaciones frescas de marketing usando Internet para establecer *focus groups*, enviar cuestionarios y recopilar datos primarios en varias formas. Pueden reunir información sobre las compras de un cliente en particular, sus preferencias, demografía y rentabilidad. La cadena de farmacias CVS usa datos de una tarjeta de lealtad para entender mejor lo que compran los consumidores, la frecuencia con la que visitan sus tiendas y otras preferencias de compra. Su programa ExtraCare produjo 30 millones de compradores adicionales y 12 000 millones de dólares anuales en ingresos en sus 4 000 tiendas.[27]
- ***Los especialistas en marketing pueden usar las redes sociales para amplificar su mensaje de marca.*** Los especialistas en marketing pueden ingresar información periódica y actualizaciones para los consumidores mediante blogs y otras publicaciones, tener comunidades de ayuda *online* y crear sus propias paradas en la supercarretera de la información de Internet. La cuenta de Twitter de Dell Corporation, @DellOutlet, tiene más de 600 000 seguidores. Entre 2007 y junio de 2009 Dell obtuvo ingresos superiores a los 2 millones de dólares a partir de cupones que proveyó por medio de Twitter y otro millón de dólares de gente que comenzó en Twitter y terminó comprando una computadora nueva en la página Web de la empresa.[28]
- ***Los especialistas en marketing pueden facilitar y acelerar la comunicación externa entre clientes.*** Los especialistas en marketing también pueden crear o beneficiarse del "zumbido" online y offline mediante defensores de la marca y comunidades de usuarios. La agencia de marketing de boca en boca (o boca-oreja), BzzAgent, ha organizado un ejército de 600 000 consumidores voluntarios que se unen a programas promocionales de productos y servicios sobre los que en su opinión vale la pena hablar.[29]

El video viral de Sammy Stephens ayudó a su mercado de pulgas para que recibiera atención sin precedentes.

En 2005, Dunkin' Donuts contrató a BzzAgent para que le ayudaran a lanzar una nueva bebida de café exprés, el Latte Lite. Tres mil voluntarios capacitados (llamados BzzAgents) probaron el Latte Lite en 12 mercados de prueba, se formaron su propia opinión, participaron en conversaciones naturales acerca del producto y rendían cuenta a BzzAgent mediante la interfaz de informes de la empresa. Después de cuatro semanas, las ventas del producto aumentaron más del 15% en los mercados de prueba.[30]

- ***Los especialistas en marketing pueden enviar anuncios, cupones, muestras e información a los clientes que los han solicitado o que han dado permiso a la empresa para enviarlos.*** El marketing de nicho y la comunicación bidireccional son más sencillos gracias a la proliferación de revistas, canales de televisión y grupos de noticias por Internet de interés especial. Las redes externas que vinculan a proveedores y distribuidores permiten que las empresas envíen y reciban información, hagan pedidos y pagos de manera más eficiente. La empresa puede también interactuar con cada cliente de manera individual y *personalizar* mensajes, servicios y la relación.
- ***Los especialistas en marketing pueden llegar a los consumidores en movimiento con el marketing móvil.*** Con el uso de tecnología GPS, los especialistas en marketing pueden determinar con exactitud la ubicación de los consumidores y enviarles mensajes en el centro comercial como cupones que solamente tienen validez ese día, un recordatorio de un artículo que tienen en su lista de deseos y alguna ventaja (compre este libro hoy y obtenga un café gratis en la cafetería de la librería). La publicidad basada en la ubicación es atractiva ya que llega a los consumidores cerca del punto de venta. Las empresas también pueden anunciarse en iPods de video y llegar a los consumidores en su teléfono móvil mediante el marketing móvil.[31]
- ***Las empresas pueden hacer y vender bienes individualmente diferenciados.*** Gracias a los avances en la personalización en fábrica, la tecnología de cómputo y el software para marketing de bases de datos, los clientes pueden comprar dulces M&M, botellas de TABASCO o de Marker's Mark con sus nombres impresos en ellos; cajas de cereal Wheaties o latas de bebidas refrescantes Jones con su fotografía en el frente y botellas de salsa de tomate Heinz con un mensaje personalizado.[32] La tecnología de BMW permite a los compradores diseñar sus propios modelos de automóviles de entre 350 variaciones, con 500 opciones, 90 colores exteriores y 170 bandas laterales. La empresa dice que el 80% de los automóviles comprados en Europa y hasta el 30% de los comprados en Estados Unidos son fabricados sobre pedido.
- ***Las empresas pueden mejorar sus adquisiciones, reclutamiento, capacitación y comunicaciones internas y externas.*** Las empresas pueden reclutar nuevos empleados *online*, y muchas tienen productos de capacitación en Internet para sus empleados, distribuidores y agentes. La minorista Patagonia se ha unido a Walt Disney, General Motors y McDonald's al adoptar los blogs como medio de comunicación con el público y con sus empleados. El blog The Cleanest Line de Patagonia publica noticias ambientales, informes sobre los resultados de sus atletas patrocinados y fotografías y descripciones de las ubicaciones favoritas al aire libre de sus empleados.[33]
- ***Las empresas pueden facilitar y acelerar la comunicación interna entre sus empleados mediante el uso de Internet como una intranet privada.*** Los empleados pueden hacerse preguntas unos a otros, buscar consejos y descargar o subir la información necesaria desde y hacia la computadora central de la empresa. En la búsqueda por un solo portal *online* para sus empleados que trascendiera las unidades de negocios, General Motors lanzó en 2006 una plataforma llamada mySocrates que contiene anuncios, noticias, vínculos e información histórica. GM calcula que los ahorros en costos hasta la fecha derivados del portal son de 17.4 millones de dólares.[34]
- ***Las empresas pueden mejorar su eficiencia de costos mediante el uso diestro de Internet.*** Los compradores corporativos pueden lograr ahorros significativos usando Internet para comparar los precios de los vendedores y comprar materiales en subasta, o al publicar sus propias condiciones en subastas inversas. Las empresas pueden mejorar su logística y operaciones para obtener ahorros sustanciales en costos y al mismo tiempo mejorar la precisión y la calidad del servicio.

Las empresas permiten cada vez más que sus clientes individualicen sus productos, por ejemplo con mensajes personalizados en las etiquetas frontales de las botellas de salsa de tomate Heinz.

El marketing en la práctica

No es sorprendente que todas estas nuevas fuerzas y capacidades del mercado hayan cambiado profundamente la dirección de marketing. En teoría, el proceso de *planificación* de marketing consiste en el análisis de las oportunidades de marketing, la selección de mercados meta, el diseño de estrategias de marketing, el desarrollo de programas de marketing y la dirección del esfuerzo de marketing.

Sin embargo, en la práctica, en los mercados fuertemente competitivos que con mayor frecuencia son la norma, la planificación de marketing es más fluida y se actualiza continuamente.

Las empresas deben estar siempre moviéndose hacia adelante con programas de marketing, innovando productos y servicios, manteniendo contacto con las necesidades de los clientes y buscando nuevas ventajas más que depender de fortalezas anteriores. Esto es especialmente cierto en la incorporación de Internet en los planes de marketing. Los especialistas en marketing deben tratar de equilibrar el aumento en gastos en publicidad, redes sociales, correo electrónico directo y esfuerzos de marketing con mensajes de texto y SMS con un gasto adecuado en comunicaciones de marketing tradicionales. Pero deben hacerlo en tiempos económicamente difíciles, donde la responsabilidad se ha convertido en una prioridad principal y se esperan rendimientos sobre la inversión de todas las actividades de marketing. "Marketing en acción: El marketing en la era de la turbulencia" ofrece algunas recomendaciones para ajustarse a las nuevas realidades de marketing.

El marketing en la era de la turbulencia

La severa recesión económica de 2008-2009 causó que los especialistas en marketing se replantearan las mejores prácticas de dirección empresarial. Philip Kotler y John Caslione consideran que la gestión empresarial está entrando en una nueva Era de la Turbulencia en la cual el caos, el riesgo y la incertidumbre caracterizan a muchos sectores industriales, mercados y empresas. Según ellos, la turbulencia es la nueva normalidad, puntualizada por rachas periódicas e intermitentes de prosperidad y descenso —incluyendo descensos prolongados que pueden llegar a recesión o incluso depresión—. Visualizan muchos desafíos nuevos en el futuro previsible y a diferencia de las recesiones pasadas, puede no existir la seguridad que el regreso a las prácticas anteriores de dirección pudiera tener éxito nuevamente.

De acuerdo con Kotler y Caslione, los especialistas en marketing deben estar siempre preparados para activar respuestas automáticas cuando la turbulencia se despierta y el caos reina. Recomiendan a los especialistas en marketing que mantengan en mente los ocho factores siguientes mientras crean "estrategias de marketing para el caos".

1. ***Asegure la cuota (participación) de mercado de segmentos clave de clientes.*** Éste no es momento de prepararse, así que asegure firmemente sus principales segmentos de clientes y prepárese para defenderse de los ataques de la competencia que buscará llevarse a sus clientes más rentables y leales.
2. ***Presione agresivamente para obtener mayor cuota de mercado de sus competidores.*** Todas las empresas luchan por la cuota de mercado, y en tiempos de turbulencia y caos, muchas se han debilitado. Los recortes a los presupuestos de marketing y a los gastos de viajes de ventas son signos seguros de que el competidor está doblegándose ante la presión. Presione agresivamente para crecer sus principales segmentos de clientes a costa de sus competidores debilitados.
3. ***Investigue ahora más a sus clientes, porque sus necesidades y deseos están en flujo.*** Todos están bajo presión en tiempos de turbulencia y caos, y todos los clientes —incluso aquéllos de su segmento central y a quienes usted conoce tan bien— están cambiando. Manténgase cerca de ellos como nunca antes. Investíguelos más que nunca. No se encuentre a sí mismo usando mensajes de marketing antiguos y comprobados que ya no impactan con ellos.
4. ***Mantenga mínimamente, pero busque aumentar, su presupuesto de marketing.*** Cuando sus competidores dirigen su marketing de forma agresiva a sus principales clientes, es el peor momento para pensar en recortar cualquier cosa en su presupuesto de marketing que se dirija a ellos. De hecho, usted necesita aumentarlo o tomar dinero de otras incursiones en segmentos de clientes totalmente nuevos. Es momento de asegurar el frente interno.
5. ***Enfóquese en todo lo que está seguro y haga énfasis en los valores centrales.*** Cuando la turbulencia asuste a todos en el mercado, la mayoría de los clientes huyen hacia un lugar seguro. Necesitan sentir la certeza y seguridad de su empresa y sus productos y servicios. Haga todo lo posible por decirles que continuar haciendo negocios con usted es seguro y continúe vendiéndoles productos y servicios que les mantengan con ese sentimiento de seguridad.
6. ***Deje los programas que no estén funcionando rápidamente.*** Su presupuesto de marketing siempre estará bajo escrutinio, tanto en los buenos tiempos como en los malos. Si alguien va a recortar alguno de sus programas, que sea usted quien lo haga, antes de que alguien más detecte alguno que no sea eficaz. Si usted no está pendiente, estese seguro que alguien más sí lo está, incluyendo sus iguales cuyos presupuestos no pudieron ser protegidos del hacha.
7. ***No aplique descuentos en sus mejores marcas.*** Hacer descuentos en sus marcas más establecidas y más exitosas indica al mercado dos cosas: que sus precios eran demasiado altos antes y que sus productos no valdrán ese precio en el futuro una vez que los descuentos se hayan ido. Si usted quiere atraer clientes más austeros, cree una nueva marca con precios más bajos. Esto permite que los consumidores conscientes del valor se mantengan cerca de usted sin alejar a aquellos que aún están dispuestos a pagar por sus marcas de mayor precio. Una vez que la turbulencia ceda, puede considerar descartar o no la línea de productos de valor.
8. ***Mantenga lo fuerte y abandone lo débil.*** En los mercados turbulentos, sus marcas y productos más fuertes deben fortalecerse aún más. No hay tiempo ni dinero que perder en marcas marginales o productos a los que les falten fuertes propuestas de valor y una base de clientes sólida. Recurra a la seguridad y el valor para reforzar las marcas y ofertas de productos y servicios fuertes. Recuerde que sus marcas nunca pueden ser demasiado fuertes, especialmente contra las olas de una economía turbulenta.

Fuente: Basado en Philip Kotler y John A. Caslione, *Chaotics: The Business and Marketing in the Age of Turbulence* (Nueva York: AMACOM, 2009) pp. 151-153.

EL NUEVO CMO (DIRECTOR GENERAL DE MARKETING) El entorno de cambios rápidos de marketing impone cada vez mayores demandas en los ejecutivos de marketing. Una encuesta bien divulgada reveló que la antigüedad promedio de los CMO en las compañías estadounidenses es de unos 28 meses, por debajo del promedio de los CEO (54 meses) o de otros puestos de nivel C. Una explicación es que el rol del marketing —y por ende las expectativas de dirección— varía mucho entre empresas. Gail McGovern y John Quelch de Harvard encuentran una variabilidad tremenda entre las responsabilidades y descripciones de puestos de los CMO.[35]

Otro desafío al que se enfrentan los CMO es que los factores de éxito para los especialistas en marketing de alto nivel son muchos y muy variados. Los CMO deben tener fuertes habilidades cuantitativas y también habilidades cualitativas perfeccionadas, deben tener una actitud emprendedora e independiente pero también trabajar en armonía cercana con otros departamentos como ventas, y deben capturar la "voz" y el punto de vista de los consumidores y a la vez tener un entendimiento agudo y concluyente de cómo el marketing crea valor dentro de su organización.[36] Una encuesta preguntaba a 200 ejecutivos de marketing de alto rango qué cualidades innatas y aprendidas eran más importantes. Éstas fueron sus respuestas:[37]

Cualidades innatas
- Tomador de riesgos
- Disposición a tomar decisiones
- Habilidad para resolver problemas
- Agente de cambio
- Orientado a resultados

Cualidades aprendidas
- Experiencia global
- Pericia multicanal
- Experiencia en diversos sectores industriales
- Enfoque digital
- Conocimientos operacionales

Tal vez el rol más importante para cualquier CMO sea infundir una perspectiva y orientación al cliente en las decisiones de negocios que afectan cualquier *punto de contacto* con el cliente (donde un cliente directa o indirectamente interactúa con la empresa de alguna manera). Chris Malone, CMO del franquiciador de alojamiento Choice Hotels International, es responsable de dirigir prácticamente todos los esfuerzos de la empresa de cara al cliente, incluyendo:[38]

- Publicidad, programas de lealtad y respuesta directa;
- Guiar el sistema central de reservaciones de la empresa, incluyendo sus centros telefónicos, página Web y relaciones con vendedores de viajes externos tales como Travelocity y Orbitz; y
- Encabezar los esfuerzos globales de ventas grupales de la empresa con organizaciones como AAA; AARP y equipos profesionales de deportes.

EL MARKETING EN LA ORGANIZACIÓN Aunque un CMO eficaz es crucial, sucede cada vez más que el marketing *no* se realiza solamente por el departamento de marketing. Ya que el marketing debe afectar a todos los aspectos de la experiencia del cliente, los especialistas en marketing deben manejar adecuadamente todos los puntos de contacto posibles —el trazado y disposición de una tienda, el diseño de envases, las funciones del producto, la capacitación de empleados y los métodos de envío y logística—. El marketing debe tener también influencia en las actividades fundamentales de dirección, como la innovación de productos y el desarrollo de nuevos negocios. Para crear una fuerte organización de marketing, los especialistas en marketing deben pensar como lo hacen los ejecutivos de otros departamentos, y estos últimos deben pensar más como especialistas en marketing.[39]

Como observaba el finado David Packard de Hewlett-Packard, "el marketing es demasiado importante para dejárselo al departamento de marketing". Las empresas ahora saben que cada empleado tiene un impacto en el cliente y debe verlo como la fuente de la prosperidad de la empresa. De este modo están comenzando a poner énfasis en el trabajo en equipo entre departamentos para gestionar los procesos clave. Enfatizan la administración fluida de los procesos fundamentales del negocio, tales como la realización de nuevos productos, la adquisición y retención de clientes y el cumplimiento de pedidos.

Orientación de la empresa hacia el mercado

Con estas nuevas realidades de marketing, ¿qué filosofía debería guiar los esfuerzos de marketing de la empresa? Cada vez más, los especialistas en marketing operan de manera consistente con el concepto de marketing holístico. Revisemos primero la evolución de las anteriores ideas de marketing.

El concepto de producción

El **concepto de producción** es uno de los más antiguos en los negocios. Sostiene que los consumidores prefieren los productos que son ampliamente disponibles y de bajo precio. Los directores de negocios orientados hacia la producción se concentran en lograr una alta eficiencia de producción, costos bajos y distribución masiva. Esta orientación puede tener sentido en países en desarrollo como China, donde el fabricante más grande de PC, Legend (principal propietario del Grupo Lenovo) y el gigante de los electrodomésticos Haier aprovechan la enorme disponibilidad de mano de obra de bajo costo para dominar el mercado. Los especialistas en marketing usan también el concepto de producción cuando desean ampliar el mercado.[40]

El concepto de producto

El **concepto de producto** propone que los consumidores prefieren los productos que ofrecen mayor calidad, rendimiento o características innovadoras. Sin embargo, en ocasiones los directores se enamoran de sus productos. Podrían cometer la falacia de la "mejor ratonera", creyendo que un mejor producto por sí mismo llevará a la gente hasta sus puertas. Un producto nuevo o mejorado no necesariamente será exitoso a menos que su precio, distribución, publicidad y venta sean llevados a cabo de manera adecuada.

El concepto de venta

El **concepto de venta** establece que los consumidores y las empresas, si se les deja solos, no comprarán suficientes productos de la organización. Se practica de manera más agresiva con los bienes no buscados —aquellos que los compradores no piensan comprar en circunstancias normales, como seguros o nichos en un cementerio— y cuando las empresas con sobrecapacidad de producción se disponen a vender lo que fabrican, más que a fabricar lo que quiere el mercado.

El concepto de marketing

El **concepto de marketing** surge a mediados de la década de 1950[41] con una filosofía de intuición y respuesta y centrada en el cliente. Consiste en encontrar los productos adecuados para los clientes de la empresa y no al revés. Dell no prepara la PC perfecta para su mercado meta, sino que provee plataformas de producto sobre las cuales cada individuo personaliza las características que él o ella desean en la computadora.

El concepto de marketing establece que la clave para lograr los objetivos organizacionales es ser más eficiente que la competencia al crear, entregar y comunicar un valor superior a los mercados objetivo. Theodore Levitt de Harvard ejemplifica un contraste de percepción entre los conceptos de venta y de marketing:

> La venta se centra en las necesidades del vendedor; en cambio el marketing lo hace en las necesidades del comprador. La venta se preocupa de la necesidad del vendedor de convertir su producto en dinero, el marketing lo hace con la idea de satisfacer las necesidades del cliente a través del producto y del conjunto de aspectos asociados a su creación, entrega y por último a su consumo.[42]

Muchos académicos encontraron que las empresas que adoptan el concepto de marketing en ese momento lograron mejores resultados.[43]

El concepto de marketing holístico

Sin lugar a dudas, las tendencias y fuerzas que han definido la primera década del siglo XXI han llevado a las empresas a un nuevo conjunto de creencias y prácticas. La sección "Apuntes de marketing: Marketing, lo bueno y lo malo" sugiere dónde las empresas lo hacen mal, y cómo pueden hacerlo bien, en lo relativo a su marketing.

El **concepto de marketing holístico** se basa en el desarrollo, diseño e implementación de programas, procesos y actividades de marketing que reconocen su amplitud e interdependencias. El marketing holístico reconoce que todo importa cuando se trata de marketing, y que una perspectiva amplia e integrada es necesaria frecuentemente.

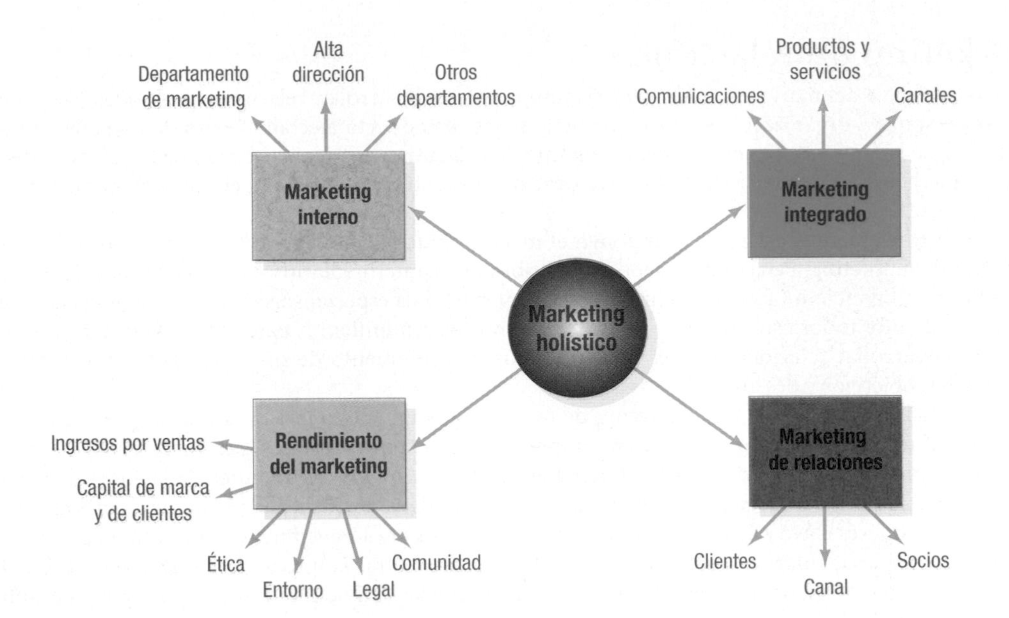

|Fig. 1.3|

Dimensiones del marketing holístico

El marketing holístico reconoce y reconcilia entonces el alcance y la complejidad de las actividades de marketing. La figura 1.3 presenta una vista esquemática de los cuatro principales componentes que caracterizan al marketing holístico: marketing de relaciones, marketing integrado, marketing interno y rendimiento del marketing. Examinaremos esos temas fundamentales a lo largo de este libro. Las empresas de éxito continúan realizando cambios en el marketing según se producen los cambios en el mercado y en el cibermercado.

Apuntes de marketing

Marketing, lo bueno y lo malo

Los 10 pecados mortales del marketing

1. La empresa no está suficientemente enfocada al mercado ni orientada al cliente.
2. La empresa no entiende del todo a sus clientes meta.
3. La empresa necesita definir mejor y vigilar a sus competidores.
4. La empresa no ha gestionado correctamente la relación con sus grupos de interés.
5. La empresa no es buena para encontrar nuevas oportunidades.
6. Los planes de marketing y los procesos de planificación de la empresa son deficientes.
7. Las políticas de productos y servicios de la empresa necesitan reforzarse.
8. La creación de marca y las habilidades de comunicación de la empresa son débiles.
9. La empresa no está bien organizada para poder llevar a cabo un marketing eficaz y eficiente.
10. La empresa no aprovecha al máximo la tecnología.

Los 10 mandamientos del marketing

1. La empresa segmenta el mercado, elige los mejores segmentos y desarrolla una posición fuerte en cada uno de los segmentos elegidos.
2. La empresa traza gráficamente las necesidades, percepciones, preferencias y conducta de sus clientes, y motiva a los diferentes participantes en el negocio a que se obsesionen en atender y satisfacer a los clientes.
3. La empresa conoce a sus competidores más importantes, así como sus fortalezas y debilidades.
4. La empresa hace que los diferentes participantes en el negocio se vuelvan sus socios y los recompensa generosamente.
5. La empresa desarrolla sistemas para identificar oportunidades, clasificándolas y eligiendo las mejores.
6. La empresa gestiona un sistema de planificación de marketing que conduce a planes a corto y a largo plazo perspicaces.
7. La empresa ejerce un fuerte control sobre su mezcla de productos y servicios.
8. La empresa crea marcas fuertes utilizando las herramientas de promoción y comunicación que sean más eficientes en cuanto a costos.
9. La empresa genera liderazgo de marketing y un espíritu de equipo entre sus diferentes departamentos.
10. La empresa constantemente añade tecnología que le da una ventaja competitiva en el mercado.

Fuente: Adaptado de Philip Kotler, *Ten Deadly Marketing Sins* (Hoboken, NJ: John Wiley & Sons, 2004) pp. 10, 145-148.

Marketing de relaciones

Un objetivo clave del marketing cada vez más importante es desarrollar relaciones profundas y duraderas con las personas y organizaciones que de manera directa o indirecta afectan el éxito de las actividades de marketing de la empresa. El objetivo del **marketing de relaciones** es la construcción de relaciones satisfactorias y a largo plazo con los elementos clave relacionados con la empresa con el fin de capturar y retener sus negocios.[44]

Los cuatro elementos clave que componen el marketing de relaciones son los clientes, los empleados, los socios de marketing (canales, proveedores, distribuidores, intermediarios y agencias) y los miembros de la comunidad financiera (accionistas, inversores, analistas). Los especialistas en marketing deben generar prosperidad entre todos estos componentes y equilibrar los rendimientos para todos los interesados en el negocio. Desarrollar relaciones fuertes requiere de un entendimiento de sus capacidades y recursos, sus necesidades, objetivos y deseos.

El resultado más deseable del marketing de relaciones es un activo único para la empresa que se denomina **red de marketing**, formada por la empresa y los grupos de interés que la sustentan —clientes, empleados, proveedores, distribuidores, minoristas y otros—, con los que mantiene relaciones de negocio rentables para ambas partes. El principio operacional es sencillo: construir una red de relaciones eficaz con los grupos de interés clave y de ahí surgirán los beneficios.[45] Es por lo que muchas empresas eligen ser propietarias de marcas en lugar de activos físicos, y subcontratan a otras empresas para que lleven a cabo otras actividades de mejor manera y a menor costo, mientras que las actividades centrales se siguen llevando a cabo en la empresa.

Las empresas también están dando forma a ofertas, servicios y mensajes separados para *clientes individuales* basadas en la información sobre sus transacciones anteriores, información demográfica, psicográfica, y sobre sus preferencias de medios de comunicación y canales de distribución. Al centrarse en sus clientes, productos y canales más rentables, estas empresas esperan alcanzar un crecimiento rentable, capturando una mayor parte de los gastos de cada cliente mediante la creación de una fuerte lealtad del cliente. Estiman el valor individual y el valor de vida del cliente y diseñan las ofertas de mercado y los precios de forma que se generen ganancias a lo largo de la vida del cliente.

Estas actividades caen dentro de lo que Larry Selden, profesor de la Columbia Business School, y su esposa y socia en consultoría de negocios, Yoko Sugiura Selden, llaman la "centralidad del cliente". Un ejemplo de este concepto es el grupo financiero Ixe.

Ixe Banco

Ixe Banco La estrategia de este banco en México se ha enfocado en realizar operaciones de banca minorista con personas físicas y de nivel de ingresos medio alto y alto, además de ofrecer una gama completa de productos dirigidos al mercado corporativo y empresarial, incluyendo al segmento de pequeñas empresas (Pymes). Desarrolló un nuevo concepto de sucursal bancaria, Ixe Café, que permite a los clientes realizar sus operaciones financieras, navegar en Internet y disfrutar de un excelente servicio de cafetería, en un agradable ambiente. Ixe Banco, consciente de que sus clientes no siempre pueden ir al banco, implementó por primera vez en América Latina el concepto más avanzado en servicios financieros, a través de la Banca Directa, un medio de distribución innovador que permite a los clientes llevar a cabo sus operaciones bancarias desde la comodidad de su casa u oficina. Ofrecer la mejor calidad en el servicio a clientes es una de las prioridades estratégicas del Banco. Ixe ha sido calificado como el mejor banco en calidad y servicio de acuerdo con diversas encuestas realizadas por la revista *Expansión* con sus suscriptores vía Internet.[46]

Ya que atraer a un nuevo cliente podría costar cinco veces más que retener a un cliente actual, el marketing de relaciones también enfatiza la retención de clientes. Las empresas generan participación del cliente mediante la oferta de una mayor variedad de bienes a los clientes actuales, capacitando a sus empleados en las ventas cruzadas y ventas de artículos de mayor precio.

El marketing debe llevar a cabo hábilmente no sólo la administración de relaciones con clientes (CRM), sino también la administración de relaciones con socios (PRM). Las empresas profundizan sus arreglos de colaboración con sus proveedores y distribuidores clave, viéndolos como socios para la entrega de valor a los clientes finales para beneficio de todos.

Marketing integrado

El marketing integrado tiene lugar cuando el especialista en marketing diseña actividades de marketing y establece programas de marketing para crear, comunicar y entregar valor a los clientes tales como "el todo es mayor que la suma de sus partes". Dos temas fundamentales son que (1) muchas actividades diferentes de marketing pueden crear, comunicar y entregar valor, y (2) los especialistas en marketing deberían diseñar e implementar cualquier actividad de marketing con todas las demás actividades en mente. Por ejemplo, cuando un hospital compra un equipo de resonancia magnética a la división de sistemas médicos de General Electric, espera que la compra incluya una buena instalación, mantenimiento y servicio de capacitación (formación).

Además, todas las comunicaciones de la empresa deben estar integradas. El uso de una estrategia de comunicación integrada significa elegir las opciones de comunicación que se refuercen y complementen entre sí. Un especialista en marketing podría emplear de manera selectiva televisión, radio y publicidad impresa, relaciones públicas y eventos, y comunicaciones de RP y de página Web para que cada una contribuya por sí misma y a la vez aumente la eficacia de las demás. Cada una debe, también, entregar en cada contacto un mensaje de marca consistente.

Cuando BMW lanzó el MINI Cooper modernizado en 2002, empleó una estrategia integrada de marketing en Estados Unidos que incluyó una amplia mezcla de medios: espectaculares (carteles), pósters, Internet, impresos, RP, colocación del producto y campañas de base comunitaria. Muchas de ellas se vinculaban a un sitio Web inteligentemente diseñado con información del producto y de los concesionarios. El automóvil se posicionó por encima de la SUV Ford Excursion en 21 ferias de automóviles en Estados Unidos, se utilizó como asientos en un estadio deportivo y apareció en la revista *Playboy* en la página desplegable del centro. Esta campaña integrada tan imaginativa generó una lista de espera de seis meses para el MINI Cooper.

La empresa también debe desarrollar una estrategia integrada de canal. Debería evaluar cada opción de canal según su efecto directo en las ventas del producto contra otras opciones de canal. Los especialistas en marketing deben ponderar entre tener demasiados canales (lo que puede llevar a conflictos entre los miembros del canal y/o una falta de apoyo entre ellos) y tener muy pocos (lo que provoca que se omitan oportunidades de mercado).

Las actividades de marketing online cada vez son más prominentes para forjar marcas y ventas. La página de Carnival Connections fue creada por 300 000 dólares sin gastos adicionales de promoción, y ha facilitado que los aficionados a los cruceros comparen sus experiencias sobre los destinos y las experiencias a bordo de los barcos, desde el entretenimiento en el casino hasta las filas de conga. En unos cuantos meses, 2 000 de los 13 000 usuarios registrados en la página planificaron viajes a bordo de los 22 barcos de Carnival, generando un ingreso estimado de 1.6 millones de dólares para la empresa.[47]

Marketing interno

El marketing interno, un elemento del marketing holístico, consiste en la tarea de contratar, capacitar y motivar a los empleados idóneos que quieren atender bien a sus clientes. Asegura que todos en la organización adopten los principios adecuados de marketing, en especial los miembros de la alta dirección. Los especialistas en marketing inteligentes reconocen que las actividades *dentro* de la empresa pueden ser tan importantes —o incluso más importantes— que las que se dirigen hacia afuera de la empresa. No tiene sentido prometer un servicio excelente antes de que el personal de la empresa esté listo para darlo.

Starbucks Coffee. El éxito de Starbucks Coffee radica en la filosofía de la empresa, la cual considera que parte del éxito de una empresa radica en la satisfacción de los mismos empleados. En su cultura corporativa única, los líderes de la empresa crean para los empleados una cultura única, en la cual la capacitación, el espíritu de empresa, la calidad y el servicio definen los valores de la misma. Para Starbucks

Para mejorar la experiencia de sus clientes, Starbucks Coffee considera a sus empleados como socios (partners) capacitándolos para lograr lo que se conoce como experiencia Starbucks.

Coffee, los empleados se consideran socios (partners) y el trato que reciben va más allá de las opciones de acciones y el seguro de salud. Por ejemplo, se les da extenso adiestramiento en conocimiento de productos, principios guía para el éxito, desarrollo personal y la importancia que tiene proporcionar a los clientes una experiencia grata. A diferencia de la mayor parte de las 500 compañías reseñadas por la revista *Fortune*, Starbucks gasta más dinero en entrenamiento que en publicidad. Su retención de empleados no tiene precedentes en el sector de restaurantes de servicio rápido. Según algunos informes, su índice de rotación de personal es en un 120% inferior al promedio de la industria.[48]

El marketing ya no es responsabilidad de un solo departamento, es un empeño de toda la empresa que impulsa la visión, misión y planificación estratégica de la empresa.[49] Sólo tiene éxito cuando todos los departamentos trabajan juntos para lograr objetivos de clientes (ver la tabla 1.1): cuando el departamento de ingeniería diseña los productos adecuados, finanzas acomoda la cantidad exacta de fondos, compras adquiere los materiales correctos, producción fabrica los productos correctos dentro del horizonte de tiempo estipulado y contabilidad mide la rentabilidad de la forma correcta. Sin embargo, tanta armonía interdepartamental sólo puede darse cuando la dirección comunica claramente una visión de cómo la orientación de marketing y la filosofía atienden a los clientes. El siguiente ejemplo destaca algunos de los desafíos potenciales del marketing integrado:

> El vicepresidente de marketing de una de las principales aerolíneas europeas quiere aumentar la participación de tráfico de la empresa. Su estrategia es generar la satisfacción del cliente mediante una mejor comida, cabinas más limpias, tripulación de cabina con mejor capacitación y tarifas más baratas, pero no tiene autoridad en esos asuntos. El departamento de *catering* elige comida que mantiene los costos bajos; el departamento de mantenimiento contrata un servicio de limpieza de bajo costo; recursos humanos contrata personal sin preocuparse si son amigables por naturaleza y finanzas establece las tarifas. Debido a que estos departamentos generalmente toman un punto de vista de costos o de producción, los esfuerzos del vicepresidente de marketing para crear un programa integrado de marketing se encuentran frustrados.

El marketing interno requiere de una alineación vertical con administradores de alto nivel y una alineación horizontal con otros departamentos, de tal forma que todos entiendan, aprecien y apoyen el esfuerzo de marketing.

Rendimiento del marketing

El **rendimiento del marketing** requiere el entendimiento de los resultados financieros y no financieros para el negocio y la sociedad a partir de las actividades y programas de marketing. Los especialistas en marketing de alto nivel, a fin de examinar sus resultados de marketing, van más allá del solo ingreso por ventas e incluyen en su interpretación lo que sucede con la cuota de mercado, la tasa de pérdida de clientes, la satisfacción de los clientes, la calidad del producto y otras medidas. También consideran los efectos legales, éticos, sociales y ambientales de las actividades y programas de marketing.

RESPONSABILIDAD FINANCIERA A los profesionales de marketing se les solicita cada vez más que justifiquen sus inversiones en términos financieros y de rentabilidad, así como en términos de fortalecer la marca y aumentar la base de clientes.[50] Emplean una mayor variedad de medidas financieras para evaluar el valor directo e indirecto de sus esfuerzos de marketing para crear y reconocer que mucho del valor de mercado de sus empresas proviene de activos intangibles, en particular las marcas, la base de clientes, los empleados, las relaciones con distribuidores y proveedores y el capital intelectual. Las métricas de marketing pueden ayudar a las empresas a cuantificar y comparar su rendimiento del marketing en un amplio grupo de dimensiones. La investigación de marketing y el análisis estadístico evalúan la eficacia y la eficiencia financiera de las diferentes actividades de marketing. Finalmente, las empresas pueden emplear procesos y sistemas para asegurarse que maximizan el valor al analizar estas diferentes métricas.

MARKETING DE RESPONSABILIDAD SOCIAL Dado que los efectos de marketing se extienden más allá de la empresa y del cliente hacia la sociedad como un todo, los especialistas en marketing deben considerar el contexto ético, ambiental, legal y social de sus actividades y funciones.[51]

La tarea de la organización es determinar las necesidades, deseos e intereses de los mercados meta y satisfacerlas con mayor eficacia y eficiencia que los competidores mientras conservan o mejoran el bienestar a largo plazo de los consumidores y la sociedad. Por ejemplo, LG Electronics, Toshiba y NEC Display Solutions ofrecen programas de reciclaje de productos y a menudo proveen mensajería prepagada a los

TABLA 1.1 Evaluación de los departamentos de la empresa que están orientados al cliente

I&D
- Pasan tiempo reuniéndose con los clientes y escuchando sus problemas.
- Admiten la participación de los departamentos de marketing, producción y otros en todos los nuevos proyectos.
- Toman los productos de la competencia como referencia y buscan soluciones "mejores de su clase".
- Solicitan reacciones y sugerencias de los clientes conforme el proyecto progresa.
- Mejoran y refinan continuamente el producto con base en la retroalimentación del mercado.

Compras
- Buscan proactivamente a los mejores proveedores.
- Generan relaciones a largo plazo con menos proveedores pero que son de más confianza y de mejor calidad.
- No sacrifican la calidad por el ahorro en precios.

Manufactura
- Invitan a los clientes a visitar y hacer recorridos de las plantas.
- Visitan las plantas de los clientes.
- Trabajan horas extra de buena gana para cumplir con los programas de entrega.
- Continuamente buscan formas de producir bienes más rápidamente y/o a un costo menor.
- Continuamente mejoran la calidad del producto buscando como meta cero defectos.
- Cuando es posible, cumplen los requerimientos de "personalización" del cliente.

Marketing
- Estudian las necesidades y deseos del cliente en segmentos de mercado bien definidos.
- Asignan el esfuerzo de marketing en relación con la rentabilidad potencial en el largo plazo de los segmentos meta.
- Desarrollan ofertas ganadoras para cada segmento meta.
- Miden la imagen de la empresa y la satisfacción del cliente de manera continua.
- Continuamente recopilan y evalúan ideas para nuevos productos, mejoras a productos y servicios.
- Exhortan a todos los departamentos y empleados de la empresa a estar centrados en el cliente.

Ventas
- Tienen conocimiento especializado del sector industrial del cliente.
- Se esfuerzan por dar al cliente la "mejor solución".
- Solamente hacen promesas que pueden cumplir.
- Retroalimentan a los encargados de desarrollo de productos con las necesidades e ideas de los clientes.
- Sirven a los mismos clientes por largo tiempo.

Logística
- Fijan un alto estándar de tiempo de entrega del servicio y cumplen con él consistentemente.
- Operan un departamento de servicio al cliente informado y amigable, y que puede responder preguntas, atender quejas y resolver problemas de manera satisfactoria y oportuna.

Contabilidad
- Preparan informes de "rentabilidad" de manera periódica por producto, segmento de mercado, áreas geográficas (regiones, territorios de ventas), tamaño de pedidos, canales y clientes individuales.
- Preparan facturas que se ajustan a las necesidades del cliente y responden a las preguntas del cliente con cortesía y rápidamente.

Finanzas
- Entienden y apoyan los gastos de marketing (por ejemplo, publicidad de imagen) que producen preferencia y lealtad del cliente a largo plazo.
- Adaptan el paquete financiero a los requerimientos financieros del cliente.
- Toman decisiones rápidas sobre la solvencia de los clientes.

Relaciones públicas
- Emiten noticias favorables sobre la empresa y controlan las noticias menos propicias.
- Actúan como un cliente interno y defensor público de las mejores políticas y prácticas.

Fuente: © Philip Kotler, *Kotler on Marketing* (Nueva York: Free Press, 1999), pp. 21-22. Reimpreso con autorización de The Free Press, una división de Simon & Schuster Adult Publishing Group. Derechos de autor © 1999 por Philip Kotler. Todos los derechos reservados.

TABLA 1.2 Iniciativas corporativas sociales

Tipo	Descripción	Ejemplo
Marketing social corporativo	Apoyar las campañas de cambio de conducta.	Promoción de McDonald's de una campaña de vacunación infantil en Oklahoma.
Marketing con causa	Promover asuntos sociales mediante esfuerzos tales como patrocinios, acuerdos de licencias y publicidad.	Patrocinio de McDonald's a Forest (un gorila) en el zoológico de Sydney: un compromiso de patrocinio por 10 años dirigido a la conservación de esta especie amenazada.
Marketing comprometido	Donar un porcentaje de los ingresos a una causa específica con base en los ingresos obtenidos durante el periodo anunciado de apoyo.	Consigna de McDonald's de 1 dólar de la venta de cada Big Mac y pizza vendidos en una Cajita Feliz para las caridades infantiles de Ronald McDonald.
Filantropía corporativa	Hacer regalos en dinero, bienes o tiempo para ayudar a organizaciones no lucrativas, grupos o individuos.	Contribuciones de McDonald's a las casas de caridad de Ronald McDonald.
Colaboración con la comunidad	Proveer servicios voluntarios o en especie a la comunidad.	Abastecimiento de alimentos por parte de McDonald's para los bomberos en los incendios forestales en Australia en diciembre de 1997.
Prácticas empresariales socialmente responsables	Adaptar y llevar a cabo prácticas empresariales que protejan el medio ambiente y los derechos humanos y de los animales.	Requerimiento de McDonald's a sus proveedores para que aumentaran el tamaño del espacio habitable para las gallinas ponedoras en las granjas industriales.

Fuente: Philip Kotler y Nancy Lee, *Corporate Social Responsibility: Doing the Most Good for Your Company and Your Cause* (Hoboken, NJ; Wiley, 2004). Derechos de autor © 2005 por Philip Kotler y Nancy Lee. Utilizado con autorización de John Wiley & Sons, Inc.

La filosofía de negocios de "triple balance" de Ben & Jerry's está basada en la vigilancia de los efectos sociales y ambientales de sus acciones además de las ganancias de las ventas de sus productos.

consumidores para que puedan devolver los artículos viejos. Los minoristas como Office Depot, Best Buy y AT&T ofrecen programas similares en sus tiendas.

La tabla 1.2 muestra algunos tipos diferentes de iniciativas corporativas de tipo social, ejemplificadas por McDonald's.[52]

Conforme los bienes se vuelven cada vez de más consumo masivo y los consumidores aumentan su conciencia social, algunas empresas —incluyendo a The Body Shop, Timberland y Patagonia— incorporan la responsabilidad social como una forma de diferenciarse de la competencia, generar preferencia en los consumidores y lograr aumentos notables en sus ventas y ganancias. Cuando fundaron Ben & Jerry's, Ben Cohen y Jerry Greenfield adoptaron el concepto de rendimiento del marketing dividiendo el tradicional balance financiero en un "doble balance" que también medía el impacto ambiental de sus productos y procesos. Posteriormente, eso se expandió hacia un "triple balance" que representa los impactos sociales tanto negativos como positivos sobre el rango entero de las actividades de negocios de la empresa.[53]

Xerox Mexicana

Xerox Mexicana Durante 25 años Xerox Mexicana se ha caracterizado por impulsar la innovación y el desarrollo de nuevos productos que contribuyan a reducir el impacto ambiental de sus procesos y al mismo tiempo ayudar a sus clientes a contar con equipos eficientes que les permitan un ahorro de energía y con ello contribuir a preservar los recursos naturales. Dentro de las cifras que avalan su compromiso con el desarrollo sostenible destacan el 31% menos de emisiones de gases a la atmósfera y ahorros del 26% en agua desde 2002 hasta 2009. Su informe de sosteniblidad corporativa publicado en diciembre de 2010 dice que ahora el 93% de sus productos cumplen con la norma de consumo de Energy Star. Con la tecnología de la tinta sólida y con sus impresoras a color reducen en 62% el costo de las impresiones. La tecnología patentada por Xerox también elimina los desechos en 90% que colabora a cuidar el medio ambiente. También cuentan con la solución Xerox High Tield Business Paper, papel mecánico para aplicaciones digitales, que utiliza la mitad de los árboles que el papel comercial, además de contar con el papel ecológico 100% libre de cloro elaborado con fibras recicladas.[54]

Actualización de las cuatro Ps

McCarthy clasificó varias actividades de marketing en herramientas de la *mezcla de marketing* de cuatro amplios tipos diferentes, a las que llamó las *cuatro Ps* de marketing: producto, precio, plaza y promoción.[55] Las variables de marketing de cada P se muestran en la figura 1.4.

Sin embargo, dada la amplitud, complejidad y riqueza del marketing —como se ejemplifica con el marketing holístico— actualmente esas cuatro Ps ya no son todo lo que hay. Si las actualizamos para que reflejen el concepto de marketing holístico llegamos a un grupo más representativo que abarca las realidades modernas de marketing: personas, procesos, programas y *performance*, como lo muestra la figura 1.5.

El concepto de *personas* refleja parcialmente el marketing interno y el hecho que los empleados son parte fundamental para el éxito del marketing. Éste sólo será tan bueno como las personas dentro de la organización. También refleja el hecho que los especialistas en marketing deben ver a los consumidores como personas para entender sus vidas de manera más amplia y no solamente cuando buscan comprar o consumen productos y servicios.

El concepto de *procesos* refleja toda la creatividad, disciplina y estructura que se incorpora a la dirección de marketing. Los especialistas en marketing deben evitar la planificación y toma de decisiones *ad hoc* y asegurarse que las ideas de marketing y conceptos de vanguardia desempeñen un rol apropiado en todo lo que hacen. Solamente al instituir el grupo adecuado de procesos para guiar las actividades y programas, la empresa puede participar en relaciones de largo plazo que sean beneficiosas para ambas partes. Otro importante grupo de procesos guía a la empresa en la generación de ideas con imaginación y productos innovadores, servicios y actividades de marketing.

El concepto de *programas* refleja todas las actividades de la empresa que se dirigen al consumidor. Abarca las antiguas cuatro Ps y también un rango de otras actividades de marketing que podrían no encajar tan claramente en el antiguo punto de vista del marketing. Sin importar si son online u offline, tradicionales o no tradicionales, estas actividades deben integrarse de tal forma que su todo sea mayor que la suma de sus partes y que logren múltiples objetivos para la empresa.

|Fig. 1.4|

Las cuatro Ps de la mezcla de marketing

Cuatro Ps de la mezcla de marketing	Cuatro Ps de la dirección de marketing moderna
Producto	Personas
Plaza	Procesos
Promoción	Programas
Precio	*Performance*

|Fig. 1.5|

La evolución de la dirección de marketing

El concepto de *performance* se define de acuerdo con el marketing holístico, como el hecho de capturar el rango de posibles medidas de resultados que tienen implicaciones financieras y no financieras (rentabilidad así como capital de marca y de clientes), e implicaciones más allá de la empresa (responsabilidades social, legal, ética y comunitaria).

Finalmente, estas nuevas cuatro Ps en realidad se aplican a *todas* las disciplinas dentro de la empresa, y al pensar de esta manera los directores se alinean más con el resto de la empresa.

Tareas de dirección de marketing

Con la filosofía del marketing holístico como telón de fondo podemos identificar un grupo específico de tareas que crean una dirección y un liderazgo de marketing exitosos. Usaremos la siguiente situación para ilustrar estas tareas en el contexto del plan del libro. (La sección "Apuntes de marketing: preguntas frecuentes de los especialistas en marketing" es una buena lista de verificación de las preguntas que hacen los gerentes de marketing, todas las cuales examinaremos en este libro).

> Zeus Inc. (nombre ficticio) tiene operaciones en varias industrias, incluyendo la industria química, la industria de cámaras y la industria de películas fotográficas. La empresa está organizada en UENs (Unidades Estratégicas de Negocio). La dirección corporativa está considerando qué hacer con la división de cámaras fotográficas Alfa, la cual produce una variedad de cámaras digitales y de 35 mm. Aunque Zeus tiene una participación importante y está generando ingresos, el mercado de 35 mm está decayendo con rapidez. En el segmento digital que crece con mucha mayor velocidad, Zeus enfrenta una fuerte competencia y se ha tardado en captar ventas. La dirección corporativa de Zeus quiere que el grupo de marketing de Atlas genere un plan fuerte para ayudar a la división a resurgir.

Desarrollo de estrategias y planes de marketing

La primera tarea a la que se enfrenta Atlas es identificar sus oportunidades potenciales a largo plazo, de acuerdo con su experiencia de mercado y competencias esenciales (capítulo 2). Atlas puede diseñar cámaras con mejores características, puede fabricar una línea de cámaras de video o puede usar su destreza en lentes para diseñar una línea de binoculares y telescopios. Cualquiera que sea la dirección que elija, debe desarrollar planes de marketing concretos que especifiquen la estrategia de marketing y las tácticas a emplear.

Captar las perspectivas de marketing

Atlas requiere un sistema confiable de información de marketing para supervisar de cerca su entorno de marketing a fin de poder evaluar continuamente su potencial de mercado y pronosticar la demanda. Su microentorno está formado por todos los agentes que influyen en la capacidad de producir y vender cámaras —proveedores, intermediarios de marketing, clientes y competidores—. Su macroentorno incluye fuerzas demográficas, económicas, físicas, tecnológicas, político-legales y socioculturales que afectan las ventas y los beneficios (capítulo 3).

Atlas también requiere un sistema de investigación de marketing del que pueda depender. Para transformar la estrategia en programas, los gerentes de marketing deben tomar decisiones básicas sobre sus gastos,

Apuntes de marketing — Preguntas frecuentes de los especialistas en marketing

1. ¿Cómo podemos identificar y elegir el(los) segmento(s) de mercado correcto(s)?
2. ¿Cómo podemos diferenciar nuestras ofertas?
3. ¿Cómo deberíamos responder a los clientes que compran con base en el precio?
4. ¿Cómo podemos competir contra competidores de bajo costo y precio bajo?
5. ¿En qué medida podemos personalizar nuestra oferta para cada cliente?
6. ¿Cómo podemos hacer crecer nuestro negocio?
7. ¿Cómo podemos crear marcas más fuertes?
8. ¿Cómo podemos reducir el costo de adquisición de clientes?
9. ¿Cómo podemos mantener a nuestros clientes leales por más tiempo?
10. ¿Cómo podemos saber qué clientes son más importantes?
11. ¿Cómo podemos medir la retribución generada por publicidad, promoción de ventas y relaciones públicas?
12. ¿Cómo podemos mejorar la productividad de la fuerza de ventas?
13. ¿Cómo podemos establecer múltiples canales y a la vez manejar el conflicto del canal?
14. ¿Cómo podemos hacer que otros departamentos de la empresa estén más orientados al cliente?

actividades y asignaciones de presupuesto. Podrían usar funciones de respuestas de ventas que muestren cómo la cantidad de dinero gastada en cada aplicación afectará las ventas y las ganancias (capítulo 4).

Conexión con los clientes

Atlas debe considerar cómo será la mejor manera de generar valor para sus mercados meta elegidos y de desarrollar relaciones fuertes, rentables y a largo plazo con sus clientes (capítulo 5). Para hacerlo, necesita entender los mercados de consumo (capítulo 6). ¿Quién compra cámaras y por qué? ¿Qué características y precios están buscando y dónde compran? Atlas también vende cámaras a los mercados industriales, que incluyen grandes empresas, empresas de fotógrafos profesionales, minoristas y agencias del gobierno (capítulo 7), donde los agentes de adquisiciones o los comités de compras toman las decisiones. Atlas necesita entender completamente cómo compran los compradores organizacionales. Necesita una fuerza de ventas bien capacitada para presentar los beneficios de sus productos.

Atlas no debería comercializar a todos los clientes posibles. Debe dividir el mercado en segmentos principales de mercado, evaluar cada uno y dirigirse a aquéllos a los que puede atender mejor (capítulo 8).

Generación de marcas fuertes

Atlas debe conocer las fortalezas y debilidades de la marca Zeus desde la perspectiva de los clientes (capítulo 9). ¿Es su tradicional película de 35 mm una desventaja en el mercado de las cámaras digitales? Suponga que Atlas decide centrarse en el mercado de consumo y desarrollar una estrategia de posicionamiento (capítulo 10). ¿Se deberá posicionar como el "Cadillac" de las marcas, ofreciendo cámaras superiores a un precio mayor con un excelente servicio y fuerte publicidad? ¿Debería fabricar una cámara sencilla y de bajo precio dirigida a los consumidores más sensibles al precio? ¿O algo intermedio?

Atlas debe prestar mucha atención a los competidores (capítulo 11), anticipándose a sus movimientos y sabiendo cómo reaccionar rápidamente y con decisión. Tal vez desee iniciar algunos movimientos sorpresivos, en cuyo caso requiera anticiparse a cómo responderán sus competidores.

Formación de las ofertas de mercado

En el centro del programa de marketing se encuentra el producto —la oferta tangible de la empresa al mercado, que incluye la calidad, diseño, características y embalaje del producto (capítulo 12)—. Para obtener una ventaja competitiva, Atlas podría brindar alquiler, entregas, reparación y capacitación como parte de su oferta de producto (capítulo 13).

Una decisión de marketing crítica se relaciona con el precio (capítulo 14). Atlas debe decidir sobre sus precios para mayoristas y para minoristas, descuentos, incentivos y condiciones de crédito. Su precio debe adaptarse bien con el valor percibido de la oferta, de otro modo los compradores preferirán los productos de la competencia.

Entrega de valor

Atlas debe determinar también cómo entregar adecuadamente al mercado meta el valor incluido en sus productos y servicios. Las actividades de canal incluyen aquellas que emprende la compañía para hacer que sus productos sean accesibles y disponibles para sus clientes meta (capítulo 15). Atlas debe identificar, reclutar y vincular a diversos facilitadores de marketing para que provean sus productos y servicios de manera eficiente al mercado meta. Debe entender a los diversos tipos de minoristas, mayoristas y empresas de distribución física y cómo toman sus decisiones (capítulo 16).

Comunicación de valor

Atlas también debe comunicar de manera adecuada al mercado meta el valor que incluyen sus productos y servicios. Necesitará un programa integrado de comunicación de marketing que maximice la contribución individual y colectiva de todas las actividades de comunicación (capítulo 17). Atlas necesita establecer programas de comunicación masiva que consistan en publicidad, promoción de ventas, eventos y relaciones públicas (capítulo 18). También necesita planificar comunicaciones más personales, a través de marketing directo e interactivo, así como contratar, capacitar y motivar vendedores (capítulo 19).

Creación de crecimiento con éxito a largo plazo

Con base en su posicionamiento de producto, Atlas debe iniciar el desarrollo de nuevos productos, probarlos y lanzarlos como parte de su horizonte a largo plazo (capítulo 20). La estrategia debe tener en cuenta las cambiantes oportunidades y desafíos globales (capítulo 21).

Por último, Altas debe crear una organización de marketing capaz de implementar el plan de marketing (capítulo 22). Dado que pueden ocurrir sorpresas y decepciones conforme se desarrollan los planes de marketing, Atlas requerirá retroalimentación y control para entender la eficacia y eficiencia de sus actividades de marketing y la manera en que puede mejorarlas.[56]

Resumen

1. El marketing es una función organizacional y un conjunto de procesos para crear, comunicar y entregar valor a los clientes y para administrar las relaciones con los clientes de forma que beneficien a la organización y a todos sus grupos de interés. La dirección de marketing es el arte y la ciencia de elegir mercados meta y de obtener, conservar y aumentar los clientes mediante la creación, entrega y comunicación de valor superior para el cliente.
2. Los especialistas en marketing tienen habilidad para administrar la demanda: buscan influir en su nivel, en el tiempo oportuno y la composición de los bienes, servicios, eventos, experiencias, personas, lugares, propiedades, organizaciones, información e ideas. También operan en cuatro diferentes mercados: de consumo, industriales, globales y no lucrativos.
3. El marketing no solamente se lleva a cabo por el departamento de marketing. Es necesario que afecte cada aspecto de la experiencia del cliente. Para crear una fuerte organización de marketing, los especialistas en marketing deben pensar como los ejecutivos de otros departamentos, y éstos a su vez, pensar como especialistas en marketing.
4. El mercado actual es fundamentalmente diferente como resultado de las principales fuerzas sociales que han provocado nuevas capacidades del consumidor y de la empresa. Estas fuerzas han creado nuevas oportunidades y desafíos y han cambiado la dirección de marketing significativamente conforme las empresas buscan nuevas formas de lograr la excelencia de marketing.
5. Existen cinco conceptos competidores de los que las organizaciones pueden elegir para llevar a cabo sus negocios: el concepto de producción, el concepto de producto, el concepto de venta, el concepto de marketing y el concepto de marketing holístico. Los primeros tres actualmente son de uso limitado.
6. El concepto de marketing holístico se basa en el desarrollo, diseño e implementación de programas, procesos y actividades de marketing que reconocen su amplitud e interdependencias. El marketing holístico reconoce que todo importa cuando se trata de marketing, y que una perspectiva amplia e integrada a menudo es necesaria. Los cuatro componentes del marketing holístico son el marketing de relaciones, el marketing integrado, el marketing interno y el rendimiento del marketing.
7. El conjunto de tareas necesarias para que la dirección de marketing tenga éxito incluyen el desarrollo de estrategias y planes de marketing, la captura de las perspectivas de marketing, la conexión con los clientes, la generación de marcas fuertes, dar forma a las ofertas de mercado, entregar y comunicar valor y crear crecimiento rentable a largo plazo.

Aplicaciones

Debate de marketing

¿El marketing crea o satisface necesidades?

El marketing a menudo se ha definido en términos de satisfacer las necesidades y deseos de los clientes. Sin embargo, los críticos mantienen que el marketing va más allá de eso y crea necesidades y deseos que no existían con anterioridad. Sienten que los especialistas en marketing animan a los consumidores a gastar más dinero del que deberían en bienes y servicios que no necesitan.

Asuma una posición: El marketing da forma a las necesidades y deseos del consumidor *versus* El marketing refleja las necesidades y deseos del consumidor.

Discusión de marketing

Cambios en el marketing

Considere los grandes cambios en el marketing. ¿Surgen algunos temas en ellos? ¿Puede relacionar los cambios con las principales fuerzas sociales? ¿Qué fuerza ha contribuido a cada cambio?

Marketing de excelencia

>>Nike

Nike arrancó la carrera en 1962. Originalmente se llamaba Blue Ribbon Sports y la empresa se centraba en proveer calzado deportivo de alta calidad diseñado por atletas para atletas. Su fundador, Philip Knight, pensaba que los zapatos de alta tecnología para los corredores podían fabricarse a precios competitivos si se importaban del extranjero. El compromiso de Nike con el diseño de calzado innovador para los atletas serios le ayudó a generar un culto de seguidores entre los consumidores estadounidenses.

Nike creía en una "pirámide de influencia" en la cual las preferencias de un pequeño porcentaje de los atletas de mayor rango influían en las decisiones de producto y de marca de los demás. Desde el principio sus campañas de marketing incluyeron a atletas destacados. Su primer portavoz, el corredor Steve Prefontaine tenía una actitud irreverente que encajaba con el espíritu de la empresa.

En 1985, Nike contrató como portavoz al entonces guardia novato Michael Jordan. Él aún era una promesa, pero personificaba un rendimiento superior. La apuesta de Nike valió la pena: la línea de zapatos para baloncesto Air Jordan voló de las estanterías y los ingresos superaron los 100 millones de dólares tan sólo en el primer año. Como dijo un reportero, "Pocos profesionales de marketing han podido identificar y firmar de manera tan confiable a atletas que trascendieron en su deporte con tan gran efecto".

En 1988 Nike transmitió al aire los primeros anuncios de su campaña de 20 millones de dólares "Just Do It". La campaña que finalmente apareció con 12 comerciales de televisión, desafió sutilmente a una generación de aficionados al deporte a perseguir sus metas. Era una manifestación de la actitud de Nike acerca de la autopotenciación por medio del deporte.

Conforme Nike se comenzó a expandir en el extranjero hacia Europa, se encontró con que sus anuncios de estilo estadounidense eran percibidos como demasiado agresivos. Nike se dio cuenta que debían "autentificar" la marca en Europa, por lo que se centró en el fútbol (conocido como *soccer* en Estados Unidos) y se convirtió en patrocinador activo de ligas juveniles, clubes locales y equipos nacionales. Sin embargo, para que Nike construyera su autenticidad dentro del público del fútbol, los consumidores debían ver a los atletas profesionales usando sus productos, especialmente los atletas que ganaban. La gran oportunidad llegó en 1994 cuando el equipo brasileño (el único equipo nacional para el que Nike tenía un patrocinio real) ganó la Copa del Mundo. Esa victoria transformó la imagen de Nike en Europa de ser una compañía de zapatos deportivos en una marca que representaba emoción, lealtad e identificación. También ayudó a lanzar a Nike a otros mercados internacionales durante la siguiente década, y en 2003 los ingresos del extranjero sobrepasaron por primera vez los ingresos en Estados Unidos.

En 2007, Nike compró Umbro, un fabricante británico de calzado, ropa y equipamiento de fútbol. La adquisición ayudó a impulsar la presencia de Nike en ese deporte ya que la empresa se volvió el proveedor principal de uniformes a más de 100 equipos profesionales alrededor del mundo.

Nike centró sus esfuerzos en los mercados internacionales, sobre todo en China, durante la Olimpiada de 2008 en Beijing. Aunque el rival de Nike, Adidas, era el patrocinador oficial de los Juegos Olímpicos, Nike recibió un permiso especial del Comité Olímpico Internacional para transmitir anuncios de Nike donde aparecían los atletas olímpicos durante los juegos. Además, Nike patrocinó a varios equipos y atletas, incluyendo a la mayoría de los equipos chinos y a 11 de los 12 miembros de alto perfil de los equipos estadounidenses de baloncesto masculino. Ese año las ventas en la región asiática crecieron 15% para llegar a 3300 millones de dólares y las divisiones internacionales de Nike crecieron para generar el 53% de los ingresos de la empresa. Algunos creen que la estrategia de marketing de Nike durante las Olimpiadas fue más exitosa que el patrocinio olímpico de Adidas.

Además de expandir la marca hacia el extranjero, Nike entró con éxito a nuevas categorías de producto de calzado deportivo, ropa y equipamiento con el uso de promociones de atletas de alto perfil y programas de divulgación para los consumidores. La marca Nike Golf, promovida por Tiger Woods, ha cambiado la forma de vestir de los golfistas profesionales. La poderosa influencia de Tiger en el juego y su estilo engalanado de Nike han transformado a los *green* en las "pasarelas de moda del golf". Además, Nike ha utilizado a la superestrella para ayudarle a crear su relación con los consumidores. En 2009, lanzó la sesión de Tiger Web Talkback en nikegolf.com, donde los aficionados pueden hacer preguntas y escuchar a Tiger hablar sobre golf. La sesión fue parte del día de experiencias para los consumidores en todo el país para Nike Golf, que incluyó demostraciones de equipo, concursos de distancia de golpe inicial y ofertas especiales en las tiendas.

En el tenis, Nike ha reclutado a Maria Sharapova, Roger Federer y Rafael Nadal para impulsar su línea de ropa y equipo para tenis. Algunos llamaron al famoso encuentro entre Roger Federer y Rafael Nadal —ambos vestidos de pies a cabeza con el *swoosh* de la marca— en Wimbledon 2008 como un comercial de Nike de cinco horas valorado en 10.6 millones de dólares.

Nike hizo equipo con el siete veces campeón del Tour de France, Lance Armstrong, no solamente para vender productos Nike sino para ayudar a la campaña de Armstrong, LIVESTRONG. Nike diseñó, fabricó y vendió más de 70 millones de brazaletes amarillos LIVESTRONG, con ingresos netos de más de 800 millones de dólares para la Fundación Lance Armstrong. También incluía el mensaje de supervivencia, fuerza de voluntad y dedicación de Armstrong en una serie de comerciales de Nike.

Para promover su línea de ropa y calzado de baloncesto, Nike continúa incluyendo a superestrellas como Kobe Bryant y

LeBron James. Además, se asoció con Foot Locker para crear una nueva cadena de tiendas, House of Hoops by Foot Locker, donde solamente ofrece productos de baloncesto de marcas de Nike como Converse y Jordan.

Recientemente, la ventaja de Nike en la categoría de correr ha crecido a una cuota de mercado del 60% gracias a su exclusiva alianza con Apple. La tecnología Nike+ (Plus) incluye un sensor que los corredores insertan en sus zapatos para correr y un receptor que se acopla con un iPod, iTouch o iPhone. Cuando el atleta va a correr o al gimnasio, el receptor capta la distancia recorrida, las calorías quemadas y el ritmo del paso, y los almacena hasta que la información se baja a la PC (ordenador). Nike+ se considera actualmente el club de corredores más grande del mundo.

En 2008 y 2009, Nike+ auspició la Human Race 10K, la carrera más grande y la única global y virtual en el mundo. El evento, diseñado para celebrar la actividad de correr, congregó a 780 000 participantes en 2008 y superó la cifra en 2009. Para participar, los corredores se registran, se equipan con tecnología Nike+ y saltan a la calle el día de la carrera, corriendo cualquier ruta de 10 km que elijan en cualquier momento del día. Una vez que los datos se bajan del receptor Nike+ PC, el tiempo oficial de cada corredor se publica y se puede comparar con los tiempos de otros corredores en todo el mundo.

Como muchas empresas, Nike trata de hacer su empresa y sus productos amigables con el medio ambiente. Sin embargo, a diferencia de muchas empresas, no promueve sus esfuerzos. Un consultor de marca explicaba, "Nike siempre ha sido ganador. ¿Cómo es de relevante la sostenibilidad para la marca?". Los ejecutivos de marketing están de acuerdo en que promover un mensaje amigable con el medio ambiente distraería de la imagen hábil y de alta tecnología, así que los esfuerzos tales como el reciclaje de zapatos viejos para fabricar nuevos, se mantienen callados.

Hoy, Nike domina el mercado de calzado atlético con una cuota de mercado global del 31% y del 50% en Estados Unidos. Los *swooshes* abundan en todo, desde relojes de pulsera y patinetas (tablas de patinar) hasta gorros para natación. La estrategia a largo plazo de la empresa se centra en baloncesto, correr, futbol, *fitness* para mujeres, entrenamiento para hombres y cultura deportiva. Como resultado de su exitosa expansión cruzando mercados geográficos y categorías de productos, Nike es el principal fabricante de ropa y calzado deportivo del mundo con ingresos corporativos fiscales de más de 19 mil millones de dólares para 2009.

Preguntas

1. ¿Cuáles son las ventajas, desventajas y riesgos asociados con la estrategia central de marketing de Nike?
2. Si usted fuera Adidas, ¿cómo competiría con Nike?

Fuentes: Justin Ewers y Tim Smart, "A Designer Swooshes In", *U.S. News & World Report,* 26 de enero de 2004, p. 12; "Corporate Media Executive of the Year", Delaney Report, 12 de enero de 2004, p.1; Barbara Lippert, "Game Changers: Inside the Three Greatest Ad Campaigns of the Past Three Decades", *Adweek,* 17 de noviembre de 2008; "10 Top Nontraditional Campaigns", *Advertising Age,* 22 de diciembre de 2003, p. 24; Chris Zook y James Allen, "Growth Outside the Core", *Harvard Business Review,* diciembre de 2003, p. 66; Jeremy Mullman, "NIKE; What Slowdown? Swoosh Rides Games to New High", *Advertising Age,* 20 de octubre de 2008, p. 34; Allison Kaplan, "Look Just Like Tiger (until you swing)", *America's Intelligence Wire,* 9 de agosto de 2009; Reena Jana y Burt Helm, "Nike Goes Green, Very Quietly", *BusinessWeek,* 22 de junio de 2009.

Marketing de excelencia

>>Google

En 1998 dos estudiantes de doctorado de la Stanford University, Larry Page y Sergey Brin, fundaron una empresa de motor de búsqueda y la llamaron Google. El nombre se deriva del término *googol* —1 seguido de 100 ceros— y se refiere a la cantidad inmensa de datos disponibles *online* que la empresa ayuda a que los usuarios encuentren. La misión corporativa de Google es "organizar la información del mundo y hacerla disponible y útil de manera universal". Desde el inicio, Google se ha esforzado por ser uno de "los buenos" del mundo corporativo, apoyando un entorno de trabajo que recalca el sentimiento humano, un fuerte sentido de ética y el famoso credo de su fundación: "no seas malvado".

La empresa se ha convertido en el líder del mercado de los buscadores de Internet mediante su enfoque de negocios e innovación constante. A medida que Google se convertía en un destino principal para los usuarios de la Web en busca de información online, atrajo a anfitriones de anunciantes. Éstos impulsaron los ingresos de Google al comprar "anuncios de búsqueda", pequeños recuadros basados en texto que los anunciantes pagan únicamente cuando los usuarios hacen clic sobre ellos. El programa de búsqueda de anuncios, llamado AdWords vende espacio en sus páginas de búsqueda hacia vínculos con términos clave específicas. Google subasta los anuncios de términos clave, y los términos clave y las ubicaciones principales se venden al mejor postor. Recientemente, Google añadió un programa llamado AdSense que permite a cualquier página Web mostrar anuncios dirigidos de Google que se relacionan con el contenido de la página. Los editores de las páginas Web ganan dinero cada vez que los visitantes hacen clic en estos anuncios.

Además de ofrecer "bienes raíces" de primer nivel para los anunciantes, Google añade valor proveyendo herramientas para dirigir mejor sus anuncios y entender mejor la efectividad de su marketing. Google Analytics, que es gratis para los anunciantes de Google, provee un informe personalizado, o tablero, donde se detalla cómo los usuarios de Internet dieron con el sitio, qué anuncios vieron y/o sobre los que hicieron clic, cómo se comportaron una vez ahí y cuánto tráfico se generó. Uno de los clientes de Google, Discount Tire, pudo identificar dónde los clientes encontraban problemas que los llevaban a abandonar una compra a la mitad del proceso. Después de modificar su sitio y actualizar su campaña de términos clave de búsqueda, Discount Tire tuvo un aumento del 14% en ventas en una semana.

Con su habilidad de desplegar datos que permiten mejoras al minuto en un programa de marketing online, Google apoya un estilo de marketing en el cual los recursos y presupuesto de marketing pueden estar bajo vigilancia constante y ser optimizados. Google llama a este enfoque "administración de activos de marketing", sugiriendo que la publicidad debe administrarse como los activos de una cartera, dependiendo de las condiciones del mercado. En vez de seguir un plan de marketing planeado con meses de anticipación, las empresas usan los datos en tiempo real que se recolectan en sus campañas para optimizar su eficacia y tener mejor respuesta al mercado.

Durante la última década, Google se ha expandido más allá de sus capacidades de búsqueda con numerosos servicios, aplicaciones y herramientas adicionales. Crea y distribuye sus productos gratuitamente, lo que a su vez provee nuevas oportunidades para que la empresa venda espacio publicitario dirigido. Ya que el 97% de los ingresos de Google provinieron de la publicidad online, el espacio publicitario nuevo es fundamental para el crecimiento de la empresa.

La amplia gama de productos y servicios de Google se pueden clasificar en cinco categorías: productos de escritorio, productos móviles, productos Web, productos de hardware y otros productos. Los *productos de escritorio* incluyen tanto aplicaciones autónomas como Google Earth (un globo terráqueo virtual que usa imágenes satelitales y fotografía aérea), Google Chrome (un explorador Web) y Google Video/YouTube (Google adquirió el sitio de hosting de videos en 2006 por 1 650 millones de dólares), o extensiones para escritorio como la Google Toolbar (una barra de herramientas buscador). Los *productos móviles* incluyen todos los productos disponibles para dispositivos móviles. Los *productos Web* se dividen en los siguientes subconjuntos: publicidad (por ejemplo, AdWorks, DoubleClick, Click-to-Call, comunicaciones y edición (por ejemplo, GoogleDocs, Google Calendar, Google Gadgets, Wave), desarrollo (por ejemplo, Android, Google Code), mapeo (por ejemplo) Google Sky, Google Maps), búsqueda (por ejemplo, Google Dictionary, Google Alerts, Google Scholar) y estadísticas (Google Trends, Google Analytics).

La etapa de desarrollo de Google se inicia en Google Labs, que enumera los nuevos productos disponibles para hacer pruebas. Después los mueve a estatus beta donde los usuarios invitados prueban prototipos anticipados. Una vez que los productos han sido totalmente probados y listos para su lanzamiento al público en general, se mueve a la etapa dorada como un producto central de Google. Google Voice, por ejemplo, se encuentra en la etapa beta. Les da a los consumidores un número telefónico de Google que conecta a su vez con el número de su casa, su oficina y teléfono móvil. El usuario decide qué teléfonos sonarán según quién le llame. Debido a la complejidad y popularidad de Google Voice, los usuarios solamente tienen acceso por invitación.

Google no ha gastado mucho dinero en publicidad tradicional. Los esfuerzos recientes se han dirigido a los consumidores de Microsoft con invitaciones a usar las aplicaciones de "cómputo en la nube" en lugar de Microsoft Office o Windows. Al "volverse Google" el usuario puede tener acceso a todos sus documentos y aplicaciones mediante un explorador Web en lugar de tener la infraestructura física y el software. Además, en 2009 Google lanzó su primer comercial de televisión para Google Chrome, una alternativa al explorador Web de Microsoft, Internet Explorer.

Google también está apostando en grande en la categoría móvil. Con el lanzamiento en 2008 de Android, un sistema operativo móvil, Google compite directamente con el iPhone de Apple. Aunque muchos aún prefieren la plataforma de Apple, incluso los críticos han elogiado los beneficios de Android. Lo más importante, Android es gratis, de fuente abierta y respaldado por una inversión multimillonaria. Eso significa que Google quiere que sus aliados le ayuden a construir y diseñar a Android a través de los años. Además, el iPhone sólo está disponible en Estados Unidos a través de AT&T, mientras que la mayoría de la competencia de AT&T apoya los teléfonos Android. Si Google influye sobre millones de consumidores nuevos para que usen los teléfonos inteligentes, puede hacer miles de millones en publicidad móvil. Un analista dijo que Google "está tratando de adelantarse a los demás con estas iniciativas para que cuando [la publicidad móvil] se vuelva común, Google sea uno de los jugadores principales, y la publicidad de *display* es un área clave de crecimiento para Google".

El objetivo de Google es llegar a tanta gente como sea posible en la Web, ya sea por PC o por teléfono. Cuantos más usuarios haya en la Web, más publicidad puede vender Google. Los nuevos productos de Google también logran esta meta y hacen que la Web se vuelva una experiencia más personalizada. Un programa permite al usuario marcar su posición actual en Google Maps, hacer clic en la pestaña local y recibir información sobre restaurantes, bares y sedes de entretenimiento.

Google ha disfrutado de gran éxito como empresa y como marca desde su lanzamiento. Cuando en 2009 sufrió un apagón, el tráfico mundial en Internet bajó 5%. En 2009, Google tenía un 65% de cuota de mercado de búsquedas en Estados Unidos, significativamente más que la cuota del segundo lugar, Yahoo!, que tenía el 20%. Globalmente, Google tenía un liderazgo aun más dominante con una participación del 89% contra el 5% de Yahoo!, y el 3% de Microsoft. Los ingresos de Google sobrepasaron los 21 mil millones de dólares en 2008, y la empresa fue clasificada como la marca más poderosa del mundo con un valor de marca de 86 mil millones de dólares.

Preguntas

1. Con una cartera tan diversa como la de Google, ¿cuáles son los valores centrales de marca de la empresa?
2. ¿Cuál es el paso a seguir para Google? ¿Está haciendo lo correcto al enfrentar a Microsoft con el concepto de cómputo en la nube y a Apple en la contienda por los teléfonos inteligentes?

Fuentes: www.google.com; Catherine P. Taylor "Google Flex", *Adweek*, 20 de marzo de 2006, historia de portada; Richard Karpinski, "Keywords, Analytics Help Define User Lifetime Value", *Advertising Age*, 24 de abril de 2006, p. S2; Danny Gorog, "Survival Guide", *Herald Sun*, 29 de marzo de 2006; Julie Schlosser, "Google", *Fortune*, 31 de octubre de 2005, pp. 168-69; Jefferson Graham "Google's Profit Sails Past Expectations", USA Today, 21 de octubre de 2005; Dan Frommer, "BrandZ Top 100 2008 Report"; "Google's Android Mobile Platform is Getting Huge", Advertising Age, 8 de octubre de 2009; Rita Chang, "Google Set for Richer Advertising on Smartphones", *Advertising Age*, 5 de octubre de 2009.

En este capítulo responderemos las siguientes preguntas

1. ¿Cómo afecta el marketing al valor del cliente?
2. ¿Cómo se lleva a cabo la planificación estratégica en los diferentes niveles de la organización?
3. ¿Qué incluye un plan de marketing?

Yahoo! se enfrenta a muchos desafíos estratégicos conforme intenta esquivar a Google y otros competidores.

Desarrollo de estrategias y planes de marketing

Los ingredientes clave del proceso de dirección de marketing son estrategias y planes creativos e intuitivos que puedan guiar las actividades de marketing. El desarrollo de la estrategia correcta de marketing requiere una mezcla de disciplina y flexibilidad. Las empresas deben adherirse a una estrategia, y también mejorarla constantemente. Además deben desarrollar estrategias para una variedad de productos y servicios de la organización.

Yahoo! fue fundada en 1994 por estudiantes de posgrado de la Stanford University que navegaban en la Web. Esta empresa, que al principio fue una pequeña firma rodeada por los pesos pesados de Silicon Valley, creció hasta convertirse en una fuerza poderosa en los medios de Internet. Yahoo! trabajó fuerte para ser algo más que un buscador. La empresa se proclama orgullosamente como "el único lugar donde uno necesita ir para encontrar lo que sea, comunicarse con quien sea o comprar lo que sea". Su variedad de servicios incluye correo electrónico, noticias, clima, música, fotografías, juegos, compras, subastas y viajes. Un alto porcentaje de sus ingresos proviene de la publicidad, pero la empresa también obtiene ganancias de los servicios de suscripción, tales como anuncios personales online, correo electrónico premium y servicios para pequeñas empresas. Aunque Yahoo! se esfuerza por lograr una ventaja competitiva sobre su rival Google con una gran selección de contenido original, el ascenso de Google como líder indiscutible de servicios de búsqueda, correo electrónico y servicios relacionados, lo ha vuelto un favorito de los anunciantes. Yahoo! fortaleció sus capacidades con la adquisición del servicio para compartir fotografías, Flickr; del administrador de sitios sociales favoritos, Del.icio.us, y del sitio de edición de video online, Jumpcut. Yahoo! continúa creciendo a escala global en Europa y Asia, gracias en parte a la adquisición de Kelkoo, un sitio europeo de compras y para comparaciones por 579 millones de dólares, y por la compra del 46% de Alibaba, una empresa china de comercio electrónico por 1 000 millones de dólares en efectivo. Las discusiones con Microsoft sobre una posible fusión concluyeron en junio de 2009, con un arreglo por diez años que proporciona a Microsoft acceso completo al buscador Yahoo! para usarlo en proyectos futuros para el propio buscador de la compañía, Bing. No obstante, la CEO Carol Bartz, fue muy cuestionada sobre cómo sería mejor que procediera Yahoo!.[1]

Este capítulo inicia examinando algunas de las implicaciones estratégicas de marketing al crear valor para el cliente. Analizaremos diversas perspectivas sobre planificación, y describiremos cómo se debe elaborar un plan de marketing formal.

El marketing y el valor para el cliente

El objetivo de cualquier negocio es entregar valor para el cliente con un beneficio. En una economía hipercompetitiva, con compradores cada vez mejor informados y con múltiples opciones, una empresa sólo puede ganar al ajustar el proceso de entrega de valor y escoger, proveer y comunicar un valor superior.

El proceso de entrega de valor

La visión tradicional del marketing es que la empresa fabrica algo y luego lo vende; el marketing tiene lugar precisamente durante el proceso de venta. Las empresas que aceptan esta visión tienen mejor oportunidad de éxito en economías caracterizadas por la escasez de bienes, y donde los consumidores no son exigentes en cuanto a calidad, características o estilo, por ejemplo, bienes básicos de primera necesidad en mercados en desarrollo.

Sin embargo, esta visión tradicional no funcionará en economías donde existan diferentes tipos de personas, cada una con deseos, percepciones, preferencias y criterios de compra individuales. El competidor inteligente debe diseñar y entregar ofertas para mercados meta (mercados objetivo) bien definidos. El reconocimiento de este hecho inspiró una nueva visión de los procesos de negocio, colocando al marketing en el *inicio* de la planificación. En vez de enfatizar la fabricación y la venta, las empresas deben verse a sí mismas como parte del proceso de entrega de valor.

Es posible dividir la secuencia de la creación y entrega de valor en tres fases.[2] La primera, *elegir el valor* es la "tarea" que debe llevar a cabo el marketing antes de que exista cualquier producto. Los especialistas en marketing deben segmentar el mercado, dirigirse al mercado meta adecuado, y desarrollar el posicionamiento del valor de la oferta. La fórmula "segmentación, direccionamiento, posicionamiento" (SDP) es la esencia del marketing estratégico. La segunda fase es *proveer el valor*. El marketing debe determinar las características específicas del producto, su precio y su distribución. La tarea de la tercera fase es *comunicar el valor* por medio de la fuerza de ventas, Internet, publicidad y cualquier otra herramienta de comunicación para anunciar y promover el producto. El proceso de entrega de valor se inicia antes de que exista un producto, y continúa durante el desarrollo del mismo y después de su lanzamiento. Cada fase tiene implicaciones en costos.

La cadena de valor

Michael Porter, de Harvard, ha propuesto la **cadena de valor** como una herramienta para identificar varias maneras de crear más valor para el cliente.[3] Según este modelo, cada empresa es una síntesis de actividades llevadas a cabo para diseñar, producir, comercializar, entregar y apoyar al producto. La cadena de valor identifica nueve actividades estratégicamente relevantes —cinco primarias y cuatro de apoyo— que crean valor y costos en un negocio específico.

Las *actividades primarias* son: (1) logística de entrada, o traer materiales al negocio; (2) operaciones, o transformar los materiales en productos terminados; (3) logística de salida, o envío de los productos terminados; (4) marketing, incluyendo ventas, y (5) servicio. Los departamentos especializados manejan las *actividades de apoyo*: (1) aprovisionamiento, (2) desarrollo de tecnología, (3) gestión de recursos humanos, y (4) infraestructura de la empresa. (La infraestructura incluye los costos de gestión general, planificación, finanzas, contabilidad, y asuntos legales y de gobierno).

La tarea de la empresa es examinar los costos y rendimiento de cada actividad generadora de valor, y buscar maneras de mejorarlos. Los gerentes deben estimar los costos de la competencia y sus rendimientos, y usarlos como *benchmarks* contra los que deberá comparar los propios. Deben ir más allá y estudiar las "mejores prácticas de su categoría", de las empresas líderes en el mundo. Podemos identificar las empresas con las mejores prácticas al consultar con los clientes, proveedores, distribuidores, analistas financieros, asociaciones comerciales y revistas, para ver a cuál reconocer por hacer el mejor trabajo. Aun las mejores empresas pueden hacer benchmark, incluso en otras industrias si es necesario, para mejorar su desempeño. Para apoyar su meta corporativa de ser más innovadores, GE ha hecho benchmark con P&G y también ha desarrollado sus propias mejores prácticas.[4]

El éxito de la empresa depende no solamente de qué tan bien haga su trabajo cada departamento, sino también de qué tan bien la empresa coordina las actividades departamentales para que lleven a cabo los *procesos empresariales básicos*.[5] Estos procesos incluyen:

- ***Procesos de investigación de mercados.*** Todas las actividades relativas a recopilar y manejar información del mercado.
- ***Procesos de realización de la oferta.*** Todas las actividades de investigación, desarrollo y rápido lanzamiento de ofertas nuevas de alta calidad, y dentro del presupuesto.
- ***Procesos de adquisición de clientes.*** Todas las actividades para definir los mercados meta y la búsqueda de nuevos clientes.
- ***Procesos de gestión de relaciones con clientes.*** Todas las actividades para profundizar la comprensión, relaciones y ofertas para los clientes individuales.
- ***Procesos de gestión de pedidos.*** Todas aquellas actividades relacionadas con la recepción y aprobación de pedidos, el envío oportuno de los bienes, y el sistema de cobro.

Las empresas fuertes realizan procesos de reingeniería en sus flujos de trabajo y crean equipos multifuncionales para que sean responsables de cada proceso.[6] En Xerox, el Grupo de Operaciones con Clientes vincula las ventas, envíos, instalación, servicio y cobro para que las actividades fluyan sin problema entre estas funciones. Las empresas ganadoras son excelentes para manejar los procesos empresariales básicos mediante equipos multifuncionales; estos equipos existen también en organizaciones no lucrativas y gubernamentales.

Para ser exitosa es necesario, además, que la empresa busque ventajas competitivas más allá de sus propias operaciones, en las cadenas de valor de sus proveedores, distribuidores y clientes. Muchas empresas

Pratt & Whitney emplean equipos multifuncionales para fabricar sus productos, como este motor de avión de la serie 4000.

han hecho alianzas con proveedores y distribuidores específicos para crear una **red de generación de valor superior,** también llamada **cadena de suministro**.

Sony

Sony En mayo de 2009 Sony anunció que reduciría el número de sus proveedores a la mitad durante los siguientes dos años, aumentando el número de piezas y materiales que compraría a cada uno y reduciendo así sus costos unitarios y los gastos generales de adquisiciones. Algunos analistas de valores recibieron la noticia positivamente, como un compromiso de reestructuración por parte de la empresa. Otros no fueron tan optimistas, como Nobuo Kurahashi, de Mizuho Investors Securities, que dijo: "No estoy seguro de qué tan eficaz sea esto, ya que solamente se trata de hacer más eficiente la operación (racionalización operativa), y no por ello las ganancias aumentarán o se tendrán frutos inmediatamente".[7]

Competencias centrales

Tradicionalmente las empresas eran propietarias y controlaban la mayoría de los recursos que constituían su negocio —fuerza de trabajo, materiales, maquinaria, información y energía—, pero actualmente muchas subcontratan recursos menos críticos siempre y cuando puedan obtener mejor calidad o un costo más bajo.

La clave, entonces, es ser propietario y cultivar los recursos y las competencias que constituyen la *esencia* del negocio. Muchas empresas no fabrican sus propios productos —textiles, químicos, cómputo/informática y electrónicos— ya que existen empresas extranjeras que son más competentes en la fabricación. Más bien se centran en el diseño de productos y en su desarrollo y comercialización, es decir, en sus competencias centrales. Una **competencia central** tiene tres características: (1) es una fuente de ventaja competitiva, y hace una contribución significativa a los beneficios percibidos por el cliente. (2) Tiene aplicaciones en una gran variedad de mercados. (3) Es difícil que los competidores la imiten.[8]

La ventaja competitiva también se obtiene por las empresas que poseen *capacidades distintivas* o excelencia en procesos empresariales más amplios. George Day, de Wharton, considera que las organizaciones impulsadas por el mercado son excelentes en tres capacidades distintivas: en la percepción sobre el mercado, en la vinculación con el cliente, y en la unión con los canales.[9] En términos de detección de mercados, Day cree que las grandes oportunidades y amenazas a menudo comienzan como "señales débiles" del entorno de un negocio.[10] Por ello, ofrece un proceso sistemático para desarrollar una visión periférica, y herramientas y estrategias prácticas para crear "organizaciones vigilantes" en consonancia con los cambios en el entorno, mediante la formulación de tres preguntas que se relacionan, respectivamente, con las lecciones del pasado, con la evaluación del presente, y con tener una visión del futuro.

La ventaja competitiva, en última instancia, se deriva de lo bien que la empresa ha ajustado sus competencias centrales y capacidades distintivas dentro de "sistemas de actividad" estrechamente interrelacionados. Es difícil que sus competidores imiten a Southwest Airlines, Walmart o IKEA, porque son incapaces de copiar sus sistemas de actividad.

Kodak Con la llegada de la era digital y la capacidad para almacenar, compartir e imprimir fotografías usando computadoras (ordenadores) personales, Kodak se enfrenta a más competencia que nunca, tanto en tiendas como online. En 2004, después de que la empresa fue sacada del Dow Jones Industrial Average, donde había tenido un lugar durante más de 70 años, Kodak inició un doloroso proceso de transformación. Comenzó expandiendo su línea de cámaras digitales, impresoras y otros equipos, y también se propuso aumentar su participación de mercado en el lucrativo negocio de la producción de imágenes médicas. Hacer cambios, sin embargo, conlleva algunos desafíos. La empresa tuvo que despedir a casi 30 000 empleados entre 2004 y 2007, y adquirió una serie de compañías para su unidad de comunicación gráfica. En 2006 Kodak anunció que subcontrataría la fabricación de sus cámaras digitales e impresoras para el hogar. No sólo deberá Kodak convencer a los consumidores de que compren sus cámaras digitales e impresoras para el hogar, sino que también tendrá que darse a conocer como la manera más cómoda y económica de procesar imágenes digitales. Hasta la fecha sigue enfrentándose a la difícil competencia de Sony, Canon y Hewlett-Packard.11

Kodak ha instalado miles de sus Kioscos Digitales para que los clientes puedan imprimir fotografías digitales o digitalizar fotografías impresas cuando, donde, y como ellos quieran.

La orientación holística de marketing y valor para el cliente

El marketing holístico puede verse como la "integración de las actividades de exploración de valor, generación de valor y entrega de valor con el propósito de generar relaciones de largo plazo mutuamente satisfactorias y una prosperidad compartida entre los interesados clave en el negocio".[12] Los especialistas en marketing holístico tienen éxito al administrar una cadena de valor superior, que proporciona un alto nivel de calidad en términos de producto, servicio y rapidez. Logran un crecimiento rentable al expandir su participación de clientes, construir lealtad de los clientes, y capturar el valor de vida del cliente; y se enfrentan a tres cuestiones clave de dirección:

1. ***Exploración del valor.*** La manera como la empresa identifica nuevas oportunidades de valor.
2. ***Generación de valor.*** La manera como la empresa genera eficazmente nuevas ofertas de valor más prometedoras.
3. ***Entrega de valor.*** La manera como la empresa utiliza sus capacidades e infraestructura para entregar las nuevas ofertas de valor con mayor eficiencia.

El rol central de la planificación estratégica

El marketing exitoso requiere capacidades como las de entender, generar, entregar, captar y mantener el valor del cliente. Históricamente sólo un selecto grupo de empresas ha sobresalido por su destacada labor en la función de marketing (ver tabla 2.1). Estas empresas se centran en el cliente y están organizadas para responder con eficiencia a las necesidades cambiantes de los clientes. Todas tienen departamentos de marketing con suficiente personal, y los demás departamentos aceptan que el cliente es el rey.

Para asegurarse de estar seleccionando y ejecutando las actividades correctas, los especialistas en marketing deben dar prioridad a la planificación estratégica en tres áreas clave: (1) administrar los negocios de la empresa como una cartera de inversiones; (2) evaluar la fortaleza de cada negocio considerando la tasa de crecimiento del mercado y la posición y ajuste de la empresa en ese mercado, y (3) establecer una estrategia. La empresa debe desarrollar un plan de juego para lograr las metas a largo plazo de cada negocio.

Casi todas las empresas tienen cuatro niveles organizacionales: (1) corporativo; (2) de división; (3) de unidad de negocios, y (4) de producto. Las oficinas corporativas son responsables del diseño de un plan estratégico corporativo para guiar al conjunto de la empresa; toman decisiones sobre la cantidad de recursos asignados a cada división, así como respecto de cuáles negocios emprender o eliminar. Cada división establece un plan que abarca la asignación de fondos a cada una de las unidades de negocios que la conforman. Cada unidad de negocios desarrolla un plan estratégico para alcanzar un futuro rentable. Por último, cada nivel de producto (línea de productos, marca) desarrolla un plan de marketing para alcanzar sus metas.

El **plan de marketing** es el instrumento central para dirigir y coordinar el esfuerzo de marketing; el cual opera en dos niveles: estratégico y táctico. El **plan estratégico de marketing** establece los mercados meta y la

TABLA 2.1 Algunos ejemplos de empresas expertas en marketing

Amazon.com	Electrolux	Progressive Insurance
Bang & Olufsen	Enterprise Rent-A-Car	Ritz-Carlton
Barnes & Noble	Google	Samsung
Best Buy	Harley-Davidson	Sony
BMW	Honda	Southwest Airlines
Borders	IKEA	Starbucks
Canon	LEGO	Target
Caterpillar	McDonald's	Tesco
Club Med	Nike	Toyota
Costco	Nokia	Virgin
Disney	Nordstrom	Walmart
eBay	Procter & Gamble	Whole Foods

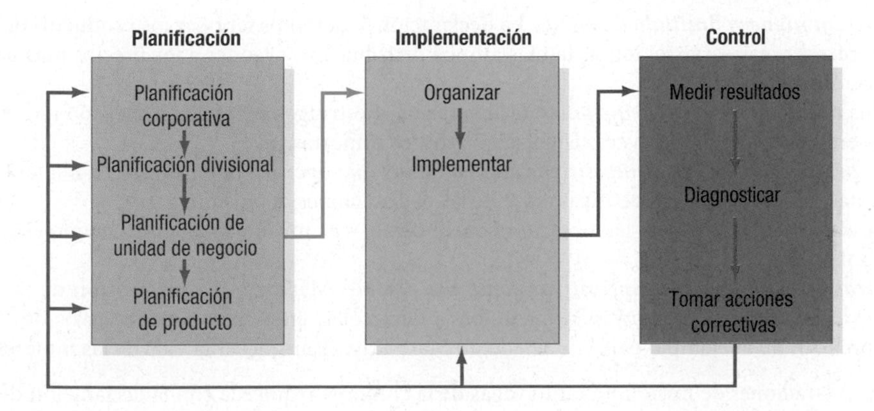

|Fig. 2.1| Los procesos de planificación estratégica, implementación y control

propuesta de valor de la empresa con base en el análisis de las mejores oportunidades de mercado. El **plan táctico de marketing** especifica las tácticas de marketing que incluyen las características del producto, promoción, comercialización, fijación de precios, canales de ventas y servicio. El ciclo completo de la planificación estratégica, integrado por la planificación, la implementación y el control, se muestra en la figura 2.1. A continuación consideraremos la planificación en cada uno de estos cuatro niveles de la organización.

Planificación estratégica corporativa y divisional

Algunas corporaciones dan libertad a sus unidades de negocios para establecer sus propias metas de ventas y ganancias, así como sus estrategias. Otras establecen las metas para sus unidades de negocios, pero les permiten desarrollar sus propias estrategias. Y otras establecen las metas y participan en el desarrollo de las estrategias individuales de las unidades de negocio.

En todas las sedes corporativas se llevan a cabo cuatro actividades de planificación:

1. Definir la misión corporativa
2. Establecer unidades estratégicas de negocios
3. Asignar recursos a cada unidad estratégica de negocios
4. Evaluar las oportunidades de crecimiento

A continuación analizaremos brevemente cada una de esas actividades.

Definir la misión corporativa

Una organización existe para lograr algo: para fabricar automóviles, prestar dinero, proporcionar alojamiento por una noche. A lo largo del tiempo, la misión puede cambiar para aprovechar nuevas oportunidades o para responder a nuevas condiciones del mercado. Amazon.com cambió su misión original, ser la librería online más grande del mundo, por la de ser la mayor tienda online; eBay cambió de ser un sitio de subastas online para coleccionistas, a ser un sitio de subastas de todo tipo de bienes, y Dunkin' Donuts cambió su énfasis sobre las rosquillas al café.

Para definir su misión, la empresa deberá responder las preguntas clásicas de Peter Drucker:[13] ¿Cuál es nuestro negocio? ¿Quién es el cliente? ¿Qué tiene valor para el cliente? ¿Cuál será nuestro negocio? ¿Cuál debería ser nuestro negocio? Estas preguntas, que parecen fáciles de contestar, son de las más complejas que la empresa tendrá que responder en su historia. Las empresas exitosas se las hacen y las responden continuamente.

Las organizaciones desarrollan **declaraciones de misión** que comparten con sus gerentes, sus empleados y (en muchas ocasiones) con sus clientes. Una declaración de misión clara y bien pensada provee un sentido compartido de propósito, dirección y oportunidad.

Las mejores declaraciones de misión reflejan una visión, casi un "sueño imposible" que proporciona dirección para los siguientes 10 o 20 años. El ex presidente de Sony, Akio Morita, quería que todos tuvieran acceso a un "equipo de sonido personal portátil", así que su empresa creó el *walkman* y el reproductor de CD portátil. Fred Smith quería entregar el correo en cualquier sitio de Estados Unidos antes de las 10:30 AM del día siguiente, así que creó FedEx.

Las buenas declaraciones de misión tienen cinco características principales.

1. ***Se centran en un número limitado de metas.*** La declaración "queremos fabricar los productos de más alta calidad, ofrecer más servicio, lograr la más amplia distribución y vender a los precios más bajos" exige demasiado.
2. ***Enfatizan las políticas y valores principales de la empresa.*** Restringen el rango de decisión individual para que los empleados actúen con consistencia en asuntos importantes.
3. ***Definen las principales esferas competitivas dentro de las que operará la empresa.*** La tabla 2.2 resume algunas dimensiones competitivas clave de las declaraciones de misión.
4. ***Tienen una visión de largo plazo.*** La dirección deberá cambiar la misión solamente cuando ésta deje de ser relevante.
5. ***Son tan cortas, memorables y significativas como sea posible.*** Más que una declaración de misión, el consultor de marketing Guy Kawasaki recomienda desarrollar enunciados corporativos de tres o cuatro palabras; un buen ejemplo es el enunciado de Mary Kay: "Enriquecer la vida de las mujeres".[14]

Compare las declaraciones de misión un tanto vagas de la columna izquierda con la declaración de misión y filosofía de Google en la columna derecha.

Generar valor total de marca al innovar en la entrega de valor al cliente y lograr el liderazgo desde la óptica de los clientes más rápidamente, mejor y más completamente que nuestra competencia.

Generamos marcas y hacemos un poco más feliz al mundo al llevarle lo mejor de nosotros.

Misión de Google

El objetivo de Google consiste en organizar la información mundial y hacerla accesible y útil de manera universal.

Filosofía de Google

Aceptar sólo lo mejor.

1. Piensa en el usuario y lo demás vendrá solo.
2. No hay nada mejor que el afán de superación.
3. Es mejor ser rápido que lento.
4. La democracia es una buena forma de gobierno para la Web.
5. Las respuestas pueden llegar a cualquier lugar, no es necesario esperar sentado.
6. Se puede prosperar económicamente siendo honesto.
7. Siempre hay más información por descubrir.
8. La necesidad de información traspasa todas las fronteras.
9. No hay que llevar traje para ser formal.
10. Ser muy bueno no basta.[15]

TABLA 2.2 Definición del territorio y límites corporativos en las declaraciones de misión

- **Sector industrial.** *Algunas empresas sólo operan en un sector industrial, otras únicamente en un conjunto de sectores relacionados, unas más exclusivamente en bienes industriales, de consumo o servicios, y otras en cualquier sector.*
  - Caterpillar se centra en el mercado industrial; John Deere en los mercados industriales y de consumo.
- **Productos y aplicaciones.** *Las empresas definen la gama de productos y aplicaciones que proveerán.*
  - St. Jude Medical se "dedica a desarrollar tecnología y servicios médicos que den más control a los médicos, a contribuir al avance de la práctica de la medicina, y a propiciar que cada paciente obtenga resultados exitosos".
- **Competencia.** *La empresa identifica la gama de competencias tecnológicas y otras competencias centrales que dominará y en las que se apoyará.*
  - La empresa japonesa NEC estableció sus competencias centrales en cómputo, comunicaciones y componentes para apoyar la producción de computadoras portátiles, receptores de televisión y teléfonos inalámbricos.
- **Segmento de mercado.** *El tipo de mercado o clientes que atenderá una empresa es su segmento de mercado.*
  - Aston Martin fabrica únicamente automóviles deportivos de lujo. Gerber atiende principalmente el mercado de los bebés.
- **Vertical.** *La esfera vertical es el número de niveles de canal en los que participará la empresa, desde la materia prima hasta el producto terminado y la distribución.*
  - En un extremo están las empresas con un gran alcance vertical. American Apparel estampa, diseña, confecciona, comercializa y distribuye su línea de ropa desde una sede única ubicada en el centro de Los Ángeles.
  - En el otro extremo se encuentran las "corporaciones huecas" que subcontratan la producción de casi todos los bienes y servicios a sus proveedores. Metro International imprime las ediciones de 34 diarios locales gratuitos en 16 países. Solamente emplea a unos cuantos reporteros, y no posee una sola máquina de impresión; en vez de ello, compra sus contenidos periodísticos a otras fuentes de noticias y subcontrata con terceros toda la impresión y buena parte de la distribución.[16]
- **Geográfico.** *La gama de regiones, países o grupos de países en los que una empresa tiene operaciones define su esfera geográfica.*
  - Algunas empresas solamente operan en una ciudad o estado específicos. Otras son multinacionales, como Deutsche Post DHL y Royal Dutch/Shell, cada una de las cuales tiene operaciones en más de cien países.

Establecimiento de unidades estratégicas de negocios

Las empresas a menudo se definen a sí mismas en términos de sus productos: están en el "negocio de automóviles" o en el "negocio de la ropa". Sin embargo, las *definiciones de mercado* describen el negocio como un proceso de satisfacción del cliente. Los productos son efímeros; las necesidades básicas y los grupos de clientes duran para siempre. El transporte es una necesidad; el caballo y el carro, el automóvil, el tren, el avión, el barco y el camión son productos que satisfacen esa necesidad.

Ver el negocio en términos de necesidades de los clientes puede sugerir oportunidades de crecimiento adicionales. La tabla 2.3 tiene un listado de las empresas que han cambiado de una definición de producto de su negocio a una definición de mercado. Esto enfatiza la diferencia entre la definición de un mercado meta y una definición de un mercado estratégico.

Una *definición del mercado meta* tiende a enfocarse en la venta de un producto o servicio a un mercado actual. Pepsi podría definir su mercado meta como todos aquellos que beben bebidas refrescantes gaseosas (con burbujas); los competidores serían, en consecuencia, otras empresas de bebidas refrescantes gaseosas. Una *definición del mercado estratégico* se centra también en el mercado potencial. Si Pepsi considerara a todos los que podrían beber algo para mitigar su sed, su competencia incluiría a las empresas productoras de bebidas refrescantes no gaseosas (sin burbujas), de agua embotellada, de zumos (jugos) de frutas, de té y de café. Para competir mejor, Pepsi podría decidir vender otras bebidas adicionales con tasas de crecimiento prometedoras.

Un negocio se puede definir a sí mismo en términos de tres dimensiones: grupos de clientes, necesidades de los clientes y tecnología.[17] Considere una pequeña empresa que define su negocio como diseño de

American Apparel es una empresa totalmente integrada de forma vertical, que lleva a cabo todos sus negocios desde su sede en Los Ángeles, California.

sistemas de iluminación incandescente para estudios de televisión. Su grupo de clientes son los estudios de televisión, la necesidad del cliente es la iluminación, y la tecnología es la iluminación incandescente. La empresa podría desear expandirse para diseñar la iluminación de viviendas, fábricas y oficinas, o simplemente podría dar otros servicios que requieren los estudios de televisión, como calefacción, ventilación o

TABLA 2.3 Definiciones de negocios orientados al producto *versus* orientados al mercado

Empresa	Definición del producto	Definición del mercado
Union Pacific Railroad	Dirigimos un ferrocarril	Somos transportistas de personas y bienes
Xerox	Hacemos equipo de fotocopiado	Ayudamos a mejorar la productividad de las oficinas
Hess Corporation	Vendemos gasolina	Proveemos energía
Paramount Pictures	Hacemos películas	Comercializamos entretenimiento
Enciclopedia Británica	Vendemos enciclopedias	Distribuimos información
Carrier	Hacemos equipos de aire acondicionado y calefacción	Proveemos control climático en el hogar

La crema Multi Talent de la línea Nivea Visage permite que la marca atraiga a clientes más jóvenes.

aire acondicionado. También podría diseñar otras tecnologías de iluminación para estudios de televisión, como luces infrarrojas o ultravioleta, o tal vez bombillas fluorescentes de bajo consumo, respetuosas con el medio ambiente.

Las grandes empresas por lo general administran negocios bastante diferentes entre sí, y cada uno requiere su propia estrategia. En un momento dado, General Electric clasificó sus negocios en 49 **unidades estratégicas de negocios (UEN)**. Una UEN tiene tres características:

1. Es un solo negocio o un grupo de negocios relacionados, cuya planificación puede realizarse por separado del resto de la empresa.
2. Tiene su propio conjunto de competidores.
3. Tiene un gerente responsable de la planificación estratégica y los resultados, así como del control de casi todos los factores que los influyen.

El propósito de identificar las unidades estratégicas de negocios es desarrollar estrategias independientes y asignar los fondos apropiados. La alta dirección sabe que su cartera de negocios generalmente incluye un número de "negocios del ayer" así como algunos "ganadores del futuro".[18] Nivea ha puesto mayor énfasis en varios de sus negocios más jóvenes, como Nivea Visage Young Freshen up tónico, Young Control Shine y Multitalent, y ha vendido otros negocios que no tienen el mismo éxito (Nivea Soft, Aqua Sensation y Expert Lift). La sopa Campbell ha crecido en bolsa más que la media durante casi una década, al desarrollar o mantener únicamente productos que fueron clasificados como número uno o número dos en las categorías de comida de fácil preparación, tentempiés horneados y bebidas hechas a base de verduras, y que tuvieran un fuerte énfasis en el valor, la nutrición y la comodidad.[19]

Grupo Televisa

Grupo Televisa

Es un conglomerado mexicano de medios de comunicación, productor de material visual, musical, teatral y de Internet a través de sus distintas filiales. Televisa empezó oficialmente a partir de la fusión de dos medios: Televisión Independiente de México (Canal 8) y Telesistema Mexicano. A partir de 1991, Televisa empezó a realizar las primeras transmisiones de televisión en HDTV Alta Definición, para lo cual estableció una alianza con el canal de televisión japonés NHK, saliendo al aire los canales en HDTV de Televisa. Actualmente Grupo Televisa está en la Bolsa Mexicana de Valores. Posee además el 40% de las acciones del canal español La Sexta, estrenado en marzo de 2006, además de ser la principal accionista de empresas televisivas en diferentes países de América Latina y España. Desde 2006 Televisa dio a conocer el concepto de Televisa Digital, una iniciativa que vino a reafirmar los logros obtenidos hasta ese momento en el área de nuevas tecnologías, entre los que destacan 15 millones de visitantes cada mes a sus sitios Web y cuatro millones de personas que descargaban contenidos en dispositivos móviles. El consorcio anunció, más recientemente, el lanzamiento de su nueva unidad de negocios Digital y New Media, implementando una estrategia digital de contenidos que incluye su adaptación multiplataforma, así como el desarrollo de nuevos negocios que complementan la oferta actual de contenidos de la compañía.[20]

TABLA 2.4	Unidades de negocio de Televisa
Televisión abierta: Canal de las estrellas, Canal 5, Galavisión y Foro TV.	
Televisión de pago: Sky, Cablevisión, Televisa Networks.	
Editorial Televisa: Vanidades, Cosmopolitan.	
Televisa Interactive Media: portales Esmas.com, templeo.com, TelevisaDeportes.com, Tvolución.com, Esmasmovil.com, Gyggs.com	
Radio: W Radio, Los 40 principales, La Ke Buena, Bésame Radio, Estadio W, XEW-AM.	
Alianzas de negocios: Univisión, Tu.TV, La Sexta, EMI Music, OCESA, Más Fodos, Volaris, Viss Televisión, Telemundo, Nextel, Nickelodeon, Cartoon Network, NBC, CBS.	

Asignación de recursos a cada UEN[21]

Una vez que la dirección haya definido sus UEN, debe decidir cómo asignar recursos corporativos a cada una. Algunos modelos de planificación de carteras proveen los medios para tomar decisiones de inversión. La matriz de GE/McKinsey clasifica cada UEN por la extensión de su ventaja competitiva y el atractivo de su sector. La dirección puede decidir crecer, "cosechar", sacar dinero o mantener un negocio. Otro modelo, la Matriz de Crecimiento-Participación de BCG utiliza la cuota de mercado relativa y la tasa anual de crecimiento de mercado como los criterios para tomar decisiones de inversión, clasificando a las UEN como perros, vacas lecheras, interrogantes y estrellas.

Este tipo de modelos de planificación de carteras ha perdido popularidad, pues se piensa que simplifican demasiado y son subjetivos. Los métodos más nuevos se basan en análisis del valor para el accionista, y en si el valor de mercado de una empresa es mayor con una UEN o sin ella (incluso si ésta se vende o se elimina). Estos cálculos de valor evalúan el potencial de un negocio con base en sus oportunidades de crecimiento, tomando como parámetros su capacidad de expansión global, de reposicionamiento o redirección, y de subcontratación estratégica.

Evaluación de las oportunidades de crecimiento

La evaluación de las oportunidades de crecimiento incluye tanto la planificación de nuevos negocios, como la reducción y finalización de negocios antiguos. Si existe una diferencia entre las ventas deseadas a futuro y las ventas proyectadas, la dirección corporativa deberá desarrollar o adquirir nuevos negocios para subsanarla.

La figura 2.2 ilustra esta diferencia en la planificación estratégica de un importante fabricante de discos compactos vírgenes, llamado Musicale (nombre ficticio). La curva inferior proyecta las ventas esperadas durante los siguientes cinco años a partir de la cartera actual de negocios. La curva más alta describe las ventas deseadas en el mismo periodo. Es evidente que la empresa desea crecer con mayor rapidez que la que le permiten sus negocios actuales. ¿Cómo eliminar esta diferencia de planificación estratégica?

La primera opción es identificar oportunidades de crecimiento dentro de los negocios actuales (oportunidades intensivas). La segunda es identificar oportunidades para generar o adquirir negocios relaciona-

|Fig. 2.2|

La diferencia de planificación estratégica

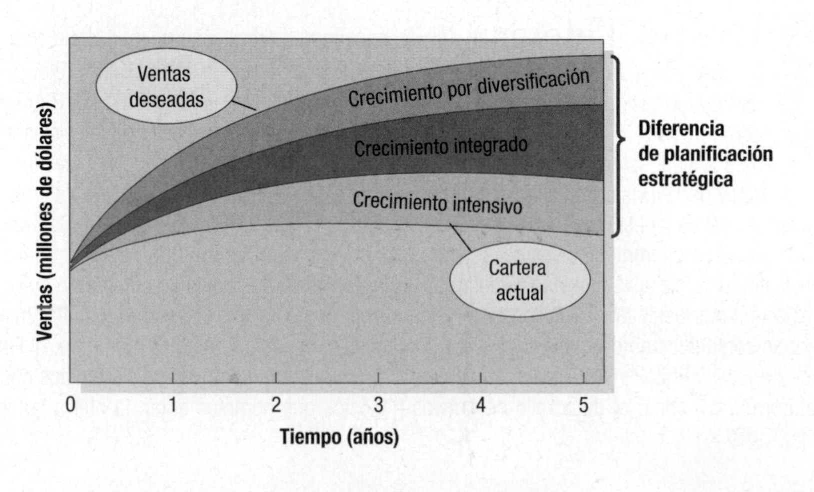

dos con los negocios actuales (oportunidades integradoras). La tercera es identificar las oportunidades de aumentar negocios atractivos no relacionados (oportunidades de diversificación).

CRECIMIENTO INTENSIVO El primer curso de acción de la dirección corporativa debería ser la revisión de oportunidades para mejorar los negocios existentes. Un marco de referencia útil para detectar nuevas oportunidades de crecimiento intensivo es una "matriz de expansión de producto-mercado". Esta herramienta considera las oportunidades de crecimiento estratégico para la empresa en términos de productos y mercados nuevos y actuales.

Primero, la empresa evalúa si podría obtener mayor participación de mercado con sus productos actuales en sus mercados actuales, utilizando una *estrategia de penetración de mercado*. A continuación, considera si puede encontrar o desarrollar nuevos mercados para sus productos actuales en una *estrategia de desarrollo de mercado*. Luego valora si puede desarrollar nuevos productos de interés potencial para sus mercados actuales con una *estrategia de desarrollo de producto*. Más adelante, la empresa también revisará las oportunidades de desarrollar nuevos productos para nuevos mercados en una *estrategia de diversificación*. Considere cómo ESPN ha aprovechado las oportunidades de crecimiento.[22]

ESPN ESPN (Entertainment and Sports Programming Network) fue lanzada en 1978, en Bristol, Connecticut, con un solo satélite, transmitiendo deportes regionales y concursos internacionales inusuales, como "El hombre más fuerte del mundo". A pesar de su enfoque singular en proveer programación y noticias deportivas, la empresa creció hasta convertirse en la cadena televisiva más importante en el mundo de los deportes. A inicios de la década de 1990, ESPN articuló un plan bien pensado: dondequiera que los aficionados vieran, leyeran o hablaran sobre deportes, su imagen estaría presente. La cadena puso en práctica esta estrategia expandiendo su marca a una variedad de nuevas categorías, y para 2009 tenía 10 canales de cable, un sitio Web, una revista, una cadena de restaurantes (ESPN Zone), más de 60 estaciones de radio local afiliadas, producción de películas y series de televisión originales, publicación de libros, un catálogo de mercancía deportiva y tienda online, videojuegos, música, y un servicio para teléfonos móviles. ESPN continúa expandiendo la huella de su marca. Su fallida incursión de siete meses en el supercompetido mercado de telefonía móvil en 2006 la dejó impávida. Hizo la transición de proveedor de servicios a proveedor de contenidos en 2007, y se alió con Verizon Wireless para lanzar ESPN MVP. Ahora propiedad de The Walt Disney Company, ESPN gana 5 000 millones de dólares en ingresos, pero tal vez el mayor tributo al poder de su marca fue expresado por un participante en una sesión de grupo (focus group): "Si ESPN fuera mujer, me casaría con ella".

ESPN ha entrado en una gran gama de negocios relacionados con los deportes para conectar con sus clientes de diferentes maneras y en más lugares, incluyendo su restaurante ESPN Zone.

Así que, ¿cómo podría Musicale utilizar estas tres importantes estrategias de crecimiento intensivo para aumentar sus ventas? Podría intentar animar a sus clientes actuales a comprar más, demostrando los beneficios de usar los CD para almacenamiento de información y no sólo de música. Podría intentar atraer a los clientes de sus competidores si notara debilidades importantes en los productos y programas de marketing de éstos. Por último, Musicale podría intentar convencer a quienes aún no son usuarios de CD para que comenzaran a utilizarlos.

¿Cómo puede Musicale poner en acción una estrategia de desarrollo de mercado? Primero podría intentar identificar grupos de usuarios potenciales en sus áreas actuales de ventas. Si sólo ha estado vendiendo CD a mercados de consumo, podría incursionar en la venta a fábricas u oficinas. En segundo lugar podría buscar canales adicionales de distribución, añadiendo canales de comercialización masiva u online. En tercero, la empresa podría vender en nuevas ubicaciones dentro de su país o en el extranjero.

La dirección debería considerar sus oportunidades para introducir nuevos productos. Musicale podría desarrollar nuevas características, tales como capacidades adicionales de almacenamiento de información, o mayor durabilidad; ofrecer el CD en dos o más niveles de calidad, o investigar tecnologías alternativas, como las memorias *flash*.

CRECIMIENTO INTEGRADO Un negocio puede aumentar sus ventas y ganancias mediante la integración hacia adelante, hacia atrás u horizontal dentro de su sector. Merck ha ido más allá del desarrollo y venta de medicamentos de prescripción. En 1989 se alió con Johnson & Johnson para formar empresas encargadas de vender fármacos que no requieren prescripción; en 1991 hizo lo propio con DuPont, con el objetivo de expandir las investigaciones básicas, y en 2000 con Schering-Plough para desarrollar y comercializar nuevos medicamentos de prescripción. En 1997, Merck y Rhône-Poulenc S.A. (ahora Sanofi-Aventis S.A.) combinaron sus negocios de salud animal y genérica de aves para formar Merial Limited, una empresa de salud animal totalmente integrada. Por último, Merck compró Medco, un distribuidor farmacéutico por correo en 2003, y a Sirna Therapeutics en 2006.

Las fusiones horizontales y las alianzas no siempre funcionan. La fusión entre Sears y Kmart no solucionó los problemas de ninguno de estos minoristas.[23] Las empresas de medios, sin embargo, han cosechado durante largo tiempo los beneficios del crecimiento integrado. A continuación un escritor de temas de negocios explica las ventajas que NBC podría cosechar de su fusión con Vivendi Universal Entertainment, para convertirse en NBC Universal. Aunque es un ejemplo improbable, ilustra las posibilidades inherentes a esta estrategia de crecimiento.[24]

> [Cuando] la exitosa película *Rápido y furioso 4* (producida por Universal Pictures) llegara a la televisión, sería transmitida por Bravo (propiedad de NBC) o USA Network (propiedad de Universal); a esto le seguiría la inevitable licitación para convertir el filme en una serie de televisión (por Universal Television Group), cuyo piloto sería realizado por NBC. El programa comenzaría a transmitirse entonces por Hulu.com (propiedad, en parte, de NBC), y finalmente conduciría a la creación de una atracción popular en el parque de diversiones de Universal Studios.

¿Qué tendría que hacer Musicale para lograr un crecimiento integrado? Podría adquirir a uno o más de sus proveedores, por ejemplo, a los fabricantes de plásticos, u obtener mayor control o generar más ganancias mediante una integración hacia atrás. También podría poner en práctica una integración hacia adelante, adquiriendo a algunos mayoristas o minoristas, en especial si tienen alto potencial de rentabilidad. Por último, Musicale podría adquirir a uno o más de sus competidores, siempre que el gobierno no obstruya este tipo de integración horizontal. Sin embargo, cabe la posibilidad de que estas nuevas fuentes no logren generar el volumen de ventas deseado. En ese caso, la empresa deberá considerar diversificarse.

CRECIMIENTO POR DIVERSIFICACIÓN El crecimiento por diversificación es lógico cuando existen buenas oportunidades fuera del negocio existente, esto es, si el sector es muy atractivo y la empresa tiene la mezcla correcta de fortalezas de negocio para alcanzar el éxito. Desde sus orígenes como productor de películas animadas, The Walt Disney Company ha incursionado en el otorgamiento de licencias de sus personajes para su uso en bienes comercializables; ha publicado libros de ficción e interés general bajo el sello Hyperion; ha entrado en el sector de las transmisiones con su propio Disney Channel así como con ABC y ESPN; ha desarrollado parques de diversiones, centros turísticos, cruceros y propiedades para vacaciones, y ha tenido presencia en el teatro comercial.

Walt Disney es un ejemplo de crecimiento y diversificación.

Musicale tiene a su disposición varios tipos de diversificación posibles. Primero: la empresa podría elegir una estrategia concéntrica y buscar nuevos productos que tengan sinergias tecnológicas o de marketing con sus líneas de productos existentes, recurriendo a un grupo diferente de clientes; por ejemplo, podría iniciar una operación de manufactura de discos láser, ya que sabe cómo fabricar CD. Segundo: podría usar una estrategia horizontal de búsqueda de nuevos productos sin relación con sus líneas actuales, pero que resulten atractivos para quienes ya son sus clientes; por ejemplo, podría fabricar estuches para CD, aunque requieran un proceso distinto de manufactura. Por último, la empresa podría buscar nuevos negocios que no tengan relación con su tecnología, sus productos o mercados actuales, adoptando una estrategia de conglomerado y considerando la fabricación de aplicaciones de software u organizadores personales.

REDUCCIÓN Y DESINVERSIÓN EN ANTIGUOS NEGOCIOS Con el propósito de liberar recursos necesarios para otros usos, así como para reducir sus costos, las empresas deben podar, cosechar o desinvertir con cuidado. Para centrarse en sus operaciones de viajes y tarjetas de crédito, American Express lanzó en 2005 American Express Financial Advisors, iniciativa encargada de proveer seguros, sociedades de inversión, asesoría de inversiones y servicios de intermediación y gestión de activos (más tarde su nombre fue cambiado por Ameriprise Financial).

Organización y cultura organizacional

La planificación estratégica sucede dentro del contexto de la organización. La **organización** de una empresa está compuesta por sus estructuras, políticas y cultura corporativa, todas las cuales pueden volverse disfuncionales en un entorno de negocios de rápidos cambios. Si bien los gerentes pueden cambiar las estructuras y las políticas (aunque con dificultades), la cultura organizacional es muy difícil de modificar. Aun así, adaptar la cultura suele ser la clave para implementar con éxito una nueva estrategia.

¿Qué es exactamente la **cultura corporativa**? Algunos la definen como "las experiencias, historias, creencias y normas compartidas que caracterizan una organización". Al entrar a cualquier empresa lo primero que salta a la vista es la cultura corporativa, evidente en la manera de vestir de los empleados, la forma en que hablan entre sí y cómo saludan a los clientes. Cuando Mark Hurd se convirtió en CEO de HP, una de sus metas era revitalizar el famoso "Modo HP", una cultura corporativa benévola, aunque inflexible, que recompensaba generosamente a los empleados pero esperaba a cambio trabajo en equipo, crecimiento y ganancias.[25]

Una cultura centrada en el cliente puede afectar todos los aspectos de la organización. A veces la cultura corporativa se desarrolla de manera espontánea y es transmitida directamente a los empleados mediante los hábitos y personalidad del CEO. Mike Lazaridis, presidente y co-CEO de Research In Motion, fabricante de BlackBerry, es un científico por derecho propio, e incluso obtuvo un premio de la Academia de cine por sus logros técnicos en la industria cinematográfica. Una de sus iniciativas consistió en presentar en las oficinas corporativas una suerte de programa semanal centrado en la innovación ("Vision Series"), que busca hacer hincapié en las nuevas investigaciones y en las metas de la empresa. Según sus propias palabras, "Creo que tenemos una cultura de innovación, y [los ingenieros] tienen acceso absoluto a mi persona. En todos los aspectos de mi vida trato de promover la innovación".[26]

Innovación de marketing

La innovación es crítica en el marketing. Las ideas estratégicas creativas existen en muchos lugares dentro de la organización.[27] La alta dirección debería identificar y estimular las ideas frescas de tres grupos con poca representación: los empleados con perspectivas juveniles o diversas; los empleados ajenos a las oficinas corporativas, y los empleados nuevos en el sector industrial. Cada uno de estos grupos es capaz de desafiar la ortodoxia empresarial y motivar la generación de ideas innovadoras.

Reckitt Benckiser, una empresa alemana, ha innovado el aburrido sector de productos de limpieza para el hogar al generar el 40% de sus ventas a partir de productos con menos de tres años en el mercado. Los directivos multinacionales son animados a investigar profundamente los hábitos de los consumidores, y les brinda generosas recompensas por un desempeño excelente. En la sección "Marketing en acción: Creación de marketing innovador" se describe cómo algunas empresas líderes se acercan a la innovación.

Las empresas desarrollan su estrategia al identificar y elegir entre diferentes visiones del futuro. El grupo Royal Dutch/Shell ha sido pionero en el **análisis de escenarios**, que desarrolla representaciones plausibles del futuro posible de la empresa a partir de diferentes supuestos sobre las fuerzas que impulsan el mercado, incluyendo diversos factores de incertidumbre. Los gerentes reflexionan sobre cada escenario con la pregunta, "¿Qué haremos si esto sucede?", luego eligen un escenario como el más probable, y observan signos que puedan confirmarlo o desmentirlo.[28] Considere los desafíos a los que se enfrenta el sector cinematográfico.

Creación de marketing innovador

Cuando IBM hizo una encuesta a los principales CEO y líderes del gobierno sobre sus prioridades, la innovación en los modelos de negocios y la inventiva de formas diferentes de hacer las cosas obtuvieron altas puntuaciones. El propio impulso de IBM para la innovación en los modelos de negocios atrajo mucha colaboración tanto en el interior de la empresa como externamente, con otras compañías, gobiernos e instituciones de educación. El CEO Samuel Palmisano destacó cómo el innovador procesador Cell, basado en la arquitectura Power de su empresa, no hubiera sido creado sin la colaboración de Sony y Nintendo, y la de sus competidores Toshiba y Microsoft.

De manera similar, Procter & Gamble (P&G) se ha establecido como meta que el 50% de los nuevos productos provengan de fuera de sus laboratorios, de inventores, científicos y proveedores cuyas ideas para nuevos productos puedan desarrollarse en la empresa.

Las investigaciones del gurú de los negocios, Jim Collins, destacan la importancia de la innovación sistemática y de base amplia: "Estar siempre en busca de la gran innovación, de la gran idea, es lo contrario de lo que encontramos: para construir una empresa realmente fabulosa, se requiere decisión tras decisión, acción tras acción, día tras día, mes tras mes... Es la inercia acumulada y no una sola decisión la que define una empresa fabulosa". Collins cita el éxito de Walt Disney con sus parques de diversiones y de Walmart como minorista, a manera de ejemplos de empresas que lograron el éxito después de haber ejecutado con brillantez una gran idea durante un periodo tan largo.

Mohanbir Sawhney y sus colegas de Northwestern esbozan 12 dimensiones de la innovación en los negocios que componen el "radar de la innovación" (ver la tabla 2.5), y sugieren que la innovación en los negocios consiste no sólo en la creación de cosas nuevas, sino también en aumentar el *valor* al cliente; además, la innovación viene en muchas presentaciones y puede suceder en cualquier dimensión de un sistema de negocios, es sistemática y requiere una cuidadosa consideración de todos los aspectos del negocio.

Por último, para encontrar ideas innovadoras, algunas empresas se las arreglan para involucrar a una diversidad de empleados en la solución de problemas de marketing. El programa de Samsung, Value Innovation Program (VIP) aísla en la sede de la empresa al sur de Seúl, Corea, a los equipos de desarrollo de productos compuestos por ingenieros, diseñadores y planificadores, y les da un horario y fechas de entrega específicas, mientras 50 especialistas les ayudan a guiar sus actividades. Para ayudar a tomar decisiones entre alternativas excluyentes, los miembros del equipo dibujan "curvas de valor" que califican atributos tales como la calidad del sonido o de la imagen en una escala de 1 a 5. Para desarrollar un nuevo automóvil, BMW moviliza de manera similar a sus especialistas en ingeniería, diseño, producción, marketing, compras y finanzas a su Centro de Investigación e Innovación o Casa de Proyectos.

Fuentes: Steve Hamm, "Innovation: The View from the Top", *BusinessWeek*, 3 de abril de 2006, pp. 52-53; Jena McGregor, "The World's Most Innovative Companies", *BusinessWeek*, 24 de abril de 2006, pp. 63-74; Rich Karlgard, "Digital Rules", *Forbes*; 13 de marzo de 2006, p. 31; Jennifer Rooney y Jim Collins, "Being Great is *Not* Just a Matter of Big Ideas", *Point*, junio de 2006, p. 20; Moon Ihlwan, "Camp Samsung", *BusinessWeek*, 3 de julio de 2006, pp. 46-47; Mahanbir Sawhney, Robert C. Wolcott e Inigo Arroniz, "The 12 Different Ways for Companies to Innovate", *MIT Sloan Management Review* (Primavera del 2006), pp. 75-85.

TABLA 2.5 Las 12 dimensiones de la innovación en los negocios

Dimensión	Definición	Ejemplos
Ofertas (QUÉ)	Desarrollo de productos y servicios nuevos e innovadores.	• Maquinilla de afeitar Gillete MACH3. • Reproductor de música iPod y el servicio de música de iTunes de Apple.
Plataforma	Usar componentes comunes para crear ofertas derivadas.	• Plataforma de telemática OnStar de General Motors. • Películas animadas de Disney.
Soluciones	Creación de ofertas integradas y personalizadas que resuelven de principio a fin los problemas de los clientes.	• Cadena de suministro de servicios de logística de UPS. • Building Innovations de Dupont para la construcción.
Clientes (QUIÉN)	Descubrir las necesidades insatisfechas de los clientes, o identificar los segmentos de clientes mal atendidos.	• El enfoque de Enterprise Rent-A-Car en las personas que alquilan automóviles (coches) de sustitución. • Green Mountain Energy se centra en la "energía verde".
Experiencia del cliente	Rediseñar las interacciones con el cliente a través de todos los puntos de contacto y los momentos de contacto.	• El concepto de banca minorista de Washington Mutual Occasio. • El concepto de la "tienda como experiencia de entretenimiento" de Cabela.
Captura de valor	Redefinir cómo le pagan a la empresa, o crear nuevos flujos de ingresos innovadores.	• Búsqueda pagada de Google. • Compartir los ingresos con los distribuidores de películas, como hace Blockbuster.

(Continúa)

(*Continuación*)

Procesos (CÓMO)	Rediseñar los procesos operativos centrales para mejorar la eficacia y la eficiencia.	• El Sistema de Producción de Toyota para las operaciones. • El diseño para Six Sigma (DFSS) de General Electric.
Organización	Cambiar la forma, función o alcance de las actividades de la empresa.	• La organización virtual de red socio-céntrica de Cisco. • La organización híbrida front-back para el enfoque al cliente de Procter & Gamble.
Cadena de suministros	Pensar de manera diferente sobre las fuentes y los pedidos.	• Moen ProjectNet para el diseño colaborativo junto con los proveedores. • Uso de aprovisionamiento integrado y ventas online por General Motors Celta.
Presencia (DÓNDE)	Crear nuevos canales de distribución o puntos de presencia innovadores, incluyendo los lugares donde los productos ofertados pueden comprarse o ser usados por los clientes.	• La venta de CD de música en las cafeterías Starbucks. • El sistema de cajeros remotos Diebold para la banca.
Redes	Crear ofertas inteligentes e integradas, centradas en las redes.	• El servicio a distancia de control de ascensores de Otis. • Warfare, del Departamento de la Defensa de Estados Unidos.
Marca	Apalancar la marca en nuevos dominios.	• El capital de riesgo marca Virgin Group. • Yahoo! como marca de estilo de vida.

Fuente: Mohanbir Sawhney, Robert C. Wolcott, and Inigo Arroniz, "The 12 Different Ways for Companies to Innovate," *MIT Sloan Management Review* (Primavera del 2006), pp. 75-85.

Industria cinematográfica El éxito de Netflix haciendo fácil el acceso a entretenimiento de formato más largo o a videojuegos en Internet de banda ancha, contribuyó a la disminución del 6.8% de las ventas de DVD, algo que los expertos creen que continuará sucediendo. El surgimiento reciente de Redbox y sus miles de kioscos para alquiler de películas por 1 dólar al día, plantea una amenaza más al negocio cinematográfico y a las ventas de DVD. Es evidente que los estudios cinematográficos necesitan prepararse para el día en que las películas se vendan primordialmente no a través de distribución física, sino mediante los servicios de video sobre demanda (*pay per view*) de las empresas de satélite y cable. Aunque los estudios cobran el 70% sobre la contratación por cable de 4.99 dolares frente al 30% por la venta de DVD, las ventas de DVD aún generan el 70% de las ganancias. Para aumentar la distribución electrónica sin destruir su negocio de DVD, los estudios están experimentando con nuevos enfoques. Algunos, como Warner Bros., están lanzando el DVD de una película al mismo tiempo que las versiones online y por cable. Disney ha hecho énfasis en sus películas con atractivo para los padres, que generan ventas de DVD más altas y son fáciles de promover en los parques de atracciones de la empresa, en sus canales de televisión y en sus tiendas. Paramount eligió lanzar *Jackass* 2.5 de manera gratuita en el sitio web de Blockbuster para crear rumores y generar interés. Los estudios cinematográficos están considerando todos los escenarios posibles mientras rediseñan su modelo de negocio en un mundo donde el DVD pronto dejará de ser el rey.[29]

La gran disponibilidad de opciones de alquiler de películas en los kioscos de Redbox ha obligado a los estudios cinematográficos a rediseñar sus estrategias de fijación de precios y de distribución.

Planificación estratégica de las unidades de negocio

El proceso de planificación estratégica de las unidades de negocio consta de los pasos que se muestran en la figura 2.3. Examinaremos cada paso en las secciones siguientes.

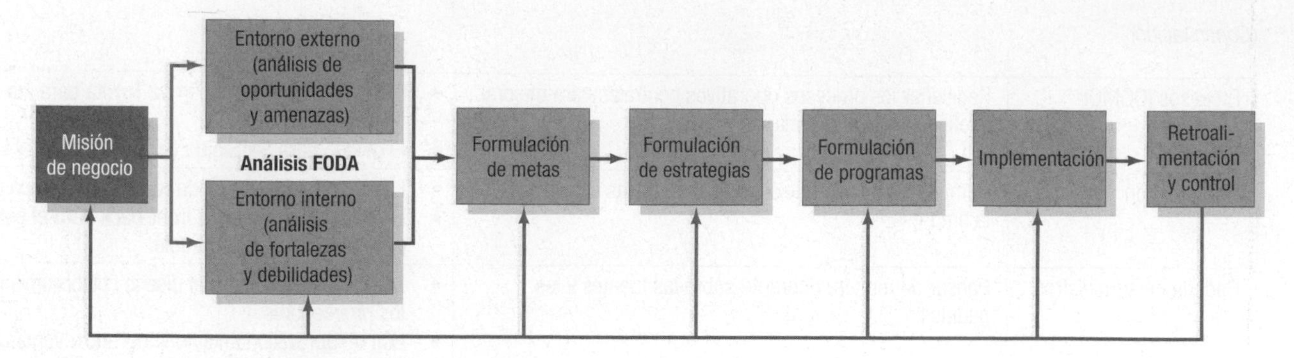

|Fig. 2.3|

El proceso de planificación estratégica de la unidad de negocios

La misión de negocio

Cada unidad de negocio debe definir su misión específica dentro de la misión más amplia de la empresa. Así, una empresa de equipo de iluminación para estudios de televisión podría definir su misión como "Centrarse en los principales estudios de televisión para convertirse en su proveedor elegido para las tecnologías de iluminación que representen los diseños más avanzados y fiables de iluminación para estudios". Observe que esta misión no intenta hacer negocios con los estudios de televisión más pequeños, ni ofrecer el precio más bajo o aventurarse en la fabricación de productos no relacionados con la iluminación.

Análisis FODA*

La evaluación general de las fortalezas, oportunidades, debilidades y amenazas para una empresa se conoce como Análisis FODA, y es una manera para analizar el entorno interno y externo de marketing.

ANÁLISIS DEL ENTORNO EXTERNO (OPORTUNIDADES Y AMENAZAS) Una unidad de negocios debe analizar las *fuerzas del macroentorno* que sean clave, y los *factores del microentorno* que afecten de manera significativa su capacidad de generar ganancias. Además, tendrá que establecer un sistema de inteligencia de marketing que siga las tendencias y desarrollos importantes, así como cualquier amenaza u oportunidad relacionadas con ellos.

El buen marketing es el arte de encontrar, desarrollar y obtener ganancias de estas oportunidades.[30] Una **oportunidad de marketing** es un área de necesidad e interés del comprador, que una empresa tiene alta probabilidad de satisfacer de manera rentable. Existen tres fuentes principales de oportunidades de marketing.[31] La primera es ofrecer algo que sea escaso. Esto requiere poco talento de marketing, ya que la necesidad es bastante obvia. La segunda es proveer un producto o servicio existente de una manera nueva o superior. ¿Cómo? El *método de detección de problemas* pide a los consumidores sus sugerencias, el *método ideal* hace que imaginen una versión ideal del producto o servicio, y el *método de la cadena de consumo* les pide describir los pasos que siguen al adquirir, utilizar y deshacerse de un producto. Este último método suele llevar a la creación de un producto o servicio completamente nuevo.

Por su parte, los especialistas en marketing deben tener la habilidad de detectar las oportunidades. Considere lo siguiente:

- ***Una empresa podría beneficiarse de las tendencias convergentes del sector, e introducir productos o servicios híbridos que son nuevos en el mercado.*** Los principales fabricantes de teléfonos móviles han lanzado teléfonos con capacidades de fotografía y video digital, así como sistemas de posicionamiento global (GPS).
- ***Una empresa podría hacer el proceso de compra más cómodo o eficiente.*** Los consumidores pueden usar Internet para encontrar más libros que nunca, y buscar el precio más bajo con unos cuantos clics.
- ***Una empresa puede satisfacer la necesidad de más información y asesoría.*** Angie's List conecta individuos con médicos y con contratistas locales especializados en mejoras para el hogar, cuyo trabajo es avalado por otros usuarios.
- ***Una empresa puede personalizar un producto o servicio.*** Timberland permite que sus clientes elijan el color para diferentes partes de sus botas, así como añadirles iniciales o números, y seleccionar distintos tipos de decoraciones y bordados.
- ***Una empresa puede introducir una nueva capacidad.*** Los consumidores pueden crear y editar "iMovies" digitales con la iMac, y subirlos a un servidor Web de Apple o a un sitio Web como YouTube para compartirlos con sus amigos alrededor del mundo.

* En algunos países al análisis FODA se le conoce como análisis DAFO (del inglés SWOT).

(a) Matriz de oportunidades

Probabilidad de éxito

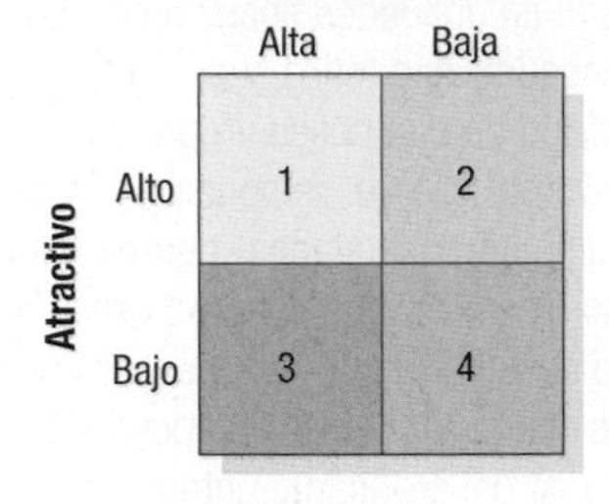

1. La empresa desarrolla un sistema de iluminación más poderoso
2. La empresa desarrolla un dispositivo para medir la eficiencia energética de cualquier sistema de iluminación
3. La empresa desarrolla un dispositivo para medir el nivel de iluminación
4. La empresa desarrolla un software para enseñar los fundamentos de la iluminación al personal de los estudios de televisión

(b) Matriz de amenazas

Probabilidad de acontecer

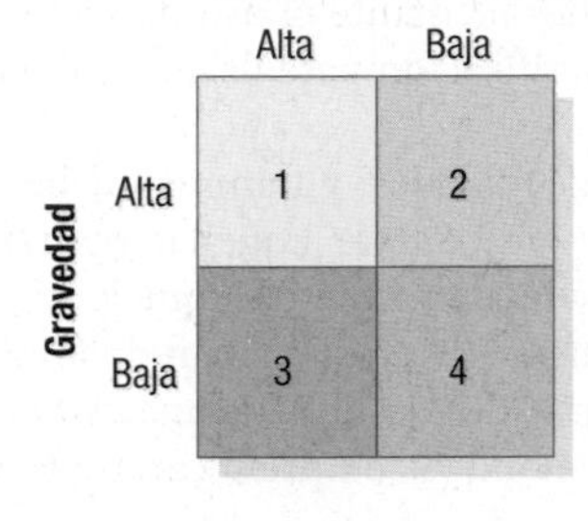

1. El competidor desarrolla un sistema de iluminación superior
2. Una importante y prolongada depresión económica
3. Costos más altos
4. Legislación para reducir el número de licencias para abrir estudios de televisión

|Fig. 2.4| Matrices de oportunidades y amenazas

- ***Una empresa podría entregar un producto o servicio con mayor rapidez.*** FedEx descubrió la forma de entregar correspondencia y paquetes mucho más rápido que el servicio de correo de Estados Unidos.
- ***Una empresa podría ser capaz de ofrecer un producto a un precio mucho más bajo.*** Las empresas farmacéuticas han creado versiones genéricas de los medicamentos de patente, y las compañías de pedidos por correo a menudo las venden más baratas.

Para evaluar las oportunidades, las empresas pueden usar **el análisis de oportunidades de mercado (AOM)** y responder preguntas como:

1. ¿Podemos expresar los beneficios de manera convincente a un(os) mercado(s) meta definido(s)?
2. ¿Podemos localizar el mercado meta y llegar a él con medios eficientes en cuanto a costos y canales comerciales?
3. ¿Nuestra empresa posee o tiene acceso a capacidades y recursos críticos que son necesarios para entregar los beneficios al cliente?
4. ¿Podemos entregar los beneficios mejor que cualquier competidor real o potencial?
5. ¿La tasa de rendimiento financiero será igual o mayor a nuestro umbral de inversión?

En la matriz de oportunidades de la figura 2.4(a), las mejores oportunidades para la empresa de equipo de iluminación para TV aparecen en la celda superior izquierda (#1). Las oportunidades en la celda inferior derecha (#4) tienen muy poca importancia para tomarlas en consideración. Vale la pena analizar las oportunidades que se señalan en la celda superior derecha (#2) y en la celda inferior izquierda (#3) siempre que cualquiera de ellas mejore en su atractivo y su potencial.

Una **amenaza del entorno** es un desafío que representa una tendencia o desarrollo desfavorable que, sin una acción defensiva de marketing, puede conducir hacia menores ventas o ganancias. La figura 2.4(b) ilustra la matriz de amenazas a las que se enfrenta la empresa de equipo de iluminación para TV. Las amenazas consignadas en la celda superior izquierda son importantes, ya que tienen una alta probabilidad de ocurrir y pueden dañar seriamente a la empresa. Para manejarlas es preciso que la empresa diseñe planes de contingencia. Las amenazas indicadas en la celda inferior derecha tienen poca importancia y pueden ignorarse. La empresa deseará vigilar con cuidado las amenazas presentadas en la celda superior derecha y en la celda inferior izquierda, por si se convierten en algo más serio.

ANÁLISIS DEL ENTORNO INTERNO (FORTALEZAS Y DEBILIDADES) Una cosa es encontrar oportunidades atractivas, y otra tener la capacidad de sacar provecho de ellas. Cada negocio debe evaluar sus fortalezas y debilidades internas.

Asesora-T

Asesora-T En la página Web de Asesora-T, una empresa hipotecaria online, los compradores potenciales de casas pueden obtener una lista personalizada de entidades financieras hipotecarias y de las condiciones disponibles. La compañía tiene como misión asegurar que todos sus clientes obtengan el mejor crédito y al menor costo posible, lo cual pueden lograr en virtud de que posee un profundo conocimiento del mercado y del proceso hipotecario, y cuenta con un servicio al cliente personalizado y especializado. La empresa tiene el apoyo de profesionales hipotecarios altamente capacitados, que otorgan un servicio de asesoría integral y de calidad a sus clientes. Ase-sora-T comenzó como un servicio de asesoría exclusiva en los préstamos inidividuales otorgados por los principales bancos de México, pero posteriormente los directivos decidieron ampliar sus horizontes ofreciendo otros servicios, como realización de gestiones con instituciones de apoyo al beneficiario (como INFONAVIT y FOVISSSTE), atención en el domicilio particular o empresarial del solicitante, integración del expediente, y asesoría para la deducción de los impuestos generados. Asimismo, Asesora-T tiene una sección actualizada sobre recomendaciones para solicitar un crédito, estatus crediticio, condiciones de registro ante las autoridades locales, y una línea directa 01800 (gratuito) para despejar dudas o hacer aclaraciones.[32]

Las empresas pueden evaluar sus propias fortalezas y debilidades mediante el uso de una forma como la que se muestra en la sección "Apuntes de Marketing: Lista de verificación para llevar a cabo un análisis de fortalezas y debilidades".

Está claro que la empresa no tiene que corregir *todas* sus debilidades, y tampoco debería regodearse en todas sus fortalezas. La gran incógnita es si debe limitarse a cultivar aquellas oportunidades respecto de las que posee las fortalezas requeridas, o si debe considerar también las que le exigen encontrar o desarrollar nuevas fortalezas. Los directivos de Texas Instruments (TI) se hallaban divididos entre quienes querían mantenerse en la producción de electrónica industrial, donde TI tiene una clara fortaleza, y los que deseaban continuar introduciendo productos de consumo, donde la empresa carece de algunas fortalezas de marketing requeridas.

Formulación de metas

Una vez que la empresa ha realizado el análisis FODA puede proceder a **formular metas**, desarrollando metas específicas para el periodo de planificación. Las metas son objetivos específicos respecto de su magnitud y tiempo de cumplimiento.

Casi todas las unidades de negocio persiguen una mezcla de metas, entre ellas la rentabilidad, el incremento de las ventas, la mejora de la participación de mercado, la contención de riesgos, la innovación y la creación de reputación. La unidad de negocio fija estas metas y luego implementa un proceso de administración por objetivos (APO). Para que un sistema de APO funcione, las metas de la unidad deben cumplir cuatro criterios:

1. ***Deben acomodarse por jerarquía en orden descendente, de acuerdo con su importancia.*** El objetivo clave de la unidad de negocios para el periodo podría ser aumentar la tasa de rendimiento sobre la inversión. Los gerentes pueden incrementar las ganancias al aumentar los ingresos y reducir los gastos. A su vez, pueden aumentar los ingresos al aumentar la participación de mercado y los precios.
2. ***Las metas deberán ser cuantitativas siempre que sea posible.*** La meta "aumentar la tasa de rendimiento sobre la inversión (ROI)" estará mejor enunciado con la meta "aumentar el ROI a 15% dentro de dos años".
3. ***Las metas deben ser realistas.*** Las metas deben surgir de un análisis de las oportunidades y fortalezas de la unidad de negocios, no de los buenos deseos.
4. ***Las metas deben ser consistentes.*** No es posible maximizar las ventas y las ganancias de manera simultánea.

Otras elecciones importantes incluyen las ganancias a corto plazo frente al crecimiento a largo plazo; la penetración profunda en mercados existentes frente al desarrollo de nuevos mercados; las metas de rentabilidad frente a las de no rentabilidad, y el alto crecimiento frente al bajo riesgo. Cada elección requiere una estrategia de mercado diferente.[33]

Muchos creen que adoptar la meta de un crecimiento fuerte de la participación de mercado podría implicar la renuncia a grandes ganancias en el corto plazo. El ingreso de Volkswagen es 15 veces superior al ingreso total de Porsche, pero los márgenes de ganancias de Porsche son siete veces más grandes que los de Volkswagen. Otras empresas exitosas, como Google, Microsoft y Samsung, han maximizado su rentabilidad *y* su crecimiento.

Formulación estratégica

Las metas indican lo que quiere lograr una unidad de negocios; la **estrategia** es el plan de juego para llegar a su cumplimiento. Para lograr sus metas cada negocio debe diseñar una estrategia, la cual consiste en una *estrategia de marketing* y una *estrategia de tecnología* compatible, además de una *estrategia de aprovisionamiento.*

Los clientes pueden volar a prácticamente cualquier destino en el mundo, gracias a los servicios de las aerolíneas de Star Alliance.

LAS ESTRATEGIAS GENÉRICAS DE PORTER Michael Porter propone tres estrategias genéricas que proveen un buen punto de partida para el pensamiento estratégico: liderazgo general de costos, diferenciación y enfoque.[34]

- ***Liderazgo general de costos.*** Las empresas trabajan para lograr los costos de producción y distribución más bajos, con el fin de poder ofrecer un menor precio que los competidores y obtener cuota de mercado. En este caso necesitan menos habilidad de marketing; el problema es que usualmente otras empresas competirán con costos aún más bajos, y perjudicarán a aquella cuyo futuro entero dependía de los costos.
- ***Diferenciación.*** El negocio se concentra en lograr un desempeño superior en un área importante de beneficios al cliente, valorada por una gran parte del mercado. La empresa que busca liderazgo de calidad, por ejemplo, deberá fabricar productos con los mejores componentes, ensamblarlos de manera experta, inspeccionarlos cuidadosamente y comunicar su calidad con eficacia.
- ***Enfoque.*** El negocio se enfoca en uno o más segmentos estrechos del mercado, los llega a conocer íntimamente, y persigue el liderazgo en costos o la diferenciación dentro de su segmento meta.

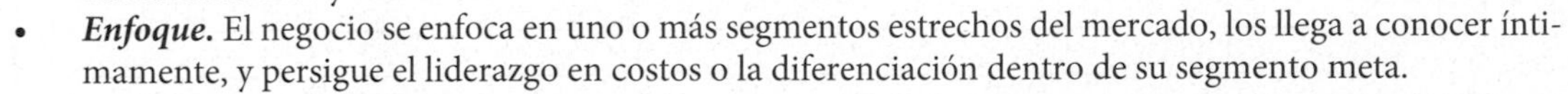

El sector de viajes aéreos online provee un buen ejemplo de estas tres estrategias: Travelocity busca una estrategia de diferenciación ofreciendo la gama de servicios más completa al viajero; Lowestfare sigue una estrategia del costo más bajo, y Last Minute busca una estrategia de nicho al enfocarse en los viajeros que tienen flexibilidad para viajar con poca anticipación. Algunas empresas utilizan un método híbrido.

Según Porter, las empresas que usan la misma estrategia para el mismo mercado meta conforman un **grupo estratégico**.[35] La empresa que lleva a cabo la estrategia de la mejor manera obtendrá las mayores ganancias. Circuit City quebró porque no destacaba en el sector de electrónica de consumo como la empresa con costos más bajos, la de mayor valor percibido, ni la de mejor atención a algún segmento de mercado.

Porter hace una distinción entre la eficacia operacional y la estrategia. Los competidores pueden copiar con rapidez a la empresa eficaz en operaciones utilizando *benchmarks* y otras herramientas, con las que disminuyen la ventaja de la efectividad operacional. Porter define la estrategia como "la creación de una posición única y valiosa, que implica un conjunto diferente de actividades". Una empresa puede proclamar que tiene una estrategia cuando "lleva a cabo diferentes actividades que sus rivales, o implementa actividades similares de manera diferente".

ALIANZAS ESTRATÉGICAS Hasta las empresas gigantescas —AT&T, Philips y Nokia, por ejemplo— suelen tener problemas para alcanzar el liderazgo nacional o global si no forman alianzas con empresas domésticas o multinacionales que complementen o apalanquen sus capacidades y recursos.

El solo hecho de hacer negocios en otro país podría requerir que la empresa otorgue licencias de su producto, forme una empresa conjunta con una compañía local o compre a los proveedores locales para cumplir con requerimientos de "componentes doméstico". Muchas empresas han desarrollado redes estratégicas globales, y la victoria se la están llevando aquellos que forman una red global más competente. Star Alliance agrupa a 21 aerolíneas, incluyendo Lufthansa, United Airlines, Singapore Airlines, Air New Zealand y South Africa Airways, en una enorme alianza global que permite a los viajeros hacer conexiones prácticamente sin obstáculos hacia cientos de destinos.

Muchas alianzas estratégicas toman la forma de alianzas de marketing. Éstas se clasifican en cuatro categorías principales:

1. ***Alianzas de productos o servicios.*** Una empresa otorga licencia a otra para fabricar sus productos, o dos empresas comercializan juntas sus productos complementarios o un nuevo producto. El sector de las tarjetas de crédito es una compleja combinación de tarjetas comercializadas conjuntamente por bancos como Bank of America, empresas de tarjetas de crédito como Visa, y compañías en programas de afinidad como Alaska Airlines.
2. ***Alianzas promocionales.*** Una empresa acuerda llevar a cabo una promoción para el producto o servicio de otra. McDonald's se alió con Disney durante 10 años para ofrecer productos relacionados con los estrenos cinematográficos de esta última como regalo en sus comidas para niños.
3. ***Alianzas logísticas.*** Una empresa ofrece servicios de logística para el producto de otra. Warner Music Group y Sub Pop Records crearon la Alternative Distribution Alliance (ADA) en 1993, como una empresa conjunta para fabricar y distribuir discos de discográficas independientes. ADA es la empresa líder de distribución de música "indie" en Estados Unidos, tanto para productos físicos como digitales.

Apuntes de marketing

Lista de verificación para llevar a cabo un análisis de fortalezas y debilidades

	Desempeño					Importancia		
	Fortaleza principal	Fortaleza secundaria	Neutral	Debilidad secundaria	Debilidad principal	Alto	Medio	Bajo
Marketing								
1. Reputación de la empresa	____	____	____	____	____	____	____	____
2. Cuota de mercado	____	____	____	____	____	____	____	____
3. Satisfacción del cliente	____	____	____	____	____	____	____	____
4. Retención del cliente	____	____	____	____	____	____	____	____
5. Calidad del producto	____	____	____	____	____	____	____	____
6. Calidad del servicio	____	____	____	____	____	____	____	____
7. Eficacia en fijación de precios	____	____	____	____	____	____	____	____
8. Eficacia en distribución	____	____	____	____	____	____	____	____
9. Eficacia en promoción	____	____	____	____	____	____	____	____
10. Eficacia de la fuerza de ventas	____	____	____	____	____	____	____	____
11. Eficacia en innovación	____	____	____	____	____	____	____	____
12. Cobertura geográfica	____	____	____	____	____	____	____	____
Finanzas								
13. Costo o disponibilidad de capital	____	____	____	____	____	____	____	____
14. Flujo de efectivo	____	____	____	____	____	____	____	____
15. Estabilidad financiera	____	____	____	____	____	____	____	____
Manufactura								
16. Instalaciones	____	____	____	____	____	____	____	____
17. Economías de escala	____	____	____	____	____	____	____	____
18. Capacidad	____	____	____	____	____	____	____	____
19. Fuerza de trabajo hábil y dedicada	____	____	____	____	____	____	____	____
20. Capacidad de producir a tiempo	____	____	____	____	____	____	____	____
21. Habilidad técnica de manufactura	____	____	____	____	____	____	____	____
Organización								
22. Liderazgo con visión y capacidad	____	____	____	____	____	____	____	____
23. Empleados dedicados	____	____	____	____	____	____	____	____
24. Orientación emprendedora	____	____	____	____	____	____	____	____
25. Flexible o receptiva	____	____	____	____	____	____	____	____

4. ***Colaboración para fijación de precios.*** Una o más empresas se unen en una colaboración para la fijación de precios especiales. Las empresas de hoteles y alquiler de automóviles a menudo ofrecen descuentos mutuos.

Es preciso que las empresas piensen creativamente para encontrar aliados que puedan complementar sus fortalezas y contrarrestar sus debilidades. Las alianzas bien administradas permiten que las empresas obtengan un mayor impacto en ventas a un menor costo. Para que sus alianzas estratégicas continúen prosperando, hoy en día las corporaciones aprecian la capacidad de generarlas y gestionarlas como una habilidad fundamental, lo cual se conoce como **gestión de las relaciones con socios (PRM)**.[36]

Tanto las empresas farmacéuticas como las de biotecnología comienzan a hacer de las alianzas una competencia central. Se estima que tan sólo en 2007 se formaron cerca de 700 alianzas de este tipo.[37] Uno de los casos más representativos es el del operador de telecomunicaciones inalámbricas más grande de América, Telmex.[38]

Telmex A principios de la década de 1990 Telmex decidió entrar al mercado de la telefonía móvil con la empresa Telcel, la cual ocupaba el segundo lugar en el mercado nacional, teniendo como principal competidor a Iusacell. Este escenario cambió en 1995, cuando México sufrió una de sus peores crisis económicas; bajo tales circunstancias, Telcel decidió centrarse en el sector de menor ingreso, impulsando los primeros planes de prepago, y con ello, acaparando un mayor número de clientes para convertirse en el líder de telefonía móvil en el mercado mexicano. Telmex comenzó a ser proveedor de Internet a través de la marca Uninet. En 1996 compró a IBM y Sears el proveedor de Internet Prodigy Communications, trayéndolo a México y creando la marca Prodigy Internet de Telmex. En 2001 la empresa decidió vender los suscriptores de Prodigy Communications en Estados Unidos a su socio, SBC Communications, con lo cual se convirtió en SBC Prodigy, y posteriormente SBC Yahoo! Asimismo, tiene relación con América Móvil, empresa hermana de Telmex; en este negocio su principal accionista es Grupo Carso, siendo Carso Global Telecomm propietaria de 60% de Telmex International.

Telmex se ha aliado activamente con diversas empresas para seguir impulsando su innovación.

Formulación e implementación de programas

Hasta una grandiosa estrategia de marketing puede verse saboteada por una pobre implementación. Si la unidad ha decidido obtener liderazgo tecnológico, debe reforzar su departamento de I+D, recopilar inteligencia tecnológica, desarrollar productos de vanguardia, capacitar a su fuerza de ventas técnica, y comunicar su liderazgo tecnológico.

Una vez que han formulado sus programas de marketing, los especialistas en marketing deben calcular sus costos. ¿Vale la pena tener presencia en una feria o exposición comercial? ¿Será rentable utilizar un concurso de ventas para incentivar a la fuerza de ventas? ¿La contratación de otro vendedor mejorará los resultados? La contabilidad de costos basada en actividades (CBA) —que se describe a detalle en el capítulo 5— puede ayudar a determinar si un programa de marketing tiene probabilidades de producir resultados suficientes para justificar su costo.[39]

Las empresas actuales reconocen que, a menos que cuiden a otros interesados en el negocio —clientes, empleados, proveedores, distribuidores—, es probable que nunca obtengan suficientes ganancias para los accionistas. Es posible que la empresa tenga como meta encantar a sus clientes, que sus empleados logren un buen desempeño, y entregar un nivel de satisfacción apenas aceptable a sus proveedores. Al fijar esos niveles, debe ser cuidadosa de brindar un trato justo y equitativo a cada uno de los grupos de interesados en el negocio.[40]

Una relación dinámica conecta a los grupos de interesados en el negocio. Una empresa inteligente crea un alto nivel de satisfacción en sus empleados; esto aumenta el esfuerzos realizado por ellos, lo que a su vez conduce a productos y servicios de mejor calidad y, en consecuencia, a mayor satisfacción del cliente, que lleva a más negocios repetitivos, un incremento del crecimiento y las ganancias, altas tasas de satisfacción de los accionistas, mayor inversión, y así sucesivamente. Este círculo virtuoso augura ganancias y crecimiento.

Según McKinsey & Company, la estrategia es sólo uno de los siete elementos que participan en la práctica exitosa de los negocios.[41] Los primeros tres —estrategia, estructura y sistemas— se consideran el "hardware" del éxito; los siguientes cuatro —estilo, habilidades, personal y valores compartidos— son el "software".

El primer elemento del software, *estilo*, significa que los empleados comparten una manera de pensar y de comportarse. El segundo, *habilidades*, implica que los empleados tienen las habilidades necesarias para poner en práctica la estrategia de la empresa. El elemento *personal* se refiere a que la empresa ha contratado personas capaces, las ha capacitado bien, y les ha asignado los trabajos correctos. El cuarto elemento, *valores compartidos*, quiere decir que los empleados comparten los mismos valores y se guían por ellos. Cuando todos estos elementos están presentes, por lo general las empresas son más exitosas en la implementación de su estrategia.[42]

Control y retroalimentación

El ajuste estratégico de una empresa al medio circundante terminará, inevitablemente, por desgastarse, porque el entorno de mercado cambia con mayor rapidez que aquella con la que se pueden ajustar los siete elementos de la empresa. De este modo, una empresa podría seguir siendo eficiente aunque perdiendo eficacia. Peter Drucker señalaba que es más importante "hacer lo correcto" —ser eficaz— que "hacer las cosas bien" —ser eficiente—. Sin embargo, las empresas más exitosas destacan en ambos aspectos.

Cuando una organización no puede responder al entorno modificado, le resultará cada vez más difícil volver a ocupar la posición perdida. Considere el caso de KB Toys. Fundada en 1922 como un mayorista de dulces, la empresa se reinventó numerosas veces con éxito, primero al cambiar su enfoque hacia los juguetes de descuento, y después anticipándose al crecimiento de los centros comerciales. KB Toys se convirtió en el segundo minorista de juguetes más grande del mundo, pero acabó por desmoronarse debido a la competencia de las grandes superficies y a su fallida adquisición de eToys. La empresa se declaró en bancarrota en 1994, pero resurgió en las postrimerías de la misma década, sólo para declararse en quiebra de nuevo y liquidar sus activos a finales de 2008.

Planificación de productos: la naturaleza y el contenido de un plan de marketing

Los gerentes de producto trabajan, dentro de los planes concebidos por las jerarquías superiores, en los planes de marketing para productos individuales, líneas, marcas, canales o grupos de clientes. Cada nivel de producto, ya sea una línea de producto o una marca, debe desarrollar un plan de marketing para lograr sus metas. Un **plan de marketing** es un documento escrito que resume lo que el especialista en marketing ha aprendido sobre el mercado, e indica de qué manera la empresa espera cumplir sus metas de marketing.[43] Contiene líneas directrices para los programas de marketing y asignaciones financieras durante un periodo determinado.[44]

El plan de marketing es uno de los resultados más importantes del proceso de marketing. Provee dirección y enfoque para la marca, producto o empresa. Las organizaciones no lucrativas utilizan planes de marketing para guiar sus esfuerzos de recaudación de fondos y su alcance, y las agencias de gobierno los usan para generar conciencia pública en torno a sus temas de interés, por ejemplo, la nutrición o el estímulo al turismo.

El plan de marketing, aunque de alcance más limitado que un plan de negocios, documenta cómo logrará la organización sus metas estratégicas mediante estrategias y tácticas específicas de marketing, cuyo punto de partida es el cliente. Además, se vincula con los planes de otros departamentos. Suponga que un plan de marketing estima vender 200 000 unidades al año. El departamento de producción debe prepararse para fabricar ese número de unidades, el de finanzas debe preparar los fondos para cubrir los gastos, el de recursos humanos debe estar listo para contratar y capacitar personal, y así sucesivamente. Sin el nivel adecuado de recursos y apoyo organizacional, ningún plan de marketing puede tener éxito.

Los planes de marketing se están volviendo más orientados al cliente y a la competencia, están mejor razonados y son más realistas. Requieren más aportaciones de todas las áreas funcionales, y son desarrollados en equipo. La planificación se está convirtiendo en un proceso continuo para responder a las condiciones rápidamente cambiantes del mercado. Los defectos citados con más frecuencia de los planes de marketing actuales, según los ejecutivos especializados en el tema, son la falta de realismo, un insuficiente análisis competitivo, y un enfoque en el corto plazo. (Ver "Apuntes de marketing: Criterios para la creación de planes de marketing" para conocer algunas preguntas guía que deben plantearse al desarrollar planes de marketing).

Aunque su disposición y longitud exacta varían de una empresa a otra, casi todos los planes de marketing tienen un alcance anual y una longitud de entre cinco y 50 páginas. Es posible que las empresas más pequeñas creen planes de marketing más cortos o menos formales, mientras que las corporaciones por lo general requieren documentos muy estructurados. Para guiar eficazmente la implementación, cada parte del plan debe ser descrita con mucho detalle. A veces una empresa publicará su plan de marketing en un sitio Web interno, para que todos sus empleados puedan consultar secciones específicas y colaborar en los cambios. Por lo general el plan de marketing contiene las siguientes secciones.

- ***Resumen ejecutivo y tabla de contenido.*** El plan de marketing debe comenzar con una tabla de contenido y un breve resumen para que la alta dirección tenga acceso rápido a una descripción de las metas y recomendaciones principales.
- ***Análisis de la situación.*** Esta sección presenta los antecedentes relevantes sobre ventas, costos, mercado, competencia y las diversas fuerzas del macroentorno. ¿Cómo definimos el mercado, de qué tamaño es, y qué tan rápido está creciendo? ¿Cuáles son las tendencias de importancia y los asuntos críticos? Las empresas utilizan toda esta información para realizar un análisis FODA.
- ***Estrategia de marketing.*** El gerente de marketing define en esta sección la misión, las metas de marketing y financieras, y las necesidades que la oferta pretende satisfacer, así como el posicionamiento competitivo de la empresa, producto o servicio. Todo esto requiere aportaciones de las demás áreas, compras, producción, ventas, finanzas y recursos humanos, entre otras.
- ***Proyecciones financieras.*** Las proyecciones financieras incluyen los pronósticos de ventas y de gastos, junto con un análisis de punto de equilibrio. Del lado de los ingresos se pronostican el volumen de ventas por mes y la categoría de productos, y del lado de los gastos los costos esperados de marketing, desglosados en categorías más específicas. El análisis de punto de equilibrio estima cuántas unidades debe vender la empresa al mes para compensar sus costos fijos mensuales y los costos unitarios variables promedio.

  Un método más complejo de calcular las ganancias es el **análisis de riesgos**. En él se obtienen tres estimaciones (optimista, pesimista y más probable) para cada variable incierta que afecte la rentabilidad,

Criterios para la creación de planes de marketing

Aquí se presentan algunas preguntas que deben ser formuladas al evaluar un plan de marketing.

1. *¿El plan es simple?* ¿Es fácil de entender y de implementar? ¿Comunica el contenido de manera clara y práctica?
2. *¿El plan es específico?* ¿Sus metas son concretas y se pueden medir? ¿Incluye acciones y actividades particulares, cada una con fechas de terminación específicas, personas responsables específicas y presupuestos específicos?
3. *¿El plan es realista?* ¿Son realistas las metas de ventas, los presupuestos de gastos y las fechas de cumplimiento? ¿Se ha llevado a cabo una autocrítica honesta y franca que saque a la luz las preocupaciones y objeciones posibles?
4. *¿El plan está completo?* ¿Incluye todos los elementos necesarios? ¿Tiene la amplitud y profundidad correctas?

Fuente: Adaptado de Tim Berry y Doug Wilson, *On Target: The Book on Marketing Plans* (Eugene OR; Palo Alto Software, 2000).

bajo un entorno de marketing supuesto y con una estrategia de marketing para el periodo planeado. La computadora simula los posibles resultados, y calcula una distribución que muestra la gama de posibles tasas de retorno y sus probabilidades.[45]

- ***Controles de la implementación.*** En la última sección se hace un esbozo de los controles para supervisar y ajustar la implementación del plan. Típicamente, desglosa las metas y el presupuesto mensual o trimestral, para que la dirección pueda revisar los resultados de cada periodo y tomar medidas correctivas conforme sean necesarias. Algunas organizaciones incluyen también planes de contingencia.

El rol de la investigación

Para desarrollar productos innovadores, estrategias exitosas y programas de acción, los especialistas en marketing necesitan información actualizada acerca del entorno, la competencia y los segmentos de mercado elegidos. A menudo el análisis de datos internos es el punto de partida para evaluar la situación actual de marketing, y son complementados por información de marketing e investigaciones del mercado en general, la competencia, asuntos clave, amenazas y oportunidades. A medida que el plan se lleva a cabo, los especialistas en marketing usan la investigación para medir el progreso en el cumplimiento de las metas, y para identificar las áreas que pueden mejorar.

Por último, la investigación de marketing ayuda a los especialistas en marketing a aprender más sobre las demandas de sus clientes, sus expectativas, percepciones, satisfacción y lealtad. Así, el plan de marketing debe esbozar qué investigaciones se llevarán a cabo y cuándo, así como la forma en que se aplicarán los hallazgos.

El rol de las relaciones

Aunque el plan de marketing muestre qué hará la empresa para establecer y mantener relaciones rentables con sus clientes, también afecta otras relaciones internas y externas de la empresa. En primer lugar, influye en cómo trabajarán entre sí los encargados del marketing, y cómo se relacionarán con el personal de otros departamentos para entregar valor y satisfacer a los clientes. En segundo, afecta la manera en que la empresa trabaja con sus proveedores, distribuidores y aliados para lograr las metas establecidas en el plan. Por último, influye en los tratos de la empresa con otros interesados en el negocio, incluyendo los reguladores gubernamentales, los medios de comunicación y la comunidad en general. Los especialistas en marketing deben considerar todas estas relaciones cuando desarrollan el plan de marketing.

Del plan de marketing a la acción de marketing

Casi todas las empresas generan planes de marketing anuales. Los especialistas en marketing comienzan a planificar bastante antes de la fecha de implementación, con el propósito de tener tiempo para realizar la investigación de marketing, hacer un análisis, obtener el visto bueno de la dirección, y hacer un esfuerzo de coordinación entre departamentos. A medida que cada programa de acciones da inicio, los resultados que se van obteniendo son controlados; por lo tanto, cualquier desviación de los planes se investiga, y se toman acciones correctivas cuando son necesarias. Algunas empresas preparan planes de contingencia; los especialistas en marketing deben estar preparados para actualizar y adaptar los planes de marketing en cualquier momento.

El plan de marketing definirá los mecanismos de medición del progreso realizado hacia el cumplimiento de las metas. Los gerentes suelen usar presupuestos, horarios y medidas de marketing para supervisar y evaluar los resultados.

A partir de los presupuestos cualquiera de los interesados puede comparar los gastos planificados contra los gastos reales para un periodo determinado. La programación temporal permite que la dirección sepa cuándo deben completarse las tareas y cuándo son concluidas en realidad. Las medidas de marketing permiten seguir los resultados reales de los programas de marketing, para determinar si la compañía está avanzando hacia la consecución de sus metas.

Resumen

1. El proceso de entrega de valor incluye la elección (o identificación), la provisión (o entrega) y la comunicación de un valor superior. La cadena de valor es una herramienta para identificar las actividades clave que crean valor y generan costos en un negocio determinado.
2. Las empresas sólidas desarrollan capacidades superiores para administrar sus procesos empresariales básicos, tales como la realización de nuevos productos, la gestión de inventarios, y la captación y retención de clientes. La gestión eficaz de estos procesos básicos exige la creación de una red de marketing, a partir de la cual la empresa trabaja de cerca con todas las partes de la cadena de distribución, desde los proveedores de materias primas hasta los distribuidores y minoristas. Las empresas ya no compiten entre sí; ahora son las redes de marketing las que lo hacen.
3. Según un punto de vista, el marketing holístico maximiza la exploración del valor, en virtud de que entiende las relaciones que existen entre el espacio cognitivo del cliente, el espacio de competencia de la empresa, y el espacio de recursos de sus colaboradores. Además, maximiza la creación de valor mediante la identificación de nuevos beneficios desde el espacio cognitivo del cliente, utilizando las competencias centrales de su ámbito empresarial, y elegiendo a los aliados del negocio a partir de sus redes de colaboración. Conservándolos, y maximizando la entrega de valor al volverse muy competente en la gestión de las relaciones con clientes, de los recursos internos, y de las relaciones con socios.
4. La planificación estratégica orientada al mercado es el proceso de dirección que desarrolla y mantiene un ajuste viable entre las metas, habilidades y recursos de la organización, y sus siempre cambiantes oportunidades de mercado. La meta de la planificación estratégica es dar forma a los negocios y productos de la empresa para que produzcan el crecimiento y las ganancias deseadas. La planificación estratégica se lleva a cabo en cuatro niveles: corporativo, de división, de unidades de negocios y de producto.
5. La estrategia corporativa establece un marco para que las divisiones y las unidades de negocio preparen sus planes estratégicos. Fijar una estrategia corporativa implica definir la misión corporativa, establecer unidades estratégicas de negocio (UEN), asignar recursos a cada una de ellas, y evaluar las oportunidades de crecimiento.
6. La planificación estratégica de negocios individuales incluye la definición de la misión de negocio, el análisis de las oportunidades y amenazas externas, el análisis de las fortalezas y debilidades internas, la formulación de las metas, de la estrategia y de los programas de apoyo, la implementación de los programas, control y retroalimentación.
7. Cada nivel de producto dentro de una unidad de negocio debe desarrollar un plan de marketing para lograr sus metas. El plan de marketing es uno de los resultados más importantes del proceso de marketing.

Aplicaciones

Debate de marketing

¿Cuáles son las características de una apropiada declaración de misión?

Las declaraciones de misión suelen ser producto de muchas deliberaciones y discusiones. Al mismo tiempo, sus críticos aseguran que a veces carecen de "sagacidad" y de especificidad, o hacen las mismas promesas huecas y no varían mucho de una empresa a otra.

Asuma una posición: Las declaraciones de misión son críticas para una organización de marketing exitosa *versus* Las declaraciones de misión rara vez proveen un valor de marketing útil.

Discusión de marketing

Planificación de marketing

Considere la cadena de valor de Porter y el modelo de marketing con orientación holística. ¿Qué implicaciones tienen para la planificación de marketing? ¿Cómo estructuraría usted un plan de marketing para incorporar algunos de esos conceptos?

Marketing de excelencia

>>Cisco

Cisco Systems es el proveedor de equipo de redes para Internet líder en el mundo. La empresa vende el hardware (routers y switches), el software y los servicios responsables, en gran medida, de que Internet funcione. Cisco fue fundada en 1984 por un matrimonio que trabajaba en el departamento de operaciones de cómputo de Stanford University. Al principio la empresa fue bautizada como cisco, con *c* minúscula, utilizando una abreviatura de San Francisco, y su marca de identificación fue un logotipo que tiene cierta semejanza con el puente Golden Gate, sobre el que la pareja viajaba con frecuencia.

Cisco salió a bolsa en 1990, y sus dos fundadores dejaron la empresa poco tiempo después, debido a conflictos de interés con el nuevo CEO y presidente. Durante la siguiente década la compañía creció en forma exponencial, impulsada por lanzamientos de nuevos productos, como routers patentados, switches, plataformas y módems que contribuyeron de manera significativa a la parte medular de Internet. Cisco inauguró sus primeras oficinas internacionales en Gran Bre-taña y Francia en 1991, y ha seguido abriendo sedes en diversos países desde entonces. Durante la década de 1990 adquirió e integró exitosamente 49 compañías a su negocio central. Como resultado, su capitalización de mercado cre-ció más rápido que para cualquier otra empresa en la historia: de 1 000 millones de dólares a 300 000 millones entre 1991 y 1999. En marzo de 2000 Cisco se convirtió en la empresa más valiosa del mundo, con una capitalización de mercado que llegó a un máximo de 582 000 millones de dólares, 82 dólares por acción.

Para finales del siglo XX, aunque la empresa era extremadamente exitosa, la conciencia de marca era baja; muchas personas sabían de Cisco por el precio de sus acciones, y no por lo que realmente hacía. Cisco estableció alianzas con Sony, Matsushita y US West para combinar sus marcas de módems con el logo de Cisco, con la esperanza de generar reconocimiento de nombre y valor de marca. Además lanzó sus primeros spots de televisión como parte de la campaña titulada "¿Estás preparado?". En los anuncios, niños y adultos de todo el mundo daban datos sobre el poder de Internet, e invitaban al telespectador a reflexionar con la frase "¿Estás preparado?".

Para sobrevivir a la explosión de la burbuja de las puntocom, en 2001 la empresa se restructuró en once grupos de tecnología y una organización de marketing, que planeaba comunicar la línea de productos y las ventajas competitivas de mejor manera que lo había hecho anteriormente. En 2003 Cisco introdujo un nuevo mensaje de marketing, "El poder de la red. Ahora". La campaña internacional estaba dirigida a ejecutivos corporativos y destacaba, mediante un enfoque de publicidad más discreto, el rol crítico que Cisco desempeñaba dentro del complejo sistema tecnológico. Los anuncios de televisión expresaban que los sistemas de Cisco cambian la vida de la gente en todo el mundo; un anuncio impreso no mencionaba el nombre de la empresa sino hasta la tercera de ocho páginas. Marilyn Mersereau, vicepresidenta corporativa de marketing de Cisco, explicaba: "La publicidad inteligente involucra al lector en algo que le dé que pensar y que sea provocador, y no que le golpee con la marca desde la primera página".

El año 2003 trajo nuevas oportunidades para Cisco cuando la empresa entró al segmento de consumo con la adquisición de Linksys, un fabricante de equipo de redes para el hogar y oficinas pequeñas. Para 2004 Cisco ofrecía varias soluciones de entretenimiento para el hogar, incluyendo capacidades inalámbricas para música, impresión, video y más. Debido a que otras estrategias previas de marketing habían estado dirigidas a quienes tomaban decisiones corporativas y de tecnologías de la información (TI), en 2006 la empresa lanzó una campaña para recapitalizar su marca y aumentar la conciencia de marca entre los consumidores, en un intento por contribuir al aumento del valor general de la misma. La campaña "La red humana" trataba de "humanizar" al gigante de la tecnología, reposicionándolo como algo más que un mero proveedor de switches y routers, y comunicando su rol fundamental en la conexión de las personas mediante la tecnología. Los resultados iniciales fueron positivos. Los ingresos de Cisco aumentaron 41% entre 2006 y 2008, impulsados por los incrementos en sus ventas de productos tanto para uso doméstico como empresarial. Para finales de 2008 los ingresos de Cisco llegaron a los 39 500 millones de dólares y *BusinessWeek* la calificó como una de las marcas globales más importantes, otorgándole el decimoctavo lugar.

Con su entrada al mercado de consumo Cisco ha tenido que desarrollar formas únicas de conectarse con los consumidores. Un desarrollo reciente es *Cisco Connected Sports*, una plataforma que convierte los estadios deportivos en sedes interactivas conectadas digitalmente. La empresa ya ha transformado los estadios de los Cowboys de Dallas, los Yankees de Nueva York, los Royals de Kansas City, los Blue Jays de Toronto y los Dolphins de Miami en la "máxima experiencia para los aficionados", y planea añadir más equipos a su cartera. Los aficionados pueden conocer de manera virtual a los jugadores mediante el sistema de videoconferencias Telepresence; además, los displays digitales de visualización colocados por todo el estadio les permiten revisar los marcadores de otros juegos, hacer pedidos de comida y ver el tráfico local. Por si fuera poco, las pantallas planas de alta definición ubicadas en distintos lugares del estadio aseguran que los aficionados nunca se perderán una jugada, ni siquiera estando en el baño.

Actualmente Cisco continúa adquiriendo empresas —40 entre 2004 y 2009— que le ayudan a expandirse hacia nuevos mercados, como el de electrónica de consumo, el de software de colaboración empresarial, y el de servidores informáticos. Estas adquisiciones concuerdan con la meta de Cisco: aumentar el tránsito general en Internet, lo que en última instancia impulsa la demanda para sus productos de hardware de redes. Cisco ha tenido que enfrentar nuevos competidores, como Microsoft, IBM y Hewlett-Packard, para lo cual ha enfocado sus esfuerzos de marketing en llegar hasta sus clientes, incluyendo estrategias como el uso de las redes sociales Facebook, Twitter y los blogs.

Preguntas

1. ¿Cómo se construye una marca en un mercado industrial, en comparación con su construcción en el mercado de consumo?
2. ¿El plan de Cisco de llegar a los consumidores finales es viable? ¿Por qué?

Fuentes: Marguerite Reardon, "Cisco Spends Millions on Becoming Household Name", CNET, 5 de octubre de 2006; Michelle Kessler, "Tech Giants Build Bridge to Consumers", *USA Today,* 13 de marzo de 2006; Marla Matzer, "Cisco Faces the Masses", *Los Angeles Times,* 20 de agosto de 1998; David. R. Baker, "New Ad Campaign for Cisco", *San Francisco Chronicle,* 18 de febrero de 2003; Bobby White, "Expanding into Consumer Electronics, Cisco Aims to Jazz Up Its Stodgy Image", *Wall Street Journal,* 6 de septiembre de 2006, p. B1; Burt Helm, "Best Global Brands", *BusinessWeek,* 18 de septiembre de 2008; Ashlee Vance, "Cisco Buys Norwegian Firm for $3 Billion", *New York Times,* 1 de octubre de 2009; Jennifer Leggio, "10 Fortune 500 Companies Doing Social Media Right", *ZDNet,* 28 de septiembre de 2009.

Marketing de excelencia

>>Intel

Intel fabrica los microprocesadores que se encuentran en el 80% de los ordenadores personales del mundo. Actualmente es una de las marcas más valiosas del planeta, con ingresos que superan los 37 000 millones de dólares. Sin embargo, al principio los microprocesadores Intel sólo eran conocidos por sus números de versión de desarrollo, como "80386" u "80486". Debido a que los números no pueden registrarse como marca, la competencia salió con sus propios chips "486" e Intel no tuvo manera de distinguirse de los demás. Por otro lado, los consumidores no podían ver los productos Intel, pues éstos se hallaban profundamente "enterrados" dentro de sus PC. Así, Intel tuvo dificultades para convencer a los consumidores de que pagaran más por sus productos de altas prestaciones.

Como resultado, la empresa creó la campaña de marketing de componentes de marca por excelencia, y pasó a la historia. Eligió un nombre que pudiera registrar para introducir su microprocesador de última generación, Pentium, y lanzó la campaña "Intel Inside" ("Intel adentro") con el propósito de generar conciencia de marca para toda su familia de microprocesadores. Esta campaña ayudó a posicionar la marca Intel fuera de los PCs y dentro de la mente de los consumidores. Para ejecutar la nueva estrategia de marca era esencial que los fabricantes de computadoras que usaran microprocesadores Intel apoyaran el programa. Intel les dio descuentos significativos si incluían su logotipo en los anuncios de PC, o si colocaban la etiqueta "Intel Inside" en un lugar visible de sus computadoras personales y portátiles.

La empresa creó varias campañas de marketing eficaces e identificables a finales de la década de 1990 para convertirse en un componente de marca reconocido y agradable. En la campaña publicitaria "Bunny People" (Gente conejo) se caracterizaba a los técnicos de Intel vestidos con trajes aislantes de colores brillantes, y bailando música disco en el interior de una fábrica de procesadores. Intel también usó al famoso Blue Man Group en sus anuncios para Pentium III y Pentium IV.

En 2003 Intel lanzó la plataforma Centrino, que incluía un nuevo microprocesador, batería extendida y capacidades inalámbricas. La empresa lanzó un esfuerzo de medios multimillonario alrededor de la nueva plataforma, utilizando el eslogan "Sin cables. Sin nudos. Sin cargas. Sin compromiso. Sin estrés" para animar al mundo a deshacerse de los cables. La campaña "Sin cables" contribuyó a que la empresa obtuviera 2 000 millones de dólares en ingresos durante los primeros nueve meses de difusión.

Cuando el sector del PC se desaceleró a mediados de la primera década del siglo XXI, Intel buscó nuevas áreas de crecimiento, como los aparatos para entretenimiento doméstico y las computadoras portátiles. Lanzó dos nuevas plataformas Viiv (rima con el número cinco en inglés, "five") dirigidas a los aficionados al entretenimiento en casa, y Centrino Duo móvil. Además, la empresa creó una campaña global de marketing de 2 000 millones de dólares para reposicionarse, dejando atrás su identificación como una empresa inteligente productora de microprocesadores, y convirtiéndose en una "empresa amable y cercana" que ofrecía también soluciones para los consumidores. Como parte de la campaña se creó un nuevo logotipo y se lanzó el nuevo eslogan "Leap Ahead" ("Salta hacia adelante"), que reemplazó al conocido "Intel Inside" que se había convertido en sinónimo de la marca.

En 2007 Intel creó la PC Classmate, una pequeña computadora fácilmente utilizable por los niños, duradera y accesible con procesador Intel, cuyo público meta estaba conformado por la infancia de regiones remotas del planeta. Este producto fue parte de una iniciativa llamada Intel Learning Series, cuya intención era ayudar a extender la educación tecnológica por todo el mundo.

Un año después Intel lanzó el procesador Atom, el más pequeño hasta ese momento, diseñado para los dispositivos móviles para Internet, netbooks y netttops tales como la PC Classmate. Aquel mismo año introdujo su microprocesador más avanzado, el Intel Core i7, que se dirigía a satisfacer las necesidades de video, juegos en 3-D y actividades avanzadas de cómputo. Ambos procesadores fueron un éxito instantáneo. El Atom, más pequeño que un grano de arroz, daba potencia al creciente mercado de los netbooks, computadoras personales ligeras, de menos de medio kilo de peso. Intel vendió más de 20 millones de procesadores Atom para netbook tan sólo en el primer año, y 28 millones en el segundo. Algunos analistas predicen que cuando el procesador Atom incursione en el mercado de los smartphones y los móviles, Intel podría vender cientos de millones de unidades en un periodo muy corto.

La campaña publicitaria más reciente de Intel se propone mejorar la conciencia de marca de la empresa, y se titula "Sponsors of Tomorrow" ("Los patrocinadores del mañana"). Los anuncios destacaron el rol que Intel juega en la transformación del futuro tecnológico, y tomaron un tono humorístico. En uno de ellos, un hombre de edad mediana que trae puesta la tarjeta de identificación de su empresa camina por la cafetería mientras otros empleados gritan, lo agarran y suplican por su autógrafo. En la pantalla se lee, "Ajay Bhatt, co-inventor del U.S.B.", mientras el empleado (representado por un actor) le guiña el ojo a una de sus seguidoras. El anuncio termina con la línea "Nuestros superhéroes no son como los tuyos".

Mientras los superhéroes de Intel continúen creando microprocesadores poderosos para aparatos más portátiles y más pequeños, el valor de su marca seguirá creciendo, lo mismo que su influencia en el futuro de la tecnología.

Preguntas

1. Discuta cómo cambió Intel la historia del marketing de componentes. ¿Qué hizo tan bien en esas campañas iniciales de marketing?
2. Evalúe los esfuerzos de marketing más recientes de Intel. ¿Perdieron algo al dejar de usar el eslogan "Intel Inside"?

Fuentes: Cliff Edwards, "Intel Everywhere?", *BusinessWeek,* 8 de marzo de 2004, pp. 56-62; Scott Van Camp, "ReadMe 1st", *Brandweek,* 23 de febrero de 2004, p. 17; "How to Become a Superbrand", *Marketing,* 8 de enero de 2004, p. 15; Roger Slavens, "Pam Pollace, VP-Director, Corporate Marketing Group, Intel Corp", *BtoB,* 8 de diciembre de 2003, p. 19; Kenneth Hein, "Study: New Brand Names Not Making Their Mark", *Brandweek,* 8 de diciembre de 2003, p. 12; Heather Clancy, "Intel Thinking Outside the Box", *Computer Reseller News,* 24 de noviembre de 2003, p. 14; Cynthia L. Webb, "A Chip Off the Old Recovery?", *Washingtonpost.com,* 15 de octubre de 2003; "Intel Launches Second Phase of Centrino Ads", *Technology Advertising & Branding Report,* 6 de octubre de 2003; David Kirkpatrick, "At Intel, Speed Isn't Everything", *Fortune,* 9 de febrero de 2004, p. 34; Don Clark, "Intel to Overhaul Marketing in Bid to Go Beyond PCs", *Wall Street Journal,* 30 de diciembre de 2005; Stephanie Clifford , "Tech Company's Campaign to Burnish Its Brand", *New York Times,* 6 de mayo de 2009, p. B7; Tim Bajarin, "Intel Makes Moves in Mobility", *PC Magazine,* 5 de octubre de 2009.

Plan de marketing de muestra | Pegasus Sports International

1.0 Resumen ejecutivo

Pegasus Sports International es una empresa de reciente creación que fabrica accesorios para patinaje en línea. Además de los accesorios, Pegasus está desarrollando SkateTours, un servicio que llega a los clientes, en conjunto con una tienda local de patines, y les provee una tarde de patinaje usando los patines en línea y algunos de los demás accesorios de Pegasus, como las SkateSails. El mercado de accesorios para patinaje ha sido ignorado en su mayoría. Aunque existen varios fabricantes importantes de patines, el mercado de accesorios no ha sido atendido. Esto le da a Pegasus una oportunidad extraordinaria de crecimiento de mercado. El patinaje es un deporte en rápido crecimiento. Actualmente la mayor parte del patinaje es recreativo. Sin embargo, cada vez hay más competiciones, incluyendo competiciones de equipos (como el hockey en patines) e individuales (como carreras). Pegasus trabajará para que estos mercados crezcan, y también para desarrollar el mercado de transporte sobre patines, un uso más utilitario del patinaje. Varios de los productos actualmente desarrollados por Pegasus están en espera de patente, y las investigaciones del mercado local indican que existe gran demanda para ellos. Pegasus logrará una penetración de mercado rápida y significativa mediante un modelo de negocios sólido, planificación a largo plazo y un fuerte equipo directivo que sea capaz de aprovechar esta emocionante oportunidad. Los tres miembros principales del equipo directivo tienen más de 30 años de experiencia combinada, tanto personal como en el sector. Esta amplia experiencia le da a Pegasus la información empírica y la pasión para proveer al mercado de patinaje con los tan necesarios productos accesorios. Al principio, Pegasus venderá sus productos mediante su página Web. Este enfoque tipo Dell, directo al cliente, le permitirá lograr márgenes más altos y mantener una relación cercana con sus clientes, algo esencial para fabricar productos que tengan una verdadera demanda del mercado. Para finales de año, Pegasus habrá desarrollado relaciones con diferentes tiendas de patines, y comenzará a vender sus productos a través de minoristas.

2.0 Análisis de situación

Pegasus está entrando en su primer año de operación. Sus productos han sido bien recibidos, y el marketing será fundamental para desarrollar conciencia de marca y de producto, así como para el crecimiento de la base de clientes. Pegasus International ofrece varios accesorios diferentes para patinaje, atendiendo al sector de patinaje en línea.

2.1 Resumen de mercado

Pegasus posee buena información sobre el mercado, y conoce mucho sobre los atributos comunes del cliente más preciado. Esta información se difundirá para entender mejor a quién se atiende, cuáles son sus necesidades específicas, y cómo puede Pegasus comunicarse mejor con ellos.

Mercados meta

- Recreativo
- Deportivo
- Velocidad
- Hockey
- Extremo

2.1.1 Demografía del mercado

El perfil del cliente típico de Pegasus consiste de los tres siguientes factores geográficos, demográficos y conductuales:

Geográficos

- Pegasus no tiene un área geográfica meta definida. Al apoyarse en el amplio alcance de Internet y las múltiples empresas de servicios de entrega, la empresa podrá atender a clientes nacionales e internacionales.
- La población meta a la que se está dirigiendo es de 31 millones de usuarios.

TABLA 2.1 Pronóstico de mercado meta

Pronóstico de mercado meta							
Clientes potenciales	**Crecimiento**	**2011**	**2012**	**2013**	**2014**	**2015**	**TCAC***
Recreativo	10%	19142500	21056750	23162425	25478668	28026535	10.00%
Deportivo	15%	6820000	7843000	9019450	10372368	11928223	15.00%
Velocidad	10%	387500	426250	468875	515763	567339	10.00%
Hockey	6%	2480000	2628800	2786528	2953720	3130943	6.00%
Extremo	4%	2170000	2256800	2347072	2440955	2538593	4.00%
Total	10.48%	31000000	34211600	37784350	41761474	46191633	10.48%

*Tasa compuesta anual de crecimiento.

Fuente: Adaptado de un plan muestra de Palo Alto Software, Inc.(Derechos reservados). Encuentre el más completo plan de marketing de muestra en www.mplans.com. Reimpreso con permiso de Palo Alto Software.

Demografía

- Existe casi la misma proporción de usuarios masculinos y femeninos.
- Edades de 13-46, con el 48% agrupado en las edades de 23-34. Los usuarios recreativos tienden a cubrir la gama de edades más amplia, incluyendo desde usuarios jóvenes hasta adultos activos. Los usuarios deportivos tienden a encontrarse en el rango de 20-40. Los usuarios de velocidad tienden a ubicarse entre los 25-30. Los jugadores de hockey por lo general son adolescentes y adultos jóvenes de hasta 25 años, aproximadamente. El segmento extremo tiene edades similares a los jugadores de hockey.
- De los usuarios mayores de 20 años, el 65% tiene un título universitario o ha terminado buena parte de sus estudios superiores.
- Los usuarios adultos tienen un ingreso medio personal de 47 000 dólares.

Factores conductuales

- Los usuarios disfrutan de las actividades deportivas no como un medio para tener una vida sana, sino como una actividad agradable por sí misma.
- Los usuarios gastan en equipo, típicamente en equipo deportivo.
- Los usuarios tienen estilos de vida activos, que incluyen algún tipo de actividad recreativa al menos dos o tres veces por semana.

2.1.2 Necesidades del mercado

Pegasus provee a la comunidad de patinadores una amplia gama de accesorios para todas las variedades de patinaje. La empresa busca otorgar los siguientes beneficios, que son importantes para sus clientes:

- **Calidad en la fabricación.** Los clientes trabajan duro para ganar dinero, y no disfrutan gastándolo en productos desechables que funcionan solamente un año o dos.
- **Diseños bien pensados.** El mercado del patinaje no ha sido atendido por productos bien pensados que satisfagan las necesidades de los patinadores. La experiencia de Pegasus en el sector y su dedicación personal al deporte le dará la información necesaria para fabricar productos diseñados perspicazmente.
- **Servicio al cliente.** Se requiere un servicio ejemplar para generar un negocio sostenible con una base de clientes leales.

2.1.3 Tendencias del mercado

Pegasus se distinguirá al comercializar productos que anteriormente no estaban disponibles para los patinadores. En el pasado, el énfasis se hacía en la venta de patines y sólo algunos accesorios. El número de patinadores no está restringido a un único país, continente o grupo de edades, así que existe un mercado mundial. Pegasus tiene productos para prácticamente todos los grupos de patinadores. El segmento de crecimiento más rápido en este sector es el de patinadores deportivos. Por lo tanto, el marketing irá dirigido a este grupo. BladeBoots permitirá a los usuarios entrar a los establecimientos sin necesidad de quitarse los patines, y se dirigirá a los patinadores recreativos, el segmento de mayor tamaño. SkateAids, por otro lado, son productos adecuados para todos.

El patinaje también crecerá gracias al SkateSailing. Este deporte se dirige primordialmente al patinador intermedio o avanzado, y su potencial de crecimiento es muy grande. Las velas que Pegasus fabrica se han vendido en Europa siguiendo un patrón similar al del surf con vela. El patinaje con vela comenzó en Santa Mónica, pero se desarrolló hasta que ya era un éxito en Europa.

Otra tendencia es el patinaje en grupo. Cada vez se reúnen más grupos en excursiones de patinaje en ciudades de todo el mundo. Por ejemplo, San Francisco tiene un grupo de patinaje nocturno que atrae a cientos de personas. Las tendencias de mercado muestran crecimiento continuo en todas direcciones.

2.1.4 Crecimiento de mercado

Con la disminución del precio de los patines como resultado de la competencia ocasionada por tantas empresas, el mercado ha tenido un crecimiento estable en todo el mundo, aunque las ventas se desaceleraron en algunos mercados. Las estadísticas de crecimiento para 2007 se estimaron en más de 35 millones de unidades. Más y más gente descubre —y en muchos casos redescubre— los beneficios que brinda el patinaje en términos de la salud y entretenimiento.

2.2 Análisis FODA

El siguiente análisis FODA identifica las fortalezas y debilidades clave dentro de la empresa, y describe las oportunidades y amenazas a las que se enfrenta Pegasus.

2.2.1 Fortalezas

- Gran experiencia e intuición profunda en el sector.
- Diseñadores de productos creativos pero prácticos.
- El uso de un modelo de negocio flexible y altamente eficaz, que utiliza ventas y distribución directas al cliente.

2.2.2 Debilidades

- Dependencia de capital externo necesario para hacer crecer el negocio.
- Falta de minoristas que puedan trabajar cara a cara con el cliente para generar conciencia de marca y de producto.
- Dificultad para desarrollar conciencia de marca, al ser una nueva empresa.

2.2.3 Oportunidades

- Participación dentro de un sector en crecimiento.
- Disminución de los costos mediante economías de escala.
- Capacidad de difundir los esfuerzos de marketing para ayudar al crecimiento del mercado en general.

2.2.4 Amenazas

- Competencia futura/potencial de un participante del mercado previamente establecido.
- Una caída en la economía, que podría tener efectos negativos en el gasto en productos deportivos o recreativos.

- La publicación de un estudio que cuestiona la seguridad del patinaje o la incapacidad de prevenir lesiones importantes causadas por dicho deporte.

2.3 Competencia

Pegasus Sports International está creando su propio mercado; sin embargo, existen pocas empresas que fabriquen las velas y paracaídas para surf que unos cuantos patinadores están usando. Pegasus es la única marca que realmente está diseñada por y para patinadores. Las pocas velas de la competencia que hay en el mercado no fueron diseñadas para patinar, sino para hacer surf con vela o para patinaje sobre patineta (monopatín). Hay diferentes competidores indirectos que son fabricantes de los patines. Después de muchos años en el mercado, estas empresas aún están por convertirse en competidores directos, lo cual ocurrirá en virtud de que fabriquen accesorios para patines.

2.4 Oferta de producto

En este momento Pegasus Sports International ofrece varios productos:

- El primer producto que se ha desarrollado son las BladeBoots, una cubierta para las ruedas y el marco de los patines en línea, que permite a los patinadores entrar a lugares donde normalmente no les permitirían el acceso en patines. Las BladeBoots vienen con una pequeña bolsa y un cinturón que se convierte en un porta patines bien diseñado.
- El segundo producto son las SkateSails. Estas velas están diseñadas específicamente para usarlas mientras se patina. Los comentarios que Pegasus ha recibido de los patinadores indica que el patinaje con vela podría convertirse en un deporte muy popular. El registro de marca de este producto está en trámite.
- El tercer producto, el SkateAid, entrará a producción a finales de año. Ideas para otros productos están actualmente en desarrollo, pero no se revelarán hasta que Pegasus pueda protegerlas mediante las solicitudes de patente en trámite.

2.5 Claves para el éxito

Las claves para el éxito son diseñar y fabricar productos que satisfagan la demanda de mercado. Además, Pegasus debe asegurar la satisfacción total del cliente. Si se logran estas claves para el éxito, Pegasus será una empresa rentable.

2.6 Asuntos críticos

Como nuevo negocio, Pegasus aún se encuentra en una etapa temprana. Los asuntos críticos para la empresa son:

- Establecerse como la compañía líder de accesorios para patinaje.
- Buscar el crecimiento controlado, de manera que los gastos de nómina nunca excedan la base de ingresos. Esto le ayudará a protegerse contra las recesiones.
- Supervisar de forma constante la satisfacción del cliente, asegurando que la estrategia de crecimiento nunca comprometa los niveles de servicio y satisfacción.

3.0 Estrategia de marketing

La clave para la estrategia de marketing es enfocarse en los patinadores de velocidad, salud y deporte, y recreativos. Pegasus puede cubrir cerca del 80% del mercado de patinaje, ya que fabrica productos diseñados para cada segmento. Asimismo, la empresa puede atender todos los diferentes segmentos del mercado porque, aunque cada segmento es diferente en términos de usuarios y equipo, sus productos son útiles para todos los segmentos.

3.1 Misión

La misión de Pegasus Sports International es proveer al cliente de los mejores accesorios disponibles para patinaje. "Existimos para atraer y mantener clientes. Con una estricta adherencia a esta máxima, el éxito estará asegurado. Nuestros servicios y productos excederán las expectativas de los clientes".

3.2 Metas de marketing

- Mantener un crecimiento sólido y positivo cada trimestre (sin importar los patrones estacionales de ventas).
- Lograr un aumento continuo en la cuota de mercado.
- Disminuir los costos de adquisición de clientes en 1.5% por trimestre.

3.3 Metas financieras

- Aumentar el margen de beneficios en un punto porcentual cada trimestre, mediante la eficiencia y las ventajas que ofrecen las economías de escala.
- Mantener un presupuesto significativo para investigación y desarrollo (como porcentaje relativo a las ventas), con el propósito de impulsar el desarrollo de productos futuros.
- Lograr una tasa de crecimiento de dos a tres dígitos durante los primeros tres años.

3.4 Mercados meta

Con un mercado mundial de patinaje de más de 31 millones de personas y en constante crecimiento (estadísticas publicadas por la Asociación de Fabricantes de Artículos Deportivos), se ha creado el nicho. La meta de Pegasus es expandir este mercado mediante la promoción del SkateSailing, un nuevo deporte popular tanto en Santa Monica como en Venice Beach, en California. La encuesta de la Asociación de Fabricantes de Artículos Deportivos indica que el patinaje tiene actualmente mayor participación que el fútbol, el softbol, el esquí y el snowboarding combinados. El desglose de participación en patinaje es como sigue: 1% de velocidad (creciendo), 8% hockey (decreciendo), 7% extremo/agresivo (decreciendo), 22% deportivo (casi 7 millones; el de mayor crecimiento) y 61% recreativo (primerizos). Los productos de Pegasus se dirigen a los grupos deportivo y recreativo, porque son los de crecimiento más veloz. Estos grupos están enfocados en la salud y el bienestar físico, y combinados pueden crecer fácilmente hasta el 85% (o 26 millones) del mercado en los próximos cinco años.

3.5 Posicionamiento

Pegasus se posicionará como la empresa líder de accesorios de patinaje. Este posicionamiento se logrará mediante la difusión del lado competitivo de la empresa: experiencia en el sector y pasión. Pegasus es una empresa de patinaje formada por patinadores para patinadores. La dirección es capaz de usar su amplia experiencia y pasión personal por el deporte para desarrollar accesorios útiles e innovadores, destinados a una amplia gama de patinadores.

3.6 Estrategias

El objetivo único es posicionar a Pegasus como el fabricante líder de accesorios para patinaje, que atiende al mercado nacional y al internacional. La estrategia de marketing buscará primero crear conciencia en el cliente, en relación con los productos y servicios ofrecidos, para entonces crear su base de clientes. El mensaje que buscará comunicar Pegasus es que ofrece los accesorios para patinaje mejor diseñados y más útiles. Este mensaje se comunicará a través de diversos medios. El primero será la página Web de Pegasus, que proporcionará una rica fuente de información sobre los productos, y ofrecerá a los clientes la oportunidad de comprar. Se invertirá gran cantidad de tiempo y dinero en el sitio Web, con el objetivo de crear en el cliente una percepción de total profesionalidad y utilidad de los productos y servicios de Pegasus.

El segundo medio de marketing serán los anuncios colocados en numerosas revistas del sector. El sector del patinaje es apoyado por varias revistas diseñadas para promover este deporte como un todo. Además, un número de publicaciones de menor tamaño atiende los segmentos de mercado más pequeños dentro del sector del patinaje. El último medio de comunicación será el uso de impresos de ventas. Los dos medios de marketing mencionados previamente crearán la demanda para los impresos de ventas, que serán enviados a los clientes. El costo de los impresos de ventas será bastante bajo, dado que se utilizará la información ya compilada en la página Web.

3.7 Programa de Marketing

El programa de marketing de Pegasus está compuesto por los siguientes enfoques respecto de la fijación de precios, la distribución, la publicidad y la promoción, así como el servicio al cliente.

- **Fijación de precios.** Basada en el precio de venta al público por producto.
- **Distribución.** Al principio Pegasus utilizará un modelo de distribución directa al cliente. Con el tiempo también usará minoristas.
- **Publicidad y promoción.** Varios métodos diferentes se usarán en el esfuerzo publicitario.
- **Servicio al cliente.** Pegasus se esforzará por lograr niveles de referencia en atención al cliente.

3.8 Investigación de marketing

Pegasus tiene la fortuna de estar localizada en el centro del mundo del patinaje: Venice, California. Será capaz de aprovechar esta ubicación tan oportuna al trabajar con muchos de los patinadores que viven en la zona. Pegasus pudo probar todos sus productos no solamente con sus socios principales, que son todos patinadores destacados, sino también con muchos de los usuarios dedicados y novatos localizados en Venice. Esta prueba extensiva de productos por una amplia gama de usuarios le dio a Pegasus retroalimentación sobre sus productos, lo cual ha resultado en varias mejoras de diseño.

4.0 Finanzas

Esta sección tratará sobre la vista general de las finanzas de Pegasus en relación con sus actividades de marketing. Pegasus llevará a cabo un análisis de punto de equilibrio, pronósticos de ventas y de gastos, e indicará cómo se vinculan estas actividades con la estrategia de marketing.

4.1 Análisis de punto de equilibrio

El análisis de punto de equilibrio indica que se requerirán 7760 dólares en ingresos de ventas mensuales para llegar al punto de equilibrio.

TABLA 4.1 Análisis de punto de equilibrio

Análisis de punto de equilibrio:	
Punto de equilibrio mensual en unidades	62
Punto de equilibrio mensual en ventas	$7760
Supuestos:	
Ingreso promedio por unidad	$125.62
Costo variable promedio por unidad	$ 22.61
Costo fijo estimado mensual	$ 6363

4.2 Pronóstico de ventas

Pegasus cree que los números del pronóstico de ventas son conservadores, así que se propone aumentar continuamente las ventas a medida que lo permita el presupuesto de publicidad. Aunque el pronóstico de mercado meta (tabla 2.1) lista todos los clientes potenciales divididos en grupos separados, los clientes del pronóstico de ventas se agrupan en dos categorías: recreativos y competitivos. Esta reducción en las categorías permite al lector analizar rápidamente la información, lo que hace al gráfico más funcional.

Pronóstico mensual de ventas

TABLA 4.2 Pronóstico de ventas

Pronóstico de ventas			
Ventas	**2011**	**2012**	**2013**
Recreativas	$455740	$598877	$687765
Competitivas	$ 72918	$ 95820	$110042
Ventas totales	$528658	$694697	$797807
Costo directo de ventas	**2011**	**2012**	**2013**
Recreativas	$ 82033	$107798	$123798
Competitivas	$ 13125	$ 17248	$ 19808
Subtotal de costo de ventas	$ 95158	$125046	$143606

4.3 Pronóstico de gastos

El pronóstico de gastos se usará como una herramienta para mantenerse en el objetivo y proporcionar indicadores cuando sean necesarias correcciones/modificaciones para la implementación correcta del plan de marketing.

Hitos

TABLA 4.3 Hitos

	Plan				
Hitos	**Fecha de inicio**	**Fecha de terminación**	**Presupuesto**	**Gerente**	**Departamento**
Conclusión del plan de marketing	1/1/11	2/1/11	$ 0	Stan	Marketing
Conclusión de la página Web	1/1/11	3/15/11	$20 400	empresa externa	Marketing
Campaña publicitaria #1	1/1/11	6/30/11	$ 3 500	Stan	Marketing
Campaña publicitaria #2	3/1/11	12/30/11	$ 4 550	Stan	Marketing
Desarrollo del canal de minoristas	1/1/11	11/30/11	$ 0	Stan	Marketing
Totales			$28 450		

Presupuesto mensual de gastos

TABLA 4.4 Presupuesto de gastos de marketing

Presupuesto de gastos de marketing	2011	2012	2013
Página Web	$ 25 000	$ 8 000	$ 10 000
Publicidad	$ 8 050	$ 15 000	$ 20 000
Material impreso	$ 1 725	$ 2 000	$ 3 000
Total de gastos en ventas y marketing	$ 34 775	$ 25 000	$ 33 000
Porcentaje de ventas	6.58%	3.60%	4.14%
Margen de contribución	$398 725	$544 652	$621 202
Margen de contribución/ ventas	75.42%	78.40%	77.86%

5.0 Controles

El propósito del plan de marketing de Pegasus es servir como guía para la empresa. Las siguientes áreas serán controladas para medir el desempeño:

- Ingresos: mensuales y anuales
- Gastos: mensuales y anuales
- Satisfacción del cliente
- Desarrollo de nuevos productos

5.1 Implementación

Las siguientes indicaciones identifican los programas clave de marketing. Es importante lograr cada uno a tiempo y dentro de presupuesto.

5.2 Organización de marketing

Stan Blade será responsable de las actividades de marketing.

5.3 Planes de contingencia

Dificultades y riesgos

- Problemas para generar visibilidad, están en función de ser una nueva empresa basada en Internet.
- Entrada al mercado de un competidor previamente establecido.

Riesgos de peor escenario

- Determinar que el negocio no puede autofinanciarse continuamente.
- Tener que liquidar equipo o capital intelectual para pagar deudas.

PARTE 2 Identificación de las oportunidades de mercado

Capítulo **3** | Recopilación de información y pronósticos de la demanda
Capítulo **4** | Investigación de mercados

En este capítulo responderemos las siguientes **preguntas**

1. ¿Cuáles son los componentes de un sistema de información de marketing moderno?
2. ¿En qué consiste un sistema de datos interno?
3. ¿Qué constituye un sistema de inteligencia de marketing?
4. ¿Qué tendencias influyentes se pueden observar en el macroentorno?
5. ¿Cómo pueden las empresas medir y pronosticar con precisión la demanda?

La severa recesión económica que comenzó en 2008 llevó a muchas empresas a reducir sus precios y usar las promociones de ventas para tratar de retener a los clientes.

Recopilación de información y pronósticos de la demanda

La toma de decisiones de marketing en un mundo que cambia rápidamente es tanto un arte como una ciencia. Para proporcionar un contexto, visión e inspiración que contribuyan a la toma de decisiones de marketing, las empresas deben poseer información exhaustiva y actualizada sobre las tendencias del macroentorno, así como sobre los efectos del microentorno específicos para sus negocios. Los profesionales del marketing holístico reconocen que el entorno de marketing constantemente presenta nuevas oportunidades y amenazas, y entienden la importancia de la continua vigilancia, previsión y adaptación a ese entorno.

La severa contracción del crédito y la desaceleración económica de 2008 y 2009 trajeron consigo cambios profundos en el comportamiento del consumidor, como el recorte y la reasignación del gasto por parte de los compradores. La venta de bienes discrecionales, como juguetes, ropa, joyería y mobiliario para el hogar cayó. La venta de marcas de lujo, como Mercedes, impulsadas durante años por los baby boomers que gastaban sin límite, se redujeron a una asombrosa tercera parte. Mientras tanto, las marcas que ofrecían soluciones sencillas y asequibles prosperaron. Los ingresos generados por las marcas favoritas de General Mills, como Cheerios, Wheaties, sopas Progresso y Hamburger Helper, aumentaron. Los consumidores también modificaron su forma de comprar y el lugar donde lo hacían, y las ventas de las marcas de distribuidor de precios bajos se dispararon. Prácticamente todos los especialistas en marketing se preguntaban si había surgido una nueva era de prudencia y frugalidad y, de ser así, cuál sería la acción adecuada a seguir.

Las empresas están ajustando la forma en que hacen negocios, y no lo hacen sólo por razones económicas. Prácticamente todas las industrias se han visto afectadas por los dramáticos cambios ocurridos en los entornos tecnológico, demográfico, social, cultural, natural y político-jurídico. En este capítulo analizaremos cómo pueden las empresas desarrollar procesos para identificar y rastrear las tendencias más importantes del macroentorno. También describiremos la manera en que los especialistas en marketing pueden desarrollar pronósticos de ventas. En el capítulo 4 examinaremos los mecanismos para realizar investigaciones más específicas sobre problemas de marketing particulares.

Los componentes de un sistema de información de marketing moderno

La principal responsabilidad de identificar los cambios significativos que se dan en el mercado recae en los especialistas en marketing de la empresa. Estos profesionales tienen dos ventajas para realizar esta tarea: la existencia de métodos rigurosos para recopilar información, y el tiempo que pasan interactuando con los clientes y observando a los competidores y otros grupos externos. Algunas empresas tienen sistemas de información de marketing que proporcionan minuciosos detalles sobre los deseos, las preferencias y el comportamiento de los compradores.

Merca 2.0

Merca 2.0 La revista líder en temas de mercadotecnia, publicidad y medios, Merca 2.0, realizó un estudio sobre los hábitos de los mexicanos en el uso de las redes sociales. Este informe pretende ilustrar los intereses y las percepciones de los internautas en relación con el dinámico mundo del social media. Desde hace cinco años, cuando las redes sociales comenzaron a operar en México, se ha registrado un importante impacto en materia de comunicación ya que, en primera instancia, se les tomó como una herramienta para adquirir cierto tipo de popularidad y tener interacción con personas de todo el mundo. La investigación realizada se basó en una muestra de 460 participantes mexicanos, de 18 a 45 años de edad, a quienes se aplicó vía Web un cuestionario estructurado con duración de 10 minutos, manteniendo la proporcionalidad en rangos de edad y sexo. Algunos de los resultados obtenidos son: nueve de cada 10 mencionaron a Facebook como su principal red social; 34% afirmó estar conectado a las redes sociales durante todo el día; 29% dijo que utiliza teléfonos móviles como medio para seguir la actividad de sus redes; nueve de cada 10 de estos usuarios leen noticias o alguna nota periodística publicada en la red social.[1]

Los especialistas en marketing también cuentan con amplia información sobre cómo varían los patrones de consumo nacional e internacionalmente. Por ejemplo, con base en el consumo *per cápita*, los suizos son quienes consumen más chocolate, los checos más cerveza, los portugueses más vino, y los griegos más cigarrillos. La tabla 3.1 resume éstas y otras comparativas internacionales. En cuanto a los hábitos de consumo en un nivel más local podemos considerar, por ejemplo, las diferencias regionales que se dan en Estados Unidos: los residentes de Seattle compran más cepillos de dientes por persona que los de cualquier otra ciudad de la nación; los residentes de Salt Lake City comen más dulces; los de de Nueva Orleans usan más salsa de tomate, y los habitantes de Miami beben más jugo (zumo) de ciruela.[2]

TABLA 3.1 Un perfil global de extremos

Mayor tasa de fecundidad	Níger	6.88 hijos por mujer
Mayor gasto en educación como porcentaje del PIB	Kiribati	17.8% del PIB
Mayor número de usuarios de teléfonos móviles	China	547 286 000
Mayor número de aeropuertos	Estados Unidos	14 951 aeropuertos
Mayor gasto militar como porcentaje del PIB	Omán	11.40% del PIB
Mayor población de refugiados	Pakistán	21 075 000 personas
Mayor tasa de divorcios	Aruba	4.4 divorcios por cada 1 000 habitantes
Mayor cantidad de televisores a color por cada 100 hogares	Emiratos Árabes Unidos	99.7 televisores
Usuarios de telefonía móvil *per cápita*	Lituania	138.1 suscriptores por cada 100 personas
Mayor asistencia al cine	India	1 473 400 000 visitas al cine
Mayor consumo de cerveza *per cápita*	República Checa	81.9 litros *per cápita*
Mayor consumo de vino *per cápita*	Portugal	33.1 litros *per cápita*
Mayor consumo de cigarrillos *per cápita*	Grecia	8.2 cigarrillos por persona al día
Mayor PIB por persona	Luxemburgo	$87 490 USD
Mayores donantes de ayuda como % del PIB	Suecia	1.03% del PIB
Más dependientes de la agricultura	Liberia	66% del PIB
Mayor participación de la población en la fuerza laboral	Islas Caimán	69.20%
Mayor porcentaje de mujeres en la fuerza laboral	Bielorrusia	53.30%
Redes de carreteras más concurridas	Qatar	283.6 vehículos por kilómetro de carretera
Mayor cantidad de muertes en accidentes de tránsito	Sudáfrica	31 muertos por cada 100 000 habitantes
Mayor afluencia turística	Francia	79 083 000 personas al año
Mayor esperanza de vida	Andorra	83.5 años
Mayor tasa de diabetes	Emiratos Árabes Unidos	19.5% de la población de 20 a 79 años de edad

Fuente: *CIA World Fact Book*, https://www.cialgov/library/publications/the-world-factbook/geos/xx.html, obtenido el 24 de julio de 2009; *The Economist's Pocket World in Figures*, edición 2009, www.economist.com.

Una campaña de marketing bien ejecutada a partir de una correcta investigación, logró incrementar la afluencia turística a Cusco, Perú.

Las empresas con mejor nivel de información tienen más oportunidades de elegir correctamente sus mercados, desarrollar ofertas más adecuadas y ejecutar una planificación de marketing más certera. El Ministerio de Comercio Exterior y Turismo (Mincetur) de Perú promovió la campaña "Cusco pone", a partir de una investigación sobre sus visitantes turísticos en comparación con los que visitaban otras ciudades de Perú (competencia) para crear un nuevo mensaje de marketing y una campaña de turismo. La información ayudó a Mincetur a atraer a más de 121 mil turistas; la ocupación hotelera y las ventas en los restaurantes también crecieron en el 30 y el 50% respectivamente, a pesar de que el acceso a las ruinas de Machu Picchu se interrumpió debido a que la vía férrea se vio afectada en varios tramos por las fuertes lluvias.[3]

Todas las empresas deben organizar y distribuir flujos continuos de información a sus gerentes de marketing. Un **sistema de información de marketing (SIM)** está constituido por el conjunto de personas, equipos y procedimientos que recopilan, ordenan, analizan, evalúan la información necesaria, y luego la distribuyen de manera puntual y precisa al personal de marketing a cargo de la toma de decisiones. Se apoya en los registros internos de la empresa, las actividades de inteligencia de marketing y la investigación de mercados. En este capítulo analizaremos los dos primeros componentes; del tercero nos ocuparemos en el capítulo siguiente.

El sistema de información de marketing de la empresa debe ser una mezcla de lo que los directivos creen que necesitan, lo que realmente necesitan, y lo que es económicamente factible. Un comité interno de SIM podría entrevistar a una muestra representativa de gerentes de marketing para descubrir sus necesidades de información. En la tabla 3.2 se presentan algunas preguntas útiles.

TABLA 3.2	Preguntas sobre las necesidades de información
1.	¿Qué decisiones toma regularmente?
2.	¿Qué información necesita para tomar esas decisiones?
3.	¿Qué información recibe regularmente?
4.	¿Qué estudios especiales solicita periódicamente?
5.	¿Qué información, que no recibe en la actualidad, le gustaría recibir?
6.	¿Qué información desearía recibir diariamente? ¿Semanalmente? ¿Mensualmente? ¿Anualmente?
7.	¿Qué boletines de noticias, resúmenes informativos, blogs, informes o revistas le gustaría ver con frecuencia online u offline?
8.	¿Sobre qué temas le gustaría mantenerse informado?
9.	¿Con qué análisis de datos y programas de información le gustaría contar?
10.	¿Cuáles son las cuatro mejoras más útiles que podrían hacerse al sistema actual de información de marketing?

El sistema de datos interno

Para identificar oportunidades importantes y problemas potenciales, los gerentes de marketing confían en los informes internos de pedidos, ventas, precios, costos, niveles de inventario, cuentas por cobrar y cuentas por pagar.

El ciclo pedido-facturación

El núcleo del sistema de registros interno es el ciclo pedido-facturación. Los vendedores, los intermediarios y los clientes hacen pedidos a la empresa. El departamento de ventas prepara las facturas, envía copias a varios departamentos, y solicita los artículos que no hay en existencia. El envío de artículos genera documentos de entrega y facturación que van a varios departamentos. Debido a que los clientes prefieren las empresas que pueden comprometerse a realizar entregas a tiempo, las organizaciones deben llevar a cabo estos pasos con rapidez y precisión. Muchas utilizan Internet para mejorar la velocidad, la precisión y la eficiencia del ciclo pedido-facturación.

Fossil Group

Fossil Group Esta empresa australiana diseña y distribuye accesorios y prendas de vestir a nivel mundial. Sus ejecutivos de cuenta carecían de la información más reciente acerca de los precios y el inventario mientras tomaban pedidos al por mayor. En consecuencia, muchas veces no había existencias de los artículos de alta demanda, lo cual creaba problemas para los minoristas. Después de que la empresa implementó una solución de ventas móvil que ponía a disposición de los ejecutivos de cuenta los datos de inventario vigentes, el número de ventas paralizadas por pedidos pendientes disminuyó un 80%. Ahora la empresa puede proporcionar a los minoristas niveles de inventario reales, y enviar los pedidos en cuestión de horas, en lugar de días.[4]

Sistemas de información de ventas

Los gerentes de marketing necesitan informes puntuales y precisos sobre las ventas actuales. Walmart opera una base de datos de ventas e inventario que recopila diariamente la información de cada producto para cada cliente, cada tienda y cada día, y lo actualiza cada hora. Consideremos la experiencia de Panasonic.

Panasonic

Panasonic Panasonic fabrica cámaras digitales, televisores de plasma y otros aparatos electrónicos de consumo. Al no lograr sus metas de ingresos, la empresa decidió adoptar una solución de inventario administrado por el vendedor. El resultado fue que la distribución del inventario se ajustó al consumo, y la disponibilidad de los productos para los clientes aumentó del 70 al 95%. En el transcurso de un año, el promedio de semanas que el suministro de productos permanecía en los canales de Panasonic pasó de 25 a tan sólo 5 semanas, y las ventas de los televisores de plasma pasaron de 20 000 a cerca de 100 000. Best Buy, el primer minorista que utilizó el modelo de inventario administrado por el vendedor, ha ascendido desde entonces a Panasonic en su clasificación de proveedores, de nivel 3 a una marca "confiable" de nivel 1 para televisores de plasma.[5]

Las empresas que hacen buen uso de las *cookies* (los registros de uso de un sitio Web que se almacenan en los navegadores personales), son usuarios inteligentes del marketing dirigido. Muchos consumidores están felices de cooperar: una encuesta reciente mostró que el 49% de las personas estuvieron de acuerdo en que las *cookies* son importantes para ellas cuando utilizan Internet. No sólo *no* las eliminan, sino que las aceptan esperando incluso recibir iniciativas de marketing y ofertas personalizados.

Sin embargo, las empresas deben interpretar los datos de ventas cuidadosamente para no sacar conclusiones incorrectas. Michael Dell dio el siguiente ejemplo: "Si un concesionario tiene tres Mustangs amarillos disponibles y un cliente quiere uno rojo, el vendedor podría arreglárselas para venderle el Mustang amarillo. Finalmente, el Mustang amarillo se vende y envía a la fábrica la señal de que las personas prefieren los Mustangs amarillos".[6]

Bases de datos, almacenes de información y minería de datos

Las empresas organizan su información en bases de datos de clientes, productos y vendedores, y luego las combinan. La base de datos de clientes contendrá el nombre del cliente, su dirección, sus transacciones anteriores, y a veces incluso datos demográficos y psicográficos (actividades, intereses y opiniones). En lugar de enviar por correo un "bombardeo masivo de información" sobre una nueva oferta a todos los clientes de su base de datos, la empresa los catalogará según parámetros como lo reciente de su compra, la frecuencia de sus transacciones, y su valor monetario (RFM), y enviará la oferta sólo a los clientes indicados. Además de permitir lograr ahorros en cuanto a gastos de envío, esta manera de manejar los datos a menudo puede favorecer la obtención de una tasa de respuesta de dos dígitos.

Las empresas ponen estos datos a disposición de las personas responsables de la toma de decisiones. Los analistas pueden "profundizar" en los datos y obtener perspectivas recientes de los segmentos de clientes que han pasado por alto las tendencias de consumo recientes y otra información útil. Los gerentes pueden hacer una tabulación cruzada de la información de los clientes con la información sobre productos y vendedores, para obtener una visión más amplia de la situación. Usando tecnología desarrollada por la misma empresa, Wells Fargo puede rastrear y analizar todas las transacciones bancarias realizadas por sus 10 millones de clientes minoristas, ya sea en cajeros automáticos, en sucursales o por Internet. Al combinar los datos de las transacciones con la información personal proporcionada por los clientes, Wells Fargo es capaz de idear ofertas personalizadas para que coincidan con los diferentes eventos que ocurren en la vida de los consumidores. Como resultado, en comparación con el promedio de la industria, que es de 2.2 productos por cliente, Wells Fargo vende cuatro productos por cliente.[7] Best Buy también está sacando ventaja de estas nuevas e importantes bases de datos.

Best Buy Best Buy ha recopilado una base de datos de más de 15 terabytes, que contiene información generada a lo largo de siete años por 75 millones de hogares. La empresa captura información sobre todas las interacciones, desde llamadas telefónicas y clics de ratón, hasta direcciones de entrega y de reembolso de cheques, y luego pone en acción sofisticados algoritmos para clasificar a más de tres cuartas partes de sus clientes —esto es, a más de 100 millones de personas— en perfiles categorizados como "Buzz" (los jóvenes aficionados a la tecnología), "Jill" (clásicas amas de casa), "Barry" (profesionales adinerados), y "Ray" (jefes de familia típicos). Además, la empresa aplica un modelo de valor de vida del cliente, que mide la rentabilidad a nivel de transacción, así como factores de comportamiento de los clientes que aumentan o disminuyen el valor de su relación. Saber tanto acerca de sus clientes permite que Best Buy emplee marketing de precisión y programas de incentivos bien dirigidos que obtienenpor tanto tasas de respuesta elevadas.[8]

Best Buy utiliza una enorme base de datos para elaborar perfiles con los que clasifica a sus clientes.

Inteligencia de marketing

El sistema de inteligencia de marketing

El **sistema de inteligencia de marketing** es un conjunto de procedimientos y fuentes que utilizan los gerentes para obtener información diaria sobre las novedades que se dan en el entorno del marketing. El sistema de registros internos proporciona datos de *resultados*, pero el sistema de inteligencia de marketing proporciona datos de *acontecimientos*. Los gerentes de marketing recopilan esta información de diversas maneras: leyendo libros, periódicos y publicaciones comerciales; hablando con clientes, proveedores y distribuidores; siguiendo de cerca los medios de comunicación social en Internet, y reuniéndose con los gerentes de otras empresas.

Antes del surgimiento de Internet, a veces se tenía que salir al campo, literalmente, y observar a la competencia. Esto es justo lo que hizo el empresario de gas y petróleo T. Boone Pickens. Al describir cómo obtuvo información sobre la actividad de perforación de un competidor, Pickens recuerda: "Hacíamos que alguien observara con prismáticos la zona de perforación [del rival] desde un par de kilómetros de distancia. A nuestro competidor no le gustaba esto, pero no podía hacer nada al respecto. Nuestros observadores veían los empalmes y los tubos de perforación. Los contaban; cada empalme [de perforación] medía unos nueve metros de largo. Al sumar todos los empalmes, podíamos calcular la profundidad del pozo". Pickens sabía que cuanto más profundo fuera el pozo, más costoso sería para su rival sacar el petróleo o el gas a la superficie, y esta información le proporcionó una ventaja competitiva inmediata.[9]

La recopilación de datos para el sistema de inteligencia de marketing debe ser legal y ética. En 2006, la empresa privada de inteligencia Diligence tuvo que pagar a la firma de auditoría KPMG 1.7 millones de dólares por haberse infiltrado ilegalmente en sus archivos para apoderarse de los resultados de una auditoría que realizó a una compañía de inversión con sede en Bermudas, información de interés para un conglomerado ruso. El cofundador de Diligence se hizo pasar por un oficial de inteligencia británico, y convenció a un miembro del equipo de auditoría para que compartiera documentos confidenciales con él.[10]

Las empresas pueden poner en acción ocho medidas diferentes para mejorar la cantidad y calidad de su sistema de inteligencia de marketing. Después de describir las primeras siete, prestaremos especial atención a la octava, la recopilación de datos para el sistema de inteligencia de marketing en Internet.

- ***Capacitar y motivar a la fuerza de ventas para que identifique e informe sobre los nuevos acontecimientos.*** La empresa debe "vender" a los miembros de su fuerza de ventas la importancia que tienen como recolectores de información de inteligencia. Grace Performance Chemicals, una división de W.R. Grace, suministra materiales y productos químicos a las industrias de la construcción y el envasado. La dirección pidió a sus vendedores que observaran las formas innovadoras en que los clientes usaban sus productos, para después poder sugerirles nuevos productos posibles. Algunos consumidores utilizaban los materiales repelentes al agua de Grace para aislar acústicamente sus autos, o como remiendo en botas y tiendas de campaña. A partir de esta información surgieron siete ideas de productos nuevos, que representaron millones de dólares en ventas.[11]
- ***Motivar a distribuidores, minoristas y otros intermediarios a transmitir información de inteligencia importante.*** Los intermediarios de marketing a menudo tienen un contacto más cercano con el cliente y la competencia, y pueden ofrecer ideas útiles. ConAgra ha iniciado un estudio con algunos de sus minoristas como Safeway, Kroger y Walmart para analizar cómo y por qué las personas compran sus alimentos. Al descubrir que los consumidores que compraban sus marcas de palomitas de maíz Orville Redenbacher y Act II tendían también a comprar Coca-Cola, ConAgra trabajó con los minoristas para desarrollar exhibidores que contuvieran ambos productos en las tiendas. Mediante la combinación de los datos de los minoristas y sus propios hallazgos cualitativos, ConAgra se enteró de que muchas madres compraban más comidas rápidas y *snacks* cuando comenzaba la temporada escolar. Por lo tanto, lanzó su campaña "Temporada de mamá" para ayudar a las tiendas a adaptarse a los cambios estacionales en las necesidades de los hogares.[12]
- ***Contratar expertos externos para recabar información de inteligencia.*** Muchas empresas contratan especialistas para que recopilen información de inteligencia de marketing.[13] Los proveedores de servicios y minoristas envían compradores misteriosos (mystery shoopers o clientes encubiertos) a sus tiendas para evaluar la limpieza de las instalaciones, la calidad de los productos y la atención que brindan los empleados que tratan con los clientes. La aplicación de este modelo en instituciones sanitarias mediante "pacientes misteriosos", ha llevado a ofrecer tiempos de espera más cortos, mejores explicaciones sobre procedimientos médicos, y una programación menos estresante en los televisores de las salas de espera.[14]
- ***Establecer contactos internos y externos.*** La empresa puede comprar los productos de la competencia, asistir a exposiciones y ferias comerciales, leer los informes públicos de sus rivales, asistir a juntas de accionistas, hablar con empleados, recopilar los anuncios de la competencia, consultar con los proveedores, y buscar noticias sobre los competidores.
- ***Establecer un panel de asesoría de clientes.*** Entre los miembros del panel de asesoría podrían estar los clientes más grandes, más abiertos, más sofisticados o más representativos de la empresa. Por ejemplo, GlaxoSmithKline patrocina una comunidad online dedicada a la pérdida de peso, y afirma que está obteniendo mucha más información de la que podría haber conseguido en focus groups sobre temas que van desde el envase de sus pastillas para perder peso hasta dónde colocar la publicidad dentro de la tienda.[15]
- ***Aprovechar los recursos de información relacionados con el gobierno.*** La Oficina del Censo de Estados Unidos ofrece información valiosa sobre cambios poblacionales, grupos demográficos, migraciones regionales y transformaciones de la estructura familiar de las aproximadamente 304 059 724 personas que habitan ese país (1 de julio de 2008). La empresa de censos Nielsen Claritas hace referencias cruzadas de cifras de censos con encuestas de consumo y sus propias investigaciones para clientes como The Weather Channel, BMW y Sovereign Bank. Gracias a su participación como socio en empresas que venden bases de datos que proporcionan el teléfono y la dirección de los consumidores, Nielsen Claritas puede ayudar a las empresas a seleccionar y comprar listas de correo para segmentos específicos.[16]
- ***Adquirir información de empresas de investigación y vendedores externos.*** Los proveedores de datos más conocidos incluyen empresas como A.C. Nielsen Company e Information Resources Inc. Estas empresas recopilan información sobre la venta de productos en una variedad de categorías, y sobre la exposición del consumidor a diferentes medios de comunicación. También recopilan datos sobre paneles de consumidores a costos muy inferiores a los que tendría que hacer frente una empresa si realizara los estudios por sí misma. Biz360 y sus socios de contenidos online, por ejemplo, proporcionan cober-

tura en tiempo real y análisis de los medios de comunicación y de la información sobre la opinión de los consumidores, teniendo como fuentes a más de 70 000 medios tradicionales y sociales (impresos, audiovisuales, páginas Web, blogs y foros de mensajes).[17]

Recopilación de datos para el sistema de inteligencia de marketing en Internet

Gracias a la explosión de puntos de venta en Internet, los paneles de reseñas de clientes online, los foros de discusión, los chats y los blogs pueden distribuir las experiencias o evaluaciones de un cliente a otros compradores potenciales y, por supuesto, a los especialistas en marketing que buscan información sobre los consumidores y la competencia. Son cinco los mecanismos principales mediante los cuales los especialistas en marketing pueden investigar online las fortalezas y las debilidades de los productos de la competencia.[18]

- ***Foros independientes de reseñas de productos de consumo y de servicio.*** Los foros independientes incluyen sitios Web como Epinions.com, RateItAll.com, ConsumerReview.com y Bizrate.com. Bizrate.com recopila cada año millones de opiniones de consumidores sobre tiendas y productos a partir de dos fuentes: sus 1.3 millones de miembros voluntarios y las opiniones que los clientes dan en las tiendas que permiten que Bizrate.com recopile información directamente de sus compradores en el punto de venta.
- ***Sitios o foros de opinión de distribuidores o agentes de ventas.*** Los sitios de opinión ofrecen reseñas positivas y negativas, pero las tiendas o los distribuidores han construido sitios propios. Amazon.com ofrece una oportunidad de recoger información interactiva a través de la cual los compradores, lectores, editores y demás consumidores pueden reseñar todos los productos del sitio Web, sobre todo libros. Elance.com es un proveedor de servicios profesionales online que permite a los contratistas describir su experiencia y nivel de satisfacción con los subcontratistas.
- ***Sitios combinados que ofrecen reseñas de clientes y opiniones de expertos.*** Los sitios combinados se concentran en los servicios financieros y productos de alta tecnología que requieren conocimientos profesionales. ZDNet.com, un asesor online de productos de tecnología, ofrece opiniones de expertos, así como comentarios y evaluaciones de los clientes a partir de criterios como la facilidad de uso, componentes o la estabilidad. La ventaja de estos sitios es que un proveedor de productos puede comparar las opiniones de los expertos con las de los consumidores.
- ***Sitios de quejas de clientes.*** Los foros de quejas de clientes están diseñados principalmente para clientes insatisfechos. PlanetFeedback.com permite a los clientes expresar experiencias desfavorables con empresas específicas. Otro sitio, Complaints.com, deja que los clientes descarguen las frustraciones que les han provocado determinadas empresas u ofertas.
- ***Blogs públicos.*** Existen decenas de millones de blogs y redes sociales online que ofrecen opiniones personales, reseñas, valoraciones y recomendaciones sobre casi cualquier tema, y su número sigue creciendo. Empresas como Nielsen's BuzzMetrics y Scout Labs analizan los blogs y las redes sociales para proporcionar una perspectiva de los sentimientos del consumidor.

Difundir y actuar con la inteligencia de marketing

En algunas empresas, el personal busca en Internet y en las principales publicaciones resúmenes de noticias relevantes, y luego distribuye un boletín de noticias a los gerentes de marketing. La función de inteligencia competitiva es más eficaz cuando está estrechamente coordinada con el proceso de toma de decisiones.[19]

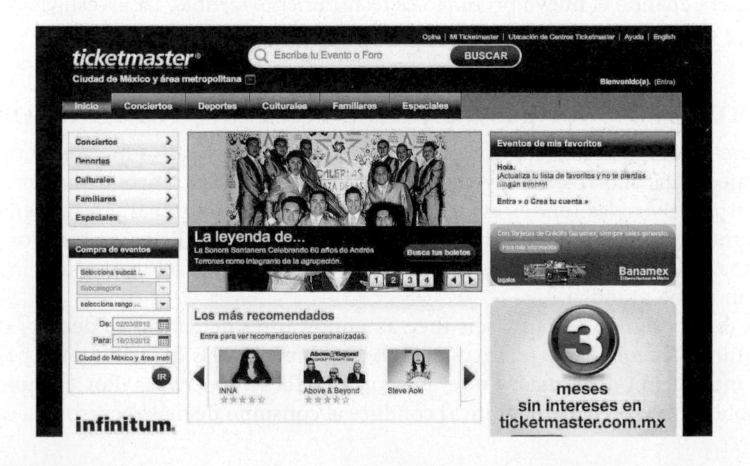

Ticket Master da cobertura a la venta de entradas a todo tipo de eventos a través de mensajes de correo electrónico con vínculos a notas relevantes, reportajes, fotos, instrucciones de acceso y demás información sobre el evento.

Dada la velocidad de Internet, es importante aprovechar con rapidez la información obtenida online. Las siguientes son dos empresas que se beneficiaron de un enfoque proactivo en este sentido:[20]

- Ticket Master y su proveedor e-dialog han desarrollado una campaña vía correo electrónico digna de destacar. El principal aspecto que hace de esta campaña algo único es que el mensaje se envía después de la compra, y no antes, como es usual. Este hecho trajo como consecuencia no sólo un alto nivel de respuesta (algo evidente en el hecho de que casi el 50% de los mensajes tuvo algún grado de respuesta), sino que además generó ventas significativas de productos complementarios.
- Cuando el software de control de Coca-Cola detectó un mensaje que un consumidor descontento envió vía Twitter a 10 000 seguidores, quejándose de que no podía canjear un premio ofrecido por un programa de recompensas de MyCoke, la empresa rápidamente publicó en dicha red social una disculpa y se ofreció a solucionar la situación. Después de que el consumidor recibió el premio, cambió su avatar en Twitter por una foto en donde aparecía posando con una botella de Coca-Cola.

Análisis del macroentorno

Las empresas exitosas reconocen y responden provechosamente a las necesidades y tendencias no satisfechas.

Necesidades y tendencias

Tanto los empresarios autónomos como las empresas tratan de crear nuevas soluciones para dar respuesta a necesidades no satisfechas. Dockers fue fundada para satisfacer las necesidades de los *baby boomers*, que ya no eran adecuadamente cubiertas por los pantalones vaqueros y querían un par de pantalones física y psicológicamente cómodos. Ahora bien, en este sentido es preciso distinguir entre las modas pasajeras, las tendencias y las megatendencias.

- Una **moda pasajera** es "imprevisible, de corta duración, y no tiene relevancia social, económica o política". Las empresas pueden sacar buen provecho de una moda pasajera —como sucedió, por ejemplo, con los zuecos Croc, las muñecas Elmo TMX, y los regalos y juguetes de Pokémon—, pero se trata más bien de una cuestión de suerte y oportunidad.[21]
- La **tendencia** es una dirección o secuencia de acontecimientos que tiene cierta intensidad y duración. Las tendencias son más predecibles y más duraderas que las modas pasajeras, revelan cómo será el futuro, y pueden proporcionar una dirección estratégica. Por ejemplo, la tendencia hacia la conciencia de la salud y la nutrición ha producido una mayor regulación gubernamental, y ocasionado publicidad negativa para las empresas de las que se considera que venden alimentos poco saludables. Macaroni Grill renovó su menú para incluir alimentos más bajos en calorías y en grasas después de una ola de mala prensa: el programa *The Today Show* definió su sandwich de pollo y alcachofas como "el equivalente calórico a 16 helados de chocolate" y, en su lista anual restaurantes con platos poco saludables, *Men's Health* declaró que su postre de ravioles de 1 630 calorías era "el peor" de la nación.[22]
- Una **megatendencia** es un "gran cambio social, económico, político y tecnológico [que] se forma lentamente, y una vez que lo hace, influye en nosotros durante algún tiempo, entre siete y 10 años, o más".[23]
- Para ayudar a los especialistas en marketing a detectar cambios culturales que podrían generar nuevas oportunidades o amenazas, algunas empresas ofrecen pronósticos socioculturales. Yankelovich Monitor entrevista a 2 500 estadounidenses cada año, y desde 1971 ha detectado 35 tendencias sociales y de estilo de vida, como el sentimiento "antigordura", el "misticismo", el "vivir al día", el "desapego a las posesiones" o la "sensualidad". Por supuesto, una nueva oportunidad de mercado no garantiza el éxito, ni siquiera cuando el nuevo producto es técnicamente factible. La investigación de mercados es necesaria para determinar el potencial de ganancia de una oportunidad.

Cómo identificar las principales fuerzas del macroentorno

El final de la primera década del siglo XXI trajo consigo una serie de desafíos nuevos: la pronunciada caída de la bolsa, que afectó los ahorros, las inversiones y los fondos para el retiro; el aumento del desempleo; los escándalos corporativos; las fuertes evidencias del calentamiento global y otras señales de deterioro en el ámbito internacional y, por supuesto, el aumento del terrorismo. Estos dramáticos acontecimientos vinieron acompañados de otras tendencias ya existentes y de mayor duración, que han influido considerablemente en el panorama mundial.[24]

Las empresas deben vigilar de cerca seis fuerzas importantes del entorno: demográfica, económica, sociocultural, natural, tecnológica y político-legal. A continuación las describiremos por separado, pero recuerde que su interacción dará lugar a nuevas oportunidades y amenazas. Por ejemplo, el crecimiento explosivo de la población (fuerza demográfica) conduce al consumo de más recursos y a una mayor contaminación (fuerza natural), condiciones que, a su vez, impulsan a los consumidores a exigir la promulgación de más leyes (fuerza político-legal); esto, por su parte, motiva la búsqueda de nuevos productos y soluciones tecnológicas (fuerza tecnológica) que, de ser accesibles económicamente (fuerza económica) podrían cambiar la actitud y la conducta de los consumidores (fuerza sociocultural).

El entorno demográfico

La evolución demográfica suele darse a un ritmo bastante previsible. El principal factor que los especialistas en marketing analizan es la *población*, incluyendo su tamaño y tasa de crecimiento en las ciudades, regiones y naciones; su distribución por edad y composición étnica; sus niveles educativos; sus sistemas familiares, sus características regionales, y su movimiento.

AUMENTO DE LA POBLACIÓN MUNDIAL El crecimiento de la población mundial es explosivo: en 2010 alcanzaba ya los 6 800 millones de personas, y superará los 9 000 millones para 2040.[25] La tabla 3.3 ofrece una perspectiva interesante.[26]

El crecimiento de la población es mayor en los países y comunidades que menos pueden permitírselo. En el mundo actual, los habitantes de las regiones en vías de desarrollo representan el 84% de la población mundial, y están aumentando entre uno y dos puntos porcentuales por año, mientras que la población en los países desarrollados está creciendo a sólo el 0.3% anual.[27] La medicina moderna está reduciendo la tasa de mortalidad en las naciones en vías de desarrollo, pero la tasa de natalidad se mantiene bastante estable.

El incremento poblacional no implica que haya mercados en crecimiento, a menos que exista suficiente poder adquisitivo. El cuidado y la educación de los niños pueden aumentar el nivel de vida, pero son casi imposibles de lograr en la mayoría de los países en desarrollo. Sin embargo, las empresas que analicen cuidadosamente estos mercados podrán encontrar oportunidades importantes en ellos. A veces las lecciones que dan los mercados en desarrollo ayudan a las empresas en los mercados desarrollados. Consulte la sección "Marketing en acción: En busca de oro en la base de la pirámide".

DISTRIBUCIÓN POR EDAD México tiene una población muy joven y un rápido crecimiento demográfico. En el otro extremo está Italia, con una de las poblaciones más viejas del mundo. Así, leche, pañales, útiles escolares y juguetes serán productos más importantes en México que en Italia.

Existe una tendencia mundial hacia el envejecimiento de la población. En 1950 había sólo 131 millones de personas mayores de 65 años; en 1995 su número casi se había triplicado, llegando a 371 millones. Para 2050, uno de cada diez habitantes del mundo tendrá 65 años o más. En Estados Unidos los *baby boomers* (personas nacidas entre 1946 y 1964), representan un mercado con valor aproximado de 36 millones de dólares, un 12% de la población. Para 2011, la población de 65 años o más crecerá con mayor rapidez que la población en su conjunto en cada uno de los 50 estados.[28]

TABLA 3.3 El mundo, visto como una aldea
Si el mundo fuera una aldea de 100 personas:
• 61 aldeanos serían asiáticos (de los cuales 20 serían chinos y 17 indios), 14 africanos, 11 europeos, 8 latinoamericanos, 5 norteamericanos, y sólo uno sería de Australia, Oceanía o Antártida.
• Al menos 18 aldeanos serían analfabetos, pero 33 tendrían teléfonos celulares y 16 contarían con acceso a Internet.
• 18 aldeanos tendrían menos de 10 años de edad, y 11 tendrían más de 60 años. Habría igual número de hombres y mujeres.
• Habría 18 automóviles en la aldea.
• 63 aldeanos tendrían condiciones de salubridad inadecuados.
• 32 aldeanos serían cristianos, 20 musulmanes, 14 hinduistas, 6 budistas, 16 no tendrían religión y los 12 restantes serían miembros de otros cultos.
• 30 aldeanos estarían desempleados o subempleados; de los 70 que trabajarían, 28 lo harían en la agricultura (sector primario), 14 en la industria (sector secundario), y los 28 restantes en la industria de prestación de servicios (sector terciario).
• 53 aldeanos vivirían con menos de dos dólares estadounidenses al día. Un aldeano tendría SIDA, 26 fumarían y 14 serían obesos.
• Al final del año, un aldeano moriría y dos nacerían, por lo que la población se elevaría a 101 aldeanos.

Fuente: David J. Smith y Shelagh Armstrong, *If the World Were a Village: A Book About the World's People,* 2ª ed. (Tonawanda, N.Y.: Kids Can Press, 2002).

En busca de oro en la base de la pirámide

El escritor de temas de negocios C.K. Prahalad considera que gran parte de la innovación puede venir de la evolución de los mercados emergentes, como China e India. De acuerdo con sus cálculos, hay 5 000 millones de personas desatendidas y subatendidas en la llamada "base de la pirámide". Un estudio reveló que 4 000 millones de personas viven con 2 dólares o menos al día. Las empresas que operan en esos mercados han tenido que aprender a hacer más con menos.

En Bangalore, India, el hospital Narayana Hrudayalaya cobra una tarifa plana de 1 500 dólares por una cirugía de bypass cardiaco que cuesta 50 veces más en Estados Unidos. El hospital cuenta con bajos gastos de mano de obra y de las actividades requeridas para poder prestar su servicio, y una perspectiva de atención inspirada en las cadenas de ensamblaje, de manera que cada especialista se centre en su propia área. Este enfoque funciona: los índices de mortalidad del hospital son un 50% más bajos que en los hospitales estadounidenses. Además, Narayana opera a cientos de niños de forma gratuita, y asegura de manera rentable a 2.5 millones de indios pobres contra enfermedades graves, por 11 centavos de dólar al mes.

Las empresas transnacionales también están encontrando soluciones creativas en los países en desarrollo. En Brasil, India, Europa Oriental y otros mercados, Microsoft lanzó su programa de prepago FlexGo, que permite a los usuarios pagar por anticipado el uso de una PC completamente equipada por el tiempo que deseen o lo requieran, sin tener que desembolsar el precio completo que normalmente costaría el equipo. Cuando el monto pagado se agota, la PC deja de funcionar y el usuario tiene que hacer otro prepago para reiniciarlo.

Otras empresas han encontrado ventajas en la "innovación reversa", desarrollando productos en países como China e India, y luego distribuyéndolos a nivel global. Después de que GE introdujo con éxito un aparato manual para la realización de electrocardiogramas por un precio de 1 000 dólares en la Indiarural, y una máquina de ultrasonido portátil operada por computadora (ordenador) en las zonas rurales de China, comenzó a vender ambos dispositivos en Estados Unidos. Nestlé reposicionó su marca Maggi de fideos deshidratados, bajos en grasa, una popular comida de bajo costo para las zonas rurales de Pakistán e India, como un alimento sano y económico en Australia y Nueva Zelanda.

Fuentes: C.K. Prahalad, *The Fortune at the Bottom of the Pyramid* (Upper Saddle River, N.J.: Wharton School Publishing, 2010); Bill Breen, "C.K. Prahalad: Pyramid Schemer", *Fast Company*, marzo de 2007, p. 79; Pete Engardio, "Business Prophet: How C.K. Prahalad Is Changing the Way CEOs Think", *BusinessWeek*, enero 23 de 2006, pp. 68-73; Reena Jane, "Inspiration from Emerging Economies", *BusinessWeek*, marzo 23 y 30 de 2009, pp. 38-41; Jeffrey R. Immelt, Vijay Govindarajan y Chris Trimble, "How GE Is Disrupting Itself", *Harvard Business Review*, octubre de 2009, pp. 56-65; Peter J. Williamson y Ming Zeng, "Value-for-Money Strategies for Recessionary Times", *Harvard Business Review*, marzo de 2009, pp. 66-74.

Generalmente los especialistas en marketing dividen la población en seis grupos de edad: niños en edad preescolar, niños en edad escolar, adolescentes, adultos jóvenes (de 20 a 40 años), adultos de mediana edad (de 40 a 65 años), y adultos mayores (de 65 años o más). Algunos especialistas en marketing se centran en las **cohortes**, los grupos de individuos nacidos aproximadamente en la misma época, y cuyo desarrollo en la vida se da en forma más o menos simultánea. Los momentos más importantes que experimentan mientras alcanzan la mayoría de edad y se convierten en adultos (aproximadamente entre los 17 y los 24 años) pueden acompañarlos toda la vida, influyendo sus valores, preferencias y hábitos de compra.

MERCADOS ÉTNICOS Y OTROS MERCADOS La diversidad étnica y racial varía según los países. En un extremo se encuentra Japón, donde casi todos los habitantes son japoneses, y en el otro Estados Unidos, donde cerca de 25 millones de personas, más del 9% de la población, nacieron en otro país. Según el censo estadounidense del año 2000, las personas de origen anglosajón constituían un 72% de la población estadounidense, los afroamericanos representaban el 13%, y los latinos el 11%. La población de hispanos ha estado aumentando rápidamente, y se calcula que en estos momentos constituya ya el 18.9% del total; sus principales subgrupos son los mexicanos (5.4%), los puertorriqueños (1.1%) y los cubanos (0.4%). Los asiático-americanos representaban en 2000 un 3.8% de la población estadounidense; de ellos, los chinos son el grupo más grande, seguidos por los filipinos, japoneses, indios asiáticos y coreanos, en ese orden.

El crecimiento de la población hispana constituye un cambio importante en el centro de gravedad de la nación. Los hispanos representaron la mitad de todos los nuevos trabajadores en la última década, y serán el 25% de los trabajadores dentro de dos generaciones. A pesar del bajo ingreso familiar que generan, su ingreso disponible ha crecido dos veces más rápido que el del resto de la población, y podría alcanzar los 1.2 billones de dólares para el año 2012. Los hispanos están influyendo considerablemente en diversos aspectos de la vida en Estados Unidos, desde los alimentos que consumen los estadounidenses, hasta la ropa que visten, pasando por la música que escuchan y los coches que compran.

Las empresas se están esforzando en perfeccionar sus productos y su marketing para alcanzar a este grupo de consumidores cada vez más importante e influyente.[29] Las investigaciones realizadas por el gigante hispano de los medios de comunicación, Univisión, sugieren que el 70% de los espectadores hispanoparlantes son más propensos a comprar un producto cuando es anunciado en español. Fisher-Price, reconociendo que muchas madres hispanas no crecieron conociendo su marca, dejaron de apelar a su herencia y enfocaron sus anuncios en la alegría que sienten madre e hijo al divertirse juntos con los juguetes Fisher-Price.[30]

Varias empresas estadounidenses de alimentos, ropa y muebles han dirigido sus productos y promociones a uno o más grupos étnicos.[31] Sin embargo, los especialistas en marketing no deben generalizar. Dentro de cada grupo étnico hay una gran diversidad de consumidores.[32] Por ejemplo, la investigación Yankelovich Monitor Multicultural Marketing Study de 2005 dividió el mercado afroamericano en seis segmentos de acuerdo con su comportamiento social: los que emulan, los que buscan, los que logran, los emprendedores, los elitistas y los conservadores. Los grupos más grandes, y quizás de mayor influencia, son los que logran (24%) y los emprendedores (27%), aunque cada uno tiene necesidades muy diferentes del otro. Los que logran, de alrededor de 40 años, trabajan lentamente hacia la consecución del sueño americano. A menudo son padres solteros que tienen bajo su cuidado familiares ancianos, tienen un ingreso medio de 28 000 dólares anuales, y buscan el mayor valor por su dinero. Los emprendedores tienen un sentido más definido de sí mismos y planes sólidos para el futuro. Su ingreso medio es de 55 000 dólares al año, y quieren que las ideas y la información mejoren su calidad de vida.[33]

La diversidad va más allá de los mercados étnicos y raciales. Por ejemplo, más de 51 millones de consumidores estadounidenses tienen alguna discapacidad y constituyen un mercado para las empresas de entrega a domicilio, como Peapod, y para diversas cadenas de farmacias.

GRUPOS CON DIFERENTES NIVELES DE EDUCACIÓN La población de cualquier sociedad se divide en cinco grupos, en función de su nivel de estudios: analfabetos, con educación básica, con educación media, con estudios universitarios, y con certificaciones profesionales.

Más de dos tercios de los 785 millones de adultos analfabetos que hay en el mundo se encuentran en sólo ocho países (India, China, Bangladesh, Pakistán, Nigeria, Etiopía, Indonesia y Egipto); de ellos, dos tercios son mujeres.[34] Estados Unidos tiene uno de los porcentajes más altos de ciudadanos con educación universitaria en el mundo: el 54% de quienes tienen 25 años o más cuentan con algunos estudios universitarios, el 28% tiene una licenciatura, y el 10% ha cursado estudios de posgrado. El gran número de personas educadas en Estados Unidos alimenta una fuerte demanda de libros y revistas de alta calidad, así como de servicios turísticos, y crea una gran oferta de mano de obra preparada.

PATRONES FAMILIARES El hogar tradicional consta del marido, la esposa y los hijos (y a veces los abuelos). Sin embargo, se ha calculado que en 2010 sólo uno de cada cinco hogares estadounidenses estaba formado por una pareja casada e hijos menores de 18 años. Otros hogares consisten en solteros que viven solos (27%), familias de un solo padre (8%), parejas casadas sin hijos y personas casadas con hijos que ya no viven con ellos (32%), individuos que viven con personas ajenas a su familia (5%), y otras estructuras familiares (8%).[35]

Cada vez más parejas se divorcian o se separan, deciden no casarse, contraen matrimonio tardíamente, o se casan pero no tienen intención de engendrar hijos. Cada uno de estos grupos tiene distintas necesidades y hábitos de compra. Por ejemplo, los solteros, separados, viudos y divorciados tal vez necesiten viviendas más pequeñas; electrodomésticos y muebles baratos y de menor tamaño, y envases de alimentos más pequeños.[36]

Los hogares no tradicionales están aumentando más rápidamente que los tradicionales. Por ejemplo, los académicos y expertos en marketing calculan que la población homosexual representa entre el 4 y 8% de la población total de Estados Unidos, y es más numerosa en las zonas urbanas.[37] Incluso los llamados hogares tradicionales han experimentado cambios. Los padres *boomers* se casan más tarde de lo que sus padres o abuelos lo hicieron, compran más y participan mucho más en la crianza de sus hijos. Para atraerlos, el fabricante de la sillita de paseo de bebés Bugaboo diseñó un modelo de aspecto elegante y con neumáticos parecidos a los de las bicicletas. Dyson, la empresa de aspiradoras de alto nivel, está atrayendo a los papás obsesionados con la informática al centrarse en la revolucionaria tecnología del electrodoméstico. Antes de que Dyson entrara en el mercado estadounidense, los hombres ni siquiera aparecían en el radar de las ventas de aspiradoras. Ahora representan el 40% de los clientes de Dyson.[38]

El entorno económico

El poder adquisitivo de una economía depende del ingreso, de los precios, de los ahorros, del endeudamiento y de las facilidades de crédito. Como demostró con toda claridad la crisis económica de 2009, las tendencias que afectan el poder adquisitivo pueden tener un fuerte impacto en las empresas, sobre todo en aquellas cuyos productos están orientados a consumidores de altos ingresos y aquellos sensibles al precio.

La cadena de hoteles Aloft de Starwood fusiona la elegancia urbana con precios asequibles.

PSICOLOGÍA DEL CONSUMIDOR ¿Los nuevos patrones de gasto de los consumidores que se generaron durante la recesión de 2008-2009 reflejaron ajustes a corto plazo o temporales o cambios permanentes a largo plazo?[39] Algunos expertos creen que la recesión ha sacudido de manera fundamental la fe de los consumidores en la economía y en su situación financiera personal; que el gasto "sin sentido" dejará de existir, y que la disposición a comparar precios, regatear y aprovechar descuentos se convertirá en la regla. Otros mantienen que la disminución del gasto refleja una limitación meramente económica y no un cambio de comportamiento fundamental. Por lo tanto, las aspiraciones de los consumidores seguirán siendo las mismas, y el gasto volverá a sus niveles previos cuando la economía mejore.

La identificación del escenario más probable a largo plazo —especialmente respecto del codiciado grupo de 18 a 34 años de edad— contribuirá a determinar cómo invertirán su dinero las empresas. Tras seis meses de investigación y desarrollo en el mercado de los *baby boomers*, Starwood lanzó una iniciativa de "estilo a precio bajo", para ofrecer alternativas de alojamiento asequibles, pero elegantes, a sus sofisticadas cadenas W, Sheraton y Westin. En un intento por atraer al público que busca ahorro y lujo al mismo tiempo, introdujo dos nuevas cadenas de hoteles de bajo costo: Aloft, diseñada para reflejar la modernidad urbana de los apartamentos estilo *loft*, y Element, que ofrece *suites* con todos los "elementos" de la vida cotidiana moderna, incluida la elección de alimentos saludables y baños tipo *spa*.[40]

DISTRIBUCIÓN DEL INGRESO Existen cuatro tipos de economías según su estructura industrial: *economías de subsistencia*, como Papua, Nueva Guinea, con pocas oportunidades de mercado para las empresas; *economías exportadoras de materias primas*, como la República Democrática del Congo (cobre) y Arabia Saudita (petróleo), con buenos mercados para maquinaria, herramientas, provisiones y artículos de lujo para los más adinerados; *economías en vías de industrialización*, como India, Egipto y Filipinas, donde una nueva clase acaudalada y la creciente clase media demandan nuevos tipos de productos; y *economías industriales*, como Europa Occidental, con mercados prósperos para todo tipo de artículos.

Los especialistas en marketing suelen clasificar los países en cinco tipos, de acuerdo con sus patrones de distribución del ingreso: (1) ingresos muy bajos; (2) ingresos mayoritariamente bajos; (3) ingresos muy bajos y muy altos; (4) ingresos bajos, medios y altos, y (5) ingresos mayoritariamente medios. Piense en el mercado de los Lamborghini, vehículos que cuestan más de 150 000 dólares. El mercado para estos automóviles sería muy reducido en países con el tipo de ingreso 1 o 2. Uno de los mercados más grandes del mundo para este vehículo es Portugal (tipo de ingreso 3), uno de los países más pobres de Europa Occidental, pero que cuenta con una cantidad suficiente de familias adineradas que pueden comprar automóviles de lujo.

INGRESO, AHORRO, DEUDA Y FACILIDADES DE CRÉDITO El gasto de los consumidores está determinado por su nivel de ingreso, las tasas de ahorro, el manejo de las deudas y la disponibilidad del crédito. Los consumidores estadounidenses registran una gran proporción de deuda en relación con sus ingresos, lo que reduce el ritmo de gasto en vivienda y otros productos caros. Cuando el crédito empezó a escasear debido a la recesión, especialmente para los prestatarios de bajos ingresos, el crédito al consumidor cayó por primera vez en dos décadas. La crisis financiera que llevó a esta contracción fue, precisamente, consecuencia de las políticas de crédito demasiado liberales que permitieron a los consumidores comprar casas y otros artículos que en realidad no podían permitirse. Los especialistas en marketing querían realizar todas las ventas posibles, y los bancos querían ganar intereses sobre los préstamos; esto casi provocó la ruina financiera total.

Un problema económico de creciente importancia es la migración de puestos de trabajo en fabricación (manufactura) y servicios. Infosys ofrece desde India servicios de subcontratación para Cisco, Nordstrom, Microsoft y otras organizaciones. Los 25 000 empleados que esta empresa de rápido crecimiento —cuyo valor asciende a 4 mil millones de dólares— contrata cada año, reciben capacitación técnica, de trabajo en equipo y de habilidades de comunicación en las instalaciones —de 120 millones de dólares— que Infosys tiene en las afueras de Bangalore.[41]

El entorno sociocultural

Las personas absorben, casi inconscientemente, una visión del mundo que define su relación consigo mismas, con los demás, con las organizaciones, con la naturaleza y con el universo.

- ***Visión de uno mismo.*** Durante las décadas de 1960 y 1970, los estadounidenses "hedonistas" buscaban la diversión, el cambio y una vía de escape. Otros perseguían la "realización personal". Actualmente, algunos adoptan una conducta más moderada y tienen ambiciones más conservadoras (véase la tabla 3.4, que presenta las actividades de ocio preferidas de los consumidores y cómo han cambiado en los años recientes).

TABLA 3.4 Actividades de ocio preferidas

	1995	2008
	%	%
Leer	28	30
Ver televisión	25	24
Pasar tiempo con la familia/hijos	12	20
Ir al cine	8	8
Pescar	10	7
Realizar actividades en la computadora	2	7
Jardinería	9	5
Ver películas alquiladas	5	5
Caminar	8	6
Hacer ejercicio (aeróbicos, pesas)	2	8

Fuente: Harris Interactive, "Spontaneous, Unaided Responses to: 'What Are Your Two or Three Most Favorite Leisure-Time Activities?'" http://www.harrisinteractive.com/harris_poll/index.asp?PID=980. Base: Todos los adultos.

- ***Visión de los demás.*** Las personas se preocupan por la gente sin hogar, por la delincuencia y sus víctimas, y por otros problemas sociales. Al mismo tiempo, buscan a quienes son como ellas para establecer relaciones duraderas , lo que sugiere la existencia de un mercado creciente para los productos y servicios de apoyo social, como los clubes de salud, los cruceros y las actividades religiosas, así como para "sustitutos sociales": televisión, juegos de video y sitios de redes sociales.
- ***Visión de las organizaciones.*** Después de una ola de despidos y escándalos corporativos, la lealtad hacia las organizaciones se ha reducido.[42] Las empresas necesitan nuevas formas de recuperar la confianza de los consumidores y los empleados. Deben garantizar que son buenos ciudadanos corporativos, y que los mensajes que dirigen al consumidor son honestos.[43]
- ***Visión de la sociedad.*** Algunas personas defienden a la sociedad (conservadores), otras la dirigen (dirigentes); existen también quienes se aprovechan de ella todo lo posible (interesados) y los que desean cambiarla (críticos); están asimismo quienes buscan algo más profundo (comprometidos), mientras que otros tratan de escapar de ella (evasores).[44] Los patrones de consumo a menudo reflejan estas actitudes sociales. En general, las personas de actitud dirigente obtienen grandes logros, y comen, se visten y viven bien. Los críticos suelen vivir de forma más frugal, conducen automóviles más modestos y visten ropa más sencilla. Los evasores y los comprometidos son un mercado importante para las películas, la música, y algunas actividades deportivas, como el *surf* y el montañismo.
- ***Visión de la naturaleza.*** Al incremento de la conciencia sobre la fragilidad y la limitación de la naturaleza, las empresas han respondido con la producción de variedades más amplias de equipos como botas, tiendas de campaña, mochilas y accesorios para campamento, caminatas, paseos en bote y pesca.
- ***Visión del universo.*** Buena parte de la población occidental es monoteísta, a pesar de que la convicción y la práctica religiosas han disminuido con los años o han sido redirigidas a un interés por los movimientos evangélicos o las religiones orientales, el misticismo, el ocultismo y el movimiento del potencial humano.

Otras características culturales de interés para los especialistas en marketing son la persistencia de los valores culturales fundamentales y la existencia de subculturas. Analicemos ambas.

PERSISTENCIA DE LOS VALORES CULTURALES FUNDAMENTALES Son muchos los individuos que siguen creyendo en el trabajo, en el matrimonio, en la beneficencia y en la honestidad. Los *valores fundamentales* y las creencias pasan de padres a hijos, y son reforzados en las instituciones sociales (escuelas, iglesias, empresas y gobiernos). Los *valores secundarios* son más susceptibles al cambio. Creer en la institución del matrimonio es un valor fundamental, mientras que creer que las personas deben casarse jóvenes es un valor secundario.

Los especialistas en marketing tienen buenas posibilidades de cambiar los valores secundarios, pero muy pocas de modificar los valores fundamentales. Por ejemplo, la organización sin fines de lucro Madres contra los Conductores Ebrios (MADD, por sus siglas en inglés), no trata de impedir la venta de alcohol, sino promover que el límite legal de alcohol en la sangre cuando se conduce sea más bajo, y establecer límites en los horarios de los establecimientos que venden alcohol.

Los jóvenes pueden ser influenciados por una amplia gama de héroes, desde jugadores de fútbol, como Lionel Messi hasta figuras de la música popular como "Lady Gaga".

A pesar de que los valores fundamentales son bastante persistentes, también se ven afectados por los cambios culturales. En la década de 1960, los *hippies*, los Beatles, Elvis Presley y otros fenómenos culturales tuvieron gran impacto en los peinados, la ropa, las normas sexuales y las metas existenciales de la población. Los jóvenes de hoy se ven influenciados por nuevos héroes y nuevas actividades.

EXISTENCIA DE SUBCULTURAS En todas las sociedades hay **subculturas**, es decir, grupos con valores, creencias, preferencias y comportamientos comunes, resultado de sus experiencias o circunstancias de vida. Los especialistas de marketing siempre han adorado a los adolescentes, porque son quienes marcan las tendencias de moda, música, entretenimiento, ideas y actitudes. Si se logra atraer a un adolescente, hay muchas posibilidades de que se mantenga como cliente fiel en etapas posteriores de su vida. La marca de *snacks* Frito-Lay, que obtiene el 15% de sus ventas de los adolescentes, detectó un aumento en el consumo de papas fritas y de aperitivos entre los adultos. "Creemos que este incremento se debe a que atrajimos a estos consumidores cuando eran adolescentes", afirma su director de marketing.[45]

El entorno natural

En Europa Occidental, los partidos "verdes" han presionado para que el sector público reduzca la contaminación industrial. En Estados Unidos los expertos han documentado el deterioro ecológico, y los grupos ecologistas, como el Sierra Club y Friends of the Earth llevan estas preocupaciones a la acción política y social.

Las regulaciones ambientales han afectado considerablemente a ciertas industrias. Las empresas siderúrgicas y de servicios públicos han invertido miles de millones de dólares en equipos de control de contaminación y el desarrollo de combustibles ecológicos, haciendo que los automóviles híbridos, inodoros y duchas de bajo consumo, alimentos orgánicos y edificios de oficinas verdes sean realidades cotidianas. Las oportunidades esperan a quienes puedan conciliar la prosperidad con la protección del medio ambiente. Consideremos las siguientes soluciones a las preocupaciones sobre la calidad del aire:[46]

- Casi una cuarta parte del dióxido de carbono, que representa alrededor del 80% de todos los gases de efecto invernadero, proviene de las plantas de energía eléctrica. La empresa Airtricity, con sede en Dublín, opera en Estados Unidos y Reino Unido parques eólicos que ofrecen electricidad más barata y ecológica.
- El transporte está en segundo lugar, después de la generación de electricidad, como el mayor contribuyente al calentamiento global, produciendo aproximadamente una quinta parte de las emisiones de dióxido de carbono. Con sede en Vancouver, Westport Innovation ha desarrollado una conversión tecnológica (inyección directa a alta presión) que permite a los motores diesel funcionar con gas natural líquido, de combustión más limpia, reduciendo las emisiones de efecto invernadero en una cuarta parte.
- Debido a los millones de fogatas (hogueras) que se encienden para cocinar en las áreas rurales, ciertas partes del sur de Asia padecen una calidad de aire extremadamente pobre. Quien cocina con fuego de leña o queroseno inhala el equivalente a dos cajetillas de cigarrillos al día. Sun Ovens International, con sede en Illinois, fabrica hornos solares de tamaño familiar e institucional, que usan espejos para redirigir los rayos del sol a una caja aislada. Utilizados en 130 países, los hornos ahorran dinero y reducen las emisiones de gases de efecto invernadero.

Los *ecologistas corporativos* reconocen la necesidad de integrar las cuestiones ambientales en los planes estratégicos de las empresas. Las tendencias en el entorno natural a las que los especialistas en marketing deben estar atentos incluyen: la escasez de materias primas, especialmente el agua; el aumento del costo de la energía; el aumento de los niveles de contaminación, y el papel cambiante de los gobiernos. (Véase también "Marketing en acción: La revolución del marketing ecológico"[47]).

- En nuestro planeta, las materias primas pueden ser infinitas, finitas renovables y finitas no renovables. Las empresas cuyos productos requieren recursos finitos no renovables (petróleo, carbón, platino, zinc, plata) enfrentan aumentos de costos considerables a medida que esas materias primas van agotándose. Las empresas que pueden desarrollar materiales sustitutos tienen una excelente oportunidad.
- Uno de los recursos finitos no renovables, el petróleo, ha creado serios problemas para la economía mundial. Conforme los precios del petróleo se disparan, las empresas buscan medios prácticos para aprovechar energías alternativas, como la solar, la nuclear y la eólica, entre otras.
- Ciertas actividades industriales inevitablemente dañan el medio ambiente natural, lo cual crea un gran mercado para las soluciones de control de la contaminación, como las depuradoras, los centros de reciclaje y los sistemas de obtención de energía de vertederos de basura, así como formas alternativas para producir y envasar los productos.
- Muchos países pobres están haciendo muy poco para controlar la contaminación, debido a que no cuentan con los recursos o la voluntad política. Ayudarlos a controlar su contaminación va en beneficio de las naciones más ricas, pero hoy en día incluso ellas carecen de los fondos necesarios.

El entorno tecnológico

La esencia del capitalismo es el dinamismo y la tolerancia de la destrucción creativa de la tecnología como precio del progreso. Los transistores perjudicaron a la industria de los antiguos bulbos eléctricos (bombillas), y los automóviles causan estragos a los ferrocarriles. La televisión daña los intereses de los periódicos, e Internet los perjudica a ambos.

Cuando las antiguas industrias combaten las nuevas tecnologías o las ignoran sus negocios declinan. Tower Records tuvo muchas advertencias de que su negocio de venta al por menor de música se vería perjudicado por las descargas de música de Internet (así como por el creciente número de tiendas de música de descuento). En 2006 su falta de respuesta llevó a la liquidación de todas sus tiendas físicas en territorio estadounidense.

La revolución del marketing ecológico

Las preocupaciones ambientales de los consumidores son reales. Las encuestas de Gallup revelan que el porcentaje de adultos estadounidenses que creen que el calentamiento global representará una amenaza grave durante su vida ha aumentado desde el 25% en 1998 hasta el 40% en 2008. Un estudio de Mediamark Research & Intelligence de 2008 reveló que casi dos tercios de los hombres y las mujeres estadounidenses afirmaron que "la conservación del medio ambiente como un principio rector de su vida" era "muy importante". Una encuesta del *Washington Post*/ABC News/Universidad de Stanford de 2007 reveló que el 94% de los encuestados estaban "dispuestos" (y entre éstos, 50% "muy dispuestos") a "cambiar algunas acciones con el fin de mejorar el medio ambiente".

Sin embargo, convertir esta preocupación por el medio ambiente en acciones concretas, será un proceso a largo plazo. Una encuesta de TNS de 2008 encontró que sólo el 26% de los estadounidenses dijeron que estaban "buscando activamente productos ecológicos". Una encuesta de Gallup de 2008 encontró que sólo el 28% de los encuestados afirmaron haber hecho "grandes cambios" en sus patrones de compra y hábitos de vida en los últimos cinco años para proteger el medio ambiente. Otra investigación informó que los consumidores estaban más preocupados por los problemas ambientales en su entorno inmediato, como la contaminación del agua de ríos y lagos, que por temas más amplios, como el calentamiento global. Como suele suceder, el cambio de comportamiento es la consecuencia de un cambio de actitud de los consumidores.

Sin embargo, según demuestra la investigación de GfK Roper Consulting, las expectativas del consumidor en cuanto al comportamiento de las empresas respecto al medio ambiente han cambiado de manera significativa, y en muchos casos son más altas que las exigencias que se imponen a sí mismos. Los consumidores varían, sin embargo, por lo que se refiere a su sensibilidad ambiental, y pueden clasificarse en cinco grupos según su grado de compromiso (vea la △ figura 3.1). Curiosamente, a pesar de que algunos especialistas en marketing suponen que los jóvenes están más preocupados por el medio ambiente que los consumidores mayores, algunas investigaciones sugieren que estos últimos toman su responsabilidad con la ecología más en serio.

En el pasado, los programas de "marketing ecológico" lanzados por las empresas en torno a productos específicos no siempre fueron un éxito total, y esto pudo deberse a varias razones. Por ejemplo, quizá los consumidores pensaron que el producto era de calidad inferior por ser ecológico, o que en realidad ni siquiera era tan ecológico. Sin embargo, los productos ecológicos que sí tuvieron éxito convencieron a los consumidores de que estaban actuando por su propio interés y, al mismo tiempo, por el de la sociedad a largo plazo. Algunos ejemplos son los alimentos orgánicos, considerados más sanos, más sabrosos y más seguros, y los electrodomésticos ahorradores de energía, vistos como de menor costo de operación.

Los expertos han expresado algunas recomendaciones sobre cómo evitar la "miopía del marketing verde", centrándose en el posicionamiento del valor a los consumidores, en la evaluación del conocimiento del consumidor, y en la credibilidad de las afirmaciones del producto. Uno de los retos del marketing verde es resolver la dificultad que tienen los consumidores para comprender los beneficios ambientales de los productos, dando lugar a numerosas acusaciones de "lavado verde", donde los productos no son realmente tan ecológicos ni tan ambientalmente beneficiosos como su marketing podría sugerir.

A pesar de que durante años han existido productos que enfatizan sus beneficios ecológicos, como Tom's of Maine, Burt's Bees, Stonyfield Farm y Seventh Generation, por nombrar algunos, los productos que ofrecen ventajas ambientales son cada vez más habituales. Parte del éxito de los productos de limpieza para el hogar Clorox Green Works, lanzados en enero de 2008, se

|Fig. 3.1| △

Segmentos de consumo ambientales

Fuente: Gfk Roper Green Gauge® 2007, GfK Roper Consulting, Nueva York, N.Y.

- *Genuinamente ecológico* (15%). Este segmento es el más propenso a pensar y actuar de manera ecológica. Algunos de sus integrantes pueden ser verdaderos activistas del medio ambiente, pero lo más probable es que caigan más en la categoría de grandes defensores. Este grupo ve pocas barreras para comportarse de manera "verde", y puede estar dispuesto a colaborar en iniciativas ambientales con las empresas.
- *No tan ecológico* (18%). Este segmento expresa actitudes muy pro-ecológicas, pero su comportamiento es moderado, quizás porque percibe muchas barreras contra la vida ecológica. Los miembros de este grupo podrían tener la sensación de que el problema es demasiado grande para que ellos puedan afrontarlo, y tal vez necesiten de un estímulo para entrar en acción.
- *Sigo la corriente ecológica* (17%). Este grupo se involucra en algunos comportamientos ecológicos, en su mayoría los más "fáciles", como el reciclaje. Sin embargo, la ecología no es una prioridad para ellos, y parecen tomar el camino que les es más cómodo. Es posible que sus integrantes sólo actúen cuando sea cómodo para ellos.
- *Sueño ecológico* (13%). Este segmento se preocupa mucho por el medio ambiente, pero no parece tener los conocimientos ni los recursos para tomar medidas. Aparentemente este grupo ofrece la mejor oportunidad de actuar ecológicamente si se le presenta la oportunidad.
- *Primero los negocios que lo ecológico* (23%). La perspectiva de este segmento es que el medio ambiente no es una gran preocupación, y que las empresas y las industrias ya están haciendo su parte para ayudar. Esto puede explicar por qué sus miembros no sienten la necesidad de emprender acciones por sí mismos, incluso citando muchos obstáculos para hacerlo.
- *Ecologistas mezquinos* (13%). Este grupo afirma estar bien informado sobre cuestiones ambientales, pero no expresa actitudes o comportamientos a su favor. De hecho, en la práctica son hostiles hacia las ideas favorables al medio ambiente. Este segmento ha optado por rechazar las ideas prevalecientes sobre la protección del medio ambiente, e incluso puede ser visto como una amenaza potencial para las iniciativas ecológicas.

debió a que encontraron el punto justo de un mercado meta que deseaba dar pequeños pasos hacia un estilo de vida más ecológico, y respondieron a tal necesidad con un producto ecológico a un precio módico, y lo vendieron a través de un programa de marketing centrado en lo esencial y sin dispendios.

Las preocupaciones ambientales están afectando la forma en que prácticamente todas las grandes empresas hacen negocios: Walt Disney Corp. se ha comprometido a reducir sus desechos sólidos para el año 2013, ahorrar millones de litros de agua, invertir en energías renovables, y llegar a ser completamente neutral en lo que se refiere a las emisiones de carbono (alcanzando el 50% de esa meta para el año 2012); Best Buy ha ampliado su programa de reciclaje de productos electrónicos; Caterpillar anunció planes para reducir un 20% las emisiones de gases de efecto invernadero en su línea de productos para 2020, y Whole Foods, líder entre las cadenas estadounidenses de supermercados en la venta de "alimentos orgánicos" certificados, cofundó una asociación para reducir las emisiones de los refrigeradores instalados en los comercios, y compensa la totalidad de su consumo de electricidad con energías renovables a través de créditos de energía eólica.

Por su parte, Toyota, HP, IKEA, Procter & Gamble y Walmart han estado vinculados con programas ambientales y de sustentabilidad de alto perfil. Algunas otras empresas, por temor a un escrutinio severo o a expectativas poco realistas, mantienen un perfil bajo. A pesar de que Nike utiliza calzado reciclado para hacer las suelas de sus zapatillas (tenis) nuevas, optó por no dar a conocer este hecho para poder mantener su enfoque en el rendimiento y la victoria. Las reglas del juego en el marketing verde están cambiando rápidamente, a medida que los consumidores y las empresas responden y proponen soluciones a los grandes problemas ambientales que existen.

Fuentes: Jerry Adler, "Going Green", *Newsweek*, 17 de julio de 2006, pp. 43-52; Jacquelyn A. Ottman, Edwin R. Stafford y Cathy L. Hartman, "Avoiding Green Marketing Myopia", *Environment* (junio de 2006): 22-36; Jill Meredith Ginsberg y Paul N. Bloom, "Choosing the Right Green Marketing Strategy", *MIT Sloan Management Review* (otoño de 2004); 79-84; Jacquelyn Ottman, *Green Marketing: Opportunity for Innovation*, 2ª ed. (Nueva York: BookSurge Publishing, 2004); Mark Dolliver, "Deflating a Myth", *Brandweek*, 12 de mayo de 2008, pp. 30-31; "Winner: Corporate Sustainability, Walt Disney Worldwide", *Travel and Leisure*, noviembre de 2009, p. 106; "The Greenest Big Companies in America", *Newsweek*, 28 de septiembre de 2009, pp. 34-53; Sarah Mahoney, "Best Buy Connects Green with Thrift", *Media Post News: Marketing Daily*, 28 de enero de 2009; Reena Jana, "Nike Quietly Goes Green", *BusinessWeek*, 11 de junio de 2009.

Green Works de Clorox ha tenido un gran éxito en el mercado, al combinar beneficios ambientales con precios económicos.

La tasa de crecimiento de la economía se ve estimulada por el número de avances tecnológicos. Por desgracia, entre una innovación y otra, la economía puede estancarse. Mientras tanto, los pequeños avances se encargan de cerrar la brecha: es posible que aparezcan nuevos productos, como gofres (*waffles*) congelados, jabones líquidos y barras energizantes, pero, aunque tienen un menor riesgo, también son capaces de desviar los esfuerzos de investigación de los grandes descubrimientos.

Las nuevas tecnologías también tienen consecuencias a largo plazo que no siempre son previsibles. Por ejemplo, la píldora anticonceptiva redujo el tamaño de la familia y, por lo tanto, aumentó los ingresos discrecionales, lo que también elevó el gasto en turismo, bienes duraderos y artículos de lujo. Los teléfonos móviles, los videojuegos e Internet están reduciendo la atención a los medios tradicionales, así como a la interacción social cara a cara, conforme cada vez más personas escuchan música o ven películas en sus teléfonos móviles.

Los especialistas en marketing deben seguir de cerca las siguientes tendencias tecnológicas: el acelerado ritmo de cambio, las oportunidades ilimitadas de innovación, los cambiantes presupuestos destinados a investigación y desarrollo, y una mayor regulación de los cambios tecnológicos.

EL VERTIGINOSO RITMO DEL CAMBIO Cada vez se trabaja en más ideas y se reduce el tiempo transcurrido entre el nacimiento del proyecto y el éxito de la aplicación práctica. También está acortándose el periodo entre la introducción de un producto y sus niveles máximos de producción. Las ventas de Apple fueron incrementándose a lo largo de siete años, hasta llegar a vender la asombrosa cifra de 220 millones de iPods en todo el mundo hasta septiembre de 2009.

La mensajería de texto está cambiando profundamente la forma en que los consumidores eligen comunicarse.

OPORTUNIDADES ILIMITADAS PARA LA INNOVACIÓN Algunos de los trabajos más interesantes de la actualidad se están llevando a cabo en los campos de biotecnología, informática, microelectrónica, telecomunicaciones, robótica y materiales de diseño. Los investigadores están trabajando en vacunas contra el SIDA, anticonceptivos más seguros y alimentos que no engorden; también están desarrollando nuevas clases de antibióticos para combatir las infecciones ultra resistentes, hornos de alta temperatura para convertir la basura en materia prima, y construyendo plantas de tratamiento de agua en miniatura para lugares remotos.[48]

LAS DIFERENCIAS EN LOS PRESUPUESTOS DE I+D Una porción cada vez mayor del gasto estadounidense dedicado a I+D (investigación y desarrollo) se destina al desarrollo y no a la investigación, lo que aumenta la preocupación acerca de si la nación podrá mantener su liderazgo en las ciencias básicas. Muchas empresas se complacen invirtiendo su dinero en copiar los productos de la competencia y haciendo cambios mínimos de estilo o de presentación. Incluso las empresas que se caracterizan por realizar investigación básica, como Dow Chemical, Bell Laboratories y Pfizer, proceden con cautela, y la investigación de grandes avances está en manos de consorcios empresariales, antes que en las de empresas individuales.

AUMENTO DE LA LEGISLACIÓN REFERENTE A CAMBIOS TECNOLÓGICOS De manera similar a lo que ocurre en otras partes del mundo, el gobierno estadounidense ha ampliado las competencias de sus entidades para investigar y prohibir los productos potencialmente poco seguros. En Estados Unidos, la Administración de Drogas y Alimentos (FDA) debe aprobar todos los medicamentos antes de que puedan ser comercializados. La normativa de seguridad y sanidad también se ha reforzado en áreas como la alimentación, los automóviles, las prendas de vestir, los aparatos eléctricos y la construcción.

El entorno político-legal

El entorno político y legal consiste en leyes, oficinas gubernamentales y grupos de presión que influyen y limitan tanto a las organizaciones como a los particulares. En ocasiones la legislación también genera nuevas oportunidades para las empresas. La normativa que obliga al reciclaje ha provocado un despegue sin precedentes en este sector, así como la aparición de numerosas empresas que fabrican productos con materiales reciclados. Existen dos tendencias principales en el entorno político-legal: el aumento de leyes que rigen a las empresas, y el crecimiento de los grupos de presión.

AUMENTO DE LA LEGISLACIÓN QUE RIGE A LAS EMPRESAS Esta legislación tiene por objeto proteger a las empresas de una competencia desleal, proteger a los consumidores de prácticas comerciales injustas, proteger los intereses de la sociedad frente a los intereses meramente económicos, y cobrar a las empresas los costos sociales de sus productos o procesos de producción.

La Comisión Europea ha creado un nuevo marco legal en materia de conducta competitiva, estándares de producción, confiabilidad y seguridad de los productos, y transacciones comerciales para los 27 países miembros de la Unión Europea. Estados Unidos también cuenta con muchas leyes sobre competencia, seguridad y confiabilidad de los productos, comercio justo, prácticas crediticias y envasado y etiquetado, pero las normas que muchos otros países tienen en la materia son más severas.[49] En Noruega, diversos tipos de promociones de ventas están prohibidos; por ejemplo, los cupones de descuento, los concursos y los premios, puesto que se consideran instrumentos inapropiados o injustos para promover productos. En Tailandia se exige que las empresas procesadoras de alimentos que comercializan marcas nacionales también ofrezcan marcas de bajo precio, de modo que los consumidores con ingresos inferiores tengan acceso a su adquisición. En India, las empresas de la industria alimenticia necesitan una autorización especial para lanzar marcas que dupliquen la oferta existente en el mercado; por ejemplo una nueva bebida de cola o una marca de arroz diferente. A medida que cada vez más negocios tienen lugar en el ciberespacio, los especialistas de marketing deben establecer nuevos parámetros para hacer negocios éticos por Internet.

CRECIMIENTO DE LOS GRUPOS DE PRESIÓN Los comités de acción política presionan a los funcionarios públicos y a los gobiernos para que presten más atención a los derechos de los consumidores, de las mujeres, de los jubilados, de las minorías y de los homosexuales. Las compañías de seguros, directa o indirectamente, afectan el diseño de los detectores de humo; los grupos científicos influyen en el diseño de los productos en aerosol. Numerosas compañías han creado departamentos de asuntos de interés público para tratar con estos grupos y atender sus reivindicaciones.

El **movimiento de protección a los consumidores** organiza a los ciudadanos y el gobierno para fortalecer los derechos y facultades de los compradores en relación con los vendedores. Estas organizaciones han logrado que se respete el derecho del consumidor a saber cuál es el verdadero costo de un préstamo, el auténtico costo unitario de las marcas competidoras (precio unitario), los ingredientes básicos y el verdadero beneficio de un producto, y la calidad nutricional y nivel de frescura de los alimentos.

Ahora que los consumidores se muestran más dispuestos a intercambiar información personal por productos personalizados (siempre que se pueda confiar en las empresas), la intimidad seguirá siendo un tema político de actualidad.[50] Los consumidores temen que se les robe o que se les engañe; que se utilice su información personal en su contra; que los bombardeen con ofertas, y que las empresas se dirijan a los niños.[51] Las empresas inteligentes han creado departamentos de relación con los consumidores para contribuir a la elaboración de políticas, y responder a las quejas de los clientes.

Pronóstico y cálculo de la demanda

Comprender el entorno de marketing y llevar a cabo estudios de mercado (descritos en el capítulo 4) son iniciativas que pueden ayudar a identificar oportunidades de mercado. Una vez que concluye la investigación, la empresa debe calcular y prever el tamaño, el crecimiento y el potencial de ganancias que ofrece cada oportunidad. Los pronósticos de ventas preparados por el departamento de marketing resultan útiles para el departamento de finanzas, ya que les permite identificar las necesidades de liquidez para la inversión y las operaciones; también son valiosos para el departamento de producción, que los utiliza para determinar la capacidad y los niveles de producción; asimismo, el departamento de compras emplea esta información para adquirir las materias primas necesarias, y el departamento de recursos humanos para contratar a los trabajadores requeridos. Si los pronósticos resultan erróneos, la empresa podría terminar con un inventario excesivo o insuficiente. Debido a que los pronósticos de ventas parten de cálculos de la demanda, los directivos deben definir qué entienden por demanda de mercado. Aunque el grupo Performance Materials de DuPont sabe que DuPont Tyvek tiene el 70% del mercado —con valor de 100 millones de dólares— de membranas de barrera de aire, ve mayor oportunidad en otros productos y servicios que le permitirán aprovechar todo el mercado estadounidense de construcción, que vale 7 mil millones de dólares.[52]

Los parámetros de la demanda de mercado

Las empresas pueden preparar hasta 90 tipos de cálculos de la demanda diferentes para seis niveles de producto distintos, desde cinco niveles espaciales y a partir de tres niveles temporales (vea la △ figura 3.2). Cada cálculo de la demanda se utiliza para un fin diferente. Una empresa podría predecir la demanda a corto plazo para un producto en concreto, con el propósito de solicitar materias primas, planificar la producción y solicitar un crédito. Podría prever la demanda regional de su principal línea de productos para decidir si debe crear un centro de distribución regional.

Existen muchas formas productivas de desglosar el mercado:

- El **mercado potencial** es el conjunto de consumidores que presenta un nivel de interés suficientemente elevado por la oferta de mercado. Sin embargo, el interés del consumidor no es bastante para definir el mercado, a menos que tenga también un ingreso suficiente y acceso al producto.
- El **mercado disponible** es el conjunto de consumidores que tienen interés, ingresos *y* acceso a una oferta en particular. En el caso de determinadas ofertas, la empresa o el gobierno podrían restringir las ventas a ciertos grupos. Por ejemplo, las leyes de una jurisdicción en particular podrían prohibir las ventas de determinadas motocicletas a los menores de 21 años. En tal situación, los adultos restantes constituirían el *mercado calificado disponible*, es decir, el conjunto de consumidores que tienen interés e ingresos, y están calificados para adquirir la oferta de mercado.
- El **mercado meta** es la parte del mercado calificado a la que la empresa decide atender. Por ejemplo, la empresa podría decidir concentrar sus esfuerzos de marketing y de distribución en una región específica.
- El **mercado penetrado** es el conjunto de consumidores que adquieren el producto de la empresa.

|Fig. 3.2| △ Noventa tipos de medición de la demanda ($6 \times 5 \times 3$)

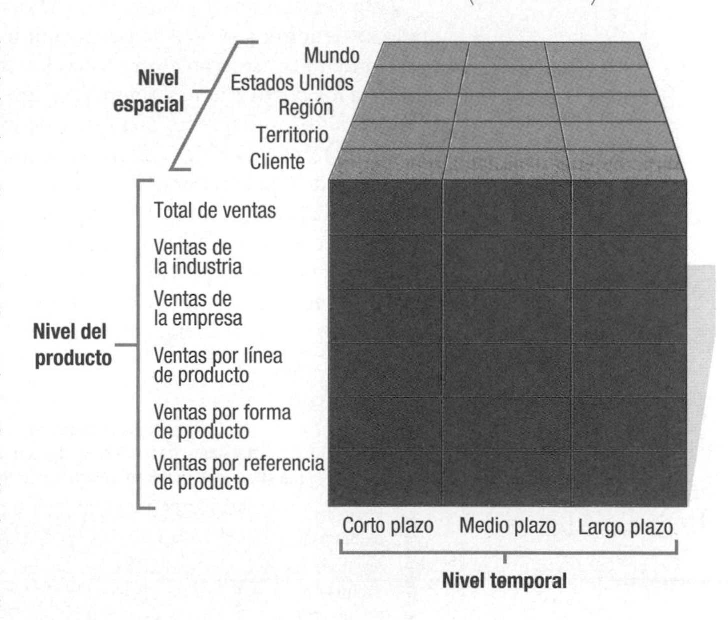

Estas definiciones constituyen una herramienta útil para la planificación de mercado. Si la empresa no está satisfecha con las ventas actuales, puede intentar atraer a un mayor porcentaje de compradores de su mercado meta. También podría reducir el número de requisitos que deben cumplir los compradores potenciales, expandir su mercado disponible abriendo un centro de distribución en otro lugar, reducir su precio, o buscar reposicionarse en la mente de sus clientes.

Terminología relacionada con el cálculo de la demanda

Los principales conceptos involucrados en el cálculo de la demanda son demanda de mercado y demanda de la empresa. En el cálculo de cada una de estas demandas es preciso establecer una distinción entre función de demanda, pronóstico de ventas y potencial.

DEMANDA DE MERCADO Lo primero que se debe hacer a la hora de valorar las oportunidades, es calcular la demanda de mercado total. La **demanda de mercado** de un producto es el volumen total susceptible de ser adquirido por un grupo de consumidores definido en un área geográfica determinada, durante un periodo establecido, en un entorno de marketing concreto y bajo un programa de marketing específico.

La demanda de mercado no es un número fijo, sino más bien una función de las condiciones mencionadas. Por esta razón, se le puede llamar *función de demanda de mercado*. La dependencia de la demanda total de mercado de otras condiciones subyacentes se ilustra en la figura 3.3(a). En el eje horizontal se muestran distintos niveles de gasto en actividades de marketing en una industria específica y para un periodo determinado. El eje vertical mide los niveles correspondientes de la demanda. La curva representa la demanda total de mercado asociada a distintos niveles de gasto de marketing para cada industria.

Existe un nivel de ventas (denominado *mercado mínimo*, Q_1 en la gráfica), que podría obtenerse sin necesidad de estimular la demanda mediante gastos específicos. A mayores niveles de gasto en actividades de marketing corresponden volúmenes de demanda superiores, al principio con una tasa creciente y, después, con una tasa decreciente. Tomemos como ejemplo los jugos (zumos) de frutas. Dada la competencia indirecta que enfrentan ante otros tipos de bebida, cabría esperar un aumento en los gastos de marketing para incrementar su demanda y sus ventas. A partir de cierto nivel de gasto en actividades de marketing, el nivel de demanda no puede incrementarse más, lo que significa que existe un tope superior —conocido como *potencial de mercado*— que no puede sobrepasarse; en la gráfica se señala como Q_2.

La distancia entre el mercado mínimo y el potencial de mercado pone en evidencia la *sensibilidad total de la demanda al marketing*. En este momento es posible pensar en dos tipos de mercado: los que se pueden expandir y los que no admiten expansión. Un *mercado que admite expansión*, como el mercado de los productos para la práctica del tenis, ve afectado su volumen total por el nivel de gasto de marketing de la industria. En la figura 3.3(a), la distancia entre Q_1 y Q_2 es relativamente grande. Un *mercado que no admite expansión*, como el mercado de la recolección de basura, *apenas* se ve afectado por el nivel de gasto en actividades de marketing; la distancia entre Q_1 y Q_2 es relativamente pequeña. Las organizaciones que se dirigen a un mercado no expandible deben aceptar su tamaño (el nivel *primario de demanda* para el producto), y concentrar sus esfuerzos en conseguir una mayor cuota **de mercado**, es decir, un mayor nivel de demanda selectiva del producto de la empresa.

Conviene comparar el nivel real de demanda del mercado con su nivel potencial de demanda. El resultado se denomina **índice de penetración de mercado**. Si éste es bajo, significa que existe un potencial de crecimiento considerable para todas las empresas. Si, por el contrario, es alto, significa que será muy caro atraer a los pocos clientes potenciales que quedan. Normalmente cuando el índice de penetración de mercado es alto, los márgenes caen y comienza la competencia en precios.

Las empresas también deben comparar su cuota de mercado real con su cuota de mercado potencial. El resultado de esta comparación se denomina **índice de penetración de la cuota de mercado de la empresa**. Si éste es bajo, significa que la empresa puede aumentar su cuota de mercado considerablemente. Los factores subyacentes que la limitan podrían ser: poca relevancia de marca, poca disponibilidad de marca, beneficios deficientes y precio demasiado elevado. Las empresas deben calcular cómo podrían incrementar su cuota de mercado eliminando cada uno de esos factores con el propósito de determinar cuáles inversiones generarían la mayor mejora en el índice de penetración de la cuota de mercado.[53]

|Fig. 3.3| Funciones de la demanda de mercado

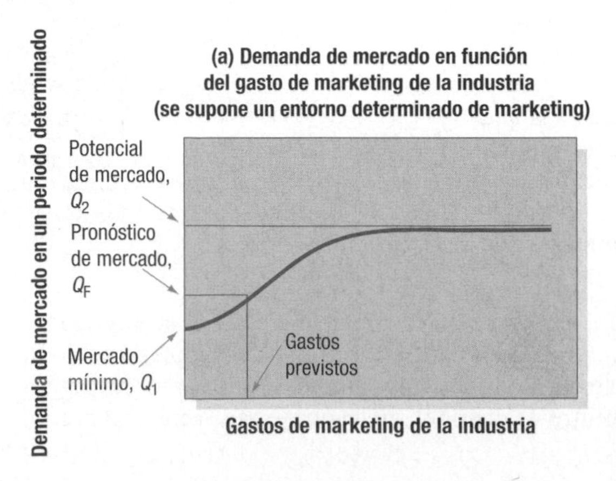

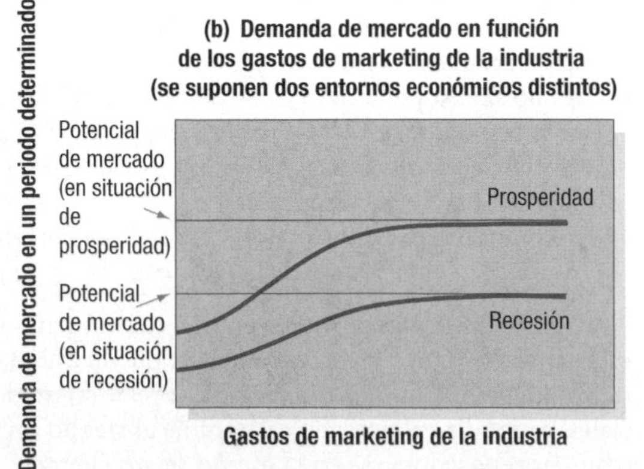

Es importante recordar que la función de demanda de mercado no es una imagen de la demanda en el tiempo; lo que muestra la curva, más bien, son diferentes combinaciones entre los pronósticos de demanda asociados con posibles gastos de la industria en actividades de marketing.

PRONÓSTICO DE MERCADO En un momento dado sólo puede existir un nivel de gasto en actividades de marketing dentro de cada industria. La demanda de mercado correspondiente a este nivel se denomina **pronóstico de mercado.**

MERCADO POTENCIAL El pronóstico de mercado muestra la demanda de mercado *prevista*, no la demanda máxima de mercado. Para estimar esta última se debe visualizar el nivel de demanda de mercado resultante de un nivel de gasto en marketing muy elevado dentro de la industria, a partir del cual los sucesivos aumentos apenas surten efectos en la demanda. El **mercado potencial** es el límite al cual se aproxima la demanda de mercado cuando los gastos de marketing de la industria tienden al infinito, en un determinado entorno de marketing.

La expresión "un determinado entorno de marketing" es fundamental. Veamos el mercado potencial de los automóviles. Es más alto en un periodo de prosperidad que de recesión. El nivel de dependencia del mercado potencial respecto del entorno de marketing queda reflejado en la ▲ figura 3.3(b). Los analistas distinguen entre la posición de la función de demanda de mercado y los movimientos a lo largo de la curva. Las empresas no pueden hacer nada para cambiar la posición de la función de la demanda de mercado, que está determinada por el entorno de marketing. Sin embargo, sí pueden influir en su ubicación a lo largo de esa función, de acuerdo con lo que decidan gastar en actividades de marketing.

Las empresas a las que interesa el mercado potencial conceden una importancia especial al **porcentaje de penetración de producto**, que es el porcentaje de propiedad o uso de un producto o de un servicio en un grupo de población. Las empresas suponen que cuanto más bajo es el porcentaje de penetración de un producto mayor es su mercado potencial, aunque con esta afirmación se está dando por hecho que todos los consumidores podrían pertenecer al mercado de cualquier producto.

DEMANDA DE LA EMPRESA La **demanda de la empresa** es la parte de la demanda de mercado que corresponde a la empresa en un periodo determinado para diferentes niveles de esfuerzo de marketing de la empresa. Depende cómo son percibidos los productos y servicios de la empresa, sus precios y mensajes en comparación con los de la competencia. *Ceteris-paribus*, la participación de mercado de la empresa dependerá del volumen y de la eficacia de sus inversiones de marketing en comparación con las de los competidores. Los creadores de modelos de marketing han desarrollado funciones de respuesta de ventas para medir cómo influyen el nivel de gasto de marketing, la mezcla de marketing (*marketing mix*) y la eficacia del marketing en las ventas de una empresa.[54]

PRONÓSTICO DE VENTAS DE LA EMPRESA Una vez que los especialistas en marketing han calculado la demanda de la empresa, el siguiente paso consiste en seleccionar un nivel de esfuerzo de marketing. El **pronóstico de ventas de la empresa** es el nivel de ventas previsto de acuerdo con un plan de marketing y en un entorno de marketing determinado.

El pronóstico de ventas de la empresa se representa gráficamente situando las ventas en el eje vertical y los esfuerzos de marketing de la empresa en el eje horizontal, como en la figura 3.3. A menudo escuchamos que las empresas deben desarrollar su plan de marketing con base en sus pronósticos de ventas. Esta relación pronóstico-plan sólo resulta válida si *pronóstico* significa un cálculo de la actividad económica nacional, o si la demanda de la empresa no pudiera expandirse. Sin embargo, la relación no será válida cuando la demanda es expandible o cuando el término *pronóstico* se utiliza como sinónimo de cálculo de las ventas de la empresa. El pronóstico de ventas de una empresa no sienta las bases para decidir cuánto debe invertirse en marketing; por el contrario, el pronóstico de ventas es el resultado de un plan de gasto en actividades de marketing.

En relación con el pronóstico de ventas existen otros dos conceptos dignos de mención. Una **cuota u objetivo de ventas** es el objetivo de ventas que se fija para una línea de producto, para una división o para un vendedor. Se trata, fundamentalmente, de una herramienta de administración para definir y estimular el esfuerzo de ventas. Por lo general, las cuotas de ventas se fijan ligeramente por arriba de las ventas previstas, con el propósito de impulsar el esfuerzo de los vendedores.

Un **presupuesto de ventas** es un cálculo moderado del volumen de ventas previsto y se utiliza, sobre todo, para tomar las decisiones correctas en materia de compras, producción y liquidez. El presupuesto de ventas se basa en el pronóstico de ventas y en la necesidad de evitar riesgos excesivos. Los presupuestos de ventas por lo general se fijan ligeramente por debajo del pronóstico de ventas.

POTENCIAL DE VENTAS DE LA EMPRESA El **potencial de ventas de la empresa** es el límite de ventas al que puede aproximarse la demanda de la empresa conforme aumentan sus esfuerzos de marketing en comparación con los realizados por la competencia. El límite absoluto de la demanda de la empresa es, evidentemente, el potencial de mercado. Ambas magnitudes serían idénticas si la empresa tuviera la totalidad del mercado. En la mayoría de los casos, el potencial de ventas de la empresa es inferior al potencial de mercado, incluso cuando sus inversiones en marketing aumentan de forma significativa respecto de las de la competencia. La razón es que cada competidor tiene un fuerte núcleo de compradores leales que no son receptivos a los esfuerzos de marketing de otras empresas que intentan atraerlos.

Cálculo de la demanda real

Ahora estamos en posibilidades de estudiar los métodos prácticos para calcular la demanda real del mercado. Los ejecutivos de marketing desearán calcular el potencial de mercado en su totalidad, el potencial total por zonas, así como las ventas totales de la industria y las cuotas de mercado de las empresas que la forman.

MERCADO POTENCIAL TOTAL El **mercado potencial total** es el volumen máximo de ventas que podría estar disponible para todas las empresas de un mismo sector industrial durante un periodo determinado, con un nivel de gasto en actividades de marketing concreto y con unas condiciones del entorno específicas. Un método común para calcular el mercado potencial total es calcular el número de compradores potenciales y multiplicarlo por la cantidad media de adquisiciones por comprador y por el precio.

Si 100 millones de personas compran libros cada año, el comprador medio adquiere tres libros por año y el precio medio de un libro es de 20 dólares, el potencial total del mercado de libros es de 6 000 millones de dólares (100 millones × 3 × $20). El elemento más difícil de calcular es el número de compradores de un producto o mercado concreto. Siempre se puede comenzar con la población total del país, digamos, 261 millones de habitantes. El siguiente paso es eliminar a los grupos que, por razones obvias, no adquieren el producto. Supongamos que los analfabetos y los niños menores de 12 años no compran libros, y que representan el 20% de la población. Esto significa que sólo el 80% de la población, es decir, 209 millones de personas, podrían considerarse compradores potenciales. Imaginemos que seguimos investigando y descubrimos que las personas con pocos ingresos y bajo nivel de estudios no leen libros, y que representan el 30% de la población. Si restamos esta cifra de la anterior llegamos a una cifra de 146.3 millones de compradores potenciales de libros. Este número es el que se utilizará para calcular el mercado potencial total.

Una variación de este método es el *método de proporciones en cadena*, que consiste en multiplicar un número base por una serie de porcentajes. Supongamos que una empresa fabricante de cerveza quiere calcular el mercado potencial para una nueva cerveza ligera. El cálculo se podría hacer como sigue:

Demanda de la nueva cerveza ligera	=	Población	×	Porcentaje promedio de ingreso personal discrecional *per cápita* gastado en alimentos	×	Porcentaje promedio de cantidad gastada en alimentos que destina a bebidas	×	Porcentaje promedio de cantidad gastada en bebidas que se destina a bebidas alcohólicas	×	Porcentaje promedio de cantidad gastada en bebidas alcohólicas que se destina a cerveza	×	Porcentaje esperado de cantidad gastada en cerveza que aplicará a cerveza ligera

MERCADO POTENCIAL POR ZONAS Debido a que las empresas deben distribuir su presupuesto de marketing de manera óptima entre sus territorios, es preciso que calculen el mercado potencial de las diferentes ciudades, estados y naciones. Existen dos métodos principales para este cálculo: el método de construcción de mercado, que se utiliza fundamentalmente en mercados empresariales, y el método del índice multifactorial de mercado, que se utiliza sobre todo en mercados de consumo.

Método de construcción del mercado. El **método de construcción del mercado** consiste en identificar el total de compradores potenciales de cada mercado, y calcular sus posibles compras. Este método arroja resultados precisos, siempre que se utilice una lista de todos los compradores potenciales y un cálculo certero de qué adquirirá cada uno. Por desgracia, no siempre es fácil conseguir esta información.

Imaginemos que una empresa que fabrica maquinaria y herramientas quiere calcular el mercado potencial de la zona de Boston para un torno para madera. El primer paso es identificar a todos los compradores potenciales de tornos para madera en el área. Los compradores serán, sobre todo, los fabricantes que dan forma a la madera como parte de su proceso productivo, de modo que la empresa podría elaborar una lista de todos los fabricantes de la zona de Boston. A continuación podría calcular el número de tornos que utiliza cada empresa en función del número de tornos por cada mil empleados o por cada millón de dólares de ventas de la industria.

Para calcular con eficacia el potencial de mercado de diferentes zonas, se puede hacer uso del *North American Industry Classification System* (*NAICS* o *Sistema de clasificación sectorial de Estados Unidos*), desarrollado por el censo estadounidense en colaboración con los gobiernos canadiense y mexicano.[55] El NAICS clasifica todas las empresas de fabricación en 20 sectores principales. Cada sector se desglosa en una estructura jerárquica de seis dígitos, como sigue:

51	Sector industrial (servicios de información)
513	Subsector industrial (radiodifusión y telecomunicaciones)
5133	Grupo industrial (telecomunicaciones)
51332	Industria (telecomunicaciones inalámbricas, excepto satelitales)
513321	Industria nacional (paging, o búsqueda de personas)

Las empresas pueden comprar un CD-ROM con un directorio de empresas correspondientes a cada número de seis dígitos de NAICS, y en él pueden encontrar el perfil completo de millones de establecimientos, subclasificados por ubicación, número de empleados, ventas anuales y activos netos.

Para utilizar el sistema NAICS, el fabricante de tornos debe determinar en primer lugar los códigos de seis dígitos de NAICS que representan los productos cuyos fabricantes podrían comprar su maquinaria. Con el propósito de hacerse una idea general de todos los sectores de seis dígitos NAICS que podrían utilizar tornos, la empresa puede: (1) determinar los códigos NAICS de clientes anteriores; (2) revisar el manual NAICS e identificar todos los sectores de seis dígitos que podrían estar interesados en adquirir tornos; o (3) enviar cuestionarios a una amplia gama de empresas, preguntándoles si estarían interesadas en adquirir un torno de madera.

La siguiente tarea de la empresa es determinar una base apropiada para calcular el número de tornos que utilizará cada sector. Supongamos que las ventas de los clientes son un buen indicador para este cálculo. Una vez que la empresa haya calculado la proporción entre las ventas de las empresas-clientes y el número de tornos que tienen, podrá estimar el potencial de mercado.

Método del índice multifactorial. Al igual que los mercados industriales, las empresas de consumo también tienen que calcular el mercado potencial de diferentes zonas geográficas, pero como sus clientes son demasiado numerosos, no existen listados que los incluyan. El método más utilizado en los mercados de consumo es un sencillo método de índices. Un fabricante de productos farmacéuticos, por ejemplo, podría suponer que el mercado potencial de medicamentos está directamente relacionado con el tamaño de la población. Si el estado de Virginia tiene el 2.55% de la población de Estados Unidos, la empresa podría dar por hecho que ese estado constituye un mercado que representa el 2.55% del mercado total de fármacos.

Sin embargo, un factor único rara vez constituye un indicador confiable de las oportunidades de ventas. Las ventas de medicamentos por región dependen también del ingreso *per cápita* y del número de médicos por cada 10 000 habitantes. Por esta razón, tiene lógica desarrollar un índice multifactorial, en el que se asigna una ponderación relativa a cada factor. Supongamos que Virginia tiene el 2% del ingreso personal disponible de Estados Unidos, el 1.96% de las ventas minoristas, el 2.28% de la población estadounidense, y que las ponderaciones relativas son 0.5, 0.3 y 0.2, respectivamente. El índice de poder adquisitivo para Virginia sería de 2.04 [0.5(2.00) + 0.3(1.96) + 0.2(2.28)]. Por lo tanto, cabría esperar que el 2.04% de las ventas nacionales de medicamentos (no el 2.28%) tuvieran lugar en Virginia.

Las ponderaciones que se utilizan en este método son, en cierto modo, arbitrarias, y las empresas podrían asignar otras si fuese más apropiado. Un fabricante podría ajustar el mercado potencial a factores adicionales, como la presencia de otros competidores en el mercado, los costos locales de promoción, los factores estacionales y la idiosincrasia del mercado regional.

Muchas empresas calculan índices de zona para asignar los recursos de marketing. Supongamos que la empresa farmacéutica está analizando las ciudades de la tabla 3.5. Las dos primeras columnas indican el porcentaje de las ventas nacionales de la marca que se realiza en cada una de las seis ciudades o territorios considerados y el porcentaje de las ventas nacionales de la categoría que se realiza en las mismas ciudades. La tercera columna incluye el **índice de desarrollo de marca (IDM)**, que es la relación existente entre las ventas de la marca y las ventas por categoría. Seattle tiene un IDM de 114, porque allí la marca está relativamente más desarrollada que la categoría. El IDM de Portland es de 65, lo que significa que allí la marca está más o menos subdesarrollada.

TABLA 3.5 Cálculo del índice de desarrollo de marca (IDM)

	(a) Porcentaje nacional de la marca	(b) Porcentaje nacional de la categoría	IDM
Territorio	**Ventas**	**Ventas**	**(a ÷ b) × 100**
Seattle	3.09	2.71	114
Portland	6.74	10.41	65
Boston	3.49	3.85	91
Toledo	0.97	0.81	120
Chicago	1.13	0.81	140
Baltimore	3.12	3.00	104

Por lo regular, cuanto más bajo es el IDM mayores son las oportunidades de mercado, puesto que hay posibilidades de expandir la marca. Sin embargo, otros especialistas en marketing sostienen lo contrario, es decir, que los fondos de marketing deberían asignarse a los mercados donde la marca es *más fuerte*, en los que podría ser importante reforzar la lealtad de los clientes, o donde podría resultar más sencillo conseguir una mayor participación de marca. La realidad es que las decisiones de inversión deben basarse en el potencial para aumentar las ventas de la marca. Al sentir que tenía un bajo rendimiento en un mercado de alto potencial, Anheuser-Busch se dirigió a la creciente población hispana de Texas con una serie de actividades especiales de marketing. Realizó promociones cruzadas con Budweiser y la bebida de tomate Clamato (para preparar la popular bebida *Michelada*), patrocinó la serie de conciertos "Esta noche toca", y apoyó a presentaciones de música latina con torneos de fútbol tres contra tres. Todo esto le ayudó a obtener mayores ventas.[56]

Una vez que la empresa decide la distribución de su presupuesto por ciudad, puede desglosarlo por áreas de extensión más reducida, por ejemplo, códigos postales. En Estados Unidos, las circunscripciones o *census tracts* son zonas estadísticas reducidas y localmente definidas dentro de áreas metropolitanas y determinados condados. Generalmente tienen límites geográficos estables y una población de unos 4 000 habitantes. Los códigos postales (establecidos por el servicio postal nacional estadounidense) tienen una población un poco más grande que los barrios o distritos. La información sobre el volumen poblacional, el salario medio por familia y otras características está disponible para cada una de estas unidades geográficas. Utilizando otras fuentes, como los datos de sus tarjetas de lealtad, Geomentum de Mediabrand se ha enfocado en los sectores "hiper-locales" de los códigos postales, manzanas de la ciudad y hasta en los hogares individuales con mensajes publicitarios difundidos a través de la televisión interactiva, las ediciones zonificadas de periódicos, las páginas amarillas, medios externos y las búsquedas locales en Internet.[57]

VOLUMEN DE VENTAS DE LA INDUSTRIA Y CUOTAS DE MERCADO Además de calcular el mercado potencial total y el potencial por territorios, las empresas necesitan conocer el volumen total de ventas que se produce en su mercado. Esto significa identificar a los competidores y calcular sus ventas.

Las cámaras de comercio reúnen y publican datos referentes al total de las ventas de su industria, aunque casi nunca los desglosan por empresas. Sin embargo, con esta información cada empresa puede comparar sus resultados con los de la totalidad de la industria. Imaginemos que las ventas de una empresa aumentan a un ritmo de 5% cada año, y que las ventas de la industria crecen a un 10% anual. Sin duda, esta empresa está perdiendo importancia en su industria.

Otra forma de calcular las ventas es adquirir informes de empresas de investigación de mercados que auditan el total de ventas y las ventas por marca. Nielsen Media Research realiza estudios sobre diferentes categorías de productos en supermercados y farmacias. Las empresas pueden comprar esta información y comparar sus resultados con el total de la industria o con cualquier competidor en concreto, para así analizar si está ganando o perdiendo cuota de mercado. Debido a que los distribuidores no suelen revelar información sobre las ventas de productos competidores que venden, las empresas de sectores industriales operan con menos conocimiento de la participación de mercado.

Cálculo de la demanda futura

En muy pocos productos o servicios es sencillo predecir su demanda. Los pronósticos sencillos se refieren, generalmente, a productos cuya evolución de ventas es más o menos constante, que carecen de competidores (servicios públicos) o cuyos competidores son estables (oligopolios puros). En casi todos los mercados, en cambio, los buenos pronósticos son un factor clave para el éxito.

Las empresas casi siempre preparan un pronóstico macroeconómico, seguido de un pronóstico sectorial, y luego de un pronóstico de ventas de la empresa. El pronóstico macroeconómico requiere la proyección de la inflación, del desempleo, de las tasas de interés, del índice de consumo, de la inversión empresarial, del gasto público, de las exportaciones netas y de otras variables. El resultado final es una estimación del producto interno bruto (PIB) que se utiliza, junto con otros indicadores del entorno, para prever las ventas de un sector industrial. La empresa obtiene su pronóstico de ventas suponiendo que obtendrá la participación de mercado que desea conseguir.

¿Cómo desarrollan las empresas sus pronósticos? Por sí mismas o contratando empresas externas, como compañías de investigación de mercados, que elaboran sus pronósticos entrevistando a consumidores, distribuidores y otros sectores de interés. Las empresas especializadas en la elaboración de pronósticos crean proyecciones de largo alcance de los componentes del macroentorno, como la población, los recursos naturales y la tecnología. Algunas de estas empresas son IHS Global Insight (fusión de Data Resources y Wharton Econometric Forecasting Associates), Forrester Research y Gartner Group. Las empresas de investigación sobre el futuro definen escenarios hipotéticos del futuro. Algunas de estas empresas son Institute for the Future, Hudson Institute y Futures Group.

Todos los pronósticos se desarrollan a partir de una de estas tres fuentes de información existentes: lo que la gente dice, lo que la gente hace, y lo que la gente ha hecho. Usar lo que la gente dice requiere un análisis de las intenciones del comprador y de las opiniones de la fuerza de ventas y los expertos. Realizar un pronóstico con base en lo que la gente hace consiste en colocar el producto en un mercado de prueba para medir la respuesta del comprador. Para utilizar la fuente final, lo que la gente ha hecho, las empresas analizan los registros de antiguas conductas de compra, o utilizan análisis de series de tiempo o análisis estadísticos de la demanda.

ANÁLISIS DE LAS INTENCIONES DE LOS COMPRADORES **Pronosticar** es el arte de anticipar la posible respuesta de los compradores bajo una serie de condiciones. En el caso de los bienes de consumo duraderos, como los electrodomésticos, las organizaciones de investigación realizan encuestas periódicas de intención de compra, con preguntas como: *¿Tiene usted la intención de comprar un automóvil en los próximos seis meses?*, y luego colocan las respuestas en una **escala de probabilidades de compra**:

0.00	0.20	0.40	0.60	0.80	1.00
No	Muy poco probable	Probable	Bastante probable	Muy probable	Sí, seguro

Las encuestas también preguntan a los consumidores sobre su situación financiera actual y futura, y sobre sus expectativas respecto de la economía. Luego, la información recabada se combina para obtener una medición de la confianza de los consumidores (como hace Conference Board) o una medida del parecer de los consumidores (como en el caso de Survey Research Center de la Universidad de Michigan).

En el caso de la compra industrial, las organizaciones dedicadas a la investigación pueden realizar encuestas de intención de compra de plantas de producción, equipo o materiales. Sus cálculos suelen presentar un margen de error del 10% respecto de los resultados reales.

Estas encuestas son especialmente útiles para calcular la demanda de productos industriales, bienes de consumo duraderos, compras de productos para los que se necesita planificación previa, y para productos nuevos. El valor de los análisis de intención de compra aumenta en la medida en que el costo de llegar a los compradores es limitado, los compradores son pocos, sus intenciones son claras, hacen lo que dicen, y revelan sus intenciones de forma honesta.

OPINIÓN DE LA FUERZA DE VENTAS Cuando preguntar a los compradores no resulta práctico, la empresa puede pedir a sus vendedores que calculen las ventas futuras. Sin embargo, pocas empresas utilizan los cálculos de la fuerza de ventas sin hacer algunos ajustes previos. Los vendedores podrían mostrarse pesimistas u optimistas, podrían desconocer cómo influyen los planes de marketing de su empresa en las ventas futuras en su territorio, y podrían subestimar deliberadamente la demanda para que la compañía establezca una cuota de ventas más baja. Para fomentar los buenos pronósticos la empresa puede ofrecer ayuda o incentivos, como información sobre los planes de marketing o sobre pronósticos pasados en comparación con las ventas reales.

Hacer participar a los vendedores en la elaboración de los pronósticos a menudo tiene ventajas. En primer lugar, ellos conocen las tendencias de la industria mejor que cualquier otro grupo. Por otro lado, tras participar en el proceso de elaboración de pronósticos, los vendedores pueden tener más confianza en las cuotas de ventas y más motivación para conseguirlas. Asimismo, el procedimiento básico de elaboración de pronósticos permite obtener resultados detallados y desglosados por producto, territorio, cliente y vendedor.

OPINIÓN DE LOS EXPERTOS Las empresas también pueden obtener pronósticos de expertos, como intermediarios, distribuidores, proveedores, consultores de marketing y asociaciones comerciales. Los pronósticos de los intermediarios están sujetos a las mismas fortalezas y debilidades que los de la fuerza de ventas. Muchas empresas compran los pronósticos económicos e industriales a grandes y reconocidas empresas, que tienen más información a su disposición y cuentan con mayor experiencia.

En ocasiones, las empresas pueden invitar a un grupo de expertos para que preparen un pronóstico de ventas. Los expertos intercambian opiniones y elaboran un pronóstico en grupo (*método de discusión en grupo*), o también pueden generar pronósticos individuales que después serían combinados para llegar a una proyección única (*agrupación de pronósticos individuales*). Para terminar, se realizarían otras rondas de discusión para formular estimaciones y refinar la información (método Delphi).[58]

ANÁLISIS HISTÓRICO DE VENTAS Los pronósticos de ventas se pueden elaborar a partir de las ventas históricas. El *análisis de series de tiempo* consiste en desglosar el histórico de ventas en cuatro elementos (tendencia, ciclo, estacionalidad y error), y en proyectar a futuro estos componentes. La técnica del análisis de series de tiempo denominada alisado *exponencial* consiste en proyectar las ventas del siguiente periodo a partir de la combinación de una media de ventas pasadas y de las ventas más recientes, con mayor ponderación de estas últimas. El *análisis estadístico de la demanda* mide el impacto de una serie de factores causales (por ejemplo, ingreso, inversión en marketing y precio) sobre el nivel de ventas. Por último, el *análisis econométrico* consiste en crear conjuntos de ecuaciones que describen un sistema con el propósito de ajustar estadísticamente los parámetros.

PRUEBA DE MERCADO Cuando los compradores no planifican con cuidado sus compras, o cuando no hay expertos disponibles para elaborar los pronósticos o éstos no son fiables, una prueba de mercado puede ayudar a pronosticar las ventas de un nuevo producto o las ventas de un producto establecido en un nuevo canal de distribución o territorio. (Analizaremos con más detalle las pruebas de mercado en el capítulo 20).

Resumen

1. Los gerentes de marketing necesitan un sistema de información de marketing (SIM) para llevar a cabo el análisis, la planificación, la ejecución y el seguimiento de sus acciones de marketing. La función del SIM es evaluar las necesidades de información de los directivos, recopilarla y distribuirla puntualmente.
2. Un SIM se compone de tres elementos: (a) un sistema interno de datos, que incluye información sobe el ciclo pedido-facturación e informes de ventas; (b) un sistema de inteligencia de marketing, es decir, un conjunto de procedimientos y fuentes al que puedan recurrir los directivos para conseguir información actualizada sobre los cambios pertinentes surgidos en el entorno de marketing; y (c) un sistema de investigación de mercados que permita el diseño, la recopilación, el análisis y la distribución sistemática de información y descubrimientos relevantes en una situación de marketing concreta.
3. Los especialistas en marketing pueden encontrar muchas oportunidades al identificar las tendencias (direcciones o secuencias de acontecimientos que tienen cierta intensidad y que persisten durante algún tiempo) y las megatendencias (grandes cambios sociales, económicos, políticos y tecnológicos que tienen efectos muy duraderos).
4. En la escena mundial actual de cambios vertiginosos, los especialistas en marketing deben controlar seis tipos principales de fuerzas: demográficas, económicas, socioculturales, naturales, tecnológicas y político-legales.
5. En el entorno demográfico, los especialistas en marketing deben estar al corriente del crecimiento de la población mundial; de su composición por edad, por origen étnico y por nivel educativo; del auge de las familias no tradicionales, y de los grandes desplazamientos geográficos de la población.
6. En el terreno económico, los especialistas en marketing deben centrarse en la distribución del ingreso y en los niveles de ahorro, endeudamiento y facilidades de crédito.
7. Por lo que respecta al entorno sociocultural, los especialistas en marketing deben tener en cuenta la visión que tienen los consumidores de sí mismos, de los demás, de las organizaciones, de la sociedad, de la naturaleza y del universo. Deben comercializar productos que sean acordes con los valores fundamentales y secundarios de la sociedad, y analizar las necesidades de las diferentes subculturas que la conforman.
8. En el entorno natural, los especialistas en marketing tienen que ser conscientes de la creciente preocupación por el cuidado del medio ambiente. En la actualidad muchos especialistas en marketing están adoptando la sostenibilidad y los programas de marketing verde que proporcionan como resultado soluciones menos agresivas hacia el medio ambiente.
9. En el terreno de la tecnología, los especialistas en marketing deben tener en cuenta el ritmo acelerado del cambio tecnológico, las oportunidades para la innovación, las diferencias en el presupuesto destinado a investigación y desarrollo, y las modificaciones en la legislación en materia tecnológica.
10. Respecto al entorno político-legal, los especialistas en marketing deben trabajar dentro del marco legal que regula las prácticas comerciales y en relación con los diferentes grupos de presión.
11. Existen dos tipos de demanda: la demanda de mercado y la demanda de la empresa. Para calcular la demanda real, las empresas deben determinar el mercado potencial total, el potencial por zonas, las ventas de la industria y las cuotas de mercado. Para calcular la demanda futura, las empresas tendrán que sondear las intenciones de los compradores, solicitar análisis de la fuerza de ventas, pedir la opinión de expertos, o realizar pruebas de mercado. Para pronosticar el nivel de ventas en cualquier tipo de demanda es fundamental utilizar modelos matemáticos, técnicas estadísticas avanzadas y procedimientos electrónicos de recopilación de datos.

Aplicaciones

Debate de marketing

¿La conducta de los consumidores es una función de la edad o de la generación a la que pertenecen?

Un tema que se debate con frecuencia al elaborar un programa de marketing dirigido a ciertos grupos de edad es cómo cambian las personas con el paso del tiempo. Algunos especialistas en marketing sostienen que las diferencias de edad son esenciales, y que las necesidades y los deseos de una persona de 25 años en 2010 no están tan alejados de los de los jóvenes que tenían 25 años en 1980. Otros se oponen a esta idea argumentando que los efectos generacionales son fundamentales, y que los programas de marketing, por lo tanto, deben ajustarse a los tiempos que corren.

Tome partido: "Las diferencias de edad tienen más importancia que los efectos generacionales" frente a "los efectos generacionales predominan sobre las diferencias de edad".

Análisis de marketing

Edad objetivo

¿Qué marcas y productos considera que han sabido "llegarle" mejor, y cuáles se han identificado más eficazmente con su grupo de edad? ¿Por qué? ¿Cuáles no lo han hecho? ¿En qué podrían mejorar?

Marketing de excelencia

>>Microsoft

Microsoft es la empresa de software más exitosa del mundo. Fue fundada por Bill Gates y Paul Allen en 1975, con la misión original de lograr que hubiera "una computadora con software de Microsoft en cada escritorio y en cada casa". Desde entonces, Microsoft ha crecido hasta convertirse en la tercera marca más valiosa del mundo, lo cual ha logrado gracias a la implementación de marketing estratégico y agresivas tácticas de crecimiento.

El primer éxito importante de Microsoft se produjo en la década de 1980, con la creación del sistema operativo DOS para computadoras IBM. La compañía utilizó este éxito inicial con IBM para vender el software a otros fabricantes, lo cual rápidamente convirtió a Microsoft en un actor importante en el sector. Sus esfuerzos iniciales de publicidad se centraron en transmitir la gama de productos de la empresa, desde DOS hasta el lanzamiento de Excel y Windows, todo bajo una apariencia unificada del sistema "Microsoft".

Microsoft salió a bolsa en 1986, y creció enormemente durante la siguiente década, a medida que el sistema operativo Windows y Microsoft Office despegaban. En 1990, Microsoft lanzó una versión totalmente renovada de su sistema operativo. Windows 3.0 —como la llamó— ofrecía un conjunto mejorado de iconos y aplicaciones como el administrador de archivos y el administrador de programas, que todavía se utilizan hoy en día. Fue un éxito inmediato; Microsoft vendió más de 10 millones de copias del software en dos años, un fenómeno para aquellos días. Además, Windows 3.0 se convirtió en el primer sistema operativo en estar preinstalado en ciertas computadoras personales, lo cual marcó un hito importante en el sector y en Microsoft.

A lo largo de la década de 1990, los esfuerzos de comunicación de Microsoft convencieron a las empresas de que su software no sólo era la mejor opción para los negocios, sino que también tenía que ser actualizado con frecuencia. Microsoft gastó millones de dólares en publicidad en revistas, y recibió el respaldo de las mejores publicaciones de informática del sector, lo cual convirtió a Windows y Office en el software que la gente debía tener. Microsoft lanzó con éxito Windows 95 en 1995 y Windows 98 en 1998, usando el eslogan: "¿Hasta dónde quieres llegar hoy?", el cual no promovía productos individuales, sino más bien a la propia empresa, que ofrecía un mayor control sobre la información tanto a las empresas como a los consumidores.

A finales de la década de 1990, Microsoft entró en la tristemente célebre "guerra de los navegadores", a medida que las empresas luchaban por encontrar su lugar durante el auge de Internet. En 1995, Netscape lanzó su navegador a través de Internet. Al darse cuenta de lo bueno que era el producto de Netscape, Microsoft lanzó la primera versión de su propio navegador, Internet Explorer, más tarde ese mismo año. Para 1997, Netscape tenía una participación de mercado del 72%, y Explorer del 18%. Sin embargo, cinco años más tarde la participación de Netscape había caído a un 4 por ciento.

Durante esos cinco años, Microsoft dio tres pasos importantes para superar a la competencia. En primer lugar, incluyó Internet Explorer en su producto Office, que constaba además de Excel, Word y PowerPoint. De forma automática, los consum7idores que querían tener MS Office se convertían también en usuarios de Explorer. En segundo lugar, Microsoft se asoció con AOL, lo que le abrió las puertas a 5 millones de nuevos consumidores de la noche a la mañana. Y, por último, Microsoft utilizó sus enormes recursos para asegurarse de que Internet Explorer estuviera disponible gratis, con lo que, esencialmente, "cortó el suministro de aire de Netscape". Estos esfuerzos, sin embargo, no estuvieron exentos de polémica. Microsoft enfrentó numerosas demandas por sus tácticas de marketing, así como cargos por conductas monopolísticas en 1998.

Dejando los cargos a un lado, las acciones de la compañía se dispararon, llegando a su máximo —60 dólares por acción— en 1999. Microsoft lanzó Windows 2000 en 2000 y Windows XP en 2001. Ese mismo año presentó también Xbox, con lo cual marcó su entrada al sector de los videojuegos, con un valor de miles de millones de dólares.

En los años posteriores, el precio de las acciones de Microsoft bajó a 40 dólares por acción, mientras los consumidores esperaban su siguiente sistema operativo y Apple hacía una reaparición significativa con varios nuevas computadoras Mac, el iPod, el iPhone e iTunes. Microsoft lanzó el sistema operativo Vista en 2007, bajo grandes expectativas; sin embargo, el software estuvo plagado de errores y problemas.

A medida que la recesión se agravaba en 2008, la empresa se encontraba en un aprieto. La imagen de su marca se vio empañada por años de éxito de la campaña de Apple "Consigue una Mac", una serie de anuncios en los que aparecía un simpático, inteligente, creativo y tolerante personaje Mac junto a un fanático de las computadoras, propenso a los virus y tenso, que representaba a las computadoras personales. Además, los consumidores y analistas seguían criticando a Vista por su pobre desempeño.

En respuesta, Microsoft creó una campaña titulada "Windows. Tu vida sin barreras" para ayudar a mejorar su imagen. La empresa se centró en el costo efectivo que tenían las computadoras con su software, un mensaje que resonó bien en la recesión. Además, puso en marcha una serie de anuncios publicitarios que se jactaban "Soy una computadora personal", que comenzaban con un empleado de Microsoft (con un aspecto muy similar al de los personajes de computadoras personales de los anuncios de Apple) que decía: "Hola, soy una computadora personal y me han convertido en un estereotipo". Los anuncios, que resaltaban una gran variedad de personas orgullosas de poseer computadoras personales, ayudaron a mejorar la moral de los empleados y la fidelidad del cliente.

En 2009 Microsoft abrió un puñado de tiendas minoristas, similares a las tiendas Apple. "El propósito de la apertura de estas tiendas es crear un compromiso más profundo con los consumidores y seguir aprendiendo de primera mano lo que quieren y cómo compran", dijo Microsoft en un comunicado.

En la actualidad, la compañía ofrece una amplia gama de productos de software de entretenimiento y para el hogar. En las guerras de los navegadores actuales, Internet Explorer tiene una participación de mercado del 66% comparado con el 22% de Firefox y el 8% de Safari. En 2009, Microsoft lanzó un nuevo motor de búsqueda llamado Bing, que desafía la posición dominante de Google en el mercado y pretende producir mejores resultados de búsqueda. Los productos más rentables de Microsoft siguen siendo Microsoft Windows y Microsoft Office, que aportan aproximadamente el 90% de los ingresos —de 60 mil millones de dólares— de la empresa.

Preguntas

1. Evalúe la estrategia de Microsoft en tiempos económicos buenos y malos.
2. Analice los pros y los contras de la campaña más reciente de Microsoft "Soy una computadora personal". ¿Está Microsoft haciendo algo bueno al reconocer la campaña de Apple en su propio mensaje de marketing? ¿Por qué?

Fuentes: Burt Helm, "Best Global Brands", *BusinessWeek*, 18 de septiembre de 2008; Stuart Elliot, "Microsoft Takes a User-Friendly Approach to Selling Its Image in a New Global Campaign", *New York Times*, 11 de noviembre de 1994; Todd Bishop, "The Rest of the Motto", *Seattle Post intelligencer*, 23 de septiembre de 2004; Devin Leonard, "Hey PC, Who Taught You to Fight Back?", *New York Times*, 30 de agosto de 2009; Suzanne Vranica y Robert A. Guth, "Microsoft Enlists Jerry Seinfeld in Its Ad Battle Against Apple", *Wall Street Journal*, 21 de agosto de 2008, p. A1; Stuart Elliott, "Echoing the Campaign of a Rival, Microsoft Aims to Redefine 'I'm a PC'", *New York Times*, 18 de septiembre de 2008, p. C4; John Furguson "From Cola Wars to Computer Wars—Microsoft Misses Again", *BN Branding*, 4 de abril de 2009.

Marketing de excelencia

>>Walmart

Walmart, la enorme cadena de tiendas de descuento, es la segunda empresa más grande del mundo, con más de 400 mil millones de dólares en ingresos y 2.1 millones de socios (o empleados). Esta historia de éxito fenomenal comenzó en 1962, cuando Sam Walton abrió su primera tienda de descuento en Rogers, Arkansas. En aquel entonces vendía los mismos productos que sus competidores, pero mantenía los precios bajos al reducir su margen de ganancias. La empresa se popularizó rápidamente entre sus clientes, y creció casi de inmediato. La estrategia de PBTD (precios bajos todos los días) de Walton sigue siendo la base del éxito de Walmart en la actualidad. A través de las economías de escala de la empresa, Walmart es capaz de ofrecer a sus clientes productos de marca a precios bajos.

Walmart se expandió a lo largo de Estados Unidos en las décadas de 1970 y 1980 mediante la adquisición de algunos de sus competidores y la apertura de nuevas tiendas. El primer Walmart Supercenter, una tienda de descuento con establecimientos de comida, un centro de óptica, laboratorio de fotografía y peluquería, entre otros servicios, se inauguró en 1988. Para 1990, Walmart se había convertido en el minorista número uno de Estados Unidos, con 32 mil millones de dólares en ingresos y tiendas en 33 estados. La expansión internacional de la compañía comenzó en 1991, con la apertura de una tienda en las afueras de la Ciudad de México, y ha crecido a más de 3800 localidades internacionales, algunas bajo una marca diferente.

Walmart prospera con tres principios y valores básicos: "Respetar a los individuos", "Servir a nuestros clientes" y "Luchar por la excelencia". La regla original de los tres metros de Sam Walton: "Prometo que si me encuentro dentro de un rango de 3 metros de distancia de un cliente, lo miraré a los ojos, lo saludaré y le preguntaré si puedo ayudarle", todavía es válida hoy en día y es encarnada por los "anfitriones" en la puerta principal. Además, Walmart se relaciona con las comunidades en las que entra, buscando desarrollar fuertes relaciones locales y construir su imagen de marca en el área. La empresa dona importantes cantidades de dinero a organizaciones benéficas locales a través de su programa de "Buenas obras", contrata personal de la región y compra alimentos de los agricultores de la zona.

La estrategia de marketing de Walmart ha evolucionado a lo largo de los años. Sus primeros esfuerzos de marketing se basaban en la publicidad de boca en boca, las relaciones públicas positivas y la agresiva expansión de tiendas. En 1992, Walmart lanzó su conocido eslogan "Precios bajos siempre", el cual comunicaba eficazmente la promesa central de la marca de la empresa, y resonó entre millones de personas. En 1996, Walmart lanzó su campaña de reducción de precios con la conocida carita amarilla sonriente como estrella de la iniciativa. La carita sonriente reducía los precios en los anuncios de televisión de Walmart, y aparecía en los letreros de las tiendas, así como en botones y en los delantales de los empleados. La campaña contribuyó a que las acciones de Walmart se dispararan un 1 173% en la década de 1990.

Walmart se topó con algunos baches en su camino hacia el siglo XXI, y los críticos protestaron su entrada en las comunidades pequeñas. En un estudio realizado en la Universidad Estatal de Iowa, los investigadores descubrieron que en el periodo de los 10 años siguientes a la apertura de un nuevo almacén Walmart, hasta el 50% de las pequeñas tiendas en la localidad se veían en riesgo de desaparecer. Walmart también enfrentó múltiples demandas de los empleados, que se quejaron de malas condiciones de trabajo, exposición a riesgos para la salud y salarios inferiores al mínimo, lo que los colocaba, junto con sus familias, por debajo de la línea de pobreza. En algunos casos, los empleados de Walmart dijeron que no les pagaban las horas extras, y que les impedían tomar pausas de descanso o comer su almuerzo. Otra demanda alegaba que la empresa discriminaba a las mujeres en salario y posibilidades de promoción. Estos problemas provocaron una tasa de rotación muy alta en la década de 2000. De acuerdo con una encuesta de Walmart, el 70% de los empleados dejaron la empresa en el primer año de trabajo, debido a la falta de reconocimiento y a una remuneración inadecuada.

De 2000 a 2005, el precio de las acciones de Walmart cayó un 27% y se mantuvo baja de 2005 a 2007. Las reacciones negativas, combinadas con la reaparición en el mercado minorista de Target, contribuyeron a esta disminución. Target renovó sus tiendas, mercancías y estrategias de marketing para atraer a un comprador de descuento con más aspiraciones, y se apoderó de algunos de los clientes de primer nivel de Walmart. Las tiendas Target estaban bellamente iluminadas, tenían pasillos más anchos y una mejor exhibición de mercancías. En los anuncios de televisión de Target aparecían atractivos modelos y ropa de moda de famosos diseñadores, como Isaac Mizrahi y Liz Lange. Un analista afirmó: "Target tiende a tener clientes más exclusivos, que no sufren los efectos de los precios de la gasolina y otros factores económicos tanto como los principales clientes de Walmart". De 2003 a 2007, el crecimiento de las ventas de las tiendas de Target superó al de Walmart en un 1.7%, y en el crecimiento de las ganancias en un 5.7%. Durante este tiempo, Walmart también perdió los derechos exclusivos para usar la carita sonriente en su campaña de marketing.

Por todas estas razones y algunas más, Walmart decidió que era hora de tomar una nueva dirección y lanzó una serie de iniciativas novedosas para ayudar a mejorar sus ventas y su imagen. En primer lugar, introdujo una muy exitosa campaña de medicamentos genéricos de 4 dólares, programa que después sería copiado por Target. Walmart también lanzó varias iniciativas a favor del medio ambiente, como la construcción de nuevos edificios con materiales reciclados, la reducción de los costos de transporte y del uso de energía, y alentó a los clientes a comprar productos más ecológicos.

En 2007, Walmart presentó una nueva campaña de marketing y el eslogan "Ahorra más. Vive mejor". Los anuncios de televisión destacaban el impacto positivo de la empresa en menores costos de energía, mayor apoyo para la jubilación y una buena cobertura de salud para sus empleados, y un aumento del ahorro familiar. Un anuncio afirmaba: "En la economía actual, nadie está más comprometido a ayudar a que los presupuestos familiares rindan más que Walmart. Walmart le ahorra a la familia promedio hasta 3 100 dólares al año, sin importar en cuáles de sus establecimientos hagan sus compras".

Walmart también utilizó la nueva campaña y los agresivos recortes de precios para atraer a nuevos consumidores afectados por la recesión. Redujo el precio de los juguetes y los aparatos electrónicos populares durante las fiestas, e implementó un esfuerzo de remodelación masiva de las tiendas llamado, Proyecto Impacto. Como resultado, las tiendas estaban más limpias, los pasillos más despejados y las mercancías eran más fáciles de alcanzar, para ayudar a mejorar la experiencia global de compra y robarle clientes a Target.

Las tácticas de Walmart funcionaron: las ventas de las mismas tiendas subieron y el precio de sus acciones mejoró durante la recesión. Los analistas explicaron que la mezcla de productos de Walmart (45% de productos de consumo diario: alimentos, belleza, artículos de salud), es una mejor estrategia en una economía pobre que la mezcla de productos de Target (20% de productos de consumo diario y 40% de productos para el hogar y prendas de vestir). Un analista dijo: "Walmart vende lo que se necesita tener, y no lo que se desea tener".

Stephen Quinn, el director de marketing de Walmart, afirmó: "Somos afortunados de que haya llegado esta recesión. Funcionó realmente bien para nuestro posicionamiento. Sin embargo, nos preocupa que todo el mérito se conceda al entorno externo y ninguno al trabajo que todos realizamos. El tipo de cosas en las que ya trabajábamos cuando llegó este entorno son las mismas cosas que tenemos que hacer para mantener a estos nuevos clientes, y creo que seguiremos construyendo lealtad con nuestra base existente".

En la actualidad, Walmart tiene tiendas en 16 mercados internacionales y atiende a más de 200 millones de clientes a la semana a través de su variedad de tiendas de descuento. Éstas incluyen Supercenters Walmart, tiendas de descuento, tiendas de vecindario y los almacenes Sam's Club.

Preguntas

1. Evalúa la nueva campaña de marketing y el eslogan de Walmart. ¿Tomó la empresa la decisión correcta de usar "Precios bajos siempre" como su eslogan? ¿Por qué?
2. A Walmart le va muy bien cuando la economía toma un mal rumbo. ¿Cómo puede protegerse cuando la economía va en ascenso? Explíquelo.

Fuentes: Dave Goldiner, "Exxon Tops Wal-Mart on 2009 Fortune 500 List", *New York Daily News*, 20 de abril de 2009; "Wal-Mart Seeks Smiley Face Fights", *BBC News*, 5 de agosto de 2006; David Ng, "Wal-Mart vs. Target", *Forbes*, 13 de diciembre de 2004; Michael Barbaro, "A New Weaponfor Wal-Mart: A War Room", *New York Times*, 1 de noviembre de 2005; Kenneth E. Stone,"Impact of the Wal-Mart Phenomenon on Rural Communities", *Increasing Understanding of Public Problems and Policies* (Chicago: Farm Foundation, 1997), pp. 189-200; Suzanne Kapner, "Wal-mart Enters the Ad Age", *CNNMoney.com*, 17 de agosto de 2008; Jack Neff, "Why WalmartIs Getting Serious About Marketing", *Advertising Age*, 8 de junio de 2009; Sean Gregory, "Walmart's Project Impact: A Move to Crush Competition", *Time*, 9 de septiembre de 2009; "Store Wars: When Wal-Mart Comes to Town", *PBS*, 24 de febrero de 2007; Sean Gregory,"Wal-Mart vs. Target: No Contest in the Recession", *Time*, 14 de marzo de 2009.

En este capítulo responderemos las siguientes **preguntas**

1. ¿Qué constituye una buena investigación de mercados?
2. ¿Cuáles son las mejores métricas para evaluar la productividad del marketing?
3. ¿Qué deben hacer los especialistas en marketing para evaluar el rendimiento sobre la inversión de los gastos de marketing?

Una inteligente investigación enfocada en el consumidor ayudó a Kimberly-Clark a mejorar los pañales Huggies, y a ganar cuota de mercado.

Investigación de mercados

Para hacer su trabajo, los especialistas en marketing necesitan ideas para interpretar los resultados obtenidos en el pasado, y para planificar las actividades futuras. Si quieren tomar las mejores decisiones tácticas posibles a corto plazo, y las mejores decisiones estratégicas a largo plazo, es preciso que cuenten con información oportuna, precisa y procesable sobre los consumidores, la competencia y sus marcas. Descubrir la perspectiva del consumidor y comprender las implicaciones que ésta tiene para el marketing, a menudo puede conducir al lanzamiento exitoso de un producto, o a estimular el crecimiento de una marca.

Una serie de originales innovaciones introducidas en sus productos de consumo —incluyendo los pañuelos Kleenex y los productos de higiene femenina (toallas femeninas) Kotex, entre otros— a lo largo de los años, ha transformado a Kimberly-Clark de una empresa fabricante de papel a una potencia en productos de consumo. Entre los logros recientes de la empresa se encuentra Huggies Supreme Natural Fit, cuyo lanzamiento fue calificado en 2007 como uno de los más exitosos. Casi tres años de investigación y diseño se invirtieron en la creación del nuevo pañal. Tras diseñar una muestra con madres de diferentes partes de Estados Unidos, con ingresos y antecedentes étnicos diversos, los especialistas en marketing de Kimberly-Clark realizaron entrevistas y colocaron cámaras activadas por movimiento en los hogares de éstas para conocer sus rutinas en lo relativo a los cambios de pañal. Al ver que las nuevas madres luchaban constantemente por mantener derechas las piernas de sus bebés mientras trataban de colocarles el pañal, tuvieron la idea de que su nuevo producto debía tener una forma que se ajustara mejor a las curvas del cuerpo de los bebés. Debido a que las madres dijeron que querían que sus hijos se sintieran tan cómodos como si no llevaran pañal, el nuevo diseño tendría que ser más delgado y con un ajuste más preciso, lo cual se logró usando nuevos polímeros que redujeron el ancho del absorbente en un 16%; además, se agregó elástico a la pretina trasera. La investigación reveló asimismo que las madres a menudo utilizaban las imágenes de dibujos animados de un pañal limpio para distraer al bebé mientras lo cambiaban por lo que se añadieron imágenes más activas de los personajes de Winnie Pooh, bajo la licencia de Disney. El exitoso lanzamiento de esta innovación inspirada en la investigación disparó la cuota de mercado de Kimberly-Clark uno o dos puntos porcentuales, y contribuyó significativamente a las ventas de pañales de la empresa en aquel año, las cuales ascendieron a más de 4 000 millones de dólares.[1]

En este capítulo analizaremos las fases del proceso de investigación de mercados. También consideraremos la forma en que los especialistas en marketing pueden desarrollar métricas eficaces para medir la productividad de su función.

El sistema de investigación de mercados

Los gerentes de marketing suelen encargar a terceros la realización de estudios sobre problemas u oportunidades específicos. En ocasiones necesitan un informe de mercado, los resultados de un estudio de preferencia de productos, un pronóstico de la demanda por regiones, o un estudio de la eficacia de un anuncio en particular. Forma parte del trabajo del investigador de marketing el análisis de la actitud de los consumidores y sus hábitos de compra. Esta **comprensión del mercado** proporciona información de diagnóstico sobre cómo y por qué se observan ciertos fenómenos en el mercado, y lo que éstos significan para las empresas.[2]

Una buena comprensión del mercado suele convertirse en la base de los programas de marketing exitosos. Cuando un extenso estudio de investigación de consumo sobre los compradores estadounidenses, realizado por Walmart, reveló que las ventajas competitivas clave de la tienda eran el beneficio funcional de "ofrecer precios bajos" y el beneficio emocional de hacer sentir al cliente "como un comprador inteligente", sus vendedores utilizaron ese conocimiento para desarrollar su campaña "Ahorra más. Vive mejor". El agua Ciel Mini, de Coca-Cola, se ha convertido en una de las marcas de bebidas para niños de mayor éxito de todos los tiempos, como resultado de la inteligente investigacion sobre hábitos de los consumidores que marcó el diseño, el envase y la publicidad del producto, buscando satisfacer mejor las necesidades de hidratación de niños.

Ciel Mini

Ciel Mini Como parte de un presupuesto de millones de dólares destinado al desarrollo de una nueva bebida para niños, Coca-Cola realizó una extensa investigación de hábitos de consumo y llevó a cabo numerosas pruebas de mercado. El resultado fue Ciel Mini, agua natural baja en sodio y enriquecida con minerales energéticos, en presentación de 350 ml. Ciel Mini es el miembro más pequeño de la familia Ciel, que brinda a los padres una opción más de hidratación para sus hijos, y a los niños mucha diversión. Su envase esférico fue diseñado específicamente para los pequeños, tiene excelente manejabilidad y está adornado con personajes muy originales, con la intención de que se diviertan mientras se hidratan. Como para los niños pequeños puede resultar difícil enroscar un tapón corriente, Ciel Mini incluye una tapa que se abre y se cierra en un solo movimiento, así como una cinta de seguridad que garantiza que los padres sean los primeros en abrirla. Además, cabe sin problema en la bolsa del almuerzo. Para la difusión de la marca, Coca-Cola puso en práctica diversas estrategias de marketing, incluyendo la difusión del producto en los distintos canales de distribución, material de apoyo para punto de venta, espectaculares, anuncios en radio y promoción en fiestas, parques y tiendas de autoservicio. El producto, resultado de una profunda investigación sobre los hábitos de consumo, cumple con todas las normas de salud.[3]

Tener conocimiento del mercado es fundamental para el éxito del marketing. En contraste, si los especialistas en marketing carecen de él, no pocas veces terminarán metiéndose en problemas. Cuando Tropicana rediseñó sus envases de jugo (zumo) de naranja, dejando la imagen icónica de una naranja atravesada por una pajita, no logró probar adecuadamente las reacciones de los consumidores y obtuvo resultados desastrosos. Las ventas cayeron un 20% y Tropicana restableció el antiguo modelo de su envase después de algunos meses.[4] La **investigación de mercados** se define como el diseño sistemático, la recolección, el análisis y la presentación de datos y conclusiones relativos a una situación de marketing específica que enfrenta una empresa. El gasto en investigación de mercados superó los 28 000 millones dólares a nivel mundial en 2009, según ESOMAR, la asociación mundial de profesionales de investigación de mercados y de opinión.[5] Casi todas las grandes empresas tienen sus propios departamentos de investigación de mercados, que a menudo desempeñan un papel crucial dentro de la organización. La función de investigación de mercados de Procter & Gamble, denominada Conocimiento de los Consumidores y del Mercado (CMK, por sus siglas en inglés), ha destinado grupos de trabajo a sus empresas en todo el mundo para la mejora de sus estrategias de marca y de la ejecución de sus programas. También cuenta con un grupo de trabajo relativamente pequeño en las oficinas centrales, que se dedica a la investigación de una variedad de preocupaciones generales que van más allá de cualquier línea de negocio específica.

No obstante, la investigación de mercados no es exclusiva de las empresas con grandes presupuestos y departamentos propios con este fin. En organizaciones más pequeñas, este tipo de investigación suele ser responsabilidad de todos, incluyendo los clientes. Las pequeñas empresas también pueden contratar los servicios de una firma de investigación de mercados, o realizar estudios en formas creativas y asequibles, como:

1. ***Reclutar a estudiantes o profesores para diseñar y realizar proyectos.*** Empresas como American Express, Booz Allen Hamilton, GE, Hilton Hotels, IBM, Marte, Price Chopper y Whirlpool participan en *crowdcastings* (estrategia de evaluación de habilidades en grandes grupos de candidatos susceptibles de contratación) y patrocinan concursos como la Innovation Challenge, donde los mejores estudiantes de maestrías (master) en administración de empresas compiten en equipos. La recompensa para los estudiantes es la experiencia y la visibilidad; para las empresas, es la posibilida de contar con un conjunto de personas que aportan una visión fresca y que resuelven los problemas por una fracción de lo que los consultores cobrarían.[6]
2. ***Utilizar Internet.*** La empresa puede recopilar una cantidad de información considerable a un costo muy bajo examinando las páginas Web de la competencia, curioseando en las redes sociales y consultando información pública.
3. ***Vigilar a la competencia.*** Muchas empresas pequeñas, como restaurantes, hoteles o tiendas especializadas, visitan rutinariamente a sus competidores para conocer los cambios que han hecho.
4. ***Aprovechar la experiencia de los socios de marketing.*** Las empresas de investigación de mercados, las agencias de publicidad, los distribuidores y otros socios de marketing pueden compartir los conocimientos relevantes que han acumulado sobre el mercado. Los socios que trabajan con empresas pequeñas o medianas pueden ser especialmente útiles. Por ejemplo, para promover el envío de mensajería a

China, UPS realizó varias encuestas exhaustivas del mercado chino, tanto para interpretar sus complejidades como para identificar las oportunidades que ofrece, información que resultó útil también para otras empresas, incluso medianas y pequeñas.[7]

Casi todas las empresas utilizan una combinación de recursos de investigación de mercados para estudiar los sectores industriales en los que participan, sus competidores, sus audiencias y sus estrategias de canal. Por lo general, las compañías asignan a la investigación de mercados un presupuesto de entre uno y dos puntos porcentuales de las ventas de la empresa, y gastan una gran cantidad de ese presupuesto en pagar los servicios de empresas externas. Las empresas de investigación de mercados se dividen en tres categorías:

1. ***Empresas de investigación de mercados que ofrecen información sindicada.*** Estas empresas recopilan y venden información sobre consumidores y actividades comerciales. Algunos ejemplos incluyen a Nielsen Company, Kantar Group, Westat e IRI.
2. ***Empresas de investigación de mercados a la medida.*** Estas empresas realizan proyectos de investigación específicos por encargo. Diseñan el desarrollo del proyecto y proporcionan al cliente un informe de sus hallazgos.
3. ***Empresas de investigación de mercados especializada.*** Estas empresas prestan servicios de investigación especializados. El mejor ejemplo son las compañías que realizan trabajos de campo (entrevistas o encuestas) y venden dichos servicios a otras empresas.

Para aprovechar todos estos diferentes recursos y prácticas, los especialistas en marketing efectivos adoptan un proceso de investigación de mercados formal.

El proceso de investigación de mercados

El proceso eficaz de investigación de mercados consta de seis fases, tal como se muestra en la figura 4.1. Ilustraremos estas fases a través del siguiente ejemplo:[8]

American Airlines (AA) fue una de las primeras aerolíneas en ofrecer servicios de telefonía a bordo de las aeronaves. En la actualidad está estudiando muchas ideas nuevas, destinadas sobre todo a atender a sus viajeros de primera clase en trayectos de larga duración, cuyos pasajes prácticamente cubren el costo del vuelo para la empresa. Entre estas ideas están ofrecer: (1) conexión a Internet para uso de correo electrónico, pero también con acceso limitado a algunos sitios Web; (2) 24 canales de televisión por satélite, y (3) un sistema de audio con 50 CD, que permita a cada pasajero crear su propia lista de reproducción para disfrutarla durante el viaje. El gerente de investigación de mercados recibió el encargo de averiguar cómo valorarían los pasajeros de primera clase estos servicios, sobre todo la conexión a Internet, y qué cantidad adicional estarían dispuestos a pagar por ellos. Una fuente calculó ingresos de 70 000 millones de dólares por el acceso a Internet a bordo de las aeronaves en los próximos 10 años, siempre y cuando hubiera suficientes pasajeros de primera clase dispuestos a pagar 25 dólares por esta utilidad. AA podría recuperar así sus costos por la implementación del servicio en un plazo razonable. La conexión necesaria para poder ofrecer este servicio le costaría a la empresa 90 000 dólares por avión.[9]

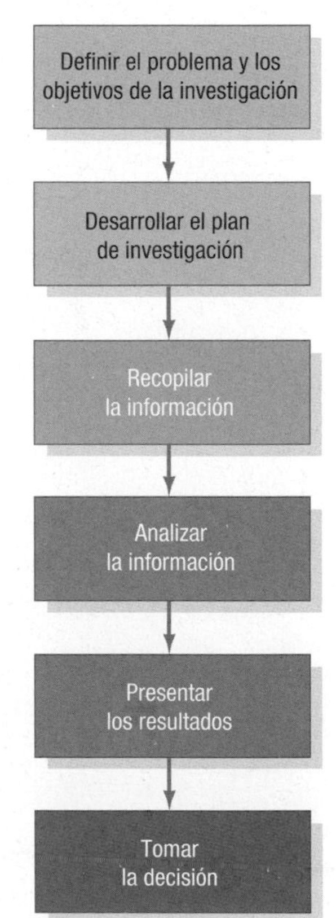

|Fig. 4.1|

El proceso de investigación de mercados

Fase 1: Definición del problema, de las alternativas de decisión y de los objetivos de la investigación

Al plantear una investigación de mercados, los gerentes deben buscar el equilibrio entre hacer una definición demasiado extensa y una definición demasiado limitada del problema. Un gerente de marketing que pidiera averiguar “todo lo que se pueda sobre las necesidades de los viajeros de primera clase”, recopilaría gran cantidad de información innecesaria. Por el contrario, uno que solicitara “investigar si suficientes pasajeros del vuelo directo B747 entre Chicago y Tokio estarían dispuestos a pagar 25 dólares adicionales por tener conexión a Internet durante el trayecto, de modo que American Airlines pudiera alcanzar el punto de equilibrio en un año”, estaría adoptando una visión demasiado limitada del problema.

Esto podría provocar, incluso, que el investigador de marketing preguntara: “¿Por qué el precio de la conexión a Internet tendría que ser de 25 dólares y no de 15, 35 o cualquier otra cantidad? ¿Por qué la meta de American debe ser alcanzar el punto de equilibrio sobre el costo del servicio cuando la estrategia podría proporcionarle además nuevos clientes?”. Otra pregunta relevante sería: “¿Qué importancia tiene que AA sea la primera empresa del mercado en ofrecer este servicio, y por cuánto tiempo podría mantener su liderazgo?”.

El gerente y el investigador de marketing acordaron definir el problema como sigue: “Si ofrecemos un servicio de acceso a Internet a bordo de nuestros vuelos, ¿conseguiremos aumentar la preferencia por American Airlines y generar ganancias suficientes como para justificar su costo frente a otras inversiones que podríamos hacer?”. Para contribuir a diseñar el estudio, la gerencia debería, en primer lugar, plantear

Si una aerolínea quiere brindar el servicio de acceso a Internet a bordo de sus aviones, antes tiene que realizar una investigación cuidadosa de sus consumidores.

las decisiones a las que podría enfrentarse, y trabajar a partir de ahí. Imaginemos que la gerencia formula así las decisiones a tomar: (1) ¿Debería American ofrecer conexión a Internet? (2) De ser así ¿se debería ofrecer el servicio sólo a la primera clase, o también a la clase de negocios y quizás a la clase turista? (3) ¿Qué precio se debería cobrar? (4) ¿En qué tipo de aviones y en vuelos de qué duración habría que ofrecer este servicio?

Ahora el gerente de marketing y los investigadores están en posición de establecer los objetivos específicos de la investigación: (1) ¿Qué tipo de pasajeros de primera clase responderían mejor al servicio de acceso a Internet a bordo? (2) ¿Cuántos pasajeros estarían dispuestos a utilizar Internet, y a qué niveles de precio? (3) ¿Cuántos pasajeros nuevos podría conseguir American por este servicio? (4) ¿Cuánto tiempo perduraría la imagen positiva de American como consecuencia de este servicio? (5) ¿Qué importancia tiene este servicio para los pasajeros de primera clase respecto de otros servicios, como ofrecer un enchufe de energía eléctrica o mejores opciones de entretenimiento?

Hay que tener en cuenta que no todos los proyectos de investigación son así de específicos. Algunas investigaciones son de carácter *exploratorio*, es decir, pretenden reunir datos preliminares que arrojen luz sobre la verdadera naturaleza del problema, y sugerir posibles soluciones o nuevas ideas sobre el mismo. Otras, por el contrario, son de carácter *descriptivo*: pretenden cuantificar la demanda, por ejemplo, cuántos pasajeros de primera clase estarían dispuestos a pagar 25 dólares por acceso a Internet a bordo de las aeronaves. Existe un tercer tipo de investigación, la *causal*, cuyo objetivo es estudiar las relaciones causa-efecto.

Fase 2: Desarrollo del plan de investigación

La segunda fase de la investigación de mercados consiste en desarrollar el plan más eficaz para recopilar la información necesaria y establecer el costo que tendrá. Supongamos que al principio American calcula que el servicio de acceso a Internet a bordo aportaría ganancias por 50 000 dólares en el largo plazo. Si el gerente considera que la realización de la investigación de mercados permitirá una mejor determinación de precio y el desarrollo de un plan promocional más atractivo, y que ambas condiciones serían capaces de generar utilidades por 90 000 dólares en el largo plazo, estaría dispuesto a pagar hasta 40 000 dólares por la investigación. Si la investigación tuviera un costo superior, no valdría la pena realizarla.[10]

Para diseñar un plan de investigación es necesario tomar decisiones sobre las fuentes de información, los métodos y los instrumentos de investigación, el plan de muestreo y los métodos de contacto.

FUENTES DE INFORMACIÓN El investigador puede utilizar información secundaria, información primaria o ambas. La *información secundaria* es aquella que se ha recopilado para cualquier otro propósito y que ya existe. La *información primaria* es información original que se recaba con un fin específico o para un proyecto de investigación concreto.

Los investigadores suelen empezar su labor examinando una parte de la gran variedad de información secundaria que existe, por ser de bajo costo y fácil acceso, con el fin de averiguar si el problema se puede resolver parcial o totalmente sin necesidad de recurrir a las costosas fuentes de información primaria. Por ejemplo, los anunciantes de automóviles que buscan obtener un mejor rendimiento de su publicidad online podrían comprar una copia del estudio semestral "Power Auto Online Media Study", de J.D. Power and Associates, que ofrece información detallada sobre quiénes compran marcas específicas, y en qué lugar de la Web pueden encontrarlos los anunciantes.[11]

Cuando la información secundaria necesaria no existe, es obsoleta, imprecisa, incompleta o poco fiable, el investigador tendrá que recabar información primaria. Casi todos los proyectos de investigación de mercados requieren algo de información primaria.

MÉTODOS DE INVESTIGACIÓN Los especialistas en marketing suelen recopilar la información primaria a través de uno de los siguientes cinco métodos: observación, implementación de *focus groups*, realización de encuestas, obtención de datos de comportamiento, y experimentación.

Investigación por observación. Los investigadores pueden recabar datos nuevos discretamente, mediante la observación de los entornos y los actores relevantes mientras éstos compran o consumen productos.[12] En otras ocasiones proporcionan localizadores a algunos compradores, y les dan instrucciones para que escriban lo que estén haciendo cuando se les solicite; a veces optan por celebrar entrevistas informales con ellos en un café o un bar. Las fotografías también pueden proporcionar una gran cantidad de información detallada.

La **investigación etnográfica** es un enfoque particular de la investigación por observación, que utiliza conceptos y herramientas de la antropología y otras disciplinas de las Ciencias Sociales para facilitar la comprensión cultural profunda de cómo vive y trabaja la gente.[13] El objetivo es sumergir al investigador en la vida de los consumidores para descubrir sus deseos no expresados, los cuales tal vez no se harían evidentes utilizando otra forma de investigación.[14] Empresas como Fujitsu Laboratories, Herman Miller, IBM, Intel, Steelcase y Xerox han adoptado la investigación etnográfica para diseñar productos innovadores. A continuación se presentan tres ejemplos concretos:

La investigación etnográfica en torno a las mujeres ayudó a Grupo Financiero Banorte a desarrollar su bien recibido producto "Cuenta Mujer Banorte".

- En México, Banco Banorte puso en marcha una investigación etnográfica con el propósito de obtener datos sobre el público femenino, y obtuvo un hallazgo de interés: las mujeres quieren que se les ofrezcan servicios bancarios diferenciados y les den beneficios adicionales. Investigaciones posteriores condujeron al lanzamiento de la Cuenta Mujer Banorte, con soluciones financieras acordes a las necesidades específicas de ese segmento de la población. Entre otros servicios, las usuarias cuentan con seguros de apoyo económico en caso de parto natural, promociones preferenciales en gimnasios y clubes deportivos a nivel nacional, e invitaciones a inscribirse en cursos o talleres de especialización académica. Además tienen acceso vía teléfono móvil a "Control Banorte", un servicio online que les facilita la administración y el control de sus cuentas.[15]
- Para remediar la caída de las ventas de sus palomitas de maíz Orville Redenbacher, ConAgra pasó nueve meses observando a las familias en sus hogares y recopilando información sobre sus puntos de vista hacia varios tipos de *snacks*. Al revisar los resultados, ConAgra hizo un hallazgo clave: en esencia, el éxito de las palomitas de maíz se debe a que funcionan como un "facilitador de la interacción". Tomando esto en cuenta, ConAgra hizo transmitir en la televisión estadounidense cuatro anuncios con el eslogan: "Pasar tiempo juntos: ése es el poder de Orville Redenbacher".[16]
- Cuando la empresa de diseño de envases 4sight, Inc. fue contratada por PepsiCo para diseñar el nuevo envase de Gatorade de litro y medio, el equipo asumió inicialmente que éste funcionaba como un "envase familiar" del que varios usuarios del hogar tomarían sus respectivas porciones en vasos individuales. Sin embargo, al observar el comportamiento de las madres de familia, los responsables de la investigación se sorprendieron al verlas tomar el envase de la nevera (por ejemplo, después de un duro entrenamiento) ¡y beber directamente de ahí! Esta información dio lugar a un diseño de envase totalmente diferente, cómodo y fácil de sostener.[17]

La investigación etnográfica no es sólo utilizada por las empresas de bienes de consumo en los mercados más desarrollados. En un entorno de negocio a negocio, la investigación etnográfica que llevó a cabo sobre el sector de fibras de plástico, reveló a GE que —en contra de lo que había supuesto— el suyo no era un negocio de artículos determinado por el precio. En lugar de ello, formaba parte de un sector artesanal en donde los clientes están interesados en la colaboración desde las primeras etapas de desarrollo. Como resultado, GE reorientó totalmente su interacción con las empresas de ese sector. En los mercados en desarrollo la investigación etnográfica también puede ser muy útil, especialmente en áreas rurales remotas, dado que los especialistas en marketing muchas veces desconocen por completo a los consumidores de esas localidades.[18]

Siguiendo esta perspectiva, los investigadores de American Airlines podrían deambular por las salas de espera de primera clase, o sentarse como cualquier otro pasajero en los aviones, para escuchar qué comentan los viajeros sobre las diferentes aerolíneas y sus características. Tambien podrían volar en los aviones de los competidores para observar sus servicios a bordo.

Investigación a través de* focus groups.** Un ***focus group (o grupo de discusión) está integrado por entre seis y 10 personas, cuidadosamente seleccionadas en función de determinadas características psicográficas, demográficas, u otras consideraciones, que se reúnen para discutir en detalle diversos temas de interés. Los entrevistados suelen recibir un pago simbólico por participar. El moderador, un investigador profesional, plantea una serie de preguntas que sirven de estímulo, según una guía o un orden del día preparado de antemano por los gerentes de marketing, para cerciorarse de que se cubran todos los temas relevantes. A través de este modelo, los moderadores intentan descubrir cuáles son las verdaderas motivaciones de los consumidores, y por qué hacen y dicen ciertas cosas. Por lo general, las sesiones se graban y los gerentes de marketing suelen estar presentes en una sala contigua, separada de aquella en donde se lleva a cabo la sesión por un espejo-ventana. Para permitir discusiones más profundas con los participantes, se está desarrollando la tendencia de que los *focus groups* sean de menor tamaño.[19]

El uso de *focus groups* constituye un paso exploratorio útil, pero los investigadores deben evitar generalizar los hallazgos como información aplicable a todo el mercado, debido a que el tamaño de la muestra es demasiado pequeño y sus integrantes no son seleccionados al azar. Además, algunos especialistas en marketing sienten que este entorno de la investigación es demasiado artificial, por lo que prefieren buscar otros medios de recopilación de información más naturales. La sección "Apuntes de marketing: Implementación de *focus groups* para recopilación de información" contiene algunos consejos prácticos para mejorar la calidad de los *focus groups*.

De usar esta metodología, en el caso de American Airlines el moderador podría comenzar la sesión formulando una pregunta de carácter general, como: "¿Qué les parece viajar en primera clase?". A continuación, podría indagar la opinión de los participantes sobre las diferentes aerolíneas, los servicios que ofrecen, las nuevas propuestas de servicio, y concretamente, el servicio de acceso a Internet.

Apuntes de marketing

Implementación de *focus groups* para recopilación de información

Los *focus groups* permiten a los especialistas en marketing observar cómo y por qué los consumidores aceptan o rechazan conceptos e ideas específicos. La clave para que un *focus group* tenga éxito es saber ***escuchar y observar***. Los especialistas en marketing deben eliminar, en lo posible, sus propios sesgos. Aunque es posible que los *focus groups* bien diseñados den lugar a muchos hallazgos útiles, la validez de este método podría ser cuestionable, especialmente en el complejo entorno de marketing actual.

La implementación de un *focus group* apropiado implica muchos desafíos. Algunos investigadores consideran que los consumidores han recibido tal bombardeo de anuncios que, inconscientemente (o quizás cínicamente) repiten como loros lo que han oído en lugar de lo que piensan. Por otro lado, está siempre latente la preocupación de que los participantes sólo intenten mantener su imagen ante los demás, o sientan la necesidad de identificarse con el resto de los miembros del grupo. Asimismo, los participantes podrían no estar dispuestos a admitir sus motivaciones o sus hábitos de compra en público, y quizá ni siquiera los reconozcan. También existe el problema de los "escandalosos" o "sabelotodo", es decir, aquellos participantes aferrados a sus opiniones, y que ahogan los puntos de vista del resto del grupo. Conjuntar a los participantes adecuados es crucial, pero puede ser costoso reclutar a sujetos calificados que cumplan con los criterios de muestreo (entre 3 000 y 5 000 dólares por grupo).

Incluso cuando los especialistas en marketing utilizan múltiples *focus groups*, puede resultar complicado generalizar los resultados a un segmento de población más amplio. Por ejemplo, en Estados Unidos los resultados de los *focus groups* a menudo varían de una región a otra. Una empresa especializada en investigación con *focus groups* afirmó que la mejor ciudad para efectuar las sesiones era Minneapolis, porque en ella se podía encontrar una muestra de personas bien educadas, honestas y dispuestas a comunicar sus opiniones. Muchos especialistas en marketing interpretan cuidadosamente los resultados de los *focus groups* realizados en Nueva York u otras ciudades del noreste de Estados Unidos porque los habitantes de esas zonas tienden a ser muy críticos y a no expresar opiniones favorables.

Es preciso que los participantes se sientan tan relajados y motivados a decir la verdad como sea posible. El entorno físico resulta crucial para obtener la atmósfera adecuada. Por ejemplo, el ejecutivo de una agencia mencionó: "Nos preguntábamos por qué todos los participantes se mostraban malhumorados y negativos; se resistían a cualquier idea que les planteábamos". En una de las sesiones, incluso llegó a desencadenarse una pelea entre los participantes. El problema era el propio salón: asfixiante, reducido e intimidante. "Era una mezcla entre una habitación de hospital y una sala de interrogatorios policiacos". Para solucionar la dificultad, la agencia redecoró la sala. Otras empresas adaptan sus salones de acuerdo con el tema de la dinámica; por ejemplo, decoran la habitación como si fuese una sala de juegos cuando los participantes son niños.

Para permitir una mayor interactividad entre los miembros del *focus group*, algunos investigadores están incorporando la asignación de tareas previas en casa, como llevar un diario, o recopilar fotografías y videos. Un área de creciente interés son los *focus group* online, en parte porque llegan a costar menos de la cuarta parte que un *focus group* tradicional, presencial. Los *focus groups* online también ofrecen la ventaja de ser menos inoportunos, lo que permite que sujetos de diversos puntos geográficos participen y se den resultados más rápidos. Además, son útiles para la recolección de reacciones ante temas precisos, como un nuevo concepto de producto.

Por otro lado, los partidarios de los *focus groups* tradicionales sostienen que la presencia física de los participantes permite que los especialistas en marketing se adentren en el proceso de investigación, obtengan una impresión más cercana de las reacciones físicas y emocionales de las personas, y se aseguren de evitar la filtración a la competencia de información sensible. Las sesiones presenciales permiten, asimismo, que los especialistas en marketing hagan ajustes espontáneos a lo largo de la discusión, y que profundicen en temas más complejos, como conceptos creativos alternativos para una nueva campaña publicitaria, por ejemplo.

Independientemente de la forma particular que tomen, el mayor beneficio de los *focus groups* es —como señaló un ejecutivo de marketing— que "a pesar de todo, constituyen la forma más eficaz, rápida y práctica de recopilar información sobre una idea en el menor tiempo posible". Americus Reed, de Wharton, sintetizó las ventajas y las desventajas de este sistema con la siguiente frase: "Un *focus group* es como una sierra eléctrica. Si sabes lo que haces, es una herramienta útil y eficaz. Si no, podrías perder una pierna".

Fuentes: Naomi R. Henderson, "Beyond Top of Mind", *Marketing Research* (1 de septiembre de 2005); Rebecca Harris, "Do Focus Groups Have a Future?", *Marketing*, 6 de junio de 2005, p. 17; Linda Tischler, "Every Move You Make", *Fast Company*, abril de 2004, pp. 73-75; Alison Stein Wellner, "The New Science of Focus Groups", *American Demographics*, marzo de 2003, pp. 29-33; Dennis Rook, "Out-of-Focus Groups", *Marketing Research* 15, Núm. 2 (verano de 2003), p. 11; Dennis W. Rook, "Loss of Vision: Focus Groups Fail to Connect Theory, Current Practice", *Marketing News*, 15 de septiembre de 2003, p. 40; Sarah Jeffrey Kasner, "Fistfights and Feng Shui", *Boston Globe*, 21 de julio de 2001; Piet Levy, "In With the Old, In Spite of the New", *Marketing News*, 30 de mayo de 2009, p. 19.

Investigación a través de encuestas. Las empresas realizan encuestas para conocer qué saben, qué creen, qué prefieren y qué satisface a los consumidores, para luego generalizar los descubrimientos a la totalidad de la población. Una empresa como American Airlines podría preparar su propia encuesta para recopilar la información que necesita, o añadir un par de preguntas a una encuesta universal que incluya preguntas de interés para diferentes empresas, lo que representaría un costo menor. Asimismo, podría plantear sus propias preguntas a un panel de consumidores seleccionado por la propia empresa o por otra. Otra opción sería realizar encuestas en punto de venta, abordando a los consumidores en un centro comercial para formularles las preguntas.

Como veremos en detalle más adelante en este capítulo, muchos especialistas en marketing están realizando encuestas online, lo cual les permite desarrollar, administrar y recolectar cuestionarios por correo electrónico y la Web. Sin importar la forma en que lleven a cabo sus encuestas, ya sea online, por teléfono o en persona, las empresas deben sentir que la información que extraen de la enorme cantidad de datos hace que todo valga la pena. El banco Wells Fargo, con sede en San Francisco, recopila cada mes más de 50 000 encuestas realizadas a los clientes en sus sucursales bancarias, y ha aprovechado los comentarios para implementar nuevos estándares de tiempos de espera más reducidos, diseñados para mejorar la satisfacción del consumidor.

Por supuesto, al realizar tantas encuestas cada mes, las empresas corren el riesgo de crear "agotamiento por encuestas", con el resultado de que las tasas de respuesta caigan en picado. Dos de las claves para atraer a más personas al esfuerzo de recolección de datos son: hacer que las encuestas sean breves y sencillas, y ponerse en contacto con los clientes no más de una vez. Ofrecer incentivos es otra manera de lograr que los consumidores respondan a las empresas. Tanto Gap como Jack in the Box ofrecen cupones de descuento para mercancías u oportunidades de ganar premios en efectivo.[20]

ANÁLISIS DE DATOS DE COMPORTAMIENTO Los consumidores dejan el rastro de su comportamiento de compra en las cajas registradoras de los supermercados, en las compras por catálogo y en las bases de datos de clientes. El análisis de esta información puede ser muy útil para los especialistas en marketing. Las compras de los clientes reflejan sus preferencias y, por lo general, permiten formular conclusiones más fiables que las que arrojan los estudios de mercado. Por ejemplo, la información de ventas de una tienda de alimentos refleja que los consumidores con ingresos más altos no necesariamente adquieren las marcas más caras, al contrario de lo que dicen en las entrevistas; por otro lado, muchas personas con ingresos bajos compran algunas marcas caras. Además, como se describe en el capítulo 3, hay una gran cantidad de datos online de los consumidores, susceptibles de ser recopilados. Es evidente que American Airlines puede aprender mucho sobre sus pasajeros analizando los registros de ventas de pasajes y sus comportamientos online.

INVESTIGACIÓN EXPERIMENTAL El método de investigación con mayor validez científica es la **investigación experimental**, que está diseñada para descubrir las relaciones causa-efecto, eliminando otras explicaciones alternativas a los resultados observados. En la medida en que el diseño y la ejecución del experimento eliminan las posibles alternativas que podrían explicar los resultados, los gerentes y los investigadores de marketing pueden tener confianza en las conclusiones. Para realizar este tipo de investigación hay que seleccionar grupos de individuos similares, someterlos a tratamientos diferentes controlando variables superfluas, y comprobando si las diferencias determinadas por las respuestas son significativas desde el punto de vista estadístico. Si tenemos la posibilidad de eliminar o controlar factores superfluos, podremos relacionar los efectos observados con las variaciones en los tratamientos o estímulos.

Los *focus groups* constituyen un importante instrumento de investigación de mercados.

American Airlines podría introducir el servicio de acceso a Internet a bordo en uno de sus vuelos regulares entre Chicago y Tokio, y cobrar 25 dólares una semana y 15 la siguiente. Si las aeronaves transportaran aproximadamente el mismo número de pasajeros de primera clase en ambos casos, y si la variación de una semana a otra no fuese significativa, la aerolínea podría relacionar cualquier diferencia relevante en el número de pasajeros que utilizan el servicio con los diferentes precios cobrados.

INSTRUMENTOS DE INVESTIGACIÓN Los investigadores de marketing pueden seleccionar entre tres instrumentos de investigación para recopilar información primaria: cuestionarios, mediciones cualitativas y dispositivos tecnológicos.

Cuestionarios. Un **cuestionario** es un conjunto de preguntas que se presenta a las personas seleccionadas para obtener sus respuestas. Como se trata de un instrumento muy flexible, los cuestionarios son, sin duda, la herramienta más común para recopilar información primaria. Los investigadores deben elaborar, probar y depurar cuidadosamente los cuestionarios antes de utilizarlos a gran escala. La formulación, redacción y ordenación de las preguntas pueden influir en las respuestas. Las *preguntas cerradas* especifican todas las respuestas posibles y, al momento de analizarlas, son sencillas de interpretar y tabular. Las *preguntas abiertas* permiten que los entrevistados respondan con sus propias palabras, y suelen revelar más información sobre lo que piensan; son especialmente útiles en la etapa exploratoria de la investigación, en la que el investigador busca claves sobre la forma de pensar de los consumidores, en lugar de calcular cuántos de ellos piensan de una forma o de otra. La tabla 4.1 ofrece ejemplos de ambos tipos de preguntas. Vea "Apuntes de marketing: Recomendaciones para elaborar cuestionarios".

Mediciones cualitativas. Algunos profesionales prefieren métodos cualitativos para conocer la opinión del consumidor, puesto que la conducta de éstos no siempre coincide con sus respuestas a los cuestionarios. Las *técnicas de investigación cualitativa* son métodos relativamente estructurados que permiten un amplio abanico de contestaciones posibles. La variedad de técnicas cualitativas sólo está limitada por la creatividad del investigador.

En vista de la libertad que tienen tanto los investigadores en sus preguntas, como los consumidores en sus respuestas, la investigación cualitativa suele ser un primer paso útil para explorar las percepciones de los consumidores respecto de marcas y productos. Es de naturaleza indirecta, por lo que los consumidores podrían ser menos cautelosos y revelar más sobre sí mismos en el proceso.

Sin embargo, la investigación cualitativa también presenta desventajas. Los especialistas en marketing deben matizar las conclusiones detalladas que arroja este método, teniendo en cuenta el hecho de que las muestras, por lo general, son muy reducidas y pocas veces representan el comportamiento del gran público. Asimismo, diferentes investigadores que examinan los mismos resultados cualitativos pueden llegar a conclusiones muy distintas.

Apuntes de marketing — Recomendaciones para elaborar cuestionarios

1. *Asegúrese de que las preguntas sean imparciales.* No guíe al encuestado hacia una respuesta u otra.
2. *Formule las preguntas de la forma más sencilla posible.* Las preguntas que incluyen ideas múltiples o dos interrogantes simultáneos confundirán a los encuestados.
3. *Formule preguntas concretas.* En ocasiones es recomendable añadir claves de memoria. Por ejemplo, sea concreto con los tiempos.
4. *Evite utilizar lenguaje técnico y abreviaturas.* Tampoco emplee palabras especializadas de una industria, ni acrónimos o iniciales que no sean de uso común.
5. *No utilice palabras rebuscadas o poco comunes.* Es conveniente emplear exclusivamente términos del lenguaje común.
6. *Evite el uso de palabras ambiguas.* Palabras como ***normalmente*** o ***frecuentemente*** no tienen significado específico.
7. *Evite formular preguntas en negativo.* Es mejor preguntar: "¿Alguna vez ha...?" que "¿Nunca ha...?".
8. *Evite las preguntas hipotéticas.* Es difícil responder preguntas sobre situaciones imaginarias. Y, cuando se hace, no siempre se puede confiar en las respuestas.
9. *No utilice palabras que puedan malinterpretarse.* Esto es especialmente importante cuando la entrevista se realiza por teléfono. Si pregunta: "¿Cuál es su opinión acerca de las sectas?", la respuesta será muy interesante, pero no necesariamente relevante.
10. *Relativice las respuestas utilizando rangos de respuesta.* Al usar cuestionarios en los que se pregunta por ejemplo por la edad, o el número de empleados despedidos a una empresa, es mejor ofrecer una serie de alternativas con diferentes rangos cuantitativos.
11. *Asegúrese de que las respuestas fijas no se solapen.* Las categorías de las preguntas con respuesta fija deberían ser secuenciales y no sobreponersee unas con otras.
12. *Incluya la opción "otros" en las preguntas de respuesta fija.* Cuando las respuestas están definidas, es recomendable dar siempre la opción de responder algo que no está en la lista.

Fuente: Adaptado de Paul Hague y Peter Jackson, *Market Research: A Guide to Planning, Methodology, and Evaluation* (Londres: Kogan Page, 1999). Vea también Hans Baumgartner y Jan-Benedict E. M. Steenkamp, "Response Styles in Marketing Research: A Cross-National Investigation", *Journal of Marketing Research* (mayo de 2001), pp. 143-56.

TABLA 4.1 Tipos de preguntas

Nombre	Descripción	Ejemplo
A. Preguntas cerradas		
Dicotómicas	La pregunta tiene dos posibles respuestas.	Para reservar este vuelo, ¿llamó personalmente a American Airlines? Sí No
Opción múltiple	La pregunta tiene tres o más respuestas posibles.	¿Con quién viaja en este vuelo? ☐ Solo ☐ Sólo con los hijos ☐ Con la esposa ☐ Socios/amigos/parientes ☐ Con esposa e hijos ☐ Grupo organizado
Escala de Likert	Una afirmación respecto de la cual el encuestado debe indicar su grado de acuerdo o desacuerdo.	Generalmente, las compañías aéreas pequeñas dan un mejor servicio que las grandes. Totalmente en desacuerdo 1____ En desacuerdo 2____ Indiferente 3____ De acuerdo 4____ Totalmente de acuerdo 5____
Diferencial semántico	Se presenta una escala con conceptos opuestos y el encuestado selecciona el punto que corresponde a su opinión.	American Airlines Grande __________ Pequeña Experta __________ Inexperta Moderna __________ Anticuada
Escala de importancia	Considera la importancia de diferentes atributos.	Desde mi punto de vista, el servicio a bordo es: Muy importante 1____ Importante 2____ Irrelevante 3____ Poco importante 4____ Nada importante 5____
Escala de calificación	Permite calificar diferentes atributos, desde "pésimo" hasta "excelente".	El servicio a bordo de American es: Excelente 1____ Muy bueno 2____ Bueno 3____ Malo 4____ Pésimo 5____
Escala de intención de compra	Define la intención de compra del encuestado.	Si hubiera servicio de teléfono en vuelos de larga duración: Lo compraría 1____ Quizá lo compraría 2____ No sé si lo compraría 3____ Probablemente no lo compraría 4____ No lo compraría 5____
B. Preguntas abiertas		
No estructuradas	El encuestado puede dar a cada pregunta un número ilimitado de respuestas.	¿Cuál es su opinión de American Airlines?
Asociación de palabras	Se presentan palabras, una a una, y el encuestado responde lo primero que le venga a la mente.	¿Cuál es la primera palabra que viene a su mente cuando escucha...? Línea aérea__________ American__________ Viajar__________
Completar frases	Se presentan frases incompletas, y se pide al encuestado que las complete.	Cuando elijo una compañía aérea, lo que más influye en mi decisión es __________ .
Completar historias	Se presenta una historia incompleta, para que el encuestado la concluya.	"Volé con American hace unos días. Noté que tanto el exterior como el interior de la aeronave eran de colores brillantes. Eso despertó en mí los siguientes pensamientos y sentimientos..." Ahora complete la historia.
Completar dibujos	Se muestra un dibujo con dos personajes; uno de ellos hace una afirmación. Se pide al encuestado que se identifique con el otro, y que complete el diálogo con sus propias palabras.	
Test de percepción temática (TAT)	Se muestra un dibujo y se solicita al encuestado que exponga qué cree que está ocurriendo en la imagen.	

Sin embargo, hay un creciente interés en el uso de métodos cualitativos. En la sección "Marketing en acción: Cómo entrar en la mente de los consumidores" se describe el enfoque pionero ZMET. Otros métodos populares de investigación cualitativa para entrar en la mente de los consumidores y averiguar lo que piensan o sienten sobre las marcas y los productos son:[21]

1. ***Asociaciones de palabras.*** Pregunte a los encuestados qué palabras les vienen a la mente cuando escuchan el nombre de la marca. "¿Qué significa el nombre de Timex para usted? Dígame lo que le viene a la mente cuando piensa en relojes Timex". El propósito principal de las tareas de asociación libre es identificar la gama de las posibles asociaciones que hay en la mente de los consumidores respecto de una marca en particular.
2. ***Técnicas proyectivas.*** Dé a las personas un estímulo incompleto y pídales que lo completen, o déles un estímulo ambiguo y pídales que le encuentren sentido. Un método consiste en los "ejercicios con globos de diálogo", en los que globos de diálogo vacíos, como los que se usan en las historietas, aparecen en escenas de personas comprando o utilizando ciertos productos o servicios. Los encuestados llenan el globo e indican lo que creen que está ocurriendo o qué se está diciendo. Otra técnica consiste en proponer tareas de comparación, en las que las personas comparan las marcas con personas, países, animales, actividades, ocupaciones, automóviles, revistas, verduras, nacionalidades, o incluso con otras marcas.
3. ***Visualización.*** La visualización requiere que las personas creen un *collage* de fotos de revistas o dibujos para representar sus percepciones.

Cómo entrar en la mente de los consumidores

En colaboración con algunos de sus colegas de investigación, Gerald Zaltman, profesor de marketing de Harvard Business School, ha desarrollado una metodología en profundidad para descubrir lo que los consumidores realmente piensan y sienten acerca de productos, servicios, marcas y otras cosas. El supuesto básico detrás de la Técnica de Elicitación de Metáforas Zaltman (ZMET, por sus siglas en inglés) es que casi todos los pensamientos y sentimientos son inconscientes y están moldeados por un conjunto de "metáforas profundas". Las **metáforas profundas** son marcos u orientaciones básicas que los consumidores tienen respecto del mundo que los rodea. En gran medida inconscientes y universales, redefinen todo lo que alguien piensa, escucha, dice o hace. Según Zaltman, existen siete metáforas profundas de interés:

1. *Equilibrio:* el equilibrio justo y la interacción de los elementos.
2. *Transformación:* cambios en la sustancia y las circunstancias.
3. *Viaje:* el encuentro del pasado, el presente y el futuro.
4. *Contenedores:* la inclusión, la exclusión y otros límites.
5. *Conexión:* la necesidad de relacionarse con uno mismo y con los demás.
6. *Recursos:* las adquisiciones y sus consecuencias.
7. *Control:* la sensación de dominio, la vulnerabilidad y el bienestar.

La técnica ZMET funciona de esta manera: en primer lugar se solicita con antelación a los participantes que seleccionen un mínimo de 12 imágenes de sus propias fuentes (revistas, catálogos, álbumes de fotos familiares) para representar sus pensamientos y sentimientos sobre el tema de investigación. A continuación, en una entrevista individual, el responsable del estudio utiliza técnicas avanzadas para explorar las imágenes con el participante y revelar sus significados ocultos. Finalmente, los participantes utilizan un software para crear un *collage* con estas imágenes, buscando que comuniquen sus pensamientos subconscientes y sus sentimientos sobre el tema. A menudo los resultados de esta técnica influyen profundamente en las acciones de marketing, como ilustran los tres ejemplos siguientes:

- En un estudio ZMET sobre medias realizado para los especialistas en marketing de DuPont, algunas imágenes propuestas por los encuestados mostraron postes encerrados en una envoltura de plástico, o bandas de acero estrangulando los árboles, lo que sugiere que las medias son apretadas e incómodas. Sin embargo, otra imagen mostraba flores altas en un florero, lo que sugiere que el producto provoca que la mujer se sienta delgada, alta y sexy. La relación "amor-odio" implícita en estas y otras imágenes deja en claro la exitencia de una vinculación con el producto más complicada de la que los especialistas en marketing de DuPont habían asumido.
- Un estudio ZMET de la barra de chocolate Crunch de Nestlé reveló que, además de las asociaciones obvias con un pequeño placer en un mundo ocupado, una fuente de energía rápida, y algo que simplemente sabe bien, la barra de chocolate también era considerada como una poderosa evocación de imágenes placenteras de la infancia.
- Cuando Motorola llevó a cabo un estudio ZMET de un nuevo sistema de seguridad, los participantes seleccionaron imágenes de lo que sentían cuando estaban seguros. Los investigadores de Motorola se sorprendieron por la gran cantidad de imágenes de perros que se presentaron, lo que sugirió que podría ser adecuado posicionar el producto como un compañero.

Fuentes: Gerald Zaltman y Lindsay Zaltman, *Marketing Metaphoria: What Deep Metaphors Reveal About the Minds of Consumers* (Boston: Harvard Business School Press, 2008); Daniel H. Pink, "Metaphor Marketing", *Fast Company*, marzo y abril de 1998, pp. 214-29; Brad Wieners, "Getting Inside—Way Inside—Your Customer's Head", *Business 2.0*, abril de 2003, pp. 54-55; Glenn L. Christensen and Jerry C. Olson, "Mapping Consumers' Mental Models with ZMET", *Psychology & Marketing 19*, no. 6 (junio de 2002), pp. 477-502; Emily Eakin, "Penetrating the Mind by Metaphor", *New York Times*, 23 de febrero de 2002.

4. ***Personificación de la marca.*** Pregunte a los encuestados en qué tipo de persona piensan cuando se menciona la marca: "Si la marca fuera una persona, ¿cómo sería?, ¿qué haría?, ¿dónde viviría?, ¿qué usaría?, ¿con quién hablaría si fuera a una fiesta (y de qué hablaría)?". Por ejemplo, la marca John Deere podría provocar imágenes de un rudo trabajador agrícola, fiable y afanoso. La personificación de la marca permite obtener una imagen de sus cualidades más humanas.
5. ***Escalamiento medios-fines.*** Una serie de preguntas cada vez más específicas sobre "por qué" pueden revelar las motivaciones y las metas más profundas y más abstractas de los consumidores. Pregunte por qué alguien querría comprar un teléfono móvil Nokia. "Parecen estar bien hechos" (atributo). "¿Por qué es importante que el teléfono esté bien hecho?" "Porque sugiere que Nokia es fiable" (beneficio funcional). "¿Por qué es importante la fiabilidad?" "Porque les daría seguridad a mis colegas o familiares de que podrán localizarme en todo momento" (beneficio emocional). "¿Por qué tendrían que poder localizarle en todo momento?" "Porque así puedo ayudarles si están en problemas" (esencia de la marca). La marca hace que el encuestado se sienta como un buen samaritano, dispuesto a ayudar a los demás en todo momento.

Sin embargo, los especialistas en marketing no tienen por qué elegir forzosamente entre las medidas cualitativas y las cuantitativas, y muchos de ellos utilizan ambos enfoques, reconociendo que sus ventajas y desventajas pueden compensarse entre sí. Por ejemplo, las empresas podrían contratar a uno de los participantes de un panel online para que haga una prueba casera: el producto de interés se la hace llegar, junto con la instrucción de que registre sus reacciones e intenciones tanto en un diario grabado en video como en una encuesta online.[22]

Dispositivos tecnológicos. En los últimos años ha surgido mucho interés en diversos dispositivos tecnológicos. Por ejemplo, los galvanómetros pueden medir el interés o las emociones que despierta la exposición a un anuncio concreto o a una imagen. El taquistocopio proyecta un anuncio a un sujeto con un intervalo de exposición que puede oscilar entre menos de una centésima de segundo y varios segundos; tras cada exposición el sujeto describe todo lo que recuerda. Las cámaras oculares estudian el movimiento de ojos del sujeto para ver en qué concentra primero su atención, cuánto tiempo observa cada elemento, etcétera.

La tecnología ha avanzado hasta tal punto que los especialistas en marketing pueden utilizar todo tipo de aparatos, como sensores de piel o máquinas de escáner para registrar ondas cerebrales o la respuesta de todo el cuerpo entero ante determinados estímulos, con la finalidad de medir las reacciones de los consumidores.[23] Algunos investigadores estudian los movimientos del ojo y la actividad cerebral de los internautas para averiguar qué anuncios captan su atención.[24] "Marketing en acción: El apoyo de las neurociencias" ofrece un vistazo a algunos de los nuevos hitos alcanzados por la aplicación del estudio cerebral a la investigación de mercados.

Por otro lado, ciertos artilugios tecnológicos han sustituido a los diarios que tenían que llevar los encuestados. En la actualidad, los medidores de audiencia instalados en los televisores de los hogares participantes registran cuándo está encendido el televisor, cuáles canales se ven y en qué horarios. De igual manera, diferentes dispositivos electrónicos pueden registrar el número de programas de radio a los que se expone una persona durante el día, y la tecnología GPS (Sistema de Posicionamiento Global) permite calcular a cuántos anuncios en carteles exteriores está expuesto un individuo al caminar o conducir un coche a lo largo de un día.

PLAN DE MUESTREO Tras decidir los métodos y los instrumentos de investigación, el investigador de marketing deberá diseñar un plan de muestreo, para lo cual necesita tomar tres decisiones:

1. ***Unidad de la muestra. ¿Qué tipo de personas serán encuestadas?*** Siguiendo con el ejemplo de la encuesta de American Airlines, ¿la muestra debiera limitarse a los viajeros de primera clase que viajan por negocios, a los que viajan por placer, o a ambos? ¿Valdría la pena entrevistar a menores de edad? ¿Tendría sentido encuestar al pasajero y su esposo(a)? Una vez definida la unidad de la muestra hay que decidir su estructura, de modo que todos los integrantes de la población objetivo tengan las mismas posibilidades de ser elegidas.
2. ***Tamaño de la muestra. ¿Cuántas personas deben ser entrevistadas?*** Las muestras de gran tamaño ofrecen resultados más fiables que las pequeñas. Sin embargo, no es necesario entrevistar a toda la población objetivo para obtener resultados fiables. Las muestras inferiores al 1% de la población pueden ofrecer una buena precisión, siempre que se utilice un procedimiento de muestreo adecuado.
3. ***Procedimiento de muestreo. ¿Cómo debe llevarse a cabo la selección de los participantes en la muestra?*** El muestreo probabilístico permite calcular los límites de confianza del error de la muestra, con lo cual se obtiene una muestra más representativa. En consecuencia, una vez elegida la muestra, el responsable podría concluir que "hay 95% de posibilidades de que el número real de viajes que realizan los pasajeros de primera clase entre Chicago y Tokio esté en el intervalo 5-7 viajes por año".

MÉTODOS DE CONTACTO El siguiente paso es que el investigador de mercados decida cómo ponerse en contacto con los participantes en la muestra: por correo, por teléfono, mediante entrevistas personales, o realizando entrevistas por Internet.

El apoyo de las neurociencias

Como una alternativa a la investigación tradicional de los consumidores, algunos investigadores han comenzado a desarrollar sofisticadas técnicas neurocientíficas que analizan la actividad cerebral para poder medir mejor las respuestas de los consumidores al marketing. El término *neuromarketing* describe la investigación cerebral sobre el efecto de los estímulos del marketing. Empresas con nombres como NeuroFocus y EmSense pretenden evaluar las reacciones de la gente a los anuncios, mediante la utilización de la tecnología de los electroencefalogramas (EEG) para correlacionar la actividad de la marca con señales fisiológicas como la temperatura de la piel o el movimiento de los ojos.

Los investigadores que estudian el cerebro han encontrado resultados diferentes a los de los métodos convencionales de investigación. Un grupo de investigadores de UCLA utilizó imágenes de resonancia magnética funcional (fMRI) para medir cómo respondió el cerebro de los consumidores a los anuncios del Super Bowl de 2006. De acuerdo con sus hallazgos, los anuncios ante los que los sujetos mostraron mayor actividad cerebral fueron diferentes de aquellos que éstos mismos habían declarado verbalmente como sus preferidos. Otra investigación encontró poco impacto en la colocación de productos en series o películas, a menos que los productos en cuestión desempeñaran un papel fundamental en el argumento.

Un descubrimiento importante aportado por la investigación neurológica de los consumidores es que muchas decisiones de compra parecen estar menos caracterizadas por una ponderación lógica de las variables y más por "un proceso habitual en gran parte inconsciente, a diferencia del modelo de procesamiento racional y consciente [que defienden] los economistas y los libros de texto tradicionales sobre marketing". Incluso las decisiones básicas, como la compra de gasolina, parecen estar influenciadas por la actividad del cerebro a nivel subracional.

La investigación neurológica ha sido utilizada para evaluar el tipo de respuesta emocional que muestran los consumidores ante determinados estímulos de marketing. Un grupo de investigadores ingleses utilizó un EEG para controlar las funciones cognitivas relacionadas con la recuperación de la memoria y la atención de 12 regiones diferentes del cerebro mientras los sujetos eran expuestos a la publicidad. La actividad de las ondas cerebrales en las diferentes regiones indicó diversas respuestas emocionales. Por ejemplo, una mayor actividad en la corteza prefrontal izquierda es característica de una respuesta de "aproximación" en un anuncio, e indica una atracción hacia el estímulo. Por el contrario, un aumento en la actividad cerebral en la corteza prefrontal derecha es indicativo de un fuerte rechazo a los estímulos. En otra parte del cerebro, el grado de actividad de formación de la memoria se correlaciona con la intención de compra. Otras investigaciones han demostrado que los seres humanos activan regiones diferentes del cerebro cuando evalúan marcas o los rasgos de personalidad de sus semejantes.

Mediante la adición de técnicas neurológicas a su arsenal de investigación, los especialistas en marketing están tratando de desarrollar una visión más completa de lo que pasa por la mente de los consumidores. A pesar de que podría ofrecer puntos de vista diferentes a los que resultan de la aplicación de las técnicas convencionales, la investigación neurológica en este momento es muy costosa, hasta de 100 000 dólares o más por proyecto. Sin embargo, dada la complejidad del cerebro humano, muchos investigadores advierten que la investigación neurológica no debe constituir la única base para evaluar las decisiones de marketing. Por otro lado, estas actividades de investigación no han sido universalmente aceptadas, y además los aparatos para captar la actividad cerebral (como los gorros llenos de electrodos) pueden ser muy molestos y crear condiciones artificiales de exposición. También hay quienes se preguntan si estas técnicas ofrecen implicaciones claras para la estrategia de marketing. Brian Knutson, profesor de neurociencia y psicología de la Universidad de Stanford, compara el uso de los EEG con "estar de pie frente a un estadio de béisbol y escuchar a la multitud para averiguar lo que sucede". Otros críticos se preocupan de que si estos métodos tienen éxito, sólo conducirán a mayor manipulación de marketing por parte de las empresas. A pesar de toda esta controversia, la interminable búsqueda de los especialistas de marketing por un conocimiento más profundo de las respuestas de los consumidores al marketing, prácticamente garantiza un continuo interés en el neuromarketing.

Fuentes: Carolyn Yoon, Angela H. Gutchess, Fred Feinberg y Thad A. Polk, "A Functional Magnetic Resonance Imaging Study of Neural Dissociations between Brand and Person Judgments", *Journal of Consumer Research 33* (junio de 2006), pp. 31-40; Daryl Travis, "Tap Buyers' Emotions for Marketing Success", *Marketing News*, 1 de febrero de 2006, pp. 21-22; Deborah L. Vence, "Pick Someone's Brain", *Marketing News*, 1 de mayo de 2006, pp. 11-13; Martin Lindstrom, *Buyology: Truth and Lies About Why We Buy* (Nueva York: Doubleday, 2008); Tom Abate, "Coming to a Marketer Near You: Brain Scanning", *San Francisco Chronicle*, 19 de mayo de 2008; Brian Sternberg, "How Couch Potatoes Watch TV Could Hold Clues for Advertisers", *Boston Globe*, 6 de septiembre de 2009, pp. G1, G3.

Cuestionario por correo. La opción del *cuestionario por correo* constituye la mejor forma de llegar hasta quienes no conceden entrevistas personales, o cuyas respuestas podrían verse influidas o distorsionadas por los entrevistadores. Los cuestionarios por correo requieren que las preguntas se formulen de forma sencilla y clara. Por desgracia, la tasa de respuesta suele ser baja o lenta.

Entrevista telefónica. La *entrevista telefónica* es el mejor método para recabar información rápidamente, y además ofrece la ventaja de que el entrevistador puede aclarar el sentido de las preguntas si el sujeto encuestado no las comprende. Las entrevistas deben ser cortas y no demasiado personales. Aunque la tasa de respuesta típicamente ha sido más elevada que la de los cuestionarios enviados por correo, las entrevistas telefónicas cada vez son más difíciles de realizar en muchos lugares, debido a la creciente antipatía que sienten los consumidores hacia los telemarketers.

A finales de 2003 el Congreso estadounidense aprobó una ley mediante la cual permitía a la Comisión Federal de Comercio restringir las llamadas de telemarketing a través de su registro nacional "No llame". Para mediados de 2010 los consumidores habían registrado más de 200 millones de números de teléfono. Las empresas de investigación de mercados no están sujetas a esta normativa, pero dada la resistencia cada vez más generalizada al telemarketing, sin duda ésta reduce la eficacia de las encuestas telefónicas como método de investigación de mercados.

Esta legislación restrictiva no es universal. Debido a que la penetración de teléfonos móviles en África ha pasado de tan sólo 1 por cada 50 personas en 2000 a casi un tercio de la población en 2008, ahora dichos dispositivos se utilizan para convocar a los integrantes de *focus groups* en las zonas rurales y para interactuar a través de mensajes de texto.[25]

En África, la amplia penetración de los teléfonos móviles permite utilizarlos para llevar a cabo investigación de mercados.

Entrevista personal. El método de *la entrevista personal* es el más versátil, puesto que el entrevistador puede hacer más preguntas y anotar observaciones adicionales sobre el entrevistado, como su lenguaje corporal y su atuendo. Sin embargo, en comparación con los otros tres métodos, éste es el más caro y el que exige mayor planificación y supervisión administrativa. Por otra parte, la entrevista personal está sujeta a la influencia o a la distorsión del entrevistador. Las entrevistas personales pueden adoptar dos formas. En el caso de *entrevistas concertadas*, el entrevistador concerta una cita con el sujeto y le ofrece un pequeño incentivo económico a cambio de su participación. En las *entrevistas sorpresivas* el entrevistador aborda a las personas en un centro comercial o en una calle transitada, y les pide permiso para hacerles unas preguntas. La desventaja de esta segunda alternativa es que se trata de una muestra no probabilística, además de que las entrevistas deben ser breves.

Entrevista online. Éste es un enfoque cada vez más importante, ya que Internet ofrece muchas maneras de hacer investigación. Por ejemplo, la empresa podría integrar un cuestionario en su sitio Web y ofrecer un incentivo para responderlo; asimismo, podría colocar un *banner* en un sitio muy visitado, como Yahoo!, invitando a la gente a responder algunas preguntas y posiblemente ganar un premio. Las invitaciones que algunas empresas publican online para que los visitantes prueben nuevos productos antes de su lanzamiento formal también son cada vez más frecuentes, y están proporcionando información mucho más rápidamente que las técnicas tradicionales de investigación de mercados de nuevos productos. Así es como una pequeña empresa está utilizando Internet para realizar investigaciones sobre el desarrollo de nuevos productos:

Local Motors

Local Motors El sitio Web de Local Motors, empresa automovilística a pequeña escala con sede en Wareham, Massachusetts, permite que cualquier visitante aporte sus ideas de diseño. Además, de vez en cuando realiza concursos dotados con premios en efectivo de hasta 10 000 dólares, en los que los miembros registrados —ingenieros especializados en diseño y expertos en transporte— votan por los diseños que más les gustan o por otras decisiones relacionadas con la construcción de los automóviles y la dirección de la empresa. Las ideas ganadoras se incorporan entonces a la fabricación de Local Motors. Los miembros siguen participando después de los concursos, ofreciendo críticas y sugerencias a lo largo de todo el proceso de desarrollo de los automóviles. Local Motors ha puesto gran empeño en la construcción de su comunidad de diseño de automóviles y en la comercialización en su propio sitio y en otros similares que atraen a los entusiastas del diseño y a los expertos. Para asegurarse de que los colaboradores no busquen una compensación económica si sus ideas son adoptadas, Local Motors requiere que los miembros de su comunidad online firmen un extenso acuerdo legal.[26]

Los especialistas en marketing también pueden celebrar paneles de consumidores en tiempo real, implementar *focus groups* virtuales, o patrocinar salas de chat, tablones de anuncios o blogs, y formular preguntas a través de ellos de vez en cuando. Asimismo, pueden solicitar a los clientes una lluvia de ideas o hacer que sus seguidores en las redes sociales califiquen una idea. Las comunidades y redes de clientes online sirven como un recurso para una amplia variedad de empresas. Por ejemplo, las sugerencias de las comunidades online patrocinadas por Kraft ayudaron a la empresa a desarrollar su popular línea de bocadillos de 100 calorías.[27] Éstos son otros casos:

- Del Monte aprovechó a su selecta comunidad online de 400 miembros, llamada "Adoro a mi perro", cuando estaba considerando el desarrollo de un nuevo desayuno para mascotas. El resultado del consenso fue un alimento con sabor a bacon (tocino) y huevo, y una dosis adicional de vitaminas y minerales. Gracias al trabajo continuo con la comunidad online, la empresa logró introducir su "Snausage Breakfast Bites" en la mitad del tiempo habitualmente requerido para lanzar un nuevo producto.[28]
- InterContinental Hotel Groups utiliza tanto las encuestas como las comunidades para recopilar datos sobre la satisfacción del cliente. Las encuestas online proporcionan resultados procesables y rápidos para corregir problemas de servicio al cliente; la comunidad online funciona como una caja de resonancia para el establecimiento de metas de investigación más profundas a largo plazo.[29]

Se calcula que la investigación online constituyó el 33% de toda la investigación basada en encuestas en 2006, mientras que los cuestionarios a través de Internet representaron casi un tercio del gasto invertido en estudios de mercado durante el mismo año.[30] Existen muchas otras formas de utilizar Internet como instrumento de investigación. Las empresas pueden obtener información sobre los visitantes a sus sitios Web rastreando sus hábitos de uso y el momento en que pasan a otros sitios; también pueden publicar diferentes precios, utilizar distintos titulares y ofrecer diversas características de un mismo producto en diferentes sitios Web o en diferentes momentos para conocer la eficacia relativa de su oferta.

Sin embargo, a pesar de lo populares que son los métodos de investigación online, las empresas inteligentes están optando por usarlos para enriquecer —en lugar de sustituir— los métodos más tradicionales. En Kraft Foods, la investigación online es un complemento a la investigación tradicional. Seth Diamond, director de conocimiento del consumidor y estrategia afirmó: "Internet no es una solución en sí misma para todos los desafíos de nuestro negocio", dijo, "pero sí amplía nuestra caja de herramientas".[31]

La investigación online implica una serie de ventajas y desventajas.[32] Los siguientes son algunos de sus beneficios:

- ***La investigación online es de bajo costo.*** Una encuesta típica por correo electrónico puede costar entre 20 y 50% menos de lo que cuesta una encuesta convencional, y las tasas de retorno pueden ser de hasta el 50 por ciento.
- ***La investigación online es rápida.*** Las encuestas online son rápidas porque tienen la capacidad de dirigir automáticamente a los encuestados a las preguntas y transmitir los resultados al instante. Según un cálculo, una encuesta online puede generar entre 75 y 80% de la respuesta buscada en 48 horas; ésta es una ventaja si se compara con las encuestas telefónicas, que se pueden demorar hasta 70 días para generar 150 entrevistas.
- ***La gente tiende a ser honesta y considerada online.*** Las personas pueden ser más abiertas acerca de sus opiniones cuando tienen la oportunidad de responder en privado y no a alguien que pudiera estarles juzgando, especialmente cuando se trata de temas sensibles como: "¿Con qué frecuencia se baña?". Debido a que las personas eligen cuándo y dónde realizar la encuesta, y cuánto tiempo dedicar a cada pregunta, es posible que se sientan más relajadas y sean más introspectivas y honestas.
- ***La investigación online es muy versátil.*** La creciente introducción de redes de banda ancha ofrece a la investigación online aún más flexibilidad y capacidades. Por ejemplo, el software de realidad virtual permite que los visitantes inspeccionen modelos tridimensionales de productos como cámaras, vehículos y equipo médico, y que manipulen sus características. Incluso en el nivel táctil básico, las encuestas online pueden facilitar la realización de los cuestionarios y hacer que sean más divertidas que las versiones que exigen el uso de papel y lápiz. Por su parte, los blogs de comunidades online permiten a los clientes participantes interactúen entre sí.

Algunas de las desventajas incluyen:

- ***Es posible que las muestras sean pequeñas y sesgadas.*** Hasta el 40% de los hogares estadounidenses carecían de acceso a Internet de banda ancha en 2009; este porcentaje es aún mayor entre los grupos de menores ingresos, en las zonas rurales y en la mayor parte de Asia, América Latina y Europa Central y Oriental, donde los niveles socioeconómicos y educativos también son diferentes.[33] Si bien es cierto que cada vez más gente estará online, los investigadores de mercado online deben encontrar formas creativas de llegar a los segmentos de la población que están en el otro lado de la "brecha digital". Una opción es combinar las fuentes offline con los hallazgos online. Facilitar el acceso temporal a Internet en lugares como centros comerciales y centros de recreación es otra estrategia. Algunas empresas de investigación utilizan modelos estadísticos para llenar las brechas en la investigación que dejan los segmentos de consumidores que no están online.
- ***Los paneles y las comunidades online pueden sufrir de una rotación excesiva.*** Podría darse el caso de que los miembros de una comunidad online se aburran de las demandas de la empresa y terminen por desertar. O lo que es peor aún, tal vez se queden y participen a medias. Los organizadores de paneles y comunidades están tomando medidas para manejar la calidad de tales iniciativas y mejorar los datos que obtienen a través de ellas, y lo hacen elevando los estándares de reclutamiento de los miembros, reduciendo los incentivos, y supervisando cuidadosamente los niveles de participación y compromiso. Es preciso añadir constantemente nuevas características, eventos y otras actividades para mantener a los miembros interesados y comprometidos.[34]
- ***La investigación de mercados online puede verse afectada por problemas tecnológicos e inconsistencias.*** Podría darse el caso de que surjan problemas con las encuestas online porque el software de los navegadores varía; en otras palabras, el producto planeado por el diseñador Web podría verse muy diferente en la pantalla del individuo encuestado.

Los investigadores online también han comenzado a usar mensajes de texto de varias maneras: para sostener una conversación en tiempo real con el encuestado, para indagar más a fondo la opinión expresada por un miembro de un *focus group* online, o para dirigir a los encuestados a un sitio Web.[35] Los mensajes de texto también constituyen un buen mecanismo para lograr que los adolescentes hablen sobre ciertos temas.

Fase 3: Recopilación de información

Por lo general, la fase de recopilación de información es la más cara y la más susceptible a errores. Los especialistas en marketing pueden realizar encuestas en los hogares, vía telefónica, a través de Internet o en un lugar específico para realizar entrevistas, como un centro comercial. En el caso de las encuestas pueden surgir cuatro problemas: que algunos sujetos de la muestra no se encuentren en casa o no sea posible localizarlos, en cuyo caso habrá que regresar a buscarlos, o sustituirlos; que ciertos individuos simplemente se nieguen a colaborar; que ofrezcan respuestas parciales o poco sinceras; y, por último, la posibilidad de que los mismos investigadores influyan o sesguen las respuestas.

A nivel internacional, uno de los mayores obstáculos en materia de recopilación de información es la necesidad de lograr coherencia.[36] Los encuestados de América Latina podrían sentirse incómodos con la naturaleza impersonal de Internet, en cuyo caso habría que poner a su disposición elementos interactivos para hacerles sentir que están hablando con una persona real. Los encuestados en Asia, por otro lado, podrían sentir más presión para manifestar expresiones de conformidad y, por lo tanto, no ser tan comunicativos al participar en *focus groups* como lo son en Internet. A veces la solución puede ser tan simple como asegurarse de que se está utilizando el idioma correcto.

Leica Surveying and Engineering

Leica Surveying and Engineering Cuando Leica Surveying and Engineering, un proveedor global de equipos de topografía y medición, trató de reunir información sobre la competencia en su sector, comenzó desplegando encuestas sólo en inglés, porque los negocios de la empresa normalmente se llevaban a cabo en ese idioma, incluso en varios países europeos. Sin embargo, la tasa de respuesta fue deprimente, a pesar de que la muestra estaba compuesta por individuos que tenían una afinidad con la empresa. Una revisión más profunda reveló que los vendedores locales de la compañía hacían negocios utilizando su lengua materna. En consecuencia, la empresa implementó su encuesta en varios idiomas, incluyendo castellano y alemán, y el índice de respuesta casi se duplicó de la noche a la mañana.[37]

Fase 4: Análisis de la información

La siguiente fase del proceso consiste en formular conclusiones a partir de la información recabada. El investigador tabula los datos, desarrolla tablas de distribución de frecuencias y extrae medias y medidas de dispersión de las variables más significativas. Posteriormente, intentará aplicar algunas de las técnicas estadísticas más avanzadas y modelos de decisión, con la intención de descubrir información adicional. Además, podrían someterse a prueba diferentes hipótesis y teorías, aplicando análisis de sensibilidad a las hipótesis y a la fuerza de las conclusiones.

Fase 5: Presentación de conclusiones

En la penúltima fase del proceso, el investigador presenta los resultados que tienen relevancia para los problemas que enfrenta la dirección en cuanto a la toma de decisiones de marketing. A los investigadores se les pide cada vez con más frecuencia que desempeñen un papel proactivo y de asesoramiento en la traducción de los datos y la información en conocimientos y recomendaciones.[38] Quizá por ello están estudiando cómo presentar los resultados de sus investigaciones de manera tan comprensible y convincente como sea posible. "Marketing en acción: Personificación: cuando la investigación de mercados cobra vida" describe un enfoque que algunos investigadores están utilizando para maximizar el impacto de sus resultados de investigación sobre el consumidor.

Los principales resultados de la encuesta en el caso de American Airlines podrían indicar que:

1. Las razones primordiales por las que los pasajeros utilizarían el servicio de Internet a bordo de los aviones sería para recibir y enviar mensajes a familiares y compañeros de trabajo. Algunos también pasarían el tiempo navegando por la Web. Esta capacidad de entretenimiento requeriría un costoso acceso a Internet de banda ancha, pero los pasajeros manifestaron que sus empresas podrían absorber el costo.
2. Cerca de cinco de cada 10 pasajeros de primera clase utilizarían el servicio de Internet por 25 dólares, mientras que seis lo utilizarían por 15 dólares. Por esta razón, cobrar 15 dólares generaría menos ingresos ($15 × 6 = $90) que cobrar 25 ($25 × 5 = $125). Suponiendo que el vuelo en cuestión se realizara los 365 días del año y que de media cada vuelo cubriera 10 plazas de primera clase, este servicio le produciría a American ingresos anuales por $45 625 (= $125 × 365). Puesto que la inversión necesaria es de 90 000 dólares, la empresa tardaría unos dos años en recuperarla.
3. Ofrecer un servicio de Internet a bordo de las aeronaves reforzaría la imagen pública de American Airlines como aerolínea innovadora y progresista. En consecuencia, American conseguiría nuevos pasajeros y la buena disposición de los actuales.

Personificación: cuando la investigación de mercados cobra vida

Para dar vida a toda la información y los conocimientos que han adquirido sobre su mercado objetivo, algunos investigadores están empleando personajes. Los *personajes* son perfiles detallados de uno o varios consumidores hipotéticos del mercado objetivo, imaginados en términos de factores demográficos, psicográficos, geográficos, conductuales o actitudinales surgidos de la investigación. Los investigadores podrían utilizar fotografías, imágenes, nombres o biografías breves para ayudar a transmitir las características del personaje.

El propósito de utilizar este tipo de personajes es proporcionar modelos o arquetipos de cómo se ven, actúan y se sienten los consumidores objetivo, de una manera tan real como sea posible, para asegurar que los especialistas en marketing de la organización comprendan y aprecien plenamente su mercado objetivo y, por lo tanto, incorporen los puntos de vista del cliente objetivo en todas sus decisiones de marketing. Consideremos algunas de las aplicaciones de esta técnica:

- Chrysler diseñó habitaciones para dos personajes de ficción: Roberto Moore, un hombre soltero de 28 años, y Jenny Sieverson, una representante de productos farmacéuticos de unos 30 años, y las decoró de manera que reflejaran la personalidad, el estilo de vida y las preferencias de marca de estos clientes clave para los automóviles Dodge Caliber y Jeep Compass.
- Campbell Hausfeld, fabricante de herramientas y equipos especializados, confió en los numerosos minoristas a los que suministra, incluyendo Home Depot y Lowe's, para que le ayudaran a mantenerse en contacto con los consumidores. Después de desarrollar ocho perfiles de los consumidores, incluyendo el de una mujer que hacía todo por sí misma y el de un consumidor de edad avanzada, la empresa fue capaz de lanzar con éxito nuevos productos, como taladros más ligeros o que incluían una niveladora para colgar cuadros.
- El lanzamiento más grande y de mayor éxito de un producto realizado por Unilever para el cuidado del cabello, Sunsilk, estuvo inspirado en las necesidades de una consumidora objetivo de la empresa, llamada "Katie". Este personaje no sólo describía los requerimientos de cuidado capilar de las mujeres de veintitantos años, sino también sus percepciones, actitudes y la forma en que afrontan los "acontecimientos" de la vida cotidiana.

Aunque los personajes proporcionan información gráfica que contribuye a tomar decisiones de marketing, los especialistas en esta disciplina deben tener cuidado de no hacer generalizaciones excesivas. Cualquier mercado objetivo está compuesto por una amplia gama de consumidores que muestran variaciones a lo largo de una serie de dimensiones clave. Para adaptarse a estas distinciones potenciales, los investigadores en ocasiones recurren a la creación de dos y hasta seis personajes. Best Buy utilizó múltiples personajes para rediseñar y relanzar GeekSquad.com, su sitio online de servicio de soporte informático al cliente nacional. Utilizando la investigación cuantitativa, cualitativa y de observación, la empresa desarrolló cinco personajes para guiar sus esfuerzos de rediseño Web:

- "Jill", una madre suburbana que utiliza la tecnología y su computadora (ordenador) todos los días, y depende del Geek Squad como un servicio externo, de modo similar al que ofrecen los jardineros o los fontaneros.
- "Charlie", un hombre de cincuenta y tantos años que tiene curiosidad e interés por la tecnología, pero que necesita un guía paciente.
- "Daryl", un conocedor de la tecnología al que le gusta experimentar, aunque de vez en cuando necesita ayuda con sus proyectos de alta tecnología.
- "Luis", el ocupado dueño de una pequeña empresa, cuyo principal objetivo es realizar las tareas tan rápidamente como sea posible.
- "Nick", un potencial agente del Geek Squad, que ve el sitio de manera crítica y necesita ser desafiado.

Para satisfacer a Charlie se añadió un llamativo botón de "emergencia" en la parte superior derecha de la página, de manera que el usuario pudiera oprimirlo si se le presentaba una crisis; pero para satisfacer a Nick, Best Buy creó un canal entero dedicado a los obsesivos de la informática.

Fuentes: Dale Buss, "Reflections of Reality", *Point* (junio de 2006), pp. 10-11; Todd Wasserman, "Unilever, Whirlpool Get Personal with Personas", *Brandweek*, 18 de septiembre de 2006, p. 13; Daniel B. Honigman, "Persona-fication", *Marketing News*, 1 de abril de 2008, p. 8; Rick Roth, "Take Back Control of the Purchase", *Advertising Age*, 3 de septiembre de 2007, p. 13; Lisa Sanders, "Major Marketers Get Wise to the Power of Assigning Personas", *Advertising Age*, 9 de abril de 2007, p. 36.

Fase 6: Toma de decisiones

En el caso de American Airlines, los directivos que han encargado el estudio tienen que sopesar las conclusiones. Si no confían demasiado en ellas, podrían decidir no lanzar el servicio de Internet a bordo; por el contrario, si están predispuestos a lanzar el servicio, las conclusiones reafirmarán su propósito. Finalmente, también podrían optar por estudiar más la situación y ampliar la investigación. La decisión es suya, pero sin duda la información que han recibido les ayudará a ver el problema con mayor claridad. (Vea la tabla 4.2).[39]

Algunas organizaciones utilizan sistemas de apoyo para que sus ejecutivos puedan tomar decisiones más inteligentes en materia de marketing. John Little, del MIT, define los **sistemas de apoyo para toma de decisiones de marketing (MDSS)** como conjuntos coordinados de información, sistemas, herramientas y técnicas que, junto con sistemas informáticos, contribuyen a que la empresa recopile e interprete la información relevante del negocio y del entorno, y la convierta en un fundamento para las decisiones de marketing.[40] Una vez al año, *Marketing News* lista los cientos de programas de software de marketing y ventas que

TABLA 4.2	Las siete características de una buena investigación de mercados
1. Método científico	Una investigación de mercados efectiva utiliza los principios del método científico: observación cuidadosa, formulación de hipótesis, predicción y comprobación.
2. Creatividad en la investigación	En un galardonado estudio de investigación realizado para reposicionar los *snacks* Cheetos, los investigadores se vistieron con un traje de la mascota de la marca, Chester Cheetos, y caminaron por las calles de San Francisco. La respuesta que el personaje encontró llevó a la conclusión de que incluso los adultos adoraban lo divertidos y juguetones que eran los Cheetos. El reposicionamiento resultante produjo un aumento de dos dígitos en las ventas, a pesar del difícil entorno empresarial.[41]
3. Uso de métodos múltiples	Los investigadores de marketing se resisten a confiar en un método exclusivo. Por el contrario, reconocen la conveniencia de utilizar dos o tres métodos para poder tener un mayor grado de confianza en los resultados.
4. Interdependencia de datos y modelos	Los investigadores de marketing reconocen que la información se interpreta a partir de modelos subyacentes, que sirve de guía para encontrar el tipo de información buscada.
5. Valor y costo de la información	Los investigadores de marketing tienen interés en comparar el valor de la información con su costo. Los costos de la investigación son fáciles de cuantificar, pero su valor es más difícil de determinar, ya que depende de la validez y fiabilidad de los datos, y de la disposición de la dirección para aceptarlos y actuar en consecuencia.
6. Escepticismo sano	Los investigadores de marketing deben mostrar un escepticismo sano ante las suposiciones planteadas por los ejecutivos sobre el funcionamiento del mercado, y estar alerta para detectar los problemas causados por los "mitos del marketing".
7. Marketing ético	La investigación de mercados beneficia tanto a la empresa que la contrata como a sus clientes. Sin embargo, su uso inadecuado podría dañar o molestar a los consumidores, llevándolos a pensar que se está invadiendo su privacidad o que se está utilizando una artimaña para venderles.

hay en el mercado, y cuyo propósito es facilitar el diseño de estudios de investigación, la segmentación de mercados, la fijación de precios, la determinación de presupuestos de publicidad, el análisis de medios y la planificación de la actividad de la fuerza de ventas.[42]

Cómo superar las barreras que enfrenta la investigación de mercados

A pesar de su creciente popularidad, muchas empresas todavía no aciertan a utilizar la investigación de mercados de forma adecuada o suficiente.[43] Tal vez esto se deba a que no comprenden lo que es capaz de lograr, o a que no proporcionan al investigador la definición del problema y la información adecuadas para que pueda trabajar. También es posible que tengan expectativas poco realistas sobre lo que los investigadores pueden ofrecer. Una inapropiada implementación de la investigación de mercados puede derivar en errores graves, como el que se relata a continuación y que ya ha pasado a los anales de la historia.

La guerra de las galaxias En la década de 1970, un prestigioso investigador de marketing abandonó General Foods con un objetivo un tanto osado: llevar la investigación de mercados a Hollywood, y ofrecer a los estudios cinematográficos el mismo tipo de investigación que había llevado al éxito a General Foods. Un estudio de renombre le presentó una propuesta de película de ciencia ficción, y le pidió que investigara y previera su éxito o su fracaso; sus conclusiones les servirían para determinar si debían renunciar a la película o seguir adelante con su filmación. La conclusión del investigador fue que la película fracasaría. En primer lugar, arguía, el caso Watergate había hecho que los estadounidenses perdieran la confianza en sus instituciones y, en consecuencia, en la década de 1970 preferían el realismo y la autenticidad a la ciencia ficción. Además, el título de aquella película contenía la palabra ***guerra***. El investigador llegó a la conclusión de que Estados Unidos todavía estaba superando las secuelas de la guerra de Vietnam y que, por lo tanto, el filme en cuestión apenas resultaría atractivo. La película era ***La guerra de las galaxias***, la cual terminaría recaudando más de 4 300 millones de dólares tan sólo en ingresos derivados de la venta de entradas. Lo que hizo este investigador fue ofrecer información sin dar solución al problema. Ni siquiera leyó el guión para ver si se trataba de una historia humana (de amor, conflictos, pérdida y redención) que en realidad sólo utilizaba el espacio exterior como telón de fondo.[44]

La investigación de los consumidores, realizada e interpretada incorrectamente, casi aniquiló *La guerra de las galaxias*, una de las franquicias cinematográficas más exitosas de todos los tiempos.

Cómo calcular la productividad del marketing

Los especialistas en marketing tienen cada vez mayor presión por proporcionar a la alta dirección evidencias claras y cuantificables sobre la manera en que sus gastos contribuirán a que la empresa alcance sus metas y objetivos financieros. Aunque es fácil cuantificar los gastos de marketing y las inversiones como insumos en el corto plazo, es posible que sus resultados —como una mayor notoriedad o una mejor imagen de la marca, mayor fidelidad de los clientes y mejores perspectivas para los nuevos productos— tarden meses o incluso años en manifestarse. Por otra parte, toda una serie de cambios internos y externos en el entorno de marketing de la organización podría coincidir con los gastos de marketing, lo que dificultaría la tarea de aislar los efectos de cualquier actividad de marketing en particular.[45]

Sin embargo, una tarea importante en la investigación de mercados consiste en evaluar la eficiencia y la eficacia de las actividades correspondientes. En una encuesta, el 65% de los especialistas en marketing indicaron que el rendimiento de la inversión en marketing era una de sus preocupaciones.[46] Un estudio reciente de los directores de marketing en tecnología más importantes reveló que más del 80% de las empresas encuestadas expresaron su insatisfacción respecto a su capacidad para comprobar el impacto y el valor de su programa de marketing.[47]

La investigación de mercados puede ayudar a satisfacer esta creciente necesidad de contabilizar los efectos financieros de las decisiones de marketing. Existen dos enfoques complementarios para medir la productividad del marketing: (1) *métricas de marketing* para evaluar sus efectos, y (2) *modelización del marketing mix* para identificar relaciones causales y estudiar cómo influyen las acciones en los resultados finales. Los *cuadros de mando de marketing* son una forma estructurada de difundir los conocimientos obtenidos a partir de estos dos enfoques dentro de la organización.

Métricas de marketing

Los especialistas en marketing emplean diversas unidades de medida para evaluar los efectos de las acciones correspondientes a su disciplina.[48] Las **métricas de marketing** son el conjunto de unidades de medida que utilizan las empresas para cuantificar, comparar e interpretar los resultados de marketing. Así es como dos ejecutivos de marketing consideran las métricas de marketing para comprender mejor el rendimiento sobre la inversión de marketing en sus empresas:[49]

- La directora de marketing de Mary Kay, Rhonda Shasteen, se centra en cuatro métricas de fortaleza de la marca a largo plazo: la notoriedad de marca, la consideración, la prueba y la productividad de sus gabinentes de belleza en un periodo de 12 meses, así como en una serie de métricas específicas de programas corto plazo, como el número de impactos publicitarios, el tráfico del sitio Web y la conversión de compra.
- La vicepresidenta de marketing de Virgin America, Porter Gale, considera un amplio conjunto de métricas online: costo por adquisición, costo por clic y costo por cada 1 000 páginas visualizadas. Gale también tiene en cuenta el costo total en dólares impulsado por la búsqueda natural y la pagada, y la publicidad online, así como el seguimiento de los resultados y otras métricas del mundo offline.

Existen muchas métricas de marketing diferentes; los especialistas eligen una o varias de ellas basándose en el tema concreto que enfrentan o en el problema que deben resolver. Un defensor de las métricas simples y pertinentes, Paul Farris de la University of Virginia, hace una comparación con el piloto de un Boeing 747 cuando se ve obligado a decidir, entre la amplia gama de instrumentos que tiene a su disposición en la cabina de vuelo, qué tipo de información debe utilizar para volar el avión:[50]

> Los pilotos de avión tienen protocolos. Cuando están calentando sus motores a la espera del despegue se concentran en ciertos procedimientos; cuando están rodando sobre la pista se enfocan en otros, y cuando se hallan en el aire prestan atención a otros más. Existe una secuencia para saber cuándo deben prestar atención a determinados instrumentos, lo que les permite acceder a la información necesaria en los justos términos de simplicidad y complejidad.

Tim Ambler, de la London Business School, sugiere que si una empresa considera que ya está calculando los resultados de las actividades de marketing adecuadamente, debería plantearse cinco preguntas:[51]

1. ¿Realizamos estudios rutinarios sobre el comportamiento de los clientes (retención, adquisición, uso de productos, etc.) y sobre las razones de tal conducta (conocimiento, satisfacción, percepción de calidad, etcétera)?
2. ¿Se informa al consejo sobre las conclusiones de estos estudios en un formato integrado con métricas financieras de marketing?
3. ¿En estos informes se comparan los resultados con los niveles previstos en el plan de negocios?
4. ¿Se comparan también con los niveles conseguidos por el competidor clave utilizando los mismos indicadores?
5. ¿Se ajustan los resultados a corto plazo según los cambios de los activos de marketing?

Ambler cree que las empresas deben dar prioridad al cálculo y a los informes de resultados de marketing mediante métricas de marketing. Considera que esta evaluación se puede dividir en dos partes: (1) resultados a corto plazo, y (2) cambios en el capital de marca (*brand equity*). Los resultados a corto plazo suelen reflejar las pérdidas y las ganancias según el volumen de ventas, el valor para los accionistas o una combinación de ambos factores. Los cálculos de capital de marca incluyen la notoriedad de la marca, las actitudes y los comportamientos; la cuota de mercado, el precio relativo, el número de quejas, la distribución y la disponibilidad de la marca; el número total de clientes, la calidad percibida y la lealtad/retención de clientes.[52]

Las empresas también pueden revisar un amplio conjunto de métricas internas, como la innovación. Por ejemplo, 3M trata de determinar la proporción de las ventas como resultado de sus innovaciones recientes. Ambler también recomienda que se desarrollen métricas para evaluar a los empleados, y argumenta que "los usuarios finales son los últimos clientes, pero los primeros son los propios empleados, por lo que es necesario tomar el pulso al mercado interno de forma regular". La tabla 4.3 resume una lista de métricas de marketing de gran aceptación, tanto internas como externas, procedentes de un estudio realizado por Ambler en el Reino Unido.[53]

Escanea este código con tu smartphone o tablet.

Caso en video. Estrategia de marketing de 3M.

htpp://goo.gl/HL9dn

La medición cuidadosa de los efectos de una actividad o programa de marketing ayuda a garantizar que los directivos tomen las decisiones correctas en el futuro. Buscando un mayor compromiso con los consumidores más jóvenes, Servus Credit Union de Alberta, Canadá, lanzó su programa "Young & Free Alberta", que incluía un concurso para encontrar un portavoz de la juventud de Alberta. Para conectarse con los jóvenes de Alberta, Kelsey MacDonald, la ganadora de 2010, trabaja con Servus para crear blogs diarios, subir videos entretenidos y educativos en YoungFreeAlberta.com, y mantener una presencia en Facebook y Twitter.

Kelsey también asiste a eventos en toda Alberta, donde interactúa con jóvenes de entre 17 y 25 años con el propósito de comprender mejor sus necesidades financieras. La investigación validó el éxito de la campaña, con más de 107 millones de impactos publicitarios del programa, generados a través de diversos medios de comunicación, y miles de nuevas cuentas abiertas.[54]

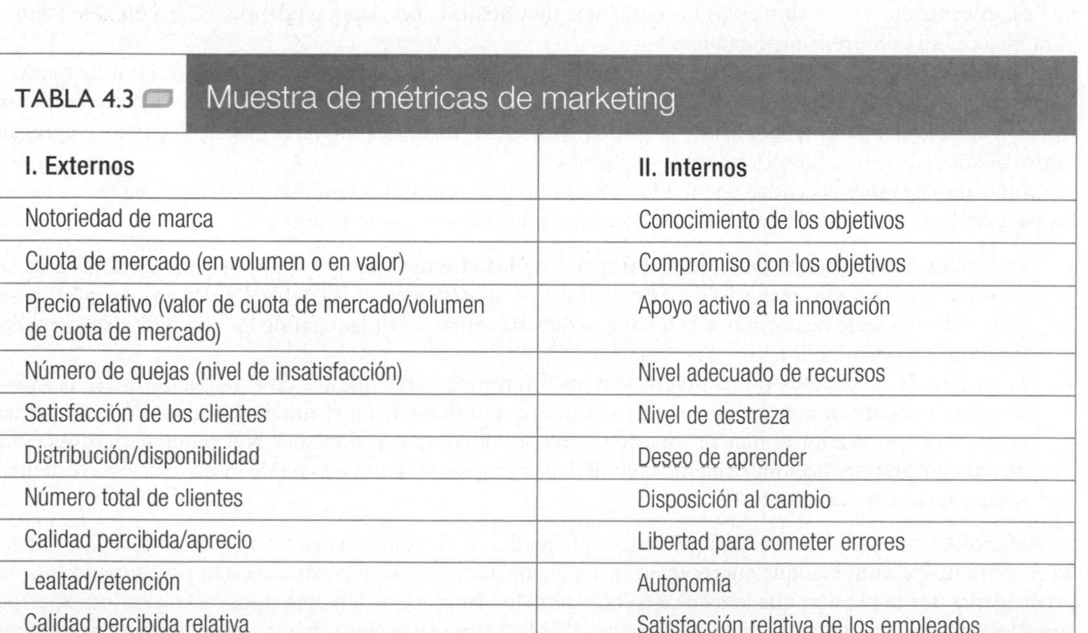

TABLA 4.3 Muestra de métricas de marketing

I. Externos	II. Internos
Notoriedad de marca	Conocimiento de los objetivos
Cuota de mercado (en volumen o en valor)	Compromiso con los objetivos
Precio relativo (valor de cuota de mercado/volumen de cuota de mercado)	Apoyo activo a la innovación
Número de quejas (nivel de insatisfacción)	Nivel adecuado de recursos
Satisfacción de los clientes	Nivel de destreza
Distribución/disponibilidad	Deseo de aprender
Número total de clientes	Disposición al cambio
Calidad percibida/aprecio	Libertad para cometer errores
Lealtad/retención	Autonomía
Calidad percibida relativa	Satisfacción relativa de los empleados

Fuente: Tim Ambler, "What Does Marketing Success Look Like?", *Marketing Management* (primavera de 2001), pp. 13-18. Copia autorizada por Marketing Management, publicada por la American Marketing Association.

Modelos de marketing mix

La cuantificación del marketing también permite a las empresas calcular de forma más precisa los efectos de las diferentes inversiones de marketing. Los *modelos de marketing mix* analizan información de una serie de fuentes —como la obtenida por escáner en el punto de venta, datos de envíos, precios, inversión en medios de comunicación y promociones— con la finalidad de comprender de manera precisa los efectos de las diferentes actividades de marketing.[55] Para tener una visión más detallada de la situación se realizan análisis multivariados para revisar de qué manera influyen los diferentes elementos de marketing en los resultados más relevantes, como las ventas de las distintas marcas o la participación de mercado.[56]

Este sistema goza de adeptos especialmente entre las empresas de productos envasados, como Procter & Gamble, Clorox y Colgate, que utilizan los resultados de estos modelos para distribuir o redistribuir los gastos. Estos análisis detectan qué proporción de los presupuestos de publicidad se desperdician, cuáles son los niveles óptimos de gasto y cuáles deberían ser los niveles mínimos.[57]

Aunque la creación de modelos de marketing mix contribuye a aislar los diferentes resultados, es menos eficaz en el momento de valorar cómo funcionan los diferentes elementos de marketing en conjunto. Dave Reibstein, de Wharton, observa también otras tres deficiencias:[58]

- El modelo de marketing mix se centra en el crecimiento incremental en lugar de las ventas de partida o en los efectos a largo plazo.
- La integración de las métricas importantes, como la satisfacción, la notoriedad y el capital de marca en el desarrollo del marketing mix es limitada.
- El modelo de marketing mix en general no incorpora las métricas relacionadas con la competencia, la distribución, o la fuerza de ventas (la empresa promedio gasta mucho más en la fuerza de ventas y las promociones en el canal que en la publicidad o la promoción dirigida al consumidor).

Servus Credit Union de Canadá utilizó la investigación para validar los efectos de su portavoz en su programa Young & Free Alberta. Kelsey MacDonald, en la fotografía, fue la ganadora del concurso de 2010.

Cuadro de mando de marketing

Las empresas también utilizan procesos y sistemas organizacionales para asegurarse de maximizar el valor de todas estas métricas. Se puede elaborar un resumen de las métricas de marketing internas y externas más relevantes en una especie de *cuadro de mando de marketing* para sintetizarlas e interpretarlas. Los cuadros de mando de marketing son como el tablero de instrumentos de un automóvil o avión: muestran los indicadores en tiempo real para asegurar su correcto funcionamiento. Son tan buenos como la información en que están basados, pero sofisticadas herramientas de visualización están ayudando a dar vida a los datos para mejorar su comprensión y análisis.[59]

Asimismo, algunas empresas están nombrando encargados de control de la administración de marketing para que revisen los presupuestos y los gastos de marketing. Estas personas utilizan cada vez con más frecuencia software de inteligencia de negocios para crear versiones digitales de esos cuadros y agregar información de diversas fuentes internas y externas.

Como aportaciones al cuadro de mando de marketing, las empresas también pueden preparar dos tarjetas para reflejar los resultados y detectar los síntomas de alarma en el mercado.

- La **tarjeta de resultados del comportamiento de los clientes** sirve para estudiar los resultados de la empresa año tras año respecto de las métricas que aparecen en la tabla 4.4. Para cada métrica se debe fijar una serie de normas, y la dirección debería tomar medidas cuando los resultados sobrepasen los límites determinados.
- La **tarjeta de resultados relacionados con los diferentes participantes en el negocio** rastrea la satisfacción de los diferentes grupos que tienen interés e influencia en el funcionamiento de la empresa: empleados, proveedores, bancos, distribuidores, minoristas y accionistas. Nuevamente, la dirección debería emprender acciones cuando alguno de los grupos presenta niveles de insatisfacción crecientes o superiores a un cierto nivel.[60]

Algunos ejecutivos se preocupan pensando que perderán el panorama general si se centran demasiado en el conjunto de números que aparecen en el cuadro de mando. Los más críticos están preocupados por la privacidad y por la presión que la técnica coloca sobre los empleados. Sin embargo, casi todos los expertos consideran que los beneficios superan los riesgos.[61] "Marketing en acción: Cuadros de mando de marketing para mejorar la eficacia y la eficiencia" ofrece consejos prácticos sobre el desarrollo de estas herramientas de marketing.

TABLA 4.4	Métricas de la tarjeta de resultados del comportamiento de los clientes
•	Porcentaje de nuevos clientes respecto de la media de clientes.
•	Porcentaje de clientes perdidos respecto de la media de clientes.
•	Porcentaje de clientes recuperados respecto de la media de clientes.
•	Porcentaje de clientes muy insatisfechos, insatisfechos, neutrales, satisfechos y muy satisfechos.
•	Porcentaje de clientes que tienen intención de volver a adquirir el producto.
•	Porcentaje de clientes que tienen intención de recomendar el producto a otros.
•	Porcentaje de clientes objetivo que conocen o recuerdan la marca
•	Porcentaje de clientes que prefieren la marca entre todas las marcas de la categoría.
•	Porcentaje de clientes que identifican correctamente el posicionamiento y la diferenciación de la marca.
•	Percepción media de la calidad del producto de la empresa respecto del competidor principal
•	Percepción media de la calidad del servicio de la empresa respecto del competidor principal.

Cuadros de mando de marketing para mejorar la eficacia y la eficiencia

El consultor de marketing Pat LaPointe considera que los cuadros de mando de marketing proporcionan toda la información necesaria más actual para llevar a cabo las operaciones comerciales de una empresa, como las ventas frente al pronóstico, la eficacia de los canales de distribución, la evolución del capital de marca y el desarrollo del capital humano. Según LaPointe, un cuadro de mando eficaz se debería centrar en el pensamiento, en mejorar las comunicaciones internas y en revelar qué inversiones en marketing están dando frutos y cuáles no.

LaPointe observa cuatro "procedimientos" de medición comunes que los especialistas en marketing están utilizando en la actualidad (vea la figura 4.2).

- El *procedimiento para obtener métricas del cliente* se basa en observar la forma en que los posibles compradores se convierten en clientes, desde la conciencia de la existencia de la marca a la prueba, hasta la compra repetida o algún modelo menos lineal. Esta área también examina cómo la experiencia de los clientes contribuye a la percepción del valor y la ventaja competitiva.
- El *procedimiento para obtener las métricas de cada unidad* refleja lo que los especialistas en marketing saben sobre las ventas de las unidades de productos o servicios: cuánto se vende por línea de producto y/o por zona geográfica; el costo de marketing por cada producto vendido como un criterio de eficiencia; y dónde y cómo se optimiza el margen en términos de las características de la línea de producto o canal de distribución.

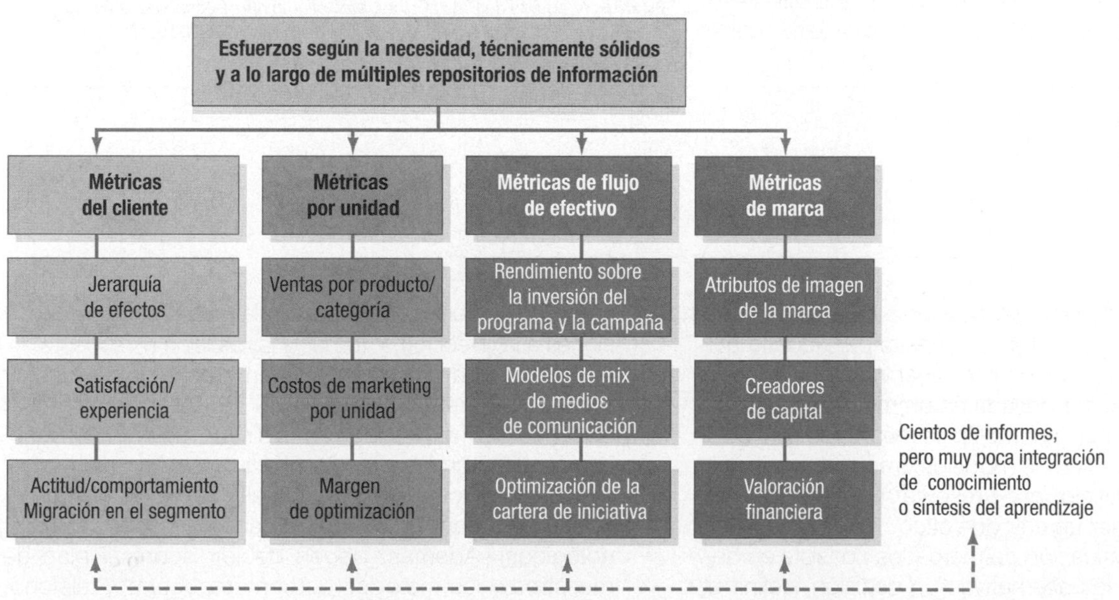

|Fig. 4.2| Procedimiento de medición de marketing

(Continúa)

(Continuación)

|Fig. 4.3|

Ejemplo de un cuadro de mando de marketing

Fuente: Adaptado de *Marketing by the Dashboard Light—How to Get More Insight Foresight, and Accountability from Your Marketing Investments* por Patrick LaPointe. © 2005. Patrick LaPointe.

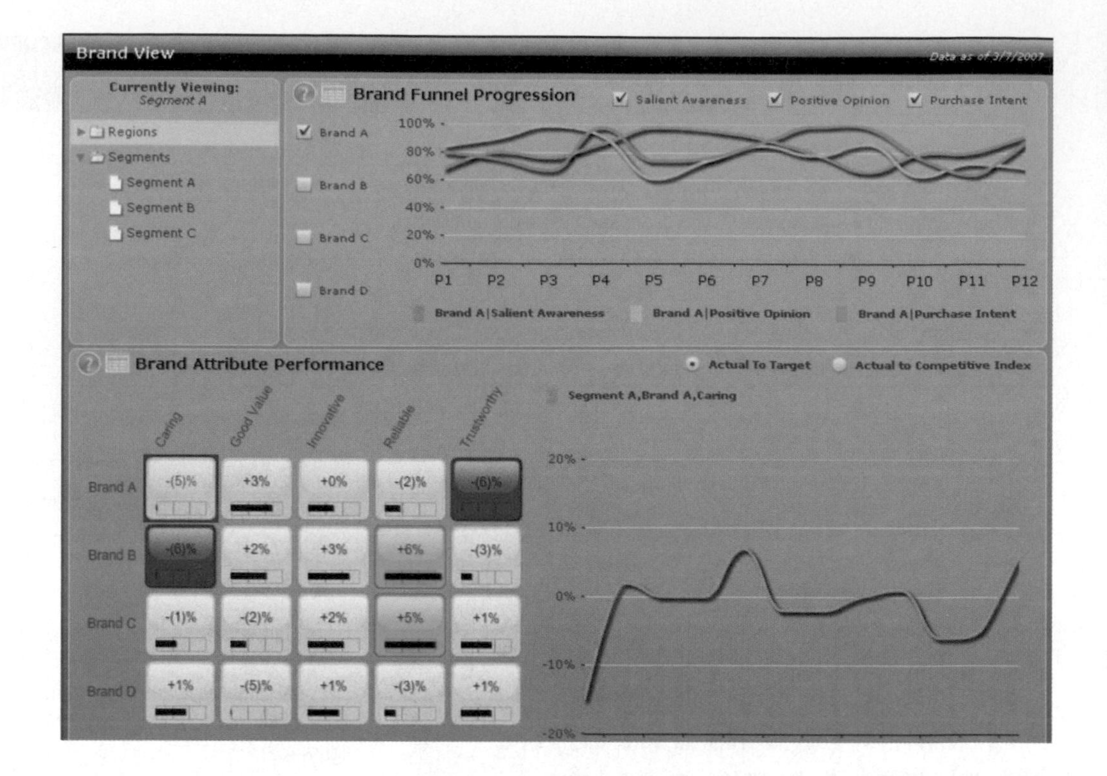

- El *procedimiento de métricas de flujo de efectivo* se centra en la utilidad de los gastos de marketing para obtener rendimientos a corto plazo. Los modelos de rendimiento sobre la inversión de los programas y las campañas miden el impacto inmediato o el valor actual neto de las ganancias esperadas de una inversión determinada.
- El *procedimiento de métricas de marca* hace un seguimiento del desarrollo de los efectos del marketing en el largo plazo, a través de medidas de capital de marca que evalúan la percepción de la marca desde la perspectiva de los clientes actuales y los clientes potenciales, así como la situación financiera general de la marca.

LaPointe considera que los cuadros de mando de marketing pueden presentar perspectivas de todas las evoluciones de las métricas en una vista gráfica relacionada que ayuda a los directivos a observar vínculos sutiles entre ellas. Un cuadro de mando bien construido puede tener una serie de pestañas que permiten al usuario cambiar fácilmente entre diferentes "familias" de métricas organizados por cliente, producto, experiencia, marca, canales, eficiencia, desarrollo organizacional o factores macroambientales. Cada pestaña presenta las tres o cuatro métricas más importantes, con los datos filtrados por unidad de negocio, zona geográfica o segmento de clientes, todos ellos basados en las necesidades de los usuarios de la información. (Vea la figura 4.3, en donde se presenta una muestra de una página de métricas de marca).

Lo ideal sería que el número de métricas presentadas en el cuadro de mando de marketing se redujera a un puñado de factores clave a lo largo del tiempo. Mientras tanto, el proceso de desarrollar y refinar el cuadro de mando de marketing sin duda planteará y resolverá muchas preguntas clave sobre el negocio.

Fuente: Adaptado de Pat LaPointe, *Marketing by the Dashboard Light*, Association of National Advertisers, 2005, www.MarketingNPV.com

Resumen

1. Las empresas pueden realizar su propia investigación de mercados o contratar a otras empresas para que lo hagan en su lugar. Una buena investigación de mercados se caracteriza por estar basada en un método científico, por ser creativa, por aplicar múltiples métodos de investigación, por la aplicación de modelos precisos, por incluir análisis costo-beneficio, por presentar un escepticismo saludable y por tener un enfoque ético.
2. El proceso de investigación de mercados consiste en definir el problema y las alternativas de decisión; definir el objetivo de investigación; desarrollar el plan de investigación; recopilar la información y analizarla; presentar las conclusiones a la dirección, y tomar una decisión al respecto.
3. Al realizar la investigación, las empresas deben decidir si recaban nueva información o si utilizan información existente. Asimismo, deben decidir qué método de investigación utilizarán (observación, *focus group*, encuesta, información conductual o experimental) y qué instrumentos de investigación aplicarán (cuestionarios o dispositivos tecnológicos). Además, deben decidir sobre el plan de muestreo y los métodos de contacto (correo, teléfono, personal o por Internet).

4. Los dos enfoques complementarios para medir la productividad del marketing son: (1) métricas de marketing para evaluar los efectos del marketing, y (2) modelos de marketing mix para calcular las relaciones causales y medir cómo se ven afectados los resultados por la actividad de marketing. Los cuadros de mando de marketing son una forma estructurada de difundir al interior de la organización los conocimientos obtenidos a partir de estos dos enfoques.

Aplicaciones

Debate de marketing

¿Cuál es la mejor investigación de mercados?

Muchos investigadores de marketing tienen técnicas o métodos de investigación favoritos, aunque cada investigador suele tener sus preferencias. Algunos investigadores sostienen que la única forma de conocer a los consumidores o de saber cómo van las marcas es a través de una investigación cualitativa exhaustiva. Otros esgrimen que la única forma legítima y defendible de investigación de mercados es la que incluye medidas cuantitativas.

Tome partido: **"La mejor investigación de mercados es la de naturaleza cuantitativa"** ***frente a*** **"La mejor investigación de mercados es la de naturaleza cualitativa".**

Análisis de marketing

Encuestas de calidad

¿Cuándo fue la última vez que participó en una encuesta? ¿Qué tan útil cree que fue la información que proporcionó? ¿Habría otra forma de haber realizado esa encuesta para ganar eficacia?

Marketing de excelencia

>>IDEO

IDEO es la empresa de consultoría en diseño más grande de Estados Unidos. La compañía ha creado algunos de los iconos del diseño más reconocidos de la era de la tecnología, incluyendo la primera computadora portátil, el primer ratón (para Apple), la primera Palm V PDA y el grabador digital de video TiVo. Además de su prodigiosa destreza en alta tecnología, la empresa ha diseñado artículos para el hogar, como la "Swiffer Sweeper" (la escoba más rápida) y el tubo de pasta de dientes de Crest "Crest Neat Squeeze" (fácil de apretar), ambos para Procter & Gamble. La diversa lista de clientes de IDEO incluye a AT&T, Bank of America, Ford Motor Company, PepsiCo, Nike, Marriott, Caterpillar, Eli Lilly, Lufthansa, Prada y Mayo Clinic.

El éxito de IDEO parte de un enfoque llamado "pensamiento de diseño", el cual está basado en una "metodología centrada en el ser humano". La empresa se esfuerza por diseñar productos que los consumidores desean activamente, ya que ofrecen una experiencia superior y resuelven un problema. Para lograr estas soluciones que los clientes quieren, IDEO trata de descubrir ideas profundas a través de una variedad de métodos de investigación centrados en los seres humanos. Estos estudios ayudan a la empresa a entender mejor cómo compran, interactúan, utilizan e incluso desechan los productos los consumidores. Este enfoque centrado en el cliente ha ido en contra de la opinión prevaleciente de muchas empresas de alta tecnología, que se centran más en sus propias capacidades que en el diseño de productos. David Blakely, director del grupo de tecnología de IDEO, explicó: "Las empresas de tecnología diseñan de adentro hacia afuera, mientras que nosotros diseñamos desde el exterior para poder poner a los clientes en primer lugar".

IDEO utiliza diversos métodos de observación para llevar a cabo "inmersiones profundas" en el comportamiento del consumidor. El equipo de "factores humanos" de la empresa sigue de cerca a los consumidores, toma fotos o videos mientras compran o usan el producto, y lleva a cabo entrevistas profundas con ellos para evaluar mejor sus experiencias. Otro de sus métodos es el llamado "mapa del comportamiento", que crea un registro fotográfico de las personas dentro de un área determinada, como la sala de espera de una aerolínea, la sala de espera de un hospital o el área de comida de un centro comercial durante cierto periodo para evaluar cómo se puede mejorar la experiencia. Un tercer método se basa en "diarios en video" que los participantes mantienen, en los que registran sus impresiones visuales de un determinado producto o categoría. IDEO también invita a los consumidores a utilizar técnicas de "narración de cuentos" para compartir historias personales, videos, obras de teatro, animaciones o incluso sus experiencias con un producto o servicio.

El uso de prototipos también ha contribuido al éxito de IDEO. Los utiliza en todo el proceso de diseño, de manera que las personas puedan probar, experimentar y mejorar cada nivel de desarrollo. IDEO alienta a sus clientes, incluso a los altos ejecutivos, a participar en la investigación para que tengan una idea de la experiencia real del consumidor con su producto o servicio. Por ejemplo, los ejecutivos de AT&T fueron enviados a una búsqueda del tesoro diseñada para probar el software de ubicación de la empresa en sus teléfonos móviles mMode. Los ejecutivos pronto se dieron cuenta de que el software no era fácil de usar. Uno recurrió a llamar a su esposa para que utilizara Google y le ayudara a encontrar un elemento de la lista. IDEO ayudó a AT&T a rediseñar la interfaz para que fuera más intuitiva para el usuario promedio.

IDEO ayudó al fabricante de prendas de vestir Warnaco a mejorar sus ventas al hacer que sus diseñadores siguieran de cerca a ocho mujeres mientras compraban ropa interior. Los "acompañantes de las compradoras" descubrieron que la mayoría de las consumidoras tenían una experiencia de compra negativa. Tenían dificultades para localizar la sección de ropa interior en los grandes almacenes y para encontrar la talla adecuada en el lineal, y sentían que los probadores eran demasiado pequeños. IDEO desarrolló un nuevo entorno de seis etapas de comercialización que incluía probadores más grandes, "conserjes" que ofrecían información a los compradores y mejores exhibidores. Warnaco implementó este plan con la ayuda de los grandes almacenes.

En otro ejemplo, Marriott contrató a IDEO para ayudarle a que sus hoteles Courtyard by Marriott fueran atractivos para los huéspedes más jóvenes. IDEO llevó a cabo entrevistas y observó a los huéspedes en los salones, salas y restaurantes del hotel. Su investigación reveló que los huéspedes más jóvenes estaban decepcionados por la falta de actividad en los lugares públicos del hotel, la falta de tecnología que se ofrecía y las malas opciones de alimentos. Como resultado, los hoteles Courtyard by Marriott cambiaron su mobiliario y decoración para que fueran más cálidos, cómodos y acogedores. El hotel agregó opciones de tecnología más avanzada en sus salas y salones, como televisores de pantalla plana y conexiones inalámbricas a internet. Marriott convirtió sus servicios de desayuno buffet en cafeterías abiertas las 24 horas, donde los clientes pueden tomar un café gourmet y comer un refrigerio sano rápidamente y en cualquier momento. Y Courtyard creó nuevos puntos de reunión al aire libre con altavoces de sonido y estufas de leña. Después de las renovaciones, Courtyard by Marriott cambió su eslogan a "Courtyard. Es una estancia distinta".

El novedoso enfoque de diseño dirigido al cliente de IDEO ha dado lugar a innumerables historias de éxito y premios para sus clientes y para la propia empresa. El resultado más importante para los diseños de IDEO es que resuelven un problema de usabilidad para los clientes. La empresa realiza esfuerzos "amplios y profundos" para lograr este objetivo. Desde su fundación, ha emitido más de 1 000 patentes y en 2008 la empresa generó 120 millones de dólares en ingresos.

Preguntas

1. ¿Por qué ha tenido tanto éxito IDEO? ¿Cuál es el reto más difícil que enfrenta en la realización de sus actividades de investigación y en el diseño de sus productos?
2. Al final, IDEO crea grandes soluciones para empresas que después reciben todo el crédito. ¿Debería IDEO tratar de crear una mayor notoriedad de marca para sí misma? ¿Por qué o por qué no?

Fuentes: Lisa Chamberlain, "Going off the Beaten Path for New Design Ideas", *New York Times*, 12 de marzo de 2006; Chris Taylor, "School of Bright Ideas", *Time*, 6 de marzo de 2005, p.A8; Scott Morrison, "Sharp Focus Gives Design Group the Edge", *Financial Times*, 17 de febrero de 2005, p. 8; Bruce Nussbaum, "The Power of Design", *BusinessWeek*, 17 de mayo de 2004, p. 86; Teressa Iezzi, "Innovate, But Do It for Consumers", *Advertising Age*, 11 de septiembre de 2006; Barbara De Lollis, "Marriott Perks Up Courtyard with Edgier, More Social Style", *USA Today*, 1 de abril de 2008; Tim Brown, "Change by Design", *BusinessWeek*, 5 de octubre de 2009, pp. 54-56.

Marketing de excelencia

>>Coca Cola

Caso de éxito: el servicio de atención al consumidor de Coca-Cola.

Escuchar, informar al cliente y asegurar el cumplimiento de sus derechos constituyen los tres pilares básicos del servicio de atención al consumidor de Coca-Cola. Este servicio se ha convertido en uno de los canales de comunicación más activos y el vínculo más ágil entre los consumidores y la compañía, así como fuente de información para conocer el comportamiento y los deseos de los consumidores.

Antecedentes

La clave del éxito del negocio de Coca-Cola es la confianza de los consumidores y de los clientes en sus productos. Y este éxito se debe en gran medida a dos aspectos: uno de ellos es la preocupación constante por intentar que los productos satisfagan las necesidades de los consumidores, y otro aspecto son los estrictos estándares de calidad que Coca-Cola siempre ha establecido en sus productos y en sus procesos de producción.

Por esta razón, dedica el cien por ciento de su tiempo a realizar el mejor marketing, es decir, en entender cómo vive, qué siente, qué piensa, qué hace y qué necesita el consumidor, centrándose en comprender sus motivaciones para maximizar la relevancia de las marcas y seguir innovando en productos y promociones.

Asimismo, la calidad es un imperativo para el negocio. Esta creencia generalizada en la organización es aceptada por todos, desde los empleados de las líneas de producción hasta los ejecutivos de máximo nivel. La creencia general es que "lo podemos hacer mejor". Coca-Cola investiga de forma permanente para desarrollar primero los estándares de calidad más exigentes y, posteriormente, aplicarlos con absoluto rigor y compromiso.

Y en esta línea de convicción de perfeccionamiento y dentro de la nueva estrategia de localización de Coca-Cola, cuyo objetivo es pensar y actuar con mayor autonomía local y ser un ciudadano modelo, el servicio de atención al consumidor se ha constituido como una herramienta básica de servicio y contacto directo con el consumidor.

Estrategia

Dada la vocación de dar a conocer este servicio al mayor número de consumidores, Coca-Cola decidió utilizar como vehículo de promoción sus propios envases. Desde su nacimiento, Coca-Cola dedica un espacio destacado en sus envases.

El servicio de atención al consumidor de Coca-Cola funciona gracias a un sistema centralizado de llamadas, que trabaja fundamentalmente como centro de recopilación de datos y como generador de información al sistema. El servicio recoge y atiende también las demandas en modo online.

Desde su creación, el servicio atiende básicamente peticiones de información y llamadas de quejas o reclamaciones. La plataforma canaliza todos los datos que recoge y las demandas son contestadas lo más rápidamente posible. El plazo de respuesta, en función de las gestiones que sea necesario realizar, suele oscilar entre dos y siete días.

Cuando el servicio de atención al consumidor de Coca-Cola recibe una llamada, la operadora recoge la petición o queja y la introduce en un registro. Inmediatamente se informa de la incidencia al departamento oportuno y éste activa los mecanismos necesarios para ofrecer una solución. En los casos en los que la queja está relacionada con un proceso de calidad —habitualmente en los procesos que tienen que ver con la carbonización— Coca-Cola recoge la muestra, la analiza en el laboratorio y posteriormente informa al consumidor. Cuando se estima oportuno, Coca-Cola realiza el seguimiento posterior para conocer el grado de satisfacción del consumidor.

Resultados

En Coca-Cola se piensa que esta plataforma ha contribuido a crear una conciencia más crítica y activa entre los consumidores. El servicio ha experimentado desde su nacimiento un crecimiento espectacular. El mayor número de llamadas atendidas estuvo relacionado con promociones (petición de regalos y catálogos), seguido por las demandas de información.

Pero, además, el servicio de atención al consumidor se ha convertido en un soporte eficaz para todos los departamentos de la empresa con los que trabaja estrechamente. Gracias a la información que genera el servicio de atención al consumidor, la compañía Coca-Cola analiza la evolución de los motivos de las llamadas, el perfil del consumidor que utiliza este servicio, la procedencia y los comentarios de los consumidores, información que cada departamento utiliza para adaptar sus estrategias a estas demandas.

Preguntas

1. Explique en mayor detalle el servicio de atención al consumidor de Coca Cola y su relación con la investigación de mercados. ¿Por qué funciona tan bien para la empresa?
2. ¿Es posible que las cosas vayan mal para Coca-Cola, aun cuando es líder en varios de los mercados en donde participa? ¿Por qué?

Fuente: http://www.articulosinformativos.com.mx/Caso_De_Éxito_El_Servicio_De_Atencion_Al_Consumidor_De_Coca_Cola-a1038367.html

PARTE 3 Conexión con los clientes

El programa de lealtad de Steren, Steren Card, ha aumentado significativamente el valor del cliente para la empresa.

En este capítulo responderemos las siguientes **preguntas**

1. **¿Qué es el valor, la satisfacción y la lealtad del cliente, y qué pueden hacer las empresas para lograrlos?**
2. **¿Qué es el valor de por vida de los clientes, y cómo pueden maximizarlo los especialistas en marketing?**
3. **¿Qué pueden hacer las empresas para atraer y retener a los clientes correctos, y cultivar relaciones sólidas con ellos?**
4. **¿Cuáles son las ventajas y las desventajas del marketing de base de datos?**

Creación de relaciones de lealtad de largo plazo

Actualmente las empresas enfrentan una competencia más dura que nunca. Por fortuna, dejar atrás la filosofía basada en productos y ventas para asumir una de marketing holístico les da la oportunidad de tener un mejor desempeño que la competencia. La piedra angular de una orientación de marketing bien concebida es cultivar una relación sólida con los clientes. Los especialistas en marketing deben conectar con los clientes y, en el proceso, brindarles información, atraerlos, e incluso animarlos y motivarlos en el proceso. Las empresas orientadas a sus clientes son partidarias de crear buenas relaciones con sus clientes, no sólo productos; en otras palabras, son hábiles en la ingeniería de mercado, y no sólo en la ingeniería de productos. Un buen ejemplo de cómo administrar la relación con los clientes es el que ofrece Electrónica Steren.

Steren, líder en soluciones en electrónica, continúa premiando la lealtad de sus clientes a través de su programa de recompensas Steren Card, que consiste en la bonificación —mediante una tarjeta de descuento— de 10% de cada compra mayor a unos 10 dólares. Desde su creación, hace aproximadamente ocho años, Steren Card ha premiado la lealtad de sus consumidores proporcionándoles dinero acumulable, además de ofrecer atractivas promociones exclusivas para los afiliados al programa. Gracias a la confianza en la marca, a los precios competitivos y a la calidad de los productos de la empresa, el programa Steren Card ha sumado más de 800 mil tarjetas vendidas a lo largo de la República Mexicana. La tarjeta Steren Card se puede utilizar por los compradores individuales para adquirir productos en las más de 300 tiendas Steren y Steren Shop; el saldo es acumulable, ilimitado y válido durante un año. A diferencia de otros programas de recompensas, Steren Card da la oportunidad de acumular puntos por cada compra. Además, permite consulta de saldo y otros servicios en todas las tiendas Steren, así como en un Call Center de apoyo y en la página de Internet de la empresa; es transferible, y el plástico no tiene vencimiento. Otra función de este programa de lealtad consiste en proporcionar información exclusiva sobre nuevos productos y promociones a los poseedores de tarjeta. Steren Card es un programa muy exitoso que ha permitido aumentar el monto promedio de venta, así como fortalecer las relaciones con los clientes, brindándoles cercanía y vinculación con la marca a través de las redes sociales más populares, en donde frecuentemente se gestan conversaciones que derivan en ventas.[1]

Como muestra la experiencia de Steren, una de las habilidades de los especialistas en marketing debe ser administrar cuidadosamente su base de clientes. En este capítulo hablaremos a detalle de cómo se puede captar clientes y derrotar a la competencia. El secreto, en buena medida, radica en satisfacer mejor que nadie las expectativas del cliente.

Creación de valor, satisfacción y lealtad del cliente

Desarrollar clientes leales es una de las principales metas de cualquier empresa.[2] Como dicen los expertos en marketing, Don Peppers y Martha Rogers:[3]

> El único valor que su empresa es capaz de generar, es aquel que se deriva de los clientes… tanto de los que tiene ahora como de los que tendrá en el futuro. El éxito comercial depende de captar, mantener y aumentar el número de clientes de la empresa. Éstos constituyen la única razón para construir una fábrica, contratar empleados, programar juntas, instalar redes de fibra óptica, e involucrarse en cualquier actividad empresarial. Sin clientes no hay negocio.

|Fig. 5.1|

Organización tradicional *versus* organización moderna orientada al cliente

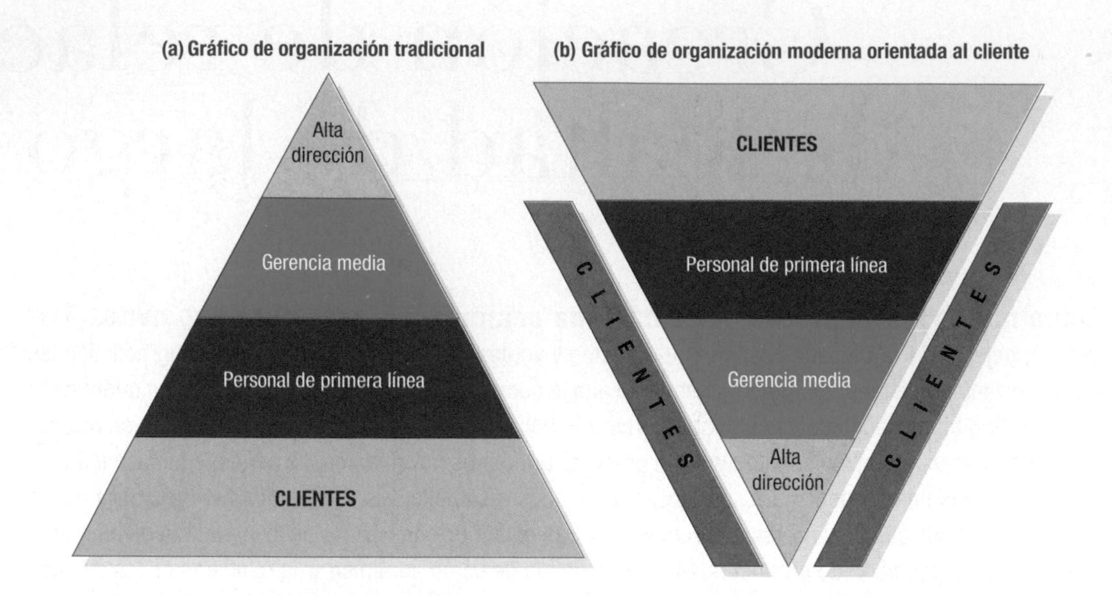

Los profesionales convencidos de que el cliente es el único verdadero "centro de ganancias" de la empresa consideran obsoleto el enfoque organizacional tradicional, ilustrado en la figura 5.1(a), una pirámide en cuya cima se ubica la alta dirección, en su centro la gerencia, y en su base el personal de primera línea y los clientes.[4]

Las empresas de marketing exitosas invierten el gráfico, como se muestra en la figura 5.1(b). En este caso, los clientes están en la cima de la pirámide, seguidos en nivel de importancia por los empleados de primera línea —que son quienes conocen, atienden y satisfacen a los clientes—, luego por la gerencia media —cuyo trabajo es apoyar a los empleados de primera línea para que atiendan bien al cliente— y, finalmente, en la base, la alta dirección, responsable de contratar profesionales aptos para ocupar la gerencia media, y apoyarlos. Además, hemos añadido una referencia a los clientes en ambos lados de la figura 5.1(b), para indicar que los profesionales de todos los niveles deben comprometerse a conocerlos, atenderlos y satisfacerlos.

Algunas empresas han sido fundadas a partir del modelo de negocios en donde el cliente ocupa el lugar más importante, implementando desde el principio el enfoque en el consumidor como su estrategia y fuente de ventaja competitiva. A partir del crecimiento de las tecnologias digitales —como Internet, por ejemplo— los cada vez mejor informados clientes esperan que ahora las empresas hagan algo más que estar en contacto con ellos, limitándose a satisfacerlos o conquistarlos. Lo que quieren es que las empresas los *escuchen* y les *respondan*.[5]

Cuando en 2008 Office Depot incluyó en su página Web críticas de los clientes, sus ingresos y su tasa de conversión de ventas (ventas que se habían perdido inicialmente por problemas con el cliente) aumentaron significativamente. La empresa también incorporó a su campaña de publicidad de búsqueda pagada los términos relativos a las críticas. Como resultado de estos esfuerzos, tanto los ingresos generados a través de la página Web como el número de nuevos compradores que visitaron el sitio se incrementaron en más del 150 por ciento.[6]

Valor percibido por el cliente

Los clientes están mejor informados y educados que nunca, y tienen las herramientas para verificar lo que ofrecen las empresas, y para buscar mejores alternativas.[7]

Dell

Dell Dell alcanzó el éxito al ofrecer computadoras (ordenadores) de precio bajo, eficiencia logística y servicio postventa. El enfoque obsesivo en los costos bajos ha sido otro ingrediente fundamental de su estrategia. Sin embargo, cuando la empresa trasladó a India y Filipinas sus centros telefónicos de servicio al cliente para disminuir costos, la falta de personal ocasionó que los clientes muchas veces tuvieran que esperar hasta media hora para ser atendidos. Casi la mitad de las llamadas requerían al menos una transferencia. Para desalentar las llamadas de los clientes, la empresa llegó incluso a quitar el número telefónico de servicio gratuito de su página de Internet. La participación de mercado y el precio de las acciones de Dell comenzaron a caer rápidamente debido al descenso de los niveles de satisfacción del cliente y a la similitud en la calidad de los productos y precios de sus competidores, quienes además ofrecían un servicio mejorado. Dell terminó contratando a más empleados para atender su centro telefónico en Estados Unidos. "El equipo estaba ocupándose de los costos, pero no del servicio ni de la calidad", confiesa Michael Dell.[8]

En última instancia, ¿qué factores toman en cuenta los clientes para hacer sus elecciones? La respuesta es que tienden a maximizar el valor dentro de los límites de los costos de búsqueda y un conocimiento, movilidad e ingreso limitados. Los clientes calculan cuál oferta creen que les otorgará el mayor valor percibido —por la razón que sea—, y actuarán en consecuencia (figura 5.2). El hecho de que la oferta esté a la altura de sus expectativas afecta la satisfacción del cliente y tiene un impacto sobre la probabilidad de que éste vuelva a comprar el producto. En una encuesta de 2008 se preguntó a los consumidores estadounidenses: "¿La [Marca X] le da un valor apropiado por lo que usted paga?". Las marcas con mejor puntuación fueron las herramientas Craftsman, Discovery Channel, History Channel, Google y Rubbermaid.[9]

El **valor percibido por el cliente** (CPV) es la diferencia entre la evaluación que el cliente hace respecto de todos los beneficios y todos los costos inherentes a un producto. El **beneficio total para el cliente** es el valor monetario percibido del conjunto de beneficios económicos, funcionales y psicológicos que los consumidores esperan recibir de una determinada oferta de mercado, como resultado del producto, el servicio, las personas involucradas en la transacción y la imagen. El **costo total para el cliente** es el conjunto de costos en que incurren los clientes al evaluar, obtener, usar y finalmente deshacerse de una oferta de mercado determinada. Incluye costos monetarios, de tiempo, de energía y psicológicos.

El valor percibido por el cliente entonces se basa en la diferencia entre los beneficios que el cliente obtiene y los costos en que incurre. El especialista en marketing puede aumentar el valor de la oferta para el cliente, al incrementar los beneficios económicos, funcionales o emocionales, y/o al reducir uno o más costos. El cliente que elige entre dos ofertas de valor, V1 y V2, optará por V1 si la relación (ratio) V1/V2 es mayor que uno; elegirá V2 si es menor que uno, y será indiferente si es igual a uno.

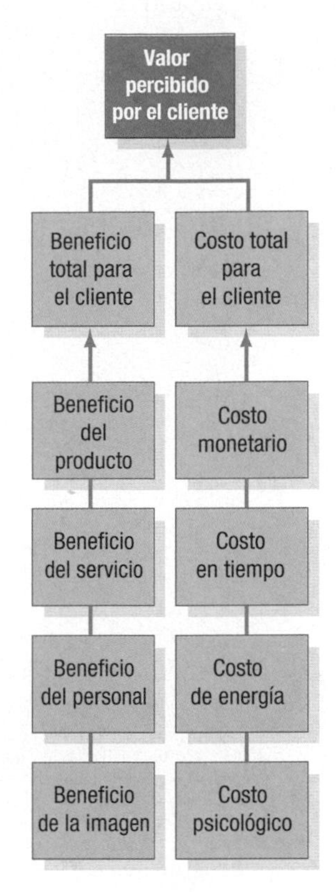

|Fig. 5.2|

Determinantes del valor percibido por el cliente

APLICACIÓN DE LOS CONCEPTOS DE VALOR

Suponga que el comprador de una gran empresa constructora desea comprar un tractor para construcción residencial, ya sea de Caterpillar o de Komatsu. Quiere que el tractor tenga ciertos niveles de fiabilidad, durabilidad, desempeño y valor de reventa. Los vendedores que compiten entre sí describen sus ofertas con cuidado. Con base en su percepción de los atributos mencionados, el comprador decide que el producto de Caterpillar ofrece mayores beneficios. También percibe diferencias en los servicios complementarios —entrega, capacitación y mantenimiento—, y decide que Caterpillar proporciona mejor servicio y un personal más experto y receptivo. Por último, desde su punto de vista la imagen corporativa y la reputación de Caterpillar tienen un nivel de valor más alto. Al sumar todos los beneficios económicos, funcionales y psicológicos de estas cuatro fuentes —producto, servicios, personal e imagen—, el comprador percibe a Caterpillar como la empresa que ofrece mayores beneficios al cliente.

¿Comprará el tractor de Caterpillar? No necesariamente. También comparará el costo total que implicaría su transacción con Caterpillar y con Komatsu, un factor que va más allá del dinero. Como observó Adam Smith hace más de dos siglos en *La riqueza de las naciones,* "El precio real de cualquier cosa incluye el esfuerzo y el trabajo que da adquirirla". El costo total para el cliente involucra también los costos de tiempo, de energía y psicológicos que se gastan en la adquisición, uso, mantenimiento, propiedad y desecho del producto. El comprador evalúa estos elementos junto con el costo monetario para calcular lo que se denomina costo total para el cliente. Siguiendo con nuestro ejemplo, entonces el comprador considerará si el costo total para el cliente que le ofrece Caterpillar es demasiado alto en comparación con los beneficios totales para el cliente. Si fuera así, podría escoger a Komatsu. El comprador elegirá cualquier fuente que le ofrezca la percepción de mayor valor.

Ahora utilicemos esta teoría de toma de decisiones para ayudar a Caterpillar a cerrar la venta con este comprador. Caterpillar puede mejorar su oferta de tres maneras. En primer lugar, puede aumentar el beneficio total para el cliente si mejora las ventajas económicas, funcionales y psicológicas de su producto, sus servicios, su gente y/o su imagen. En segundo, puede reducir los costos no monetarios en que incurrirá el comprador, reduciendo la inversión psicológica, de tiempo y de energía. Por último, puede reducir el costo monetario de su producto para el comprador.

Suponga que Caterpillar concluye que el comprador percibe su oferta como un valor de 20 000 dólares. Suponga que el costo de producción del tractor para Caterpillar es de 14 000 dólares. Esto significa que la oferta de Caterpillar genera 6 000 dólares por encima de su costo, por lo que la empresa debe cobrar entre 14 000 y 20 000 dólares. Si cobra menos de 14 000 dólares no cubrirá sus costos; si cobra más, saldrá del rango de precios de mercado.

El precio de Caterpillar determinará el monto del valor que ofrece al comprador, y el monto monetario que fluye a la empresa. Si cobra 19 000 dólares, está creando 1 000 dólares de valor percibido por el cliente y quedándose con 5 000 dólares. Cuanto más bajo sea el precio que fije Caterpillar, más alto será el valor percibido por el cliente y, por lo tanto, más alto también su incentivo de compra. Para ganar la venta, la empresa debe ofrecer un mayor valor percibido por el cliente en comparación con Komatsu.[10] Caterpillar es muy consciente de la importancia de desarrollar una visión amplia del valor para el cliente.

Caterpillar

Caterpillar Caterpillar se ha convertido en una empresa líder al maximizar el valor total para el cliente en el sector de maquinaria para construcción, a pesar de los desafíos que le impone la habilidad de varios competidores, como John Deere, Case, Komatsu, Volvo e Hitachi. Antes que nada, Caterpillar fabrica maquinaria de alto desempeño, conocida por su fiabilidad y durabilidad, factores fundamentales al considerar la compra de maquinaria industrial pesada. Por otro lado, la empresa también se preocupa de que los clientes encuentren con facilidad el producto adecuado, proveyendo una gama completa de maquinaria para construcción, y un amplio espectro de condiciones financieras. Caterpillar cuenta con la mayor cantidad de distribuidores de maquinaria para construcción en el sector, cada uno de los cuales vende una línea completa de sus productos, y generalmente están mejor capacitados y son más confiables que los distribuidores de la competencia. Caterpillar también ha desarrollado un sistema de servicios a nivel mundial, sin precedente en el sector. Los clientes reconocen todo el valor que Caterpillar genera en sus ofertas, lo cual permite que la empresa cobre un precio entre 10 y 20% más alto que el de los competidores. Los desafíos más importantes para Caterpillar son la competencia de la revitalizada Komatsu, que ha tenido gran empuje en China, y ciertos problemas de cadena de suministro al introducir nuevos productos.[11]

Los especialistas en marketing acostumbran a llevar a cabo un **análisis de valor para el cliente**, el cual revela las fortalezas y debilidades de la empresa en comparación con las de sus competidores. Los pasos de este análisis son:

1. ***Identificar los atributos y beneficios que valoran los clientes.*** Se pregunta a los clientes qué atributos, beneficios y niveles de desempeño buscan al elegir un producto y un proveedor. Los atributos y beneficios deben definirse con amplitud, de manera que abarquen toda la información relacionada con las decisiones de los clientes.
2. ***Evaluar la importancia cuantitativa de los diferentes atributos y beneficios.*** Se pide a los clientes que califiquen la importancia de diferentes atributos y beneficios. Si las calificaciones difieren demasiado, el especialista en marketing deberá agruparlos en distintos segmentos.
3. ***Evaluar el desempeño de la empresa y de sus competidores en cada uno de los diferentes atributos mencionados por el cliente, y en función de la importancia concedida.*** Los clientes describen cómo perciben el desempeño de la empresa y de los competidores respecto de cada atributo y beneficio.
4. ***Examinar cómo califican los clientes de un segmento específico el desempeño de la empresa en comparación con su competidor principal para un atributo o beneficio individual.*** Si la oferta de la empresa excede la oferta del competidor en todos los atributos y beneficios importantes, podrá cobrar un precio más alto (y, por lo tanto, tener mayores ganancias), o cobrar el mismo precio y obtener mayor cuota de mercado.
5. ***Supervisar la evolución del valor percibido a lo largo del tiempo.*** La empresa debe actualizar cada cierto tiempo sus estudios de valor para el cliente y sus evaluaciones de la posición de sus competidores, a medida que la economía, la tecnología y otras condiciones de modifican.

PROCESOS DE ELECCIÓN E IMPLICACIONES Algunos especialistas en marketing podrían argumentar que el proceso descrito es demasiado racional. Suponga que, a pesar de todo, el cliente elige el tractor Komatsu. ¿Cómo se puede explicar esta elección? A continuación se mencionan tres posibilidades.

1. ***El comprador podría haber recibido la orden específica de comprar al precio más bajo.*** En ese caso, la labor del vendedor de Caterpillar será convencer a quien haya dado dicha orden de que comprar solamente con base en el precio producirá menores ganancias en el largo plazo y tendrá, en consecuencia, menor valor para el cliente.
2. ***El comprador se jubilará antes de que la empresa se dé cuenta de que el tractor Komatsu es más difícil de operar.*** El comprador parecerá más competente ante otros en el corto plazo, con lo cual se maximiza su beneficio personal. Entonces, la labor del vendedor de Caterpillar será convencer a otras personas de la empresa compradora de que Caterpillar ofrece un mayor valor para el cliente.
3. ***El comprador tiene una estrecha amistad con el vendedor de Komatsu.*** En este caso, el vendedor de Caterpillar debe demostrar al comprador que el tractor Komatsu provocará quejas entre los operarios cuando descubran su alto consumo de combustible y la necesidad de hacer reparaciones frecuentes.

Está claro: los compradores operan bajo diversas limitantes, y ocasionalmente hacen elecciones que dan más peso a su beneficio personal que al beneficio de la empresa.

El valor percibido por el cliente es un marco útil, válido en muchas situaciones, y que genera gran información intuitiva. Sugiere que el vendedor debe evaluar tanto el beneficio total como el costo total para el cliente asociados a cada una de las ofertas de los competidores, para saber en qué posición se clasifica su oferta en la mente del comprador. Por otro lado, indica que el vendedor en desventaja tiene dos opciones: aumentar el beneficio total para el cliente, o disminuir el costo total para el cliente. La primera acción requiere reforzar o aumentar los beneficios económicos, funcionales y psicológicos de la oferta de producto, servicio, personal e imagen. La segunda alternativa requiere reducir los costos para el cliente, disminuyendo el precio o el costo de propiedad y mantenimiento, simplificando el proceso de pedido y entrega, o absorbiendo una parte del riesgo del comprador por medio del ofrecimiento de una garantía.[12]

ENTREGANDO UN ALTO VALOR AL CLIENTE Los clientes muestran diversos niveles de lealtad a marcas, tiendas y empresas específicas. Oliver define la **lealtad** como "un profundo compromiso de recompra, o la tendencia a seguir siendo cliente habitual de un producto o servicio en el futuro, a pesar de los factores situacionales y de los esfuerzos de marketing que potencialmente pudieran causar cambios en el comportamiento".[13] La tabla 5.1 muestra las marcas con el más alto grado de lealtad de los clientes, de acuerdo con una encuesta de 2010.[14]

La **propuesta de valor** consiste en el conjunto total de beneficios que la empresa promete ofrecer; por lo tanto, constituye una valoración más completa que el posicionamiento central de la oferta. Por ejemplo, el posicionamiento central de Volvo ha sido la "seguridad", pero al comprador se le promete algo más que un automóvil seguro; otros beneficios incluyen un buen desempeño, diseño y seguridad para el medio ambiente. La propuesta de valor es, entonces, una promesa de aquello que los clientes pueden esperar recibir de la oferta de mercado de la empresa y de su relación con el proveedor. Si la promesa se cumple o no depende de la capacidad de la empresa para administrar su sistema de entrega de valor.[15] El **sistema de entrega de valor** incluye todas las experiencias que el cliente tendrá entre la búsqueda de la oferta y la compra del producto o servicio. En la parte medular de un buen sistema de entrega de valor se encuentra un grupo de procesos empresariales básicos, que contribuyen al ofrecimiento de un valor distintivo para el cliente.[16]

TABLA 5.1 Las 25 marcas con mayor lealtad del cliente

Marca	Categoría	Calificación	
		2010	2009
iPhone de Apple	Wireless Handset	1	1
Clairol (tinte para el cabello)	Tinte para el cabello	2	ND
Samsung	Wireless Handset	3	2
Mary Kay	Cosméticos (gran distribución)	4	7
Grey Goose	Vodka	5	6
Clinique (cosméticos de lujo)	Cosméticos de lujo	6	19
AVIS	Alquiler de automóviles	7	8
Walmart	Minorista (de descuento)	8	5
Google	Buscador de Internet	9	3
Amazon.com	Música y libros online	10	10
Bing	Buscador de Internet	11	ND
J. Crew	Minorista (ropa)	12	23
AT&T Wireless	Telefonía móvil	13	123
Discover Card	Tarjetas de crédito	14	121
Verizon Wireless	Telefonía móvil	15	21
Intercontinental Hotels	Hotel (de lujo)	16	103
Cheerios	Cereal para desayuno: infantil	17	71
Dunkin' Donuts	Café	18	54
Home Depot	Minorista (mejoras para el hogar)	19	192
Domino's Pizza	Pizza	20	156
Barilla	Salsa para pasta	21	ND
Canon	Copiadora multifuncional periférica	22	44
Nike	Calzado deportivo	23	178
Coors Light	Cerveza (ligera)	24	63
Acer	Computadora (ordenador) (Netbook)	25	ND

Fuente: "2010 Brand Keys Customer Loyalty Leaders List", www.brandkeys.com

Aunque la seguridad es la oferta central de Volvo, la propuesta de valor que la empresa hace a sus clientes incluye también otros beneficios.

Satisfacción total del cliente

En general, la **satisfacción** es el conjunto de sentimientos de placer o decepción que se genera en una persona como consecuencia de comparar el valor percibido en el uso de un producto (o resultado) contra las expectativas que se tenían.[17] Si el resultado es más pobre que las expectativas, el cliente queda insatisfecho. Si es igual a las expectativas, estará satisfecho. Si excede las expectativas, el cliente estará muy satisfecho o complacido.[18] Las evaluaciones de los clientes sobre los resultados del producto dependen de muchos factores, en especial del tipo de relación de lealtad que tengan con la marca.[19] Los consumidores suelen desarrollar percepciones más favorables de un producto cuya marca ya les provoca sentimientos positivos.

Aunque la empresa centrada en el cliente busca crear altos niveles de satisfacción en sus consumidores, ése no es el objetivo último. Acrecentar la satisfacción del cliente al disminuir los precios o aumentar los servicios podría producir menores ganancias. La empresa podría aumentar su rentabilidad por otros medios, además del incremento de la satisfacción de sus clientes (por ejemplo, mejorando los procesos de manufactura o invirtiendo más en I+D). Además, la empresa debe cuidar otros intereses: los de los empleados, distribuidores, proveedores y accionistas. Gastar más para aumentar la satisfacción del cliente podría distraer fondos capaces de incrementar la satisfacción de otros "socios". En última instancia, la empresa debe intentar alcanzar un alto nivel de satisfacción del cliente, pero al mismo tiempo debe ofrecer también niveles de satisfacción aceptables a otros interesados, con base en sus recursos totales.[20]

¿Cómo se forman expectativas los compradores? Las expectativas se producen a partir de experiencias de compra previas, consejos de amigos y colegas, y la información y promesas de las empresas y sus competidores. Si las empresas elevan demasiado las expectativas, es probable que el comprador termine decepcionado. Si establecen expectativas demasiado bajas, no atraerán suficientes compradores (aunque satisfagan a aquellos que sí compren).[21] Algunas de las empresas más exitosas de la actualidad están elevando las expectativas y entregando un desempeño de igual nivel. El fabricante coreano de automóviles Kia tuvo éxito en Estados Unidos al lanzar automóviles de bajo costo y alta calidad, con suficiente fiabilidad como para ofrecer garantías de diez años o 100 000 millas (unos 150 000 kilómetros).

Control de la satisfacción

Muchas empresas evalúan sistemáticamente lo bien que tratan a los clientes e identifican los factores que contribuyen a su satisfacción, con el propósito de modificar sus operaciones y estrategias de marketing.[22]

Las empresas inteligentes miden regularmente la satisfacción de sus clientes porque es un factor clave para retenerlos.[23] Un cliente altamente satisfecho suele ser más perdurable; compra más a medida que la empresa introduce productos nuevos o mejorados; habla bien a otros sobre la empresa y sus productos; pone menos atención a las marcas competidoras, es menos sensible al precio, y ofrece ideas para el desarrollo de productos y servicios; además, cuesta menos atenderlo que a un cliente nuevo, ya que las transacciones pueden volverse rutinarias.[24] Una mayor satisfacción del cliente también se asocia con rendimientos más altos y menor volatilidad bursátil.[25]

Sin embargo, la relación entre satisfacción del cliente y lealtad del cliente no es proporcional. Suponga que la satisfacción del cliente se evalúa en una escala del uno al cinco. En una escala muy baja de satisfacción (nivel uno), es probable que los clientes abandonen la empresa e incluso hablen mal de ella. En los niveles dos a cuatro los clientes están medianamente satisfechos pero aún es fácil que cambien si reciben una mejor oferta. En el nivel cinco es muy probable que los clientes vuelvan a comprar, e incluso que hagan buena publicidad de boca a boca sobre la empresa. Más allá de las preferencias racionales, una alta satisfacción provoca un vínculo emocional con la marca o empresa. Los directivos de Xerox encontraron que sus clientes "completamente satisfechos" tenían seis veces más probabilidades de volver a comprar productos Xerox durante los siguientes 18 meses que sus clientes "muy satisfechos".[26]

Sin embargo, la empresa debe reconocer que la forma en que los clientes definen un buen desempeño es variable. Por ejemplo, una "entrega satisfactoria" podría ser una entrega anticipada, una entrega a tiempo, o la recepción de un pedido completo, de manera que dos clientes distintos podrían afirmar que están "altamente satisfechos" por razones diferentes. Tal vez uno de los clientes sea fácil de satisfacer la mayor parte del tiempo, mientras que el otro quizá sea difícil de complacer en general, pero en esta ocasión se declaró satisfecho.[27]

TÉCNICAS DE MEDICIÓN Las *encuestas periódicas* pueden registrar directamente la satisfacción del cliente, además de incluir preguntas adicionales para medir la intención de recompra y la probabilidad de que el encuestado esté dispuesto a recomendar la empresa y la marca a otros. Uno de los constructores más grandes y diversificados de nueva vivienda en Estados Unidos, Pulte Homes, gana más premios en la encuesta anual de J.D. Power que cualquier otro gracias a que evalúa constantemente su desempeño con los clientes y lo hace durante mucho tiempo tras la compra. Pulte encuesta a sus clientes justo después de que compran sus viviendas, y de nuevo varios años más tarde para asegurarse de que siguen satisfechos.[28] "Marketing en acción: El promotor neto y la satisfacción del cliente" describe por qué algunas empresas creen que una sola pregunta bien diseñada es suficiente para evaluar la satisfacción del cliente.[29]

Por otra parte, las empresas también deben evaluar el desempeño de sus competidores. Para lograrlo podrían vigilar su tasa de pérdida de clientes, y contactar a los que han dejado de comprar o los que han cambiado de proveedor para averiguar la razón. Por último, como se describió en el capítulo 3, las empresas pueden contratar compradores misteriosos (*mistery shoppers*) que reporten cuáles son los puntos fuertes y débiles relacionados con la experiencia de compra de los productos de la empresa y de la competencia. Los mismos gerentes podrían involucrarse de forma anónima en situaciones de venta de productos tanto de la empresa como de la competencia, para experimentar el trato que reciben, o llamar por teléfono a su propia empresa para hacer preguntas o plantear quejas, con el propósito de ver cómo manejan sus empleados las llamadas.

El promotor neto y la satisfacción del cliente

Muchas empresas reconocen que la evaluación de la satisfacción del cliente es una prioridad pero, ¿cómo deben llevarla a cabo? Frederick Reichheld, de Bain, sugiere que sólo hay una pregunta importante que hacer al cliente: "¿Qué probabilidad hay de que usted recomiende nuestro producto o servicio a un amigo o colega?". Según Reichheld, la voluntad de un cliente para recomendar es resultado de lo bien que fue tratado por los empleados de primera línea, lo que a su vez está determinado por todas las áreas funcionales que contribuyen a la experiencia del cliente.[30]

Este punto de vista de Reichheld está inspirado, en parte, en su experiencia con Enterprise Rent-A-Car. Cuando la empresa recortó su encuesta de satisfacción de clientes de 18 preguntas a dos —una sobre la calidad de la experiencia de alquiler y la otra sobre la probabilidad de que el cliente volviera a alquilar uno de sus automóviles— se encontró con que quienes calificaban mejor su experiencia de alquiler tenían tres veces más probabilidades de volver a utilizar los servicios de la empresa que aquellos que daban la segunda calificación más alta. Enterprise también descubrió que la información recopilada por la gerencia respecto de los clientes insatisfechos le ayudaba a ajustar sus operaciones.

En una encuesta de promotor neto que sigue la línea de pensamiento de Reichheld, se pide a los clientes que califiquen la probabilidad de que hagan recomendaciones en una escala de 0 a 10. A continuación, los especialistas en marketing restan a los *detractores* (quienes calificaron entre 0 y 6) de los *promotores* (los que otorgaron entre 9 y 10) para llegar al Índice de Promotores Neto (Net Promoter Score, NPS). Los clientes que califican la marca con 7 u 8 se consideran *pasivamente satisfechos*, y no se incluyen en la ponderación.

Las calificaciones típicas de puntuaciones NPS se encuentran en el rango de 10 a 30%, pero las mejores empresas del mundo pueden obtener valoraciones superiores al 50%. Algunas empresas con puntuaciones NPS muy altas incluyen a USAA (89%), Apple (77%), Amazon.com (74%), Costo.com (73%) y Google (71%).

Reichheld está ganando adeptos. GE, American Express y Microsoft, entre otras compañías, han adoptado la métrica NPS y GE ha supeditado el 20% de los bonos de sus gerentes a las puntuaciones NPS. Cuando Healthcare, la unidad europea de GE, obtuvo una baja puntuación, las investigaciones subsecuentes revelaron que los tiempos de respuesta a los clientes eran un problema importante. Después de que se puso a punto el centro telefónico y se colocaron más especialistas en el campo, las puntuaciones NPS para GE Healthcare aumentaron entre 10 y 15 puntos. La consultora BearingPoint encontró que sus clientes con mayor NPS mostraban el mayor crecimiento en ingresos.

Reichheld dice que desarrolló el NPS en respuesta a encuestas de clientes que resultaban complejas y, por lo tanto, ineficaces. Así que no es sorprendente que las empresas alaben su simplicidad y alta relación con los resultados financieros.

A Net Promoter no le faltan críticos. Un amplio estudio académico, llevado a cabo en Noruega con 21 empresas y más de 15 000 consumidores, no encontró ventajas de Net Promoter sobre otras métricas, como la ACSI, que se analizará más adelante en este capítulo.

Fuentes: Fred Reichheld, *Ultimate Question: For Driving Good Profits and True Growth* (Cambridge, MA: Harvard Business School Press, 2006); Jena Mc Gregor, "Would You Recommend Us?" *BusinessWeek,* 30 de enero de 2006, pp. 94-95; Kathryn Kranhold, "Client-Satisfaction Tool Takes Root", *Wall Street Journal,* 10 de julio de 2006; Fred Reichheld, "The One Number You Need to Grow", *Harvard Business Review,* diciembre de 2003; Timothy L. Keiningham, Bruce Cooil, Tor Wallin Adreassen y Lerzan Aksoy, "A Longitudinal Examination of Net Promoter and Firm Revenue Growth", *Journal of Marketing,* 71 (julio de 2007), pp. 39-51; Neil A. Morgan y Lopo Leotte Rego, "The Value of Different Customer Satisfaction and Loyalty Metrics in Predicting Business Performance", *Marketing Science,* 25, núm. 5 (septiembre-octubre de 2006), pp. 426-39; Timothy L. Keiningham, Lerzan Aksoy, Bruce Cooil y Tor W. Andreassen, "Linking Customer Loyalty to Growth", *MIT Sloan Management Review* (verano de 2008), pp. 51-57; Timothy L. Keiningham, Lerzan Aksoy, Bruce Cooil y Tor W. Andreassen, "Commentary on 'The Value of Different Customer Satisfaction and Loyalty Metrics in Predicting Business Performance'", *Marketing Science,* 27, núm. 3 (mayo-junio de 2008), pp. 531-32.

INFLUENCIA DE LA SATISFACCIÓN DEL CLIENTE Para las empresas centradas en el cliente, la satisfacción de sus consumidores es tanto un objetivo como una herramienta de marketing. Actualmente es necesario que las empresas presten especial atención al nivel de satisfacción de sus clientes, debido a que Internet constituye un medio para que éstos difundan al resto del mundo sus comentarios y recomendaciones, buenos y malos. Algunos clientes establecen sus propias páginas Web para quejarse e impulsar protestas dirigidas a marcas de alto perfil, tales como United Airlines, Home Depot y Mercedes-Benz.[31]

Claes Fornell, de la University of Michigan, ha desarrollado el Índice Estadounidense de Satisfacción del Cliente (ACSI, por sus siglas en inglés) para medir la satisfacción percibida por el cliente en relación con diferentes empresas, industrias, sectores económicos y economías nacionales.[32] La tabla 5.2 muestra algunos de los líderes de 2009 según este índice.

Las empresas que logran altas calificaciones se aseguran de que su mercado objetivo lo sepa. Una vez que alcanzaron el primer lugar de su categoría en la clasificación de satisfacción del cliente de J.D. Power, compañías como Hyundai, American Express, Medicine Shoppe (una cadena de farmacias) y Alaska Airways comunicaron el hecho.

TABLA 5.2 Puntuaciones del ACSI por industria para 2009

Industria	Empresa	Puntuación
Aerolíneas	Southwest Airlines	81
Ropa	Jones Apparel	84
Automóviles y vehículos ligeros	Lexus & BMW	87
Bancos	Wachovia	76
Cerveza	Molson Coors Brewing	83
TV por cable y satélite	DIRECTV	71
Teléfonos móviles	Nokia	74
Cigarrillos	Philip Morris	79
Grandes almacenes y tiendas de descuento	Nordstrom & Kohl's	80
Servicios públicos de energía	Sempra Energy	80
Transporte urgente (entregas exprés)	FedEx	84
Servicio de telefonía fija	Cox Communications	74
Producción de alimentos	H. J. Heinz	89
Seguros de salud	Blue Cross and Blue Shield	73
Hoteles	Hilton Hotels	79
Intermediación financiera por Internet	Fidelity Investments	80
Noticias e información por Internet	MSNBC.com	76
Portales y buscadores de Internet	Google	86
Viajes por Internet	Expedia	77
Seguros de vida	Prudential Financial	79
Cuidado personal y productos de limpieza	Clorox	87
Computadoras personales	Apple	85
Bebidas refrescantes	Dr Pepper Snapple	87
Supermercados	Publix	82
Servicio de telefonía móvil	Verizon Wireless	74

Fuente: ACSI LLC, www.theacsi.org. Reproducido con autorización.

QUEJAS DE LOS CLIENTES Algunas empresas creen que están tomando en consideración la satisfacción del cliente porque llevan el recuento de sus quejas, pero los estudios demuestran que a pesar de que los clientes se muestran insatisfechos con sus compras más o menos el 25% de las veces, sólo el 5%, aproximadamente, se queja. El otro 95% siente que no vale la pena el esfuerzo de quejarse, o no sabe ante quién o cómo hacerlo. Estos clientes simplemente dejan de comprar.[33]

De los clientes que registran una queja, entre el 54 y 70% volverá a hacer negocios con la organización si ésta resuelve su insatisfacción. La cifra aumenta a un asombroso 95% si el cliente siente que la queja fue resuelta *rápidamente*. Los clientes cuyas quejas se resuelven de manera satisfactoria le cuentan a un promedio de cinco personas sobre el buen trato que recibieron.[34] Sin embargo, el cliente insatisfecho promedio se quejará con 11 personas. Si cada una de estas últimas le cuenta la situación a más personas, la cantidad de gente expuesta a la mala publicidad de boca a boca podría crecer de manera exponencial.

No importa cuán perfectamente esté diseñado e implementado un plan de marketing, siempre ocurrirán errores. Lo mejor que puede hacer una empresa es facilitar a los clientes la posibilidad de quejarse. Los formularios de sugerencias, los números telefónicos gratuitos, las páginas de Internet y las direcciones de correo electrónico permiten una rápida comunicación bidireccional. La empresa 3M Company asegura que más de dos terceras partes de sus ideas para mejoras de producto surgieron de escuchar las quejas de los clientes.

En vista de las potenciales consecuencias negativas que implica tener clientes descontentos, es muy importante que los especialistas en marketing atiendan apropiadamente las experiencias negativas.[35] Los procedimientos siguientes pueden ayudar a recuperar "las buenas intenciones" de los clientes: [36]

1. Establecer un mecanismo gratuito (por teléfono, fax o correo electrónico) que brinde atención los siete días de la semana, 24 horas al día, para recibir las quejas de los clientes e implementar las acciones correctivas pertinentes.
2. Contactar al cliente quejoso lo antes posible. Cuanto más lenta sea la empresa para responder, mayor será la insatisfacción y el riesgo de enfrentar mala publicidad.
3. Aceptar la responsabilidad por la insatisfacción del cliente; no culpar al cliente.
4. Contratar personal empático para el servicio al cliente.
5. Resolver la queja con rapidez y a satisfacción del cliente. Algunos clientes quejosos no buscan compensaciones; se conforman con un gesto de que le importa a la empresa.

Calidad del producto y del servicio

La satisfacción del cliente también dependerá de la calidad del producto o servicio. ¿Qué es exactamente la calidad? Varios expertos la han definido como "aptitud para uso", "cumplimiento con los requerimientos" y "ausencia de variaciones". Por nuestra parte, utilizaremos la definición de la American Society for Quality: la **calidad** es la totalidad de los rasgos y características de un producto o servicio que influyen en su capacidad de satisfacer las necesidades explícitas o latentes.[37] Ésta es una definición claramente centrada en el cliente. Podemos decir que el vendedor ha entregado calidad cuando su producto o servicio cumple o excede las expectativas del cliente.

Las empresas de calidad son aquellas que satisfacen la mayor parte de las necesidades de sus clientes casi todo el tiempo, aunque es necesario distinguir entre la *calidad de ajuste* y la *calidad de resultados*. Un Lexus ofrece una mayor calidad de resultados que un Hyundai: el Lexus tiene una conducción más suave, es más rápido y dura más tiempo. Sin embargo, tanto el Lexus como el Hyundai ofrecen la misma calidad de ajuste si todas las unidades cumplen el nivel de calidad prometido.

IMPACTO DE LA CALIDAD La calidad en productos y servicios, la satisfacción del cliente y la rentabilidad de la empresa están íntimamente relacionadas. Niveles más altos de calidad dan como resultado niveles más altos de satisfacción del cliente, lo que permite fijar precios más altos y (a menudo) incurrir en costos más bajos. Los estudios han mostrado una alta correlación entre la calidad relativa del producto y la rentabilidad de la empresa.[38] El impulso de producir bienes superiores en los mercados mundiales ha llevado a que algunos países —y grupos de países— den reconocimientos o premios a las empresas que se imponen como ejemplo de las mejores prácticas de calidad; tal es el caso del Premio Deming en Japón, el Malcolm Baldrige National Quality Award en Estados Unidos, y el European Quality Award.

Las empresas que han bajado sus costos para tener el mayor ahorro posible han pagado el precio cuando la calidad de la experiencia del cliente se ve afectada.[39] Cuando Northwest Airlines dejó de ofrecer revistas gratis, almohadas, películas e incluso minibolsas de *snacks* en los vuelos nacionales, también subió los precios y redujo sus rutas de vuelo. Como dijo un viajero frecuente: "Northwest actúa como si fuera de bajo costo *sin ser* de bajo costo". A nadie le sorprendió que poco tiempo después Northwest ocupara los últimos lugares tanto en el índice ACS como en la encuesta de satisfacción del cliente de J.D. Power por lo que se refiere a las principales aerolíneas estadounidenses. Pero en materia de percepción de calidad, muchas empresas —como Comercial Mexicana— han tenido que diversificar sus estrategias.

Comercial Mexicana y su estrategia de comparación

Desde el principio de la crisis económica más reciente en México, las tiendas del sector comercial minorista se enfrascaron en una encarnizada guerra de precios, caracterizada por la práctica de comparar tickets de compra entre diferentes cadenas de supermercados. Actualmente el panorama es ligeramente más alentador para las empresas, pero la lucha ha seguido centrándose en la idea de verificar cuál de ellas ofrece los precios más bajos. Comercial Mexicana, una de las principales tiendas del sector, es una de las que ha ingresado —de manera un tanto obligada— en dicha contienda. Sin embargo, la estrategia de precios bajos todos los días ya no es suficiente para atraer al consumidor, toda vez que otros la han utilizado, e incluso podría mermar la confianza de los clientes actuales. Otro punto a tener en cuenta es la "resistencia" de los proveedores para mantener estos precios ¿Los diversos proveedores pueden soportar la magnitud de este tipo de prácticas comerciales? La guerra de precios no construye lealtad a largo plazo por parte de los clientes; por el contrario, ocasiona un desgaste de la empresa que puede impactar negativamente en la atención del servicio al cliente y en la calidad de los productos ofrecidos. Para evitarlo, Comercial Mexicana se ha enfocado en campañas de reposicionamiento de marca, en promociones estacionales (como Julio Regalado y Miércoles de Plaza), en el otorgamiento de puntos canjeables por productos importados, y en capacitación constante de todos sus empleados para lograr una excelente calidad de servicio.[40]

Comercial Mexicana instituyó algunos cambios en sus operaciones para mejorar los niveles de satisfacción de su clientela.

No hay duda de que la calidad es clave en la creación de valor y el impulso de la satisfacción del cliente. Al igual que las actividades de marketing, alcanzar niveles de calidad total es tarea de todos los integrantes de la empresa. "Apuntes de marketing: El marketing y la calidad total" describe el papel que juega el marketing en la maximización de la calidad total de la empresa.

Maximización del valor de vida del cliente

En última instancia, el marketing es el arte de atraer y mantener clientes rentables. La bien conocida regla del 80-20 establece que el 80% o más de las ganancias de la empresa provienen del 20% de sus clientes. Algunos casos pueden ser más extremos; por ejemplo, el 20% de los clientes más rentables (en una base *per cápita*) podría hacer una contribución en el rango de 150 a 300% de la rentabilidad. Por otro lado, en realidad el 10 o 20% menos rentable podría reducir las ganancias entre el 50 y el 200% mientras que el rango 60-70% marcaría el punto de equilibrio.[41] La implicación es que una empresa podría mejorar sus ganancias "despidiendo" a sus peores clientes.

Apuntes de marketing

El marketing y la calidad total

Los especialistas en marketing desempeñan varias funciones para ayudar a sus empresas a definir y ofrecer bienes y servicios de alta calidad a sus clientes meta.

- Identifican correctamente las necesidades y requerimientos de los clientes.
- Comunican apropiadamente las expectativas de los clientes a los diseñadores de productos.
- Se aseguran de que los pedidos de los clientes se entreguen correctamente y a tiempo.
- Verifican que los clientes hayan recibido las instrucciones, capacitación y asistencia técnica adecuadas para el uso del producto.
- Se mantienen en contacto con los clientes después de la venta, para asegurarse de que están y seguirán estando satisfechos.
- Recopilan ideas de los clientes para introducir mejoras en los productos y servicios, y las comunican a los departamentos apropiados.

Cuando los especialistas en marketing realizan todo esto, hacen contribuciones significativas a la administración de la calidad total y a la satisfacción del cliente, así como a la rentabilidad de los clientes y de la empresa.

Los clientes más grandes de la empresa —quienes pueden exigir un servicio considerable y descuentos preferenciales— no son siempre los que producen las mayores ganancias. Los clientes más pequeños pagan precio de lista y reciben un mínimo servicio, pero en su caso los costos de transacción podrían reducir la rentabilidad. Los clientes de tamaño intermedio, que reciben buen servicio y pagan casi el precio de lista, a menudo resultan los más rentables.

Rentabilidad del cliente

Un **cliente rentable** es una persona, hogar o empresa que, a lo largo del tiempo, genera un flujo de ingresos que excede por una cantidad aceptable el flujo de los costos en que incurre la empresa para atraerlo, venderle y atenderlo. Observe que el énfasis está hecho en el flujo de ingresos y costos *vitalicios* del cliente, y no en el beneficio de una transacción específica.[42] Los especialistas en marketing pueden evaluar la rentabilidad del cliente de manera individual, por segmento de mercado, o por canal.

Muchas empresas miden la satisfacción del cliente, pero son pocas las que evalúan la rentabilidad individual del cliente.[43] Los bancos aseguran que ésta es una tarea difícil, pues cada cliente utiliza diferentes servicios financieros y sus transacciones quedan registradas en distintos departamentos. Sin embargo, el número de clientes no rentables que forman parte de sus bases de datos ha consternado a las instituciones bancarias que han tenido éxito en vincular las transacciones con los clientes. Algunas reportan pérdidas en más del 45% de sus clientes minoristas.

ANÁLISIS DE LA RENTABILIDAD DEL CLIENTE Un tipo útil de análisis de rentabilidad se muestra en la △ figura 5.3.[44] Los clientes se sitúan en las columnas y los productos en las filas. Cada celda contiene un símbolo que representa la rentabilidad que se obtiene al vender el producto de la fila al cliente de la columna en cuestión. El Cliente 1 es muy rentable, pues compra dos productos que generan ganancias (P1 y P2). El Cliente 2 genera una rentabilidad mixta, compra un producto rentable (P1) y un producto poco rentable (P3). El Cliente 3 produce pérdidas, ya que sólo compra un producto rentable (P1) y dos no rentables (P3 y P4).

¿Qué puede hacer la empresa con los clientes 2 y 3? (1) Puede aumentar el precio de sus productos menos rentables, o eliminarlos; (2) puede intentar vender a los clientes 2 y 3 sus productos rentables. Los clientes no rentables que abandonen la empresa no tienen por qué constituir una preocupación. En realidad, la compañía debería alentarlos a preferir a los competidores.

El **análisis de rentabilidad por cliente (CPA)** se lleva a cabo de mejor manera con las herramientas de la técnica contable conocida como **análisis de costos basados en actividades (CBA)**. El CBA intenta identificar los costos reales asociados a la atención de cada cliente; en otras palabras, los costos de los productos y servicios con base en los recursos que éstos consumen. La empresa calcula todo el ingreso que proviene del cliente, y luego resta todos los costos.

Para el CBA debe incluirse no sólo el costo de fabricar y distribuir los productos y servicios, sino también aquellos en que se incurre al recibir llamadas del cliente, hacer viajes para visitarlo, brindarle entretenimiento y obsequios, y cualesquiera otros recursos de la empresa destinados a atenderlo. El CBA también toma en consideración costos indirectos (como los costos de personal administrativo, gastos de oficina, insumos y otros) a las actividades que los usan, en vez de hacerlo como una proporción de los costos directos. Tanto los costos variables como los fijos se vinculan a cada cliente.

Las empresas que no evalúan los costos correctamente también son incapaces de medir sus ganancias de manera adecuada, y quizá terminen por hacer una mala asignación del esfuerzo de marketing. La clave para emplear el CBA con eficacia consiste en definir y juzgar apropiadamente las "actividades". Una solución basada en el tiempo calcula el costo de un minuto de costo fijo, y a partir de ello decide qué parte de ese costo se utiliza en cada actividad.[45]

Productos \ Clientes	C_1	C_2	C_3	
P_1	+	+	+	Producto altamente rentable
P_2	+			Producto rentable
P_3		−	−	Producto con pérdidas
P_4			−	Producto con muchas pérdidas
	Cliente con alta rentabilidad	Cliente mezclado	Cliente con pérdida	

|Fig. 5.3| △ Análisis de rentabilidad por cliente-producto

Medición del valor de vida del cliente

La importancia de buscar la maximización de la rentabilidad del cliente en el largo plazo se puede entender mejor al analizar el concepto de valor de vida del cliente.[46] El **valor de vida del cliente (CLV)** describe el valor presente neto del flujo de ganancias que se espera recibir por las futuras compras de un cliente. La empresa debe restar de sus ingresos esperados los costos en que supone incurrirá para atraer al cliente en cuestión, realizar la venta y dar servicio a su cuenta, aplicando la tasa de descuento adecuada (digamos, entre el 10 y 20%, dependiendo del costo de capital y actitudes frente al riesgo). El cálculo del valor de vida puede llegar a sumar decenas de miles de dólares, e incluso más.[47]

Existen muchos métodos para medir el CLV.[48] En "Apuntes de marketing: Cálculo del valor de vida del cliente" se ejemplifica uno de ellos. Los cálculos de CLV proporcionan un marco cuantitativo formal para planear las inversiones en los clientes, y ayudan a los especialistas en marketing a adoptar una perspectiva de largo plazo. Sin embargo, uno de los desafíos es llegar a un cálculo fiable de ingresos y costos. Los especialistas en marketing que utilicen conceptos de CLV también deben considerar las actividades de marketing generadoras de marca que contribuyen a aumentar la lealtad del cliente.

Cultivando las relaciones con los clientes

Las empresas utilizan información sobre sus clientes para hacer marketing de precisión, diseñado para generar relaciones sólidas a largo plazo.[49] Hoy en día es fácil diferenciar, adaptar, personalizar y enviar la información a las relaciones, lo que se puede hacer a una velocidad increíble.

Pero la información es útil para ambas partes. Por ejemplo, hoy en día los clientes cuentan con un mecanismo fácil y rápido para hacer comparaciones mediante sitios como Bizrate.com, Shopping.com y PriceGrabber.com. Internet también facilita la comunicación entre clientes. Sitios como Epinions.com

Apuntes de marketing

Cálculo del valor de vida del cliente

Los investigadores y usuarios en general han empleado muchos enfoques diferentes para hacer modelos y calcular el CLV. Don Lehmann, de Columbia, y Sunil Gupta, de Harvard, recomiendan la siguiente fórmula para calcular el CLV de un posible cliente o prospecto.

$$CLV = \sum_{t=0}^{T} \frac{(p_t - c_t) r_t}{(1+i)^t} - AC$$

donde: p_t = precio pagado por el consumidor en el momento t

c_t = costo directo de dar servicio al cliente en el momento t

i = tasa de descuento o costo del capital para la empresa

r_t = probabilidad de que el cliente repita la compra o siga "vivo" en el momento t

AC = costo de adquisición

T = horizonte de tiempo para el cálculo de CLV.

Una decisión clave es qué tipo de horizonte utilizar para calcular el CLV. Generalmente es razonable considerar un horizonte de tres a cinco años. Con esta información y el cálculo de otras variables se puede calcular el CLV mediante un análisis de hoja de cálculo.

Gupta y Lehmann ilustran su enfoque al calcular el CLV de 100 clientes durante un periodo de 10 años (vea la tabla 5.3). En este ejemplo, la empresa capta 100 clientes con un costo de adquisición por cliente de 40 dólares. Por lo tanto, en el año 0 gasta 4000 dólares. En cada uno de los años sucesivos la empresa perderá algunos de esos clientes. El valor presente de las ganancias producidas por esta cohorte de clientes a lo largo de los 10 años es de 13 286.52 dólares. El CLV neto (después de restar los costos de adquisición) es de 9 286.52 dólares o 92.87 dólares por cliente.

El uso de un horizonte de tiempo finito evita tener que elegir un horizonte arbitrario para calcular el CLV. De utilizarse un horizonte de tiempo infinito, si los márgenes (precio menos costo) y las tasas de retención se mantienen constantes, el CLV futuro de un cliente existente se simplifica hasta llegar a la siguiente ecuación:

$$CLV = \sum_{t=1}^{\infty} \frac{mr^t}{(1+i)^t} = m\frac{r}{(1+i-r)}$$

En otras palabras, el CLV simplemente se convierte en el margen (m) multiplicado por un *múltiplo del margen* [$r/(1 + i - r)$].

La tabla 5.4 muestra el múltiplo del margen para varias combinaciones de r e i, y una manera simple de calcular el CLV del cliente. Cuando la tasa de retención es de 80% y la tasa de descuento es de 12%, el múltiplo del margen es aproximadamente de dos y medio. Por lo tanto, el CLV futuro de un cliente existente en este escenario es simplemente su margen anual multiplicado por 2.5.

Fuentes: Sunil Gupta y Donald. R. Lehmann, "Models of Customer Value", Berend Wierenga, ed., *Handbook of Marketing Decision Models* (Berlín, Alemania: Springer Science and Business Media, 2007); Sunil Gupta y Donald. R. Lehmann, "Customers as Assets", *Journal of Interactive Marketing* 17, núm. 1 (invierno de 2006), pp. 9-24; Sunil Gupta y Donald. R. Lehmann, *Managing Customers as Investments* (Upper Saddle River, NJ: Wharton School Publishing, 2005); Peter Fader, Bruce Hardie y Ka Lee, "RMF and CLV: Using Iso-Value Curves for Customer Base Analysis", *Journal of Marketing Research* 42, núm. 4 (noviembre de 2005), pp. 415-30; Sunil Gupta, Donald. R. Lehmann y Jennifer Ames Stuart, "Valuing Customers", *Journal of Marketing Research* 41, núm. 1 (febrero de 2004), pp. 7-18; Werner J. Reinartz y V. Kumar, "On the Profitability of Long-Life Customers in a Noncontractual Setting: An Empirical Investigation and Implications for Marketing", *Journal of Marketing* 64 (octubre de 2000), pp. 17-35.

TABLA 5.3 Ejemplo hipotético para ilustrar el cálculo de CLV

	Año 0	Año 1	Año 2	Año 3	Año 4	Año 5	Año 6	Año 7	Año 8	Año 9	Año 10
Número de clientes	100	90	80	72	60	48	34	23	12	6	2
Ingreso por cliente		100	110	120	125	130	135	140	142	143	145
Costo variable por cliente		70	72	75	76	78	79	80	81	82	83
Margen por cliente		30	38	45	49	52	56	60	61	61	62
Costo de adquisición por cliente	40										
Costo o ganancia total	−4 000	2 700	3 040	3 240	2 940	2 496	1 904	1 380	732	366	124
Valor presente	−4 000	2 454.55	2 512.40	2 434.26	2 008.06	1 549.82	1 074.76	708.16	341.48	155.22	47.81

TABLA 5.4 Múltiplo del margen

	Tasa de descuento			
Tasa de retención	**10%**	**12%**	**14%**	**16%**
60%	1.20	1.5	1.11	1.07
70%	1.75	1.67	1.59	1.52
80%	2.67	2.50	2.35	2.22
90%	4.50	4.09	3.75	3.46

y Yelp.com permiten que los clientes compartan información sobre sus experiencias con varios productos y servicios. El aumento en el poder de los clientes se ha convertido en una realidad palpable para muchas empresas, las cuales han tenido que ajustarse al cambio de mando en las relaciones con sus clientes.

Gestión de las relaciones con los clientes

La **gestión de las relaciones con los clientes (CRM)** es el proceso de gestionar cuidadosamente la información detallada de clientes individuales, así como todos los "puntos de contacto" con ellos, con el propósito de maximizar su lealtad.[50] Un *punto de contacto con el cliente* es cualquier ocasión en la que éste tiene relación con la marca y el producto, desde experiencias reales hasta comunicaciones masivas o personales, pasando incluso por la observación casual. Por ejemplo, en el caso de un hotel los puntos de contacto incluyen la reserva, el registro y la salida, los programas de frecuencia, el servicio de habitaciones, servicios de negocios, instalaciones para hacer ejercicio, servicio de lavandería, restaurantes y bares. Para garantizar que estos puntos de contacto sean positivos, los hoteles Four Seasons ponen en práctica diversas formas de contacto personales: sus empleados se dirigen siempre a los huéspedes por su apellido, tienen poder de decisión, ya que entienden las necesidades sofisticadas de los viajeros de negocios y, al menos una instalación que sea la mejor de toda la región, como un restaurante de lujo o un spa.[51]

La CRM permite que las empresas provean un excelente servicio al cliente en tiempo real, mediante el uso eficaz de la información individual de cada consumidor. Con base en lo que conocen sobre cada uno de sus valiosos clientes, las empresas pueden personalizar las ofertas de mercado, servicios, programas, mensajes y medios. La CRM es importante debido a que uno de los motores principales de la rentabilidad de la compañía es el valor agregado que ofrezca a su base de clientes.[52]

MARKETING PERSONALIZADO El amplio uso de Internet permite que las empresas abandonen las prácticas de mercado masivo en las que se gestó el surgimiento de marcas poderosas en las décadas de 1950, 1960 y 1970, e implementen nuevos enfoques de antiguas prácticas de marketing, como cuando los comerciantes realmente conocían a sus clientes por su nombre. La *personalización del marketing* consiste en asegurarse de que la marca y su comercialización sean tan relevantes como se pueda para tantos clientes como sea posible, lo cual implica un auténtico desafío, ya que ningún cliente es idéntico a otro.

Levi's®

Levi's® La original y definitiva marca de jeans lanza una nueva línea de jeans hechos a la medida, creados para ajustarse a las curvas del cuerpo de la mujer. La nueva línea, Levi's® Curve ID utiliza un revolucionario sistema de entallado que está basado en la forma, no en la talla, siendo creado como resultado de estudiar a más de 60 000 cuerpos femeninos alrededor del mundo. Mediante esta investigación, los diseñadores de Levi's crearon una nueva manera de medir el cuerpo de la mujer, e identificaron tres diferentes tipos de cuerpo que representan el 80% de las formas femeninas en el mundo. "Desde que patentamos por primera vez los jeans para mujer hace 75 años, nadie ha cambiado la fórmula para encontrar el estilo perfecto" (dice You Nguyen, vicepresidente senior de Comercialización y Diseño), pero este revolucionario enfoque ve más allá de las dimensiones de la cintura y se adapta a las curvas presentes en todos los cuerpos femeninos para definir tres estilos que abarcan toda una gama de siluetas, ayudando a sus clientas a sentirse sensuales y seguras con sus jeans. A diferencia de otras marcas, Levi's Curve ID utiliza un sistema de estilos único y personalizado, que se enfoca en la forma y proporciones de la mujer, lo cual ha impactado positivamente en sus consumidoras.[53]

En la actualidad, uno de los ingredientes que resultan cada vez más esenciales en el marketing de relaciones es el uso de tecnología adecuada. GE Plastics no podría dirigir su correo electrónico de manera eficaz a diferentes clientes si no fuera por los avances en el software de bases de datos. Dell sería incapaz de personalizar los pedidos de computadoras de sus clientes corporativos globales si no contara para ello con los avances en tecnología Web. Las empresas utilizan correo electrónico, páginas Web, centros telefónicos, bases de datos y software de bases de datos para promover el contacto continuo entre la empresa y el cliente.

Las empresas de comercio electrónico que buscan atraer y retener clientes están descubriendo que la personalización va más allá de la creación de información específica para cada cliente.[54] Por ejemplo, el sitio Web de Land's End Live ofrece a los visitantes la oportunidad de hablar con un representante de servicio al cliente. Nordstrom tiene un enfoque similar para asegurarse de que los compradores online estén tan satisfechos con el servicio al cliente como los visitantes a sus tiendas. Por su parte, Domino's ha puesto en manos de sus consumidores cada paso del proceso de ordenar una pizza.

Domino's

Domino's Domino's ha introducido en su página Web una nueva característica llamada "Crea tu pizza", que permite a los clientes observar una versión fotográfica simulada de su pizza a medida que eligen el tamaño, la salsa y los ingredientes. En el proceso, la página Web muestra también exactamente lo que costará la pizza terminada. Permite a los clientes el seguimiento de su pedido, desde el momento que la pizza entra en el horno hasta que sale de la tienda. Adicionalmente la compañía anunció mediante un *tweet* de su cuenta oficial la posibilidad de hacer pedidos online para entrega en cualquier sucursal o dirección. Incluso se puede ordenar la pizza "por adelantado" para entrega en un día y una hora específicos.[55]

Las empresas también reconocen la importancia que tiene el componente personal para la CRM, y lo que ocurre una vez que los clientes tienen contacto real con la empresa. Los empleados pueden crear vínculos sólidos con los clientes al individualizar y personalizar las relaciones. En esencia, las empresas atentas convierten a sus compradores en clientes. ¿Cuál es la diferencia?

> Desde la perspectiva de la institución, los compradores pueden ser anónimos, pero los clientes no. Los compradores son atendidos como parte de la masa o como parte de segmentos más grandes; los clientes se atienden de manera individual. Los compradores son atendidos por quien esté disponible en un momento dado; los clientes son atendidos por un profesional designado específicamente.[56]

Para adaptarse al creciente deseo de personalización por parte de los clientes, los especialistas en marketing se han apropiado de conceptos como el marketing de permiso y el marketing uno a uno.

El *marketing de permiso* es la práctica de dirigir cualquier esfuerzo de marketing a los consumidores sólo después de obtener su autorización expresa; esta práctica se basa en la premisa de que los especialistas en marketing ya no pueden utilizar el marketing "de interrupción" por medio de las campañas en medios masivos. Según Seth Godin, un pionero de la técnica, los especialistas en marketing son capaces de desarrollar relaciones más sólidas con los clientes si respetan los deseos de los consumidores y les envían mensajes solamente cuando éstos expresan su voluntad de involucrarse más con la marca.[57] Godin cree que el marketing de permiso funciona porque es "esperado, personal y relevante".

El marketing de permiso, como los demás enfoques de personalización, supone que los consumidores saben lo que quieren. Sin embargo, en muchos casos los consumidores tienen preferencias indefinidas, ambiguas o en conflicto. Quizás "marketing de participación" sería un concepto más adecuado que marketing de permiso, ya que los especialistas y los consumidores necesitan colaborar para descubrir de qué forma la empresa podría satisfacer mejor a su clientela.

Don Peppers y Martha Rogers han esbozado un marco de cuatro pasos para el *marketing uno a uno*, mismo que puede adaptarse al marketing de CRM como se explica a continuación: [58]

1. ***Identifique a sus prospectos (posibles clientes).*** No hay que ir detrás de todos. Genere, mantenga y extraiga información de una rica base de datos de clientes con aportaciones de todos los canales y puntos de contacto con el cliente.
2. ***Diferencie a los clientes con base en (1) sus necesidades y (2) su valor para la empresa.*** Proporcionalmente, se debe hacer un mayor esfuerzo en los clientes más valiosos (CMV). Ponga en práctica el sistema de costos basados en actividades para calcular el valor de vida del cliente. Calcule también el valor presente neto de todas las ganancias futuras provenientes de compras, niveles de margen y referencias a otros clientes, y reste los costos de atender a ese cliente en específico.
3. ***Interactúe con clientes individuales para mejorar su conocimiento de sus necesidades individuales, y para construir una relación más sólida.*** Cree ofertas individualizadas que pueda comunicar de manera personalizada.
4. ***Personalice los productos, servicios y mensajes para cada cliente.*** Facilite la interacción con los clientes mediante un centro de contacto con la empresa y un sitio Web.

El marketing uno a uno no es para todas las empresas; funciona mejor en aquellas habituadas a recopilar gran cantidad de información individual del cliente, y a manejar muchos productos con los que se pueden hacer ventas cruzadas, que necesitan reemplazarse o actualizarse periódicamente, y que ofrecen un alto valor. Para otras, la inversión que exige la recopilación de información, y la adquisición de hardware y software adecuados, podría ser mayor que la ganancia. Aston Martin, cuyos automóviles pueden costar más de 100 000 dólares, pone en práctica marketing uno a uno con un selecto grupo de clientes. Por ejemplo, sus concesionarios de alto nivel cuentan con espacios exclusivos para propietarios de los vehículos de la marca, y ofrecen viajes de fin de semana a clientes especiales para hacer pruebas de conducción de los nuevos modelos.[59]

EL PODER DEL CLIENTE A.G. Lafley, ex presidente de P&G y reconocido por implementar algunas de las mejores prácticas de marketing, creó una conmoción con su discurso ante la Association of National Advertisers, en octubre de 2006. "El poder lo tiene el consumidor", proclamaba Lafley, y "los fabricantes y los minoristas están haciendo esfuerzos para mantener el paso. En un sentido muy real, los consumidores han comenzado a adueñarse de nuestras marcas y a participar en su creación. Es preciso que aprendamos a delegar [el poder]". Para apoyar su argumento, Lafley señaló que un adolescente había creado un *spot* para las patatas fritas Pringles y lo había subido a YouTube; que Pantene, la empresa de productos para cuidado capilar, había creado una campaña para animar a las mujeres a cortarse el cabello y donarlo para la fabricación de pelucas destinadas a pacientes con cáncer, y que las ventas del lápiz de labios Outlast de Cover Girl aumentaron un 25% después de que la empresa colocó anuncios sobre los espejos de los baños para mujeres preguntando "¿Todavía traes puesto tu lápiz labial?", y reforzando el mensaje con la transmisión de anuncios televisivos de cinco segundos.[60]

Otros especialistas en marketing han comenzado a defender un enfoque de marketing básico, desde la raíz, "de abajo hacia arriba", en lugar del enfoque tradicional de "arriba hacia abajo" en el que ellos son los "amos". Por ejemplo, en años recientes Burger King lanzó campañas de vanguardia diseñadas para captar la atención del consumidor en nuevos medios familiares para éste, como YouTube, MySpace, videojuegos y iPods. Permitir que el cliente esté a cargo tiene mucho sentido para una marca cuyo eslogan es "Como tú quieras", y cuyo rival principal, McDonald's, tiene mayor presencia en el mercado familiar.

Los especialistas en marketing están ayudando a los consumidores a ser predicadores de las marcas, poniendo a su disposición los recursos y las oportunidades para demostrar su pasión. Doritos hizo un concurso que permitía a los consumidores poner nombre a un nuevo sabor de sus *snacks*. Converse pidió a cineastas aficionados que le hicieran llegar cortos de 30 segundos en donde demostraran su inspiración a partir de la icónica marca de zapatos deportivos. Los mejores cortos de las 1 800 propuestas recibidas se mostraron en la página Web de Converse Gallery, y los que resultaron premiados se convirtieron en anuncios para televisión. Las ventas de los zapatos por medio de la página Web se duplicaron el mes siguiente al lanzamiento de la galería de cortos.[61]

Incluso las empresas B2B están poniéndose en acción. PAETEC provee servicios de telecomunicación a hoteles, universidades y otras empresas. En sólo seis años creció hasta convertirse en una compañía con valor de 500 millones de dólares, algo que debe por completo a la difusión del cliente. La estrategia principal de PAETEC es ésta: invitar a los clientes clave, actuales y potenciales (prospectos), a cenar con cargo a la cuenta de la empresa, y a conocerse unos a otros. No hay aburridas presentaciones de PowerPoint,

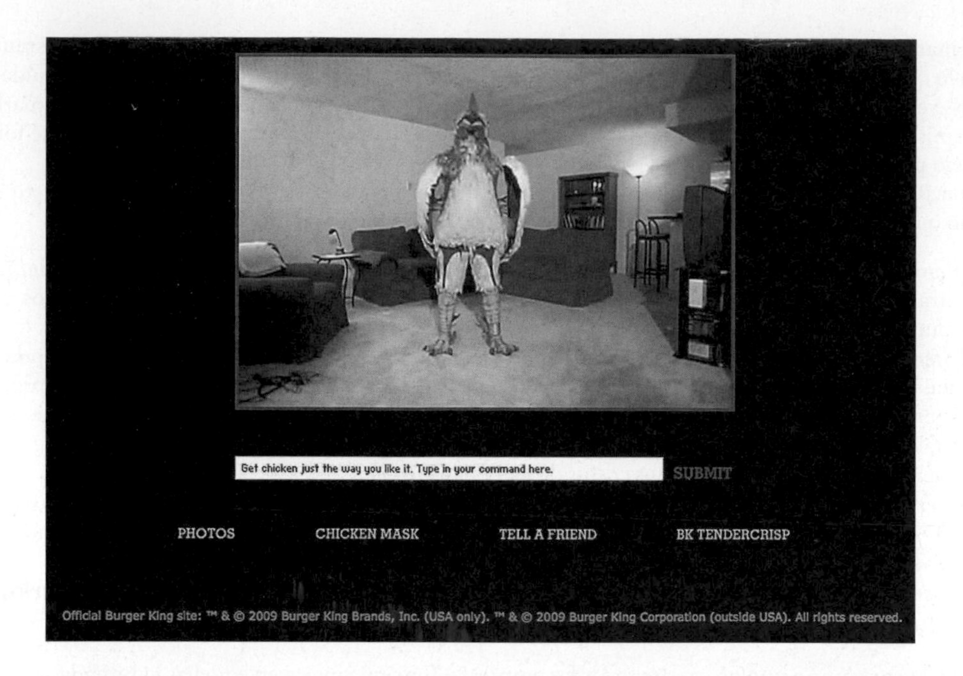

Las más recientes campañas de marketing de Burger King han reforzado la promesa central de la marca: dar poder a su clientela.

solamente clientes que hablan de los retos que enfrentan en materia de telecomunicaciones, y de sus experiencias como clientes de PAETEC. En este marco, los clientes convencen a los prospectos de comprar los servicios de la empresa.[62]

Aunque se han implementado muchas formas de dar poder al consumidor —haciéndolo corresponsable de determinar la dirección de la marca y desempeñar un papel mucho más relevante en la comercialización de la misma— sigue siendo cierto que únicamente *algunos consumidores* quieren involucrarse con *algunas de las marcas* que usan e, incluso entonces, sólo *parte del tiempo*. Los consumidores tienen vidas, empleos, familias, pasatiempos, metas y compromisos, y muchas cosas les importan más que las marcas que compran y consumen. Entender cuál es la mejor manera de comercializar una marca con base en semejante diversidad es de fundamental importancia.

RESEÑAS Y RECOMENDACIONES DE LOS CLIENTES Aunque la influencia más fuerte en la elección del consumidor sigue siendo "la recomendación de un familiar/amigo", un factor de decisión cada vez más importante es "la recomendación de otros consumidores". Con la creciente desconfianza en algunas empresas y su publicidad, las evaluaciones, rankings y críticas online están desempeñando un papel importante para los minoristas de Internet como Amazon.com y Shop.com.

De hecho, el minorista de comida para mascotas PETCO comenzó a utilizar las calificaciones y las críticas de los consumidores en sus correos electrónicos y *banners*, con el resultado de que la tasa de clics aumentó considerablemente.[63] Los minoristas con establecimientos físicos —como Staples y Cabela's— también reconocen el poder de las críticas de los clientes, y han comenzado a mostrarlas en sus tiendas.[64]

Sin embargo, a pesar de la aceptación de las críticas por parte de los consumidores, su calidad e integridad siempre se cuestiona. En un ejemplo famoso, se informó que durante siete años el CEO de Whole Foods Market publicó más de 1 100 entradas en el tablero de anuncios online de Yahoo! Finanzas bajo un pseudónimo, halagando a su empresa y criticando a sus competidores.

Algunos sitios ofrecen resúmenes de las críticas para proveer una gama de evaluaciones de productos. Por ejemplo, Metacritic presenta reseñas de música, juegos, programas de TV y filmes realizadas por los principales críticos —a menudo de más de 100 publicaciones—, y las califica en una escala unificada que va de 1 a 100 puntos. Los sitios de reseñas son importantes en la industria de los videojuegos, debido a la influencia que tienen y al alto precio de venta de los productos (a menudo entre 50 y 60 dólares). Algunas empresas de juegos vinculan los bonos que ofrecen a sus desarrolladores con las puntuaciones que obtienen los juegos en los sitios más populares. Si un nuevo lanzamiento no llega al límite inferior de 85, podría ocasionar incluso que caiga el precio de las acciones de la empresa.[65]

Los blogueros que hacen crítica de productos o servicios se han vuelto importantes porque, en algunos casos, tienen miles de seguidores; de hecho, los blogs a menudo se encuentran entre los vínculos principales que arrojan las búsquedas online para ciertas marcas o categorías. Los departamentos de relaciones públicas de las empresas podrían seguir los comentarios publicados en los blogs más populares mediante servicios de alerta online como Google, BlogPulse y Technorati. Además, es recomendable que las compañías busquen congraciarse con los blogueros más relevantes, ofreciéndoles muestras gratis, información anticipada y trato especial. Casi todos los blogueros informan cuando reciben muestras gratis de una empresa.

En el caso de las marcas más pequeñas, con presupuestos limitados para medios, la publicidad de "boca a boca" online es fundamental. Con el propósito de generar rumores previos al lanzamiento de uno de sus nuevos cereales calientes, el fabricante de comida orgánica Amy's Kitchen envió muestras a varios de los blogueros veganos, vegetarianos o libres de gluten a los que la empresa tiene identificados. Cuando aparecieron críticas favorables en los blogs correspondientes, la empresa se vio inundada de correos electrónicos que preguntaban en dónde podía adquirirse el cereal.[66]

Por su parte, las reseñas negativas pueden resultar bastante útiles en la práctica. Un estudio llevado a cabo por Forrester en 2007 entre 10 000 clientes de los departamentos de electrónica y hogar y jardín de Amazon.com, encontró que a alrededor del 50% de ellos las reseñas negativas les parecían útiles. La mayoría de los consumidores adquirían productos a pesar de los comentarios negativos, debido a que sentían que éstos reflejaban gustos y opiniones personales con los que no siempre comulgaban. Ya que los consumidores pueden conocer mejor las ventajas y desventajas de los productos mediante las reseñas negativas, es posible que como resultado se tengan menos devoluciones, con el consecuente ahorro para los minoristas y fabricantes.[67]

Amy's Kitchen envió muestras de productos a blogueros cuidadosamente seleccionados para propagar la noticia sobre sus nuevos productos.

Los minoristas online suelen publicar sus propias recomendaciones ("Si le gusta este bolso negro, le encantará esta blusa roja"). Una fuente calculó que los sistemas de recomendación contribuyen entre el 10 y 30% a las ventas de los minoristas online. Las herramientas de software especializado ayudan a estos vendedores a facilitar "descubrimientos" para los clientes, y a estimular las compras por impulso. Cuando Blockbuster adoptó uno de esos sistemas, las tasas de cancelación de suscripción se redujeron y los suscriptores casi duplicaron el número de películas pedidas.[68]

Al mismo tiempo, las empresas online necesitan asegurarse de que sus intentos por crear relaciones con los clientes no sean contraproducentes, lo cual podría ocurrir si los bombardean con recomendaciones —a veces no muy oportunas— generadas por computadora. Si alguna vez ha comprado regalos para bebé en Amazon.com, seguramente sabe por experiencia propia que las recomendaciones del sitio comienzan a no parecer tan personales. Por ello, es preciso que los minoristas electrónicos reconozcan las limitaciones de la personalización online, al mismo tiempo que hacen mayores esfuerzos por encontrar la tecnología y los procesos que realmente funcionen.

Atracción y retención de clientes

Las empresas que buscan expandir sus ganancias y sus ventas se ven obligadas a gastar tiempo y recursos considerables en la búsqueda de nuevos clientes. Para generar prospectos desarrollan anuncios destinados a los medios más frecuentados por los clientes potenciales; envían correo directo y correo electrónico a los posibles clientes; hacen que sus vendedores participen en ferias del gremio, en donde podrían encontrar nuevos prospectos; compran bases de datos a intermediarios especializados, y así sucesivamente.

Los diferentes métodos de adquisición producen clientes con diferentes CLV. Un estudio demostró que, a largo plazo, los clientes captados mediante una oferta de 35% de descuento tenían cerca de la mitad del valor de los clientes captados sin descuento.[69] En cambio, las campañas dirigidas exclusivamente a clientes leales con la intención de reforzar sus beneficios, a menudo atraen nuevos clientes. Las dos terceras partes del crecimiento provocado por la estrategia de lealtad de O2, líder en comunicación móvil del Reino Unido, se atribuye a la captación de nuevos clientes, y el resto a una reducción de cancelaciones del servicio.[70]

REDUCCIÓN DE LAS TASAS DE DESERCIÓN No es suficiente atraer nuevos clientes; la empresa también debe mantenerlos y aumentar sus negocios con ellos.[71] Son muchas las empresas que sufren altas tasas de **deserción de clientes**. En este caso, sumar nuevos clientes es como poner agua a en un cubo agujerado.

Los operadores de telefonía móvil y de televisión están plagados de clientes "infieles" que cambian de proveedor varias veces al año buscando el mejor trato. Muchos pierden el 25% de sus suscriptores al año, con un costo estimado de entre 2 000 y 4 000 millones de dólares. Algunas de las causas de deserción que manifiestan los clientes son: necesidades y expectativas no satisfechas, mala calidad del producto/servicio, alta complejidad de uso, y errores de facturación.[72]

Para reducir la tasa de deserción, la empresa debe:

1. ***Definir y medir su tasa de retención.*** Para una revista, la tasa de renovación de suscripciones es una buena medida de la retención. Para una universidad podría serlo la tasa de reinscripción del primero al segundo año, o la tasa de graduaciones por generación o cohorte.
2. ***Distinguir las causas de la deserción de los clientes, e identificar las que se pueden gestionar mejor.*** No es posible hacer gran cosa respecto de los clientes que cambian de residencia o cierran sus negocios, pero sí por aquellos que se alejan debido a un mal servicio, a productos de muy mala calidad o a altos precios.[73]
3. ***Comparar el valor de vida del cliente perdido con el costo de reducir la tasa de deserción.*** Siempre y cuando el costo de disuadir la deserción sea menor que la ganancia perdida, vale la pena gastar dinero en intentar retener al cliente.

DINÁMICA DE LA RETENCIÓN La figura 5.4 muestra los pasos principales para atraer y retener clientes en términos de un embudo; además, presenta algunas preguntas muestra para medir el progreso del cliente a través del embudo. El **embudo de marketing** identifica el porcentaje del mercado meta potencial en cada etapa del proceso de decisión, desde apenas consciente hasta muy leal. Los consumidores deben superar cada etapa antes de convertirse en clientes leales. Algunos especialistas en marketing incluyen también en el embudo a los clientes leales, a quienes tienen un apego especial a la marca, y hasta a los socios de la empresa.

Al calcular las *tasas de conversión* —el porcentaje de compradores que se mueven de una etapa a la siguiente— el embudo permite a los especialistas en marketing identificar cualquier punto que pudiera ser un cuello de botella o una barrera para la creación de una base de clientes leales. Por ejemplo, si el porcentaje de usuarios recientes es significativamente menor que el de los que prueban, es probable que el producto o servicio tenga algún defecto que impide la compra repetida.

El embudo también enfatiza la importancia de retener y desarrollar a los clientes existentes en lugar de adquirir nuevos compradores. Los clientes satisfechos son el *capital de las relaciones con los clientes de la empresa.* Si la empresa fuera vendida, el comprador pagaría no sólo la factoría, el equipo y el nombre de la marca, sino también la *base de clientes* existente, es decir, el número y el valor de los clientes que harán negocios con el nuevo propietario. Considere la información siguiente sobre retención de clientes:[74]

- Captar nuevos clientes puede costar cinco veces más que satisfacer y retener a los clientes actuales. Se requiere mucho esfuerzo para inducir a los clientes satisfechos a cambiar sus proveedores actuales.
- La empresa promedio pierde el 10% de sus clientes al año.
- Una reducción del 5% en la tasa de deserción de clientes puede aumentar las ganancias entre 25 y 85%, dependiendo de la industria.
- La tasa de ganancias tiende a aumentar a lo largo de la vida del cliente retenido, debido al aumento en las compras, a las recomendaciones, a los precios especiales y a la reducción de los costos operativos de servicio.

GESTIÓN DE LA BASE DE CLIENTES El análisis de rentabilidad del cliente y el embudo de marketing ayudan a los especialistas en marketing a decidir cómo manejar grupos de clientes cuya lealtad, rentabilidad y otros factores son variables.[75] Un factor clave en la generación de ganancias para los accionistas es el valor agregado de la base de clientes. Las empresas ganadoras mejoran ese valor destacando en estrategias como las siguientes:

- ***Reducción de la tasa de deserción de los clientes.*** Seleccionar y capacitar empleados para que estén informados y sean amigables aumenta la probabilidad de que las preguntas sobre la compra realizadas por los clientes sean respondidas de manera satisfactoria. Whole Foods, el minorista de alimentos orgánicos y naturales más grande del mundo, atrae a sus clientes ofreciéndoles el compromiso de comercializar la mejor comida y manejando un concepto de trabajo en equipo entre sus empleados.
- ***Aumentar la longevidad de la relación con el cliente.*** Cuanto más involucrado esté con la empresa, más probable será que el cliente permanezca fiel a la misma. Casi el 65% de las compras de automóviles Honda nuevos son para reemplazar uno viejo. Los conductores reconocen la reputación de Honda de fabricar vehículos seguros con un alto valor de reventa.
- ***Realzar el potencial de crecimiento de cada cliente mediante "cuota de cartera" (wallet share), ventas cruzadas (cross-selling) y ventas de mayor valor añadido (up-selling).***[76] Las ventas a los clientes existentes pueden incrementarse con nuevas ofertas y oportunidades. Además de motocicletas, los concesionarios de Harley-Davidson venden accesorios como guantes, chaquetas de piel, cascos, gafas contra el sol y más de 3 000 artículos de ropa —algunos incluso tienen probadores en sus tiendas—

|Fig. 5.4|

El embudo de marketing

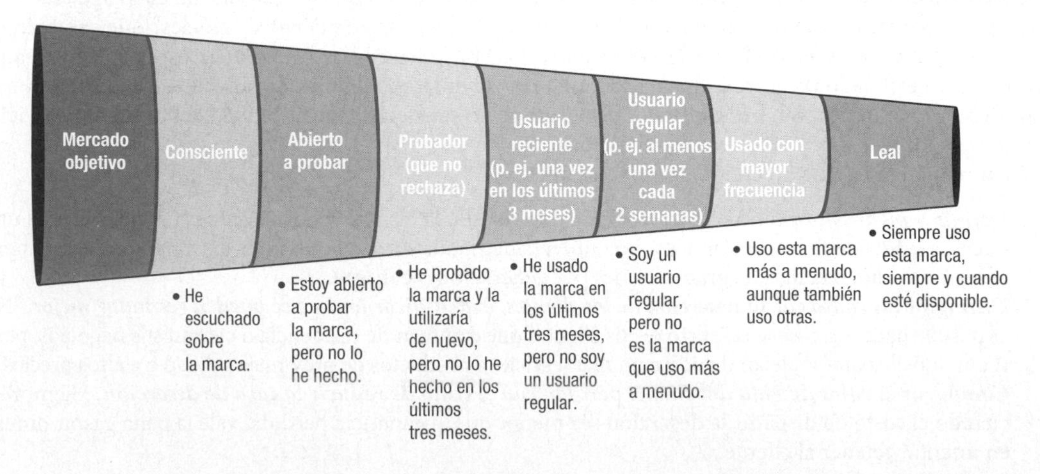

Otros artículos de Harley-Davidson que se venden bajo licencia van desde los predecibles (copitas o vasos de chupitos, bolas de billar, encendedores marca Zippo) hasta los más sorprendentes (agua de colonia, muñecas y teléfonos móviles).

- ***Hacer que los clientes menos rentables aumenten su rentabilidad o eliminarlos.*** Para evitar la necesidad directa de eliminación, los especialistas en marketing pueden animar a sus clientes menos rentables a comprar más o en cantidades más elevadas, que renuncien a ciertas características o servicios, o que paguen precios o cuotas más altas.[77] Buscando asegurar niveles de ingreso mínimos, actualmente los bancos, empresas de telefonía y agencias de viajes cobran por servicios que antes eran gratuitos. Por otro lado, las empresas pueden desanimar a quienes tengan escasas posibilidades de rentabilidad. Progressive Insurance filtra a sus clientes, y dirige a los potencialmente no rentables hacia la competencia.[78] No obstante, los clientes "gratuitos" que pagan poco o nada y son subsidiados por los clientes que sí pagan —esquema que suele presentarse en los medios impresos y online, en los servicios de empleo y de contactos, e incluso en los centros comerciales— pueden crear efectos de red directos e indirectos, cumpliendo de este modo una función importante.[79]
- ***Enfocar los esfuerzos especiales en los clientes con alta rentabilidad.*** Los clientes más rentables pueden ser tratados de manera especial. Atenciones como enviarles felicitaciones de cumpleaños, pequeños obsequios o invitaciones a eventos deportivos o artísticos especiales, pueden proporcionarles una fuerte señal positiva.

Generación de lealtad

La creación de una conexión fuerte y sólida con los clientes es el sueño de todo especialista en marketing, y a menudo es la clave para el éxito de dicha función en el largo plazo. Las empresas que desean crear este tipo de vínculos deben prestar atención a algunas consideraciones específicas (vea la △ figura 5.5). Cierto grupo de investigadores considera las actividades para generar retención como aquellas que proporcionan a los compradores beneficios financieros, beneficios sociales o vínculos estructurales.[80] En las siguientes secciones se explican tres tipos de actividades de marketing que las empresas utilizan para mejorar la lealtad y la retención.

INTERACCIÓN CON LOS CLIENTES Escuchar al mercado es crucial para la gestión de las relaciones con los clientes. Algunas empresas han creado un mecanismo constante que mantiene a sus especialistas en marketing en contacto permanente con la primera línea de la comunicación con el cliente.

- Deere & Company, fabricante de los tractores John Deere, tiene un récord espectacular de lealtad de sus clientes —casi el 98% anual de retención en algunas áreas de producto—, y ha utilizado empleados jubilados para entrevistar tanto a sus clientes fieles como a aquellos que han desertado.[81]
- Chicken of the Sea, proveedor de alimentos de origen marino, tiene 80 000 miembros en su Mermaid Club (Club Sirena), un grupo de clientes especiales que reciben ofertas exclusivas, sugerencias e información sobre salud, avisos de productos nuevos y un boletín electrónico informativo. A cambio, los miembros del club proporcionan valiosa retroalimentación sobre lo que la empresa está haciendo y pensando hacer. La retroalimentación de los miembros del club ha contribuido al diseño de la página Web de la marca, al desarrollo de mensajes publicitarios para televisión, y al mejoramiento de la apariencia y el texto de los envases.[82]
- Build-A-Bear Workshop —empresa dedicada a la fabricación y comercialización de muñecos de peluche personalizados— utiliza un "Consejo de cachorros asesores" como medio para obtener retroalimentación y aportaciones para la toma de decisiones. El consejo está conformado por veinte chicos de entre 8 y 12 años de edad, que revisan las ideas para nuevos productos valorándolos con una "garra hacia arriba" (si es positiva) o "hacia abajo" si es negativa. Muchos de los productos lanzados por la empresa se basan en ideas de los clientes.[83]

|Fig. 5.5| △

Formación de vínculos sólidos con el cliente

- Crear productos, servicios y experiencias superiores para el mercado objetivo.
- Obtener participación interdepartamental en la planificación y administración del proceso de satisfacción y retención del cliente.
- Integrar la "voz del cliente" en todas las decisiones del negocio, para capturar sus requerimientos y sus necesidades explícitas e implícitas.
- Organizar y hacer accesible una base de datos con información de las necesidades, preferencias, contactos, frecuencia de compra y satisfacción de los clientes individuales.
- Facilitar a los clientes el acceso al personal adecuado de la empresa para expresar sus necesidades, percepciones y quejas.
- Evaluar el potencial de los programas de clientes frecuentes y clubes de marketing.
- Implementar programas de premios para reconocer a los empleados destacados.

La retroalimentación de los miembros de su Mermaid Club ha ayudado a Chicken of the Sea a mejorar el atractivo de sus iniciativas de marketing para los clientes.

Pero escuchar es tan sólo una parte de la historia. También es importante permanecer del lado de los clientes y, en lo posible, ponerse en su piel para entender su punto de vista.[84] La legendaria calidad del servicio de USAA Insurance le ha permitido obtener los niveles más altos de satisfacción del cliente en el sector. Los asegurados por USAA a menudo cuentan historias sobre cómo los cuida la empresa, incluso aconsejándolos a no comprar mayor cobertura de seguro si no lo necesitan. Con tales niveles de confianza, USAA disfruta una alta lealtad de sus clientes y oportunidades significativas de ventas cruzadas.[85]

DESARROLLO DE PROGRAMAS DE LEALTAD Los programas de lealtad están diseñados para recompensar a los clientes que compran con frecuencia y en cantidades significativas.[86] Pueden ayudar a generar lealtad a largo plazo con los clientes con alto CLV, creando oportunidades de venta cruzada en el proceso. Las aerolíneas, hoteles y empresas emisoras de tarjetas de crédito fueron las primeras en utilizarlos, y actualmente los programas de lealtad existen en muchos otros sectores. Casi todas las cadenas de supermercados manejan tarjetas de club de precios que ofrecen descuentos en la compra de ciertos artículos.[87]

Por lo general, la primera empresa en introducir un programa de lealtad en un sector obtiene los mayores beneficios, en especial si los competidores tardan en hacer lo propio. Una vez que la competencia reacciona, los programas de lealtad pueden convertirse en una carga financiera para todas las empresas que los ofrecen, pero algunas de ellas son más eficientes y creativas al gestionarlos. Ciertos programas generan recompensas, de manera que atrapan a los clientes y crean altos costos de cambio. Los programas de lealtad también producen en los clientes un impulso psicológico y un sentimiento de ser especiales y formar parte de una élite, algo que ellos valoran.[88]

Los **programas de membresía en un club** pueden abrirse a todo aquel que compre un producto o servicio, o estar limitados a un grupo de afinidad si se requiere el pago de una pequeña cuota. Aunque los clubes abiertos son adecuados para generar una base de datos o atraer a los clientes de la competencia, los clubes de membresía limitada son poderosos generadores de lealtad a largo plazo. Las cuotas y las condiciones de la membresía impiden que se unan quienes tienen un interés pasajero en los productos de la empresa. Estos clubes atraen y retienen a los clientes responsables de la mayor porción del negocio. Apple cuenta con un club muy exitoso de este tipo.

Apple Apple anima a los propietarios de sus computadoras (ordenadores) a formar grupos locales de usuarios. En 2009 había más de 700 de estos grupos de tamaño variado, desde menos de 30 miembros hasta más de 1 000. Estas asociaciones permiten que los dueños de computadoras Apple aprendan más sobre ellas, compartan ideas y obtengan buenos descuentos en sus productos. Además, patrocinan actividades y eventos especiales, y prestan servicios a la comunidad. Una visita al sitio Web de Apple ayudará a cualquiera de sus clientes a encontrar un grupo de usuarios cercano a su lugar de residencia.[89]

CREACIÓN DE VÍNCULOS INSTITUCIONALES Una empresa proveedora en el sector industrial puede proporcionar a sus clientes equipos especiales y conexiones online que les ayuden a gestionar sus órdenes, sus pagos o sus inventarios. Los clientes se inclinan menos a cambiar de proveedor cuando esto lleva aparejado unos altos costos de capital o de búsqueda, o la pérdida de los descuentos a que tienen derecho por ser consumidores leales. Un buen ejemplo de este tipo de prácticas es McKesson Corporation, un mayorista líder de la industria farmaceútica, que invirtió millones de dólares en el desarrollo de capacidades para intercambio electrónico de datos (EDI, por sus siglas en inglés) con el propósito de ayudar a las farmacias independientes a gestionar sus procesos de inventario, de ingreso de pedidos y de espacio en el lineal. Otro ejemplo es Milliken & Company, que proporciona a sus clientes leales programas de software desarrollados por la propia empresa, investigaciones de marketing, y capacitación en ventas y previsión de demanda.

Recuperación de clientes

Independientemente de los esfuerzos de las empresas, algunos clientes terminarán por interrumpir su actividad con la empresa o por abandonarla. En este caso, el desafío es reactivarlos mediante estrategias de recuperación.[90] A menudo es más fácil atraer nuevamente a los ex clientes (porque la empresa conoce sus nombres e historias) que encontrar nuevos consumidores. Las entrevistas de salida y las encuestas a los clientes perdidos pueden destacar las fuentes de insatisfacción, y contribuir a la recuperación de los clientes que ofrezcan un elevado potencial de ganancias.[91]

Bases de datos de clientes y marketing de base de datos

Los especialistas en marketing deben conocer a sus clientes.[92] Para lograrlo, la empresa debe recopilar información y almacenarla en un sistema que le permita llevar a cabo el marketing de base de datos. Una **base de datos de clientes** es una colección organizada de información exhaustiva sobre clientes actuales o interesados (prospectos), que debe estar actualizada, ser accesible y permitir la implementación de acciones para generar prospectos, calificarlos, venderles un producto o servicio o mantener relaciones con ellos. El **marketing de base de datos** es el proceso de construcción, mantenimiento y uso de bases de datos de clientes y otro tipo de información (de productos, proveedores, revendedores) con el propósito de contactar, hacer transacciones y construir relaciones con los clientes.

Bases de datos de clientes

Muchas empresas confunden una lista de correos de clientes con una base de datos de clientes. La **lista de correos de clientes** es simplemente un conjunto de nombres, direcciones y números telefónicos. En cambio, una base de datos de clientes contiene mucha más información, acumulada a partir de las transacciones con el cliente, de información registrada, de indagaciones telefónicas, de *cookies* y de todos los contactos con el consumidor.

Idealmente, las bases de datos de clientes también incluyen información sobre compras previas, demografía (edad, ingreso, número de miembros en la familia, cumpleaños), psicografía (actividades, intereses y opiniones), tipos de medios (medios preferidos) y demás detalles útiles. Fingerhut, una empresa de venta por catálogo, posee cerca de 1 400 pormenores sobre cada uno de los 30 millones de hogares que integran su enorme base de datos de clientes.

Una **base de datos empresarial** contiene —o debería contener— información completa sobre las compras previas de los clientes institucionales de la empresa, así como sus volúmenes, precios y ganancias; los nombres de los miembros del equipo de compras (y sus edades, fechas de cumpleaños, pasatiempos, y comidas favorita); el estatus de los contratos actuales; una estimación de la cuota del proveedor en el negocio del cliente; el nombre de los proveedores competidores; una evaluación de las fortalezas y las debilidades competitivas para vender y dar servicio a la cuenta, y las prácticas, patrones y políticas de compra del cliente.

Un ejemplo de este tipo de base de datos es el de una unidad latinoamericana de la empresa farmacéutica suiza Novartis, que mantiene información sobre 100 000 agricultores argentinos, conoce las compras de productos químicos para protección de cosechas que ha realizado cada uno de ellos, los agrupa de acuerdo con su valor, y trata a cada grupo de forma específica.

Almacenes de información (*Data warehouses*) y minería de datos (*Data mining*)

Las empresas inteligentes capturan información cada vez que un cliente entra en contacto con cualquiera de sus departamentos vía telefónica, presencial u online, ya sea para hacer una compra, solicitar algún servicio, hacer una pregunta o pedir un reembolso.[93] Los bancos y las empresas emisoras de tarjetas de crédito, las compañías telefónicas, las empresas de venta por catálogo y muchas otras organizaciones, tienen gran cantidad de información sobre sus clientes, incluyendo no sólo sus direcciones y números telefónicos, sino también detalles sobre sus transacciones, e información actualizada acerca de sus edades, el número de miembros de sus familias, el monto de sus ingresos y demás detalles demográficos.

Estos datos son recopilados por el centro de contacto de la empresa, y se organizan en un **almacén de información** (conocido técnicamente como *data warehouse*) al que los especialistas en marketing pueden acudir para obtener datos, organizarlos y analizarlos con el objetivo de hacer inferencias sobre las necesidades individuales de un cliente y sus respuestas. Los especialistas en telemarketing pueden responder a las preguntas de los clientes con base en una imagen completa de la relación con el cliente, y son capaces de dirigir actividades personalizadas de marketing a cada cliente individual.

dunnhumby

dunnhumby La empresa británica de investigación dunnhumby ha aumentado la rentabilidad de sus minoristas en apuros al hacer deducciones intuitivas a partir de los datos que le proporcionan el programa de lealtad y las transacciones con tarjeta de crédito. La empresa ayudó al gigante británico de los supermercados, Tesco, a diseñar cupones y descuentos especiales para sus compradores con tarjeta de lealtad. Tesco decidió mantener en activo un tipo de pan que apenas vendía, después de que el análisis de dunnhumby reveló que era un "producto destino" para una cohorte leal que compraría en otro lugar si éste desaparecía. Entre los clientes estadounidenses de dunnhumby destacan Kroger, Macy's y Home Depot. En el caso de una empresa de venta por catálogo muy importante en Europa, dunnhumby encontró que no solamente los compradores con diferentes tipos de cuerpo prefieren diferentes estilos de ropa, sino también que compran en distintos momentos del año: los compradores delgados tienden a comprar al inicio de la estación, mientras que los más corpulentos se inclinan por tomar menos riesgos y esperan hasta que la estación avanza para ver qué será popular.[94]

Mediante la **minería de datos** (*data mining*) los especialistas en estadística de marketing pueden extraer de la masa de datos aquellos que son útiles sobre individuos, tendencias y segmentos. En la minería de datos se utilizan sofisticadas técnicas matemáticas y estadísticas, como el análisis de grupos, la detección automática de interacciones, los modelos de predicción y las redes neurales. Algunos observadores creen que contar con una base de datos propia puede otorgar una significativa ventaja competitiva a las empresas.[95] Vea algunos ejemplos en la figura 5.6.

En general, las empresas pueden usar sus bases de datos con cinco propósitos:

1. ***Para identificar prospectos.*** Muchas empresas generan clientes interesados al anunciar su producto o servicio. Los anuncios generalmente contienen una opción para responder —por ejemplo, una tarjeta de respuesta o un número telefónico gratuito—, y la empresa construye su base de datos a partir de la información aportada por los clientes. Luego revisa la base de datos para identificar los mejores prospectos, y a continuación los contacta por correo o por teléfono o intenta convertirlos en compradores.

|Fig. 5.6|

Ejemplos de marketing de base de datos

Qwest. Dos veces al año, Qwest revisa su lista de clientes en busca de aquellos con el potencial de mayor rentabilidad. La base de datos de la empresa contiene hasta 200 observaciones sobre cada uno de los patrones de llamadas de sus clientes. Tomando en consideración los perfiles demográficos, más la proporción de llamadas locales y de larga distancia o si un cliente tiene correo de voz, Qwest puede calcular su potencial de gasto. A continuación, la empresa determina qué porcentaje del presupuesto de telecomunicaciones del cliente ya está siendo obtenido por la empresa. Con esa información, Qwest determina un límite para sus gastos de marketing invertidos en ese cliente en particular.

Royal Caribbean. Royal Caribbean usa su base de datos para ofrecer paquetes de crucero y promover la venta por impulso para llenar todos los camarotes de sus barcos. Su enfoque es en personas jubiladas, porque son capaces de cerrar compromisos rápidamente. Menos camarotes vacíos implican una maximización de ganancias para la línea de cruceros.

Fingerhut. El uso habilidoso del marketing de bases de datos y la generación de relaciones ha hecho que la casa de venta por catálogo Fingerhut sea reconocida como una de las empresas de venta por correo directo más importantes de Estados Unidos. Su base de datos no sólo está llena de detalles demográficos como edad, estado civil y número de hijos, sino que también registra los pasatiempos de los clientes, sus intereses y fechas de cumpleaños. Fingerhut adapta las ofertas de correo con base en lo que cada cliente tiene probabilidad de comprar. La empresa se mantiene en contacto constante con sus clientes mediante promociones regulares y especiales, como sorteos anuales, regalos gratis y pago aplazado. En la actualidad está aplicando su marketing de bases de datos a sus páginas Web.

Mars. Mars es el líder no sólo en el mercado de dulces alemán, sino también en el de comida para mascotas. La empresa ha recopilado los nombres de prácticamente todas las familias que tienen un gato, al contactar con veterinarios y a través de la retroalimentación que obtiene de los anuncios publicados en un folleto que distribuye gratuitamente, titulado "Cómo cuidar de su gato". Quienes lo solicitan llenan un cuestionario, y así Mars conoce el nombre del gato, su edad y su fecha de cumpleaños. Hoy en día, la empresa envía una tarjeta de cumpleaños a cada gato, junto con una muestra de nueva comida para esas mascotas, o cupones de ahorro para otros productos de las marcas de Mars.

American Express. No es sorpresa que en sus instalaciones secretas en Phoenix, Arizona, haya guardias de seguridad que vigilan los 500 000 millones de bytes de datos de American Express, en donde se almacena información sobre cómo han usado sus clientes los 35 millones de tarjetas de crédito verdes, doradas y platinos. Amex usa la base de datos para incluir ofertas precisas, dirigidas en su envío mensual de la factura a millones de clientes.

2. ***Para decidir qué clientes deben recibir una oferta determinada.*** Las empresas interesadas en hacer *up-selling* o *cross-selling* establecen criterios que describen el cliente objetivo ideal para una oferta determinada. Luego buscan en sus bases de datos de clientes aquellos que más se parezcan a ese ideal. Analizando las tasas de respuesta, la empresa puede mejorar su precisión en la elección de los mejores prospectos. Además, después de cerrar la venta, tiene oportunidad de organizar una secuencia de actividades: una semana después envía una nota de agradecimiento; cinco semanas más tarde manda una nueva oferta; 10 semanas después (si el cliente no ha respondido) puede llamar por teléfono y ofrecer un descuento especial.
3. ***Para aumentar la lealtad del cliente.*** Las empresas pueden generar interés y entusiasmo al recordar las preferencias de los clientes y enviarles obsequios, cupones de descuento y material interesante de lectura.
4. ***Para reactivar las compras del cliente.*** Los programas de envíos automáticos (marketing automático) pueden hacer llegar tarjetas de cumpleaños o aniversario, recordatorios de compras por fiestas específicas, o promociones fuera de temporada. De esta manera, las bases de datos contribuyen a que la empresa realice ofertas atractivas u oportunas.
5. ***Para evitar cometer errores serios con el cliente.*** Un importante banco confesó que había cometido una serie de errores por no usar adecuadamente su base de datos de clientes. En un caso, el banco cobró una comisión por retrasarse en el pago de la hipoteca, sin percatarse de que el infractor era el director de una empresa que tenía importantes depósitos en su banco; el cliente cambió de banco. En otro caso, dos empleados del banco llamaron en distintos momentos al mismo cliente de hipoteca, ofreciéndole una línea de crédito con garantía hipotecaria con diferente precio. Ninguno sabía que el otro había hecho la llamada. En un tercer caso, el banco le dio servicio estándar en otro país a alguien que era cliente distinguido en su propia nación.

Los inconvenientes del marketing de bases de datos y de la CRM

El marketing de bases de datos es utilizado con mayor frecuencia por empresas y proveedores de servicios acostumbrados a recopilar fácilmente muchos datos de sus clientes, como los hoteles, bancos, aerolíneas, empresas aseguradoras, compañías de tarjetas de crédito y empresas telefónicas. Otro tipo de empresas en buena posición para invertir en CRM son aquellas que hacen muchas ventas cruzadas y up-selling (como GE y Amazon.com), o cuyos clientes tienen necesidades muy diferenciadas y son de valor muy desigual para la empresa. Los minoristas y fabricantes de bienes de gran consumo usan el marketing de bases de datos con menor frecuencia, aunque algunos (como Kraft, Quaker Oats, Ralston Purina y Nabisco) han creado bases de datos para algunas de sus marcas. Entre los negocios reconocidos por su éxito en la implementación de CRM están Enterprise Rent-A-Car, Pioneer Hi-Bred Seeds, Fidelity Investments, Lexus, Intuit y Capital One.[96]

Una vez analizadas las ventajas del marketing de bases de datos, también debemos considerar sus desventajas. Existen cinco problemas principales que pueden impedir que una empresa utilice CRM con eficacia.

1. ***Algunas situaciones simplemente no se prestan para el uso de bases de datos.*** Desarrollar una base de datos quizá no valga la pena cuando: (1) el producto es algo que se compra una sola vez en la vida (un piano de cola, por ejemplo); (2) los clientes muestran poca lealtad a la marca (es decir, cuando hay una enorme deserción de clientes); (3) la venta unitaria es muy pequeña (una chocolatina), de manera que el CLV es bajo; (4) el costo de recopilar información es demasiado alto, y (5) no existe contacto directo entre el vendedor y el comprador final.
2. ***Crear y mantener una base de datos de clientes requiere una inversión grande destinada a hardware, software especializado, programas analíticos, vínculos de comunicación y personal capacitado.*** Recopilar los datos correctos, en especial los que tienen que ver con todas las instancias de interacción entre la empresa y los clientes individuales suele ser una tarea complicada. Deloitte Consulting encontró que el 70% de las empresas tenían poca o ninguna mejora después de implementar CRM, porque el sistema estaba mal diseñado, se volvió demasiado caro, los usuarios no lo usaban mucho o no lo encontraban de gran beneficio, o los colaboradores lo ignoraban. A veces las empresas se concentran erróneamente en los procesos de contacto con el cliente, sin hacer los cambios correspondientes en sus estructuras y sistemas internos.[97]
3. ***Puede ser difícil lograr que todos los involucrados en la empresa asuman una orientación al cliente y usen la información disponible.*** Los empleados encuentran más fácil seguir con el marketing de transacciones tradicional que practicar CRM. El marketing de bases de datos eficaz requiere administrar y capacitar tanto a los empleados como a los distribuidores y proveedores.
4. ***No todos los clientes desean sostener una relación con la empresa.*** Algunos pueden recelar del hecho de que la empresa recopile tanta información sobre ellos. Para evitarlo, las empresas online deben explicar sus políticas de privacidad y dar a los consumidores el derecho a elegir que su información no sea alma-

cenada. Los países europeos no ven favorablemente el marketing de bases de datos, y son muy protectores de la información privada de los consumidores. La Unión Europea autorizó una ley que perjudica el crecimiento del marketing de bases de datos en sus 27 países miembros. "Marketing en acción: La controversia sobre el *behavioral targeting*" revisa algunos asuntos de privacidad y seguridad.

5. ***El supuesto detrás del uso de CRM a veces podría ser falso.***[98] Los clientes de alto volumen a menudo conocen su valor para la empresa y pueden presionarla para conseguir servicio de primera y/o descuentos, así que quizá a la empresa no le cueste menos atenderlos. Es posible que los clientes leales esperen y exijan más, e incluso se opongan a cualquier intento de cobrarles precio de lista. Por otro lado, podrían sentirse celosos de la atención que se les brinda a otros clientes. Cuando eBay comenzó a perseguir a los grandes clientes corporativos como IBM, Disney y Sears, algunos negocios familiares que ayudaron a generar la marca se sintieron abandonados.[99] Adicionalmente, no en todos los casos los clientes leales son los mejores embajadores de la marca. Un estudio encontró que los clientes con altas puntuaciones en lealtad comportamental y que compraban muchos de los productos de la empresa eran menos activos como promotores de boca a boca que otros cuya calificación en términos de lealtad en su actitud era igual de alta y expresaban un mayor compromiso con la empresa.

Así, los beneficios del marketing de bases de datos muchas veces implican costos y riesgos significativos, no sólo por lo que concierte a la recopilación de los datos originales de los clientes, sino también en lo que se refiere a mantenerlos y analizarlos. Cuando funciona, un almacén de datos produce más de lo que cuesta, pero la información debe estar en buenas condiciones, y las relaciones descubiertas en los datos deben ser válidas y aceptables para los clientes.

La controversia sobre el *behavioral targeting*

El surgimiento del *behavioral targeting* (traducido en ocasiones al español como segmentación por comportamiento) permite que las empresas den seguimiento al comportamiento que sus clientes objetivo adoptan online, y a encontrar la mejor coincidencia entre los anuncios y los prospectos. Dar seguimiento al uso que hace de Internet un individuo depende de las *cookies*, que son números, códigos y datos asignados aleatoriamente y que se almacenan en el disco duro de la computadora del usuario revelando qué sitios ha visitado, cuánto tiempo pasó en ellos, qué productos o páginas vio, qué términos de búsqueda ingresó, etcétera.

Casi todos los esfuerzos de *behavioral targeting* se llevan a cabo por medio de redes publicitarias online propiedad de grandes empresas de Internet, como Google o AOL, así como por algunos proveedores de servicio de Internet (ISP). Estas redes —por ejemplo AdBrite, que tiene más de 70 000 sitios en su mercado online— usan *cookies* para seguir los movimientos de los consumidores a través de todos sus sitios afiliados. Otro ejemplo es el de los nuevos clientes que se registran con Microsoft para obtener una cuenta de correo electrónico gratuito de Hotmail, pues al hacerlo se ven obligados a dar a la empresa su nombre, edad, género y código postal. Microsoft puede entonces combinar esos datos con información concerniente a la conducta observada online y a las características del área donde el cliente vive, para ayudar a que los anunciantes diluciden mejor si deben contactar a ese cliente, así como cuándo y de qué manera hacerlo. Aunque Microsoft tiene la responsabilidad de ser cuidadoso en mantener la privacidad del cliente —la empresa asegura que no obtendrá beneficios con el historial de ingresos del individuo— sí puede proveer a sus clientes publicitarios de información sobre segmentación por comportamiento.

Por ejemplo, Microsoft puede ayudar a un franquiciado de DiningIn (empresa dedicada a la distribución a domicilio de tapas *gourmet*) a centrarse exactamente en las madres trabajadoras, de entre 30 y 40 años de edad, y que vivan en un determinado barrio, para hacerles llegar anuncios específicamente diseñados para ellas antes de las 10 AM, horario en el que es más probable que estén planeando la comida familiar. O si una persona hace clic en tres sitios Web relacionados con seguros para automóviles y después visita un sitio de deportes o entretenimiento sin relación alguna, podría ser recomendable incluir anuncios de seguros de automóviles en ese sitio, además de aquellos que conforman su nicho natural. Esta práctica garantiza que los anuncios llegarán fácilmente a los clientes potenciales que podrían hallarse en el mercado. Microsoft asegura que el *behavioral targeting* puede aumentar hasta en un 76% la probabilidad de que un visitante haga clic en los anuncios.

Los defensores del *behavioral targeting* afirman que los consumidores ven más anuncios relevantes de esta manera. Debido a esta mayor eficacia de la publicidad, los ingresos por anuncio son más importantes y hay más disponibilidad para apoyar el contenido gratuito online. Se calcula que el gasto en *behavioral targeting* tendrá un crecimiento de hasta 4 400 millones de dólares representando el 8.6% del total de gasto en publicidad para 2012.

Sin embargo, los consumidores se sienten muy recelosos ante la posibilidad de ser seguidos online por los anunciantes. En una encuesta estadounidense de 2009, alrededor de dos tercios de los encuestados objetaron esta práctica, incluyendo el 55% de quienes ocupan el rango de 18 a 24 años de edad. Por otro lado, dos tercios de los encuestados opinaban que las leyes deberían dar a la gente el derecho de estar al tanto de todo lo que una página Web sabe sobre ellos. Los legisladores se preguntan si la autorregulación del sector será suficiente, o si es necesaria una nueva normativa.

Asimismo, los adeptos al *behavioral targeting* mantienen que muchos clientes no terminan de comprender cómo funcionan las diferentes prácticas de seguimiento, y se preocuparían menos si lo supieran. Sin embargo, sus afirmaciones sobre garantía de anonimato y privacidad se han visto debilitadas por eventos como una fuga de información que sufrió AOL en 2006, al ver vulnerados los datos sobre comportamiento online de 650 000 usuarios, y los intentos demasiado agresivos para instituir procesos de captura de datos en Facebook y varios ISP.

Fuentes: Elizabeth Sullivan, "Behave", *Marketing News,* 15 de septiembre de 2008, pp. 12-15; Stephanie Clifford, "Two-Thirds of Americans Object to Online Tracking", *New York Times,* 30 de septiembre de 2009; Jessica Mintz, "Microsoft Adds Behavioral Targeting", *Associated Press*, 28 de diciembre de 2006; Becky Ebenkamp, "Behavior Issues", *Brandweek,* 20 de octubre de 2008, pp. 21-25; Brian Morrissey, "Connect the Thoughts", *Adweek Media,* 29 de junio de 2009, pp. 10-11; Laurie Birkett, "The Cookie That Won't Crumble", *Forbes,* 18 de enero de 2010, p. 32; Alden M. Hayashi, "How *Not* to Market on the Web", *MIT Sloan Management Review* (invierno de 2010), pp. 14-15.

Resumen

1. Los clientes maximizan el valor. Se forman una expectativa de valor y actúan en consecuencia. Los compradores adquirirán los productos de la empresa que desde su punto de vista le ofrezcan el mayor valor, definido como la diferencia entre los beneficios totales para el cliente y los costos totales para el cliente.
2. La satisfacción del comprador es una función del resultado percibido del producto y de las expectativas del comprador. Al reconocer que una alta satisfacción lleva a una gran lealtad del cliente, las empresas deben asegurarse de estar cumpliendo y excediendo sus expectativas.
3. La pérdida de clientes rentables puede afectar seriamente las ganancias de una empresa. Se calcula que el costo de atraer un nuevo cliente asciende a cinco veces el costo de mantener contento a un cliente actual. La clave para retener clientes es el marketing de relaciones.
4. La calidad es la totalidad de rasgos y características de un producto o servicio que inciden en su capacidad para satisfacer necesidades explícitas o implícitas. Los especialistas en marketing desempeñan un papel clave en el logro de altos niveles de calidad total para que las empresas se mantengan solventes y rentables.
5. Los gerentes de marketing deben calcular los valores de vida de los compradores que forman su base de clientes para entender sus implicaciones en las ganancias. Además, deben determinar cómo aumentar el valor de la base de clientes.
6. Las empresas también están adquiriendo habilidades para la gestión de las relaciones con los clientes (CRM), la cual se enfoca a desarrollar programas para atraer y retener a los clientes correctos, mediante la satisfacción de sus necesidades individuales.
7. La gestión de las relaciones con los clientes a menudo requiere crear una base de datos de clientes y realizar *data mining* para detectar tendencias, segmentos y necesidades individuales. Esta función implica varios riesgos significativos, así que los especialistas en marketing deben proceder con cuidado.

Aplicaciones

Debate de marketing

Privacidad online *versus* off-line

A medida que más empresas practican el marketing de relaciones y desarrollan bases de datos de clientes, el tema de la privacidad adquiere mayor importancia. Los grupos de defensa del consumidor y del interés público escudriñan —y a veces critican— las políticas de privacidad de las empresas, y expresan su preocupación sobre el robo potencial de la información online de tarjetas de crédito u otros datos financieros potencialmente sensibles o confidenciales. Otras instancias afirman que el temor a la vulnerabilidad de la privacidad online no tiene fundamento, y que los temas de seguridad son igual de preocupantes offline. Desde su punto de vista, la oportunidad de robar información existe prácticamente en todos lados, y es responsabilidad de los consumidores proteger sus intereses.

Asuma una posición: La privacidad representa un problema más importante online que offline *versus* La privacidad no es diferente online u offline.

Discusión de marketing

El uso del CLV

Considere el valor de vida del cliente (CLV). Elija un negocio y demuestre cómo desarrollaría usted una fórmula cuantitativa que capture el concepto. ¿De qué manera se vería modificado el negocio en cuestión si adoptara completamente el concepto de valor del cliente y maximizara su CLV?

Marketing de excelencia

>>Nordstrom

Nordstrom es una exclusiva cadena de grandes almacenes con ventas que rebasaron los 8 000 millones de dólares en 2009. Al principio John W. Nordstrom puso en marcha una tienda de zapatos, pero ésta creció con el paso de los años hasta convertirse en una cadena de tiendas especializadas que vende ropa, accesorios, joyería, cosméticos y perfumería de la más alta calidad y de marcas de renombre.

Desde el inicio Nordstrom ha creído en la importancia de proveer el más alto nivel posible de servicio al cliente, junto con mercancía de primerísima calidad. Como minorista de calzado, la empresa ofrecía una amplia gama de productos que se ajustaban

a las necesidades y nivel de precios de casi todos los clientes. A medida que se expandió hacia la comercialización de artículos de moda y ropa, mantuvo estas metas.

Actualmente, Nordstrom marca la pauta en servicio y lealtad del cliente. De hecho, la empresa es tan conocida por esta característica que varias leyendas urbanas sobre actos inusuales de servicio al cliente circulan todavía hoy en día. Una de las más conocidas cuenta que en 1975 un cliente entró a una tienda Nordstrom después de que la cadena había comprado una empresa llamada Northern Commercial Company. El cliente quería devolver un juego de llantas comprado originalmente en Northern Commercial. Aunque Nordstrom nunca ha comercializado llantas, aceptó de buena gana la devolución, y reintegró en efectivo el monto de la compra al cliente.

En tanto que la política de devoluciones "sin preguntas" de Nordstrom permanece intacta a día de hoy, existen muchos otros ejemplos de su excepcional servicio al cliente. Sus representantes de ventas mandan notas de agradecimiento a los clientes que hacen sus compras en la empresa, y hacen entregas de pedidos especiales directamente en las casas de los clientes. Nordstrom instaló en sus cajas una herramienta llamada Personal Book, la cual permite que el vendedor ingrese y recuerde las preferencias del cliente, de manera que pueda personalizar mejor sus experiencias de compra. Asimismo, Nordstrom pone a disposición de los clientes múltiples canales de compra, lo que les permite —por ejemplo— adquirir un artículo online y recogerlo en una tienda una hora después.

El programa de lealtad de Nordstrom, Fashion Rewards Program, recompensa a sus clientes en cuatro niveles diferentes, de acuerdo con sus gastos anuales. Los clientes que gastan 10 000 dólares al año reciben los arreglos en la ropa y los envíos gratuitamente, una línea de ayuda telefónica 24 horas sobre temas de moda, y acceso a un servicio personal de conserjería. Los clientes del más alto nivel de recompensas (con gastos anuales de 20 000 dólares) también se hacen acreedores de experiencias de compra completas, con probadores llenos de ropa de su talla, champaña y música de piano en vivo, entradas para los shows de desfiles de moda de Nordstrom, y acceso a exclusivos paquetes de viajes y moda, incluyendo eventos de alfombra roja.

Este estratégico —y a menudo costoso— enfoque en el cliente ha fructificado en grandes beneficios para la empresa, que no sólo se ha destacado a lo largo de más de un siglo como una marca de lujo conocida por su calidad, fiabilidad y servicio, sino que ha conseguido que sus clientes se mantengan leales aun en tiempos difíciles. Durante la crisis económica de 2008 y 2009, muchos clientes eligieron seguir comprando en Nordstrom en lugar de hacerlo en la competencia, debido a sus relaciones previas y a la política de devoluciones sin dificultades.

Nordstrom tiene actualmente 112 tiendas de línea completa, 69 tiendas de liquidación Nordstrom Rack, dos Jeffrey Boutiques y un almacén de descuento, y tiene planes de abrir 50 nuevas tiendas en los próximos 10 años. Cuando inaugura un nuevo punto de venta, Nordstrom se conecta con la comunidad de la zona ofreciendo una fiesta nocturna de gala con entretenimiento en vivo, un show de pasarela de moda y la "máxima experiencia en compras", con lo cual recauda fondos para destinarlos a obras locales de filantropía.

A medida que avanza, Nordstrom continúa siendo flexible y buscando nuevas herramientas y medios para ayudar a profundizar y desarrollar su relación entre el cliente y el vendedor.

Preguntas

1. ¿De qué otra manera puede Nordstrom continuar ofreciendo servicio excepcional al cliente y aumentando su lealtad a la marca?
2. ¿Cuáles son los mayores riesgos que enfrenta Nordstrom, y quiénes son sus principales competidores?

Fuentes: "Annual Reports", Nordstrom.com; "Company History", Nordstrom.com; Chantal Todé, "Nordstrom Loyalty Program Experience", *DMNews*, 4 de mayo de 2007; Melissa Allison y Amy Martinez, "Nordstrom's Solid December Showing Suggests Some Shoppers Eager to Spend", *Seattle Times*, 7 de enero de 2010.

Marketing de excelencia

>>Harley-Davidson

¿Existe otra compañía en el mundo que trabaje tan duramente como Harley-Davidson Motor Company para entablar relaciones genuinas con sus clientes? Harley-Davidson es una compañía de lealtad excepcional, creada a partir de un patrón de interacciones con sus clientes. William Harley y Arthur Davidson, ambos con 20 años de edad, construyeron su primera motocicleta en 1903. En el primer año la producción total fue de sólo una motocicleta; en 1910 la compañía vendió 3 200. Películas como Easy Rider hicieron de las Harley un icono cultural, y pronto la compañía atrajo gente que amaba la mística del chico malo, el estruendo, y el rugido distintivo y poderoso de los motores. Las motos Harley sonaban como ninguna otra, y hasta Elvis Presley y Steve McQueen se aficionaron a ellas.

La Harley-Davidson Motor Company ha tenido épocas buenas y malas. A veces la situación parecía conducirla directamente a la bancarrota. En los sesenta, Honda, Kawasaki y Yamaha invadieron con sus vehículos el mercado estadounidense, y cuando las ventas de Harley-Davidson cayeron de manera drástica, la compañía comenzó a buscar compradores. Los nuevos dueños, sin embargo, sabían poco o nada acerca de cómo restaurar la rentabilidad en una compañía de motocicletas. Harley-Davidson es el último fabricante de motocicletas que queda en Estados Unidos. A pesar de que los números

parecían impresionantes —en 1979 se fabricó la cifra récord de más de 50 000 motos—, había tal ausencia de calidad que los comerciantes tuvieron que poner cartón debajo de los vehículos en las salas de exposiciones para absorber el aceite que salía de los motores.

Daniel Gross, en su libro *Forbes Greatest Business Stories of all Times*, narra cómo en 1981, con la ayuda de Citibank, un grupo de ejecutivos de Harley-Davidson inició negociaciones para adquirir de nuevo la compañía y rescatarla de la bancarrota. Entre los ejecutivos estaba William Davidson, nieto del fundador Arthur Davidson, que se sumó a la firma en 1963. En una típica compra apalancada, reunieron un millón de dólares cada uno y pidieron prestados 80 millones más a un consorcio de bancos liderado por el Citibank.

El equipo de rescate de Harley, conformado por ejecutivos leales, sabía que los fabricantes de motocicletas japonesas estaban muy avanzados en lo que a calidad de gestión se refiere. Así pues, tomaron la audaz decisión de visitar una planta de Honda. Paradójicamente, los japoneses habían aprendido gestión de calidad de los estadounidenses Edward Deming y Joseph Juran. El nuevo enfoque de gestión fue rechazado por los fabricantes de Estados Unidos hasta que fue llevado a Japón, en donde estaban entusiasmados por aprenderlo e instrumentarlo. Con la visita de Harley Davidson Motor Company volvió a cerrarse el círculo.

Después de hacer una gestión de inventarios justo-a-tiempo (just in time) y dar participación a los empleados, los costos en Harley habían caído a un nivel tal que la compañía sólo necesitaba vender 35 000 motos en vez de las 53 000 que anteriormente se requerían para cubrir los gastos. Sus lobbies en Washington también ayudaron; las tarifas de importación fueron incrementadas provisionalmente del 4 al 40% para motos japonesas, lo cual representó un gran respiro para la única empresa estadounidense fabricante de motocicletas.

Visitar una planta de fabricación de motocicletas japonesa y presionar en Washington para lograr tarifas de importación menos ventajosas para los competidores fueron medidas arriesgadas que los ejecutivos de Harley pusieron en acción en su intento de volver a generar rentabilidad y crecimiento para la compañía. Otras medidas estratégicas fueron las campañas exclusivas de marketing y de diseño de la marca. Ciertas investigaciones mostraron que aproximadamente el 75% de los clientes de Harley hicieron compras repetidas. Los ejecutivos reconocieron un patrón que sirvió para reiniciar la estrategia global de la compañía. Lo que se necesitaba era encontrar una manera de apelar a la extraordinaria lealtad de sus clientes, algo que lograron al crear una comunidad que valoraba más la experiencia de conducir sus motocicletas por las calles que el producto en sí mismo.

El Harley Owners Group fue una de las más creativas e innovadoras estrategias para crear una experiencia alrededor del producto, siendo éste el nuevo paradigma que los ejecutivos de Harley promovieron y que ya estamos viendo repetirse cada vez con más frecuencia en otras industrias. La compañía comenzó a organizar concentraciones para llevar la experiencia Harley a potenciales nuevos clientes y reforzar así la relación entre miembros, comerciantes y empleados. El Harley Owners Group se volvió inmensamente popular y permitió que los propietarios de motocicletas Harley se sintieran como una gran familia. En 1987 había 73 000 miembros registrados; hoy en día Harley tiene más de 450 000.

En 1983 la compañía lanzó una campaña de marketing llamada SuperRide, en la que más de 600 representantes invitaron a la gente a probar una Harley y 40 000 potenciales nuevos clientes aceptaron la invitación. A partir de entonces muchos clientes de Harley no sólo estaban comprando una motocicleta al optar por los productos de la compañía; en realidad estaban comprando "la experiencia Harley".

Harley-Davidson ofreció a sus clientes una afiliación gratuita por un año a un grupo local de motociclistas, publicaciones sobre motocicletas, recepciones privadas en eventos relacionados con ese tipo de vehículos, seguros, servicio de emergencia en ruta, residencias para alquilar durante los periodos vacacionales, y un montón de otros beneficios. Enfocar su marketing en la experiencia más que en el producto ha permitido que la firma crezca para captar valor: hoy en día comercializa también una línea de ropa, accesorios, plumas estilográficas y la tarjeta Visa Harley Davidson.

Si analizara la lista de compañías que provocaron los mayores retornos de inversión durante los noventa, descubriría que Harley Davidson ocupa un lugar de privilegio en ella. Sólo algunas compañías han tenido éxito al inventar nuevos modelos de negocios o reinventar modelos de negocios ya existentes. Harley Davidson pasó de proveer motocicletas a motociclistas antisociales, a vender un estilo de vida a los que querían ser "chicos malos" en la crisis de los cincuenta. Tradicionalmente, los dueños de motos Harley-Davidson venían de las clases obrera y media, pero como la calidad y los precios de estos vehículos aumentaron, apoyándose en un fuerte impulso de marketing, la compañía pronto atrajo una categoría diferente de compradores. Actualmente un tercio de los compradores de Harley son profesionistas o gerentes, y un 60% son graduados universitarios. Los nuevos segmentos de clientes son "Harley con Rolex". Los *hell's angels* (ángeles del infierno) ya no son más deportistas; ahora son grupos de contables, abogados y médicos. Las mujeres también constituyen una buena parte de estos nuevos motociclistas, y los clubes exclusivos para ellas están apareciendo por todo el mundo.

Preguntas

1. ¿Qué cabe esperarse para el futuro de Harley Davidson? ¿Hacia dónde y cómo puede crecer? ¿A quién se dirigirá?
2. ¿Cómo puede Harley Davidson llevar sus programas de lealtad al siguiente nivel?

Fuente: http://www.gestiopolis.com/canales/gerencial/articulos/56/js/harley.htm

En este capítulo responderemos las siguientes **preguntas**

1. ¿Cómo influyen las características del consumidor en su comportamiento de compra?
2. ¿Cuáles son los principales procesos psicológicos que influyen en las repuestas del consumidor al plan de marketing?
3. ¿Cómo toman los consumidores las decisiones de compra?
4. ¿En qué modos se apartan los consumdidores de los procesos de toma de decisiones deliberados y racionales?

LEGO tiene programas que buscan mantener la empresa cerca de sus clientes, sobre todo de los más devotos y leales.

Análisis de los mercados de consumo

El propósito del marketing es cubrir y satisfacer las necesidades y deseos de los clientes meta de mejor manera que los competidores. Los especialistas en marketing deben tener un total entendimiento de cómo piensan, sienten y actúan los consumidores, y ofrecer un valor claro a cada uno de los clientes meta.

LEGO, la empresa de Billund, Dinamarca, es quizá una de las primeras marcas de personalización masiva. Todo niño que haya tenido alguna vez un juego de bloques de LEGO, por básico que fuera, tuvo oportunidad de construir sus propias creaciones, únicas y fantásticas, con un bloque de plástico sobre otro. Cuando LEGO decidió convertirse en una marca de estilo de vida y abrió parques de diversiones, lanzó al mercado una línea de ropa, relojes, videojuegos y otros productos —como Clikits, un equipo de artesanía diseñado para atraer a más niñas a la marca— descuidó su mercado principal, compuesto de niños de entre cinco y nueve años. Las ganancias cayeron en picado, lo que llevó a que la compañía despidiera a casi la mitad de sus empleados mientras hacía más eficiente su cartera de marcas para enfatizar su negocio central. Para coordinar mejor las nuevas actividades de producto, LEGO rediseñó su estructura organizacional en cuatro grupos funcionales que administraban ocho áreas clave. Un grupo era responsable de apoyar las comunidades de clientes y buscar en ellas nuevas ideas de productos. Además, instauró lo que más adelante se llamó LEGO Design byME, una iniciativa que permite a los clientes diseñar, compartir y construir sus propios productos LEGO personalizados, usando el software de descarga gratuita Digital Designer 3.0. Las creaciones resultantes sólo tienen existencia digital online —en donde otros aficionados pueden tener acceso a ellas—, pero si los clientes quieren construirlas físicamente, el software cuantifica las piezas requeridas y envía un pedido al almacén de LEGO en Enfield, Connecticut. Los clientes también pueden solicitar guías con instrucciones paso a paso, e incluso diseñar su propia caja para guardar las piezas.[1]

Para que el marketing tenga éxito es preciso que las empresas tengan una completa conexión con sus clientes. Adoptar una orientación de marketing holístico implica entender a los clientes, es decir, obtener un panorama de 360 grados tanto de sus vidas cotidianas como de los cambios que ocurren en ellas, para que los productos adecuados siempre se comercialicen entre los clientes adecuados y de la manera correcta. Este capítulo explora la dinámica de compra del consumidor individual; el siguiente hará lo propio respecto de la dinámica de los compradores empresariales.

¿Qué factores influyen en el comportamiento del consumidor?

El análisis del **comportamiento del consumidor** es el estudio de cómo los individuos, los grupos y las organizaciones eligen, compran, usan y se deshacen de bienes, servicios, ideas o experiencias para satisfacer sus necesidades y deseos.[2] Los especialistas en marketing deben entender en su totalidad tanto la teoría como la realidad del comportamiento del consumidor. La tabla 6.1 proporciona una imagen general del perfil de los consumidores estadounidenses.

El comportamiento de compra del consumidor se ve influido por factores culturales, sociales y personales. De ellos, los factores culturales ejercen la influencia más amplia y profunda.

Factores culturales

La cultura, la subcultura y la clase social a la que se pertenece son influencias particularmente importantes para el comportamiento de compra del cliente. La **cultura** es el determinante fundamental de los deseos y comportamiento de las personas. Por ejemplo, a través de la familia y otras instituciones clave, los niños que

TABLA 6.1 Perfil de los consumidores estadounidenses

Gastos		
Desembolso promedio en Estados Unidos para bienes y servicios en 2009		
	Dólares	Dólares
Vivienda	$16920	34.1%
Transporte	$8758	17.6%
Comida	$6133	12.4%
Seguro personal y pensiones	$5336	10.7%
Atención médica	$2853	5.7%
Entretenimiento (ocio)	$2698	5.4%
Ropa y servicios	$1881	3.8%
Contribuciones en efectivo	$1821	3.7%
Educación	$945	1.9%
Otros	$808	1.6%
Productos y servicios de cuidado personal	$588	1.2%
Bebidas alcohólicas	$457	.9%
Tabaco y productos para fumar	$323	0.7%
Lectura	$118	0.2%
Propiedades		
Porcentaje de familias con al menos un vehículo propio o alquilado		77.0%
Porcentaje de familias que poseen casa		67%
Porcentaje de familias que poseen casa libre de hipoteca		23%
Uso de tiempo de un día laboral promedio de empleados de 25-54 años con hijos en 2008		
Trabajo y actividades relacionadas	8.8 horas	
Dormir	7.6 horas	
Ocio y deportes	2.6 horas	
Cuidado de otras personas	1.3 horas	
Comer y beber	1.0 horas	
Actividades domésticas	1.0 horas	
Otros	1.7 horas	
Horas por mes invertidas en ocio: minutos por usuario de 2 años de edad o más, 1er. cuatrimestre 2009		
	Cantidad de estadounidenses	Minutos promedio por día
Ver televisión en casa	285574000	153 minutos
Ver televisión grabada	79533000	8 minutos
Usar Internet	163110000	29 minutos
Ver videos en Internet	131102000	3 minutos
Suscriptores de telefonía móvil que ven videos en sus teléfonos móviles	13419000	4 minutos

Fuentes: Bureau of Labor Statistics, *Consumer Expenditure Survey*. www.bls.gov/cex; AC Nielsen, *A2 M2 Three Screen Report*, 1er. trimestre de 2009, http://blog.nielsen.com/nielsenwire/wp-content/uploads/2009/05/nielsen_threescreenreport_q109.pdf

crecen en Estados Unidos están expuestos a valores tales como el logro y el éxito, la actividad, la eficacia y practicidad, el progreso, el confort material, el individualismo, la libertad, la comodidad exterior, el humanitarismo y la juventud.[3] Los niños que crecen en otros países podrían tener un punto de vista diferente sobre sí mismos, sobre las relaciones con los demás y sobre los rituales sociales. Los especialistas en marketing deben atender con todo detalle los valores culturales de cada país para entender cómo comercializar sus productos existentes de la mejor manera y cómo encontrar oportunidades para el desarrollo de nuevos productos.

Cada cultura consta de **subculturas** más pequeñas, que proporcionan identificación específica y socialización más profunda a sus miembros. A su vez, las subculturas incluyen las nacionalidades, las religiones, los grupos étnicos y las regiones geográficas. Cuando las subculturas crecen lo suficiente en tamaño y recursos, a menudo las empresas diseñan planes especializados de marketing para atenderlas.

Prácticamente todas las sociedades humanas adoptan una *estratificación social* mediante la formación de **clases sociales**, divisiones homogéneas y perdurables que se ordenan jerárquicamente, y cuyos miembros comparten valores, intereses y comportamientos similares. Una representación clásica de las clases sociales establece una división en siete niveles ascendentes: (1) clase baja inferior, (2) clase baja superior, (3) clase trabajadora, (4) clase media, (5) clase media superior, (6) clase alta inferior, y (7) clase alta superior.[4]

Los miembros de las clases sociales muestran preferencias distintas hacia productos y marcas en muchas áreas, incluyendo ropa, mobiliario para el hogar, actividades recreativas y automóviles. También difieren en las preferencias de medios: los consumidores de clase más alta a menudo prefieren las revistas y libros, y los consumidores de clase más baja suelen inclinarse por la televisión. Incluso dentro de una categoría como la televisión, los consumidores de clase más alta podrían mostrar mayor preferencia por programas de noticias y drama, mientras los consumidores de clase más baja se inclinan por los *reality shows* y los deportes. También existen distinciones lingüísticas, así que los textos publicitarios y los diálogos deben sonar auténticos para la clase social a la que van dirigidos.

Factores sociales

Además de los factores culturales, factores sociales como los grupos de referencia, la familia, los roles y estatus sociales afectan nuestro comportamiento de compra.

GRUPOS DE REFERENCIA Los **grupos de referencia** de una persona son todos aquellos grupos que tienen influencia directa (cara a cara) o indirecta sobre sus actitudes y comportamientos. Los grupos que tienen una influencia directa se llaman **grupos de pertenencia**. Algunos de ellos son **grupos primarios** con los que la persona interactúa con bastante continuidad e informalmente; los ejemplos incluyen la familia, amigos, vecinos y colaboradores. La gente también pertenece a **grupos secundarios** —como grupos religiosos, profesionales y sindicales— que tienden a ser más formales y requieren menor interacción continua.

Los grupos de referencia influyen en los miembros al menos de tres maneras: exponen al individuo a nuevos comportamientos y estilos de vida; influyen en las actitudes y el concepto personal, y crean presiones de conformidad que pueden afectar las elecciones de productos y marcas. La gente se ve influida, asimismo, por los grupos a los que *no* pertenece. En este sentido, los **grupos de aspiración** son aquellos a los que la persona le gustaría pertenecer; los **grupos disociativos** son grupos cuyos valores o comportamiento son rechazados por un individuo.

Cuando la influencia del grupo de referencia es fuerte, los especialistas en marketing deben determinar cómo llegar a los líderes de opinión del grupo y de qué manera influir en ellos. Un **líder de opinión** es una persona que ofrece de manera informal consejos o información sobre una categoría de productos o un producto específico (cuál de varias marcas es la mejor, o cómo podría usarse un producto en particular).[5] Los líderes de opinión suelen ser muy seguros de sí mismos, activos socialmente y usuarios frecuentes de la categoría. Los especialistas en marketing tratan de llegar a ellos identificando sus características demográficas y psicográficas, determinando qué medios prefieren, y dirigiendo sus mensajes a ellos.

Las empresas de ropa como Hot Topic, que esperan ser del gusto del voluble mercado de moda juvenil, han usado la música en un esfuerzo concertado para seguir el estilo y el comportamiento de los líderes de opinión.

Hot Topic Con más de 600 tiendas en centros comerciales diseminados en Estados Unidos y Puerto Rico, Hot Topic ha tenido un enorme éxito usando un estilo "anti-establishment" en su moda. La cadena también vende libros, cómics, joyería, CD, discos, carteles y demás parafernalia. El eslogan de Hot Topic, "Todo relacionado con la música", refleja su premisa operativa: si a un adolescente le gusta el rock, el pop-punk, el emo, el acid, el rap, el rave o el rockabilly, o incluso estilos musicales más oscuros, Hot Topic tiene una prenda de ropa adecuada para él. Para mantenerse al día con las tendencias musicales, todos los empleados de Hot Topic, desde el CEO hasta los vendedores (fanáticos de la música, 80% de los cuales son menores de 25 años), asisten regularmente a conciertos —tanto de bandas emergentes como ya conocidas—para ver quién está usando

Hot Topic se esfuerza por mantenerse al día con las tendencias de moda y los intereses (en particular por lo que se refiere a la música) de los jóvenes, su clientela fundamental.

qué ropa. Las tiendas tienen más la apariencia de un centro de reunión de estudiantes que de un punto de venta, ya que todo el tiempo suena música estridente y las paredes, pintadas en colores oscuros, tienen tablones de anuncios que exhiben carteles de conciertos y elecciones musicales del personal. Hot Topic también ofrece conciertos acústicos, llamados Local Static, en donde presenta bandas locales, y ha creado una red social en torno a la música, ShockHound.com. De esta manera, la empresa puede captar las tendencias y poner a disposición de la clientela, en un periodo de seis a ocho semanas, ropa de moda y mercancía de cultura pop difícil de encontrar, meses antes de lo que pueden hacerlo sus competidores tradicionales acudiendo a proveedores extranjeros.[6]

LA FAMILIA La familia es la organización de compras de consumo más importante en la sociedad, y sus miembros constituyen el grupo de referencia con mayor influencia primaria.[7] Existen dos familias en la vida del comprador. La **familia de orientación**, formada por los padres y hermanos. De los padres el individuo adquiere una orientación hacia la religión, la política y la economía, un sentido de ambición personal, valoración personal y amor.[8] Incluso si el comprador ya no interactúa mucho con sus padres, la influencia de éstos en su comportamiento puede ser significativa. Por ejemplo, casi el 40% de las familias contratan su seguro de automóvil con la misma empresa que lo tienen los padres del esposo.

Una influencia más directa en el comportamiento de compra cotidiano es la **familia de procreación**, compuesta específicamente del cónyuge y los hijos de una persona. En Estados Unidos, de manera tradicional la participación de marido y mujer en las compras varía enormemente según la categoría de productos. Por lo general, la mujer actúa como el principal agente de compras de la familia, en particular por lo que a comida, artículos diversos y artículos básicos de ropa se refiere. Sin embargo, en la actualidad los roles tradicionales de compra están cambiando, y los especialistas en marketing deben considerar tanto a hombres como a mujeres como posible público meta.

En el caso de los productos y servicios caros, como automóviles, vacaciones o vivienda, casi siempre ambos miembros de la pareja participan en la toma de decisiones.[9] No obstante, hombres y mujeres podrían responder de diferente manera a los mensajes de marketing.[10] Las investigaciones han demostrado que las mujeres valoran los vínculos y las relaciones con la familia y amigos, y dan mayor preponderancia a la gente que a las empresas. Los hombres, por otro lado, se relacionan más con la competición y dan una alta prioridad a la acción.[11]

Las empresas están dirigiéndose más a la mujer para introducir productos nuevos, tal como ocurrió con los cereales para mujeres Quaker Nutrition y el dentífrico Crest Rejuvenating Effects. En 2003, Sherwin-Williams lanzó una pintura marca Dutch Boy en una lata con sistema de apertura fácil, dirigida específicamente al mercado femenino. Con un precio un poco más elevado que el de la misma pintura presentada en contenedores tradicionales de metal, el nuevo producto ayudó a que la empresa triplicara sus ingresos.[12]

Otros cambios en los patrones de compra son el aumento en los gastos y la influencia directa o indirecta ejercida por los niños y los adolescentes. Por influencia directa nos referimos a las insinuaciones, peticiones y demandas ("Quiero comer en McDonald's"). Por su parte, la influencia indirecta implica que los padres conocen las marcas y productos preferidos de sus hijos, sin necesidad de que éstos hagan sugerencias o peticiones explícitas ("Creo que José y Emma querrían comer en McDonald's").

Las investigaciones han demostrado que más de dos terceras partes de los chicos entre 13 y 21 años toman o influyen en las decisiones de compra de la familia en relación con productos y servicios como equipos de audio/video, software y destinos vacacionales.[13] En total, estos adolescentes y adultos jóvenes gastan más de 120 000 millones de dólares al año. Según los datos que ellos mismos aportan, para asegurarse de comprar los productos correctos toman en consideración los comentarios de sus amigos, lo que ven y escuchan en un anuncio, y lo que les dicen los vendedores en la tienda.[14]

La televisión puede ser especialmente poderosa para llegar a los niños, y los especialistas en marketing la usan para impactarlos a edades más tempranas que nunca con prácticamente todo tipo de productos de su interés: pijamas de personajes de Disney, juguetes y figuras de acción de *G.I. Joe*, mochilas de *Harry Potter* y juegos de *High School Musical.*

Para cuando los niños tienen cerca de dos años de edad, es usual que ya puedan reconocer personajes, logotipos y marcas específicas. Cuando tienen entre seis y siete años son capaces de distinguir entre los mensajes publicitarios y la programación televisiva. Aproximadamente un año después ya pueden entender la intención persuasiva de los anunciantes. Al llegar a los nueve o 10 años pueden percibir las discrepancias entre el mensaje y el producto.[15]

Apuntes de marketing

Cuestionario para el consumidor promedio

A continuación se presenta una serie de afirmaciones utilizadas en las encuestas de actitud de los consumidores estadounidenses. Calcule qué porcentaje de hombres y de mujeres estuvieron de acuerdo con cada aseveración y escriba su respuesta —en una escala de 0 a 100%— en las columnas de la derecha. Después compare sus resultados con las respuestas correctas, que se dan al pie del cuadro.*

Afirmaciones	Porcentaje de consumidores de acuerdo	
	Hombres	Mujeres
1. Es más importante encajar que ser diferente de los demás.	____	____
2. Las cosas materiales, como el coche que conduzco y la casa donde vivo, son muy importantes para mí.	____	____
3. La religión no da respuestas a muchos de los problemas actuales.	____	____
4. A las empresas les importa más venderme productos y servicios que ya existen, que inventar algo que realmente se ajuste a mi estilo de vida.	____	____
5. Muy pocas veces el personal de servicio al cliente con el que trato se preocupa por mí o por mis necesidades.	____	____
6. Me gustaría que existieran reglas más claras sobre lo que está bien y lo que está mal.	____	____
7. No me importa estar un poco endeudado.	____	____
8. Es arriesgado comprar una marca con la que no estás familiarizado.	____	____
9. Intento divertirme tanto como puedo en el momento actual, y el futuro ya se verá.	____	____
10. Sin importar cuánto lo intente, parece que nunca tengo suficiente tiempo para hacer todo lo que tengo que hacer.	____	____

Nota: Los resultados provienen de una muestra representativa de 4147 estadounidenses encuestados en 2009.

Fuente: Con autorización de The Futures Company Yankelovich MONITOR. Copyright © 2009, Yankelovich, Inc.

*Respuestas:

1. H = 27%, M = 20%; 2. H = 47%, M = 39%; 3. H = 53%, M = 45%; 4. H = 72%, M = 66%; 5. H = 60%, M = 57%; 6. H = 47%, M = 45%; 7. H = 54%, M = 46%; 8. H = 49%, M = 46%; 9. H = 56%, M = 46%; 10. H = 63%, M = 69%

Fuente: The Futures Company/Yankelovich Monitor. Copyright 2009, Yankelovich, Inc.

ROLES Y ESTATUS Todos participamos en muchos grupos: familia, clubes, organizaciones. Por lo general, los grupos son una fuente importante de información, y ayudan a definir las normas de conducta. La posición que ocupa una persona dentro de cada grupo puede explicarse en términos de rol y estatus. El **rol** consiste en las actividades que se espera que la persona desempeñe. A su vez, cada rol connota un **estatus**. Un vicepresidente de marketing podría ser percibido con mayor estatus que un gerente de ventas, y éste podría percibirse con mayor estatus que un administrativo de oficina. La gente elige productos que reflejan y comunican su rol y su estatus actual o deseado en la sociedad. Los especialistas en marketing deben ser conscientes del potencial que tienen los productos y marcas como símbolos de estatus.

Factores personales

Las características personales que influyen en la decisión del comprador incluyen la edad y la etapa del ciclo de vida, la ocupación y las circunstancias económicas, la personalidad y el concepto personal, el estilo de vida y los valores. Debido a que muchos de estos factores tienen un impacto directo en el comportamiento del consumidor, es importante que los especialistas en marketing estén bien al tanto de ellos. Descubra cuánto sabe usted al respecto en "Apuntes de marketing: Cuestionario para el consumidor promedio".

EDAD Y ETAPA DEL CICLO DE VIDA Nuestros gustos en materia de comida, ropa, muebles y diversión frecuentemente están relacionados con nuestra edad. Los patrones de consumo dependen también del *ciclo de vida de la familia*, y del número, edad y género de las personas que la conforman en un momento dado. Por ejemplo, los hogares estadounidenses cada vez son más fragmentados; la familia tradicional de cuatro personas (marido, mujer y dos niños) representa un porcentaje mucho menor del total de hogares que en el pasado. El tamaño de un hogar promedio en 2008 era de 2.6 personas.[16]

Además, las etapas *psicológicas* del ciclo de vida también podrían ser importantes. Los adultos experimentan ciertas "transiciones" o "transformaciones" a medida que avanzan por la vida.[17] Su comportamiento al pasar por determinados eventos de transición —como tener un hijo, por ejemplo— no es necesariamente fijo, sino que cambia con el tiempo.

Los especialistas en marketing también deben considerar estos *eventos críticos de la vida* o *transiciones* (matrimonio, nacimiento de un hijo, enfermedad, cambio de domicilio, divorcio, primer empleo, cambio de profesión, jubilación, muerte del cónyuge) como detonadores de nuevas necesidades. Tales acontecimientos deben alertar a los prestadores de servicios (bancos, abogados, consejeros matrimoniales o de empleo) sobre las maneras en que pueden ayudar. Por ejemplo, la industria de las bodas atrae a los especialistas en marketing de una gran variedad de productos y servicios.

Recién casados En Estados Unidos, los recién casados gastan, en total, aproximadamente 70 000 millones de dólares en sus hogares durante el primer año de matrimonio, y a menudo compran más durante los primeros seis meses de unión que un hogar establecido en cinco años. Los especialistas en marketing saben que muchas veces el matrimonio implica que dos grupos de hábitos de compra y preferencias de marca deban mezclarse para formar uno solo. Por ello, Procter & Gamble, Clorox y Colgate-Palmolive incluyen sus productos en "Kits para recién casados" que se distribuyen cuando las parejas solicitan una licencia de matrimonio. JCPenney ha identificado a las parejas recién formalizadas como uno de sus dos principales grupos de clientes. Con el propósito de implementar campañas de marketing directo, las empresas pagan altos precios por las listas de nombres de recién casados; la razón es que, desde su punto de vista, esos listados son "como oro molido".[18]

Los recién casados son un mercado meta bien definido y atractivo para muchas empresas.

OCUPACIÓN Y CIRCUNSTANCIAS ECONÓMICAS La ocupación también influye en los patrones de consumo. Los especialistas en marketing intentan identificar los grupos ocupacionales que tienen un interés superior al promedio en sus productos y servicios, e incluso adaptan éstos para determinados grupos ocupacionales; las empresas de software, por ejemplo, diseñan diferentes productos para gerentes de marca, ingenieros, abogados y médicos.

Como dejó claro la reciente recesión, tanto las elecciones de productos como de marcas se ven afectadas, en gran medida, por las circunstancias económicas: el ingreso disponible (nivel, estabilidad y patrones estacionales), los ahorros y activos (incluyendo el porcentaje de liquidez), las deudas, la capacidad de endeudamiento y las actitudes hacia el gasto y el ahorro. Los productores de bienes de lujo, como Gucci, Prada y Burberry, son vulnerables ante los reveses económicos. Si los indicadores económicos muestran una recesión, los especialistas en marketing pueden tomar medidas para rediseñar, reposicionar y fijar nuevos precios a sus productos, o introducir o aumentar el énfasis en las marcas de descuento para poder continuar ofreciendo valor a sus clientes meta. Algunas empresas buscan estar bien posicionadas en todo momento para aprovechar por igual las épocas de prosperidad y decadencia económica.

Nelson Vargas Family Fitness Tres décadas después de la apertura de la primera escuela de natación Acuática Nelson Vargas, más de 500 mil personas han aprendido a nadar en sus piscinas, en donde además han recibido entrenamiento seleccionados olímpicos y medallistas en juegos Panamericanos y Centroamericanos. Actualmente la empresa cuenta con sucursales en diferentes puntos de México, y acaba de lanzar un nuevo concepto: Family Fitness Center. En esta iniciativa de acondicionamiento físico para la familia se imparten clases de diversas disciplinas deportivas y artísticas, como gimnasia olímpica, ballet, taekwondo y ejercicio aeróbico. La característica distintiva de estos centros es que buscan brindar opciones para todos los miembros de la familia, desde niños hasta ancianos, en un club deportivo integral guiado por la misión de "crear una cultura deportiva".[19]

La escuela de natación Acuática Nelson Vargas desarrolló el concepto Family Fitness Center para ofrecer acondicionamiento físico a toda la familia.

PERSONALIDAD Y AUTOCONCEPTO Cada individuo tiene características de personalidad que influyen en su comportamiento de compra. Por **personalidad** nos referimos al conjunto de rasgos psicológicos humanos distintivos, que producen respuestas relativamente consistentes y perdurables ante los estímulos del entorno (incluyendo el comportamiento de compra). La personalidad suele describirse en términos de rasgos como confianza en uno mismo, control, autonomía, respeto, sociabilidad, actitud defensiva y adaptabilidad.[20]

La personalidad es una variable que puede resultar útil al analizar las elecciones de marca del consumidor. Las marcas también tienen personalidad, de manera que probablemente los consumidores elegirán aquéllas cuya personalidad sea compatible con la suya. La **personalidad de la marca** se define como la mezcla específica de características humanas que pueden atribuirse a una marca determinada.

Jennifer Aaker, de Stanford, ha investigado las personalidades de las marcas, identificando los siguientes rasgos:[21]

1. Sincera (realista, honesta, sana y alegre).
2. Entusiasta (atrevida, llena de vida, imaginativa y actual).
3. Competente (confiable, inteligente y exitosa).
4. Sofisticada (de clase alta, y encantadora).
5. Robusta (fuerte y compatible con la naturaleza).

Aaker analizó algunas marcas bien conocidas, y encontró que varias de ellas tendían a destacar un rasgo en particular, por ejemplo, Levi's la "robustez"; MTV el "entusiasmo"; CNN la "competencia", y Campbell's la "sinceridad". En teoría, estas marcas atraerán usuarios que tengan esos mismos rasgos. La personalidad de una marca puede constar de varios atributos: además de robustez, Levi's sugiere también una personalidad juvenil, rebelde y auténtica.

Un estudio transcultural que pretendía explorar la posibilidad de generalizar la escala de Aaker a otras naciones distintas de Estados Unidos, encontró que tres de los cinco factores tienen sentido en Japón y España, pero en ambos países la "robustez" fue reemplazada por el rasgo de "tranquilidad", y en España la "pasión" sustituyó la "competencia".[22] Las investigaciones sobre personalidad de la marca realizadas en Corea revelaron dos factores específicos de esa cultura —"simpatía pasiva" e "influencia"—, que reflejan la importancia de los valores confucianos en los sistemas sociales y económicos de Corea.[23]

Los consumidores tienden a elegir y utilizar marcas con una personalidad consistente con su *autoconcepto real* (es decir, cómo se ven a sí mismos), aunque los rasgos equiparables podrían estar basados más bien en el *autoconcepto ideal* (cómo les gustaría verse a sí mismos) o incluso en el *autoconcepto según los demás* (cómo creemos que nos perciben otras personas).[24] Estos efectos podrían ser más pronunciados en el caso de los productos que se consumen en público que en el de aquellos que se consumen en privado.[25] Por otro lado, los consumidores con un elevado nivel de "autocensura" —es decir, que son muy sensibles a cómo los ven los demás— son más proclives a elegir marcas cuyas personalidades se ajusten a la situación de consumo.[26] Por último, en vista de que muchas veces los consumidores asumen múltiples personalidades (profesional serio, familiar cariñoso, amante de la diversión), éstas podrían ser evocadas de manera diferente en diversas situaciones o alrededor de distintos tipos de personas. Algunas empresas planean cuidadosamente las experiencias de contacto entre el consumidor y el producto para expresar adecuadamente las personalidades de la marca. A continuación se narra cómo lo hacen los Hoteles Boutique de México.[27]

Hoteles Boutique de México

Como en muchos otros lugares del mundo, en México existen hoteles exclusivos en donde las personas pueden pasar unas vacaciones de lujo. El concepto *Hotel Boutique* surgió en Europa, y se utiliza para designar a los hoteles que ofrecen entornos íntimos, lujosos o no convencionales a sus visitantes. Por lo general, estos hoteles se diferencian de los de las grandes cadenas por ofrecer alojamiento de primera clase, servicios e instalaciones excepcionales y personalizados, un diseño único y alta cocina. Suelen estar ambientados con base en una temática o estilo particular, y son más pequeños que los hoteles convencionales, pues tienen de tres hasta 30 habitaciones y a veces son casas antiguas adaptadas. Para que un negocio pueda pertenecer al grupo de Hoteles Boutique de México, es necesario que se someta a un examen muy riguroso de las características que ofrece, pues cada año un equipo especializado realiza una inspección para cerciorarse de que tanto los aspirantes como los miembros de la red mantengan un alto nivel de calidad. Los *Hoteles Boutique* se clasifican a partir de conceptos clave: lujo, sofisticación, sencillez y elegancia casual, aislamiento, rusticidad, capacidad para ofrecer cocina *gourmet*, cercanía, exquisitez y eclectisismo.

ESTILO DE VIDA Y VALORES Aunque pertenezcan a la misma subcultura, clase social y ocupación, cada persona puede llevar un estilo de vida particular, diferente de las demás. Un **estilo de vida** es el patrón de vida de un individuo, y se expresa a través de sus actividades, intereses y opiniones. Refleja a la "persona entera", interactuando con su entorno. Los especialistas en marketing buscan relaciones entre sus productos y las distintas categorías de estilos de vida. Por ejemplo, un fabricante de computadoras (ordenadores) podría darse cuenta de que casi todos sus compradores tienen una personalidad orientada al éxito, lo cual les permitiría dirigir con mayor claridad su marca a ese estilo de vida. La siguiente es la descripción de una de las más recientes tendencias de estilo de vida a las que se están dirigiendo las empresas.

Los Hoteles Boutique de México se diferencian de las grandes cadenas hoteleras por ofrecer alojamiento, servicios e instalaciones excepcionales y personalizados.

LOHAS

LOHAS Los clientes que se preocupan por el medio ambiente, que quieren productos fabricados a partir de procedimientos sostenibles, y que gastan dinero para mejorar su salud personal, desarrollarse y alcanzar todo su potencial han sido llamados "LOHAS" (acrónimo de *lifestyles of health and sustainability*, estilos de vida basados en la salud y la sustentabilidad*). De acuerdo con algunos cálculos, el 19% de los adultos estadounidenses —equivalente a 41 millones de personas— forman parte de la categoría LOHAS, cuyos miembros se conocen también como "creativos culturales".[28] El mercado de productos LOHAS abarca, entre muchos otros productos, la comida orgánica, los electrodomésticos de consumo eficiente de energía, los paneles solares y la medicina alternativa, así como artículos relacionados con la práctica del yoga y el ecoturismo. Considerados en conjunto, estos productos suman un mercado estimado de 209 mil millones de dólares. La tabla 6.2 desglosa la demografía LOHAS en seis segmentos, así como una estimación de su tamaño y los productos y servicios de su interés.

En parte, los estilos de vida tienen relación con el hecho de si los consumidores tienen *restricciones económicas* o *restricciones de tiempo*. Las empresas que quieren atender a los consumidores con restricciones económicas crearán productos y servicios de menor costo. Al centrar su estrategia en los consumidores ahorrativos, Walmart se ha convertido en una de las empresas más importantes del mundo. Su campaña "precios bajos siempre" ha arrancado decenas de miles de millones de dólares a la cadena de suministro minorista, y ha transferido la mayor parte del ahorro a los compradores mediante el ofrecimiento de precios de descuento muy bajos.

Los consumidores que experimentan escasez de tiempo tienden a ser **multitarea**, lo cual quiere decir que suelen realizar dos o más actividades al mismo tiempo. Por otra parte, también es posible que paguen a otras personas para que lleven a cabo determinadas tareas, porque para ellos el tiempo es más importante que el dinero. Las empresas que quieran atenderlos deberán crear productos y servicios convenientes para este grupo.

En algunas categorías de productos —especialmente en la de procesamiento de alimentos— las empresas enfocadas a los consumidores con limitaciones del tiempo deben ser conscientes de que éstos quieren, al mismo tiempo, creer que *no* están operando con limitaciones del tiempo. Los especialistas en marketing han denominado "segmento de implicación de conveniencia" a quienes buscan tanto artículos de conveniencia como cierta participación en el proceso de cocinado.[29]

* En algunos países a este término se le conoce como sostenibilidad.

TABLA 6.2 Segmentos del mercado LOHAS

Salud personal	Estilos de vida naturales
Productos orgánicos y naturales	Mobiliario para interiores y exteriores
Productos nutricionales	Productos de limpieza orgánicos
Cuidado integral de la salud	Lámparas fluorescentes compactas
Suplementos alimenticios	Filantropía para el cambio social
Productos para la mente, el cuerpo y el espíritu	Ropa
Mercado estadounidense: 118 030 millones de dólares	*Mercado estadounidense: 10 600 millones de dólares*
Construcción ecológica	**Alternativas para el transporte**
Certificación de hogares	Vehículos híbridos
Certificación de electrodomésticos ahorradores de energía	Combustible biodiesel
Pavimentación sostenible	Programas para compartir automóvil
Sistemas de energía renovable	*Mercado estadounidense: 6 120 millones de dólares*
Alternativas al uso de madera	
Mercado estadounidense: 50 000 millones de dólares	
Ecoturismo	**Energía alternativa**
Viajes de ecoturismo	Bonos de energía renovable
Viajes de ecoaventura	Fijación ecológica de precios
Mercado estadounidense: 24 170 millones de dólares	*Mercado estadounidense: 380 000 millones de dólares*

Fuente: Impreso con autorización de LOHAS, http://www.lohas.com/

Como Nuevo

Como Nuevo Al sur de la Ciudad de México se puede encontrar Como Nuevo, un concepto novedoso que busca el ahorro familiar al reciclar accesorios de bebé usados para su reventa a menor precio. La idea surgió cuando sus creadores se percataron de que la vida útil de los productos para bebé es mucho más larga que su tiempo de uso, por lo que práctictamente se desechan nuevos. Como Nuevo ofrece recuperar parte de la inversión que los padres realizaron en estos productos para sus hijos, ya que aceptan accesorios en consignación; el único requisito es que los artículos estén limpios, en buen estado y, por supuesto, funcionando. La tienda cuenta con gran variedad de marcas y flexibilidad de pago, con el propósito de dar a los clientes un excelente servicio. Como Nuevo es una muy buena opción para ahorrar a lo largo de las etapas de crecimiento de los hijos, ya que facilita la adquisición de carritos, sillas altas, cunas, sillas para el coche, andadores, juguetes y otros productos a mitad de precio. Debido a su éxito, en la actualidad Como Nuevo tiene sólidos planes de expansión.[30]

Las decisiones de los consumidores también se ven influidas por sus **valores fundamentales**, es decir, por el sistema de creencias que subyace tras sus actitudes y comportamientos. Los valores fundamentales tienen un significado mucho más profundo que el comportamiento o la actitud, y determinan, en un nivel básico, las elecciones y deseos de la gente en el largo plazo. Los especialistas en marketing que se dirigen a los consumidores basándose en sus valores, creen que apelando al yo interno de las personas es posible influir en su yo externo y, por lo tanto, en su comportamiento de compra.

Procesos psicológicos fundamentales

El punto de partida para entender el comportamiento del consumidor es el modelo estímulo-respuesta que se muestra en la figura 6.1. Los estímulos de marketing y del entorno entran en la conciencia del consumidor, en donde un conjunto de procesos psicológicos se combinan con ciertas características del individuo para generar procesos de decisión y decisiones de compra. La tarea del especialista en marketing es comprender qué sucede en la conciencia del consumidor entre la llegada del estímulo de marketing externo y las decisiones definitivas de compra. Son cuatro los procesos psicológicos —motivación, percepción, aprendizaje y memoria— que influyen de manera fundamental en las respuestas del consumidor.[31]

La motivación según Freud, Maslow y Herzberg

Todos enfrentamos numerosas necesidades en un momento dado. Algunas de ellas son *biogénicas*, es decir, surgen de estados de tensión fisiológica como el hambre, la sed o la incomodidad. Otras son *psicogénicas*, lo cual significa que se derivan de estados de tensión psicológica, como la necesidad de reconocimiento, estima o pertenencia. Una necesidad se convierte en una **motivación** cuando es lo suficientemente fuerte para llevar a una persona a la acción. La motivación tiene tanto dirección (elegimos un objetivo por encima de otro) como intensidad (perseguimos el objetivo con mayor o menor energía).

Tres de las teorías más conocidas sobre la motivación humana —las de Sigmund Freud, Abraham Maslow y Frederick Herzberg— tienen implicaciones bastante diferentes para el análisis del consumidor y la estrategia de marketing.

LA TEORÍA DE FREUD Sigmund Freud supuso que las fuerzas psicológicas que dan forma al comportamiento de la gente son —en su mayor parte— inconscientes, y que las personas no pueden comprender por completo sus propias motivaciones. Esto querría decir que si un individuo examina marcas específicas, reaccionará no sólo ante las capacidades explícitas de las mismas, sino también ante otras de sus características clave, como su forma, tamaño, peso, material, color y nombre. Una técnica llamada de *escalamiento medios-fines* permite rastrear toda la gama de motivaciones de la persona, desde las más obvias de tipo instrumental hasta aquéllas más ocultas y decisivas. Una vez que conoce las motivaciones del consumidor, la empresa puede decidir a qué nivel desarrollará el mensaje y cómo atraerá su atención.[32]

Los investigadores de la motivación suelen recopilar entrevistas a fondo con algunas docenas de consumidores para descubrir los motivos más profundos que están detrás de la compra de un producto. Para ello emplean varias *técnicas proyectivas*, como asociaciones de palabras, frases incompletas, interpretación de imágenes y juegos de rol. Ernest Dichter, un psicólogo vienés radicado en Estados Unidos, fue pionero en el uso de muchas de estas técnicas.[33]

Actualmente los investigadores de la motivación continúan la tradición de la interpretación freudiana. Jan Callebaut identifica las diferentes motivaciones que puede satisfacer un producto. Por ejemplo, el whiskey puede satisfacer la necesidad de interacción social, de estatus o de diversión. Así, las distintas marcas de whiskey deben ser posicionadas en una de esas tres motivaciones.[34] Otro investigador del tema, Clotaire Rapaille, trabaja en descifrar el "código" detrás del comportamiento del producto.[35]

Chrysler

Chrysler Cuando Chrysler decidió ofrecer un nuevo sedán ya había hecho bastante investigación de marketing tradicional, la cual sugería que los consumidores estadounidenses deseaban obtener excelente rendimiento de combustible, seguridad y precio. Sin embargo, fue sólo por medio de las investigaciones cualitativas que la empresa descubrió lo que el antropólogo cultural Clotaire Rapaille llama "el código", esto es, el significado inconsciente que las personas dan a una oferta de mercado determinada. En primer lugar, los entrevistadores asumieron el papel de "visitantes de otro planeta", y pidieron a los participantes que les ayudaran a entender el producto en cuestión. Después, éstos contaron historias sobre el producto y, finalmente, tras realizar un ejercicio de relajación, escribieron sobre sus primeras experiencias con él. De esta manera, Chrysler aprendió que los sedanes típicos estaban fuera del código, y usó esa información para crear el PT Cruiser. Con su muy distinguido diseño retro, este sedán fue uno de los lanzamientos más exitosos en la historia de la industria automotriz estadounidense.[36]

LA TEORÍA DE MASLOW Abraham Maslow buscaba explicar por qué la gente se ve impulsada por necesidades particulares en determinados momentos.[37] Su respuesta fue que las necesidades humanas están ordenadas jerárquicamente, desde las más a las menos apremiantes: necesidades fisiológicas, de seguridad, sociales, de estima y autorrealización (vea la figura 6.2). Las personas intentarán satisfacer primero su necesidad más importante, y luego la que le siga en orden de relevancia. Por ejemplo, un hombre famélico (necesidad 1) no se interesará en los más recientes acontecimientos del mundo del arte (necesidad 5), ni en

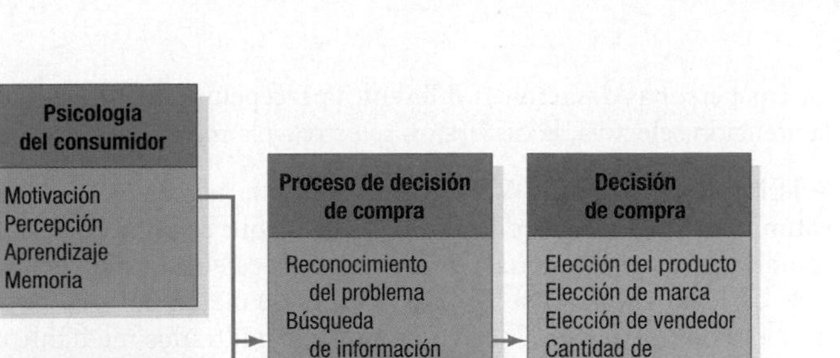

|Fig. 6.1|

Modelo del comportamiento del consumidor

cómo lo perciben los demás (necesidad 3 o 4), ni siquiera le importará si está respirando aire puro (necesidad 2); sin embargo, en cuanto tenga suficiente agua y comida, podrá ocuparse de la siguiente necesidad más apremiante.

LA TEORÍA DE HERZBERG Frederick Herzberg desarrolló una teoría de dos factores, que distingue entre *desmotivadores* (factores que provocan insatisfacción) y *motivadores* (factores que causan satisfacción).[38] La ausencia de desmotivadores no es suficiente para motivar una compra; también es preciso que existan motivadores. Por ejemplo, una computadora sin garantía puede ser un desmotivador; no obstante, el que dicho producto tuviera garantía no funcionaría como motivador o satisfactor de la compra, porque no es una fuente de satisfacción intrínseca. La facilidad de uso sí podría ser un motivador.

La teoría de Herzberg tiene dos implicaciones. Primero, los vendedores deben hacer todo lo posible por evitar los desmotivadores (por ejemplo, un manual de instrucciones mal elaborado o una política de servicio inadecuada). Aunque la corrección de estos factores no venderá por sí sola un producto, el no corregirlos sí puede impedir fácilmente que se venda. Segundo, el vendedor debe identificar los principales satisfactores o motivadores de compra que hay en el mercado, y ofrecerlos.

Percepción

Una persona motivada está lista para actuar, y cómo lo hará está influido por su percepción de la situación. En marketing las percepciones son más importantes que la realidad, debido a que afectan el comportamiento real del consumidor. La **percepción** es el proceso por el que un individuo elige, organiza e interpreta la información que recibe para hacerse una imagen coherente del mundo.[39] Depende no sólo de los estímulos físicos, sino también de la relación entre éstos y el entorno, y de nuestros condicionamientos internos. Una persona puede percibir a un vendedor que habla rápidamente como agresivo y falso, mientras que otra podría percibirlo como inteligente y servicial. En consecuencia, cada cual responderá de manera diferente al vendedor.

|Fig. 6.2|

Jerarquía de necesidades de Maslow

Fuente: A.H. Maslow, Motivation and Personality, 3a. ed. (Upper Saddle River, NJ: Prentice Hall, 1987). Impreso y reproducido electrónicamente con autorización de Pearson Education, Inc., Upper Saddle River, NJ.

Las personas desarrollan diferentes percepciones del mismo objeto debido a tres procesos perceptivos: la atención selectiva, la distorsión selectiva y la retención selectiva.

ATENCIÓN SELECTIVA La atención es la asignación de capacidad de procesamiento a determinados estímulos. La atención voluntaria es aquella que se pone en acción de manera deliberada; la atención involuntaria es la que despierta alguien o algo. Se calcula que la persona promedio está expuesta, en promedio, a más de 1 500 anuncios o comunicaciones de marca por día. Debido a la imposibilidad de poner atención a todos ellos, la mayoría de los estímulos son filtrados mediante un proceso denominado **atención selectiva**. La existencia de una atención selectiva implica que los especialistas en marketing deben esforzarse para captar la atención del consumidor. El desafío real consiste en dilucidar qué estímulos notarán las personas. A continuación se presentan algunos hallazgos en este sentido:

1. ***Las personas tienden a percibir mejor los estímulos relacionados con sus necesidades actuales.*** Una persona motivada por comprar una computadora será más receptiva a los anuncios de computadoras, y tendrá menos probabilidad de notar los anuncios de DVD.
2. ***Las personas tienden a percibir mejor los estímulos que esperan recibir.*** Si se encontrara en una tienda de computadoras, sería más probable que usted percibiera las computadoras que las radios, porque no espera que la tienda venda radios.
3. ***Las personas tienden a percibir mejor los estímulos que se desvían mucho respecto de la magnitud normal del estímulo.*** Es más probable que usted note un anuncio que ofrece un descuento del 50% en la compra de una computadora, que otro en donde se anuncia un descuento del 10 por ciento.

Aunque muchos estímulos son filtrados y desechados, las personas se ven influidas por estímulos inesperados; por ejemplo, ofertas inesperadas recibidas por correo, por teléfono o directamente por un vendedor. Tomando esto en consideración, los especialistas en marketing pueden intentar promover sus ofertas de manera intrusiva para que sus mensajes se "cuelen" entre los filtros de atención selectiva.

DISTORSIÓN SELECTIVA Ni siquiera los estímulos que logran captar la atención del individuo llegan a él en todos los casos de la manera en que los emisores tenían planeada. La **distorsión selectiva** es la tendencia que tenemos los seres humanos a interpretar la información de forma que se ajuste a nuestras percepciones. Muchas veces los consumidores distorsionan la información para que ésta sea consistente con sus creencias y expectativas previas de la marca y el producto.[40]

Una escueta demostración del poder de las creencias de marca que tiene el consumidor son las degustaciones "a ciegas", en las cuales un grupo de consumidores prueba un producto sin saber de qué marca es, mientras que los miembros de otro grupo sí lo saben. Invariablemente los grupos tienen diferentes opiniones, a pesar de haber consumido *exactamente el mismo producto*.

Cuando los consumidores expresan diferentes opiniones de productos idénticos con y sin marca, cabe suponer que sus creencias respecto a la marca y el producto (desarrolladas por cualquier medio: experiencias previas, actividad de marketing de la marca, u otros) han influido de alguna manera sobre sus percepciones en relación con el producto. Podemos encontrar ejemplos de lo anterior con prácticamente todo tipo de productos.[41] Cuando la cerveza Coors cambió la etiqueta que la anunciaba como "cerveza de banquetes" por otra que la señalaba como "original de barril", los consumidores argumentaron que el sabor había cambiado, aunque la fórmula no sufrió modificaciones.

La distorsión selectiva puede funcionar a favor de las empresas que trabajan con marcas sólidas si los consumidores distorsionan información neutral o ambigua de la marca volviéndola más positiva. En otras palabras, es posible que el café parezca tener mejor sabor, que un automóvil dé la impresión de ofrecer una conducción más suave, que la espera en la fila del banco parezca más corta, todo dependiendo de la marca.

RETENCIÓN SELECTIVA Muy pocas personas tienen la capacidad de recordar toda la información a la que están expuestas, pero sí retienen aquella que confirma sus actitudes y creencias. Debido a esta **retención selectiva** somos más propensos a recordar aspectos positivos de un producto que nos gusta, y a olvidar los que se refieren a productos competidores. Una vez más, la retención selectiva puede constituir una ventaja para las marcas sólidas. Este fenómeno explica también por qué los especialistas en marketing necesitan usar la repetición: para asegurarse de que su mensaje no sea pasado por alto.

PERCEPCIÓN SUBLIMINAL Los mecanismos de la percepción selectiva requieren la participación activa y el pensamiento de los consumidores. Un tema que ha fascinado durante años a los estudiosos del marketing es la **percepción subliminal**. Se dice que las empresas insertan mensajes subliminales encubiertos en anuncios o envases. Los consumidores no son conscientes de ellos, y sin embargo afectan su comportamiento. Aunque está claro que los procesos mentales incluyen muchos efectos inconscientes sutiles,[42] no existe evidencia que apoye la idea de que los especialistas en marketing pueden controlar sistemáticamente a los consumidores en ese nivel, en especial lo suficiente para modificar creencias moderadamente importantes o muy arraigadas.[43]

Aprendizaje

Cuando actuamos, aprendemos. El **aprendizaje** induce a cambios de comportamiento a partir de la experiencia. Casi todo el comportamiento humano es aprendido, a pesar de que buena parte del aprendizaje es incidental. Los teóricos del aprendizaje creen que éste se produce a través de la interrelación de impulsos, estímulos, señales, respuestas y refuerzos. Respecto al aprendizaje, existen dos enfoques clásicos: el condicionamiento clásico y el condicionamiento operante (instrumental).

Un **impulso** es un fuerte estímulo interno que conmina a la acción. Las **señales** son estímulos de menor intensidad que determinan cuándo, dónde y cómo responde una persona. Suponga que usted compra una computadora HP. Si su experiencia es gratificante, su respuesta a las computadoras HP se verá reforzada positivamente. Más adelante, cuando quiera comprar una impresora podría suponer que, en vista de que hace buenas computadoras, HP también fabrica buenas impresoras. En otras palabras, usted *generalizará* su respuesta ante estímulos similares. Una contratendencia a la generalización es la discriminación. La **discriminación** es un proceso por el que reconocemos las diferencias en conjuntos de estímulos similares, y gracias a ello podemos ajustar las respuestas en consecuencia.

La teoría del aprendizaje enseña a los especialistas en marketing que pueden generar demanda para un producto al asociarlo con impulsos intensos, objetivo que se logra usando señales motivadoras y proporcionando reforzamiento positivo. Una nueva empresa puede entrar al mercado apelando a los mismos impulsos que la competencia y proveyendo señales similares, ya que los compradores son más proclives a transferir su lealtad a marcas similares (generalización); por otro lado, la empresa también podría diseñar su marca de manera que apele a un conjunto diferente de impulsos, y ofrecer señales que funcionen como sólidos incentivos para cambiar (discriminación).

Algunos investigadores prefieren asumir enfoques más activos, de orden cognitivo, cuando el aprendizaje depende de las inferencias o interpretaciones que los consumidores hacen sobre los resultados (¿la experiencia desfavorable del consumidor se debió a un mal producto, o a que no siguió las instrucciones adecuadamente?). El **sesgo hedónico** ocurre cuando el individuo tiene una tendencia general a atribuirse a sí mismo el éxito, al mismo tiempo que señala causas externas como responsables de sus fracasos. Así, es más probable que los consumidores culpen a un producto que a sí mismos, presionando a las empresas para que expliquen las funciones de los productos con todo cuidado en envases y etiquetas bien diseñadas, con anuncios y páginas Web que den instrucciones, etcétera.

Emociones

La respuesta del consumidor no es exclusivamente cognitiva y racional; gran parte de la misma puede ser emocional e invocar diferentes tipos de sentimientos. Una marca o producto podría hacer que el consumidor se sienta orgulloso, emocionado o seguro. Un anuncio es capaz de generar sentimientos de diversión, disgusto o asombro.

Los siguientes son dos ejemplos que muestran el poder de las emociones en la toma de decisiones del consumidor.

- Durante años, el fabricante de colchones especiales de espuma Tempur-Pedic usó infomerciales en donde se mostraba cómo una copa de vino permanecía sobre su base en el colchón aunque a su lado hubiera gente brincando. En 2007, con el fin de crear una conexión emotiva más fuerte, la empresa comenzó una campaña de medios más amplia, buscando posicionar sus colchones como una marca de bienestar que ofreciera "terapia nocturna para la mente y el cuerpo".[44]
- En 2009, Reckitt Benckiser y Procter & Gamble lanzaron un nuevo enfoque publicitario para Woolite y Tide, respectivamente, en donde más que destacar los beneficios de desempeño de los detergentes, apelaban a la vinculación emocional —y a los desafíos— implícita en el lavado de ropa. Con base en investigaciones cuyos resultados demostraron que una de cada tres mujeres trabajadoras reconocían haber arruinado alguna prenda de ropa durante el último año, Reckitt Benckiser lanzó —tanto online como en tiendas— una "guía de estilo Woolite" bajo el título *Find the Look, Keep the Look* (Encuentra el estilo, mantén el estilo"), ofreciendo a las compradoras la oportunidad de "encontrar su estilo perfecto y mantenerlo luciendo fabulosamente sin derrochar el dinero". Por su parte, con base en la premisa de que el detergente debe hacer algo más que limpiar, P&G posicionó el nuevo Tide Total Care como un conservador de ropa, capaz de mantener los "7 signos de la ropa hermosa", entre los cuales se incluyen la forma, la suavidad y el acabado.[45]

Memoria

Los psicólogos cognitivos distinguen entre **memoria de corto plazo (MCP)**, un depósito de información temporal y limitado, y la **memoria de largo plazo (MLP)**, un depósito permanente y esencialmente ilimitado. Es muy probable que toda la información y experiencias que obtenemos a medida que avanzamos por la vida terminen en nuestra memoria de largo plazo.

La guía de estilo Woolite se centra en los beneficios emocionales que obtienen las mujeres al elegir y mantener una imagen adecuada a través de la ropa.

Las perspectivas más aceptadas en torno a la estructura de la memoria de largo plazo suponen que el individuo forma algún tipo de modelo asociativo.[46] Por ejemplo, el **modelo de memoria de redes asociativas** percibe la MLP como un grupo de nodos y vínculos. Los *nodos* son información conectada mediante *vínculos* de intensidad variable. Cualquier tipo de información puede ser almacenada en la red de la memoria, incluyendo información verbal, visual, abstracta y contextual.

Un proceso de activación que se despliega de un nodo a otro determina cuánta información retenemos y qué datos específicos recordamos en una situación determinada. Cuando un nodo se activa en virtud de que estamos codificando información externa (por ejemplo, cuando leemos o escuchamos una palabra o frase), o recuperando información interna a partir de la MLP (es decir, cuando pensamos en algún concepto), otros nodos estrechamente vinculados con aquél también se activan.

De acuerdo con este modelo, podemos visualizar el conocimiento de la marca por parte del consumidor como si fuera un nodo de memoria con diversas asociaciones vinculadas. La fuerza y la organización de estas asociaciones serán factores importantes respecto a la información que podamos recordar sobre la marca. Las **asociaciones de marca** son todos los pensamientos, sentimientos, percepciones, imágenes, experiencias, creencias, actitudes y demás aspectos relativos a la marca, que están vinculados con el nodo correspondiente a la misma.

En este sentido, podemos pensar que el marketing es una forma de asegurarnos de que los consumidores tengan las experiencias de productos y servicios necesarias para crear las estructuras de conocimiento de marca adecuadas, y para que las mantengan en su memoria. Empresas como Procter & Gamble acostumbran a crear mapas mentales de los consumidores con la intención de tener una representación visual de su conocimiento de una marca determinada —en términos de asociaciones clave susceptibles de activarse en un entorno de marketing específico—, y determinar las fortalezas, el favorecimiento y la singularidad relativas de la misma para los consumidores. La △ figura 6.3 muestra un mapa mental muy sencillo, en donde se destacan las creencias de marca de un consumidor hipotético para una compañía aseguradora.

|Fig. 6.3| △

Mapa mental hipotético para State Farm

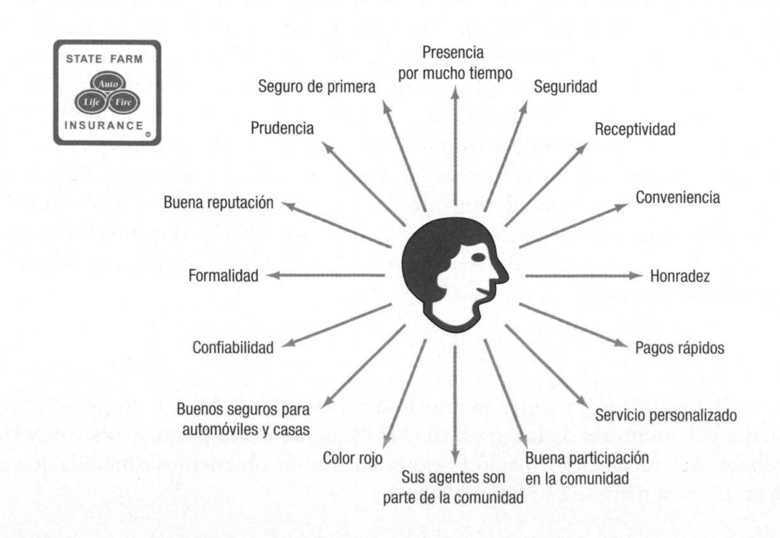

PROCESOS DE LA MEMORIA La memoria es un proceso altamente constructivo, ya que no recordamos la información y los acontecimientos en su totalidad y con precisión. Más bien solemos recordar sólo fragmentos, y completamos la información con base en cualquier otro dato que tengamos a mano. "Marketing en acción: Hecho para pegarse", ofrece algunos consejos prácticos sobre qué pueden hacer los especialistas en marketing para asegurarse de que sus ideas —dentro o fuera de la empresa— sean recordadas y tengan impacto.

La codificación de la memoria describe la manera y el lugar de la memoria en donde se almacena la información. La fuerza de la asociación resultante depende de cuánto procesamos la información al codificarla (cuánto pensamos en ella, por ejemplo) y cómo lo hacemos.[47] En general, cuanta más atención prestemos al significado durante la codificación, más fuertes serán las asociaciones resultantes en la memoria.[48] Las investigaciones de campo en publicidad sugieren que, por ejemplo, en el caso de un anuncio que no logra involucrar ni persuadir, ni siquiera altos niveles de repetición tienen un impacto de venta tan elevado como los niveles más bajos de repetición de un anuncio que sí involucra y persuade.[49]

La **recuperación de la memoria** es el proceso que se sigue para obtener información del depósito de la memoria. Al respecto hay tres hechos relevantes.

1. La presencia de *otra* información del producto en la memoria puede producir efectos de interferencia y causar que se omitan o se confundan los nuevos datos. Uno de los desafíos que enfrenta el marketing en una categoría llena de competidores diversos —por ejemplo, las aerolíneas, los servicios financieros y las aseguradoras—, es que los consumidores podrían confundir las marcas.

Hecho para pegarse

Retomando un concepto presentado originalmente en *La clave del éxito,* un libro de Malcolm Gladwell, los hermanos Chip y Dan Heath decidieron averiguar qué hace que una idea perdure y gane popularidad entre el público. Analizando una amplia gama de teorías de diversas fuentes —leyendas urbanas, teorías de conspiración, reglas de política pública y diseño de productos— identificaron seis características presentes en todas las grandes ideas, y utilizaron el acrónimo "SUCCES" (como referencia a la palabra inglesa *success*, éxito, sin la última "s") para organizarlas.

1. *Simples.* Se refiere a presentar lo esencial de cada idea. Tome una idea y simplifíquela, eliminando absolutamente todo lo que no sea fundamental: "Southwest Airlines es LA línea aérea de bajo costo".
2. *Unexpected (inesperadas).* Esto es, captar la atención del público presentando algo inesperado. El servicio al cliente de Nordstrom es muy reconocido porque suele exceder, *sorpresivamente*, las ya de por sí altas expectativas del consumidor, ayudándolo no sólo a satisfacer sus necesidades de compra, sino incluso las personales, por ejemplo, planchando sus camisas antes de una junta, manteniendo la temperatura de sus automóviles mientras van de compras o envolviendo regalos que el cliente en realidad compró en Macy's.
3. *Concretas.* Significa asegurarse de que cualquier idea puede ser fácilmente comprendida y recordada más adelante. Boeing consiguió un exitoso diseño de su avión 727 al dar a sus miles de ingenieros una meta muy específica: la nueva aeronave debía tener capacidad para 131 pasajeros, para volar sin interrupciones de Nueva York a Miami, y características que le permitieran aterrizar en la pista 4-22 del aeropuerto neoyorquino de LaGuardia, la cual sólo puede ser utilizada por aviones pequeños.
4. *Creíbles.* Hacer que la idea sea verosímil. Cuando un estudio cinematográfico de Bollywood mostró ciertas reservas sobre sus capacidades, el servicio de mensajería Safexpress logró superarlas explicando cómo había logrado distribuir sin contratiempos 69 000 copias de la última novela de *Harry Potter* a las librerías de todo Estados Unidos antes de las 8 de la mañana del día de su lanzamiento.
5. *Emotivas.* Esto es, ayudan a las personas a "sentir" la importancia de una idea. Las investigaciones comparativas entre anuncios antitabaco basados en hechos y aquellos que apelan a las emociones han demostrado que estos últimos son más convincentes y memorables.
6. *Stories (sustentan una historia).* Que impulsen a las personas a utilizar la idea en un contexto narrativo. Una vez más, las investigaciones demuestran que la narrativa evoca la estimulación mental, y que visualizar los eventos facilita la memorización y el aprendizaje.

Los Heath creen que las grandes ideas no nacen, más bien se hacen implementando estas características. Un ejemplo es la campaña publicitaria de Subway, en donde se utilizó como figura principal a Jared Fogle, un joven que logró bajar 45 kg en tres meses comiendo dos sándwiches Subway al día. Gracias a esta iniciativa, la empresa de comida rápida consiguió aumentar sus ventas 18% en un año. Según los Heath, este concepto aplicó muy bien las seis dimensiones de la perdurabilidad.

1. *Sencillo:* pérdida de peso.
2. *Inesperado:* pérdida de peso comiendo comida rápida.
3. *Concreto:* pérdida de peso comiendo dos sándwiches al día.
4. *Creíble:* una pérdida documentada de 45 kilogramos.
5. *Emotivo:* triunfo sobre los difíciles problemas relacionados con el peso.
6. *Sustenta una historia:* una historia personal sobre cómo comer dos sándwiches de Subway diarios lleva a una pérdida de peso increíble.

Fuentes: Chip Heath y Dan Heath, *Made to Stick: Why Some Ideas Survive and Others Die...* (Nueva York: Random House 2007); Malcolm Gladwell, *The Tipping Point: How Little Things Can Make a Big Difference* (Nueva York: Little, Brown and Company, 2000); Barbara Kiviat, "Are You Sticky?", *Time*, 29 de octubre de 2006; Justin Ewers, "Making It Stick", *U.S. News & World Report,* 21 de enero de 2007; Mike Hofman, "Chip and Dan Heath: Marketing Made Sticky", *Inc,* 1 de enero de 2007.

TABLA 6.3 Para comprender el comportamiento del consumidor
¿Quién compra nuestro producto o servicio?
¿Quién toma la decisión de comprar el producto?
¿Quién influye en la desición de comprar el producto?
¿Cómo se toma la decisión de compra? ¿Quién asume cada rol?
¿Qué compra el consumidor? ¿Qué necesidades deben ser satisfechas?
¿Por qué compran los consumidores una marca en particular?
¿A dónde se dirigen para comprar el producto o servicio? ¿En dónde buscan opciones?
¿Cuándo compran? ¿Existen factores de estacionales?
¿Cómo es percibido nuestro producto por los consumidores?
¿Cuáles son las actitudes de los consumidores hacia nuestros productos?
¿Qué factores sociales podrían influir en la decisión de compra?
¿Los estilos de vida de los clientes influyen en la decisión de compra?
¿Cómo influyen los factores personales o demográficos en la decisión de compra?

Fuente: Basado en la figura 1.7 de George Belch y Michael Belch, *Advertising and Promotion: An Integrated Marketing Communications Perspective*, 8a. ed. (Homewood, IL: Irwin, 2009).

2. Se ha demostrado que el tiempo transcurrido entre la exposición a la información y su codificación sólo produce un decaimiento paulatino. Ahora bien, los psicólogos cognitivos creen que la memoria es extremadamente duradera, así que una vez que la información se guarda en la memoria, su fuerza de asociación decae muy lentamente.[50]
3. La información podría estar *disponible* en la memoria, pero tal vez no sea *accesible* para recuperarla sin las señales o los recuerdos adecuados. La efectividad de las señales de recuperación —como el envasado del producto y el uso de exhibidores con información impresa— es una las razones por las que resulta tan importante hacer marketing *dentro* de los supermercados o tiendas minoristas. Los datos que se presentan en esos lugares, junto con los recordatorios que hacen de la publicidad y demás información previamente transmitida fuera de la tienda, serán factores de particular relevancia para la toma de decisiones del consumidor.

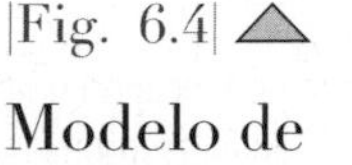

Modelo de cinco etapas del proceso de compra del consumidor

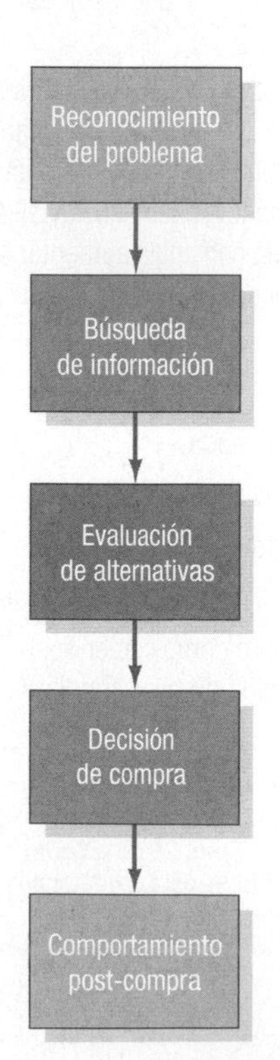

El proceso de decisión de compra: el modelo de cinco fases

Los procesos psicológicos básicos que hemos comentado desempeñan un papel decisivo en las decisiones de compra del consumidor.[51] La tabla 6.3 proporciona una lista de algunas preguntas clave sobre el comportamiento del consumidor, que los especialistas en marketing deben hacerse en términos de quién, qué, cuándo, dónde, cómo y por qué.

Las empresas inteligentes intentan lograr una comprensión integral del proceso de decisión de compra del cliente, tomando en cuenta todas las experiencias involucradas: aprender, elegir, usar e incluso desechar un producto.[52] Los académicos del marketing han desarrollado un “modelo de etapas” de dicho proceso (ver la figura 6.4). Por lo general, el consumidor pasa por cinco fases: reconocimiento del problema, búsqueda de información, evaluación de alternativas, decisión de compra y comportamiento postcompra. Está claro que el proceso de compra se inicia mucho antes que la compra real, y que tiene consecuencias durante un largo periodo después de la misma.[53]

Ahora bien, los consumidores no siempre pasan por las cinco etapas, e incluso podrían omitir algunas y volver a experimentar otras. Por ejemplo, cuando usted compra el dentífrico de la marca que acostumbra, pasa directamente de la necesidad a la decisión de compra, sin atravesar las etapas de búsqueda de información y evaluación. El modelo de la figura 6.4 provee un buen marco de referencia de este modelo, pues toma en consideración toda la gama de consideraciones que surgen cuando un consumidor se enfrenta a la necesidad de hacer una nueva compra con grandes implicaciones.[54] Más adelante en el capítulo hablaremos de otras maneras en que los consumidores toman decisiones menos calculadas.

Reconocimiento del problema

El proceso de compra se inicia cuando el comprador reconoce la presencia de un problema o una necesidad como consecuencia de una serie de estímulos internos o externos. Un estímulo interno provoca que una de las necesidades normales de la persona —satisfacer el hambre, la sed, o el deseo sexual— alcance el límite de su intensidad y se convierta en un impulso. Pero también es posible que la necesidad sea despertada por un estímulo externo; esto ocurre, por ejemplo, cuando una persona admira el automóvil nuevo de un amigo, o ve en televisión el anuncio de un paquete vacacional en Hawai. Ambas instancias podrían inspirarle pensamientos sobre la posibilidad de hacer una compra.

Así pues, los especialistas en marketing deben identificar las circunstancias que disparan una necesidad específica, lo cual se logra recopilando información de un conjunto de consumidores. Luego podrán desarrollar estrategias de marketing que enciendan el interés del consumidor. Los productos y servicios discrecionales —bienes de lujo, paquetes vacacionales y opciones de entretenimiento— suelen demandar más que cualquier otro que las empresas aumenten la motivación de los consumidores antes de que éstos consideren seriamente realizar una compra.

Búsqueda de información

Por raro que parezca, los consumidores casi siempre buscan información de manera limitada. Las encuestas han demostrado que, en el caso de los bienes duraderos, la mitad de todos los consumidores realiza su búsqueda en una sola tienda, y únicamente un 30% consideran más de una marca de electrodomésticos. De cualquier forma, es posible distinguir dos niveles de implicación en la búsqueda. El estado de búsqueda más leve se denomina *atención intensificada*; en este nivel la persona tan sólo se vuelve más receptiva a la información sobre un producto. En el siguiente nivel el individuo podría iniciar una *búsqueda activa de información*, consultando material de lectura, pidiendo sugerencias a las amistades, navegando por páginas en Internet, y visitando tiendas para conocer directamente el producto.

FUENTES DE INFORMACIÓN Las principales fuentes de información a las que recurrirán los consumidores pueden ser clasificadas en cuatro grupos.

- ***Personales.*** Familia, amigos, vecinos, conocidos
- ***Comerciales.*** Publicidad, páginas Web, vendedores, distribuidores, envases, estantes de la tienda
- ***Públicas.*** Medios de comunicación, organizaciones calificadoras formadas por consumidores
- ***De experiencia.*** Manipulación, examen y uso del producto

El número de estas fuentes y su influencia relativa varía según la categoría de productos de que se trate y de acuerdo con las características del comprador. Aunque la mayor parte de la información que reciben los consumidores respecto de un producto proviene de fuentes comerciales (esto es, dominadas por los especialistas en marketing), la información más eficaz suele proceder de fuentes personales, de la experiencia, o bien de fuentes públicas consideradas autoridades independientes.

Cada fuente desempeña una función diferente en cuanto a su influencia en la decisión de compra. Por lo general, las fuentes comerciales desempeñan una función informativa, mientras que las fuentes personales cumplen un papel de legitimización o evaluación. Por ejemplo, los médicos suelen conocer los nuevos medicamentos a partir de fuentes comerciales, pero recurren a otros médicos para obtener evaluaciones.

DINÁMICA DE BÚSQUEDA Al recopilar información, el consumidor aprende sobre las marcas competidoras y sus características. El primer cuadro de la △ figura 6.5 muestra el *conjunto total* de marcas disponibles. El consumidor individual sólo conocerá un subgrupo, el *conjunto conocido*. De éste, solamente algunas marcas, el *conjunto en consideración*, cumplirá con los criterios iniciales de compra. A medida que el consumidor recopila más información el conjunto se reduce aún más, limitándose al *conjunto de elección*, conformado por las marcas con mayor fuerza; el consumidor hará su elección entre ellas.[55]

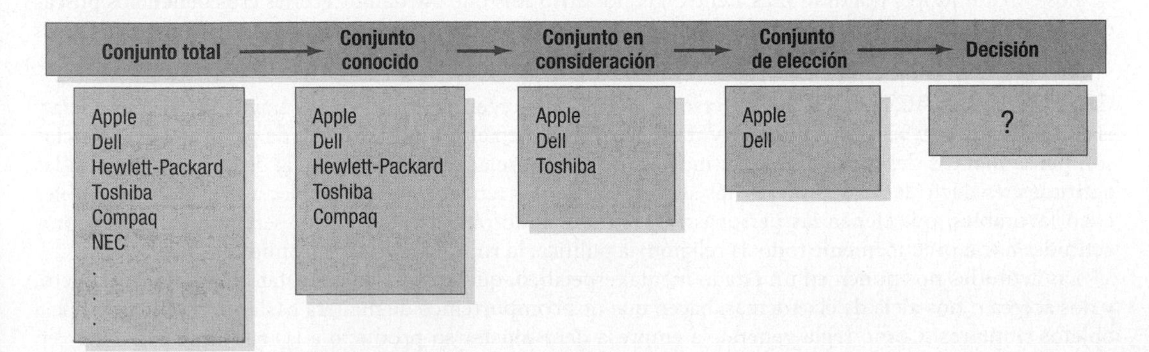

|Fig. 6.5| △ Conjuntos sucesivos de marcas implicados en la toma de decisiones del consumidor

Los especialistas en marketing deben identificar la jerarquía de los atributos que guían la toma de decisiones de los consumidores, para entender las diferentes fuerzas que compiten y cómo se forman estos conjuntos diversos. El proceso de identificación de la jerarquía se conoce como **partición del mercado**. Hace años, casi todos los compradores de automóviles tomaban como primer criterio de decisión al fabricante, y después una de sus divisiones (*jerarquía de marca dominante*). En otras palabras, por ejemplo el comprador prefería los automóviles General Motors y, dentro de ese conjunto, la marca Chevrolet. Actualmente muchos compradores toman como primer parámetro de decisión la nacionalidad del automóvil que quieren adquirir (*jerarquía de nación dominante*): tal vez comenzarían por mostrar su predilección por los automóviles alemanes, después por un Audi, y luego por el modelo A4 de esa marca.

La jerarquía de atributos también puede revelar los segmentos de clientes. Los compradores cuyo primer factor de decisión es el precio conforman el segmento dominado por el precio; los que se basan antes que nada en el tipo de automóvil (deportivo, para pasajeros, híbrido) son dominados por el tipo; los que eligen primero la marca son dominados por la marca. De igual manera, los consumidores dominados por el tipo/precio/marca componen un segmento; los que eligen por calidad/servicio/tipo constituyen otro. Cada segmento puede tener diferente demografía, psicografía y exposición a medios de comunicación (mediografía), así como distintos conjuntos conocidos, en consideración y de elección.[56]

La figura 6.5 deja claro que una empresa debe tener estrategias para que su marca llegue a los conjuntos conocidos, en consideración y de elección de los clientes potenciales. Si el dueño de una tienda de alimentos organiza el lineal de yogur primero por marca (como Danone o Yoplait), y después por sabor dentro de cada marca, los consumidores tenderán a elegir los distintos sabores de la misma marca. Sin embargo, si, independientemente de la marca, todos los yogures de fresa están juntos, y todos los de vainilla, y así sucesivamente, es probable que los consumidores elijan antes que nada los sabores que quieren, y después elegirán la marca que desean para ese sabor específico. Los supermercados australianos ubican la carne de acuerdo con la manera en que puede ser cocinada, e incluso utilizan mensajes más descriptivos en las etiquetas, como "carne de res para asar a las hierbas, listo en 10 minutos". El resultado es que los australianos compran una mayor variedad de carnes en comparación con los consumidores de otras naciones, que eligen este producto a partir de una selección organizada por tipo de animal: res, pollo, cerdo, etcétera.[57]

La empresa también debe identificar las demás marcas que están presentes en el conjunto de elección del consumidor, porque eso le permitirá diseñar las estrategias de competencia más adecuadas. Además, los especialistas en marketing deberán identificar las fuentes de información del consumidor, y evaluar su importancia relativa. Preguntar a los consumidores cómo se enteraron de la existencia de la marca, qué información recibieron después, y cuál fue la importancia relativa de las diferentes fuentes, ayudará a la empresa a preparar comunicaciones efectivas para el mercado objetivo.

Evaluación de alternativas

¿Cómo procesa el consumidor la información de las marcas que compiten entre sí para hacer un juicio de valor final? No hay un proceso universal utilizado por todos los consumidores o por un consumidor en todas las situaciones de compra. En realidad existen varios procesos, y los modelos más actuales consideran que, en gran medida, el consumidor hace sus juicios sobre una base consciente y racional.

Recordar algunos conceptos básicos nos ayudará a entender los procesos de evaluación que pone en práctica el consumidor. En primer lugar, el consumidor intenta satisfacer una necesidad; en segundo, busca que el producto que satisfaga esa necesidad le brinde ciertos beneficios; en tercero, percibe cada producto como un conjunto de atributos con diversas capacidades de ofrecer esos beneficios. Los atributos de interés para los compradores varían según el producto de que se trate, por ejemplo:

1. ***Hoteles:*** ubicación, limpieza, ambiente, precio.
2. ***Enjuague bucal:*** color, efectividad, capacidad de eliminar gérmenes, sabor, precio.
3. ***Neumáticos:*** seguridad, durabilidad, calidad de la experiencia de conducción, precio.

Los consumidores pondrán más atención en los atributos que puedan ofrecerles esos beneficios buscados. Muchas veces podemos segmentar el mercado para un producto determinando cuáles son los atributos y beneficios más importantes para los diferentes grupos de consumidores.

CREENCIAS Y ACTITUDES Las personas desarrollan creencias y actitudes a través de la experiencia y el aprendizaje. A su vez, esas creencias y actitudes influyen en el comportamiento de compra. Las **creencias** son pensamientos descriptivos que un individuo tiene en relación con algo. Igual de importantes son las **actitudes**, es decir, las evaluaciones, los sentimientos y las tendencias perdurables a la acción, favorables o no favorables, que tienen las personas respecto de algún objeto o idea.[58] Los seres humanos tenemos actitudes hacia prácticamente todo: la religión, la política, la ropa, la música, la comida.

Las actitudes nos ponen en un estado mental específico, que nos lleva a disfrutar o rechazar un objeto, y nos acerca o nos aleja de él. Además, hacen que nos comportemos de manera bastante consistente hacia objetos similares. Como regla general, la empresa debe ajustar su producto a las actitudes existentes en lugar de tratar de modificarlas. Sin embargo, si las creencias y las actitudes se vuelven demasiado negativas, podría ser necesario implementar acciones más serias. Con una controvertida campaña de anuncios para sus pizzas, Domino's tomó medidas drásticas para intentar cambiar las actitudes de los consumidores.

Domino's Más famosa por la rapidez en sus entregas que por el sabor de sus pizzas, Domino's decidió hacer frente a las percepciones negativas. Un importante programa de comunicación donde se presentaban anuncios de televisión estilo documental, comenzaba con una imagen de los empleados corporativos de Domino's revisando los comentarios escritos y en video producidos por *focus groups* de sus clientes. Habían comentarios mordaces y despiadados, como "La masa de la pizza sabe a cartón" y "La salsa no es de tomates naturales". Después aparecía el presidente de la empresa, Patrick Doyle, diciendo a sus subalternos que aquellos resultados eran inaceptables. Luego, los anuncios presentaban a los chefs y ejecutivos de Domino's en una cocina de pruebas, proclamando que habían logrado producir una pizza nueva y mejorada, con una salsa más sabrosa, una exquisita combinación de quesos y una masa con sabor a hierbas y ajo. A muchos críticos les sorprendió que la empresa aceptara que su pizza, calificada como la número dos del mercado, en efecto había sido inferior durante años. Otros rebatieron haciendo notar que la nueva formulación del producto y los anuncios poco convencionales constituían un intento por contrarrestar una creencia negativa, ampliamente difundida y difícil de cambiar, que estaba llevando a la debacle a la marca y requería la implementación de acciones decisivas. Doyle resumió la reacción de los consumidores en estos términos: "A la mayoría le gusta mucho, a otros no. Y está bien".[59]

Reconociendo la existencia de creencias muy arraigadas en los consumidores, Domino's lanzó una atrevida campaña publicitaria para transformar su imagen.

EL MODELO DE VALOR ESPERADO El consumidor conforma sus actitudes hacia diversas marcas mediante un procedimiento de evaluación de atributos, a partir del cual desarrolla un conjunto de creencias sobre la posición que ocupa cada marca en lo relativo a cada atributo.[60] El **modelo de valor esperado** de formación de actitudes afirma que los consumidores evalúan los productos y servicios combinando sus creencias en torno de las marcas (positivas y negativas) de acuerdo con su importancia.

Suponga que Linda ha definido su conjunto de elección con cuatro computadoras portátiles (A, B, C y D). Digamos que está interesada en cuatro atributos: capacidad de memoria, capacidad de despliegue de gráficos, tamaño y peso, y precio. La tabla 6.4 muestra sus creencias sobre cuáles son las calificaciones de cada marca en los cuatro atributos. Si una computadora dominara sobre todas las demás en todos los criterios, podríamos predecir que Linda la elegiría. Pero, como suele suceder en realidad, su conjunto de elección consta de marcas cuyo atractivo varía. Si Linda desea la mejor capacidad de memoria, debería comprar C; si quiere la mejor capacidad de despliegue de gráficos, debería comprar A, etcétera.

Si conociéramos la ponderación que Linda asigna a cada uno de los cuatro atributos, podríamos predecir con mayor confiabilidad su elección de computadora. Supongamos que asigna el 40% de importancia a la capacidad de memoria de la computadora, un 30% a la capacidad de despliegue de gráficos, un 20% al tamaño y peso, y un 10% al precio. Para determinar el valor percibido de cada computadora de acuerdo con el modelo de valor esperado, multiplicamos la ponderación que Linda hace de cada atributo por la calificación que otorga a los mismos según sus creencias. Este cálculo nos lleva a los siguientes valores percibidos:

$$\text{Computadora portátil A} = 0.4(8) + 0.3(9) + 0.2(6) + 0.1(9) = 8.0$$
$$\text{Computadora portátil B} = 0.4(7) + 0.3(7) + 0.2(7) + 0.1(7) = 7.0$$
$$\text{Computadora portátil C} = 0.4(10) + 0.3(4) + 0.2(3) + 0.1(2) = 6.0$$
$$\text{Computadora portátil D} = 0.4(5) + 0.3(3) + 0.2(8) + 0.1(5) = 5.0$$

TABLA 6.4 Calificaciones otorgadas por un consumidor a varias computadoras portátiles sobre la base de sus creencias

Computadora portátil	Atributo			
	Capacidad de memoria	**Capacidad de despliegue de gráficos**	**Tamaño y peso**	**Precio**
A	8	9	6	9
B	7	7	7	7
C	10	4	3	2
D	5	3	8	5

Nota: Cada atributo se califica en una escala de 0 a 10, donde 10 representa el nivel más alto para ese atributo. Sin embargo, el precio se indicó de manera inversa, de manera que 10 representa el precio más bajo, ya que los consumidores prefieren un precio bajo a un precio alto.

Una formulación del modelo de valor esperado pronostica que Linda elegirá la computadora A, la cual (con una puntuación de 8) tiene el mayor valor percibido.[61]

Suponga que la mayoría de los compradores de computadoras portátiles determinan sus preferencias de la misma manera. Sabiéndolo, el especialista en marketing de la computadora B, por ejemplo, podría aplicar las siguientes estrategias para estimular un mayor interés por su marca:

- ***Rediseñar el equipo.*** Esta técnica se conoce como *reposicionamiento real.*
- ***Modificar las creencias sobre la marca.*** El intento de modificar las creencias sobre la marca se conoce como *reposicionamiento psicológico.*
- ***Modificar las creencias sobre las marcas de los competidores.*** Esta estrategia, conocida como *desposicionamiento competitivo*, tiene sentido cuando los compradores creen erróneamente que la marca de un competidor tiene mayor calidad de la que en realidad posee.
- ***Modificar la importancia de las ponderaciones.*** El especialista en marketing podría intentar persuadir a los compradores de que den mayor importancia a los atributos en los que sobresale su marca.
- ***Resaltar los atributos omitidos.*** El especialista en marketing podría llamar la atención de los compradores hacia los atributos que han sido relegados; en nuestro ejemplo, éstos podrían ser el estilo o la velocidad de procesamiento del equipo.
- ***Modificar la calificación ideal de los compradores.*** El especialista en marketing podría tratar de persuadir a los compradores de que modifiquen sus calificaciones ideales para uno o más atributos.[62]

Decisión de compra

En la etapa de evaluación el consumidor forma preferencias entre las marcas que constituyen el conjunto de elección, y también podría formular la intención de comprar la marca respecto de la cual tenga mejor percepción. Al ejecutar una intención de compra, el consumidor podría tomar hasta cinco subdecisiones: marca (marca A), distribuidor (distribuidor 2), cantidad (una computadora), tiempo (fin de semana) y forma de pago (tarjeta de crédito).

MODELOS NO COMPENSATORIOS DE DECISIÓN DEL CONSUMIDOR El modelo de valor esperado es un modelo compensatorio, en el sentido de que los factores positivos que se perciben acerca del producto pueden ayudar a compensar los factores negativos percibidos. Sin embargo, muchas veces los consumidores toman "atajos mentales" —un proceso denominado **heurística**— o utilizan reglas generales en el proceso de decisión.

Con los **modelos no compensatorios** de elección del consumidor, las consideraciones positivas y negativas de los atributos no se compensan necesariamente. Evaluar atributos aislados hace que la toma de decisiones sea más fácil para el consumidor, pero también aumenta la probabilidad de que optara por una decisión diferente si hubiera deliberado más detalladamente. A continuación se describen tres métodos heurísticos de elección.

1. Usando el método de **heurística conjuntiva**, el consumidor fija un límite mínimo aceptable para cada atributo y elige la primera alternativa que cumpla con ese estándar para todos los atributos. Por ejemplo, si Linda decidiera que todos los atributos deben alcanzar por lo menos una calificación de 7, elegiría la computadora B.
2. Con el método de **heurística lexicográfica**, el consumidor elige la mejor marca con base en el atributo que percibe como más importante. Si usara este parámetro de decisión, Linda elegiría la marca C.
3. Con el uso del método de **heurística de eliminación por aspectos**, el consumidor compara las marcas de acuerdo con un atributo seleccionado de manera probabilística —donde la probabilidad de elegir un atributo se relaciona positivamente con su importancia—, y elimina las marcas que no cumplen con un nivel mínimo aceptable.

Nuestro conocimiento del producto o de la marca, el número y la similitud de las marcas entre las cuales elegimos, las presiones de tiempo presentes en el momento y el contexto social (por ejemplo, la necesidad de justificarse ante un colega o el jefe) son condicionantes que podrían afectar nuestra decisión de utilizar los métodos heurísticos de elección y cómo lo hacemos.[63]

No siempre los consumidores usan un solo tipo de regla de elección. Por ejemplo, podrían emplear una regla de decisión no compensatoria —digamos la heurística conjuntiva— para reducir a un número más manejable la cantidad de marcas entre las cuales debe elegir, para después evaluar las marcas restantes. Una de las razones del enorme éxito obtenido por la campaña "Intel Inside" de la década de 1990, fue que hizo que la marca se convirtiera en un factor determinante para muchos consumidores: sólo comprarían una computadora personal que tuviera el microprocesador Intel. Los líderes en la fabricación de computadoras personales de aquella época, como IBM, Dell y Gateway, no tuvieron otra alternativa más que apoyar los esfuerzos de marketing de Intel.

FACTORES QUE INTERVIENEN Incluso si los consumidores hacen evaluaciones de marca, existen dos factores de orden general que pueden intervenir entre la intención de compra y la decisión de compra (vea la figura 6.6).[64] El primer factor está constituido por las *actitudes de otras personas.* La influencia que ejerce la actitud de otras personas depende de dos condiciones: (1) la intensidad de la actitud negativa de los demás hacia nuestra alternativa preferida, y (2) nuestra motivación para ajustarnos a los deseos de las otras personas.[65] Cuanto más intensa sea la actitud negativa de la otra persona, y cuanto más cercana sea ésta a nosotros, más dispuestos estaremos a ajustar nuestra intención de compra a sus opiniones, y viceversa.

|Fig. 6.6|

Pasos entre la evaluación de alternativas y la decisión de compra

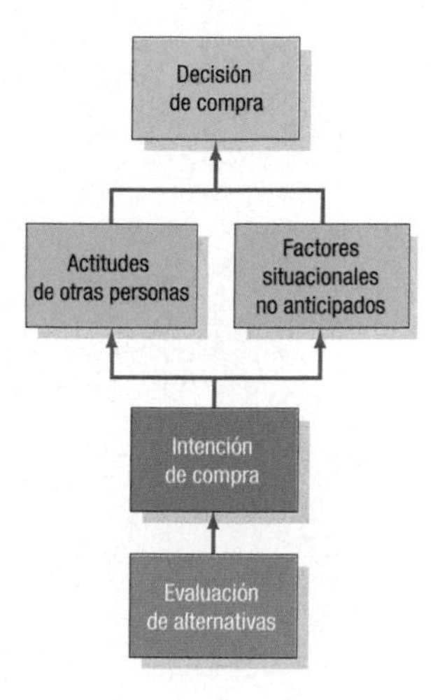

Otro factor relacionado con las actitudes ajenas es el papel que juegan las evaluaciones presentadas por medios de información; algunos ejemplos son: los *Consumer Reports*, informes para los consumidores estadounidenses que proveen reseñas libres de sesgos realizadas por expertos para todo tipo de productos y servicios; J.D. Power, compañía de servicios de información en marketing que utiliza datos de los consumidores para calificar automóviles, servicios financieros y productos y servicios de viajes; calificadores profesionales de películas, libros y música; reseñas de clientes sobre libros y música en sitios como Amazon.com; redes sociales, tableros de anuncios electrónicos, blogs y escenarios similares en donde la gente discute sobre productos, servicios y empresas.

No cabe duda de que los consumidores se ven influidos por estas evaluaciones externas, según queda evidenciado en el éxito de una película de bajo presupuesto como *Paranormal Activity,* cuya elaboración costó solamente 15 000 dólares, pero que tuvo ingresos netos en taquilla superiores a los 100 millones de dólares en 2009, gracias a una avalancha de reseñas favorables realizadas por los espectadores, y a los comentarios positivos publicados en muchas páginas Web.[66]

La segunda condición son los *factores situacionales imprevistos* que pueden surgir y cambiar la intención de compra. Linda podría perder su empleo, aceptar que alguna otra compra es más urgente, o cambiar de opinión por culpa del vendedor de la tienda. Ni las preferencias ni las intenciones de compra son elementos totalmente confiables para pronosticar el comportamiento de compra.

La determinación que toma un consumidor para modificar, posponer o evitar una decisión de compra se ve muy influida por uno o varios tipos de *riesgo percibido:*[67]

1. ***Riesgo funcional:*** el producto no se comporta como se esperaba.
2. ***Riesgo físico:*** el producto supone una amenaza para el bienestar físico o la salud del usuario o de otras personas.
3. ***Riesgo financiero:*** el producto no vale el precio pagado.
4. ***Riesgo social:*** el producto provoca vergüenza frente a los demás.
5. ***Riesgo psicológico:*** el producto afecta el bienestar mental del usuario.
6. ***Riesgo de oportunidad:*** el fallo del producto da como resultado un costo de oportunidad ante la necesidad de encontrar otro producto satisfactorio.

La intensidad del riesgo percibido varía según la cantidad de dinero en juego, la magnitud de la incertidumbre del atributo, y el nivel de confianza del consumidor en sí mismo. Los consumidores desarrollan ciertas rutinas para reducir la incertidumbre y las consecuencias negativas del riesgo, como evitar la toma de decisiones, recopilar información entre los amigos, y desarrollar preferencias por marcas nacionales y determinadas garantías. Ante esto, los especialistas en marketing deben entender qué factores provocan un sentimiento de riesgo en los consumidores y proporcionarles información y apoyo para reducirlo.

Cada año ciertas películas, como *Paranormal Activity,* alcanzan un gran éxito de taquilla al subirse a una ola de rumores y publicidad favorable de boca en boca.

Comportamiento postcompra

Después de la compra, el consumidor podría experimentar disonancia al percatarse de algunas características inquietantes del producto, o escuchar opiniones favorables sobre otras marcas. En cualquier caso, se mantendrá alerta de la información que apoye su decisión, por lo que las comunicaciones de marketing deberán proporcionarle creencias y evaluaciones que refuercen su elección y le ayuden a sentirse bien con la marca. Así, el trabajo de la empresa no termina con la compra; por el contrario, deberá supervisar la satisfacción postcompra, las acciones postcompra, así como el uso y desecho de los productos postcompra.

SATISFACCIÓN POSTCOMPRA La satisfacción es una función de la cercanía entre las expectativas y el resultado percibido en producto.[68] Si el resultado se queda corto respecto de las expectativas, el consumidor estará *decepcionado;* si cumple con las expectativas, estará *satisfecho*; si sobrepasa las expectativas, el consumidor estará *encantado*. De estos sentimientos depende que el cliente compre la marca de nuevo y hable favorablemente de ella, o haga críticas desfavorables sobre la misma a otras personas.

Cuanto más grande sea la brecha entre las expectativas y el resultado, mayor será la insatisfacción. Aquí entra en juego el estilo de reacción del consumidor. Si el producto no es perfecto, algunos consumidores magnificarán la diferencia y se mostrarán muy insatisfechos; otros la minimizarán y estarán menos insatisfechos.[69]

ACCIONES POSTCOMPRA Un consumidor satisfecho será más propenso a comprar la marca una vez más, y también tenderá a hacer críticas positivas respecto de la misma a otras personas. Los clientes insatisfechos podrían abandonar o devolver el producto. También podrían buscar información que confirme su alto valor, o tomar acción quejándose públicamente de la empresa, contratando los servicios de un abogado, o exponiendo sus comentarios desfavorables ante otros grupos (por ejemplo, empresas privadas, cámaras de comercio o agencias gubernamentales). Las acciones privadas que un cliente insatisfecho podría tomar incluyen la decisión de dejar de comprar el producto (*opción de salida*), o predisponer a sus amigos contra el producto (*opción de voz*).[70]

En el capítulo 5 se describieron programas de CRM diseñados para generar lealtad de marca a largo plazo. En este sentido, se ha demostrado que las comunicaciones post-compra con los consumidores reducen las tasas de devolución de productos y cancelación de pedidos. Los fabricantes de computadoras, por ejemplo, podrían: enviar una carta a los nuevos propietarios felicitándolos por haber elegido una computadora de buena calidad; publicar anuncios en donde se muestre a propietarios satisfechos con la marca; solicitar a sus clientes sugerencias para hacer mejoras, y mostrar la ubicación de los centros de servicio disponibles; escribir folletos con instrucciones muy comprensibles; enviar a los propietarios una revista con artículos que describan nuevas aplicaciones de computadora, y poner a disposición de los clientes canales efectivos para atender sus quejas.

USOS Y DESECHO POSTCOMPRA Los especialistas en marketing también deben supervisar la manera como los compradores utilizan y desechan el producto (▲ figura 6.7). Un impulsor fundamental de la frecuencia de compra es la tasa de consumo del producto: cuanto más rápidamente consuman los compradores un producto, antes regresarán al mercado a comprarlo de nuevo.

Los consumidores podrían no reemplazar algunos productos con suficiente rapidez porque sobreestiman su vida útil.[71] Una estrategia para motivar el reemplazo rápido consiste en vincularlo con alguna fiesta, evento o época del año.

|Fig. 6.7| ▲

Cómo utilizan y desechan un producto los consumidores

Fuente: Jacob Jacoby, et al. "What about Disposition?", *Journal of Marketing* (julio de 1977), p. 23. Reimpreso con autorización del *Journal of Marketing*, publicado por la American Marketing Association.

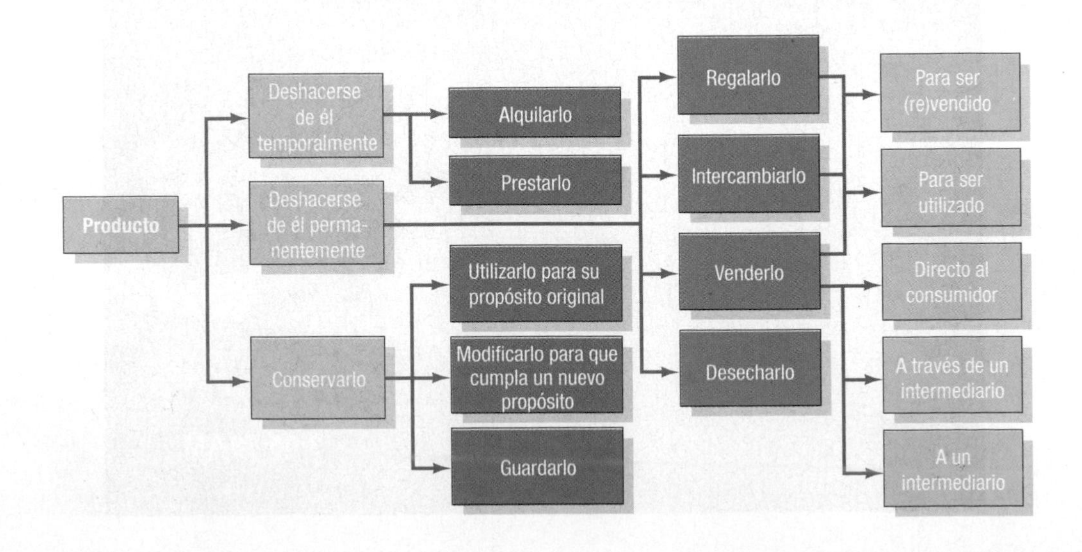

Por ejemplo, Oral B ha vinculado las promociones de cepillos de dientes con el cambio al horario de verano. Otra estrategia es proporcionar a los consumidores mejor información sobre (1) cuándo utilizaron su producto la primera vez o cuándo necesitan reemplazarlo, o (2) su nivel actual de desempeño. Algunas baterías tienen medidores incluidos, que muestran cuánta energía les resta; los cepillos de dientes cuentan con indicadores de color que "avisan" cuando las cerdas están gastadas. Tal vez la manera más sencilla de aumentar el uso consiste en determinar en qué circunstancias el uso real es menor que el recomendado, y persuadir a los clientes de que emplear el producto con mayor regularidad tiene beneficios; de esta forma podrían superarse los obstáculos potenciales.

Si los consumidores desechan el producto, el especialista en marketing debe saber cómo, en especial si —como las baterías, los envases de bebidas, el equipo electrónico y los pañales desechables— puede dañar el medio ambiente. Además, podrían existir oportunidades de negocio en los productos desechados: las tiendas de ropa *vintage*, como Savers, revenden 1 133 millones de kilos de ropa usada por año; Diamond Safety adquiere neumáticos usados, los tritura finamente, y utiliza el material resultante para fabricar —y vender— suelo para pistas de atletismo y áreas de juegos infantiles.[72]

Efectos moderadores en la toma de decisiones del consumidor

El camino o trayectoria que sigue un consumidor al recorrer las diversas etapas involucradas en la toma de una decisión de compra depende, como se explica a continuación, de varios factores, incluyendo el nivel de implicación y la magnitud de la búsqueda de variedad.

TOMA DE DECISIONES CON BAJA IMPLICACIÓN DEL CONSUMIDOR El modelo de valor esperado supone un alto nivel de **implicación del consumidor**, es decir, un grado significativo de involucramiento y procesamiento activo para responder a un estímulo de marketing.

El *modelo de probabilidad de elaboración*, de Richard Petty y John Cacioppo, es una explicación bastante reconocida respecto de la formación y el cambio de actitudes, que describe cómo llevan a cabo sus evaluaciones los consumidores tanto en circunstancias de baja implicación como de alta implicación.[73] Hay dos modos de persuasión: la *ruta central*, en donde la formación o cambio de actitudes moviliza mucho pensamiento, basado en la consideración diligente y racional de la información más relevante del producto; y la *ruta periférica*, resultado de las asociaciones de marca que hace el consumidor a partir de señales periféricas positivas o negativas, y en donde la formación y el cambio de actitudes provocan mucho menos pensamiento. Para los consumidores, las *señales periféricas* incluyen el aval de algún personaje célebre, el respaldo de alguna fuente confiable, o la presencia de cualquier objeto que genere sentimientos positivos.

Los consumidores siguen la ruta central solamente si tienen suficiente motivación, habilidad y oportunidad. En otras palabras, deben querer evaluar una marca en detalle, tener en su memoria el suficiente conocimiento de la marca, el producto o el servicio, y contar con el tiempo y el entorno adecuados. Si carecen de cualquiera de esos factores, los consumidores tenderán a seguir la ruta periférica y a considerar factores menos relevantes y más extrínsecos en sus decisiones.

Compramos muchos productos en circunstancias de baja implicación y sin que entre sus marcas haya diferencias significativas. Considere el caso de la sal. Si los consumidores siguen comprando la misma marca en esta categoría, es probable que sea más por hábito que por una fuerte lealtad a la marca. La evidencia sugiere que tenemos baja implicación por lo que respecta a casi todos los productos de bajo costo que compramos con frecuencia.

Savers recibe la ropa que los consumidores ya no quieren, y la vende (a precio justo) a otros que sí la valoran.

Las empresas usan cuatro técnicas para intentar convertir un producto de baja implicación en uno de mayor implicación. Primero buscarán vincular el producto con un aspecto relevante, como cuando Crest relacionó su dentífrico con la necesidad de evitar las caries. También pueden intentar vincular el producto a una situación personal; por ejemplo, los fabricantes de jugos (zumos) de frutas comenzaron a incluir vitaminas para enriquecer sus bebidas. Otra alternativa sería diseñar campañas publicitarias para disparar emociones intensas relacionadas con valores personales o con la defensa del ego, como cuando los fabricantes de cereales empezaron a mencionar que el consumo de cereales es positivo para la salud del corazón, y a promover la importancia de vivir muchos años para disfrutar la convivencia familiar. Por último, los especialistas en marketing podrían añadir una característica importante al producto, por ejemplo, como cuando GE introdujo sus versiones de bombillas "Soft White". Estas estrategias no siempre impulsan al consumidor a tener un comportamiento de compra de alta implicación, pero sí la aumentan hasta un nivel moderado.

Si los consumidores muestran baja implicación en la toma de decisiones de compra sin importar lo que haga el especialista en marketing para aumentarla, lo más probable es que sigan la ruta periférica. En ese caso, los especialistas en marketing deben dar a los consumidores una o más señales positivas para justificar su elección de marca, tales como repetición frecuente de anuncios, patrocinios visibles y relaciones públicas vigorosas, que permitan realzar la familiaridad de la marca. Otras señales periféricas que pueden inclinar la balanza a favor de la marca incluyen la presencia de un personaje célebre y querido que le brinde su apoyo, el uso de envases atractivos y la implementación de promociones llamativas.

COMPORTAMIENTO DE COMPRA BASADO EN LA BÚSQUEDA DE VARIEDAD Algunas situaciones de compra se caracterizan por una baja implicación pero diferencias de marca significativas. En este caso los consumidores realizan cambios de marca muy frecuentes. Piense en las galletas: el consumidor tiene algunas creencias sobre dicho producto, elige una marca sin realizar una búsqueda exhaustiva y evalúa el producto durante su consumo. La próxima vez, el consumidor podría llevarse otra marca para satisfacer su deseo de probar un sabor diferente. Los cambios de marca se dan en un intento de obtener variedad, más que por insatisfacción.

El líder del mercado y las marcas menos favorecidas en esta categoría de producto tienen diferentes estrategias de marketing. El líder del mercado intentará alentar el comportamiento habitual de compra dominando el espacio en tienda con una variedad de versiones del producto, diferentes pero vinculadas, evitando que se agote el inventario y llevando a cabo frecuente publicidad de recuerdo. Las empresas contendientes alentarán la búsqueda de variedad ofreciendo precios más bajos, ofertas, cupones y muestras gratis, así como lanzando campañas de publicidad con el propósito de romper el ciclo de compra y consumo del cliente, y presentarle razones para probar algo nuevo.

Teoría de decisión conductual y economía conductual

Como puede inferirse a partir de la toma de decisiones de baja implicación y la búsqueda de variedad, los consumidores no siempre procesan la información o toman decisiones de manera deliberada y racional. Una de las áreas académicas más activas en las últimas tres décadas, por lo que se refiere a la investigación de marketing, ha sido la *teoría de decisión conductual* (BDT, por sus siglas en inglés). Los teóricos de la decisión conductual han identificado muchas situaciones en las que los consumidores hacen elecciones aparentemente irracionales. La tabla 6.5 resume algunos interesantes hallazgos de estas investigaciones.[74]

La conclusión que estos estudios y muchas otras investigaciones refuerzan es que el comportamiento del consumidor está en permanente construcción y que el contexto en que se toman las decisiones es muy importante. Entender de qué manera se reflejan estos efectos en el mercado puede ser crucial para los especialistas en marketing.

El trabajo de éstos y otros académicos también ha desafiado los pronósticos de la teoría económica y los supuestos sobre la racionalidad, lo que ha llevado al surgimiento del campo de la *economía conductual*.[75] A continuación examinamos algunos de los temas relacionados en tres amplias áreas: las heurísticas de decisión, los marcos de decisión y otros efectos contextuales. En "Marketing en acción: Previsiblemente irracional" se brinda un análisis detallado sobre el tema.

Heurísticas de decisión

En una sección anterior comentamos los distitnos métodos heurísticos que entran en acción en la toma de decisiones no compensatorias. De manera similar, otras formas de heurística se ponen en juego en la toma de decisiones diarias, cuando los consumidores tratan de predecir la probabilidad de resultados o eventos futuros.[76]

TABLA 6.5	Algunos hallazgos de la teoría de decisión conductual
•	Los consumidores son más propensos a elegir una alternativa (por ejemplo, un determinado aparato para fabricación de pan casero) después de que una opción relativamente inferior (un aparato para fabricación de pan casero un poco mejor, pero significativamente más caro) es introducida en el conjunto de elección disponible.
•	Los consumidores son más propensos a elegir una alternativa que parece ser un compromiso en el conjunto de elección específico bajo consideración, incluso si no es la mejor alternativa en ninguna de las dimensiones.
•	Las elecciones que hacen los consumidores influyen en la evaluación de sus propios gustos y preferencias.
•	Conseguir que la gente enfoque más su atención en una de las dos alternativas consideradas tiende a realzar el atractivo percibido y la probabilidad de elección de esa alternativa.
•	La manera en que los consumidores comparan productos cuyo precio y calidad percibida (por características o marca) varían, y la forma en que esos productos se exhiben en la tienda (por marca o por tipo de modelo), son factores que afectan la voluntad de pagar más por características adicionales o por una marca mejor conocida.
•	Los consumidores que piensan en la posibilidad de que sus decisiones de compra resulten erróneas, tienen mayor propensión a elegir marcas más conocidas.
•	Los consumidores para quienes son más relevantes los posibles sentimientos de arrepentimiento por haber perdidio una oportunidad son más proclives a elegir un producto con descuento que a esperar el surgimiento de una mejor oferta o a comprar un artículo de precio más alto.
•	Las elecciones de los consumidores suelen verse influidas por cambios sutiles (y en teoría inconsecuentes) en la descripción de las alternativas.
•	Los consumidores que compran para consumo posterior aparentemente cometen más errores sistemáticos al predecir sus preferencias futuras.
•	Las predicciones de los clientes sobre sus gustos futuros no son precisas; en realidad ignoran cómo se sentirán después de consumir varias veces el mismo sabor de yogur o de helado.
•	Los consumidores suelen sobreestimar la duración general de sus reacciones emocionales en relación con eventos futuros (mudanzas, ganancias financieras inesperadas, resultados de encuentros deportivos).
•	Los consumidores suelen sobreestimar su consumo futuro, en especial si hay una disponibilidad limitada (lo que puede explicar por qué Black Jack y otras gomas de mascar tienen ventas más altas cuando la disponibilidad se limita a varios meses del año, en lugar de ofrecer el producto durante todo el año).
•	Al anticipar futuras oportunidades de consumo, muchas veces los consumidores asumen que querrán o necesitarán más variedad de la que en realidad requieren.
•	Los consumidores son menos propensos a elegir las alternativas que ofrecen más características de producto o extras promocionales que tienen poco o ningún valor, incluso cuando estas características y extras son opcionales (como la oportunidad de comprar un plato de colección) y no reducen el valor real del producto en alguna forma.
•	Los consumidores son menos proclives a elegir productos seleccionados por otras personas con base en razones que ellos encuentran irrelevantes, incluso cuando dichas razones no sugieren algo positivo o negativo sobre los valores del producto.
•	Las interpretaciones y evaluaciones de experiencias previas del consumidor se ven muy influidas por el resultado final de las mismas y por la evolución de los acontecimientos. Un evento positivo al término de una experiencia de servicio puede mejorar ostensiblemente las reflexiones y evaluaciones de la totalidad de la experiencia.

1. La **heurística de disponibilidad**. Los consumidores basan sus pronósticos en la rapidez y facilidad con la que les viene a la mente un ejemplo de un resultado específico. Si un ejemplo se les ocurre con demasiada facilidad, los consumidores podrían sobreestimar la probabilidad de que ocurra. Por ejemplo, el fracaso reciente de un producto podría llevar a que un consumidor exagere la posibilidad de un futuro fallo de producto, haciendo que se incline más a comprar una garantía del producto.
2. La **heurística de representatividad**. Los consumidores basan en otros ejemplos sus pronósticos sobre lo representativo o similar que será un resultado. Una de las razones por las que la apariencia de los envases puede ser tan similar para las diferentes marcas de una misma categoría de productos es que los especialistas en marketing desean que éstos sean percibidos como representativos de la totalidad de su categoría.
3. La **heurística de anclaje y ajuste**. Los consumidores hacen un juicio inicial y luego lo ajustan a su primera impresión sobre la base de información adicional. Por ello resulta tan importante para los especialistas en marketing de servicios crear una fuerte primera impresión, toda vez que les permite establecer un ancla favorable para que las experiencias subsecuentes sean interpretadas de manera positiva.

Previsiblemente irracional

En su nuevo libro, Dan Ariely revisa algunas investigaciones —tanto propias como de otras fuentes—, y muestra que aunque algunos consumidores podrían pensar que están tomando decisiones racionales y bien meditadas, muchas veces ése no es el caso. Resulta que una serie de factores mentales y sesgos cognitivos inconscientes conspiran para producir tomas de decisiones aparentemente irracionales en muchos escenarios. Ariely cree que estas decisiones irracionales no son aleatorias, sino sistemáticas y predecibles. De acuerdo con sus propias palabras, cometemos el mismo "error" una y otra vez. Algunos de los hallazgos de sus investigaciones que incitan a la reflexión son los siguientes:

- Al vender un nuevo producto, los especialistas en marketing deben asegurarse de compararlo con algo que los consumidores ya conozcan, incluso si el nuevo producto es literalmente una innovación y permite sólo algunas comparaciones directas. Los consumidores encuentran difícil juzgar los productos aisladamente, y se sienten más cómodos si basan una nueva decisión —por lo menos en parte— en una decisión pasada.
- El señuelo "gratis" es casi irresistible para los consumidores. En un experimento se ofreció a los consumidores trufas de chocolate Lindt, que normalmente son de precio alto, a 15 centavos de dólar, y los *kisses* de Hershey a un centavo. Los clientes tenían que elegir entre uno y otro, no ambos. El 73% de los clientes eligieron las trufas. Sin embargo, cuando el precio de las trufas se redujo a 14 centavos y los *kisses* se ofrecieron de manera gratuita, el 69% de los clientes eligió estos últimos, aunque en realidad la oferta de las trufas era mejor.
- El "sesgo de optimismo" o la "ilusión de positivismo" es un efecto omnipresente, que trasciende el género, la edad, la educación y la nacionalidad. La gente tiende a sobreestimar sus posibilidades de experimentar un buen resultado (tener un matrimonio exitoso, hijos sanos o seguridad financiera), pero subestima sus posibilidades de tener un mal resultado (divorcio, un infarto o una multa por estacionarse en un lugar prohibido).

Al concluir su análisis, Ariely destaca: "Si tuviera que decir cuál es la principal conclusión derivada de las investigaciones que se presentan en este libro, ésta sería que todos somos títeres en un juego que, en gran medida, no comprendemos".

Fuentes: Dan Ariely, *Predictably Irrational* (Nueva York; Harper Collins, 2008; Dan Ariely, "The Curious Paradox of Optimism Bias", *BusinessWeek*, 24 y 31 de agosto de 2009, p. 48; Dan Ariely, "The End of Rational Economics", *Harvard Business Review*, julio-agosto 2009, pp. 78-84; "A Managers Guide to Human Irrationalities", *MIT Sloan Management Review* (invierno de 2009), pp. 53-59; Russ Juskalian, "Not As Rational as We Think We Are", *USA Today*, 17 de marzo de 2008; Elizabeth Kolbert, "What Was I Thinking?" *New Yorker,* 25 de febrero de 2008; David Mehegan, "Experimenting on Humans", *Boston Globe*, 18 de marzo de 2008.

Tenga en cuenta que la toma de decisiones de los gerentes de marketing también podría estar sujeta a estos procesos heurísticos y verse influida por diversos sesgos.

Marcos de decisión

Un *marco de decisión* es la forma en que las elecciones se presentan y son percibidas por el tomador de decisiones. Un teléfono móvil que cuesta 200 dólares podría no parecer tan caro en el contexto de un conjunto de teléfonos de 400 dólares, pero quizá sí daría la impresión de ser muy caro si los demás teléfonos costaran 50 dólares. Los efectos de los marcos de decisión son decisivos, y pueden ser poderosos.

Los profesores de la University of Chicago, Richard Thaler y Cass Sunstein muestran de qué manera pueden influir las empresas sobre la toma de decisiones de los consumidores, a través de lo que denominan *arquitectura de elección*, esto es, el entorno en el que se estructuran las decisiones y se realizan las elecciones de compra. De acuerdo con estos investigadores, en el entorno correcto, se les podría dar un "empujoncito" a los consumidores por medio de alguna característica que atraiga su atención y modifique su comportamiento. Según estos teóricos, Nabisco está empleando una arquitectura de elección inteligente al ofrecer envases de bocadillos de 100 calorías, que tienen un margen de beneficio sólido y motivan a los consumidores a hacer elecciones más saludables. [77]

CONTABILIDAD MENTAL Los investigadores han encontrado que los consumidores utilizan la contabilidad mental cuando manejan su dinero.[78] La **contabilidad mental** se refiere a la manera en que los consumidores codifican, categorizan y evalúan los resultados financieros de sus elecciones. Formalmente se trata de una "tendencia a categorizar *fondos* o artículos de valor incluso sin tener una base lógica para hacerlo; por ejemplo, los individuos suelen separar sus ahorros en cuentas independientes para cumplir diferentes metas, aunque los fondos de cualquier cuenta podrían aplicarse al cumplimiento de cualquiera de las metas".[79]

Considere los siguientes dos escenarios:

1. Suponga que usted gasta 50 dólares en la compra de una entrada (ticket) para asistir a un concierto.[80] Sin embargo, cuando llega al espectáculo se da cuenta de que ha perdido su entrada, así que decide comprar otra.

2. Imagine ahora que decidió comprar la entrada para asistir al concierto directamente en la taquilla, sin anticipación. Cuando llega al espectáculo se percata de que de alguna forma ha perdido 50 dólares en el camino, pero decide comprar la entrada de todas maneras.

¿En cuál de esas situaciones considera que usted tomaría decisiones similares a las comentadas? Casi toda la gente elige el segundo escenario. Aunque se pierde la misma cantidad de dinero en ambos casos —50 dólares— en el primero, usted ya asignó mentalmente esa cantidad para asistir al concierto; comprar otra entrada excedería su presupuesto mental para conciertos. En el segundo caso, el dinero perdido no correspondía a una "cuenta" en particular, así que usted aún no excede su presupuesto mental para conciertos.

Según Thaler, de la University of Chicago, la contabilidad mental se basa en un grupo de principios fundamentales:

1. Los consumidores tienden a *desglosar las ganancias*. Cuando un vendedor tiene un producto con varias dimensiones positivas, es deseable que el consumidor evalúe cada una de ellas por separado. Listar múltiples beneficios de un gran producto industrial, por ejemplo, puede hacer que la suma de las partes parezca mayor que el todo.
2. Los consumidores tienden a *integrar las pérdidas*. Los especialistas en marketing tienen una ventaja distintiva al vender algo si su costo puede sumarse al de otra compra grande. Los compradores de casas tienen cierta inclinación a ver más favorablemente los gastos adicionales, debido a que comprar una casa implica ya de por sí un alto costo.
3. Los consumidores tienden a *integrar las pérdidas más pequeñas con las ganancias más grandes*. El principio de "cancelación" podría explicar por qué la retención de impuestos de las nóminas mensuales provoca menos aversión que los grandes pagos de impuestos de una suma global: las retenciones más pequeñas tienen más probabilidad de ser absorbidas por la cantidad mayor del sueldo.
4. Los consumidores tienden a *desglosar las pequeñas ganancias de las grandes pérdidas*. El principio de que todo tiene su "lado bueno" podría explicar la popularidad de las bonificaciones en compras importantes, como las de automóviles.

Los principios de contabilidad mental ayudan a predecir si un consumidor irá o no a un concierto después de extraviar su boleto de entrada o perder algo de dinero.

Los principios de contabilidad mental se derivan parcialmente de la **teoría prospectiva** (*prospect theory*). Esta teoría afirma que los consumidores enmarcan sus alternativas de decisión en términos de ganancias y pérdidas de acuerdo con una función de valor. En general, los consumidores sienten animadversión a las pérdidas, así que tienden a sobreponderar las probabilidades muy bajas y a infraponderar las probabilidades muy altas.

Resumen

1. El comportamiento del consumidor se ve influido por tres factores: cultural (cultura, subcultura y clase social), social (grupos de referencia, familia, y roles y estatus sociales) y personal (edad, etapa en el ciclo de vida, ocupación, circunstancias económicas, estilo de vida, personalidad y autoconcepto). Las investigaciones sobre estos factores pueden proveer pistas para llegar y atender a los consumidores con mayor efectividad.
2. Son cuatro los principales procesos psicológicos que afectan el comportamiento del consumidor: la motivación, la percepción, el aprendizaje y la memoria.
3. Para entender cómo toman realmente sus decisiones de compra los consumidores, los especialistas en marketing deben identificar quién toma la decisión y quién influye en la toma de decisión de compra; las personas pueden ser iniciadores, influenciadores, decididores, compradores o usuarios. Las diferentes campañas de marketing deben ser dirigidas a cada uno de estos tipos de persona.
4. El proceso típico de compra consiste en la siguiente secuencia de eventos: reconocimiento del problema, búsqueda de información, evaluación de alternativas, decisión de compra y comportamiento postcompra. El trabajo del especialista en marketing será entender el comportamiento en cada etapa. Las actitudes de otras personas, los factores situacionales inesperados y el riesgo percibido son factores capaces de afectar la decisión de compra, igual que los niveles de satisfacción postcompra, los hábitos de uso y desecho del consumidor, y las acciones que ponga en práctica la empresa después de la compra.
5. Los consumidores toman decisiones de manera implícita y están sujetos a muchas influencias contextuales. Con frecuencia muestran una baja implicación en su toma de decisiones y, en consecuencia, utilizan diversas heurísticas.

Aplicaciones

Debate de marketing

¿En qué circunstancias podría ser incorrecto utilizar un marketing enfocado a un segmento específico (*target marketing*)?

A medida que los especialistas en marketing ajustan cada vez más sus programas para dirigirlos a segmentos meta (objetivos) del mercado, algunos críticos han tachado este esfuerzos como explotación. Estos estudiosos consideran que la ubicua presencia de anuncios espectaculares de cigarrillos y alcohol en áreas urbanas de bajos ingresos constituye un intento de aprovecharse de un segmento vulnerable del mercado. Los críticos pueden ser especialmente duros al evaluar planes de marketing dirigidos a las minorías sociales, argumentando que en ellos suele emplearse estereotipos y representaciones inadecuadas. Otros consideran que la segmentación y el posicionamiento son fundamentales para el marketing, y que estos planes son un intento por hacer promoción relevante para un grupo de consumidores determinado.

Asuma una posición: Dirigirse a las minorías es explotación *versus* Dirigirse a las minorías es una práctica de negocios válida.

Discusión de marketing

Contabilidad mental

¿Qué contabilidad mental realiza usted cuando compra productos o servicios? ¿Al gastar su dinero se guía por determinadas reglas? ¿Éstas son diferentes de las que utilizan otras personas? ¿Sigue usted los cuatro principios de Thaler al reaccionar ante las ganancias y las pérdidas?

Marketing de excelencia

>>Disney

Pocas empresas han sido capaces de establecer vínculos con un público específico tan bien como lo ha hecho Disney. Desde su fundación en 1923, la marca Disney ha sido siempre sinónimo de entretenimiento de calidad para toda la familia. La empresa, fundada originalmente por los hermanos Walt y Roy Disney, rompió las fronteras del entretenimiento durante el siglo XX para llevar diversiones familiares clásicas y memorables alrededor del mundo. Tras su inicio, basado en la difusión de dibujos animados sencillos en blanco y negro, la empresa creció hasta convertirse en un fenómeno mundial, que actualmente incluye parques temáticos, producción de largometrajes, emisoras de televisión, producciones teatrales, productos de consumo y una creciente presencia online.

En sus primeras dos décadas de vida, Walt Disney Productions era un estudio de dibujos animados que luchaba por salir adelante presentando al mundo a uno de los personajes más famosos de la historia: Mickey Mouse. En aquel momento pocos creían en la visión de Disney, pero el apabullante éxito de los dibujos animados con sonido y la presentación en 1937 del primer largometraje animado, *Blancanieves y los siete enanitos,* condujo a la producción de otros clásicos de la animación durante las siguientes tres décadas, incluyendo *Pinocho, Bambi, La cenicienta* y *Peter Pan*, así como películas de acción con personajes reales, como *Mary Poppins* y *Herbie —The Love Bug—*, y series de televisión como *David Crockett*.

Cuando murió, en 1966, Walt Disney era considerado la persona más conocida del mundo. Para entonces la empresa había expandido la marca Disney a los filmes, la televisión, los productos de consumo y Disneylandia, el primero de sus parques temáticos, ubicado en el sur de California, en donde las familias podían experimentar la magia de Disney en la vida real. Tras el deceso de su hermano, Roy Disney asumió la posición de CEO y realizó el sueño de Walt: abrir un parque de atracciones de casi 10 000 hectáreas, el Walt Disney World en Florida. Roy murió en 1971, pero para entonces ambos hermanos habían creado una marca que significaba confianza, diversión y entretenimiento para niños, adultos y familias enteras, a través de los personajes, historias y recuerdos más conmovedores e icónicos de todos los tiempos.

La empresa dio tumbos por algunos años sin el liderazgo de los hermanos fundadores. Sin embargo, para la década de 1980, The Walt Disney Company estaba de pie nuevamente, planificando nuevas formas de dirigirse a sus consumidores fundamentales, orientándose a la familia y a la expansión hacia nuevas áreas que llegaran a un público de mayor edad. Con esa intención lanzó Disney Channel, Touchstone Pictures y Touchstone Television. Además, presentó películas clásicas durante la *Disney Sunday Night Movie*, y lanzó a la venta sus películas clásicas en video, a precios extremadamente bajos, para llegar a generaciones completamente nuevas de niños. La marca siguió expandiéndose en la década de 1990, al incursionar en el negocio editorial, en los parques temáticos internacionales y en producciones de teatro que llegaron a diversos públicos en todo el mundo.

Actualmente, Disney está compuesta por cinco segmentos de negocio: los Walt Disney Studios, que producen películas, sellos discográficos y puestas en escena teatrales; Parks and Resorts, que se enfoca en los 11 parques temáticos de Disney, las líneas de cruceros y otros activos relacionados con el turismo; Disney Consumer Products, que vende todos los productos de la marca Disney; Media Networks, que incluye canales de televisión como ESPN, ABC y Disney Channel; y, por último, Interactive Media, responsable del segmento de medios interactivos.

El mayor desafío que Disney enfrenta en la actualidad es mantener en el candelero una marca de 90 años de antigüedad, logrando que sea actual para su público central, al mismo tiempo que se mantiene fiel a su herencia y a sus valores fundamentales de marca. El CEO de Disney, Bob Iger, explica: "Siendo una marca que la gente busca y en la que confía, [Disney] abre las puertas para nuevas plataformas y mercados, y por lo tanto a nuevos consumidores. Cuando uno dirige una empresa que tiene un gran legado, se enfrenta a decisiones y conflictos que surgen del choque entre la herencia, la innovación y la relevancia. Creo firmemente en el respeto a la herencia, pero también en la necesidad de innovación y de equilibrar el respeto por la herencia con la necesidad de mantenerse actualizado".

Internamente, Disney se ha enfocado en la *diferencia Disney*: "una dinámica de creación de valor basada en altos estándares de calidad y reconocimiento, que distingue a Disney de sus competidores". Disney usa conjuntamente todos los aspectos de sus negocios y sus habilidades para llegar a su audiencia de múltiples formas, con eficacia y a bajo precio. *Hannah Montana* proporciona un excelente ejemplo de cómo la empresa tomó un programa de televisión dirigido a los preadolescentes y lo movió a través de varias divisiones creativas hasta convertirlo en una franquicia importante para la empresa, capaz de generar millones de dólares por la venta de CDs, videojuegos, productos de consumo populares, películas, conciertos internacionales, y representaciones en vivo en sus destinos vacacionales en Hong Kong, India y Rusia.

Disney también utiliza tecnologías emergentes para mantenerse en contacto con sus consumidores de manera innovadora. Fue una de las primeras empresas en iniciar *podcasts* regulares de sus programas de televisión, así como en lanzar noticias frescas sobre sus productos, y entrevistas con los empleados, el personal y los oficiales de parques Disney. La página Web de Disney permite ver anticipos de sus películas, clips de televisión, espectáculos de Broadway, experiencias en parques de atracciones virtuales, y mucho más. La empresa continúa explorando maneras de lograr que Mickey Mouse y sus secuaces sean más amigables y virtualmente emocionantes.

Según sus investigaciones internas, Disney calcula que los consumidores pasan 13 000 millones de horas "inmersos" en su marca cada año. Los consumidores de todo el mundo pasan 10 000 millones de horas viendo programas en Disney Channel, 800 millones de horas en los destinos vacacionales y parques de diversiones de Disney, y 1 200 millones de horas viendo las películas producidas por la empresa, ya sea en casa, en las salas de cine o en sus computadoras. Actualmente Disney es la 63ª empresa más grande del mundo, y sus ingresos llegaron casi a los 38 000 millones de dólares en 2008.

Preguntas

1. ¿Cuál es la mejor práctica de Disney para conectarse con sus consumidores centrales?
2. ¿Cuáles son los riesgos y beneficios que conlleva expandir la marca Disney de nuevas maneras?

Fuentes: "Company History", Disney.com; "Annual Reports", Disney.com; Richard Siklosc, "The Iger Difference", *Fortune*, 11 de abril de 2008; Brooks Barnes, "After Mickey's Makeover; Less Mr. Nice Guy", *New York Times*, 4 de noviembre de 2009.

Marketing de excelencia

>>IKEA

IKEA fue fundada en 1943 por un sueco de 17 años, llamado Ingvar Kamprad. La empresa, que al principio vendía bolígrafos, tarjetas de Navidad y semillas en un cobertizo de la granja familiar de Kamprad, fue creciendo poco a poco hasta convertirse en un titán minorista de muebles y artículos para el hogar, y en un fenómeno cultural mundial, calificado por *BusinessWeek* como "santuario definitivo de lo *cool*", y "marca de culto por antonomasia".

IKEA inspira notables niveles de interés y devoción por parte de sus clientes. En 2008, 500 millones de personas visitaron las tiendas IKEA, que se localizan por todo el mundo. Cuando abrió un nuevo almacén en Londres, en 2005, casi 6 000 personas se congregaron en el lugar antes de que se abrieran sus puertas. Un concurso realizado en Atlanta coronó a cinco ganadores como "Embajadores de Kul" ("diversión", en sueco); para hacerse acreedores al premio, los participantes habían tenido que vivir en una nueva tienda de IKEA durante tres días completos antes de su inauguración, lo cual hicieron con sumo placer.

IKEA logró este nivel de éxito al ofrecer una propuesta exclusiva de valor a los consumidores: diseño escandinavo de vanguardia a precios extremadamente bajos. Las ofertas de la empresa incluyen productos de moda con nombres suecos inusuales, como sofás de dos plazas Klippan, por 279 dólares; libreros BILLY, por 60, y mesas laterales LACK, por

8 dólares. Kamprad, fundador de IKEA, era disléxico y consideraba más fácil recordar los *nombres* de los productos que sus códigos o números. En parte, la empresa puede ofrecer precios tan bajos porque casi todos los artículos se entregan en cajas y requieren que el consumidor los ensamble en su hogar. Esta estrategia da como resultado una logística más barata y fácil, así como un uso más eficiente de los espacios de la tienda.

La visión de IKEA consiste en "crear una mejor vida diaria para mucha gente". Su misión de proveer valor queda evidenciada en la afirmación expresada por Ingvar Kamprad, su fundador: "La gente tiene billeteras muy delgadas. Debemos cuidar sus intereses". IKEA se adhiere a esta filosofía reduciendo los precios de todos sus productos entre el 2 y el 3% al año. Su enfoque en el valor también beneficia los estados financieros: IKEA disfruta de márgenes del 10%, más altos que sus competidores, como Target (7.7%) y Pier 1 Imports (5%). A diferencia de muchos minoristas de muebles, IKEA adquiere sus productos de múltiples empresas de todo el mundo, en lugar de tener sólo un puñado de proveedores. Esto asegura el precio más bajo posible, y los ahorros se transmiten al consumidor. Actualmente, IKEA trabaja más o menos con 1300 proveedores de 53 países.

En casi todos los casos, las tiendas IKEA se encuentran a considerable distancia del centro de las ciudades, lo que ayuda a mantener bajos los costos de ubicación y los impuestos. El cliente promedio de IKEA conduce 80 kilómetros de ida y vuelta para visitar una de sus tiendas, que casi siempre tienen la apariencia de una gran caja con pocas ventanas y puertas, y están pintadas de azul y amarillo intensos, los colores nacionales de Suecia. Los almacenes ahorran energía mediante el uso de bombillas de bajo consumo, y tienen horarios de operación inusualmente largos, en algunos casos de 24 horas. Cuando los consumidores recorren los pasillos de una tienda IKEA, viven una experiencia muy diferente a la que tienen al visitar las instalaciones de otros minoristas de muebles. La planta está diseñada en un formato de un solo sentido, así que el consumidor experimenta primero toda la tienda y luego puede tomar un carro de compras, ir al almacén y recoger los artículos que haya elegido, empaquetados en una caja plana.

Muchos productos IKEA se venden de manera uniforme en todo el mundo, pero la empresa también atiende los gustos locales.

- En China tuvo en existencia 25 000 manteles individuales de plástico con temas del "año del gallo", los cuales se vendieron rápidamente después del año nuevo chino.
- Cuando los empleados se dieron cuenta de que los consumidores estadounidenses compraban floreros como vasos para beber porque consideraban demasiado pequeños los vasos normales de IKEA, la empresa desarrolló unos vasos más grandes para ese mercado en particular.
- Los gerentes de IKEA visitaron a los consumidores europeos y estadounidenses en sus casas, y aprendieron que los primeros suelen colgar su ropa, mientras que los segundos prefieren guardarla doblada. Por lo tanto, los armarios para el mercado estadounidense fueron diseñados con cajones más profundos.
- Las visitas a los hogares de origen hispano en California llevaron a IKEA a añadir lugares para sentarse y para cenar en sus tiendas de California, a utilizar una paleta de colores más brillantes, y a colgar más cuadros en las paredes.

IKEA ha evolucionado hasta convertirse en el minorista más grande de muebles del mundo, con aproximadamente 300 tiendas diseminadas en 38 países, e ingresos que rebasaron los 21 500 millones de euros en 2009. En términos de venta, los países más importantes para IKEA son Alemania, con una participación de 16%; Estados Unidos, con el 11%; Francia, 10%; Reino Unido, 7% e Italia, con otro 7 por ciento.

Preguntas

1. ¿Cuáles de las estrategias implementadas por IKEA funcionan adecuadamente para llegar a los consumidores en diferentes mercados? ¿Qué más podría hacer la empresa?
2. IKEA ha cambiado esencialmente la manera en que la gente compra muebles Discuta los puntos a favor y en contra de esta estrategia.

Fuentes: Kerry Capell, "IKEA: How the Swedish Retailer Became a Global Cult Brand", *Business Week*, 14 de noviembre de 2005, p. 96; "Need a Home to Go with That Sofa?", *BusinessWeek*, 14 de noviembre de 2005, p. 106; Ellen Ruppel Shell, "Buy to Last", *Atlantic*, julio/ agosto de 2009; Jon Henley, "Do You Speak IKEA?", *Guardian*, 4 de febrero de 2008; IKEA, www.ikea.com.

En este capítulo responderemos las siguientes preguntas

1. ¿Qué es el mercado empresarial y cómo difiere del mercado de consumo?
2. ¿Qué situaciones de compra enfrentan los compradores de las organizaciones?
3. ¿Quién participa en el proceso de compra negocio a negocio?
4. ¿Cómo toman sus decisiones los compradores organizacionales?
5. ¿Qué pueden hacer las compañías para generar relaciones sólidas con sus clientes empresariales?
6. ¿Cómo realizan sus compras las dependencias gubernamentales y los compradores institucionales?

Desde sus oficinas corporativas en Redwood Shores, Oracle introduce innovadores programas de marketing para satisfacer a sus numerosos clientes empresariales.

Análisis de los mercados empresariales

Las organizaciones empresariales no sólo venden, también compran enormes cantidades de materia prima, componentes de fabricación, plantas y equipos, suministros y servicios empresariales. De acuerdo con el Census Bureau de Estados Unidos, hay aproximadamente seis millones de empresas con empleados en nómina tan sólo en ese país. Con el propósito de crear y capturar valor, los vendedores deben entender las necesidades, los recursos, las políticas y los procedimientos de compra de estas organizaciones.

Oracle, fabricante a gran escala de software para negocios, se convirtió en líder de la industria al ofrecer una gama completa de productos y servicios para satisfacer las necesidades de los clientes que requerían aplicaciones empresariales. Conocida originalmente por sus característicos sistemas de administración de bases de datos, en años recientes Oracle invirtió 30 000 millones de dólares en la compra de 56 empresas, incluyendo los 7 400 millones de dólares que gastó en la adquisición de Sun Microsystems; el resultado fue que el ingreso de la empresa se duplicó, alcanzando los 24 000 millones de dólares, y el precio de sus acciones llegó a alturas inusitadas durante el proceso.

Oracle busca ofrecer la gama de productos más amplia en la industria del software, para convertirse en una "opción única", capaz de atender todas las necesidades de los clientes empresariales. Actualmente vende de todo, desde servidores y dispositivos para almacenamiento de datos, hasta sistemas operativos, bases de datos y software para control contable, de ventas y gestión de la cadena de suministro. Al mismo tiempo, Oracle ha lanzado "Project Fusion", una iniciativa que pretende unificar sus diferentes aplicaciones para que sus clientes puedan obtener los beneficios implícitos en la consolidación de sus muchas necesidades de software con Oracle. El poder de mercado de la empresa a veces ha provocado críticas de sus clientes y preocupación entre los reguladores gubernamentales. Al mismo tiempo, sus numerosos clientes "desde siempre" hablan sobre sus logros en materia de innovación de productos y satisfacción del cliente.[1]

Algunas de las marcas más valiosas del mundo forman parte del mercado empresarial: ABB, Caterpillar, DuPont, FedEx, GE, Hewlett-Packard, IBM, Intel y Siemens, por mencionar unas cuantas. Muchos de los principios fundamentales del marketing también se aplican en este ámbito. Al igual que sus contrapartes de los mercados de consumo, los especialistas en marketing empresarial deben adoptar principios de marketing holístico, como la generación de relaciones sólidas con sus clientes. Sin embargo, al vender a otras empresas también enfrentan algunas consideraciones únicas. En este capítulo se destacarán algunas de las similitudes y diferencias más importantes que afrontan los especialistas en marketing que trabajan en los mercados empresariales.[2]

¿Qué es la compra organizacional?

Frederick E. Webster Jr. y Yoram Wind definen la **compra organizacional** como el proceso de toma de decisiones en el que las organizaciones formales establecen la necesidad de adquirir productos y servicios, e identifican, evalúan y eligen entre las diferentes marcas y proveedores disponibles.[3]

El mercado empresarial en comparación con el mercado de consumo

El **mercado empresarial** se compone de todas las organizaciones que adquieren bienes y servicios para utilizarlos en la producción de otros productos o servicios que se venden, alquilan o suministran a otros. Las principales industrias que operan en el mercado empresarial son la agricultura, silvicultura y pesca; minería; manufactura; construcción; transporte; comunicaciones; servicios públicos; banca, finanzas y seguros; distribución y servicios.

En comparación con la venta a consumidores individuales, son más el dinero y los artículos que cambian de manos en las transacciones con compradores empresariales. Considere el proceso de producir y vender un simple par de zapatos. Los distribuidores de pieles de animal venden su producto a los curtidores, quienes venden el cuero a los fabricantes de zapatos, los cuales, a su vez, fabrican y venden éstos a los mayoristas, quienes los venden a los minoristas y ellos finalmente a los consumidores. En el proceso, cada parte en la cadena de suministro compra muchos otros bienes y servicios para apoyar sus operaciones.

Dada la naturaleza tan competitiva de los mercados negocio a negocio (*business-to-business* o *B2B*), el mayor enemigo de los especialistas en marketing es la homogeneización, que un producto se convierta en una *commodity*, lo que ocurre cuando los compradores perciben todas las ofertas realizadas por los proveedores de un determinado producto como idénticas o no diferenciados.[4] Este fenómeno merma los márgenes de beneficio y debilita la lealtad del cliente y sólo puede ser superado si se logra convencer a los clientes meta de que existen diferencias significativas en el mercado, y que los beneficios únicos que ofrece la empresa valen el gasto adicional. Así, una acción de vital importancia en el marketing negocio a negocio consiste en crear y comunicar los factores de diferenciación que son relevantes para distinguirse de los competidores. A continuación se explica qué ha hecho Navistar para ajustar su marketing de manera que responda a la crisis económica y la transformación de la mentalidad del cliente.

Navistar Navistar vende camiones y autobuses de las marcas International e IC. Su base de clientes incluye contables*, conductores de camión, personal de aseguradoras, grandes minoristas, etc. En años recientes, estos clientes han intentado adaptarse a la dura realidad económica provocada por el aumento en el precio del combustible, por una regulación federal más estricta, y por una conciencia ecológica más desarrollada. Para responder a estas preocupaciones de sus clientes, Navistar ideó una nueva estrategia de mercado y una nueva campaña. Introdujo una novedosa línea de camiones y motores, incluyendo el primer camión híbrido para tareas de exigencia media, y nuevos motores diesel. Para apoyar el desarrollo de sus nuevos productos, Navistar lanzó una amplia campaña de marketing multimedia que incluía giras de presentación, experiencias presenciales para conductores de camión, envío de correo electrónico con videos, publicidad de marca y un programa específico para los blogueros. La empresa filmó incluso un cortometraje de estilo documental, *Drive and Deliver*, donde se presentaba la experiencia de tres conductores de camión haciendo entregas de mercancía a lo largo de todo Estados Unidos a bordo de uno de los nuevos modelos de camión de Navistar, el LoneStar.[5]

LoneStar, el innovador modelo de camión de Navistar, aparece en un cortometraje dirigido por un nominado a los Oscar.

Los especialistas en marketing empresarial (B2B) enfrentan muchos de los mismos desafíos que los especialistas en marketing de consumo (business-to-consumer o B2C). En particular, entender a sus clientes y lo que éstos valoran es de vital importancia para ambos. Una encuesta realizada entre las principales empresas del sector B2B identificó la necesidad de enfrentar los siguientes desafíos:[6]

1. Entender las necesidades profundas de los clientes, e interpretarlas con una visión innovadora.
2. Identificar las nuevas oportunidades de crecimiento para los negocios ecológicos.
3. Mejorar las técnicas y herramientas de gestión del valor.
4. Desarrollar mejores métricas para evaluar el desempeño del marketing y la responsabilidad.
5. Competir y crecer en los mercados globales, China en particular.
6. Contrarrestar la amenaza de la homogeneización de productos y servicios, llevando ofertas innovadoras al mercado con mayor rapidez, y adoptando modelos de negocio más competitivos.
7. Convencer a los altos ejecutivos (nivel C) de que adopten el concepto de marketing y apoyen programas robustos de marketing.

Sin embargo, las condiciones que enfrentan los especialistas en marketing B2B contrastan fuertemente con las que prevalencen en los mercados B2C (de consumo):

- ***Menos compradores de mayor tamaño.*** El especialista en marketing empresarial suele tratar con bastantes menos compradores y de mucho mayor tamaño de lo que lo hace el especialissta en marketing de consumo, en particular en sectores como el de fabricación de motores para avión y armas de defensa. La suerte de los neumáticos Goodyear, los motores Cummins, los sistemas de control Delphi y otros proveedores de piezas para automóviles dependen de la obtención de grandes contratos de tan sólo un pequeño número de grandes fabricantes de automóviles.

* En algunos países a los "contables" se les conoce como "contadores".

- ***Relaciones más estrechas entre clientes y proveedores.*** Debido a que la base de clientes es más pequeña, y que el poder se concentra en los clientes de mayor tamaño, muchas veces se espera que los proveedores personalicen sus ofertas de acuerdo con las necesidades individuales de sus clientes. A través de su programa Supplier Added Value Effort ($AVE), la empresa de soluciones tecnológicas PPG, con base en Pittsburgh, desafía a sus proveedores de bienes y servicios de mantenimiento, reparaciones y operaciones (MRO) a que cumplan sus propuestas anuales de valor agregado/ahorros en costos, de manera que sean por lo menos iguales al 5% de sus ventas anuales totales a PPG. Una de las empresas calificadas como proveedor preferido remitió una sugerencia a $AVE que derivó en la disminución de 160 000 dólares en los costos de un proyecto de iluminación, negociando precios con descuento para nuevas lámparas y bombillas fluorescentes.[7] Los compradores empresariales suelen elegir proveedores que también les compran a ellos. Por ejemplo, un fabricante de papel podría comprarle a una empresa química que, a su vez, le compra una cantidad considerable de papel.
- ***Compradores profesionales.*** Es frecuente que los bienes empresariales sean adquiridos por agentes de compras capacitados, quienes deben seguir las políticas, restricciones y requisitos de compra de sus organizaciones. En general sólo algunos de los instrumentos de compra —solicitudes de cotización, propuestas y contratos de compra— usuales en las transacciones B2B están presentes en la compra de consumo. Los compradores profesionales dedican su carrera entera a aprender cómo comprar mejor. En Estados Unidos, por ejemplo, muchos de ellos pertenecen al Institute for Supply Management, el cual busca mejorar la efectividad y el estatus de los compradores. Esto significa que los especialistas en marketing empresarial deben proporcionar mayor información técnica acerca de su producto y sus ventajas respecto a los productos de la competencia.
- ***Múltiples influencias de compra.*** Por lo general, son más las personas que participan en las decisiones de compra. La intervención de comités de compras conformados por expertos técnicos e incluso por miembros de la alta gerencia es común cuando se están comprando productos importantes. Por ello, es preciso que los especialistas en marketing empresarial envíen representantes de ventas y equipos de ventas bien capacitados para tratar con los compradores en igualdad de circunstancias.
- ***Múltiples llamadas de ventas.*** Un estudio realizado por McGraw-Hill encontró que son necesarias entre cuatro y cuatro y media llamadas para cerrar una venta empresarial promedio. En el caso de las ventas de bienes de capital para grandes proyectos, podrían requerirse muchos intentos para financiar la compra, de manera que el ciclo de venta —desde la cotización de un trabajo hasta la entrega del producto— muchas veces dura años.[8]
- ***Demanda derivada.*** La demanda de bienes empresariales se deriva, en última instancia, de la demanda de bienes de consumo. Por esta razón, el especialista en marketing empresarial debe analizar con todo detalle los patrones de compra de los consumidores finales. Consol Energy, empresa dedicada a la generación de energía con base en Pittsburgh, depende en gran medida de los pedidos de las empresas de servicios públicos y de las acereras, las que a su vez dependen de la más amplia demanda económica por parte de los consumidores de electricidad y productos con base en el acero, como automóviles, maquinaria y electrodomésticos. Los compradores empresariales también deben poner mucha atención en los factores económicos actuales y pronosticados, como los niveles de producción, inversión, gasto de consumo y tasas de interés. Durante una recesión, las empresas reducen su plan de inversiones en planta, equipo e inventario. Bajo tales condiciones, los especialistas en marketing empresarial no pueden hacer gran cosa para estimular la demanda total en este entorno, salvo esforzarse más para aumentar o mantener su cuota de mercado.
- ***Demanda inelástica.*** La demanda total de muchos bienes y servicios empresariales es inelástica, lo cual significa que no se ve muy afectada por los cambios de precio. Los fabricantes de zapatos no van a comprar mucho más cuero aunque el precio de ese insumo caiga, y tampoco comprarán mucho menos si el precio aumenta, a menos que puedan encontrar sustitutos satisfactorios. La demanda es especialmente inelástica en el corto plazo porque los productores no pueden hacer cambios rápidos en los métodos de producción. La demanda también es inelástica en el caso de bienes empresariales que representan un pequeño porcentaje del costo total del artículo, como las cordoneras (cintillos o agujetas).
- ***Demanda fluctuante.*** La demanda de bienes y servicios empresariales tiende a ser más volátil que la demanda de bienes y servicios de consumo. Un aumento dado en el porcentaje de la demanda de consumo puede provocar un aumento porcentual mucho mayor en la demanda de plantas y equipos necesarios para fabricar la producción adicional. Los economistas llaman a esto *efecto de aceleración.* A veces un aumento de sólo el 10% en la demanda de consumo puede causar un incremento de hasta el 200% en la demanda empresarial de productos para el siguiente periodo; por otro lado, una caída de 10% en la demanda de consumo puede provocar un colapso total de la demanda empresarial.
- ***Compradores concentrados geográficamente.*** Durante años, más de la mitad de los compradores empresariales estadounidenses se concentraba en siete estados: Nueva York, California, Pennsylvania, Illinois, Ohio, Nueva Jersey y Michigan. La concentración geográfica de productores ayuda a reducir los costos de venta. Al mismo tiempo, los especialistas en marketing empresarial deben prestar atención a los cambios regionales en determinados sectores.

- ***Compra directa.*** Los compradores empresariales suelen realizar sus transacciones directamente con los fabricantes y no a través de intermediarios, sobre todo en el caso de artículos técnicamente complejos o caros, como los aviones.

Situaciones de compra

El comprador empresarial se enfrenta a muchas decisiones al involucrarse en una transacción. El *número* de dichas decisiones dependerá de la complejidad del problema que se esté resolviendo, de qué tan nuevo es el requerimiento de compra, de la cantidad de personas involucradas y del tiempo requerido. Existen tres tipos de situaciones de compra: la recompra directa, la recompra modificada y la compra nueva.[9]

- ***Recompra directa.*** En una recompra directa, el departamento de compras repite un pedido de forma rutinaria —por ejemplo, artículos de oficina o productos químicos a granel—, y elige al proveedor a partir de una lista aprobada. Los proveedores hacen un esfuerzo para mantener la calidad de los productos y servicios, y a menudo proponen sistemas de pedidos automáticos para ahorrar tiempo. Los proveedores no incluidos en la lista intentan ofrecer algo nuevo o sacar provecho de la insatisfacción provocada por el proveedor actual. Su objetivo es obtener un pedido pequeño y aumentar poco a poco su participación en las compras.
- ***Recompra modificada.*** En el caso de una recompra modificada, el comprador desea cambiar las especificaciones de producto, los precios, los requisitos de entrega u otras condiciones. Esto generalmente requiere participantes adicionales en ambos lados de la transacción. Los proveedores autorizados se ponen nerviosos y quieren proteger la cuenta; los proveedores que quieren integrarse ven una oportunidad de proponer una mejor oferta para entrar al negocio.
- ***Compra nueva.*** En una situación de compra nueva, el comprador desea adquirir el producto o servicio por primera vez (un edificio de oficinas, un nuevo sistema de seguridad). Cuanto mayor sea el costo o el riesgo, mayor será el número de participantes y más intensa su búsqueda de información, lo cual provoca que se necesite más tiempo para tomar una decisión.[10]

El comprador organizacional se ve forzado a tomar menos decisiones en la situación de recompra directa, y más en la situación de compra nueva. Con el tiempo, las compras nuevas se convierten en recompra directa y el comportamiento de compra se vuelve rutinario.

Las compras nuevas implican al mismo tiempo las mayores oportunidades y los mayores desafíos para los especialistas en marketing. El proceso pasa por varias etapas: conciencia, interés, evaluación, prueba y adopción.[11] Los medios masivos constituyen uno de los factores más importantes en la primera etapa (conciencia), mientras que los vendedores suelen tener mayor impacto en la segunda etapa (interés), y las fuentes técnicas resaltan en la tercera (evaluación). Los esfuerzos de venta online pueden ser útiles en todas las etapas.

En una situación de compra nueva, el comprador debe determinar las especificaciones del producto, el límite de precio, las condiciones y tiempos de entrega, las condiciones de servicio y de pago, las cantidades solicitadas, los proveedores aceptables y el proveedor elegido. El orden en que se toma cada una de estas decisiones varía, pero todas ellas estarán influidas por diferentes participantes.

Debido a las complejidades de la venta, muchas empresas utilizan una fuerza de ventas de tipo *misionero*, conformada por sus vendedores más eficaces. La promesa de marca y el reconocimiento de marca del fabricante serán parámetros importantes para establecer la confianza y la disposición del cliente a cambiar de proveedor.[12] Asimismo, el especialista en marketing debe intentar llegar a tantos participantes clave en la transacción como sea posible, y proveerles información y asistencia útiles.

Una vez que han conseguido un cliente, los proveedores autorizados buscan continuamente cómo añadir valor a su oferta de mercado para facilitar la recompra. El líder en almacenamiento de datos EMC logró adquirir una serie de compañías líderes en desarrollo de software para reposicionar la empresa, de manera que pudiera ofrecer productos para gestionar —y no sólo para almacenar— información e incluso, muchas veces, entregar información personalizada a sus clientes.[13]

Los clientes que están dispuestos a desembolsar cantidades de seis o siete cifras en una sola transacción para obtener bienes y servicios muy costosos, desean tener toda la información posible. Una manera de atraer nuevos compradores son los programas de referencias: clientes satisfechos actúan en conjunto con los departamentos de ventas y marketing de la empresa y acceden a funcionar como referencias. Empresas de tecnología como HP, Lucent y Unisys, han empleado este tipo de programas.

Los especialistas en marketing empresarial también reconocen la importancia de su marca y la necesidad de incidir apropiadamente en diversas áreas para tener éxito en el mercado. Boeing, que fabrica desde aviones comerciales hasta satélites, implementó la estrategia de marca “One Company”, en la cual unificó todas sus diferentes operaciones bajo una cultura única y una sola marca. La estrategia estaba basada parcialmente en una representación de triple hélice: (1) espíritu emprendedor (por qué Boeing hace lo que hace), (2) desempeño de precisión (cómo Boeing consigue que se hagan las cosas), y (3) definición del futuro (lo que Boeing logra como empresa).[14] ATTSA es otro buen ejemplo de cómo se da cada vez mayor importancia a la realización de estrategias de marketing B2B.

ATTSA ATTSA es una empresa cien por ciento mexicana, fundada con la misión de ofrecer soluciones tecnológicas inteligentes, que representen una ventaja competitiva y le permitan alcanzar y mantener el liderazgo en su actividad comercial. Sus directivos y técnicos cuentan con más de 15 años de experiencia, lo cual les ha permitido situarse como una excelente opción en asesoría, ventas, instalacion y mantenimiento de equipos y sistemas de telecomunicaciones, así como en el desarrollo de proyectos, cableado estructurado, automatización, control y seguridad. Avaya Communications, empresa líder a nivel mundial, acredita a ATTSA como business partner (socio de negocios), señalando su compromiso por ofrecer tecnología de punta y servicios de alta calidad. ATTSA se ha interesado en la realización de estudios de los niveles de satisfacción de sus clientes, esto es, de las empresas a las que proporciona diferentes tipos de servicios. Estas investigaciones le han permitido a la compañía dar un giro a sus campañas de marketing y promoción, optimizar la funcionalidad de su página Web, y mejorar sus estrategias mediante la implementación del análisis FODA (DAFO) y la realización de un mapa de posicionamiento, en donde ATTSA queda situada como punta de lanza en materia de innovación tecnológica y excelencia en calidad de servicio.[15]

ATTSA, líder en tecnología B2B, ha realizado un esfuerzo coordinado para reforzar su marca por medio de una variedad de comunicaciones y actividades de marketing.

Compraventa de sistemas

Muchos compradores empresariales prefieren adquirir en un único proveedor una solución integral para sus problemas. Esta práctica, llamada *compra de sistemas*, tuvo su origen en los métodos de compra de armamento y sistemas de comunicación del gobierno estadounidense. El gobierno solicitaba ofertas a los *contratistas principales*, los cuales —de concedérseles el contrato—, serían responsables de la licitación y del montaje de los componentes del sistema a partir de *contratistas secundarios*. Así, el contratista principal ofrecía una solución llave en mano, denominada de tal manera porque el comprador sólo tenía que "girar una llave" para obtener el resultado pretendido.

Los vendedores se han dado cuenta de que cada vez más compradores prefieren esta forma de compra, y muchos utilizan la venta de sistemas como una herramienta de marketing. Una variante de la venta de sistemas es la *contratación de sistemas*, donde un único proveedor ofrece al comprador la totalidad de los servicios de mantenimiento, reparaciones y operaciones (MRO). Durante la vigencia del contrato, el proveedor gestiona el inventario del cliente. Por ejemplo, Shell Oil gestiona el inventario de muchos de sus clientes empresariales, y sabe cuándo es necesario reabastecerlos. El cliente se beneficia al tener costos de abastecimiento y administración más reducidos, y al contar con un precio protegido durante toda la vigencia del contrato. Por su parte, el vendedor se beneficia al tener costos de operación más bajos gracias a la demanda constante y a la disminución del papeleo.

La venta de sistemas es una estrategia de marketing clave para la licitación de proyectos industriales de gran impacto, como construcción de presas, acerías, sistemas de irrigación, sistemas de saneamiento, oleoductos, servicios públicos, e incluso nuevas ciudades. Los clientes entregan a los proveedores potenciales una lista de las especificaciones y requerimientos del proyecto. Las empresas de ingeniería de proyectos deben competir en precio, calidad, confiabilidad y demás atributos para poder obtener contratos. Sin embargo, los proveedores no están por completo a merced de la demanda de los clientes. Idealmente, estarán involucrados de manera activa con los clientes a lo largo de todo el proceso, para influir en la práctica en el propio planteamiento de las especificaciones. También podrían ir más allá de las especificaciones y ofrecer valor adicional en diferentes formas, como se muestra en el ejemplo siguiente.

Ventas al gobierno de Indonesia

Ventas al gobierno de Indonesia El gobierno de Indonesia solicitó ofertas para la construcción de una planta cementera cerca de Yakarta. Una empresa estadounidense hizo una propuesta que incluía elegir el sitio, diseñar la planta, contratar las cuadrillas de construcción, ensamblar materiales y equipos, y entregar la fábrica terminada al gobierno Indonesio. Por su parte, una empresa japonesa, al esbozar su propuesta, incluyó todos esos servicios y agregó la contratación y capacitación del personal que trabajaría en la planta, la exportación del cemento a través de sus empresas comercializadoras, y su utilización para construir caminos y nuevos edificios de oficinas en Yakarta. Aunque la propuesta japonesa implicaba un mayor desembolso de dinero, fue la ganadora del contrato. Es evidente que los japoneses percibían su solución al problema no sólo en términos de la construcción de una cementera (una visión limitada de la venta de sistemas), sino como una contribución al desarrollo económico de Indonesia. Tomaron el enfoque más amplio de las necesidades del cliente. En eso consiste una verdadera venta de sistemas.

Participantes en el proceso de compra B2B

¿Quién compra los billones de dólares que cuestan los bienes y servicios necesitados por las empresas? Los agentes de compras tienen influencia en las situaciones de recompra directa y recompra modificada, mientras que el personal de otros departamentos tiene mayor incidencia en las situaciones de compra nueva. El personal de ingeniería suele tener más injerencia en la selección de componentes de productos, mientras que los agentes de compra dominan cuando se trata de elegir los proveedores.[16]

El centro de compras

Webster y Wind llaman *centro de compras* a la unidad de toma de decisiones de compra en una organización. Esta unidad consiste en "todos aquellos individuos y grupos que participan en el proceso de toma de decisiones de compra, y que comparten algunas metas comunes y los riesgos derivados de dichas decisiones".[17] El centro de compras incluye a todos los miembros de la organización que desempeñan uno de los siguientes siete roles en el proceso de toma de decisiones de compra.

1. ***Iniciadores.*** Los usuarios u otros miembros de la organización que solicitan la compra de algún insumo.
2. ***Usuarios.*** Quienes utilizarán el producto o servicio. En muchos casos son los mismos usuarios quienes inician la propuesta de compra y ayudan a definir los requerimientos del producto.
3. ***Influenciadores.*** Las personas que influyen en la decisión de compra, muchas veces ayudando a definir especificaciones y proveyendo información para evaluar alternativas. El personal técnico es particularmente determinante en este sentido.
4. ***Decisores.*** Las personas que deciden los requerimientos que deben cumplir el producto o los proveedores.
5. ***Aprobadores.*** Las personas que autorizan las propuestas de los decisores o compradores.
6. ***Compradores.*** Las personas que tienen autoridad formal para elegir al proveedor y establecer los términos de compra. Los compradores podrían contribuir a la determinación de las especificaciones del producto, pero su rol más importante es la elección de proveedores y la negociación. En compras más complejas, los gerentes de alto nivel podrían estar entre los compradores.
7. ***Guardianes (gatekeepers).*** Quienes tienen el poder de impedir que los vendedores o la información lleguen a los miembros del centro de compras. Por ejemplo, los agentes de compras, las recepcionistas o telefonistas podrían impedir que los vendedores contacten a los usuarios o a los decisores.

Es posible que varias personas ocupen un rol determinado como usuarios o influenciadores, y también que un solo individuo desempeñe varios roles.[18] Los gerentes de compras, por ejemplo, suelen jugar simultáneamente los papeles de comprador, influenciador y guardián: tienen la capacidad de determinar qué representantes de ventas pueden llamar a otros dentro de la organización, qué presupuesto y demás restricciones tendrá la compra, y qué empresa logrará el negocio, incluso aunque otros miembros del centro de compras (los decisores) podrían elegir dos o más vendedores potenciales con las condiciones para cumplir los requisitos de la empresa.

El centro de compras típico está constituido por un mínimo de cinco o seis miembros, y muchas veces consta de docenas de integrantes. Algunos podrían estar ubicados fuera de la organización, por ejemplo, funcionarios gubernamentales, consultores, consultores técnicos y otros miembros del canal de marketing. Un estudio encontró que, en comparación con las cifras de 2001, en 2005 hubo en promedio 3.5 personas más involucradas en la toma de decisiones de compras de negocios.[19]

Influencias del centro de compras

Por lo general, los centros de compras incluyen la participación de varias entidades con diferentes intereses, niveles de autoridad, estatus y capacidad de persuasión, y a veces criterios de decisión muy dispares. Los ingenieros podrían querer maximizar el desempeño del producto; el personal de producción quizás esté más preocupado por la facilidad de uso y la confiabilidad del abastecimiento; el personal de finanzas se enfocará en los aspectos económicos de la compra; por su parte, la función de compras se preocupará por los costos de operación y reemplazo, y los funcionarios del sindicato podrían hacer énfasis en temas de seguridad.

Los compradores empresariales también tienen motivaciones, percepciones y preferencias personales influidas por su edad, nivel de ingresos, nivel educativo, posición dentro de la empresa, personalidad, actitudes hacia el riesgo, y cultura. No hay duda de que los compradores imprimen diferentes estilos a su actividad. Algunos compradores desean que el proceso sea sencillo, otros se consideran expertos; también hay quienes quieren lo mejor, y los que exigen soluciones integrales. Algunos compradores más jóvenes y con un alto nivel educativo son expertos en informática, así que realizan análisis rigurosos de las propuestas en competencia antes de elegir un proveedor. Otros pertenecen a la vieja escuela, de manera que se comportan más "rudamente" y tienden a enfrentar a los competidores entre sí. Por último, el poder fáctico de los compradores es legendario.

Webster advierte que, en última instancia, son los individuos y no las organizaciones quienes toman las decisiones de compra.[20] Ahora bien, los individuos están motivados por sus propias necesidades y percepciones al intentar maximizar las recompensas (salarios, promociones, reconocimiento y sentimientos de logro) que le ofrece la organización. Las necesidades personales motivan su comportamiento, pero las necesidades organizacionales legitiman el proceso de compra y sus resultados. Así, las personas involucradas en el negocio no compran "productos", sino soluciones para dos problemas: el problema estratégico y económico de la organización, y su propia necesidad personal de logro individual y recompensa. En este sentido, las decisiones de compra empresariales son tanto "racionales" como "emocionales"; es decir, atienden las necesidades del individuo y de la organización.[21]

Las investigaciones de un fabricante de componentes industriales determinaron que si bien los ejecutivos de alto rango de sus clientes pequeños y medianos no tenían problemas al comprar a otros proveedores, parecían tener una inseguridad inconsciente en lo relativo a comprar los productos que le ofrecía la empresa. Los cambios tecnológicos constantes les generaban preocupaciones respecto a los efectos que pudieran derivarse en el interior de la empresa. Al reconocer esta inquietud el fabricante reconfiguró su enfoque de ventas, enfocándose en la producción de comunicados más emocionales, que explicaran de qué manera su línea de productos realmente podía contribuir a una mejora en el desempeño de los empleados del cliente, liberando a la gerencia de las complicaciones y la tensión implícitas en el uso de los componentes.[22]

Al ser conscientes de estas influencias extrínsecas e interpersonales, más empresas se han interesado por reforzar sus marcas corporativas. En un momento dado, Emerson Electric, un proveedor global de herramientas de generación de energía, compresores, equipo eléctrico y soluciones de ingeniería, llegó a ser una corporación de 60 empresas autónomas, y en ocasiones anónimas. Un nuevo CMO alineó las marcas dentro de una nueva identidad y arquitectura de marca global, lo que permitió que la empresa lograra una presencia más amplia y pudiera vender localmente al mismo tiempo que se apoyaba en su marca global. Como resultado de esta iniciativa, las ventas alcanzaron niveles récord y el precio de las acciones se incrementó.[23] SAS es otra empresa que reconoció la importancia de su marca corporativa.

SAS Con ventas por más de 2 300 millones de dólares y un enorme "club de fanáticos" integrado por clientes de TI (tecnologías de la información), SAS, una empresa de software analítico de negocios, parecía estar en una posición envidiable en 1999. Aun así, su imagen era lo que un observador del sector denominó "marca para técnicos". Para llevar el alcance de la marca más allá de los gerentes de TI con doctorados en matemáticas o análisis estadístico, la empresa necesitaba conectarse con los ejecutivos de nivel C de las compañías más importantes, el tipo de personas que no tenían idea de qué era el software de SAS ni qué se podía hacer con él, o que no consideraban que el análisis de negocios fuera un asunto estratégico. Trabajando por primera vez con una agencia publicitaria externa, SAS resurgió con un nuevo logotipo, un nuevo eslogan (*The Power to Know®*, "El poder de saber"), y una serie de *spots* para TV y anuncios impresos en publicaciones de negocios como *BusinessWeek*, *Forbes* y *Wall Street Journal*. Un *spot* de TV que ejemplifica el esfuerzo para relanzar la marca decía:

Como muchas empresas involucradas en transacciones B2B, el gigante de software SAS enfatiza su marca corporativa en sus esfuerzos de marketing.

El problema no es cosechar el nuevo cultivo de información proveniente del comercio electrónico. Se trata de darle sentido. Con los productos de inteligencia electrónica de SAS, usted puede aprovechar la información y poner a su alcance el conocimiento que requiere. SAS, el poder de saber.

Las investigaciones subsecuentes mostraron que SAS había hecho la transición a una marca de primera línea de sistemas de apoyo para la toma de decisiones, y ahora los usuarios la percibían como amigable y necesaria. Con su alta rentabilidad y su nueva posición como una de las empresas de software no cotizada en bolsa más grandes del mundo —al haber generado un incremento de más del cien por ciento en su flujo de ingresos desde el cambio de marca—, SAS también ha logrado éxitos significativos dentro de la empresa. Por 14 años, la revista *Fortune* la ha calificado como una de las mejores compañías para trabajar; en 2010 fue la número uno.[24]

Las empresas y centros de compras como mercado meta

Para que el marketing negocio a negocio tenga éxito, es preciso que los especialistas en marketing empresarial conozcan en qué tipo de empresas deben enfocar sus esfuerzos de venta, así como a quién dirigirse en los centros de compras de esas organizaciones.

ENFOQUE EN LA EMPRESA Como se analizará con detalle en el capítulo 8, los especialistas en marketing empresarial podrían dividir el mercado de muchas formas diferentes para decidir a qué tipo de empresas le venderán. Determinar cuáles son los sectores de negocios con más posibilidades de crecimiento, los clientes más rentables y las oportunidades más prometedoras es crucial para la empresa. Avaya es muy consciente de este hecho.

Avaya ha implementado innovadoras actividades de marketing para reforzar las relaciones con sus clientes a través del evento anual Avaya Evolutions.

Avaya Es el líder mundial en materia de sistemas de comunicaciones empresariales. La empresa brinda comunicaciones unificadas, centros de contacto, soluciones de datos y servicios relacionados —de manera directa y a través de sus socios de canal—, a las principales empresas y organizaciones internacionales. Empresas de todo tamaño dependen de Avaya para mejorar la efectividad, el servicio al cliente y la competitividad mediante comunicaciones de última generación. Con el objetivo de dar a conocer sus productos y servicios, la empresa organiza cada año Avaya Evolutions, el evento más importante de soluciones de comunicaciones empresariales y aplicaciones para negocios, en el cual se reúne a líderes y expertos de las áreas de sistemas, tecnologías de la información, marketing y finanzas. Otro de los objetivos de este evento de relaciones públicas es lograr alianzas, unir talentos y compartir experiencias con socios comerciales como IBM, Telmex, Iusacell y Axtel, entre muchos otros.[25]

Sin embargo, también es cierto que, en vista de que la desaceleración económica tiene inmovilizados a los departamentos de compras de las grandes corporaciones, los mercados pequeños y medianos ofrecen nuevas oportunidades a los proveedores. Vea "Marketing en acción: Grandes ventas a pequeños negocios" sobre este importante mercado B2B.

Grandes ventas a pequeños negocios

Las pequeñas empresas —definidas como aquéllas con menos de 500 empleados— constituyen el principal contribuyente a la generación de empleos. En Estados Unidos, por ejemplo, representan el 99.7% de todas las firmas generadoras de empleos, y dan trabajo a cerca de la mitad de todos los empleados de la iniciativa privada. De hecho, han producido cada año entre el 60 y el 80% de los nuevos empleos netos durante la última década. De acuerdo con la Oficina de Promoción de la Agencia Federal para el Desarrollo de la Pequeña Empresa, en 2007 abrieron casi 640 000 pequeños negocios en Estados Unidos. Todas estas nuevas empresas necesitan bienes de capital, tecnología, suministros y servicios. Si tomamos en cuenta a todas las compañías que tienen demandas similares en todo el mundo, resulta evidente que existe un enorme mercado negocio a negocio en continuo crecimiento. Dos empresas importantes están llegando a él de esta manera:

- IBM considera que los pequeños y medianos clientes representan el 20% de su negocio total. En atención a esta realidad ha lanzado Express, una línea de hardware, servicios de software y financiación (o financiamiento) para ese mercado. IBM realiza la venta de este conjunto de servicios a través de representantes regionales, y vendedores y revendedores independientes de software, y apoya su introducción en el mercado de pequeñas y medianas empresas con millones de dólares en publicidad al año, incluyendo anuncios en publicaciones como *American Banker* e *Inc.* La empresa también ha dirigido sus esfuerzos hacia negocios cuyos propietarios pertenecen a la comunidad homosexual con anuncios en *The Advocate* y *Out*, y ha hecho alianzas con organizaciones no lucrativas para llegar a segmentos de minorías étnicas.
- American Express ha añadido de manera constante nuevas características a su tarjeta de crédito para pequeños negocios, los cuales la utilizan para cubrir sus necesidades de efectivo mensuales, por cientos de miles de dólares. También ha creado una red de pequeños negocios llamada OPEN Forum, para ofrecer diversos servicios, herramientas Web y programas de descuento en conjunto con otras empresas líderes, como FedEx, JetBlue, Hertz y Hyatt. Con OPEN Forum, American Express no solamente permite que los clientes ahorren dinero en sus gastos regulares, sino que los anima a llevar buena parte de sus registros contables en su página Web, que además les ofrece información sobre negocios.

Las pequeñas y medianas empresas presentan enormes oportunidades y enormes desafíos. El mercado es grande y está fragmentado por sector, tamaño y número de años en operación. Los propietarios de pequeñas empresas tienen una notable aversión a la planificación a largo plazo, y muchas veces adoptan un estilo de toma de decisiones de "lo compraré cuando lo necesite". A continuación se ofrecen algunas directrices para vender a pequeñas empresas.

- ***No agrupe a las pequeñas y medianas empresas en una misma categoría.*** Existe una gran diferencia entre tener ingresos por un millón de dólares y generar 50 millones, lo mismo que entre una empresa que está iniciando operaciones con 10 empleados, y un negocio más maduro, con 100 empleados o más. IBM hace una distinción entre las ofertas que presenta a las empresas pequeñas o medianas a través de su sitio Web, aun cuando atiende ambos mercados a través de él.
- ***No complique las cosas.*** La simplicidad implica tener, como proveedor, un solo punto de contacto para atender todos los problemas de servicio, o una cuenta única para todos los servicios y productos. AT&T atiende a los millones de pequeñas empresas (con menos de 100 empleados) de su cartera de clientes con servicios que agrupan Internet, telefonía local, telefonía de larga distancia, administración de datos, redes de negocios, alojamiento de páginas Web y teleconferencias.
- ***Utilice Internet.*** Hewlett-Packard descubrió que, debido a sus numerosas ocupaciones, los decisores de las pequeñas empresas prefieren comprar online, o al menos hacer por esa vía su investigación de productos y servicios. Por lo tanto, diseñó un sitio dirigido a pequeñas y medianas empresas, y atrae a los visitantes mediante abundante publicidad, campañas de correo directo y correo electrónico, catálogos y eventos.
- ***No olvide el contacto directo.*** Incluso si Internet es el primer punto de contacto con el propietario de una pequeña empresa, es preciso que la empresa ofrezca atención vía telefónica o en persona.
- ***Ofrezca apoyo después de la venta.*** Las pequeñas empresas quieren aliados, no vendedores. Cuando DeWitt Company, una empresa de productos para paisajismo con 100 empleados en nómina compró una máquina grande a Moeller, el presidente de esta compañía visitó personalmente al CEO de DeWitt y se quedó a su lado hasta que el equipo estuvo instalado y operando adecuadamente.
- ***Haga su tarea.*** Las realidades de la dirección de empresas pequeñas y medianas son diferentes a las que enfrenta una gran corporación. Microsoft creó una pequeña empresa de investigación ejecutiva ficticia llamada Southridge, y luego diseñó tarjetas (como las de jugadores de béisbol) que mostraban la imagen de los principales tomadores de decisiones de esa empresa. Esta iniciativa tenía la intención de ayudar a los empleados de Microsoft a vincular sus estrategias de ventas con las realidades de las pequeñas empresas.

Fuentes: Basado en Barnaby J. Feder, "When Goliath Comes Knocking on David's Door", *New York Times,* 6 de mayo de 2003; Jay Greene, "Small Biz: Microsoft's Next Big Thing?", *BusinessWeek,* 21 de abril de 2003, pp. 72-73; Jennifer Gilbert, "Small but Mighty", *Sales and Marketing Management* (enero de 2004), pp. 30-35; www.sba.gov; www.openforum.com; www-304.ibm.com/businesscenter/smb/us/en

---

Al desarrollar esfuerzos de venta, los especialistas en marketing empresarial también pueden considerar a los clientes de sus clientes, o a los usuarios finales, según el caso. Muchas transacciones negocio a negocio están dirigidas a empresas que usan los productos que compran como componentes o ingredientes de los productos que luego venderán a los usuarios finales. Un enfoque más centrado en los usuarios finales logró que Thomson Reuters obtuviera un significativo éxito financiero.

Thomson Reuters

Thomson Reuters Justo antes de adquirir a Reuters, el gigante global de servicios de información, Thomson Corporation se embarcó en un estudio de investigación para entender mejor a sus clientes finales. Thomson vendía tanto a empresas como a profesionales de los sectores financiero, legal, tributario y contable, científico y de cuidado de la salud. Sin embargo, tenía la sensación de que sabía mucho más sobre cómo un gerente de servicios financieros hacía sus adquisiciones para un departamento completo (por ejemplo) que acerca de la manera en que los intermediarios financieros independientes o los banqueros de inversiones usaban los datos, investigaciones y otros recursos que ponía a su disposición para la toma cotidiana de decisiones de inversión para sus clientes. Segmentando el mercado en función de estos usuarios finales en lugar de hacerlo por compradores, y estudiando cómo percibían a Thomson en comparación con sus competidores, la empresa pudo identificar segmentos de mercado que ofrecían oportunidades de crecimiento. Para entender mejor estos segmentos, Thomson llevó a cabo encuestas e investigaciones etnográficas sobre cómo hacían su trabajo los usuarios finales en el día a día. Usando un enfoque llamado "tres minutos", los investigadores combinaron la observación con entrevistas detalladas para averiguar qué hacían los usuarios tres minutos antes y tres minutos después de usar un producto de Thomson. La información obtenida ayudó a la empresa a desarrollar nuevos productos y hacer adquisiciones, los cuales redundaron en ingresos y ganancias significativamente más altos en el año siguiente.[26]

ENFOQUE EN EL CENTRO DE NEGOCIOS Una vez que se ha identificado el tipo de empresas hacia el que se dirigirán los esfuerzos de marketing, la compañía proveedora debe decidir cuál sería la mejor manera de venderles. Para dirigir sus esfuerzos adecuadamente, los especialistas en marketing empresarial deben comprender quiénes son los participantes más importantes en la toma de decisión, en qué clase de decisiones influyen, cuál es su nivel de influencia y qué criterios de evaluación utilizan. Considere el siguiente ejemplo:

> Una empresa vende batas quirúrgicas desechables. El personal hospitalario que participa en la decisión de compra incluye al vicepresidente de compras, al administrador de quirófanos y a los

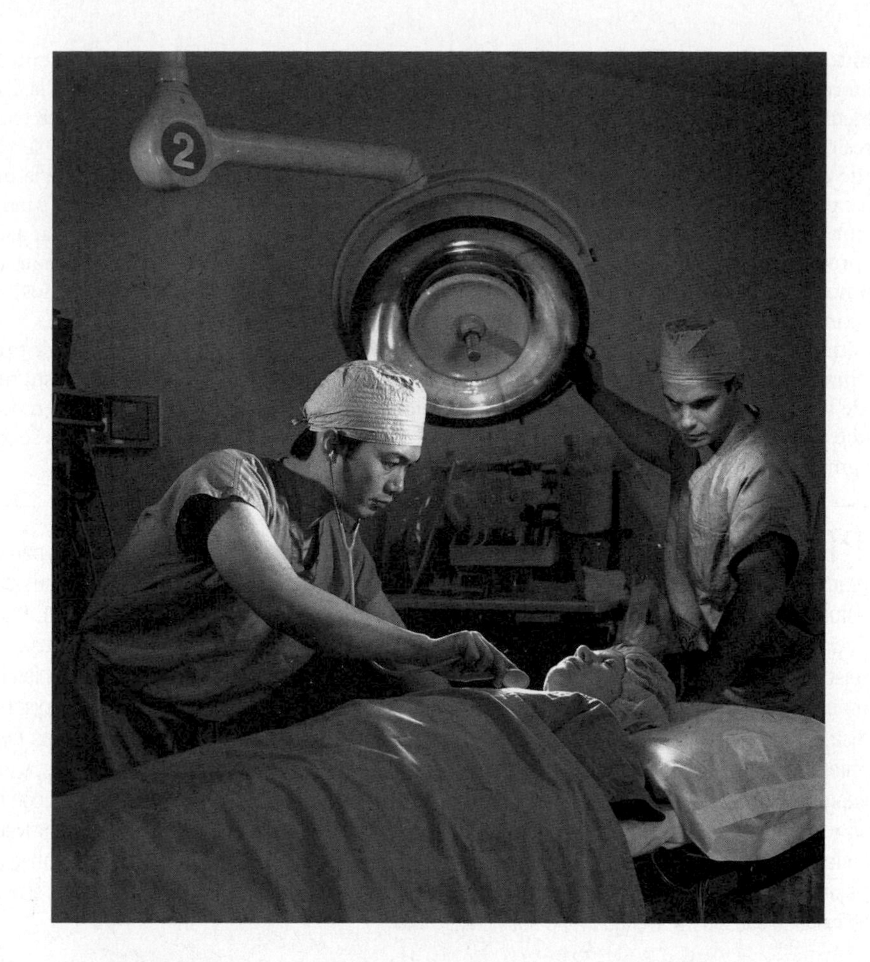

Una serie de personas diferentes —cada una con sus propias metas e intereses— desempeñan un rol en la compra de productos hospitalarios, como las batas quirúrgicas.

cirujanos. El vicepresidente de compras analiza si el hospital debería comprar batas desechables o reutilizables; si sus hallazgos son a favor de las batas desechables, tocará al administrador de quirófanos comparar los productos y precios de varios competidores, y hará su elección tomando como parámetros la absorbencia, la cualidad antiséptica, el diseño y el costo. Finalmente, comprará la marca que cumpla los requisitos funcionales al menor costo. Los cirujanos influyen en la decisión de manera retroactiva, al comunicar su satisfacción con una marca específica.

Es probable que el especialista en marketing empresarial no sepa exactamente cuál es el tipo de dinámica de grupo que se da durante el proceso de toma de decisiones, así que cualquier información que pueda obtener sobre las personalidades o factores interpersonales en juego le será útil.

Las pequeñas empresas vendedoras se concentran en llegar a los *influenciadores clave en la compra*. Las empresas vendedoras de mayor tamaño usan una profunda *venta multinivel* para llegar a todos los participantes posibles. Sus vendedores prácticamente viven con los clientes de alto volumen. Las empresas deben apoyarse fuertemente en sus programas de comunicación para llegar hasta las influencias ocultas de compra y mantener informados a los clientes actuales.[27]

Los especialistas en marketing empresarial se ven obligados a revisar periódicamente sus suposiciones sobre los participantes en los centros de compra. Durante años, Kodak vendió película para rayos X a los técnicos de laboratorio de los hospitales, pero las investigaciones indicaban que los administradores profesionales eran cada vez con más frecuencia los encargados de tomar las decisiones de compra. En consecuencia, Kodak revisó su estrategia de marketing y desarrolló nueva publicidad para llegar a estos decisores.

El proceso de compra/adquisición

En principio, los compradores empresariales buscan obtener el mayor paquete de beneficios (económicos, técnicos, de servicio y sociales) en relación con los costos de una oferta de mercado. Para comparar, tratarán de traducir a términos monetarios todos los costos y beneficios. El incentivo de compra de un comprador empresarial será una función de la diferencia entre los beneficios percibidos y los costos percibidos.[28] La tarea del especialista en marketing es construir una oferta rentable, capaz de ofrecer un valor más alto a los compradores meta.

Por lo tanto, los especialistas en marketing empresarial deben asegurarse de que los clientes aprecian todos los diferenciales que hacen que las ofertas de la empresa sean mejores. El *marco* de la transacción queda establecido cuando se ofrece a los clientes una perspectiva o punto de vista capaz de transmitir la mejor impresión posible de la empresa vendedora. Este marco puede depender de algo tan sencillo como cerciorarse de que los clientes están al tanto de todos los beneficios o ahorros en costos que la oferta de la empresa hace posible, o de involucrarse más y buscar tener mayor influencia en el proceso de pensamiento que determina la perspectiva del cliente respecto de los aspectos económicos de la compra, así como en torno de la propiedad, el uso y el desecho de los productos ofertados. La construcción del marco requiere entender cómo piensan los clientes de negocios, y cómo eligen entre los productos y servicios, para luego determinar cómo *deberían* pensar y elegir idealmente.

La diversidad social/racial de proveedores es un beneficio que probablemente no tenga precio, pero que los compradores empresariales pasan por alto a su propio riesgo. Desde el punto de vista de los CEO de muchas de las empresas más grandes de Estados Unidos, tener una base de proveedores en donde prive la diversidad es un imperativo en el mundo de los negocios. Los proveedores de las minorías sociales constituyen el segmento de mayor crecimiento en el escenario comercial de nuestros días.

Pfizer

Pfizer Uno de los nombres más importantes en la industria farmacéutica, Pfizer, percibe su programa de diversidad de proveedores como una herramienta esencial para conectar con sus clientes. Los esfuerzos en este sentido son responsabilidad de la directora general de diversidad (CDO), Karen Boykin-Towns, entre cuyas tareas está el reclutamiento y desarrollo de talento dentro de la empresa, así como la relación con los clientes y proveedores fuera de la misma. En cuanto a liderazgo, Pfizer también depende de un consejo mundial de diversidad e inclusión, y de una infraestructura de "embajadores" diseminados por toda la empresa. Pfizer concentra sus esfuerzos de diversidad en las mujeres, la comunidad LGBT, las personas con capacidades diferentes, los latinos/hispanos, los isleños de Asia Pacífico, los caribeños-estadounidenses, y los afroamericanos. La empresa ha gastado alrededor de 700 millones de dólares en compras a 2 400 proveedores con representación femenina y de minorías. Incluso ha desarrollado un programa de tutoría que identifica a los proveedores con representación femenina y de minorías que necesitan ayuda para crecer, ya sea diseñando un sitio Web más adecuado o creando un mejor plan de negocios. Los gerentes de Pfizer se reúnen con los propietarios de estas empresas, a menudo en sus propias instalaciones, para averiguar qué necesitan.[29]

Hasta hace poco tiempo, los departamentos de compras ocupaban una posición baja en la jerarquía gerencial, a pesar de que muchas veces eran responsables de gestionar más de la mitad de los costos de la empresa. Sin embargo, las presiones competitivas recientes han llevado a muchas empresas a mejorar sus departamentos de compras, y a ascender a los administradores a rangos de vicepresidencia. Estos departamentos de compras más orientados a la estrategia tienen la misión de buscar el mejor valor entre menos proveedores, pero más aptos. Algunas multinacionales incluso han elevado esta función a "departamentos de suministros estratégicos", asignándoles la responsabilidad de buscar y formalizar alianzas globales. En Caterpillar, las funciones de compras, control de inventarios, programación de producción y tráfico se han combinado en un solo departamento. A continuación se menciona la experiencia de otras empresas que se han beneficiado al mejorar sus prácticas de compras empresariales.

- Rio Tinto es un líder mundial en búsqueda, explotación y procesamiento de los recursos minerales de la tierra, con presencia en Norteamérica y Australia. La coordinación con sus proveedores consumía mucho tiempo, así que Rio Tinto se embarcó en una estrategia de comercio electrónico con un proveedor clave. Ambas partes han cosechado beneficios significativos de este nuevo arreglo. En muchos casos, las órdenes de pedido se reciben en el almacén del proveedor minutos después de haber sido realizadas, y el proveedor participa ahora en el programa de "pago contra entrega" que ha acortado el ciclo de pagos de Rio Tinto aproximadamente a 10 días.[30]
- Mitsui & Co., Inc. es una compañía japonesa líder en comercialización, que posee más de 850 empresas y subsidiarias. Cuando la organización comenzó a gestionar online las órdenes de compra y las tranferencias de pago de uno de sus grupos, redujo el costo de las transacciones de compra en 50% y aumentó la satisfacción de sus clientes gracias a la mayor eficiencia de sus procesos.[31]
- Medline Industries, la empresa no cotizada más grande de Estados Unidos, reponsable de la fabricación y distribución de productos para el cuidado de la salud, utilizó aplicaciones informáticas para obtener una visión integral de la actividad del cliente, tanto online como a través de los canales de venta directa. ¿Cuál fue el resultado? La empresa mejoró su margen de producto en 3%, aumentó en un 10% su tasa de retención de clientes, redujo en el 10% la pérdida de ingresos por errores de precio, y mejoró la productividad de los representantes de ventas en un 20 por ciento.[32]

Optimizar las transacciones de compra implica que los especialistas en marketing empresarial deben actualizar y mejorar a su personal de ventas para que esté a la altura de los compradores empresariales de hoy.

Rio Tinto, líder en exploración y explotación minera, ha trabajado con sus proveedores para hacer más eficientes los procesos de pago.

Etapas del proceso de compra

Estamos listos para describir las etapas generales que forman parte del proceso de decisiones de compra empresarial. Patrick J. Robinson y sus colaboradores identificaron ocho etapas y les llamaron *fases de compra.*[33] El modelo ilustrado en la tabla 7.1 es la *matriz de compra.*

En situaciones de recompra modificada o de recompra directa, algunas etapas se omiten o se comprimen. Por ejemplo, casi siempre el comprador tiene un proveedor favorito o una lista de proveedores autorizados, lo cual le permite omitir las etapas de búsqueda y solicitud de propuestas. A continuación se presentan algunas consideraciones importantes en relación con cada una de las ocho etapas.

Reconocimiento del problema

El proceso de compra se inicia cuando alguna instancia de la empresa reconoce un problema o necesidad que puede satisfacerse mediante la adquisición de un bien o servicio. Este reconocimiento puede ser causado por estímulos internos o externos. Los estímulos internos podrían ser, por ejemplo, la decisión de desarrollar un nuevo producto que requiere nuevo equipo y materiales; la existencia de una máquina que por antigüedad requiere numerosas reparaciones; el descubrimiento de que un material adquirido resulta insatisfactorio, de manera que la empresa busca otro proveedor o precios más bajos o mayor calidad. Entre los estímulos externos podrían estar los siguientes: el comprador obtiene nuevas ideas en una feria comercial, o ve un anuncio o recibe una llamada de un representante de ventas que ofrece un mejor producto a un menor precio. Por otra parte, los especialistas en marketing empresarial pueden estimular el reconocimiento del problema a través del correo directo, campañas de telemarketing o llamadas a los clientes potenciales.

TABLA 7.1 Matriz de compra: etapas principales (fases de compra) del proceso de compra organizacional, en relación con las principales situaciones de compra (clases de compra)

		Clases de compra		
		Compra nueva	**Recompra modificada**	**Recompra directa**
Fases de compra	1. Reconocimiento del problema	Sí	Tal vez	No
	2. Descripción general de la necesidad	Sí	Tal vez	No
	3. Especificaciones del producto	Sí	Sí	Sí
	4. Búsqueda de proveedores	Sí	Tal vez	No
	5. Solicitud de propuestas	Sí	Tal vez	No
	6. Selección de proveedores	Sí	Tal vez	No
	7. Especificaciones de la rutina de pedido	Sí	Tal vez	No
	8. Revisión de los resultados	Sí	Sí	Sí

Descripción general de la necesidad y de las especificaciones del producto

A continuación, el comprador determina las características del artículo y la cantidad de unidades que necesita. En el caso de los productos estándar plantear estas especificaciones es sencillo, pero cuando se trata de los artículos complejos, el comprador necesitará trabajar con terceros —ingenieros o usuarios— para definir las características de fiabilidad, duración o precio. Los especialistas en marketing empresarial son de gran ayuda si logran describir de qué manera sus productos satisfacen o incluso sobrepasan las necesidades del comprador.

La organización que compra establecerá ahora las especificaciones técnicas del artículo. Muchas veces la empresa optará por asignar al proyecto un equipo de ingeniería de análisis de producto-valor. El *análisis de valor del producto* (PVA) es un enfoque de reducción de costos que estudia si los componentes pueden ser rediseñados, estandarizados, o fabricados por métodos más baratos de producción, *sin impactar negativamente el desempeño del producto.* El equipo de PVA identificará los componentes sobrediseñados, por ejemplo, que duran más que el propio producto. Las especificaciones bien redactadas permiten que el comprador rechace componentes demasiado caros o que no cumplen los estándares establecidos. Cuando HP ganó el premio de ISRI, Design for Recycling Award, por su aplicación de métodos de PVA, recibió el siguiente elogio:

> HP ha trabajado durante muchos años para diseñar productos que sean más fáciles de reciclar. La empresa tiene varias plantas de reciclaje en operación, lo que le permite determinar las características de diseño más eficaces para facilitar el reciclaje del producto. HP ha desarrollado estándares que integran normas claras y listas de verificación en el proceso de diseño de cada producto, para evaluar y mejorar su facilidad de reciclaje. El proceso de diseño de Hewlett-Packard incluye: el uso de diseño modular, que permite que los componentes puedan ser retirados, mejorados o reemplazados; la eliminación de pegamentos y adhesivos, sustituyéndolos, por ejemplo, con cierres a presión; el marcaje de las piezas de plástico cuyo peso supere los 25 g —de acuerdo con los estándares internacionales ISO 11469— para acelerar la identificación de materiales durante el reciclaje; la reducción del número y tipo de materiales utilizados; el uso de un solo tipo de polímeros de plástico; la utilización de plástico reciclado; el uso de colores y acabados moldeados en lugar de pintura, recubrimientos o enchapados.[34]

Los proveedores pueden utilizar el análisis de valor del producto como una herramienta para posicionarse y ganar una cuenta. De cualquier modo, es importante eliminar los costos excesivos. Por ejemplo Cemex, empresa mexicana líder en producción de cemento, es famosa por el "estilo Cemex", que utiliza métodos de alta tecnología para eliminar las ineficiencias.[35]

Búsqueda de proveedores

En esta etapa el comprador intenta identificar los proveedores más adecuados a través de directorios empresariales, contactos con otras empresas, publicidad comercial, ferias comerciales e Internet.[36] El cambio hacia las compras por Internet tiene implicaciones de gran alcance para los proveedores y modificará la forma de comprar en los años venideros.[37] Las empresas que compran por Internet utilizan los mercados electrónicos de diferentes formas:

- ***Sitios de catálogos.*** Las empresas pueden pedir miles de artículos listados en los catálogos electrónicos que se distribuyen mediante aplicaciones de software de adquisiciones electrónicas, como el de Grainger.
- ***Mercados verticales.*** Las empresas que compran productos industriales como plásticos, acero o insumos químicos, o servicios como logística y medios, pueden acudir a sitios Web especializados (llamados centros electrónicos o *e-hubs*). Plastics.com permite que los compradores de plástico busquen los mejores precios entre miles de vendedores de ese material.
- ***Sitios de subastas.*** Ritchie Bros. Auctioneers es la subastadora industrial más grande del mundo, con más de 40 sitios de subasta diseminados por todo el mundo. En 2009 vendió equipo usado y nuevo por valor de 3 500 millones de dólares en más de 300 subastas abiertas; entre los artículos subastados había una amplia gama de equipo pesado, camiones y otros activos para las industrias de la construcción, el transporte, la agricultura, el manejo de materiales, la minería, la silvicultura, la industria petrolera y la naval. Aunque casi toda la gente prefiere hacer ofertas en persona en las subastas de Ritchie Bros., también es posible hacerlo online, en tiempo real, a través de rbauction.com, el sitio multilingüe de la empresa. En 2009, un 33% de los ofertantes en las subastas de Ritchie Bros. presentaron sus pujas a través de Internet; los ofertantes online compraron 830 millones de dólares en equipo.[38]
- ***Mercados de contado (o de intercambio).*** En los mercados de contado electrónicos, los precios cambian a cada minuto. ChemConnect.com es una central de intercambio online para compradores

y vendedores de productos químicos (por ejemplo, benceno) a granel, y es un éxito en el ámbito B2B en un área llena de sitios Web fracasados. La primera empresa de este tipo en el mercado, hoy en día es la más grande para el intercambio de productos químicos, con una operación diaria de un millón de barriles. Los clientes —como Vanguard Petroleum Corp., de Houston— llevan a cabo alrededor del 15% de sus compras al contado, y además venden gas natural licuado en el sitio de comercialización de materias primas de ChemConnect.

- ***Mercados privados.*** Hewlett-Packard, IBM y Walmart operan mercados privados para vincularse con grupos de proveedores y aliados, bajo invitación expresa, a través de la Web.
- ***Mercados de trueque.*** En los mercados de trueque, los participantes ofrecen intercambiar bienes o servicios por otros bienes o servicios.
- ***Alianzas de compra.*** Varias empresas que compran los mismos productos pueden unirse para formar un consorcio de compras y obtener mayores descuentos en transacciones por volumen. Por ejemplo, TopSource es una alianza de empresas en el negocio de alimentos minorista y mayorista.

La casa de subastas industriales más grande del mundo, Ritchie Bros., vende una amplia gama de equipo pesado.

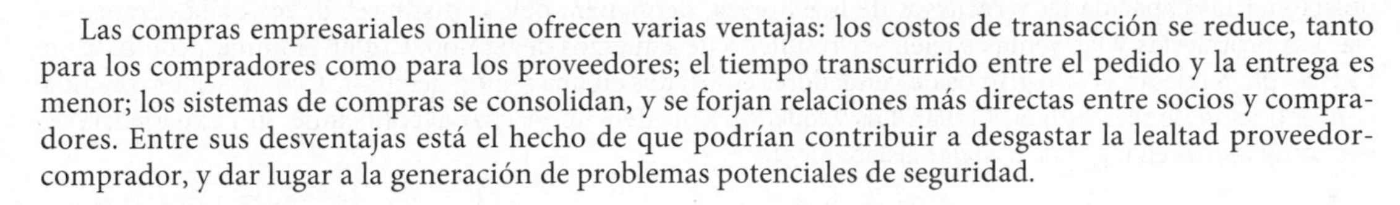

Las compras empresariales online ofrecen varias ventajas: los costos de transacción se reduce, tanto para los compradores como para los proveedores; el tiempo transcurrido entre el pedido y la entrega es menor; los sistemas de compras se consolidan, y se forjan relaciones más directas entre socios y compradores. Entre sus desventajas está el hecho de que podrían contribuir a desgastar la lealtad proveedor-comprador, y dar lugar a la generación de problemas potenciales de seguridad.

ADQUISICIONES ELECTRÓNICAS Los sitios de Internet se organizan alrededor de dos tipos de centros electrónicos: *centros verticales*, enfocados en industrias específicas (plásticos, acero, productos químicos, papel), y *centros funcionales* (logística, compras de medios, publicidad, gestión energética). Además de usar este tipo de sitios Web, las empresas pueden aprovechar las adquisiciones electrónicas de otras maneras:

- ***Establecer vínculos directos con los proveedores más importantes a través de una extranet.*** Una empresa puede establecer una cuenta de adquisiciones electrónicas en Dell o en Office Depot, por ejemplo, permitiendo que sus empleados hagan sus compras a través de ella.
- ***Formar alianzas de compra.*** Muchos minoristas y fabricantes importantes, como Acosta, Ahold, Best Buy, Carrefour, Family Dollar Stores, Lowe's, Safeway, Sears, SUPERVALU, Target, Walgreens, Walmart y Wegmans Food Markets, forman parte de una alianza llamada 1SYNC que les permite compartir información. Varias empresas automovilísticas (GM, Ford, Chrysler) formaron Covisint por la misma razón. Covisint es el proveedor de servicios líder, capaz de integrar información crucial de negocios y procesos entre los socios, clientes y proveedores. En la actualidad la empresa también se ha dirigido al sector de cuidados de la salud, brindando servicios similares.
- ***Establecer sitios Web de compras empresariales.*** General Electric formó la Trading Process Network (TPN), en donde publica *requerimientos para propuestas* (*RFP —requests for proposals—*, por sus siglas en inglés), negocia condiciones y hace pedidos.

La migración hacia las adquisiciones electrónicas exige algo más que la mera adquisición de software; también requiere cambiar la estrategia y la estructura de compras. Sin embargo, los beneficios son muchos: al sumar las adquisiciones de múltiples departamentos y negociarlas de manera centralizada, pueden obtenerse mayores descuentos por volumen; además, se necesita menos personal de compras, y corre menos riesgo de comprar bienes de calidad inferior por negociar con empresas que no están en la lista de proveedores aprobados.

GENERACIÓN DE INTERESADOS Una de las tareas más importantes de las empresas vendedoras consiste en asegurarse de que los clientes las tomen en cuenta cuando estén —o puedan estar— buscando un proveedor. La identificación de buenos prospectos y su conversión en ventas exigen que las organizaciones de marketing y ventas tengan un enfoque coordinado y multicanal como consultores de confianza para los clientes potenciales. Las funciones de marketing y ventas deben trabajar juntas para definir qué hace que un cliente potencial esté "listo para la venta", y cooperar entre sí para mandar el mensaje correcto a través de llamadas de venta, ferias comerciales, actividades online, relaciones públicas, eventos, correo directo y recomendaciones de clientes.[39]

El departamento de marketing debe encontrar el equilibrio entre la cantidad y calidad de los clientes potenciales. Si hay muchos, incluso siendo de buena calidad, la fuerza de ventas podría verse excedida y dejar escapar oportunidades prometedoras; por otro lado, si hay muy pocos o de baja calidad, la fuerza de ventas podría sentirse frustrada o desmoralizada.[40] Para generar clientes potenciales de manera proactiva, es necesario que los proveedores conozcan a sus compradores, para lo cual podrían obtener información de sus antecedentes a través de compañías especializadas, como Dun & Bradstreet, InfoUSA o sitios Web que comparten información, como Jigsaw y LinkedIn.[41]

Los proveedores que no tienen la capacidad de producción requerida o que tienen mala reputación serán rechazados. Los que pasan una calificación inicial podrían ser visitados por agentes del comprador, quienes examinarán las instalaciones de producción del fabricante y conocerán a su personal. Después de evaluar cada empresa, el comprador terminará con una pequeña lista de proveedores calificados. Muchos compradores profesionales han obligado a los proveedores a cambiar su marketing para aumentar sus posibilidades de pasar la prueba.

Solicitud de propuestas

El comprador invita a los proveedores calificados a hacerle llegar sus propuestas. Si el artículo es complejo o caro, la propuesta será detallada y se entregará por escrito. Después de evaluar sus propuestas, el comprador invitará a unos cuantos proveedores a hacer presentaciones formales.

Los especialistas en marketing empresarial deben tener la habilidad de investigar, redactar y presentar propuestas. Es recomendable que las propuestas escritas sean documentos de marketing que describan el valor y los beneficios en términos de los clientes. Las presentaciones orales deben inspirar confianza y posicionar las capacidades y recursos de la empresa, de manera que se distingan de los de la competencia. Las propuestas y las ventas suelen ser resultado de esfuerzos de equipo. Cutler-Hammer, con base en Pittsburgh, ha desarrollado grupos de vendedores enfocados en una región geográfica, en un sector o en una concentración de mercado particular. Los vendedores pueden aprovechar el conocimiento y experiencia de sus compañeros en lugar de trabajar aisladamente.[42]

Selección de proveedores

Antes de elegir un proveedor, el centro de compras especificará y calificará los atributos deseables del mismo, muchas veces utilizando un modelo de evaluación de proveedores como el que se muestra en la tabla 7.2.

Para desarrollar propuestas de valor persuasivas, los especialistas en marketing empresarial deben entender muy bien cuáles son los parámetros que utilizan los compradores organizacionales para realizar sus evaluaciones.[43] Los investigadores que estudian cómo realizan los especialistas en marketing empresarial la *evaluación de valor por el cliente (CVA —Customer Value Assessment—)*, encontraron ocho diferentes métodos. Las empresas tienden a utilizar los métodos más sencillos, aunque los más sofisticados prometen producir una imagen más precisa de la propuesta de valor para el comprador (CVP —Customer Value Proposition—) (vea "Apuntes de marketing: Desarrollo de propuestas persuasivas de valor para el comprador").

La elección de los atributos y su importancia relativa varía según la situación de compra. La confiabilidad en la entrega, el precio y la reputación del proveedor son factores importantes en el caso de productos que se ordenan rutinariamente. Para los productos que pueden presentar problemas en su uso (digamos, una fotocopiadora), los tres atributos más importantes son el servicio técnico, la flexibilidad del provee-

TABLA 7.2 Ejemplo de análisis del vendedor

Atributos	Escala de calificación				
	Ponderación de importancia	Mala (1)	Regular (2)	Buena (3)	Excelente (4)
Precio	.30				X
Reputación del proveedor	.20			X	
Confiabilidad del producto	.30				X
Confiabilidad del servicio	.10		X		
Flexibilidad del proveedor	.10			X	
Puntuación total .30(4) + .20(3) + .30(4) + .10(2) + .10(3) = 3.5					

dor y la confiabilidad del producto. Por lo que respecta a los productos políticamente problemáticos que pueden crear falta de acuerdo en la organización (por ejemplo, la elección de un sistema informático), los atributos más importantes son el precio, la reputación y flexibilidad del proveedor, la confiabilidad del producto y la confiabilidad del servicio.

SUPERAR LAS PRESIONES DE PRECIOS El centro de compras podría intentar negociar mejores precios y términos con sus proveedores preferidos antes de realizar la selección final. A pesar de la tendencia hacia el aprovisionamiento estratégico, las alianzas y la participación en equipos multifuncionales, los compradores todavía pasan gran parte de su tiempo regateando el precio con los proveedores. El número de compradores orientados al precio podría variar según el país, dependiendo de las preferencias del cliente por las diferentes configuraciones y las características de servicio de la organización del cliente.[44]

Los especialistas en marketing pueden responder a las solicitudes de reducción de precio de varias formas. Por ejemplo, podrían mostrar evidencia de que el costo total de la propiedad, es decir, el costo del ciclo de vida útil del producto es menor que el de los productos de la competencia. También pueden mencionar el valor de los servicios que el comprador recibe actualmente, en especial si son superiores a los que ofrecen los competidores. Las investigaciones muestran que el respaldo en materia de servicio, la interacción perso-

Apuntes de marketing

Desarrollo de propuestas persuasivas de valor para el comprador

Para poder obtener precios más altos en los competitivos mercados B2B, las empresas deben crear propuestas persuasivas de valor para el comprador (CVP). El primer paso es investigarlo. A continuación se señalan varios métodos productivos de investigación:

1. *Evaluación de la ingeniería interna.* Los ingenieros de la empresa deben usar pruebas de laboratorio para estimar las características de desempeño del producto. La debilidad de este método estriba en que deja de lado el hecho de que el producto tendrá un valor económico diferente en distintas aplicaciones.
2. *Evaluación del valor de uso en campo.* Se realiza entrevistando a los compradores para averiguar los costos asociados con el uso de un nuevo producto en comparación con otros productos existentes. La tarea será averiguar el valor que tienen los diferentes elementos de costo para el comprador.
3. *Evaluación a través de un focus group.* Se lleva a cabo seleccionando un grupo de compradores y preguntándoles cuál sería su evaluación de diferentes ofertas potenciales de mercado.
4. *Preguntas de encuesta directa.* Consiste en solicitar a los compradores que valoren en términos monetarios uno o más cambios de una oferta de mercado.
5. *Análisis conjunto.* Se pide a los compradores que clasifiquen sus preferencias de productos o conceptos alternativos. En este caso se utiliza el análisis estadístico para calcular el valor implícito otorgado a cada atributo.
6. *Benchmarking.* Este método consiste en mostrar a los compradores un producto de referencia (*benchmark*), y a continuación la nueva oferta de mercado. Luego se pide a los compradores que expresen cuánto estarían dispuestos a pagar por el nuevo producto, y cuánto más (o menos) pagarían si se agregaran o eliminaran determinadas características del producto de referencia.
7. *Enfoque de composición.* Se trata de solicitar a los compradores que asignen un valor monetario a tres niveles alternativos de un mismo atributo. Este proceso se repite para los demás atributos, y a continuación se suman los valores para todas las configuraciones posibles de la oferta.
8. *Clasificación por importancia.* Se pide a los compradores que clasifiquen la importancia de distintos atributos, y el desempeño de los proveedores respecto de cada uno de ellos.

Una vez hecha esta investigación, es posible especificar la propuesta de valor al cliente, siguiendo una serie de principios importantes. En primer lugar hay que corroborar las afirmaciones de valor, especificando de manera concreta las diferencias entre sus ofertas y las de los competidores en las dimensiones que son más relevantes para el cliente. Rockwell Automation —empresa productora de soluciones de automatización industrial— determinó el montante del ahorro que tendrían los clientes al comprar su bomba en lugar de la de los competidores, para lo cual usó métricas estandarizadas de su sector que le permitieron medir la funcionalidad y el desempeño en términos de consumo kilowatios-hora, número de horas en operación al año, y costo monetario por kilowatio-hora. También es necesario dejar bien en claro las implicaciones financieras.

En segundo lugar, es preciso documentar el valor entregado estipulando por escrito los ahorros en costos o el valor agregado que los clientes actuales han obtenido a partir de la utilización de las ofertas de su empresa. El fabricante de productos químicos Akzo Nobel llevó a cabo un programa piloto de dos semanas en un reactor de producción en las instalaciones de un cliente potencial, con el propósito de documentar los puntos de paridad y los puntos de divergencia de sus metales orgánicos de alta pureza.

Por último, asegúrese de que el método utilizado para crear una propuesta de valor para el cliente esté bien implementado dentro de la empresa, y capacite y premie a sus empleados cuando desarrollen una propuesta persuasiva. En este sentido, Quaker Chemical ofrece programas de capacitación para sus gerentes, incluyendo concursos para desarrollar las mejores propuestas.

Fuentes: James C. Anderson, Nirmalya Kumar y James A. Narus, *Value Merchants: Demonstrating and Documenting Superior Value in Business Markets* (Boston: Harvard Business School Press, 2007); James C. Anderson, James A: Narus y Wouter van Rossum, "Customer Value Propositions in Business Markets", *Harvard Business Review,* marzo de 2006, pp. 2-10; James C. Anderson y James A. Narus, "Business Marketing: Understanding What Customers Value", *Harvard Business Review,* noviembre de 1998, pp. 53-65.

nal, los conocimientos del proveedor y su capacidad para mejorar el tiempo de comercialización del cliente, pueden ser diferenciadores útiles para lograr el estatus de proveedor clave.[45]

La mejora de la productividad contribuye a contrarrestar las presiones generadas por los precios. Burlington Northern Santa Fe Railway ha vinculado el 30% de los bonos de sus empleados con el aumento del número de vagones de ferrocarril enviados por milla.[46] Algunas empresas utilizan la tecnología para idear nuevas soluciones para los clientes. Gracias a los adelantos técnicos y a las herramientas Web, las impresoras Vistaprint pueden ofrecer impresión profesional a pequeñas empresas que antes no podían pagar ese servicio.[47]

Algunas empresas hacen frente a los compradores orientados al precio mediante la fijación de un precio más bajo, pero estableciendo condiciones restrictivas: (1) cantidades limitadas, (2) sin reembolsos, (3) sin ajustes y (4) sin servicio.[48]

- Cardinal Health estableció un plan de puntos canjeables según la cantidad de productos que comprara el cliente por bonos. Los bonos obtenidos podían canjearse por bienes adicionales o por servicios de consultoría.
- GE está instalando sensores de diagnóstico en sus motores para avión y ferrocarril, y está recibiendo como compensación horas de vuelo o recorridos gratuitos en tren.
- En la actualidad IBM es más una "empresa de servicios apoyada por productos" que una "empresa de productos apoyada en los servicios", ya que puede vender soluciones informáticas bajo demanda (por ejemplo, transmisión de video) como alternativa a la venta de computadoras.

La *venta de soluciones* es otra posible alternativa para la presión producida por los precios, y puede asumir diferentes presentaciones. A continuación tres ejemplos:[49]

- ***Soluciones para mejorar los ingresos del cliente.*** Hendrix UTD ha utilizado a sus consultores de ventas para ayudar a los granjeros a lograr que sus animales pesen entre un 5 y 10% más que los de la competencia.
- ***Soluciones para disminuir los riesgos del cliente.*** ICI Explosives formuló una manera más segura de enviar explosivos para la construcción de presas.
- ***Soluciones para reducir los costos del cliente.*** Los empleados de W.W. Grainger trabajan en grandes instalaciones de sus clientes para reducir los costos de gestión de materiales.

Cada vez son más las empresas que buscan soluciones para aumentar los beneficios y reducir los costos a un nivel que les permita superar cualquier preocupación en materia de precios. Considere el siguiente ejemplo.

Farmacias del Ahorro

Farmacias del Ahorro Farmacias del Ahorro es una empresa minorista dedicada a la venta de productos farmacéuticos. Actualmente es la compañía mexicana número uno en el ramo, pero en 2005 tenía un plan de crecimiento muy ambicioso, que incluía duplicar su número de sucursales en tan sólo seis años. Para poder lograr este objetivo la empresa necesitaba automatizar sus procesos logísticos con el uso de nuevas tecnologías, ya que surtir 180 000 unidades diarias entre 500 farmacias hubiera sido imposible de otra manera. Para resolver su problema, Farmacias del Ahorro seleccionó a NetLogistik, compañía que representa en México la tecnología de voz Vocollect, una solución innovadora que permite que los encargados de surtido tengan los "ojos libres y manos libres", para que sean más rápidos y exactos en la realización de sus procesos. Tras la implementación, la cadena farmaceútica logró una respuesta de surtido de sus almacenes superior a las mil unidades por hora, eliminó los tiempos extra y redujo sus costos operativos. Así, la productividad se incrementó en un 30% y el costo de la operación se redujo a la mitad.[50]

Al *compartir los riesgos y las ganancias* es posible compensar las reducciones de precio que solicitan los clientes. Suponga que Medline, un proveedor de artículos hospitalarios, firma un convenio con el hospital Highland Park, prometiéndole ahorros por 350 000 dólares durante los primeros 18 meses, a cambio de obtener diez veces más participación en el suministro de insumos al hospital. Si Medline obtiene un ahorro menor al prometido, compensará la diferencia; si logra un ahorro sustancialmente mayor al prometido, participará de los ahorros adicionales. Para que este tipo de convenios funcionen, el proveedor debe estar dispuesto a ayudar al cliente a crear una base de datos de registros históricos, llegar a un acuerdo para evaluar los costos y los beneficios, y diseñar un mecanismo de resolución de disputas.

NÚMERO DE PROVEEDORES Las empresas reducen cada vez más el número de sus proveedores. Ford, Motorola y Honeywell lo han recortado entre el 20 y el 80%. Las organizaciones quieren que sus proveedores elegidos sean responsables de un sistema de componentes de mayor tamaño, que logren una calidad continua y mejores niveles de desempeño y, al mismo tiempo, que bajen los precios cada año en un porcentaje determinado. Además, valoran sus sugerencias y esperan que sus proveedores trabajen de cerca con ellos a lo largo del desarrollo de sus productos.

Incluso existe una tendencia a contar con una sola fuente de aprovisionamiento, aunque las empresas que utilizan múltiples fuentes suelen argumentar la amenaza de una huelga como el elemento disuasorio más importante para tener un proveedor único. Las empresas también podrían temer que los proveedores únicos se sientan demasiado cómodos con la relación y dejen de ser competitivos.

Especificación de la rutina de pedido

Después de elegir proveedores, el comprador negocia el pedido final, listando las especificaciones técnicas, la cantidad de unidades necesaria, el tiempo de entrega, las políticas de devolución, las garantías y demás. Muchos compradores industriales alquilan el equipo pesado, como maquinaria y camiones. El arrendatario obtiene algunas ventajas: los últimos productos, mejor servicio, conservación del capital y algunos beneficios fiscales. Por su parte, el arrendador suele verse favorecido con un ingreso neto más alto y con la oportunidad de hacer transacciones comerciales con clientes incapaces de pagar la compra completa.

En el caso del mantenimiento, reparación y operaciones de algunos artículos, los compradores están optando por hacer contratos globales en lugar de girar órdenes de compra periódicas. Los contratos globales establecen una relación de largo plazo, en la cual el proveedor promete reaprovisionar al comprador en la medida que sea necesario, a los precios acordados y durante un periodo específico. Como el que mantiene el inventario es el vendedor, a veces los contratos globales son llamados también *plan de compra sin stock*. Cada vez que le hace falta inventario, el sistema de gestión del comprador envía automáticamente un pedido al vendedor. Este sistema crea vínculos mucho más fuertes con el comprador y dificulta que los proveedores externos puedan entrar, a menos que el cliente esté insatisfecho con los precios, la calidad o el servicio de su proveedor actual.

Las empresas que temen la escasez de materiales clave están dispuestas a comprar y almacenar grandes inventarios. Como alternativa, también estarán dispuestas a firmar contratos de largo plazo con sus proveedores, con el propósito de asegurar un flujo constante de materiales. DuPont, Ford y algunas otras empresas muy importantes consideran que la planificación de suministros a largo plazo constituye una de las principales responsabilidades de sus gerentes de compras. Por ejemplo, a General Motors le interesa comprar a menos proveedores, los cuales deberán estar dispuestos a ubicarse cerca de las fábricas del comprador, y a producir componentes de alta calidad. Asimismo, los especialistas en marketing están creando *extranets* o redes externas con sus clientes importantes, para facilitar y reducir los costos de transacción. De esta manera, los clientes hacen el pedido en el sistema y éste se transmite automáticamente al proveedor.

Algunas empresas van más allá y cambian la responsabilidad de pedido a sus proveedores en los sistemas denominados *gestión de inventarios por proveedores* (VMI —vendor-managed inventory—, por sus siglas en inglés). En este caso, los proveedores están al tanto del nivel de inventario que tiene el cliente, y asumen la responsabilidad de reaprovisionarlo automáticamente mediante *programas de reabastecimiento continuo*. Un ejemplo de este tipo de gestión es el de Plexco International AG, que provee sistemas de audio, iluminación y visibilidad a los principales fabricantes de automóviles del mundo. Su programa VMI con sus 40 proveedores produjo ahorros significativos en tiempo y costos, y permitió que la empresa utilizara el espacio de almacén liberado para llevar a cabo actividades productivas de fabricación.[51]

Revisión del desempeño

El comprador revisa periódicamente el desempeño de los proveedores elegidos utilizando uno de tres métodos disponibles. En primer lugar, podría contactar a los usuarios finales y pedirles sus evaluaciones; también podría optar por calificar al proveedor utilizando diversos parámetros mediante un método de puntuación ponderada; o agregar el costo de un mal desempeño para recalcular los costos de la compra, que incluyen el precio. La revisión del desempeño podría llevar al comprador a continuar, modificar o dar por terminada la relación con el proveedor.

Muchas empresas han establecido sistemas de incentivos para recompensar a los gerentes de compras que tengan un buen desempeño en su labor, más o menos como el personal de ventas recibe bonos por sus resultados. Estos sistemas hacen que los gerentes de compras aumenten la presión sobre los proveedores para lograr las mejores condiciones.

Gestión de relaciones con los clientes en mercados negocio a negocio

Para mejorar la eficacia y la eficiencia, los proveedores empresariales y sus clientes están explorando diferentes maneras de administrar sus relaciones.[52] En parte, las relaciones más estrechas son motivadas por la gestión de la cadena de suministro, el involucramiento del proveedor desde las primeras etapas del proceso, y las alianzas de compra.[53] Cultivar las relaciones correctas en los negocios es fundamental para cualquier programa de marketing holístico.

Los especialistas en marketing B2B están evitando implementar enfoques de venta y pago irreflexivos con tal de atraer y retener clientes; en lugar de ello, prefieren adecuarse a su público objetivo y desarrollar enfoques de marketing individualizados. En este sentido, utilizan cada vez más los medios sociales online, como blogs empresariales, comunicados de prensa online, y foros y grupos de discusión para comunicarse con sus clientes actuales y potenciales.

Tellabs En competencia con los gigantes del sector —Alcatel-Lucent y Cisco Systems—, Tellabs es una empresa de investigación y diseño de equipo de telecomunicaciones, que surte equipo para transmisión de voz, video y datos a través de las redes de comunicación. Para diferenciarse, Tellabs decidió desarrollar una campaña de marketing enfocada en los usuarios finales con conocimientos técnicos de los productos que venden sus *clientes*. La campaña, "Inspire the New Life", estaba dirigida a proveedores de servicio de telecomunicaciones, y pretendía mostrar que Tellabs entendía a la nueva generación de usuarios de tecnología y brindaba soluciones para satisfacer sus necesidades. Después de que las investigaciones dejaran en claro que los usuarios tenían cinco veces más probabilidad de escuchar un *podcast* de audio que de leer un documento técnico, y el doble de probabilidades de ver un video que de escuchar un *podcast*, Tellabs decidió utilizar un video de seis minutos para presentar un "manual de tecnología" en vez de ofrecer estudios de caso y documentos técnicos. Sus videos, publicados en YouTube, Google Video y la página Web de la empresa, fueron descargados 100 000 veces. La empresa añade un *podcast* una o dos veces al mes, y calcula que la campaña generó el triple de exposición por el mismo costo de una campaña Web tradicional basada en anuncios.[54]

Tellabs se diferencia al enfocarse en los clientes de sus clientes.

Ventajas de la coordinación vertical

Muchas investigaciones en el ámbito del marketing han abogado por la necesidad de crear una mayor coordinación vertical entre compradores y vendedores, esperando que esto les permita ir más allá de las meras transacciones para involucrarse en actividades que generen valor para ambas partes.[55] La confianza entre compradores y vendedores es considerada un requisito previo para entablar relaciones saludables de largo plazo. En "Marketing en acción: Establecimiento de confianza, credibilidad y reputación corporativa" se identifican algunas dimensiones clave de dicha confianza. El conocimiento, que es específico y relevante para uno de los participantes en la relación, es también un factor importante en el fortalecimiento de los vínculos interempresariales.[56]

Hay una serie de factores que influyen en el desarrollo de la relación entre socios empresariales.[57] Los cuatro más relevantes son la disponibilidad de alternativas, la importancia de los suministros, la complejidad del suministro y el dinamismo del mercado de suministro. Con base en estos criterios, es posible clasificar las relaciones comprador-proveedor en ocho categorías:[58]

1. ***Compraventa básica.*** Se trata de intercambios sencillos y rutinarios, con niveles moderados de cooperación y flujo de información.
2. ***Transacciones simples.*** Estas relaciones requieren mayor adaptación por parte del vendedor, y menos cooperación e intercambio de información.
3. ***Transacción contractual.*** Este tipo de intercambio se caracteriza por la existencia de un contrato formal, y generalmente tiene bajos niveles de confianza, cooperación e interacción.
4. ***Suministro al cliente.*** En esta situación tradicional de suministro al cliente, la forma de gestión dominante es la competencia, más que la cooperación.
5. ***Sistemas cooperativos.*** En esta forma de intercambio los socios se unen de manera operativa, pero ninguno demuestra un compromiso estructural a través de medios legales o adaptaciones.
6. ***Colaboración.*** En los intercambios colaborativos se llega a una verdadera sociedad, basada en altos niveles de confianza y compromiso.

Establecimiento de confianza, credibilidad y reputación corporativa

La *credibilidad corporativa* es la medida en que los clientes creen que una empresa puede diseñar y entregar productos y servicios que satisfagan sus necesidades y carencias. Refleja la reputación del proveedor en el mercado y es la base para una relación sólida.

La credibilidad corporativa depende de tres factores;

- *Experiencia corporativa.* La medida en que una empresa es percibida como capaz de fabricar y vender productos o proveer servicios.
- *Confiabilidad corporativa.* La medida en que la empresa se percibe como motivada por la honestidad, así como por ser confiable y sensible a las necesidades del cliente.
- *Atractivo corporativo.* La medida en que una empresa se percibe como agradable, atractiva, prestigiosa, dinámica, etcétera.

En otras palabras, una empresa con credibilidad es competente en lo que hace, basa sus acciones en los intereses de sus clientes, y tiene un entorno de trabajo agradable.

La confianza es la disposición de una empresa a depender de un socio de negocios. Depende de diversos factores interpersonales e interorganizacionales, como la capacidad percibida de la empresa, su integridad, su honestidad y su buena voluntad. Las interacciones personales con los empleados de la empresa, las opiniones sobre la empresa como un todo y las percepciones de confianza evolucionarán con la experiencia. Una empresa tiene mayor probabilidad de ser percibida como confiable cuando:

- Proporciona información completa y honesta.
- Los incentivos que ofrece a sus empleados están orientados a la satisfacción de las necesidades de los clientes.
- Colabora con los clientes para ayudarles a aprender y resolver sus propias necesidades.
- Ofrece comparaciones válidas con productos competitivos.

La generación de confianza puede ser un factor especialmente relevante cuando se trata de un entorno online; de hecho, las empresas suelen imponer requisitos más estrictos a los colaboradores con los que trabaja vía Internet que al resto. A los compradores organizacionales les preocupa no obtener productos de la calidad correcta, entregados en lugar y momento incorrectos. Por su parte, a los vendedores les preocupa que les paguen a tiempo —si es que les pagan—, y determinar cuánto crédito podrían otorgar. Algunas organizaciones, como la empresa de transporte y gestión de cadena de suministro, Ryder System, utilizan aplicaciones para automatización de verificación crediticia y servicios de acreditación de confianza online para determinar la credibilidad de sus socios comerciales.

Fuentes: Bob Violino, "Building B2B Trust", *Computerworld*, 17 de junio de 2002, p. 32; Richard E. Plank, David A. Reid y Ellen Bolman Pullins, "Perceived Trust in Business-to-Business Sales: A New Measure" *Journal of Personal Selling and Sales Management* 19, núm. 3 (verano de 1999), pp. 61-72; Kevin Lane Keller y David A. Aaker, "Corporate-Level Marketing: The Impact of Credibility on a Company's Brand Extensions", *Corporate Reputation Review* 1 (agosto de 1998), pp. 356-78; Robert M. Morgan y Shelby D. Hunt, "The Commitment-Trust Theory of Relationship Marketing", *Journal of Marketing* 58, núm. 3 (julio de 1994), pp. 20-38; Christine Moorman, Rohit Deshpande y Gerald Zaltman, "Factors Affecting Trust in Market Research Relationships", *Journal of Marketing* 57 (enero de 1993), pp. 81-101; Glen Urban, "Where Are You Positioned on the Trust Dimensions?" *Don't Just Relate-Advocate: A Blueprint for Profit in the Era of Customer Power* (Upper Saddle River, NJ: Pearson Education/Wharton School Publishers, 2005).

7. ***Adaptación mutua.*** Los compradores y vendedores hacen muchas adaptaciones específicas en favor de la relación, aunque sin lograr necesariamente confianza y cooperación sólidas.
8. ***El cliente manda.*** En esta relación cercana y cooperativa, el vendedor se adapta para satisfacer las necesidades del cliente, sin esperar que éste se adapte o cambie en reciprocidad.

Sin embargo, los papeles que se desempeñan en una relación pueden cambiar a lo largo del tiempo, o activarse por diferentes circunstancias.[59] Algunas necesidades pueden ser satisfechas con un desempeño bastante básico del proveedor. En ese caso, los compradores no querrán ni requerirán una relación estrecha con el proveedor. Por otro lado, es posible que algunos proveedores no estén interesados en invertir en clientes con un potencial limitado de crecimiento.

Un estudio encontró que las relaciones más cercanas entre clientes y proveedores surgen cuando el suministro es importante para el cliente y existen obstáculos para su adquisición, por ejemplo, requerimientos complejos de compra y pocos proveedores alternativos.[60] Otra investigación sugiere que la mayor coordinación vertical entre comprador y vendedor, a través del intercambio de información y planificación, generalmente sólo es necesaria cuando existe una alta incertidumbre en el entorno, y cuando las inversiones específicas (las cuales se describen a continuación) son modestas.[61]

Relaciones empresariales: riesgos y oportunismo

Los investigadores han señalado que el establecimiento de relaciones cliente-proveedor crea tensiones entre la salvaguardia (asegurarse soluciones predecibles) y la adaptación (permitir flexibilidad para afrontar los eventos no anticipados). Es posible que la coordinación vertical facilite vínculos más sólidos entre comprador y vendedor, pero al mismo tiempo puede aumentar el riesgo de las inversiones específicas de ambas partes. Las *inversiones específicas* son los gastos que se dedican a una empresa específica que forma parte de la cadena de valor (por ejemplo, las inversiones realizadas en capacitación específica para dicha empresa, o en la adquisión de equipo y procedimientos operativos o sistemas dedicados a la empresa).[62] Este tipo de inversión contribuye a que las empresas incrementen sus ganancias y logren su posicionamiento.[63] Xerox trabajó de cerca con sus proveedores para desarrollar procesos y componentes personalizados que reducían sus costos de producción de copiadoras entre el 30 y el 40%. A cambio, los proveedores recibían garantías de ventas y volumen, un mejor entendimiento de las necesidades de su cliente y una posición sólida como proveedor de Xerox en el futuro.[64]

Sin embargo, las inversiones específicas suponen un riesgo considerable tanto para el cliente como para el proveedor. La teoría de los costos de transacción mantiene que, debido a que estas inversiones están parcialmente perdidas, atrapan a las empresas en una relación determinada. Puede ser necesario intercambiar información confidencial sobre costos y procesos; el comprador podría ser vulnerable a la presión del proveedor debido a los costos de cambio, y el proveedor podría ser más vulnerable en virtud de haber dedicado activos, tecnología o conocimiento a la relación. Considere el ejemplo siguiente, en donde se ilustra ese último riesgo.[65]

> Un fabricante de componentes para automóviles gana un contrato para surtir un componente para motores producido por un fabricante de equipo original (OEM —original equipment manufacturer—), una empresa de automóviles. Este contrato —con vigencia de un año— con un proveedor único salvaguarda la inversión específica del proveedor en el OEM, ya que le garantiza una línea de producción dedicada a este cliente. Sin embargo, el proveedor también podría verse obligado a trabajar (sin contrato) como socio del personal de ingeniería interno del OEM, y a utilizar instalaciones informáticas vinculadas para intercambiar información detallada de ingeniería, así como para coordinar cambios de diseño y manufactura frecuentes durante la vigencia del contrato. Al mejorar la respuesta de la empresa ante los cambios en el mercado, estas interacciones podrían reducir los costos y/o aumentar la calidad. No obstante, de igual manera podrían magnificar la amenaza para la propiedad intelectual del proveedor.

Cuando los compradores son incapaces de controlar con facilidad el desempeño del proveedor, éste podría holgazanear o hacer trampa y no entregar el valor esperado. El *oportunismo* es "una forma de estafa o de incumplimiento de un contrato implícito o explícito",[66] y puede implicar una distorsión descarada e interesada que viole los acuerdos contractuales. Durante la fabricación del modelo 1996 de su auto Taurus, Ford Corporation eligió subcontratar todo el proceso con un solo proveedor, Lear Corporation. Lear se comprometió mediante un contrato, aunque era consciente de que sería incapaz de cumplirlo por diversas razones. Según Ford, Lear no respetó las fechas de entrega, incumplió los parámetros de peso y precio y fabricó partes que no funcionaban.[67] Una forma más pasiva de oportunismo podría consistir en negarse o no tener la disposición a adaptarse a las circunstancias cambiantes.

El oportunismo constituye una preocupación porque las empresas deben dedicar recursos a tareas de control y supervisión, costos que de otra manera podrían ser asignados a fines más productivos. A veces los contratos resultan inadecuados para regular las transacciones con los proveedores, sobre todo cuando el oportunismo de éstos es difícil de detectar, cuando las empresas hacen inversiones específicas en activos que no pueden utilizar en otra cosa, y cuando las contingencias son más difíciles de anticipar. Los clientes y proveedores son más proclives a crear una empresa conjunta (*joint venture*) —en vez de firmar un simple contrato— cuando el grado de especificación de los activos del proveedor es alto, o cuando es difícil supervisar el comportamiento del proveedor y éste tiene mala reputación.[68] Si el proveedor tiene buena reputación tendrá menos propensión a ser oportunista, pues deseará proteger ese valioso activo intangible.

La presencia de un horizonte de futuro significativo y/o fuertes normas de solidaridad suele provocar que los clientes y sus proveedores se esfuercen por obtener beneficios conjuntos. En tal caso sus inversiones específicas cambian de la expropiación (mayor oportunismo por parte del receptor) hacia la vinculación afectiva (menor oportunismo).[69]

Nuevas tecnologías y clientes empresariales

Las empresas más importantes se sienten cómodas usando la tecnología para mejorar sus transacciones comerciales con sus clientes en el entorno B2B. A continuación presentamos algunos ejemplos de cómo rediseñan páginas Web, mejoran los resultados de búsqueda, se apoyan en el correo electrónico, participan en las redes sociales y lanzan *webinarios* y *podcasts* para mejorar su desempeño empresarial.

- Chapman Kelly provee productos de auditoría y contención de costos, que ayudan a las empresas a reducir sus costos en materia de cuidados de la salud y seguros. Al principio la empresa trató de captar nuevos clientes mediante las tradicionales llamadas telefónicas y otras técnicas de ventas mediante visita. Después de rediseñar su página Web y optimizar su motor de búsqueda de manera que el nombre de la empresa apareciera entre los primeros resultados relevantes al hacer consultas online, sus ingresos casi se duplicaron.[70]

El proveedor de servicios de contención de costos en cuidado de la salud, Chapman Kelly, considera que sus esfuerzos de marketing online le han dado recompensas en su balance general.

- Hewlett-Packard lanzó un boletín electrónico titulado "Technology at Work" como estrategia para enfocarse en la retención de sus clientes actuales. El contenido del boletín y su formato se basan en profundas investigaciones realizadas para determinar qué deseaban los clientes. Hewlett-Packard midió con todo cuidado los efectos del boletín, y concluyó que mandar las actualizaciones de los productos por correo electrónico ayudaba a evitar llamadas de solicitud de servicio, un hallazgo que le ha ahorrado millones de dólares a la empresa.[71]
- Emerson Process Management produce sistemas de automatización para plantas químicas, refinerías de petróleo y otro tipo de fábricas. El blog de la empresa, cuyo tema central es la automatización de fábricas, es visitado por miles de lectores interesados en conocer e intercambiar anécdotas de las prácticas de fabricación. El blog atrae entre 35 000 y 40 000 visitantes regulares al mes, y genera entre cinco y siete clientes potenciales a la semana. Dado que Emerson vende sus sistemas en millones de dólares, su retorno sobre la inversión en el blog es inmenso.[72]
- Makino, un fabricante de maquinaria, crea relaciones con los usuarios finales al presidir varios *webinarios* (conferencias Web) específicos para cada sector industrial al menos tres veces al mes. La empresa utiliza contenido altamente especializado (por ejemplo, cómo obtener el máximo beneficio de las máquinas herramienta y cómo funcionan los procedimientos para corte de metal), con el propósito de atraer a diferentes sectores y diferentes estilos de producción. La base de datos de Makino, creada por los participantes en sus *webinarios*, le ha permitido disminuir sus costos de marketing y mejorar su eficacia y eficiencia.[73]
- Cognos, empresa adquirida por IBM en enero de 2008, provee software de inteligencia empresarial y servicios de gestión del desempeño para ayudar a las empresas a gestionar su desempeño financiero y operativo. Para mejorar su visibilidad y sus relaciones con los clientes, Cognos lanzó BI radio, una serie de *podcasts* por RSS que se transmiten cada seis semanas, y que abordan temas como marketing, liderazgo, gestión empresarial y aplicaciones indispensables. La empresa considera que los *podcasts*, que atraen a 60 000 suscriptores, han producido directa o indirectamente tratos por valor de unos 7 millones de dólares.[74]

Mercados institucionales y gubernamentales

Nuestro análisis se ha concentrado, en gran medida, en el comportamiento de compra de las empresas que buscan obtener ganancias. Ahora bien, aunque buena parte de lo que se ha dicho es válido también para las prácticas de compra de las organizaciones institucionales y gubernamentales, estos mercados cuentan con algunas características especiales que deseamos destacar.

El **mercado institucional** está conformado por escuelas, hospitales, asilos de ancianos, prisiones y otras instituciones que deben proporcionar bienes y servicios a las personas que se encuentran bajo su cuidado. Muchas de esas organizaciones se caracterizan por tener presupuestos reducidos y clientelas cautivas. Por ejemplo, los hospitales deben decidir qué calidad de alimentos deben comprar para sus pacientes. El objetivo de compra en este caso no es una ganancia, pues la comida se provee como parte del paquete de servicios total; tampoco la minimización de costos es el único objetivo, ya que una comida de mala calidad causará quejas entre los pacientes y dañará la reputación del hospital. El agente de compras del hospital debe buscar vendedores institucionales de alimentos cuya calidad cumpla o exceda cierto estándar mínimo, y cuyos precios sean bajos. De hecho, muchos vendedores de alimentos establecen una división de ventas separada para atender a las necesidades especiales y las características de los compradores institucionales. Por ejemplo, Heinz produce, envasa y fija los precios de su salsa de tomate de manera diferenciada para cumplir los requerimientos de los hospitales, universidades y prisiones. ARAMARK, que brinda servicios de comida a los estadios deportivos, pabellones, campus universitarios, negocios y escuelas, también tiene una ventaja competitiva al proveer alimento a las prisiones estadounidenses, un resultado directo de la especializaciónn de sus prácticas de compras y de la gestión de las cadenas de suministro.

ARAMARK

ARAMARK Mientras en el pasado ARAMARK se limitaba a seleccionar los productos de las listas que le entregaban los proveedores potenciales, ahora colabora con ellos para desarrollar productos personalizados que satisfagan las necesidades de segmentos individuales. En el segmento de las prisiones, tradicionalmente la calidad se ha sacrificado para no exceder los límites de costo en alimentos que los operadores externos al mercado encontraban imposibles de cumplir. "Cuando se pretende formalizar un negocio en el campo de las cárceles, se hacen licitaciones que se miden en centésimas de centavos", dice John Zillmer, presidente de servicios de alimentos y apoyo de ARAMARK, "de manera que cualquier ventaja que pueda obtenerse en el lado de la compra es extremadamente valiosa". ARAMARK consiguió una serie de productos de proteína con socios exclusivos, a precios que nunca hubiera podido imaginar. Estos socios son únicos, ya que entienden la química de las proteínas y saben cómo disminuir el precio al mismo tiempo que crean un producto aceptable para los clientes de ARAMARK, lo que le permitió que la empresa disminuyera sus costos y luego replicara el proceso con 163 artículos diferentes formulados exclusivamente para el sector. En lugar de reducir los costos por un centavo aproximadamente, como era usual, ARAMARK los redujo entre 5 y 9 centavos, al mismo tiempo que mantenía o incluso mejoraba la calidad.[75]

En muchos países, las organizaciones gubernamentales representan un comprador importante de bienes y servicios. Por lo general requieren que varios proveedores presenten sus ofertas, y suelen adjudicar el contrato a aquel que ofrezca un menor precio. En algunos casos, sin embargo, las organizaciones gubernamentales también tienen en cuenta la calidad superior o la reputación que tenga el proveedor en el cumplimiento oportuno de los contratos. Los gobiernos también compran con base en contratos negociados, principalmente cuando se trata de proyectos complejos con costos importantes de I+D, cuando implican mucho riesgo, o cuando hay poca competencia.

Una de las principales quejas de las multinacionales con operaciones en Europa es que cada país de ese continente muestra favoritismo hacia sus proveedores nacionales, a pesar de recibir mejores ofertas de empresas extranjeras. Aunque esas prácticas están bastante establecidas, la Unión Europea intenta erradicar este sesgo.

Toda vez que sus decisiones de gasto están sujetas a revisiones públicas, las organizaciones gubernamentales requieren bastante papeleo por parte de sus proveedores, quienes con frecuencia se quejan de la burocracia, las regulaciones, los retrasos en la toma de decisiones, y la alta rotación del personal encargado de las compras. Con todo, las transacciones comerciales con organizaciones gubernamentales valen la pena. Por ejemplo, el gobierno estadounidense compró bienes y servicios con valor de 220 000 millones de dólares en el año fiscal 2009, convirtiéndose en el cliente más grande y potencialmente más atractivo del mundo.

Y lo importante no es solamente la cifra monetaria, sino el número de adquisiciones individuales. Según el centro de información sobre adquisiciones de Estados Unidos, más de 20 millones de acciones contractuales individuales son procesadas cada año. Aunque casi todos los artículos adquiridos cuestan entre 2 500 y 25 000 dólares, el gobierno también hace compras de miles de millones, muchas de índole tecnológica.

Es frecuente que los decisores gubernamentales consideren que los vendedores no han hecho su tarea. Los diferentes tipos de organizaciones del gobierno —de defensa, civiles, de inteligencia— tienen distintas necesidades, prioridades, estilos de compra y marcos temporales. Además, los vendedores no prestan suficiente atención a la justificación de costos, un parámetro importante para los profesionales en adquisiciones gubernamentales. Las empresas que esperan convertirse en proveedores del gobierno deben ayudar a las organizaciones gubernamentales a considerar los impactos que tienen sus productos en el balance general. La demostración de experiencias útiles y la comprobación del desempeño previo —en especial con otras organizaciones gubernamentales— mediante estudios de caso, pueden ser factores determinantes.[76]

Así como las empresas proveen a las agencias gubernamentales directrices sobre cómo comprar y utilizar mejor sus productos, éstas proporcionan a los posibles proveedores directrices detalladas que describen cómo vender al gobierno. El no seguirlas o no llenar correctamente los formularios y contratos podría desembocar en una pesadilla legal.[77]

Por fortuna para las empresas de todo tamaño, los gobiernos federales de muchos países han estado intentando simplificar el procedimiento contractual y hacer más atractivo el proceso de presentación de ofertas. Buen número de las reformas en este sentido hacen mayor énfasis en las compras de artículos que se encuentran disponibles en los almacenes que en la producción de artículos fabricados con las especificaciones del gobierno, pero también tienden a favorecer las comunicaciones online con los proveedores para eliminar el enorme papeleo, y procuran brindar a los vendedores que pierden una licitación un informe que les permita aumentar sus probabilidades de ganar la próxima vez.[78] Muchas de las compras se están llevando a cabo por medio de formularios basados en la Web, firmas digitales y tarjetas de adquisiciones electrónicas (*P-cards*).[79] En Estados Unidos, varios organismos federales que actúan como agentes de compras para el resto del gobierno han lanzado catálogos online que permiten a las agencias de defensa y civiles comprar online todo tipo de artículos, desde insumos médicos y de oficina hasta ropa. La General Services Administration, por ejemplo, no solamente vende la mercancía en inventario a través de su página Web, sino que crea vínculos directos entre los compradores y los proveedores contratados. Un buen punto de partida para cualquier trabajo con el gobierno estadounidense es asegurarse de que la empresa vendedora esté registrada en la base de datos *Central Contractor Registration*, o CCR, la cual recopila, valida, almacena y disemina datos en apoyo a las adquisiciones de la agencia (www-ccr.gov).[80]

A pesar de estas reformas, y debido a varias razones, muchas empresas que venden al gobierno no utilizan una orientación de marketing. No obstante, existen algunas que se han interesado lo suficiente en hacer este tipo de transacciones comerciales como para establecer departamentos de marketing independientes para atender al gobierno. Empresas como Gateway, Rockwell, Kodak y Goodyear se anticipan a las necesidades y proyectos del gobierno estadounidense, participan en la fase de especificaciones del producto, recolectan información de inteligencia competitiva, preparan sus ofertas cuidadosamente y generan comunicaciones sólidas para describir y mejorar su reputación.

Resumen

1. La compra organizacional es el proceso de toma de decisiones en el que las organizaciones formales establecen la necesidad de adquirir productos y servicios, e identifican, evalúan y eligen entre las diferentes marcas y proveedores disponibles. El mercado empresarial se compone de todas las organizaciones que adquieren bienes y servicios usados en la producción de otros productos o servicios que se venden, alquilan o suministran a otros.
2. En comparación con los mercados de consumo, en general los mercados empresariales se caracterizan por tener menos compradores y de mayor tamaño, relaciones más estrechas entre clientes y proveedores, una relación cercana entre cliente y proveedor, y compradores concentrados geográficamente. La demanda en el mercado empresarial se deriva de la demanda en el mercado de consumo, y fluctúa de acuerdo con el ciclo comercial. Sin embargo, la demanda total para muchos bienes y servicios empresariales es bastante inelástica al precio. Los especialistas en marketing empresarial deben ser conscientes del rol de los compradores profesionales y sus influenciadores, de la necesidad de hacer numerosas visitas y llamadas de ventas, y de la importancia que revisten la compra directa, la reciprocidad y el arrendamiento.
3. El centro de compras es la unidad de toma de decisiones de una organización que compra. Consiste en iniciadores, usuarios, influenciadores, decisores, aprobadores, compradores y guardianes. Para influir en ellos, los especialistas en marketing deben ser conscientes de factores del entorno, organizacionales, interpersonales e individuales.
4. El proceso de compra consta de ocho etapas, llamadas fases de compra: (1) reconocimiento del problema, (2) descripción general de la necesidad, (3) especificaciones del producto, (4) búsqueda de proveedores, (5) solicitud de propuestas, (6) selección de proveedores, (7) especificaciones de la rutina de pedido, (8) revisión del desempeño.
5. Los especialistas en marketing empresarial deben crear vínculos y relaciones sólidas con sus clientes, además de proveerles valor agregado. Sin embargo, algunos clientes prefieren una relación meramente transaccional. La tecnología ayuda a desarrollar relaciones comerciales sólidas.
6. El mercado institucional está formado por escuelas, hospitales, asilos de ancianos, prisiones y otras instituciones que deben proporcionar bienes y servicios a las personas que se encuentran bajo su cuidado. Los compradores de organizaciones gubernamentales tienden a requerir mucho papeleo por parte de los vendedores, y a favorecer las propuestas abiertas y a las empresas nacionales. Los proveedores deben estar preparados para adaptar sus ofertas a las necesidades y procedimientos especiales de los mercados institucional y gubernamental.

Aplicaciones

Debate de marketing

¿Qué tan diferente es el marketing negocio a negocio?

Muchos ejecutivos de marketing del ámbito negocio a negocio se lamentan por los desafíos que éste implica, y afirman que muchos de los conceptos y principios del marketing tradicional no son válidos en ese contexto. Por una serie de razones, afirman que vender productos y servicios a una empresa es fundamentalmente diferente que venderlos a individuos. Otros no están de acuerdo, pues desde su perspectiva la teoría de marketing es válida en todos los casos, y lo único que hace falta es adaptar un poco las tácticas de marketing.

Asuma una posición: El marketing negocio a negocio requiere un conjunto de conceptos y principios especial y único *versus* El marketing negocio a negocio en realidad no es tan diferente, y en él pueden aplicarse los conceptos y principios básicos del marketing.

Discusión de marketing

Conceptos B2C y B2B

Considere algunos de los temas de comportamiento del consumidor para el marketing negocio a consumidor (B2C, *business-to-consumer*) que se comentaron en el capítulo 6. ¿Cómo podría aplicarlos a un entorno negocio a negocio (B2B)? Por ejemplo, ¿cómo funcionarían los modelos de elección no compensatorios? ¿Y la contabilidad mental?

Marketing de excelencia

>>Accenture

Accenture abrió sus puertas en 1942, con el nombre de Administrative Accounting Group, como la rama de consultoría de la empresa contable Arthur Andersen. En 1989 lanzó una unidad de negocios independiente, Andersen Consulting, centrada en la consultoría en TI. En ese momento, a pesar de ganar 1 000 millones de dólares al año, Andersen Consulting tenía poca presencia de marca entre las consultoras de tecnologías de la información, y muchas veces se le confundía con su empresa matriz, dedicada a la contabilidad. Para fortalecer su marca y separarla de la empresa contable, Andersen Consulting lanzó la primera campaña publicitaria en el área de servicios profesionales. Para finales de aquella década se había convertido en la más grande organización de consultoría en materia de gestión y tecnología.

En 2000, después de un litigio de arbitraje en contra de su antigua matriz, Andersen Consulting se independizó por completo de Arthur Andersen, pero se vio obligada a renunciar a su nombre. A la empresa se le concedieron tres meses para encontrar una nueva razón social que pudiera registrarse en 47 países, que fuera eficaz e inofensiva en más de 200 idiomas, y que resultara aceptable para sus empleados y clientes... además de tener una URL disponible. La estrategia que siguió para lograr todos esos objetivos se convirtió en una de las más grandes —y exitosas— campañas de reasignación de marca de la historia corporativa.

Por suerte, el nuevo nombre surgió de un consultor de la sucursal de la empresa en Oslo, quien propuso "Accenture" como parte de una iniciativa interna de generación de nombres llamada "Brandstorming". El consultor acuñó el nombre Accenture porque rimaba con *adventure* (aventura en inglés) y tenía una connotación de "acento en el futuro". El nombre también mantenía la "Ac" del nombre original de Andersen Consulting (lo que recordaba el sitio Web Ac.com), de manera que podría ayudar a la empresa a conservar parte de su anterior capital de marca. A medianoche del 31 de diciembre de 2000, Andersen Consulting adoptó oficialmente el nombre Accenture y lanzó una campaña de marketing global dirigida a los ejecutivos de alto nivel de las empresas que ya eran sus clientes o clientes potenciales, a todos sus socios y empleados, a los medios, a los principales analistas del sector, a empleados potenciales, y a la academia.

Los resultados de las campañas de publicidad, marketing y comunicaciones fueron rápidos e impresionantes. En total, el capital de marca de Accenture aumentó un 11%, y el número de empresas que solicitaron sus servicios aumentó en un 350%. La conciencia de la diversidad y profundidad de los servicios de Accenture logró el 96% de su nivel anterior. En general, la conciencia de Accenture como proveedor de servicios de consultoría de administración y tecnología fue de 76% en comparación con los niveles alcanzados con su nombre anterior, Andersen Consulting. Estos resultados permitieron que la empresa completara con éxito, en julio de 2001, una salida a bolsa con valor inicial de 1 700 millones de dólares en el mercado de valores.

En 2002 Accenture dio a conocer una nueva estrategia de posicionamiento para reflejar su recién asumido rol como contribuidor a la ejecución de estrategias, resumida brevemente en términos de "Innovation Delivered" (Innovación entregada). Este eslogan fue apoyado por el enunciado "From innovation to excecution, Accenture helps accelerate your vision" (De la innovación a la ejecución, Accenture ayuda a acelerar su visión). Accenture encuestó a ejecutivos de alto rango de diferentes industrias y países, y confirmó que éstos percibían la incapacidad para ejecutar y entregar ideas como la barrera número uno contra el éxito.

Accenture consideró que sus diferenciadores serían la habilidad de proporcionar ideas innovadoras —basadas en procesos empresariales y en TI— y la capacidad de ejecución. Algunos de sus competidores —McKinsey, por ejemplo— eran percibidos como altamente especializados en el desarrollo de estrategias, mientras que otros —como IBM— se percibían como muy hábiles en la implementación tecnológica. Accenture quería que el público la percibiera como excelente en ambos campos. Como explica Ian Watmore, su presidente en el Reino Unido: "A menos que uno pueda proveer tanto consultoría de transformación como capacidad de *outsourcing*, no ganará. Los clientes esperan ambos beneficios".

En 2002 el clima de los negocios cambió. Después del fracaso de las empresas punto-com y el descenso en la economía, la innovación ya no era suficiente. Los ejecutivos requerían resultados en el balance general. Como parte de su nuevo compromiso de ayudar a los clientes a lograr sus metas de negocio, Accenture introdujo una política consistente en que muchos de sus contratos contenían incentivos que se otorgaban únicamente si se cumplían ciertas metas específicas de negocios. Por ejemplo, un contrato con el agente de viajes británico Thomas Cook fue estructurado de manera que el bono prometido por Accenture dependía de cinco métricas, incluyendo una de reducción de costos.

A finales de 2003, Accenture basó en el tema "Innovation Delivered" la creación de su nuevo eslogan, "High Performance. Delivered" (Alto desempeño. Cumplido.), junto con una campaña en la que aparecía como portavoz la superestrella del golf, Tiger Woods. Cuando Accenture buscó a Woods, éste se encontraba en su mejor momento: era el mejor golfista del mundo y tenía una imagen impecable. ¿Qué mejor símbolo para el alto desempeño? El mensaje comunicado era que Accenture tenía la capacidad de ayudar a las empresas clientes a convertirse en "líderes de negocios de alto desempeño", y el aval de Woods se centraba en la importancia del alto desempeño.

Durante los siguientes seis años, Accenture gastó cerca de 300 millones de dólares en anuncios, casi todos los cuales incluían la imagen de Tiger Woods, junto a esloganes como "We know what it takes to be a Tiger" (Sabemos lo que se necesita para ser un tigre), y "Go on. Be a Tiger". (Vamos. Sea un tigre). La campaña capitalizaba el atractivo internacional de Woods, se utilizó en todo el mundo, y se convirtió en el foco de eventos patrocinados por Accenture, como los campeonatos mundiales de golf y la maratón de Chicago.

Todo eso cambió cuando, a finales de 2009, se desató un escándalo alrededor de Tiger Woods como consecuencia de sus aventuras extramaritales, y el golfista se ausentó indefinidamente de los campos. Accenture le retiró su cargo de portavoz, con el argumento de que ya no encajaba con la marca. En realidad, los *focus groups* evidenciaron que los clientes estaban demasiado distraídos por el escándalo como para enfocarse en el mensaje estratégico de Accenture. La empresa buscó rápidamente un nuevo concepto que resonara por todo el mundo, que se tradujera adecuadamente a diferentes culturas, y fuera capaz de romper los vínculos con Woods.

El resultado surgió de algunos conceptos previos que no habían sido utilizados. Una vez que fueron probados con *focus groups* de profesionales de negocios, la empresa lanzó una campaña de 50 millones de dólares, en donde se presentaban diversos animales bajo el mismo eslogan, "High Performance. Delivered." En uno de los anuncios aparece un elefante surfeando, y a su lado un texto que dice: "Who says you can't be big and nimble?" (¿Quién dice que no se puede ser grande y ágil?). En un anuncio posterior, un lagarto intenta atrapar una mariposa transformando su lengua en una flor. El texto decía "If you innovate, they will come" (Si usted innova, ellos vendrán).

En la actualidad, Accenture continúa destacando como una empresa global de consultoría de gestión, servicios de tecnología y *outsourcing*. Sus clientes incluyen a 99 de las Global 100 de *Fortune*, y a más de tres cuartas partes de las Global 500. La empresa terminó el año fiscal 2009 con ingresos de 21 500 millones de dólares.

Preguntas

1. ¿Qué ha hecho bien Accenture para dirigirse a su público B2B?
2. ¿Hizo lo correcto al dejar de utilizar a Tiger Woods como portavoz? Discuta las ventajas y desventajas de esta decisión.

Fuentes: "Annual Reports", *Accenture.com;* "Lessons Learned from Top Firms' Marketing Blunders", *Management Consultant International,* diciembre de 2003, p. 1; Sean Callahan, "Tiger Tees Off in New Accenture Campaign", *BtoB Magazine,* 13 de octubre de 2003, p. 3; "Inside Accenture's Biggest UK Client", *Management Consultant International,* octubre de 2003, pp. 1-3; "Accenture's Results Highlight Weakness of Consulting Market", *Management Consultant International,* octubre de 2003, pp. 8-10; "Accenture Re-Branding Wins UK Plaudits", *Management Consultant International,* octubre de 2002, p. 5; Mary Ellen Podmolik, "Accenture Turns to Tiger for Global Marketing Effort", *BtoB Magazine,* 25 de octubre de 2004; Sean Callahan, "Tiger Tees Off in New Accenture Campaign", *BtoB Magazine,* 13 de octubre de 2003; Emily Steel, "After Ditching Tiger, Accenture Tries New Game", *Wall Street Journal,* 14 de enero de 2010.

Marketing de excelencia

>>GE

General Electric (GE) está conformada por cuatro divisiones principales, que operan en una amplia gama de industrias: GE Infraestructura Tecnológica (electrodomésticos, electrónica de consumo, distribución eléctrica, iluminación, tecnologías de procesos, aviación, transporte y salud); GE Infraestructura de Energía (petróleo, gas y agua); GE Capital (finanzas comerciales y de consumo), y NBC Universal (televisión por cable, películas, redes, parques recreativos y destinos vacacionales). Como resultado, GE vende una amplia gama de productos y servicios, desde electrodomésticos para el hogar hasta motores para jets, sistemas de seguridad, turbinas eólicas y servicios financieros. Los ingresos de GE superaron los 161 000 millones de dólares en 2009, haciéndola tan grande que si cada una de sus cuatro unidades de negocio fueron calificadas de manera separada, todas aparecerían entre las 200 de *Fortune*. Si GE fuera un país, sería el quincuagésimo más grande del mundo, antes de Kuwait, Nueva Zelanda e Irak.

Thomas Edison fundó originalmente la empresa, con el nombre de Edison Electric Light Company, en 1878. La organización, que pronto cambió su nombre por el de General Electric, se convirtió en pionera en la producción de bombillas incandescentes y electrodomésticos, y atendía las necesidades eléctricas de varias industrias (transporte, servicios públicos, manufactura y transmisión de radio y televisión, entre otras). GE fue también una de las primeras —y más reconocidas— empresas en implementar marketing negocio a negocio en las décadas de 1950 y 1960, utilizando el eslogan "Progress Is Our Most Important Product" (El progreso es nuestro producto más importante).

A medida que la empresa diversificaba sus líneas de productos negocio a negocio en las décadas de 1970 y 1980, creó nuevas campañas corporativas, incluyendo la de "Progress for People" (Progreso para la gente) y "We Bring Good Things to Life" (Creamos cosas buenas para la vida). En 1981, Jack Welch sucedió a Reginald Jones como el octavo CEO de GE. Durante sus dos décadas de liderazgo, ayudó a que la empresa evolucionara de ser un "productor estadounidense a un gigante de servicios globales", y aumentó su valor de mercado de 12 000 millones de dólares en 1981 a 280 000 millones de dólares en 2001, convirtiéndola en la corporación más valiosa del mundo en ese momento.

En 2003, GE y su nuevo CEO, Jeffrey Immelt, se enfrentaron a otro desafío: cómo promover su marca diversificada con un mensaje global unificado. Después de hacer extensas investigaciones entre los compradores, la empresa lanzó una nueva e importante campaña llamada "Imagination at Work" (Imaginación trabajando), que destacaba su enfoque renovado en la innovación y las nuevas tecnologías. Esta campaña, que se hizo acreedora a varios premios, promovía las unidades de negocio de GE, enfocándose en la amplitud de su oferta de productos. Inicialmente, GE gastó más de 150 millones de dólares en publicidad corporativa, un desembolso significativo, pero que permitió a la empresa ser más eficiente al enfocarse en su marca central. La meta era unificar las distintas divisiones bajo la marca GE, y al mismo tiempo, darles una voz. "Cuando se es una empresa como la nuestra, con tal diversidad de negocios, la marca es realmente importante para unificar la identidad organizacional", dijo la entonces directora general de marketing (CMO), Beth Comstock. "La integración era importante para comunicar la marca por toda la organización y a todos nuestros miembros".

La nueva campaña integrada obtuvo resultados. "Las investigaciones indican que la marca GE se asocia actualmente con atributos como alta tecnología, vanguardia, innovación, modernidad y creatividad," dijo Judy Hu, directora general global de publicidad y marca. Además, los encuestados continuaron asociando a GE con algunos de sus atributos tradicionales, como confianza y formalidad.

En 2005, la empresa extendió la campaña con su nueva iniciativa, "Ecomagination" (Ecoimaginación), que destaca sus esfuerzos por desarrollar tecnologías "verdes", amigables con el medio ambiente, como la energía solar, los motores de bajas emisiones y las tecnologías de purificación de agua. En 2006 GE se apoyó nuevamente en el eslogan "Imagination", con una campaña llamada "Health Care Re-Imagined" (Cuidado de la salud re-imaginado) en la que aparecían productos GE para la detección, prevención y cura de enfermedades.

Immelt tomó algunas decisiones estratégicas de reestructura que ayudaron a la empresa a sobrevivir ante la recesión mundial de 2008 y 2009, y también contribuyeron a darle una dirección más enfocada al B2B. En aquel momento GE redujo sus 11 divisiones a sólo cinco, y vendió algunas de sus empresas de consumo, incluyendo el 51% de NBC Universal (a Comcast). Este cambio permitió que GE destinara más recursos a la innovación, a iniciativas verdes y a sus negocios en crecimiento, tales como la generación de energía, la aviación, la generación de imagenología médica y las tecnologías celulares. GE continuó utilizando la campaña Ecomagination, e introdujo "Healthymagination" (Saludableimaginación) para comunicar sus avances en tecnologías médicas por todo el mundo.

Las campañas corporativas recientes de GE han procurado conjuntar sus unidades de negocio, pero su éxito se basa en su capacidad de entender el mercado empresarial y el proceso de compra empresarial, poniéndose en la piel de sus clientes empresariales. Piense, por ejemplo, en el enfoque que utiliza para fijar los precios de sus motores para aviones. GE sabe que comprar un motor de avión implica un desembolso de millones de dólares, y que el gasto va más allá de la compra. Los clientes (las aerolíneas) enfrentan elevados costos de mantenimiento para cumplir con las normas de la Federal Administration Aviation (FAA), y para asegurarse de la fiabilidad de sus motores. Por ello, en 1999 incursionó en una nueva opción de precios llamada "Power by the Hour" (Energía por hora). Este concepto da a los clientes la oportunidad de pagar una cuota fija cada vez que el motor entra en operación. A cambio, GE se encarga de todo el mantenimiento y garantiza la fiabilidad del motor. Cuando la demanda de viajes aéreos es incierta, "Power by the Hour" permite que los clientes de GE tengan un menor costo de propiedad.

Este tipo de inteligencia de marketing B2B le ha ayudado a GE a establecer su posición en la cima de las empresas más respetadas del mundo, de acuerdo con la encuesta realizada anualmente por el *Financial Times*. Su comprensión de los mercados empresariales, la manera en que hace negocios y su marketing de marca, han mantenido en crecimiento el capital de marca de GE. De hecho, su capital de marca fue calificado en cuarto lugar y valorado en 48 000 millones de dólares en la calificación Interbrand/*BusinessWeek* de las "Top 100 Global Brands" (Las 100 marcas más importantes del mundo). "La marca GE es lo que nos conecta a todos, y lo que hace que el conjunto sea mucho mejor que las partes", dijo Comstock, presidenta de marketing.

Preguntas

1. Analice la importancia del marketing B2B y de la solidez de la marca para GE en ese mercado.
2. ¿Las campañas "Imagination at Work", "Ecomagination" y "Healthymagination" han comunidado adecuadamente el enfoque de GE en sus nuevas empresas? ¿Por qué, o por qué no?

Fuentes: Geoffrey Colvin, "What Makes GE Great?", *Fortune,* 6 de mayo de 2006, pp. 90-104; Thomas A. Stewart, "Growth as a Process", *Harvard Business Review,* junio de 2006, pp. 60-70; Kathryn Kranhold, "The Immelt Era, Five Years Old, Transforms GE", *Wall Street Journal,* 11 de septiembre de 2006; Daniel Fisher, "GE Turns Green", *Forbes,* 15 de agosto de 2005, pp. 80-85; John A. Byrne, "Jeff Immelt", *Fast Company,* julio de 2005, pp. 60-65; Rachel Layne, "GE's NBC Sale Brings Immelt Cash, Scrutiny", *BusinessWeek,* 3 de diciembre de 2009. htp://www.eleconomista.es/telecomunicaciones-tecnologia/noticias/674641/07/08/General-Electric-reestructura-sus-divisiones.html, 26 de julio de 2008.

En este capítulo responderemos las siguientes **preguntas**

1. ¿Cuáles son los diferentes niveles de segmentación de mercado?
2. ¿Qué hacen las empresas para dividir un mercado en segmentos?
3. ¿Cuáles son los requisitos para una segmentación eficaz?
4. ¿Cómo deben segmentarse los mercados de consumo y los mercados empresariales?
5. ¿Qué deben hacer las empresas para elegir los mercados meta más atractivos y evaluar el nivel de competitividad?

Muebles Pergo ha implementado nuevas estrategias de marketing para satisfacer a su segmento de mercado meta.

Identificación de segmentos de mercado y mercados meta

En los mercados grandes, amplios o muy diversificados, es imposible que las empresas entren en contacto con todos los clientes. Lo que sí pueden hacer es dividir esos mercados en grupos de consumidores homogéneos, o segmentos con distintas necesidades y deseos. La empresa necesita identificar qué segmentos de mercado puede atender con eficacia. Esta decisión requiere un entendimiento muy agudo del comportamiento del consumidor y un cuidadoso pensamiento estratégico de marketing. Para desarrollar los mejores planes de marketing, los gerentes deben entender qué hace único y diferente a cada segmento. La identificación y satisfacción de los segmentos adecuados del mercado suele ser clave para el éxito de la estrategia de marketing.

Pergo, una de las marcas de muebles de diseño mejor posicionadas en México, se ha dirigido a diferentes grupos de clientes a lo largo de los años, ofreciéndoles color, textura, forma y pureza en sus creaciones. Siendo auténticos buscadores de tendencias, los responsables de la marca han recorrido el mundo para encontrar piezas únicas que, por su calidad, representan una opción inteligente en diseño de interiores. Pergo conoce bien el mercado mexicano, sus necesidades, gustos y exigencias.

La arquitectura contemporánea es parte del día a día de la empresa, y sus integrantes son conscientes de que la fusión entre ésta y el diseño de interiores es indispensable para lograr espacios más confortables y cálidos. Por ello, más que ofrecer mobiliario, su propuesta es una filosofía de diseño al que han llamado étnico contemporáneo. Este estilo sintetiza la cultura zen asiática y el pensamiento minimalista occidental: tejidos, tallados, materiales y formas destacan lo mejor del arte y el diseño internacional, dando origen a un estilo sensual y altamente refinado, cuyo único fin es generar espacios pacíficos y armoniosos dentro del hogar. Pergo está orientada a un segmento de consumidores interesados en dar novedad a la decoración doméstica, crear algo a partir de cero, o remodelar y tener en cuenta lo ya existente, pero siempre con la emoción de generar nuevas atmósferas. Cuando "decorar" no es más que un sinónimo de "amueblar", el cliente se limita a seguir el estilo que le dicta una tienda de muebles o un gran almacén. El segmento de mercado atendido por Pergo, en cambio, está conformado por consumidores interesados en buscar, dejar volar la imaginación, fantasear y elegir fuera de los cánones. Como estrategia de crecimiento, la empresa ha realizado investigaciones de mercado para definir de manera todavía más puntual su segmento de mercado meta, así como para determinar cuáles son los gustos, preferencias y percepciones de sus clientes actuales y potenciales. Como resultado, Pergo lanzará al mercado una nueva campaña publicitaria y de imagen para posicionarse como una opción de estilo, calidad y diseño —factores muy valorados por sus consumidores—, así como una campaña de servicio al cliente más personalizada, que va desde brindar información abundante y bien enfocada en el punto de venta, hasta la entrega puntual de los muebles y una esmerada atención post-venta, pasando por la reestructuración de su página web.[1]

Para competir con mayor eficacia, muchas empresas están adoptando actualmente el marketing dirigido. En otras palabras, en vez de dispersar sus esfuerzos de marketing, se enfocan en aquellos consumidores a los que tienen mayor posibilidad de satisfacer.

Para ser efectivo, el marketing dirigido exige que los especialistas en marketing:

1. **Identifiquen y perfilen distintos grupos de compradores, cuyas necesidades y deseos difieren (segmentación del mercado).**
2. **Seleccionen uno o más segmentos de mercado en los que entrar (definición de segmentos meta o segmentos objetivo)**
3. **Establezcan y comuniquen los beneficios diferenciales de la oferta de la empresa para cada segmento meta (posicionamiento de mercado).**

Este capítulo se centrará en los dos primeros pasos. Después de revisar algunos conceptos de branding en el capítulo 9, el capítulo 10 analiza el tercer paso, el posicionamiento de mercado.

Bases para segmentar los mercados de consumo

La segmentación de mercado consiste en dividir el mercado en partes bien homogéneas según sus gustos y necesidades. Un *segmento de mercado* consiste de un grupo de clientes que comparten un conjunto similar de necesidades y deseos. La tarea del especialista en marketing consiste en identificar el número y naturaleza de los segmentos que conforman el mercado, y en decidir a cuáles se dirigirá.

Utilizamos dos grupos amplios de variables para segmentar los mercados de consumo. Algunos investigadores intentan definir los segmentos mediante el análisis de sus características descriptivas: geográficas, demográficas y psicográficas. Luego examinan si los clientes de esos segmentos exhiben diferentes necesidades o respuestas a los productos. Por ejemplo, podrían examinar las actitudes distintivas de los "profesionales", los "obreros" y otros grupos ante —digamos— la "seguridad" como un beneficio del producto.

Otros investigadores tratan de definir los segmentos a partir del análisis de consideraciones conductuales, como las respuestas del consumidor a los beneficios, las ocasiones de uso o la preferencia de marcas. A continuación el investigador trata de determinar si diferentes características descriptivas se asocian con cada respuesta del segmento de consumidor. Por ejemplo, ¿es diferente la composición geográfica, demográfica y psicográfica de las personas que prefieren obtener "calidad" que "precio bajo" al comprar un automóvil?

Independientemente de qué clase de esquema de segmentación se utilice, la clave será ajustar el programa de marketing para que tenga en cuenta las diferencias entre los clientes. Las principales variables de segmentación —geográfica, demográfica, psicográfica y de comportamiento— se resumen en la tabla 8.1.

Segmentación geográfica

La segmentación geográfica divide el mercado en unidades geográficas, como naciones, estados, regiones, provincias, ciudades o vecindarios que influyen en los consumidores. La empresa puede operar en una o en varias áreas; también puede hacerlo en todas, pero poniendo atención a las variaciones locales. De esa manera es capaz de ajustar los programas de marketing a las necesidades y deseos de los grupos locales de clientes en las áreas comerciales, los vecindarios e incluso en tiendas individuales. En una tendencia cada vez más presente, llamada *grassroots marketing* (que se podría traducir como un marketing pegado al suelo, básico pero efectivo), tales actividades se concentran en acercarse tanto como sea posible, y de manera tan personalmente relevante como se pueda, a los clientes individuales.

Buena parte del éxito inicial de Nike se debió a que logró atraer a sus clientes objetivo a través de esfuerzos de *grassroots marketing*, como brindar patrocinio a equipos de escuelas locales, ofrecerles clínicas dirigidas por expertos, así como proveerles calzado, ropa y equipo deportivo. En este sentido, Carrefour ajusta su política de precios dependiendo de la demografía del vecindario. Curves, una cadena de gimnasios dirigida a mujeres maduras, pone bolsas de papel en negocios locales —heladerías, pizzerías y otros—, en donde los consumidores pueden depositar formularios solicitando información sobre sus servicios; la idea es acercarse a los lugares en donde la gente se siente más consciente de su peso y puede experimentar sentimientos de culpa. Empresas minoristas como Starbucks, Costco, Trader Joe's y REI han tenido gran éxito haciendo énfasis en iniciativas locales de marketing, pero otro tipo de empresas también han utilizado esta estrategia.[2]

Yoli

Yoli El marketing regional tiene cada vez más sentido para satisfacer los gustos y necesidades de consumidores geográficamente diferenciados. Consciente de ello, Coca-Cola México cuenta con un portafolio de bebidas que consta de 50 marcas y más de 200 productos, muchos de los cuales se enfocan a satisfacer los gustos, necesidades y estilos de vida de consumidores de regiones específicas del país. Tal es el caso de la bebida refrescante (refresco) Yoli, la marca con mayor tradición en el estado de Guerrero, en la cuenca del Pacífico mexicano. Adquirida por Coca-Cola en diciembre de 2008, Yoli ha mantenido su sabor característico a limón durante más de 60 años, logrando aludir directamente al carácter e identidad locales, y generando el reconocimiento tanto de los habitantes de Guerrero como de los turistas nacionales e internacionales que visitan esa localidad. Hoy, Yoli puede considerarse un auténtico icono regional.[3]

Con mayor frecuencia, el marketing regional significa hacer marketing para una zona específica (por zona postal).[4] Muchas empresas utilizan software de mapas para identificar las ubicaciones geográficas de sus clientes, con lo que conocen, por ejemplo, que la mayoría de ellos se encuentra dentro de un radio de 16 km de la tienda, lo que les permite concentrarse en códigos postales más específicos. Al hacer un mapa de las áreas más densas, el minorista puede depender de la clonación de clientes, suponiendo que los mejores prospectos viven en el lugar donde radica la mayoría de sus clientes.

TABLA 8.1	Variables de segmentación para mercados de consumo*
Región geográfica	Oeste, Centro Noroeste, Centro Suroeste, Centro Noreste, Centro Sureste, Atlántico Sur, Atlántico Medio, Noroeste
Tamaño de la ciudad o área metropolitana	Menos de 5 000; 5 000-20 000; 20 000-50 000; 50 000-100 000; 100 000-250 000; 250 000-500 000; 500 000-1 000 000; 1 000 000-4 000 000; 4 000 000+
Densidad	Urbana, suburbana, rural
Clima	Del norte, del sur
Edad demográfica	Menos de 6, 6-11, 12-17, 18-34, 35-49, 50-64, 64+
Tamaño de la familia	1-2, 3-4, 5 +
Ciclo de vida de la familia	Joven, soltero; joven, casado, sin hijos; joven, casado, hijo más pequeño menor de 6 años; casado, hijo más pequeño mayor de 6 años; mayor, casado, con hijos; más viejo, casado, sin hijos menores de 18 años; más viejo, soltero; otro
Género	Masculino, femenino
Ingresos (en dólares)	Menos de 10 000; 10 000-15 000; 15 000-20 000; 20 000-30 000; 30 000-50 000; 50 000-100 000; 100 000+
Ocupación	Profesional y técnico; gerentes, funcionarios y propietarios; vendedor; artesano; capataz; obrero; agricultor; jubilado; estudiante; trabajo doméstico; desempleado
Educación	Básica incompleta; básica completa; media incompleta; media completa; superior incompleta; superior completa
Religión	Católica, protestante, judía, musulmana, hindú, otra
Raza	Blanca, afroamericana, asiática, hispana, otra
Generación	Generación silenciosa, *baby boomers*, Generación X, Generación Y
Origen étnico	Norteamericano, latinoamericano, europeo, asiático, africano, oceánico
Clase social	Baja baja, baja alta, trabajadora, media, media alta, alta baja, alta alta
Estilo de vida psicográfico	Orientación a la cultura, orientación al deporte, orientación a las actividades al aire libre
Personalidad	Compulsiva, gregaria, autoritaria, ambiciosa
Ocasiones conductuales	Ocasiones habituales, ocasiones especiales
Beneficios buscados	Calidad, servicio, economía, velocidad, entrega, otras
Estatus de usuario	No usuario, ex usuario, usuario potencial, usuario de primera vez, usuario regular
Tasa de utilización	Usuario esporádico, usuario medio, usuario continuo
Estatus de lealtad	Ninguna, media, fuerte, absoluta
Estado de disposición	No consciente, consciente, interesado informado, deseoso, con intención de compra
Actitud hacia el producto	Entusiasta, positiva, indiferente, negativa, hostil

* Ejemplo basado en la experiencia estadounidense.

Algunos enfoques combinan datos geográficos y demográficos para producir descripciones aún más ricas de los consumidores y los vecindarios. Nielsen Claritas ha desarrollado un enfoque de geogrupos llamado PRIZM (Potential Rating Index by Zip Markets) NE, que clasifica más de medio millón de vecindarios residenciales estadounidenses en 14 grupos distintos y 66 segmentos diferentes de estilos de vida, llamados PRIZM Clusters.[5] Para agruparlos se toman en cuenta 39 factores en cinco amplias categorías: (1) nivel educativo y bienestar económico, (2) ciclo de vida de la familia, (3) urbanización, (4) raza y origen étnico, y (5) movilidad. Los vecindarios se subdividen por código postal, zip+4 (códigos de mayor precisión de ubicación), o sección censal y grupos de manzanas. Los grupos tienen títulos descriptivos, como *Fincas de sangre azul, Círculo de ganadores, Jubilados de la localidad, Escopetas y furgonetas*, y *Gente del campo*. Los habitantes de cada grupo tienden a llevar vidas parecidas, conducir vehículos similares, tener empleos afines y leer revistas del mismo tipo. La tabla 8.2 muestra ejemplos de cuatro grupos PRIZM.

Los especialistas en marketing pueden utilizar los grupos PRIZM para contestar preguntas como: ¿en cuáles áreas geográficas (vecindarios o códigos postales) se encuentran nuestros clientes más valiosos? ¿Qué tan profundamente hemos penetrado en esos segmentos? ¿Qué canales de distribución y medios promocionales funcionan mejor para llegar a nuestros grupos meta dentro de cada área? Los geogrupos responden a la creciente diversidad en la población estadounidense.

TABLA 8.2 Ejemplos de grupos PRIZM
• **Jóvenes digerati.** Solteros y parejas con conocimientos de tecnología, que viven en vecindarios de moda en las áreas limítrofes de las ciudades. De alto nivel educativo, con una buena posición económica, mezclados étnicamente, viven en áreas donde por lo general abundan condominios y apartamentos modernos, gimnasios y boutiques de ropa, restaurantes casuales y bares de todo tipo de bebidas, desde preparados frutales hasta café y cerveza.
• ***Boomers* suburbanos.** Se trata de un segmento de la enorme cohorte de *baby-boomers*; tienen educación universitaria, forman parte de la clase media alta y son propietarios del lugar donde viven. Como muchos de sus contemporáneos que se casaron a una edad tardía, todavía están criando niños en confortables colonias suburbanas, y llevan estilos de vida centrados en sus hijos.
• **Cosmopolitas.** Educados, de clase media y multiétnicos. Los cosmopolitas son parejas urbanas que habitan en las urbes de rápido crecimiento de Estados Unidos. Se concentran en un puñado de ciudades —como Las Vegas, Miami y Albuquerque—, y se caracterizan por ser de edad madura, propietarios del lugar donde viven, graduados universitarios y sin responsabilidades parentales, pues sus hijos ya abandonaron el hogar. Los vecindarios en donde se ubican son viejos, pero en sus alrededores se da una agitada actividad social; los cosmopolitas disfrutan la vida nocturna y llevan un estilo de vida lleno de intereses recreativos.
• **Viejas ciudades industriales.** Las pequeñas ciudades industriales y de manufactura que alguna vez fueron prósperas, han envejecido, igual que sus habitantes. Actualmente la mayor parte de su población está compuesta por solteros y parejas de jubilados, que viven con bajos ingresos en casas y apartamentos anteriores a 1960. Como entretenimiento, disfrutan la jardinería, la costura, las reuniones en clubes de veteranos y las comidas en restaurantes casuales.

Fuente: *Nielsen*, www.claritas.com

Varias organizaciones han aplicado geogrupos similares a su marketing. Por ejemplo, el ejército es-tadounidense emplea un sistema Claritas específico para impulsar sus acciones de reclutamiento. Sodexho Marriott utiliza el sistema para elegir las ofertas de menú que incluye en su programa nacional de alimentos para universidades. Wendy's y PETCO dependen de la información de Claritas para decidir en dónde abrir nuevos puntos de venta. Cuando la empresa ferretera Ace Hardware lanzó un programa de lealtad de clientes llamado Helpful Hardware Club hace algunos años, asignó un código de grupo Claritas a cada uno de sus siete millones de miembros. Cuando Ace detectó que 12 grupos eran los que generaban la mayor parte de su negocio, se dirigió a ellos con promociones específicas.[6]

El marketing dirigido a microsegmentos es posible incluso para las pequeñas organizaciones a medida que disminuyen los costos de las bases de datos, el software se vuelve más fácil de utilizar y aumenta la integración de datos.[7] Quienes se muestran a favor del marketing localizado consideran que la publicidad a nivel nacional es un desperdicio, porque resulta demasiado distante y no se dirige a las necesidades locales. Aquellos que se oponen al concepto argumentan que eleva los costos de manufactura y marketing al reducir las economías de escala y magnificar los problemas de logística. Desde su punto de vista, la imagen general de una marca puede diluirse si el producto y el mensaje son diferentes en distintas ubicaciones.

Segmentación demográfica

En la segmentación demográfica, el mercado se divide por variables como edad, tamaño de la familia, ciclo de vida de la familia, género, ingresos, ocupación, nivel educativo, religión, raza, generación, nacionalidad y clase social. Una de las razones por las que las variables demográficas son tan populares entre los especialistas de marketing, es que muchas veces están asociadas con las necesidades y deseos de los consumidores. Otra es que son fáciles de medir. Incluso cuando se describe el mercado meta en términos no demográficos (digamos, por tipo de personalidad), podría ser útil establecer un vínculo con las características demográficas para poder estimar el tamaño del mercado y los medios que deben usarse para llegar a él eficazmente.

A continuación se describe de qué manera los especialistas en marketing han utilizado determinadas variables demográficas para segmentar los mercados.

EDAD Y ETAPA DEL CICLO DE VIDA Los deseos y capacidades de los consumidores cambian con la edad. Las marcas de dentífricos como Crest y Colgate ofrecen tres líneas principales de productos dirigidas a niños, adultos y consumidores de mayor edad. La segmentación por edad puede ser incluso más refinada. Pampers divide su mercado en prenatal, recién nacidos (0-5 meses), bebés (6 a 12 meses), infantes (13-23 meses), y preescolares (24 meses y más). Un estudio de niños entre 8 y 12 años encontró que el 91% decidían o influían en la compra de ropa, el 79% en la compra de alimentos, y el 54% en la elección de destinos vacacionales, mientras que un 14% tomaba o influía en las decisiones sobre adquisición de vehículos.[8]

Independientemente de lo anterior, la edad y el ciclo de vida pueden ser variables complicadas.[9] Por ejemplo, los integrantes del mercado meta para algunos productos podrían ser *psicológicamente* jóvenes. Esto se denomina edad subjetiva o psciológica. Para dirigirse a los chicos de 21 años con el automóvil Element, que Honda describe como "un dormitorio universitario sobre ruedas", la empresa hizo publicidad en donde mostraba sensuales chicos universitarios haciendo fiestas junto al coche en la playa. Sin embargo, los anuncios tuvieron tanto éxito entre los *baby-boomers*, que la edad promedio del comprador del Element resultó ser ¡de 42 años! Al darse cuenta de que los *baby-boomers* buscan mantenerse jóvenes, Honda decidió que las líneas entre grupos de edades estaban perdiendo definición. Cuando estuvo lista para lanzar un nuevo automóvil subcompacto llamado Fit, la empresa se dirigió deliberadamente a los compradores de la generación Y, así como a sus padres, que ya no tienen responsabilidades parentales.

El marketing de Avon está enfocado de manera muy específica en las mujeres.

ETAPA DE VIDA Las personas que comparten un ciclo de vida podrían diferir en su etapa de vida. La **etapa de vida** se define en función de la principal preocupación de las personas en un momento dado, por ejemplo, pasar por un divorcio, casarse por segunda vez, cuidar de sus padres envejecidos, decidir cohabitar con otra persona, decidir la compra de una nueva vivienda, etc. Estas etapas de la vida presentan oportunidades que los especialistas en marketing pueden aprovechar ayudando a sus clientes a sobrellevar esas preocupaciones principales.

GÉNERO Hombres y mujeres tienen diferentes actitudes y se comportan de manera distinta, en parte debido a su composición genética y en parte por la socialización.[10] Las mujeres tienden a ser de mentalidad más comunitaria, y los hombres a ser más contenidos y dirigidos al cumplimiento de metas; las mujeres tienden a absorber más datos de su entorno inmediato, y los hombres a centrarse en la parte del entorno que les ayuda a lograr sus metas. Una investigación que examinó cómo compran los hombres y las mujeres, encontró que los primeros suelen necesitar que los inviten a tocar un producto, en tanto que las mujeres son más proclives a tomarlo sin que se les invite. Los hombres a menudo gustan de leer la información de los productos, mientras que las mujeres pueden relacionarse con ellos en un nivel más personal.[11]

Según algunos estudios, las mujeres estadounidenses y británicas controlan o influyen en más del 80% de los bienes y servicios de consumo, toman el 75% de las decisiones de la adquisición de nuevas viviendas, y compran 60% de los automóviles nuevos. La diferenciación de género se ha aplicado desde hace mucho tiempo en la ropa, el arreglo del cabello, los cosméticos y las revistas. Avon, por ejemplo, ha creado un negocio con ventas por más de 6 000 millones de dólares a partir de la comercialización de productos de belleza para mujeres. Hoy en día los especialistas en marketing pueden llegar al público femenino con mayor facilidad mediante programas de televisión y un sinnúmero de revistas y sitios Web para mujeres; los hombres se encuentran con más facilidad en los canales deportivos (como ESPN) y de entretenimiento, y mediante revistas como *Maxim* y *Men's Health*.[12]

Algunos mercados que tradicionalmente se han orientado más a los hombres, como el automovilístico, comienzan a reconocer la segmentación por género y a cambiar la manera en que diseñan y venden automóviles.[13] Las mujeres compran automóviles con criterios diferentes a los que usan los hombres; les interesa más el impacto ambiental, ponen más atención en su estilo interior que exterior y conciben la seguridad en términos de características que ayuden al conductor a sobrevivir a un accidente, más que ayudarle a evitarlo.[14]

Victoria's Secret Limited Brands compró Victoria's Secret en 1982, convirtiéndola en una de las marcas más identificables entre los minoristas, gracias a un hábil marketing de ropa femenina, lencería y productos de belleza. Casi todas las mujeres estadounidenses de generaciones anteriores hacían sus compras de ropa interior en grandes almacenes, y tenían pocas prendas que pudieran ser consideradas "lencería". Después de atestiguar que las mujeres europeas compraban costosos artículos de lencería en pequeñas boutiques especializadas, el fundador de Limited Brands, Leslie Wexner, presintió que un modelo de tienda similar podría funcionar a escala masiva en Estados Unidos, aunque los productos no se parecían en nada a los que la compradora promedio podía encontrar en los aburridos estantes de los grandes almacenes. Sin embargo, Wexner tenía razones para creer que a las mujeres estadounidenses les atraería la oportunidad de tener una experiencia de compras de lencería con estilo europeo. "Las mujeres necesitan ropa interior, pero desean lencería", observó. La suposición de Wexner resultó correcta: poco más de una

Las lecciones que obtuvieron de sus clientes europeos han ayudado a Victoria's Secret a dirigirse con éxito a las mujeres estadounidenses y de otros mercados.

década después de adquirir el negocio, el cliente promedio de Victoria's Secret compraba entre 8 y 10 sostenes al año, en contraste con el promedio nacional, que era de dos. Para destacar su reputación sofisticada y su mensaje glamoroso, la marca usa supermodelos de alto perfil como portavoces en sus anuncios y desfiles de moda. A lo largo de su historia, Victoria's Secret ha tenido un crecimiento de ventas anual del 25% o más, vendiendo en sus tiendas, por catálogo y en el sitio Web de la empresa. Según su información pública, tuvo ingresos por 5 100 millones de dólares en 2008.[15]

INGRESOS La segmentación por ingresos es una práctica de muchos años en las categorías de automóviles, ropa, cosméticos, servicios financieros y viajes. Implica seguir los datos demográficos de evolución de la distribución del ingreso nacional. Sin embargo, el nivel de ingreso no siempre predice cuáles son los mejores clientes para un producto determinado. Por ejemplo, los obreros constituyen el principal grupo de compradores de televisores a color, porque para ellos es más barato adquirir esos aparatos que ir al cine y a restaurantes.

Muchos especialistas en marketing se dirigen deliberadamente a los grupos de menores ingresos, a veces descubriendo menos presión de sus competidores o mayor lealtad de los clientes.[16] Por ejemplo, Tarjeta Naranja es una tarjeta regional de Argentina que compite con Visa y MasterCard, la cual se dirige a ese grupo descuidado que resulta ser el segmento con menor tasa de incobrabilidad. En 2005, Procter & Gamble lanzó dos extensiones de marca con precio de descuento —Bounty Basic y Charmin Basic— cuyo éxito llevó al lanzamiento de Tide Basic en 2009, aunque esta extensión fue retirada después del mercado. Al mismo tiempo, otros especialistas en marketing tienen éxito con productos de precio elevado. Cuando Whirlpool lanzó su línea de lavadoras de alto precio, Duet, las ventas duplicaron sus pronósticos en una economía de bajo crecimiento gracias, en gran medida, a compradores de clase media que cambiaron sus electrodomésticos por otros de mayor valor.

En muchas economías, las empresas tienen cada vez más claro que sus mercados tienen forma de reloj de arena, y que sus consumidores de clase media migran hacia los productos de descuento *y también* a los de lujo.[17] Las empresas que se pierden este nuevo mercado se arriesgan a quedar atrapadas en el medio y ver su participación de mercado declinar constantemente. Levi-Strauss reconoció que su estrategia de canal hacía demasiado énfasis en minoristas como Sears, que venden principalmente a la clase media, de manera que introdujo líneas de lujo —como Levi's Capital E— para los minoristas exclusivos Bloomingdales y Nordstrom, y líneas de menor precio —Signatures by Levi-Strauss & Co.— para los minoristas masivos Walmart y Target. "Marketing en acción: Ascender, descender u oscilar", describe los factores que crean esta tendencia y su significado para los especialistas en marketing.

Ascender, descender u oscilar

Michael Silverstein y Neil Fiske, autores de *Trading Up,* observaron que cada vez más consumidores del mercado medio estaban adoptando lo que ellos llaman productos y servicios de "nuevo lujo", o lo que hoy se denomina la democratización de lujo que "poseen niveles más altos de calidad, gusto y aspiración que otros bienes de la categoría, pero que no son tan caros como para quedar fuera de su alcance". Por ejemplo, los consumidores pueden "mejorar" la marca de café que acostumbran cambiando a Star-bucks, su champú cambiando al de Aveda, o sus estufas optando por una Viking, lo cual dependerá, en parte, de los beneficios emocionales que obtengan con el cambio.

Gracias a esta tendencia de mejora en el nivel de las compras, los bienes de nuevo lujo se venden en mayor volumen que los bienes de lujo tradicionales, aunque su precio sea más alto que el de los artículos convencionales de mercado medio. Los autores identifican tres tipos principales de productos de nuevo lujo:

- *Productos accesibles con sobreprecio,* como la ropa interior de Victoria's Secret y las patatas fritas gourmet Kettle. Aunque esos productos implican un sobreprecio significativo, los consumidores pueden adoptarlos porque son artículos de precio relativamente bajo en categorías asequibles.
- *Extensiones de marca de viejo lujo.* Son productos que extienden hacia abajo las marcas tradicionalmente de alto precio en el mercado, pero conservando sus características de estilo; ejemplos de ello son el Mercedes Benz clase C, y la tarjeta Blue de American Express.
- *Bienes de prestigio masificado (masstige),* como los productos para cuidado de la piel de Kiehl's y los vinos Kendall-Jackson, cuyos precios están situados entre los de las marcas del mercado medio y los de las marcas de viejo lujo con sobreprecio. Están "siempre basados en emociones, y los consumidores tienen mucho mayor implicación emotiva con ellos que con otros bienes".

Para adoptar "mejores" marcas que ofrezcan estos beneficios emocionales, los consumidores a menudo "cambian hacia abajo", comprando en tiendas de descuento —como Walmart y Costco— los bienes o artículos básicos que no les confieren beneficio emocional alguno, pero que siguen aportándoles funcionalidad y calidad. Como explica una consumidora al racionalizar por qué su cocina estaba equipada con un frigorífico Sub-Zero, un lavavajillas de vanguardia Fisher & Paykel, una placa para cocinar de 900 dólares, pero al mismo tiempo con un enorme paquete de 12 rollos de toallas de papel Bounty adquirido en un almacén de descuento: "Cuando se trata de la casa no concedo en nada. Pero cuando se trata de compra de alimento o de productos de limpieza, si no tienen descuento, no los compro".

En un libro posterior, titulado *Treasure Hunt,* Silverstein observa que el 82% de los consumidores estadounidenses eligen productos de menos costo en cinco o más categorías (lo que él llama "búsqueda de tesoros"), mientras el 62% se concentra en "mejorar" sus compras en las dos categorías que le provean los mayores beneficios emocionales. Esto hace que el consumidor sea "en parte mártir y en parte hedonista", sacrificando voluntariamente en una serie de compras para experimentar más beneficios a partir de la compra de unos cuantos artículos.

Silverstein cree que las empresas exitosas ofrecerán uno de dos tipos de valor: nuevo lujo o búsqueda de tesoros. Las marcas que ofrecen oportunidades de mejorar, como Coach, Victoria's Secret, Grey Goose y Bath & Body Works, o de obtener descuentos, como Best Value Inn, Kohl's, Dollar General e IKEA, están óptimamente posicionadas para entregar el valor que buscan los consumidores modernos. El resto de las empresas que ocupan el mercado medio, y que carecen del valor económico, funcional, o emocional que buscan los consumidores actuales, verán reducirse su participación de mercado a medida que se queden "atrapadas en medio". De hecho, las tiendas tradicionales de alimentos y los grandes almacenes ya están experimentando caídas del 30 y del 50% en su participación de mercado, respectivamente.

Mintel, empresa dedicada a la investigación de mercados, observa que los consumidores también han estado "oscilando" al cambiar el destino de su gasto entre una categoría y otra (digamos, al comprar un nuevo sistema de televisión en casa en lugar de un automóvil nuevo). En la reciente caída económica, los consumidores usaban "productos sustitutos, aptos para los estilos de vida de una mentalidad de recesión", pero que les permitían conservar la experiencia deseada. Mintel cita el ejemplo del café Starbucks VIA Ready Brew, una "nueva experiencia para el hogar", que es más accesible que comprar café en una de las tiendas de la empresa; un caso similar es el del detergente Tide TOTALCARE, que permite que los usuarios obtengan en casa resultados parecidos a los del lavado en seco, pero con un precio inferior al que pagarían en una tintorería profesional.

Fuentes: Michael J. Silverstein, *Treasure Hunt: Inside the Mind of the New Consumer* (Nueva York: Portfolio 2006); Jeff Cioletti, "Movin' on Up", *Beverage World* (junio de 2006), p. 20; Michael J. Silverstein y Neil Fiske, *Trading Up: The New American Luxury* (Nueva York: Portfolio 2003); Linda Tischler, "The Price is Right", Fast Company, noviembre de 2003; Sarah Mahoney, "Top Consumer Trends: Trust, Control, ... Playfulness", *Marketing Daily,* 4 de septiembre de 2009; David Orgel, "Quality Trumps Quantity in New Product Releases", *Supermarket News*, 25 de mayo de 2009.

GENERACIÓN Cada generación o *cohorte* está profundamente influida por las épocas en las que creció, es decir, por la música, las películas, la política y eventos definitorios del periodo. Los miembros de cada generación comparten las mismas experiencias culturales, políticas y económicas, y tienen puntos de vista y valores similares. Los especialistas en marketing suelen dirigir sus mensajes a una cohorte específica mediante el uso de imágenes prominentes e icónicas vinculadas con sus experiencias. También intentan desarrollar productos y servicios que cumplan de manera única los intereses o necesidades particulares de una generación meta. A continuación se narra qué hizo un banco para dirigirse a los consumidores de la generación Y.

La billetera virtual de PNC

La billetera virtual de PNC

A principios de 2007, el banco PNC contrató a los consultores de diseño IDEO para estudiar a la generación Y —definida por PNC como aquélla conformada por personas de 18 a 34 años de edad—, y para que lo ayudaran a desarrollar un plan de marketing atractivo para ese público. Las investigaciones de IDEO encontraron que esa cohorte (1) no sabía cómo administrar su dinero, y (2) consideraba que los sitios Web de los bancos eran anticuados y poco funcionales. Entonces, PNC eligió introducir una nueva oferta, la "Billetera virtual", que combinaba tres cuentas —"Gastos" (cuenta de cheques regular), "Reserva" (cheques que acumulan interés), y "Crecimiento" (ahorro)— con una ingeniosa herramienta de finanzas personales. Los clientes pueden "arrastrar" su dinero de una cuenta a otra en una pantalla. En lugar de ver un libro de contabilidad tradicional, pueden examinar los balances en un calendario que muestra el flujo de caja futuro, estimado con base en sus fechas de pago, cuándo deben saldar sus cuentas y cuáles son sus hábitos de gasto. Asimismo, tienen oportunidad de echar mano de una "herramienta de ahorro" para transferir dinero a la cuenta de ahorro cuando reciben su sueldo, en cuyo caso recibirán sus balances mediante mensajes de texto. A pesar de ofrecer a sus cuentahabientes rendimientos financieros bastante ordinarios, PNC logró atraer a 20 000 consumidores, en su mayoría de la generación Y, en los primeros meses de la campaña.[18]

Aunque las fechas que definen el periodo comprendido por una generación siempre son subjetivas —y las generalizaciones pueden esconder importantes diferencias dentro del grupo—, a continuación se dan algunas observaciones generales sobre las cuatro principales cohortes generacionales de los consumidores, desde las más jóvenes a las de mayor edad.[19]

Del tercer milenio (o Generación Y) Nacidos entre 1979 y 1994, en Estados Unidos esta generación está constituida por aproximadamente 78 millones de personas, con un poder de gasto estimado en 187 000 millones de dólares. Si se considera el crecimiento laboral, la conformación del hogar y la familia, y los 53 años de expectativa de vida que les resta, podemos concluir que en esta cohorte hay en juego billones de dólares de gasto. No es de sorprender que los investigadores de mercado y los anunciantes se esfuercen por aprender todo lo posible sobre el comportamiento de compra de la generación Y.

Los consumidores de esta generación, llamados también *Echo Boomers*, han estado "conectados" casi desde que nacieron, practicando videojuegos, navegando en la Web, descargando música, vinculándose entre sí mediante mensajes instantáneos y teléfonos móviles. Tienen un sentido de derecho a las cosas y de abundancia, debido a que crecieron durante el auge económico y han sido mimados por sus padres, los *baby boomers*. Aún así, tienen alta conciencia social y están preocupados por los asuntos medioambientales. Son selectivos, seguros e impacientes.

Los consumidores han estado cambiando a Tide TOTALCARE para obtener en casa resultados parecidos a los del lavado en seco.

TABLA 8.3 Perfil de las cohortes generacionales estadounidenses

Cohorte generacional	Año de nacimiento	Tamaño aproximado	Características definitorias
Del tercer milenio (Generación Y)	1979–1994	78 millones	Crecieron con una prosperidad relativa, conectados tecnológicamente y preocupados por asuntos medioambientales y sociales; también tienen un fuerte sentido de independencia y una percepción de inmunidad ante el marketing.
Generación X	1964–1978	50 millones	A veces se considera que forman parte de una brecha intergeneracional; tienden puentes entre el conocimiento tecnológico de la generación Y y las realidades adultas de los *baby boomers*.
Baby boomers	1946–1964	76 millones	La mayor parte está todavía en el mejor momento de su ciclo de consumo; adoptan productos y estilos de vida que les permitan retraerse con el paso del tiempo.
Generación silenciosa	1925–1945	42 millones	Desafían su edad avanzada manteniendo vidas activas y adquiriendo productos y marketing que les ayuden a lograrlo.

Fuentes: Kenneth Gronbach, "The 6 Markets You Need to Know Now", *Advertising Age*, 2 de junio de 2008, p. 21; Geoffrey E. Meredith y Charles D. Schewe, *Managing by Defining Moments: America's 7 Generational Cohorts, Their Workplace Values, and Why Managers Should Care* (Nueva York: Hungry Minds, 2002).

Ya que los miembros de la generación Y suelen sentir rechazo por las prácticas de branding y la "venta dura", los especialistas en marketing han intentado muchos enfoques diferentes para llegar a ellos y persuadirlos.[20]

1. ***Rumores en la red.*** La banda de rock Foo Fighters creó un equipo digital que envía mensajes de correo electrónico a sus miembros, permitiéndoles obtener "las noticias más recientes, primicias exclusivas de audio/video, toneladas de oportunidades para ganar fantásticos premios de los Foo Fighters, y ser parte de la familia Foo Fighters".
2. ***Embajadores universitarios.*** Red Bull reclutó estudiantes como "gerentes universitarios" de la marca para distribuir muestras, investigar tendencias de bebidas, diseñar iniciativas de marketing en sus universidades, y escribir historias para los periódicos escolares.
3. ***Deportes poco convencionales.*** La cadena de restaurantes Chick-fil-A patrocinó la National Amateur Dodgeball Association, "un pasatiempo recreativo para los entusiastas del deporte no tradicional".
4. ***Eventos de moda.*** Basada en el surf, los monopatines (patinetas), el arte, la música y la cultura de playa, la marca Hurley —que se define a sí misma como un auténtico "portavoz de la juventud"— se convirtió en patrocinadora del U.S. Open of Surfing (torneo abierto estadounidense de surf). Otros patrocinadores fueron Casio, Converse, Corona, Paul Mitchell y Southwest Airlines.

Hurley refuerza su fuerte identificación con los consumidores de la generación Y mediante su patrocinio del U.S. Open of Surfing.

5. ***Videojuegos.*** El emplazamiento de productos como herramienta publicitaria no se limita a las películas y la televisión: Mountain Dew, Oakley y Harley-Davidson hicieron tratos para poner sus logotipos en el videojuego *Pro Skater 3* de Tom Hawk, producido por Activision.
6. ***Videos.*** Burton, fabricante de esquís y tablas para nieve, se asegura de que sus productos sean claramente visibles en videos musicales o de cualquier otro tipo.
7. ***Trabajo en campo.*** Como parte de una cruzada contra el tabaquismo, la American Legacy Foundation contrata adolescentes y los organiza como "escuadrones de la verdad", encargados de repartir camisetas, pañuelos y placas de identificación para perros en eventos dirigidos al público joven.

Aunque la banda de rock Nirvana llegó a considerarse el símbolo definitorio de la generación X, investigaciones posteriores revelan una imagen más compleja de esta cohorte.

Generación X. Con frecuencia perdidos en la confusión demográfica, los aproximadamente 50 millones de consumidores estadounidenses de la generación X, bautizados a partir de una novela de Douglas Coupland publicada en 1991, nacieron entre 1964 y 1978. La popularidad de Kurt Cobain, de la banda de rock Nirvana y del estilo de vida retratado en el laureado filme *Slacker*, provocó el uso de los términos *grunge* y *slacker* para caracterizar a los adolescentes y adultos jóvenes de la generación X. Ésta era una imagen poco favorecedora, como un grupo carente de apegos, propenso a la falta de atención y con poca ética laboral.

Estos estereotipos desaparecieron lentamente. La generación X ciertamente se crió en una época llena de retos, en la que los padres trabajadores dependían de las guarderías o dejaban a los niños solos y "bajo llave" después de la escuela, y los recortes corporativos llevaron a la amenaza de despidos e incertidumbre económica. Al mismo tiempo, la diversidad social y racial era más aceptada, y la tecnología cambiaba rápidamente los estilos de vida y trabajo de la gente. Aunque los miembros de la generación X crearon nuevas normas en relación con los logros académicos, también fueron los primeros en encontrar desafíos serios para sobrepasar los estándares de vida de sus padres.

Estas realidades tuvieron un profundo impacto. Los miembros de la generación X sienten que la autosuficiencia y la capacidad para manejar cualquier circunstancia son fundamentales. Para ellos la tecnología es un facilitador, no una barrera. A diferencia de los miembros de la generación Y, que son más optimistas y orientados al equipo, los de la generación X son más pragmáticos e individualistas. Como consumidores, son cautelosos ante los despliegues publicitarios y los discursos que parecen falsos o condescendientes. Los mensajes directos, donde el valor está claro, con frecuencia funcionan mejor para ellos, en especial a medida que van convirtiéndose en padres de familia.[21]

Baby boomers. Los *baby boomers*, nacidos entre 1946 y 1964, constituyen aproximadamente 76 millones de los consumidores estadounidenses. Aunque representan un mercado meta acaudalado, toda vez que tienen un poder de gasto anual de 1.2 billones de dólares y controlan tres cuartas partes de la riqueza del país, los especialistas en marketing suelen pasarlos por alto. En el mundillo de los canales de televisión, las personas mayores de 50 años son conocidas como "indeseables", debido a que los anunciantes se interesan principalmente en el público de 18 a 49 años.

En vista de que muchos *baby boomers* están llegando a los 60 años, y sin olvidar a los de la última ola, que están cumpliendo los 50, la demanda por productos para contrarrestar los efectos del tiempo está en pleno auge. Según una encuesta, casi uno de cada cinco *boomers* se resiste activamente al proceso de envejecimiento, usando como mantra la frase "Los 50' son los nuevos 30'". A partir de su búsqueda de la fuente de la juventud, se ha dado un apogeo de las ventas de trasplantes capilares y tintes para el cabello, inscripciones a clubes deportivos, equipos para ejercitarse en casa, cremas para reafirmar la piel, suplementos alimenticios y comida orgánica.

Es interesante notar que, debido a que tantos miembros de la generación Y —los *echo boomers*— viven todavía con sus padres *boomers*, éstos están viéndose influidos por lo que los demógrafos llaman "efecto *boom-boom*". En otras palabras, los mismos productos que atraen a las personas de 21 años resultan atractivos para los *baby boomers*, obsesionados por mantenerse jóvenes. El éxito de varias temporadas del *reality show* de MTV, *The Osbournes,* en donde la estrella del heavy metal Ozzy Osbourne y su familia son los protagonistas, fue impulsado tanto por los padres *boomers* como por sus hijos, amantes de MTV.

En contradicción con lo que afirma el marketing convencional, en el sentido de que las preferencias de marca de los consumidores mayores de 50 años son inamovibles, un estudio encontró que el 52% de los *boomers* está dispuesto a cambiar de marca, en la misma línea que la población total. Aunque les encanta comprar cosas, odian que se las vendan y, como observó un especialista en marketing, "hay que ganárselos todos los días"; sin embargo, hay muchas oportunidades de hacerlo. Por otro lado, los *boomers* son menos propensos a asociar la jubilación con "el principio del fin". Más bien la ven como un nuevo capítulo en sus vidas, que llega ofreciéndoles nuevas actividades, intereses, e incluso relaciones.[22]

El exitoso *reality show, The Osbournes,* se aprovechó de la sensibilidad rocanrolera de los *baby boomers* y en sus responsabilidades parentales.

Generación silenciosa Los nacidos entre 1925 y 1945 —la "generación silenciosa"— están redefiniendo el significado de la edad avanzada. Para empezar muchos de ellos, que por edad cronológica pertenecen a esta categoría, no se perciben a sí mismos como miembros de la tercera edad. Una encuesta encontró que el 60% de los entrevistados mayores de 65 afirmó sentirse con menos años que su edad real. Un tercio de los encuestados de 65 a 74 años dijo sentirse entre 10 y 19 años más joven, y uno de cada seis se sentía al menos 20 años más joven que su edad real.[23]

En coherencia con estas aseveraciones, muchos consumidores mayores llevan vidas muy activas. Como observó un experto, es como si estuvieran pasando de nuevo por la edad madura antes de convertirse en ancianos. Los anunciantes han aprendido que a los consumidores de mayor edad no les molesta ver a miembros de su generación en los anuncios que se dirigen a ellos, siempre y cuando parezca que están teniendo vidas llenas de energía. Pero los especialistas en marketing saben que deben evitar los clichés, como parejas de edad avanzada dando un paseo en bicicleta, o caminando por la playa tomados de la mano al atardecer.

El énfasis en su rol de abuelos es universalmente bien recibido. Muchos consumidores mayores no sólo disfrutan el tiempo que pasan con sus nietos, sino que muchas veces son quienes cubren sus necesidades básicas o, por lo menos, quienes los proveen de regalos ocasionales. Los fundadores de eBeanstalk.com, que vende online juguetes didácticos para niños, pensaban que su negocio sería impulsado en gran medida por consumidores jóvenes que iniciaban sus familias. La sorpresa fue decubrir que hasta el 40% de sus clientes eran consumidores de mayor edad, casi todos ellos abuelos. Éstos son consumidores que requieren mucha atención, pero también están más dispuestos que los más jóvenes a pagar el precio de lista.[24]

RAZA Y CULTURA El *marketing multicultural* es un enfoque que reconoce que los distintos segmentos étnicos y culturales tienen necesidades y deseos lo suficientemente diferenciados como para requerir actividades de marketing dirigido, y que un enfoque de marketing masivo no es lo bastante refinado para responder a la diversidad del mercado. El 40% del negocio de McDonald's en Estados Unidos, por ejemplo, deriva de las minorías étnicas. Su muy exitosa campaña "I'm Lovin' It" estaba basada en la cultura hip-hop, pero tuvo un atractivo que trascendió la raza y el origen étnico.[25]

Con numerosos segmentos de mercados y un poder de compra en expansión, los mercados hispanoamericano, afroamericano y asiático-americano están en crecimiento a una tasa que duplica o triplica la de las poblaciones no multiculturales. En Estados Unidos, los mercados multiculturales también varían dependiendo de si sus integrantes son la primera o segunda generación (o más) de residencia en el país, y de si son inmigrantes o nacidos y criados en la nación.

Las normas, las sutilezas idiomáticas, los hábitos de compra y las prácticas comerciales de los mercados multiculturales deben tomarse en consideración en la formulación inicial de la estrategia de marketing, y no como una adición de último momento. Toda esta diversidad también tiene implicaciones para las investigaciones de mercados, pues se requiere un muestreo cuidadoso para perfilar adecuadamente los mercados meta.[26]

El marketing multicultural puede dar como resultado diferentes mensajes de marketing, medios, canales y demás. Hay medios especializados para llegar a prácticamente cualquier segmento cultural o grupo minoritario, aunque algunas empresas se han esforzado en proporcionar apoyo financiero y de gestión para la realización de programas completos dirigidos a un grupo étnico específico.

Por fortuna, a medida que los países se vuelven culturalmente más diversos, muchas campañas de marketing dirigidas a un grupo cultural específico pueden rebasar sus límites e influir de manera positiva en otros. Un anuncio de Tide en el que un hombre afroamericano con anillo de matrimonio seca a su hijo después del baño, fue bien visto tanto por el mercado afroamericano como por el mercado en general.[27] Boost Mobile se ha aprovechado del interés compartido en la cultura joven para crear una base de clientes diversa, compuesta por adultos jóvenes: 35% afroamericanos, 27% de hispanoamericanos y 32% de caucásicos.[28]

A continuación se describen las características de los tres mercados multiculturales más grandes en Estados Unidos: hispanoamericanos, afroamericanos y asiático-americanos. La tabla 8.4 muestra algunos datos y hechos importantes sobre este tema.[29]

Hispanoamericanos. Los hispanoamericanos son la minoría más grande de Estados Unidos, con un poder de compra estimado en más de 1 billón de dólares en 2010. De acuerdo con los pronósticos, para 2020 se espera que el 17% de los estadounidenses sean de origen hispano.

El mercado hispanoamericano contiene una gran variedad de subsegmentos, con aproximadamente dos docenas de nacionalidades incluyendo cubanos, mexicanos, puertorriqueños, dominicanos y otros grupos de Centro y Sudamérica, y una mezcla de culturas, fisionomías, antecedentes raciales y aspiraciones.[30]

TABLA 8.4 Perfil del mercado multicultural

	Hispanoamericanos	Asiático-americanos	Afroamericanos
Población estimada en 2007	46.9 millones	15.2 millones	40.7 millones
Población estimada en 2050	132.8 millones	40.6 millones	65.7 millones
Número de negocios propiedad de minorías en 2002	1.6 millones	1.1 millones	1.2 millones
Ingresos generados por negocios propiedad de minorías en 2002	$222 mil millones	$326 mil millones	$89 mil millones
Mediana de ingresos por hogar en 2007	$38 679	$66 103	$33 916
Tasa de pobreza en 2007	21.5%	10.20%	24.50%
Porcentaje de personas mayores de 25 con por lo menos educación media en 2008	62%	86%	82%
Número de veteranos de las fuerzas armadas estadounidenses	1 100 000	277 751	2 400 000
Mediana de edad en 2008	27.7	35.4	30.3
Porcentaje de población menor de 18 años en 2008	34%	26%	30%
Poder de compra en 2008	$863 mil millones	$847 mil millones	$509 mil millones

Fuentes: www.selig.uga.edu y www.census.gov

Para satisfacer sus muy heterogéneas necesidades, Goya, la mayor empresa estadounidense de alimentos para ese segmento, vende 1 600 productos, que van desde bolsas de arroz hasta empanadas congeladas listas para comerse. Sólo en el rubro de judías (frijoles), Goya comercializa 38 variedades distintas.[31]

Aunque los hispanos enfrentaron mayor desempleo y menor ingreso disponible en la recesión, siguieron siendo un mercado meta atractivo, debido a que tenían menos deudas hipotecarias y de tarjeta de crédito, dos o más miembros en cada hogar que aportan ingresos, y una mayor propensión a comprar las marcas anunciadas.[32] Empresas como Johnson & Johnson, Verizon y General Mills aumentaron significativamente su inversión en publicidad para el mercado hispano durante la más reciente recesión.

State Farm Después de ir a la zaga de su principal competidor durante años, State Farm decidió convertir el marketing hispanoamericano en su prioridad en 2008. La empresa patrocinó eventos de la comunidad latina, partidos de fútbol, los Latin Music Awards y el programa de Univision de mayor audiencia los sábados por la noche, *Sábado gigante*. Sin embargo, su actividad de marketing más original consistió en dar apoyo y patrocinio a una nueva banda musical, Los Felinos de la Noche, formada por seis hombres (primordialmente inmigrantes hispanos), cuyo sonido *heavy-pop-rock* se basa en la música norteña regional mexicana. Con el apoyo de State Farm, la banda grabó algunos temas, filmó videos musicales y tocó conciertos en vivo para hacerse un nombre. No obstante, State Farm eligió un enfoque sutil para su patrocinio. Aunque la página Web de la banda no mostraba el logotipo de State Farm ni sus mensajes de marketing, Los Felinos de la Noche elogiaban a la empresa por la oportunidad que les brindó en muchas de las entrevistas que les realizaron. El uniforme rojo de la banda intentaba vincularlo con el familiar color de State Farm. La meta de llegar a los hispanos de primera generación con un mensaje emocional mostró que State Farm entendía las necesidades de la comunidad hispana. La campaña fue recibida positivamente, y se le ha atribuido el cambio de opiniones entre los miembros de ese mercado.[33]

El patrocinio musical de State Farm a la banda Los Felinos de la Noche refleja un creciente interés en el marketing hispano.

Los hispanoamericanos suelen compartir sólidos valores familiares —varias generaciones pueden vivir bajo un mismo techo— y fuertes raíces hacia sus países de origen. Tienen necesidad de respeto, son leales a la marca, y poseen un agudo interés en la calidad de los productos. Las investigaciones de Procter & Gamble revelaron que los consumidores hispanos creen que "lo barato sale caro". Además, pusieron al descubierto que los consumidores hispanos son tan orientados al valor que incluso podrían llevar a cabo sus propias pruebas de productos en casa. Una mujer, por ejemplo, estaba usando diferentes marcas de pañuelos desechables y papel higiénico en distintas habitaciones y baños para averiguar cuáles agradaban más a su familia.[34]

Los especialistas en marketing desean llegar a los hispanoamericanos con promociones, anuncios y páginas Web específicas para ellos, pero necesitan ser cuidadosos para captar las sutilezas de las tendencias culturales y de mercado.[35] La California Milk Processor Board (CMPB) tuvo que cambiar su famosa campaña de anuncios "got milk?" cuando se dirigían al mercado hispano.

Got Milk?

Got Milk? En 2001 los hispanos representaban el 32.5% de la población total de California, cifra que continuó creciendo año tras año. También eran grandes bebedores de leche y gastaban más en la compra de ese producto que cualquier otro segmento demográfico. Sin embargo, las pruebas del efecto de los anuncios "got milk?" entre los consumidores revelaron que a los hogares hispanohablantes no les parecían graciosos si se traducían directamente al español. Como explicó el director ejecutivo de CMPB, Jeff Manning, "Descubrimos que no tener leche o arroz en los hogares hispanos no es gracioso: que se termine la leche significa que le has fallado a tu familia". Además, en su traducción literal al español, la frase "got milk?" podría interpretarse como "¿estás lactando?".

En consecuencia, CMPB y su agencia publicitaria hispana, Anita Santiago Advertising, crearon una serie de anuncios centrados en la leche como un ingrediente sagrado, utilizando frecuentemente el eslogan "Familia, amor y leche". Cuando la campaña utilizaba su eslogan "got milk?", éste se conservaba en inglés. La conciencia fue aumentando entre la población hispana, y en 2002 CMPB probó por primera vez un *spot* televisivo protagonizado por La Llorona, un mítico personaje hispano. Los consumidores de ese segmento se mostraron emocionados, porque el anuncio entendía su cultura y se dirigía directamente a ellos.[36]

Por otro lado, los hispanoamericanos nacidos en Estados Unidos tienen diferentes necesidades y gustos que los que nacieron en otros lugares y, aunque son bilingües, muchas veces prefieren comunicarse en inglés. En vista de que dos terceras partes de los hispanos que viven en Estados Unidos se consideran "biculturales" y se sienten cómodos tanto en comunidades de habla española como de habla inglesa, son pocas las empresas que se arriesgan a aislar al público doméstico en la televisión nacional, así que los anuncios en español son transmitidos únicamente en las cadenas Univision, Telemundo y Telefutura.

Algunos especialistas en marketing, como los de General Motors y Toyota, han usado el enfoque *spanglish* en sus anuncios, mezclando de manera natural un poco de español en las conversaciones que las familias hispanas sostienen en inglés.[37] Empresas como Continental Airlines, General Mills y Sears han usado el marketing móvil para llegar a los hispanos.[38] Con una población primordialmente joven y con acceso limitado a Internet o a líneas telefónicas terrestres, los hispanos son mucho más propensos que el mercado general a consumir contenidos en sus teléfonos móviles.

Afroamericanos. Los afroamericanos han tenido un impacto económico, social y cultural significativo en la vida estadounidense, influyendo en los adelantos tecnológicos, en el arte, la música, los deportes, la moda y la literatura de la nación. Como muchos segmentos culturales, tienen profundas raíces en el paisaje estadounidense, y al mismo tiempo están orgullosos de su herencia y son respetuosos de los vínculos familiares.[39]

De acuerdo con los hallazgos producidos por las encuestas, entre todos los grupos raciales, los afroamericanos son los más conscientes de la moda, y están muy motivados por la calidad y el surtido. Además, son más proclives a influir en las decisiones de compra de sus hijos, y menos propensos a adquirir marcas desconocidas. Los afroamericanos ven más televisión y escuchan más radio que otros grupos, y también compran más aparatos de DVD que cualquier otro segmento multicultural, con excepción de los hispanos.[40]

Muchas empresas han llevado a cabo exitosas adaptaciones de sus productos para satisfacer las necesidades de los afroamericanos. En 1987, Hallmark Cards lanzó su línea Mahogany —en ese momento con sólo 16 tarjetas de felicitación—, dirigida a los afroamericanos; actualmente la marca cuenta con más de 800 tarjetas y una línea completa de papelería. La marca de medias L'eggs, de Sara Lee Corporation, retiró una línea de pantimedias específica para mujeres afroamericanas; ahora los tonos y los estilos que ganan popularidad en ese segmento conforman la mitad de las submarcas de la empresa.

Asimismo, es preciso que los mensajes de los anuncios sean percibidos como relevantes. En una campaña para la sal condimentada de marca Lawry's, dirigida a los afroamericanos, aparecían imágenes de comida habitual de ese segmento en el sur de Estados Unidos; una campaña para Kentucky Fried Chicken mostraba a una familia afroamericana reunida, lo que demostraba un entendimiento tanto de los valores de este mercado como de su estilo de vida.[41]

Las empresas de cigarrillos, licor y comida rápida han sido criticadas por dirigirse con demasiado énfasis a los afroamericanos urbanos. Como observó un especialista, dado el problema de obesidad que enfrenta ese grupo, es perturbador que sea más fácil encontrar un restaurante de comida rápida que una tienda de alimentos en muchos vecindarios afroamericanos.[42]

Asiático-americanos. Según el U.S. Census Bureau, el término "asiático" se refiere a las personas cuyos orígenes se remontan a cualquiera de las razas nativas del Lejano Oriente, Asia del sudeste o el subcontinente indio. Seis orígenes nacionales representan el 79% de la población asiático-americana: China (21%),

Filipinas (18%), India (11%), Vietnam (10%), Corea (10%), y Japón (9%). La diversidad de estas identidades nacionales limita la eficacia de los mensajes de marketing dirigidos a los asiáticos en general.

Este mercado ha sido llamado el "mercado invisible", ya que en comparación con el hispanoamericano y con el afroamericano, tradicionalmente se le ha dedicado una fracción mucho menor del total del gasto de marketing multicultural de todas las empresas estadounidenses.[43] Sin embargo, cada vez es más fácil llegar a él. El número de medios de comunicación dirigidos a los asiático-americanos ha aumentado de 200 en la década de 1980, a más o menos 700 u 800 en 2007.

Sovereign Bank, una institución bancaria con sede en Filadelfia, ha estado dirigiéndose con éxito a la comunidad chino-estadounidense de Boston con una sucursal atendida por completo por personal de ese segmento poblacional. Los empleados no sólo hablan chino cantonés, sino que saben que en la planificación financiera para los chinos-estadounidenses es importante considerar la necesidad de brindar atención a los padres ancianos.[44] Las empresas tradicionales de alimentos preparados también han implementado estrategias multiculturales. He aquí cómo comenzó a hacerlo Kraft.

Kraft

Kraft Los primeros esfuerzos de marketing de Kraft enfocados al mercado asiático-americano se dieron en 2005, con una campaña integrada de marketing que incluía anuncios en distintos idiomas y pruebas y degustaciones de productos en las tiendas, así como una página Web con recetas y consejos para vivir saludablemente. Las investigaciones de Kraft revelaron que los compradores asiático-americanos no querían más productos de estilo asiático marca Kraft; lo que deseaban era aprender cómo preparar comidas estilo occidental utilizando productos Kraft. Las comunicaciones de marketing de Kraft utilizaron el mandarín y el cantonés, dos de los dialectos lingüísticos más comunes entre los inmigrantes asiáticos; además, fueron dirigidos a las madres inmigrantes, considerándolas guardianas de entrada a sus familias, y responsables de mantener un equilibrio entre las culturas oriental y occidental. Un anuncio impreso utilizaba el proverbio chino "La vida tiene cien sabores" para mostrar una selección de productos Kraft agradablemente presentados sobre una fuente. Para conectar aún más con los compradores, Kraft envió representantes de habla china a los supermercados. Los representantes llevaban a cabo demostraciones culinarias con recetas occidentales utilizando productos Kraft, regalaban muestras de productos y daban sugerencias para almuerzos infantiles cómodos para llevar a la escuela. Kraft también lanzó una página Web (www.krafthealthyliving.com) con la intención de promover consejos de alimentación saludable, como "bebe tu té a pequeños sorbos" para tener mayores beneficios de salud.[45]

Los asiático-americanos tienden a ser más conscientes de la marca que otros grupos minoritarios, pero son los menos leales a una marca determinada. También tienden a preocuparse más por el qué dirán (por ejemplo, si sus vecinos los aprobarán) y comparten valores fundamentales de seguridad y educación. Al ser comparativamente prósperos y bien educados, constituyen un atractivo segmento meta para las marcas de lujo. Además, siendo el grupo con mayores conocimientos de informática, los asiático-americanos son más proclives a usar Internet diariamente.[46]

Comunidad lesbiana, gay, bisexual y transexual (LGBT). Se calcula que el tamaño de este mercado equivale a entre el 5 y el 10% de la población estadounidense, y que tiene un poder de compra de aproximadamente 700 000 millones de dólares.[47] Cada vez son más las empresas que diseñan iniciativas para dirigirse a este mercado. American Airlines creó un "Equipo arcoiris" con personal LGBT dedicado, así como un sitio Web en donde se hace énfasis en los servicios relevantes para esa comunidad, como un calendario de eventos nacionales de temas gay. Según una encuesta de la comunidad homosexual, Absolut, Apple, Levi's y las cadenas de televisión por cable Bravo y Showtime son percibidas como empresas amigables con las personas gay.[48]

Logo, el canal de televisión de MTV para el público lesbico-gay, tiene 150 anunciantes de una amplia variedad de categorías de productos, y está disponible en 40 millones de hogares. Los anunciantes utilizan cada vez más esfuerzos digitales para llegar al mercado. Los mensajes online de Hyatt para la comunidad LGBT son transmitidos en redes sociales y blogs donde los clientes comparten sus experiencias de viajes.

Sin embargo, a algunas empresas les preocupan las represalias que ciertas organizaciones pudieran ejercer contra ellas por apoyar las causas LGBT. En cambio otras, como Pepsi, Campbell's y Wells Fargo continúan haciendo publicidad para esta comunidad a pesar de haber sido víctimas de boicots por esa razón.

Segmentación psicográfica

La **psicografía** es la ciencia que utiliza la psicología y la demografía para entender mejor a los consumidores. En la *segmentación psicográfica* los compradores se dividen en diferentes grupos con base en sus características psicológicas/de personalidad, su estilo de vida o sus valores. Las personas de un mismo grupo demográfico pueden exhibir perfiles psicográficos muy diferentes.

|Fig. 8.1|

El sistema de segmentación VALS: una tipología de ocho partes

Fuente: VALS™ © Strategic Business Insights (SBI), www.strategicbusinessinsights.com/VALS. Utilizado con autorización.

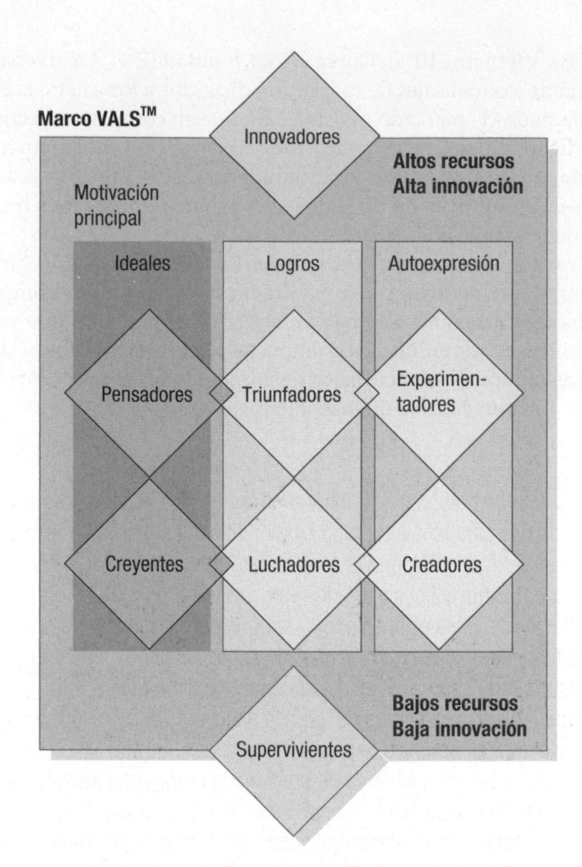

Uno de los sistemas de clasificación basado en mediciones psicográficas más populares y comercialmente disponibles es el marco VALS™ de Strategic Business Insight (SBI). VALS, que significa "values and lifestyles" (valores y estilos de vida), clasifica a los adultos estadounidenses en ocho grupos principales con base en las respuestas que dan a un cuestionario de cuatro preguntas demográficas y 35 de actitud. El sistema VALS se actualiza constantemente con nuevos datos, derivados de más de 80 000 encuestas anuales (ver la figura 8.1). Para más información, visite la página Web de SBI.[49]

Las dimensiones principales del marco de segmentación VALS son la motivación del consumidor (dimensión horizontal) y los recursos del consumidor (la dimensión vertical). Los consumidores se inspiran en una de tres motivaciones principales: ideales, logros y autoexpresión. Quienes están principalmente motivados por ideales toman como guía el conocimiento y los principios. Los motivados por los logros buscan productos y servicios que muestren su éxito a sus similares. Los consumidores cuya motivación es la autoexpresión desean actividad física o social, variedad y riesgo. Características de personalidad como la energía, seguridad en uno mismo, intelecto, búsqueda de novedades, innovación, impulsividad, liderazgo y vanidad, así como rasgos demográficos clave determinan los recursos de cada individuo. Los diferentes niveles de recursos realzan o limitan la expresión de la motivación principal de la persona.

Los cuatro grupos con más recursos son:

1. ***Innovadores.*** Personas exitosas, sofisticadas, activas, que se "hacen cargo", con elevada autoestima. Sus compras suelen reflejar gustos cultivados por productos y servicios de alto nivel, orientados a nichos.
2. ***Pensadores.*** Personas maduras, satisfechas y reflexivas, motivadas por los ideales y que valoran el orden, el conocimiento y la responsabilidad. Buscan durabilidad, funcionalidad y valor en los productos.
3. ***Triunfadores.*** Personas exitosas, orientadas a las metas, que se enfocan en su carrera y su familia. Favorecen productos de lujo que demuestran su éxito a sus similares.
4. ***Experimentadores.*** Jóvenes, entusiastas, impulsivos, buscan variedad y emoción. Gastan una proporción comparativamente alta de su ingreso en moda, entretenimiento y socialización.

Los cuatro grupos con menos recursos son:

1. ***Creyentes.*** Individuos conservadores, convencionales y tradicionales, con creencias concretas. Prefieren productos familiares y fabricados por la industria nacional, y son leales a las marcas establecidas.
2. ***Luchadores.*** Personas a la moda y amantes de la diversión, con restricción de recursos. Favorecen los productos de moda que emulan las compras de quienes tienen mayor riqueza material.

3. ***Creadores.*** Personas prácticas, con los pies en la tierra, autosuficientes, a las que les gusta trabajar con sus manos. Buscan productos de fabricación doméstica y que tengan un propósito práctico o funcional.
4. ***Supervivientes.*** Personas ancianas o pasivas, preocupadas por el cambio y leales a sus marcas favoritas.

Los especialistas en marketing pueden aplicar su entendimiento de los segmentos VALS a la planificación de sus estrategias. Por ejemplo, Transport Canada, la agencia que opera los principales aeropuertos canadienses, encontró que los Innovadores, que desean expresar independencia y gusto, constituyen un porcentaje desproporcionado de los viajeros en avión. Dado el perfil del segmento, se esperaba que empresas de perfil compatible, como Sharper Image y Nature Company, tuvieran éxito en los aeropuertos de Transport Canada.

Los esquemas de segmentación psicográfica suelen ser adaptados a cada cultura. La versión japonesa de VALS, Japan VALS™, divide la sociedad en 10 segmentos de consumidores sobre la base de dos conceptos clave: orientación de vida (formas tradicionales, ocupaciones, innovación y autoexpresión) y actitudes hacia el cambio social (sostenedor, pragmático, adaptable e innovador).

Segmentación conductual

En la segmentación conductual los especialistas en marketing dividen a los compradores en grupos con base en sus conocimientos de, su actitud hacia, su uso de, y su respuesta a un producto.

NECESIDADES Y BENEFICIOS No todos aquellos que compran un producto tienen las mismas necesidades o desean obtener los mismos beneficios. La segmentación basada en necesidades o beneficios buscados es un enfoque ampliamente usado, porque identifica segmentos de mercado distintos con implicaciones de marketing claras. Constellation Brands identificó seis segmentos de beneficios diferentes en el mercado estadounidense de vinos de lujo (5.50 dólares o más por botella).[50]

- ***Entusiasta*** *(12% del mercado).* Mayoritariamente femenino, el ingreso promedio de este segmento es más o menos de 76 000 dólares anuales. Alrededor del 3% (casi todos hombres y con ingresos más altos) son "entusiastas del lujo".
- ***Buscadores de imagen*** *(20%).* Éste es el único segmento que tiende a ser masculino, con una edad promedio de 35 años. Utilizan el vino principalmente como señal de quiénes son, y están dispuestos a pagar más para asegurarse de que están comprando la botella adecuada.
- ***Compradores inteligentes*** *(15%).* Aman comprar vino y creen que no deben gastar mucho para conseguir una buena botella. Son felices al aprovechar las gangas.
- ***Tradicionalistas*** *(16%).* Con valores muy tradicionales, les gusta comprar marcas que han escuchado y de viñedos con larga tradición. Su edad promedio es de 50 años, y un 68% son mujeres.
- ***Bebedores satisfechos*** *(14%).* No saben mucho de vinos y tienden a comprar las mismas marcas. Aproximadamente la mitad de este segmento bebe vino blanco de producción local.
- ***Abrumados*** *(23%).* Un mercado meta potencialmente atractivo: se sienten confundidos al comprar vinos.

ROLES DE DECISIÓN Es fácil identificar al comprador de muchos productos. En Estados Unidos, por lo general los hombres eligen sus productos de afeitado y las mujeres sus medias; pero incluso en esos casos los especialistas en marketing deben tener cuidado al decidir qué dirección tomarán, porque los roles de compra cambian. Cuando ICI, una importante empresa británica de productos químicos, descubrió que las mujeres tomaban el 60% de las decisiones de marca de pintura para el hogar, decidió dirigir los anuncios de su marca Dulux al público femenino.

Las personas desempeñan uno o varios de los siguientes cinco roles al tomar decisiones de compra: *iniciador*, *influyente*, *decisor*, *comprador* y *usuario*. Por ejemplo, suponga que una esposa inicia la compra al pedir una nueva cinta andadora (caminadora) como regalo de cumpleaños. El marido podría entonces buscar información en muchas fuentes, incluyendo su mejor amigo, quien tiene una y es un influyente clave en esa elección. Después de presentar las alternativas a su esposa, él comprará el modelo preferido por ella, y toda la familia terminará usándola. Diferentes personas desempeñan roles distintos, pero todas ellas son cruciales en el proceso de decisión y en la satisfacción final del consumidor.

Constellation Brands ha adoptado un plan de segmentación de mercado basado en necesidades para vender sus vinos de lujo.

USUARIO Y USO: USUARIO REAL Y VARIABLES RELATIVAS AL USO Muchos especialistas en marketing creen que las variables relacionadas con varios aspectos de los usuarios y el uso que hacen de los productos/servicios —ocasiones, estatus de usuario, tasa de utilización, etapa de disposición del comprador y estatus de lealtad— son buenos puntos de partida para generar segmentos de mercado.

Ocasiones de uso. Las ocasiones marcan un momento del día, la semana, el mes, el año u otros aspectos temporales bien definidos de la vida de un consumidor. Podemos distinguir a los compradores según las ocasiones en que desarrollan una necesidad, compran un producto o lo utilizan. Por ejemplo, los viajes por avión son impulsados por ocasiones relacionadas con los negocios, las vacaciones o la familia. Los segmentos por ocasión pueden ayudar a expandir el uso de los productos y servicios.

Estatus de usuario. En un mercado de producto podemos encontrarnos con no usuarios, ex usuarios, usuarios potenciales, usuarios de primera vez y usuarios regulares. Los bancos de sangre no pueden depender solamente de donantes regulares para aprovisionarse de sangre; también deben reclutar nuevos donantes de primera vez y contactar a ex donantes, y hacerlo con una estrategia de marketing diferente en cada caso. La clave para atraer a usuarios potenciales o incluso quizás a no usuarios, consiste en entender las razones por las que aún no son usuarios. ¿Tienen actitudes, creencias o comportamientos profundamente arraigados, o sólo les falta el conocimiento de los beneficios y utilidad del producto o marca?

En el grupo de usuarios potenciales se encuentran los consumidores que se volverán usuarios a partir de alguna etapa o evento de su vida. Las futuras madres son usuarios potenciales que se convertirán en usuarios frecuentes. Los fabricantes de productos y los proveedores de servicios infantiles aprenden sus nombres y las saturan de anuncios y productos para capturar una parte de sus compras futuras. Los líderes en cuota de mercado tienden a centrarse en atraer a usuarios potenciales, porque tienen más que ganar. Por su parte, las empresas más pequeñas se concentran en conservar o retener a sus usuarios actuales, alejándolos del líder del mercado.

Tasa de utilización. De acuerdo con este criterio, los mercados pueden dividirse en segmentos de uso de los productos leve, medio y frecuente. Los usuarios frecuentes casi siempre constituyen la proporción más pequeña, pero significan un alto porcentaje del consumo total. Los bebedores frecuentes de cerveza representan un 87% del consumo, casi siete veces lo que los bebedores leves. Los especialistas en marketing preferirían atraer a un usuario frecuente que a varios leves. Sin embargo, un problema potencial es que los usuarios frecuentes muchas veces o son muy leales a una marca o en absoluto leales a una marca, y siempre están en busca del menor precio. Además, es probable que tengan poca oportunidad de aumentar sus compras y consumos.

Etapa en la disposición del comprador. Algunas personas no son conscientes del producto, otras son conscientes, otras están informadas, algunas están interesadas y otras desean el producto, y también hay quienes tienen la intención de comprarlo. Para determinar cuántas personas están en las diferentes etapas y cuán efectivas han resultado sus campañas para llevarlas de una etapa a la siguiente, los especialistas en marketing pueden emplear un embudo de marketing para dividir el mercado en diferentes etapas de disposición del comprador.

La proporción de consumidores que están en las diferentes etapas supone una gran diferencia al diseñar el programa de marketing. Suponga que una agencia de salud quiere incentivar a las mujeres a hacerse una prueba de citología para detectar el cáncer cervical. Al principio es probable que muy pocas de ellas sean conscientes de la prueba. Por lo tanto, el esfuerzo de marketing debe enfocarse en la publicidad, para crear conciencia usando un mensaje sencillo. Más adelante la publicidad deberá exacerbar los beneficios de la prueba y los riesgos de no hacerla. Una oferta especial de examen de salud gratuito podría motivar a las mujeres a tomar la decisión final de realizarse la prueba.

La △ figura 8.2 muestra un embudo para dos marcas hipotéticas. En comparación con la marca B, la marca A no logra convertir a los usuarios de una vez en usuarios más recientes (sólo 46% se convierten a la marca A, en comparación con 61% que se convierten a la marca B). Dependiendo de las razones por las que los consumidores no volvieron a usar un producto, la campaña de marketing podría introducir productos más relevantes, encontrar puntos minoristas más accesibles, o desmentir rumores o las creencias incorrectas que tengan los consumidores.

Estatus de lealtad. Los especialistas en marketing acostumbran a visualizar cuatro grupos con base en el estatus de lealtad de los consumidores a la marca:

1. ***Leales incondicionales.*** Consumidores que compran sólo una marca todo el tiempo.
2. ***Leales divididos.*** Consumidores que son leales a dos o tres marcas.
3. ***Leales cambiantes.*** Consumidores que cambian su lealtad de una marca a otra.
4. ***Switchers.*** Consumidores que no muestran lealtad a marca alguna.[51]

Las empresas pueden aprender mucho al analizar los grados de lealtad de marca. Los incondicionales pueden ayudar a identificar las fortalezas del producto; los leales divididos pueden mostrar cuáles marcas son las más competitivas con la propia, y cuando la empresa ve que los consumidores dejan su marca,

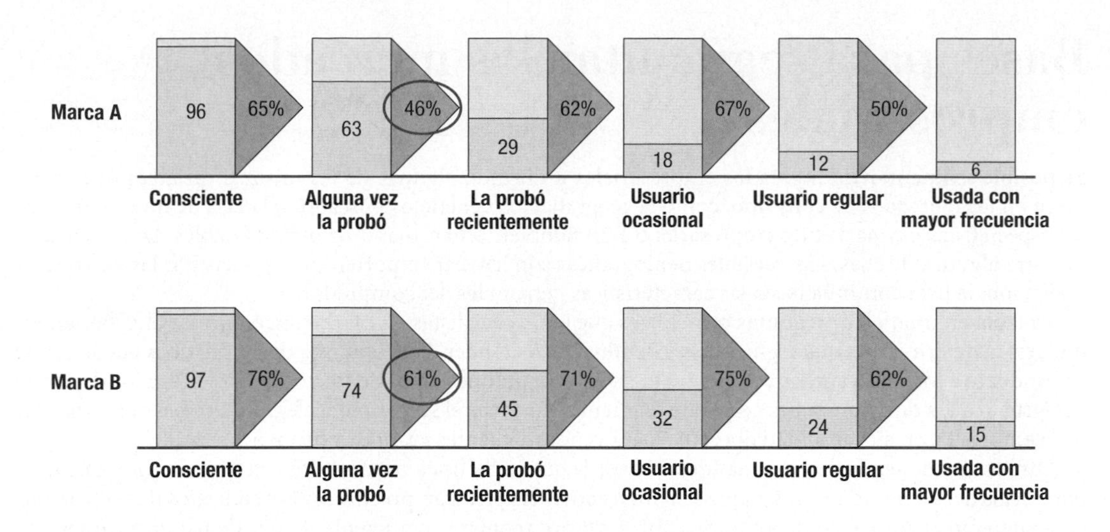

|Fig. 8.2| △

Ejemplo del embudo de marketing

podrá aprender cuáles son sus debilidades de marketing e intentar corregirlas. Pero cuidado: lo que pudiera parecer un patrón de compra leal a la marca podría más bien reflejar hábitos, indiferencia, un precio bajo, el elevado costo que implicaría cambiar de marca, o la ausencia de otras marcas.

Actitud. Las cinco actitudes que puede exhibir el consumidor en relación con un producto son: entusiasta, positiva, indiferente, negativa y hostil. Quienes trabajan en campañas políticas haciendo visitas a domicilio utilizan la actitud para determinar cuánto tiempo deben pasar con cada votante. Agradecen a los votantes entusiastas y les recuerdan que voten, refuerzan a los que tienen una disposición positiva, intentan obtener los votos de los electores indiferentes, y no desperdician su tiempo tratando de cambiar las actitudes de los votantes negativos y hostiles.

Bases múltiples. Al combinar diferentes bases de comportamiento se puede obtener una vista más completa y cohesiva de un mercado y sus segmentos. La △ figura 8.3 muestra una posible manera de desglosar un mercado meta en varias bases de segmentación por comportamiento.

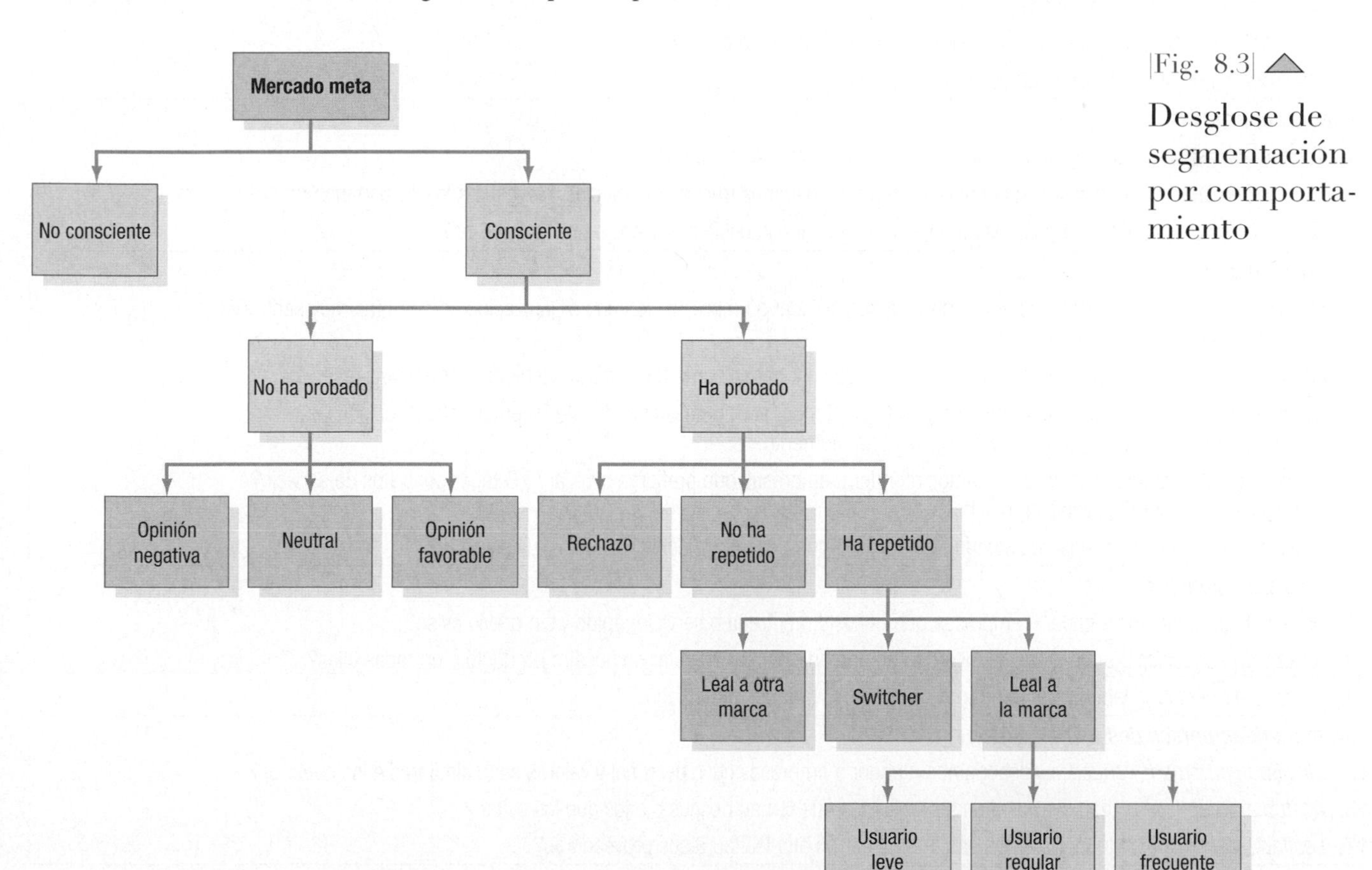

|Fig. 8.3| △

Desglose de segmentación por comportamiento

Bases para segmentar los mercados empresariales

Es posible segmentar los mercados empresariales utilizando algunas de las mismas variables que se emplean en los mercados de consumo, como la geografía, los beneficios buscados y la tasa de utilización, pero los especialistas en marketing empresarial o B2B también echan mano de otras variables. La tabla 8.5 muestra algunas de ellas. Las variables demográficas son las más importantes, seguidas por las variables de operación; la lista continúa hasta las características personales del comprador.

La tabla enumera las preguntas principales que los especialistas en marketing empresarial deberían formularse al determinar a qué segmentos y clientes deben atender. Una empresa de neumáticos puede vender su producto a los fabricantes de automóviles, a los de camiones, a los de tractores agrícolas, a los de camiones-grúa o a los de aviones. Luego puede segmentar aún más el sector meta elegido, con base en el tamaño de la empresa y en su capacidad operativa para vender a clientes grandes y pequeños.

Otra forma de segmentación más detallada es la que se realiza a partir de los criterios de compra. Los laboratorios del gobierno necesitan que sus proveedores les ofrezcan precios bajos y contratos de servicio para equipamiento científico; los laboratorios universitarios requieren equipamiento que demande poco servicio, y los laboratorios industriales necesitan equipamiento muy preciso y fiable.

En general, los especialistas en marketing empresarial identifican los segmentos mediante un proceso secuencial. Considere una empresa fabricante de aluminio: al principio hizo una macrosegmentación evaluando a cuál mercado de uso final debía atender, al automovilístico, al residencial o al de fabricación de envases para bebidas. Con base en su análisis eligió el mercado residencial, y ello le llevó a determinar la aplicación más atractiva del producto: material semiterminado, componentes de construcción, o caravanas (casas rodantes) de aluminio. Entonces decidió enfocarse en componentes de construcción y, tras considerar

TABLA 8.5 Principales variables de segmentación para los mercados empresariales

Demográficas

1. *Sector:* ¿qué sectores deberíamos atender?
2. *Tamaño de la empresa:* ¿qué tamaño de empresas deberíamos atender?
3. *Ubicación:* ¿qué áreas geográficas deberíamos atender?

Variables operativas

4. *Tecnología:* ¿sobre cuál tecnología de los clientes deberíamos centrarnos?
5. *Estatus de usuario o no usuario:* ¿deberíamos atender a usuarios frecuentes, medios o leves, o a los no usuarios?
6. *Capacidades del cliente:* ¿deberíamos atender a clientes que necesiten muchos o pocos servicios?

Enfoques de compra

7. *Organización de la función de compras:* ¿deberíamos atender a empresas con una organización de compras muy centralizada o descentralizada?
8. *Estructura de poder:* ¿deberíamos atender a empresas dominadas por la función de ingeniería, la de finanzas, etcétera?
9. *Naturaleza de las relaciones existentes:* ¿deberíamos atender a empresas con las que tenemos relaciones sólidas, o simplemente ir detrás de la más deseable en cada momento
10. *Políticas generales de compra:* ¿deberíamos atender a empresas que prefieren alquilar? ¿O tener contratos de servicio? ¿Sistemas de compra? ¿Licitación o subasta?
11. *Criterios de compra:* ¿deberíamos atender a empresas que buscan calidad? ¿Servicio? ¿Precio?

Factores situacionales

12. *Urgencia:* ¿deberíamos atender a empresas que necesitan entrega o servicio rápido y sin previo aviso?
13. *Aplicación específica:* ¿deberíamos enfocarnos en una aplicación particular de nuestro producto o en todas ellas?
14. *Tamaño de pedido:* ¿deberíamos centrarnos en pedidos grandes o pequeños?

Características personales

15. *Similitud comprador-vendedor:* ¿deberíamos atender a empresas cuyo personal y valores sean similares a los nuestros?
16. *Actitud ante el riesgo:* ¿deberíamos atender a clientes que toman riesgos o a los que los evitan?
17. *Lealtad:* ¿deberíamos atender a empresas que muestran alta lealtad a sus proveedores?

Fuente: Adaptado de Thomas V. Bonoma y Benson P. Shapiro, *Segmenting the Industrial Market* (Lexington, MA: Lexington Books, 1983).

el tamaño de los clientes, eligió a los clientes grandes. La segunda etapa consistió en hacer una microsegmentación. A continuación buscó establecer una distinción entre los clientes que compraban por precio, y los que lo hacían por servicio o calidad. Debido a que tiene un perfil de alto servicio, la empresa decidió concentrarse en el segmento del mercado motivado por el servicio.

Los expertos en marketing negocio a negocio (B2B), James C. Anderson y James A. Narus, han exhortado a los especialistas en marketing a presentar ofertas de mercado flexibles a todos los miembros de un segmento.[52] Una **oferta de mercado flexible** consta de dos partes: una *solución sencilla* que contiene los elementos del producto y servicio que todos los miembros del segmento valoran, y *opciones discrecionales* que son valiosas para algunos miembros. Cada opción puede tener un costo adicional. La división Electrical Apparatus de Siemens vende cajas de metal para instalaciones eléctricas a pequeños fabricantes, y en su precio están incluidas la entrega gratis y la garantía, pero también les ofrece instalación, pruebas y periféricos de comunicaciones como opciones con costo adicional.

Definición del segmento meta

Existen muchas técnicas estadísticas para encontrar segmentos de mercado.[53] Una vez que la empresa ha identificado las oportunidades que le ofrecen los segmentos de un mercado, debe decidir a cuántos y a cuáles dirigirse. Es cada vez más frecuente que los especialistas en marketing combinen diferentes variables en un esfuerzo por identificar grupos meta cada vez más pequeños y mejor definidos. Por ejemplo, una institución bancaria podría identificar un grupo de adultos jubilados acaudalados, para luego distinguir dentro de ese grupo varios segmentos con base en el monto de sus ingresos reales, sus activos, sus ahorros y sus preferencias de riesgo. Esto ha llevado a que algunos investigadores de mercado aboguen por la utilización de un *enfoque de segmentación de mercado basado en necesidades*, como se comentó antes. Roger Best propuso el enfoque de siete pasos que se muestra en la tabla 8.6

Criterios de segmentación eficaz

No todos los esquemas de segmentación son útiles. Podríamos dividir a los compradores de sal de mesa en clientes rubios y mulatos, pero esa característica sin duda es irrelevante para la compra de sal. Además, si todos los compradores de sal adquieren la misma cantidad cada mes, creen que toda la sal es igual y pagarían solamente cierto precio por ese producto, el mercado resulta apenas segmentable desde el punto de vista del marketing.

Para ser útil, la segmentación de mercado debe calificar favorablemente en cinco criterios fundamentales:

- ***Medible.*** El tamaño, el poder de compra y las características de los segmentos son susceptibles de medición.
- ***Sustancial.*** Los segmentos son grandes y lo suficientemente rentables para atenderlos. Rara que valga la pena dirigirse a él mediante un programa de marketing adecuado, un segmento debería ser el grupo homogéneo más grande posible. Para un fabricante de automóviles no sería rentable, por ejemplo, desarrollar automóviles para personas que midan menos de metro y medio de estatura.

TABLA 8.6 Pasos del proceso de segmentación

	Descripción
1. Segmentación basada en necesidades	Agrupar a los clientes en segmentos con base en las necesidades y beneficios similares que busquen para resolver un problema particular de consumo.
2. Identificación del segmento	Para cada segmento basado en necesidades, determinar su demografía, estilo de vida y los comportamientos de uso que lo distinguen y lo hacen identificable.
3. Atractivo del segmento	Utilizar criterios preestablecidos para evaluar el grado de atractivo de cada segmento (crecimiento de mercado, intensidad competitiva y acceso al mercado).
4. Rentabilidad del segmento	Determinar la rentabilidad del segmento.
5. Posicionamiento del segmento	Para cada segmento, crear una "propuesta de valor" y una estrategia de posicionamiento de producto-precio basada en las necesidades y características únicas de los clientes de ese segmento.
6. "Prueba ácida" del segmento	Crear un "guión del segmento" para poner a prueba el atractivo de la estrategia de posicionamiento para cada segmento.
7. Estrategia de marketing mix	Ampliar la estrategia de posicionamiento de segmento para incluir todos los aspectos del marketing mix: producto, precio, promoción y distribución.

Fuente: Adaptado de Roger J. Best, *Market-Based Management*, 5a. ed. (Upper Saddle River NJ; Prentice Hall, 2009). ©2009. Impreso y reproducido de manera electrónica con autorización de Pearson Education, Inc. Upper Saddle River, New Jersey.

- ***Accesible.*** Es posible llegar a los segmentos y atenderlos de manera eficaz.
- ***Diferenciable.*** Los segmentos pueden distinguirse conceptualmente y responden de manera específica a diferentes elementos y programas del marketing mix. Si las mujeres casadas y solteras responden de manera similar a una oferta de perfumes, significa que no constituyen segmentos separados.
- ***Accionable.*** Es posible formular programas eficaces para atraer y atender a los segmentos.

Michael Porter ha identificado cinco fuerzas que determinan el atractivo intrínseco a largo plazo de un mercado o segmento de mercado: competidores en el sector, entrantes potenciales, sustitutos, compradores y proveedores. Las amenazas que representa cada una de las fuerzas son las siguientes:

1. ***Amenaza de rivalidad intensa en el segmento.*** Un segmento no es atractivo si en él participa ya un gran número de competidores fuertes o agresivos. Es aún menos atractivo si es estable o está en declive, si se debe añadir capacidad de producción en grandes incrementos, si los costos fijos o las barreras de salida son altos, o si los competidores tienen mucho que perder por dejar de servir al segmento. Estas condiciones llevarán a guerras de precios frecuentes, a batallas publicitarias y a lanzamientos de nuevos productos, y harán que competir sea caro. El mercado de telefonía móvil ha enfrentado una feroz competencia debido a la rivalidad que hay en los segmentos.
2. ***Amenaza de nuevos entrantes.*** El segmento más atractivo es aquel donde las barreras de entrada son altas y las barreras de salida son bajas.[54] Son pocas las empresas nuevas que pueden entrar al sector, y aquellas con mal desempeño pueden salir con facilidad. Cuando tanto las barreras de entrada como las de salida son altas, existe una alta probabilidad de obtener grandes ganancias, pero las empresas se enfrentan a un riesgo mayor porque las que tienen resultados menos positivos permanecerán en el mercado y darán pelea. Cuando tanto las barreras de entrada como de salida son bajas, las empresas entran y salen del sector con facilidad, y los rendimientos son estables pero bajos. El peor caso es cuando las barreras de entrada son bajas y las barreras de salida son altas: las empresas entran durante las buenas épocas, pero les resulta difícil salir en las épocas malas. El resultado es una sobrecapacidad crónica y ganancias bajas para todos. La industria de la aviación tiene bajas barreras de entrada pero las de salida son altas, lo que provoca que todas las líneas aéreas tengan que luchar durante las debacles económicas.
3. ***Amenaza de productos sustitutos.*** Un segmento no es atractivo cuando existen sustitutos reales o potenciales para el producto. Los sustitutos limitan los precios y las ganancias. Si la tecnología avanza o aumenta la competencia en estas industrias sustitutas, los precios y ganancias probablemente caerán. Los viajes por avión enfrentan un desafío de rentabilidad muy fuerte, debido a la oferta de viajes en autobús o en tren.
4. ***Amenaza del creciente poder de negociación de los compradores.*** Un segmento no es atractivo si los compradores tienen un poder de negociación fuerte o en crecimiento. El aumento de gigantes minoristas como Walmart ha llevado a algunos analistas a concluir que la rentabilidad potencial de las empresas de bienes envasados o de consumo masivo se verá restringida. El poder de negociación de los compradores aumenta cuando están más concentrados o más organizados, cuando el producto representa una fracción significativa de sus costos, cuando el producto no está diferenciado, cuando los costos por cambiar de marca son bajos para los compradores, cuando los compradores son sensibles al precio por las bajas ganancias, o cuando pueden integrarse verticalmente hacia atrás. Para protegerse, los vendedores podrían elegir compradores con menor poder de negociación, o cambiar de proveedores. Una mejor defensa sería desarrollar ofertas superiores, que los compradores no puedan rehusar.
5. ***Amenaza del creciente poder de negociación de los proveedores.*** Un segmento no es atractivo si los proveedores de la empresa son capaces de aumentar los precios o reducir la cantidad suministrada. Los proveedores tienden a ser poderosos cuando están concentrados u organizados, cuando pueden integrarse verticalmente hacia adelante, cuando existen pocos sustitutos, cuando el producto suministrado es un insumo importante, y cuando los costos de cambiar proveedores son altos. La mejor defensa consiste en crear relaciones ganar-ganar con los proveedores, o utilizar múltiples fuentes de aprovisionamiento.

Evaluación y selección de segmentos de mercado

Al evaluar diferentes segmentos de mercado, la empresa debe tener en cuenta dos factores: el atractivo general del segmento, y las metas y recursos de la empresa. ¿Cómo califica el segmento potencial en los cinco criterios de segmentación eficaz? ¿Posee características que lo hacen atractivo en general, como tamaño, nivel de crecimiento, rentabilidad, economías de escala y bajo riesgo? ¿Es lógico invertir en el segmento de acuerdo con las metas de la empresa, sus competencias y recursos? Podría darse el caso de que algunos segmentos atractivos a primera vista resulten incompatibles con las metas de la empresa a largo plazo, o que ésta carezca de una o más competencias necesarias para ofrecer un valor superior.

Los especialistas en marketing tienen un rango o continuo de niveles posibles de segmentación que puede guiar sus decisiones en la segmentación de mercados meta. Como muestra la △ figura 8.4, en un

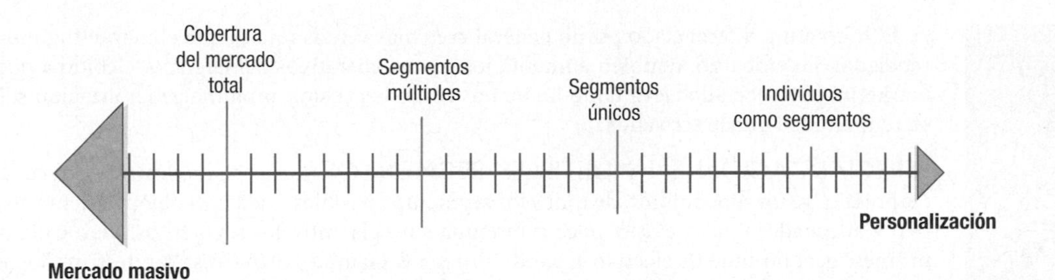

|Fig. 8.4|

Niveles posibles de segmentación

extremo se encuentra un mercado masivo compuesto esencialmente por un solo segmento, y en el otro los individuos o segmentos de una sola persona. En medio se encuentran múltiples segmentos y segmentos únicos. A continuación describiremos cada uno de los cuatro enfoques.

COBERTURA DEL MERCADO TOTAL En el enfoque de cobertura del mercado total, la empresa intenta atender a todos los grupos de consumidores con todos los productos que podrían necesitar. Solamente las empresas muy grandes, como Microsoft (mercado de software), General Motors (mercado de vehículos), y Coca-Cola (mercado de bebidas no alcohólicas) son capaces de emprender una estrategia de atención del mercado total, y esto a través de dos mecanismos generales: marketing diferenciado o marketing indiferenciado.

En el *marketing indiferenciado* o *marketing masivo* la empresa pasará por alto las diferencias entre segmentos, y se dirigirá a todo el mercado con una sola oferta. Diseñará un programa de marketing para un producto con una imagen superior, que puede ser vendido al número más amplio de compradores mediante distribución y comunicaciones masivas. El marketing indiferenciado es adecuado cuando todos los consumidores tienen aproximadamente las mismas preferencias y el mercado no muestra segmentos naturales. Henry Ford tipificó esta estrategia cuando ofreció el Ford Modelo T en un solo color, el negro.

El argumento a favor del marketing masivo es que crea el mayor mercado potencial, lo que a su vez lleva a menores costos y, probablemente, a precios más bajos o márgenes más altos. La limitada línea de productos mantiene bajos los costos de investigación y desarrollo, producción, inventario, transporte, investigación de marketing, publicidad y gestión. El programa indiferenciado de comunicación también reduce los costos. Sin embargo, muchos críticos señalan la creciente fragmentación del mercado y la proliferación de canales de marketing y comunicación como factores que dificultan y encarecen cada vez más la posibilidad de llegar al público masivo.

Cuando los diferentes grupos de consumidores tienen distintas necesidades y deseos, los especialistas en marketing pueden definir múltiples segmentos. Muchas veces la empresa podrá diseñar, fijar precio, comunicar y entregar mejor su producto o servicio, así como ajustar el plan de marketing y sus actividades para reflejar mejor el marketing de sus competidores. En el *marketing diferenciado,* la empresa vende diferentes productos a todos los diferentes segmentos del mercado. La empresa de cosméticos Estée Lauder comercializa marcas que atraen a mujeres (y hombres) con diferentes gustos: la marca insignia, la original Estée Lauder, atrae a los consumidores de mayor edad; Clinique atiende a las mujeres de edad madura; M.A.C. a jóvenes interesadas en la moda; Aveda a entusiastas de la aromaterapia, y Origins a los clientes ecológicamente conscientes, que quieren cosméticos fabricados con ingredientes naturales.[55] Tal vez ninguna empresa practique el marketing diferenciado como Hallmark Cards, que celebró su centésimo aniversario en 2010.

Hallmark

Hallmark Los productos de expresión personal de Hallmark se venden en más de 41 500 puntos de venta minorista a lo largo de todo Estados Unidos, y representan casi una de cada dos tarjetas de felicitación compradas en ese país. Cada año Hallmark produce 19 000 tarjetas de felicitación nuevas o rediseñadas, así como productos relacionados, incluyendo artículos para fiestas, papel de envoltura y adornos. En parte, su éxito se debe a su intensa segmentación del negocio de las tarjetas de felicitación. Además de sus populares líneas de tarjetas de submarca, como Shoebox Greetings, Hallmark ha introducido líneas dirigidas a segmentos específicos del mercado. Fresh Ink se dirige a mujeres de 18 a 39 años. Hallmark Warm Wishes ofrece cientos de tarjetas cuyo precio es de 99 centavos de dólar. Las tres líneas étnicas de Hallmark —Mahogany, Sinceramente Hallmark y Tree of Life— están dirigidas a los consumidores afroamericanos, hispanos y judíos, respectivamente. La línea más nueva de tarjetas para dar ánimo, Journeys, se centra en desafíos como la lucha contra el cáncer, dar a conocer la orientación sexual y combatir la depresión. La venta de algunas tarjetas de felicitación específicas es a beneficio de organizaciones de caridad, como (PRODUCT)RED™, UNICEF y la Susan G. Komen Race for the Cure. Hallmark también ha incorporado la tecnología. Las tarjetas musicales incorporan fragmentos sonoros de películas populares, programas de televisión y canciones. Online, Hallmark ofrece tarjetas electrónicas y tarjetas impresas personalizadas que envía por correo a los consumidores. Para las necesidades empresariales, Hallmark Business Expressions ofrece tarjetas corporativas personalizadas para las fiestas, y tarjetas de felicitación para todo tipo de ocasiones y eventos.[56]

Aunque P&G originalmente se dirigió a segmentos muy específicos con su producto para blanqueamiento dental Crest Whitestrips, más adelante expandió tanto sus ofertas de producto como sus mercados meta.

El marketing diferenciado por lo general crea más ventas totales que el marketing indiferenciado. Sin embargo, también aumenta los costos operativos del negocio. Debido a que el marketing diferenciado eleva tanto las ventas como los costos, ninguna generalización sobre su rentabilidad puede ser válida.

ESPECIALIZACIÓN EN MÚLTIPLES SEGMENTOS En la *especialización selectiva* la empresa elige un subconjunto de todos los segmentos posibles, cada uno objetivamente atractivo y adecuado. Podría existir poca o ninguna sinergia entre los segmentos, pero cada uno promete generar flujo de efectivo. Cuando Procter & Gamble lanzó Crest Whitestrips, los segmentos meta iniciales estaban conformados por mujeres recién comprometidas o próximas a casarse, así como por hombres homosexuales. La estrategia multisegmento también tiene la ventaja de diversificar el riesgo para la empresa.

Manteniendo las sinergias en mente, las empresas pueden intentar operar en suprasegmentos más que en segmentos aislados. Un **suprasegmento** es un conjunto de segmentos que tienen alguna similitud aprovechable. Por ejemplo, muchas orquestas sinfónicas se dirigen a personas con un amplio interés cultural, en vez de hacerlo solamente a aquellas que asisten a conciertos de manera regular. Las empresas también pueden intentar lograr alguna sinergia con especializaciones de producto o mercado.

- En la *especialización de producto* la empresa vende cierto producto a varios segmentos diferentes del mercado. Por ejemplo, un fabricante de microscopios le vende a laboratorios universitarios, gubernamentales y comerciales, fabricando instrumentos diferentes para cada uno y creando una fuerte reputación en el área de producto específica. El riesgo de desventaja es que el producto puede ser suplantado por una tecnología completamente nueva.
- En la *especialización de mercado* la empresa se concentra en atender muchas necesidades de un grupo particular de clientes, por ejemplo, vendiendo una selección de productos exclusivamente a laboratorios universitarios. La empresa obtiene una sólida reputación entre este grupo de clientes, y se convierte en un canal para productos adicionales que sus miembros puedan usar. El riesgo de desventaja es que el grupo de clientes puede sufrir recortes presupuestarios o disminuir su tamaño.

CONCENTRACIÓN EN UN SEGMENTO ÚNICO En este caso la empresa comercializa solamente a un segmento específico. Porsche se concentra en el mercado de automóviles deportivos y Volkswagen en el mercado de automóviles pequeños (su incursión en el mercado de automóviles grandes con el modelo Phaeton fue un fracaso en Estados Unidos). Mediante el marketing concentrado, la empresa obtiene un conocimiento profundo de las necesidades del segmento, y logra una fuerte presencia de mercado. También disfruta economías de operación al especializar su producción, distribución y promoción. Si captura el liderazgo en el segmento, la empresa puede obtener una alta rentabilidad sobre la inversión.

Un *nicho* es un grupo de clientes definido más específicamente, que busca una mezcla distintiva de beneficios dentro de un segmento. Los especialistas en marketing suelen identificar los nichos dividiendo un segmento en subsegmentos. Mientras Hertz, Avis, Alamo y otras compañías se especializan en el alquiler de automóviles en el aeropuerto para viajeros de negocios y de placer, Enterprise ha abordado el mercado de bajo precio y de reemplazo por seguro, brindando sus servicios de alquiler principalmente a clientes cuyos coches han tenido fuertes accidentes o han sido robados. Al crear asociaciones únicas con el bajo costo y la comodidad en un nicho de mercado que ha sido pasado por alto, Enterprise ha logrado una alta rentabilidad.

Los especialistas en marketing de nichos se esfuerzan por comprender las necesidades de sus clientes tan bien que éstos estarán dispuestos a pagar un sobreprecio. Tom's of Maine fue adquirida por Colgate-Palmolive por 100 millones de dólares, en parte porque sus productos de cuidado personal totalmente naturales y sus programas de donaciones caritativas atraían a los clientes que rechazaban a las grandes empresas. Como resultado, la marca tiene un sobreprecio del 30 por ciento.[57]

Tom's of Maine ha desarrollado un nicho muy exitoso con sus productos totalmente naturales para el cuidado personal.

¿Cómo identificar un nicho atractivo? Los clientes tienen un conjunto distintivo de necesidades y deseos; pagarán un sobreprecio a la empresa que las satisfaga mejor; el nicho es bastante pequeño, pero tiene potencial de ganancias y crecimiento, y pocas probabilidades de atraer a muchos más competidores; además, el nicho obtiene ciertas economías a través de la especialización. A medida que aumenta la eficiencia del marketing, los nichos que aparentemente eran demasiado pequeños pueden volverse más rentables.[58] Vea "Marketing en acción: Persiguiendo la Larga Cola".

MARKETING INDIVIDUAL El último nivel de segmentación lleva a "segmentos de uno", "marketing personalizado" o "marketing uno a uno".[59] Actualmente, los clientes están tomando iniciativas más individuales para determinar qué y cómo comprar. Ingresan a algún sitio de Internet, buscan información y evaluaciones de ofertas de productos y servicios; dialogan con los proveedores, usuarios y críticos de los productos y, en muchos casos, diseñan el producto que quieren.

Persiguiendo la Larga Cola

De acuerdo con Chris Anderson, editor en jefe de la revista *Wired* y autor de *The Long Tail*, el advenimiento del comercio online, causado por la tecnología y caracterizado por Amazon.com, eBay, iTunes y Netflix, ha llevado a un cambio en los patrones de compra de los consumidores.

En casi todos los mercados, la distribución de las ventas por productos se conforma como una curva con un peso muy fuerte hacia un lado —la "cabeza"—, donde la mayor parte de las ventas es generada por unos cuantos productos. La curva cae rápidamente hacia cero y se mantiene apenas por encima del eje de la X durante un largo tiempo —la larga "cola"—, en el cual la gran mayoría de los productos generan muy pocas ventas. El mercado masivo tradicionalmente se enfocó en generar productos de "éxito" que ocupan la cabeza, despreciando los nichos de mercado de bajos ingresos que componen la cola. El principio de Pareto —basado en la regla "80-20"—, según el cual el 80% del ingreso de una empresa es generado por el 20% de sus productos, ratifica este punto de vista.

Anderson asevera que como resultado de la adopción entusiasta de Internet como medio de compra por parte de los consumidores, la larga cola tiene un valor significativamente mayor que antes. De hecho, Anderson arguye que Internet ha contribuido de manera directa a cambiar la demanda "hacia la cola, de éxitos a nichos" en diversas categorías de producto, incluyendo música, libros, ropa y películas. Desde su perspectiva, la regla que ahora prevalece es la de "50-50", de manera que los productos de menos venta aportan hasta la mitad de los ingresos de las empresas.

La teoría de la larga cola de Anderson se basa en tres premisas: (1) los costos de distribución más bajos hacen que sea económicamente más fácil vender productos sin pronósticos precisos de la demanda; (2) cuantos más productos estén disponibles para su venta, mayor será la probabilidad de llegar a una demanda latente para gustos de nicho que no son alcanzables mediante canales minoristas tradicionales y, (3) si se agregan suficientes gustos de nicho, puede obtenerse como resultado un nuevo gran mercado.

Anderson identifica dos aspectos de las compras en Internet que apoyan estas premisas. Primero, el mayor inventario y la variedad que se puede encontrar online permiten mayor selección. Segundo, los costos de búsqueda para productos nuevos y relevantes disminuyen debido a la cantidad de información disponible online, el filtrado de recomendaciones de producto basadas en las preferencias del usuario que pueden ofrecer los vendedores, y una red de usuarios de Internet en que se dan referencias directas.

Algunos críticos se oponen a la idea de que los antiguos paradigmas de negocios han cambiado tanto como sugiere Anderson. Afirman que, especialmente en el ámbito del entretenimiento, la "cabeza" donde se concentran los éxitos también es apreciada por los consumidores, no sólo para los creadores de contenido. Cierto crítico argumentaba que "la mayoría de los éxitos son populares porque son de alta calidad", y otro observaba que casi todos los productos y servicios que componen la larga cola se originan de una pequeña concentración de "agregados" online.

Aunque existen investigaciones académicas que apoyan la teoría de la larga cola, otros estudios plantean nuevos desafíos al afirmar que los malos sistemas de recomendación provocan muchos productos de muy baja participación en la cola, tan oscuros y difíciles de encontrar que desaparecen antes de que puedan ser comprados con la suficiente frecuencia para justificar su existencia. Para las empresas que venden productos físicos, los costos de inventario, almacenaje y manejo pueden tener más peso que cualquier beneficio financiero que éstos pudieran aportarles.

Fuentes: Chris Anderson, *The Long Tail* (Nueva York: Hyperion, 2006): "Reading the Tail", entrevista con Chris Anderson, *Wired*, 8 de julio de 2006. p. 30; "Wag the Dog: What the Long Tail Will Do", *The Economist*, 8 de julio de 2006, p. 77; Erik Brynjolfsson, Yu "Jeffrey" Hu y Michael D. Smith, "From Niches to Riches: Anatomy of a Long Tail", *MIT Sloan Management Review* (verano de 2006), p. 67; John Cassidy, "Going Long", *New Yorker*, 10 de julio de 2006; www.longtail.com; "Rethinking the Long Tail Theory: How to Define 'Hits' and 'Niches'", *Knowledge@ Wharton*, 16 de septiembre de 2009.

Jerry Wind y Arvind Rangaswamy consideran que se está dando un cambio de las empresas hacia la "personalización con origen en el cliente".[60] La **personalización en el cliente** es una combinación de la personalización masiva de origen operativo con el marketing personalizado, con el resultado de que los consumidores tienen oportunidad de diseñar su propia oferta del producto o servicio. La empresa no requiere más información previa del cliente, ni necesita fabricarlo. Provee una plataforma y las herramientas para "alquilar" a los clientes los medios para diseñar sus propios productos. Una empresa es personalizada en el cliente cuando tiene la capacidad de responder a los clientes individuales al personalizar sus productos, servicios y mensajes en base a un marketing uno a uno.[61]

Es cierto que la personalización no es para todas las empresas.[62] Podría ser muy difícil implementarla en el caso de productos completos, como los automóviles. Por otro lado, puede elevar el costo de los bienes más de lo que el cliente está dispuesto a pagar. Algunos consumidores no saben lo que quieren hasta que ven productos reales, pero no pueden cancelar el pedido después de que la empresa ha comenzado a trabajar en él. El producto podría ser difícil de reparar y tener poco valor de ventas. A pesar de todo esto, la personalización ha funcionado bien para algunos productos.

ELECCIÓN ÉTICA DE LOS SEGMENTOS META Los especialistas en marketing deben elegir cuidadosamente sus mercados y segmentos para evitar represalias de los consumidores, puesto que algunos de ellos se resisten a ser etiquetados (caratulados). Los solteros podrían rechazar los envasados individuales de comida, porque no quieren que les recuerden que comen solos. Los consumidores mayores que no se sienten de su edad podrían no apreciar los productos que los etiqueten como "viejos".

La definición de los segmentos meta también puede generar controversia pública cuando los especialistas de marketing se aprovechan injustamente de grupos vulnerables (como los niños) o grupos en desventaja (como la gente pobre de las grandes urbes), o cuando se usa para promover productos potencialmente dañinos.[63] La industria del cereal ha sido muy criticada por sus esfuerzos de marketing dirigidos a los niños. A sus detractores les preocupa que los poderosos mensajes presentados por los personajes animados que tanto quieren los niños terminen por derribar sus defensas y los lleven a desear cereales azucarados o desayunos de bajo valor nutricional. Los profesionales en el marketing de juguetes han recibido críticas similares.

Otra área de preocupación son los millones de jóvenes menores de 17 años que están online. Los especialistas en marketing han hecho su aparición en ese medio, ofreciéndoles beneficios gratuitos a cambio de su información personal. Muchos profesionales han sido atacados por esta práctica, y por no establecer claramente una distinción entre anuncios y juegos o entretenimiento. El establecimiento de límites éticos y legales al marketing para niños, online y offline, continúa siendo un tema controvertido, toda vez que las organizaciones defensoras de los consumidores acusan a los profesionales del marketing de prácticas abusivas, no éticas e inmorales.

No todos los intentos de dirigirse a los niños, minorías u otros segmentos especiales atraen críticas. El dentífrico Colgate Junior, de Colgate-Palmolive, tiene características especiales para que los niños se cepillen más tiempo y con mayor frecuencia. Otras empresas están respondiendo a las necesidades especiales de los segmentos minoritarios. Los cines ICE, de propiedad afroamericana, observaron que aunque la asistencia de ese segmento poblacional a las salas de cine había aumentado notablemente, existían pocos cines en algunas áreas urbanas. ICE se asoció entonces con las comunidades de color en donde tiene cines en operación —comenzando por Chicago—, utilizó las estaciones locales de radio para promover las películas e incluyó sus artículos de comida favoritos en kioscos concesionados.[64] Así, el asunto no es a quién se dirigen, sino cómo y para qué. El marketing con responsabilidad social debe dirigirse de manera que no solamente atienda los intereses de la empresa, sino también los intereses de aquellos a quienes va dirigido su marketing y a su comunidad.

Tal es el caso de muchas empresas que hacen marketing para los niños en edad preescolar. En Estados Unidos, cerca de cuatro millones de niños asisten a algún lugar dedicado al cuidado infantil organizado, de manera que el mercado potencial —el cual incluye tanto a los niños como a sus padres— es demasiado grande para ignorarlo. Así, además de los artículos comunes en ese tipo de establecimientos, como caballetes para arte, jaulas para hamsters y cubos de construcción, muchos centros de atención preescolar en la nación cuentan con hojas de trabajo de Care Bear, programas de lectura Pizza Hut y revistas Nickelodeon.

Algunos profesores y padres de familia ponen en duda la ética de este empuje del marketing preescolar. Hay quienes toman partido con grupos como Stop Commercial Exploitation of Children (Alto a la explotación comercial de los niños), cuyos miembros sienten que los preescolares son increíblemente susceptibles a la publicidad, y que los patrocinios escolares de productos hacen que los niños crean que éstos son buenos para ellos, sin importar de qué se trate. Aun así, muchos centros de educación preescolar y guarderías que funcionan con presupuestos limitados agradecen los recursos gratuitos.[65]

Resumen

1. El marketing dirigido o de segmentación incluye tres actividades: segmentación del mercado, elección del segmento meta y posicionamiento de mercado. Los segmentos de mercado son grupos de consumidores homogéneos en términos de necesidades y deseos e identificables dentro de un mercado.
2. Dos bases para segmentar los mercados de consumo son las características y las respuestas de los consumidores. En el caso de los mercados de consumo, las principales variables de segmentación son geográficas, demográficas, psicográficas y conductuales. Los especialistas de marketing las utilizan solas o en combinación.
3. Los especialistas en marketing empresarial utilizan todas estas variables, en conjunto con variables operativas, enfoques de compra y factores situacionales.
4. Para ser útiles, los segmentos de mercado deben ser medibles, sustanciales, accesibles, diferenciables y accionables.
5. Es posible dirigirse a los mercados en cuatro niveles principales: masivo, de múltiples segmentos, únicos (o de nicho) e individuales.
6. El enfoque de dirección al mercado masivo es adoptado solamente por las empresas más grandes. Muchas empresas se dirigen a múltiples segmentos definidos en varias formas, por ejemplo, los diversos grupos demográficos que buscan el mismo beneficio del producto.
7. Un nicho es un grupo definido de manera más específica. La globalización e Internet han hecho que el marketing de nicho sea una realidad para muchas empresas.
8. Actualmente son cada vez más las empresas que practican la personalización individual y masiva. Probablemente en el futuro veamos a más consumidores individuales tomar la iniciativa y diseñar productos y marcas.
9. Los especialistas de marketing deben elegir mercados meta donde puedan actuar socialmente responsables en beneficio de los consumidores y de su comunidad.

Aplicaciones

Debate de marketing

¿El marketing masivo está muerto?

En vista de que los especialistas en marketing están adoptando esquemas de segmentación de mercado cada vez más refinados —impulsados por Internet y otros esfuerzos de personalización—, hay quienes aseguran que el marketing masivo está muerto. Otros responden que siempre habrá lugar para las grandes marcas que empleen programas de marketing para dirigirse al mercado masivo.

Asuma una posición: El marketing masivo está muerto *contra* El marketing masivo es todavía una manera viable de crear una marca rentable.

Discusión de marketing

Esquemas de segmentación de marketing

Piense en varias categorías de productos. ¿A cuál segmento cree usted que pertenece en cada esquema de segmentación? ¿Qué necesitaría el marketing para ser más o menos efectivo para usted, dependiendo del segmento? ¿Cómo compararía usted los esquemas de segmentación conductual y demográfico? ¿Cuáles cree que serán más eficaces para los especialistas de marketing que intentan venderle a usted?

Marketing de excelencia

>>HSBC

HSBC quiere ser conocido como "el banco local del mundo". Este eslogan refleja el posicionamiento de HSBC como una institución financiera con presencia en todo el mundo y un enfoque único en la atención a los mercados locales. Originalmente, la Hong Kong and Shanghai Banking Corporation Limited (HSBC) fue establecida en 1865 para financiar el comercio creciente entre China y el Reino Unido. Hoy en día es el segundo banco más grande del mundo.

A pesar de atender a más de 100 millones de clientes a través de 9500 sucursales en 85 países, el banco trabaja duro para mantener una presencia y un conocimiento local en cada área. Su estrategia de operación fundamental es permanecer cerca de sus clientes. Como afirmó su ex presidente, sir John Bond, "Nuestra posición como el primer banco local del mundo nos permite enfocarnos de manera única en cada país, mezclando el conocimiento local con una plataforma de operación mundial".

Los anuncios de la campaña "el banco local del mundo" han mostrado la forma en que las diferentes culturas o personas interpretan los mismos objetos o eventos. En uno de sus anuncios de televisión se veía a un hombre de negocios estadounidense, anotando un hoyo en uno durante un partido de golf con sus rivales nipones en Japón. El jugador se sorprende al enterarse de que en lugar de pagar una ronda de copas en la casa club (como es la costumbre en su país de origen), la tradición japonesa dicta que debe comprar suntuosos regalos para sus compañeros de juego. En otro anuncio para televisión internacional, un grupo de empresarios chinos lleva a uno británico a una elaborada cena, donde presentan anguilas vivas a los comensales y a continuación las sirven rebanadas y cocinadas. El británico, asqueado por la comida, termina su plato mientras la voz del narrador explica: "Los ingleses creen que dejar algo en el plato es un insulto al anfitrión". Entonces el anfitrión chino ordena otra anguila viva para su invitado, y el narrador explica: "En cambio, los chinos sienten que si su huésped hace eso, está poniendo en duda su generosidad".

HSBC demostró su conocimiento local con los esfuerzos de marketing dirigidos a regiones específicas. En 2005 se dedicó a probar a los ajetreados neoyorkinos que, a pesar de su tamaño y de tener su sede en Londres, era un banco con conocimiento local. La empresa organizó un concurso para encontrar al "taxista más conocedor de la ciudad de Nueva York". El ganador recibiría como premio la oportunidad de conducir un *BankCab* (taxi-banco) de la marca HSBC por tiempo completo durante un año. Los clientes de HSBC también podían ganar: cualquiera que mostrara una tarjeta, chequera o estado de cuenta del banco podría obtener un pasaje gratis en el *BankCab.* Además HSBC puso en marcha una campaña integrada destacando la diversidad de los neoyorkinos, cuyos anuncios aparecieron por toda la ciudad.

Al mismo tiempo, pero a más de 12000 kilómetros de distancia, HSBC llevaba a cabo la campaña en dos partes "Apoya a Hong Kong", con la intención de revitalizar la economía local, fuertemente golpeada por la epidemia de SARS (gripe aviar) en 2003. Como primera iniciativa, HSBC permitió retrasos en el pago de interés para los clientes con préstamos personales que trabajaban en las industrias más golpeadas por el SARS (los cines, hoteles, restaurantes y agencias de viajes); en segundo lugar, ofreció descuentos y reembolsos para los usuarios de tarjetas de crédito HSBC cuando iban de compras y comían fuera de casa. Más de 1500 comerciantes locales participaron en la promoción.

HSBC también se dirige a nichos de consumidores con productos y servicios únicos. Por ejemplo, encontró un área de productos poco conocida que crecía el 125% al año: los seguros para mascotas. En la actualidad el banco distribuye seguros de mascotas para sus depositarios, a través de su agencia HSBC Insurance. En Malasia, HSBC ofreció una "tarjeta inteligente" y tarjetas de crédito sin accesorios al segmento subatendido de los estudiantes, y se dirigió a clientes de alto valor con sucursales especiales llamadas "Premium Centers".

Para conectarse con diferentes personas y comunidades, HSBC patrocina más de 250 eventos culturales y deportivos, con enfoque especial en ayuda a la juventud, desarrollo educativo e integración comunitaria. Estos patrocinios también permiten que la empresa aprenda de las diferentes personas y culturas de todo el mundo.

Por otro lado, el banco unifica todos sus negocios alrededor del mundo bajo una sola marca global con el eslogan "El banco local del mundo". La meta es vincular su magnitud internacional con la idea de relaciones estrechas en cada uno de los países donde tiene operaciones. HSBC gasta 600 millones de dólares al año en marketing global, consolidado bajo el grupo de agencias WPP.

En 2006, HSBC lanzó una campaña global titulada "Different Values" (Valores diferentes), que adoptaba esta noción exacta de múltiples puntos de vista y diferentes interpretaciones. Los anuncios impresos mostraban la misma imagen tres veces, cada vez con una interpretación distinta. Por ejemplo, un antiguo automóvil clásico aparecía tres veces con las palabras, *libertad*, *símbolo de estatus* y *contaminador*. La siguiente imagen decía: "Cuanto más observamos el mundo, más nos damos cuenta de que lo que tiene valor para una persona puede no tenerlo para otra". En otro grupo de anuncios impresos, HSBC utilizó tres diferentes imágenes una al lado de otra, pero con la misma palabra. Por ejemplo, la palabra *logro* se muestra primero con la imagen de una mujer ganando un concurso de belleza, a continuación con un astronauta caminando en la luna, y finalmente con un niño pequeño atándose un zapato. El texto dice: "Cuanto más observamos el mundo, más nos damos cuenta de qué es realmente importante para la gente". Tracy Britton, directora de marketing para HSBC Bank, Estados Unidos, explicó la estrategia en que se apoyaba esta campaña: "Resumió nuestro punto de vista global, que reconoce y respeta el hecho de que las personas valoran las cosas de maneras muy diferentes. La huella global de HSBC nos da la intuición y la oportunidad no sólo de estar cómodos, sino de estar seguros para ayudar a las personas con diferentes valores a lograr lo que es realmente importante para ellas".

HSBC obtuvo 142 000 millones de dólares en ingresos en 2009, lo que la convierte en la vigésimo primera empresa más grande del mundo. La institución espera que su más reciente campaña y su posición continua como "El banco local del mundo" mejore su valor de marca de 10 500 millones de dólares, que la colocó en el lugar 32 en las calificaciones globales de marca de Interbrand/*BusinessWeek* en 2009.

Preguntas

1. ¿Cuáles son los riesgos y beneficios del posicionamiento de HSBC como "El banco local del mundo"?
2. ¿La campaña más reciente de HSBC ha logrado penetrar en su público meta? ¿Por qué?

Fuentes: Carrick Mollenkamp, "HSBC Stumbles in Bid to Become Global Deal Maker", *Wall Street Journal,* 5 de octubre de 2006; Kate Nicholson, "HSBC Aims to Appear Global Yet Approachable", *Campaign,* 2 de diciembre de 2005, p. 15; Deborah Orr, "New Ledger", *Forbes,* 1 de marzo de 2004, pp. 72-73; "HSBC's Global Marketing Head Explains Review Decision". *Adweek,* 19 de enero de 2004; "Now Your Customers Can Afford to Take Fido to the Vet," *Bank Marketing* (diciembre de 2003): 47; Kenneth Hein, "HSBC Bank Rides the Coattails of Chatty Cabbies", *Brandweek,* 1 de diciembre de 2003, p. 30; sir John Bond y Stephen Green, "HSBC Strategic Overview", presentación a los inversionistas, 27 de noviembre de 2003; "Lafferty Retail Banking Awards 2003", *Retail Banker International,* 27 de noviembre de 2003, pp. 4-5; "Ideas that Work", *Bank Marketing* (noviembre de 2003): 10; "HSBC Enters the Global Branding Big League", *Bank Marketing International* (agosto de 2003): 1-2; Normandy Madden, "HSBC Rolls out Post-SARS Effort", *Advertising Age,* 16 de junio de 2003, p. 12; "www.hsbc.com"; Douglas Quenqua, "HSBC Dominates Ad Pages in New York Magazine Issue", *New York Times,* 20 de octubre de 2008, p. B-6; Kimia M. Ansari, "A Different Point of View: HSBC", *Unbound Edition,* 10 de julio de 2009; comunicado de prensa, "The Evolution of Your Point of View", 20 de octubre de 2008; *Fortune,* Global 500; HSBC.com

de excelencia

>>BMW

BMW es la "máquina de conducción" por excelencia. Fabricados por la empresa alemana Bayerische Motoren Werke AG, los automóviles BMW simbolizan tanto el rendimiento como el lujo. La empresa fue fundada en 1916 como fabricante de motores de aviones, misión que cumplió durante la primera y segunda guerras mundiales. Luego, a mediados del siglo XX, evolucionó para convertirse en fabricante de motocicletas y automóviles, y actualmente es una empresa y marca de prestigio internacional, con ingresos de 53 000 millones de euros (o 76 000 millones de dólares) en 2008,

El logotipo de BMW es uno de los más distintivos y reconocidos globalmente en toda la historia. El medallón de la firma BMW *parece* una hélice girando contra el fondo azul del cielo. Originalmente se pensó que era un tributo a los días en que se fundó la empresa como fabricante de motores para aviones; sin embargo, recientemente un reportero del *New York Times* reveló que el logotipo —con las letras BMW en la parte superior del círculo externo y un diseño a cuadros blancos y azules en el círculo interior— fue registrado en 1917 con la intención de mostrar los colores del Estado Libre de Baviera, en donde están ubicadas las oficinas corporativas de la empresa.

El crecimiento de BMW tuvo su auge en las décadas de 1980 y 1990 en Estados Unidos, cuando se dirigió con éxito al creciente mercado de *baby boomers* y *yuppies* profesionales que ponían el trabajo ante todo, y querían un automóvil que hablara de su éxito. El resultado: sedanes deportivos con rendimiento excepcional, y una marca que representaba prestigio y logros. Los coches, que estaban disponibles en las Series 3, 5 o 7, básicamente eran el mismo diseño en tres tamaños diferentes. En la década de 1980 los *yuppies* acuñaron el mote de Bimmer o Beemer para los autos y motocicletas BMW, nombres populares que se siguen utilizando actualmente. Con el cambio de siglo, las actitudes de los consumidores hacia los automóviles cambiaron. Las investigaciones mostraron que el interés ya no se centraba en la imagen de éxito que pudiera proporcionarles la marca BMW; más bien deseaban una variedad de diseños, tamaños, precios y estilos para escoger. En respuesta, la empresa emprendió las acciones necesarias para aumentar su línea de productos y dirigirse a segmentos de mercado específicos, dando por resultado coches únicos de precio elevado, como las SUV, los convertibles y *roadsters*, y los automóviles compactos de precio menos elevado, la Serie 1. Además, BMW rediseñó sus automóviles de las Series 3, 5 y 7, dándoles una apariencia única pero conservando su rendimiento excepcional. La gama completa de BMW ahora incluye las Series 1, 3, 5, 6, 7, las SUV X3, X5 y X6, el *roadster* Z4 y el M. El rediseño de la Serie 7, el coche más lujoso de BMW, se dirigió a un grupo denominado "altos conservadores". Estos consumidores acaudalados y tradicionales históricamente no gustan de los coches más deportivos, así que BMW añadió toda una diversidad de componentes electrónicos, como múltiples opciones para abrir y cerrar las ventanillas, mover asientos, determinar el flujo de aire y la calidad de la iluminación, además de un botón de arranque del motor y visión nocturna, todos controlados por un sistema digital llamado iDrive. Estas mejoras fueron creadas para agregar confort y lujo, y atraer a los consumidores de la competencia, como Jaguar y Mercedes.

BMW lanzó exitosamente el X5 al dirigirse a los "liberales de alto nivel" que alcanzaron grandes metas en la década de 1990, y ahora tienen hijos y llevan a cabo actividades de ocio como el ciclismo, el golf y el esquí. Estos consumidores necesitaban un coche más grande para sus estilos de vida activos y sus familias en crecimiento, así que BMW creó una SUV de lujo y alto rendimiento. Para atraer a un mayor número de estos consumidores activos, BMW se refiere a sus SUV como vehículos de *actividad* deportiva.

BMW creó la Serie 1 —de menor precio— y la SUV X3 para dirigirse al grupo "moderno mayoritario" que también está centrado en su familia y es activo, pero que antes había evitado los BMW por el costo del lujo. La Serie 1 llegó a este grupo con su menor precio, su diseño deportivo, y aludiendo a la aspiración del consumidor de poseer una marca de lujo. El X3 también dio en el blanco con su diseño de SUV más pequeño y menos caro.

BMW introdujo los descapotables y *roadsters* para dirigirse a los "posmodernos", un grupo de altos ingresos deseoso de atraer la atención con coches más llamativos y extravagantes. La Serie 6, una versión más atractiva de la Serie 7 de lujo, también fue dirigida a este grupo.

BMW utiliza una amplia gama de tácticas publicitarias para llegar a cada uno de sus mercados meta, pero ha mantenido su eslogan de la "Máquina de conducción por excelencia", durante más de 35 años. Durante ese periodo las ventas de vehículos BMW en Estados Unidos han aumentado de 15 000 unidades en 1974, a aproximadamente 250 000 en 2009. Los propietarios de coches BMW son muy leales a su marca, y los aficionados llevan a cabo una Bimmerfest cada año para disfrutar sus coches. La empresa cultiva estos consumidores leales y continúa investigando, innovando y llegando a segmentos específicos año tras año.

Preguntas

1. ¿Cuáles son las ventajas y desventajas del marketing de especialización selectiva de BMW? ¿Qué ha hecho bien la empresa durante años y dónde podría mejorar?
2. Las ventas de BMW cayeron durante la recesión mundial de 2008 y 2009. ¿Será demasiado selectiva su estrategia de segmentación? ¿Por qué?

Fuentes: Stephen Williams, "BMW Roundel: Not Born form Planes", *New York Times,* 7 de enero de 2010; Gail Edmonson, "BMW: Crashing the Compact Market", *BusinessWeek,* 28 de junio de 2004; Neil Boudette, "BMW's Push to Broaden Line Hits Some Bumps in the Road", *Wall Street Journal,* 10 de enero de 2005; Boston Chapter BMW Car of America, boston-bmwcca.org; bmw.org, Annual Report, Company History, 22 de enero de 2010.

PARTE 4 Creación de marcas fuertes

Con la hábil aplicación del *grassroot* marketing, Lululemon ha atraído una base de clientes leales y la creación de una marca fuerte.

En este capítulo responderemos las siguientes **preguntas**

1. ¿Qué es una marca y cómo funciona el branding?
2. ¿Qué es el brand equity (capital de marca)?
3. ¿Cómo se genera, se mide y se gestiona el brand equity?
4. ¿Cuáles son las decisiones más importantes para desarrollar una estrategia de branding?

Creación de brand equity

Uno de los activos intangibles más valiosos de las empresas son sus marcas. En este sentido, al marketing le corresponde gestionar adecuadamente su valor. La creación de una marca fuerte es, al mismo tiempo, un arte y una ciencia. Requiere una planificación cuidadosa, un profundo compromiso a largo plazo, y un marketing diseñado y ejecutado de manera creativa. Una marca fuerte inspira una intensa lealtad en el consumidor; pero en su esencia se debe encontrar un gran producto o servicio.

Mientras asistía a sus clases de yoga, el empresario canadiense Chip Wilson decidió que la ropa de algodón y poliéster que casi todos sus compañeros usaban era demasiado incómoda. Después de diseñar y empezar la comercialización de prendas de color negro, con buen ajuste y resistencia al sudor, decidió abrir su propio estudio de yoga; así nació Lululemon. La empresa ha adoptado un enfoque de marketing tipo grassroots *para crecer, y esto le permite desarrollar una fuerte conexión emocional con sus clientes. Antes de abrir una tienda en una ciudad nueva, Lululemon identifica a los maestros de yoga y a los entrenadores de acondicionamiento físico con influencia en la zona. A cambio de suministrarles ropa durante un año, estos profesionales se desempeñan como "embajadores" de Lululemon, impartiendo clases y asistiendo a eventos de venta de productos patrocinados por la empresa. Además, le proporcionan asesoría para el diseño de productos. La lealtad de los clientes de Lululemon —rayan en el culto— es evidente en su disposición a pagar 92 dólares por un par de pantalones de entrenamiento, que si fueran de las marcas Nike o Under Armour costarían sólo 60 o 70 dólares. Lululemon puede vender hasta 1 800 dólares en productos por metro cuadrado en cada una de sus aproximadamente 100 tiendas, lo cual es el triple de lo que venden otros comerciantes establecidos, como Abercrombie & Fitch y J. Crew. Después de hacer frente a algunos retos de inventario, la empresa busca expandir su línea de productos, dejando de concentrarse en la ropa deportiva y los accesorios inspirados en el yoga, para comercializar también artículos relacionados con otros deportes, como el jogging, la natación y el ciclismo.*[1]

Los especialistas en marketing responsables de las marcas más exitosas del siglo XXI deberán destacar por su gestión estratégica de marca. La gestión estratégica de marca consiste en diseñar e implementar actividades y programas de marketing destinados a crear, medir, y gestionar las marcas para maximizar su valor. El proceso consta de cuatro pasos principales:

- Identificar y determinar el posicionamiento de la marca.
- Planificar y aplicar el marketing de la marca.
- Medir e interpretar el desempeño de la marca.
- Vigilar el posicionamiento de la marca para incrementar y mantener su valor.

En este capítulo se analizarán las tres últimas fases.[2] En el capítulo 11 se estudiarán conceptos clave de la dinámica competitiva.

¿Qué es el brand equity o capital de marca?

Tal vez la habilidad más distintiva de los especialistas en marketing es su capacidad para crear, mantener, mejorar y proteger las marcas. Marcas establecidas, como Mercedes, Sony o Nike han liderado el establecimiento de precios altos, obteniendo una profunda lealtad de sus clientes a lo largo de los años. Marcas de aparición más reciente como POM Wonderful, SanDisk y Zappos también han conseguido captar la atención de los consumidores y el interés de la comunidad financiera.

La American Marketing Association define **marca** como "un nombre, término, símbolo o diseño, o una combinación de dichos elementos, cuyo propósito es representar los bienes o servicios de un vendedor o grupo de vendedores y diferenciarlos de la competencia". Por lo tanto, una marca es un producto o un servicio cuyas dimensiones lo diferencian, de alguna manera, del resto de los productos o servicios destinados a satisfacer la misma necesidad. Las diferencias pueden ser funcionales, racionales, o tangibles —relacionadas con el desempeño del producto de la marca. Pueden ser también simbólicos, emocionales, o intangibles— relacionadas con lo que la marca representa o significa en un sentido más abstracto.

Las marcas se han utilizado durante siglos para diferenciar los artículos de un productor de los de la competencia.[3] Los primeros ejemplos de marcas aparecieron en la Europa medieval, cuando las cofradías de artesanos exigían que éstos colocaran marcas distintivas en sus productos para protegerse —y proteger a los consumidores— de una calidad inferior. En las bellas artes sucedió algo similar cuando los artistas comenzaron a firmar sus obras. En la actualidad las marcas desempeñan una serie de funciones muy importantes que mejoran la vida de los consumidores e incrementan el valor financiero de las empresas.

Función de las marcas

Las marcas identifican el origen y el fabricante de un producto, y permiten que los compradores, ya sean individuos u organizaciones, atribuyan responsabilidades a un productor o vendedor en particular. Por ejemplo, los consumidores podrían hacer diferentes evaluaciones de un mismo producto dependiendo de la marca. La razón es que su conocimiento de las marcas se da a partir de sus experiencias con el producto, o a través del programa de marketing que éste utiliza, lo cual les permite descubrir cuáles marcas satisfacen sus necesidades y cuáles no. A medida que la vida de los consumidores se vuelve más complicada, acelerada y determinada por los horarios, la capacidad de la marca para simplificar el proceso de decisión de compra y reducir los riesgos es invaluable.[4]

Por otro lado, las marcas también hacen contribuciones muy valiosas a las empresas.[5] En primer lugar, simplifican el manejo y la localización de productos; asimismo, facilitan la organización del inventario y de registros contables. Además, ofrecen a la empresa protección legal para las características exclusivas del producto.[6] El nombre de la marca puede protegerse mediante su registro (o *trademark*); del mismo modo que los procesos de fabricación se protegen a través de patentes, y los envases mediante derechos de autor (*copyright*) y propiedad del diseño. Estos derechos de propiedad intelectual garantizan que la empresa pueda invertir con seguridad en la marca y beneficiarse de todas las ventajas de un activo tan valioso.

Las marcas son indicadores de un determinado nivel de calidad y esto aumenta la probabilidad de que los compradores satisfechos vuelvan a adquirir el mismo producto una y otra vez.[7] La lealtad hacia la marca hace que la demanda sea previsible y pone barreras a la entrada de otras empresas al mercado. La lealtad también puede traducirse en la disposición del consumidor a pagar un precio más elevado, por lo general entre el 20 y el 25% más que las marcas de la competencia.[8] Aunque los competidores sean capaces de imitar los procesos de fabricación y el diseño de un producto, difícilmente podrán reproducir la impresión que ha creado la marca en la mente de los consumidores y organizaciones a lo largo de años de actividades de marketing y de experiencias con el producto. En este sentido, las marcas constituyen un poderoso mecanismo para garantizar una ventaja competitiva.[9] A veces los especialistas en marketing sólo logran percatarse de la importancia real que tiene la lealtad a la marca cuando cambian uno de sus elementos cruciales, tal como queda ilustrado en la ya clásica historia de la "Nueva Coca-Cola".

Coca-Cola Afectada por el desafío que le planteaba la serie de campañas de degustación de una Pepsi-Cola más dulce a lo largo de todo Estados Unidos, en 1985 Coca-Cola decidió reemplazar su antigua fórmula con una variante más dulce, a la que bautizó como Nueva Coca-Cola. La empresa gastó 4 millones de dólares en investigaciones de marketing. Las pruebas de degustación a ciegas demostraron que los bebedores de Coca-Cola preferían la nueva fórmula más dulce, pero el lanzamiento del producto provocó una conmoción nacional. Los investigadores de marketing habían evaluado las reacciones provocadas por su sabor, pero no tomaron en cuenta el apego emocional que los consumidores tenían hacia Coca-Cola. La compañía recibió cartas airadas, protestas formales e incluso amenazas de demanda cuyo propósito era obligarla a mantener "la verdadera Coca-Cola". Diez semanas más tarde, la empresa retiró la Nueva Coca-Cola y presentó su centenaria fórmula bajo el nombre de "Coca-Cola Clásica", una maniobra que, irónicamente, quizá proporcionó a la antigua fórmula una posición incluso más fuerte en el mercado.

Coca-Cola aprendió una valiosa lección sobre su marca cuando cambió su fórmula sin consultar lo suficiente a sus consumidores.

Para bien o para mal, los efectos de la marca son omnipresentes. Un estudio de investigación sobre los efectos del marketing en los niños —que provocó grandes debates—, reveló que los niños en edad preescolar sentían que los alimentos etiquetados con la marca McDonald's, incluyendo las zanahorias, la leche y el jugo (zumo) de manzana, sabían mejor que sus similares envasados sin marca.[10]

Las marcas representan títulos de propiedad de enorme valor para las empresas, ya que influyen en el comportamiento del consumidor, pueden comprarse y venderse, y garantizan futuros ingresos a su propietario. En numerosas fusiones o adquisiciones se han pagado cifras exorbitantes por determinadas marcas. Este sobreprecio a menudo se justifica porque se da por hecho que las marcas generarán y mantendrán utilidades extraordinarias, y por la dificultad y los gastos que conllevaría crear marcas similares partiendo de cero. Los especialistas de

Wall Street consideran que las marcas fuertes derivan en un mejor desempeño en beneficios y rentabilidad, lo que genera, a su vez, un mayor valor para los accionistas.[11]

Alcance del branding

¿Cómo se realiza el branding de un producto? Aunque las empresas hacen hincapié en la creación de marcas en sus actividades del programa de marketing, en última instancia la percepción de la marca reside en la mente de los consumidores. La marca es una entidad arraigada en la realidad, pero que refleja las percepciones y la idiosincrasia de los consumidores.

El **branding** consiste en transmitir a productos y servicios el poder de una marca, esencialmente mediante la creación de factores que los distingan de otros productos y servicios. Los especialistas en marketing deben mostrar a los consumidores "quién" es el producto (dándole un nombre y empleando otros elementos de marca para ayudarles a identificarlo), así como qué hace y por qué deberían adquirirlo. El branding crea estructuras mentales y contribuye a que los consumidores organicen sus conocimientos sobre productos y servicios de modo que su toma de decisiones sea más sencilla, y en el proceso se genere valor para la empresa.

Para que las estrategias de branding logren generar valor de marca es preciso que los consumidores estén convencidos de que existen diferencias significativas entre las distintas marcas de una misma categoría de productos o servicios. Tales diferencias suelen estar relacionadas con atributos o características propias del producto. Durante décadas, Gillette, Merck y 3M han sido líderes en sus respectivas categorías de producto, en parte debido a sus iniciativas de innovación continua. Otras marcas crean ventajas competitivas sin relación con el producto. Gucci, Chanel y Louis Vuitton se han convertido en líderes de sus categorías porque entienden las motivaciones y los deseos de los consumidores, y han creado imágenes relevantes y atractivas en torno a sus productos.

Los especialistas en marketing pueden aplicar el branding prácticamente a cualquier situación en la que los consumidores tengan que elegir. Es posible hacer branding con un artículo físico (el automóvil Flex de Ford, o Lipitor, un medicamento contra el colesterol); con un servicio (Singapore Airlines o los seguros médicos Blue Cross y Blue Shield); con una tienda (Nordstrom o Foot Locker); con una persona (la actriz Angelina Jolie o el tenista Roger Federer); con un lugar (la ciudad de Sidney o toda la nación española); con una organización (U2 o la American Automobile Association), o con a una idea (el derecho al aborto o el libre comercio).[12]

Christina Aguilera

Christina María Aguilera es una cantante, compositora, productora y actriz estadounidense de origen ecuatoriano-irlandés, ampliamente conocida por su capacidad vocal, por sus videos musicales y por su imagen, en todos los cuales están presentes temas como el control de lo público, su infancia y la toma de poder por parte de la mujer. Además de su trabajo en la música, Christina ha dedicado buena parte de su tiempo a la filantropía, participando en obras de caridad, defendiendo los derechos humanos y hablando en favor del medio ambiente. Como muchos otros cantantes y músicos, esta representante del pop-rock decidió probar fortuna en el mundo empresarial, lanzando su propia línea de ropa en la conocida cadena de moda C&A México. Así, en agosto de 2011 esta empresa presentó la "Colección Christina Aguilera", inspirada en el estilo personal de la cantante: atrevido, glamoroso y lleno de colorido. La línea incluye prendas de vestir, bolsos, zapatos, cinturones y lencería. Por otro lado, esta popular figura pública se asoció en 2007 con Procter & Gamble para la producción de una línea de perfumes cuya punta de lanza fue la fragancia con su nombre; al respecto, el portavoz de la compañía transnacional comentó: "Se trata de una gran oportunidad para nosotros. Nuestro objetivo es que Christina Aguilera se convierta en la marca de perfume más importante entre las auspiciadas por celebridades". No cabe duda de que Christina Aguilera es consciente del valor de su nombre como marca de alcance internacional.[13]

La cantante Christina Aguilera es reconocida internacionalmente no sólo por sus logros artísticos, sino también por el hábil branding de su nombre.

Definición del brand equity

El **brand equity** o capital de marca es el valor añadido que se asigna a un producto o servicio a partir de la marca que ostentan. Este valor puede reflejarse en la forma en que los consumidores piensan, sienten y actúan respecto de la marca, así como en los precios, la participación de mercado y la rentabilidad que genera la marca para la empresa.[14]

Los investigadores y los especialistas en marketing emplean distintas perspectivas para estudiar el brand equity.[15] Los enfoques centrados en el consumidor —ya sea un individuo o una organización— lo analizan desde el punto de vista de éste, y reconocen que el poder de una marca reside en lo que los consumidores han visto, leído, escuchado, pensado y sentido sobre la misma a lo largo del tiempo.[16]

Para reforzar su imagen de lujo, Louis Vuitton utiliza celebridades icónicas como sus voceros. Un ejemplo es la presencia del legendario rockero de los Rolling Stones, Keith Richards, en su publicidad impresa y para exteriores.

El **brand equity basado en el cliente** se define como el efecto diferenciador que provoca el conocimiento de la marca en la respuesta de los consumidores a los esfuerzos de marketing implementados para impulsarla.[17] Se dice que la marca tiene un brand equity basado en el cliente *positivo* cuando los consumidores reaccionan más favorablemente ante un producto y a las estrategias utilizadas para su comercialización cuando la marca está *identificada*, que cuando no está identificada o no está presente. Por el contrario, la marca tiene un *brand equity* basado en el cliente *negativo* cuando, en las mismas circunstancias, los consumidores no reaccionan tan favorablemente ante las actividades de marketing de la marca. Existen tres elementos clave en esta definición.

1. El brand equity es resultado de las diferencias que se presentan entre las respuestas de los consumidores. Si no existen tales diferencias, se considera que la marca del producto puede equipararse a la de cualquier otro de la misma categoría. En ese caso, es probable que el único diferencial de competitividad sea el precio.[18]
2. Las diferencias que se presentan en las respuestas son resultado del **conocimiento de marca** de los consumidores, esto es, todos sus pensamientos, sentimientos, imágenes, experiencias y creencias asociados con la marca. Las marcas deben crear asociaciones fuertes, favorables y únicas con los clientes, como lo han hecho Toyota (*confiabilidad*), Hallmark (*afecto*) y Amazon.com (*conveniencia*).
3. El brand equity se refleja en las percepciones, preferencias y conductas relacionadas con todos los aspectos del marketing de una marca. Las marcas más fuertes generan mayores ingresos.[19] La tabla 9.1 resume algunas de las ventajas clave del *brand equity*.

En consecuencia, el desafío al que se enfrentan los especialistas en marketing al tratar de crear marcas fuertes consiste en asegurarse de que los consumidores tengan las experiencias adecuadas con sus productos, servicios, y programas de marketing para crear las estructuras de conocimiento de marca más apropiadas. En un sentido abstracto, podemos pensar en el brand equity como aquello que sirve a los especialistas en marketing como un "puente" estratégico vital entre el pasado y el futuro de su producto o servicio.[20]

TABLA 9.1 Ventajas de las marcas fuertes en términos de marketing

Mejores percepciones del desempeño del producto	Mayor cooperación y apoyo comercial
Mayor lealtad	Mayor efectividad de las comunicaciones de marketing
Menor vulnerabilidad a las actividades de marketing de la competencia	Posibles oportunidades de ofrecer licencias de la marca
Menor vulnerabilidad a las crisis del mercado	Oportunidades adicionales de ampliar el alcance de la marca
Mayores márgenes de ganancia	Mejor reclutamiento y retención de los empleados
Mayor inelasticidad en la respuesta de los consumidores ante los aumentos de precio	Mayores rendimientos en el mercado financiero
Mayor elasticidad en la respuesta de los consumidores ante las reducciones de precio	

Por otro lado, los especialistas en marketing deben pensar que el dinero que se gasta año tras año en las actividades de comercialización de productos y servicios es una inversión en el conocimiento de marca de los consumidores. En este sentido, el factor clave es la *calidad* de la inversión y no la *cantidad* (más allá de un nivel determinado) de la misma. De hecho, si no se invierte con sensatez, es posible incurrir en gastos excesivos en la creación de marca.

El conocimiento de marca determina cuáles son los derroteros adecuados que tomará la marca en el futuro. La **promesa de marca** es la visión que tiene el especialista en marketing respecto de lo que ésta puede llegar a ser y a hacer para los consumidores. Con base en lo que piensan y sienten acerca de la marca, serán los consumidores quienes decidirán hacia dónde (y cómo) creen que debe dirigirse la marca, y quienes aprobarán (o reprobarán) cualquier actividad o programa de marketing. Algunos proyectos de nuevos productos, como la aspirina BENGAY, el cereal Cracker Jack, la limonada Frito-Lay, el detergente para ropa Fruit of the Loom y la salsa de tomate de alta calidad Smucker's, fracasaron porque los consumidores no los consideraron extensiones adecuadas de la marca.

Aeroméxico Aeroméxico es actualmente la aerolínea más grande de México. Vuela a más de 300 destinos todos los días y maneja los más altos estándares de calidad, lo cual le ha permitido posicionarse como una de las mejores líneas aéreas del mundo. Interesada en crear lealtad hacia su marca, la empresa ha implementado diversas estrategias dirigidas a diferentes públicos meta. Por ejemplo, en vista de que uno de sus principales grupos de consumidores está conformado por los viajeros corporativos, Aeroméxico ha puesto a su disposición un servicio de reservación online seguro y fácil de utilizar; además, ha instalado en varias empresas centrales multimedia para realizar reservaciones (reservas), y ofrece promociones especiales a sus empleados y ejecutivos. Otra de sus estrategias consiste en ofrecer un descuento del 15% en las tarifas de clase premier y turista en vuelos nacionales e internacionales a los adultos mayores de 60 años, con lo cual cumple el doble propósito de apoyar a ese sector poblacional y estimular el turismo dentro del territorio mexicano. Así, su branding se basa en posicionarse como la aerolínea de México, usando como diferenciadores de marca una oferta de valor, el desarrollo de oportunidades de ahorro para los viajeros, un mejor servicio, una flota renovada, nuevos pilotos, alianzas, mejor conectividad, comodidad, acumulación de millas y conectividad global.[21]

Al satisfacer las necesidades de diferentes segmentos de consumidores mediante el ofrecimiento de diversos servicios, Aeroméxico ha logrado construir una marca fuerte.

Modelos de brand equity

Aunque entre los especialistas en marketing hay consenso respecto de cuáles son los principios básicos del brand equity, ciertos modelos ofrecen perspectivas diferentes. A continuación se detallan tres de los más consolidados.

BRANDASSET VALUATOR® La agencia de publicidad Young and Rubicam (Y&R) desarrolló un modelo de brand equity, que en traducción literal se podría denominar valor de activo de la marca (o BAV, por su siglas en inglés). Según un estudio realizado con aproximadamente 800 000 consumidores de 51 países, el BAV compara el brand equity de miles de marcas en cientos de categorías diferentes. De acuerdo con este modelo, el brand equity consta de cuatro componentes (o pilares) clave (vea la △ figura 9.1):

- La ***diferenciación*** mide hasta qué punto una marca se percibe como diferente a las demás, así como su impulso y liderazgo percibidos.
- La ***relevancia*** mide la idoneidad y la amplitud del atractivo de la marca.
- La ***estima*** mide las percepciones de calidad y lealtad; en otras palabras, evalúa qué tanta consideración y respeto propicia la marca.
- El ***conocimiento*** mide el nivel de familiaridad y conciencia de marca de los consumidores.

La diferenciación y la relevancia se combinan para determinar la *fortaleza de la marca*, uno de los principales predictores de su futuro crecimiento y valor. La estima y el conocimiento, en conjunto, conforman la *estatura de la marca*, que es una especie de "reporte" de los resultados obtenidos en el pasado y un indicador vigente del valor actual.

Las relaciones entre estas cuatro dimensiones, que constituyen un "patrón" de los pilares de la marca, revelan mucha información sobre el estado actual y futuro de la misma. La fortaleza y la estatura se combinan para crear una *matriz del valor de activo de la marca*, que refleja las fases del ciclo de desarrollo de la marca en cuadrantes sucesivos (vea la △ figura 9.2). Las marcas nuevas pero fuertes tienden a mostrar niveles más elevados de diferenciación que de relevancia, mientras que la estima y el conocimiento aún son bajos. Las marcas líderes presentan niveles altos en los cuatro pilares. Por último, las marcas en decadencia tienen un gran nivel de conocimiento (prueba de los resultados pasados), un nivel bajo de estima, y un nivel aún más bajo de relevancia y diferenciación.

|Fig. 9.1|

Modelo del valor activo de la marca

Fuente: Cortesía de BrandAsset® Consulting, una división de Young & Rubicam.

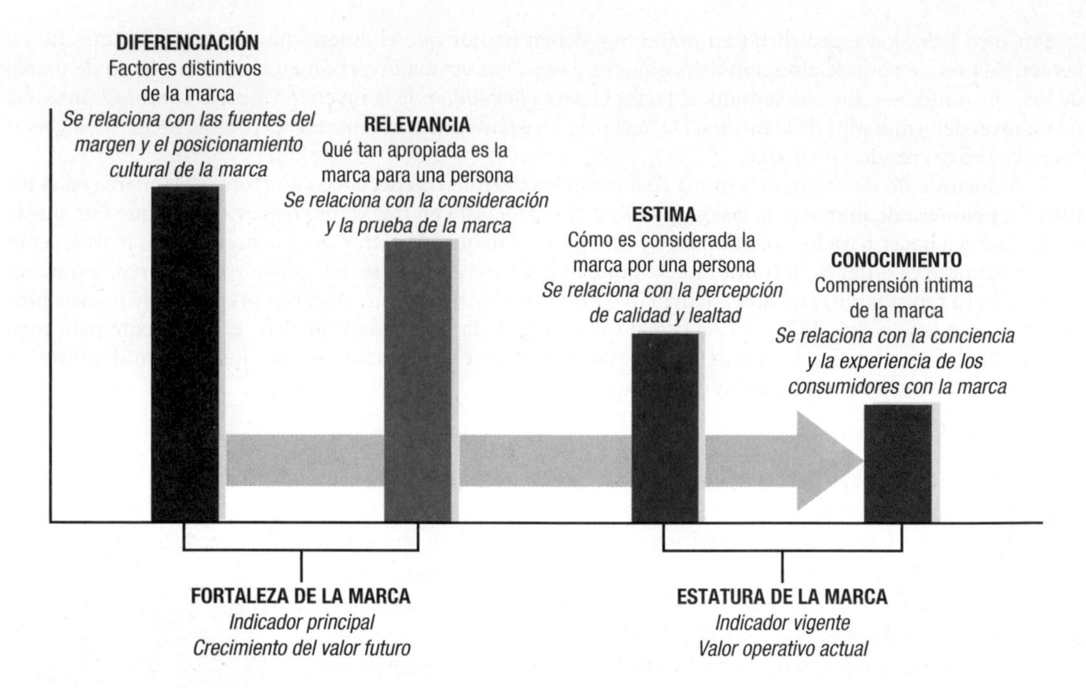

Según el análisis BAV, los consumidores están concentrando sus preferencias y su poder de compra en un conjunto cada vez más reducido de marcas especiales, esto es, marcas con una diferenciación en continua evolución. Estas marcas conectan mejor con los consumidores, creando mayor fidelidad de uso y desarrollando más poder en materia de fijación de precios, factores que dan lugar a un mayor valor para los accionistas. Una cantidad hipotética de 10 000 dólares invertidos en las 50 principales marcas que están ganando poder logró un crecimiento del 12%, mientras que las marcas del índice Standard & Poor's 500 perdieron casi el 20% entre el 31 de diciembre de 2001 y el 30 de junio de 2009. Algunas de las aportaciones más recientemente generadas por los datos BAV se resumen en "Marketing en acción: El problema de la burbuja de las marcas".

BRANDZ Millward Brown y WPP, empresas especializadas en consultoría de investigación de marketing, han desarrollado el modelo de fortaleza de marca BrandZ, que gira en torno a la pirámide de la dinámica de marca (o BrandDynamics™, desarrollada por Millward Brown). Según este modelo, la creación de marcas consiste en una serie de fases secuenciales (vea la figura 9.3).

El modelo se basa en la realización de entrevistas a un grupo de personas, las cuales serán asignadas a un nivel de la pirámide dependiendo de las respuestas que den respecto a una marca en específico. La pirámide de la dinámica de marca muestra el número de consumidores que han llegado a cada uno de los niveles siguientes:

- ***Presencia.*** Familiaridad activa, basada en pruebas de la marca, en la notoriedad de la misma o en el conocimiento de la promesa de marca por parte del consumidor.
- ***Relevancia.*** Trascendencia de la marca para las necesidades del consumidor, ya sea en el rango de precios o en el conjunto de consideraciones.
- ***Desempeño.*** La creencia de que la marca ofrece un desempeño apropiado y que su producto está entre los preferidos del consumidor.
- ***Ventaja.*** La creencia de que la marca ofrece una ventaja emocional o racional superior a la de otras marcas de su categoría.
- ***Vinculación.*** Apego racional y emocional a la marca, hasta el punto de excluir casi todas las demás de su categoría.

Los consumidores "vinculados", que se ubican en la parte más alta de la pirámide, crean relaciones más estrechas con la marca y gastan más en ella que los consumidores situados en los niveles inferiores. Sin embargo, en dichos niveles hay un mayor número de consumidores, así que el desafío de los especialistas en marketing es ayudarlos a ascender.

MODELO DE RESONANCIA DE MARCA El modelo de resonancia de marca también considera que la creación de marcas es un proceso ascendente, que consta de las siguientes fases: (1) garantizar que los consumidores identifiquen la marca y la asocien con una categoría de productos o con una necesidad específica; (2) establecer firmemente el significado de la marca en la mente de los consumidores, mediante la vinculación estratégica de un conjunto de asociaciones de marca tangibles e intangibles; (3) provocar las respuestas apropiadas por parte de los consumidores, en cuanto a sus juicios y sentimientos relativos a la marca, y (4) transformar las respuestas de los consumidores en una relación de lealtad intensa y activa con la marca.

Mediante la representación gráfica de las puntuaciones de un grupo representativo de marcas tanto en su fortaleza como en su estatura, esta matriz, derivada del modelo BAV, muestra una imagen precisa del estatus de la marca y su desempeño general.

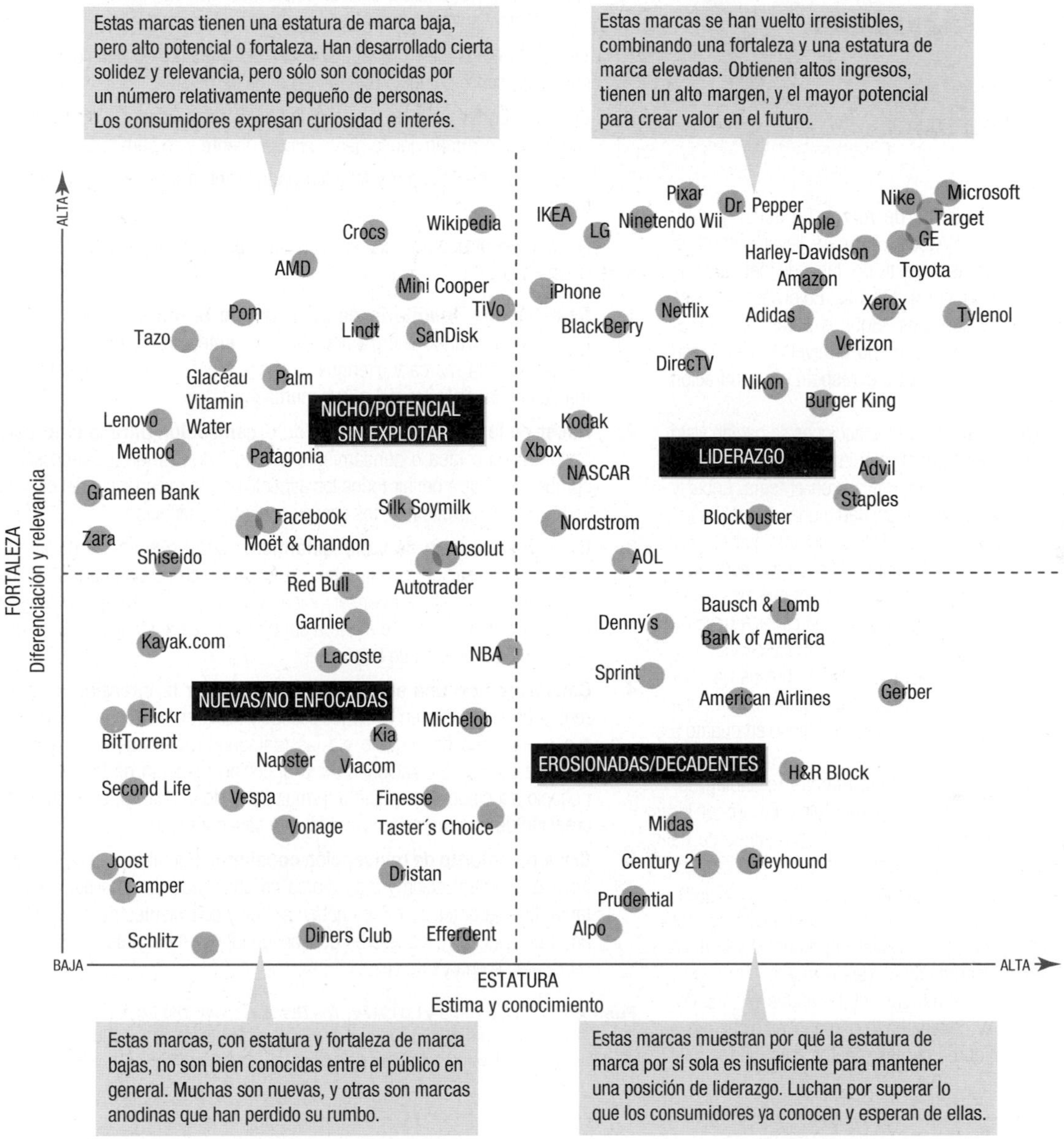

Estas marcas tienen una estatura de marca baja, pero alto potencial o fortaleza. Han desarrollado cierta solidez y relevancia, pero sólo son conocidas por un número relativamente pequeño de personas. Los consumidores expresan curiosidad e interés.

Estas marcas se han vuelto irresistibles, combinando una fortaleza y una estatura de marca elevadas. Obtienen altos ingresos, tienen un alto margen, y el mayor potencial para crear valor en el futuro.

FORTALEZA
Diferenciación y relevancia
ALTA
BAJA

NICHO/POTENCIAL SIN EXPLOTAR
Crocs, Wikipedia, AMD, Mini Cooper, Pom, TiVo, Tazo, Lindt, SanDisk, Glacéau Vitamin Water, Palm, Lenovo, Method, Patagonia, Grameen Bank, Silk Soymilk, Facebook, Zara, Moët & Chandon, Absolut, Shiseido

LIDERAZGO
Pixar, Dr. Pepper, Nike, Microsoft, IKEA, LG, Ninetendo Wii, Apple, Target, GE, Harley-Davidson, Toyota, Amazon, iPhone, Xerox, Netflix, Adidas, Tylenol, BlackBerry, Verizon, DirecTV, Nikon, Burger King, Kodak, Xbox, NASCAR, Advil, Staples, Nordstrom, Blockbuster, AOL

NUEVAS/NO ENFOCADAS
Red Bull, Autotrader, Garnier, Kayak.com, Lacoste, NBA, Flickr, BitTorrent, Michelob, Kia, Napster, Viacom, Second Life, Vespa, Finesse, Vonage, Taster's Choice, Joost, Camper, Dristan, Schlitz, Diners Club, Efferdent

EROSIONADAS/DECADENTES
Bausch & Lomb, Denny's, Bank of America, Sprint, American Airlines, Gerber, H&R Block, Midas, Century 21, Greyhound, Prudential, Alpo

BAJA — ESTATURA — ALTA
Estima y conocimiento

Estas marcas, con estatura y fortaleza de marca bajas, no son bien conocidas entre el público en general. Muchas son nuevas, y otras son marcas anodinas que han perdido su rumbo.

Estas marcas muestran por qué la estatura de marca por sí sola es insuficiente para mantener una posición de liderazgo. Luchan por superar lo que los consumidores ya conocen y esperan de ellas.

|Fig. 9.2|

El universo del desempeño de la marca

Fuente: Young & Rubicam Brand Asset Valuator.

Nada puede superarla — **Vinculación**

¿Ofrece algo mejor que las demás? — **Ventaja**

¿Es capaz de cumplir su promesa? — **Desempeño**

¿Qué me ofrece? — **Relevancia**

¿La conozco? — **Presencia**

Relación fuerte/Alta participación en el gasto en la categoría

Relación débil/Baja participación en el gasto en la categoría

|Fig. 9.3|

Pirámide BrandDynamics™

Fuente: Pirámide BrandDynamics™. Reproducción autorizada por Millward Brown.

El problema de la burbuja de las marcas

En el libro *The Brand Bubble*, los consultores de marca Ed Lebar y John Gerzema usan la histórica base de datos BAV de Y&R para llevar a cabo un examen exhaustivo del estado de las marcas. A partir de datos de mediados de 2004, los autores descubrieron varias tendencias extrañas. En el caso de miles de marcas de productos de consumo y servicios, algunos parámetros clave utilizados en la medición del valor de la marca, como el nivel de notoriedad *top of mind* (la primera marca evocada), la confianza, el respeto y la admiración experimentaron caídas significativas.

Al mismo tiempo, sin embargo, los precios de las acciones se habían visto impulsados al alza durante una serie de años por el valor intangible que los mercados atribuían a las marcas de consumo. Al profundizar en el tema, Lebar y Gerzema descubrieron que el aumento se debía en realidad a unas cuantas marcas extremadamente fuertes, como Google, Apple y Nike, mientras que el valor creado por la gran mayoría de las marcas estaba estancado o iba en descenso.

Los autores consideraron que este desajuste entre el valor que los consumidores atribuían a las marcas y el valor que les atribuían los mercados terminaría por ocasionar un desastre debido a dos razones. En el nivel macroeconómico, implicaba que los precios de las acciones de casi todas las empresas de consumo estaban sobrevaluadas. En el nivel microeconómico —esto es, en el que concierne a la empresa—, señalaba un problema grave y continuo en cuanto a la gestión de marcas.

¿Por qué las actitudes del consumidor hacia las marcas se habían debilitado? La investigación identificó tres causas fundamentales. En primer lugar, la proliferación de marcas. La introducción de nuevos productos se ha acelerado, pero muchos de ellos no tienen éxito entre los consumidores. En segundo lugar, los consumidores esperan que las marcas les presenten "grandes ideas" creativas, y sencillamente sienten que no las están recibiendo. Por último, debido a los escándalos corporativos, las crisis de productos y la mala conducta ejecutiva, la confianza en las marcas se ha desplomado.

Sin embargo, la creación exitosa de marcas vitales sigue existiendo. Aunque los cuatro pilares del modelo BAV desempeñan un papel en dicha creación, el éxito obtenido entre los consumidores por las marcas más fuertes tuvo también otras causas. Amazon.com, Axe, Facebook, Innocent, IKEA, Land Rover, LG, LEGO, Tata, Nano, Twitter, Whole Foods y Zappos exhibieron una notable diferenciación en la comunicación de un dinamismo y una creatividad que casi ninguna otra marca pudo lograr.

Formalmente, el análisis BAV identificó tres factores que contribuyen a definir la energía y el impulso que ésta genera en el mercado:

1. *Visión.* Una dirección y una perspectiva del mundo bien definidos, y una idea clara sobre cómo se puede y se debe cambiar.
2. *Inventiva.* En términos de la intención que tienen el producto o servicio de cambiar la forma en que la gente piensa, siente y se comporta.
3. *Dinamismo.* Entusiasmo y afinidad en la manera en que se presenta la marca.

Los autores ofrecen un esquema de cinco pasos para infundir más energía a las marcas:

1. **Realizar una "auditoría de energía" de la marca.** Identificar las fuentes y el nivel de energía actuales para entender las fortalezas y debilidades de la marca y averiguar qué tan bien se ajusta la gestión de marca con la dinámica del nuevo mercado.
2. **Hacer de la marca un principio de organización para la empresa.** Encontrar una idea o pensamiento esencial de la marca puede servir como medio para definir todos los aspectos de la experiencia del cliente, incluyendo los productos, los servicios y la comunicación.
3. **Crear una cadena de valor dinámica.** Lograr que los objetivos que tiene la organización para la marca sean una realidad compartida; todos los participantes deben pensar únicamente desde la perspectiva de la marca, y entender de qué manera contribuyen sus acciones a incrementar el nivel de energía de la misma.
4. **Convertirse en una empresa impulsada por la energía.** Los diferentes participantes en el negocio deben transferir su energía y pasión a sus unidades de negocio y a las funciones que éstas desempeñan. Una vez que las aspiraciones de la dirección respecto de la marca y el negocio asociado comienzan a formar parte de la cultura, el proceso de creación de una marca energizada está casi completo.
5. **Crear un entorno de reinvención constante.** Por último, se debe mantener a la organización y a su marca en un estado de renovación constante. Los gerentes de marca deben ser muy conscientes de los cambios en la percepción y los valores del consumidor, y mostrarse dispuestos a reinventarse una y otra vez.

Fuentes: John Gerzema y Ed Lebar, *The Brand Bubble: The Looming Crisis in Brand Value and How to Avoid It* (Nueva York: Jossey-Bass, 2008); John Gerzema y Ed Lebar, "The Trouble with Brands", *Strategy+Business 55* (verano de 2009).

Según este modelo, las cuatro fases suponen el establecimiento de una pirámide de seis "bloques en la creación de marcas", como ilustra la figura 9.4. El modelo hace hincapié en la dualidad de las marcas: la ruta racional en la creación de marcas se sitúa en la parte izquierda de la pirámide, mientras que la parte de la derecha representa la ruta emocional.[22]

MasterCard es un claro ejemplo de una marca con dualidad, puesto que hace énfasis tanto en las ventajas racionales de la tarjeta de crédito —por ser aceptada en establecimientos de todo el mundo—, como en sus ventajas emocionales, expresadas en la galardonada campaña publicitaria "No tiene precio" ("Hay cosas que el dinero no puede comprar; para todo lo demás, existe MasterCard").

La creación de un brand equity significativo requiere alcanzar la cúspide de la pirámide de marca, lo cual sólo ocurrirá si los bloques de creación apropiados se colocan en el lugar que les corresponde.

- La ***presencia (relevancia) de marca*** se refiere a la frecuencia y facilidad con que se evoca la marca en las diferentes situaciones de compra o consumo.
- El ***desempeño de marca*** se refiere a qué tan bien satisface el producto o servicio las necesidades funcionales del consumidor.

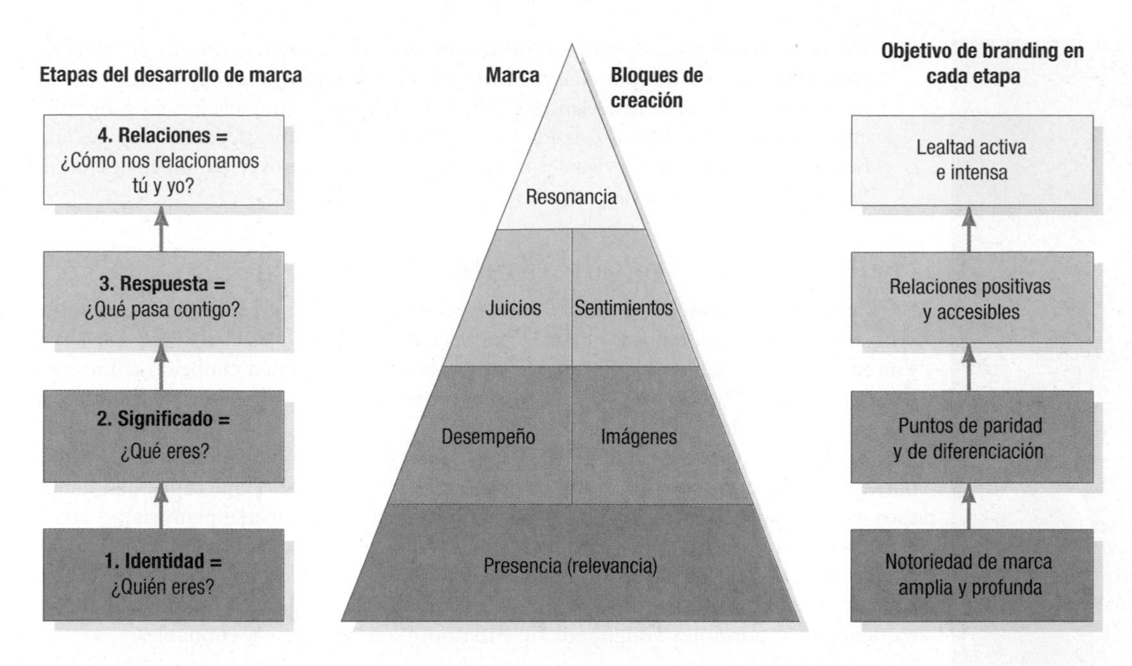

|Fig. 9.4| Pirámide de resonancia de marca

- La ***imagen de marca*** hace referencia a las propiedades extrínsecas del producto o servicio, incluidas las formas con las que la marca pretende satisfacer las necesidades sociales y psicológicas del consumidor.
- Los ***juicios de marca*** tienen que ver con las opiniones y valoraciones personales del consumidor.
- Los ***sentimientos de marca*** son las respuestas y reacciones emocionales del consumidor respecto de la marca.
- La ***resonancia de marca*** se refiere a la naturaleza de la relación que mantiene el consumidor con la marca, y al grado de sincronía que tiene el consumidor con ella.

La resonancia es la intensidad de los vínculos psicológicos de los consumidores con la marca y el nivel de actividad que genera.[23] Algunos ejemplos de marcas con gran resonancia son Harley-Davidson, eBay y Apple. Fox News ha descubierto que si sus programas generan altos niveles de resonancia y compromiso, los anuncios publicitarios que se transmiten durante los mismos suelen tener más impacto en el recuerdo.[24]

La campaña "No tiene precio" de MasterCard refuerza las recompensas emocionales de la marca.

Creación de brand equity

Los especialistas en marketing construyen brand equity mediante la creación de estructuras de conocimiento de marca apropiadas en los consumidores adecuados. Este proceso depende de *todos* los contactos que se establecen con la marca, ya sea que los inicie o no el especialista en marketing.[25] Sin embargo, desde la perspectiva de la dirección de marketing, existen tres conjuntos de *factores de impulso del brand equity.*

1. ***La elección inicial de los elementos o identidades que conforman la marca (por ejemplo, los nombres de marca, los URL, los logotipos, los símbolos, los personajes, los portavoces, los eslogan, los jingles publicitarios, los envases y los signos distintivos).*** Microsoft eligió el nombre Bing para su nuevo buscador, porque desde su punto de vista transmitía sin ambigüedades la sensación de satisfacción que se obtiene al encontrar algo que se está buscando (en inglés, el término *bingo* se utiliza para denotar sorpresa). Además es corto, atractivo, memorable, activo y efectivo en una amplia diversidad de culturas.[26]
2. ***El producto o servicio y todas las actividades de marketing y los programas de refuerzo relacionados.*** La marca de más rápido crecimiento de Liz Claiborne es Juicy Couture, una línea de ropa deportiva y accesorios contemporáneos con un fuerte atractivo para el estilo de vida de mujeres, hombres y niños. Posicionada como un lujo asequible, la marca crea su sello exclusivo a través de la distribución limitada, un nombre un poco subido de tono y una actitud rebelde.[27]

El nombre de la marca 42BELOW tiene —al mismo tiempo— un significado relacionado con el producto, y un significado relacionado con su origen neozelandés.

3. ***Otras asociaciones transferidas indirectamente a la marca, mediante su vinculación con otra entidad (por ejemplo, una persona, un lugar o un objeto).*** El nombre de la marca del vodka neozelandés 42BELOW se refiere tanto a la latitud geográfica en que está ubicada Nueva Zelanda (–42°) como al porcentaje de alcohol de la bebida. Su envase y otras señales visuales están diseñados para aprovechar la percepción de pureza del país y comunicar el posicionamiento de la marca.[28]

Selección de los elementos de marca

Los **elementos de marca** son todos aquellos recursos que sirven para identificar y diferenciar la marca. Casi todas las marcas fuertes emplean múltiples elementos de marca. Por ejemplo, Nike tiene su logotipo distintivo (el *swoosh*, también conocido como pipa o ala), el eslogan "Just Do It", y su mismo nombre, que hace referencia a la diosa alada griega de la victoria.

Los especialistas en marketing deben seleccionar con cuidado los elementos de marca para generar el mayor brand equity posible. La prueba para saber qué capacidad tienen esos elementos para lograr dicho propósito consiste en indagar qué pensarían o sentirían los consumidores sobre el producto *si sólo* conocieran los elementos de marca.

Por ejemplo, basándose únicamente en el nombre de la marca, un consumidor podría suponer que los productos SnackWell son refrigerios saludables, y que las computadoras (ordenadores) portátiles Toughbook de Panasonic son duraderas y confiables.

CRITERIOS PARA LA SELECCIÓN DE LOS ELEMENTOS DE MARCA Existen seis criterios que hay que tener en cuenta al seleccionar los elementos de marca. Los tres primeros (memorable, significativo y agradable) son considerados "creadores de marca". Los tres últimos (transferible, adaptable, protegible) son más "defensivos" y contribuyen a apalancar y preservar el brand equity contra posibles desafíos.

1. ***Memorable.*** ¿Con cuánta facilidad recuerdan y reconocen los consumidores el elemento de marca, y en qué momentos de la compra y del consumo? Los nombres cortos, como Tide, Crest y Puffs son elementos de marca memorables.
2. ***Significativo.*** ¿El elemento de marca tiene sentido? ¿Sugiere la categoría a la que pertenece la marca, un ingrediente del producto, o el tipo de persona que podría utilizar la marca? Considere el significado inherente a nombres como DieHard (en referencia a larga duración) para baterías de coche, Mop & Glo (limpieza y brillo) para ceras limpiadoras, y Lean Cuisine (cocina ligera) para alimentos preparados y congelados bajos en calorías.
3. ***Agradable.*** ¿Qué tan estéticamente atractivo es el elemento de marca? Una tendencia reciente es utilizar nombres simpáticos que también puedan tener una URL fácilmente disponible, como Flickr para compartir fotos, la red social Wakoopa y los teléfonos móviles ROKR y RAZR, de Motorola.[29]
4. ***Transferible.*** ¿Puede utilizarse el elemento de marca para introducir nuevos productos en categorías similares o diferentes? ¿Contribuye al brand equity a través de las fronteras geográficas y de los segmentos de mercado? Aunque en un principio era un vendedor de libros online, Amazon.com fue lo suficientemente inteligente como para no llamarse a sí mismo "Libros Amazon". El Amazonas es famoso por ser el río más grande del mundo, y el nombre sugiere el gran caudal de productos diversos que la empresa puede manejar y vender.
5. ***Adaptable.*** ¿Qué tan adaptable y actualizable es el elemento de marca? El rostro de Betty Crocker ha experimentado más de siete cambios de imagen a lo largo de 87 años, ¡y no aparenta más de 35!
6. ***Protegible.*** ¿Cómo se puede proteger legalmente el elemento de marca? ¿Cómo protegerlo de la competencia? Los nombres que se convierten en sinónimos de categorías de productos, como Kleenex, Kitty Litter, Jell-O, Scotch Tape, Xerox y Fiberglass, deben conservar sus derechos de marca registrada para no convertirse en genéricos.

DESARROLLO DE ELEMENTOS DE MARCA Los elementos de marca pueden desempeñar diversas funciones de creación de marca.[30] Si los consumidores no analizan demasiada información a la hora de tomar decisiones de compra, es conveniente que los elementos de marca sean fáciles de recordar, descriptivos y persuasivos. El atractivo de los elementos de marca también podría aumentar la notoriedad y las asociaciones.[31] Los duendes de Keebler refuerzan el toque casero de sus productos para hornear, y evocan un sentido de magia y diversión en su línea de galletas. Bibendum, el personaje de Michelin con forma de neumático, ayuda a transmitir una sensación de seguridad para la familia.

En general, cuanto menos concretos sean los beneficios de la marca, más importante resulta que los elementos de marca hagan referencia a las características intangibles de la misma. Muchas empresas aseguradoras utilizan símbolos de fuerza (el Peñón de Gibraltar de Prudential y el ciervo de Hartford), seguridad (las "manos amigas" de Allstate y el casco del Fireman's Fund) o alguna combinación de ambos (el castillo de Fortis).

La gira Dew de Mountain Dew es un patrocinio con un alto nivel de energía, que refuerza la presencia de la marca en el mercado juvenil.

Al igual que los nombres de marca, los eslogan resultan muy eficaces para generar brand equity.[32] Pueden funcionar como "gancho" para ayudar a los consumidores a descubrir la marca y a comprender por qué es especial. Algunos ejemplos son: (compañía de seguros) "Como todo buen vecino, State Farm está para ayudarle"; (tractores y maquinaria agrícola) "Nada funciona tan bien como un Deere"; (servicios financieros) "Citi nunca duerme"; (joyería) "Todos los besos comienzan con Kay", y (Avis, alquiler de automóviles) "Nos esforzamos más". Por otra parte, elegir un nombre con un significado inherente puede hacer más difícil la adición de un significado diferente o la actualización del posicionamiento.[33]

El diseño de actividades de marketing holístico

Las marcas no se crean sólo con publicidad. Los consumidores pueden llegar a conocer una marca mediante un sinfín de encuentros o puntos de contacto: observación y uso personal, promoción de boca en boca, interacciones con los empleados de la empresa, experiencias telefónicas u online, y transacciones de pago. Un **contacto con la marca** es cualquier experiencia cargada de información, ya sea positiva o negativa, que un consumidor actual o potencial tiene con la marca, su categoría de producto o su mercado.[34] La empresa debe poner en la gestión de estas experiencias el mismo esfuerzo que en la producción de sus anuncios.[35]

Como hemos enfatizado a lo largo de este libro, la estrategia y las tácticas de marketing han cambiado drásticamente.[36] Los especialistas en marketing crean contactos de marca y generan brand equity mediante nuevas formas, como clubes y comunidades de consumidores, ferias y exposiciones comerciales, eventos de marketing, patrocinios, visitas a fábricas, relaciones públicas, boletines de prensa y marketing comprometido con causas sociales. Mountain Dew estableció el Dew Tour —una gira por diferentes ciudades estadounidenses en la que los atletas compiten en diferentes eventos de patineta, BMX y motocross de estilo libre— para llegar al codiciado pero inconstante mercado meta conformado por consumidores de 12 a 24 años de edad.[37]

El **marketing integrado** es una mezcla y compaginación de estas actividades de marketing para maximizar sus efectos individuales y colectivos.[38] Para ponerlo en práctica, los especialistas en marketing requieren echar mano de una variedad de diferentes actividades de marketing que refuercen consistentemente la promesa de marca. Italianni's se ha convertido en la cadena de restaurantes casuales de comida italiana más grande de México, con más de 47 sucursales en el territorio nacional y 11 en Filipinas. Este logro se debe, en parte, al establecimiento de un programa de marketing totalmente integrado.

Italianni's

Italianni's es una cadena de restaurantes de alta cocina italiana, conocido en México por su ambiente "familiar". La empresa ofrece los platillos típicos de los restaurantes más reconocidos de Italia, usando los ingredientes y recetas originales de la Italia tradicional. Italianni's nace en Estados Unidos, con sucursales en las ciudades de Dallas y Detroit, llega a México en 1996, convirtiéndose en una empresa 100% mexicana. A partir de esa fecha la empresa ha logrado un crecimiento impresionante, expandiéndose a lo largo de todo el territorio mexicano. Italianni's ofrece a sus comensales una auténtica sensación de calidez, propia de los antiguos restaurantes italianos de corte familiar. Para lograrlo decora sus establecimientos con fotos familiares reales, maderas oscuras, manteles a cuadros y una iluminación tenue que, en conjunto con los aromas y sabores a la Italia hogareña, crean una atmósfera llena de referencias culturales y tradiciones características del mediterráneo. Su objetivo es continuar creciendo sin abandonar sus rasgos de identificación, y centrándose en la misión de promover la cultura y las tradiciones italianas en las áreas de la gastronomía, buen servicio y el entretenimiento.[39]

Italianni's, la cadena de restaurantes de comida italiana de mayor reconocimiento en México, cumple su promesa de marca, basada en "la tradición de compartir".

Podemos evaluar las actividades del marketing integrado en términos de la eficacia y la eficiencia con que influyen en la conciencia de marca y crean, mantienen o fortalecen las asociaciones de marca e imagen. Aunque Volvo podría invertir en investigación y desarrollo y emplear publicidad, promociones y otras comunicaciones para reforzar su asociación de marca de "seguridad", también podría patrocinar eventos para asegurarse de generar una percepción de vigencia y actualidad. Los programas de marketing deben elaborarse de modo que el todo sea mayor que la suma de las partes. En otras palabras, es preciso que las actividades de marketing trabajen individualmente y en combinación.

Creación de asociaciones secundarias

La tercera y última forma de crear brand equity consiste en una forma de "préstamo". En otras palabras, vincular la marca con otra información almacenada en la memoria de los consumidores, que sea capaz de transmitirles un significado (vea la figura 9.5).

Estas asociaciones de marca "secundarias" pueden vincular a la marca con diversas fuentes, como la empresa en sí misma (mediante estrategias de marca), países o regiones geográficas (mediante la identificación del lugar de origen del producto), canales de distribución (mediante la estrategia de canal), otras marcas (compartiendo ingredientes o haciendo un branding conjunto), personajes (mediante la concesión de licencias), portavoces (mediante programas de apoyo), eventos deportivos o culturales (mediante patrocinios), y otras fuentes de terceros (mediante la obtención de galardones o reseñas).

Imaginemos que Burton, empresa fabricante de tablas y botas de snowboard y accesorios para esquiar, decidiera introducir una nueva tabla de surf llamada "Dominator". Burton cuenta con más de un tercio del mercado de snowboard, gracias a que se ha acercado a esquiadores profesionales y ha creado una comunidad de aficionados a este deporte en Estados Unidos. Al elaborar el programa de marketing para respaldar la nueva tabla de surf Dominator, Burton podría intentar generar asociaciones secundarias de marca de distintas maneras:

- Creando asociaciones a la empresa, agregando al nombre de la tabla su reconocida firma (algo así como "Dominator por Burton"). De este modo, las consideraciones de los consumidores sobre el nuevo producto se verían influenciadas por sus experiencias previas con la empresa, lo cual les permitiría predecir la calidad de una tabla de surf fabricada por Burton.
- Hacer referencia a sus orígenes en Nueva Inglaterra, pero quizás esta asociación geográfica no tenga demasiada relevancia para el surf.
- Intentar vender sus tablas a través de tiendas de surf populares, con la esperanza de que la credibilidad de los demás productos comercializados en ellas se contagie a la marca Dominator.

|Fig. 9.5|

Fuentes secundarias de conocimiento de marca

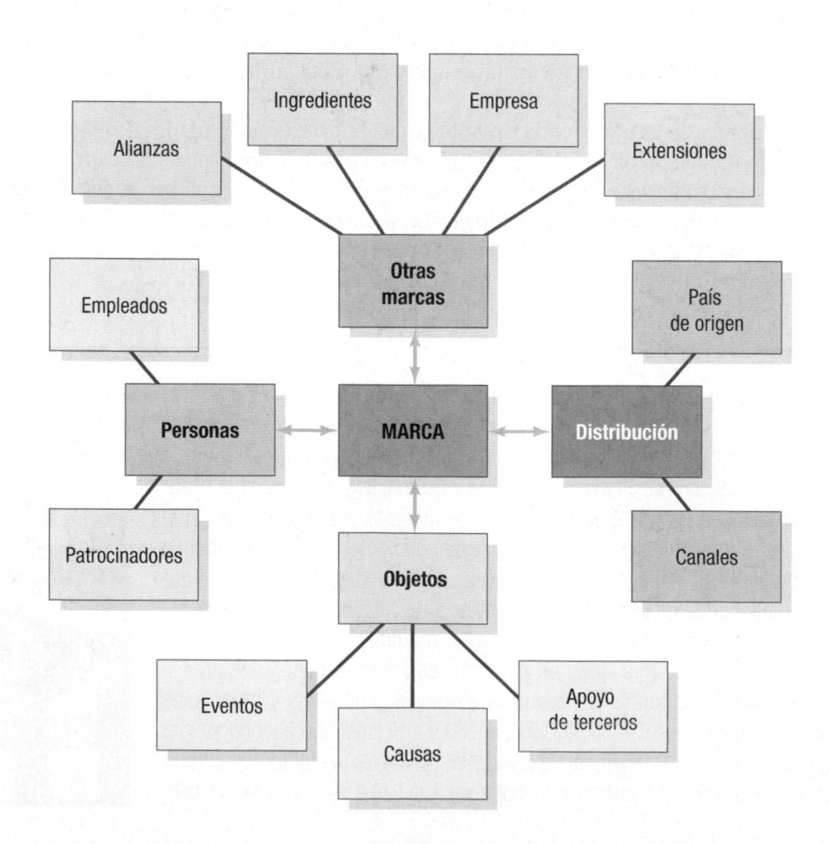

- Hacer branding conjunto, identificando un componente de marca fuerte en relación con los materiales que utiliza, como la espuma o la fibra de vidrio (esto fue lo que hizo Wilson cuando incorporó caucho de neumáticos Goodyear a las suelas de sus tenis Pro Staff Classic).
- Buscar a uno o más surfistas profesionales para que apoyaran el lanzamiento de la tabla de surf, o patrocinar una competición de surf o incluso el Campeonato Mundial de la Asociación de Profesionales del Surf.
- Intentar garantizar y promover valoraciones positivas de terceros, como las revistas *Surfer* o *Surfing.*

De este modo, independientemente de las asociaciones creadas por la propia tabla de surf, el nombre de marca y los demás aspectos del programa de marketing, Burton podría crear brand equity al vincular la marca con otras entidades.

Branding interno

Los especialistas en marketing deben hacer todo lo posible por cumplir la promesa de marca. En este sentido, es preciso que adopten una perspectiva *interna* para considerar qué medidas es conveniente emprender para garantizar que tanto los empleados como los socios de marketing aprecien y comprendan los conceptos básicos de la marca, y de qué manera pueden reforzar (o dañar) el brand equity.[40] Las **estrategias internas de marca** se refieren al conjunto de actividades y procesos destinados a informar e inspirar a los empleados.[41] Los especialistas en marketing holístico deben ir más allá, capacitando y alentando a los distribuidores y concesionarios a brindar el servicio adecuado a sus clientes. Los distribuidores mal capacitados pueden arruinar los mejores esfuerzos de crear una imagen fuerte de marca.

La *vinculación emocional con la marca* tiene lugar cuando los consumidores sienten que la empresa está cumpliendo sus promesas de marca. Para ello, todos los contactos entre los consumidores y los empleados, así como las comunicaciones emitidas por la empresa, deben ser positivos.[42] *Las promesas de marca no se cumplirán, a menos que todos los miembros de la empresa "vivan" la marca.* Las estrategias internas de marca de Disney tienen tanto éxito porque la compañía lleva a cabo seminarios sobre el "estilo Disney" para los empleados de otras empresas.

Cuando los empleados se preocupan por la marca y creen en ella, están motivados para trabajar más duro y sienten más lealtad hacia la empresa. Algunos de los principios fundamentales en la implementación de estrategias internas de marca son:[43]

1. ***Elegir el momento adecuado.*** Los puntos de inflexión son oportunidades ideales para captar la atención y la imaginación de los empleados. Después de que llevó a cabo la campaña de estrategias internas de marca "Más allá del petróleo" para respaldar su reposicionamiento externo, British Petroleum descubrió que casi todos sus empleados tenían una opinión positiva de la nueva marca y pensaban que la empresa iba en la dirección correcta.
2. ***Vincular el marketing interno y externo.*** Los mensajes internos y externos deben coincidir. La campaña de negocios electrónicos de IBM no sólo contribuyó a cambiar la percepción pública de la empresa en el mercado, sino que también indicó a sus empleados la decisión de convertirse en líder en el uso de la tecnología de Internet.
3. ***Hacer que la marca tenga sentido para los empleados.*** La comunicación interna debe ser informativa y vigorizante. Miller Brewing ha aprovechado su larga tradición en la producción de cerveza para generar orgullo y pasión, y mejorar la moral de los empleados.

Escanea este código con tu smartphone o tablet.

Kevin Keler habla sobre comunidad de marca.

http://goo.gl/OOR3Y

Comunidades de marca

Gracias a Internet, las empresas están interesadas en colaborar con los consumidores para crear valor a través de las comunidades creadas en torno a sus marcas. Las **comunidades de marca** son grupos especializados de consumidores y empleados cuyas identidades y actividades giran en torno a la marca.[44] Existen tres características que identifican a las comunidades de marca:[45]

1. Una "conciencia de clase" o sensación de conexión con la marca, la empresa, el producto u otros miembros de la comunidad.
2. Rituales, historias y tradiciones compartidos, que ayudan a transmitir el significado de la comunidad.
3. Una responsabilidad moral o deber compartido, tanto para la comunidad en conjunto como para sus miembros individuales.

Las comunidades de marca adoptan muchas formas diferentes.[46] Algunas —como MGB, un club de conductores de Atlanta; Newton, un grupo de usuarios de Apple, y Rennlist, un grupo de discusión online de Porsche— surgen espontáneamente de los usuarios de la marca. Otras son patrocinadas y moderadas por la empresa, como el Club Green Kids (club oficial de niños aficionados a los Celtics de Boston) y el grupo de propietarios de Harley-Davidson (H.O.G.).

Harley-Davidson

Harley-Davidson Fundada en 1903 en Milwaukee, Wisconsin, Harley-Davidson estuvo a punto de caer en bancarrota en dos ocasiones, pero hoy es una de las marcas de motocicletas más reconocidas del mundo. Al atravesar una difícil situación financiera en la década de 1980, Harley prestó atención a un mal consejo y, en medio de la desesperación, licenció su nombre a empresas productoras de cigarrillos y refrigeradores de vino. Aunque los consumidores adoraban la marca, las ventas se vieron afectadas por problemas de calidad en los productos; en respuesta, Harley inició su retorno a la grandeza mejorando sus procesos de fabricación. Además, desarrolló una sólida comunidad de marca mediante la formación de un club de propietarios al que bautizó como Harley Owners Group (H.O.G.). El grupo, que actualmente cuenta con la participación de un millón de miembros, patrocina paseos en motocicleta y muchos otros eventos, incluyendo actividades filantrópicas. Los beneficios de pertenecer al H.O.G. incluyen la recepción de una revista llamada *Hog Tales* y una guía turística, el derecho a obtener servicios de emergencia en carretera, un programa de seguro especialmente diseñado, un servicio de recompensa contra robo, tarifas de descuento en hoteles y el programa Fly & Ride, que permite a los miembros alquilar motocicletas Harley en sus vacaciones. Asimismo, la empresa mantiene un extenso sitio Web dedicado a H.O.G., con información sobre las secciones del club, eventos y un espacio especial exclusivo para miembros.[47]

Una sólida comunidad de marca da como resultado una base de clientes más leales y comprometidos. Sus actuaciones y apoyos pueden sustituir, hasta cierto punto, aquellas otras actividades que —de otro modo— la empresa se vería obligada a realizar, lo cual genera una mayor eficacia comercial.[48] Las comunidades de marca también pueden ser una fuente constante de inspiración y retroalimentación para la mejora o innovación de los productos.

Para entender mejor cómo funcionan las comunidades de marca, un estudio exhaustivo examinó a las comunidades existentes en torno a marcas tan diversas como la empresa de productos cosméticos y farmacéuticos StriVectin, el automóvil BMW Mini, el programa de televisión *Xena: Warrior Princess*, la bebida carbonatada Jones, la banda de rock Tom Petty & the Heartbreakers, y los dispositivos GPS de Garmin.

TABLA 9.2 Prácticas de creación de valor

REDES SOCIALES	
Bienvenida	Saludar a los nuevos miembros, "atraerlos al redil", y ayudarlos en el aprendizaje de la marca y en la socialización con la comunidad.
Empatía	Dar apoyo emocional y/o físico a otros miembros, incluido el apoyo para pruebas de marca (como detección de fallos del producto o la personalización), y/o brindar ayuda en problemas de la vida sin relación con la marca (enfermedades, muerte, dificultades laborales, etcétera).
Dirección	Articular las conductas esperadas dentro de la comunidad de marca.
GESTIÓN DE LA IMPRESIÓN	
Evangelizar	Compartir las "buenas noticias" de la marca, inspirando a los demás a utilizarla y "predicando desde la cima de la montaña".
Justificar	Desplegar justificaciones lógicas para que tanto la comunidad en general como quienes no son miembros de la misma y aquellos que están en una posición intermedia dediquen tiempo y esfuerzo a la marca.
PARTICIPACIÓN COMUNITARIA	
Replantear	Reconocer las discrepancias que existen entre los miembros de la comunidad de marca, e indicar las diferencias y similitudes que existen dentro del grupo.
Registrar eventos con significación especial	Tomar nota de los acontecimientos seminales relativos a la propiedad y el consumo de la marca.
Categorizar	Traducir los eventos con significado especial en símbolos y artefactos.
Documentar	Detallar de manera narrativa la trayectoria de las relaciones con la marca, muchas veces para reafirmarla y relacionarla con los eventos de significado especial.
USO DE LA MARCA	
Capacitar	Pulir, cuidar y mantener la marca, o sistematizar los patrones de uso óptimos.
Personalizar	Modificar la marca para adaptarla a las necesidades individuales o grupales. Esto incluye todos los esfuerzos por cambiar las especificaciones de fábrica del producto para mejorar su desempeño.
Estandarizar	Distanciarse del o acercarse al mercado, de manera positiva o negativa. Esto puede estar dirigido a otros miembros (por ejemplo: debes vender/no debes vender esto) o a la empresa, a través de un vínculo explícito o mediante el monitoreo del sitio (por ejemplo: debe corregir esto/hacer eso/cambiar aquello).

Fuente: Adaptado de Hope Jensen Schau, Albert M. Muniz y Eric J. Arnould, "How Brand Community Practices Create Value", *Journal of Marketing* 73 (septiembre de 2009) pp. 30-51.

TABLA 9.3 Mitos y realidades de las comunidades de marca

Mito	Realidad
Mito: La comunidad de marca es una estrategia de marketing.	**Realidad:** La comunidad de marca es una estrategia de negocio. El modelo de negocio debe ser compatible con la comunidad de marca.
Mito: Las comunidades de marca se crean para servir al negocio.	**Realidad:** Las comunidades de marca se crean para servir a sus integrantes. Son un medio, no un fin en sí mismas.
Mito: Primero se debe crear la marca y luego la comunidad.	**Realidad:** Si la comunidad se cultiva, la marca crecerá; si la comunidad se diseña, la marca será fuerte.
Mito: Las comunidades de marca deben ser como un "festival de amor" para los defensores fieles de la marca.	**Realidad:** Las comunidades son inherentemente políticas, y esta realidad debe ser enfrentada con honestidad y autenticidad; las empresas inteligentes aprovechan los conflictos para impulsar la prosperidad de las comunidades.
Mito: Debe hacerse hincapié en la presencia de líderes de opinión para crear una comunidad fuerte.	**Realidad:** Las comunidades fuertes cuidan a todos sus miembros por igual; todos los integrantes de la comunidad desempeñan un papel importante.
Mito: Las redes sociales son el mejor vehículo para crear una comunidad.	**Realidad:** Las redes sociales constituyen una herramienta de la comunidad, pero la herramienta no es una estrategia.
Mito: Para tener éxito, las comunidades de marca deben contar una una dirección fuerte y un control estricto.	**Realidad:** El control es una ilusión; el éxito de la comunidad de marca requiere que haya apertura y libertad; las comunidades son de y para las personas, y desafían el control gerencial.

Fuentes: Susan Fournier y Lara Lee, *The Seven Deadly Sins of Brand Community*, Marketing Science Institute Special Report 08-208,2008; Susan Fournier y Lara Lee, "Getting Brand Communities Right", *Harvard Business Review*, abril de 2009, pp. 105-11.

Utilizando múltiples métodos de investigación, como la "netnografía" con los foros online, la observación naturalista y de participación en las actividades de la comunidad, así como entrevistas exhaustivas con los miembros de la comunidad, los investigadores encontraron que se realizaban 12 prácticas de creación de valor y las dividieron en cuatro categorías: redes sociales, participación comunitaria, gestión de la impresión y uso de marca. La tabla 9.2 resume estas categorías.

La creación de una comunidad de marca positiva y productiva demanda un análisis y una implementación cuidadosos. Las expertas en asignación de marca Susan Fournier y Lara Lee han identificado siete mitos comunes en torno a las comunidades de marca y sugieren la realidad en cada uno de esos mitos (vea la tabla 9.3).

Cálculo del brand equity

¿Cómo se mide el brand equity? El enfoque *indirecto* calcula las fuentes potenciales de brand equity, identificando y controlando las estructuras de conocimiento de marca de los consumidores.[49] El enfoque *directo* calcula el impacto real del conocimiento de marca en las respuestas de los consumidores ante los distintos aspectos de marketing. "Marketing en acción: La cadena del valor de marca" describe cómo vincular estos dos enfoques.[50]

La cadena del valor de marca

La **cadena del valor de marca** es un método para evaluar las fuentes y los resultados del brand equity, así como del modo en que las actividades de marketing generan valor de marca (vea la figura 9.6). Este método se basa en varias premisas básicas.

En primer lugar, el proceso de creación del valor de marca comienza cuando la empresa invierte en un programa de marketing dirigido a clientes actuales o potenciales para desarrollar la marca, incluida la investigación, el desarrollo y el diseño de productos, el apoyo de ventas o intermediarios y las comunicaciones de marketing. A continuación se asume que la mentalidad, el comportamiento de compra y la respuesta a los precios de los consumidores cambiarán como resultado del programa de marketing; la pregunta es cómo. Por último, la comunidad inversionista debe considerar el rendimiento en el mercado, el costo de reposición y el precio de compra en adquisiciones (entre otros factores), para llegar a una aproximación del valor para los accionistas en general, y del valor de cada marca en particular.

Este modelo también presupone que tres multiplicadores moderan la transferencia entre el programa de marketing y las tres etapas de valor siguientes:

- El *multiplicador del programa* determina la capacidad que tiene el programa de marketing para influir en la forma de pensar de los consumidores, y es una función de la calidad de la inversión realizada en el programa.
- El *multiplicador del consumidor* determina hasta qué punto el valor creado en la mente de los consumidores afecta al rendimiento en el mercado. El resultado depende de factores de superioridad competitiva (qué

|Fig. 9.6|

La cadena del valor de marca

Fuente: Kevin Lane Keller, *Strategic Brand Management*, 3a. edición (Upper Saddle River, N.J.: Prentice Hall, 2008). Impresión y reproducción electrónica autorizadas por Pearson Education, Inc. Upper Saddle River, Nueva Jersey.

efectividad tienen la calidad y la cantidad de la inversión comercial de las marcas de la competencia), el respaldo del canal y de otros intermediarios (cuánto reforzamiento de marca y qué cantidad de esfuerzos de venta destina a la marca cada socio de marketing), y el volumen y el perfil de los consumidores (cuántos consumidores existen y de qué tipo, si son rentables o no, y si se sienten atraídos por la marca).

- El *multiplicador del mercado* determina el grado en que el valor que refleja el desempeño de una marca en el mercado se manifiesta como valor para los accionistas. Esto depende, en parte, de las medidas que tomen los analistas financieros y los inversionistas.

Fuentes: Kevin Lane Keller y Don Lehmann, "How Do Brands Create Value", *Marketing Management* (mayo y junio de 2003), pp. 27-31. Vea también Marc J. Epstein y Robert A. Westbrook, "Linking Actions to Profits in Strategic Decision Making", *MIT Sloan Management Review* (primavera de 2001), pp. 39-49; Rajendra K. Srivastava, Tasadduq A. Shervani y Liam Fahey, "Market-Based Assets and Shareholder Value", *Journal of Marketing* 62, núm. 1 (enero de 1998), pp. 2-18; Shuba Srinivasan, Marc Vanheule y Koen Pauwels, "Mindset Metrics in Market Response Models: An Integrative Approach", *Journal of Marketing Research*, en preparación.

Estos dos enfoques generales son complementarios y los especialistas en marketing pueden hacen uso de ambos. Dicho de otro modo, para que el brand equity desempeñe una función estratégica útil y sirva de directriz en las decisiones comerciales, es importante que los especialistas en marketing comprendan a la perfección: (1) las fuentes generadoras de brand equity y sus principales consecuencias, y (2) de qué manera esas fuentes y consecuencias cambian con el paso del tiempo, si es que lo hacen. Para lo primero es importante elaborar auditorías de marca, mientras que para lo segundo es fundamental desarrollar un seguimiento de marca.

- Las **auditorías de marca** implican procedimientos enfocados en los consumidores e implican una serie de procedimientos para evaluar la salud de la marca, descubrir sus fuentes de brand equity, y sugerir maneras de mejorar y reforzar su capital. Los especialistas en marketing deben llevar a cabo una auditoría de marca cuando diseñan sus planes, y al realizar cambios en la dirección estratégica. Llevar a cabo auditorías de marca de forma regular —por ejemplo, cada año—, permite que los especialistas en marketing evalúen el pulso de sus marcas y puedan administrarlas de manera más proactiva y responsable.
- Los **estudios de seguimiento de marca** recopilan datos cuantitativos de los consumidores a lo largo del tiempo, con el propósito de proporcionar información de referencia consistente sobre cómo se están desempeñando las marcas y los programas de marketing. Los estudios de seguimiento nos ayudan a entender dónde, cuánto y de qué manera se está creando el valor de la marca, lo cual facilita la toma de decisiones cotidiana.

Es importante que los especialistas en marketing no confundan el brand equity con la **valoración de marca**, que consiste en calcular el valor financiero total de una marca. La tabla 9.4 lista las marcas más valiosas de 2009, de acuerdo con una clasificación con bastante prestigio.[51] En el caso de estas empresas tan conocidas, el valor de marca equivale a más de la mitad de la capitalización bursátil total de la empresa. John Stuart, cofundador de Quaker Oats, afirmó: "Si este negocio se dividiera y ustedes se quedaran con la tierra, los ladrillos y el cemento, y yo me quedara con las marcas y las patentes, a mí me iría mucho mejor que a ustedes". Debido a la arbitrariedad de su cálculo, las empresas estadounidenses no incluyen el brand equity en sus balances. Sin embargo, algunas empresas del Reino Unido, Hong Kong y Australia sí lo hacen. "Marketing en acción: ¿Cuánto vale una marca?" analiza un popular enfoque de valoración.

TABLA 9.4 Las 10 marcas más valoradas del mundo en 2009

Puesto	Marca	Valor de marca en 2009 (miles de millones de dólares)
1	Coca-Cola	68.7
2	IBM	60.2
3	Microsoft	56.6
4	GE	47.8
5	Nokia	34.9
6	McDonald's	32.3
7	Google	32.0
8	Toyota	31.3
9	Intel	30.6
10	Disney	28.4

Fuente: Interbrand. Reproducción autorizada.

¿Cuánto vale una marca?

Interbrand, una importante empresa de valoración de marcas, ha desarrollado un modelo para calcular formalmente el valor monetario de una marca. Interbrand define el valor de una marca como el valor presente neto de los ingresos futuros que pueden atribuirse exclusivamente a la marca. Esta empresa considera que el marketing y los análisis financieros son igualmente importantes en la determinación del valor de una marca. Su proceso de valoración consta de cinco pasos (vea la figura 9.7 para obtener una visión esquemática):

1. **Segmentación de mercado.** El primer paso consiste en dividir el mercado o mercados en donde se vende la marca en segmentos mutuamente exclusivos, con el propósito de determinar mejor los diferentes grupos de consumidores.
2. **Análisis financiero.** Interbrand evalúa el precio, el volumen y la frecuencia de compra como ayuda para calcular con exactitud los pronósticos de ventas e ingresos futuros de la marca. Una vez que se han establecido los ingresos de la marca se restan todos los costos de operación asociados para obtener las ganancias netas. También se deducen los impuestos correspondientes y un cargo por el capital empleado para operar el negocio, obteniendo como resultado las ganancias económicas, es decir, las ganancias atribuidas al negocio de la marca.
3. **Papel del branding.** Interbrand atribuye a cada segmento de mercado un porcentaje de los ingresos económicos de la marca. Para ello, identifica en primer lugar los distintos operadores de la demanda. A continuación determina cuánto influye directamente la marca en cada uno de ellos. La evaluación del papel del branding se basa en investigaciones de mercado, así como en talleres y entrevistas con los clientes, y representa el porcentaje de los ingresos económicos que la marca genera. Si se multiplica el papel del branding por los ingresos económicos, el resultado son las ganancias de la marca.
4. **Fortaleza de la marca.** Interbrand evalúa el perfil de la fortaleza de la marca para determinar la probabilidad de que ésta obtenga las ganancias previstas. Este paso se basa en la medición comparativa y en la evaluación estructurada de factores como la claridad, el compromiso, la protección, la receptividad, la autenticidad, la relevancia, la diferenciación, la consistencia, la presencia y la comprensión de la marca. Para cada segmento Interbrand aplica un sistema de medidas de la industria y del brand equity, para determinar la prima de riesgo de la marca. Los analistas de la empresa derivan la tasa de descuento general de la marca mediante la adición de una prima de riesgo de la marca a la tasa libre de riesgo, representada por el rendimiento de los bonos del gobierno. La tasa de descuento de la marca aplicada a los ingresos previstos de la marca produce el valor actual neto de las ganancias de la marca. Cuanto más fuerte sea la marca, menor es la tasa de descuento y viceversa.
5. **Cálculo del valor de la marca.** El valor de la marca es el valor actual neto (VAN) de las ganancias previstas de la marca, descontado por la tasa de descuento de la marca. El cálculo del VAN comprende tanto el periodo de pronóstico como el periodo posterior, lo que refleja la capacidad de las marcas para seguir generando ganancias futuras.

Interbrand utiliza cada vez más las evaluaciones del valor de marca como una herramienta estratégica dinámica que permite identificar y maximizar el rendimiento sobre la inversión de la marca en una amplia deiversidad de áreas.

Fuentes: Interbrand, el glosario de marcas de Interbrand, y Nik Stucky y Rita Clifton, de la misma empresa.

(Continúa)

(Continuación)

|Fig. 9.7|

Método de valoración de marca de Interbrand

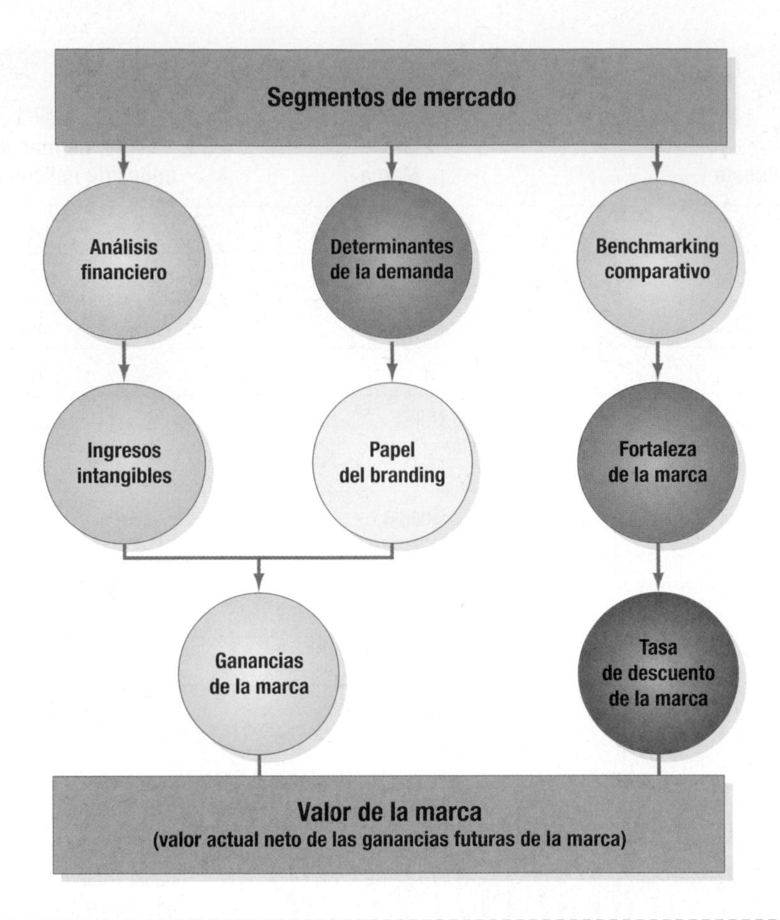

Dirección del brand equity

Como las respuestas de los consumidores a las actividades de marketing dependen de qué saben y qué recuerdan sobre una marca, las actividades de marketing a corto plazo aumentan o disminuyen el éxito de las actividades de marketing en el futuro.

Reforzamiento de la marca

Puesto que la marca es el activo más duradero de la empresa, es necesario gestionarla adecuadamente para que su valor no decaiga.[52] Muchas empresas que eran líderes hace 70 años todavía lo son en la actualidad: Wrigley's, Coca-Cola, Heinz y Campbell Soup lo lograron esforzándose constantemente por mejorar sus productos, sus servicios y su marketing.

Los especialistas en marketing pueden reforzar el brand equity al transmitir de manera consistente el significado de la marca de forma a los consumidores, en relación con: (1) los productos que representa la marca, las ventajas que ofrece y las necesidades que satisface, y (2) cómo contribuye la marca a que estos productos sean superiores, y qué asociaciones de marca fuertes, favorables y exclusivas deberían existir en la mente de los consumidores.[53] NIVEA, una de las marcas europeas más fuertes, amplió el significado de su marca al extenderla desde una loción corporal a representar toda una línea de productos de higiene personal. Para ello diseñó y aplicó meticulosamente extensiones de marca, y reforzó la promesa ya conocida de Nivea —"suavidad", "delicadeza" y "cuidado"— en un contexto más amplio.

El refuerzo del brand equity requiere que la marca vaya siempre hacia adelante, en la dirección correcta, con ofertas nuevas y convincentes, y con estrategias adecuadas de comercialización. En prácticamente todas las categorías de productos, marcas que una vez fueron destacadas y admiradas, como Fila, Oldsmobile, Polaroid y Circuit City, han atravesado por tiempos difíciles, o han desaparecido.[54]

Un elemento muy importante a considerar cuando se busca reforzar una marca es ofrecer un respaldo de marketing consistente. La consistencia no significa uniformidad o invariabilidad; si bien es cierto que no hay necesidad de introducir cambios si se ocupa una posición exitosa, es probable que se requiera realizar numerosos cambios tácticos para mantener el empuje y la dirección de la marca. Ahora bien, cuando el cambio *sí* es necesario, los especialistas en marketing deben esforzarse vigorosamente por mantener y defender las fuentes generadoras de brand equity.

Discovery Communications En el mercado altamente competitivo de los canales de televisión por cable, contar con una identidad clara pero en constante evolución resulta fundamental. Uno de los programadores de televisión por cable de mayor éxito, Discovery Communications, opera con 13 canales en Estados Unidos, y presenta programas tan distintivos como *Deadliest Catch* y *MythBusters* (Discovery Channel), *Whale Wars* (Animal Planet), y el otrora popular y actualmente desaparecido *Jon & Kate Plus* 8 (TLC). Posicionándose como la empresa de medios de no ficción número uno en el mundo, Discovery Communications se dedica "a satisfacer la curiosidad de las personas y marcar una diferencia en sus vidas con contenidos, servicios y productos de la más alta calidad, que entretienen, atraen, informan e invitan a los espectadores a explorar su mundo". Por ejemplo, reconociendo que la naturaleza y los animales inspiran misterio y peligro, Animal Planet se ha desarrollado como una marca agresiva y atractiva. Entre los planes de Discovery Communications está la presentación de un canal para mujeres —a cargo de Oprah Winfrey—, un canal para niños —en asociación con Hasbro—, y una posible serie de programas de ciencias, en colaboración con el director Steven Spielberg. Además, Discovery está aumentando su expansión mundial, que incluye a China e India; por lo pronto, su señal llega a más de 1 500 millones de suscriptores en 170 países, representando un tercio de los ingresos generados por la empresa fuera de Estados Unidos.[55]

Deadliest Catch se ha convertido en uno de los programas insignia de Discovery Channel.

Los especialistas en marketing deben distinguir entre las aportaciones derivadas de las actividades de marketing que fortalecen la marca y refuerzan su significado (como una mejora al producto bien recibida o una campaña publicitaria diseñada creativamente), y las que provienen del intento de tomar prestado el brand equity para cosechar beneficios financieros (como un descuento promocional a corto plazo).[56] En un momento dado, si no se logra reforzar la marca, la conciencia de marca disminuirá y la imagen de marca se debilitará.

Revitalización de la marca

Cualquier cambio en el entorno de marketing puede afectar la trayectoria de una marca. No obstante, algunas marcas han experimentado recuperaciones impresionantes en los últimos años.[57] Después de pasar momentos difíciles, la trayectoria de las marcas Burberry, Fiat y Volkswagen ha mejorado en diversos grados.

Con frecuencia la primera consideración que debe hacerse para revitalizar una marca es cuáles fueron las fuentes de brand equity. ¿Las asociaciones positivas de marca han perdido fuerza o exclusividad? ¿La marca tiene alguna asociación negativa? Una vez definido lo anterior, habrá que decidir si conviene mantener el mismo posicionamiento o si es mejor reposicionar la marca y, en este último caso, será necesario determinar cuál es el posicionamiento más adecuado.

A veces el posicionamiento de la marca sigue siendo apropiado, pero el origen del problema está en el programa de marketing, que no consigue transmitir las promesas de marca. En estos casos la estrategia más lógica sería "volver a lo básico". Como se explicó anteriormente, Harley-Davidson recuperó su liderazgo en el mercado al implementar mejores estrategias para satisfacer las expectativas de los consumidores en lo tocante al desempeño del producto. Pabst Brewing Company lo hizo al regresar a sus raíces y aprovechar los activos clave de la marca.

Pabst El comienzo del siglo XXI no fue bueno para Pabst Brewing Company, una empresa cervecera con 165 años de antigüedad. Los ingresos de su portafolio de marcas clásicas, que incluyen a Pabst Blue Ribbon, Old Milwaukee, Lone Star, Rainier, Stroh's y Schlitz, se redujeron de un total de 9.5 millones de barriles vendidos en 2000, a 6.5 millones en 2005. En respuesta, la nueva administración redefinió la dirección de la empresa, incluyendo la instauración de contratos para la elaboración de la cerveza con socios cuidadosamente seleccionados, y un nuevo énfasis en su red de distribuidores. La dirección sentía que su activo estratégico más importante eran las marcas de la empresa: "Sin duda nuestro mayor activo son nuestras marcas, que cuentan con una fuerte conciencia residual, cuentan con brand equity, y son auténticas. Tenemos marcas que han superado la prueba del tiempo. Las nuevas marcas carecen de raigambre en las calles, algo que sí tienen nuestras marcas. Se trata [por lo

La cerveza Pabst Blue Ribbon se ha revitalizado al explorar las raíces auténticas de la marca a través de un creativo marketing tipo *grassroots*.

tanto] de aprovechar el poder de nuestras marcas frente a un consumidor meta con un mensaje de marca único". Así, la nueva estrategia de marketing tipo *grassroots* para la cerveza Pabst Blue Ribbon hizo hincapié en sus cualidades genuinas y sin pose en lugares inusuales, como salones de tatuaje, lugares para practicar el snowboard y tiendas especializadas en ese deporte, así como en establecimientos de música *underground.* La recomendación positiva boca a boca —prácticamente no hubo publicidad— dio a la marca una auténtica imagen "retro-chic". PBR, como es conocida la marca, de repente estaba de moda. Su resurgimiento estuvo marcado por un aumento del 25% en sus ventas de 2009, cantidad que superó por mucho la venta de otras cervezas del segmento "de precio medio".[58]

En otros casos, sin embargo, el posicionamiento inicial ya no resulta viable y es necesario aplicar una estrategia de "reinvención". Mountain Dew dio un giro completo a su imagen de marca, para convertirse en un gigante de las bebidas refrescantes. Como se desprende de su historia, en ocasiones es relativamente fácil revivir una marca existente, pero que ha caído en el olvido. Otro ejemplo es el de Doritos.

Doritos

Doritos Es una marca de frituras (chips) de maíz elaborada por la multinacional Frito Lay y licenciada a diversas empresas locales alrededor del mundo. El producto fue inventado por Arch West en 1964, y constituyó la primera marca de frituras distribuida en todo el territorio estadounidense. Su nombre se debe a la apariencia dorada del producto. La marca es líder en el sector de frituras de maíz a nivel mundial, y ha sido una de las más rentables en la historia de Frito Lay: en la década de 1990 representó un tercio de los ingresos totales del grupo. A partir de 1995, Doritos ha sufrido varios cambios, y actualmente su posiconamiento ha sido redefinido para un segmento de mercado más juvenil, utilizando una serie de promociones caracterizadas por el lenguaje coloquial, informal y alegre que usan sus nuevos consumidores. "Doritos abre la boca", una de las campañas más recientes de la marca, fue finalista de los premios EFFIE (concedidos a las mejores comunicaciones de marketing). La campaña involucraba a sus consumidores, pidiéndoles que sugirieran un nombre para el nuevo sabor del producto, envasado en ese momento en una bolsa blanca sin identificación. Además, los interesados en participar debían subir un anuncio comercial a la página Web de Doritos, en donde la comunidad sería responsable de votar para elegir al ganador, quien recibiría como premio un reconocimiento monetario y la transmisión de su comercial en distintos medios.[59]

Desde luego, las posibilidades de revitalización van desde el "retorno a lo básico" hasta la total "reinvención" de la marca. En muchos casos se combinan elementos de estas dos estrategias. El desafío suele ser cambiar lo suficiente para atraer nuevos clientes, pero no tanto como para alejar a los clientes antiguos. En general, cualquier revitalización de marca comienza con el producto.[60] El giro que dio General Motors a su decadente marca Cadillac dio inicio con la presentación de nuevos diseños que redefinieron su apariencia y estilo, como el CTS Sedan, el XLR Roadster y el vehículo todo terreno ESV.[61] Por su parte, Paul Stuart, un minorista de ropa sofisticada, presentó su primera submarca, la más audaz y elegante Phineas Cole, para actualizar su imagen conservadora y atraer un público más joven y moderno.[62]

Concepción de la estrategia de marca

La **estrategia de marca**, también conocida como **arquitectura de marca**, expresa el número y la naturaleza de los elementos de marca comunes y distintivos. Las decisiones en torno a la asignación de marca a nuevos productos tienen especial importancia. Cuando una empresa lanza un producto nuevo, tiene tres opciones:

1. Desarrollar nuevos elementos de marca para el nuevo producto.
2. Utilizar algunos de sus elementos de marca existentes.
3. Combinar tanto elementos de marca nuevos como existentes.

Cuando la empresa utiliza una marca consolidada para lanzar un nuevo producto, éste se conoce como **extensión de marca**. Cuando los especialistas en marketing combinan una marca nueva con otra existente —como en el caso de los chocolates Kisses de Hershey, del software Adobe Acrobat, de los automóviles Toyota Camry, y de la tarjeta de crédito American Express Blue— la extensión de marca se denomina **submarca**. Cuando una marca existente da lugar a una extensión de marca o a una submarca, nos referimos a ella como la **marca madre/marca de origen**. Si la marca madre/marca de origen ya está asociada a diversos productos mediante extensiones de marca, también se puede denominar **marca principal o marca de familia**.

Las extensiones de marca se clasifican en dos categorías generales.[63] En el caso de una **extensión de línea**, la marca de familia se utiliza para un nuevo producto destinado a un nuevo segmento de mercado dentro de una categoría de productos que ya está cubierta por la marca de familia, por ejemplo, con sabores, colores, formas, ingredientes o tamaños de envase diferentes. A lo largo de los años, Danone ha introducido diversos tipos de yogur (con trozos de fruta, sabores naturales, para niños o con frutas batidas) mediante extensiones de línea. En una **extensión de categoría**, los especialistas en marketing utilizan la marca de familia para entrar en una categoría de producto diferente, estrategia utilizada, por ejemplo, por los relojes Swiss Army. Honda utiliza su nombre de marca para diferentes productos, como automóviles, motocicletas, máquinas removedoras de nieve (quitanieves), podadoras y vehículos náuticos (anfibios). Esto le permite anunciarse diciendo que es capaz de "introducir seis Hondas en una cochera con capacidad para dos automóviles".

Una **línea de marca** está formada por todos los productos (tanto los originales como las extensiones de línea y las extensiones de categoría) que se venden bajo una marca determinada. Una **mezcla de marcas** (o surtido de marcas) es el conjunto de todas las líneas de marca que un vendedor específico pone a disposición de los compradores. Por otro lado, muchas empresas están introduciendo **variantes de marca**, que son líneas de marca ofertadas a minoristas o canales de distribución. Esta iniciativa es resultado de la presión que ejercen los minoristas sobre los fabricantes para que les proporcionen ofertas exclusivas. Un ejemplo es el de una empresa de fotografía, que podría ofrecer sus cámaras más comunes a los canales masivos y los artículos de mayor precio a tiendas especializadas en fotografía. Otro ejemplo sería el de un diseñador de ropa, que podría diseñar y ofrecer diversas líneas a diferentes tipos de minoristas.[64]

Los **productos bajo licencia (o con licencia)** son aquellos cuyo nombre de marca se ha concedido, mediante un convenio de licencia, a los fabricantes que realmente los manufacturan. Las corporaciones han aprovechado la concesión de licencias para promover su nombre e imagen mediante una gran variedad de productos, desde ropa de cama hasta calzado, convirtiendo la concesión de licencias en un negocio de miles de millones de dólares.[65] El programa de concesión de licencias de Jeep, que ahora pone a disposición de los interesados 600 productos y 150 licencias, incluye toda clase de productos, desde cochecitos para niños (diseñados para la longitud de brazo de los padres) hasta ropa (con teflón como componente del tejido). El único criterio a cumplir es que el producto coincida con el posicionamiento de la marca, "Vive sin límites". A través de más de sus 400 tiendas exclusivas y 80 tiendas independientes diseminadas en todo el mundo, los ingresos generados por Jeep por concesión de licencias superan los 550 millones de dólares en ventas al por menor. Sus nuevas áreas de interés incluyen equipos para viaje y para actividades al aire libre, productos juveniles y artículos deportivos.[66]

Decisiones de branding

ESTRATEGIAS DE MARCA ALTERNATIVAS En la actualidad el branding tiene tanto poder que difícilmente existe algo que carezca de marca. Sin embargo, si una empresa decide asignar una marca a sus productos o servicios, debe seleccionar con cuidado qué nombre o denominación utilizará. Por lo general se utilizan tres estrategias para este propósito:

- ***Nombres de marca de familia individuales o separados.*** Las empresas de productos envasados de consumo tienen una larga tradición en la asignación de diferentes marcas a productos distintos. General Mills utiliza ampliamente nombres de marca individuales, como en el caso de la harina para panqueques (tortitas) Bisquick, la harina Gold Metal, las barras de granola Nature Valley, la comida mexicana Old El Paso, las sopas Progresso, los cereales Wheaties y los yogures Yoplait. Si una empresa fabrica productos muy diferentes, por lo general no es recomendable que use un nombre genérico. Swift and Company desarrolló nombres de familia separados para sus jamones (Premium) y sus fertilizantes (Vigoro). Una ventaja importante de los nombres de marca de familia individuales o separados es que si un producto fracasa o parece ser de baja calidad, la empresa no habrá vinculado su reputación a él. Las empresas suelen utilizar diferentes nombres de marca para líneas de calidad diversa dentro de la misma clase de productos.
- ***Marca paraguas o nombre de marca corporativo.*** Muchas empresas, como Heinz y GE, utilizan su marca corporativa como una marca paraguas para toda su gama de productos.[67] Los costos de desarrollo son más bajos en este caso, porque no hay necesidad de realizar una investigación sobre el "nombre" ni gastar mucho en publicidad para crear reconocimiento. Campbell Soup introduce nuevas sopas bajo su nombre de marca con extrema sencillez, y logra un reconocimiento instantáneo. Por otro lado, es probable que las ventas del nuevo producto sean altas si el nombre del fabricante es reconocido. Se ha demostrado que las asociaciones de la imagen corporativa con la innovación, experiencia, y confiabilidad, influyen directamente en las evaluaciones de los consumidores.[68] Por último, una estrategia de marca corporativa puede generar un mayor valor intangible para la empresa.[69]
- ***Nombres de submarca.*** Las submarcas son una combinación de dos o más marcas corporativas, marcas de familia o marcas individuales de los productos. Kellogg emplea una submarca o estrategia de marca híbrida al combinar la marca corporativa con marcas individuales de productos, como en los casos de Rice Krispies de Kellogg's, Raisin Bran de Kellogg's y Corn Flakes de Kellogg's. Muchos fabricantes de bienes duraderos, como Honda, Sony y Hewlett-Packard, utilizan submarcas para sus productos. El nombre corporativo o de la empresa legitima al nuevo producto, y el nombre individual lo distingue.

CASA DE MARCAS O MARCA DE LA CASA El uso de nombres de marcas de familia individuales o separados se conoce como estrategia de "casa de marcas", mientras que el uso de una marca corporativa o general se ha denominado como estrategia de "marca de la casa". Estas dos estrategias de branding representan dos extremos. Las estrategias de submarca se ubican en algún lugar intermedio de dicho continuo, dependiendo del componente de la submarca en el que se haga mayor hincapié. Un buen ejemplo de una estrategia de casa de marcas es United Technologies.

United Technologies El portafolio de marcas de United Technologies (UTC) incluye los ascensores Otis, los calentadores y aires acondicionados Carrier, los equipos aeroespaciales e industriales Hamilton Sundstrand, los helicópteros Sikorsky, los motores de reacción Pratt & Whitney, y los sistemas de seguridad UTC Fire & Security. Casi todas sus marcas hacen referencia al nombre de los inventores del producto o de los creadores originales de la empresa, personas con gran poder y mucho reconocimiento en el mercado de compra empresarial. La marca de familia, UTC, se anuncia únicamente entre audiencias pequeñas pero influyentes: la comunidad financiera y los líderes de opinión de Nueva York y Washington, D.C. Después de todo, los empleados son más leales a las empresas individuales propiedad de UTC. "Mi filosofía siempre ha sido utilizar el poder de las marcas comerciales de las filiales para mejorar el reconocimiento, la aceptación, la notoriedad y el respeto por la marca de la propia empresa matriz", dijo en cierta oportunidad George David, uno de los directores ejecutivos que han estado al frente de la empresa.[70]

El portafolio de marcas de United Technologies consiste en un conjunto de diversas empresas, productos y marcas.

Los dos elementos clave de prácticamente cualquier estrategia de branding son las extensiones de marca y los portafolios (o carteras) de marcas. (El capítulo 12 analiza el co-branding o branding conjunto y los ingredientes de marca, así como la ampliación de línea a través de extensiones verticales).

Portafolios de marcas

Todas las marcas tienen límites: llega un momento en que una marca ya no se puede expandir más. Una marca en particular no recibe la misma opinión favorable de todos los segmentos a los que la empresa le gustaría atender. Es por eso que muchas veces los especialistas en marketing necesitan varias marcas para llegar a todos los segmentos. Entre las razones que existen para lanzar marcas diferentes en una misma categoría se encuentran las siguientes:[71]

1. Aumentar la presencia en los lineales de las tiendas y la dependencia de los minoristas.
2. Atraer a los consumidores que buscan variedad y que, de no obtenerla, cambiarían a otra marca.
3. Aumentar la competencia interna dentro de la empresa.
4. Potenciar las economías de escala en publicidad, ventas, comercialización y distribución física.

El **portafolio de marcas** es el conjunto de marcas y líneas de marca que ofrece una empresa concreta a los compradores de una categoría o segmento de mercado específico.

Starwood Hotels & Resorts

Starwood Hotels & Resorts Una de las principales empresas de hotelería y actividades de ocio en el mundo, Starwood Hotels & Resorts Worldwide, tiene 850 propiedades en más de 95 países y 145 000 empleados en las propiedades que posee y que administra. En su intento por cambiar la marca para ir "más allá de las camas", Starwood ha diferenciado sus hoteles usando líneas emocionales y experienciales. Sus hoteles, los operadores de su centro de atención telefónica y sus campañas publicitarias transmiten diferentes experiencias para las distintas cadenas de la empresa. Esta estrategia surgió de un importante proyecto de posicionamiento con duración de 18 meses que se inició en 2006, con la intención de encontrar nichos que permitieran establecer una conexión emocional entre su portafolio de marcas y los consumidores. La investigación de los consumidores sugirió los siguientes nichos para algunas de sus marcas:[72]

- *Sheraton.* Con el eslogan "Usted no sólo se hospeda aquí; ésta es su casa", Sheraton (la marca más grande) pretende comunicar calidez, confort e informalidad. Sus valores principales se centran en las "conexiones", una imagen apoyada por la alianza del hotel con Yahoo!, que cofundó los quioscos Yahoo! Link@Sheraton en los vestíbulos y cibercafés de los hoteles.
- *Four Points by Sheraton.* Para el viajero autosuficiente, Four Points se esfuerza en mostrar una imagen de honestidad, sencillez y comodidad. El interés de la marca se centra en proporcionar a sus clientes un alto nivel de comodidad y algunos bene-

ficios adicionales, como acceso gratuito a Internet de alta velocidad y agua embotellada. Algunos de sus anuncios presentan la fotografía de un pastel de manzana, acompañado por la promesa de ofrecer a sus clientes "las comodidades del hogar".

- *W.* Con una personalidad de marca que busca destacar atributos como la coquetería, el intimismo, y libertad, W ofrece a sus huéspedes experiencias únicas, cálidas, y despreocupadas.
- *Westin.* El énfasis de Westin en lo "personal, instintivo y renovador", ha dado lugar a un entorno dominado por la fragancia de té blanco, música, iluminación tenue y toallitas refrescantes. Todas las habitaciones cuentan con las exclusivas camas "Heavenly Beds" de Westin, de venta exclusiva en el mercado minorista a través de Nordstrom, con lo cual la imagen de lujo de la marca se incrementa.

Un portafolio de marcas óptimo es aquel que maximiza el capital de cada marca en combinación con las demás marcas que lo integran. En términos generales, los especialistas en marketing deben evaluar las ventajas de la cobertura de mercado tomando en consideración los factores de costo y rentabilidad. Un portafolio será demasiado grande si los beneficios aumentan al abandonar marcas y será insuficiente si los beneficios se incrementan al añadir nuevas marcas. El principio básico a la hora de diseñar portafolios es maximizar la cobertura de mercado, de modo que ningún cliente potencial pase inadvertido, y minimizar las coincidencias, de modo que las marcas del portafolio no compitan entre sí por los mismos consumidores. Cada marca debe estar claramente diferenciada y atraer a un segmento de mercado lo suficientemente grande para justificar los costos de marketing y producción.[73]

Los especialistas en marketing deben revisar sus portafolios de marcas con regularidad para identificar las marcas más débiles y suprimir las que sean poco rentables.[74] Las líneas de marca con poca diferenciación se caracterizan por un elevado grado de "canibalismo", y casi siempre necesitan recortes.[75] Existen decenas de cereales, bebidas y bocadillos, y miles de fondos de inversión. Los estudiantes pueden elegir entre cientos de escuelas de negocios. Para el vendedor esto significa una competencia excesiva; para el comprador, demasiadas opciones entre las cuales elegir.

Las marcas también pueden desempeñar diversas funciones específicas dentro de un portafolio.

DEFENSORAS Las marcas defensoras o "luchadoras" se posicionan respecto de las marcas competidoras de tal manera que las marcas más importantes (y más rentables), las marcas *buques insignia*, pueden conservar su posicionamiento deseado. Anheuser-Busch comercializa Busch Bavarian para defender el posicionamiento más exclusivo de su cerveza Budweiser; por su parte, Celeron, después de un difícil lanzamiento de producto, contribuyó a que AMD pudiera luchar contra el reto competitivo que le imponían los microprocesadores de primer nivel Pentium de Intel.[76] Al diseñar estas marcas defensoras, los especialistas en marketing se ven obligados a caminar sobre la cuerda floja. Las marcas defensoras no deben ser tan atractivas como para arrebatar ventas a las marcas de mayor precio o referentes, ni tan baratas como para reflejar una imagen negativa de sí mismos.

VACAS LECHERAS Es conveniente conservar algunas marcas porque, a pesar de que sus ventas hayan disminuido, todavía atraen a un número de consumidores importante, y siguen siendo rentables a pesar de los escasos esfuerzos de marketing que se les dedican. Las empresas pueden "ordeñar" estas marcas "vacas lecheras" de manera efectiva si aprovechan su reserva de brand equity. Gillette sigue vendiendo sus marcas más antiguas, Trac II, Atra, Sensor y Match III, porque retirarlas no supone que los consumidores optarían necesariamente por otra marca Gillette.

MARCAS DE ENTRADA A MENOR PRECIO Contar con una marca de precio relativamente bajo en el portafolio casi siempre tiene por objetivo atraer clientes a la franquicia de la marca. A los minoristas les gusta ofrecer estas marcas "generadoras de tráfico" porque les permite redireccionar a los clientes hacia marcas de precio más elevado. BMW lanzó varios modelos para su serie 3 con el fin de atraer nuevos clientes a la franquicia de la marca y, más adelante, cuando éstos quisieran cambiar su automóvil, animarlos a adquirir modelos más caros.

GRAN PRESTIGIO La función que desempeña una marca relativamente cara dentro del portafolio de marcas consiste en sumar prestigio y credibilidad a todas las demás. Cierto analista afirmó que, para Chevrolet, el valor real de los magníficos automóviles deportivos Corvette radica en "su capacidad para atraer a consumidores curiosos a los concesionarios y, al mismo tiempo, usarlos como base para mejorar la imagen de los demás modelos Chevrolet. Aunque no aportan mucha rentabilidad a GM, no cabe duda de que impulsan el negocio".[77] La imagen tecnológica y el prestigio del Corvette se concibieron para crear un halo en torno a toda la línea Chevrolet.

Extensiones de marca

Conscientes de que uno de sus activos más valiosos son las marcas, muchas empresas deciden sacar provecho de ellas mediante el lanzamiento de productos nuevos bajo el nombre de sus marcas más fuertes. De hecho, casi todos los productos nuevos son extensiones de línea (por lo general entre el 80 y 90% cada año). Es más, según varias fuentes, la mayoría de los productos nuevos de más éxito son extensiones. Entre las extensiones de marca de nuevos productos con mejor comportamiento que aparecieron en los supermercados estadounidenses en 2008, están el café Dunkin' Donuts, las sopas Progresso Light, y los alimentos preparados para microondas Hormel Compleats. En cualquier caso, muchos productos son introducidos cada año con marcas nuevas. En 2008 también se dio el lanzamiento de Zyrtec, un medicamento contra alergias, la bebida refrescante G2 y las limas para pies Ped Egg.

VENTAJAS DE LAS EXTENSIONES DE MARCA Las dos principales ventajas de las extensiones de marca son que facilitan la aceptación del producto nuevo, y que ofrecen retroalimentación positiva para la marca original y para la empresa.

Mejores probabilidades para el éxito de los productos nuevos. Los consumidores se forman expectativas sobre un nuevo producto basándose en lo que saben sobre la marca y en el grado en que perciben que tal información es relevante.[78] Cuando Sony lanzó Vaio, su nueva PC diseñada especialmente para ejecutar aplicaciones multimedia, probablemente los consumidores se sintieron más confiados respecto del funcionamiento del equipo como consecuencia de su experiencia y conocimiento previo de otros productos Sony.

Al generar expectativas positivas, las extensiones reducen el riesgo.[79] Como es probable que el lanzamiento de un producto nuevo mediante una extensión genere un aumento potencial de la demanda, suele resultar más sencillo convencer a los minoristas de que promuevan y comercialicen la extensión de marca. Las campañas de presentación de una extensión de marca no necesitan crear conciencia sobre la marca *y* el producto, así que pueden centrarse exclusivamente en el producto nuevo.[80]

En consecuencia, las extensiones reducen los costos de la campaña inicial de lanzamiento, algo muy importante si se tiene en cuenta que consolidar una nueva marca en el mercado estadounidense de bienes envasados de distribución masiva puede costar ¡hasta 100 millones de dólares! Además, las extensiones evitan la dificultad y los costos de encontrar un buen nombre. Por otra parte, también resulta más eficaz desde el punto de vista del envasado y etiquetado: si se utilizan envases y etiquetas prácticamente idénticos para las diferentes extensiones, los costos de producción se reducirán de forma drástica y, si todo se coordina de manera adecuada, es posible lograr una presencia más destacada en los establecimientos minoristas, con un efecto de "valla publicitaria".[81] Por ejemplo, Stouffer's ofrece una gama de alimentos congelados con un envase similar de color naranja, que aumenta su visibilidad cuando los productos se colocan en los congeladores de los supermercados. Al ofrecer a los consumidores una gama de variantes de marca dentro de la misma categoría de productos, los consumidores a los que les apetece un cambio pueden elegir otro tipo de producto sin necesidad de abandonar la marca.

Efectos de retroalimentación positivos. Además de facilitar la aceptación de nuevos productos, las extensiones de marca pueden proveer beneficios, como la retroalimentación.[82] Las extensiones contribuyen a clarificar el significado de una marca y de sus valores centrales, o a mejorar la percepción de credibilidad de la empresa en general por parte de los consumidores.[83] Así, por ejemplo, mediante las extensiones de marca, Crayola expresa "arte colorido para niños", Aunt Jemima "alimentos para el desayuno", y Weight Watchers "pérdida y mantenimiento de peso".

Las extensiones de línea permiten renovar el interés y los vínculos de la marca, y benefician a la marca extendida al ampliar su cobertura de mercado. La división de pañuelos desechables Kimberly-Clark se fijó el objetivo de colocar sus productos en todas las habitaciones de la casa. Con esta idea en mente, la empresa elabora todo tipo de tejidos y envases para ofrecer pañuelos perfumados ultra suaves impregnados de loción, coloridas cajas con dibujos de dinosaurios y perros para las habitaciones infantiles, diseños que combinan con la decoración del hogar, y un paquete de pañuelos tamaño extra (hasta 50% más grandes de lo normal) para hombres.

Al definir su promesa de marca como "arte colorido para niños", Crayola se ha extendido más allá de los lápices de colores para introducir con éxito una amplia gama de productos diferentes.

Una extensión exitosa también puede generar extensiones posteriores.[84] Durante las décadas de 1970 y 1980, Billabong consolidó la credibilidad de su marca entre la comunidad de jóvenes surfistas como diseñador y fabricante de ropa deportiva de buena calidad. Este éxito le permitió extender su marca a otros ámbitos juveniles, como el sector del snowboard o de la patineta (skating).

DESVENTAJAS DE LAS EXTENSIONES DE MARCA En el extremo opuesto nos encontramos con que las extensiones de línea pueden hacer que la marca no esté identificada fuertemente con ningún producto.[85] Al Ries y Jack Trout denominan esta situación como "la trampa de las extensiones de línea".[86] Al vincular su marca a productos alimenticios comunes como puré de papa (patata), leche en polvo, sopas y bebidas, Cadbury corrió el riesgo de perder el significado específico de su marca de chocolates y dulces.[87] La **dilución de marca** tiene lugar cuando los consumidores dejan de asociar una marca con un producto específico o con productos muy similares y, en consecuencia, piensan menos en la marca.

Si una empresa lanza extensiones que los consumidores juzgan inapropiadas, éstos podrían cuestionar la integridad de la marca, confundirse o incluso frustrarse: ¿qué versión del producto es la "adecuada" para ellos? Los minoristas rechazan muchos nuevos productos y marcas porque no tienen espacio suficiente en las estanterías para ellos. Hasta la misma empresa podría sentirse abrumada.

El peor caso posible no sólo es que la extensión falle, sino que además en el proceso empañe la imagen de la marca origen. Por fortuna, esto no constituye la norma. Los "fracasos de marketing", en los que la marca no logra atraer a un número suficiente de consumidores, suelen ser menos perjudiciales que los "fracasos de producto", que tienen lugar cuando la marca simplemente no logra cumplir sus promesas. Incluso en estos casos, los fracasos de producto sólo diluyen el brand equity cuando la extensión es muy similar a la marca origen que se extiende. El Audi 5 000 recibió una oleada de publicidad adversa y comentarios negativos a mediados de la década de 1980 cuando se descubrió un supuesto problema de "aceleración repentina". La publicidad negativa también contagió al modelo 4 000. Sin embargo, el Quattro quedó a salvo de estas repercusiones dañinas porque su marca y su estrategia publicitaria se distanciaban bastante de las del modelo 5 000.[88]

Incluso si las ventas de una extensión de marca son elevadas y cumplen los objetivos previstos, es posible que se deba a que los consumidores abandonaron las ofertas de producto iniciales a favor de una de las extensiones, lo que representa una especie de canibalismo de la marca original. El hecho de que los consumidores cambien a otro producto de la misma marca no necesariamente es indeseable, si se le entiende como una forma de *canibalismo preventivo*. En otras palabras, los consumidores podrían haber pasado a una marca de la competencia y no a la extensión de línea si ésta no se hubiese lanzado en esa misma categoría de productos. El detergente Tide cuenta hoy con la misma participación de mercado que hace 50 años, gracias a la contribución que sus diferentes extensiones de línea (detergente en polvo, perfumado, en pastillas, líquido y otras presentaciones) hacen a sus ventas.

Otra desventaja de las extensiones de línea que suele pasarse por alto consiste en que la empresa deje de lado la oportunidad de crear una nueva marca con su propia imagen y su *equity* distintivo. Considere las ventajas que tuvo Disney al introducir las películas para adultos Touchstone, o las de Levi's al crear los pantalones casuales Dockers, y las de Black & Decker al presentar las herramientas eléctricas de alta calidad DeWALT.

CARACTERÍSTICAS DE ÉXITO Los especialistas en marketing deben valorar cada extensión de marca potencial por la eficacia con que transmite el brand equity existente de la marca original a la extensión de marca y por la forma en que la extensión, por su parte, contribuye al capital de la marca original que se extiende.[89] Crest Whitestrips trasladó la gran reputación en el cuidado de la higiene bucal de Crest al campo del blanqueamiento dental, a la vez que reforzó su imagen como autoridad en la materia.

Los especialistas en marketing deben plantearse una serie de preguntas como las siguientes cuando tratan de evaluar el éxito potencial de una extensión:[90]

- ¿Posee la marca que se extiende un fuerte brand equity?
- ¿Existe una base sólida de adecuación?
- ¿La extensión tendrá puntos de paridad y puntos de diferencia óptimos?
- ¿Qué podrían hacer los programas de marketing para mejorar el capital de la extensión?
- ¿Qué consecuencias tendrá la extensión en el brand equity de la marca que se extiende y en la rentabilidad?
- ¿Cómo podrían manejarse mejor los efectos de la retroalimentación?

Para ayudar a los especialistas en marketing a responder estas preguntas, la tabla 9.5 presenta un modelo de tarjeta de puntuación con los puntos y dimensiones específicos que se pueden ajustar para cada aplicación.

La tabla 9.6 enumera una serie de resultados de estudios académicos sobre las extensiones de marca.[91] Un error fatal a la hora de valorar las oportunidades de una extensión radica en tomar en cuenta las estructuras de conocimiento de marca de *todos* los consumidores en lugar de concentrarse, en cambio, en una o varias asociaciones de marca como base potencial de ajuste.[92]

TABLA 9.5	Resultados de la extensión de marca
Los puntos se asignan en función de cómo el concepto del producto nuevo es valorado en las dimensiones específicas de las siguientes áreas:	
Perspectivas de los consumidores: Deseabilidad	
10 puntos. ____ Atractivo de la categoría de producto (tamaño, potencial de crecimiento).	
10 puntos. ____ Transferencia de brand equity (ajuste percibido de la marca).	
5 puntos. ____ Ajuste percibido del consumidor meta.	
Perspectivas de la empresa: Facilidad de entrega	
10 puntos. ____ Aprovechamiento de activos (tecnología del producto, capacidad de organización, eficacia del marketing a través de los canales y las comunicaciones).	
10 puntos. ____ Potencial de ganancias.	
5 puntos. ____ Viabilidad de lanzamiento.	
Perspectivas de la competencia: Diferenciación	
10 puntos. ____ Atractivo comparativo (muchas ventajas; pocas desventajas).	
10 puntos. ____ Respuesta competitiva (probabilidad; inmunidad o invulnerabilidad).	
5 puntos. ____ Barreras legales/regulatorias/institucionales.	
Perspectivas de la marca: Retroalimentación del brand equity	
10 puntos. ____ Fortalece el brand equity de la marca que se extiende.	
10 puntos. ____ Facilita nuevas oportunidades de extensión de marca.	
5 puntos. ____ Mejora la base de activos.	
TOTAL ____ puntos.	

TABLA 9.6	Resultados de estudios sobre extensiones de marca
• Las extensiones de marca tienen éxito cuando la marca que se extiende tiene asociaciones favorables y hay una percepción de ajuste o de compatibilidad entre la marca que se extiende y el producto extendido.	
• Existen diferentes bases para que la extensión y la marca original que se extiende se ajusten entre sí: atributos y ventajas relacionados con el producto, atributos y beneficios no relacionados con el producto, y beneficios relacionados con situaciones de uso o clases de usuarios comunes.	
• En función del conocimiento de los consumidores acerca de las categorías, las percepciones de ajuste podrían basarse en aspectos técnicos o de fabricación comunes, o en consideraciones más superficiales como el complemento necesario o situacional de la marca original y la extensión.	
• Las marcas de gran calidad se extienden más que las de calidad media, aunque todas tienen sus límites.	
• Una marca considerada prototipo de una categoría de productos es difícil de extender a otras categorías.	
• Las asociaciones de atributos concretos tienden a ser más difíciles de extender que las asociaciones de beneficios abstractos.	
• Los consumidores pueden transferir asociaciones que resultan positivas en el producto original a la extensión y éstas tornarse negativas en el nuevo contexto.	
• Los consumidores pueden inferir asociaciones negativas sobre una extensión, incluso a partir de asociaciones positivas.	
• Una extensión que parece sencilla tal vez resulte complicada.	
• Una extensión exitosa no sólo contribuye a la imagen de la marca que se extiende, sino que también permite extender la marca aún más.	

• Una extensión fallida sólo perjudica a la marca madre/marca de origen cuando existe una gran base de ajuste entre las dos.
• Una extensión fallida no impide que la empresa "dé marcha atrás" e introduzca una extensión más adecuada.
• Las extensiones verticales resultan complicadas y suelen requerir estrategias de submarca.
• La estrategia publicitaria más eficaz para una extensión debe centrarse en la extensión (y no en recordatorios sobre la marca de origen).

Fuente: Kevin Lane Keller, *Strategic Brand Management*, 3a. ed. (Upper Saddle River, N.J.: Prentice Hall, 2008). Impresión y reproducción electrónica autorizadas por Pearson Education inc., Upper Saddle River, N.J.

Bic

Bic A finales de la década de 1950, la empresa francesa Société Bic logró crear mercados para bolígrafos no recargables al hacer hincapié en productos baratos y desechables; más adelante, a principios de la década de 1970, volvió a conseguirlo al introducir encendedores desechables, y maquinillas de afeitar desechables a principios de la década de 1980. En 1989 intentó utilizar la misma estrategia de marketing para los perfumes Bic en Estados Unidos y en Europa, pero no tuvo éxito. Los perfumes ("Nuit" y "Jour" para mujer, y "Bic" y "Bic Sport" para hombre) venían en frascos de cristal de 7.5 mililitros con atomizador, que parecían encendedores regordetes y se vendían a cinco dólares cada uno. Los productos se colocaron en los estantes de las cajas registradoras de los numerosos canales de distribución de Bic. Por aquel entonces, una portavoz de la empresa describió el nuevo producto como una extensión del patrimonio Bic: "artículos de gran calidad a precios accesibles, fáciles de comprar y cómodos de usar". La extensión de marca se lanzó con una campaña publicitaria y de promoción de 20 millones de dólares, con imágenes de personas disfrutando el perfume y con el eslogan: "París en el bolsillo". A pesar de todo, Bic fue incapaz de superar su falta de diferenciación y las asociaciones de imagen negativas, por lo que la extensión fue un fracaso.[93]

Customer equity

Alcanzar el brand equity debe ser una prioridad para cualquier organización. "Apuntes de marketing: El branding en el siglo XXI" ofrece algunas perspectivas contemporáneas respecto del liderazgo de marca duradero.

Por último, podemos relacionar el brand equity con otro concepto de marketing importante, el **customer equity** o **capital de clientes.** El objetivo de la gestión de las relaciones con los clientes (CRM) es producir

Apuntes de marketing — El branding en el siglo XXI

Uno de los especialistas en marketing más famosos de las últimas dos décadas, Scott Bedbury, desempeñó una función crucial en el auge de las empresas Nike y Starbucks. En su libro, *A New Brand World*, presenta los principios de branding que se reproducen a continuación:

1. ***Basarse en el conocimiento de la marca hoy en día es insuficiente.*** Las empresas de éxito se preocupan más por la relevancia y la resonancia de marca.
2. ***Hay que conocerla antes de hacerla crecer.*** Muy pocas marcas saben quiénes son, dónde han estado y hacia dónde van.
3. ***Siempre hay que recordar la norma Spandex de la expansión de marca.*** Poder no es sinónimo de deber.
4. ***Las grandes marcas establecen relaciones duraderas con los clientes.*** Esto tiene más que ver con las emociones y la confianza que con la comodidad del calzado o con el modo en que se tuestan los granos de café.
5. ***Todo importa.*** Hasta los sanitarios.
6. ***Todas las marcas necesitan buenas familias.*** Por desgracia, casi todas las marcas provienen de hogares conflictivos.
7. ***Ser grande no es pretexto para ser malo.*** Las marcas verdaderamente grandes utilizan su enorme poder para hacer el bien, y anteponen las personas y los principios a las ganancias.
8. ***Relevancia, sencillez y humanidad.*** En lugar de la tecnología, éstos son los factores que diferenciarán a las marcas en el futuro.

Fuente: Scott Bedbury, *A New Brand World* (Nueva York: Viking Press, 2002). Derechos de autor © 2001 por Scott Bedbury. Reproducción autorizada por Viking Penguin, una división de Penguin Group (USA) Inc.

un alto customer equity, o capital de clientes.[94] A pesar de que se puede calcular de diferentes maneras, una de sus definiciones es "la suma del valor de vida de todos los clientes".[95] Como se analizó en el capítulo 5, el valor de por vida del cliente se ve afectado por los ingresos y por los costos de adquisición, retención y venta cruzada de los clientes.[96]

- La ***adquisición*** depende del número de clientes potenciales, de la probabilidad de adquisición de un cliente potencial, y del gasto de adquisición de cada cliente potencial.
- La ***retención*** se ve influenciada por la tasa de retención y por el nivel de gastos de retención.
- El ***gasto agregado*** es una función de la eficiencia de la venta agregada, la cantidad de ofertas de venta agregada que se da a los clientes existentes, y la tasa de respuesta a nuevas ofertas.

El brand equity y el customer equity comparten, indudablemente, muchos aspectos.[97] Ambos hacen hincapié en la importancia de la lealtad de los clientes y en la idea de que el valor se crea al tener el mayor número posible de clientes dispuestos a pagar el mayor precio posible que puedan.

En la práctica, sin embargo, las dos perspectivas hacen énfasis en aspectos diferentes. La perspectiva del customer equity se centra en el valor financiero. El más evidente de sus beneficios está constituido por sus medidas cuantificables de rendimiento financiero. No obstante, ofrece una guía limitada para las estrategias de penetración en el mercado, e ignora en gran medida algunas de las ventajas de la creación de una marca fuerte, como la capacidad de atraer a los empleados de mayor calidad, obtener un mayor apoyo de los socios del canal y de la cadena de suministro, crear oportunidades de crecimiento a través de extensiones de línea y categoría, y conceder licencias. El enfoque del customer equity puede pasar por alto que las marcas son también una "opción de valor" así como su potencial para influir en los ingresos y costos futuros. Además, no siempre considera los movimientos y contraataques de la competencia, o los efectos de la red social, la recomendación verbal y las recomendaciones de cliente a cliente.

El brand equity, por el contrario, tiende a enfatizar los aspectos estratégicos de la gestión de las marcas y la creación y el aprovechamiento de la conciencia de marca e imagen con los clientes, y proporciona una guía práctica para actividades de marketing específicas. En vista de que se enfoca en las marcas, sin embargo, los directivos no siempre desarrollan análisis detallados de los clientes en lo que se refiere al brand equity que producen o la rentabilidad a largo plazo que generan.[98] Los enfoques de brand equity podrían beneficiarse con esquemas de segmentación más incisivos que ofrezcan análisis a nivel cliente, y una mayor consideración sobre cómo deben desarrollarse programas de marketing personalizados para los clientes individuales, ya sean personas u organizaciones (por ejemplo, los minoristas). En general existen menos consideraciones financieras en juego con el brand equity que con el customer equity.

Sin embargo, tanto el brand equity como el customer equity son importantes. No hay marcas sin clientes y no hay clientes sin marcas. Las marcas son como el "cebo" que los minoristas y otros intermediarios de canal utilizan para atraer a los clientes, de quienes obtienen el valor. Los clientes son el motor de los beneficios tangibles para materializar monetariamente el valor de las marcas.

Resumen

1. Una marca es el nombre, término, signo, símbolo o diseño, o cualquier combinación de tales elementos, cuyo propósito es identificar los bienes o servicios de un vendedor o grupo de vendedores y diferenciarlos de los de la competencia. Los distintos componentes de una marca (nombre, logotipo, símbolos, diseños de envase, entre otros) se denominan elementos de marca.
2. Las marcas son activos intangibles muy valiosos que presentan una serie de ventajas tanto para los clientes como para las empresas, y que deben manejarse con cuidado. La clave para un branding adecuado radica en que los consumidores perciban las diferencias existentes entre las distintas marcas de una misma categoría de productos.
3. El brand equity se define en relación con los efectos de marketing atribuibles exclusivamente a una marca. Es decir, el brand equity está relacionado con los resultados de comercialización que tendría un producto o servicio por su marca, en comparación con los resultados del mismo producto o servicio si no se identificara con la marca.
4. La creación de brand equity depende de tres factores principales: (1) la selección inicial de elementos de marca o identidades que conformarán la marca; (2) el modo en que se integra la marca dentro del programa de marketing de apoyo, y (3) las asociaciones que se transmiten indirectamente a la marca mediante su vinculación con otras entidades (por ejemplo, la empresa, el país de origen, el canal de distribución u otra marca).
5. Las auditorías de marca miden "dónde ha estado la marca", en tanto que los estudios de seguimiento evalúan "dónde se encuentra ahora la marca" y si los programas de marketing están surtiendo los efectos deseados.
6. La estrategia de marca de una empresa identifica los elementos de marca que la empresa decide aplicar a todos

los productos que vende. En una extensión de marca, la empresa utiliza un nombre de marca consolidado para lanzar un nuevo producto. Las extensiones potenciales se valoran por la eficacia con la que trasladan el brand equity existente al nuevo producto, y por la forma en que la extensión, por su parte, contribuye al capital de la marca origen.

7. Las marcas pueden ampliar la cobertura, ofrecer protección, extender una imagen o cumplir una serie de funciones diferentes para la empresa. Cada producto de la marca debe tener un posicionamiento bien definido para maximizar la cobertura y minimizar la coincidencia, lo que optimiza el portafolio de marcas.
8. El customer equity (capital de clientes) es un concepto complementario del brand equity, que refleja la suma de los valores de por vida de todos los clientes para una marca.

Aplicaciones

Debate de marketing

¿Las extensiones de marca son buenas o malas?

Algunos críticos denuncian enérgicamente la práctica de las extensiones de marca, puesto que consideran que muchas veces las empresas pierden la orientación y confunden a los consumidores. Otros expertos sostienen que las extensiones de marca son estrategias de crecimiento fundamentales, y que constituyen una fuente de ingresos muy valiosa para la empresa.

Asuma una posición: Las extensiones de marca ponen en peligro a las marcas *versus* las extensiones de marca son una estrategia importante para el crecimiento de la marca.

Discusión de marketing

Modelos de brand equity

¿Cómo se relacionan entre sí los diferentes modelos de brand equity presentados en el capítulo? ¿En qué se parecen? ¿En qué se diferencian? ¿Podría elaborar un modelo de brand equity que incorporara los mejores aspectos de cada modelo?

Marketing de excelencia

>>Procter & Gamble

Procter & Gamble (P&G) fue fundada en 1837, cuando William Proctor y James Gamble, cuyas esposas eran hermanas, formaron una pequeña empresa productora de velas y jabones. A partir de ese momento, P&G innovó y lanzó decenas de productos revolucionarios de calidad y valor superiores, incluyendo el jabón Ivory en 1882, el detergente Tide en 1946, la pasta dental con fluoruro Crest en 1955, y los pañales desechables Pampers en 1961. P&G también adquirió una serie de empresas para abrir la puerta a nuevas categorías de productos, entre los que se encontraban Richardson-Vicks (fabricante de artículos para el cuidado personal, como Pantene, Olay y Vicks), Norwich Eaton Pharmaceuticals (fabricante de Pepto-Bismol), Gillette, Noxell (fabricante de Noxzema), Old Spice de Shulton, Max Factor y The lams Company.

Hoy en día, P&G es uno de los especialistas en marketing más hábiles en el sector de productos de consumo envasados en el mundo, y posee uno de los portafolios de marcas de confianza más poderosos. La empresa emplea a 138 000 personas en más de 80 países, y genera ventas mundiales totales de más de 79 000 millones de dólares al año. Es líder en 15 de las 21 categorías de productos en las que compite, tiene marcas globales valoradas en 23 000 millones de dólares, gasta más de 2 000 millones de dólares anuales en investigación y desarrollo, y atiende a más de 4 millones de personas en 180 diferentes países. Su liderazgo sostenido en el mercado se basa en una serie de capacidades y filosofías como:

- *Conocimiento de los consumidores.* P&G estudia a los consumidores, incluyendo tanto a sus clientes finales como a sus socios comerciales, mediante investigaciones de marketing y recopilación de información que realiza continuamente. Gasta más de 100 millones de dólares en más de 10 000 proyectos formales de investigación del consumidor cada año y genera más de 3 millones de contactos con los consumidores a través de su centro telefónico y de correo electrónico. También hace hincapié en enviar a sus especialistas en marketing e investigadores al campo, donde pueden interactuar con los consumidores y los minoristas en su entorno natural.

- *Perspectiva a largo plazo.* P&G se toma el tiempo necesario para analizar escrupulosamente cada oportunidad de negocio y para preparar el mejor producto. A continuación se compromete a convertir el producto en un éxito total. Por ejemplo, en el caso de las patatas fritas Pringles, la empresa luchó durante casi 10 años antes de alcanzar el éxito. Recientemente P&G se ha centrado en aumentar su presencia en los mercados en desarrollo, concentrándose en la accesibilidad, la conciencia de marca y la distribución a través del comercio electrónico y las "tiendas de alta frecuencia" (tiendas de barrio).
- *Innovación de productos.* P&G es un innovador de productos, que dedica 2 000 millones de dólares al año a la investigación y el desarrollo, una cantidad impresionante para una empresa de productos envasados. Emplea a más doctores en ciencias que Harvard, Berkeley y MIT juntos, y solicita alrededor de 3 800 patentes cada año. Parte de su proceso de innovación es el desarrollo de marcas que ofrecen nuevas ventajas al consumidor. Algunas de sus innovaciones más recientes, que han creado categorías totalmente nuevas, incluyen Febreze, un aerosol que elimina olores en las telas; Dryel, un producto que ayuda a "lavar en seco" la ropa, y Swiffer, un sistema de limpieza que elimina de forma más efectiva polvo, suciedad y pelo de los pisos y otras superficies duras.
- *Estrategia de calidad.* P&G diseña productos con una calidad superior al promedio, y los mejora constantemente en formas que son importantes para los consumidores, incluyendo el detergente concentrado Tide, Pampers Rash Guard (un pañal diseñado para tratar y prevenir las rozaduras), y champús y acondicionadores mejorados dos-en-uno para Pantene, Vidal Sassoon y Pert Plus.
- *Estrategia de extensión de marca.* P&G produce sus marcas en diversos tamaños y formatos. Con esta estrategia logra más espacio en los estantes y evita que los competidores entren en su mercado para cumplir necesidades insatisfechas. P&G también utiliza sus nombres de marca fuertes para lanzar nuevos productos con reconocimiento instantáneo y mucho menor gasto en publicidad. La marca Mr. Clean se ha extendido de limpiador para el hogar a limpiador de baños, e incluso a un sistema de lavado de automóviles. Old Spice extendió su marca de perfumes para hombre a desodorantes. Crest se extendió con éxito a un sistema de blanqueamiento dental llamado Crest Whitestrips, que elimina las manchas superficiales de los dientes en 14 días.
- *Estrategia multimarca.* P&G comercializa varias marcas en la misma categoría de producto como los pañales Luvs y Pampers, y los cepillos de dientes Oral-B y Crest. Cada marca satisface un deseo diferente de los consumidores y compite con marcas específicas de la competencia. Al mismo tiempo, P&G tiene cuidado de no vender demasiadas marcas, y en los últimos años ha reducido su amplia gama de productos, tamaños, sabores y variedades para ensamblar un portafolio de marcas más fuerte.
- *Pionero en comunicaciones.* Con la adquisición de Gillette, P&G se convirtió en el mayor anunciante estadounidense, con un gasto de más de 2 300 millones de dólares al año, o casi el doble del gasto del segundo mayor anunciante del país, General Motors Corp. P&G fue pionero en utilizar el poder de la televisión para crear conciencia de marca y preferencias en los consumidores. En los últimos años, la empresa ha destinado una mayor parte de su presupuesto publicitario a esfuerzos de marketing online y redes sociales como Facebook, Twitter y los blogs. Estos esfuerzos ayudan a infundir un atractivo emocional más fuerte en sus comunicaciones y crear conexiones más profundas con los consumidores.
- *Fuerza de ventas agresiva.* La revista *Sales & Marketing Management* designó a la fuerza de ventas de P&G como una de las 25 mejores. Una de las claves del éxito de P&G es la vinculación tan estrecha que crea entre sus vendedores y los minoristas, especialmente con Walmart. El equipo de 150 personas que atiende a este gigante de la venta minorista colabora con Walmart para mejorar tanto los productos que van a las tiendas como el proceso a través del cual llegan allí.
- *Fabricación eficiente y reducción de costos.* La reputación de P&G como una gran empresa de marketing es igualada por su excelencia como empresa de fabricación. P&G invierte cantidades importantes en el desarrollo y la mejora de las operaciones de producción para mantener sus costos entre los más bajos del sector, lo que le permite reducir los precios más elevados a los que se venden algunos de sus productos.
- *Sistema de gestión de marcas (brand management).* P&G creó el sistema de gestión de marcas en el que un ejecutivo es responsable de cada marca. Muchos competidores han imitado este sistema, pero sin conseguir el éxito de P&G. Recientemente P&G modificó su estructura directiva general, de modo que hoy cada categoría de marca está en manos de un gerente de categoría, encargado tanto del volumen como de la rentabilidad. Aunque esta nueva organización no sustituye al sistema de gestión de marcas, sí contribuye a afinar la concentración estratégica en las necesidades de los consumidores y en la competencia dentro de una misma categoría.

Los logros de P&G en los últimos 173 años han provenido de la orquestación exitosa de los múltiples factores que contribuyen a su liderazgo en el mercado.

Preguntas

1. El impresionante portafolio de P&G incluye algunas de las marcas más fuertes del mundo. ¿Cuáles son algunos de los retos y riesgos asociados con ser el líder del mercado en tantas categorías?
2. Con los medios sociales tomando cada vez más importancia y menos personas viendo anuncios en la televisión tradicional, ¿qué tiene que hacer P&G para mantener sus fuertes imágenes de marca?
3. ¿Qué riesgos cree que P&G enfrentará en el futuro?

Fuentes: Robert Berner, "Detergent Can Be So Much More", *BusinessWeek*, 1 de mayo de 2006, pp. 66-68; "A Post-Modern Proctoid", *The Economist*, 15 de abril de 2006, p. 68; *P&G Fact Sheet* (diciembre de 2006); John Galvin, "The World on a String", *Point* (febrero de 2005), pp. 13-24; Jack Neff, "P&G Kisses Up to the Boss: Consumers", *Advertising Age*, 2 de mayo de 2005, p. 18; *www.pg.com*; "The Nielsen Company Issues Top Ten U.S. Lists for 2008", *The Nielsen Company press release*, 12 de diciembre de 2008.

Marketing de excelencia

>>McDonald's

McDonald's es el líder mundial de las cadenas de comida rápida que venden hamburguesas, con más de 32 000 restaurantes en 118 países. Más del 75% de los restaurantes de McDonald's son de su propiedad y están manejados por franquiciatarios, lo que disminuye el riesgo que conlleva la expansión, y asegura contratos a largo plazo para la empresa. McDonald's atiende a 58 millones de personas cada día, y promete a sus clientes una experiencia de comida sencilla, fácil y agradable.

La historia de McDonald's Corporation se remonta a 1955, cuando Ray Kroc, un vendedor de máquinas para procesar de alimentos, obtuvo la franquicia de un restaurante de hamburguesas de los hermanos McDonald, la llamó McDonald's y ofreció alimentos sencillos, como la famosa hamburguesa de 15 centavos de dólar. Kroc contribuyó a diseñar las instalaciones, que tenían costados rojos y blancos y un arco dorado para atraer la atención local. Diez años más tarde, había 700 restaurantes McDonald's en todo Estados Unidos, y la marca estaba en camino a convertirse en un nombre familiar.

Durante las décadas de 1960 y 1970, Kroc dirigió el crecimiento de McDonald's a nivel nacional e internacional, enfatizando la importancia de la calidad, el servicio, la limpieza y el valor. Expandió el menú para incluir la Big Mac, la Quarter Pounder, la Cajita Feliz, el Filet-O-Fish y alimentos para el desayuno, como el Egg McMuffin. Además, Kroc comprendió desde el principio que su público principal eran los niños y las familias. Por lo tanto, dirigió los esfuerzos de publicidad de McDonald's a estos grupos e introdujo el personaje Ronald McDonald en 1965, durante un comercial de 60 segundos. Al poco tiempo, personajes como Grimace, Hamburgler y Mayor McCheese hicieron su debut en las campañas de publicidad de McDonald's, y ayudaron a atraer a los niños a sus restaurantes de comidas simples y sabrosas, y experiencias divertidas.

Fue también durante esa época cuando McDonald's creó la Ronald McDonald House, que fue inaugurada en 1974 para ayudar a niños con leucemia. Desde entonces se ha convertido en un esfuerzo filantrópico global, llamado Ronald McDonald House Charities, que se esfuerza por mejorar la vida, la salud y el bienestar de los niños a través de tres programas principales: Ronald McDonald House, Ronald McDonald Family Room y Ronald McDonald Care Mobile.

McDonald's se expandió agresivamente al extranjero durante la década de 1980 mediante la apertura de restaurantes en toda Europa, Asia, Filipinas y Malasia. Sin embargo, esta rápida expansión le produjo muchos problemas durante las décadas de 1990 y principios de 2000. La empresa perdió el enfoque y la dirección, abriendo hasta 2 000 nuevos restaurantes por año. Los nuevos empleados no fueron capacitados adecuada y rápidamente, lo cual dio como resultado un mal servicio al cliente y restaurantes más sucios. Aparecieron nuevos competidores, y la empresa adquirió las empresas no dedicadas al negocio de hamburguesas Chipotle y Boston Market (que al final vendió en 2006 y 2007, respectivamente). Los gustos de los consumidores cambiaron, y nuevos productos como la pizza, el Arch Deluxe y los sándwiches no pudieron conectar con ellos; los ajustes al menú, que incluyeron varios cambios en la salsa especial de la Big Mac, también fracasaron. Jim Skinner, director ejecutivo de McDonald's, explicó: "Nos distrajimos de lo más importante: brindar comida caliente de alta calidad por un precio bajo, a la velocidad y conveniencia de McDonald's".

En 2003, McDonald's puso en marcha un esfuerzo estratégico denominado "Planear para ganar". Este marco, que todavía existe hoy en día, ayudó a los restaurantes McDonald's a volver a centrarse en ofrecer una experiencia de mayor calidad a los consumidores, en lugar de proporcionarles únicamente una opción de comida rápida barata y veloz. El "manual de estrategias" del programa Planear para ganar proporcionaba una visión estratégica sobre cómo mejorar las "5 P" de la empresa: personas, productos, promociones, precios y plazas, y sobre cómo permitir que los restaurantes locales se adaptaran a diferentes entornos y culturas. Por ejemplo, McDonald's introdujo el sándwich para el desayuno Bacon Roll en el Reino Unido, la M Burger en Francia y el McPuff de huevo, tomate y pimientos en China. Los precios también variaban ligeramente en Estados Unidos para reflejar mejor los diferentes gustos en las distintas regiones.

Por lo que se refiere a la comida, algunos de los aciertos que ayudaron a la empresa a dar un giro incluyeron ofrecer más opciones de pollo cuando el consumo de la carne comenzó a disminuir, vender leche en una botella en lugar de hacerlo en un envase de cartón, y eliminar las opciones "Super Size" después de que el documental *Super Size Me* se centró en McDonald's y su relación con la obesidad. McDonald's respondió a las tendencias de salud y comenzó a ofrecer ensaladas, así como rebanadas de manzana en lugar de patatas fritas en la Cajita Feliz, y McNuggets de carne blanca. Si bien muchas de las opciones más saludables estaban dirigidas a las madres y tenían un precio más alto, McDonald's también introdujo el menú de un dólar, que estaba dirigido a los jóvenes y a los sectores de bajos ingresos. Otras respuestas incluyeron mejorar la atención en las ventanillas de servicio en el automóvil (ya que el 60% de los negocios de McDonald's en Estados Unidos provenía de ese sistema), introducir más opciones de bocadillos, y renovar los restaurantes con asientos de piel, pintura de colores más cálidos y televisores de pantalla plana. Los primeros resultados fueron asombrosos: de 2003 a 2006, el precio de sus acciones aumentó un 170%. Las ventas continuaron aumentando hasta finales de la década de 2000, y llegaron a los 23 500 millones de dólares en 2008, convirtiendo a McDonald's en una las dos empresas en el índice Promedio Industrial Dow Jones, cuya cotización se elevó en 2008.

McDonald's continuó floreciendo en 2009 con sus hamburguesas Angus y su línea de cafeterías McCoffee, dirigidas específicamente a enfrentar competidores como Starbucks, con bebidas de café de especialidad más baratas. McDonald's también inicio una campaña mundial de renovación de sus envases como resultado de una exhaustiva investigación de los consumidores. Los nuevos envases tenían como propósito cumplir varias funciones, incluyendo mostrar a los consumidores la conciencia de la empresa en materia de salud y su uso de productos agrícolas cultivados localmente. Los envases incluían además textos prominentes y fotografías a todo color de los ingredientes utilizados por la compañía, como papas reales, vegetales, quesos y utensilios de cocina. Mary Dillon, la directora global de marketing de McDonald's, explicó que el objetivo era "crear personalidades únicas para los elementos del menú, mediante el relato de una historia sobre cada uno de ellos".

A lo largo de los años, McDonald's ha creado una serie de exitosas campañas de marketing con sus eslogan, como: "Hoy te mereces un descanso", "Es un buen momento para el gran sabor de McDonald's" y "La comida, la gente y la diversión". Su actual campaña, "Me encanta", parece seguir el camino de las demás, logrando que la empresa alcance ventas récord y crezca a pesar de los difíciles tiempos económicos.

Preguntas

1. ¿Cuáles son los principales valores de marca de McDonald's? ¿Han cambiado con el paso de los años?
2. A McDonald's le fue muy bien durante la recesión de finales de la primera década del siglo XXI. En una economía que está mejorando, ¿debería cambiar su estrategia? ¿Por qué?
3. ¿Qué riesgos cree que enfrentará McDonald's en el futuro?

Fuentes: Andrew Martin, "At McDonald's, the Happiest Meal Is Hot Profits", *New York Times*, 10 de enero de 2009; Janet Adamy, "McDonald's Seeks Way to Keep Sizzling", *Wall Street Journal*, 10 de marzo de 2009; Matt Vella, "McDonald's Thinks About the Box", *BusinessWeek*, 8 de diciembre de 2008; Jessica Wohl, "McDonald's CEO: Tough Economy, but Some 'Thawing', *Reuters*, 17 de abril de 2009; "McDonald's Rolls Out New Generation of Global Packaging", comunicado de prensa de *McDonald's*, 28 de octubre de 2008.

Con un diseño innovador y un contenido serio y atractivo sobre temas de marketing, la revista Merca2.0 se ha forjado un lugar único en un mercado hasta entonces inexistente.

En este capítulo responderemos las siguientes **preguntas**

1. ¿Qué pueden hacer las empresas para desarrollar y establecer un posicionamiento efectivo en el mercado?
2. ¿Qué hacen los especialistas en marketing para identificar y analizar la competencia?
3. ¿Cómo lograr una diferenciación de marcas exitosa?
4. ¿Qué diferencias caraterizan el posicionamiento y el branding en las pequeñas empresas?

Estrategias de posicionamiento de marcas

Ninguna empresa podrá triunfar si sus productos y sus ofertas se asemejan al resto de los productos y ofertas del mercado. Como parte del proceso de gestión estratégica de marcas, cada oferta debe acercarse al mercado meta aludiendo a los aspectos apropiados para atraerlo. Aunque posicionar con éxito un nuevo producto en un mercado bien establecido puede parecer difícil, ***Merca2.0*** demuestra que no es imposible.

A principios de 1984, mientras se desempeñaba como gerente de servicios de marketing, Andrzej Rattinger Aranda se dio cuenta de que en México la información relacionada con su disciplina provenía casi por completo de textos en inglés y casos extranjeros. En aquella época, sin tener en cuenta los libros especializados, los boletines resultaban la principal fuente de documentación fresca en temas prácticos y su costo era casi siempre elevado. Con esta realidad en mente, Rattinger tuvo la idea de crear un boletín mensual que reportara las actividades de la industria del marketing en el país. El primer ejemplar de Cebra (titulado así por su diseño en blanco y negro, y por las implicaciones creativas de un nombre tan poco usual) ofrecía un ranking de las agencias de publicidad más importantes del momento y, como era un boletín, resultaba lógico que se vendiera por suscripción. La revista tuvo una gran recepción en la industria, y al cabo de año y medio eran ya varias las empresas que solicitaban anunciarse en sus páginas. Para poder vender espacios publicitarios, el boletín se convirtió en revista.

Así nació ADCEBRA en junio de 1992. Como tenía un buen número de suscriptores pagados, no tenía sentido cambiar el modelo, pero ahora la publicación tenía anunciantes y circulación pagada, una aspiración difícil de alcanzar para la mayoría de las revistas de reciente aparición. ADCEBRA creció con rapidez, satisfaciendo la necesidad de un segmento ansioso de noticias y análisis de la industria, así como de los hábitos y características del consumidor mexicano. Por desgracia, tras diez años de vida, diferencias entre los accionistas hicieron que se suspendiera su publicación.

Sin embargo, Rattinger estaba convencido de que las necesidades del mercado seguían allí, por lo que reunió un selecto grupo de colaboradores para lanzar, en mayo de 2002, la revista Merca2.0. A una década de distancia, la revista mantiene un ritmo de crecimiento que le ha permitido convertirse en la publicación preeminente de marketing, en español y para Latinoamérica. Por si esto fuera poco, contando con el entusiasmo de un joven equipo de trabajo, y teniendo la revista como punto de referencia, la empresa se ha involucrado en el desarrollo de contenido multimedia para siete sitios de Internet, una publicación mensual adicional, y más de doce ediciones anuales sobre diferentes temas de marketing, además de auspiciar seminarios y títulos (diplomados) de capacitación profesional en el área.

Al cumplirse el décimo aniversario de su primera edición, la revista y su amplia gama de medios impresos, digitales, y presenciales forma parte del complejo más grande de creación de contenido de marketing en español en el mundo.[1]

Como queda demostrado por el éxito de la revista Merca2.0, las empresas pueden beneficiarse al forjar una posición única en el mercado. El posicionamiento de una marca atractiva y bien diferenciada requiere un profundo conocimiento de las necesidades y deseos del consumidor, así como de las capacidades de la empresa y de las acciones de la competencia. También exige un razonamiento disciplinado pero creativo. En este capítulo describimos un proceso por medio del cual los especialistas en marketing pueden descubrir el posicionamiento de marca más poderoso.

Desarrollo y establecimiento del posicionamiento de marca

Todas las estrategias de marketing se basan en la segmentación del mercado, la definición del mercado meta y el posicionamiento en el mercado. Las empresas identifican diversas necesidades y grupos en el mercado, luego se concentran en las necesidades o grupos que puedan atender mejor, y buscan posicionar su producto de modo que el mercado meta reconozca las ofertas e imágenes distintivas de la organización.

El **posicionamiento** se define como la acción de diseñar la oferta y la imagen de una empresa, de modo que éstas ocupen un lugar distintivo en la mente de los consumidores del mercado meta.[2] El fin es ubicar la marca en la conciencia del gran público para maximizar los beneficios potenciales de la empresa. Un posicionamiento de marca adecuado sirve de directriz para la estrategia de marketing puesto que transmite la esencia de la marca, aclara qué beneficios obtienen los consumidores con el producto o servicio, y expresa el modo exclusivo en que éstos son generados. Todos los miembros de la organización deben entender el posicionamiento de la marca y utilizarlo como marco para la toma de decisiones.

Adidas

Adidas Preocupada por afianzar su posicionamiento, Adidas presentó la idea de un combate entre dos de sus principales líneas de zapatillas (tenis) y uniformes de fútbol, Predator y F50, como marco para que su público meta interactuara con la marca de manera divertida y diferente, esperando crear así un compromiso profundo entre ambas partes y desarrollar lealtad hacia su marca. Su estrategia consistía en hacer que la audiencia interactuara la mayor cantidad de tiempo bajo las distintas plataformas de juego y de paquetes temáticos online, de modo que se creara un conocimiento de marca y compromiso entre el usuario y la marca. De esta forma, Adidas busca la relación personal con su mercado meta involucrándolo con la marca, conectándolo con ella y así ayudándolo con herramientas para lograr su objetivo. Estas herramientas son los productos que gracias a su tecnología y diseño logran una comunicación real y divertida con sus consumidores.[3]

Un buen posicionamiento tiene un "pie en el presente y otro en el futuro". Debe ser aspiracional, para que la marca tenga espacio para crecer y mejorar. El posicionamiento basado en la situación actual del mercado no tiene suficiente visión a futuro; al mismo tiempo, sin embargo, es importante evitar que se aleje tanto de la realidad como para resultar esencialmente imposible de conseguir. Por lo que se refiere al posicionamiento, el verdadero truco consiste en encontrar el equilibrio justo entre lo que la marca es y lo que podría ser.

El resultado es la creación de una *propuesta de valor centrada en el cliente*, es decir, una razón convincente por la cual el mercado meta debería adquirir el producto. La tabla 10.1 muestra la manera en que tres empresas (Perdue, Volvo y Domino's) han definido su propuesta de valor a lo largo de los años en función de sus consumidores meta, así como de los beneficios y precios que ofrecen.[4]

El posicionamiento requiere que los especialistas en marketing definan y comuniquen las similitudes y las diferencias que existen entre su marca y la de sus competidores. En concreto, tomar decisiones en materia de posicionamiento exige: (1) determinar un marco de referencia, mediante la identificación del mercado meta y la competencia correspondiente; (2) reconocer los puntos óptimos de paridad y diferenciación de las asociaciones de marca a partir de ese marco de referencia, y (3) crear un "mantra" de la marca que resuma el posicionamiento y la esencia de la marca.

Determinación del marco de referencia competitivo

El **marco de referencia competitivo** define cuál es la competencia a la que se enfrenta una marca y, por lo tanto, en qué marcas debe centrar su análisis de la competencia. Las decisiones que se tomen en materia

TABLA 10.1 Ejemplos de propuestas de valor

Empresa y producto	Consumidores meta	Beneficios clave	Precio	Propuesta de valor
Perdue (pollo)	Consumidores de pollo conscientes de la calidad	Carne tierna	10% más	El pollo más tierno a un precio moderado
Volvo (camioneta)	Familias de clase alta, conscientes de la seguridad	Durabilidad y seguridad	20% más	La camioneta más segura y duradera para el transporte de la familia
Domino's (pizza)	Consumidores que gustan de las pizzas y a los que les interesa la comodidad	Entrega rápida y buena calidad	15% más	Una pizza caliente y de buena calidad, entregada a domicilio con rapidez y a un precio moderado

de definición del mercado meta suelen ser determinantes para el marco de referencia competitivo de la empresa. Por ejemplo, la decisión de atender a un tipo específico de consumidor define la naturaleza de la competencia, puesto que otras organizaciones han decidido dirigirse a ese mismo segmento en el pasado (o pretenden hacerlo en el futuro), o bien porque los consumidores de ese segmento ya consideran ciertas marcas o productos al hacer sus elecciones de compra.

IDENTIFICACIÓN DE LA COMPETENCIA Un buen punto de partida para definir el marco de referencia competitivo que conducirá al posicionamiento de una marca es la identificación de los **miembros de una categoría**, esto es, de los productos o grupos de productos con los que compite una marca, y que funcionan como sus sustitutos cercanos. Podría suponerse que para las empresas es sencillo identificar a sus competidores. Por ejemplo, PepsiCo sabe que Dasani, de Coca-Cola, es un importante competidor para su marca de agua embotellada Aquafina; en el sector bancario, Citigroup sabe que Bank of America es un competidor importante, y Petsmart.com es consciente de que Petco.com es un importante competidor online en la venta minorista de alimentos y suministros para mascotas.

La variedad de los competidores actuales y potenciales de la empresa, sin embargo, puede ser mucho más amplia de lo que parecería. Para que una marca con intenciones explícitas de crecimiento entre en nuevos mercados podría ser necesario que utilice un marco competitivo más amplio —o tal vez incluso con aspiraciones más altas— que le permita reconocer a los competidores que podría enfrentar en el futuro. De hecho, es más probable que la empresa se vea afectada por nuevos competidores o nuevas tecnologías que por los competidores actuales.

- Después de haber gastado miles de millones de dólares en la construcción de sus redes, los proveedores de teléfonos móviles AT&T, Verizon Wireless y Sprint se enfrentan a la amenaza de nuevos competidores que surgen como resultado de numerosos cambios en el mercado: Skype y el crecimiento de los puntos de acceso inalámbricos, las redes municipales inalámbricas construidas por las ciudades, los teléfonos de modo dual que pueden cambiar con facilidad de una red a otra, y la apertura de la antigua frecuencia analógica de 700 MHz utilizada para transmisiones UHF.[5]
- El mercado de las barras de cereal energizantes, creado por PowerBar, se fragmentó en una serie de subcategorías, incluidas las dirigidas a segmentos específicos (como la barritas Luna para las mujeres) y las que poseen atributos específicos (como las barritas de proteínas Balance y las barritas para control calórico Pria). Cada una representaba una subcategoría para la que la PowerBar original no era tan pertinente.[6]

Las empresas deben identificar su marco competitivo de la manera más ventajosa posible. En el Reino Unido, por ejemplo, la Automobile Association se posicionó como el cuarto proveedor de "servicios de emergencia", después de la policía, los bomberos y las ambulancias, con lo cual logró transmitir mayor credibilidad y urgencia. Consideremos el marco competitivo adoptado por Bertolli.[7]

Gracias a su atractivo menú, su buen servicio y su ambiente informal, California Pizza Kitchen se ha posicionado dentro de las mejores cadenas de comida casual.

California Pizza Kitchen Considerada líder en el segmento de comida casual en Estados Unidos, California Pizza Kitchen ha sido reconocida por la National Retaurant Association en varias ocasiones por la diversidad y la innovación de su cocina. Desde su fundación en 1985, en Beverly Hills, la empresa ha abierto más de 230 restaurantes en Estados Unidos, y tiene una presencia cada vez más visible en países asiáticos como Malasia, Filipinas, Singapur, China, Indonesia, Japón y Corea, así como en Oriente Medio e incluso en México. Gracias a su atractivo menú —que incluye originales pastas, exquisitos bocadillos, frescas y abundantes ensaladas, sopas, postres y un extenso bar—, su buen servicio y su ambiente informal, California Pizza Kitchen se encuentra dentro de las mejores 10 cadenas estadounidenses de comida casual estilo californiano. En México es gestionada por el grupo ALSEA, cuenta actualmente con once unidades y tiene planes de expansión a Centro y Sudamérica.

Podemos examinar a la competencia tanto desde la perspectiva de la industria como desde un punto de vista de mercado.[8] Una **industria** o *sector industrial* es un conjunto de empresas que ofrecen productos o clases de productos que son sustituibles entre sí. Los especialistas en marketing clasifican las industrias según el número de vendedores que participan en ellas, el grado de diferenciación de los productos, la presencia o ausencia de barreras de entrada, de movilidad y de salida, las estructuras de costos, el grado de integración vertical y el grado de globalización.

Utilizando el enfoque de mercado, definimos la *competencia* como aquellas empresas que satisfacen las mismas necesidades del consumidor. Por ejemplo, un consumidor que compra un software de procesamiento de textos en realidad lo que quiere es la "capacidad de escritura", una necesidad que también puede satisfacerse con lápices, bolígrafos o hasta hace más o menos poco tiempo, con máquinas de escribir. Los especialistas en marketing deben superar la "miopía" propia de su área de trabajo, y dejar de definir la competencia en términos de categorías e industrias tradicionales.[9] Coca-Cola, centrada en su negocio de bebidas gaseosas, no prestó atención al mercado de cafeterías y tiendas de jugos (zumos) de frutas frescas, que terminaron por afectar su negocio.

Desde la perspectiva de mercado, el concepto de competencia pone de manifiesto un conjunto más amplio de competidores reales y potenciales que la competencia definida únicamente en términos de categoría de producto. Jeffrey F. Rayport y Bernard J. Jaworski sugieren hacer perfiles de los competidores directos e indirectos de la empresa examinando los pasos que siguen los compradores para la obtención y el uso del producto. Este tipo de análisis pone de relieve tanto las oportunidades como los desafíos a los que se enfrenta la empresa.[10] "Marketing en acción: Impulso al crecimiento mediante la innovación del valor", describe qué pueden hacer las empresas para acceder a nuevos mercados y reducir al mínimo la competencia.

Impulso al crecimiento mediante la innovación del valor

W. Chan Kim y Renée Mauborgne —profesores de la afamada escuela internacional de negocios INSEAD— consideran que son demasiadas las empresas que se involucran en la "estrategia del océano rojo", la cual implica enfrascarse en sangrientas batallas frontales con la competencia, basándose en gran medida en las mejoras graduales en los costos, en la calidad, o en ambos factores. En contraste, estos especialistas abogan por la participación en la "estrategia del océano azul", que es la creación de productos y servicios para los cuales no existan competidores directos. En lugar de buscar dentro de los límites convencionales de competencia en una industria, los gerentes deben mirar más allá, para encontrar posiciones desocupadas en el mercado, que representen una verdadera innovación del valor.

Kim y Mauborgne citan como ejemplo a Bert Claeys, una empresa belga que opera salas de cine y fue responsable de la creación de Kinepolis, un megacomplejo de 25 pantallas y 7 600 asientos. A pesar del declive de la industria, Kinepolis ha prosperado gracias a una combinación única de características: un amplio estacionamiento gratuito y seguro, grandes pantallas, equipos de sonido y proyección de tecnología de punta, y asientos espaciosos y cómodos, que garantizan una visibilidad sin obstáculos. A través de una planificación inteligente y el aprovechamiento de las economías de escala, con Kinepolis Bert Claeys creó una experiencia de cine única, a un costo más bajo.

Ésta es la estrategia clásica del océano azul: el diseño creativo de negocios para afectar positivamente tanto la estructura de costos de una empresa como su propuesta de valor para los consumidores. Los ahorros en costos son resultado de la eliminación y reducción de los factores que afectan a la competencia en la industria tradicional; el valor para los consumidores proviene de la introducción de factores que la industria nunca ha ofrecido. Con el tiempo, los costos bajan aún más, ya que el valor superior conduce a un mayor volumen de ventas y genera economías de escala.

Los siguientes son otros especialistas en marketing que han puesto en práctica la poco convencional estrategia del océano azul:

- Callaway Golf diseñó "Big Bertha", un palo de golf con un mango más grande y un punto óptimo expandido, características que ayudan a los golfistas frustrados por la dificultad de golpear las pelotas de golf en ángulo recto.

- NetJets descubrió cómo ofrecer un servicio de transporte en aviones privados a un grupo de clientes más grande a través de la propiedad compartida.
- Cirque du Soleil reinventó el circo como una forma superior de entretenimiento, mediante la eliminación de los elementos de alto costo (como los animales) y la mejora de la experiencia teatral.

Kim y Mauborgne proponen cuatro preguntas cruciales que deben hacerse los especialistas en marketing para poner en práctica la estrategia del océano azul y crear innovación del valor:

1. ¿Cuál de los factores que nuestra industria da por sentados debemos eliminar?
2. ¿Qué factores debemos reducir muy por debajo del estándar de la industria?
3. ¿Qué factores debemos elevar muy por encima del estándar de la industria?
4. ¿Qué factores, nunca antes ofrecidos por la industria, debemos crear?

Los autores sostienen que las empresas que obtuvieron mejores resultados en la implementación de las estrategias del océano azul supieron aprovechar las tres plataformas en las que puede llevarse a cabo la innovación del valor: el *producto físico*, el *servicio* (mantenimiento, servicio al cliente, garantías y capacitación para los distribuidores y minoristas), y la *entrega* (canales y logística).

Fuentes: W. Chan Kim y Renee Mauborgne, *Blue-Ocean Strategy: How to Create Uncontested Market Space and Make the Competition Irrelevant* (Cambridge, MA: Harvard Business School Press, 2005); W. Chan Kim y Renee Mauborgne, "Creating New Market Space", *Harvard Business Review*, enero-febrero de 1999; W.Chan Kim y Renee Mauborgne, "Value Innovation: The Strategic Logic of High Growth", *Harvard Business Review*, enero-febrero de 1997.

EL ANÁLISIS DE LA COMPETENCIA En el capítulo 2 se describe cómo llevar a cabo un análisis FODA (DAFO), que incluye un análisis de la competencia. Es muy importante que las empresas reúnan información acerca de las fortalezas y debilidades reales y percibidas de cada competidor. La tabla 10.2 muestra los resultados de la encuesta llevada a cabo por una empresa, pidiendo a los clientes que calificaran a sus tres competidores, A, B y C, en cinco atributos. De acuerdo con los resultados, el competidor A era muy conocido y respetado por fabricar productos de alta calidad, y por comercializarlos a través de una efectiva fuerza de ventas, pero al mismo tiempo era poco eficaz para garantizar disponibilidad de sus productos y asistencia técnica. El competidor B resultó bien evaluado en todos los ámbitos, incluso en materia de disponibilidad del producto y calidad de su fuerza de ventas. El competidor C fue calificado bajo a aceptable en casi todos los atributos. Este resultado sugiere que, para posicionarse, la empresa podría atacar al competidor A en disponibilidad del producto y asistencia técnica, y al competidor C en casi cualquier factor; sin embargo, no debe atacar al competidor B, que no tiene puntos débiles evidentes. Como parte de este análisis de la competencia para el posicionamiento, la empresa también debe determinar cuáles son las estrategias y objetivos de sus principales competidores.[11]

Una vez que la empresa ha identificado a sus principales competidores y sus estrategias, debe preguntarse: ¿qué busca cada competidor en el mercado? ¿Qué impulsa su comportamiento? Son muchos los factores que moldean los objetivos de la competencia, incluyendo su tamaño, su historia, su gestión actual y su situación financiera. Si el competidor es una división de una empresa más grande, es importante saber si la casa matriz la tiene en funcionamiento para su crecimiento, para obtener ganancias o para "ordeñarla".[12]

Por último, tomando como fundamento todos estos análisis, los especialistas en marketing deben definir formalmente el marco de referencia competitivo que orientará su posicionamiento. En los mercados estables que tienen poca probabilidad de cambio a corto plazo, podría ser bastante fácil definir uno, dos o quizás hasta tres competidores principales. Por el contrario, en las categorías dinámicas, donde podría existir o surgir competencia en una variedad de formas diferentes, los marcos de referencia tal vez serían diversos, como veremos a continuación.

TABLA 10.2 Valoración de los consumidores con respecto a los factores clave del éxito de la competencia

	Conocimiento del consumidor	Calidad del producto	Disponibilidad del producto	Asistencia técnica	Personal de ventas
Competidor A	E	E	M	M	B
Competidor B	B	B	E	B	E
Competidor C	A	M	B	A	A

Nota: E = excelente, B = bueno, A = aceptable, M = malo.

Reconocimiento de los puntos de diferencia y de paridad óptimos

Una vez que los especialistas en marketing han fijado el marco competitivo de referencia para el posicionamiento mediante la definición del mercado de los consumidores meta y la naturaleza de la competencia, pueden definir cuáles son las asociaciones adecuadas para los puntos de diferencia y los puntos de paridad.[13]

PUNTOS DE DIFERENCIA Los **puntos de diferencia** (POD, por sus siglas en inglés) son atributos o beneficios que los consumidores asocian fuertemente con una marca, que evalúan positivamente, y que creen imposible encontrar en la misma magnitud en una marca competidora. Las asociaciones que conforman los puntos de diferencia pueden estar basadas en prácticamente cualquier tipo de atributo o beneficio. Las marcas fuertes pueden tener múltiples puntos de diferencia. Algunos ejemplos son Apple (*diseño, facilidad de uso* y *actitud irreverente*), Nike (*desempeño, tecnología innovadora* y *éxito deportivo*) y Southwest Airlines (*valor, confiabilidad,* y *personalidad divertida*). La creación de asociaciones fuertes, favorables, y únicas es un verdadero reto, pero es un factor esencial para lograr un posicionamiento de marca competitivo.

Existen tres criterios que determinan si una asociación de marca realmente puede funcionar como un punto de diferencia: la conveniencia, la facilidad de entrega y la diferenciación. A continuación se presentan algunas consideraciones clave sobre cada uno de estos criterios:

- *Conveniencia para el consumidor.* Es preciso que los consumidores sientan que la asociación de marca es relevante para ellos. Westin Stamford, en Singapur, se anunció como el hotel más alto del mundo, pero la altura del lugar en donde se alojan no es importante para muchos turistas. A los consumidores también debe dárseles una razón de peso y explicación comprensible sobre por qué la marca puede ofrecerles el beneficio deseado. Mountain Dew podría argumentar que es más vigorizante que otras bebidas sin alcohol, y apoyar esta afirmación señalando que tiene un mayor nivel de cafeína. El perfume Chanel No. 5 podría afirmar que es la quintaesencia de la elegancia francesa, y apoyar tal aseveración señalando la larga relación que ha existido entre esa marca y la alta costura. Otra forma de impulsar la asociación de marca consistiría en resaltar el uso de ingredientes patentados y exclusivos, como la crema NIVEA Wrinkle Control Crème, que contiene la coenzima Q10 (energizante y protectora cardiovascular), o el acondicionador Herbal Essences, en cuya fórmula se usa *hawafena* (marca registrada por Procter & Gamble para un conjunto de proteínas orgánicas con propiedades acondicionantes).
- *Facilidad de entrega por la empresa.* La empresa debe tener los recursos internos y el compromiso necesario para crear y mantener de manera factible y rentable la asociación de la marca en la mente de los consumidores. El diseño del producto y la oferta de marketing deben apoyar la asociación deseada. ¿Comunicar la asociación deseada exige cambios reales en el producto, o simplemente cambios en la percepción que tiene el consumidor respecto del producto o la marca? Esto último suele ser más fácil. General Motors ha tenido que esforzarse por superar la percepción pública de que Cadillac no es una marca joven y moderna, y lo ha hecho a través de un diseño atrevido e imágenes contemporáneas. La asociación de marca ideal es preventiva, defendible, y difícil de atacar. Para ciertos líderes del mercado, como ADM, Visa y SAP, suele ser fácil sostener su posicionamiento, al estar basado en la demostración del desempeño de sus productos o servicios; en cambio para otras marcas líderes, como Fendi, Prada y Hermes es más complicado, porque su posicionamiento se basa en la moda y está, por lo tanto, sujeto a los caprichos de un mercado más inconstante.
- *Diferenciación de los competidores.* Por último, los consumidores deben considerar la asociación de marca como distintiva y superior a la de los competidores relevantes. En 2003 el sustituto de azúcar Splenda superó a Equal y Sweet'N Low, convirtiéndose en líder de su categoría al diferenciarse por su autenticidad como producto derivado del azúcar, sin ninguno de los inconvenientes relacionados con dicho producto.[14]

Cualquier atributo o beneficio asociado a un producto o servicio puede funcionar como un punto de diferencia para una marca, siempre y cuando sea lo suficientemente conveniente, fácil de entregar y diferenciado. Sin embargo, para que funcione como un verdadero punto de diferencia, la marca debe demostrar la innegable superioridad del atributo o beneficio. Los consumidores deben estar convencidos, por ejemplo, de que Louis Vuitton tiene los bolsos más elegantes, Energizer es la batería de mayor duración, y Fidelity Investments ofrece el mejor asesoramiento y planificación financiera.

PUNTOS DE PARIDAD Por otro lado, los **puntos de paridad** (POP, por sus siglas en inglés) son las asociaciones de atributos o beneficios que no son necesariamente exclusivas de la marca sino que, de hecho, pueden ser compartidas con otras marcas.[15] Este tipo de asociaciones se presentan en dos formas básicas: puntos de paridad de la categoría y puntos de paridad competitivos.

Los *puntos de paridad de la categoría* son atributos o beneficios que los consumidores consideran esenciales para que una oferta sea vista como legítima y creíble dentro de una categoría determinada de producto o servicio. En otras palabras, representan las condiciones necesarias, aunque no suficientes, para la elección de una marca. Por ejemplo, es probable que los consumidores no consideren que una agencia de viajes es realmente tal si es incapaz de hacer reservaciones de avión y de hotel, ofrecer asesoramiento sobre los diferentes paquetes, y las diversas opciones de pago y entrega de billetes. Los puntos de paridad de la categoría pueden cambiar con el tiempo debido a los avances tecnológicos, la evolución jurídica o las tendencias de consumo, pero constituyen una especie de "precio a pagar" requerido para participar en el juego del marketing.

Los *puntos de paridad competitivos* son asociaciones destinadas a superar las debilidades percibidas de la marca. Un punto de paridad competitivo podría ser necesario para (1) invalidar los puntos de diferencia de la competencia, o (2) invalidar la vulnerabilidad percibida de una marca como consecuencia de sus propios puntos de diferencia. Esta última consideración, que discutiremos en detalle más adelante en este capítulo, se presenta cuando los consumidores suponen que si una marca es efectiva en un aspecto (por ejemplo, fácil de usar) no debe ser eficaz en otro (tener funciones avanzadas).

Una buena manera de descubrir los puntos de paridad clave de la competencia es realizar un juego de roles del posicionamiento de la competencia y deducir los puntos de diferencia que ésta busca. Los puntos de diferencia de la competencia, a su vez, sugerirán los puntos de paridad de la marca. La investigación sobre los intercambios de productos que hacen los consumidores al tomar sus decisiones de compra también puede ser útil en este sentido.

Independientemente de la fuente de las debilidades percibidas, si a los ojos de los consumidores la marca puede "lograr un equilibrio" en las áreas en las que parece estar en desventaja *y* obtener ventajas en otros ámbitos podría considerarse que está en una posición competitiva sólida y tal vez hasta insuperable. Un ejemplo de esto se dio con la introducción de la cerveza Tecate Light, la primera cerveza light importante en México.[16]

Tecate Light

Tecate Light En 1992, Tecate Light surgió como la primera cerveza ligera mexicana. Su sabor completo la hace única entre las cervezas light del mercado, y sus ingredientes naturales le proporcionan calidad excepcional. Actualmente es la cerveza que más ha crecido entre las marcas que maneja la cervecería Cuauhtémoc Moctezuma, en México, representando el 40% del total de la producción de la planta ubicada en este país, y el 25% del total del portafolio de la compañía. Tecate Light ha sido la marca de más rápido crecimiento de la industria cervecera mexicana. El valor de la marca ha crecido sustancialmente, a un ritmo mucho mayor que el de sus principales competidores debido a una fuerte campaña de publicidad, la cual ha sido ganadora de los premios EFFIE por su efectividad. La campaña ha contribuido a fortalecer la lealtad de sus actuales consumidores en México y Estados Unidos, y a mantener la marca Tecate como un icono en la categoría.

PUNTOS DE PARIDAD O PUNTOS DE DIFERENCIA Para que una oferta logre un punto de paridad en un atributo o beneficio, un número suficiente de consumidores debe creer que la marca es "lo bastante buena" en esa dimensión. Existe una zona o rango de tolerancia o aceptación en los puntos de paridad. No es preciso que la marca sea percibida literalmente como igual a la de la competencia, pero los consumidores deben sentir que es lo suficientemente buena en ese atributo o beneficio. Si esto se logra, es posible que estén dispuestos a basar sus evaluaciones y decisiones en otros factores quizá más favorables para la marca. Es comprensible que una cerveza ligera nunca sepa tan bien como una cerveza regular, pero deberá tener un sabor muy similar para poder competir con ella de manera efectiva.

A menudo, la clave del posicionamiento no radica tanto en lograr un punto de diferencia, sino en conseguir puntos de paridad.

Visa *versus* American Express El punto de diferencia de Visa en la categoría de tarjetas de crédito es que es el producto con mayor disponibilidad, lo que subraya el principal beneficio de la categoría: la conveniencia. American Express, por su parte, ha construido el capital de su marca poniendo de relieve el prestigio asociado con el uso de su tarjeta. Después de haber establecido sus puntos de diferencia, Visa y American Express compiten por crear puntos de paridad, y tratan de entorpecer la ventaja del otro. Visa ofrece tarjetas oro y platino para aumentar el prestigio de su marca, y desde hace años su publicidad se ha basado en el lema "Visa está dondequiera que vayas", mostrando atractivos destinos de viaje y ocio que sólo aceptan la

Visa ha creado un fuerte punto de diferencia respecto de American Express, basándose en la aceptación.

tarjeta Visa, para reforzar tanto su exclusividad como su aceptación. Por su parte, American Express ha incrementado sustancialmente el número de comercios que aceptan sus tarjetas, y creó otras mejoras de valor al tiempo que reforzó su prestigio a través de publicidad con celebridades como Jerry Seinfeld, Robert De Niro, Tina Fey, Ellen DeGeneres y Beyoncé.

MARCOS DE REFERENCIA MÚLTIPLES Si la competencia se amplía o si la empresa tiene planes de expandirse a nuevas categorías no es raro que una marca identifique más de un marco de referencia competitivo actual o potencial. Por ejemplo, Starbucks podría definir conjuntos muy diferentes de competidores, lo que sugeriría como resultado diferentes puntos de paridad y de diferencia:

1. ***Restaurantes de servicio rápido y tiendas de conveniencia (McDonald's y Dunkin' Donuts).*** Los puntos de diferencia buscados podrían ser la calidad, la imagen, la experiencia y la variedad; los puntos de paridad serían la conveniencia y el valor.
2. ***Marcas de distribución en supermercado para café instantáneo de consumo doméstico (Folgers y NESCAFÉ).*** Los puntos de diferencia buscados podrían ser la calidad, la imagen, la experiencia, la variedad y la frescura; los puntos de paridad serían la conveniencia y el valor.
3. ***Cafeterías locales.*** Los puntos de diferencia buscados podrían ser la conveniencia y la calidad del servicio; los puntos de paridad buscados serían la calidad, la variedad, el precio y el sentido de comunidad.

Hay que tener en cuenta que algunos posibles puntos de paridad y diferencia para Starbucks son compartidos por otras marcas de la competencia, mientras que otros son propios de un competidor.

Bajo tales circunstancias, los especialistas en marketing deben decidir qué hacer. Existen dos opciones principales con varios marcos de referencia. Una de ellas es desarrollar primero el mejor posicionamiento posible para cada tipo o clase de competidores, y luego ver si hay una manera de crear un posicionamiento combinado lo suficientemente fuerte como para abordarlos a todos con efectividad. Sin embargo, si la competencia es muy diversa, podría ser necesario decidir el orden de prioridad de los competidores, y luego elegir el conjunto más importante de ellos para que constituyan el marco competitivo. Una recomendación crucial es no tratar de ser todo para todo el mundo; esto conduciría a un posicionamiento de común denominador mínimo, que suele ser ineficaz.

En años recientes, Starbucks ha encontrado dura competencia en el mercado del café por parte de McDonald's y Dunkin' Donuts.

Por último, si hay muchos competidores en diferentes categorías o subcategorías, podría ser útil desarrollar el posicionamiento para todas las categorías pertinentes ("restaurantes de servicio rápido" o "café de supermercado para llevar a casa", en el caso de Starbucks), o usar un modelo de cada categoría (McDonald's o NESCAFÉ).

POSICIONAMIENTO BIDIRECCIONAL De vez en cuando, una empresa será capaz de ocupar dos marcos de referencia con un solo conjunto de puntos de diferencia y paridad. En estos casos, los puntos de diferencia de una categoría se convierten en puntos de paridad para la otra y viceversa. Los restaurantes Subway basan su posicionamiento en la oferta de bocadillos saludables y de buen sabor. Esto permite que la marca cree un punto de paridad en el sabor y un punto de diferencia en la salud en lo que se refiere a restaurantes de servicio rápido como McDonald's y Burger King y, al mismo tiempo, un punto de paridad en la salud y un punto de diferencia en el sabor respecto de restaurantes y cafeterías de comida sana. Las posiciones bidireccionales dan oportunidad de que las marcas amplíen su cobertura de mercado y su base de clientes potenciales. Otro ejemplo de un posicionamiento bidireccional es BMW.

BMW

BMW Cuando BMW realizó un fuerte esfuerzo competitivo en el mercado estadounidense a principios de la década de 1980, posicionó su marca como el único automóvil que ofrecía lujo y desempeño al mismo tiempo. En ese momento, los consumidores consideraban que los automóviles de lujo estadounidenses tenían un desempeño deficiente, y que los de alto desempeño carecían de lujo. Respaldándose en el diseño de sus modelos, su herencia alemana y otros aspectos de un programa de marketing bien concebido, BMW pudo alcanzar simultáneamente: (1) un punto de diferencia en el lujo y un punto de paridad en el desempeño respecto de los automóviles estadounidenses de alto desempeño, como el Chevy Corvette, y (2) un punto de diferencia en el desempeño y un punto de paridad en el lujo respecto de los automóviles estadounidenses de lujo, como Cadillac. El inteligente eslogan "La máquina de conducción perfecta" capturó eficazmente la recién creada categoría general: automóviles de lujo de alto desempeño.

A pesar de que el posicionamiento bidireccional suele ser atractivo como medio para reconciliar las metas potencialmente conflictivas de los consumidores y crear una solución que combine "lo mejor" de distintas ofertas, también implica una carga adicional. Si los puntos de paridad y los puntos de diferencia de las dos categorías no son creíbles, es probable que la marca no llegue a ser considerada un participante legítimo en ninguna de ellas. Muchos de los asistentes digitales personales (PDA) que trataron sin éxito de extenderse a categorías que iban desde los localizadores hasta las computadoras (ordenadores) portátiles ofrecen una vívida ilustración de este riesgo.

Selección de los puntos de paridad y de diferencia

Los especialistas en marketing suelen centrarse en los beneficios de la marca cuando eligen los puntos de paridad y los puntos de diferencia que componen su posicionamiento de marca. Casi siempre los atributos de la marca desempeñan más un papel de apoyo al proporcionar "razones para creer" o "pruebas" sobre el porqué una marca puede afirmar de manera creíble que ofrece ciertos beneficios. Por ejemplo, los especialistas en marketing que trabajan con el jabón Dove hablarán de cómo su atributo de contener un cuarto de crema limpiadora redunda en el beneficio de una piel más suave. Por lo general a los consumidores les interesa conocer los beneficios y lo que obtendrán exactamente de un producto. Varios atributos pueden ser usados para comunicar un determinado beneficio, y éstos pueden cambiar a lo largo del tiempo.

Los mapas perceptuales pueden ser útiles a la hora de elegir los beneficios específicos como puntos de paridad y puntos de diferencia para posicionar una marca. Los *mapas perceptuales* son representaciones visuales de las percepciones y preferencias del consumidor, y su objetivo es proporcionar descripciones cuantitativas de las situaciones del mercado y de la manera en que los consumidores perciben los diferentes productos, servicios y marcas de acuerdo con varias dimensiones. Al superponer las preferencias del consumidor con las percepciones de la marca, los especialistas en marketing pueden revelar "huecos" o "aperturas" que sugieren las necesidades insatisfechas de los consumidores y las oportunidades de marketing.

Por ejemplo, la figura 10.1(a) muestra un mapa perceptual hipotético para una categoría de bebidas. Las cuatro marcas, A, B, C y D, varían en función de cómo consideran los consumidores su sabor (ligero o fuerte), su personalidad y su imagen (contemporánea o moderna). En el mapa también se muestran las "configuraciones" de los puntos ideales para tres segmentos de mercado (1, 2 y 3). Los puntos ideales representan la combinación de sabor e imagen preferida ("ideal") de cada segmento.

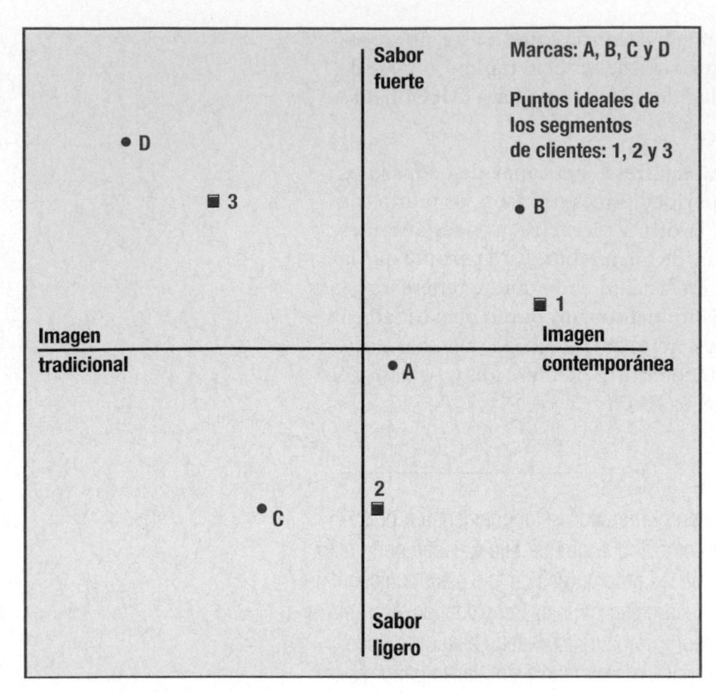

|Fig. 10.1a|

(a) Mapa perceptual hipotético de bebidas: percepciones actuales

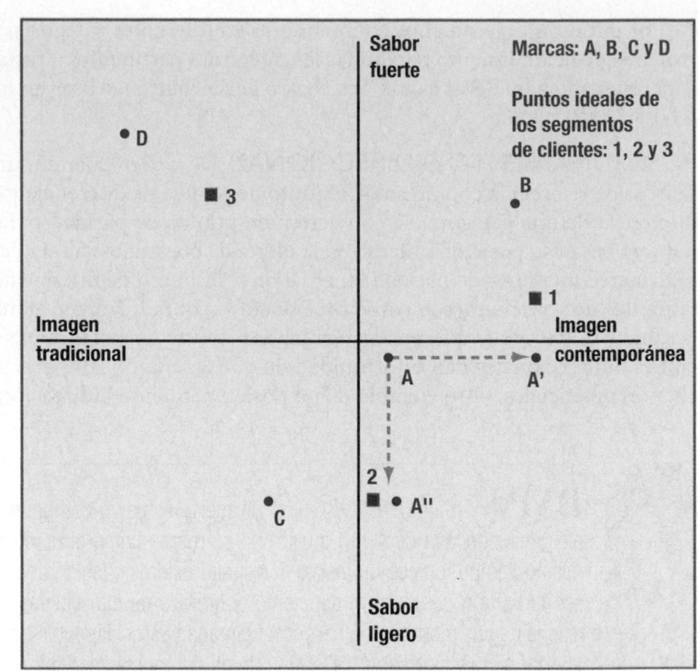

|Fig. 10.1b|

(b) Mapa perceptual hipotético de bebidas: reposicionamiento posible para la marca A

Los consumidores del segmento 3 prefieren bebidas con sabor fuerte e imágenes tradicionales. La marca D se encuentra bien posicionada en este segmento, ya que está fuertemente asociada con estos dos beneficios en el mercado. Dado que ninguno de los competidores se le acerca, podríamos esperar que la marca D atrajera muchos de los clientes del segmento 3.

La marca A, por el contrario, es considerada más equilibrada en términos tanto de sabor como de imagen. Por desgracia, en realidad parece que ningún segmento desea este equilibrio. Las marcas B y C están mejor posicionadas en los segmentos 1 y 2, respectivamente.

- Si hiciera que su imagen fuera más contemporánea, la marca A podría pasar a una posición A' y dirigirse a los consumidores meta del segmento 1, alcanzando un punto de paridad en la imagen, y manteniendo su punto de diferencia en el perfil de sabor respecto de la marca B.
- Si hiciera más ligero su sabor, la marca A podría pasar a la A" para dirigirse a los consumidores del segmento 2, alcanzar un punto de paridad en el perfil de sabor, y mantener su punto de diferencia en imagen respecto de la marca C.

La decisión sobre cuál reposicionamiento es más prometedor, A' o A", requeriría de un exhaustivo análisis competitivo y de los consumidores en una serie de factores, incluyendo los recursos, las capacidades y las intenciones probables de las empresas competidoras, para poder elegir los mercados donde podría atenderse a los consumidores de manera rentable.

Mantra de marca

Con el fin de enfocar aún más la intención del posicionamiento de la marca y la forma en que a la empresa le gustaría que los consumidores pensaran en sus marcas, a menudo es útil definir un mantra de marca.[17] Un *mantra de marca* es una articulación de las características más definitorias de la marca y está estrechamente relacionado con otros conceptos, como la "esencia de la marca" y la "promesa central de la marca". Los mantras de marca son frases cortas, de muy pocas palabras, que capturan la esencia irrefutable o el espíritu del posicionamiento de la marca. Su propósito es asegurar que todos los empleados de la organización y todos los socios de marketing externos entiendan cómo deben representarla ante los consumidores, y ajusten sus acciones en consecuencia.

El mantra de Nike, "auténtico desempeño atlético", le sirve de guía para definir el tipo de productos que fabrica y a los atletas que contrata como promotores.

Los mantras de marca constituyen estratagemas muy poderosas. Pueden servir de orientación sobre qué productos introducir bajo la marca, qué tipo de campañas publicitarias presentar, y dónde y cómo vender la marca. Su influencia, sin embargo, puede ir más allá de estas cuestiones tácticas. Los mantras de marca son capaces de guiar incluso las decisiones más aparentemente inconexas o mundanas como el aspecto del área de recepción de las oficinas de la empresa, y el saludo con que se responden las llamadas telefónicas a la misma. En efecto, crean un filtro mental que excluye las actividades de marketing inadecuadas para la marca, o las acciones de cualquier tipo que pudieran tener un efecto negativo en las impresiones de los clientes.

Los mantras de marca deben comunicar económicamente qué es y qué *no* es la marca. ¿Cómo se define un buen mantra? La filosofía de la marca McDonald's, "Comida, amigos y diversión", captura la esencia y la promesa principal de la marca. Otros dos ejemplos exitosos de alto perfil, Nike y Disney, muestran el poder y la utilidad de un mantra de marca bien diseñado.

Nike Nike tiene un abundante conjunto de asociaciones con los consumidores, todas ellas basadas en su diseño de productos innovadores, su patrocinio de los mejores atletas, su multipremiada publicidad, su empuje competitivo y su actitud irreverente. Al interior de la empresa, los especialistas en marketing de Nike adoptaron un mantra de marca de sólo tres palabras, "auténtico desempeño atlético", para orientar sus esfuerzos. Por lo tanto, desde la perspectiva del personal de Nike, la totalidad de su programa de marketing (sus productos y la forma en que se venden) debe reflejar esos valores de marca clave. Con el paso de los años, Nike ha ampliado su significado de marca, yendo sucesivamente de "calzado para correr", "calzado deportivo" y "calzado deportivo y prendas de vestir", hasta "todo lo relacionado con los deportes (incluido el equipo)". Sin embargo, en cada paso del camino ha estado guiado por su mantra de marca: "auténtico desempeño atlético". Por ejemplo, cuando Nike lanzó su exitosa línea de ropa, uno de los importantes obstáculos que superó fue lograr que los productos fueran lo suficientemente innovadores en cuestión de materiales, corte y diseño para realmente beneficiar a los mejores atletas. Al mismo tiempo, la empresa ha tenido cuidado de evitar el uso del nombre Nike para comercializar productos que no encajan con el mantra de la marca (por ejemplo zapatos casuales color marrón).

Disney

Disney Disney desarrolló su mantra de marca en respuesta a su increíble crecimiento a través de la concesión de licencias y el desarrollo de productos durante mediados de la década de 1980. A finales de ese periodo, Disney empezó a preocuparse de que algunos de sus personajes, como Mickey Mouse y el Pato Donald, estuvieran siendo utilizados de manera inapropiada y sobreexponiéndose. Los personajes aparecían en tantos productos y se comercializaban de tantas maneras que en algunos casos era difícil percibir por qué se había concedido una licencia en particular. Por otra parte, debido a la amplia exposición de los personajes en el mercado, muchos consumidores habían comenzado a sentir que Disney estaba explotando su nombre. La empresa reaccionó rápidamente reforzando las asociaciones de marca clave, para asegurarse de que todos los productos y servicios ofrecidos por terceros estuvieran transmitiendo una imagen consistente. Para facilitar la supervisión, Disney adoptó el mantra de marca interno de "entretenimiento familiar" para que sirviera como telón de fondo para sus nuevas asociaciones comerciales. Aquellas oportunidades que no estuvieran en consonancia con el mantra de marca eran rechazadas, sin importar cuán atractivas fueran.

DISEÑO DEL MANTRA DE MARCA Al contrario de los eslóganes, que son afirmaciones al exterior cuyo objetivo es atraer de manera creativa a los consumidores, los mantras de marca se diseñan teniendo en mente propósitos internos de la empresa. Aunque el mantra interno de Nike era "auténtico desempeño atlético", su eslogan externo era "Just do it". Los siguientes son los tres criterios clave a tener en cuenta para diseñar un mantra de marca:

- ***Comunicar.*** Un buen mantra de marca debe definir la categoría (o categorías) de negocio en que interviene la marca y establecer los límites de la misma. También debe aclarar las cualidades únicas de la marca.
- ***Simplificar.*** Un mantra de marca eficaz debe ser memorable. Para ello debe ser corto, preciso y con un significado vívido.
- ***Inspirar.*** Lo ideal sería que el mantra de marca también replanteara los temas que son personalmente significativos y relevantes para tantos empleados como sea posible.

Los mantras de marca por lo general están diseñados para capturar los puntos de diferencia de la marca, es decir, sus atributos exclusivos. Otros aspectos del posicionamiento de la marca —en especial los puntos de paridad— también son importantes y quizá necesiten ser reforzados por otros medios.

En el caso de las marcas que se enfrentan a un rápido crecimiento, es útil definir el espacio del producto o beneficio en el que quieren competir, como lo hizo Nike con el "desempeño atlético" y Disney con el "entretenimiento familiar". Las palabras que describen la naturaleza del producto o servicio, o el tipo de experiencias o beneficios que brinda la marca, pueden ser fundamentales para identificar las categorías correspondientes a las que se extenderá. Cuando se trata de marcas que participan en categorías más estables, donde es menos probable que ocurran extensiones en categorías más distintivas, el mantra de marca puede centrarse exclusivamente en los puntos de diferencia.

Los mantras de marca derivan su poder y utilidad de su significado colectivo. Otras marcas pueden ser fuertes en una, o tal vez incluso en varias asociaciones de marca que integran el mantra de una empresa, pero para que éste sea eficaz, ninguna otra marca debe sobresalir en todas las dimensiones. Parte de la clave del éxito tanto de Nike como de Disney radica en que durante años ningún competidor pudo realmente cumplir con la promesa combinada sugerida por los mantras de sus marcas.

Establecimiento del posicionamiento de marca

Una vez que los especialistas en marketing han determinado la estrategia de posicionamiento de la marca, deben comunicarla a todos los miembros de la organización para que pueda servir de guía a sus palabras y acciones. Un esquema útil para hacerlo es la "vista panorámica" del posicionamiento de marca. La creación de una vista panorámica para la marca asegurará que ninguna fase de su desarrollo sea pasada por alto. "Apuntes de marketing: Creación de una vista panorámica del posicionamiento de marca", describe una manera como los especialistas en marketing pueden expresar formalmente el posicionamiento de marca.

El establecimiento del posicionamiento de marca en el mercado requiere que los consumidores entiendan lo que la marca ofrece y lo que hace que sea una opción competitiva superior. Para ello, es preciso que los consumidores comprendan en qué categoría o categorías compite, y cuáles son sus puntos de paridad y de diferencia en relación con los de la competencia.

La pertenencia a una categoría puede ser obvia en algunos casos. Los consumidores meta son conscientes de que Maybelline es una marca líder en la cateogría de cosméticos, Cheerios es una marca líder en la categoría de cereales, Accenture es una empresa líder en consultoría, etc. Sin embargo, en otras muchas ocasiones los especialistas en marketing se ven obligados a informar a los consumidores sobre la categoría a la que pertenecen sus marcas. Esto sucede sobre todo cuando se introducen nuevos productos, especialmente si la identificación de la categoría a la que pertenecen no es evidente.

En particular, determinar la categoría de pertenencia puede ser un problema para los productos de alta tecnología. Cuando GO Corporation creó la primera computadora (ordenador) en tableta operada por bolígrafo en la década de 1990, los analistas y los medios de comunicación respondieron con entusiasmo a la idea, pero el interés de los consumidores nunca se materializó. Al final, GO fue adquirida por AT&T y siguió funcionando como empresa subsidiaria con especialización en ese tipo de equipos hasta que cerró sus puertas en 1994.[18]

También se dan situaciones en las que los consumidores saben a qué categoría pertenece una marca, pero tal vez no estén convencidos de que ésta sea un miembro válido de dicha categoria. Por ejemplo, podrían ser conscientes de que Hewlett-Packard fabrica cámaras digitales, pero tal vez no estén seguros de que los

Apuntes de **marketing**

Creación de una vista panorámica del posicionamiento de marca

La vista panorámica (conocida en el medio como *bull's-eye*) proporciona un contenido y un contexto para que todos los miembros de la organización comprendan mejor el posicionamiento de su marca. A continuación se describen los componentes de una vista panorámica, ilustrada con un ejemplo hipotético de Starbucks.

En los dos círculos interiores se encuentra el centro de la vista panorámica: los puntos de paridad y los puntos de diferencia clave, así como el mantra de marca. En el siguiente círculo de adentro hacia afuera están los "justificadores", o las razones para creer (RPC) es decir, los atributos o beneficios que brindan apoyo fáctico o demostrable para los puntos de paridad y de diferencia. Finalmente, el círculo exterior contiene otros dos conceptos de marca útiles: (1) los valores, personalidad o carácter de la marca: asociaciones intangibles que ayudan a establecer el tono de las palabras y las acciones de la marca; y (2) las propiedades de ejecución y de identidad visual: componentes más tangibles de la marca, que afectan la forma en que ésta es percibida.

Los tres recuadros exteriores de la vista panorámica proporcionan un contexto útil y una interpretación. A la izquierda, dos recuadros destacan algunas aportaciones para el análisis del posicionamiento: uno incluye la descripción del consumidor meta y una perspectiva clave de sus actitudes o comportamientos que influyeron significativamente en el posicionamiento actual; el otro ofrece información competitiva sobre la necesidad clave del consumidor que la marca está tratando de satisfacer, y algunos productos o marcas de la competencia sugeridos por esa necesidad. El recuadro a la derecha de la vista panorámica ofrece una "visión global" del rendimiento: la percepción ideal desarrollada por el consumidor si los esfuerzos de posicionamiento de la marca tienen éxito.

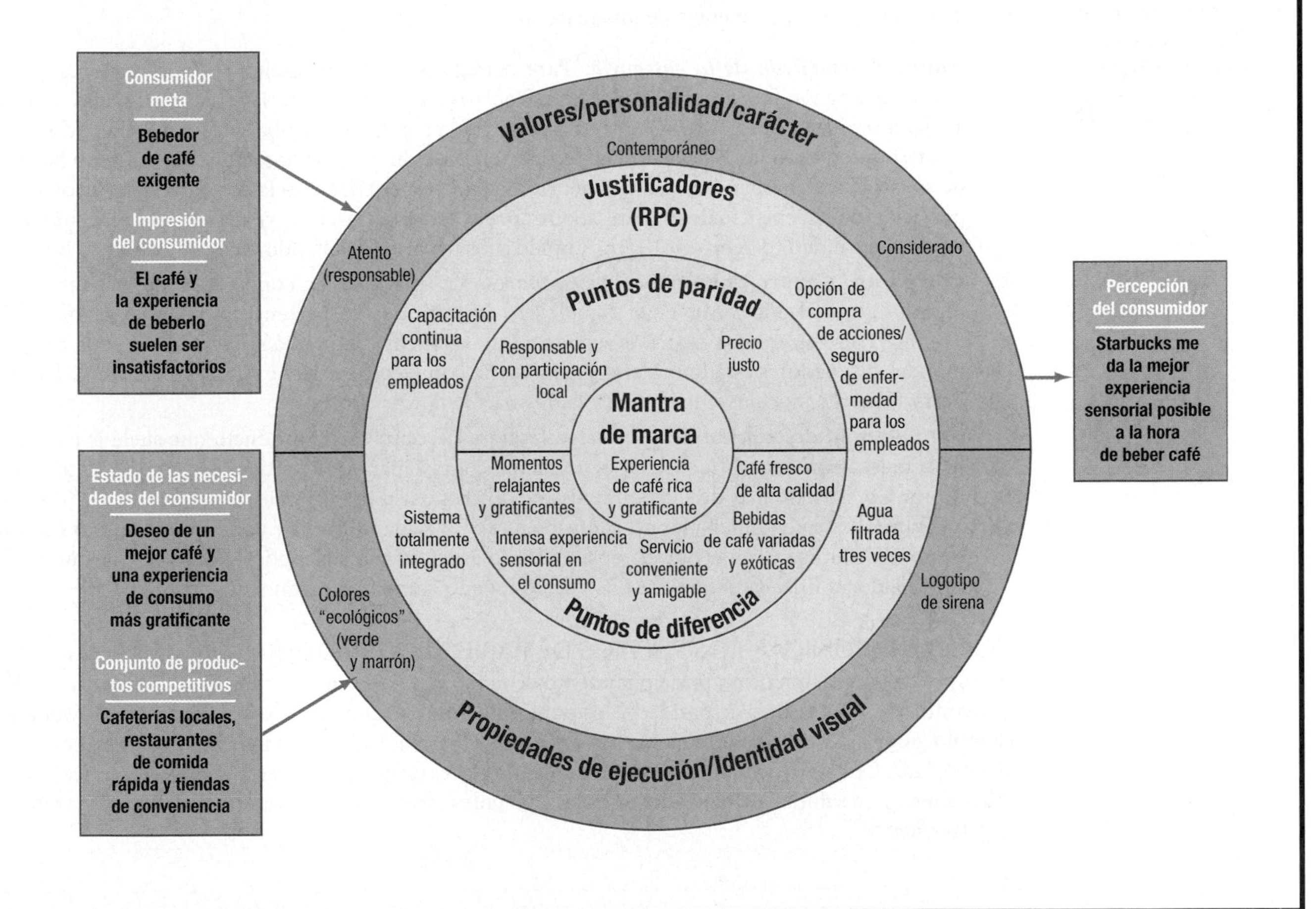

equipos en cuestión sean de la misma clase que los de Sony, Olympus, Kodak y Nikon. En este caso, podría ser útil que HP reforzara su pertenencia a esta categoría.

Por otro lado, a veces las marcas se asocian a categorías de las que *no* son miembros. Este enfoque es una forma de destacar el punto de diferencia de una marca, siempre y cuando los consumidores sepan realmente a cuál categoría pertenece. La pizza congelada DiGiorno ha adoptado esta estrategia de posicio-

DiGiorno se ha posicionado inteligentemente como una sabrosa y conveniente alternativa a las pizzas entregadas a domicilio.

namiento: en vez de ponerla en la categoría de las pizzas congeladas, los especialistas en marketing la han posicionado en la categoría de pizzas que se entregan a domicilio, con anuncios que dicen: "¡No es entrega a domicilio, es DiGiorno!".

Al utilizar este enfoque, sin embargo, es importante no quedar atrapado entre categorías. Los consumidores deben entender lo que la marca representa, y no sólo lo que no es. La cámara digital y reproductor de MP3 Konica e-mini M se comercializó como la "solución de entretenimiento cuatro en uno", pero adolecía de deficiencias funcionales en cada una de las aplicaciones y languideció en el mercado debido a ello.[19]

El enfoque típico del posicionamiento consiste en informar a los consumidores sobre la categoría a la que pertenece la marca antes de establecer su punto de diferencia. Es de suponer que los consumidores necesitan saber qué es un producto y cuál es su función antes de decidir si es superior a las marcas contra las que compite. En los productos nuevos, la publicidad inicial suele concentrarse en la creación de conciencia de marca, mientras que los esfuerzos de publicidad posteriores se dedican a crear la imagen de marca.

CÓMO COMUNICAR LA PERTENENCIA A UNA CATEGORÍA Son tres las maneras en que puede transmitirse la pertenencia de una marca a su categoría:

1. ***Anunciar beneficios de la categoría.*** Para reasegurar a los consumidores que la marca estará a la altura de la razón fundamental por la que se encuentra en esa categoría, los especialistas en marketing acostumbran a utilizar los beneficios para anunciar la pertenencia a una categoría. Para dar un ejemplo, las herramientas industriales podrían declarar que son duraderas y los antiácidos podrían hacer alarde de su eficacia; la harina para pasteles podría afirmar su pertenencia a la categoría de postres horneados publicitando el beneficio de su gran sabor y apoyar este esfuerzo incluyendo avisos sobre sus ingredientes de alta calidad (desempeño), o mostrando a los usuarios deleitándose con su consumo (imágenes).
2. ***Comparar la marca con productos ejemplares.*** Las marcas bien conocidas y destacadas de una categoría también podrían ayudar a que otras especifiquen su pertenencia a una categoría. Cuando Tommy Hilfiger era una marca desconocida, su publicidad anunció su pertenencia a la categoría de grandes diseñadores estadounidenses al asociarla con Geoffrey Beene, Stanley Blacker, Calvin Klein y Perry Ellis, reconocidos miembros de la misma.
3. ***Confiar en la descripción del producto.*** La frase descriptiva del producto que suele ir justo después de la marca constituye muchas veces un medio conciso para transmitir el origen de la categoría. Ford Motor Co. invirtió más de 1 000 millones de dólares en su radicalmente nuevo modelo 2004, llamado X-Trainer, que combinaba los atributos de una SUV, una minivan y una camioneta. Para comunicar su posición única y evitar que el consumidor lo asociara con sus modelos Explorer y Country Squire, el vehículo, al final llamado Freestyle, fue designado como una "camioneta deportiva".[20]

CÓMO COMUNICAR LOS PUNTOS DE PARIDAD Y DE DIFERENCIA Una de las dificultades comunes en la creación de un posicionamiento de marca fuerte es que muchos de los atributos o beneficios que conforman los puntos de paridad y los puntos de diferencia están correlacionados negativamente. Por ejemplo, podría ser difícil posicionar una marca como "barata" y al mismo tiempo afirmar que es "de la más alta calidad". ConAgra debe convencer a los consumidores de que los alimentos congelados Healthy Choice saben bien *y* son saludables. Consideremos los siguientes ejemplos de atributos y beneficios correlacionados negativamente:

Precio bajo contra alta calidad	Poderoso contra seguro
Sabor contra bajo en calorías	Fuerte contra refinado
Nutritivo contra buen sabor	Omnipresente contra exclusivo
Eficaz contra suave	Variado contra simple

Además, los atributos y beneficios individuales suelen tener aspectos positivos *y también* negativos. Por ejemplo, consideremos marcas longevas como los sillones reclinables La-Z-Boy, los abrigos Burberry o el *New York Times*. La perdurabilidad de la marca podría sugerir experiencia y sabiduría; por otro lado, podría sugerir que sus productos son anticuados y pasados de moda.[21]

Por desgracia, los consumidores casi siempre quieren maximizar *tanto* los atributos *como* los beneficios que están correlacionados negativamente. Gran parte del arte y la ciencia del marketing reside en las relaciones de compensación, y el posicionamiento no escapa a esta regla. Desde luego, el mejor enfoque es desarrollar un producto o servicio que dé buenos resultados en ambas dimensiones. GORE-TEX fue capaz de superar la imagen aparentemente contradictoria de sus textiles que "permiten transpirar" y al mismo tiempo son "impermeables" gracias a progresos tecnológicos. Cuando las entrevistas cuantitativas en profundidad y los *focus groups* sugirieron que los consumidores querían aprovechar los beneficios de la tecnología sin las molestias que implica, Royal Philips lanzó la campaña publicitaria "Sensaciones y simplicidad" para su marca de equipos electrónicos Philips, usando publicidad impresa, televisiva y online.[22]

Algunos especialistas en marketing han adoptado otros enfoques para abordar las relaciones de compensación de atributos o beneficios: el lanzamiento de dos campañas de marketing diferentes, cada una dedicada a destacar un atributo o beneficio de la marca; la vinculación de la marca a cualquier entidad (persona, lugar u objeto) que posea la clase correcta de capital para establecer un atributo o un beneficio como punto de paridad o punto de diferencia; e incluso han tratado de convencer a los consumidores de que la relación negativa entre los atributos y los beneficios puede considerarse positiva si se le considera bajo una perspectiva diferente.

Estrategias de diferenciación

Para crear una marca fuerte y evitar caer en la trampa de los productos de uso masivo, los especialistas en marketing deben estar convencidos de que pueden diferenciar cualquier cosa. La **ventaja competitiva** es la habilidad de una empresa para desempeñarse de una o más maneras que sus competidores no pueden o no desean igualar. Michael Porter insta a las empresas a lograr una ventaja competitiva sostenible.[23] Sin embargo, pocas ventajas competitivas lo son. En el mejor de los casos, son apalancables. Una *ventaja competitiva apalancable* es aquella que la empresa puede utilizar como trampolín para desarrollar nuevas ventajas competitivas. Por ejemplo, Microsoft ha extendido su sistema operativo a Microsoft Office y a otras aplicaciones de red. En general, las empresas que pretendan perdurar en el negocio deben generar nuevas ventajas competitivas constantemente.[24] Sin embargo, para que una marca esté posicionada de manera eficaz, es preciso que los clientes consideren cualquier ventaja competitiva como un *beneficio para sí mismos*. Por ejemplo, la empresa podría afirmar que su producto funciona con mayor rapidez que el de sus competidores, pero esto no sería una ventaja si sus clientes no valoran la rapidez. Select Comfort ha causado una fuerte impresión en la industria de los colchones con sus camas Sleep Number, los cuales permiten que los consumidores determinen el nivel de firmeza y la forma del colchón para obtener un confort óptimo usando un sencillo índice numérico.[25]

Como puede verse, las empresas también deben concentrarse en generar ventajas para los clientes,[26] porque al hacerlo estarán entregándoles valor y satisfacción; esto, a su vez, propiciará nuevas compras y, en última instancia, mayor rentabilidad para el negocio.

Seguros AXA

Seguros AXA

Con la firme intención de posicionarse rápidamente en el mercado mexicano, Seguros AXA inicia operaciones en 2008 con una campaña de publicidad en la que se invirtieron más de 10 millones de dólares. Basada en el nuevo posicionamiento de la marca global "Reinventado los seguros", la empresa lanzó su anuncio introductorio reconociendo la necesidad de ganar credibilidad con hechos y no con promesas. La campaña fue diseñada con base en investigaciones de mercado y entrevistas a más de 20 000 clientes, agentes y empleados alrededor del mundo. "Los clientes esperan que seamos más atentos, disponibles y confiables", fueron algunas de las conclusiones que se obtuvieron a partir del análisis. "Quieren beneficios concretos que les ayuden a resolver problemas reales."

En consecuencia, la meta de Seguros AXA es convertirse en la empresa número uno de la industria en 2012, para lo cual está tratando de "reinventar" los seguros de manera que los clientes se sientan realmente satisfechos. Como elemento gráfico fundamental de la campaña se utiliza la diagonal roja del logo, que se denomina SWITCH, como forma de hacer hincapié en la intención de cambio: SWITCH es el cambio entre un problema real y una solución concreta; es el antes y el después de utilizar un seguro AXA.

La empresa espera que éste y otros esfuerzos de marketing le ayuden a lograr un posicionamiento positivo en la mente de los consumidores.[27]

ESTRATEGIAS DE DIFERENCIACIÓN La forma más evidente de diferenciación, y por lo general la más convincente para los consumidores, es la que se basa en las características del producto o servicio (tema que se analizará en los capítulos 12 y 13). Swatch ofrece relojes modernos y coloridos; GEICO ofrece un seguro confiable a bajo precio. En los mercados competitivos, sin embargo, las empresas no se pueden limitar a esto. Consideremos estas otras dimensiones, entre las muchas que una empresa puede utilizar para diferenciar sus ofertas de mercado:

- ***Diferenciación por medio de los empleados.*** Las empresas pueden tener empleados mejor capacitados, que presten un servicio superior al cliente. Singapore Airlines cuenta con una buena percepción de sus clientes en gran parte gracias a sus asistentes de vuelo. De igual manera, la fuerza de ventas de empresas como General Electric, Cisco, Frito-Lay, Northwestern Mutual Life y Pfizer disfrutan de una reputación excelente.[28]
- ***Diferenciación por medio del canal.*** Las empresas pueden diseñar de manera más efectiva y eficiente la cobertura, experiencia y desempeño de sus canales de distribución, para hacer que la compra del producto sea más fácil, más agradable y más gratificante. En 1946 los alimentos para mascotas eran baratos, no muy nutritivos y estaban disponibles exclusivamente en los supermercados y algunas tiendas de comida. Iams, con sede en Dayton, Ohio, alcanzó el éxito al vender alimentos para mascotas de alta calidad a través de veterinarios regionales, criadores de animales y tiendas de mascotas.
- ***Diferenciación por medio de la imagen.*** Las empresas pueden crear imágenes poderosas y convincentes, que se ajusten a las necesidades sociales y psicológicas de los consumidores. La principal explicación de la extraordinaria participación de mercado con que cuenta Marlboro en todo el mundo (alrededor del 30%) es que su imagen del "vaquero macho" ha tocado una fibra sensible en gran parte del público fumador. Las empresas de vinos y licores también se esfuerzan mucho por desarrollar imágenes distintivas para sus marcas. Incluso el espacio físico de un vendedor puede ser un poderoso generador de imágenes. Por ejemplo, los hoteles Hyatt Regency ha desarrollado una imagen distintiva a través de sus vestíbulos tipo atrio.
- ***Diferenciación por medio de los servicios.*** Las empresas de servicios pueden diferenciarse mediante el diseño de un sistema de gestión más eficiente y rápido, que proporcione soluciones más efectivas a los consumidores. En este sentido existen tres niveles de diferenciación.[29] El primer nivel es la *confiabilidad*: algunos proveedores son más confiables en lo que se refiere a la entrega oportuna, la integridad de la orden y el tiempo del ciclo solicitud-entrega. El segundo es la *elasticidad*: algunos proveedores son mejores en el manejo de emergencias, la retirada de productos y las consultas. El tercero es la *innovación*: algunos proveedores crean mejores sistemas de información, introducen códigos de barras, presentan embalajes variados y ayudan a los clientes de otras maneras.

BRANDING EMOCIONAL Muchos expertos en marketing creen que el posicionamiento de una marca debe incluir componentes racionales y también emocionales. En otras palabras, un buen posicionamiento debe contener puntos de diferencia y puntos de paridad atractivos tanto para la mente como para el corazón.

Para lograrlo, muchas veces las marcas fuertes tratan de aprovechar las ventajas de su desempeño para tocar una fibra emocional en sus clientes. Cuando la investigación sobre Mederma —un producto para el tratamiento de las cicatrices— reveló que las mujeres lo compraban no sólo para eliminar las huellas físicas, sino también para aumentar su autoestima, los especialistas en marketing de la marca añadieron un toque emocional a lo que tradicionalmente había sido un mensaje práctico, que sólo hacía hincapié en las recomendaciones médicas: "Lo que hemos hecho es complementar lo racional con lo emocional".[30]

La respuesta emocional de la gente hacia una marca y su marketing dependerá de muchos factores. Uno de ellos, que está cobrando cada vez mayor importancia, es la autenticidad de la marca.[31] Marcas percibidas como genuinas y auténticas, como Hershey's, Kraft, Crayola, Kellogg's y Johnson & Johnson, pueden evocar confianza, afecto y una fuerte lealtad.[32] Para celebrar su 250 aniversario, la marca de cerveza Guinness recordó sus orígenes, su calidad y autenticidad con una campaña de marketing cuyos anuncios mostraban a consumidores de todo el mundo brindando por la marca.[33]

El consultor de marca Marc Gobé cree que las marcas emocionales comparten tres rasgos específicos: (1) una fuerte cultura corporativa centrada en las personas; (2) un estilo distintivo de comunicación y filosofía, y (3) un gancho emocional convincente.[34] Kevin Roberts, director ejecutivo de la empresa de publicidad Saatchi & Saatchi, sostiene que las marcas deben esforzarse por ser "marcas de amor". Según él, las *marcas de amor* inspiran respeto y tienen la capacidad de transmitir misterio, sensualidad e intimidad:[35]

1. El ***misterio*** reúne historias, metáforas, sueños y símbolos. El misterio se suma a la complejidad de las relaciones y experiencias, porque las personas por naturaleza se sienten atraídas a lo desconocido.
2. La ***sensualidad*** mantiene la vista, el oído, el olfato, el tacto y el gusto en alerta constante, listos para probar nuevas texturas, aromas y sabores fascinantes, música maravillosa y demás estímulos sensoriales.

3. La ***intimidad*** significa empatía, compromiso y pasión. En ella participan por igual las relaciones estrechas que generan una lealtad intensa y los gestos mínimos pero perfectos.

Al diferenciarse exitosamente, las marcas emocionales también pueden ofrecer compensaciones financieras. Como parte de su oferta pública inicial en el mercado de valores, BT Cellnet de British Telecom, un operador de telefonía móvil del Reino Unido, fue rebautizado como O2 con una campaña de gran alcance emocional sobre la libertad y la capacidad de adaptación. Cuando la adquisición de clientes, su lealtad y el promedio de ingresos generados por éstos aumentaron después de sólo cinco años, la empresa fue adquirida por la multinacional española Telefónica, por más del triple de su precio de oferta pública inicial.[36]

En general, al analizar los riesgos potenciales que representan sus competidores, las empresas deben prestar atención a tres variables:

1. ***Participación de mercado.*** La participación de mercado del competidor en el mercado meta.
2. ***Participación de recuerdo.*** El porcentaje de consumidores que dijeron el nombre del competidor en respuesta a la solicitud "Mencione la primera empresa de esta industria que le venga a la mente".
3. ***Participación de preferencia.*** El porcentaje de consumidores que dijeron el nombre del competidor en respuesta a la solicitud "Mencione la empresa a la que preferiría comprar el producto".

Existe una relación interesante entre estos tres parámetros. La tabla 10.3 muestra las valoraciones para tres competidores hipotéticos. El competidor A disfruta de la mayor participación de mercado, aunque la está perdiendo. Su participación de recuerdo y su participación de preferencia también decaen, probablemente porque la disponibilidad del producto es insuficiente y su asistencia técnica es mediocre. El competidor B va ganando participación de mercado poco a poco, probablemente porque tiene estrategias destinadas a incrementar su recuerdo y preferencia. El competidor C parece estar anclado en la peor posición de participación de mercado, de recuerdo y de preferencia, probablemente por sus pobres atributos de producto y de marketing. Con base en este escenario podríamos concluir lo siguiente: *las empresas que logren mejoras estables en su participación de recuerdo y en su participación de preferencia, inevitablemente lograrán mejorar su participación de mercado y su rentabilidad.* Empresas como CarMax, Timberland, Jordan's Furniture, Wegmans y Toyota están cosechando los beneficios de proporcionar un valor emocional, experiencial, social y financiero para satisfacer a sus clientes y a todos sus miembros.[37]

Enfoques alternativos de posicionamiento

El modelo de posicionamiento de marca competitivo que hemos analizado en este capítulo es una forma estructurada de abordar el posicionamiento con base en un análisis profundo de los consumidores, la empresa y la competencia. En años recientes algunos especialistas en marketing han propuesto otros enfoques menos estructurados que ofrecen interesantes ideas acerca de cómo se posiciona una marca. A continuación destacamos algunos de ellos.

BRANDING NARRATIVO En lugar de esbozar atributos o beneficios específicos, algunos expertos en marketing describen el posicionamiento de una marca en términos narrativos.[38]

Randall Ringer y Michael Thibodeau consideran que el *branding narrativo* se basa en metáforas profundas, relacionadas con los recuerdos, las asociaciones y las historias de las personas.[39] Estos expertos han identificado cinco elementos del branding narrativo: (1) la historia de la marca en términos de palabras y metáforas; (2) la experiencia de los consumidores en función de cómo interactúan con la marca a lo largo del tiempo y en qué puntos entran en contacto con ella; (3) el lenguaje visual o la expresión de la marca;

TABLA 10.3 Participación de mercado, participación de recordación y participación de preferencia

	Participación de mercado			Participación de recuerdo			Participación de preferencia		
	2011	2012	2013	2011	2012	2013	2011	2012	2013
Competidor A	50%	47%	44%	60%	58%	54%	45%	42%	39%
Competidor B	30	34	37	30	31	35	44	47	53
Competidor C	20	19	19	10	11	11	11	11	8

(4) la manera en que la narrativa se expresa experimentalmente en términos de cómo involucra la marca los sentidos, y (5) el papel/la relación que la marca desempeña en la vida de los consumidores. Con base en la convención literaria y en su experiencia en materia de branding, Ringer y Thibodeau también ofrecen el siguiente marco para el desarrollo de la historia de una marca:

- ***Escenario.*** Tiempo, lugar y contexto.
- ***Personajes.*** La marca presentada como un personaje, incluyendo su papel en la vida de la audiencia, sus relaciones y responsabilidades, y la historia —real o mítica— de su creación.
- ***Arco narrativo.*** La forma en que la lógica de la narrativa se desarrolla a lo largo del tiempo, incluidas las acciones, las experiencias deseadas, la definición de los acontecimientos y el momento de epifanía o revelación.
- ***Lenguaje.*** La autentificación de voces, metáforas, símbolos y temas centrales.

Patrick Hanlon desarrolló un concepto relacionado, al que llamó "branding primario", que considera las marcas como complejos sistemas de creencias. Según Hanlon diversas marcas, como Google, MINI Cooper, el cuerpo de la infantería de marina estadounidense, Starbucks, Apple, UPS y Aveda, tienen un "código primario" o ADN que resuena entre sus clientes y genera pasión y fervor en ellos. De acuerdo con el autor, este sistema de creencias o código primario está conformado por siete activos: la historia de su creación, un credo, un icono, rituales, palabras sagradas, una manera de tratar con los no creyentes, y un buen líder.[40]

PERIODISMO DE MARCA Cuando era director ejecutivo de McDonald's, Larry Light abogó por un enfoque de posicionamiento de marca al que denominó "periodismo de marca". Light considera que los especialistas en marketing deben seguir el ejemplo de los editores y redactores de periódicos y revistas —quienes cuentan muchas facetas de una historia para captar el interés de diversos grupos de personas—, para comunicar mensajes diferentes a los distintos segmentos del mercado, siempre y cuando se ajusten (al menos de manera general) a la imagen fundamental de la marca.[41]

> El periodismo de marca es una crónica de los diversos acontecimientos que ocurren en el mundo de nuestra marca a lo largo de los días y a través de los años. Nuestra marca tiene diferentes significados para distintas personas. No tiene un posicionamiento único; por el contrario, ocupa un lugar particular en la mente de los niños, de los adolescentes, de los adultos jóvenes, de los padres de familia y de las personas mayores. Tiene un posicionamiento específico en el desayuno, el almuerzo, la cena, la merienda, en los días laborales, en los fines de semana, con los niños o en los viajes de negocios. El periodismo de marca nos permite testimoniar los aspectos multifacéticos de la historia de la marca. No hay una comunicación única que cuente toda la historia de la marca. Cada comunicación ofrece una opinión diferente sobre nuestra marca. Todo esto contribuye a la crónica periodística de la marca McDonald's.

BRANDING CULTURAL Douglas Holt, de la Oxford University, cree que para que las empresas creen marcas icónicas líderes deben acumular conocimientos culturales, elaborar estrategias acordes a los principios culturales de la marca, y contratar y capacitar a expertos culturales.[42] Incluso Procter & Gamble, una empresa que por mucho tiempo ha orquestado la forma en que sus compradores perciben sus productos, ha iniciado lo que su director ejecutivo, A.G. Lafley, llama "un viaje de aprendizaje" con los consumidores. "Los consumidores están empezando, en un sentido muy real, a apropiarse de nuestras marcas y a participar en su creación", dijo. "Debemos empezar a aprender a dejar que esto ocurra".

Craig Thompson, de la University of Wisconsin, considera las marcas como plantillas socioculturales, y cita una investigación de marcas como recursos culturales que mostró cómo los restaurantes ESPN Zone aprovechan la competitividad masculina, y de qué manera las muñecas American Girl aprovechan las relaciones madre-hija y la transferencia de la feminidad entre generaciones.[43] Los expertos que quieren que los consumidores contribuyan activamente a la creación de significado y posicionamiento de la marca, incluso se refieren a esto como la "wikificación de la marca", en referencia a las páginas Web conocidas como *wikis*, cuyo contenido es redactado por colaboradores de todos los ámbitos de la vida y desde todos los puntos de vista.[44]

Posicionamiento y branding para pequeñas empresas

La creación de marcas para pequeñas empresas es un reto, debido a que este tipo de organizaciones tienen recursos y presupuestos limitados. Sin embargo, existen numerosas historias de éxito de empresarios que han construido sus marcas esencialmente de la nada, llegando a convertirlas en marcas poderosas.

vitaminwater En 1996, J. Darius Bickoff lanzó una línea de agua embotellada enriquecida con electrolitos, llamada smartwater; dos años más tarde presentó vitaminwater —una alternativa con vitaminas y sabor para el agua embotellada tradicional— y fruitwater poco tiempo después. Su inteligente marketing incluyó acuerdos de patrocinio con el rapero 50 Cent, la cantante Kelly Clarkson, la actriz Jennifer Aniston y la estrella del fútbol americano Tom Brady, que le ayudaron a lograr el éxito. Menos de 10 años después de su lanzamiento, la empresa Energy Brands de Bickoff, también conocida como Glacéau, fue vendida a Coca-Cola por 4 200 millones de dólares en efectivo.[45]

Con una fórmula única y un marketing inteligente, vitaminwater causó sensación en el mercado de bebidas.

En general, el enfoque y la consistencia de los programas de marketing son muy importantes cuando la marca tiene recursos limitados. La creatividad también es primordial: deben buscarse nuevas formas de comercializar nuevas ideas sobre los productos entre los consumidores. Algunas pautas específicas para el branding de pequeñas empresas son las siguientes:

- ***Realizar una investigación de marketing de bajo costo.*** Existen diversos métodos de investigación de marketing de bajo costo, que ayudan a las pequeñas empresas a conectarse con los clientes y a analizar a sus competidores. Uno de ellos consiste en el desarrollo de proyectos de colaboración con colegios y universidades locales, para aprovechar los conocimientos tanto de los estudiantes como de los profesores.
- ***Centrarse en la creación de una o dos marcas fuertes a partir de una o dos asociaciones clave.*** Muchas veces las pequeñas empresas sólo pueden basarse en una o dos marcas y asociaciones clave como puntos de diferencia para las marcas. Estas asociaciones deben ser reforzadas de manera constante a través del programa de marketing y a lo largo del tiempo. Arraigado en las culturas del snowboard y el surf, Volcom ha adoptado el credo de "la juventud contra la clase dirigente", lo que ha dado como resultado ventas constantes de su música, ropa deportiva y joyería.
- ***Emplear un conjunto de elementos de marca bien integrados.*** Tácticamente, es importante que las pequeñas empresas maximicen la contribución de cada uno de los tres conjuntos principales de impulsores de brand equity. En primer lugar, deben desarrollar un conjunto de elementos de marca distintivos y bien integrados que mejoren tanto la conciencia como la imagen de la marca. Los elementos de marca deben ser memorables y significativos, y contar con el mayor potencial creativo posible. Al captar la atención en el punto de venta, un envase innovador puede sustituir las campañas publicitarias. SMARTFOOD presentó su primer producto sin utilizar publicidad alguna. En lugar de ello creó un envase único que sirvió como un sólido símbolo visual en los estantes, e implementó un extenso programa de muestreo que alentaba la prueba. Los nombres propios o los apellidos, que a menudo caracterizan a las pequeñas empresas, pueden proporcionar cierto tipo de distinción, aunque por otro lado también es posible que pronunciarlos, darles significado, recordarlos o utilizarlos para otras consideraciones de la marca podría ser un problema. Si estas deficiencias son demasiado importantes, se deben explorar elementos de marca alternativos.
- ***Generar entusiasmo y crear una comunidad fiel a la marca.*** Debido a que las pequeñas empresas a menudo deben confiar en la recomendación verbal para establecer su posicionamiento, las relaciones públicas, las redes sociales y las promociones y patrocinios de bajo costo pueden ser alternativas baratas. Como se analizó en el capítulo 9, la creación de una comunidad de marca vibrante entre los clientes actuales y potenciales también puede ser una forma barata de reforzar la lealtad y ayudar a correr la voz entre los nuevos clientes. El navegador Web Mozilla Firefox es capaz de competir con Internet Explorer, de Microsoft, en parte gracias a su dedicado grupo de 10 000 programadores voluntarios que trabajan en su código fuente abierto. A 12 aficionados les gustó tanto la marca que utilizaron vigas y cuerdas para modelar una representación de nueve kilómetros cuadrados del logotipo en un campo de avena en las afueras de Salem, Oregon.[46]
- ***Aprovechar el mayor número posible de asociaciones secundarias.*** Las asociaciones secundarias (personas, lugares u objetos con asociaciones potencialmente relevantes) suelen ser una solución rentable y un camino alternativo para crear capital de marca, espe-

Algunos entusiastas incondicionales de Mozilla Firefox esculpieron un gigantesco logotipo de la marca en este terreno, ubicado en las afueras de Portland, Oregon.

cialmente aquellas que contribuyen a comunicar calidad o credibilidad. Cogent, fabricante de un software que puede identificar a las personas a través de sus huellas digitales, obtiene el 12% de sus ingresos y gran parte de su brand equity debido al hecho que el Departamento de Seguridad estadounidense utiliza sus productos para patrullar las fronteras del país.[47]

A diferencia de las grandes marcas, que suelen tener más recursos a su disposición, las pequeñas empresas por lo general no pueden darse el lujo de cometer errores, y deben diseñar e implementar los programas de marketing con mucho más cuidado.

Resumen

1. Para desarrollar un posicionamiento eficaz, es preciso que las empresas analicen a sus competidores, así como a sus clientes actuales y potenciales. Los especialistas en marketing deben identificar las estrategias, los objetivos, las fortalezas y las debilidades de los competidores.
2. Para desarrollar el posicionamiento se debe determinar un marco de referencia (mediante la identificación del mercado meta y la naturaleza de la competencia), y los puntos óptimos de paridad y diferencia de las asociaciones de marca.
3. Los competidores más cercanos de una empresa son aquellos que tratan de satisfacer a los mismos clientes y necesidades, y producen ofertas similares. Las empresas también deben prestar atención a sus competidores latentes, quienes pueden ofrecer formas nuevas o diferentes de satisfacer las mismas necesidades. La empresa debe identificar a sus competidores utilizando análisis basados en la industria y en el mercado.
4. Los puntos de diferencia son las asociaciones únicas de la marca, que también están muy arraigadas entre los consumidores y reciben evaluaciones favorables. Los puntos de paridad son aquellas asociaciones que no necesariamente son exclusivas de la marca, sino que de hecho pueden ser compartidas con otras. Las asociaciones del punto de paridad de la categoría son asociaciones que los consumidores consideran necesarias para una oferta de productos legítima y creíble en una categoría determinada. Las asociaciones del punto de paridad competitivo son aquellas asociaciones que están diseñadas para invalidar los puntos de diferencia de la competencia, o para superar las debilidades o vulnerabilidades percibidas de la marca.
5. La clave de la ventaja competitiva es la diferenciación relevante de la marca: los consumidores deben encontrar algo único y significativo en cualquier oferta de mercado. Las diferencias pueden basarse directamente en el producto o servicio, o en otras consideraciones relacionadas con factores como los empleados, los canales, la imagen o los servicios.
6. El branding emocional se está convirtiendo en una importante forma de relacionarse con los clientes y crear una diferenciación respecto de los competidores de la empresa.
7. A pesar de que las pequeñas empresas deben utilizar muchos de los principios de branding y posicionamiento que emplean las organizaciones más grandes, también deben hacer mayor énfasis en sus elementos de marca y asociaciones secundarias, y deben estar más enfocadas en su marca y generar entusiasmo por ella.

Aplicaciones

Debate de marketing

¿Cuál es la mejor manera de posicionarse?

Los especialistas en marketing tienen diferentes puntos de vista sobre cómo posicionar una marca. Algunos valoran los enfoques estructurados, como el modelo de posicionamiento competitivo que se describió en este capítulo, que se centra en puntos específicos de paridad y diferencia. Otros prefieren enfoques no estructurados, que se basan más en las historias, las narrativas y otras representaciones.

Asuma una posición: La mejor manera de posicionar una marca es a través de un enfoque estructurado *versus* La mejor manera de posicionar una marca es a través de un enfoque no estructurado.

Discusión de marketing

Atributos y beneficios

Identifique otros atributos y beneficios correlacionados negativamente que *no* se hayan descrito en este capítulo. ¿Qué estrategias utilizan las empresas para tratar de posicionarse con base en pares de atributos y beneficios?

Marketing de excelencia

>>Louis Vuitton

Louis Vuitton (LV) es una de las marcas más legendarias del mundo, sinónimo de lujo, riqueza y moda. La empresa es conocida por sus icónicos bolsos de mano, artículos de piel, zapatos, relojes, joyas, accesorios y gafas de sol, y su marca de lujo ocupa el más alto rango en el mundo.

Corría el año 1854 cuando Louis Vuitton abrió su primera tienda en París, en la que vendía baúles y equipaje de alta calidad, hechos a mano. A finales del siglo XIX Vuitton introdujo sus característicos materiales de lona Damier y Monogram Canvas, que tenían el famoso diseño que todavía se utiliza en la mayoría de los productos de la empresa. A lo largo del siglo XX la empresa que lleva su nombre continuó creciendo a nivel internacional, expandiéndose al mundo de la moda en la década de 1950 y alcanzando los 10 millones de dólares en ventas en 1977. En 1987, Louis Vuitton se fusionó con Moët et Chandon y Hennessy, importantes fabricantes de champán y coñac, dando lugar a LVMH, un conglomerado de productos de lujo.

Los productos Louis Vuitton se fabrican con los más novedosos materiales, y sus diseñadores usan una combinación de arte, precisión y destreza para producir sólo los mejores artículos. El legendario monograma LV aparece en todos los productos de la empresa, y representa la más alta calidad, la posición más importante y los viajes más lujosos. Sin embargo, a lo largo de los años la falsificación se ha convertido en un gran problema y uno de los retos más difíciles para Louis Vuitton. Louis Vuitton es una de las marcas más falsificadas en el mundo, y la empresa se toma muy en serio la situación, porque considera que las falsificaciones perjudican su imagen de marca de prestigio. Además de trabajar con agencias de investigación especiales, Louis Vuitton cuenta con un equipo completo de abogados para luchar contra la falsificación en diversas formas.

Hasta la década de 1980, los productos Louis Vuitton estaban disponibles en una amplia variedad de tiendas por departamentos. Sin embargo, para reducir el riesgo de falsificación, hoy en día la empresa mantiene un mayor control sobre sus canales de distribución. En la actualidad comercializa sus productos únicamente a través de boutiques Louis Vuitton ubicadas en zonas de tiendas exclusivas y almacenes sofisticados, todas operadas de forma independiente con sus propios empleados y directivos. Los precios de Louis Vuitton nunca se reducen, y recientemente comenzó a vender a través de louisvuitton.com con la esperanza de llegar a nuevos consumidores y regiones.

A lo largo de los años una amplia variedad de celebridades de alto perfil y supermodelos han utilizado los productos LV, incluyendo a Madonna, Audrey Hepburn y Jennifer López. En sus esfuerzos de marketing la empresa ha utilizado la imagen de celebridades de la alta costura, vallas publicitarias, anuncios impresos y su propia regata internacional, la Copa Louis Vuitton. Recientemente, LV rompió la costumbre y presentó a celebridades no tradicionales, como Steffi Graf, Mijail Gorbachov, Buzz Aldrin y Keith Richards, en una campaña titulada "Valores fundamentales". LV también lanzó su primer comercial de televisión centrado en los viajes lujosos y no en la moda, y ha establecido nuevas asociaciones con artistas internacionales, museos y organizaciones culturales con la esperanza de mantener la marca fresca. Sin embargo, los artesanos de la empresa todavía dedican hasta 60 horas en la fabricación manual de cada pieza de equipaje, tal como lo hacían hace 150 años.

Hoy en día Louis Vuitton tiene un valor de marca de 26000 millones de dólares, según *Forbes*, y está clasificada como la decimoséptima marca mundial más poderosa según Interbrand. La empresa está enfocada en la expansión de su marca de lujo a mercados en crecimiento, como China e India, así como en seguir creciendo en mercados fuertes como Japón y Europa. También continúa añadiendo nuevas líneas de productos a su portafolio.

Preguntas

1. ¿Cómo puede una marca exclusiva como Louis Vuitton crecer y permanecer actual, y al mismo tiempo mantener su distinción?
2. ¿La falsificación de los productos Louis Vuitton tiene siempre connotaciones negativas? ¿Existe alguna circunstancia en la que pudiera tener algunos aspectos positivos?

Fuentes: Reena Jana, "Louis Vuitton's Life of Luxury", *BusinessWeek*, 6 de agosto de 2007; Eric Pfanner, "Luxury Firms Move to Make Web Work for Them", *New York Times*, 17 de noviembre de 2009; www.louisvuitton.com

Marketing de excelencia

>>American Express

American Express es una de las marcas más respetadas del mundo, conocida mundialmente por sus tarjetas de pago, así como por sus servicios de viaje y financieros. American Express comenzó como una empresa de transporte rápido en el siglo XIX, más tarde se convirtió en una compañía de servicios de viaje, y al final se convirtió en una organización crediticia de alcance global, asociada con imágenes de marca como el prestigio, la confianza, la seguridad, el servicio al cliente, la aceptación internacional y la integridad.

En 1891, American Express creó el primer "cheque de viajero" aceptado internacionalmente, el cual utilizaba el mismo sistema de seguridad y garantías de tipo de cambio que emplea en la actualidad. La empresa emitió su primera tarjeta de pago en 1958, pero entonces cobraba una cuota anual más alta que sus competidores para crear la sensación de prestigio y pertenencia. A diferencia de las tarjetas de crédito, que permiten deudas revolventes, las tarjetas de pago requieren que los clientes cubran sus saldos pendientes. Para 1967, un tercio de las ganancias totales de la empresa provenía de su negocio de tarjetas de pago, que superaron a los cheques de viajero al convertirse en el símbolo más visible de American Express.

En las décadas de 1960 y 1970, American Express intensificó sus esfuerzos de marketing en respuesta a la fuerte competencia de Master Charge (ahora MasterCard) y BankAmericard (que más tarde se convertiría en Visa). La agencia de publicidad Ogilvy & Mather creó el ahora famoso "No salga sin ella" en la década de 1970, como un eslogan de "sinergia". En 1974 apareció por primera vez el hoy en día familiar logotipo del rectángulo azul, con las palabras *American Express* impresas en un contorno blanco sobre un fondo azul.

Muchas personas percibían las tarjetas American Express como un símbolo de estatus que representaba éxito y logro. La empresa llamaba a los titulares de las tarjetas "miembros", e imprimía en ellas el año en que habían obtenido la membresía, lo que daba la sensación de formar parte de un club. American Express mantuvo su imagen difícil de alcanzar a través de su publicidad, impecable servicio al cliente y promociones y eventos de élite.

Durante la década de 1980 la compañía se expandió a diversas categorías financieras —incluidos los servicios de corretaje, la banca y los seguros— mediante la adquisición de varias empresas, como Lehman Brothers Kuhn Loeb Inc. y E.F. Hutton & Co. Sin embargo, tropezó con dificultades para integrar estas grandes ofertas financieras y se deshizo de muchas de sus participaciones en la década de 1990. La nueva y más eficiente empresa se centró en sus competencias básicas: las tarjetas de pago y de crédito, los cheques de viajero, los servicios de viaje, y servicios bancarios y financieros seleccionados. Además, American Express aumentó el número de comerciantes que aceptaban sus tarjetas (incluyendo a Walmart) y desarrolló nuevas ofertas de tarjetas, como las de marca conjunta. Para comunicar la transformación que había tenido lugar durante la década de 1990, la empresa lanzó una campaña de publicidad corporativa llamada "American Express lo ayuda a hacer más".

American Express también respondió a la creciente presión que Visa y MasterCard ejercieron sobre ella a mediados de la década de 1990, cambiando la marca de su división de servicios a pequeñas empresas por "OPEN: La red de pequeñas empresas", y añadiendo beneficios como los pagos flexibles, las ofertas especiales, las sociedades y los recursos para las pequeñas empresas. John Hayes, director de marketing de American Express, explicó el razonamiento detrás del desarrollo de una marca distinta para las pequeñas empresas: "Los propietarios de pequeñas empresas son fundamentalmente diferentes de las personas que trabajan para empresas grandes. Se caracterizan por una actitud compartida; viven y respiran el negocio en el que están. Creemos que es importante que esta área tenga su propia identidad".

En el cambio de siglo, American Express presentó dos nuevas y revolucionarias tarjetas de crédito: Blue y Centurion Black. Blue contenía un chip que mejoraba la seguridad en Internet, y se dirigía a consumidores jóvenes, conocedores de la tecnología, con una imagen moderna y sin cuotas anuales. La tarjeta Black, por otra parte, estaba dirigida a los clientes más selectos, que gastaban más de 150 000 dólares al año y deseaban comodidades como un servicio de conserje personal de tiempo completo e invitaciones a eventos exclusivos. Asimismo, la empresa siguió ampliando su participación en el programa de recompensas por membresía Rewards, que en ese momento era el más grande del mundo en su tipo. Rewards permitía que los tarjetahabientes canjearan sus puntos por viajes, actividades de entretenimiento, certificados de regalo y otras ofertas predeterminadas.

Visa aumentó su presión al apropiarse de la última tendencia de consumo: las tarjetas de identificación bancaria, tarjetas de débito que restaban el dinero de las compras directamente de la cuenta bancaria del titular. MasterCard también incrementó su popularidad cuando creó su campaña publicitaria "No tiene precio", que se convirtió en un omnipresente punto de referencia de la cultura popular. Sin embargo, American Express se anotó una gran victoria legal contra Visa y MasterCard en 2004, cuando la Corte Suprema estadounidense dictaminó que podía continuar sus relaciones con todos los bancos, cosa que no había podido hacer antes debido a algunos tecnicismos. Durante los siguientes tres años, American Express se asoció con bancos como MBNA,

Citigroup, UBS y USAA, y aumentó sus cuentas de tarjetas de 60 millones en 2003 a 86 millones en 2007.

American Express presentó dos nuevas campañas de marketing en la década de 2000. La campaña "Mi vida. Mi tarjeta" de 2004 incluía a celebridades como Robert De Niro, Ellen DeGeneres y Tiger Woods contando historias íntimas de los lugares, las causas, los logros y las ocupaciones que tenían significado para ellos. En 2007, la empresa continuó presentando celebridades en sus anuncios, pero introdujo un nuevo eslogan: "¿Es usted un miembro de la tarjeta?", que actuaba más como un llamado a la acción para unirse a American Express que su campaña anterior, más pasiva.

Las cosas empeoraron a medida que la economía mundial se desplomó en 2008 y 2009, desalentando significativamente los resultados financieros de American Express. La caída del precio de las acciones de la empresa en un 64% en 2008 fue causada por numerosos problemas, incluidas importantes demoras en los pagos, una facturación más baja y mayores pérdidas de crédito. Además, muchos analistas estuvieron de acuerdo en que la empresa "creció muy rápido de 2005 a 2007". La compañía había cambiado su estrategia central de dirigirse a los consumidores más ricos y de bajo riesgo con una marca de prestigio y valiosos premios, para aumentar su número total de tarjetahabientes. Sus productos más nuevos, que permitían a los consumidores arrastrar su saldo y pagar sólo los intereses, afectaron al balance final de American Express durante la recesión.

A pesar de estos decepcionantes resultados financieros, *BusinessWeek* e Interbrand clasificaron a American Express como la decimoquinta "marca más valiosa del mundo", y *Fortune* la nombró una de las treinta "empresas más admiradas". Este valor de marca fue un testimonio no sólo para los productos de la empresa y su innovación en marketing, sino también para su compromiso de ofrecer a sus clientes un servicio excepcional en cualquier lugar del mundo a cualquier hora del día. En la actualidad, American Express ofrece una variedad de tarjetas personales, así como tarjetas para pequeñas empresas y tarjetas corporativas, cada una con un nivel diferente de servicio al cliente, tarifas, recompensas, límites de gastos y acceso especial o servicios. Las cinco tarjetas más populares de la empresa a partir de 2009 fueron la Platinum, la Preferred Rewards Gold, las tarjetas de crédito Starwood Preferred Guest, Gold Delta SkyMiles, y la tarjeta Preferred Rewards Green.

Preguntas

1. Evalúe a American Express en lo que se refiere a sus competidores. ¿Está bien posicionada? ¿Cómo ha cambiado a lo largo del tiempo? ¿En qué segmentos del negocio enfrenta la mayor la competencia?
2. Evalúe la integración de los diversos negocios de American Express. ¿Qué recomendaciones le haría para poder maximizar la contribución al valor de todas sus unidades de negocio? Al mismo tiempo, ¿es la marca corporativa lo suficientemente coherente?
3. Analice la decisión de la empresa de crecer más allá de su base principal de consumidores adinerados. ¿Qué consecuencias tuvo esto para la empresa y para la marca?

Fuentes: Hilary Cassidy, "Amex Has Big Plans; For Small Business Unit", *Brandweek*, 21 de enero de 2002; American Express, "Ellen DeGeneres, Laird Hamillon, Tiger Woods & Robert De Niro Featured in New American Express Global Ad Campaign", 8 de noviembre de 2004; "The VISA Black Card: A Smart Strategy in Trying Times", *BusinessPundit.com*, 8 de diciembre de 2008; "World's Most Admired Companies 2009", *Fortune*, 5 de agosto de 2009; "Credit Cards: Loyalty and Retenfton —US— November 2007", Mintel Reports, noviembre de 2007; Scott Cendrowski, "Is It Time to Buy American Express?", *CNN Money*, 17 de abril de 2009; American Express, "Membership Rewards Program from American Express Adds Practical Rewards for Tough Economic Times", 19 de febrero de 2009.

En este capítulo responderemos las siguientes **preguntas**

1. ¿Qué pueden hacer los líderes de un mercado para expandir el mercado total y defender su cuota de participación?
2. ¿Qué deben hacer las empresas retadoras para atacar a los líderes del mercado?
3. ¿Cómo pueden competir con efectividad las empresas seguidoras o las especializadas en nichos?
4. ¿Cuáles son las estrategias de marketing apropiadas en cada fase del ciclo de vida del producto?
5. ¿Qué deben hacer los especialistas en marketing para ajustar sus estrategias y tácticas al enfrentar una desaceleración o recesión económica?

A través de productos novedosos y una publicidad original e innovadora, Jugos Del Valle ha ejercido el papel de marca retadora frente a los líderes de la categoría.

Las relaciones con la competencia

Convertir su marca en líder del mercado es el objetivo de cualquier especialista en marketing en el largo plazo. Sin embargo, en numerosas ocasiones las difíciles circunstancias que enfrenta el marketing actual obligan a las empresas a reformular sus estrategias y sus ofertas. Las condiciones económicas cambian, los competidores lanzan nuevos ataques, y los intereses y necesidades de los compradores evolucionan. Las diferentes posiciones que ocupan las organizaciones en el mercado pueden sugerir distintas estrategias.

Jugos Del Valle es uno de los productores de jugos y bebidas de fruta más grandes e importantes de México. El éxito que ha obtenido es resultado tanto de su amplia experiencia en el mercado de alimentos, como de su sólido compromiso con el consumidor, al que ofrece productos de gran calidad. Desde sus inicios en 1947, Jugos Del Valle se ha preocupado por aplicar alta tecnología en sus procesos de manufactura, con el propósito de mantener la preferencia de sus consumidores. Respaldada por 60 años de experiencia en el mercado local y 15 en el internacional, la empresa cuenta con un amplio reconocimiento de marca. Aunque hoy en día sus principales mercados de exportación son Estados Unidos, España, Brasil y El Salvador, sus productos —siempre novedosos y orientados a diferentes tipos de público— están presentes en otros 35 países de los cinco continentes. Entre sus marcas de jugo (o zumo) más conocidas están Jugos Del Valle, Del Valle reserva, Florida 7, Minute Maid, Frutsi, Beberé, Del Valle Frut, Del Valle Pulpy; además, comercializa bebidas isotónicas como Powerade, bebidas energizantes como Gladiator, té frío con las marcas Nestea y Nestea Light, y una nueva categoría para el estilo de vida activo: Vitamin Water. Otra de las claves del éxito de la organización es su enfoque permanente en evolucionar de la mano de sus consumidores y ajustarse a sus cambios de hábitos. Para impulsar su posicionamiento, Jugos Del Valle se apoya en atractivas campañas publicitarias, como "Dale Del Valle a tu día". Este esfuerzo promocional se basa en historias familiares cotidianas representadas por personajes animados (la nutrióloga Paty del Valle, y sus hijos Sandy y Nico) para recordar a los consumidores la importancia del desayuno y brindar consejos nutricionales. Por ejemplo, uno de los mensajes —divulgados por televisión y medios impresos— presenta la "Brújula del desayuno", que sirve para informar al público sobre los grupos alimenticios que debe combinar y sugerir, al mismo tiempo que incluya los productos naturales de la empresa. Así, el conocimiento del mercado, la flexibilidad para innovar, y sus hábiles esfuerzos de marketing han logrado que Jugos Del Valle se convierta en uno de los líderes de su categoría en el mercado mexicano.[1]

Este capítulo examina el papel que desempeña la competencia, y la forma en que los especialistas en marketing pueden gestionar mejor sus marcas en función de la posición que ocupan en el mercado y de la fase del ciclo de vida en que se encuentre el producto. La competencia se hace más intensa año tras año, debido a la presencia de competidores globales ansiosos por aumentar sus ventas en nuevos mercados, competidores online que buscan formas eficientes de ampliar su distribución, marcas de distribuidor y propias que proporcionan alternativas de bajo precio, y extensiones de marcas reconocidas que entran en nuevas categorías.[2] Así, la suerte de los productos y las marcas cambia a lo largo del tiempo, y los especialistas en marketing deben responder en consecuencia.

Estrategias competitivas para líderes de mercado

Supongamos que un mercado está ocupado por las empresas que aparecen en la △ figura 11.1. El 40% está en manos de la empresa *líder del mercado*; otro 30% corresponde a la *empresa retadora*; 20% está ocupado por la *empresa seguidora* —la empresa que está esforzándose por conservar su participación de mercado

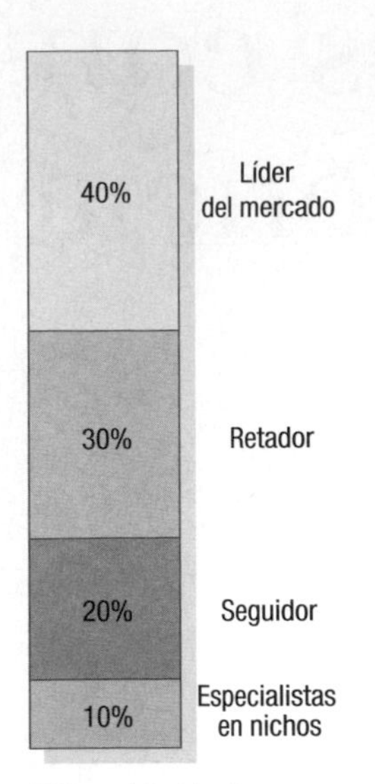

|Fig. 11.1|

Estructura hipotética de mercado

y no hundirse—, y el 10% restante corresponde a las *empresas especialistas en nichos*, es decir, aquellas que atienden mercados muy pequeños, desatendidos por las empresas de mayor tamaño.

El líder tiene la mayor participación de mercado y suele guiar a las demás empresas en todo lo referente a modificaciones de precios, lanzamiento de nuevos productos, cobertura de la distribución e intensidad de las promociones. Por ejemplo, en Estados Unidos algunos de los líderes históricos de mercado son Microsoft (software), Gatorade (bebidas rehidratantes), Best Buy (venta minorista de productos electrónicos), McDonald's (comida rápida), Blue Cross Blue Shield (seguros médicos) y Visa (tarjetas de crédito).

A pesar de que los especialistas en marketing asumen que las marcas más conocidas ocupan una posición distintiva en la mente de los consumidores, a menos que una empresa dominante disfrute de un monopolio legal no puede confiar en ello. En cualquier momento podría surgir alguna poderosa innovación de un producto; un competidor podría encontrar un ángulo novedoso de marketing o realizar una importante inversión en la comercialización de sus productos, e incluso podría ocurrir un aumento en la estructura de costos del líder. Xerox, una conocida marca líder de su mercado, sabe que esos riesgos existen y se ha esforzado por mantenerse en la cima.

Xerox

Xerox Xerox se ha tenido que convertir en algo más que una simple empresa de fotocopiadoras. En la actualidad, la empresa con el nombre que se convirtió en verbo cuenta con la gama de productos para generación de imágenes más grande del mundo, y domina el mercado de los sistemas de impresión de última tecnología. Además, la compañía está realizando una enorme transición en su línea de productos, a medida que avanza de la antigua tecnología de óptica y luz a los sistemas digitales. Xerox se está preparando para enfrentar un mundo en el que casi todas las impresiones se realizan en color (lo cual, no por casualidad, produce cinco veces más ingresos que las impresiones en blanco y negro). Además de renovar sus máquinas, Xerox está reforzando sus ventas al ofrecer productos y servicios que se deben renovar una y otra vez: el manejo de documentos, las tintas y los cartuchos de tinta. Incluso ha puesto a disposición de su clientela el servicio de gestión de impresiones para ayudar a las empresas a eliminar las impresoras de escritorio y permitir que los empleados compartan dispositivos multifuncionales capaces de copiar, imprimir y enviar faxes. Aunque en el pasado respondió con lentitud ante el surgimiento de Canon y del mercado de copiadoras pequeñas, hoy por hoy Xerox está haciendo todo lo posible por mantenerse a la vanguardia.[3]

En muchas industrias los competidores con precios de descuento han debilitado los precios del líder. "Marketing en acción: Cuando el competidor ofrece más por menos", describe cómo pueden responder los líderes a las agresivas tácticas implementadas por las tiendas de descuento de la competencia.

Cuando el competidor ofrece más por menos

Las empresas que ofrecen la poderosa combinación de precios bajos y alta calidad están capturando la atención y las billeteras de los consumidores de todo el mundo. Por ejemplo, en la actualidad más de la mitad de la población estadounidense hace sus compras semanales en tiendas de autoservicio, como Walmart y Target. En el Reino Unido, los minoristas de primera calidad, como Boots y Sainsbury, se están esforzando por mantenerse a la altura de la intensa competencia en precio y calidad de ASDA y Tesco.

Éstas y otras empresas de valor, como Aldi, Dell, E*TRADE Financial, JetBlue Airways, Ryanair y Southwest Airlines, están transformando la forma en que los consumidores de casi todas las edades y niveles de ingreso compran víveres, ropa, billetes de avión, servicios financieros y computadoras (ordenadores). Las empresas tradicionales tienen razón al sentirse amenazadas. Por su parte, las empresas jóvenes muchas veces se conforman con atender únicamente algunos segmentos de consumidores, ofreciéndoles una mejor entrega o simplemente un beneficio adicional, y tratando de lograr un equilibrio entre precios bajos y operaciones altamente eficientes para mantener sus costos bajos. En consecuencia, estas organizaciones han cambiado las expectativas de los consumidores en lo que respecta a la relación calidad-precio.

Si quieren competir, las empresas tradicionales deben infundir mayor intensidad y enfoque a sus estrategias habituales de control de costos y diferenciación de productos—, para luego ejecutarlas de manera impecable. Por ejemplo, la diferenciación cada vez tiene que ver menos con la meta abstracta de superar a la competencia, y más con la identificación de brechas que los modelos de negocio de las empresas de valor dejaron pasar inadvertidas. Una fijación de precios eficaz implica librar una batalla, en cada transacción, contra la percepción que tienen los consumidores predispuestos a creer que los competidores orientados al valor ofrecen siempre productos más baratos.

Los resultados competitivos se determinarán, como siempre, sobre el terreno, esto es, en los pasillos de los supermercados, en los expositores de mercancía, y en las etiquetas de los precios. Las empresas tradicionales no pueden darse el lujo de omitir ningún aspecto. El nuevo entorno competitivo hace especial hincapié en los viejos imperativos de la diferenciación y la ejecución, y les agrega nuevos aspectos.

Diferenciación

Los especialistas en marketing deben proteger las áreas donde sus modelos de negocio ofrecen espacio para maniobrar a otras empresas. Por ejemplo, en lugar de intentar competir en precios con Walmart y otros minoristas de valor,

Walgreens hace hincapié en la conveniencia. La empresa se ha expandido rápidamente, asegurándose de tener tiendas en todas partes, sobre todo en esquinas con facilidad de estacionamiento (aparcamiento), y rediseñó sus puntos de venta para que los consumidores puedan entrar y salir con mayor rapidez; además, colocó los productos de categorías clave, como los alimentos preparados y los servicios de revelado fotográfico en una hora, lo más cerca posible de la entrada. Para simplificar los pedidos de medicamentos, Walgreens instaló un sistema telefónico y online, así como ventanillas de atención en el automóvil en la mayoría de sus tiendas independientes. Estas medidas le ayudaron a aumentar sus ingresos de 15 000 millones de dólares en 1998, a más de 59 000 millones en 2008, convirtiéndose en la cadena de farmacias más grande de Estados Unidos.

Ejecución

La desastrosa experiencia que tuvo Kmart cuando trató de competir en precios directamente con Walmart, pone de manifiesto la dificultad de desafiar a los líderes de valor en sus propios términos. En lugar de esto y para competir con eficacia, quizá las empresas tendrían que minimizar o incluso abandonar algunos segmentos del mercado. Por ejemplo, para competir con Ryanair y easyJet, British Airways ha puesto mayor énfasis en sus rutas de larga distancia, donde las empresas que se basan en el valor están menos activas, y menor énfasis en las rutas de corta distancia, donde éstas tienen más presencia.

Algunas de las aerolíneas más importantes han introducido servicios de bajo costo. Sin embargo, Lite de Continental, Buzz de KLM, SAS de Snowflake y Shuttle de United, no tuvieron éxito. De acuerdo con ciertos puntos de vista, el fracaso se debió a que las empresas deben establecer operaciones de bajo costo únicamente si (1) sus negocios existentes serán más competitivos en consecuencia, o (2) los nuevos servicios les proporcionarán algunas ventajas que no habrían obtenido de otra manera. Las operaciones de bajo costo establecidas por HSBC, ING, Merrill Lynch y Royal Bank of Scotland —First Direct, ING Direct, ML Direct y Direct Line Insurance, respectivamente— tuvieron éxito gracias, en parte, a las sinergias que existían entre las líneas de negocio antiguas y las nuevas. Las operaciones de bajo costo deben diseñarse y lanzarse al mercado como fuentes de ingresos por derecho propio, y no sólo como prácticas defensivas.

Fuentes: Adaptado de "Strategies to Fight Low-Cost Rivals" de Nirmalya Kumar, *Harvard Business Review*, diciembre de 2006, pp. 104-12; Robert J. Frank, Jeffrey P. George y Laxman Narasimhan, "When Your Competitor Delivers More for Less", *McKinsey Quarterly* (invierno de 2004), pp. 48-59. Vea también Jan-Benedict E. M. Steenkamp y Nirmalya Kumar, "Don't Be Undersold", *Harvard Business Review*, diciembre de 2009, pp. 90-95.

Para mantenerse en el liderazgo, las empresas deben actuar en tres frentes. En primer lugar, es preciso que encuentren formas de incrementar la demanda total del mercado; en segundo, deben proteger su participación de mercado actual con acciones defensivas y ofensivas; y en tercero, tendrán que intentar incrementar su participación de mercado, aun en el caso de que el tamaño del mercado permanece constante. Analicemos cada una de estas estrategias.

Expansión de la demanda total del mercado

En términos generales, cuando la demanda total del mercado aumenta, la empresa dominante es la que más se beneficia. Si Heinz logra convencer a más personas de que consuman su salsa ketchup, o que usen ketchup con más comidas, o más cantidad en cada ocasión de consumo, la empresa se beneficiará considerablemente, porque ya vende casi dos tercios del total de ese producto en Estados Unidos. En general, el líder del mercado debe buscar nuevos consumidores y tratar de que los actuales clientes lo usen más.

NUEVOS CLIENTES Cualquier producto tiene potencial para atraer a compradores que no lo conocen, o que se resisten a adquirirlo por su precio o porque carece de algún atributo. Como se sugirió en el capítulo 2, la empresa puede buscar nuevos usuarios dentro de tres grupos de consumidores: los que estarían dispuestos a utilizar el producto pero que no lo hacen (*estrategia de penetración de mercado*), los que nunca lo han utilizado (*estrategia de nuevo segmento de mercado*) y los que viven en otro lugar (*estrategia de expansión geográfica*).

Así es como Starbucks describe su enfoque multidisciplinario para el crecimiento en su sitio Web corporativo:[4]

> Starbucks compra y tuesta granos de café de la mejor calidad, y los vende en forma de bebidas basadas en el café exprés italiano recién hecho, junto con pastas y pasteles, así como accesorios y productos relacionados con el café, principalmente en sus establecimientos de venta minorista operados por la empresa. Asimismo, Starbucks vende café en grano a través de tiendas especializadas y supermercados. Por otra parte, Starbucks también fabrica y embotella la bebida de café Frappuccino® y una línea de helados gracias a sus asociaciones con otras empresas, y ofrece una línea de té de la mejor calidad, fabricado por su filial Tazo Tea Company. El objetivo de la compañía es establecerse como la marca más reconocida y respetada en el mundo.

Las bebidas de café "Frappuccino" han sido una nueva fuente de crecimiento e ingresos para Starbucks.

MAYOR USO Los especialistas en marketing pueden tratar de aumentar la cantidad, el nivel o la frecuencia de consumo de un producto. En ocasiones tendrán la posibilidad de incrementar la *cantidad* de consumo mediante el rediseño del envase o del producto mismo. Cuanto mayor es el tamaño de los envases, más producto se consume en cada uso.[5] Los consumidores usan mayor cantidad de los productos de "impulso", como las bebidas refrescantes y los aperitivos, cuando se aumenta el nivel de accesibilidad a las mismas.

Por otro lado, para aumentar la *frecuencia* de consumo, se requiere (1) identificar oportunidades adicionales para usar el producto en la misma forma básica, o (2) identificar formas completamente nuevas y diferentes de hacerlo.

- ***Oportunidades adicionales de uso de la marca.*** El programa de marketing puede comunicar la conveniencia y las ventajas de usar el producto. Los anuncios de Clorox enfatizan los numerosos beneficios del cloro, por ejemplo, que elimina el mal olor de la cocina.
  Otra oportunidad se presenta cuando la percepción de los consumidores respecto del uso de un producto difiere de la realidad. Por ejemplo, es posible que los consumidores no sustituyan un producto cuando deben hacerlo, porque sobreestiman su durabilidad.[6] Una estrategia para acelerar la sustitución del producto consiste en vincularla con alguna celebración, acontecimiento o época del año. Otra podría ser proporcionar a los consumidores mejor información sobre cuándo se utilizó por primera vez el producto, cuándo hay que sustituirlo o cuál es su nivel real de rendimiento. Las maquinillas de afeitar de Gillette contienen franjas de colores que van desvaneciéndose poco a poco con el uso repetido, lo cual indica al usuario cuándo es hora de reemplazarlas.
- ***Formas completamente nuevas de uso.*** Un segundo enfoque para aumentar la frecuencia de consumo es identificar aplicaciones totalmente nuevas y diferentes. Desde hace mucho tiempo las empresas de productos alimenticios han utilizado como práctica promocional la difusión de recetas en donde sus productos se emplean de diferentes maneras. Después de descubrir que algunos consumidores utilizaban el bicarbonato de sodio de Arm & Hammer como desodorante para heladeras (neveras), la empresa lanzó una campaña de promoción que se centraba en este uso, y logró que la mitad de los hogares estadounidenses lo adoptaran. Después, la empresa extendió la marca a una variedad de nuevas categorías de productos, como las pastas de dientes, los desodorantes y los detergentes para ropa.

Protección de la cuota de mercado

Además de tratar de ampliar el tamaño total del mercado, la empresa líder debe defender activamente su negocio actual, tal como lo hace Boeing frente a Airbus, Staples frente a Office Depot, y Google y Yahoo! frente a Microsoft.[7] ¿Cómo puede lograr este propósito el líder del mercado? La respuesta más precisa es la *innovación continua*. La empresa líder debe impulsar la industria hacia el desarrollo de nuevos productos y servicios para los clientes, la distribución eficaz y la reducción de costos. Las soluciones integrales aumentarán su fuerza competitiva y su valor para los clientes.

MARKETING PROACTIVO Respecto de la satisfacción de las necesidades de los consumidores, podemos establecer una distinción entre el marketing reactivo, el marketing anticipativo y el marketing creativo. El especialista en marketing *reactivo* detecta una necesidad expresada y la satisface. El especialista en marketing *anticipativo* se adelanta a las necesidades que los consumidores podrían tener en un futuro próximo. El especialista en marketing *creativo* descubre y genera soluciones que los consumidores no han solicitado, pero a las que responden con entusiasmo. Las empresas creativas son las que se muestran proactivas e *impulsan el mercado*, en lugar de sólo dejarse llevar por él.[8]

Muchas empresas asumen que su trabajo sólo consiste en adaptarse a las necesidades del cliente. Se muestran reactivas principalmente porque son demasiado fieles al paradigma de la orientación al cliente, y son víctimas de la "tiranía del mercado atendido". En cambio, las empresas de éxito moldean proactivamente el mercado, de manera que responda a sus propios intereses. En lugar de intentar buscar ser el mejor jugador, lo que hacen es cambiar las reglas del juego.[9]

Arm & Hammer ha expandido su clásica línea de productos de bicarbonato para incluir muchos artículos nuevos y usos innovadores.

La empresa debe poseer dos habilidades proactivas: (1) la *anticipación receptiva*, que le permite anticipar los acontecimientos (como cuando IBM pasó de ser un productor de hardware a una empresa de servicios), y (2) la *anticipación creativa*, que le permite idear soluciones innovadoras (como cuando PepsiCo introdujo H2OH!, un híbrido de bebida gaseosa y agua embotellada). En este sentido, se tiene en cuenta que la *anticipación receptiva* tiene lugar antes de un cambio determinado, mientras que la *respuesta reactiva* ocurre después de que el cambio se ha llevado a cabo.

Las empresas proactivas crean nuevas ofertas para dar cumplimiento a las necesidades insatisfechas, y tal vez incluso desconocidas, de los consumidores. A finales de la década de 1970, Akio Morita, fundador de Sony, estaba trabajando en un proyecto que revolucionaría la forma en que las personas escuchaban música: un reproductor portátil de cintas de audio al que llamó Walkman. Los ingenieros de la empresa insistían en que había poca demanda por ese producto, pero Morita se negó a dejar de lado su visión. Para cuando llegó el vigésimo aniversario del Walkman, Sony había vendido más de 250 millones de unidades en casi 100 modelos diferentes.[10]

Las empresas proactivas podrían rediseñar las relaciones existentes dentro de una industria, tal como hizo Toyota en lo que concierne a su relación con sus proveedores; también podrían educar a los clientes, como lo hace Body Shop al estimular la elección de productos ecológicos.

Por otro lado, es preciso que las empresas pongan en práctica la "gestión de la incertidumbre". En resumen, las empresas proactivas:

- Están dispuestas a asumir riesgos y cometer errores.
- Tienen una visión de futuro y quieren invertir en él.
- Cuentan con la capacidad de innovar.
- Son flexibles y no burocráticas.
- Tienen muchos gerentes que piensan de manera proactiva.

Las empresas *demasiado* reacias a asumir riesgos se quedarán a la retaguardia.

MARKETING DEFENSIVO Aun cuando no lance ofensivas, el líder del mercado no debe dejar al descubierto ninguno de sus flancos principales. El objetivo de la estrategia defensiva es reducir las posibilidades de ataque, redireccionarlas hacia áreas menos peligrosas, y reducir su intensidad. La velocidad de respuesta al ataque determinará las repercusiones que tenga éste sobre los beneficios. Una empresa líder tiene a su disposición las seis estrategias de defensa que se describen en la △ figura 11.2.[11]

- ***Defensa de la posición.*** Esta estrategia consiste en ocupar el espacio de mercado más deseado en la mente de los consumidores, creando una marca prácticamente invulnerable, como ha hecho Procter & Gamble con el detergente Tide en la categoría de limpieza, la pasta de dientes Crest en materia de prevención de caries, y los pañales Pampers con la protección ante la humedad.
- ***Defensa de flancos.*** El líder del mercado debe construir puestos de avanzada para proteger un frente débil o apoyar un posible contraataque. Algunas marcas de Procter & Gamble, como los detergentes para lavandería Gain y Cheer y los pañales Luvs, han desempeñado papeles estratégicos tanto ofensivos como defensivos.
- ***Defensa preventiva.*** Una maniobra más agresiva consiste en atacar primero, tal vez con una acción de guerrilla a lo largo del mercado, agrediendo a un competidor aquí y a otro allá para mantenerlos a todos fuera de balance. También podría intentarse una ofensiva envolvente contra todo el mercado, la cual indicará a los competidores que deben abstenerse de atacar.[12] Los 18 500 cajeros automáticos y las 6 100 sucursales minoristas que Bank of America tiene en todo el territorio estadounidense ofrecen una fuerte competencia a los bancos locales y regionales. Otra defensa preventiva consistiría en introducir un flujo de productos nuevos y anunciarlos con anticipación.[13] Estos "anuncios anticipados" servirían de aviso a los competidores, en el sentido de que tendrán que luchar duro para obtener participación de mercado.[14] Si Microsoft anuncia sus planes de desarrollo de nuevos productos, las empresas más pequeñas podrían optar por concentrar sus esfuerzos en otras direcciones para evitar una competencia directa. Algunas compañías de alta tecnología han sido acusadas de vender "vaporware", esto es, anunciar productos que no cumplen con las fechas de entrega o que nunca llegan a ser lanzados.[15]
- ***Defensa de contraofensiva.*** En una contraofensiva, el líder del mercado puede enfrentarse directamente con el atacante y golpear sus flancos, o realizar un movimiento de pinza para obligarlo a replegarse y defender su territorio. Cuando FedEx vio que UPS reproducía con éxito su sistema de reparto por avión, hizo una inversión considerable en transporte terrestre mediante una serie de adquisiciones que desafiaron a UPS en su propio terreno.[16] Otra forma común de contraofensiva es el ejercicio de las influencias políticas o económicas. Para tratar de aplastar a su contrincante, la empresa líder podría subsidiar precios más bajos para el producto vulnerable con los ingresos de otros productos más rentables, anunciar la próxima mejora del producto para evitar que los consumidores adquieran el de la competencia, o incluso ejercer presión para que los políticos tomen medidas que inhiban o inmovilicen a la competencia.
- ***Defensa móvil.*** En la defensa móvil el líder extiende su dominio de nuevos territorios a través de la ampliación o la diversificación del mercado. La *ampliación del mercado* requiere que la empresa deje de centrarse en sus productos actuales para enfocarse en las necesidades genéricas. Ésta es la razón

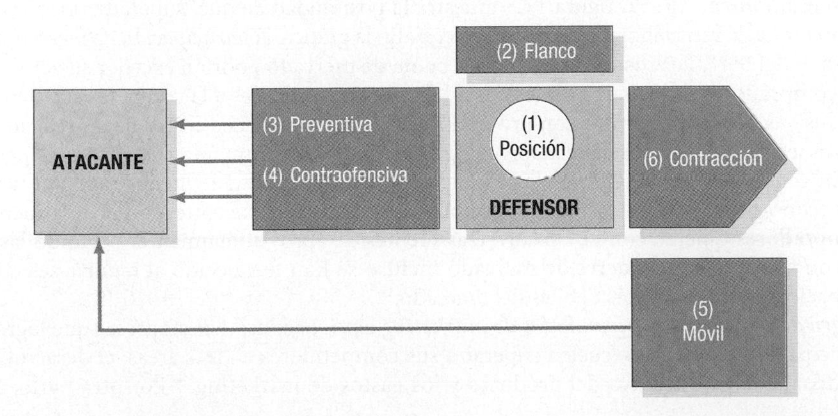

|Fig. 11.2| △

Seis tipos de estrategias de defensa

Mejorando su participación en la mensajería terrestre, FedEx desafió a UPS en su propio territorio.

por la que las empresas petrolíferas, como British Petroleum, trataron de convertirse en empresas "de generación de energía". Este cambio exigía que se dedicaran a investigar todo lo referente a los sectores de hidrocarburos, carbón, nuclear, hidroeléctrico y químico. Por su parte, la *diversificación del mercado* dirige el enfoque de la empresa a sectores no relacionados. Cuando las tabacaleras estadounidenses, como Reynolds y Philip Morris, se encontraron con los crecientes obstáculos al consumo de cigarrillos, no se contentaron con defender su posición en el mercado ni buscaron sustitutos a su producto, sino que rápidamente entraron en nuevas industrias, como la de la cerveza, el licor, las bebidas gaseosas y los alimentos congelados.

- ***Defensa de contracción.*** A veces las grandes empresas no pueden defender más la totalidad de su territorio. En la *contracción planificada* (también conocida como *retirada estratégica*), las empresas abandonan los mercados más débiles y reasignan los recursos a los mercados más fuertes. Desde 2006, Sara Lee se ha apartado de productos que representaban un gran porcentaje de sus ingresos (incluyendo su sólida marca de medias Hanes, y los negocios globales de productos para el cuidado del cuerpo y detergentes europeos), para centrarse en su negocio principal, que es el de alimentos.[17]

Incremento de la participación de mercado

Si se tiene en cuenta que un punto porcentual de participación equivale a decenas de millones de dólares, no es de extrañar que la competencia se haya vuelto tan feroz en tantos mercados. Sin embargo, incrementar la participación de mercado no genera automáticamente mayor rentabilidad, sobre todo en las empresas de servicios que requieren mucha mano de obra y que no experimentan economías de escala. Todo depende de la estrategia de la empresa.[18]

Puesto que el costo derivado de adquirir una mayor participación de mercado puede superar con creces los ingresos, las empresas deben considerar cuatro factores antes de intentar incrementarla:

- ***La posibilidad de provocar acciones antimonopolio.*** Los competidores frustrados podrían denunciar una postura monopólica si la empresa dominante no ceja en sus avances. Microsoft e Intel han tenido que defenderse de numerosas demandas y problemas legales en todo el mundo, como resultado de lo que algunos consideran prácticas comerciales inapropiadas o ilegales, y abuso de su poder en el mercado.
- ***El costo económico.*** La △ figura 11.3 muestra la posibilidad de que, superada una participación de mercado límite, la rentabilidad empiece a *decrecer*. En la gráfica, la *participación de mercado óptima* de la empresa es del 50%. Los costos de ganar más cuota de mercado podrían exceder su valor si a los todavía no compradores de la marca no les gusta la empresa, son leales a la competencia, tienen necesidades exclusivas, o prefieren tratar con proveedores más pequeños. Los costos de las relaciones públicas, los costos legales y los costos de relación con grupos de presión aumentan con la participación de mercado. En general un incremento en la participación de mercado tiene menos razón de ser cuando no existen economías de escala, cuando los segmentos de mercado existentes son poco atractivos, cuando los compradores quieren contar con diversas fuentes de aprovisionamiento y cuando las barreras de salida son altas. Algunos líderes de mercado incluso se han fortalecido al *reducir* selectivamente su participación en las áreas más débiles del mercado.[19]
- ***El peligro de llevar a cabo actividades de marketing equivocadas.*** Las empresas que logran aumentar su participación de mercado suelen superar a sus competidores en tres áreas: el desarrollo de nuevos productos, la calidad relativa del producto y los gastos de marketing.[20] Por otra parte, aquellas que

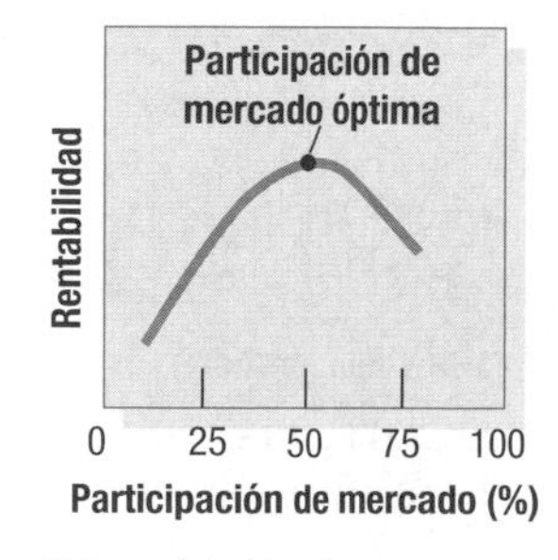

|Fig. 11.3| △

El concepto de participación de mercado óptima

intentan aumentar su participación de mercado reduciendo los precios más que sus competidores, en general no obtienen ganancias significativas, puesto que algunos de sus competidores ofrecerán precios similares o añadirán valor a sus productos para que los consumidores no abandonen sus marcas.

- ***El efecto del incremento de la participación de mercado sobre la calidad real y percibida.***[21] Demasiados consumidores pueden ejercer presión sobre los recursos de la empresa, deteriorando el valor del producto y la prestación de servicios. FairPoint Communications, con sede en Charlotte, luchó por integrar los 1.3 millones de clientes que obtuvo en la compra de la franquicia de Verizon Communications en Nueva Inglaterra. Sin embargo, una conversión lenta y numerosos problemas en materia de servicio provocaron la insatisfacción de los clientes, la ira de los reguladores y, al final, la quiebra.[22]

Otras estrategias competitivas

Las empresas que ocupan la segunda o tercera posición, e incluso posiciones inferiores dentro de una industria, se denominan perseguidoras o "rastreadoras". Algunas, como PepsiCo, Ford y Avis, son organizaciones muy importantes por derecho propio, lo que les permite adoptar dos posturas diferentes: atacar al líder y a otros competidores en la lucha por aumentar su participación de mercado como *empresas retadoras*, o seguir su propio camino sin molestar, como *empresas seguidoras*.

Estrategias de las empresas retadoras

Son numerosos los casos de empresas retadoras que han ganado terreno, e incluso han superado al líder del mercado. Actualmente Toyota produce más vehículos que General Motors, Lowe's está presionando a Home Depot y AMD ha estado minando la participación de mercado de Intel.[23] Una marca retadora que ha tenido éxito en el negocio de las bebidas energetizantes es 28BLACK.

28BLACK

28BLACK El acelerado ritmo de vida, la cantidad de trabajo y las múltiples actividades que quedan por hacer, crean una percepción de que el día es demasiado corto y la energía poco duradera. Esta situación ha sido pretexto para el surgimiento de varias marcas de bebidas que tienen como propósito generar energía para que las capacidades y habilidades de las personas alcancen su máximo potencial, permitiéndoles realizar todas las actividades que demanda la vida cotidiana. Las bebidas deportivas energizantes se ubican en la misma categoría, y en 2010 Pepsi-Cola dominaba por completo ese mercado, reportando un 65% del volumen de ventas. Este dominio se dio gracias a la marca Gatorade, que alcanzó el 82% de penetración en el mercado deportivo. Por su parte, Coca-Cola se ubicaba en el número dos de la clasificación con su bebida Powerade, responsable del 8% del volumen de ventas total. Por lo que respecta a las bebidas energéticas, Tequila La Herradura, empresa fabricante de Red Bull, se encontraba en el número tres del *ranking*, con un porcentaje por debajo del 8%. América Ener-gía obtenía el 6% gracias a la combinación de las ventas totales de Gladiator y Bomba. Recientemente, Calidris 28, empresa alemana fundada en 2008 en Luxemburgo, lanzó 28BLACK, marca que pretende explorar el mercado de las bebidas energéticas con características y estrategias de marketing bien definidas. Elaborada a base de asaí —fruto brasileño rico en antioxidantes—, 28BLACK está libre de conservantes, colorantes, saborizantes artificiales y taurina. Gracias a que este producto contiene isomaltosa, un azúcar natural que el organismo humano tarda más tiempo en procesar, se considera que puede generar cuatro horas de energía adicional para hacer que los días parezcan más largos, situación que dio origen al eslogan "Ahora el día tiene 28 horas". En cuanto al envasado, su diseño se basa en un estilo minimalista, elegante y fácilmente identificable, que ha logrado atraer la atención de los consumidores.[24]

Las empresas retadoras se fijan objetivos ambiciosos, mientras que los líderes del mercado suelen proseguir con sus negocios de forma habitual. Veamos ahora las estrategias competitivas que las empresas retadoras tienen a su disposición.[25]

DEFINICIÓN DEL OBJETIVO ESTRATÉGICO E IDENTIFICACIÓN DEL OPONENTE Lo primero que tiene que hacer una empresa retadora es definir su objetivo estratégico, que casi siempre es el incremento de su participación de mercado, para luego decidir a cuáles empresas atacará:

- ***Al líder del mercado.*** Esta estrategia es sumamente peligrosa, pero también es la más rentable y es una buena elección si la empresa líder no está atendiendo bien al mercado. Xerox arrebató el mercado de fotocopiado a 3M mediante el desarrollo de mejores procesos. Más tarde, Canon se apropió de una buena parte del mercado de Xerox al introducir copiadoras de escritorio. La estrategia de atacar al líder del mercado suele tener el beneficio añadido de distanciar a la empresa de los demás retadores. Cuando a mediados de la década de 2000 Miller Lite atacó a Bud Light con base en la calidad del producto, Coors Light quedó fuera de juego.

- ***A otras empresas de su mismo tamaño, que no atienden bien al mercado y tienen problemas de financiamiento.*** Estas empresas tienen productos obsoletos, precios demasiado altos, o no están satisfaciendo a sus clientes en otras áreas.
- ***A pequeñas empresas locales y regionales.*** Por ejemplo, algunas grandes instituciones bancarias alcanzaron su tamaño actual al absorber bancos regionales más pequeños.

SELECCIÓN DE UNA ESTRATEGIA GENERAL DE ATAQUE Una vez definido el oponente y el objetivo, ¿qué estrategias de ataque son aconsejables? Podemos distinguir entre cinco de ellas: frontal, de flancos, envolvente, en *bypass* y de guerrillas.

- ***Ataque frontal.*** En un *ataque frontal* puro, el atacante debe igualar el producto, la publicidad, el precio y la distribución de su oponente. El principio de la fuerza afirma que ganará el bando con recursos más sólidos. Un ataque frontal modificado, como la reducción de precios, podría funcionar si el líder del mercado no contraataca y el competidor es capaz de convencer al público de que su producto es tan bueno como el de aquél. Helene Curtis es una empresa experta en persuadir a los consumidores de que sus marcas, como Suave y Finesse, tienen una calidad similar y un mejor valor que las marcas más caras.
- ***Ataque de flancos.*** La estrategia de *ataque de flancos* es otro nombre para la acción de identificar los cambios que están generando vacíos susceptibles de satisfacerse con nuevos desarrollos. Este ataque es particularmente atractivo para un retador con menos recursos que el líder, y ofrece más probabilidades de éxito que los ataques frontales. En un ataque geográfico, el retador localiza y ataca las áreas en las que el oponente no atiende bien al mercado. Aunque Internet se ha apropiado de los lectores de periódicos y los anunciantes de muchos mercados, Independent News & Media, una empresa irlandesa de medios de comunicación con más de un siglo de antigüedad, vende casi todos sus 175 títulos de revistas y periódicos en países donde la economía es fuerte pero Internet todavía es relativamente débil, como Irlanda, Sudáfrica, Australia, Nueva Zelanda e India.[26] Otra estrategia de flancos consiste en atender las necesidades insatisfechas del mercado. El productor de botas vaqueras Ariat ha desafiado a Justin Boots y Tony Lama, eternos líderes del mercado, fabricando calzado de uso rudo pero con diseño ergonómico, lo cual hace que sus botas sean tan cómodas como un par de zapatillas deportivas, un beneficio totalmente nuevo en la categoría.[27]
- ***Ataque envolvente.*** El *ataque envolvente* es un intento por conquistar buena parte del territorio enemigo mediante el lanzamiento de una gran ofensiva desde diversos frentes. Este ataque tiene sentido cuando el retador cuenta con más recursos que el líder. Con el propósito de oponer mayor resistencia a su archirrival Microsoft, Sun Microsystems concede licencias para usar su software Java a cientos de empresas y miles de desarrolladores de aplicaciones para todo tipo de dispositivos de consumo. A medida que estos productos comenzaron a migrar al sistema digital, Java hizo su aparición en una amplia gama de aparatos.
- ***Ataque bypass.*** Esta táctica consiste en dejar de lado al enemigo en un principio, para atacar primero otros mercados más sencillos mediante la implementación de tres líneas de enfoque: la diversificación hacia productos no relacionados, la diversificación hacia nuevos mercados geográficos y la adopción de nuevas tecnologías. Pepsi utilizó una estrategia de *bypass* contra Coca-Cola por medio de (1) el despliegue del agua embotellada Aquafina en Estados Unidos en 1997, antes de que Coca-Cola lanzara su marca Dasani; (2) la compra de Tropicana —importante productor de jugo (zumo) de naranja— en 1998, cuando éste poseía casi dos veces la participación de mercado de Minute Maid, de Coca-Cola; y (3) la compra de la Quaker Oats Company (por 14 000 millones de dólares en 2000), propietaria de Gatorade, marca líder en el mercado de bebidas deportivas.[28] En la *estrategia de adopción de nuevas tecnologías*, la empresa retadora investiga y desarrolla pacientemente la nueva tecnología y después lanza su ataque, desplazando la batalla hacia el territorio en el que tiene ventaja. Google utilizó la adopción de nuevas tecnologías para superar a Yahoo!, y se convirtió en el líder del mercado de los buscadores de Internet.
- ***Ataque de guerrillas.*** El ataque de guerrillas consiste en lanzar ofensivas intermitentes de corto alcance, convencionales y no convencionales, incluyendo recortes selectivos de precios, intensos bombardeos promocionales, y acciones legales ocasionales para hostigar al adversario y garantizar puntos de apoyo permanentes al final. Las campañas de guerrillas pueden ser costosas (aunque menos que los frontales, envolventes o de flancos), además de que casi siempre deben estar respaldados por un ataque más fuerte para vencer al oponente.

Al combinar la comodidad con la resistencia, Ariat está superando a los líderes del mercado de botas vaqueras.

ELECCIÓN DE UNA ESTRATEGIA ESPECÍFICA DE ATAQUE Cualquier aspecto del programa de marketing puede servir de base para el ataque: los productos de menor precio o con descuento, los productos y servicios nuevos o mejorados, una mayor variedad de ofertas, y estrategias de distribución innovadoras. El éxito del retador dependerá de la combinación de estrategias más específicas, capaces de mejorar su posición con el paso del tiempo.

Al buscar nuevos mercados en los cuales introducirse, Pepsi ha utilizado un enfoque de bypass para luchar contra Coca-Cola.

Estrategias para empresas seguidoras

Theodore Levitt afirma que una estrategia de *imitación de productos* podría resultar tan rentable como una estrategia de *innovación de productos*.[29] En la "imitación innovadora", como él la llama, la empresa innovadora debe hacer grandes inversiones para desarrollar un producto nuevo, distribuirlo, e informar y educar al mercado. La recompensa de todo este trabajo suele ser la consolidación de la empresa como líder del mercado. Sin embargo, es muy probable que otra empresa copie el producto, o incluso lo mejore, y lance al mercado el artículo resultante. A pesar de que probablemente esta segunda empresa no desbancará a la que ostenta el liderazgo, podría obtener grandes beneficios en vista de que no tiene que hacer frente a gasto alguno derivado de la innovación.

LG Voyager

LG Voyager LG lanzó al mercado el nuevo teléfono móvil Voyager, una alternativa al iPhone. LG Voyager es el primer teléfono móvil con *touchscreen* y teclado completo. Además de su similitud en diseño con el iPhone, Voyager posee muchas de las características que han convertido en éxito el popular *gadget* de Apple: acceso a Internet, reproductor de archivos MP3, pantalla mejorada para visualización de videos, altavoces con sonido estéreo y acceso a televisión. Este producto tiene un precio más bajo que el iPhone, por lo que constituye una opción para quienes desean contar con las características avanzadas de la marca líder en el mercado, pero sin su elevado precio.[30]

Muchas empresas prefieren seguir al líder en vez de retarlo. Los modelos de "paralelismo consciente" con el líder son comunes en industrias que requieren grandes inversiones y cuyos productos tienen escasa diferenciación, como las del acero, los fertilizantes y los productos químicos. Las posibilidades de diferenciación de producto y de imagen son escasas, la calidad del servicio suele ser similar y la sensibilidad al precio es elevada. En este tipo de industrias no es conveniente enfocarse en incrementar la participación de mercado a corto plazo, puesto que esto sólo provoca represalias entre empresas. Por esta razón, casi todas las compañías del sector industrial presentan ofertas similares a los compradores, por lo general copiando al líder, lo que genera gran estabilidad en las participaciones de mercado.

Esto no significa que los seguidores carezcan de estrategias. Las empresas seguidoras deben saber cómo conservar a sus clientes actuales y conseguir nuevos consumidores. Para lograrlo tratarán de ofrecer ventajas exclusivas a su público meta: ubicación, servicios, financiación, etc., al mismo tiempo que mantienen en todo momento sus costos bajos y la calidad de sus productos y servicios en el nivel más alto posible. Asimismo, las organizaciones seguidoras deben entrar en mercados nuevos tan pronto como surjan, determinando vías de crecimiento lo suficientemente discretas como para no provocar represalias. En este sentido cabe destacar cuatro estrategias generales:

1. ***Falsificador***. El falsificador reproduce el producto y el envase del líder, y vende el artículo resultante en el mercado negro o en establecimientos de dudosa reputación. Las casas discográficas, Apple y Rolex se ven seriamente afectadas por este problema, sobre todo en algunos países asiáticos.
2. ***Clonador***. El "clonador" reproduce el producto, nombre y envase del líder, pero introduce ligeras variaciones. Por ejemplo, Ralcorp Holding Inc. vende imitaciones de cereales famosos en cajas muy similares a las de los originales. Sus Tasteeos, Fruit Rings y Corn Flakes se venden por un precio bastante menor que las marcas de los líderes del sector; sin embargo, las ventas de la empresa aumentaron un 28% en 2008.
3. ***Imitador***. El imitador copia algunos aspectos del producto del líder, pero se diferencia en términos de envase, publicidad, precio o puntos de venta. El líder no se preocupa mucho por el imitador, siempre y cuando no lo ataque de forma agresiva. Fernández Pujals creció en Fort Lauderdale, Florida, y llevó la idea del reparto de pizza a domicilio de Domino's a España, donde negoció un préstamo de 80 000 dólares para abrir su primer establecimiento en Madrid. Su cadena Telepizza opera en la actualidad cerca de 1 050 establecimientos en Europa y América Latina.
4. ***Adaptador***. El adaptador toma los productos del líder, los adapta e incluso los mejora. El adaptador puede optar por atender mercados diferentes, pero suele convertirse en empresa retadora; esto ocurrió con un enorme número de compañías japonesas cuando adaptaron y mejoraron los productos que otros habían desarrollado.

Telepizza tuvo gran éxito al adaptar el concepto de entrega de pizzas a domicilio en el mercado español

¿Cuánto puede llegar a ganar un seguidor? Por lo general menos que el líder. Un estudio sobre empresas fabricantes de alimentos reveló que, en orden de importancia, la primera compañía recuperaba el 16% de su inversión, la segunda el 6%, la tercera −1%, y la cuarta −6%. No es de extrañar, por lo tanto, que Jack Welch, ex director ejecutivo de GE, exigiera a cada una de sus unidades de negocio que alcanzara la primera o segunda posición del mercado, o simplemente se retiraran. El camino del seguidor no suele ser muy gratificante.

Estrategias para especialistas en nichos

Como se comentó en el capítulo 8, una de las alternativas para evitar convertirse en empresa seguidora consiste en concentrarse en la atención de un nicho o un mercado limitado. En general, las pequeñas empresas evitan la confrontación directa con las grandes dirigiéndose a mercados más limitados que carecen de interés para estas últimas. Lo cierto es que incluso las organizaciones grandes y rentables podrían optar por utilizar estrategias de nicho para algunas de sus unidades de negocios o empresas.

Cadbury

Cadbury Recientemente fue adquirida por la estadounidense Kraft Foods, la segunda empresa de alimentos más grande del mundo, Cadbury Adams es una firma de origen británico con dos siglos de trayectoria en la fabricación de chocolates y confitería, y ha venido aumentando la presencia de sus productos en México y en el resto de Latinoamérica. La empresa es reconocida por marcas de goma de mascar y caramelos refrescantes del aliento como Trident, Clorets, Chiclets, Halls y Bubbaloo, entre otras, que se exportan a unos 30 países, adecuándose a los mercados locales. Un ejemplo es la exitosa campaña —generadora de un incremento de 120% en las ventas tras sólo un mes de difusión— que Cadbury Adams presentó en Perú bajo el eslogan "¿Qué frescura te provoca?", incluyendo publicidad impresa, televisiva y de gran formato en un circuito de vallas en Lima, capital de Perú.[31]

Las empresas cuya participación es pequeña en relación con el mercado total pueden ser muy rentables si implementan una buena estrategia de especialización en nichos. Estas organizaciones tienden a ofrecer un alto valor, cobrar precios elevados, lograr bajos costos de producción y desarrollar una cultura y una visión corporativa bastante sólidas. Por ejemplo, la empresa familiar Tire Rack vende dos millones de neumáticos especiales al año a través de Internet, vía telefónica y mediante correo electrónico desde su sede en South Bend, Indiana.[32] Por su parte, VAALCO Energy, compañía independiente de generación de energía con sede en Houston, decidió que sus posibilidades de obtener utilidades eran mejores en territorios extranjeros que en Estados Unidos, donde había cientos de buscadores de petróleo. Al perforar un campo petrolero en la costa de Gabón, en África centro occidental, se encontró con mucha menos competencia e ingresos bastante mayores.[33]

El rendimiento sobre la inversión que tienen las empresas en los mercados más pequeños supera, en promedio, al que se obtiene en los mercados más grandes.[34] ¿Por qué resulta tan rentable la estrategia de nichos? La razón fundamental es que el especialista en marketing de nichos conoce tan bien su mercado meta que es capaz de satisfacer sus necesidades mejor que las empresas que atienden ese mismo nicho por casualidad. En consecuencia, el especialista puede establecer un precio muy superior al costo, generando un *gran margen*, mientras que la empresa masiva genera un *gran volumen*.

Los especialistas en marketing de nichos deben ejecutar tres tareas: crear nichos, expandirlos y protegerlos. Esta estrategia conlleva el riesgo de que el nicho desaparezca o se vuelva de interés para otras compañías. En tal caso, la empresa terminará con numerosos recursos especializados que difícilmente podrá aprovechar en actividades alternativas.

Zippo

Zippo Hoy en día, cuando el número de fumadores va en franco descenso de forma constante, Zippo Manufacturing, con sede en Bradford, Pennsylvania, es testigo de cómo el mercado para sus icónicos encendedores metálicos está desapareciendo. En consecuencia, los especialistas en marketing de Zippo deben diversificar y ampliar su enfoque para "vender fuego" en lugar de encendedores. A pesar de que debido a la recesión la empresa no pudo lograr su objetivo de reducir su dependencia de productos relacionados con el tabaco al 50% para 2010, Zippo está decidida a extender el significado de su marca para abarcar "todos los productos relacionados con el fuego". En 2001 lanzó un encendedor largo y delgado para propósitos múltiples (encender velas, asadores y chimeneas); además, adquirió W.R. Case & Sons Cutlery, un fabricante de cuchillos, y DDM Italia, conocido en toda Europa por sus finos artículos de piel italiana, y planea vender una línea de productos para uso exterior en puntos de venta como Dicks, REI y True Value.[35]

Puesto que cabe la posibilidad de que los nichos se debiliten, es importante que la empresa desarrolle nichos nuevos continuamente. "Apuntes de marketing: Las funciones del especialista en marketing de nichos" describe algunas opciones. La empresa debe "ceñirse a su estrategia de nichos", pero no necesariamente a un nicho en concreto, por lo que una *estrategia de nichos múltiples* resulta mucho más interesante que una *estrategia de nicho único*. Al fortalecer su presencia en dos o más nichos, la empresa multiplica sus posibilidades de supervivencia.

Por otra parte, las organizaciones que tratan de entrar en nuevos mercados deberían dirigirse primero a un nicho concreto y no a la totalidad del mercado. El sector de la telefonía móvil ha experimentado un crecimiento impresionante, pero en la actualidad sufre una competencia feroz, al mismo tiempo que disminuye el número de usuarios potenciales. Digicel Group, una empresa de telecomunicaciones relativamente nueva, de origen irlandés, ha aprovechado con éxito uno de los pocos segmentos de alto crecimiento que quedan: las personas de pocos recursos que no tienen teléfonos móviles. Un caso similar, pero en la industria financiera, es el de Banco Azteca en México.

Banco Azteca

Banco Azteca A casi una década de su fundación, Banco Azteca se ha convertido en uno de los bancos más importantes y sólidos de México. Forma parte del corporativo mexicano Grupo Salinas —con intereses en áreas tan dispares como la venta detallista de muebles y electrónicos, las telecomunicaciones, los servicios financieros y la televisión privada, entre otras—. Banco Azteca se enfoca en servir a las clases populares, un segmento de mercado históricamente despreciado por la industria de la banca. Grupo Salinas detectó una interesante oportunidad de negocio dado el potencial tamaño del segmento. La base de la pirámide necesitaba que se le ofrecieran tres características fundamentales: (1) comisiones nulas; (2) diversidad de transacciones, también libres de comisiones, y (3) préstamos en efectivo con condiciones preferentes, en virtud del nivel de ingresos del nicho. Banco Azteca diseñó su modelo de negocio a partir de estos requerimientos básicos, para atender al 70% de la poblacion de los países donde opera (México, Perú, Guatemala, Honduras, El Salvador, Panamá y Brasil). Cuenta con 15 millones de

Apuntes de marketing: Las funciones del especialista en marketing de nichos

El factor clave de la estrategia de nichos es la especialización. Las siguientes son algunas de las posibles funciones que los especialistas en marketing de nichos podrían verse obligados a asumir:

- *Especialista en consumidores finales.* La empresa se especializa en atender a un tipo particular de consumidor final. Por ejemplo, un *revendedor de valor agregado* (*VAR*) personaliza hardware y software informático para ofrecerlo a segmentos de consumidores específicos y establece un precio más alto.
- *Especialista a nivel vertical.* La empresa se especializa en alguno de los niveles del ciclo producción-distribución de la cadena de valor. Por ejemplo, una compañía dedicada al mercado del cobre podría concentrar su actividad en la producción de la materia prima, en la fabricación de piezas de cobre, o en la manufactura de productos a base de cobre.
- *Especialista en consumidores de un tamaño determinado.* La empresa concentra sus ventas en consumidores pequeños, medianos o grandes. Muchos especialistas en nichos se concentran en los consumidores de menor tamaño, porque son los que las grandes empresas suelen desatender.
- *Especialista en consumidores específicos.* La empresa limita sus ventas a un puñado de consumidores, o incluso a uno solo. Por ejemplo, muchas empresas venden la totalidad de su producción a una empresa única, como Walmart o General Motors.
- *Especialista en zonas geográficas.* La empresa vende sus productos únicamente en una localidad, región o área del mundo.
- *Especialista en un producto o línea de productos.* La empresa ofrece o fabrica un producto o una línea de productos únicos. La compañía podría fabricar, por ejemplo, lentes para microscopios, o si se tratara de un minorista podría ofrecer únicamente corbatas.
- *Especialista en un solo atributo del producto.* La empresa se especializa en ofrecer un determinado tipo de producto o una característica particular del mismo. Zipcar, empresa de servicios de automóviles de uso compartido, se dirige a personas que viven y trabajan en una de las siete grandes ciudades estadounidenses, y que si bien suelen utilizar el transporte público, requieren un automóvil un par de veces al mes.
- *Especialista en productos a la medida.* La empresa se dedica exclusivamente a personalizar sus productos para clientes individuales.
- *Especialista en calidad o precio.* La empresa se especializa en el mercado de alta o baja calidad del mercado. Sharp AQUOS, por ejemplo, se especializa en el mercado de pantallas de televisores LCD, y componentes para monitores de óptima calidad y alto precio.
- *Especialista en servicios.* La empresa ofrece uno o más servicios que no brindan las demás. Un banco podría autorizar solicitudes de crédito por teléfono y entregar el dinero a domicilio.
- *Especialista en el canal.* La empresa se especializa en un único canal de distribución. Esto ocurriría, por ejemplo, si una empresa de bebidas refrescantes decidiera producir un refresco en envases de gran tamaño y distribuirlo exclusivamente en gasolineras.

Banco Azteca ha capturado un gran segmento de la industria de la banca en México y Latinoamérica, orientándose a un grupo poblacional no atendido por otros bancos.

clientes, con un promedio aproximado de 500 dólares por cuenta. Una buena parte de los recursos de sus despositantes se colocan en cartera de crédito con plazos inferiores a 60 semanas, y otra porción se invierte en valores gubernamentales. La cartera de crédito está diversificada geográficamente en distintos países y en diversas regiones de México. Mientras el índice de cartera vencida (morosidad) de la industria crece, el de Banco Azteca muestra una tendencia decreciente. En época de crisis, cuando la base de la pirámide poblacional latinoamericana busca una mejor calidad de vida, Banco Azteca ofrece una oportunidad de ahorro única.[36]

Estrategias de marketing a lo largo del ciclo de vida del producto

La estrategia de diferenciación y posicionamiento de una empresa debe cambiar a medida que se modifican el producto, el mercado y los competidores a lo largo del *ciclo de vida del producto* (*CVP*). Afirmar que un producto tiene un ciclo de vida significa aceptar cuatro hechos:

1. Los productos tienen una vida limitada.
2. Las ventas de un producto atraviesan distintas fases, y cada una de ellas presenta diferentes desafíos, oportunidades y problemas para el vendedor.
3. Las utilidades aumentan y disminuyen en las diferentes fases del ciclo de vida del producto.
4. Los productos requieren diferentes estrategias de marketing, financieras, de producción, de compras y de personal en cada una de las fases de su ciclo de vida.

El ciclo de vida de los productos

La trayectoria más común de la curva del ciclo de vida de los productos tiene forma de campana (vea la figura 11.4), y se divide en cuatro fases, conocidas como introducción, crecimiento, madurez y declive.[37]

1. ***Introducción.*** Se trata de un periodo de lento incremento de las ventas en el lanzamiento del producto al mercado. Las ganancias son nulas, como consecuencia de los fuertes gastos que implica la introducción del producto en el mercado.
2. ***Crecimiento.*** Es un periodo de aceptación del producto en el mercado; las ganancias aumentan de forma considerable.
3. ***Madurez.*** Periodo de disminución del crecimiento de las ventas, como consecuencia de que el producto ha alcanzado la aceptación de casi todos sus compradores potenciales. Las utilidades (beneficios) se estabilizan o disminuyen a causa de un aumento de la competencia.
4. ***Declive.*** Las ventas presentan una tendencia a la baja y las utilidades disminuyen rápidamente.

Podemos usar el concepto de ciclo de vida del producto para analizar la categoría del producto (licor), la forma del producto (vodka) o su marca (Smirnoff). Cabe destacar que no todas las curvas del ciclo de vida de los productos adoptan forma de campana.[38] La figura 11.5 presenta tres modelos típicos de ciclos de vida alternativos.

|Fig. 11.4|

Ciclos de vida de ventas y utilidades

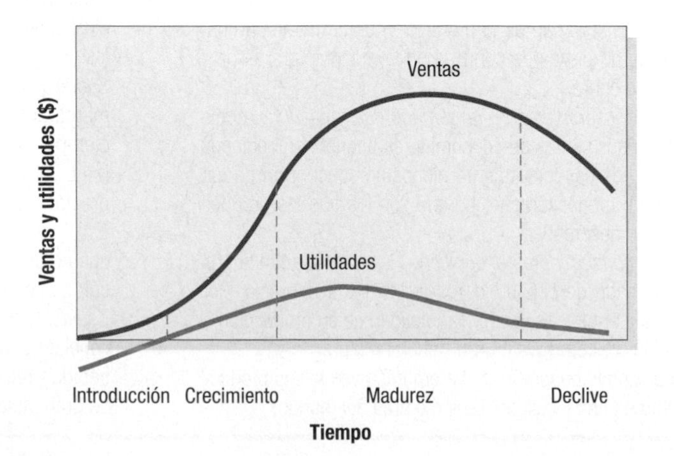

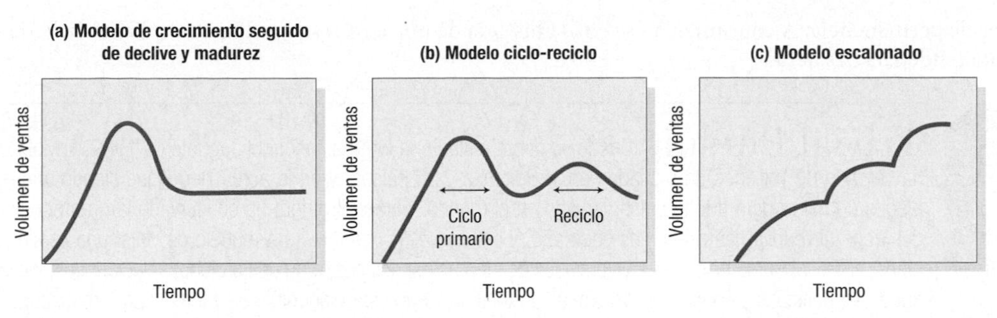

|Fig. 11.5|

Modelos más comunes del ciclo de vida del producto

La figura 11.5(a) muestra un *modelo de crecimiento seguido de declive y madurez*, que suele ser característico de los aparatos electrodomésticos de cocina, como batidoras y hornos pequeños. Las ventas aumentan de forma significativa tras el lanzamiento del producto, y después caen hasta llegar a un nivel de "petrificación", en el que se mantienen gracias a los adoptadores rezagados que compran el producto por primera vez, y por los adoptadores tempranos que se ven forzados a reemplazarlo.

El *modelo ciclo-reciclo* que se describe en la figura 11.5(b) resulta útil para describir las ventas de los medicamentos nuevos. Las empresas farmacéuticas promueven intensamente sus nuevos productos, lo cual genera un primer ciclo. Más adelante, cuando las ventas empiezan a descender, la empresa realiza otra campaña de promoción para estimularlas, lo que da lugar a un segundo ciclo, generalmente de menor magnitud y duración.[39]

Otro modelo del ciclo de vida del producto es el denominado *ciclo escalonado*, y se ilustra en la figura 11.5(c). En este caso las ventas atraviesan una serie de ciclos de vida sucesivos, como consecuencia del descubrimiento de nuevas características, usos o usuarios del producto. Las ventas de nylon, por ejemplo, muestran una forma escalonada a causa de los numerosos usos de este producto (paracaídas, medias, camisas, tapicerías, velas para embarcaciones, neumáticos de automóviles) que van revelándose a lo largo del tiempo.[40]

Ciclos de vida de estilos, modas y tendencias pasajeras

Es importante establecer distinciones respecto de tres categorías especiales de ciclos de vida: estilos, modas y tendencias pasajeras (figura 11.6). Un *estilo* es una forma de expresión básica y distintiva en algún campo de la actividad humana. Los estilos aparecen en la decoración doméstica (colonial, rústico, *early american*), en la vestimenta (formal, informal, deportiva), y en el arte (realista, surrealista, abstracto). Un estilo en particular puede mantenerse durante generaciones, y estar unas veces a la moda y otras no. Por su parte, la *moda* es la aceptación generalizada de un estilo en un campo determinado. Las modas atraviesan cuatro etapas: distinción, imitación, difusión masiva y declive.[41]

La duración del ciclo de vida de una moda es difícil de predecir. Hay quienes afirman que las modas terminan porque representan un determinado compromiso de compra de un producto y, en un momento dado, los consumidores comienzan a buscar atributos distintos a los que ofrece ese producto.[42] Por ejemplo, cuando se fabrican automóviles cada vez más pequeños, éstos resultan menos confortables, por lo que un número creciente de compradores empieza a buscar vehículos más grandes. Otra explicación es que llega un momento en que son demasiados los consumidores que adoptan una moda en particular, por lo que la tendencia se revierte. Una perspectiva adicional apunta a que la duración de un ciclo de vida particular depende de la medida en que una moda satisfaga una necesidad genuina, resulte consistente con otras tendencias sociales, se ajuste a normas y valores sociales, y no encuentre limitaciones tecnológicas en su desarrollo.[43]

Las *tendencias pasajeras* son modas que llegan rápidamente, se adoptan con gran interés, repuntan muy pronto y caen de forma estrepitosa. Las tendencias pasajeras suelen tener un ciclo de aceptación corto, y atraen a quienes buscan algo emocionante o quieren distinguirse de los demás. Las tendencias pasajeras no sobreviven porque no satisfacen una necesidad imperiosa. En marketing se considera afortunado al especialista capaz de reconocer pronto una tendencia pasajera y que logra satisfacerla con un producto con

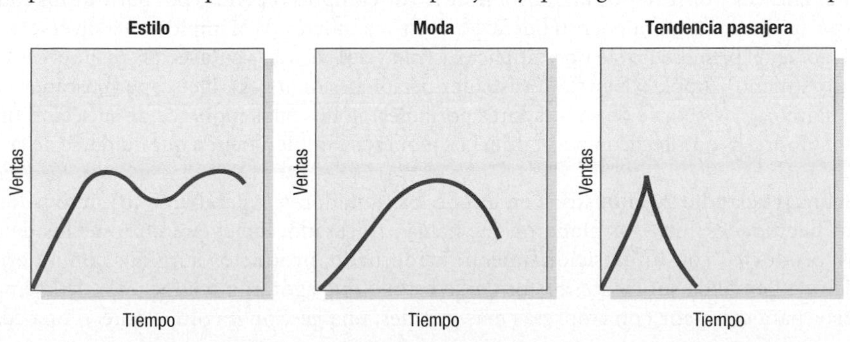

|Fig. 11.6|

Ciclos de vida de estilos, modas y tendencias pasajeras

poder de permanencia. A continuación se cita la historia de una empresa que logró ampliar el ciclo de vida de una tendencia pasajera:

Trivial Pursuit Desde su debut en la Feria Internacional del Juguete de 1982, Trivial Pursuit ha vendido 88 millones de unidades en 17 idiomas y 26 países, y en la actualidad sigue siendo uno de los juegos de mesa para adultos más vendido en el mundo. Parker Brothers ha conservado la gran popularidad del juego al renovar las preguntas cada año, y crear nuevas variantes: un modelo de viaje, una versión para niños, el Trivial Pursuit Genus IV, y versiones con temas específicos, dirigidas a nichos relacionados con varios deportes, películas y épocas: 23 versiones en total. El juego está disponible en varias plataformas: como CD-ROM interactivo de Virgin Entertainment Interactive, online en su propio sitio Web (www.trivialpursuit.com), y en una versión móvil con acceso a través de teléfonos móviles. Por si fuera poco, si un comensal se queda sin tema de conversación durante una cena no tendrá de qué preocuparse, porque NTN Entertainment Network ha instalado el Trivial Pursuit en cerca de 3000 restaurantes.[44]

A través de numerosas variantes, Trivial Pursuit ha demostrado ser más que una moda pasajera.

Estrategias de marketing: fase de introducción y ventaja del pionero

Puesto que se requiere tiempo para desarrollar un producto, solucionar sus problemas técnicos, dirigirlo a los canales de distribución y lograr aceptación de los consumidores, durante la fase de introducción las ventas suelen mantenerse en niveles bajos por lo general.[45] Otro impacto negativo en las cifras durante esta fase es la relación entre los costos de promoción y las ventas, que alcanza grandes niveles por la necesidad de (1) informar a los consumidores potenciales, (2) inducir a la prueba del producto y (3) asegurar la distribución en los puntos de venta.[46] Las empresas orientan sus ventas hacia aquellos compradores con mayor predisposición a adquirir el producto. Los precios tienden a ser altos, ya que los costos también lo son.

Las empresas que planean lanzar un nuevo producto tienen que decidir cuándo introducirlo en el mercado. Ser el primero puede reportar una gran recompensa, pero también supone un riesgo y costos muy altos. Tomar la opción de entrar más tarde es razonable cuando la empresa es superior en tecnología, calidad, o fuerza de marca como para crear una ventaja en el mercado.

En una época de ciclos de vida de productos cada vez más reducidos, la velocidad en la innovación se convierte en un elemento esencial. En términos generales, ser el primero tiene sus ventajas. Un estudio descubrió que los productos que se comercializan seis meses más tarde de lo esperado, aunque dentro de los límites presupuestados, obtenían en promedio un 33% menos de utilidades durante los cinco primeros años, mientras que los productos que se lanzaban a tiempo, con una inversión 50% superior a lo presupuestado, sólo vieron reducidos sus beneficios en un 4 por ciento.[47]

Casi todas las investigaciones indican que el pionero del mercado es el que consigue una mayor ventaja.[48] Empresas como Campbell, Coca-Cola, Hallmark y Amazon.com han protagonizado un liderazgo continuo en el mercado. Diecinueve de las 25 empresas que en 1923 eran líderes en distintos sectores del mercado estadounidense seguían siéndolo en 1983, 60 años más tarde.[49] En una muestra de negocios de bienes industriales, el 66% de los pioneros sobrevivieron al menos 10 años, mientras que sólo un 48% de los primeros seguidores lograron permanecer.[50]

¿Cuáles son las razones que subyacen en la ventaja de ser pioneros?[51] Los primeros usuarios memorizarán la marca si el producto les satisface. Asimismo, la primera marca determina los atributos que deberá poseer la categoría de producto.[52] Casi siempre la marca innovadora se dirige a la parte media del mercado, por lo que capta un mayor número de usuarios. Por otro lado, la inercia de los consumidores también tiene una función importante, lo mismo que las ventajas de producción: economías de escala, liderazgo tecnológico, patentes, propiedad de activos escasos y otras barreras de entrada. Además, los pioneros pueden realizar inversiones de marketing más eficaces y disfrutar de un mayor número de compras repetidas por parte de los consumidores. Un pionero perspicaz podrá mantener su liderazgo de forma indefinida si implementa diversas estrategias.[53]

Sin embargo, ser el primero no siempre implica disfrutar de todas las ventajas.[54] Éste fue el caso de Bowmar (calculadoras de mano), Apple's Newton (asistentes personales digitales), Netscape (buscador de Internet), Reynolds (bolígrafos) y Osborne (computadoras portátiles), todos ellos pioneros de su sector, que se vieron rebasados por empresas que llegaron más tarde. Los pioneros también tienen que cuidarse de la "ventaja del segundo".

Steven Schnaars estudió 28 industrias en donde los imitadores superaban a los innovadores,[55] y descubrió varias debilidades entre los pioneros que habían fracasado, incluyendo: productos demasiado rudimentarios; productos con un posicionamiento inadecuado; productos surgidos con anterioridad a la existencia de una demanda suficiente; costos de desarrollo que agotaron los recursos de la empresa; escasez de recursos para competir con empresas más grandes, una gestión incompetente, o una complacencia negativa. Los imitadores crecieron con fuerza gracias a que pudieron ofrecer precios más bajos, fueron capaces de hacer mejoras continuas a los productos, o lograron usar la fuerza bruta del mercado para superar a los pioneros. Ninguna de las empresas que dominan hoy el mercado de fabricación de computadoras personales, incluyendo a Dell, HP y Acer, fueron pioneras.[56]

Peter Golder y Gerald Tellis plantean más dudas respecto de la ventaja de ser pioneros.[57] Por ejemplo, establecen una distinción entre un *inventor* (el primero en desarrollar una patente en una categoría de producto), un *pionero de producto* (el primero en desarrollar un modelo operativo) y un *pionero de mercado* (el primero en comercializar una categoría de producto). En su estudio incluyen también ejemplos de pioneros que no sobrevivieron y concluyen que, aunque los pioneros ciertamente podrían tener una ventaja, hay más fracasos de lo que podríamos suponer, al tiempo que un gran número de líderes tempranos de mercado (aunque no pioneros) han tenido éxito. Algunos ejemplos de empresas que se incorporaron tarde al mercado pero terminaron por superar a los pioneros incluyen a IBM, que desbancó a Sperry en el mercado de computadoras centrales; a Matsushita, que destronó a Sony en el mercado de videograbadoras, y a GE, que dejó atrás a EMI en los equipos de tomografía asistida por computadora (TAC).

En un estudio más reciente, Tellis y Golder identificaron los cinco factores siguientes como pilares del liderazgo de mercado a largo plazo: visión de un mercado masivo, perseverancia, innovación constante, compromiso financiero y apalancamiento de activos.[58] Otras investigaciones han destacado la importancia de la originalidad en la innovación de los productos.[59] Cuando un pionero inicia un mercado con un producto realmente nuevo, como el Segway Human Transporter (dispositivo de transporte personal), la supervivencia puede ser muy difícil. En el caso de la innovación incremental, como los reproductores de MP3 con capacidades de video, los índices de supervivencia son mucho más altos.

El pionero debe considerar los diversos mercados en los que podría colocar inicialmente sus productos, teniendo en cuenta que no es posible entrar en todos a la vez. Supongamos que el análisis de segmentación de mercado revela la existencia de los segmentos que se representan en la figura 11.7. La empresa pionera debe analizar los beneficios potenciales que le ofrece cada mercado, tanto por separado como en conjunto y decidir la estrategia de expansión del mercado. Así, la empresa pionera de la figura 11.7 planea lanzar su producto P_1 en el mercado M_1 y después trasladarlo a un segundo mercado (P_1M_2). El paso siguiente, destinado a sorprender a la competencia, consiste en desarrollar un segundo producto para el segundo mercado (P_2M_2); a continuación deberá colocar ese mismo producto en el primer mercado (P_2M_1), y por último lanzar un tercer producto para el primer mercado (P_3M_1). Si estas medidas tienen éxito, la empresa pionera habrá conseguido una buena parte de los primeros dos segmentos de mercado, a los que atenderá con dos o tres productos.

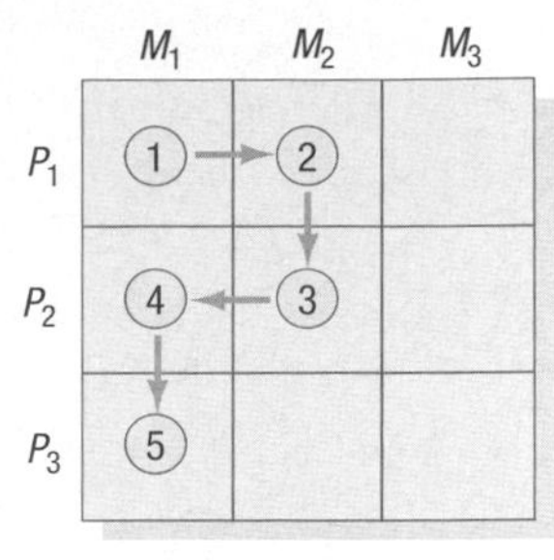

|Fig. 11.7|

Estrategia de expansión del mercado de un producto de largo alcance (P_i = producto i; M_j = mercado j)

Estrategias de marketing en la fase de crecimiento

La fase de crecimiento se caracteriza por un rápido incremento en las ventas. A los primeros compradores les gusta el producto, y otros comienzan a adquirirlo. Entonces aparecen nuevos competidores que, atraídos por las oportunidades, introducen nuevas características al producto e incrementan la distribución.

Los precios se mantienen en el mismo nivel o se reducen ligeramente, en función de la velocidad a la que aumenta la demanda. Las empresas conservan sus gastos de promoción en el mismo nivel o en uno ligeramente superior para hacer frente a la competencia y continuar educando al mercado. Las ventas aumentan mucho más que los gastos de promoción, lo que provoca una favorable disminución de la proporción entre las actividades de promoción y las ventas. Las utilidades se incrementan durante esta fase, como consecuencia de la distribución de los costos de promoción entre un mayor volumen de producción; además, los costos unitarios de fabricación disminuyen más rápidamente que el precio, por efecto de la curva de aprendizaje del fabricante. Con el propósito de adoptar nuevas estrategias, las empresas deben estar atentas para identificar el momento de cambio hacia una tasa de desaceleración del crecimiento.

Durante esta fase la empresa utiliza diversas estrategias para mantener un crecimiento rápido en el mercado:

- Eleva la calidad del producto, añade nuevas características y mejora su estilo.
- Añade nuevos modelos o productos similares (de distintos tamaños, presentaciones, etc.) para proteger el producto principal.
- Penetra en nuevos segmentos de mercado.
- Aumenta la cobertura de la distribución y busca nuevos canales.
- Modifica la actividad publicitaria, que ahora ya no estará destinada a dar a conocer el producto, sino a incrementar la preferencia por él.
- Reduce los precios para atraer a compradores más sensibles a ese factor.

A través del gasto en la mejora, promoción y distribución del producto, la empresa puede lograr una posición dominante. Esto perjudica las utilidades del momento con el fin de conseguir cuota de mercado y la esperanza de mayores beneficios en la siguiente fase del ciclo de vida del producto.

Estrategias de marketing en la fase de madurez

En un momento dado del ciclo de vida, el índice de crecimiento de las ventas se reducirá y el producto entrará en una fase de madurez relativa. Casi todos los productos se encuentran en la fase de madurez de su ciclo de vida, que por lo general dura más que las anteriores.

La fase de madurez se divide en tres subfases: crecimiento, estabilidad y declive de la madurez. En la primera, la tasa de crecimiento de las ventas empieza a disminuir, pues no existen nuevos canales de distribución que satisfacer y surgen nuevas fuerzas competitivas. En la segunda se mantienen las ventas percápita a causa de la saturación del mercado. La mayor parte de los consumidores potenciales ha probado el producto, y las ventas futuras se mantienen gracias al crecimiento poblacional y a la demanda sustituta del producto. En la tercera fase, la de declive de la madurez, el nivel absoluto de las ventas comienza a disminuir y los clientes empiezan a adquirir otros productos.

Esta tercera fase es la que plantea mayores desafíos. La progresiva disminución en las ventas crea un exceso de capacidad en el sector, lo que conduce a una intensificación de la competencia. Los competidores más débiles se retiran, mientras que unos pocos gigantes dominan (tal vez un líder de calidad, un líder de servicio y un líder de costos) y obtienen ganancias principalmente a través de grandes volúmenes y costos más bajos. En torno a estas empresas dominantes existen multitud de compañías especialistas en nichos, incluyendo especialistas de mercado o de producto y empresas de personalización.

La disyuntiva que enfrentan las empresas participantes en mercados maduros estriba en si deben esforzarse por convertirse en una de las tres grandes y obtener utilidades a través de un volumen elevado y un costo bajo, o seguir una estrategia de nichos y generar utilidades mediante un volumen bajo y un gran margen de ganancia. A veces el mercado se divide en segmentos de baja y alta categoría, y la participación de mercado de las empresas que están en el centro se erosiona constantemente. A continuación se explica qué ha hecho el fabricante de electrodomésticos sueco Electrolux para afrontar esta situación.

Electrolux AB En 2002, Electrolux se enfrentaba a un mercado de aparatos electrodomésticos de rápida polarización. Las empresas asiáticas de bajo costo, como Haier, LG y Samsung, ejercían presión con sus precios bajos, mientras que los competidores de primera, como Bosch, Sub-Zero y Viking, crecían a expensas de las marcas de calidad media. El director ejecutivo de Electrolux, Hans Stråberg, decidió salir de ese punto medio al replantearse los deseos y las necesidades de sus clientes. Con este objetivo en mente, segmentó el mercado según el estilo de vida y los patrones de compra de alrededor de 20 diferentes tipos de consumidores. El resultado es que hoy en día, por ejemplo, Electrolux comercializa exitosamente sus hornos de vapor entre los consumidores orientados a la salud, y su lavavajillas compacto —creado originalmente para utilizarse en cocinas pequeñas— a un segmento más amplio, conformado por consumidores que lavan trastos con más frecuencia. A partir de su experiencia, Stråberg ofrece este consejo a las empresas que están atrapadas en la parte media de un mercado maduro: "Comiencen por analizar a los consumidores, y entiendan cuáles son sus necesidades latentes y los problemas que experimentan... luego armen el rompecabezas para descubrir qué es lo que las personas realmente quieren tener. Se dice que Henry Ford llegó a afirmar: 'Si hubiera preguntado a las personas qué querían en realidad, habría fabricado caballos más rápidos o algo así. Lo que se debe averiguar es qué quiere de verdad la gente, aunque no lo pueda expresar'".[60]

Electrolux utiliza un elaborado plan de segmentación y una amplia línea de productos para asegurarse de que su marca no se quede atascada en medio de un mercado en contracción.

Algunas empresas abandonan los productos más débiles y se concentran en los nuevos o más rentables. Sin embargo, al poner en práctica esta estrategia olvidan el gran potencial que muchos productos y mercados siguen conservando en la fase de madurez. Las industrias que solían considerarse maduras (automóviles, motocicletas, televisores, relojes, cámaras) resultaron no serlo cuando hicieron su aparición los fabricantes japoneses, quienes descubrieron cómo ofrecer un nuevo valor a los consumidores. Existen tres mecanismos para cambiar el curso de una marca: la modificación del mercado, la modificación de los productos y la modificación del programa de marketing.

MODIFICACIÓN DEL MERCADO La empresa podría tratar de expandir el mercado para su marca madura, trabajando con los dos factores que tienen que ver con el volumen de ventas: Volumen = número de usuarios de la marca × tasa de uso por usuario, tal como se muestra en la tabla 11.1, pero esto también podría ser igualado por los competidores.

MODIFICACIÓN DEL PRODUCTO Los gerentes también tratan de estimular las ventas al modificar la calidad, las características o el estilo del producto. La *mejora de la calidad* incrementa el desempeño funcional del producto, mediante el lanzamiento de una versión "nueva y mejorada". La *mejora de las características* agrega tamaño, peso, materiales, complementos y accesorios que aumenten la resistencia, la versatilidad, la seguridad o la conveniencia del producto. La *mejora del estilo* aumenta el atractivo estético del producto. Cualquiera de estas mejoras puede atraer la atención del consumidor.

TABLA 11.1 Estrategias alternativas para incrementar el volumen de ventas

Ampliar la cantidad de usuarios	Incrementar el índice de uso entre los consumidores
• *Convertir a los no usuarios.* La clave para el crecimiento de los servicios de transporte aéreo de mercancías fue la búsqueda constante de nuevos usuarios, a los que las compañías aéreas pudieran demostrar los beneficios de usar ese mecanismo en lugar del transporte terrestre.	• *Lograr que los consumidores utilicen el producto en más ocasiones.* Esto es, conseguir que sirvan sopa Campbell como bocadillo (tentenpié), o que utilicen vinagre Heinz para limpiar las ventanas.
• *Entrar en nuevos segmentos de mercado.* Cuando Goodyear decidió vender sus neumáticos a través de Walmart, Sears y Discount Tire, su participación de mercado aumentó inmediatamente.	• *Lograr que los consumidores utilicen más productos en cada ocasión.* Lograr que beban un vaso grande de refresco de naranja en lugar de uno mediano.
• *Atraer a los clientes de la competencia.* Los especialistas en marketing de los pañuelos Puffs siempre están tratando de atraer a los consumidores de Kleenex.	• *Lograr que los consumidores utilicen el producto de nuevas maneras.* Por ejemplo, conseguir que usen el antiácido Tums como un suplemento de calcio.

MODIFICACIÓN DEL PROGRAMA DE MARKETING Por último, los gerentes de marca también deben tratar de estimular las ventas por medio de la modificación de otros elementos, en particular el precio, la distribución y la comunicación. Por otro lado, es preciso que evalúen la probabilidad de éxito de cualquier cambio por lo que se refiere a sus efectos sobre los clientes nuevos y los existentes.

Estrategias de marketing en la fase de declive

En esta fase, las ventas disminuyen por diversas razones: avances tecnológicos, cambios en los gustos de los consumidores y la intensificación de la competencia nacional e internacional. Todo ello conduce a un exceso de capacidad, a una progresiva reducción de los precios y a una disminución de las utilidades. El declive puede ser lento, como en el caso de las máquinas de coser y los periódicos, o rápido, como en el caso de los disquetes de 5.25 pulgadas y las cintas de audio de ocho pistas. En ocasiones las ventas se desploman hasta el nivel cero, o se mantienen congeladas en un nivel muy bajo. Estos cambios estructurales son diferentes al descenso a corto plazo que se presenta como resultado de alguna crisis de marketing. "Marketing en acción: El manejo de crisis de la marca", describe las estrategias que se deben usar para mantener viva una marca que tiene problemas temporales.

A medida que las ventas y los beneficios disminuyen a través de un largo periodo, algunas empresas se retiran del mercado. Las que permanecen podrían reducir el número de productos que ofrecen, abandonar los segmentos de mercado más pequeños y los canales de distribución más débiles, recortar el presupuesto de promoción y rebajar los precios todavía más. A menos que existan razones poderosas para hacerlo, mantener productos débiles es muy costoso para la empresa.

Además de ser poco rentables, los productos débiles consumen mucho tiempo de la dirección de la empresa; requieren ajustes frecuentes de precio e inventario; provocan la operación de series cortas de producción, lo cual encarece significativamente los procesos; demandan la atención del personal de ventas y de publicidad, cuya dedicación a los productos "saludables" resultaría mucho más rentable, y empañan la imagen de la empresa. Si no se elimina a tiempo los productos más débiles, la búsqueda de productos que los sustituyan se retrasará. Los productos débiles crean una mezcla de producto desequilibrada, pues registraron un alto rendimiento en el pasado y arrojarán un escaso rendimiento en el futuro.

Por desgracia, son muy pocas las empresas que desarrollan políticas adecuadas para manejar los productos más antiguos. En este sentido, la primera tarea es establecer un sistema de identificación de los productos débiles. Muchas organizaciones forman comités de análisis de productos, integrados por representantes de los departamentos de marketing, investigación y desarrollo, producción y finanzas. Basándose en toda la información disponible, estos comités hacen sus recomendaciones para cada producto: mantenerlo, modificar su estrategia de marketing o abandonarlo.[61]

Algunas empresas abandonarán los mercados decadentes antes que otras, dependiendo de la cantidad y el nivel de las barreras de salida del sector industrial.[62] Cuanto menos relevantes sean estas barreras, más fácilmente podrán abandonar las empresas el sector, y más tentadas se sentirán aquellas que decidan quedarse a seguir adelante y dirigirse a los clientes de las que han desaparecido. Procter & Gamble permaneció en el decadente negocio del jabón líquido y sus ganancias mejoraron a medida que otras empresas de la categoría se retiraron.

La estrategia más adecuada dependerá también del atractivo relativo de la industria y de la fuerza competitiva que la empresa tenga en el sector. Si la empresa opera en una industria poco atractiva pero tiene la suficiente fuerza competitiva, deberá considerar la reducción selectiva de su actividad. Por otro lado, si la empresa opera en una industria atractiva y posee fuerza competitiva, deberá considerar un reforzamiento de su inversión. Las empresas que logran rejuvenecer un producto maduro, muchas veces lo hacen al agregarle valor.

El manejo de crisis de la marca

Los gerentes de marketing deben asumir que algún día surgirá una crisis de marca. Whole Foods, Taco Bell, JetBlue y algunas marcas de juguetes y alimentos para mascotas han experimentado crisis de marca potencialmente catastróficas. AIG, Merrill Lynch y Citi se vieron sacudidas por escándalos de préstamos de inversión que erosionaron la confianza del consumidor. Las repercusiones generalizadas incluyen: (1) la pérdida de ventas; (2) la reducción de la efectividad de las actividades de marketing del producto; (3) el aumento de la sensibilidad a las actividades de marketing de los rivales, y (4) la reducción del impacto de las actividades de marketing de la empresa sobre las marcas de la competencia.

En general, cuanto más fuertes sean el brand equity, la imagen corporativa y, sobre todo, la credibilidad y la confianza, más probable será que la empresa logre capear la tormenta. Sin embargo, también son fundamentales la preparación cuidadosa y un programa de manejo de crisis bien gestionado. Tal como sugiere la labor casi perfecta que Johnson & Johnson llevó a cabo en relación con el incidente de manipulación de su producto Tylenol, la clave es que los consumidores consideren que la respuesta de la empresa es *rápida* y *honesta*; deben sentir al instante que la organización realmente se preocupa. Escuchar no es suficiente.

Cuanto más tarde la empresa en responder, más probable será que los consumidores se formen una impresión negativa a partir de la cobertura desfavorable de los medios de comunicación o de los comentarios de otras personas. O lo que sería peor, podrían descubrir que en realidad no les gusta la marca, y cambiar a otra de forma permanente. Enfrentar los problemas mediante las relaciones públicas, y tal vez incluso mediante anuncios publicitarios, podría ayudar a evitar esos problemas.

Consideremos el caso de Perrier. En 1994, Perrier se vio obligada a detener su producción en todo el mundo, y a retirar la totalidad de sus productos existentes cuando se encontraron cantidades excesivas de rastros de benceno, un conocido cancerígeno, en su agua embotellada. Durante las semanas siguientes la empresa ofreció varias explicaciones, creando confusión y escepticismo. Y todavía peor, el producto estuvo lejos de los estantes durante más de tres meses. A pesar de un costoso nuevo lanzamiento que incluyó anuncios y promociones, la marca tuvo dificultades para recuperar la participación de mercado que había perdido, y un año después sus ventas eran equivalentes a menos de la mitad que en el pasado. Una vez que su principal asociación clave ("pureza") quedó empañada, Perrier no tuvo otro punto de diferencia atractivo. Los consumidores y los minoristas habían encontrado buenos sustitutos, y la marca nunca se recuperó. Al final fue adquirida por Nestlé.

En segundo lugar, una respuesta sincera, el reconocimiento público del impacto en los usuarios, y la voluntad de tomar las medidas necesarias, reduce las probabilidades de que los consumidores se formen atribuciones negativas. Cuando los clientes informaron haber encontrado fragmentos de vidrio en algunos frascos de su alimento para bebés, Gerber trató de tranquilizar a la población asegurando que no había problemas en sus plantas de fabricación, pero se negó rotundamente a retirar los productos de las tiendas. Después de que su participación de mercado cayó de 66 a 52% en un par de meses, un funcionario de la empresa admitió que "no haber retirado el alimento para bebés de los estantes, dio la impresión de que no somos una empresa solidaria".

Fuentes: Norman y Stephen A. Greyser, "The Perrier Recall: A Source of Trouble", Harvard Business School Case #9-590-104 y "The Perrier Relaunch", Harvard Business School Case #9-590-130; Harald Van Heerde, Kristiaan Helsen y Marnik G. Dekimpe, "The Impact of a Product-Harm Crisis on Marketing Effectiveness", *Marketing Science* 26 (marzo-abril de 2007), pp. 230-45; Michelle L. Roehm y Alice M. Tybout, "When Will a Brand Scandal Spill Over and How Should Competitors Respond?", *Journal of Marketing Research* 43 (agosto de 2006), pp. 366-73; Michelle L. Roehm y Michael K. Brady, "Consumer Responses to Performance Failures by High Equity Brands", *Journal of Consumer Research*, 34 (diciembre de 2007), pp. 537-45; Alice M. Tybout y Michelle Roehm, "Let the Response Fit the Scandal", *Harvard Business Review*, diciembre de 2009, pp. 82-88; Andrew Pierce, "Managing Reputation to Rebuild Battered Brands", *Marketing News*, 15 de marzo de 2009, p. 19; Kevin O'Donnell, "In a Crisis Actions Matter", *Marketing News*, 15 de abril de 2009, p. 22.

Las estrategias para cosechar y desinvertir son muy diferentes. Cosechar exige una reducción gradual de los costos del producto o del negocio, al mismo tiempo que se intenta mantener las ventas; así, para empezar habrá que reducir los costos de investigación y desarrollo, y la inversión en planta y maquinaria. La empresa también puede reducir la calidad del producto, el tamaño de la fuerza de ventas, los servicios marginales y los gastos de publicidad. Todo esto debe hacerse sin dejar entrever a los clientes, a la competencia o a los empleados lo que está ocurriendo. Cosechar resulta muy difícil en la práctica; sin embargo, contar con muchos productos maduros garantiza la implementación de esta estrategia. Además, puede aumentar de forma sustancial los flujos de efectivo actuales de la empresa.[63]

Cuando una empresa decide deshacerse de un producto (desinversión) que tiene una buena distribución y aún conserva un potencial de beneficios, podría vendérselo a otra empresa. Algunas organizaciones se especializan en la adquisición y la revitalización de marcas "huérfanas" o "fantasmas" que las grandes empresas quieren vender o que se han declarado en quiebra, como la fabricante de textiles Linens n'Things, los cafés Folgers y Brim, el analgésico Nuprin y los champús Salon Selective.[64] El objetivo de los compradores es sacar provecho de los residuos de conciencia de marca que quedan en el mercado para desarrollar una estrategia de revitalización. Por ejemplo, Reserve Brands compró los bocadillos Eagle en parte porque la investigación mostró que 6 de cada 10 adultos estadounidenses recordaban la marca, lo que llevó a su director ejecutivo a señalar que: "Hoy en día se necesitarían entre 300 y 500 millones de dólares para crear esa clase de conciencia de marca".[65]

Si la empresa no encuentra compradores, tendrá que decidir si debe liquidar la marca rápida o lentamente. También tendrá que resolver cuánto inventario y qué servicios conservará para atender a los clientes antiguos.

Evidencias del concepto de ciclo de vida del producto

La tabla 11.2 resume las características, los objetivos y las estrategias de marketing de las cuatro etapas del ciclo de vida del producto, concepto que ayuda a los especialistas en marketing a interpretar la dinámica de los productos y los mercados, a llevar a cabo la planificación y el control, y a hacer pronósticos. Un estudio reciente de 30 categorías de producto reveló algunas conclusiones interesantes sobre el ciclo de vida:[66]

- Los bienes duraderos nuevos muestran un despegue distintivo, después de lo cual las ventas aumentan aproximadamente 45% al año, pero también evidencian una clara desaceleración cuando las ventas disminuyen en un 15% al año.
- La desaceleración se produce, en promedio, cuando se alcanza una penetración del 34%, mucho antes de que la mayoría de los hogares cuenten con una unidad del nuevo producto.
- La etapa de crecimiento dura poco más de ocho años y no parece acortarse con el paso del tiempo.
- Se presentan cascadas informativas, lo cual quiere decir que después de un tiempo las personas son más proclives a adoptar el producto si los demás ya lo tienen, en lugar de hacer cuidadosas evaluaciones del mismo por su propia cuenta. Una consecuencia es que las categorías de productos con grandes incrementos en ventas en el despegue tienden a exhibir caídas de ventas más acusadas en la etapa de desaceleración.

Crítica del concepto de ciclo de vida del producto

La teoría del ciclo de vida del producto no ha estado exenta de críticas. Por ejemplo, hay quienes dicen que la forma y duración de los patrones del ciclo de vida son demasiado variadas como para poder generalizarlas, y que los especialistas en marketing rara vez son capaces de precisar cuál fase están atravesando sus productos: un producto podría parecer maduro cuando en realidad sólo se ha estancado ligeramente antes de resurgir. Los críticos arguyen asimismo que, más que la representación de una sucesión inevitable de eventos, el modelo de ciclo de vida del producto es resultado del cumplimiento de las estrategias de marketing esperado inconscientemente, y que un marketing apropiado puede producir un crecimiento continuo.[67]

TABLA 11.2 Resumen de las características, objetivos y estrategias del ciclo de vida del producto

	Introducción	Crecimiento	Madurez	Declive
Características				
Ventas	Ventas bajas	Las ventas aumentan rápidamente	Las ventas alcanzan su punto máximo	Las ventas disminuyen
Costos	Alto costo por cliente	Costo promedio por cliente	Bajo costo por cliente	Bajo costo por cliente
Utilidades	Negativas	En ascenso	Elevadas	A la baja
Clientes	Innovadores	Adoptadores tempranos	Mayoría media	Rezagados
Competidores	Pocos	Número creciente	Número estable que empieza a disminuir	Número en descenso
Objetivos de marketing				
	Crear conocimiento de producto y fomentar la prueba	Maximizar la participación de mercado	Maximizar utilidades mientras se defiende la participación de mercado	Reducir gastos y "ordeñar" la marca
Estrategias				
Producto	Ofrecer un producto básico	Ofrecer extensiones de producto, servicio y garantía	Diversificar marcas y modelos	Retirar paulatinamente los productos/marcas más débiles
Precio	Cobrar un costo adicional	Precio para penetrar en el mercado	Precio para igualar o mejorar el de la competencia	Reducir los precios
Distribución	Crear distribución selectiva	Crear distribución intensiva	Crear distribución más intensiva	Distribución selectiva: se eliminan puntos de venta no rentables
Publicidad	Crear conocimiento de producto entre los primeros adoptantes y distribuidores	Crear conocimiento e interés en el mercado masivo	Resaltar las diferencias y los beneficios de la marca y fomentar el cambio a la marca	Reducir al nivel mínimo necesario para retener a los clientes leales

Fuentes: Chester R. Wasson, *Dynamic Competitive Strategy and Product Life Cycles* (Austin, TX: Austin Press, 1978); John A. Weber, "Planning Corporate Growth with Inverted Product Life Cycles", *Long Range Planning* (octubre de 1976), pp. 12-29; Peter Doyle, "The Realities of the Product Life Cycle", *Quarterly Review of Marketing* (verano de 1976).

Evolución del mercado

Puesto que el ciclo de vida del producto se centra más en lo que sucede con un producto concreto o con una marca en particular que en lo que ocurre con la totalidad del mercado, ofrece perspectivas en torno a los productos y no en relación con el mercado. Sin embargo, las empresas también deben visualizar la trayectoria de evolución *del mercado*, teniendo en cuenta que ésta se verá afectada por nuevas necesidades, competidores, tecnologías, canales de distribución y demás factores, y que, por lo tanto, para mantener el ritmo es preciso que puedan transformar el producto y el posicionamiento de la marca.[68] Al igual que los productos, los mercados evolucionan a través de cuatro fases: emergencia, crecimiento, madurez y declive. Consideremos la evolución del mercado de toallas de papel.

Toallas de papel

Toallas de papel Antiguamente las amas de casa usaban en sus cocinas paños de cocina de algodón y de lino, así como toallas. Pero en un momento dado, una empresa de la industria papelera que buscaba nuevos mercados desarrolló las toallas de papel, materializando un mercado latente en el que entraron otros fabricantes. El número de marcas aumentó, dando lugar a la fragmentación del mercado. El exceso de capacidad de la industria provocó que los fabricantes buscaran desarrollar nuevas características para el producto. Uno de esos fabricantes, al escuchar que los consumidores se quejaban de que las toallas de papel no eran absorbentes, introdujo esa característica y aumentó su participación de mercado. Los competidores produjeron entonces sus propias versiones de toallas de papel absorbentes, y el mercado se fragmentó de nuevo. Otro fabricante introdujo una toalla "súper poderosa", que pronto fue copiada; uno más lanzó una toalla "que no dejaba pelusa", y también fue imitada poco después. La más reciente innovación son las toallas que contienen un agente limpiador (como las toallitas desinfectantes de Clorox) específico para distintos tipos de superficie (madera, metal, piedra). Así, impulsadas por la innovación y la competencia, las toallas de papel evolucionaron para dejar de ser un solo producto y diversificarse ofreciendo distintas aplicaciones y niveles de absorbencia y resistencia.

El marketing en la recesión económica

Dados los diferentes ciclos económicos, siempre habrá momentos difíciles que deberán superarse. A pesar de la reducción de los fondos destinados a los programas de marketing y de la intensa presión por justificar su rentabilidad, algunos especialistas en marketing sobrevivieron —e incluso prosperan— durante la recesión. Las siguientes son cinco directrices para mejorar las probabilidades de éxito durante una recesión económica.

Explorar el lado positivo para aumentar la inversión

¿Vale la pena invertir durante una recesión? A pesar de que la gravedad de la reciente crisis llevó a las empresas a un territorio desconocido, 40 años de pruebas sugieren que quienes han estado dispuestos a invertir durante una recesión han tenido, en promedio, una mejora en sus negocios en comparación con aquellos que se mostraron reacios a hacerlo.[69]

El monto de la inversión no es lo único que importa. En muchos casos, las empresas que se vieron más beneficiadas por el aumento de sus inversiones en marketing durante una recesión fueron las que pudieron explotar mejor una ventaja del mercado, como un producto nuevo y atractivo, un rival débil o el desarrollo de un mercado meta descuidado. Con evidencias tan arrolladoras, los especialistas en marketing deben considerar el provecho potencial y la retribución positiva implícitas en un aumento de inversión para explotar las oportunidades del mercado. Las siguientes son dos empresas que tomaron esta decisión:

- General Mills aumentó sus gastos de marketing un 16% para el año fiscal 2009, con el resultado de que sus ingresos se incrementaron el 8% (a 14 700 millones de dólares) y sus ganancias operativas el 4%. Como explicó Ken Powell, director ejecutivo de la empresa: "En un entorno en el que la gente va a la tienda de comestibles más a menudo y piensa más en comer en casa, consideramos que era un momento ideal para construir una marca y recordar nuestros productos a los consumidores".[70]
- Sainsbury, el gigante de los supermercados en el Reino Unido, lanzó una campaña de publicidad y promoción en punto de venta con la frase "Alimenta a tu familia por cinco libras" (la cual extendía su eslogan corporativo, "Prueba algo nuevo hoy"), para alentar a los compradores a probar nuevas recetas capaces de alimentar a una familia completa por un costo módico.

Un mensaje que apelará sin rodeos al valor de la marca era justo lo que necesitaban recibir los clientes del Reino Unido de Sainsbury's al atravesar por una recesión.

Acercarse más a los consumidores

En tiempos difíciles, es posible que los consumidores presenten cambios por lo que se refiere a lo que quieren y pueden pagar, dónde y cómo compran, e incluso respecto de lo que desean ver y escuchar de una empresa. Una mala situación económica constituye una oportunidad para que los especialistas en marketing aprendan aún más acerca de lo que los consumidores —sobre todo la base de clientes leales que contribuyen con la mayor parte de la rentabilidad de la marca— están pensando, sintiendo y haciendo.[71]

Las empresas deben caracterizar cualquier cambio como un ajuste temporal y no como una transformación permanente.[72] Al explicar por qué es importante mirar hacia adelante durante una recesión, el director ejecutivo de Eaton, Alex Cutler, señaló: "Ha llegado el momento en que las empresas dejen de asumir que el futuro será como el pasado. Y me refiero a prácticamente todas las dimensiones, ya sea el crecimiento económico, las propuestas de valor o el nivel de regulación y participación gubernamental".[73]

Un estudio de 1 000 hogares estadounidenses, realizado por Booz & Company, reveló que tanto en el momento más álgido como en el punto más bajo de la recesión, el 43% de las personas habían suspendido las comidas fuera de casa, y más del 25% estaban reduciendo sus gastos en tiempo libre y actividades deportivas. En ambos casos, los encuestados afirmaron que probablemente seguirían haciéndolo incluso cuando la economía mejorara.[74] Con la confianza del consumidor en su nivel más bajo en décadas, el gasto cambió en muchos aspectos. Como explica un analista de empresas minoristas: "Las madres que solían comprar su propia marca de champú a cada miembro de la familia ahora están adquiriendo una sola marca para todos, de mayor tamaño y menor precio".[75]

También es probable que cambien el valor potencial y la rentabilidad de algunos consumidores meta. Los especialistas en marketing deben evaluar este factor para ajustar su programa de marketing y aprovechar las nuevas perspectivas. Después de enfocarse sin éxito en los jóvenes de veintitantos años con ropa más a la moda, Old Navy reorientó su mensaje para dirigirse a las madres con un presupuesto limitado, que hacían las compras para sí mismas y para su familia.[76]

Revisar las asignaciones presupuestarias

Las asignaciones presupuestarias suelen ser menos volátiles, así que quizá no cambien lo suficiente como para reflejar un entorno de marketing fluido. No obstante lo anterior, hemos visto en repetidas ocasiones que la enorme penetración de Internet, la mejor funcionalidad de los teléfonos móviles, la creciente importancia de los acontecimientos y las experiencias y emociones como oportunidades de marketing han transformado radicalmente las comunicaciones de marketing y los entornos de los canales en tan sólo cinco años.

Las recesiones ofrecen a los especialistas en marketing una oportunidad para examinar con más atención cuánto están gastando sus consumidores y cómo lo están haciendo. Las reasignaciones presupuestarias pueden abrir nuevas y prometedoras alternativas, eliminando enfoques considerados "vaces sagradas" que ya no proporcionarán nunca más suficientes beneficios en materia de ingresos. Los distribuidores de bajo rendimiento podrían verse eliminados, mientras que ciertos incentivos quizá resulten motivantes para los vendedores más eficaces.

Las comunicaciones de marketing permiten la realización de muchos experimentos. En Londres, el operador de telefonía móvil T-Mobile creó *happenings* espontáneos e interactivos de gran escala para expresar su posicionamiento de marca bajo el lema "La vida es para compartir", con lo cual generó una publicidad masiva. Su video "Dance", en donde se presentaba un baile multitudinario con 400 bailarines en la estación del metro de Liverpool, fue visto millones de veces en YouTube.[77]

Empresas tan diversas como los corredores inmobiliarios Century 21 y las hamburguesas gourmet Red Robin aumentaron sus actividades de marketing en Internet durante la recesión.[78] Los 120 000 consultorios dentales estadounidenses no fueron inmunes a la recesión económica, ya que los pacientes optaron por posponer sus arreglos dentales e incluso dejaron de lado las limpiezas de rutina. Entonces muchos dentistas recurrieron al marketing y aumentaron sus comunicaciones personales con los pacientes a través de boletines de correo electrónico, llamadas para concertar citas, e incluso mensajes de Twitter para mantenerlos al tanto de los nuevos productos o servicios que ofrecían.[79]

Plantear la propuesta de valor más convincente

Un error en el que se puede incurrir fácilmente en una recesión consiste en centrarse demasiado en la reducción de precios y en ofrecer muchos descuentos, lo cual podrían dañar el brand equity y la integridad de los precios a largo plazo. Los especialistas en marketing deben incrementar el valor que ofrecen sus marcas, comunicarlo claramente y asegurarse de que los consumidores aprecien todos los beneficios financieros, logísticos y psicológicos que recibirán en comparación con los de la competencia.[80] Cuanto más caro sea un artículo, más importancia tendrá este esquema de valor. En la reciente recesión,

Para reflejar los momentos económicos más difíciles, GE Profile cambió su estrategia de publicidad destacando sus aspectos prácticos.

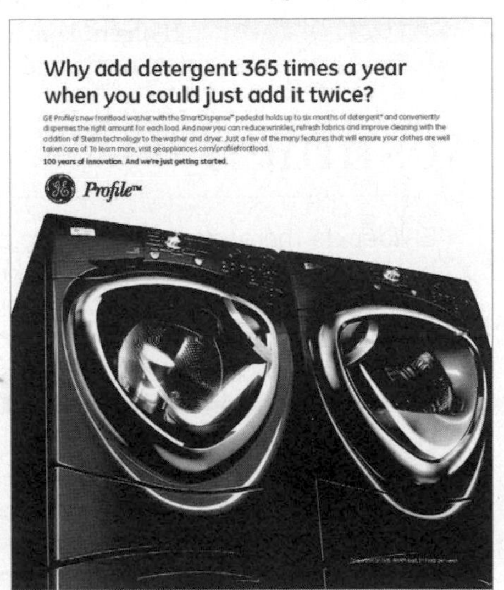

GE cambió el mensaje publicitario de su lavadora y secadora Profile de 3 500 dólares para hacer hincapié en su carácter práctico: el equipo optimiza el agua y el jabón utilizados en cada carga, reduciendo el desperdicio y ahorrando dinero a los clientes, ya que trata mejor la ropa y así extiende su vida.[81]

Los especialistas en marketing también deben revisar los precios para asegurarse de que no han aumentado a lo largo del tiempo y ya no reflejan una buena relación. Procter & Gamble adoptó un enfoque "quirúrgico" para reducir los precios en categorías específicas, en donde sus marcas se percibían como demasiado caras en comparación con los productos de la competencia. Al mismo tiempo, lanzó una campaña de publicidad sobre la innovación y el valor de sus muchas marcas, buscando garantizar que los consumidores siguieran pagando sus precios más altos. Los anuncios del papel higiénico Bounty afirmaban que era más absorbente que las toallas de papel de "marcas ganga"; los titulares en los anuncios impresos de la crema contra arrugas Intensive Wrinkle Protocol de Olay Professional Pro-X proclamaban que era "Tan eficaz en la reducción de las arrugas como un medicamento recetado por su médico, pero a la mitad de su precio".[82]

Ajustar la marca y la oferta de productos

Los especialistas en marketing deben asegurarse de tener los productos adecuados para vender a los consumidores correctos en los lugares y tiempos apropiados. Así, es recomendable que revisen sus carteras de productos y la arquitectura de marca para confirmar que las marcas y las submarcas estén claramente diferenciadas, dirigidas y apoyadas de acuerdo con su público objetivo. Las marcas de lujo podrían beneficiarse de las marcas de precios más bajos o las submarcas de sus carteras. En este sentido, veamos el ejemplo de Armani.

Armani

Armani Armani diferencia su línea de productos en tres niveles distintas de estilo, lujo, personalización y precio. En el Nivel I (el más caro), comercializa las marcas Giorgio Armani y Giorgio Armani Privé, productos de alta costura hechos a la medida que se venden por miles de dólares. En el Nivel II ofrece Emporio Armani: estilos jóvenes, modernos y más asequibles, y jeans Armani, que transmiten la sensación de tecnología y ecología. En el nivel de menor precio, el Nivel III, están las traducciones más juveniles y urbanas del estilo Armani: AIX Armani Exchange, que se vende en tiendas minoristas y centros comerciales. Su arquitectura de marca ha sido cuidadosamente diseñada para que cada extensión esté a la altura de la promesa central de Armani, sin diluir la imagen de la marca de familia. A pesar de lo anterior, también existe una clara diferenciación que minimiza la confusión del consumidor y la canibalización de la marca. En tiempos económicos difíciles, el nivel más bajo obtiene ventas en periodos de poca actividad y ayuda a mantener la rentabilidad.

Debido a que las diferentes marcas o submarcas atraen a distintos segmentos económicos, las que están dirigidas a la parte inferior del espectro socioeconómico pueden ser particularmente importantes durante una recesión. Las empresas orientadas al valor, como McDonald's, Walmart, Costco, Aldi, Dell, E*TRADE, Southwest Airlines e IKEA probablemente serán las más beneficiadas. Spam, el a menudo difamado bloque gelatinoso de carne de cerdo con especias en presentación de 340 g, vio cómo sus ventas se dispararon durante la recesión. Gracias a su precio asequible y a que no requiere refrigeración, Spam representa, como afirma su fabricante (Hulmel) "una especie de carne con un botón de pausa".[83]

Los tiempos difíciles también representan una oportunidad para deshacerse de las marcas o productos que tienen menores perspectivas. En la recesión que siguió a la tragedia del 11 de septiembre de 2001, Procter & Gamble se deshizo de muchas marcas que estaban estancadas, como el limpiador Comet, el café Folgers, la mantequilla de maní Jif, y el aceite y la manteca vegetal Crisco, para concentrarse con gran éxito en oportunidades de mayor crecimiento.

Resumen

1. El líder de mercado es aquel que cuenta con la mayor cuota o participación en el mercado de una categoría de producto específica. Para mantener el liderazgo, la empresa debe buscar el modo de incrementar la demanda total del mercado, e intentar proteger y quizás incrementar su participación de mercado actual.
2. Una empresa retadora es aquella que ataca al líder del mercado y a otros competidores de forma agresiva para incrementar su participación de mercado. Existen cinco tipos de estrategias generales de ataque, pero los retadores también tienen que adoptar estrategias específicas.
3. Una empresa seguidora es aquella que busca mantener su participación de mercado sin aspirar a nada más; puede desempeñar el papel de falsificador, clonador, imitador o adaptador.
4. Las empresas especialistas en nichos atienden mercados pequeños que han sido descuidados por las grandes organizaciones. La clave de esta estrategia es la especialización. Las empresas especialistas en nichos desarrollan ofertas que satisfacen plenamente las necesidades de un determinado grupo de consumidores, por lo que establecen un precio más alto.

5. Si bien hoy en día la atención a la competencia es muy importante en los mercados globales, las empresas no deben enfocarse exclusivamente en ella; por el contrario, es preciso mantener un equilibrio adecuado entre el control de los consumidores y el control de la competencia.
6. Puesto que tanto las condiciones económicas como las actividades competitivas varían, las empresas tendrán que reformular sus estrategias de marketing en diversas ocasiones a lo largo del ciclo de vida de un producto. La tecnología, las versiones del producto y las marcas también atraviesan ciclos de vida con fases diferentes. Las fases del ciclo de vida por lo general son la introducción, el crecimiento, la madurez y el declive. En la actualidad casi todos los productos se encuentran en su fase de madurez.
7. Cada fase del ciclo de vida de un producto requiere estrategias de marketing diferentes. La fase de introducción se caracteriza por un crecimiento lento y beneficios mínimos. Si tiene éxito, el producto pasará a la fase de crecimiento, que se caracteriza por un rápido aumento en las ventas y en los beneficios. A esta fase le sigue la de madurez, en la que el crecimiento en ventas se modera y los beneficios se estabilizan. Por último, el producto entra en la fase de declive; en ella la empresa debe detectar los productos verdaderamente débiles, desarrollar una estrategia para cada uno de ellos, y eliminar aquellos que tengan peor pronóstico con el fin de minimizar sus consecuencias negativas sobre los empleados, los consumidores y los beneficios de la empresa.
8. Al igual que los productos, los mercados también evolucionan y atraviesan por cuatro fases: introducción, crecimiento, madurez y declive.
9. En una recesión, los especialistas en marketing deben explorar el lado positivo de un posible aumento en las inversiones, el acercamiento con los clientes, la revisión de las asignaciones presupuestarias, el planteamiento de las propuestas de valor más convincentes, y el ajuste de las marcas y las ofertas de productos.

Aplicaciones

Debate de marketing

¿Las marcas están condenadas a la desaparición?

Luego de que una marca empieza a perder popularidad en el mercado o desaparece, los analistas acostumbran a comentar: "Todas las marcas pasan a la historia". Su razonamiento es que las marcas en general tienen una vida limitada y no pueden aspirar a ostentarse como líderes eternos. Otros expertos se oponen a este argumento, afirmando que *es posible* extender indefinidamente la vida de las marcas, y que el éxito de éstas dependerá de la capacidad y de la perspicacia de los especialistas en marketing que las administren.

Asuma una posición: **Las marcas tienen una vida limitada *versus* No hay razón para que una marca se vuelva obsoleta.**

Análisis de marketing

Papel de las empresas en una industria

Seleccione una industria. Clasifique a las empresas que participan en ella de acuerdo con los cuatro papeles que pueden desempeñan: líder, retadora, seguidora y especialista en nichos. ¿Cómo calificaría la naturaleza de la competencia en esa industria? ¿Las empresas siguen los principios descritos en este capítulo?

Marketing de excelencia

>>Samsung

Samsung, el gigante coreano de productos electrónicos de consumo, ha atravesado por una notable transformación: de ser un proveedor de artículos básicos a buen precio que los fabricantes de equipos originales (OEM) vendían bajo sus propias marcas, se convirtió en un comercializador global de productos electrónicos de consumo de alto precio y con su propia marca, como televisores de pantalla plana, cámaras digitales, dispositivos digitales, semiconductores y teléfonos móviles. Los teléfonos móviles de alta tecnología de Samsung han sido un motor de crecimiento para la empresa, que además ha lanzado un constante flujo de innovaciones, haciendo popular el teléfono PDA, el primer teléfono móvil con reproductor de MP3 y el primer reproductor Blu-ray.

Al principio Samsung se centró en el volumen y en el dominio del mercado en lugar de enfocarse en la rentabilidad.

Sin embargo, durante la crisis financiera asiática de finales de la década de 1990, en la que otros *chaebols* (conglomerados) coreanos se derrumbaron bajo una montaña de deudas, Samsung asumió una perspectiva diferente. Redujo los costos y volvió a enfatizar la calidad y la flexibilidad de fabricación del producto, lo que permitió que sus artículos electrónicos de consumo pasaran de la fase de proyecto a los estantes de las tiendas en sólo seis meses. La empresa hizo una gran inversión en innovación y centró su atención en su negocio de chips de memoria. Esto le permitió establecer una fuente de ingresos importante, y muy pronto se convirtió en el fabricante de chips más grande del mundo. La organización continuó invirtiendo dinero en investigación y desarrollo durante la década de 2000, presupuestando 40 000 millones de dólares para el periodo 2005-2010. Su enfoque en la investigación y el desarrollo, y su creciente convergencia digital, permitieron que Samsung introdujera una amplia gama de productos electrónicos bajo su muy sólida marca de familia. La empresa también se asoció con Sony, el veterano líder del mercado, para establecer una fábrica de vanguardia de LCD de 2 000 millones de dólares en Corea del Sur, y firmó un histórico acuerdo para compartir 24 000 patentes básicas de componentes y procesos de producción.

Durante la última década, el éxito de Samsung se ha visto impulsado no sólo por una innovación de productos exitosos, sino también por una agresiva creación de marca. Entre 1998 y 2009, la empresa gastó más de 7 000 millones de dólares en marketing, patrocinó seis Juegos Olímpicos y produjo varias campañas de publicidad mundial con temas como "Imagina", "Silenciosamente brillante" y "YOU", que incluían mensajes de la marca del tipo "tecnología", "diseño" y "sensación" (humana). En 2005, Samsung superó por primera vez a Sony en la clasificación de marcas de Interbrand, y en la actualidad sigue por encima de dicha marca.

La recesión económica de 2008 y 2009 afectó significativamente al sector de los semiconductores, las ventas totales de los productos electrónicos de consumo y el balance final de Samsung. Para sobrevivir, la empresa redujo sus márgenes de ganancia, disminuyó su producción y recortó sus inventarios. Como resultado, tuvo un resurgimiento a finales de 2009, con ganancias trimestrales récord a pesar de tener márgenes de ganancia mucho menores.

Hoy en día, Samsung es el líder mundial en televisores de pantalla plana y chips de memoria, y el segundo productor más importante de teléfonos móviles. Su actividad se centra en las tecnologías en crecimiento (como los teléfonos inteligentes o Smartphones) y se ha asociado con Windows Mobile de Microsoft y con el software Android de Google. Además, Samsung ha formado una asociación ecológica con Microsoft para contribuir en la creación de equipos informáticos energéticamente eficientes.

A diferencia de las empresas rivales, Samsung se ha convertido en un líder mundial al fabricar tanto componentes para productos electrónicos como dispositivos reales que se venden a los consumidores, sin haber tenido que adquirir a sus principales competidores. Su nómina se ha duplicado durante la última década, llegando a tener hoy en día más de 164 000 empleados en todo el mundo. Con un récord de ventas de 110 000 millones en 2008, el director ejecutivo de la empresa, Lee Yoon-woo, anunció que la empresa espera alcanzar los 400 mil millones en ingresos para el año 2020. Para lograr esta ambiciosa meta, Samsung explorará áreas como el cuidado de la salud y los productos de energía en el hogar.

Preguntas

1. ¿Cuáles son algunas de las principales fortalezas competitivas de Samsung?
2. La meta de Samsung de alcanzar los 400 mil millones de dólares en ventas para el año 2020 podría colocar a la empresa en el mismo nivel que Walmart. ¿Es esto factible? ¿Por qué?

Fuentes: Moon Ihlwan, "Samsung Is Having a Sony Moment", *BusinessWeek*, 30 de julio de 2007, p. 38; Martin Fackler, "Raising the Bar at Samsung", *New York Times*, 25 de abril de 2006; "Brand New", *Economist*, 15 de enero de 2005, pp.10-11; Patricia O'Connell, "Samsung's Goal: Be Like BMW", *BusinessWeek*, 1 de agosto de 2005; Heidi Brown y Justin Doeble, "Samsung's Next Act", *Forbes*, 26 de julio de 2004; John Quelch y Anna Harrington, "Samsung Electronics Company: Global Marketing Operations", *Harvard Business School*, 16 de enero de 2008; Evan Ramstad, "Samsung's Swelling Size Brings New Challenges", *Wall Street Journal*, 11 de noviembre de 2009; "Looking Good? LG v. Samsung", *Economist*, 24 de enero de 2009.

Marketing de excelencia

>>IBM

International Business Machines Corporation (IBM) fabrica y comercializa hardware y software, ofrece servicios de infraestructura y proporciona servicios globales de consultoría. La fundación de la empresa se remonta a la década de 1880, pero comenzó a ser conocida como IBM en 1924, bajo el liderazgo de su entonces presidente, Thomas J. Watson Sr., quien dirigió IBM durante cuatro décadas y ayudó a establecer algunas de sus tácticas de negocios más exitosas y permanentes, como una excepcional atención al cliente, una fuerza de ventas profesional y bien informada, y un enfoque en soluciones personalizadas de gran escala para las empresas. Watson también creó el primer eslogan de la empresa: "THINK" (Piensa), que rápidamente se convirtió en un mantra corporativo.

Durante las décadas de 1910 a 1940, el crecimiento de IBM explotó gracias sobre todo a las ventas de máquinas de tabulación que contribuyeron a sustentar el sistema de Seguridad Social estadounidense en la década de 1930, y a tecnologías bélicas desarrolladas para el ejército durante la primera y segunda guerras mundiales.

IBM evolucionó en la década de 1950, cuando el hijo de Watson, Thomas J. Watson Jr., asumió el cargo de director ejecutivo. Fue bajo su gestión que la empresa allanó el camino para las innovaciones en computación. IBM trabajó con el gobierno estadounidense durante la Guerra Fría y construyó el sistema de cómputo de defensa aérea SAGE a un precio de 30 millones de dólares. En 1964 la empresa lanzó una enorme y revolucionaria familia de computadoras llamada System/360, que utilizaba software intercambiable y equipos periféricos. Para que esto tuviera éxito; sin embargo, IBM tuvo que canibalizar sus propias líneas de productos de cómputo y migrar sus sistemas a la nueva tecnología. Afortunadamente, el riesgo valió la pena y la arquitectura de IBM se convirtió en el estándar del sector. Para la década de 1960, IBM estaba produciendo más o menos el 70% de todas las computadoras, superando a sus primeros competidores General Electric, RCA y Honeywell.

La década de 1980 (el comienzo de la era de las PC fue fundamental para IBM. En 1981 la empresa lanzó su primera PC, que ofrecía 18KB de memoria, unidades de disquete y un monitor a color opcional. IBM también abrió nuevos canales de distribución a través de empresas como Sears y ComputerLand. Sin embargo, su decisión de subcontratar los componentes de las PC a empresas como Microsoft e Intel marcó el fin del monopolio de IBM en la computación. Durante la década de 1980, su participación de mercado y sus ganancias decayeron a medida que la revolución de las PC cambió la forma en que los consumidores veían y compraban la tecnología. Las ventas de IBM se redujeron de 5 mil millones de dólares en la década de 1980 a 3 mil millones para 1989. La caída continuó durante la década de 1990, cuando la empresa sintió la presión de Compaq y Dell, y la dirección trató de dividir la organización en unidades de negocio más pequeñas para poder competir. Los resultados fueron desastrosos, e IBM registró pérdidas netas de 16 mil millones de dólares entre 1991 y 1993.

Las cosas cambiaron cuando un nuevo director ejecutivo, Louis Gerstner, dio a la empresa una nueva dirección estratégica. Gerstner reconectó sus unidades de negocio, se deshizo de los productos comodities y se centró en los negocios de alto margen, como la consultoría y el software personalizado. A continuación IBM introdujo el icónico ThinkPad, que le ayudó a recuperar el terreno perdido. Para reconstruir su imagen de marca, la empresa consolidó sus esfuerzos de marketing en una sola agencia de publicidad (en lugar de las 70 que había venido manejando) y creó un mensaje universal coherente. En 1997, Deep Blue, el sistema de cómputo para jugar ajedrez de IBM, también contribuyó a mejorar la imagen de marca cuando derrotó al campeón mundial de ajedrez en un acontecimiento histórico que capturó la atención de millones de personas.

En el cambio de siglo, el nuevo director ejecutivo de IBM, Samuel Palmisano, llevó a IBM a otros niveles de éxito tras la caída de las empresas punto com. Alejó aún más a la empresa del hardware mediante la venta de su división de ThinkPad a Lenovo, y dejó de producir unidades de disco. Además, Palmisano adoptó la consultoría global y el análisis de datos mediante la adquisición de cerca de 100 empresas, incluyendo a PricewaterhouseCoopers.

Hoy en día, IBM se centra en la solución de los problemas de alta tecnología más desafiantes del mundo, como la mejor gestión del agua, la reducción de la congestión del tránsito y la colaboración en soluciones de atención médica. Su campaña más reciente, titulada "Un planeta más inteligente", pone de relieve algunos de los logros que ha obtenido la empresa a la fecha, y explora las ideas que IBM tiene para el futuro. Palmisano explicó: "Estamos examinando los enormes problemas que no podían ser resueltos antes. Podemos resolver la congestión y la contaminación. Podemos hacer que las redes sean más eficientes. Y honestamente, esto crea una gran oportunidad de negocio".

En la actualidad, IBM es la empresa de tecnología de información más grande y rentable del mundo, con más de 103 mil millones de dólares en ventas y 388 000 empleados en todo el mundo. Emplea científicos, ingenieros, consultores y profesionales de ventas en más de 170 países, y tiene más patentes que cualquier otra empresa de tecnología con sede en Estados Unidos. Entre 2000 y 2008 gastó más de 50 mil millones de dólares en investigación y desarrollo, y aproximadamente el 30% de su presupuesto anual en esa área se destina a la investigación a largo plazo.

Preguntas

1. Pocas empresas han tenido una historia tan larga de altibajos como IBM. ¿Cuáles fueron algunas de las claves de su reciente éxito? ¿Es posible que sus planes para resolver algunos de los problemas más desafiantes del mundo alcancen el éxito? ¿Por qué?
2. ¿Quiénes son los mayores competidores de IBM hoy en día y qué riesgos enfrenta con su estrategia actual?

Fuentes: Steve Lohr, "IBM Showing That Giants Can Be Nimble", *New York Times*, 18 de julio de 2007; Jeffrey M. O'Brien, "IBM's Grand Plan to Save the Planet", *Fortune*, 21 de abril de 2009; "IBM Archives", *IBM*, www.ibm.com; Louis V. Gerstner Jr., Who Says Elephants Can't Dance? *Inside IBM's Historic Turnaround* (Nueva York: Harper Business, 2002).

PARTE 5 Formación de ofertas de mercado

El lanzamiento global del automóvil Ford Fiesta fue un evento muy esperado.

En este capítulo responderemos las siguientes **preguntas**

1. **¿Qué son las características de los productos y cómo son clasificados éstos por los especialistas de marketing?**
2. **¿Qué pueden hacer las empresas para diferenciar sus productos?**
3. **¿Por qué es tan importante el diseño de productos y qué factores determinan un diseño apropiado?**
4. **¿Qué pueden hacer las empresas para crear y gestionar su mezcla de productos y sus líneas de productos?**
5. **¿Qué deben hacer las empresas para combinar productos y crear un co-branding y un branding de ingredientes sólidos?**
6. **¿De qué manera se puede utilizar el envasado, el etiquetado y las garantías como herramientas de marketing?**

Establecimiento de la estrategia de productos

En el corazón de toda gran marca hay un gran producto. El producto es un elemento fundamental de la oferta de mercado. Para lograr liderazgo en el mercado, las empresas deben ofrecer productos y servicios de calidad superior, que provean un inigualable valor al cliente.

Ford Motor Company atravesó tiempos difíciles a principios del siglo XXI. La controversia sobre la seguridad de su muy exitosa camioneta Ford Explorer y el alto precio de la gasolina afectaron las ventas de sus camiones y SUV, poniendo a la empresa en grandes aprietos financieros. Tal vez el aspecto más preocupante era la percepción pública de que los productos Ford no tenían calidad. En 2006 llegó a la empresa un nuevo CEO, Alan Mulally, decidido a llevarla por caminos diferentes. Su rechazo al rescate gubernamental durante la recesión subsecuente creó buena voluntad, pero Mulally sabía que lo verdaderamente determinante para el destino de la compañía sería tener vehículos confiables, con estilo, a precio justo y con buen rendimiento. El rediseñado Ford Fusion, con su bajo consumo de combustible, un innovador sistema Sync de manos libres para control de teléfono y entretenimiento, y una versión de motor híbrido más respetuosa con el medio ambiente, captó la atención de los clientes; lo mismo ocurrió con la SUV Ford Flex con capacidad para siete pasajeros, apariencia urbana y de moda y con un minirrefrigerador en la consola central.

Mulally sentía que era muy importante utilizar la vasta infraestructura y escala de Ford para crear vehículos que, con pequeños ajustes, pudieran ser vendidos por todo el mundo. Resultado de extensas investigaciones globales, el Ford Fiesta hatchback fue un poderoso ejemplo de este concepto de automóvil mundial. Su parte trasera le da la apariencia de un automóvil compacto deportivo, sus enormes faros son típicos de los vehículos más caros y el diseño de su tablero de instrumentos se inspiró en el teclado de los teléfonos móviles. La empresa supo que tenía un éxito entre manos cuando el Fiesta obtuvo una respuesta uniformemente positiva en las salas de exhibición chinas, europeas y estadounidenses. Además, Ford apoyó su marketing en las redes sociales y otros medios online. Antes de su lanzamiento en Estados Unidos, 150 automóviles Fiesta hicieron un recorrido por el país ofreciendo pruebas de conducción, y un centenar más fue prestado durante seis meses a la comunidad de blogueros, con la intención de que compartieran sus experiencias. Las innovaciones en el producto y en el marketing de Ford dieron resultados. Mientras el resto de la industria automovilística estadounidense continuaba hundiéndose, el Fiesta tenía miles de pedidos previos a su lanzamiento, y de hecho Ford logró ciertas ganancias en el primer trimestre de 2010.[1]

La planificación de marketing comienza al formular una oferta para satisfacer las necesidades y deseos de los clientes meta. El cliente juzgará la oferta con base en tres elementos básicos: las características y la calidad del producto, la mezcla de servicios y la calidad de éstos, y el precio (△ figura 12.1). En este capítulo analizaremos el producto, en el capítulo 13 los servicios y en el 14 el precio. Estos tres elementos deben conformar una oferta atractiva desde el punto de vista competitivo.

Características y clasificaciones del producto

Muchas personas creen que los **productos** son tangibles en todos los casos; sin embargo, en realidad un producto es cualquier cosa que pueda ser ofrecida a un mercado para satisfacer un deseo o una necesidad, incluyendo bienes físicos, servicios, experiencias, eventos, personas, lugares, propiedades, organizaciones, información e ideas.

Precios basados en el valor

Atractivo de la oferta de mercado

Características y calidad del producto

Mezcla y calidad de los servicios

|Fig. 12.1| △

Componentes de la oferta de mercado

Niveles de producto: la jerarquía de valor para el cliente

Al planificar su oferta de mercado, el especialista en marketing debe considerar cinco niveles de producto (△ figura 12.2).[2] Cada nivel agrega más valor para el cliente y los cinco constituyen en conjunto la **jerarquía de valor para el cliente**.

- El nivel fundamental es el **beneficio básico**: el servicio o beneficio que el cliente está comprando en realidad. Los clientes de un hotel compran descanso y sueño; el comprador de una broca está comprando agujeros. Los especialistas en marketing deben verse a sí mismos como proveedores de beneficios.
- En el segundo nivel el especialista en marketing debe transformar el beneficio básico en un **producto genérico**. Así, una habitación de hotel debe incluir una cama, un baño, toallas, un escritorio, un tocador y un armario.
- En el tercer nivel el especialista en marketing prepara un **producto esperado**, esto es, el conjunto de atributos y condiciones que los compradores normalmente esperan cuando compran el producto. Los huéspedes de un hotel esperan obtener, como mínimo, una cama limpia, toallas limpias, lámparas que funcionen y un cierto grado de silencio.
- En el cuarto nivel el especialista en marketing prepara un **producto ampliado,** que exceda las expectativas del cliente. En los países desarrollados, el posicionamiento de marca y la competencia ocurren en este nivel; en cambio, en los mercados en desarrollo y emergentes, como India y Brasil, la competencia se lleva a cabo en el nivel de producto esperado.
- En el quinto nivel se encuentra el **producto potencial**, que abarca todas las mejoras y transformaciones que pudieran realizarse al producto o a su oferta en el futuro. Es en este nivel donde las empresas buscan nuevas formas de satisfacer a los clientes y distinguir su oferta.

Cada vez es más usual que el nivel de producto ampliado estimule el surgimiento de la diferenciación y la competencia, lo cual también lleva al especialista en marketing a analizar el **sistema de consumo** total del cliente, es decir, la manera en que el usuario desempeña las tareas de adquirir y usar productos y servicios relacionados.[3] Sin embargo, cada mejora incrementa el costo, y los beneficios mejorados pronto se convierten en beneficios esperados y en puntos de paridad necesarios en la categoría. En la actualidad los huéspedes de hoteles esperan recibir televisión vía satélite, acceso a Internet de alta velocidad y un centro de acondicionamiento físico totalmente equipado, así que los competidores deben buscar otras características y beneficios para diferenciarse.

A medida que algunas empresas incrementan el precio de su producto ampliado, otras ofrecen una versión más sencilla por un precio menor. Así, junto con el crecimiento de hoteles de primera, como Four Seasons o Ritz Carlton, vemos surgir hoteles y moteles de menor costo, como Motel 6 y Comfort Inn, que atienden a clientes que simplemente desean el producto genérico. Esforzarse por crear un producto ampliado puede ser fundamental para el éxito, tal como ha experimentado Tequila Don Ramón.

Tequila Don Ramón

Tequila Don Ramón Fundada en 1996, Casa Don Ramón es una empresa 100% mexicana. En la actualidad, sus tequilas —entre los cuales Tequila Don Ramón es el más reconocido— están a la venta en las principales cadenas de autoservicio, grandes almacenes, tiendas de conveniencia y licorerías. La calidad inigualable de sus productos, su precio accesible y el reconocimiento que éstos han ganado, constituyen importantes factores del éxito de la marca. Sin embargo, fueron dos los verdaderos diferenciadores que le abrieron la puerta de los mercados internacionales: la pureza de sus técnicas de destilación a partir del agave azul (elemento clave de la denominación de origen) y una presentación única, en botellas labradas con una técnica conocida como "corte diamante". Así, en sólo poco más de una década, Casa Don Ramón ha logrado posicionar su producto globalmente.[4]

|Fig. 12.2| △

Los cinco niveles de producto

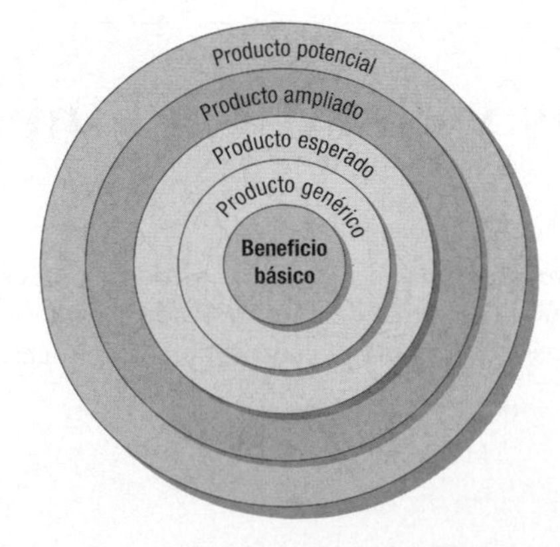

Clasificaciones de producto

Los especialistas en marketing clasifican los productos con base en la durabilidad, tangibilidad y nivel de consumo (ya sea individual o industrial). De acuerdo con ello, cada tipo tiene una estrategia de mezcla de marketing adecuada.[5]

DURABILIDAD Y TANGIBILIDAD Los productos pueden clasificarse en tres grupos, según su durabilidad y tangibilidad:

1. Los **bienes perecederos** son bienes tangibles que, por lo general, se consumen en uno o pocos usos, tales como la cerveza o el champú. Debido a que estos bienes son comprados con frecuencia, la estrategia adecuada consiste en lograr que estén disponibles en muchos lugares, cargarles solamente un pequeño margen de ganancia, y anunciarlos mucho para inducir a la prueba y generar preferencia.
2. Los **bienes duraderos** son bienes tangibles que casi siempre se ven sometidos a prolongados periodos de uso, como los frigoríficos, las herramientas y la ropa. En general, los bienes duraderos requieren una labor de venta y servicio más personales, conllevan un mayor margen de ganancia y requieren más garantías por parte del vendedor.
3. **Servicios** son productos intangibles, inseparables, variables y perecederos, que suelen exigir mayor control de calidad, credibilidad de los proveedores y adaptabilidad. Algunos ejemplos son el corte de cabello, la asesoría legal y la reparación de aparatos electrodomésticos.

CLASIFICACIÓN DE LOS BIENES DE CONSUMO Cuando se clasifica la amplia variedad de bienes de consumo con base en los hábitos de compra, es posible distinguir entre bienes de conveniencia, de compra comparada, de especialidad y no buscados.

En términos generales, el consumidor compra **bienes de conveniencia** con cierta frecuencia, de inmediato y con un mínimo esfuerzo. Entre los ejemplos de este tipo de productos están las bebidas refrescantes, los jabones y los diarios. Los *bienes de uso común* son bienes de conveniencia que los consumidores compran con regularidad o de manera rutinaria (digamos, salsa de tomate Heinz, dentífrico Crest y galletas saladas Ritz). Los *bienes de impulso* (como caramelos y revistas) son comprados sin planificación ni esfuerzo de búsqueda. Los *bienes de emergencia* son comprados cuando hay una necesidad urgente (paraguas cuando está cayendo una tormenta; botas y guantes durante la primera nevada invernal). Los fabricantes de bienes de impulso y de emergencia buscarán colocar sus productos donde los consumidores tengan mayor probabilidad de experimentar una urgencia o una necesidad imperiosa de compra.

Los **bienes de compra comparada** son aquellos en torno de los cuales el consumidor suele hacer comparaciones con base en su idoneidad, calidad, precio y estilo durante el proceso de selección y compra. Algunos ejemplos son los muebles, la ropa y los aparatos electrodomésticos de alto valor. Los *bienes de compra comparada homogéneos* son similares en calidad, pero con precios lo suficientemente diferentes como para justificar comparaciones de compra. Los *bienes de compra comparada heterogéneos* difieren en características y servicios que podrían ser más importantes que su precio. El vendedor de bienes de compra heterogéneos suele contar con una amplia selección de productos para satisfacer gustos individuales y capacita a sus vendedores para que puedan informar y dar consejo a los clientes.

Los **bienes de especialidad** tienen características o identificación de marca únicas, por los cuales hay suficientes compradores dispuestos a hacer un esfuerzo especial de compra. Entre los ejemplos de este tipo de bienes están los automóviles, los aparatos de estéreo y los trajes para caballero. Los automóviles Mercedes Benz es un bien de especialidad, porque a los compradores interesados no les importará recorrer largas distancias para adquirir uno. Los bienes de especialidad no requieren comparaciones; los compradores invierten tiempo con la única finalidad de llegar a los distribuidores que tengan los productos deseados, así que éstos no necesitan tener una ubicación cómoda, pero sí deben dejar saber a sus clientes potenciales dónde pueden encontrarlos.

Los **bienes no buscados** son aquellos que los consumidores desconocen o que en términos generales no piensan comprar, como un detector de humo; otros ejemplos clásicos de bienes no buscados pero conocidos son los seguros de vida, los lotes en un cementerio y las lápidas funerarias. Los bienes no buscados requieren publicidad y esfuerzos de venta personal.

CLASIFICACIÓN DE LOS BIENES INDUSTRIALES Los bienes industriales se clasifican en términos de su costo relativo y de la manera en que se integran al proceso de producción: materiales y piezas, bienes de capital, y suministros y servicios de negocios. Los **materiales y piezas** son bienes que se integran por completo en el producto del fabricante. Existen dos categorías: materia prima, y materiales y piezas manufacturados. La *materia prima* se divide en dos grandes grupos: *productos agropecuarios* (trigo, algodón, ganado, frutas y verduras) y *productos naturales* (pescado, madera, petróleo crudo, mineral de hierro). Los productos agropecuarios son suministrados por muchos productores, quienes los envían a intermediarios de mercado encargados de ensamblarlos, clasificarlos, almacenarlos, transportarlos y venderlos. La naturaleza perecedera y estacional de estos bienes da lugar a prácticas especiales de marketing, mientras que su carácter de productos básicos deriva en más o menos poca actividad promocional y publicitaria, con algunas excepciones. Por ejemplo, hay ocasiones en que grupos de productores de este tipo de bienes lanzan campañas para promover sus productos (digamos, patatas, queso y carne), y algunas veces utilizan una marca para comercializarlos (tal es el caso de las ensaladas Dole, las manzanas Mott's y las bananas Chiquita).

Por su parte, los productos naturales tienen un suministro limitado. Generalmente tienen un gran valor en volumen y un reducido valor unitario, y deben ser trasladados del productor al usuario. Casi siempre los productores son pocos y grandes, y comercializan sus productos directamente entre usuarios industriales. Debido a que éstos dependen de esos materiales, es común que se establezcan contratos de suministro de largo plazo. La homogeneidad de los productos naturales hace que las actividades para generar su demanda sean limitadas. El precio y la confiabilidad en la entrega son los factores que más influyen en la selección de proveedores.

Las *piezas y materiales manufacturados* se dividen en dos categorías: materiales componentes (hierro, hilo, cemento, alambre) y piezas componentes (pequeños motores, neumáticos, piezas de fundición). Por lo general, los *materiales componentes* participan en procesos secundarios de fabricación: el hierro forjado se convierte en acero, el hilo se teje para hacer tela. La naturaleza estandarizada de los materiales componentes suele provocar que el precio y la confiabilidad del proveedor sean factores determinantes en la compra.

Las *piezas componentes* se integran al producto terminado sin cambios de forma, como cuando se coloca un motor en una aspiradora, o los neumáticos en los automóviles. Casi todas las piezas y materiales manufacturados se venden directamente a los usuarios industriales. El precio y el servicio son importantes consideraciones de marketing, siendo el branding y la publicidad menos importantes.

Los **bienes de capital** son bienes duraderos que facilitan el desarrollo o la gestión del producto terminado. Se dividen en dos grupos: instalaciones y equipamiento. Las *instalaciones* consisten en edificios (fábricas, oficinas) y equipo pesado (generadores, prensas, servidores informáticos, elevadores). Las instalaciones son compras mayores; por lo general son adquiridas directamente del productor, cuya fuerza de ventas incluye personal técnico, y antes de que se cierre una venta suele haber largas negociaciones. Los productores deben estar dispuestos a diseñar bajo especificación y a proveer servicio postventa. La publicidad es mucho menos importante que la venta personal.

El *equipamiento* incluye equipo portátil de fábrica y herramientas (herramientas de mano, montacargas), así como suministros para oficina (PC, escritorios). Estos tipos de suministro no se integran a un producto terminado. Tienen una vida más corta que las instalaciones, pero más larga que los suministros operativos. Aunque algunos fabricantes venden directamente el equipo accesorio, es más frecuente que utilicen intermediarios, porque el mercado está geográficamente disperso, los compradores son numerosos y los pedidos son pequeños. La calidad, características, precio y servicio son consideraciones importantes. La fuerza de ventas tiende a ser más importante que la publicidad, aunque ésta puede ser utilizada con eficacia.

Los **suministros y servicios a empresas** son bienes y servicios de corto plazo que facilitan el desarrollo o la gestión del producto terminado. Los suministros son de dos tipos: *artículos de mantenimiento y reparación* (pintura, clavos, escobas) y los *suministros operativos* (lubricantes, carbón, papel, lápices). Juntos, se denominan bienes MRO (acrónimo en inglés de *mantenimiento, reparación* y *operaciones*). Son equivalentes a los bienes de conveniencia: por lo general se compran con un mínimo esfuerzo en una base de recompra directa. Normalmente se comercializan a través de intermediarios, debido a su reducido valor unitario, al gran número de clientes y a su gran dispersión geográfica. El precio y el servicio son consideraciones importantes porque los proveedores están estandarizados y la preferencia de marca no es alta.

Los servicios empresariales (o *industriales*) incluyen *servicios de mantenimiento y reparación* (limpieza de ventanas, reparación de fotocopiadoras) y *servicios de asesoría empresarial* (legal, consultoría de gestión, publicidad). Los servicios de mantenimiento y reparación por lo general son provistos bajo contrato por pequeños productores o por los fabricantes del equipo original. Los servicios de asesoría empresarial suelen comprarse con base en la reputación y en el personal del proveedor.

Diferenciación de productos y servicios

Para poder ser objeto de un *branding*, los productos deben ser diferenciados. En un extremo se encuentran los productos que permiten muy poca variación, como el pollo, la aspirina y el acero. Incluso en este caso es posible hacer alguna diferenciación: los pollos Perdue, la aspirina Bayer y el acero hindú Tata tienen identidades distintivas en sus categorías. Procter & Gamble fabrica los detergentes para ropa Tide, Cheer y Gain, cada uno con su propia identidad de marca. En el otro extremo están los productos con gran capacidad de diferenciación, como automóviles, edificios comerciales y muebles. En estos casos el vendedor enfrenta muchas posibilidades de diferenciación, incluyendo la forma, características, personalización, calidad de resultados, calidad de ajuste, durabilidad, fiabilidad, posibilidad de reparación y estilo.[6] El diseño se ha convertido en un medio de diferenciación cada vez más importante, y se analizará en una sección independiente más adelante.

Diferenciación de productos

FORMA Muchos productos pueden diferenciarse por su **forma** —tamaño, conformación o estructura física—. Considere las muchas formas posibles de la aspirina. Aunque en esencia es un comodity, puede diferenciarse en función del tamaño de la dosis, forma, color, recubrimiento o tiempo de acción.

CARACTERÍSTICAS Casi todos los productos pueden ofrecer diversas características como complemento de su función básica. La empresa puede identificar y seleccionar nuevas características adecuadas haciendo encuestas entre sus compradores recientes, y calculando a partir de ellas el *valor al cliente* en relación con el *costo en que incurre la empresa* por cada característica potencial. Los especialistas en marketing deben considerar cuánta gente desea cada característica, cuánto tardaría en introducir cada una y si los competidores podrían copiarla con facilidad.[7]

Para evitar el "agotamiento de las características" la empresa debe priorizarlas e informar a los consumidores sobre cómo usarlas y beneficiarse de ellas.[8] Otra alternativa para la empresa consiste en pensar en términos de paquetes o conjuntos de características. Las empresas automovilísticas suelen fabricar automóviles con diversos grupos de accesorios. Esto disminuye los costos de fabricación y de inventario. Cada empresa debe decidir si ofrece personalización de características a un costo mayor, o unos cuantos paquetes estándar a un costo más bajo.

PERSONALIZACIÓN Los especialistas en marketing pueden diferenciar los productos mediante su personalización. En vista de que se han vuelto más competentes en la recopilación de información sobre sus clientes individuales y sus socios empresariales (proveedores, distribuidores, minoristas), y gracias al diseño más flexible de sus fábricas, las empresas han aumentado su capacidad para individualizar sus ofertas de mercado, sus mensajes y los medios que utilizan. La **personalización masiva** es la capacidad de la empresa para satisfacer las exigencias de cada uno de sus clientes, esto es, su habilidad para preparar —de manera masiva— productos, servicios, programas y comunicaciones diseñados individualmente.[9]

Levi's y Lands' End estuvieron entre las primeras compañías en lanzar los jeans personalizados. Otras empresas han introducido la personalización masiva a otros mercados. Minoristas online como Zazzle y CafePress permiten que los usuarios carguen imágenes y creen su propia ropa y pósters, o compren mercancía creada por otros usuarios. Ahora bien, los clientes deben saber cómo expresar sus preferencias personales en relación con el producto, o tener asistencia disponible para personalizar un producto de la mejor manera.[10]

CALIDAD DE RESULTADOS Muchos productos ocupan uno de cuatro niveles de resultados a desempeño: bajo, promedio, alto o superior. La **calidad de resultados** es el nivel en el que operan las principales características de un producto. A medida que las empresas adoptan un modelo de valor y proveen mayor calidad por menos dinero, este factor va haciéndose cada vez más importante para la diferenciación. En este sentido, las empresas deben diseñar un nivel de desempeño adecuado para el mercado meta y la competencia buscando, sin embargo, que no sea el nivel más alto posible. Por otro lado, deben gestionar la calidad de resultados a lo largo del tiempo. La mejora continua del producto puede producir alta rentabilidad y participación de mercado y su ausencia podría tener consecuencias negativas.

Cuando bajaron las calificaciones de calidad de Mercedes-Benz, el fabricante instituyó varios cambios significativos para volver a elevarlas.

Mercedes-Benz Entre 2003 y 2006 Mercedes-Benz soportó uno de los periodos más dolorosos en su historia de 127 años. Su inigualable reputación en materia de calidad resultó vapuleada en encuestas como la de J.D. Power, y BMW la rebasó en ventas globales. Para recuperarse, un nuevo equipo directivo reorganizó la empresa en torno a elementos funcionales —motores, chásis y sistemas electrónicos— en lugar de hacerlo por líneas de modelos. Los ingenieros comenzaron a probar los sistemas electrónicos un año antes de su lanzamiento y sometieron cada nuevo modelo a 10 000 pruebas 24 horas al día por tres semanas. Mercedes triplicó su número de prototipos de nuevos diseños y permitió que sus ingenieros los condujeran casi cinco millones de kilómetros antes de fabricarlos. Con éstos y otros cambios, el número de defectos en los automóviles disminuyó un 72% después de alcanzar su punto más alto en 2002, y los costos de garantía disminuyeron el 25%. Como efecto colateral, los concesionarios Mercedes-Benz han tenido que enfrentarse a una caída significativa en sus facturaciones por reparaciones y servicios.[11]

CALIDAD DE AJUSTE Los compradores esperan una alta **calidad de ajuste**, esto es, el grado en el que todas las unidades producidas son idénticas y responden a las especificaciones prometidas. Suponga que un Porsche 911 está diseñado para acelerar de cero a 100 kilómetros por hora en cinco segundos. Si todos los Porsche 911 que salen de la línea de producción logran ese objetivo, se dice que el modelo tiene una alta calidad de ajuste. Un modelo con una baja calidad de ajuste decepcionará a algunos compradores.

DURABILIDAD La **durabilidad**, una medida de la vida operativa esperada de un producto en situaciones naturales o extremas, es un atributo valioso en el caso de artículos como vehículos, electrodomésticos de cocina y otros bienes duraderos. Sin embargo, el sobreprecio cargado por la durabilidad no debe ser excesivo y el producto no debe estar sujeto a obsolescencia tecnológica rápida, como ha ocurrido a veces con los equipos informáticos, los teléfonos móviles y los televisores.

FIABILIDAD Por lo general, los compradores pagarán un precio más alto por los productos más fiables. La **fiabilidad** es una medida de la probabilidad de que un producto no tendrá mal funcionamiento o se descompondrá dentro de un periodo específico. Maytag tiene una reputación extraordinaria de fabricar electrodomésticos fiables. Su campaña de anuncios de "El técnico solitario" fue diseñada para resaltar ese atributo.

POSIBILIDAD DE REPARACIÓN La **posibilidad de reparación** mide la facilidad de reparación de un producto cuando muestra mal funcionamiento o se descompone. La condición ideal sería que los usuarios pudieran arreglar el producto por sí mismos, incurriendo en un costo mínimo en términos de tiempo o dinero. Algunos productos incluyen una característica de diagnóstico, que permite que los técnicos de servicio corrijan un problema por teléfono o den consejo al usuario sobre cómo arreglarlo. Muchas empresas de hardware y software ofrecen soporte técnico vía telefónica, por fax o por correo electrónico, o mediante conversaciones online en tiempo real.

ESTILO El **estilo** describe la apariencia del producto y la sensación que provoca en el comprador. Crea una característica distintiva difícil de copiar. Los compradores de automóviles pagan un precio mayor por un Jaguar debido a su aspecto extraordinario. La estética juega un papel fundamental en marcas como las computadoras Apple, las plumas Montblanc, el chocolate Godiva y las motocicletas Harley-Davidson.[12] Sin embargo, un estilo sólido no siempre implica un alto rendimiento. Un automóvil puede lucir sensacional, pero pasar demasiado tiempo en el taller de reparaciones.

Diferenciación de servicios

Cuando el producto físico no puede ser diferenciado con facilidad, la clave para el éxito competitivo podría encontrarse en añadir servicios valiosos y mejorar su calidad. Rolls-Royce PLC se ha asegurado de que sus motores para avión tengan alta demanda, al controlar de manera constante su estado en las 45 aerolíneas que los utilizan a través de una conexión por satélite en tiempo real. Bajo su programa TotalCare, las aerolíneas pagan a Rolls una cuota por cada hora de vuelo del motor, y la empresa asume los riesgos y los costos por el tiempo que pasa en tierra y en reparación.[13]

Los principales diferenciadores de servicios son la facilidad de pedido, la entrega, la instalación, la capacitación y asesoría a clientes, y el mantenimiento y reparación.

Cemex garantiza la entrega de cemento tan rápido como si se tratara de una pizza entregada a domicilio.

FACILIDAD DE PEDIDO La **facilidad de pedido** se refiere a lo sencillo que le resulta al cliente hacer un pedido a la empresa. Baxter Healthcare provee terminales informáticas a los hospitales, a través de las cuales éstos envían sus pedidos directamente a la empresa. Muchas instituciones de servicios financieros ofrecen sitios seguros online para ayudar a los clientes a obtener información y completar sus transacciones de manera más eficaz.

ENTREGA La **entrega** se refiere a la manera en que el producto o servicio es entregado al cliente. Incluye la velocidad, la precisión y el cuidado a lo largo del proceso. Los clientes actuales esperan velocidad: pizzas entregadas en 30 minutos o menos, gafas fabricadas en una hora, lubricación para automóviles en 15 minutos. Muchas empresas tienen *sistemas de respuesta rápida* (QRS, por sus siglas en inglés) computarizados, que vinculan entre sí los sistemas de información de sus proveedores, las plantas de fabricación, los centros de distribución y los puntos de venta minoristas. Cemex, una enorme empresa cementera con base en México, ha transformado su negocio al prometer la entrega de hormigón más rápido que una pizza enviada a domicilio. Cada uno de sus camiones está equipado con un *sistema de posicionamiento global* (GPS, por sus siglas en inglés) para que los despachadores conozcan su ubicación en tiempo real. Si la carga de hormigón llega con más de 10 minutos de retraso, la empresa otorga un descuento de hasta el 20 por ciento.[14]

INSTALACIÓN La **instalación** se refiere al trabajo realizado para que un producto sea operativo en la ubicación planificada. La facilidad de instalación es un verdadero diferenciador para los compradores de productos complejos —como maquinaria pesada— o para los novatos en el uso de alguna tecnología.

CAPACITACIÓN A CLIENTES La **capacitación a clientes** ayuda a los empleados de los clientes para que sepan utilizar el equipo del vendedor de manera adecuada y eficaz. General Electric no sólo vende e instala costosos equipos de rayos X en los hospitales, sino que además imparte un entrenamiento intensivo a los usuarios. McDonald's requiere que sus nuevos franquiciados asistan durante dos semanas a la Hamburger University en Oak Brook, Illinois, para aprender cómo gestionar adecuadamente la franquicia.

ASESORÍA PARA CLIENTES La **asesoría para clientes** incluye servicios de datos, sistemas de información y de asesoría que el vendedor ofrece a los compradores. Empresas de tecnología, como IBM, Oracle y otras, han aprendido que esta asesoría es una parte cada vez más esencial —y rentable— de sus negocios.

MANTENIMIENTO Y REPARACIÓN Los programas de **mantenimiento y reparación** contribuyen a que los clientes mantengan los productos que han adquirido en buen estado de funcionamiento. Empresas como Hewlett-Packard ofrecen servicio técnico online, o *e-support*, lo cual permite que sus clientes busquen en una base de datos online las soluciones que requieren, o soliciten la ayuda de un técnico. Incluso los minoristas están incursionando en este rubro.

Best Buy

Best Buy En vista de que los minoristas en artículos electrónicos siguen consolidándose y estableciendo precios competitivos, son cada vez más las empresas que buscan nuevas maneras de diferenciarse del resto. Por ello Best Buy contrató a Geek Squad, una pequeña empresa de servicios de cómputo residencial, para que revitalizara los servicios de reparación de equipos informáticos dentro de las tiendas de la cadena. Best Buy solía enviar las PC a instalaciones regionales de reparación, un proceso que consumía tiempo y contribuía a un alto nivel de insatisfacción entre los clientes. Ahora cerca de la mitad de todas las reparaciones se hacen dentro de las tiendas Best Buy, pero el diferenciador real es la capacidad del Geek Squad para hacer visitas a domicilio (por lo cual se cobra una tarifa más alta) a bordo de sus automóviles Beetle de VW. Los empleados del Geek Squad incluso se visten diferente al prestar sus servicios a domicilio: usan el estilo característico de "obsesionado con la informática", en lugar del azul tradicional de Best Buy que utilizan en los centros de servicio dentro de la tienda.[15]

DEVOLUCIONES Constituye una molestia para los clientes, fabricantes, minoristas y distribuidores, pero la devolución de productos también es parte de la inevitable realidad de hacer negocios, sobre todo en el escenario de compras online. Aunque la tasa promedio de devoluciones para ventas online es de aproximadamente el 5%, se cree que las políticas de devoluciones y cambios son factores disuasivos para entre un tercio y la mitad de los compradores por esa vía. El costo de procesar una devolución puede ser equivalente a dos o tres veces el costo de un envío, lo que suma un total promedio de entre 30 y 35 dólares para los artículos comprados online.

Es posible considerar las devoluciones de productos desde dos perspectivas:[16]

- Las *devoluciones controlables*, que son resultado de problemas o errores por parte del vendedor o del cliente, y que en su mayor parte pueden ser eliminadas con un mejor manejo y almacenaje, un mejor envasado, un transporte más eficiente y una logística de punta por parte del vendedor o sus socios en la cadena de suministros.

- Las *devoluciones incontrolables*, que son resultado de la necesidad de los clientes de ver, probar o experimentar los productos reales para determinar su nivel de ajuste, y que no pueden ser eliminadas por la empresa en el corto plazo a través de cualquiera de los medios mencionados.

Una estrategia básica consiste en eliminar las causas principales de las devoluciones controlables y, al mismo tiempo, desarrollar procesos para gestionar las devoluciones incontrolables. La meta es tener menos productos devueltos y reintegrar un mayor porcentaje de los mismos al flujo de distribución, para poder venderlos nuevamente.

Road Runner Sports La empresa Road Runner Sports, con sede en San Diego, California, vende zapatillas (tenis), ropa y equipo para correr a través de múltiples canales. La empresa capacita a sus vendedores para que tengan el mayor conocimiento posible y puedan recomendar los productos adecuados. Como resultado, su tasa de devolución de zapatillas para correr es del 12%, cifra notablemente menor que el promedio en la industria, que es de entre el 15 y el 20%. Además, Road Runner utiliza SmartLabels —etiquetas de devolución con código de barras, prepagadas y con la dirección preimpresa—, para que las devoluciones sean fáciles y rápidas en caso de que el cliente las requiera.[17]

Road Runner Sports se esfuerza mucho para minimizar el número de devoluciones de productos por parte de sus clientes.

Diseño

Al intensificarse la competencia, el diseño ofrece un poderoso mecanismo para diferenciar y posicionar los productos y servicios de una empresa.[18] El **diseño** se refiere a la totalidad de las características que determinan cómo se ve, se siente y funciona un producto desde el punto de vista del consumidor. El diseño ofrece mensajes, beneficios funcionales y estéticos tanto a nuestro lado racional como al emocional.[19]

El diseñador debe determinar cuánto invertirá en la forma, el desarrollo de características, el rendimiento, el ajuste, la durabilidad, la fiabilidad, la posibilidad de reparación y el estilo de sus productos. Desde la perspectiva de la empresa, un producto bien diseñado es fácil de fabricar y distribuir; para el cliente es agradable a la vista y fácil de abrir, instalar, usar, reparar y desechar. Es preciso que el diseñador tenga en cuenta todos estos factores.[20]

A medida que los especialistas en marketing holístico reconocen el poder emocional del diseño y la importancia que tiene para los consumidores cómo se ven y se sienten los productos cuando están en funcionamiento, el diseño va ejerciendo una influencia más fuerte en categorías donde antes desempeñaba un papel más discreto. Uno de los factores que impulsaron el crecimiento de Hewlett-Packard en el mercado de las PC fue su fuerte énfasis en el diseño, lo que obligó a Dell y otros fabricantes a volverse más conscientes del diseño para poder competir. El razonamiento que subyace en este cambio resulta evidente: en una encuesta los consumidores informaron que pagarían un promedio de 204 dólares adicionales por una PC portátil de vanguardia que estuviera bien diseñada.[21]

Algunas compañías y países están alcanzando grandes éxitos a partir del diseño de sus productos.

Empresas y países destacados en materia de diseño

Algunos países han desarrollado una sólida reputación debido a sus habilidades y logros en materia de diseño, como Italia en el caso de ropa y muebles, y los países escandinavos en el de productos diseñados para ser funcionales, estéticos y respetuosos del medio ambiente. Por ejemplo, Nokia —de origen finlandés— fue la primera empresa en introducir cubiertas intercambiables para los teléfonos móviles, la primera en presentar aparatos de formas elípticas, suaves y amigables, y la primera en usar pantallas grandes, todo lo cual contribuyó a su notable ascenso. Braun, una división alemana de Gillette, ha llevado el diseño a la categoría de arte en sus máquinas eléctricas para afeitar, sus cafeteras, sus secadoras para el cabello y sus procesadores de alimentos. Kohler introdujo el arte y el diseño en los muebles y llaves para baño y cocina. Los International Design and Excellence Awards (IDEA) son otorgados cada año con base en los beneficios que ofrecen los productos para el usuario, el cliente/negocio y la sociedad, tomando en consideración factores como la responsabilidad ecológica, la estética, el atractivo y los resultados en pruebas de uso. En 2009, Samsung ganó ocho de estos premios, Apple siete, Dell Experience Design Group seis, y GE Healthcare cinco. Una de las empresas más exitosas en términos de diseño es IDEO.[22]

En una cultura cada vez más orientada hacia lo visual, la transmisión del significado y posicionamiento de marca a través del diseño es fundamental. "En un mercado atestado", escribe Virginia Postrel en *The Substance of Style*, "la estética es, con frecuencia, la única manera de hacer destacar un producto".[23] El director del equipo de diseño de GM para el Chevy Volt 2011, un vehículo eléctrico que se carga directamente

Los diseños de Bang & Olufsen, atemporales y de gran estilo, se venden a un precio significativamente mayor al que prevalece en el mercado.

de la red eléctrica doméstica, quería asegurarse de que su modelo tuviera mejor apariencia que otros automóviles eléctricos. Como afirmó el director de diseño del Volt, "Casi todos los automóviles eléctricos son una especie de coles de Bruselas: son saludables, pero nadie desea comerlas".

El diseño es capaz de cambiar las percepciones de los consumidores, logrando que las experiencias de marca sean más gratificantes. Como un ejemplo de esta afirmación, piense en las ventajas que obtuvo Boeing al hacer que su avión 777 pareciera más amplio y confortable. La inclusión de compartimentos centrales más altos, espacios laterales para equipaje, paneles divisorios, techos levemente arqueados y asientos elevados hicieron que el interior de la aeronave diera la impresión de mayor amplitud. Como observó un ingeniero de diseño, "Cuando hacemos bien nuestro trabajo, las personas no se dan cuenta; solamente afirman que se sienten más cómodas".

Por su parte, un diseño inapropiado puede arruinar el futuro de un producto. El eVilla, un dispositivo para Internet de Sony, pretendía ofrecer a los consumidores acceso a la red desde sus cocinas. Sin embargo, debido a que pesaba casi 14.5 kg y medía aproximadamente 40 cm, el enorme producto estorbaba y era tan pesado que el manual del usuario recomendaba a los clientes que doblaran las piernas y no la espalda al levantarlo. El producto fue retirado del mercado a sólo tres meses de su lanzamiento.

El diseño debe permear todos los aspectos del programa de marketing para que los factores relacionados funcionen en conjunto. Al buscar un esquema de identidad universal para Coca-Cola, David Butler, vicepresidente de diseño global, estableció cuatro principios esenciales. Cada diseño, ya fuera de envase, punto de venta, equipamiento o cualquier otro punto de contacto con el cliente, debería reflejar: (1) una simplicidad atrevida, (2) una autenticidad indiscutible, (3) el poder del color rojo y (4) una naturaleza "familiar pero sorprendente".[24]

Debido a la naturaleza creativa del diseño, no es de sorprender que cada empresa adopte su propio enfoque —en algunos casos mediante procesos formales y estructurados— para abordarlo. El *pensamiento de diseño* es un enfoque fuertemente impulsado por datos, que consta de tres fases: observación, generación de ideas e implementación. El pensamiento de diseño requiere intensos estudios etnográficos de los consumidores, sesiones creativas de tormenta de ideas y trabajo en equipo para decidir cómo llevar a la realidad un concepto de diseño. Whirlpool utilizó el pensamiento de diseño para desarrollar los electrodomésticos para cocina de la Architect Series II, con una apariencia armónica inédita en esa categoría.[25]

Por otro lado, la empresa danesa Bang & Olufsen(B&O) —que ha recibido numerosos reconocimientos por el diseño de sus equipos de audio, televisión y telefonía— confía en los instintos de un puñado de diseñadores que rara vez consultan con los consumidores. B&O no introduce muchos productos nuevos en un año determinado, así que se espera que aquellos que presenta se vendan durante largos periodos. Sus altavoces BeoLab 8000 se vendían en 3 000 dólares cuando fueron lanzadas en 1992, y 15 años después se cotizaban en 4 500 dólares por encima de ese precio. Otras tres creaciones de su diseñador, David Lewis, para B&O han sido incluidas en la colección permanente del Museo de Arte Moderno de Nueva York.[26]

Con frecuencia el diseño es un aspecto importante de los productos de lujo. "Marketing en acción: El marketing de marcas de lujo" describe algunas de las problemáticas de comercialización que suelen enfrentar las marcas de lujo.

Relaciones entre el producto y la marca

Un producto puede relacionarse con otros para que la empresa esté segura de ofrecer y comercializar el conjunto óptimo de productos.

El marketing de marcas de lujo

Es posible que los productos de lujo sean uno de los ejemplos más puros de branding, ya que la marca y su imagen suelen ser ventajas competitivas fundamentales, capaces de crear enorme valor y riqueza para las organizaciones. Empresas especializadas en el marketing de marcas de lujo, como Prada, Gucci, Cartier y Louis Vuitton, gestionan franquicias lucrativas que han perdurado durante décadas en una industria que, según algunos cálculos, vale 270 000 millones de dólares.

Sin embargo, al igual que en el caso de las organizaciones especializadas en el marketing de categorías menos caras y más "realistas", quienes guían el destino de las marcas de lujo deben hacerlo en un entorno de marketing en constante evolución, y a veces sujeto a rápidos cambios. La globalización, las nuevas tecnologías, las crisis financieras, las culturas cambiantes de los consumidores y otras fuerzas requieren que los especialistas en marketing de marcas de lujo muestren capacidad y habilidad para tener éxito en la gestión de su marca. La tabla 12.1 resume algunas recomendaciones clave para comercializar marcas de lujo.

Teniendo precios significativamente más altos que los artículos típicos en una categoría, durante años las marcas de lujo se relacionaron con el estatus social y con la posición del cliente, o tal vez con la posición que éste desearía ocupar. Los tiempos han cambiado y, sobre todo al enfrentar la posibilidad de una recesión paralizante, el lujo se ha convertido más que nada en cuestión de autoexpresión y placer personal.

Los denominadores comunes de las marcas de lujo son la calidad y la exclusividad. Los compradores de artículos de lujo deben sentir que lo que están obteniendo es verdaderamente especial. El estilo perdurable y la autenticidad suelen ser fundamentales para justificar un precio en ocasiones muy extravagante. Hermès, el fabricante francés de lujosos productos de piel, vende sus diseños clásicos en cientos o incluso miles de dólares, "no porque estén de moda", como afirmó un escritor, "sino [porque] nunca pasan de moda". Echemos un vistazo a la manera en que las marcas de lujo han sido creadas en una amplia gama de categorías distintas:

- ***Frigoríficos Sub-Zero.*** Sub-Zero vende diferentes tipos de frigoríficos, desde los más pequeños, con un precio de 1 600 dólares, hasta el modelo especial Pro 48 —de 12 000 dólares— con interiores de acero inoxidable. Su público meta son los propietarios de hogares con altos estándares de desempeño y diseño, que aprecian sus casas y lo que compran para amueblarlas. Sub-Zero hace extensas encuestas a los miembros de este grupo, así como a diseñadores de cocinas, arquitectos y minoristas que venden sus productos o están interesados en hacerlo.
- ***Tequila Patrón.*** Cofundado por John Paul DeJoria —creador de la empresa Paul Mitchell, especializada en productos para el cuidado del cabello—, Patrón surgió después de un viaje que éste realizó en 1989 a una destilería en el estado mexicano de Jalisco. Llamado Patrón para comunicar la idea de "jefe" o "protector", este suave tequila de agave se presenta en una elegante licorera de vidrio soplado y se vende en botellas numeradas individualmente por 45 dólares o más.
- ***Diamantes Hearts on Fire.*** De Beers comenzó el branding de diamantes en 1948, convirtiéndolos en un símbolo de amor y compromiso en parte gracias a su campaña publicitaria "Diamonds Are Forever" (los diamantes son eternos). Los especialistas en el marketing de los diamantes Hearts on Fire han encontrado un nicho de mercado al presentarse como los "Diamantes mejor cortados del mundo" (World's Most Perfectly Cut Diamond). Aunque los diamantes se han convertido en artículos cuya comercialización se ha basado cada vez más en las características que definen su calidad —corte, claridad, color y carat (quilates)—, Hearts on Fire tiene un diseño único conocido como "corazones y flecha": cuando se utiliza una lupa para ver su base puede verse el trazo de ocho corazones perfectos, que desde la parte superior dan la impresión de ser igual número de "ráfagas" de fuego. Vendidos a través de joyeros independientes, los diamantes Hearts on Fire alcanzan un precio entre un 15 y un 20% superior a los de la misma calidad de Tiffany & Co.

La reciente recesión económica implicó un desafío para muchas marcas de lujo que intentaban justificar su propuesta de valor y evitaban aplicar descuentos a sus productos. Quienes han logrado extender sus marcas verticalmente a lo largo de un amplio rango de puntos de precio generalmente son más inmunes a las caídas económicas.

La marca Armani se extiende desde las exclusivas Giorgio Armani y Giorgio Armani Privé, a la de lujo de rango medio Emporio Armani, y a las de lujo asequible, Armani Jeans y Armani Exchange. La clara diferenciación que existe entre estas líneas de producto minimiza el potencial de confusión en el cliente y el canibalismo de marcas. Al mismo tiempo, cada una de ellas cumple la promesa central de la marca matriz, con lo cual disminuyen las oportunidades de que ésta resulte afectada.

Por otro lado, las extensiones horizontales hacia nuevas categorías pueden resultar delicadas para las marcas de lujo. Incluso el cliente más leal podría cuestionar la existencia de un reloj de pulsera Ferragamo de 7 300 dólares, o de una botella de vodka Roberto Cavalli de 85 dólares. En este sentido, el fabricante de joyería Bulgari se ha expandido hacia la hotelería, la perfumería, la producción de chocolate y el cuidado de la piel, haciendo que algunos expertos en branding opinen que la marca se ha diversificado en exceso.

En el pasado, famosos diseñadores de moda como Pierre Cardin y Halston permitieron el uso de sus nombres bajo licencia en tantos productos comunes que sus marcas terminaron por perder buena parte de su brillo. En contraste, Ralph Lauren ha logrado comercializar una marca aspiracional de lujo a partir de imágenes de un estilo de vida sano y totalmente estadounidense, abarcando una amplia gama de productos. Además de ropa y perfumes, las boutiques Lauren venden mantelería, velas, camas, sofás, vajillas, álbumes de fotos y joyería. Calvin Klein ha adoptado una estrategia extensiva similar, aunque aludiendo a un estilo de vida diferente.

En un mundo cada vez más conectado, algunos especialistas en marketing de lujo han tenido dificultades para encontrar las estrategias capaces de vender y comunicar adecuadamente su marca online. En última instancia, el éxito depende de lograr el balance correcto entre imágenes clásicas y contemporáneas, entre continuidad y cambio en los programas y actividades de marketing. Por otro lado, el lujo no se percibe de la misma forma en todos lados. En la Rusia postcomunista hubo un periodo en que, cuanto más grande y llamativo fuera el logotipo, la marca era mejor recibida. A final de cuentas, los especialistas en marketing de marcas de lujo deben recordar que muchas veces lo que están vendiendo es un sueño anclado en la calidad, el estatus y el prestigio.

Fuentes: Beth Snyder Bulik, "Sub-Zero Keeps Its Cool in a Value-Obsessed Economy", *Advertising Age,* 25 de mayo de 2009, p. 14; David K. Randall, "Dandy Corn", *Forbes*, 10 de marzo de 2008, p. 70; Christopher Palmeri, "The Barroom Brawl over Patron", *BusinessWeek,* 17 de septiembre de 2007, p. 72; Bethany McLean, "Classic Rock", *Fortune,* 12 de noviembre de 2007, pp. 35-39; Dan Heath y Chip Heath, "The Inevitability of $300 Socks", *Fast Company,* septiembre de 2007, pp. 68-70; Stellene Volande, "The Secret to Hermès Success" *Departures,* noviembre-diciembre 2009, pp. 110-12; Cathy Horyn, "Why So Stodgy, Prada.com?", *New York Times*, 30 de diciembre de 2009; Christina Binkley, "Like Our Sunglasses? Try Our Vodka! Brand Extensions Get Weirder, Risking Customer Confusion", *Wall Street Journal,* 8 de noviembre de 2007; edición especial sobre marcas de lujo, *Fortune*, 17 de septiembre de 2007.

TABLA 12.1 Recomendaciones para la comercialización de marcas de lujo

1. En el caso de las marcas de lujo, mantener una imagen superior es crucial; por lo tanto, el control de la imagen es una prioridad.
2. El branding de lujo generalmente incluye la creación de muchas asociaciones intangibles de marca y una imagen aspiracional.
3. Todos los aspectos del programa de marketing para las marcas de lujo deben ser congruentes para garantizar que los productos y servicios de lujo tengan calidad, y que las experiencias de compra y consumo sean placenteras.
4. Además de la marca, los elementos relacionados —logotipos, símbolos, envases, señalización— pueden ser importantes impulsores del *brand equity* de las marcas de lujo.
5. Las asociaciones secundarias derivadas de personalidades, eventos, países y otras entidades vinculadas también pueden impulsar de manera importante el *brand equity* de las marcas de lujo.
6. Las marcas de lujo deben controlar cuidadosamente la distribución por medio de una estrategia selectiva de canal.
7. Las marcas de lujo deben emplear una estrategia de fijación de precios *premium* con sólidas referencias a la calidad, y pocos descuentos y rebajas.
8. La arquitectura de las marcas de lujo debe ser manejada con mucho cuidado.
9. La competencia para las marcas de lujo debe definirse con amplitud de miras, ya que a menudo proviene de otras categorías.
10. Las marcas de lujo deben protegerse legalmente mediante su registro, además de combatir agresivamente las falsificaciones.

Fuente: Basado en Kevin Lane Keller, "Managing the Growth Tradeoff: Challenges and Opportunities in Luxury Branding", *Journal of Brand Management* 16 (marzo-mayo de 2009), pp. 290-301.

Sub-Zero dirige sus frigoríficos de lujo a personas que buscan lo mejor para su hogar

La jerarquía de productos

La jerarquía de productos se extiende desde las necesidades básicas hasta artículos particulares que satisfacen esas necesidades. Es posible identificar seis niveles de la jerarquía de productos, utilizando los seguros de vida como ejemplo:

1. ***Familia de necesidades.*** La necesidad central que da razón de ser a la existencia de una familia de productos. Ejemplo: seguridad.
2. ***Familia de productos.*** Todas las clases de productos que pueden satisfacer una necesidad central con una eficacia razonable. Por ejemplo: ahorros e ingreso.
3. ***Clase de productos (o categoría de productos).*** Dentro de la familia, un grupo de productos a los que se les reconoce cierta coherencia funcional. Ejemplo: instrumentos financieros.
4. ***Línea de productos.*** Dentro de una clase de productos, aquellos que están estrechamente relacionados ya sea porque desempeñan una función similar, se venden a los mismos grupos de consumidores, se comercializan a través de los mismos puntos de venta o canales, o caen dentro de rangos de precios determinados. Una línea de productos podría consistir de diferentes marcas, una única familia de marcas, o una marca individual cuya línea se ha extendido. Ejemplo: seguro de vida.
5. ***Tipo de productos.*** Dentro de una línea de productos, aquellos que comparten una de las diversas formas que puede asumir el producto. Por ejemplo: seguros de vida temporales.
6. ***Artículo*** (también llamado *unidad de mantenimiento de inventario* o *variante de producto*). Dentro de la marca o línea de producto, la unidad característica que puede distinguirse por su tamaño, precio, apariencia u otros atributos. Ejemplo: seguro de vida temporal renovable de Prudential.

Sistemas y mezcla de productos

Un **sistema de productos** es un grupo de artículos diversos pero relacionados entre sí y que funcionan de manera compatible. Por ejemplo, el amplio sistema de productos iPod incluye audífonos y auriculares, cables y bases (*docks*) para carga/reproducción, brazaletes, estuches, altavoces, cargadores y accesorios para el automóvil. Una **mezcla de productos** (o **mix de productos**) es el conjunto de todos los productos y artículos que ofrece un vendedor determinado.

Las mezclas de productos constan de varias líneas de productos. Por ejemplo, la mezcla de productos de NEC (Japón) está compuesta por artículos para comunicación y productos para PC. Michelin tiene tres líneas de productos: neumáticos, mapas y servicios de calificación de restaurantes. En Northwestern University hay docentes que supervisan por separado las escuelas de medicina, leyes, negocios, ingeniería, música, lengua, periodismo y artes liberales, entre otras.

La mezcla de productos de una empresa tiene ancho (anchura), longitud, profundidad y consistencia determinados. Estos conceptos se ilustran en la tabla 12.2 para algunos productos de consumo de Procter & Gamble.

- El *ancho* de una mezcla de productos se refiere a cuántas líneas de producto diferentes vende la empresa. La tabla 12.2 muestra una mezcla de productos de cinco líneas. (En realidad, P&G produce muchas líneas adicionales).

Michelin tiene tres distintas líneas de productos, pero con cierta relación.

TABLA 12.2 Ancho y longitud de la mezcla de productos para productos Procter & Gamble (incluyendo fechas de lanzamiento)

	Ancho de la mezcla de productos				
	Detergentes	**Dentífricos**	**Jabón en barra**	**Pañales desechables**	**Productos de papel**
Longitud de la mezcla de productos	Ivory Snow (1930)	Gleem (1952)	Ivory (1879)	Pampers (1961)	Charmin (1928)
	Dreft (1933)	Crest (1955)	Camay (1926)	Luvs (1976)	Puffs (1960)
	Tide (1946)		Zest (1952)		Bounty (1965)
	Cheer (1950)		Safeguard (1963)		
	Dash (1954)		Oil of Olay (1993)		
	Bold (1965)				
	Gain (1966)				
	Era (1972)				

- La *longitud* de la línea de productos se refiere al número total de artículos que conforman la mezcla. En el ejemplo de la tabla 12.2 la longitud es de 20 productos. También es posible hablar sobre la longitud promedio de una línea, una medida que se obtiene al dividir la longitud total (en este caso, 20) entre el número de líneas (en este caso, 5). Así, en nuestro ejemplo la longitud promedio de la línea de productos es 4.
- La *profundidad* de la mezcla de productos se refiere a cuántas variantes ofrece cada producto de la línea. Digamos que Tide tiene presentaciones en dos aromas (Mountain Spring y Regular), con dos formulaciones (líquido y en polvo) y un elemento adicional (lo cual significa que se ofrece con y sin blanqueador), tendría una profundidad de ocho variantes distintas.[27] Para calcular la profundidad promedio de la mezcla de productos de P&G tendríamos que promediar el número de variantes dentro de cada grupo de marcas.
- La *consistencia* de la mezcla de productos describe qué tan estrechamente se relacionan las diferentes líneas de productos tomando en cuenta aspectos como su uso final, sus requerimientos de producción, sus canales de distribución, etc. Las líneas de productos de P&G resultan bastante consistentes en función de que son bienes de consumo que pasan por los mismos canales de distribución, y son menos consistentes si se considera las funciones que desempeñan para los compradores.

Estas cuatro dimensiones de la mezcla de productos permiten que la empresa extienda su negocio en cuatro direcciones: puede añadir nuevas líneas de productos al ampliar el ancho de su mezcla de productos; puede alargar cada mezcla de productos; puede añadir más variantes y profundizar su mezcla de productos. Por último, una empresa puede buscar una mayor consistencia en su línea de productos. Para tomar estas decisiones de producto y de marca es útil llevar a cabo un análisis de línea de producto.

Análisis de línea de producto

Al ofrecer una línea de producto, por lo general las empresas desarrollan una plataforma básica y crean módulos que pueden ser añadidos a ésta tanto para satisfacer diferentes requerimientos del cliente como para reducir los costos de producción. Los fabricantes de automóviles arman sus vehículos en torno a una plataforma básica; los constructores de viviendas muestran un modelo de casa genérico, al que los compradores pueden añadir características adicionales. Los gerentes de líneas de producto deben conocer las ventas y ganancias de cada artículo en su línea, y determinar cuáles de ellos deben hacer, cuáles debe mantener, en cuáles debe cosechar o en cuáles deben dejar de invertir.[28] Al mismo tiempo necesitan entender el perfil de mercado de cada línea de productos.

VENTAS Y GANANCIAS La figura 12.3 muestra un informe de ventas y ganancias para una línea de productos de cinco artículos. El primero representa el 50% de las ventas totales, y el 30% de las ganancias totales. Los primeros dos artículos representan el 80% de las ventas totales y el 60% de las ganancias totales. Si estos dos artículos se vieran afectados por un competidor, las ventas y ganancias de la línea podrían colapsar. En consecuencia, es preciso vigilar y proteger cuidadosamente esos artículos. En el otro extremo, el último artículo es responsable de solamente el 5% de las ventas y ganancias de la línea de productos, de manera que el gerente de la línea de productos podría considerar descontinuarlo, a menos que tuviera un fuerte potencial de crecimiento.

|Fig. 12.3|

Contribuciones de productos-artículos a las ventas y ganancias totales de la línea de productos

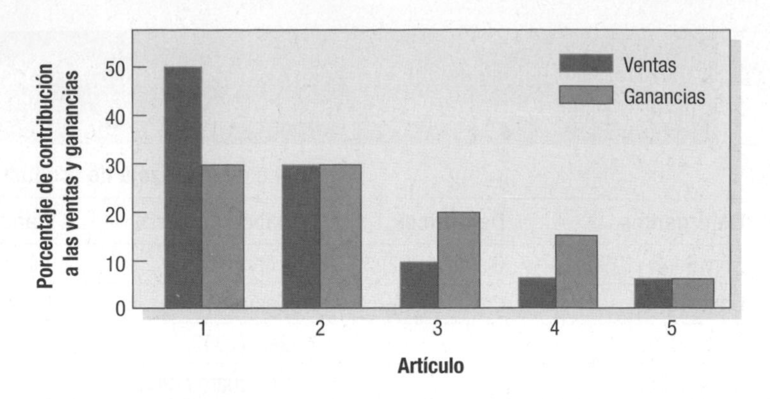

El portafolio de productos de cada empresa incluye artículos con diferentes márgenes de ganancia. Los supermercados casi no tienen margen de ganancia alguno en productos como el pan y la leche, sus márgenes son razonables en los alimentos congelados y enlatados, y obtienen sus mejores márgenes en flores, líneas de comida étnica y productos recién horneados. Una empresa de telecomunicaciones obtiene márgenes de ganancia diferentes en el servicio telefónico básico que en los servicios de valor añadido como llamada en espera, identificador de llamadas y correo de voz. Las empresas deben reconocer que los artículos pueden diferir en cuanto a su potencial para fijarles un precio más alto o anunciarlos de manera que aumenten sus ventas, sus márgenes o ambos.[29]

PERFIL DE MERCADO El gerente de la línea de productos debe revisar cómo se encuentra posicionada ésta en relación con las líneas de los competidores. Piense, por ejemplo, en la empresa de papel X, que tiene una línea de productos de cartón.[30] Dos atributos del cartón son su peso y la calidad de su acabado. Generalmente se ofrece en pesos de 90, 120, 150 y 180 gr. En cuanto a la calidad de acabado, está disponible en baja, media y alta. La figura 12.4 muestra la ubicación de varios artículos de la línea de productos de la empresa X y de cuatro competidores, A, B, C y D. El competidor A vende dos artículos en la clase de peso súper pesado, cuya calidad de acabado varía entre media y baja. El competidor B vende cuatro artículos que varían en peso y calidad de acabado. El competidor C vende tres artículos en los que a mayor peso, mayor calidad de acabado. El competidor D vende tres artículos, todos de peso ligero pero con diferencias en su calidad de acabado. La empresa X ofrece tres artículos que varían en su peso y calidad de acabado.

El **mapa de productos** muestra cuáles artículos de la competencia compiten contra los artículos de la empresa X. Por ejemplo, el papel de bajo peso y calidad media de la empresa X compite contra el papel de los competidores D y B, pero su papel de alto peso y calidad media no tiene un competidor directo. El mapa también revela ubicaciones posibles para nuevos artículos. Ningún fabricante ofrece papel de alto peso y baja calidad. Si la empresa X estima que hay una fuerte demanda insatisfecha y considera que puede producir y fijar el precio de su papel a un bajo costo, podría decir añadir este producto a su línea.

Otro beneficio de hacer mapas de productos es que de esta manera es posible identificar segmentos de mercado. La figura 12.4 muestra los tipos de papel, por peso y calidad, que prefiere la industria de impresión general, la industria de *displays* para punto de venta, y la de suministros para oficina. El mapa evidencia que la empresa X está bien posicionada para atender las necesidades de la industria de la impresión en general, pero es menos eficaz para atender las otras dos industrias.

El análisis de línea de producto provee información para dos áreas de decisión fundamentales: longitud de la línea de productos y fijación de precios de la mezcla de productos.

|Fig. 12.4|

Mapa de productos para una línea de productos de papel

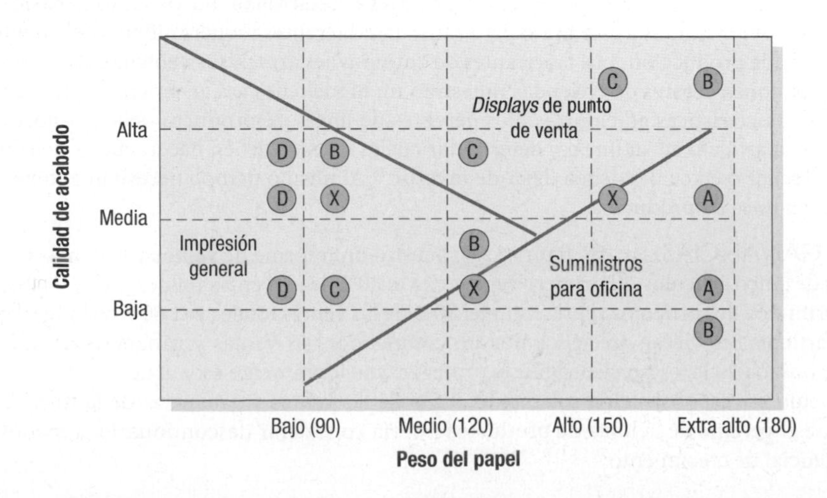

Fuente: Benson P. Shapiro, *Industrial Product Policy: Managing the Existing Product Line* (Cambridge, MA: Marketing Science Institute Report Núm. 77-110). Derechos reservados © 2003. Reimpreso con autorización de Marketing Science Institute y Benson P. Shapiro.

Longitud de la línea de productos

Los objetivos de la empresa influyen en la longitud de la línea de productos. Un objetivo consiste en crear una línea de productos que induzca la venta de productos de mayor valor (*upselling*): así, BMW desearía mover a los clientes hacia un nivel de precio más alto, llevándolos de un vehículo serie 3 a uno serie 5, y eventualmente a un serie 7. Otro objetivo sería crear una línea de productos que facilite la venta cruzada: Hewlett-Packard vende impresoras y también computadoras. Uno más sería crear una línea de productos que proteja a la empresa contra el vaivén económico: Electrolux ofrece electrodomésticos como refrigeradores, lavavajillas y aspiradoras con diferentes nombres de marca en los segmentos de descuento, mercado medio y de lujo, por si la economía se mueve hacia arriba o hacia abajo. Las empresas que buscan una alta participación de mercado y un alto crecimiento de mercado generalmente tienen líneas de productos más largas. En contraste, las empresas que hacen énfasis en la alta rentabilidad tendrán línea de productos más cortas, compuestas por artículos cuidadosamente seleccionados.

Las líneas de productos tienden a alargarse con el tiempo. Un exceso en la capacidad de producción presiona al gerente de la línea de productos para desarrollar nuevos artículos. La fuerza de ventas y los distribuidores también presionan a la empresa para tener una línea de productos más completa, que pueda satisfacer a los clientes. Pero a medida que se añaden artículos, aumentan los costos de diseño e ingeniería, almacenaje de inventario, producción, procesamiento de pedidos, transporte y promoción. En un momento dado, la alta dirección podría detener el desarrollo por falta de fondos o de capacidad de producción. En tal caso, podría ocurrir que la línea de productos se vea sujeta a un patrón constante de crecimiento seguido por una poda masiva. Es cada vez más frecuente que los consumidores se muestren cansados de estas densas líneas de producto, de las marcas sobreextendidas y de los productos saturados de características (vea "Marketing en acción: Cuando menos es más").

Una empresa alarga su línea de productos de dos maneras: ampliándola o llenándola.

AMPLIACIÓN DE LÍNEA La línea de productos de cualquier empresa cubre una parte determinada de la gama total posible. Por ejemplo, los automóviles Mercedes se ubican en el rango de precios superior del

Cuando menos es más

Debido a los miles de nuevos productos que son lanzados cada año, para los consumidores es cada vez más difícil encontrar lo que desean en los pasillos de las tiendas. Un estudio mostró que el comprador promedio pasaba 40 segundos o más en el pasillo de bebidas refrescantes (sodas) del supermercado, en comparación con los 25 que le dedicaba seis o siete años atrás.

Aunque los consumidores podrían pensar que una mayor variedad de productos aumenta la probabilidad de encontrar el artículo adecuado para ellos, la realidad suele ser distinta. Cierta investigación mostró que aunque los consumidores expresan mayor interés en comprar cuando se les ofrece un surtido de 24 sabores de mermelada en lugar de uno limitado a 6, en realidad es 10 veces más probable que hagan su elección a partir del surtido más pequeño.

De manera similar, si la calidad del producto dentro de una gran variedad es alta, los consumidores preferirían un conjunto más pequeño entre el cual elegir. Aunque los consumidores con preferencias bien definidas podrían beneficiarse con productos mejor diferenciados, que ofrecen beneficios específicos para adaptarse de manera más adecuada a sus necesidades, contar con demasiadas alternativas podría ocasionarles en muchos casos frustración, confusión y arrepentimiento. La proliferación de productos tiene otras desventajas. Exponer al consumidor a cambios y lanzamientos constantes de productos podría hacerlos reconsiderar sus alternativas, y tal vez llevarlos a cambiar al producto por el de un competidor.

Los especialistas en marketing inteligentes se dan cuenta de que no son sólo las líneas de producto las que confunden a los consumidores, sino que muchos productos por sí mismos son demasiado complicados para el consumidor promedio. Royal Philips Electronics pidió a 100 de sus gerentes de mayor rango que llevaran a casa algunos de sus productos electrónicos durante un fin de semana, para ver si eran capaces de hacerlos funcionar. La cantidad de ejecutivos frustrados y enojados que derivó de la experiencia dejó bien en claro los desafíos a los que se enfrenta el consumidor ordinario.

Fuentes: Dimitri Kuksov y J. Miguel Villas-Boas, "When More Alternatives Lead to Less Choice" *Marketing Science*, 2010, en prensa; Kristin Diehl y Cait Poynor, "Great Expectations?! Assortment Size, Expectations, and Satisfaction", *Journal of Marketing Research* 46 (abril de 2009), pp. 312-22; Joseph P. Redden y Stephen J. Hoch, "The Presence of Variety Reduces Perceived Quantity", *Journal of Consumer Research* 36 (octubre de 2009), pp. 406-17; Alexander Chernev y Ryan Hamilton, "Assortment Size and Option Attractiveness in Consumer Choice Among Retailers", *Journal of Marketing Research* 46 (junio de 2009), pp. 410-20; Richard A. Briesch, Pradeep K. Chintagunta y Edward J. Fox, "How Does Assortment Affect Grocery Store Choice", *Journal of Marketing Research* 46 (abril de 2009), pp. 176-89; Aner Sela, Jonah Berger y Wendy Liu, "Variety, Vice and Virtue: How Assortment Size Influences Option Choice", *Journal of Consumer Research* 35 (abril de 2009) pp. 941-51; Susan M. Broniarczyk, "Product Assortment", Curt P. Haugtvedt, Paul M. Herr y Frank R. Kardes, eds., *Handbook of Consumer Psychology* (Nueva York: Taylor & Francis, 2008), pp. 755-79; Cassie Mogilner, Tamar Rudnick y Sheena S. Iyengar, "The Mere Categorization Effect: How the Presence of Categories Increases Choosers' Perceptions of Assortment Variety and Outcome Satisfaction", *Journal of Consumer Research* 35 (agosto de 2008), pp. 202-15; Alexander Chernev, "The Role of Purchase Quantity in Assortment Choice: The Quantity Matching Heuristic", *Journal of Marketing Research* 45 (abril de 2008), pp. 171-81; John Gourville y Dilip Soman, "Overchoice and Assortment Type: When and Why Variety Backfires", *Marketing Science* 24 (verano de 2005), pp. 382-95; Barry Schwartz, *The Paradox of Choice: Why More Is Less* (Nueva York: Harper Collins Ecco, 2004); Alexander Chernev, "When More Is Less and Less Is More: The Role of Ideal Point Availability and Assortment in Choice", *Journal of Consumer Research* 30 (septiembre de 2003), pp. 170-83; Sheena S. Iyengar y Mark R. Lepper "When Choice Is Demotivating: Can One Desire Too Much of a Good Thing?", *Journal of Personality and Social Psychology* 79, núm. 6 (diciembre de 2000), pp. 995-1006.

mercado. La **ampliación de línea** ocurre cuando una empresa extiende su línea de productos más allá de su rango actual.

Ampliación hacia abajo en el mercado. Podría darse el caso de que una empresa posicionada en el mercado medio deseara introducir una línea de menor precio por tres razones:

1. Tal vez haya notado fuertes oportunidades de crecimiento en la medida que grandes minoristas masivos como Walmart, Best Buy y otros atraen un número creciente de compradores que desean bienes a buen precio.
2. Quizá desee bloquear a los competidores del extremo inferior del mercado, porque de no hacerlo éstos podrían intentar atacar posiciones superiores. Si la empresa ha recibido ataques de un competidor del extremo inferior, normalmente decidirá contraatacar entrando en ese segmento del mercado.
3. Tal vez considere que el mercado medio está estancándose o decayendo.

Antes de moverse a un segmento inferior del mercado, la empresa debe tomar una serie de decisiones.

1. Utilizar el nombre de la marca matriz en todas sus ofertas. Sony ha empleado su nombre en productos para diversos niveles de precio.
2. Introducir ofertas de menor precio usando el nombre de una submarca, como Charmin Basics y Bounty Basics, de P&G.
3. Introducir las ofertas de mercado de menor precio con un nombre diferente, como en el caso de la marca Old Navy de Gap. La implementación de esta estrategia es cara e implica que el brand equity deberá generarse desde cero, pero el brand equity de la marca matriz está protegido.

Moverse hacia abajo en el mercado conlleva riesgos. Kodak introdujo Kodak Funtime Film para hacer frente a otras marcas económicas, pero no asignó un precio lo suficientemente bajo como para equipararse con el de las películas más baratas. Además, muchos de sus consumidores habituales terminaron comprando la marca Funtime, con lo cual abatió su marca principal. Kodak retiró el producto, y en el proceso probablemente sufrió la pérdida de una parte de su imagen de calidad.

Por otro lado, Mercedes introdujo con éxito sus automóviles clase C con un precio de 30 000 dólares, sin afectar por ello su habilidad para vender otros autos Mercedes a 100 000 dólares. Por su parte, John Deere presentó una línea de cortadoras de césped de bajo precio bajo el nombre Sabre, al mismo tiempo que seguía vendiendo equipos más costosos bajo la marca John Deere. En estos casos es posible que los consumidores hayan sido más capaces de comprender las diferentes marcas ofertadas, y de entender las distinciones funcionales entre los distintos niveles de precio.

Ampliación hacia arriba en el mercado. Las empresas podrían desear ingresar en el extremo superior del mercado para obtener mayor crecimiento, mayores márgenes o simplemente para posicionarse como fabricantes en todas los segmentos. Muchos mercados han generado sorprendentes segmentos de mercado en los niveles más altos: Starbucks en café, Häagen-Dazs en helados y mantecados, y Evian en agua embotellada. Las empresas japonesas líderes en la industria automotriz han lanzado automóviles de alto rango; como ejemplos están el Lexus de Toyota, el Infinity de Nissan y el Acura de Honda. Estas organizaciones inventaron nombres totalmente nuevos porque consideraron que quizá los consumidores no les hubieran dado "permiso" de ampliarse hacia arriba en un momento dado.

Otras empresas han incluido su propia marca al ampliarse hacia arriba en el mercado. Para competir en el mercado de vinos finos, Gallo vende sus productos de la línea Gallo Family Vineyards (de entre 10 y 30 dólares por botella) con una imagen joven y moderna; por su parte, General Electric lanzó la marca GE Profile para sus electrodomésticos en el segmento de alto rango.[31] Algunas marcas han utilizado modificadores para señalar una mejora de calidad, como los Pampers Ultra Dry, el Tylenol Extra Strength o el Power Pro Dustbuster Plus.

Ampliación en dos sentidos. Las empresas que atienden el mercado medio podrían ampliar su línea en ambas direcciones. La Robert Mondavi Winery, ahora propiedad de Constellation Brands, vende vino en 35 dólares por botella, promocionándolo como el primer vino de lujo del "Nuevo Mundo"; al mismo tiempo, comercializa la marca Modavi Reserve (a 125 dólares por botella) en vinaterías (enotecas), restaurantes y viñedos de lujo, así como a través de pedidos directos, y también Woodbridge (a 11 dólares), marca creada durante el sobreabastecimiento que se dio a mediados de la década de 1990. El alimento para perros Purina se ha ampliado en ambas direcciones, dando lugar a una línea de productos diferenciada por los beneficios que ofrece a los perros, diversidad de presentaciones, ingredientes y precio.

- Pro Plan (34.89 dólares/bolsa de 8 kg): aumenta la longevidad y salud del perro gracias a sus ingredientes de alta calidad (carne, pescado y pollo auténticos).
- Purina ONE (29.79 dólares/bolsa de 8 kg): satisface las necesidades nutricionales cambiantes y específicas de los perros y provee nutrición de primerísimo nivel para que tengan buena salud.
- Purina Dog Chow (18.49 dólares/bolsa de 9 kg): provee nutrición completa a los perros, para fortalecerse, reabastecerse y repararse en cada etapa de la vida.
- Alpo de Purina (10.49 dólares/bolsa de 7.5 kg): ofrece combinaciones de alimento con sabor a res, hígado y queso, y tres variedades carnosas.

Intercontinental Hotels Group

Intercontinental Hotels Group La marca Holiday Inn, de Intercontinental Hotels Group, dividió sus hoteles domésticos en cuatro cadenas separadas para atender diferentes segmentos de beneficio: el Crowne Plaza para clientes de alto nivel; el Holiday Inn tradicional; el Holiday Inn Express para presupuestos más limitados, y el Holiday Inn Select, orientado a los viajeros de negocios. Cada cadena recibió un programa de marketing y un énfasis diferentes. Holiday Inn Express lanzó su campaña publicitaria con tinte humorístico "Stay Smart", en donde se muestran las hazañas que la gente común podría intentar después de haberse hospedado en la cadena. Al desarrollar las marcas para diferentes consumidores meta con necesidades específicas, Holiday Inn impide que se solapen entre sí.[32]

RELLENO DE LA LÍNEA DE PRODUCTOS La empresa también puede ampliar su línea de productos añadiendo más artículos dentro del rango que ya maneja. Los motivos para *rellenar la línea* incluyen obtener ganancias adicionales al satisfacer a los distribuidores que se quejan de perder ventas porque faltan artículos en la línea, utilizar los excedentes de capacidad, intentar convertirse en la empresa líder de línea completa y cubrir espacios por donde podrían colarse los competidores.

BMW AG

BMW AG A lo largo de sólo cuatro años, BMW se ha transformado de un fabricante de automóviles de una marca y cinco modelos, en una potencia con tres marcas, 14 "series" y más o menos 30 modelos diferentes. Este fabricante no se ha limitado a ampliar su gama de productos hacia abajo con el modelo MINI Cooper y su serie 1 de automóviles compactos, sino que también lo ha hecho hacia arriba con Rolls-Royce, y rellenó los huecos intermedios con los vehículos de actividad deportiva X3, X5 y X6, los *roadsters* Z4 y un coupé serie 6. La empresa ha logrado utilizar el relleno de línea para aumentar su atractivo entre las personas adineradas, las muy adineradas y las que quieren serlo, todo sin salir de su posicionamiento de lujo. ¿Sus retos más recientes? Lanzar el serie 5 Gran Turismo, que combina la formalidad de un sedán de cuatro puertas, la capacidad de carga de una vagoneta, así como la altura de los asientos y la comodidad de una SUV tipo *crossover*. Después de ello, BMW debe decidir qué tipo de vehículos "verdes" —es decir, respetuosos del medio ambiente— lanzará.[33]

El relleno de línea puede ser excesivo si provoca canibalismo entre las propias marcas y confusión en los clientes. La empresa debe distinguir cada artículo en la mente del consumidor con una *diferencia apenas perceptible*. Según la ley de Weber, los clientes son más receptivos a las diferencias relativas que a las absolutas.[34] En otras palabras, percibirán las diferencias entre tablas de 60 y 90 centímetros de longitud, así como entre las de entre 60 y 90 metros de longitud, pero no detectarán diferencia alguna entre una de 89 y otra de 90 m. Asimismo, el artículo propuesto como relleno debe satisfacer también una necesidad del mercado, y no añadirse simplemente para satisfacer una necesidad interna. El famoso automóvil Edsel con el que Ford perdió 350 millones de dólares a finales de la década de 1950, satisfizo la necesidad de la empresa de tener un automóvil entre sus líneas Ford y Lincoln, pero no respondió a ninguna necesidad de mercado.

MODERNIZACIÓN, ACTUALIZACIÓN DE LAS CARACTERÍSTICAS Y REDUCCIÓN DE LA LÍNEA Es preciso que las líneas de productos sean modernizadas. La cuestión es si esto debe hacerse paulatinamente o en un esfuerzo único. Un enfoque paulatino permite que la empresa vea de qué manera reaccionan los clientes y distribuidores ante el nuevo estilo y es menos demandante sobre el flujo de efectivo de la empresa; sin embargo, da oportunidad de que los competidores perciban los cambios y comiencen a rediseñar sus propias líneas.

En los mercados que cambian con rapidez la modernización es continua. Las empresas planean mejoras para estimular a los clientes a migrar hacia artículos de mayor valor y de precio más alto. Las empresas de microprocesadores, como Intel y AMD, y las de software, como Microsoft y Oracle, continuamente introducen versiones más avanzadas de sus productos. Es importante programar las mejoras para que no aparezcan demasiado pronto (dañando las ventas de la línea actual) o demasiado tarde (dando tiempo a la competencia para establecer una buena reputación).[35]

En general, el gerente de la línea de productos elige uno o varios artículos de la línea para distinguirlos. Por ejemplo, Sears podría anunciar una máquina lavadora de precio bajo para atraer clientes. En otras ocasiones, los gerentes destacarán un artículo de rango alto para dar prestigio a la línea de productos. Hay situaciones en que la empresa encuentra que un extremo de la línea vende bien y el otro tiene pocas ventas.

Por otro lado, la empresa podría intentar impulsar la demanda de los artículos que venden con mayor lentitud, en cuyo caso sería posible discutir que en lugar de ello debería promover aquellos que venden bien en lugar de impulsar los más débiles. Las zapatillas (tenis) para baloncesto de Nike, Air Force 1, fueron lanzadas en la década de 1980; en la actualidad la marca tiene un valor de mil millones de dólares, sigue siendo favorita entre consumidores y minoristas, y representa una fábrica de dinero para la empresa, gracias a sus diseños coleccionables y cierta escasez en la oferta. Desde su introducción, las zapatillas Air Force 1 han sido diseñadas o inspiradas por numerosas celebridades del mundo deportivo.[36]

Las zapatillas deportivas Air Force 1, de Nike, han sido renovadas una y otra vez con el paso de los años; en la imagen se presenta el modelo con que se celebró su 25o. aniversario.

Con el uso del análisis de ventas y costos, los gerentes de línea de productos deben revisar periódicamente la línea para depurar aquello que disminuya las ganancias.[37] Un estudio encontró que, en el caso de un gran minorista holandés, una reducción importante en la diversidad de su línea de productos llevó a una baja de corto plazo en las ventas de la categoría, causada principalmente por una disminución de las compras de sus consumidores tradicionales; sin embargo, al mismo tiempo atrajo a nuevos compradores dentro de la categoría, los cuales compensaron en parte las pérdidas ocasionadas por la ausencia de los artículos suprimidos de la lista.[38]

En 1999, Unilever anunció su programa "Camino al crecimiento" (*Path to Growth*), diseñado para obtener el mayor valor de su portafolio mediante la eliminación de tres cuartas partes de sus 1 600 marcas para 2003.[39] Más del 90% de las ganancias de la empresa provenían de solamente 400 marcas, lo que impulsó a su copresidente, Niall FitzGerald, a hacer una analogía entre la reducción de marcas y el desbrozamiento de un jardín para que "la luz y el aire lleguen a las flores que tienen mayor probabilidad de crecer mejor". La empresa mantuvo marcas globales como Lipton, así como marcas regionales y "joyas locales", como Persil, el detergente líder del Reino Unido.

Las empresas con múltiples marcas en todo el mundo intentan optimizar sus portafolios, lo cual muchas veces implica la necesidad de enfocarse en el crecimiento de las marcas centrales y concentrar los recursos en las marcas más grandes y mejor establecidas. Hasbro ha designado un conjunto de marcas centrales de juguetes, incluyendo a GI Joe, Transformers y My Little Pony, para enfatizar su marketing. La estrategia "regreso a lo fundamental" de Procter & Gamble se concentró en las marcas que generan más de mil millones de dólares en ingresos, como Tide, Crest, Pampers y Pringles. Cada producto de la línea de productos debe desempeñar un papel específico, tal como debe hacerlo cada marca del portafolio de marcas.

Volkswagen En su portafolio europeo, Volkswagen tiene cuatro marcas centrales, cada una con su propia importancia. Inicialmente Audi y Seat tenían imágenes deportivas, y VW y Skoda daban una impresión más relacionada con automóviles familiares. Por otro lado, Audi y VW se encontraban en un nivel de precio y calidad más alto que Skoda y Seat, caracterizados por interiores más austeros y un rendimiento más utilitario del motor. Para reducir costos, hacer eficiente el diseño de partes y sistemas y eliminar redundancias, Volkswagen mejoró las marcas Seat y Skoda, lo que captó participación de mercado con interiores más ostentosos, un conjunto completo de sistemas de seguridad y una transmisión más confiable. El riesgo, por supuesto, consistía en que, al tomar "prestadas" ciertas características de sus productos Audi y Volkswagen de nivel superior, la empresa pudiera ver diluido su prestigio. Por otro lado, los consumidores europeos, de temperamento más frugal, podrían tener la sensación de que un Seat o un Skoda es casi idéntico a su hermano VW, pero varios miles de euros más barato.[40]

Fijación de precios para mezclas de productos

Los especialistas en marketing deben modificar su lógica para fijar precios cuando el producto forma parte de una mezcla de productos. En la **fijación de precios de mezcla de productos** la empresa busca un conjunto de precios que maximice la ganancia en la mezcla total. Fijar el precio en estas circunstancias resulta difícil, porque los diversos productos tienen demanda y las interrelaciones de costos están sujetas a diferentes grados de competencia. Podemos distinguir seis situaciones que requieren fijación de precios de mezcla de productos: fijación de precios de línea de productos; fijación de precios de características opcionales; fijación de precios de productos cautivos; fijación de precios de dos partes; fijación de precios de subproductos, y fijación de precios para agrupación de productos.

FIJACIÓN DE PRECIOS DE LÍNEA DE PRODUCTOS Por lo general las empresas desarrollan líneas de productos en vez de productos únicos, e introducen escalas de precios. Una tienda de ropa masculina podría tener trajes para caballero en tres escalas de precio (300, 600 y 900 dólares), que los clientes asocian con estándares de calidad baja, media y alta. En tal caso, la tarea del vendedor será establecer percepciones de calidad diferenciadas para justificar los distintos precios.[41]

FIJACIÓN DE PRECIOS DE CARACTERÍSTICAS OPCIONALES Muchas empresas ofrecen productos, características y servicios opcionales junto con su producto principal. Un comprador del automóvil Outback 2.5i modelo 2010 de Subaru podría solicitar como características opcionales que los asientos tengan un motor de cuatro movimientos, un climatizador y un techo solar (quemacocos) automático.

La fijación de precios por este tipo de características opcionales constituye un problema complejo, ya que las empresas deben decidir cuáles incluir en el precio estándar y cuáles ofrecer por separado. Muchos restaurantes fijan el precio de sus bebidas en un nivel alto, y el de su comida en el extremo inferior: el ingreso por alimentos cubre los costos, y las bebidas —especialmente las alcohólicas— producen las ganancias. Esto explica por qué los meseros (camareros) acostumbran ejercer presión para que los clientes ordenen bebidas. Otros restaurantes usan la estrategia opuesta: fijan el precio del licor en un nivel bajo y el de los alimentos en uno alto para atraer a los grupos de bebedores.

FIJACIÓN DE PRECIOS DE PRODUCTOS CAUTIVOS Algunos productos requieren el uso de productos secundarios, llamados también **productos cautivos**. Los fabricantes de maquinillas de afeitar no desechables y cámaras fotográficas suelen adjudicarles un precio bajo, y al mismo tiempo establecen altos márgenes en las hojas para afeitar y las películas.[42] AT&T podría ofrecer un teléfono móvil gratuito al consumidor que se comprometa a contratar dos años de servicio telefónico. Sin embargo, si el producto cautivo tiene un precio demasiado alto, las falsificaciones y los productos sustitutos podrían dañar las ventas. Hoy en día, por ejemplo, los consumidores pueden comprar repuestos para los cartuchos de sus impresoras con proveedores de descuento, ahorrándose entre un 20 y un 30% respecto del precio del fabricante.

Hewlett-Packard

Hewlett-Packard En 1996, Hewlett-Packard (HP) comenzó a bajar drásticamente los precios de sus impresoras, en algunos casos hasta un 60%. HP pudo darse el lujo de hacer esas rebajas porque sus clientes suelen gastar, durante toda la vida útil del producto, el doble en cartuchos de tinta de repuesto, *toner* y papel especial, de lo que gastan en la impresora propiamente dicha; además, los suministros para impresoras de inyección de tinta suelen tener márgenes de utilidad (beneficios) de entre un 45 y un 60%. A medida que los precios de las impresoras bajaron, las ventas de dicho producto aumentaron, y con ellas también las ventas de accesorios. En la actualidad, HP controla más o menos el 46% del negocio mundial de impresoras, una participación que representó el 32% de sus ganancias en 2008, que ascendieron a 13400 millones de dólares en 2008.[43]

FIJACIÓN DE PRECIOS EN DOS FASES Muchas empresas de servicios hacen una **fijación de precios en dos fases**, esto es, estableciendo una cuota fija más una cuota de uso variable. Los usuarios de teléfonos móviles pagan una cuota mínima mensual, más cargos por las llamadas que rebasan los minutos de servicio que tienen contratados. Los parques de diversiones cobran una cuota de admisión, más un precio determinado por subir a los juegos más allá de un mínimo establecido. En este sentido, las empresas de servicios enfrentan un problema similar al de los productos cautivos: cuánto cobrar por el servicio básico y cuánto por el uso variable. Una buena recomendación es que la cuota fija sea lo suficientemente baja para inducir a la compra, y que las ganancias provendrán de las cuotas de uso.

FIJACIÓN DE PRECIOS DE SUBPRODUCTOS Muchas veces la producción de determinados bienes —carne, derivados de petróleo y otros productos químicos— genera subproductos a los que es necesario fijar un precio de acuerdo con su valor. Cualquier ingreso proveniente de los subproductos hará que la empresa sea capaz de cobrar menos por su producto principal si la competencia la obliga a hacerlo. Fundada en 1855 en Australia, CSR (llamada originalmente Colonial Sugar Refinery) al principio forjó su reputación como empresa azucarera, pero más tarde comenzó a vender subproductos de caña de azúcar; por ejemplo, la fibra de desecho se usaba en la fabricación de paneles para muros. Mediante el desarrollo y la adquisición de productos, hoy en día CSR se ha convertido en una de las 10 principales empresas australianas especializadas en venta de materiales para construcción.

FIJACIÓN DE PRECIOS PARA AGRUPACIÓN DE PRODUCTOS Los vendedores suelen hacer agrupaciones por productos o características, estrategia conocida como *bundling*. Un **bundling puro** se forma cuando la empresa ofrece sus productos exclusivamente como un paquete. Por ejemplo, una agencia de talentos podría insistir en que un actor de moda sólo puede participar en un filme si la empresa productora acepta que también tomen parte otros de sus actores, directores o guionistas. Ésta es una forma de *vincular las ventas*.

En el **bundling mixto** el vendedor ofrece bienes tanto de manera individual como en paquetes, casi siempre cobrando menos por el paquete que si los artículos fueran comprados por separado. Un fabricante de automóviles podría ofrecer un paquete opcional a un precio menor que si se compraran todas las opciones por separado; un teatro podría establecer un precio más bajo si se adquiere un abono de temporada que si se compraran entradas individuales para cada función. Es importante tener en cuenta, sin embargo, que quizá los clientes no hayan planeado comprar todos los componentes, así que el ahorro ofrecido por el paquete de productos debe ser lo suficientemente atractivo para inducirlos a comprarlo.[44]

Es posible también que algunos clientes sólo deseen ciertos artículos o características de un paquete a cambio de un precio menor,[45] en cuyo caso pedirán al vendedor que "desagrupe" o "reagrupe" su oferta. Digamos que un consumidor pide que no se haga la entrega de cierto producto a domicilio lo cual ahorra al vendedor 100 dólares; y si éste le hace un descuento de 80 dólares a su cliente, logrará mantenerlo contento y habrá obtenido una ganancia de 20 dólares. "Apuntes de marketing: Consideraciones de fijación de precios para paquetes de productos" contiene algunos consejos útiles en situaciones semejantes.

Co-branding y branding de ingredientes

CO-BRANDING En muchas ocasiones, los especialistas en marketing combinan sus productos con los de otras empresas de diferentes maneras. En el **co-branding** —estrategia conocida también como alianza de marcas, branding dual o agrupación de marcas— dos o más marcas reconocidas se combinan en un producto conjunto, o se venden juntos de alguna manera.[46] El co-branding puede asumir las formas que se mencionan a continuación, junto con ejemplos pertinentes: el *co-branding en la misma empresa* (General Mills anuncia el cereal Trix y el yogur Yoplait al mismo tiempo); el *co-branding de empresa conjunta* (las bombillas General Electric e Hitachi en Japón, y la tarjeta de crédito Citibank AAdvantage); el *co-branding de múltiples patrocinadores* (Taligent, una alianza entre Apple, IBM y Motorola),[47] y el *cobranding minorista*, en el que dos establecimientos minoristas utilizan la misma ubicación para optimizar el espacio y las ganancias (los restaurantes de propiedad conjunta Pizza Hut, KFC y Taco Bell).

La ventaja principal del co-branding es que un producto podría estar convincentemente posicionado gracias al apoyo que le brinda el conjunto de marcas. Además, el co-branding es capaz de generar mayores ventas en el mercado existente y abrir oportunidades para nuevos consumidores y canales. También puede reducir

Apuntes de marketing — Consideraciones de fijación de precios para paquetes de productos

Cuando la actividad promocional de los artículos individuales que conforman un paquete aumenta, los compradores perciben menos ahorro en éste y tienden a mostrar más indisposición a adquirirlo. Las investigaciones sugieren seguir las recomendaciones que se citan a continuación al implementar estrategias de *bundling*.

- No promueva los productos individuales que conforman un paquete con tanta frecuencia o tan baratos como lo hace con éste. Para que el paquete resulte atractivo para el consumidor, es necesario que su precio sea mucho menor que la suma de los productos individuales.
- Si le interesa seguir promoviendo los productos individuales, limite las promociones a un solo artículo de la mezcla. Otra opción es alternar promociones, una después de otra, para evitar que entren en conflicto.
- Si ofrece grandes descuentos en productos individuales, hágalo como una excepción absoluta y con discreción. De lo contrario, el consumidor utilizará el precio de los productos individuales como una referencia externa para el paquete y, en consecuencia, éste perderá valor.
- Considere cuánta experiencia y conocimiento tiene su cliente. Los clientes con mayor conocimiento podrían ser menos proclives a necesitar o desear ofertas en paquete, y quizás prefieran la libertad de elegir los componentes de forma individual.
- Recuerde que los costos desempeñan un papel importante en la determinación de precios. Si los costos marginales de los productos son bajos —como en el caso de componentes de software propietario que puede ser copiado y distribuido con facilidad—, quizá sea preferible usar una estrategia de bundling que enfocarse en los componentes individuales.
- Si un grupo de empresas con productos únicos se unen para crear un paquete con el propósito de competir contra una organización multiproductos, su objetivo podría fracasar si se desata una guerra de precios.

Fuentes: Amiya Basu y Padmal Vitharana, "Impact of Customer Knowledge Heterogeneity on Bundling Strategy," *Marketing Science* 28 (julio-agosto 2009), pp. 792-801; Bikram Ghosh y Subramanian Balachnadar, "Competitive Bundling and Counterbundling with Generalist and Specialist Firms," *Management Science* 53 (enero 2007), pp. 159-68; Loren M. Hitt y Pei-yu Chen, "Bundling with Customer Self-Selection: A Simple Approach to Bundling Low-Marginal-Cost Goods," *Management Science* 51 (octubre 2005), pp. 1481-93; George Wuebker, "Bundles Effectiveness Often Undermined," *Marketing News,* marzo 18, 2002, pp. 9-12; Stefan Stremersch y Gerard J. Tellis, "Strategic Bundling of Products and Prices," *Journal of Marketing* 66 (enero 2002), pp. 55-72.

el costo de introducción de un producto, porque combina dos imágenes bien conocidas y acelera la adopción. Por último, puede ser un medio valioso para aprender sobre los consumidores y cómo son abordados por otras empresas. Algunas organizaciones de la industria automotriz han cosechado todos estos beneficios.

Las desventajas potenciales del co-branding son los riesgos y la falta de control para compatibilizarse con otra marca en la mente de los consumidores. Las expectativas de los consumidores respecto del co-branding tienden a ser altas, así que un rendimiento insatisfactorio podría tener repercusiones negativas para todas las marcas participantes. Si una de ellas se involucra en varios arreglos simultáneos de co-branding, su exposición excesiva podría diluir el impacto de los paquetes resultantes, o provocar una falta de enfoque en el resto de las marcas e incluso inseguridad en los consumidores en lo relativo a lo que saben sobre una marca determinada.[48]

Para que el co-branding tenga éxito es preciso que todas las marcas participantes cuenten con su propio brandequity, esto es, con una adecuada conciencia de marca y una imagen de marca suficientemente positiva. El requisito más importante es que haya un ajuste lógico entre todas las marcas, con el fin de maximizar sus ventajas y minimizar sus desventajas individuales. Es más probable que los consumidores perciban favorablemente las marcas agrupadas si son complementarias y ofrecen una calidad única, en lugar de ser similares y redundantes.[49]

Los gerentes deben incursionar en el co-branding con mucho cuidado, buscando un ajuste adecuado en los valores, capacidades y metas de las marcas, así como un balance adecuado de su brand equity. Es preciso que existan planes detallados para legalizar contratos, hacer arreglos financieros y coordinar programas de marketing. Como afirmó un ejecutivo de Nabisco: "Poner en manos ajenas nuestra marca es muy similar a poner un hijo al cuidado de otra persona: lo único que quiere uno es garantizar que todo sea perfecto". Los arreglos financieros entre marcas varían; sin embargo, un enfoque común es que la marca con mayor inversión en el proceso de producción le pague a la otra una cuota de licencia y prerrogativas.

El co-branding exige tomar una serie de decisiones.[50] ¿Qué capacidades *no* tiene usted? ¿A qué restricciones de recursos (de personal, tiempo, dinero) se enfrenta? ¿Cuáles son sus metas de crecimiento o sus necesidades de ingresos? Pregúntese si la oportunidad representa un negocio conjunto rentable. ¿Cómo contribuirá a mantener o reforzar su brand equity? ¿Existe algún riesgo de que éste se diluya? ¿La oportunidad ofrece ventajas extrínsecas, digamos alguna oportunidad de aprendizaje?

BRANDING DE INGREDIENTES El **branding de ingredientes** representa un caso especial de co-branding.[51] Esta estrategia crea brand equity para materiales, componentes o partes que necesariamente se encuentran dentro de otros productos con marca. Algunos casos de branding de ingredientes exitosos son la tecnología de reducción de ruido Dolby, las fibras resistentes al agua GORE-TEX, y las telas Scotchgard. Entre los productos populares que han utilizado el branding de ingredientes están las combinaciones de comida rápida con tacos de Taco Bell, patatas fritas de Lay's y salsa de barbacoa KC Masterpiece.

Un caso especial de branding de ingredientes es el del "branding de ingredientes propios" que las empresas anuncian e incluso registran. En un momento dado, la cadena Westin Hotels comenzó a anunciar sus *Heavenly Bed* (camas celestiales) y *Heavenly Shower* (duchas celestiales) como parte de los servicios que ofrece a sus huéspedes. Más tarde, la *Heavenly Bed* tuvo tal éxito que ahora Westin vende la cama, almohadas, sábanas (cobijas) por medio de un catálogo online, junto con otros artículos "celestiales", productos de baño e incluso productos para mascotas. Si puede ponerse en práctica de la manera apropiada, el uso del branding de ingredientes propios tiene sentido, porque las empresas cuentan con mayor control sobre ellos y pueden desarrollarlos para que se adapten a sus propósitos.[52]

Las marcas que participan en el branding de ingredientes intentan crear la suficiente conciencia y preferencia de su producto como para que los consumidores eviten comprar productos que no los contenga.[53] DuPont ha logrado alcanzar esa meta.

DuPont DuPont ha lanzado numerosos productos innovadores, como Corian®, un material sólido para recubrimiento de superficies que se usa en mercados tan diversos como el de ropa o la industria aeroespacial. Otras muchas de sus marcas, como el aislante Tyvek®, el recubrimiento antiadherente Teflon® y la fibra Kevlar® se convirtieron en marcas reconocidas por su participación en branding de ingredientes en productos de consumo manufacturados por otras empresas. Desde 2004, DuPont ha lanzado más de 5 000 nuevos productos y recibido más de 2 400 patentes. Uno de sus productos premiados recientemente, Sorona® es un polímero creado a partir de fuentes renovables o basadas en biotecnología, que puede utilizase en los mercados de alfombras y ropa.[54]

Las alfombras Stainmaster de DuPont se han convertido en un nombre muy familiar.

Muchos fabricantes producen componentes o materiales que más adelante se integran a productos finales con marca, pero al hacerlo pierden su identidad individual. Una de las pocas empresas que logró evitar ese destino fue Intel. Su campaña dirigida al consumidor convenció a muchos compradores de PC de adquirir solamente marcas con "Intel Inside" (Intel adentro). Como resultado, los fabricantes más importantes de PC —IBM, Dell, Compaq— compran sus chips Intel a un precio mayor que si adquirieran chips equivalentes a un proveedor desconocido.

¿Cuáles son los requisitos para el branding de ingredientes exitoso?[55]

1. Los consumidores deben creer que el ingrediente es importante para el rendimiento y éxito del producto final. Lo ideal es que este valor intrínseco sea fácil de ver o experimentar.
2. Los consumidores deben estar convencidos de que no todas las marcas de ingredientes son iguales, y que el ingrediente con branding ofrece un mejor resultado.
3. Un símbolo o logotipo distintivo debe señalar con claridad que el producto contiene la marca como uno de sus ingredientes. Lo mejor es que dicho símbolo o logotipo funcione como un "sello", que sea sencillo y versátil, y que logre comunicar con credibilidad valores como la calidad y la confianza.
4. Es preciso que la implementación de una estrategia de "atracción" y "empuje" ayude a los consumidores a entender las ventajas de la marca que participa en el branding de ingredientes. Los miembros del canal deben ofrecer su apoyo total —por ejemplo, mediante promociones y publicidad para el consumidor, y programas de comercialización minorista y de promoción—, a veces en colaboración con los fabricantes.

Envasado, etiquetado y garantías

Algunos envases de productos —como la botella de Coca-Cola y la lata de Red Bull— son mundialmente famosos. Muchos especialistas en marketing han considerado que el envasado sería, junto con el precio, el producto, la plaza (distribución) y la promoción, el quinto ingrediente fundamental de la comercialización. Casi en todos los casos, sin embargo, el envasado y el etiquetado se ven como elementos de la estrategia del producto. Asimismo, las garantías pueden ser una parte importante de la estrategia de producto y a menudo son mencionadas en el envase.

Envasado

El **envasado** o ***packaging*** incluye todas las actividades de diseño y producción del contenedor de un producto. Los envases pueden tener hasta tres capas. La colonia Cool Water viene en una botella (*envase primario*) introducida en una caja de cartón (*envase secundario*), que a su vez va dentro de una caja de corrugado (*envase de transporte*) con capacidad para seis docenas de unidades.

El envase representa el primer punto de encuentro del comprador con el producto. Un buen envase atrae al consumidor y lo anima a elegir el producto. En efecto, este elemento puede funcionar como "un anuncio comercial de cinco segundos" para el producto. Además, el envase afecta las experiencias posteriores del consumidor con el producto, cuando lo abre y lo utiliza en casa. Incluso es posible que algunos envases lleguen a utilizarse como objetos decorativos en el hogar. Así, los envases distintivos —por ejemplo, los de la cera para zapatos Kiwi, las mentas Altoids o el vodka Absolut— son parte importante del capital de una marca.[56]

Son varios los factores que contribuyen al creciente uso de los envases como herramientas de marketing:

- ***Autoservicio.*** Cada vez son más los productos que se venden a través de los autoservicios. En un supermercado promedio, que puede tener hasta 15 000 artículos en exhibición, el comprador típico se ve expuesto a más o menos 300 productos por minuto. Dado que entre el 50 y el 70% de las compras se realizan en la tienda, el envase eficaz debe llevar a cabo muchas funciones de venta: captar la atención, describir las características del producto, crear confianza en el cliente y generar una impresión general favorable.
- ***Riqueza de los consumidores.*** Una riqueza creciente implica que los consumidores están dispuestos a pagar un poco más por la comodidad, apariencia, fiabilidad y prestigio de un mejor envasado.
- ***Imagen de la empresa y de la marca.*** Los envases contribuyen al reconocimiento inmediato de la empresa o de la marca. En las tiendas pueden crear un efecto de anuncio espectacular, como Garnier Fructis con su envase verde brillante distintivo en el pasillo de cuidado del cabello.
- ***Oportunidad de innovación.*** Un envase único o innovador —por ejemplo, una botella con abertura resellable— puede traer grandes beneficios a los consumidores y enormes ganancias a los productores.

El envase debe lograr una serie de objetivos:[57]

1. Identificar la marca.
2. Comunicar información de manera descriptiva y persuasiva.
3. Facilitar el transporte y la protección del producto.
4. Contribuir al almacenamiento en el hogar.
5. Ayudar al consumo del producto.

Para lograr estos objetivos y satisfacer los deseos de los consumidores, los especialistas en marketing deben elegir correctamente los componentes estéticos y funcionales del envase. Las consideraciones estéticas se relacionan con su tamaño, forma, color, material de fabricación, textos y gráficos. Existe una serie de factores y criterios para determinar la mejor alternativa en cada una de estas áreas.

Por ejemplo, el color constituye un aspecto particularmente importante del envasado y tiene distintos significados en diferentes culturas y segmentos de mercado. La tabla 12.3 resume la opinión de algunos expertos de marketing visual respecto del papel que juega el color.

El envase distintivo de la cera para zapatos Kiwi, su nombre y logotipo, son activos de la marca.

TABLA 12.3 La rueda de color del branding y el envasado

El **rojo** es un color poderoso que simboliza energía, pasión, e incluso peligro. Funciona mejor para productos o marcas orientados a la acción, productos asociados con la velocidad o la energía, o marcas icónicas o dominantes.
El **anaranjado** suele connotar aventura y diversión. Como el rojo, es un captador de atención y se piensa que estimula los apetitos, pero es menos agresivo que aquél. Se ha utilizado para comunicar valor y descuentos y últimamente ha generado asociaciones con la juventud y el estilo gracias a la industria de la moda.
El **amarillo** equivale al calor del sol y a la alegría. Sus tonos más vibrantes evocan sentimientos de bienestar y se dice que estimulan la actividad mental, así que este color suele asociarse con la sabiduría y el intelecto. El amarillo funciona bien para los productos o marcas vinculados con los deportes o actividades sociales, o para productos o contenido que busca atraer la atención.
El **verde** tiene connotaciones de limpieza, frescura y renovación —y por supuesto, nos recuerda el respeto al medio ambiente—, pero los expertos advierten que se le ha utilizado de manera excesiva en el mercado. Es uno de los colores más predominantes y que se encuentran naturalmente con frecuencia, de modo que se le asocia con atributos saludables. Funciona bien para los productos orgánicos y reciclados, o para las marcas relacionadas con la salud y el bienestar.
El **azul** es otro color predominante en la naturaleza, y que casi siempre se asocia con la seguridad, la eficacia, la productividad y la claridad de mente. Es un color que se ha vuelto popular en el mundo corporativo, en particular en la industria de alta tecnología. El azul también simboliza limpieza, apertura y relajación; funciona bien para todo, desde los productos de limpieza y cuidado personal, hasta spas y destinos vacacionales.
Durante siglos, el **morado** o **violeta** ha simbolizado nobleza y riqueza, y estas asociaciones siguen siendo válidas hoy en día. Se trata de un color poderoso para las marcas y productos de lujo, o para las empresas que quieren dar un aire de misterio o exclusividad a sus productos. El morado es especialmente popular entre mujeres de todas edades.
El **rosa** es un color estereotipado de niñas, que se asocia con adornos y tibieza y, según algunos, tiene cualidades reconfortantes y tranquilizantes. El rosa funciona bien para productos de cuidado personal y marcas relacionadas con bebés. También se asocia con la dulzura y funciona bien para los especialistas de marketing que anuncian golosinas.
El **café** o **marrón** es un color fuerte y terroso, con connotaciones de honestidad y fiabilidad. Muchas veces se cita como un color favorito entre los hombres. Sus tonos más oscuros son suntuosos y sólidos, mientras que otros funcionan bien como base. El café da mejores resultados en conjunto con otros colores.
El **negro** es clásico y fuerte, y forma parte de las paletas de color de los especialistas en marketing como componente principal o como color de énfasis en tipografía y gráficos. El negro puede transmitir poder, lujo, sofisticación y autoridad, y es posible usarlo para comercializar todo, desde automóviles y electrónicos hasta hoteles de lujo y servicios financieros.
El **blanco** es el color de las nubes esponjosas y de la nieve fresca, así que lógicamente comunica pureza y limpieza. A menudo se utiliza como color de fondo o de énfasis para iluminar una paleta de color, pero también puede usarse libremente para crear asociaciones de limpieza en el caso de alimentos orgánicos o productos de cuidado personal. También puede simbolizar innovación y modernidad.

Fuente: Elisabeth Sullivan, "Color Me Profitable", *Marketing News*, 15 de octubre de 2008, p. 8. Reimpreso con autorización de *Marketing News*, publicado por la American Marketing Association.

Desde el punto de vista funcional, el diseño estructural reviste la mayor importancia. Los elementos del envase deben armonizar entre sí y con el precio, la publicidad y otras partes del programa de marketing.

Las actualizaciones o rediseño de envases pueden utilizarse para refrescar una marca y hacerla más contemporánea, relevante o práctica pero, si bien es posible que tengan un impacto inmediato en las ventas, también podrían implicar desventajas. Ésta es la lección que aprendió PepsiCo al rediseñar su marca Tropicana.

Tropicana

Tropicana PepsiCo experimentó gran éxito con su marca Tropicana, adquirida en 1998. Luego, en 2009, la empresa lanzó un envase rediseñado para "refrescar y modernizar" la marca. La meta era crear un "apego emocional al convertir la bebida en una especie de 'héroe', capaz de pregonar las bondades de la fruta natural". Arnell Group encabezó la transformación extrema que llevó a una apariencia totalmente nueva, que consistió en minimizar el nombre de la marca, destacar la frase "100% naranja pura y natural", y reemplazar la clásica imagen frontal de una naranja con un popote (o pajilla) insertado, por un acercamiento fotográfico a un vaso de naranjada. La respuesta de los consumidores fue inmediata y negativa. El envase se veía "feo" o "tonto", y algunos incluso lo confundían con una "marca propia" producida por alguna tienda. Las ventas cayeron 20%. Después de tan sólo dos meses, la dirección de PepsiCo anunció que volvería al envase anterior.[58]

Una vez que la empresa diseñe el envase, deberá probarlo. Las *pruebas de ingeniería* se utilizan para garantizar que el envase resista las condiciones normales; las *pruebas visuales* para asegurarse de que la tipografía sea legible y los colores armoniosos; las *pruebas de distribuidores* para averiguar si éstos lo encuentran atractivo y fácil de manejar, y las *pruebas de consumidores* para descubrir si éstos responderán favorablemente a la innovación. Emplear cámaras ocultas para registrar el movimiento ocular de los consumidores podría ser útil para determinar en qué se fijan éstos al examinar un envase. Por ejemplo, en el caso del medicamento contra resfriados Comtrex, la investigación del movimiento ocular confirmó que solamente un 50% de los consumidores advirtieron el envase anterior en el estante, mientras que un 62% notaron el rediseñado.[59]

Aunque el desarrollo de envases eficaces puede requerir varios meses y una inversión de cientos de miles de dólares, es preciso que las empresas consideren la creciente preocupación por el medio ambiente y la seguridad en cuanto al manejo de desechos o residuos. Afortunadamente muchas empresas se están "volviendo verdes" y encuentran nuevas maneras creativas para desarrollar envases. Sun Chips, los *snacks* multigrano de Frito-Lay, que contienen un 30% menos grasa que las patatas fritas, se posicionaron como una opción de aperitivo más sana y saludable. Una parte del esfuerzo de la firma —que también apoyaba un "planeta más sano"— consistió en desarrollar una bolsa completamente *reciclable*, hecha a partir de materiales de origen vegetal (aunque posteriormente fue retirada para algunos sabores cuando los consumidores se quejaron del ruido que producía). Además, la empresa se ocupó de que el público supiera que su fábrica en Modesto, California, funciona a base de energía solar.

Etiquetado

El etiquetado de productos podría consistir en algo tan simple como un rótulo adhesivo, o tan complejo como un gráfico de diseño elaborado que forma parte del envase. Además, puede contener mucha información o únicamente el nombre de la marca pero, por otro lado, aun cuando el vendedor quisiera usar una etiqueta sencilla, quizá la ley le exija algo que aporte más información.

Las etiquetas desempeñan varias funciones. La primera es *identificar* el producto o la marca (por ejemplo, el nombre Sunkist marcado con sello en las naranjas); también pueden *calificar* el producto (tal es el caso de los duraznos (melocotones) enlatados que muchas veces se califican con las letras A, B y C de acuerdo con la calidad de la fruta original). Además, las etiquetas pueden *describir* el producto: quién lo hizo, dónde y cuándo, qué contiene, cómo se debe usar y cómo utilizarlo con seguridad. Por último, un objetivo más de las etiquetas podría ser *promover* el producto a través de gráficos atractivos. Los avances tecnológicos permiten crear etiquetas plásticas ajustables para forrar envases esféricos o cilíndricos con gráficos atractivos y más información sobre los productos, lo que sustituye a las etiquetas de papel con adhesivo.[60]

Llega un momento en que las etiquetas también requieren una modernización. La etiqueta del jabón Ivory se ha rediseñado al menos 18 veces desde la década de 1890, con cambios graduales en el tamaño y diseño de la letra. Como Tropicana se vio obligada a reconocer, las empresas con etiquetas que se han convertido en iconos necesitan dar pasos muy cautelosos cuando inician un rediseño, con el propósito de conservar los elementos clave de branding.

Al diseñar sus envases, los especialistas en marketing deben buscar un equilibrio entre distintas exigencias. Por ejemplo, aunque el envase de Sun Chips era respetuoso del medio ambiente, fue retirado poco después de su lanzamiento porque muchos consumidores se quejaron de lo ruidosas que eran las bolsas.

Una larga historia de preocupaciones legales rodea a las etiquetas y a los envases. En 1914, la Federal Trade Commission Act (Decreto de la Comisión Federal de Comercio estadounidense) determinó que las etiquetas o envases fraudulentos, engañosos o falaces constituyen competencia desleal. La Fair Packaging and Labeling Act (Decreto sobre envasado y etiquetado justos), aprobada por el Congreso de Estados Unidos en 1967, fijó requisitos obligatorios para el etiquetado, fomentó que la industria estableciera voluntariamente estándares y permitió que las agencias federales establecieran normativas de envasado para industrias específicas.

El organismo encargado de vigilar la producción y divulgación de alimentos y medicamentos en Estados Unidos (FDA) ha exigido que los productores de alimentos procesados incluyan información nutricional en las etiquetas, de manera que se detalle con toda claridad las cantidades de proteína, grasas, carbohidratos y calorías que contiene cada producto, así como el contenido de vitaminas y minerales como porcentaje de la recomendación diaria.[61] Además, la FDA ha implementado acciones contra los usos potencialmente engañosos de descripciones del tipo "bajo en calorías", "descremado", "alto en fibra" y "bajo en grasas".

Garantías

Todos los vendedores tienen la responsabilidad legal de satisfacer las expectativas normales o razonables de los compradores. Las **garantías** son declaraciones formales respecto del rendimiento que el fabricante espera que tendrá su producto. Los productos bajo garantía pueden ser devueltos al fabricante o a un centro de reparaciones asignado para su arreglo, reemplazo, o devolución y reembolso. Ya sean explícitas o implícitas, en casi todos los países las garantías son respaldadas por la ley.

Las garantías extendidas y los contratos de servicios pueden ser extremadamente lucrativos para los fabricantes y minoristas. Los analistas estiman que las ventas de productos con garantía extendida son responsables de un alto porcentaje de las ganancias operativas de Best Buy.[62] A pesar de la evidencia en el sentido de que las garantías extendidas no valen la pena, algunos consumidores valoran la tranquilidad mental.[63] En Estados Unidos, por ejemplo, este tipo de garantías sigue generando ingresos por miles de millones de dólares por lo que concierne a los bienes electrónicos, aunque el total ha disminuido a medida que los consumidores han ido familiarizándose con la búsqueda de soluciones online, o son más capaces de resolver sus problemas técnicos consultando a sus conocidos.[64]

Muchos vendedores ofrecen garantías generales o específicas.[65] Empresas como Procter & Gamble prometen satisfacción general o completa sin mayor especificación: "si no está satisfecho por cualquier razón, devuelva el producto para su reemplazo, cambio o la devolución de su dinero". A. T. Cross garantiza de por vida sus bolígrafos y lápices. El cliente envía el bolígrafo por correo a la empresa (en las tiendas se consigue el envase para envío) y el producto es reparado o reemplazado sin cargo.

Las garantías reducen el riesgo que percibe el comprador, al sugerir que el producto es de alta calidad, y que la empresa y su desempeño en materia de servicio son fiables. Este tipo de beneficios pueden ser especialmente útil cuando la empresa o el producto no son bien conocidos, o cuando la calidad del producto es superior a la de sus competidores. Los programas de garantía de la transmisión de los automóviles Hyundai y Kia por 10 años o 150 000 km fueron diseñados, en parte, para asegurar a los compradores potenciales la calidad de los productos y la estabilidad de las empresas.

Resumen

1. El producto es el primer elemento y el más importante de la mezcla de marketing. La estrategia de producto requiere decisiones coordinadas de marketing sobre mezclas de productos, líneas de productos, marcas, envasado y etiquetado.
2. Al planificar su oferta de mercado, el especialista de marketing debe pensar en los cinco niveles del producto: el beneficio básico, el producto genérico, el producto esperado, el producto ampliado y el producto potencial. Esta jerarquía abarca todas las mejoras y transformaciones que el producto puede sufrir en última instancia.
3. Los productos pueden ser bienes perecederos, bienes duraderos o servicios. En la categoría de bienes de consumo se encuentran los bienes de conveniencia (básicos, bienes de impulso y bienes de emergencia), los bienes de compra comparada (homogéneos y heterogéneos), los bienes de especialidad y los bienes no buscados. Los bienes industriales se clasifican en tres subcategorías: materiales y piezas (materia prima materiales y piezas manufacturadas); bienes de capital (instalaciones y equipamiento), y suministros y servicios a empresas (suministros de operación, artículos de mantenimiento y reparación, servicios de mantenimiento y reparación, servicios de asesoría empresarial).
4. Los productos pueden ser diferenciados con base en forma, características, personalización, calidad de resultados, calidad de ajuste, durabilidad, fiabilidad, posibilidad de reparación, estilo y diseño, así como en dimensiones de servicio tales como la facilidad de pedido, entrega, instalación, capacitación a clientes, asesoría para clientes, y mantenimiento y reparación.

5. El diseño es la totalidad de características que afectan la apariencia, la sensación que provoca y la funcionalidad de un producto. Los productos bien diseñados ofrecen beneficios funcionales y estéticos a los consumidores, y puede ser una fuente importante de diferenciación.
6. Casi todas las empresas venden varios productos al mismo tiempo. Las mezclas (mix o surtido) de productos pueden clasificarse según su anchura, su longitud, su profundidad y su consistencia. Estas cuatro dimensiones son las herramientas para desarrollar la estrategia de marketing de la empresa, y decidir cuáles líneas de productos deben ampliarse, mantenerse, cosecharse o desaparecer. Para analizar una línea de productos y decidir qué monto de recursos invertir en ella, los gerentes de las líneas de productos deben analizar las ventas, las ganancias y el perfil del mercado.
7. Una empresa puede cambiar el componente de producto de su mezcla de marketing mediante la ampliación de su línea de productos (hacia abajo o hacia arriba en el mercado, o en ambos sentidos), a través del relleno de línea, la modernización de los productos, el hincapié en ciertos productos, o la reducción de la línea, eliminando sus productos menos rentables.
8. Muchas veces las marcas se venden o comercializan en conjunto con otras marcas. El branding de ingredientes y el co-branding pueden añadir valor, siempre y cuando las marcas cuenten con brand equity y el consumidor considere que son compatibles entre sí.
9. Los productos físicos deben envasarse y etiquetarse. Los envases bien diseñados pueden crear valor de conveniencia para los clientes y valor promocional para los productores. Las garantías son capaces de ofrecer mayor seguridad a los consumidores.

Aplicaciones

Debate de marketing

¿Qué es más importante en un producto, su forma o su función?

El debate "forma contra función" se aplica a muchas áreas, incluyendo el marketing. Algunos especialistas en marketing creen que el rendimiento del producto es el principio y el fin absoluto. Otros mantienen que su apariencia, la sensación que provoca y otros elementos de su diseño son los elementos que realmente hacen la diferencia.

Asuma una posición: La funcionalidad de los productos es la clave para el éxito de la marca *versus* El diseño del producto es la clave para el éxito de la marca.

Discusión de marketing

Diferenciación de productos y servicios

Considere los diferentes medios de diferenciación para productos y servicios. ¿Cuáles tienen mayor impacto en sus decisiones? ¿Puede pensar en ciertas marcas que destaquen en varios de estos medios de diferenciación?

Marketing de excelencia

>>Caterpillar

Caterpillar fue fundada en 1925, cuando se fusionaron dos empresas de tractores de California. Sin embargo, el nombre "Caterpillar" data de principios de la década de 1900, cuando Benjamin Holt, uno de los fundadores de la empresa, diseñó un mecanismo para tractor que utilizaba anchas y resistentes bandas o cadenas en lugar de ruedas. Estas bandas impedían que la maquinaria se hundiera en el suelo fértil y rico de California, por el cual era imposible pasar cuando estaba mojado. El nuevo tractor agrícola se desplazó a lo largo de las tierras de cultivo de manera tal que un observador comentó que "se arrastraba como una oruga" (*caterpillar*).

Holt vendió el tractor con la marca Caterpillar, y una vez que se hizo la fusión, la nueva empresa se convirtió en Caterpillar Tractor Company. Desde entonces, Caterpillar Inc., o CAT, ha crecido hasta convertirse en uno de los fabricantes más grandes de maquinaria para movimiento de tierra y motores del mundo. Con más de 300 máquinas diferentes en venta, Caterpillar ofrece soluciones de producto para ocho industrias: residencial, no-residencial, industrial, de infraestructura, de minería y canteras, de energía, de residuos y de silvicultura. Su maquinaria, de un amarillo distintivo, se encuentra por todo el mundo, y ha ayudado a que la marca se convierta en un icono estadounidense.

¿Cómo fue que una pequeña empresa fabricante de tractores creció hasta convertirse en una de las organizaciones más grandes del mundo? Al principio, la compañía creció a un ritmo constante, marcando algunos hitos importantes, como el uso de sus bandas apisonadoras patentadas en los tanques del ejército estadounidense durante la primera y segunda guerras mundiales. El enorme florecimiento de la industria de la construcción en la posguerra y una fuerte demanda del extranjero, mantuvieron sus ventas en niveles muy positivos hasta mediados del siglo xx; en la misma época se dieron algunas innovaciones, como el tractor a diesel y la introducción de neumáticos de caucho.

Sin embargo, las cosas cambiaron cuando la recesión de principios de la década de 1980 afectó fuertemente a Caterpillar, dejando lugar para que los competidores internacionales —como la japonesa Komatsu— ganaran participación de mercado. Los altos precios de la empresa, y su inflexible burocracia, casi la mandan a la quiebra. Tan solo en 1982, la compañía perdió más de 6500 millones de dólares, despidió a miles de empleados, cerró varias fábricas, y enfrentó una larga huelga sindical.

En la década de 1990 reconoció que necesitaba un cambio desesperadamente, y bajo un nuevo liderazgo consiguió dar uno de los más grandes giros de la historia corporativa. Varios factores fueron importantes para lograrlo:

- Caterpillar luchó abiertamente con los sindicatos y resistió dos huelgas y siete años de desacuerdos.
- Se descentralizó y reestructuró en varias unidades de negocio, cada una responsable de su propio estado de resultados.
- Invirtió una cantidad significativa de dinero (llegando a un total de 1800 millones de dólares) en un programa de modernización de fábricas que automatizó e hizo eficiente sus procesos de manufactura con una combinación de inventarios justo a tiempo y manufactura flexible. Al automatizar su sistema de fabricación, la empresa se volvió más eficiente y competitiva, aunque también se vio forzada a despedir a más empleados.
- Convirtió la investigación y desarrollo en una de sus prioridades principales, invirtiendo cientos de millones de dólares en nuevas tecnologías, maquinaria y productos. Como resultado, los camiones para construcción CAT se convirtieron en ejemplo de la más alta tecnología, además de ser más competitivos y respetuosos del medio ambiente.

Hoy Caterpillar se encuentra en los lugares número uno y número dos en todas las industrias que atiende. Sus productos no tienen igual en calidad y fiabilidad, y la empresa ha mantenido un fuerte enfoque en la innovación. Con un presupuesto anual de 2000 millones de dólares para investigación y desarrollo, cada año lanza nuevos productos. Entre sus más recientes innovaciones están los tractores híbridos diesel-eléctricos —los primeros de su clase—, y los motores de bajas emisiones con ACERT, una tecnología limpia a base de diesel que también mejora la eficiencia del combustible.

La gama de productos de Caterpillar es inmensa. Desde una pequeña plataforma de 47 caballos de fuerza hasta un tractor de 850 caballos de fuerza o un enorme camión para minería de 3 370 caballos de fuerza, la empresa desarrolla productos para atender las necesidades específicas de cada mercado y región. Por ejemplo, en China, un mercado fundamental para el futuro de Caterpillar, la empresa dividió su estrategia de productos en tres segmentos: de clase mundial, de nivel medio y de rango bajo. Caterpillar está centrada en la maquinaria innovadora de alta tecnología para el segmento de clase mundial, que está en crecimiento, y deja el de rango bajo a los competidores locales, que se consolidarán paulatinamente.

Otra de las razones del dominio de mercado que goza Caterpillar es su modelo de negocios. La empresa lo vende todo: maquinaria, servicios y soporte para una amplia gama de industrias. Cincuenta y tres por ciento de sus ventas se derivan de productos y el resto proviene de los servicios integrados. Caterpillar logra esta hazaña mediante su Red Global de Concesionarios: distribuidores independientes de CAT, especialmente capacitados para dar servicio a escala local, lo que contribuye a dar a la empresa global una sensación personal.

Esta sensación de cercanía es importante, considerando que el 56% de los negocios de Caterpillar vienen del extranjero, lo que la convierte en uno de los principales exportadores de Estados Unidos. Caterpillar ha sido líder en la construcción de caminos, puentes, carreteras y aeropuertos de todo el mundo. Por ejemplo, en las ciudades en desarrollo como Antamina, Perú, donde abunda el cobre, las enormes empresas mineras gastan al año cientos de millones de dólares en maquinaria y servicios CAT. Hasta 50 tipos diferentes de *bulldozers*, tractores de carga frontal, excavadoras y camiones especiales para minería ayudan a labrar caminos, limpiar derrames y extraer el cobre. Estos camiones de gran tamaño se fabrican en su totalidad en Decatur, Illinois, se envían por partes y se ensamblan en el sitio.

Las ventas de Caterpillar llegaron a 51 000 millones de dólares en 2008, y cayeron a 32 000 millones en 2009 debido a la recesión. Komatsu, su competidor japonés, continúa ocupando un distante segundo lugar, al generar menos de la mitad de las ventas de Caterpillar, que mantiene 50 instalaciones de producción en Estados Unidos y 60 en el extranjero, y vende sus productos en más de 200 países.

¿Qué sigue para Caterpillar? Al mismo tiempo que avanza, la empresa se mantiene centrada en reducir las emisiones de gases de efecto invernadero de su maquinaria, innovando en más tecnologías ecológicas, manteniendo la solidez de su marca e invirtiendo en el futuro de países emergentes como India y China. La empresa cree que para crecer debe ser exitosa en esos mercados.

Preguntas

1. ¿Cuáles fueron algunos de los pasos fundamentales para que Caterpillar se convirtiera en líder de la industria de maquinaria para movimiento de tierra?
2. Analice el futuro de Caterpillar. ¿Qué debería hacer a continuación con su línea de productos? ¿Dónde se encuentra el crecimiento futuro de la empresa?

Fuentes: Green Rankings, The 2009 List, *Newsweek*, http://greenrankings.newsweek.com; Tim McKeough, "The Caterpillar Self-Driving Dump Truck", *Fast Company*, 1 de diciembre de 2008; Alex Taylor III, "Caterpillar: Big Trucks, Big Sales, Big Attitude", *Fortune*, 13 de agosto de 2007; Tudor Van Hampton, "A New Heavyweight Among Hybrids", *New York Times*, 21 de enero de 2010; Steven Pearlstein, "After Caterpillar's Turnaround, A Chance to Reinvent Globalization", *Washington Post*, 19 de abril de 2006; Dale Buss, "CAT Is Back: An Icon That Once Seemed Headed for the Dustbin, Caterpillar Has Made an Impressive Turnaround. Here's How", *Chief Executive*, julio de 2005; Jessie Scanlon, "Caterpillar Rolls Out Its Hybrid D7E Tractor", *BusinessWeek*, 20 de julio de 2009; materiales de apoyo de Caterpillar, Inc. en CLSA Asia USA Forum; www.cat.com.

Marketing de excelencia

>>Toyota

En 1936, Toyota admitió haber seguido el Airflow de Chrysler y haber desarrollado el patrón para su motor a partir de un motor Chevrolet de 1933. Pero, en 2000, cuando lanzó el primer automóvil híbrido que funciona con electricidad y gasolina, el Prius, Toyota era líder de su industria. Cuando el Prius de segunda generación llegó a los concesionarios en 2002, los distribuidores recibieron 10 000 pedidos antes de que el automóvil siquiera estuviera disponible. Mientras tanto, GM anunciaba que entraría al mercado híbrido con sus propios modelos.

Toyota ofrece una línea completa de automóviles para el mercado estadounidense, desde sedanes familiares y SUV hasta camionetas y minivans. Tiene productos para diferentes puntos de precio, desde los Scion de bajo costo hasta los Camry de rango medio, y el Lexus de lujo. Diseñar estos diferentes productos significa escuchar a diferentes clientes, hacer los automóviles que desean y desarrollar el marketing necesario para reforzar la imagen de cada modelo.

Después de cuatro años de escuchar cuidadosamente a los adolescentes, por ejemplo, Toyota supo que el grupo de edad objetivo para el Scion, de entre 16 y 21 años, deseaba poder personalizarlo. Por lo tanto, hoy en día fabrica el automóvil con una sola especificación y un nivel de accesorios, y permite que los clientes elijan en el concesionario entre más de 40 elementos de personalización, desde componentes de equipos de sonido hasta rines (llantas) e incluso los tapetes (alfombrillas) interiores. Toyota promueve el Scion en eventos de música, y tiene concesionarios donde los "jóvenes se sienten cómodos pasando el tiempo, y que no son un lugar para ir solamente a ver los automóviles", aseveró el vicepresidente del modelo, Jim Letz.

En contraste, el eslogan de la estrategia global de Lexus es "Búsqueda apasionada de la perfección". Los distribuidores ofrecen atención de primera, aunque Toyota entiende que cada país define la perfección de formas diferentes. En Estados Unidos, perfección y lujo significan confort, tamaño y fiabilidad. En Europa, tienen que ver con atención al detalle y antecedentes de marca. Por lo tanto, Toyota mantiene un vocabulario visual constante para Lexus, su logotipo, su tipografía y comunicación general, pero la publicidad cambia según el país.

Otra razón importante para el éxito de Toyota es su manufactura. La empresa es la maestra del *lean manufacturing* (fabricación libre de despilfarros) y la mejora continua. Sus plantas pueden producir hasta ocho modelos diferentes al mismo tiempo, lo que genera enormes aumentos en productividad y capacidad de respuesta. Además, innova sin cesar. Una típica línea de ensamblaje de Toyota realiza miles de cambios operativos en el curso de un año. Los empleados de la empresa perciben que tienen un triple propósito: fabricar automóviles, fabricar automóviles de la mejor manera, y enseñar a todos cómo fabricar automóviles de la mejor manera. La empresa alienta la solución de problemas, siempre buscando mejorar el proceso por el cual mejora todos los demás procesos.

Toyota está integrando sus plantas de ensamblaje alrededor del mundo en una sola red gigantesca. Las plantas personalizarán los automóviles para los mercados locales y cambiarán la producción rápidamente para satisfacer cualquier aumento en la demanda en los mercados del mundo. Con una red de manufactura, Toyota podrá fabricar una amplia variedad de modelos a un costo mucho menor. Eso significa que podrá llenar nichos de mercado conforme vayan surgiendo, sin tener que construir nuevas líneas de ensamblaje. "Si existe un mercado o segmento de mercado en el que no estén presentes, allá va Toyota", dijo Tatsuo Yoshida, analista de automóviles en Deutsche Securities Ltd. Y con los consumidores cada vez más indecisos sobre lo que desean en un automóvil, esa agilidad en el mercado le otorga a la compañía una ventaja competitiva muy grande.

En 2006, Toyota ganó más de 11 000 millones de dólares, superando a todos los demás fabricantes de automóviles juntos. En 2007 rebasó a General Motors, para convertirse en el fabricante de automóviles más grande del mundo, y en 2008 fabricó más de 9.2 millones de vehículos, un millón más que GM y casi tres millones más que Volkswagen.

Durante muchos años los automóviles Toyota habían logrado consistentemente muy buenas calificaciones tanto en calidad como en fiabilidad. Sin embargo, todo eso cambió en 2009 y 2010, cuando la empresa tuvo que retirar del mercado más de 8 millones de vehículos debido a una serie de problemas, que iban desde pedales de acelerador que se quedaban pegados, hasta aceleraciones súbitas y errores en el software del sistema de frenado que afectaron muchas de sus marcas, incluyendo Lexus, Prius, Camry, Corolla y Tundra.

El problema es que estos defectos mecánicos no sólo ocasionaron numerosos accidentes, sino que estuvieron vinculados en la muerte de más de 50 personas. El presidente de Toyota, Akio Toyoda, testificó ante el Congreso de Estados Unidos y ofreció una explicación de lo que había salido mal: "Buscamos el crecimiento a una velocidad más rápida de la que éramos capaces de desarrollar en nuestra gente y nuestra organización. Lamento que esto haya provocado los problemas de seguridad que se describen en los reclamos del mercado que enfrentamos ahora, y siento mucho que los conductores de Toyota hayan sufrido accidentes".

Los analistas estimaron que esta situación le costará a Toyota entre 2 000 y 6 000 millones de dólares incluyendo costos de reparación, arreglos legales y ventas perdidas. La participación de mercado cayó 4 puntos porcentuales en los primeros tres meses de retiro de sus automóviles, y se esperaba que cayera todavía más a medida que los problemas seguían desarrollándose. Esperando traer a los consumidores de regreso a la marca Toyota, la empresa ofreció incentivos como dos años de mantenimiento gratuito y financiación sin intereses.

Mientras Toyota enfrenta la tormenta de la retirada del mercado de 2010 y debe afrontar tiempos desafiantes, puede reconfortarse por el hecho de que continúa encabezando la industria en una amplia gama de áreas, incluyendo el *lean manufacturing* y las tecnologías respetuosas del medio ambiente.

Preguntas

1. Toyota ha construido una enorme empresa manufacturera que puede producir millones de automóviles cada año para una amplia variedad de consumidores. ¿Por qué pudo superar tanto el crecimiento de cualquier otro fabricante de automóviles?
2. ¿Toyota ha hecho lo correcto al fabricar una marca de automóvil para todo el mundo? ¿Por qué?
3. ¿La empresa creció demasiado, tal como sugiere Toyoda? ¿Qué debería hacer Toyota en el corto plazo, en los próximos 5 años y en los siguientes 10? ¿Qué pueden hacer las empresas en crecimiento para evitar los problemas de calidad en el futuro?

Fuentes: Martin Zimmerman, "Toyota's First Quarter Global sales Beat GM's Preliminary Numbers", *Los Angeles Times,* 24 de abril de 2007; Charles Fishman, "No satisfaction at Toyota", *Fast Company,* diciembre de 2006-enero de 2007, pp. 82-90; Stuart F. Brown, "Toyota's Global Body Shop", *Fortune,* 9 de febrero de 2004, p. 1; James B. Treece, "Ford Down; Toyota Aims for No. 1", *Automotive News,* 2 de febrero de 2004, p. 120; Brian Bemner y Chester Dawson, "Can Anything Stop Toyota?", *BusinessWeek,* 17 de noviembre de 2003, pp. 114-122; Tomoko A. Hosaka, "Toyota Counts Rising Costs of Recall Woes", *Associated Press,* 16 de marzo de 2010; "World Motor Vehicle Production by Manufacturer," *OICA,* julio de 2009; Chris Isidore, "Toyota Recall Costs: $2 billion", http://money.cnn.com, 4 de febrero de 2010; www.toyota.com.

En este capítulo responderemos las siguientes **preguntas**

1. ¿Cómo se definen y clasifican los servicios, y en qué difieren de los bienes?
2. ¿Cuál es la realidad de los nuevos servicios?
3. ¿Cómo se puede lograr la excelencia en el marketing de servicios?
4. ¿Cómo se puede mejorar la calidad del servicio?
5. ¿Qué pueden hacer los especialistas en marketing de servicios para mejorar los servicios de apoyo a los clientes?

La poco convencional organización Cirque du Soleil crea experiencias memorables para su público a través de su redefinición creativa del concepto de circo.

Diseño y gestión de servicios

A medida que las empresas de productos encuentran cada vez más difícil diferenciar sus productos físicos, tienden a diferenciarse por los servicios. De hecho, muchas de ellas encuentran una rentabilidad significativa al ofrecer un servicio superior, ya sea en la forma de entregas a tiempo, de una mejor y más rápida respuesta de las consultas de los clientes o de una atención más veloz de las quejas. Los mejores proveedores de servicio conocen bien estas ventajas y saben cómo crear experiencias memorables para los clientes.[1]

En su historia de 25 años, Cirque du Soleil ("Circo del Sol", en francés) ha roto con los convencionalismos del circo: toma los ingredientes tradicionales del género, como artistas del trapecio, payasos, hombres musculosos y contorsionistas, y los coloca en un escenario poco convencional, con espléndidos trajes, música new age *y diseños escenográficos espectaculares. Además, elimina algunos elementos circenses comunes, por ejemplo, no incluye animales. Cada una de sus producciones se basa libremente en un tema, como "tributo al alma nómada" (Varekai) o "fantasmagoría de la vida urbana" (Saltimbanco). El grupo se ha desarrollado desde sus raíces como compañía de performance urbano, hasta convertirse en una empresa global de 500 millones de dólares, con 3 000 empleados de cuatro continentes que entretienen a millones de personas cada año.*

Parte de su éxito proviene de una cultura empresarial que alienta la creatividad artística y la innovación, y salvaguarda cuidadosamente la marca. Cada año se crea una nueva producción única —siempre con los miembros de la compañía—, lo cual quiere decir que no hay compañías subsidiarias que realicen las giras. Además de la mezcla (mix) de medios y promociones locales que maneja la organización, existe un amplio programa de correo electrónico dirigido al Cirque Club, una red de seguidores online que cuenta con más de un millón de miembros; entre el 20 y el 30% de todas las ventas de entradas al espectáculo se producen por ese medio. Al generar ingresos por 800 millones de dólares al año, la marca Cirque du Soleil se ha expandido para abarcar una marca de discos, una operación minorista, y producciones fijas en Las Vegas (cinco en total), Orlando, Tokio y otras ciudades.[2]

Debido a la importancia que tiene comprender la naturaleza especial de los servicios y su significado para los especialistas en marketing, en este capítulo se hará un análisis sistemático de los servicios y cómo comercializarlos de la manera más eficaz.

La naturaleza de los servicios

El Bureau of Labor Statistics, agencia responsable de los datos estadísticos laborales de Estados Unidos, informa que el sector de producción de servicios seguirá siendo el generador de empleos dominante en la economía, creando cerca de 14.6 millones de nuevos empleos hasta 2018, lo cual representa el 96% del aumento esperado en el empleo total. En comparación, se estima que para ese año el sector productor de bienes representará el 12.9% del empleo total, cifra menor a la de 1998, cuando fue del 17.3%, y 2008, en donde se situó en el 14.2%. La industria manufacturera perdió 4.1 millones de empleos entre 1998 y 2008, y se calcula que perderá otros 1.2 millones entre 2008 y 2018.[3] Éstas y otras cifras han llevado a un interés creciente en los problemas especiales que implica el marketing de servicios.[4]

Las industrias de servicios están en todas partes

El *sector gubernamental*, con sus tribunales, servicios de empleo, hospitales, agencias de préstamos, servicios militares, departamentos de policía y bomberos, servicio postal, agencias reguladoras y escuelas, forma parte del negocio de los servicios. El *sector privado sin fines de lucro* —museos, organizaciones de beneficencia, iglesias, universidades, fundaciones y hospitales— también participa en él. Lo mismo ocurre con buena parte del *sector empresarial*, con sus aerolíneas, bancos, hoteles, aseguradoras, bufetes de abogados, agencias de consultoría en gestión, servicios médicos, compañías cinematográficas, servicios de arreglos de fontanería (plomería) y empresas inmobiliarias. Por su parte, muchos trabajadores del *sector manufacturero*, como los operadores informáticos, los contadores (contables) y los abogados, en realidad son proveedores de servicios. De hecho, conforman una "fábrica de servicios" destinados a la "fábrica de bienes". Por último, quienes participan en el *sector minorista*, como cajeros, dependientes, vendedores y representantes de asistencia al cliente, también están proveyendo un servicio.

Un **servicio** es cualquier acto o función que una parte ofrece a otra, es esencialmente intangible y no implica tener propiedad sobre algo. Su producción podría estar vinculada o no a un producto físico. Cada vez es más frecuente que fabricantes, distribuidores y minoristas provean servicios de valor añadido, o simplemente un excelente servicio a sus clientes, para diferenciarse de los demás. Hoy en día muchas empresas dedicadas por completo a la generación de servicios utilizan Internet para llegar a los clientes; de hecho, algunas de ellas trabajan solamente online. El sitio Monster.com, acreedor a varios premios Webby, ofrece consultoría en desarrollo profesional y reclutamiento de personal. Si se implementan correctamente, las mejoras o innovaciones en el servicio al cliente pueden producir grandes recompensas, tal como Toyota Rent a Car puede testimoniar.

Toyota Rent a Car

Toyota Rent a Car Al desarrollar su plan estratégico, Toyota Rent a Car puso en acción una táctica innovadora para diferenciarse de sus competidores y enriquecer la experiencia de sus clientes: la empresa está implementando un proceso para gestionar la innovación de forma sistemática, con el propósito de mantener su ventaja competitiva agregando valor a sus servicios constantemente. Toyota Rent a Car es una franquicia internacional de alquiler de automóviles de la prestigiosa marca japonesa. Sus convenios a largo plazo (de 12 a 60 meses) se cubren con cuotas mensuales deducibles de impuestos, que amparan el uso del automóvil y todos los servicios que el cliente pudiera necesitar, sin papeleo excesivo ni gestiones innecesarias. Otras de las innovaciones que incluye su servicio son: el uso de conexiones Wi-Fi en sus automóviles, para que sus clientes puedan conectarse a Internet cuando lo deseen; la integración de dispositivos *quickpass*, que permiten usar carriles privilegiados en los puestos de peaje de las carreteras, y el uso opcional de chofer para los clientes que no deseen conducir. De esta manera, Toyota Rent a Car ofrece a sus consumidores la fórmula más profesional para disfrutar de sus vehículos, con todas las ventajas de la propiedad y ninguna de sus exigencias.[5]

Categorías de la mezcla de servicios

El componente servicio puede ser una parte menor o un ingrediente principal de la oferta total. En este sentido se distinguen cinco categorías de ofertas:

1. ***Bien puro tangible.*** Un bien tangible como jabón, dentífrico o sal, sin servicios adicionales.
2. ***Bien tangible con servicios adicionales.*** Un bien tangible, como un automóvil, una PC o un teléfono móvil, que viene acompañado por uno o más servicios. En tanto más tecnológicamente avanzado sea un producto, por lo general habrá mayor necesidad de servicios de apoyo de alta calidad.
3. ***Híbrido.*** Se trata de una oferta —por ejemplo, comer en un restaurante— que incluye bienes y servicios por igual: a los clientes de un restaurante les importa tanto la comida como el servicio.
4. ***Servicio principal con bienes y servicios secundarios adicionales.*** Un servicio principal (como un viaje por avión) con servicios adicionales o bienes de apoyo (refrigerios o bebidas). Este tipo de oferta requiere un bien que demanda una alta inversión de capital —un avión— para su realización, pero su componente principal es un servicio.
5. ***Servicio puro.*** Este tipo de oferta se basa principalmente en un servicio intangible, como el cuidado de niños, la psicoterapia o una sesión de masaje.

La variedad de ofertas de servicio que existe hace que generalizarlas resulte difícil, por lo cual es preciso hacer algunas distinciones adicionales:

- Los servicios varían en función de la entidad encargada de ofrecerlos: algunos están *basados en equipo* (lavado automático de automóviles, máquinas expendedoras de productos), y otros están *basados en personas* (limpieza de cristales, servicios contables). A su vez, los servicios basados en personas se clasifican de acuerdo con el personal que los proporciona: no calificado, calificado o profesional.
- Las empresas de servicios pueden elegir entre diferentes *procesos* para entregar su servicio. Por ejemplo, los restaurantes ofrecen distintos formatos de servicio: estilo cafetería, comida rápida, buffet, a la luz de las velas, etcétera.
- Algunos servicios requieren la *presencia del cliente.* Una cirugía de cerebro requiere la presencia del cliente, pero una reparación de automóvil no. Si el cliente necesita estar presente, el proveedor de servicios debe ser considerado con sus necesidades. Así, los encargados de un salón de belleza invertirán en su decoración, tendrán música de fondo y entablarán conversaciones con los clientes.
- Los servicios podrían satisfacer una *necesidad personal* (servicios personales) o una *necesidad empresarial* (servicios para empresas). Los prestadores de servicios por lo general desarrollan diferentes programas de marketing para cada uno de estos mercados.
- Los proveedores de servicios difieren en cuanto a sus *objetivos* (empresas lucrativas o sin fines de lucro) y a su tipo de *propiedad* (privada o pública). La combinación de ambas características produce cuatro tipos de organización diferentes. Los programas de marketing de un hospital de inversión privada serán diferentes de los de un hospital privado de beneficencia, o de los de un hospital público para miembros de un sindicato, por ejemplo.[6]

Por lo general, los clientes son incapaces de juzgar la calidad técnica de algunos servicios, incluso después de haberlos recibido. La △ figura 13.1 muestra varios productos y servicios según su dificultad de evaluación.[7] A la izquierda se encuentran los bienes que tienen muchas *cualidades de búsqueda*, es decir, características que el comprador puede evaluar antes de adquirirlos. En el centro se encuentran los bienes y servicios que tienen muchas *cualidades de experiencia*: las características que el consumidor puede evaluar después de la compra. A la derecha se encuentran los bienes y servicios que tienen muchas *cualidades de credibilidad*, esto es, las características que el comprador suele tener dificultad para evaluar, incluso después de su consumo.[8]

Debido a que los servicios generalmente tienen muchas cualidades de experiencia y credibilidad, su compra implica más riesgos, y esto tiene varias consecuencias. En primer lugar, los clientes de servicios suelen confiar más en las recomendaciones boca a boca que en la publicidad; en segundo, tienen mucho en cuenta el precio, el proveedor y los indicios físicos para juzgar la calidad; en tercero, son muy leales a los proveedores de servicios que los satisfacen, y en cuarto, debido a que los costos de cambio de proveedor son altos, la inercia de consumo puede hacer que sea muy difícil atraer a los clientes de la competencia.

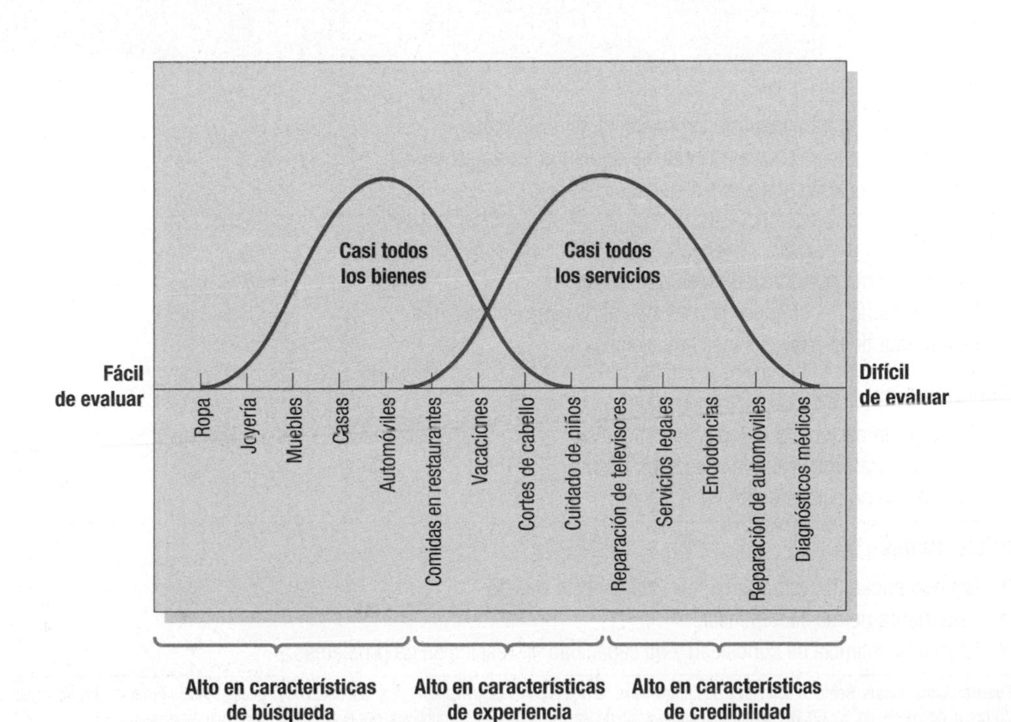

|Fig. 13.1| △

Continuo de evaluación para diferentes tipos de productos

Fuente: Valarie A. Zeithaml, "How Consumer Evaluation Processes Differ between Goods and Services", James H. Donnelly y William R. George, eds. *Marketing of Services* (Chicago: American Marketing Association, 1981). Reimpreso con autorización de la American Marketing Association.

Características distintivas de los servicios

Existen cuatro características distintivas que afectan en gran medida el diseño de los programas de marketing: *intangibilidad, inseparabilidad, variabilidad* y *caducidad.*[9]

INTANGIBILIDAD A diferencia de los productos físicos, los servicios no pueden verse, saborearse, sentirse, escucharse u olerse al comprarlos. Una persona que se somete a una cirugía plástica no puede ver los resultados antes de la compra, de igual manera que el paciente de un psiquiatra no puede saber el resultado exacto del tratamiento. Para reducir la incertidumbre, los comzpradores buscarán evidencia del nivel de calidad haciendo inferencias a partir del lugar en que se presta el servicio, las personas, el equipo, los materiales de comunicación, los símbolos y el precio. Por lo tanto, la tarea del proveedor de servicios consiste en "manejar la evidencia" para "hacer tangible lo intangible".[10]

Las empresas de servicios pueden intentar demostrar su calidad mediante la *evidencia física* y la *presentación.*[11] Suponga que un banco desea posicionarse como una institución "veloz". En tal caso, podría hacer tangible esta estrategia de posicionamiento mediante una serie de herramientas de marketing:

1. ***Lugar.*** El exterior e interior deben tener líneas limpias. La disposición de los escritorios y el flujo del tránsito deben estar cuidadosamente planificados. Las filas de espera no deben ser demasiado largas.
2. ***Personas.*** Los empleados deben estar ocupados, aunque debería haber la suficiente cantidad de ellos como para manejar la carga de trabajo.
3. ***Equipamiento.*** El equipo informático, las máquinas fotocopiadoras, los escritorios y los cajeros automáticos deben tener una apariencia homogénea y ser de vanguardia.
4. ***Material de comunicaciones.*** Los materiales impresos (texto y fotografías) deben sugerir eficiencia y velocidad.
5. ***Símbolos.*** Tanto el nombre del banco como sus símbolos de identificación podrían sugerir un servicio rápido.
6. ***Precio.*** El banco podría anunciar que depositará un monto de dinero determinado en la cuenta de cualquier cliente que espere en fila más de cinco minutos.

Los especialistas en marketing de servicios deben ser capaces de transformar los servicios intangibles en beneficios concretos y en una experiencia bien definida.[12] Disney es un maestro en el arte de "hacer tangible lo intangible", y en crear fantasías mágicas en sus parques de diversiones; lo mismo puede afirmarse de empresas como Jamba Juice (bebidas naturales) y Barnes & Noble (librerías) en sus respectivas tiendas minoristas.[13] La tabla 13.1 mide las experiencias de marca en general, considerando sus dimensiones sensoriales, afectivas, conductuales e intelectuales. El valor de la aplicación de estos criterios en los servicios resulta evidente.

TABLA 13.1 Dimensiones de la experiencia de marca
Sensoriales
• Esta marca genera una fuerte impresión en mis sentidos. • Me parece que esta marca es interesante de una forma sensorial. • Esta marca no le agrada a mis sentidos.
Afectivas
• Esta marca me provoca sentimientos y opiniones. • Esta marca no me despierta emociones particularmente fuertes. • Esta marca tiene implicaciones emocionales.
Conductuales
• Participo en acciones y comportamientos físicos cuando uso esta marca. • Esta marca provoca experiencias corporales. • Esta marca no está orientada a la acción.
Intelectuales
• Cuando encuentro esta marca, me hace pensar mucho. • Esta marca no me hace pensar. • La marca estimula mi curiosidad y mi capacidad de resolución de problemas.

Fuente: Joško Brakus, Bernd H. Schmidt y Lia Zarantonello, "Brand Experience: What Is It? How Is It Measured? Docs It Affect Loyalty?", *Journal of Marketing* 73 (mayo de 2009), pp. 52-68. Reimpreso con autorización de *Journal of Marketing*, publicado por la American Marketing Association.

Debido a que no existe un producto físico, las instalaciones del proveedor de servicios —incluyendo su señalización principal y secundaria, el diseño del entorno y de su área de recepción, la vestimenta de los empleados, los materiales de apoyo y demás elementos— son especialmente importantes. Todos los aspectos del proceso de entrega del servicio son susceptibles de representar la marca por sí mismos, razón por la cual Allied Van Lines se preocupa por la apariencia de sus conductores y trabajadores, por la que UPS ha desarrollado una identificación tan fuerte con sus camiones color café, y de que los hoteles Doubletree de la cadena Hilton ofrecen galletas con chips de chocolate recién horneadas como símbolos de atención y amabilidad.[14]

Muchas veces los proveedores de servicios eligen elementos de marca —logotipos, símbolos, caracteres y eslóganes— que hagan más tangibles el servicio y sus beneficios clave; algunos ejemplos son los "cielos amigables" de United Airlines, la frase "Usted está en buenas manos", de la aseguradora Allstate, y el toro del logotipo de Merrill Lynch (en inglés se dice que un mercado es *bullish* [término derivado de *bull* = toro] cuando está a la alza).

INSEPARABILIDAD Mientras que los bienes físicos son fabricados, inventariados, distribuidos y posteriormente consumidos, los servicios generalmente son producidos y consumidos de manera simultánea.[15] Un corte de cabello no puede almacenarse ni producirse sin el estilista; el proveedor forma parte del servicio. En vista de que muchas veces el cliente también está presente, la interacción entre el proveedor y el consumidor es una característica especial del marketing de servicios. Los compradores de servicios de entretenimiento y profesionales están muy interesados en contar con la atención de un proveedor específico. El concierto no sería el mismo si Taylor Swift se sintiera indispuesta y fuera sustituida por Beyoncé; una defensa legal corporativa no sería igual si la provee un pasante porque el experto antimonopolios Davied Boies no está disponible. Cuando los clientes tienen preferencias muy fuertes por determinado proveedor, éste podría elevar su precio para racionar su tiempo.

Existen varias estrategias para superar las limitaciones de la inseparabilidad. Por ejemplo, el proveedor de servicios podría trabajar con grupos más grandes: algunos psicoterapeutas han pasado de la terapia individual o la terapia de grupos pequeños, a la terapia de grupos de más de 300 personas agrupadas en un gran salón de eventos de un hotel. Asimismo, el proveedor de servicios podría trabajar con mayor rapidez; en este caso el psicoterapeuta podría dedicar 30 minutos más eficaces a cada paciente en lugar de emplear 50 minutos menos estructurados, con lo cual conseguiría atender a más personas. Por otro lado, la organización de servicios podría capacitar a más proveedores y generar confianza en los clientes, como lo ha hecho H&R Block con su red de consultores fiscales capacitados, que atiende consumidores en todo el territorio estadounidense.

VARIABILIDAD Debido a que depende de quién los provee, cuándo, dónde y a quién, la calidad de los servicios es altamente variable. Algunos médicos tienen una excelente manera de tratar a sus pacientes hospitalizados, mientras otros son menos empáticos.

Un artista diferente crea una experiencia distinta: un concierto de Beyoncé no es lo mismo que un concierto de Taylor Swift.

Los compradores de servicios son conscientes de esta variabilidad y con frecuencia hablan con otras personas antes de elegir un proveedor. Para tranquilizar a los clientes, algunas empresas ofrecen *garantías de servicio* capaces de reducir la percepción de riesgo de los consumidores.[16] A continuación se mencionan tres pasos que las empresas de servicios pueden poner en práctica para aumentar su control de calidad.

1. ***Invertir en buenas prácticas de contratación y capacitación.*** Reclutar a los empleados correctos y darles una capacitación de excelencia es de la mayor importancia, independientemente de si los trabajadores son profesionales altamente capaces o no especializados. El personal mejor capacitado muestra seis características: competencia, cortesía, credibilidad, fiabilidad, capacidad de respuesta y habilidad de comunicación.[17] Debido a la naturaleza diversa de su base de clientes en California, el gigante bancario e hipotecario, Wells Fargo, busca y capacita activamente una fuerza de ventas diversa racialmente. El cliente promedio de Wells Fargo utiliza 5.2 productos bancarios diferentes, más o menos el doble del promedio de la industria, en parte gracias al trabajo en equipo de su muy motivado personal.[18]
2. ***Estandarizar el proceso servicio-desempeño en toda la organización.*** Un *diagrama de servicio* puede trazar el flujo del proceso del servicio, los puntos de contacto con el cliente y la evidencia del servicio desde el punto de vista del cliente.[19] La figura 13.2 muestra el diagrama de servicio de un huésped que pasa la noche en un hotel.[20] Tras bambalinas, el hotel debe tener la habilidad de ayudar al huésped a moverse de un paso al siguiente. Los diagramas de servicio pueden ser útiles para desarrollar un nuevo servicio, apoyar una cultura de cero defectos y crear estrategias de recuperación de servicio.
3. ***Supervisar la satisfacción del cliente.*** Utilice sistemas de sugerencias y quejas, encuestas a los clientes y comparaciones de compras. Las necesidades de los clientes pueden variar en diferentes áreas, lo cual permite que las empresas desarrollen programas de satisfacción al cliente específicos por la región.[21] Asimismo, las organizaciones pueden desarrollar sistemas y bases de datos con información de los clientes, para darles un servicio más personalizado, sobre todo online.[22]

Dado que los servicios constituyen una experiencia subjetiva, las empresas dedicadas a comercializarlos también diseñan comunicaciones de marketing y programas de información con el propósito de que los consumidores aprendan más sobre la marca, en lugar de conformarse con los encuentros de servicio en sí mismos.

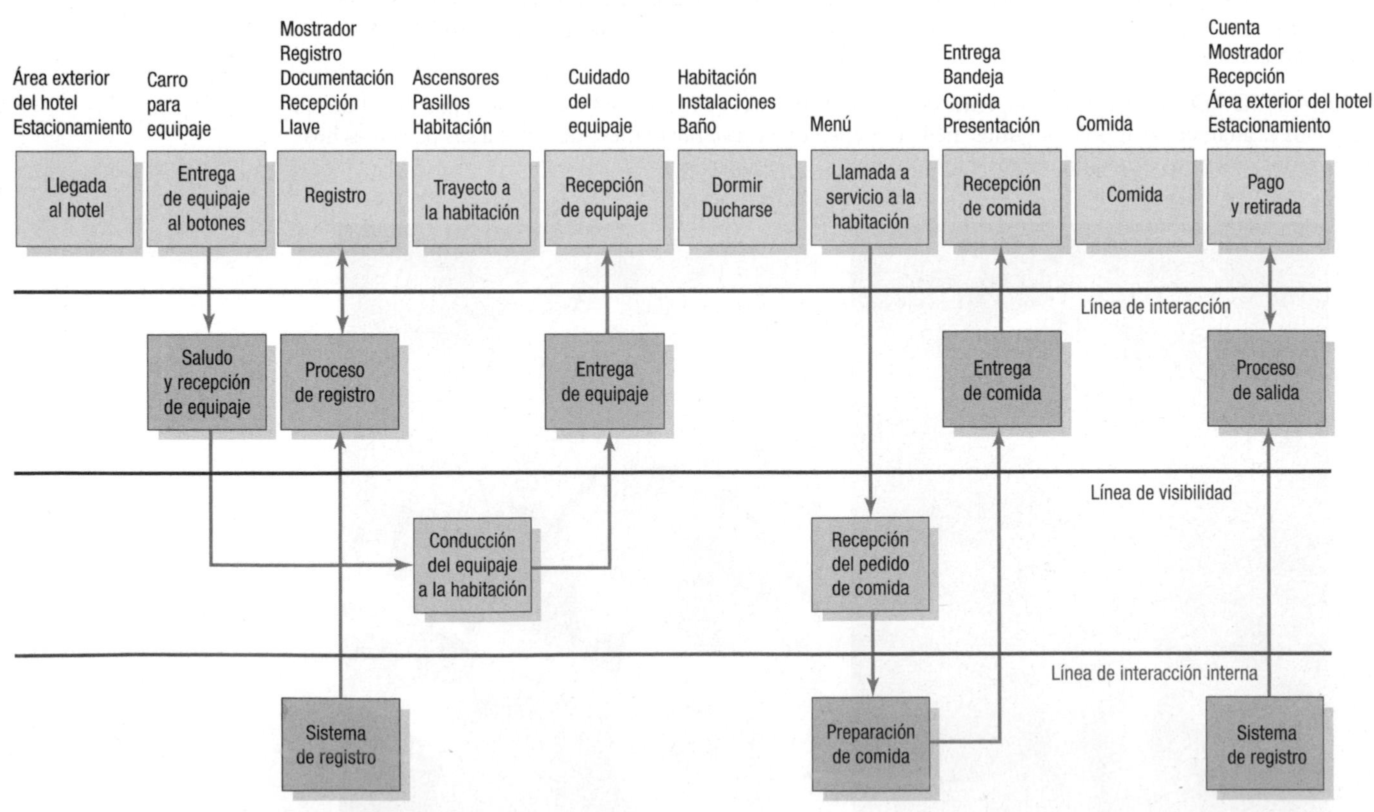

|Fig. 13.2|

Diagrama para la estancia de una noche en un hotel

Fuente: Valarie Zeithaml, Mary Jo Bitner y Dwayne D. Gremier, *Services Marketing: Integrating Customer Focus across the Firm*, 4a. ed. (Nueva York: McGraw-Hill, 2006).

CADUCIDAD Los servicios no pueden almacenarse, así que su caducidad puede ser un problema cuando hay fluctuaciones de la demanda. Las empresas de transporte público deben poseer mucho más equipo debido a la demanda en las horas con mayor tráfico, lo cual no ocurriría si la demanda fuera constante durante el día; algunos médicos cobran a sus pacientes las citas a las que éstos no asisten, porque el valor del servicio (la disponibilidad del médico) solamente tiene vigencia en el momento de la cita.

La gestión de la demanda o de la producción es muy importante. En otras palabras, es fundamental que los servicios correctos estén disponibles para los clientes adecuados, en el lugar apropiado, en el momento oportuno y a los precios justos para maximizar la rentabilidad. Diversas estrategias pueden producir una mejor coincidencia entre la demanda y la oferta de servicios.[23] Por el lado de la demanda:

- El ***precio diferencial*** cambiará una parte de la demanda de los periodos pico a las etapas de exigencia normal. Algunos ejemplos son el precio de las entradas al cine para ver una matiné, y los descuentos de fin de semana en el alquiler de automóviles.[24]
- Es posible cultivar la ***demanda no pico***. McDonald's promueve su servicio de desayunos, y los hoteles promueven vacaciones breves de fin de semana.
- Los ***servicios complementarios*** —como el servicio de bar en los restaurantes o los cajeros automáticos en los bancos— pueden ofrecer alternativas a los clientes en espera.
- Los ***sistemas de reservaciones (reservas)*** constituyen una forma de controlar el nivel de la demanda. Las aerolíneas, los hoteles y los médicos los utilizan con mucha frecuencia.

Por el lado de la oferta:

- Los ***empleados a tiempo parcial*** pueden atender durante los picos de demanda. Las universidades añaden profesores a tiempo parcial cuando aumentan los alumnos inscritos; las tiendas contratan dependientes adicionales durante las festividades.
- Las ***rutinas de eficiencia en hora pico (punta)*** pueden permitir que los empleados desempeñen solamente las tareas esenciales durante los periodos de mayor demanda: los paramédicos apoyan a los médicos durante los periodos más ajetreados.
- El ***aumento de la participación del consumidor*** libera tiempo para el proveedor de servicios. Los consumidores llenan sus propias historias clínicas o empaquetan por sí mismos los víveres que han comprado.
- Los ***servicios compartidos*** pueden mejorar las ofertas. Varios hospitales pueden compartir equipo médico.
- Las ***instalaciones para futuras expansiones*** pueden ser una buena inversión. Un parque de atracciones puede comprar los terrenos aledaños para desarrollarse más adelante.

Muchas aerolíneas, hoteles y centros vacacionales envían anuncios de descuentos de corto plazo y promociones especiales por correo electrónico a los clientes que han dado su autorización para recibirlos. Después de 40 años de permitir que la gente hiciera largas filas en sus parques de diversiones, Disney instituyó el FASTPASS, con el que los visitantes pueden reservar sus lugares y eliminar la espera. Las encuestas revelaron que al 95% le agrada el cambio. El vicepresidente de Disney, Dale Stafford, le dijo a un reportero: "Hemos estado enseñando a la gente cómo esperar en una fila desde 1955, y ahora estamos diciéndoles que no tienen que hacerlo. Entre todas las cosas que podemos hacer y todas las maravillas que somos capaces de crear con las atracciones, esto es algo que tendrá un profundo efecto en toda la industria".[25]

Las nuevas realidades de los servicios

Las empresas de servicios alguna vez estuvieron rezagadas respecto de las manufactureras en el uso de marketing, porque eran pequeñas, porque eran negocios profesionales que no utilizaban el marketing, o porque enfrentaban una enorme demanda o poca competencia. No cabe duda de que esto ha cambiado. Hoy en día algunas de las empresas especialistas en marketing más hábiles pertenecen al sector de los servicios. Una de las más reconocidas en este sentido es Singapore Airlines.

Singapore Airlines (SIA)

Singapore Airlines (SIA)

Singapore Airlines es reconocida por muchos especialistas como la "mejor" línea aérea del mundo; de hecho, gana tantos premios que se ve obligada a actualizar su página Web cada mes para mantener al día su lista de galardones. Esto se debe, en gran medida, a su excelente marketing holístico. Famosa por consentir a sus pasajeros, SIA se esfuerza continuamente por crear un "efecto de admiración" y sobrepasar las expectativas de los clientes. Fue la primera aerolínea en ofrecer pantallas de video individuales en los asientos de los aviones. Gracias al simulador creado por la empresa —el primero en su tipo, con un costo superior al millón de dólares—, SIA logró replicar la presión de aire y humedad dentro del avión, lo que sirvió, entre otras cosas, para encontrar que las papilas gustativas cambian cuando se está volando. La consecuencia fue decidir una reducción en las especias utilizadas en la comida. Además, SIA valora mucho la capacitación; su programa "Transformación del servicio al cliente" (TCS, por sus siglas en inglés) incluye personal en cinco áreas operativas fundamentales: tripulación de cabina, ingeniería, servicios en tierra, operaciones de vuelo y servicio de ventas. La cultura TCS también se encuentra presente en la capacitación de gestión de toda la empresa; la empresa aplica una regla de 40-30-30 en su enfoque holístico hacia las personas, los procesos y productos: 40% de los recursos se destinan a capacitación y motivación del personal; 30% a revisar los procesos y procedimientos, y 30% a la creación de nuevas ideas de productos y servicios. Con sus aviones de diseño innovador Boeing 777-300 ERS y Airbus A380, SIA fijó nuevos estándares de confort en todas las clases de servicio, desde ocho mini habitaciones privadas en primera clase, hasta asientos más amplios, enchufes de corriente alterna y puertos USB en clase turista.[26]

Una relación cambiante con los clientes

A pesar de lo anterior, no todas las empresas han invertido en proveer un servicio superior a sus clientes, por lo menos no a todos ellos. Por ejemplo, en muchas industrias de servicios estadounidenses, como las aerolíneas, los bancos, las tiendas y los hoteles, la satisfacción de los clientes no ha aumentado significativamente, e incluso ha caído —en algunos casos— en años recientes.[27] Los clientes se quejan sobre información inexacta, trabajadores insensibles, groseros o mal capacitados, y largos tiempos de espera. Aún peor: muchos tienen la sensación de que sus quejas nunca llegan a un ser humano, debido a que los sistemas de información, tanto telefónicos como online, son lentos o defectuosos.

No tiene por qué ser así. Cincuenta y cinco operadores reciben 100 000 llamadas al año en el número telefónico gratuito de Butterball Turkeys —sólo en el día de Acción de gracias reciben 10 000— pidiendo información sobre cómo preparar, cocinar y servir pavos. Los operadores, que han sido capacitados en la Butterball University y han cocinado pavos de docenas de maneras diferentes, pueden atender las miles de preguntas que formulan los consumidores, incluyendo por qué no es buena idea guardar los pavos en bancos de nieve ni descongelarlos en bañeras.[28]

Los especialistas en marketing de servicios reconocen las nuevas realidades de los servicios: el aumento en el poder de decisión del cliente, la coproducción del cliente y la necesidad de que tanto los empleados como los clientes participen en el proceso.

AUMENTO EN EL PODER DE DECISIÓN DE LOS CLIENTES Los consumidores son cada vez más sofisticados en cuanto a la compra de productos y servicios de soporte, y presionan para obtener "servicios sin agrupar". Esto quiere decir que tal vez deseen que se les ofrezca un precio separado por cada elemento de servicio y el derecho a escoger los elementos que realmente desean obtener. Por otro lado, a los clientes les desagrada tener que tratar con múltiples proveedores de servicios que manejen diferentes tipos de equipo. De hecho, en la actualidad algunas organizaciones independientes se han dado a la tarea de proveer servicios para una diversidad más amplia de equipo.

Más importante que todo lo anterior es que Internet ha aumentado el poder de los clientes, al permitirles expresar su descontento por un mal servicio —o premiar un buen servicio— y enviar sus comentarios a todo el mundo con un solo clic. En este sentido, si bien quienes han tenido una experiencia satisfactoria como clientes son más propensos a hablar de ello, aquellos que sufren una mala experiencia compartirán su historia con más gente.[29] Entre los consumidores insatisfechos, el 90% afirma haber compartido su experiencia con algún amigo. Ahora también pueden ventilar sus historias con desconocidos: en PlanetFeedback.com, los compradores tienen oportunidad de hacer llegar sus quejas, cumplidos, sugerencias o preguntas directamente a una empresa, con la opción de hacer públicos sus comentarios en ese mismo sitio.

United Breaks Guitars

United Breaks Guitars

Cuando el cantante canadiense Dave Carroll encontró que su guitarra Gibson, con valor de 3 000 dólares, había sufrido daños por 1 200 dólares después de viajar en un avión de la aerolínea estadounidense United Airlines, puso su energía creativa a trabajar. Creó un video humorístico, *United Breaks Guitars* (United rompe guitarras) con este estribillo pegajoso, y lo lanzó en YouTube:

> "United, rompiste mi guitarra Taylor. United, ¡qué fiasco resultaste! La rompiste, deberías repararla. Eres responsable, ¡sólo admítelo! Debí volar en otra aerolínea, o viajar en auto, porque United rompe guitarras".

El video fue visto más de 5 millones de veces. La siguiente producción de Carroll se enfocó en la frustración de sus esfuerzos por lograr que United pagara los daños. United captó el mensaje y donó 1 200 dólares a una obra de beneficencia elegida por el músico. Ahora utiliza el incidente como ejemplo para capacitar al personal que maneja el equipaje y a los representantes de servicio al cliente.[30]

Son muchas las empresas que responden con rapidez. Comcast permite el contacto telefónico y por conversación electrónica las veinticuatro horas del día durante toda la semana, pero también se acerca a los clientes y rastrea blogs, sitios Web y redes sociales. Si los empleados ven que un cliente reporta un problema en un blog, se ponen en contacto con él y le ofrecen ayuda. Las respuestas por correo electrónico a los clientes deben ser implementadas adecuadamente para tener eficacia. Un experto cree que las empresas deberían: (1) enviar un mensaje automático para decir a los clientes cuándo recibirán una respuesta más completa (idealmente, dentro de las siguientes 24 horas); (2) asegurarse de que la línea de asunto incluya siempre el nombre de la empresa; (3) facilitar la búsqueda de la información relevante en el mensaje, y (4) proveer a los clientes un formulario sencillo de responder con preguntas de seguimiento.[31]

Sin embargo, más importante que limitarse a responder a un cliente contrariado, es evitar que ocurran insatisfacciones en el futuro. Eso puede significar simplemente tomarse el tiempo de cultivar las relaciones con los clientes y darles atención como personas reales que son. Columbia Records gastó 10 millones de dólares para mejorar su centro telefónico; ahora los clientes que llaman a la empresa pueden optar por comunicarse con un operador en cualquier momento durante su llamada. Volaris, la exitosa aerolínea mexicana de bajo costo, tiene su propia versión —y muy efectiva— de servicio al cliente.

Volaris Desde 2007, Volaris ofrece el reembolso de la reservación (reserva) si el aterrizaje de sus aeronaves se demora al menos 30 minutos respecto del horario anunciado por la compañía. Esta garantía también es válida si hay retraso en la entrega del equipaje, o si éste resulta extraviado. Al principio la garantía de puntualidad estaba vigente en el periodo de julio y agosto, que son los meses con mayor tránsito por las vacaciones de verano. Sin embargo, hoy en día la vigencia es más amplia. El índice de puntualidad de los aterrizajes es ligeramente superior al 93%, lo cual implica que la compañía compensa el 7% restante. De acuerdo con sus cifras oficiales, Volaris regala en promedio al menos 11 000 billetes al mes. El director general de la empresa comenta que su índice de puntualidad es el más alto de la industria aérea mexicana (aun sin tomar en consideración los inconvenientes meteorológicos), e incluso superior al 80-85% entre sus equivalentes estadounidenses. Si hay tormenta o neblina y el vuelo se retrasa, Volaris se hace responsable de cualquier manera; si el equipaje de un cliente no llega en el mismo vuelo, la empresa también paga el precio del pasaje, otorgando a los consumidores afectados un crédito electrónico canjeable en cualquier momento.[32]

Volaris ofrece una garantía de puntualidad, lo cual le ha permitido posicionarse como una empresa preocupada por las necesidades de sus pasajeros.

COPRODUCCIÓN DEL CLIENTE Lo cierto es que los clientes no se limitan a comprar y usar un servicio; además, desempeñan un papel activo en su entrega.[33] Sus palabras y acciones afectan la calidad de sus propias experiencias de servicio, la calidad de las experiencias ajenas, e incluso la productividad de los empleados de primera línea.

Muchas veces el cliente siente que obtiene más valor y una conexión más fuerte con el proveedor de servicios si participa activamente en el proceso de producción de servicio. Sin embargo, esta coproducción puede estresar a los empleados y reducir su satisfacción, en especial si difieren de sus clientes culturalmente o en otros aspectos.[34] Por otro lado, cierto estudio calculó que una tercera parte de todos los problemas de servicio son causados por el cliente.[35] Es probable que el uso cada vez más difundido de las tecnologías de autoservicio aumente ese porcentaje.

Prevenir los fallos de servicio es crucial, ya que la recuperación siempre resulta desafiante. En este sentido, uno de los problemas más significativos es la atribución: los clientes suelen considerar que la empresa tiene la culpa; incluso si no la tiene es responsable de corregir cualquier agravio. Desafortunadamente, aunque muchas empresas tienen procedimientos bien diseñados y ejecutados para atender sus propios fallos, la gestión de las fallas atribuibles *al cliente* —cuando un problema de servicio surge por una falta de comprensión o por la ineptitud del consumidor— resulta mucho más difícil. La △ figura 13.3 muestra las cuatro causas más frecuentes de fallos del cliente; las soluciones son muy diversas, tal como evidencian los ejemplos.[36]

1. ***Rediseñar procesos y redefinir el papel desempeñado por el cliente para simplificar los encuentros de servicio.*** Una de las claves del éxito de Netflix, compañía especializada en el alquiler de películas, es que cobra una cuota fija y permite que los clientes regresen los DVD por correo cuando deseen, lo cual les da mayor control y flexibilidad.
2. ***Incorporar la tecnología adecuada para ayudar a los empleados y a los clientes.*** Comcast, el operador de telefonía y televisión por cable más grande por número de suscriptores en Estados Unidos, introdujo un software para identificar los fallos de la red antes de que lleguen a afectar el servicio, y para informar mejor a los operadores del centro telefónico sobre los problemas de los clientes. Como resultado, las llamadas de servicio repetitivas disminuyeron un 30 por ciento.
3. ***Crear clientes de alto desempeño, mejorando su comprensión del papel que juegan en el proceso, así como su motivación y capacidad.*** Revisando la información que tiene en sus bases de datos, la compañía de seguros USAA recuerda a sus asegurados que deben suspender el seguro de sus automóviles si van a pasar una temporada fuera del país.
4. ***Alentar la "solidaridad entre clientes", para que éstos se ayuden entre sí.*** En los campos de golf, los jugadores siguen las reglas al jugar y comportarse adecuadamente, pero también pueden alentar a los demás a hacer lo mismo.

SATISFACCIÓN DE LOS EMPLEADOS Y DE LOS CLIENTES Las compañías de servicios que alcanzan la excelencia saben que las actitudes positivas de sus empleados promueven una mayor lealtad de los clientes.[37] Estimular una fuerte orientación al cliente entre los empleados también puede incrementar su compromiso y la satisfacción que derivan de su trabajo, sobre todo si tienen mucho contacto con los clientes. Los empleados se sienten mejor en puestos en constante contacto con el cliente cuando tienen un impulso interno para (1) consentir a los clientes; (2) interpretar con exactitud las necesidades de los clientes; (3) desarrollar una relación personal con sus clientes, y (4) entregar un servicio de calidad para resolver los problemas de los clientes.[38]

Validando este razonamiento, Sears encontró una alta correlación entre la satisfacción del cliente, la satisfacción del empleado y la rentabilidad de la tienda. En Hallmark, John Deere y los hoteles Four Seasons, los empleados muestran un orgullo real por pertenecer a la empresa. La desventaja de no tratar bien a los empleados es significativa. Una encuesta entre 10 000 empleados de las 1 000 empresas más grandes encontró que el 40% de los trabajadores citaron la "falta de reconocimiento" como razón clave para abandonar su empleo.[39]

Dada la importancia de la actitud positiva de los empleados hacia la satisfacción de los clientes, las empresas de servicios deben atraer a la mejor fuerza laboral que puedan encontrar. Es preciso que no se limiten a ofrecer un empleo, sino que hagan lo posible por impulsar el desarrollo de una carrera. También deben diseñar un sólido programa de capacitación, y proveer apoyo y recompensas por un buen rendimiento. Para ello pueden utilizar intranets, boletines internos, recordatorios diarios y mesas redondas de empleados; todo esto les permitirá reforzar la actitud centrada en los clientes. Por último, deben auditar con regularidad la satisfacción de los empleados.

|Fig. 13.3|

Causas originarias de los fallos de los clientes

Fuente: Stephen Tax, Mark Colgate y David Bowen, *MIT Sloan Management Review* (primavera de 2006): pp. 30-38. © 2006 por Massachusetts Institute of Technology. Todos los derechos reservados. Distribuido por Tribune Media Services.

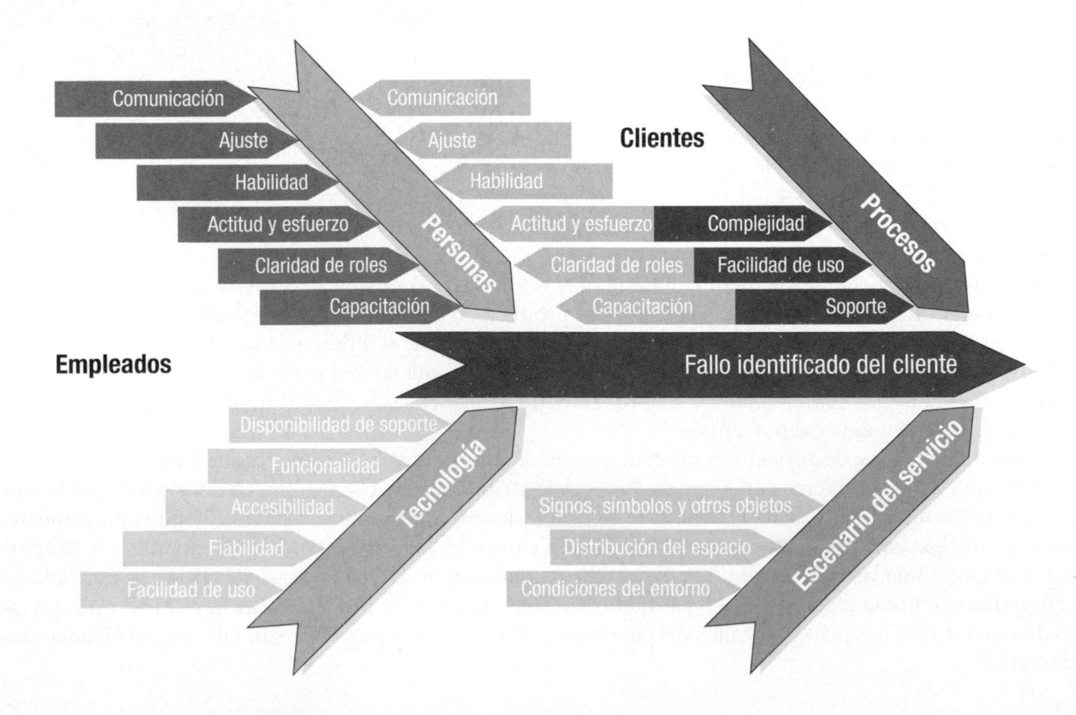

La rotación de gerentes en la cadena de restaurantes Panda Express es de la mitad del promedio en la industria. Esto se debe a una serie de factores: bonos abundantes, beneficios médicos y un fuerte énfasis en la autosuperación del trabajador por medio de la meditación, la educación y los hobbies. Además, la empresa ofrece seminarios especiales sobre bienestar y eventos para que sus empleados se conozcan fuera del entorno laboral, lo cual contribuye a crear una atmósfera de cuidado y solidaridad.[40]

Excelencia en el marketing de servicios

La mayor relevancia que ha venido adquiriendo la industria de servicios ha acentuado el interés por determinar qué se requiere para sobresalir en el marketing de servicios.[41] A continuación, algunas recomendaciones.

Marketing de excelencia

Lograr la excelencia en el marketing de servicios exige un manejo óptimo del marketing externo, el marketing interno y el marketing interactivo (vea la △ figura 13.4).[42]

- El ***marketing externo*** describe la labor normal de preparar el servicio que se proporcionará al cliente, fijar su precio, distribuirlo y promoverlo.
- El ***marketing interno*** describe la capacitación y motivación que debe brindarse a los empleados para que atiendan bien a los clientes. Podría decirse que la contribución más importante que puede hacer el departamento de marketing es ser "excepcionalmente hábil para lograr que todos los demás miembros de la organización hagan marketing".[43]
- El ***marketing interactivo*** describe la habilidad de los empleados para atender al cliente. Los consumidores juzgan el servicio no sólo por su *calidad técnica* (¿la cirugía fue un éxito?), sino también por su *calidad funcional* (¿el cirujano se mostró preocupado e inspiró confianza?).[44]

Un buen ejemplo de una empresa de servicios que logra un marketing de excelencia es Charles Schwab.

Charles Schwab

Charles Schwab Charles Schwab, uno de los intermediarios bursátiles de descuento más grande de Estados Unidos, utiliza el teléfono, Internet y dispositivos inalámbricos para crear una combinación innovadora de servicios de alta tecnología y constante contacto con el cliente. Siendo una de las primeras empresas de su importancia en proveer operaciones online, en la actualidad Schwab da servicio a más de 8 millones de cuentas individuales e institucionales. En su plataforma virtual, la compañía ofrece información de cuentas específicas, investigaciones propias sobre intermediarios minoristas, cotizaciones en tiempo real, un programa de operaciones fuera de horario, un centro de aprendizaje, eventos en vivo, chats en vivo con representantes de servicio al cliente, un servicio de inversiones globales y actualizaciones de los mercados por correo electrónico. Además de la intermediación con descuento, la empresa ofrece sociedades de inversión, anualidades, operaciones con bonos y recientemente también hipotecas a través de Charles Schwab Bank. El éxito de Schwab se ha visto impulsado por sus esfuerzos de liderazgo en tres áreas: servicio superior (online, por teléfono y en sus sucursales), productos innovadores y precios bajos. Los informes cotidianos de retroalimentación de los clientes son revisados al día siguiente, tras lo cual se toman acciones inmediatas. Si los clientes tienen dificultades para rellenar un formulario o experimentan un retraso inesperado, un representante de Schwab se pone en contacto con ellos para preguntarles cuál fue el origen del problema y explicarles cómo solucionarlo.[45]

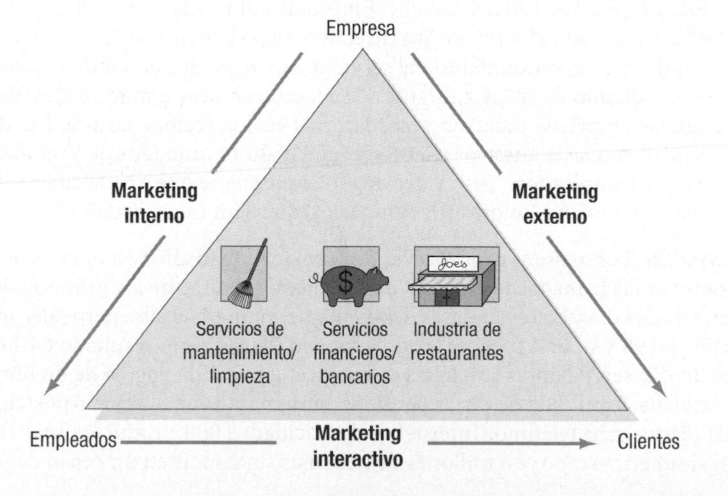

|Fig. 13.4| △ Los tres tipos de marketing en las industrias de servicio

El trabajo en equipo suele ser clave en el marketing interactivo, y delegar autoridad a los empleados de primera línea puede dar mayor flexibilidad y adaptabilidad en el servicio, ya que permite dar una mejor solución a los problemas, fomenta una cooperación más estrecha entre los empleados y estimula una transferencia de conocimientos más eficaz.[46]

La tecnología también juega un papel relevante en el incremento de la productividad de los empleados de servicio. Cuando en 2008 US Airways aprovechó los escáneres manuales para controlar mejor el manejo de equipaje, el extravío de maletas disminuyó casi un 50% en comparación con el año anterior. El costo de esta nueva tecnología —que contribuyó a un descenso del 35% en las quejas— se compensó durante el primer año.[47]

A veces las nuevas tecnologías tienen beneficios inesperados. Cuando BMW dotó a sus concesionarias de conexiones Wi-Fi para ayudar a que los clientes hicieran un uso más productivo de su tiempo mientras sus automóviles estaban en servicio, un mayor número de consumidores decidió permanecer en las instalaciones en lugar de usar los vehículos de préstamo, un artículo de mantenimiento caro para los distribuidores.[48]

Sin embargo, las empresas deben evitar que un impulso excesivo de la productividad termine por reducir la percepción de calidad. Algunos métodos conducen a una estandarización excesiva. En otras palabras, es preciso que los proveedores de servicio ofrezcan alta tecnología, pero sin que ello implique un detrimento del contacto con el cliente. Amazon.com cuenta con algunas fantásticas innovaciones tecnológicas para la venta minorista online, pero al mismo tiempo se preocupa de que los clientes se sientan plenamente satisfechos cuando surge un problema, aun cuando en realidad no hablen con un empleado de la empresa.[49]

Internet constituye una oportunidad para que las empresas mejoren sus ofertas de servicio y fortalezcan sus relaciones con los clientes, al permitir una interactividad real, una personalización específica para cada cliente y cada situación, y actualizaciones en tiempo real de las ofertas que ponen a disposición del público.[50] Por otro lado, en vista de que recopilan, almacenan y utilizan cada vez más información de los clientes, las empresas también han dado lugar a más preocupaciones en materia de seguridad y privacidad.[51] Por ello, es preciso que las organizaciones incorporen las medidas preventivas necesarias y mantengan al tanto a sus clientes sobre estos esfuerzos.

Las mejores prácticas de las principales empresas de servicios

Por lo que respecta al logro de la excelencia en marketing con sus clientes, las empresas de servicio bien gestionadas tienen en común estos factores: un concepto estratégico; un historial de compromiso de la alta dirección con la calidad; altos estándares; niveles de rentabilidad, y sistemas para controlar el desempeño del servicio y las quejas de los clientes.

CONCEPTO ESTRATÉGICO Las principales empresas de servicio muestran una "obsesión con el cliente". Tienen un claro sentido de quiénes son sus clientes meta y cuáles son sus necesidades y han desarrollado una estrategia distintiva para satisfacerlas. En la cadena de hoteles de lujo Four Seasons, los solicitantes de empleo deben pasar cuatro entrevistas antes de ser contratados. Además, cada uno de sus hoteles utiliza los servicios de un especialista en llevar un "historial de los clientes" para registrar las preferencias de sus consumidores. De manera similar, el intermediario financiero Edward Jones —que tiene más sucursales en Estados Unidos que Starbucks— se mantiene en estrecho contacto con sus clientes al asignar un asesor financiero único y un administrador a cada oficina. Aunque es costoso, mantener equipos de trabajo así de pequeños fomenta las relaciones personales.[52]

COMPROMISO DE LA ALTA DIRECCIÓN Empresas como Marriott, Disney y USAA tienen un sólido compromiso con la calidad del servicio. Sus directivos no solamente se fijan en el rendimiento financiero mensual, sino también en el rendimiento del servicio. Ray Kroc, fundador de McDonald's, insistió en evaluar continuamente cada uno de sus restaurantes de acuerdo con el parámetro QSCV: calidad, servicio, limpieza y valor. Algunas empresas incluyen recordatorios en los recibos de nómina de los empleados: "Este pago es una realidad gracias a nuestros clientes". Sam Walton, fundador de Walmart, estableció el siguiente juramento para sus empleados: "Juro y declaro solemnemente que a cada cliente que se me acerque a tres metros le sonreiré, le miraré a los ojos y le saludaré, o que Sam me lo reclame".

ALTOS ESTÁNDARES Los mejores proveedores de servicio se fijan altos estándares de calidad. Citibank tiene la meta de contestar las llamadas telefónicas de sus clientes dentro de los primeros 10 segundos, y sus cartas en un máximo de dos días. Los estándares deben fijarse en un nivel alto, pero *adecuado*. Establecer un estándar de precisión del 98% podría parecer apropiado, pero daría como resultado 64 000 paquetes de FedEx extraviados en un día; seis palabras con faltas de ortografía por cada página de un libro; 400 000 recetas médicas mal surtidas al día; 3 millones de cartas perdidas diariamente por el servicio postal; pasar ocho días al año (o 29 minutos diarios) sin teléfono, Internet o electricidad; 1 000 productos mal etiquetados (o con precio erróneo) en el supermercado, y 6 millones de personas sin contar en un censo de población.

NIVELES DE RENTABILIDAD Las empresas han decidido elevar las cuotas y disminuir los servicios a aquellos clientes que apenas pagan por ellos y, en contraste, mimar a los que gastan mucho para mantenerlos como sus consumidores el mayor tiempo posible. Los clientes con altos niveles de rentabilidad obtienen descuentos especiales, ofertas promocionales y muchos servicios privilegiados; por el contrario, es posible que los clientes en los niveles más bajos deban pagar cuotas más altas, obtengan sólo servicios básicos y tengan a su disposición únicamente sistemas de mensajes de voz para procesar sus solicitudes de información.

Cuando fue golpeada por la reciente recesión, la empresa de calzado y ropa Zappos decidió dejar de ofrecer envíos gratis para el día siguiente a los compradores de primera vez y ofrecerlo solamente a quienes eran clientes recurrentes. El dinero ahorrado se invirtió en un nuevo servicio VIP para los clientes más leales de la empresa.[53] Ahora bien, las empresas que ofrecen niveles diferenciados de servicio deben ser cuidadosas si anuncian un servicio superior, porque los clientes que reciban un trato menor hablarán mal de ellas y dañarán su reputación. Proporcionar servicios que maximicen tanto la satisfacción del cliente como la rentabilidad de la empresa puede ser todo un reto.

SISTEMAS DE CONTROL Las principales empresas hacen auditorías regulares del rendimiento del servicio, tanto del suyo como del de sus competidores. Por ejemplo, recopilan *mediciones de la voz del cliente (VOC)* para indagar cuáles son los factores que son fuente de satisfacción o insatisfacción de sus consumidores; también pueden utilizar otras fuentes de información, como compras comparadas, compradores encubiertos, encuestas a clientes, formularios de sugerencias y quejas, equipos de auditorías de servicio y cartas de los clientes al director.

Es posible juzgar los servicios a partir de la *importancia del cliente* y del *desempeño de la empresa.* El *análisis importancia-desempeño* evalúa los diversos elementos del conjunto de servicios e identifica las acciones necesarias para mejorarlo. La tabla 13.2 muestra cómo calificaron los clientes 14 aspectos o atributos del servicio con base en su importancia y en el desempeño por parte del departamento de servicio de un concesionario de automóviles. Por ejemplo, "El trabajo fue realizado correctamente la primera vez" (atributo 1) recibió una calificación media de importancia de 3.83 y una calificación media de desempeño de 2.63, lo cual indica que los clientes consideran que es un aspecto muy importante, pero que no se lleva a cabo adecuadamente. Las calificaciones de los 14 aspectos se dividen en cuatro secciones en la figura 13.5.

- El cuadrante A de la figura muestra los aspectos de servicio importantes (aspectos 1, 2 y 9) que no se están llevando a cabo en los niveles deseados. Por lo tanto, el concesionario debe concentrarse en mejorar el desempeño del departamento de servicio en cuanto a esos atributos.

TABLA 13.2 Calificaciones de importancia y desempeño otorgadas por los clientes a un concesionario de automóviles

Número del atributo	Descripción del atributo	Calificación media de importancia[a]	Calificación media de desempeño[b]
1	El trabajo fue realizado correctamente la primera vez	3.83	2.63
2	Acción rápida sobre las quejas	3.63	2.73
3	Trabajos de garantía rápidos	3.60	3.15
4	Capacidad de hacer cualquier trabajo necesario	3.56	3.00
5	Servicio disponible cuando se requiere	3.41	3.05
6	Servicio atento y cortés	3.41	3.29
7	El automóvil estuvo listo cuando fue prometido	3.38	3.03
8	Sólo se llevó a cabo el trabajo necesario	3.37	3.11
9	Precios bajos del servicio	3.29	2.00
10	Limpieza después del trabajo de servicio	3.27	3.02
11	Ubicación cómoda respecto de mi casa	2.52	2.25
12	Ubicación cómoda respecto de mi trabajo	2.43	2.49
13	Automóviles y autobuses de cortesía	2.37	2.35
14	Envío de avisos de mantenimiento	2.05	3.33

[a] Calificaciones obtenidas sobre una escala de cuatro puntos: "extremadamente importante" (4), "importante" (3), "poco importante" (2) y "no importante" (1).

[b] Calificaciones obtenidas sobre una escala de cuatro puntos: "excelente" (4), "bueno" (3), "regular" (2) y "malo" (1). Se incluyó también una categoría de "sin base para evaluar".

|Fig. 13.5|

Análisis de importancia-desempeño

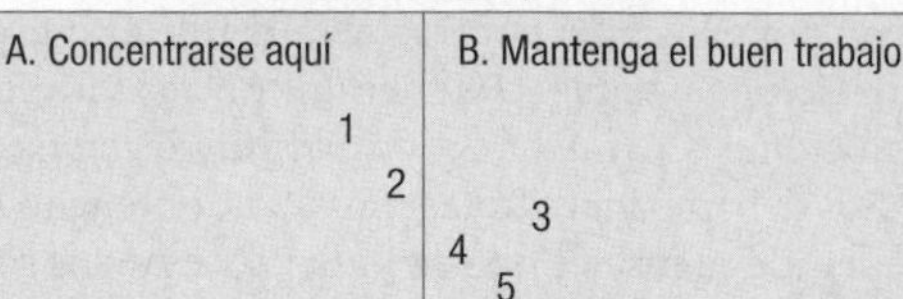
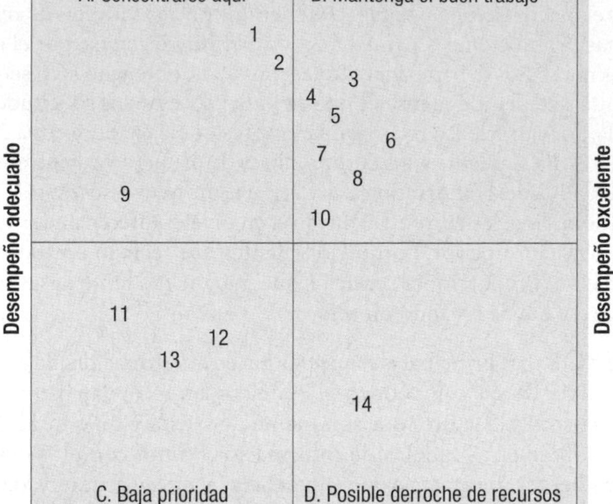

- El cuadrante B muestra los atributos de servicio que se están llevando a cabo de manera adecuada; la empresa debe mantener el alto desempeño.
- El cuadrante C muestra atributos de servicio de menor importancia, que se están cumpliendo de manera mediocre pero no requieren atención.
- El cuadrante D muestra que un atributo de servicio con poca relevancia, "Envío de avisos de mantenimiento", se está llevando a cabo de manera excelente.

Tal vez la empresa debería gastar menos en enviar avisos de mantenimiento y usar el ahorro resultante en mejorar su desempeño en los elementos más importantes. La dirección puede mejorar su análisis al revisar los niveles de desempeño de la competencia en cada uno de los elementos.[54]

SATISFACCIÓN DE LAS QUEJAS DE LOS CLIENTES En promedio, el 40% de los clientes que sufren una experiencia de mal servicio dejan de hacer negocios con la empresa responsable.[55] Si esos clientes tienen la disposición de quejarse antes de dar por terminada la relación, en realidad están ofreciendo a la empresa un regalo y ésta podrá verse beneficiada si gestiona la queja adecuadamente.

Se ha demostrado que las empresas que animan a los clientes decepcionados a quejarse —y que dan facultades a los empleados para que remedien la situación de inmediato— obtienen mayores ingresos y ganancias más altas que aquellas que carecen de un enfoque sistemático para atender los fallos de servicio.[56] Pizza Hut imprime su número telefónico de atención sin costo en todas las cajas de pizza. Cuando un cliente se queja, la empresa envía un correo de voz al gerente de la tienda, quien debe llamar al cliente dentro de las siguientes 48 horas y resolver su queja.

Conseguir que los empleados de primera línea asuman *comportamientos que vayan más allá de su rol*, y que muestren interés por defender los intereses y la imagen de la empresa ante los clientes, puede ser un activo de enorme relevancia para el manejo adecuado de las quejas.[57] Los clientes evalúan los incidentes de quejas en función de los resultados que obtienen, los procedimientos utilizados para llegar a dichos resultados, y la naturaleza del trato interpersonal que se establezca durante el proceso.[58]

Por otro lado, las empresas están aumentando la calidad de sus *centros de llamadas telefónicas* y de sus *representantes de servicio al cliente* (CSR, *customer service representatives*). "Marketing en acción: Mejoramiento de los centros de llamadas telefónicas de la empresa" ilustra lo que están llevando a cabo las principales organizaciones en este sentido.

Diferenciación de servicios

Por último, los clientes que perciben mucha homogeneidad en un servicio dan menos importancia al proveedor que al precio. El marketing de excelencia exige que los especialistas en marketing de servicios diferencien continuamente sus marcas, para evitar que sean percibidas como una mercancía más.

OPCIONES DE SERVICIO: PRIMARIO Y SECUNDARIO Los especialistas en marketing de servicios pueden diferenciar sus ofertas de muchas formas, para agregarles valor a través de las personas y los procesos. Lo que el cliente espera se denomina *paquete de servicios primarios*. Vanguard, la segunda empresa

Mejoramiento de los centros de llamadas telefónicas de la empresa

Muchas empresas han aprendido de la peor manera que los clientes demandantes y con poder de decisión no soportarán un mal servicio cuando se ponen en contacto con su personal.

Después de la fusión entre Sprint y Nextel, se estableció que sus centros de llamadas telefónicas debían funcionar como centros de costos en vez de hacerlo como un medio para mejorar la lealtad de sus clientes. La retribución a los empleados dependía de la brevedad de las llamadas, y cuando la gerencia comenzó a supervisar hasta las ausencias para ir al baño, el ánimo se fue a los suelos. En vista de que la deserción de los clientes estaba prácticamente fuera de control, Sprint Nextel comenzó un plan de mejoramiento a finales de 2007, con el objetivo de hacer más hincapié en el servicio que en la eficiencia. Entre otros cambios que acompañaron el nombramiento del primer director de servicio, los operadores del centro de atención telefónica empezaron a ser recompensados por resolver los problemas de los clientes a la primera llamada, más que por mantener las llamadas cortas. El consumidor promedio contactó cuatro veces con el centro de servicio al cliente en 2008, lo cual representaba un descenso importante respecto de las ocho veces promedio en 2007.

Algunas empresas están manejando de manera más inteligente el tipo de llamadas que están enviando a sus centros de atención telefónica en el exterior: invierten más en capacitación y regresan las llamadas más complejas a los representantes domésticos de servicios al cliente, que están altamente capacitados. Otra alternativa que se está implementando es el *teletrabajo*, que ocurre cuando un representante de servicio al cliente trabaja desde su casa con una línea de banda ancha y su computadora. Estos representantes suelen ofrecer un servicio de mayor calidad, a menor costo y con menor rotación de personal.

Las empresas deben ser muy cuidadosas respecto del número de sus representantes de servicio al cliente. Un estudio mostró que eliminar tan sólo cuatro representantes del total de 36 que trabajaban en un centro de atención telefónica, derivó en un aumento de 0 a 80 en el número de clientes que esperaban cuatro minutos o más para ser atendidos. Las empresas también pueden intentar obtener más —aunque de manera razonable— de cada representante. USAA proporciona capacitación cruzada a sus representantes, de manera que puedan responder preguntas sobre inversiones y también cuestiones relacionadas con seguros, lo que reduce el número de transferencias entre agentes y, en consecuencia, aumenta la productividad. USAA y otras empresas, como KeyBank y Ace Hardware, han consolidado las operaciones de sus centros de atención telefónica en menos ubicaciones, lo que les permite mantener el número de representantes en el proceso.

Por último, resulta evidente que mantener contentos y motivados a los representantes del centro de atención telefónica es fundamental para que ofrezcan un excelente servicio al cliente. American Express permite que los representantes de su centro de atención telefónica elijan sus horarios e intercambien sus turnos sin necesidad de autorización de un supervisor.

Fuentes: Michael Sanserino y Cari Tuna, "Companies Strive Harder to Please Customers", *Wall Street Journal*, 27 de julio de 2009, p. B4; Spencer E: Ante, "Sprint's Wake-Up Call", *BusinessWeek*, 3 de marzo de 2008, pp. 54-57; Jena McGregor, "Customer Service Champs", *BusinessWeek*, 5 de marzo de 2007; Jena McGregor, "When Service Means Survival", *BusinessWeek*, 2 de marzo de 2009, pp. 26-30.

de sociedades de inversión sin comisiones en Estados Unidos, tiene una estructura única en donde los clientes son propietarios, lo cual reduce los costos y permite un mejor rendimiento de los fondos. Debido a su gran diferenciación respecto de muchos de sus competidores, la marca creció gracias a los comentarios de sus clientes, las relaciones públicas y el marketing viral.[59]

El proveedor puede agregar *características de servicios secundarios* al paquete. En la industria hotelera, varias cadenas han introducido características como venta de productos, desayuno buffet gratis y programas de lealtad.

El principal desafío estriba en que casi todas las ofertas de servicio y las innovaciones son fáciles de imitar. Aun así, la empresa que lance innovaciones con regularidad obtendrá una serie de ventajas temporales sobre sus competidores. Esto es precisamente lo que hace TMM para mantenerse un paso adelante de sus competidores.

TMM Con sede en la ciudad de México, Grupo TMM, S.A., es la compañía mexicana más grande de transporte multimodal y de servicios de logística. A través de sus oficinas filiales y su red de compañías subsidiarias, Grupo TMM proporciona una combinación dinámica de servicios de transporte marítimos y terrestres, así como gestión de puertos y terminales para clientes internacionales y domésticos a lo largo de todo el territorio mexicano. TMM cuenta con personal altamente capacitado, lo que le permite ofrecer a sus clientes un servicio confiable y seguro. La empresa realiza sus operaciones con base en estándares internacionales y en cumplimiento de la legislación nacional e internacional. Con 50 años de experiencia como líder en la industria de carga multimodal, TMM tiene una fuerza laboral consolidada de más de 6 500 empleados encargados de sus operaciones y gestión. TMM trabaja bajo una plataforma tecnológica y logística, TMM Plus, que da oportunidad de que sus clientes manejen directamente las funciones de abastecimiento, almacenaje, distribución o gestión de la cadena de suministro,

La empresa de transportes TMM, líder en soluciones integrales de logística, hace grandes esfuerzos para satisfacer a sus clientes y fortalecer su marca.

sin necesidad de invertir en costosos sistemas tecnológicos. Además, TMM Plus facilita la toma de decisiones a un nivel estratégico, táctico y operativo, contribuyendo al análisis, modelado, rediseño, control y gestión de cualquier cadena de suministro o proceso logístico, con la meta de incrementar la productividad o reducir los costos.[60]

INNOVACIÓN DE LOS SERVICIOS La innovación es tan vital en la industria de servicios como en cualquier otra. Después de años de perder clientes ante sus competidores Marriot y Hilton, la empresa hotelera Starwood decidió invertir 1 700 millones de dólares en su cadena Sheraton —con 400 sedes en todo el mundo—, para dar a sus hoteles una decoración más fresca y colores más brillantes, así como áreas de recepción, restaurantes y cafeterías más atractivos. Al explicar esta necesidad de renovación, un experto de la industria de hospitalidad observó: "En cierta época Sheraton fue una de las marcas líderes, pero se retrasó en introducir nuevos diseños y conceptos de servicio, y fue desarrollando un nivel de inconsistencia".[61]

Por otro lado, considere cómo surgieron las siguientes nuevas categorías de servicio y de qué manera, en algunos casos, las organizaciones crearon soluciones creativas en las categorías existentes.[62]

- ***Viajes online.*** Las agencias de viajes online, como Expedia y Travelocity, ofrecen a los clientes la oportunidad de reservar sus viajes de manera cómoda y a precios de descuento. Generan ganancias económicas cuando los visitantes entran en sus páginas Web y reservan sus viajes. Por su parte, Kayak es una agencia de viajes online más nueva, que aplica el modelo de negocio de Google cobrando con una base por clic. El marketing de Kayak hace hincapié en la creación de un mejor buscador, ya que ofrece más alternativas, más flexibilidad y un mayor número de aerolíneas.
- ***Clínicas médicas.*** Una de las áreas más difíciles para innovar es la del cuidado de la salud. Mientras el sistema de atención médica actual está diseñado para tratar un pequeño número de casos complejos, las clínicas pequeñas se dirigen a atender un mayor número de casos sencillos. En Estados Unidos ciertas clínicas, como Quick Care, RediClinic y MinuteClinic suelen tener presencia en farmacias y algunas tiendas minoristas, como Target y Walmart. Por lo general emplean enfermeras practicantes para atender padecimientos (resfriados, gripes e infecciones de oídos, por ejemplo) y heridas de poca importancia, y ofrecen diversos servicios de salud y bienestar, como exámenes físicos y revisión de condiciones para prácticas deportivas, así como aplicación de vacunas. Su intención es ofrecer un servicio cómodo y predecible, sin cita, los siete días de la semana. Muy pocas consultas exceden los 15 minutos y el precio varía de 25 a 100 dólares.
- ***Aviación privada.*** Al principio la aviación privada estaba restringida a quienes podían comprar su propia aeronave o contratar un avión privado. Más tarde, la propiedad compartida que ofreció la empresa pionera NetJets en Estados Unidos, permitió que los clientes pagaran un porcentaje del costo de un avión privado, más mantenimiento y una tarifa directa por hora. Marquis Jets innovó aún más, combinando tiempo de vuelo pre-pagado y la flotilla más grande y con mejor mantenimiento del mundo, con lo cual ofreció la consistencia y los beneficios de la propiedad compartida sin el compromiso de largo plazo.

Muchas empresas utilizan la Web para ofrecer características de servicios primarios o secundarios que antes eran imposibles. Salesforce.com utiliza la nube informática —servicios informáticos centralizados, que los usuarios pueden aprovechar por medio de Internet— para que las empresas puedan operar las bases de datos con información de sus clientes. Häagen-Dazs estimó una inversión de 65 000 dólares para crear una base de datos personalizada que le permitiera mantenerse en contacto con las franquicias minoristas de la empresa por todo Estados Unidos. En vez de ello, gastó solamente 20 000 dólares para abrir una cuenta con Salesforce.com, y paga 125 dólares al mes para que 20 usuarios supervisen a distancia las franquicias a través de la Web.[63]

Gestión de la calidad de servicio

La calidad de servicio de una empresa se pone a prueba en cada encuentro de servicio. Si los empleados se muestran aburridos, no pueden responder preguntas sencillas, o conversen mientras los clientes esperan, éstos lo pensarán dos veces antes de volver a hacer negocios con esa empresa. Una organización que sabe bien cómo tratar apropiadamente a los clientes es Seguros El Águila.

Seguros El Águila

Seguros El Águila Desde sus inicios en el mercado mexicano, Seguros El Águila se especializó en el aseguramiento de automóviles, ofreciendo servicios innovadores a sus clientes. Entre los principales beneficios que otorga la empresa está la facilidad de compra, ya que se puede adquirir el seguro sin salir de casa, contratándolo mediante una sencilla llamada telefónica. Además, Seguros El Águila ofrece precios competitivos, tiene respaldo nacional y cuenta con esquemas de deducción de pagos en la renovación de pólizas. Uno de sus diferenciadores más importantes es el servicio: por ejemplo, otorga al contratante un auto de repuesto gratis por cinco días, mientras el automóvil dañado se repara en el taller. Además, si el cliente potencial cotiza online el costo de asegurar su auto, la empresa le da un 8% de descuento al contratar. Con tantas innovaciones y semejante flexibilidad, no es de sorprender que también los empleados de Seguros El Águila tengan beneficios. De hecho, la empresa ha sido calificada como una de las mejores compañías para trabajar en México por 3 años consecutivos.[64]

El resultado del servicio y la lealtad de los clientes están influidos por una serie de variables. Un estudio identificó más de 800 comportamientos críticos, capaces de provocar que los clientes cambien de servicio.[65] Los comportamientos en cuestión pueden catalogarse en ocho categorías (vea la tabla 13.3).

Una investigación más reciente se centró en las dimensiones de servicio que a los clientes les gustaría más que las empresas evaluaran. Como se ilustra en la tabla 13.4, los empleados de primera línea bien informados y la capacidad de lograr que una llamada sea suficiente para encontrar solución al problema fueron de los parámetros más destacados de la lista.[66]

La capacidad de ofrecer un servicio impecable es el ideal que debe perseguir cualquier organización de servicio. "Apuntes de marketing: Recomendaciones para mejorar la calidad del servicio" ofrece un completo conjunto de recomendaciones que pueden seguir las principales organizaciones de marketing de servicios. Dos importantes consideraciones respecto de entrega de servicios son el manejo de las expectativas del cliente y la incorporación de tecnologías de autoservicio.

TABLA 13.3 Factores que provocan cambios de comportamiento en el cliente

Precio
- Precio alto
- Aumentos de precio
- Precio injusto
- Precio engañoso

Incomodidad
- Ubicación/horarios
- Esperar para la cita
- Esperar el servicio

Fallos en el servicio básico
- Errores de servicio
- Errores de facturación
- Incompetencia absoluta

Fallos en el encuentro de servicio
- Indiferencia
- Descortesía
- Insensibilidad
- Desinformación

Respuesta al fallo de servicio
- Respuesta negativa
- Sin respuesta
- Renuencia a responder

Competencia
- Encuentro de mejor servicio

Problemas éticos
- Trampa
- Venta dura
- Inseguridad
- Conflicto de intereses

Cambios involuntarios
- El cliente se mudó
- El proveedor cerró

Fuente: Susan M. Keaveney, "Customer Switching Behavior in Service Industries: An Exploratory Study", *Journal of Marketing* (abril de 1995), pp. 71-82. Reimpreso con autorización de *Journal of Marketing*, publicado por American Marketing Association.

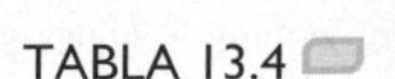

Dimensiones de servicio que los clientes quisieran ver cumplidas por las empresas

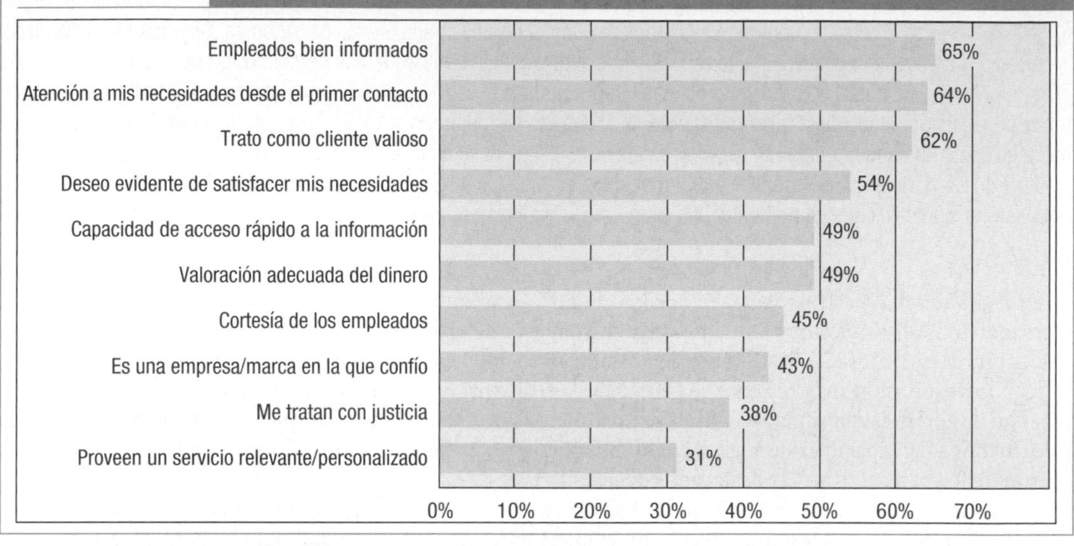

Fuente: Convergys 2008 U.S. Customer Scorecard.

Apuntes de marketing

Recomendaciones para mejorar la calidad del servicio

Berry, Parasuraman y Zeithaml, pioneros en la investigación académica sobre servicio, ofrecen 10 lecciones esenciales (desde su punto de vista) para mejorar la calidad en todas las industrias de servicio.

1. *Escuchar.* Los proveedores de servicios deben entender qué desean en realidad los clientes, a través del aprendizaje continuo sobre las expectativas y percepciones de sus clientes y quienes no lo son (por ejemplo, mediante un sistema de información de servicio-calidad).
2. *Fiabilidad.* La fiabilidad es la dimensión más importante de la calidad de servicio, y debe ser una prioridad.
3. *Servicio básico.* Las empresas de servicio deben entregar lo fundamental y hacer lo que deben: mantener sus promesas, usar el sentido común, escuchar a los clientes, mantenerlos informados y estar determinados a ofrecerles valor.
4. *Diseño de servicio.* Los proveedores de servicio deben asumir un punto de vista holístico del servicio mientras gestionan sus múltiples detalles.
5. *Recuperación.* Para poder satisfacer a los clientes que encuentran un problema en el servicio, las empresas deben alentarlos a quejarse (y facilitarles los medios para hacerlo), responderles con rapidez y personalmente, y desarrollar un sistema de resolución de problemas.
6. *Sorprender a los clientes.* Aunque la fiabilidad es la dimensión más importante para *satisfacer* las expectativas de servicio de los clientes, otras —como la seguridad, la capacidad de respuesta y la empatía— resultan fundamentales para *excederlas.* Para ello hay que sorprenderlos con rapidez, gracia, cortesía, competencia, compromiso y comprensión inesperados.
7. *Juego justo.* Las empresas de servicio deben hacer un esfuerzo especial por *ser* justas, y *demostrarlo* a sus clientes y empleados.
8. *Trabajo en equipo.* El trabajo en equipo es lo que permite que las grandes organizaciones entreguen el servicio con cuidado y atentamente, al mejorar la motivación de los empleados y sus capacidades.
9. *Investigación de los empleados.* Los especialistas en marketing deben llevar a cabo investigaciones entre los empleados, para averiguar por qué suceden los problemas con el servicio y qué deben hacer las empresas para resolverlos.
10. *Liderazgo de servicio.* La calidad del servicio se deriva: del liderazgo inspirado en toda la organización; de la excelencia en el diseño del sistema de servicio; del uso eficaz de la información y la tecnología, y de esa fuerza interna —de lenta transformación, invisible y todopoderosa— a la que denominamos cultura corporativa.

Fuentes: Leonard L. Berry, A. Parasuraman y Valarie A. Zeithaml, "Ten Lessons for Improving Service Quality", *MSI Reports Working Paper Series, No. 03-001* (Cambridge, MA: Marketing Science Institute, 2003), pp. 61-82. Vea también los libros de Leonard L. Berry: *On Great Service: A Framework for Action* (Nueva York: Free Press, 2006) y *Discovering the Soul of Service* (Nueva York: Free Press, 1999), así como sus artículos: Leonard L. Berry, Venkatesh Shankar, Janet Parish, Susan Cadwallader y Thomas Dotzel, "Creating New Markets through Service Innovation", *Sloan Management Review* (invierno 2006), pp. 56–63; Leonard L. Berry, Stephan H. Haeckel, y Lewis P. Carbone, "How to Lead the Customer Experience," *Marketing Management* (enero-febrero de 2003), pp.18-23; y Leonard L. Berry, Kathleen Seiders y Dhruv Grewal, "Understanding Service Convenience", *Journal of Marketing* (julio de 2001), pp. 1-17.

Gestión de las expectativas del cliente

Los clientes se forman expectativas de servicio a partir de muchas fuentes, como las experiencias previas, los comentarios de otras personas y la publicidad. En general, los clientes comparan el *servicio percibido* con el *servicio esperado.*[67] Si el servicio percibido está por debajo del servicio esperado, los clientes se decepcionan. Las empresas exitosas agregan beneficios a su oferta para, más que *satisfacer* a los clientes, *deleitarlos*. Para lograrlo es preciso exceder sus expectativas.[68]

El modelo de calidad de servicio en la △ figura 13.6 destaca los requerimientos para entregar una alta calidad de servicio.[69] En él se identifican cinco "brechas" que provocan el incumplimiento de ese propósito:

1. ***La brecha entre las expectativas del cliente y la percepción de la dirección.*** Los directivos de la empresa no siempre perciben correctamente qué desean los clientes. Los gerentes de un hospital podrían pensar que los pacientes quieren mejor comida, pero éstos podrían estar más preocupados con la atención de las enfermeras.
2. ***La brecha entre la percepción de la dirección y la especificación de calidad del servicio.*** Es posible que la dirección esté percibiendo correctamente los deseos del cliente, pero carezca de un estándar de desempeño. Siguiendo con nuestro ejemplo, los gerentes del hospital podrían indicar a las enfermeras que entreguen un servicio "rápido", pero sin especificar el significado de esa palabra en minutos.
3. ***La brecha entre las especificaciones de calidad del servicio y la entrega del mismo.*** Los empleados podrían estar mal capacitados, no tener habilidades suficientes o no estar dispuestos a cumplir con el estándar; por otra parte, podrían estar sujetos a estándares en conflicto, por ejemplo, dedicar tiempo a escuchar a los clientes y atenderlos con rapidez.
4. ***La brecha entre la entrega del servicio y las comunicaciones al exterior.*** Las expectativas del cliente se ven afectadas por las declaraciones que hacen los representantes de la empresa y por sus anuncios. Si un panfleto del hospital muestra una habitación hermosa, pero al ver la habitación real al paciente le parece corriente y de mal gusto, significa que las comunicaciones al exterior han distorsionado las expectativas del cliente.
5. ***La brecha entre el servicio percibido y el servicio esperado.*** Esta diferencia ocurre cuando el consumidor percibe un nivel de prestaciones del servicio inferior al esperado. El paciente podría pensar que recibe un número de visitas de un doctor inferior al que debería recibir de acuerdo con su percepción de la gravedad de su enfermedad, así como a otras informaciones sobre el servicio.

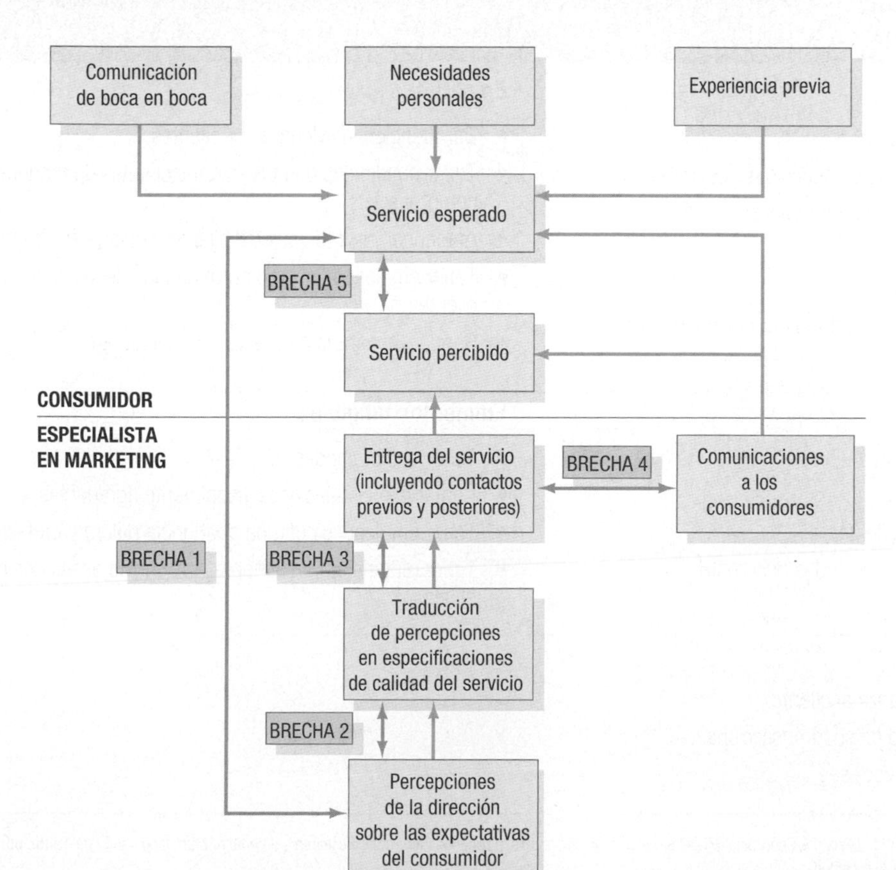

|Fig. 13.6| △

Modelo de calidad del servicio

Fuentes: A. Parasuraman, Valarie A. Zeithaml y Leonard L. Berry, "A Conceptual Model of Service Quality and Its Implications for Future Research", *Journal of Marketing* (otoño 1985), p. 44. Reimpreso con autorización de la American Marketing Association. El modelo se analiza y elabora con mayor profundidad en Valarie Zeithaml, Mary Jo Bitner y Dwayne D. Gremler, *Services Marketing: Integrating Customer Focus across the Firm*, 4a. ed. (Nueva York; McGraw-Hill, 2006).

Con base en este modelo de servicio-calidad, los investigadores identificaron cinco factores determinantes de la calidad del servicio, con el siguiente orden de importancia:[70]

1. ***Fiabilidad.*** La capacidad de llevar a cabo el servicio prometido de manera confiable y precisa.
2. ***Capacidad de respuesta.*** La disposición a ayudar a los clientes y proveerles un servicio puntual.
3. ***Seguridad.*** El conocimiento y la cortesía de los empleados, y su capacidad de transmitir confianza y seguridad.
4. ***Empatía.*** La disposición de atender a los clientes de manera cuidadosa e individual.
5. ***Elementos tangibles.*** La apariencia de las instalaciones físicas, el equipo, el personal y los materiales de comunicación.

Con base en estos cinco factores, los investigadores desarrollaron la escala de 21 niveles SERVQUAL (vea la tabla 13.5),[71] resaltando que existe una *zona* o *rango de tolerancia* en donde la dimensión de servicio podría considerarse satisfactoria, anclada entre el nivel mínimo que los consumidores están dispuestos a aceptar, y el nivel que creen que puede y debería ser entregado.

El modelo de servicio-calidad de la figura 13.6 destaca algunas de las brechas que provocan el fracaso en la entrega de servicios de calidad. Investigaciones subsecuentes han ampliado el modelo. Por ejemplo, el *modelo de proceso dinámico* de la calidad de servicio se basa en la premisa de que las percepciones y expectativas del cliente respecto de la calidad del servicio cambian con el transcurso del tiempo, pero en cualquier momento determinado son una función de sus expectativas anteriores sobre lo que *sucederá* y lo que *debería suceder* durante el encuentro de servicio, así como el servicio *real* entregado en el último contacto.[72] Las pruebas del modelo de proceso dinámico revelan que cada uno de esos diferentes tipos de expectativas tiene efectos opuestos en la percepción de calidad del servicio.

1. El *aumento* de las expectativas del cliente respecto de lo que la empresa *entregará* puede llevar a una percepción mejorada de la calidad general del servicio.
2. La *disminución* de las expectativas del cliente respecto de lo que la empresa *debería entregar* también puede llevar a una percepción mejorada de la calidad general del servicio.

TABLA 13.5 Atributos SERVQUAL

Fiabilidad	Empatía
• Proveer el servicio como fue prometido. • Manejar adecuadamente los problemas de servicio de los clientes. • Desempeñar correctamente el servicio la primera vez. • Proveer el servicio en el tiempo prometido. • Mantener registros libres de errores. • Tener empleados con el conocimiento oportuno para responder las preguntas de los clientes.	• Dar atención individual a los clientes. • Tener empleados que traten a los clientes de manera comprensiva. • Anteponer los intereses del cliente a cualquier otro factor. • Tener empleados que comprenden las necesidades de sus clientes. • Brindar un horario de atención conveniente.
Capacidad de respuesta	**Elementos tangibles**
• Mantener informado al cliente sobre cuándo se realizarán los servicios. • Sugerir el servicio a los clientes. • Tener disposición para ayudar a los clientes. • Estar preparados para responder las solicitudes del cliente.	• Tener equipo moderno. • Contar con instalaciones visualmente agradables. • Tener empleados con una apariencia pulcra y profesional. • Tener materiales visualmente agradables asociados con el servicio.
Seguridad	
• Tener empleados que inspiren confianza al cliente. • Hacer que el cliente se sienta seguro de sus transacciones. • Tener empleados consistentemente corteses.	

Fuente: A. Parasuraman, Valarie A. Zeithaml y Leonard L. Berry, "A Conceptual Model of Service Quality and Its Implications for Future Research", *Journal of Marketing* (otoño de 1985), pp. 41-50. Reimpreso con autorización de la American Marketing Association.

Muchas investigaciones han validado el papel que juegan las expectativas en las evaluaciones e interpretaciones que hace el cliente respecto del encuentro de servicio y en la relación que adopta con una empresa con el paso del tiempo.[73] Con mucha frecuencia los consumidores anticipan su decisión de mantener o cambiar una relación de servicio. Cualquier actividad de marketing que afecte el uso actual o el uso futuro esperado puede contribuir a afianzar una relación de servicio.

En el caso de los servicios que se proporcionan continuamente, como los servicios públicos, la atención médica, los servicios financieros e informáticos, los seguros y otros servicios profesionales, ya sea por membresía o bajo suscripción, se ha observado que los clientes calculan mentalmente su *capital de pago*, es decir, los beneficios económicos percibidos en relación con los costos económicos. En otras palabras, los clientes se preguntan a sí mismos: "tomando en cuenta cuánto pago por él, ¿estoy usando lo suficiente este servicio?".

Las relaciones de servicio a largo plazo pueden tener un lado oscuro. Por ejemplo, el cliente de una agencia de publicidad podría sentir que, con el paso del tiempo, ésta va perdiendo objetividad, que su perspectiva empieza a viciarse, o que comienza a aprovecharse de la relación.[74]

Incorporación de las tecnologías de autoservicio (SST)

Cuando se trata de servicios, los clientes valoran la conveniencia.[75] Muchas interacciones personales de servicio están siendo reemplazadas por tecnologías de autoservicio (SST, por las siglas en inglés de *Self-Service Technologies*). A las máquinas expendedoras tradicionales de productos podemos sumarles los cajeros automáticos (ATM), las estaciones de autoservicio en las gasolineras, los dispositivos para registro automático de salida en los hoteles y diversas actividades en Internet, como compra de entradas, operaciones de inversiones y personalización de productos.

No todas las SST mejoran la calidad del servicio, pero pueden hacer que las transacciones sean más precisas, convenientes y rápidas. Por supuesto, también son capaces de reducir los costos. Una empresa de tecnología, Comverse, calcula que el costo de contestar una pregunta a través de un centro de atención telefónica es de 7 dólares, pero si se hace online solamente cuesta 10 centavos. Uno de sus clientes pudo dirigir 200 000 llamadas a la semana a través de un soporte de autoservicio online, gracias a lo cual ahorró 52 millones de dólares al año.[76] Todas las empresas deberían pensar cómo mejorar sus servicios utilizando las SST.

Jeffrey Rayport y Bernie Jaworski, académicos y consultores de marketing, definen una *interfaz de servicio al cliente* como cualquier lugar en el que la empresa busque gestionar una relación con un cliente, ya sea a través de las personas, la tecnología o alguna combinación de ambas.[77] Desde su punto de vista, aunque muchas empresas atienden a sus clientes a través de una gran variedad de interfaces (desde dependientes de venta minorista hasta sitios Web, pasando por sistemas telefónicos), el todo pocas veces equivale a la suma de sus partes, lo cual da como resultado un aumento de la complejidad, los costos y la insatisfacción del cliente. La integración exitosa de la tecnología a la fuerza laboral requiere una reingeniería completa del *front office* (interacción del cliente con la empresa) para identificar lo que las personas hacen mejor, lo que las máquinas hacen mejor, y cuál es la mejor manera de aprovechar ambos recursos, tanto juntos como por separado.

Algunas empresas han descubierto que el mayor obstáculo no es la tecnología por sí misma, sino convencer a los clientes de usarla, en especial la primera vez. En este sentido, es preciso que los clientes tengan una idea exacta de cuáles son sus funciones en el proceso SST, que reconozcan con toda claridad su beneficio, y que sientan que realmente pueden utilizarlo.[78] Las SST no son para todos. Aunque algunos servicios de atención automatizados son populares con los clientes —por ejemplo, la siempre cortés y alegre "Julie", la asistente virtual del sistema de reservaciones (reservas) de la agencia de viajes Amtrak, obtiene numerosos elogios de los consumidores—, otros pueden despertar sentimientos de frustración, e incluso de ira.

Gestión de servicios de apoyo a productos

Igual de importantes que las industrias de servicios son las industrias basadas en productos que deben proveer un conjunto de servicios asociados. Los fabricantes de equipos y aparatos electrodomésticos, máquinas para oficina, tractores, mainframes y aviones, deben proveer *servicios de apoyo al producto*. El servicio de apoyo al producto se está convirtiendo en un importante campo de batalla para obtener ventajas competitivas.

En el capítulo 12 se comentó que los productos pueden mejorarse mediante diferenciadores fundamentales de servicio: facilidad de pedido, entrega, instalación, capacitación y asesoría a clientes, y mantenimiento y reparación. Algunas empresas de equipo pesado, como los tractores Caterpillar y John Deere, obtienen un porcentaje significativo de sus ganancias a partir de estos servicios.[79] En el mercado global, las empresas que hacen buenos productos pero proveen mal servicio de apoyo se encuentran en una seria desventaja.

Hoy en día muchas empresas de productos tienen una presencia online más fuerte que nunca antes, por lo que deben asegurarse de estar ofreciendo también un servicio adecuado —o superior— por esa vía. "Apuntes de marketing: Evaluación de la calidad de los servicios online" revisa dos modelos para garantizarlo.

Identificación y satisfacción de las necesidades de los clientes

Tradicionalmente, los clientes han tenido tres preocupaciones específicas en relación con el servicio asociado a un producto:[80]

- Les preocupa la fiabilidad y la *frecuencia de fallos*. Un agricultor podría tolerar que una máquina cosechadora se averíe una vez al año, pero no dos o tres veces en el mismo periodo.
- Les preocupan los *periodos de inactividad*. Cuanto más prolongado sea el periodo de inactividad, mayor será el costo. El cliente cuenta con la *fiabilidad de servicio* del vendedor, esto es, con su capacidad para arreglar la máquina con rapidez, o al menos con su disposición a prestar una de reemplazo.[81]
- Les preocupan los *costos adicionales*. ¿Cuánto tiene que gastar el cliente en costos regulares de mantenimiento y reparación?

Un comprador considera todos estos factores y trata de calcular el **costo de ciclo de vida**, es decir, el costo de la compra del producto más el costo descontado de mantenimiento y reparaciones, menos el valor residual descontado. Una oficina que cuenta solamente con una PC (ordenador) necesitará una mayor fiabilidad del producto y un servicio de reparación más rápido, en comparación con una oficina en donde haya varias PC disponibles si alguna se avería. Las aerolíneas necesitan fiabilidad del 100% en el aire. Cuando la fiabilidad es importante, los fabricantes o proveedores de servicios pueden ofrecer garantías para promover las ventas.

Apuntes de marketing — Evaluación de la calidad de los servicios online

Los investigadores académicos Zeithaml, Parasuraman y Malhotra definen la calidad del servicio online como la medida en que un sitio Web facilita la realización de compras, así como la adquisición y la entrega eficaz y eficiente. Estos teóricos han identificado 11 dimensiones de calidad percibida en los servicios electrónicos: acceso, facilidad de navegación, eficacia, flexibilidad, fiabilidad, personalización, seguridad/privacidad, respuesta, garantía/confianza, estética del sitio e información de precios. Algunas de estas dimensiones de calidad del servicio son iguales online y offline pero ciertos atributos subyacentes específicos son diferentes y, al mismo tiempo, existen otras dimensiones particulares del servicio electrónico. En primera instancia parecería que la empatía no es tan importante en las transacciones online, pero esta percepción cambia si se presenta algún problema de servicio. Según los investigadores citados, las dimensiones más importantes de la calidad de servicio regular son eficiencia, cumplimiento, fiabilidad y privacidad, mientras que las dimensiones fundamentales de la recuperación del servicio son la capacidad de respuesta, la compensación y la disponibilidad de ayuda en tiempo real.

Otro grupo de investigadores académicos, Wolfinbarger y Gilly, desarrollaron una escala reducida de calidad del servicio online con cuatro dimensiones fundamentales: fiabilidad/cumplimiento, diseño del sitio Web, seguridad/privacidad, y servicio al cliente. Estos investigadores interpretan los hallazgos de su estudio como una sugerencia de que los bloques básicos de una "experiencia online convincente" son la fiabilidad y la funcionalidad para proveer ahorros de tiempo, transacciones fáciles, buen surtido, información completa, y el nivel "correcto" de personalización. Su escala de 14 puntos consiste en:

Fiabilidad/cumplimiento

El producto recibido fue representado correctamente por el sitio Web.
El cliente obtiene lo que ordenó en el sitio Web.
El producto fue entregado en el tiempo prometido por la empresa.

Diseño del sitio Web

El sitio Web provee información completa.
El sitio no hace perder tiempo al cliente.
Completar una transacción en este sitio Web es fácil y rápido.
El nivel de personalización en este sitio es correcto; no hay demasiada personalización, ni muy poca.
El sitio Web tiene un buen surtido.

Seguridad/privacidad

El cliente siente que su privacidad está protegida en este sitio.
El cliente siente que sus transacciones son seguras en este sitio Web.
El sitio Web ofrece la seguridad adecuada para las transacciones.

Servicio al cliente

La empresa tiene disposición y está lista para satisfacer las necesidades del cliente.
Cuando alguien tiene un problema, el sitio Web muestra un interés sincero por resolverlo.
Las solicitudes de información son contestadas puntualmente.

Fuentes: Mary Wolfinbarger y Mary C. Gilly, "E-TailQ: Dimensionalizing, Measuring, and Predicting E-Tail Quality", *Journal of Retailing* 79 (otoño de 2003), pp. 183-98; Valarie A. Zeithaml, A. Parasuraman y Arvind Malhotra, "A Conceptual Framework for Understanding E-Service Quality: Implications for Future Research and Managerial Practice", *Marketing Science Institute Working Paper*, informe núm. 00-115, 2000.

Para proveer el mejor apoyo, el fabricante debe identificar los servicios que los clientes valoran más y su importancia relativa. En el caso de equipo costoso, los fabricantes ofrecen *servicios facilitadores*, como instalación, capacitación de personal, servicio de mantenimiento y reparación, y financiamiento. Podrían añadir también *servicios de valor añadido*, que van más allá del funcionamiento y rendimiento del producto mismo. Johnson Controls rebasó las fronteras de su negocio de equipo y componentes para el control climático, y se involucró en la gestión de instalaciones integradas, ofreciendo productos y servicios que optimizan el uso energético y aumentan el confort y la seguridad.

Los fabricantes pueden ofrecer servicios de apoyo al producto —y cobrar por ellos— de dos maneras diferentes. Por ejemplo, una empresa especialista en químicos orgánicos provee una oferta estándar más un nivel básico de servicios; si el cliente desea servicios adicionales, puede pagar más o aumentar el nivel de sus compras anuales, en cuyo caso los servicios adicionales estarían incluidos. Muchas empresas ofrecen *contratos de servicio* (conocidos también como *garantías externas*), en los que el vendedor acuerda proveer servicios de mantenimiento y reparación durante un periodo específico, ya sea de manera gratuita o a un precio determinado en el contrato.

Las empresas de productos deben entender cuál es su propósito estratégico y qué ventaja competitiva obtendrán al desarrollar servicios. ¿Se supone que las unidades de servicio deberían apoyar o proteger los negocios de productos existentes, o deberían crecer como una plataforma independiente? ¿Las fuentes de ventaja competitiva se basan en economías de escala o de habilidad?[82] Vea, en la △ figura 13.7, las estrategias para diferentes empresas de servicios.

Estrategia de servicio postventa

La calidad de los departamentos de servicio al cliente varía enormemente. En un extremo se encuentran aquellos que se limitan a transferir las llamadas de los clientes a la persona o departamentos adecuados, para que sean éstos los que tomen acción, sin darles demasiado seguimiento. En el otro extremo están los departamentos ansiosos por recibir peticiones, sugerencias e incluso quejas de los clientes, para atenderlas rápidamente. Algunas empresas incluso hacen un esfuerzo proactivo por contactar a los clientes para darles servicio después de que la venta ha concluido.[83]

EVOLUCIÓN DEL SERVICIO A CLIENTES Los fabricantes generalmente comienzan operando sus propios departamentos de refacciones (repuestos) y servicio. Quieren mantenerse cerca del equipo y estar al tanto de los problemas que presenta. Por otro lado, encuentran que capacitar a otros resulta caro y lleva tiempo, y descubren que pueden obtener buenas ganancias de las refacciones y servicio si se mantienen como proveedores únicos y pueden cobrar un precio elevado. En realidad muchos fabricantes fijan un precio bajo para el equipo, y lo compensan cobrando altos precios por las refacciones y el servicio.

Con el tiempo, los fabricantes van cambiando y dejan una mayor parte de los servicios de mantenimiento y reparación en manos de los concesionarios y distribuidores autorizados. Estos intermediarios están más cerca de los clientes, operan en más ubicaciones y pueden ofrecer un servicio más rápido. Más adelante surgen empresas

|Fig. 13.7| △

Estrategias de servicio para empresas de productos

Fuente de ventaja competitiva	Propósito estratégico: Proteger o mejorar el producto	Propósito estratégico: Ampliar el servicio independiente
Economías de escala	• El servicio de gestión de transacciones y descargas del iPod de Apple (iTunes). • Los servicios de seguimiento y diagnóstico remoto de los elevadores Otis. • El servicio de diagnóstico remoto del automóvil OnStar de General Motors. • Los servicios de protección contra virus y seguridad de datos de Symantcc.	• Los servicios de gestión de inventario para hospitales de Cardinal Healthcare. • Los servicios de facturación de Cincinnati Bell (ahora parte de Convergys). • Los servicios de outsourcing de centros de datos de IBM. • Los servicios integrados de gestión de instalaciones de Johnson Controls.
Economías de habilidad	• Los servicios de integración y mantenimiento de redes de Cisco. • Los servicios de gestión del almacenaje y mantenimiento de EMC. • Los servicios de integración de SAP Systems. • Los servicios de apoyo en campo para servicios públicos de UTC.	• Los servicios de gestión de centros de llamadas telefónicas de Cincinnati Bell (ahora parte de Convergys). • Los servicios de mantenimiento de motores de aviones de General Electric. • Los servicios de diagnóstico y apoyo para equipamiento de hospitales de GE Healthcare. • Los servicios de integración de sistemas de IBM.

Fuente: Byron G. Auguste, Eric P. Harmon y Vivek Pandit, "The Right Service Strategies for Product Companies", The McKinsey Quarterly, núm. 1 (2006), pp. 41-51.

de servicio independientes y ofrecen un precio menor o una atención más veloz. Un porcentaje significativo del trabajo de servicio automotriz se lleva a cabo fuera de las franquicias concesionarias autorizadas, en talleres independientes y cadenas especializadas, como Midas Muffler y Sears. Las organizaciones de servicio independientes manejan servidores centrales, equipo de telecomunicaciones y otras líneas de equipamiento diversos.

EL IMPERATIVO DEL SERVICIO AL CLIENTE Las opciones de servicio al cliente aumentan con rapidez, así que los fabricantes de equipo deben ser cada vez más hábiles para obtener ganancias por su producto, más allá de los contratos de servicio. Algunas garantías de autos nuevos cubren 160 000 kilómetros antes del primer servicio. El aumento de equipo desechable o que nunca falla hace que los clientes tengan menor inclinación a pagar entre un 2 y un 10% del precio de compra cada año por un servicio. Una empresa con varios cientos de ordenadores portátiles, impresoras y equipo relacionado podría encontrar que es más barato tener a su propio personal de servicio.

Resumen

1. Un servicio es cualquier acto o función que una parte ofrece a otra, es esencialmente intangible, y no implica tener propiedad sobre algo. Su producción podría estar vinculada o no a un producto físico.
2. Los servicios son intangibles, inseparables, variables, y con vigencia limitada. Cada una de estas características plantea desafíos y demanda estrategias específicas. Los especialistas en marketing deben encontrar formas de hacer tangible lo intangible, de aumentar y estandarizar la calidad del servicio provisto, y de hacer compatible la oferta de servicios con la demanda del mercado.
3. El marketing de servicios se enfrenta a nuevas realidades en el siglo XXI, debido al aumento en el poder de decisión de los clientes, a la coproducción de los clientes, y la necesidad de satisfacer tanto a los empleados como a los clientes.
4. En el pasado, las industrias de servicio dependían de las empresas manufactureras para la adopción y uso de conceptos y herramientas de marketing, pero esta situación ha cambiado. Lograr la excelencia en el marketing de servicios requiere la implementación de estrategias externas, pero también internas para motivar a los empleados, e interactivas para hacer énfasis en la importancia de la alta tecnología y del constante contacto con el cliente.
5. Las empresas de servicio que logran destacar suelen tener un excelente desempeño en las prácticas siguientes: el establecimiento de un concepto estratégico, la formación de un historial de compromiso de la alta dirección con la calidad, altos estándares, niveles de rentabilidad, y sistemas para controlar el desempeño del servicio y las quejas de los clientes. Además, diferencian sus marcas mediante características de servicio primario y secundario, e innovación continua.
6. La entrega de un servicio superior requiere el manejo de las expectativas del cliente y la incorporación de tecnologías de autoservicio. Las expectativas de los clientes desempeñan un papel crítico en sus experiencias y evaluaciones del servicio. Las empresas deben manejar la calidad del servicio tomando en consideración los efectos de cada encuentro de servicio.
7. Incluso las empresas basadas en productos deben proveer un servicio postventa. Para ofrecer el mejor apoyo, los fabricantes deben identificar los servicios que los clientes valoran más y su importancia relativa. La mezcla de servicios incluye tanto servicios previos a la venta (servicios facilitadores y servicios de valor añadido) como servicios postventa (departamentos de servicio al cliente, servicios de mantenimiento y reparación).

Aplicaciones

Debate de marketing

¿Es diferente el marketing de servicios del marketing de productos?

Algunos especialistas en marketing afirman que el marketing de servicios es fundamentalmente diferente del marketing de productos, y que cada uno de ellos depende de diferentes habilidades. Algunos especialistas en marketing de productos tradicionales se muestran en desacuerdo, diciendo que "el buen marketing es buen marketing" independientemente de lo que se pretenda comercializar.

Asuma una posición: El marketing de productos y el marketing de servicios son fundamentalmente diferentes ***versus*** **El marketing de productos y el marketing de servicios están estrechamente relacionados.**

Discusión de marketing

Instituciones educativas

Los colegios, universidades y otras instituciones educativas pueden ser clasificados como organizaciones de servicios. ¿Cómo aplicaría los principios de marketing desarrollados en este capítulo a su escuela? ¿Podría dar a sus directivos algún consejo sobre cómo sería posible mejorar sus prácticas de marketing de servicios?

Marketing de excelencia

>>The Ritz-Carlton

Pocas marcas han alcanzado estándares de servicio al cliente tan altos como el hotel de lujo The Ritz-Carlton. Los orígenes de The Ritz-Carlton se remontan a principios del siglo XX, cuando floreció el Ritz-Carlton Boston original, revolucionando la manera en que los viajeros estadounidenses veían y experimentaban el servicio al cliente y el lujo en un hotel. The Ritz-Carlton Boston fue el primer hotel de su tipo en ofrecer a los huéspedes un baño privado en cada habitación, flores frescas en todas las instalaciones, y todo el personal vestido formalmente de etiqueta, de esmoquin o chaqué.

En 1983, el hotelero Horst Schulze y un equipo de desarrollo de cuatro personas adquirieron los derechos del nombre Ritz-Carlton, y crearon el concepto de Ritz-Carlton como lo conocemos actualmente: una empresa concentrada en el servicio, tanto desde la perspectiva personal como funcional. El hotel de cinco estrellas provee instalaciones impecables, pero también se toma el servicio al cliente con extremada seriedad. Su lema es: "Somos damas y caballeros que atienden a damas y caballeros". Según el sitio Web de la empresa, The Ritz-Carlton "se compromete bajo juramento a proveer servicio personalizado y las mejores instalaciones a nuestros huéspedes, quienes siempre disfrutarán de un ambiente cálido, relajado y, sin embargo, refinado".

The Ritz-Carlton cumple su promesa al ofrecer una capacitación impecable a sus empleados, y poner en práctica sus "tres pasos del servicio" y los "12 valores de servicio". Los tres pasos consisten en que los empleados deben: saludar siempre con calidez y sinceridad, utilizando invariablemente el nombre del huésped; anticipar y satisfacer las necesidades de cada cliente y darles una cálida despedida, utilizando –una vez más– el nombre del huésped. Por otro lado, todos los gerentes de la empresa llevan consigo una tarjeta laminada donde aparecen listados los 12 valores de servicio; un par de ejemplos son el valor número 3: "Yo tengo la autoridad para crear experiencias únicas, memorables y personales para nuestros huéspedes", y el número 10: "Estoy orgulloso de mi apariencia profesional, lenguaje y comportamiento". Simon Cooper, presidente y director de operaciones de la empresa, explica: "Nuestra labor tiene que ver con la gente. Es imposible tener una experiencia emocional con una cosa. Por eso nosotros buscamos despertar emociones". Los 38 000 empleados de The Ritz-Carlton, repartidos en 70 hoteles de 24 países, hacen grandes esfuerzos por crear experiencias únicas y memorables para sus huéspedes.

The Ritz-Carlton es conocido por la capacitación que brinda a sus empleados para que proporcionen un excepcional servicio al cliente, pero además de ello la empresa refuerza diariamente entre toda la fuerza laboral su misión y sus valores. Cada día los gerentes reúnen a sus empleados en una junta de "alineación" de 15 minutos. Durante este tiempo, los gerentes contactan directamente con sus subalternos, resuelven cualquier problema inminente, y pasan el resto del tiempo leyendo y analizando lo que en The Ritz-Carlton se conoce como "historias admirables".

La misma "historia admirable" del día se lee a cada uno de los empleados de la empresa en todo el mundo. Estas anécdotas reales reconocen a empleados individuales por su extraordinario servicio al cliente, y también sirven para destacar uno de los 12 valores de servicio. Por ejemplo, una pareja que se hospedaba en The Ritz-Carlton de Bali necesitaba un tipo especial de leche y huevo para su hijo, que sufría alergias ocasionadas por ciertos alimentos. Los empleados no pudieron encontrar los artículos adecuados en la ciudad, pero el chef ejecutivo del hotel recordó una tienda en Singapur que los vendía. Contactó a su suegra, quien los compró y los llevó en avión personalmente hasta Bali, recorriendo más de 1 600 kilómetros para entregarlos a la familia hospedada en el hotel. Este ejemplo demuestra el valor del servicio número 6: "Hago propios los problemas de los huéspedes, y los resuelvo inmediatamente".

De acuerdo con otra de las historias, cierto camarero escuchó que un hombre decía a su esposa, quien utilizaba una silla de ruedas, que era una pena no poder conducirla hasta la playa. El mesero compartió aquella situación con los miembros del equipo de mantenimiento del hotel, y para el día siguiente éstos habían construido un paso peatonal hasta la playa, e incluso habían levantado una carpa al final del sendero, para que la pareja cenara ahí. Según Cooper, estas historias admirables constituyen "el mejor mecanismo para comunicar lo que esperamos de nuestras damas y caballeros alrededor del mundo. Cada historia refuerza las acciones que buscamos, y demuestra cuál es la contribución que cada empleado de nuestra empresa hace a los valores de servicio". Como parte de la política de la empresa, cada empleado puede gastar hasta 2 000 dólares para ayudar a satisfacer alguna necesidad o deseo anticipado de un cliente".

El hotel evalúa el éxito de sus esfuerzos de servicio al cliente mediante entrevistas telefónicas de Gallup, en las que se hacen preguntas de índole funcional y emocional. Las preguntas funcionales son del tipo "¿cómo estuvo la comida?, ¿estaba limpia su habitación?", mientras que las preguntas emocionales buscan poner al descubierto algún indicio del bienestar del cliente. The Ritz-Carlton utiliza estos hallazgos y las experiencias cotidianas para mejorar y realzar continuamente la experiencia de sus huéspedes.

En menos de tres décadas, The Ritz-Carlton ha crecido de cuatro ubicaciones a más de 70, y ha ganado dos de los reconocimientos a la calidad Malcolm Baldrige Quality Awards, convirtiéndose en la única empresa en obtener el prestigiado premio en dos ocasiones.

Preguntas

1. ¿En qué se parecen las prácticas de The Ritz-Carlton con las de los hoteles de la competencia? ¿Cuáles son las diferencias fundamentales?
2. Analice la importancia de las "historias admirables" de servicio al cliente para un hotel de lujo como The Ritz-Carlton.

Fuentes: Robert Reiss, "How Ritz-Carlton Stays at Top", *Forbes,* 30 de octubre de 2009; Carmine Gallo, "Employee Motivation the Ritz-Carlton Way", *BusinessWeek,* 29 de febrero de 2008; Carmine Gallo, "How Ritz-Carlton Maintains its Mystique", *BusinessWeek,* 13 de febrero de 2007; Jennifer Robison, "How The Ritz-Carlton Manages the Mystique", *Gallup Management Journal,* 11 de diciembre de 2008; *The Ritz-Carlton,* www.RitzCarlton.com.

Marketing de excelencia

>>Clínica Mayo

La Clínica Mayo es el primero y más grande consultorio médico grupal integrado no lucrativo del mundo. William y Charles Mayo fundaron la clínica hace más de un siglo, como una institución para pacientes externos, y fueron pioneros en el concepto de consultorio médico grupal, un modelo muy utilizado actualmente.

La Clínica Mayo ofrece cuidado médico excepcional, y en Estados Unidos encabeza los centros de tratamiento de muchas especialidades, como cáncer, enfermedades cardiacas, desordenes respiratorios y urología. Consistentemente ha ocupado los primeros lugares de la lista Best Hospitals (mejores hospitales) del *U.S. News & World Report,* y disfruta de un reconocimiento de marca de 85% entre los adultos estadounidenses. Ha alcanzado este nivel de éxito al asumir un enfoque distinto al de la mayoría de las clínicas y hospitales, y enfocándose invariablemente en la experiencia del paciente. Los dos valores centrales de la clínica están interrelacionados, tienen su origen en el pensamiento de sus fundadores, y se encuentran en el corazón de todo lo que hace la organización: anteponer los intereses del paciente a cualquier otro y practicar el trabajo en equipo.

Cada aspecto de la experiencia del paciente es tomado en consideración en las tres ubicaciones de la Clínica Mayo, en Rochester (Minnesota), Scottsdale (Arizona) y Jacksonville (Florida). Tan pronto como entra a una de las instalaciones de la Clínica Mayo, el paciente percibe la diferencia. Los pacientes nuevos son recibidos por un anfitrión que les ayuda a pasar por los procesos administrativos. Los pacientes que regresan son saludados por su nombre y con una cálida sonrisa. Los edificios han sido diseñados para que, en palabras del arquitecto de uno de ellos, "los pacientes se sientan un poco mejor antes de ver a sus médicos". El edificio Gonda —de 21 pisos— situado en Rochester, tiene espectaculares espacios abiertos y capacidad para añadir 10 pisos más. Sobre sus muros se aprecian obras de arte, y las oficinas de los médicos están diseñadas para proyectar una sensación de calidez y confort, en lugar de parecer asépticas e impersonales.

El recibidor del hospital Clínica Mayo en Scottsdale tiene una cascada interior y una pared de ventanales orientados hacia las montañas. En las salas de exploración pediátrica los equipos para resucitación se encuentran ocultos detrás de un gran cuadro con imágenes alegres. Las habitaciones del hospital cuentan con hornos de microondas y sillas que se convierten en camas porque, como explica un miembro del personal, "la gente no viene sola al hospital". El más nuevo de sus helicópteros médicos de emergencia fue adaptado para incorporar equipo médico de alta tecnología, y es una de las aeronaves más avanzadas del mundo.

Otra diferencia significativa en la atención a los pacientes es el concepto de trabajo en equipo de la Clínica Mayo. Un paciente puede llegar hasta sus instalaciones con o sin referencia de algún médico externo. En ese momento, se arma el equipo del paciente, el cual puede incluir al médico principal, cirujanos, oncólogos, radiólogos, enfermeras, residentes u otros especialistas con la habilidad, experiencia y conocimientos adecuados.

Los equipos de profesionales médicos trabajan en conjunto para diagnosticar los problemas de salud del paciente, incluyendo largos debates sobre los resultados de las pruebas, con el propósito de determinar el diagnóstico más preciso y los mejores tratamientos. Una vez que el equipo llega a un consenso, el líder se reúne con el paciente para analizar sus opciones. Durante todo el proceso, se anima a los pacientes a tomar parte en la discusión. Si es necesaria una cirugía, el procedimiento se programa para realizarse en el transcurso de las siguientes 24 horas, lo cual representa una enorme diferencia en comparación con la larga espera a la que los pacientes deben someterse en muchos hospitales. Los médicos de la Clínica Mayo comprenden que quienes buscan su atención, desean acción lo antes posible.

El personal médico de la Clínica Mayo tiene un salario fijo, en lugar de recibir una paga por el número de pacientes atendidos o por la cantidad de pruebas ordenadas. En consecuencia, los pacientes reciben una atención y cuidados más individualizados, y los médicos trabajan juntos en vez de hacerlo uno contra otro. Como explicó uno de sus pediatras: "Nos sentimos lo suficientemente cómodos como para convocar a los colegas a lo que yo llamo 'consulta de banqueta'. No tengo que tomar una decisión sobre compartir honorarios o deberle algo a alguien. Nunca se trata de 'ceder una cosa a cambio de otra'".

La Clínica Mayo es una institución sin fines de lucro, así que todo el ingreso operativo se reinvierte en los programas de investigación y educación de la clínica. Las investigaciones que han dado resultados significativos se implementan de inmediato, en beneficio de la salud de los pacientes. La Clínica Mayo ofrece programas educativos a través de sus cinco escuelas, y muchos de sus médicos cursan las asignaturas correspondientes llevando muy arraigadas en su mente las filosofías de la institución, incluyendo su lema: "El mejor interés de los pacientes es el único interés que debe ser considerado".

Barack Obama, presidente de Estados Unidos, cita con frecuencia a la Clínica Mayo como un ejemplo clave de la reforma en el área de atención médica. Además, a lo largo de décadas la institución ha sido reconocida por su pensamiento independiente, por sus extraordinarios servicios, por su rendimiento, y por su enfoque fundamental en el cuidado y la satisfacción de los pacientes.

Preguntas

1. Explique por qué la Clínica Mayo es tan efectiva en su servicio al cliente. ¿A qué se debe que haya tenido éxito al practicar la medicina de manera tan diferente a otros hospitales?
2. ¿Existen conflictos de interés entre desear hacer feliz al paciente y darle el mejor cuidado médico posible? ¿Por qué?

Fuentes: Avery Comarrow, "America's Best Hospitals", *U.S. News and World Report,* 15 de julio de 2009; Chen May Yee, "Mayo Clinic Reports 2007 Revenue Grew 10%", *Star Tribune,* 17 de marzo de 2008; Marla Leonard L. Berry y Kent D. Seltman, *Management Lessons from Mayo Clinic* (Nueva York: McGraw-Hill, 2008); Leonard L. Berry, "Leadership Lessons from Mayo Clinic", *Organizational Dynamics* 33 (agosto de 2004), pp. 228-42; Leonard L. Berry y Neeli Bendapudi, "Clueing in Customers", *Harvard Business Review,* febrero de 2003, pp. 100-106; John La Forgia, Kent Seltman y Scott Swanson, "Mayo Clinic: Sustaining a Legacy Brand and Leveraging Its Equity in the 21st Century Market", presentación en la Marketing Science Institute's Conference on Brand Orchestration, Orlando, FL, 4-5 de diciembre de 2003; Paul Roberts "The Agenda —Total Teamwork", *Fast Company,* 31 de marzo de 1999.

Como proveedor de bienes exclusivos de lujo, Tiffany & Co. conoce la importancia de conservar la integridad de sus precios.

En este capítulo responderemos las siguientes **preguntas**

1. ¿Cómo procesan y evalúan los precios los consumidores?
2. ¿Qué debería hacer una empresa para fijar los precios iniciales de sus productos o servicios?
3. ¿Qué debería hacer una empresa para adaptar sus precios de manera que satisfagan las circunstancias y oportunidades variables?
4. ¿En qué momento es recomendable que la empresa inicie un cambio de precios?
5. ¿En qué momento debería la empresa responder al cambio de precio de un competidor?

Desarrollo de estrategias y programas de precios

El precio es el único elemento de la mezcla (mix) de marketing que produce ingresos; los demás generan costos. Por otro lado, es quizás el elemento más fácil de ajustar en el programa de marketing; las características del producto, los canales, e incluso las comunicaciones, llevan más tiempo. Asimismo, el precio comunica al mercado el posicionamiento de valor del producto o marca buscado por la empresa. El precio de un producto bien diseñado y comercializado puede fijarse en un nivel más alto, lo que permite cosechar grandes ganancias. Sin embargo, la nueva realidad económica ha causado que muchos consumidores restrinjan su gasto y, en consecuencia, una buena cantidad de empresas ha tenido que revisar con cuidado sus estrategias de fijación de precios.

A lo largo de su siglo y medio de vida, el nombre de Tiffany se ha asociado con la imagen de diamantes y lujo. Tiffany diseñó una jarra para la toma de posesión de Abraham Lincoln, fabricó espadas para la Guerra Civil de Estados Unidos y creó la insignia E Pluribus Unum ("De muchos, uno") que adorna los billetes de un dólar, así como los trofeos del Superbowl y la fórmula NASCAR. Un auténtico icono cultural —incluso el color Azul Tiffany está registrado—, la empresa ha sobrevivido a numerosos altibajos económicos a lo largo de su historia. Pero aprovechando el surgimiento —en la década de 1990— del concepto "lujos asequibles", Tiffany creó una línea de joyería de plata de menor precio, con el resultado de que su brazalete de plata Return to Tiffany se convirtió en un artículo "indispensable" para las adolescentes de cierto sector. Sus ganancias se dispararon durante los siguientes cinco años, pero la línea de joyería más asequible produjo una crisis en cuanto a la estrategia de imagen y fijación de precios de la empresa: ¿qué ocurriría si todas las adolescentes que compraron aquellos brazaletes crecían pensando que Tiffany era tan sólo un lugar en donde adquirir joyería para niños? A partir de 2002 la empresa comenzó a subir nuevamente sus precios. Al mismo tiempo, lanzó colecciones de mayor lujo y renovó sus tiendas para mostrar artículos caros que atraían a los compradores maduros. Cuando comenzó la recesión de 2008, la empresa supo que debía ser cuidadosa para no diluir su mensaje de gran lujo. En buena medida, Tiffany compensó sus moderadas ventas reduciendo costos y gestionando su inventario, y —con muchísima discreción— bajó alrededor de un 10% el precio de sus anillos de compromiso de mejor venta.[1]

Las decisiones relativas a la fijación de precios son evidentemente complejas y difíciles de tomar, y muchos especialistas en marketing descuidan las estrategias correspondientes.[2] Los especialistas en marketing holístico deben considerar muchos factores al tomar decisiones de precios: la empresa, los clientes, la competencia y el entorno de marketing. Las determinaciones que se tomen respecto de la fijación de precios deben ser consistentes con la estrategia de marketing de la empresa, con sus mercados meta y con su posicionamiento de marca.

En este capítulo analizaremos los conceptos y las herramientas que facilitan la fijación de precios iniciales, así como el ajuste de precios a lo largo del tiempo y de acuerdo con los mercados.

Cómo funciona la fijación de precios

El precio no es solamente un número en una etiqueta. Se hace presente en muchas formas y desempeña numerosas funciones. Los alquileres, las colegiaturas (matrículas académicas), las cuotas, los honorarios, las tarifas, los peajes, las igualas, los salarios y las comisiones constituyen distintas variedades de los precios que se pagan por un bien o servicio. Por otro lado, el precio consta de muchos componentes. Al comprar un automóvil, el precio de lista puede sufrir ajustes debido a los descuentos e incentivos que aplique el concesionario. Algunas empresas admiten múltiples formas de pago; en el caso de un viaje en avión, por ejemplo, el vuelo podría pagarse con 150 dólares en efectivo más la acreditación de 25 000 millas de viajero frecuente.[3]

A lo largo de gran parte de la historia, la fijación de precios se realizaba mediante negociaciones entre los compradores y los vendedores; de hecho, el regateo todavía es practicado en algunos lugares. Fijar un precio único para todos los compradores es una idea relativamente moderna, que surgió con el desarrollo de los minoristas de gran escala a finales del siglo XIX. Por ejemplo, en Estados Unidos F.W. Woolworth, Tiffany & Co., John Wanamaker y otras empresas publicitaban una "política estricta de precio único", debido a que tenían demasiados artículos y supervisaban a demasiados empleados.

Tradicionalmente, el precio ha funcionado como uno de los principales determinantes de la elección de los compradores. Los consumidores y los agentes de compras que tienen acceso a información de precios y a operadores con precios de descuento, presionan a los minoristas para que bajen sus precios. A su vez, los minoristas presionan a los fabricantes para que hagan lo propio. El resultado puede ser un mercado caracterizado por grandes descuentos y promociones de ventas.

Un entorno cambiante de precios

Las prácticas de fijación de precios se han modificado significativamente. A principios del siglo XXI los consumidores tenían fácil acceso al crédito, así que, combinando formulaciones únicas de productos con tentadoras campañas de marketing, muchas empresas lograron que los clientes optaran por productos y servicios más caros. Sin embargo, el inicio de la gran recesión —que resultó más severa que otras anteriores, provocando la pérdida de muchos empleos y que una enorme cantidad de empresas y consumidores no pudieran recibir préstamos debido a su mala situación económica— cambió por completo la situación.

Una combinación de ecologismo, una frugalidad renovada y la preocupación por la falta de empleos y el valor de las viviendas, obligaron a muchos consumidores de todo el mundo a reflexionar sobre cómo gastaban su dinero. En consecuencia, reemplazaron las compras de lujo por artículos básicos, compraron menos accesorios, como joyería, relojes y bolsas, empezaron a comer con más frecuencia en casa, y adquirieron cafeteras especiales para preparar su propio café *latte* en lugar de comprarlo en cafeterías caras. En los pocos casos en que compraron un automóvil nuevo, su motivación fue tener un modelo más pequeño que les ofreciera mayor ahorro de combustible. Incluso redujeron sus gastos en hobbies y actividades deportivas.[4]

La presión por reducir los precios, ocasionada por un entorno económico cambiante, coincidió con algunas tendencias de largo plazo en el ámbito tecnológico. A lo largo de varios años, Internet ha estado cambiando la forma en que los compradores y vendedores interactúan. Por ejemplo, a continuación se ofrece una breve lista de cómo Internet permite a los compradores discriminar entre vendedores y viceversa.[5]

Los compradores pueden:

- ***Hacer comparaciones de precio instantáneas entre miles de vendedores.*** Por ejemplo, los clientes pueden comparar los precios ofrecidos por múltiples librerías con sólo visitar mySimon.com, y PriceSCAN.com atrae a miles de visitantes al día, casi todos ellos compradores corporativos. Estos agentes de compras inteligentes (conocidos también como *ShopBots* o compradores) han perfeccionado la comparación de precios al hacer búsquedas automáticas de productos, precios y reseñas entre cientos o incluso miles de oferentes.
- ***Determinar el precio que están dispuestos a pagar y hallar lo que desean.*** En Priceline.com, el cliente establece el precio que desea pagar por un billete de avión, la estancia en un hotel o el alquiler de un automóvil, y el sistema busca a cualquier vendedor dispuesto a aceptarlo.[6] Las páginas Web de agregación de volumen combinan los pedidos de muchos clientes y presionan al proveedor para que ofrezca un mayor descuento.
- ***Obtener productos gratuitos.*** Open Source, el movimiento por un software gratuito que comenzó con Linux, impactará los márgenes de casi todas las empresas desarrolladoras de aplicaciones. El mayor desafío que enfrentan compañías como Microsoft, Oracle, IBM y prácticamente todos los productores

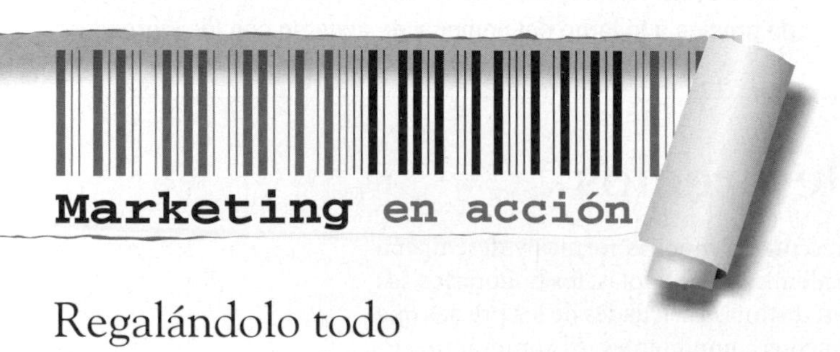

Regalándolo todo

Regalar productos por medio de muestras ha sido una exitosa táctica de marketing durante años. Estée Lauder daba muestras de cosméticos a las celebridades, y los organizadores de entregas de premios agasajan a los ganadores con numerosos regalos o artículos gratuitos, conocidos en el mundillo como botín (swag). Algunos fabricantes, como HP y Gillette, han construido su modelo de negocios alrededor de la venta de un producto básico prácticamente a precio de costo, y obteniendo la verdadera ganancia a partir de la venta de suministros asociados a él, como las hojas para afeitar y la tinta para impresora.

Con el surgimiento de Internet, las empresas de software comenzaron a adoptar prácticas similares. Adobe distribuyó gratuitamente su PDF Reader en 1994, y lo mismo hizo Macromedia con su reproductor Shockwave en 1995. Ambas aplicaciones se convirtieron en estándar de la industria, pero en realidad estas empresas obtenían ganancias por la venta de su software de autoría. Más recientemente nuevas iniciativas de Internet, como Blogger Weblog (para creación de blogs), la comunidad online de MySpace y Skype (la herramienta de telefonía por red), han logrado cierto éxito con una estrategia conocida como *freemiums*, que consiste en ofrecer servicios básicos gratuitos online y cobrar por algún componente *premium*.

Chris Anderson, editor en jefe de la revista *Wired*, cree firmemente que las empresas que participan en el mercado digital pueden obtener ganancias ofreciendo productos "gratuitos". A manera de evidencia, comenta los modelos de generación de utilidades que implican subsidios cruzados (por ejemplo, regalar un DVR al vender un servicio de televisión por cable) y *freemiums* (como hace Flickr, que provee gestión de fotografías online y permite el uso compartido de su aplicación sin costo a la mayoría del público, pero al mismo tiempo vende su software FlickrPro —con características más avanzadas— a los usuarios más involucrados).

Algunas empresas online han logrado comenzar a cobrar por servicios que antes proporcionaban gratis. Al poner en acción un nuevo mecanismo participativo de fijación de precios, que permite a los consumidores decidir el precio que creen justo, muchas veces los compradores eligen pagar más del mínimo, e incluso lo suficiente para que los ingresos del vendedor sean superiores a los que hubiera obtenido con una venta a un precio fijo.

Las ganancias generadas offline por la aerolínea mexicana de descuento VivaAerobus (que inició operaciones el 30 de noviembre de 2006) se han ido a los cielos gracias a su revolucionario modelo de negocios. VivaAerobus, cuyo eslogan es "La aerolínea de bajo costo de México", es la marca comercial de Aeroenlaces Nacionales S.A. de C.V., propiedad de Grupo IAMSA —especializado en transporte aéreo y terrestre— y RyanMex, subsidiaria de la aerolínea irlandesa de bajo costo Ryanair, dueña de la flota más grande de Europa. VivaAerobus opera más de 50 rutas locales y dos internacionales. El secreto es la estrategia operativa de esta aerolínea, la cual permite transferir al usuario una serie de ahorros que derivan en los precios más bajos de la industria aeronáutica mexicana:

1. Una ocupación aproximada del 75%. En tan sólo sus primeros cuatros años la aerolínea transportó a más de seis millones de pasajeros.
2. En 2011, VivaAerobus contaba con una flota de 16 aviones Boeing 737-300 con capacidad para 148 pasajeros.
3. Inicialmente con dos aviones, realizó su primer vuelo entre las ciudades de Monterrey y Tijuana. Actualmente opera un total de 53 rutas a 28 destinos.
4. Con la finalidad de reducir costos, VivaAerobus cuenta con un esquema de venta directa de paisajes a través de la página Internet de la compañía, planes de equipaje de acuerdo con las necesidades del viajero y no emite pases de abordar (embarque). Todos los asientos son clase turista y, a menos que se contrate alguna opción de asignación de asientos, se opera con el sistema de libre elección de lugares. El abordaje se realiza por grupos de pasajeros.
5. Los alimentos y bebidas a bordo no están incluidos en el costo del billete; sin embargo, VivaAerobus ofrece estos servicios en sus vuelos.
6. En 2009, VivaAerobus inauguró su blog oficial, página de Facebook y perfil de Twitter, así como un canal en YouTube con el objetivo de estar más cerca de sus pasajeros, y continuamente realiza concursos y promociones especiales a través de estos medios.
7. En cuanto a responsabilidad social, VivaAerobus lanzó en 2009 su primer calendario, cuyas ganancias fueron donadas íntegramente a la Alianza Anticáncer Infantil. Esta acción la ha repetido durante tres años consecutivos. En 2010 realizó una alianza con "Fundación ver bien para aprender mejor", que se dedica a dotar de gafas de primera calidad a los alumnos de educación básica pública que padezcan problemas de agudeza visual, como miopía, astigmatismo e hipermetropía.

Fuentes: Chris Anderson, *Free: The Future of a Radical Price* (Nueva York: Hyperion, 2009); Peter J. Howe, "The Next Pinch: Fees to Check Bags", *Boston Globe*, 8 de marzo de 2007; Katherine-Heires, "Why It Pays to Give Away the Store", *Business 2.0* (octubre de 2006): pp. 36-37; Kerry Capel, "Wal-Mart with Wings", *BusinessWeek*, 27 de noviembre de 2006, pp. 44-45; Koen Pauwels y Allen Weiss, "Moving from Free to Fee: How Online Firms Market to Change Their Business Model Successfully", *Journal of Marketing* 72 (mayo de 2008), pp. 14-31; Bruce Myerson, "Skype Takes Its Show on the Road", *BusinessWeek*, 29 de octubre de 2007, p. 38; http://es.wikipedia.org/wiki/Viva_Aerobus; http://www.vivaaerobus.com/mx/nuestraaerolinea.htm

importantes de software estriba en averiguar cómo competir con programas que pueden obtenerse gratis. "Marketing en acción: Regalándolo todo" describe de qué manera diferentes empresas han tenido éxito con ofertas esencialmente gratuitas.

Por su parte, los vendedores pueden:

- ***Vigilar el comportamiento del cliente y personalizar las ofertas en consecuencia.*** GE Lighting, que recibe 55 000 solicitudes de precios al año, tiene programas Web para evaluar los 300 factores que se consideran en una cotización de precios, como datos sobre ventas pasadas y descuentos, con el propósito de reducir el tiempo de procesamiento de hasta 30 días a sólo seis horas.

El revolucionario modelo de negocios de la aerolínea de descuento VivaAerobus permite cobrar muy poco por asiento, reduciendo los costos operativos usando estrategias de promoción y venta online.

- ***Ofrecer precios especiales a ciertos clientes.*** Ruelala es un sitio Web exclusivo para miembros que vende ropa de moda, accesorios y calzado para mujer mediante ofertas de tiempo limitado (por lo general dos días). Otros especialistas en marketing están utilizando extranets para tener un manejo preciso de los inventarios, los costos y la demanda en cada momento, con la finalidad de ajustar los precios al instante.

Tanto los compradores como los vendedores pueden:

- ***Negociar precios en subastas e intercambios online o presenciales.*** ¿Desea vender cientos de objetos que le sobran y están ligeramente gastados? Haga una venta por eBay. ¿Quiere adquirir tarjetas de béisbol de colección a precio de ganga? Vaya a www.baseballplanet.com. Cuando comenzó la más reciente recesión, muchos consumidores se pusieron a la tarea de regatear precios no solamente en los tradicionales mercados de pulgas (rastrillos populares) y en los concesionarios de automóviles sino también al adquirir otro tipo de productos, como bienes inmoviliarios, joyería y casi cualquier otro artículo duradero disponible en puntos de venta minoristas. Casi tres cuartas partes de los consumidores estadounidenses afirmaron haber negociado precios más bajos recientemente, cifra un 35% superior a lo informado cinco años antes de que golpeara la recesión.[7]

Fijación de precios en la empresa

Las empresas fijan sus precios de diversas maneras. En las compañías pequeñas es por lo general el jefe quien se encarga de hacerlo. En las grandes lo hacen los gerentes de división y de líneas de producto. Incluso en estos casos, la alta dirección es la responsable de establecer las metas y las políticas generales de fijación de precio, y casi siempre las propuestas de las gerencias de menor jerarquía deben pasar por su aprobación.

Cuando la fijación de precio es un factor clave (empresas aeroespaciales, de ferrocarriles y petroleras), las empresas suelen establecer un departamento especial para llevar a cabo esa labor o ayudar a otros a hacerlo. Este departamento le reporta al departamento de marketing, al de finanzas o a la alta dirección. Otras instancias que influyen en la fijación de precios son los gerentes de ventas, de producción, de finanzas y los contables.

Los ejecutivos se quejan de que fijar precios constituye un gran dolor de cabeza y que la situación empeora cada día. Son numerosas las empresas que no cuentan con políticas adecuadas de fijación de precios y utilizan "estrategias" como ésta: "Determinamos nuestros costos y usamos los márgenes tradicionales de la industria". Otros errores comunes son los siguientes: no revisar los precios con la suficiente frecuencia para capitalizar los cambios del mercado; fijar los precios sin tomar en consideración el resto del programa de marketing en lugar de usarlo como un elemento intrínseco de la estrategia de posicionamiento de mercado; y no variar el precio lo suficiente para diferentes artículos, segmentos de mercado, canales de distribución y ocasiones de compra.

En todas las organizaciones, el diseño e implementación eficaz de estrategias de precios exige una profunda comprensión de la psicología de precios de los consumidores y un enfoque sistemático para establecerlos, adaptarlos y cambiarlos.

Psicología del consumidor y fijación de precios

Tradicionalmente, muchos economistas supusieron que los consumidores eran "tomadores de precios" y los aceptaban por su "valor nominal", es decir, tal como se les planteaban. Sin embargo, los especialistas en marketing reconocen que los consumidores suelen procesar activamente la información de precios interpretándola a partir del contexto de sus experiencias de compra previas, las comunicaciones formales (publicidad, visitas de venta y folletos), las comunicaciones informales (amigos, colegas o familiares), los recursos del punto de venta u online, y otros factores.[8]

Las decisiones de compra se basan en la manera en que los consumidores perciben los precios y en cuál consideran que es el precio real —*no* el declarado por el comercializador— del producto o servicio. Es posible que algunos clientes manejen un umbral de precios de manera que los precios debajo del mismo indican ausencia de calidad o calidad inaceptable y los que están por encima son prohibitivos y generan la percepción de que el producto no vale lo que cuesta. El ejemplo siguiente —basado en la determinación de tres precios para el mismo artículo: una camiseta negra—, ayuda a ilustrar el importante papel que desempeña la psicología del consumidor en la fijación de precios.

Una camiseta negra

La camiseta negra para mujer de nuestro ejemplo es bastante ordinaria. En realidad no es tan diferente de las camisetas que venden en Gap o en la cadena sueca de ropa H&M. Aun así, en Armani cuesta 275 dólares, mientras que en Gap sólo 14.90, y en H&M 7.90 dólares. Los clientes que compran la camiseta Armani están pagando por una prenda fabricada con 70% de nylon, 25% poliéster y 5% elastano, mientras que las de Gap y H&M están fabricadas casi 100% de algodón. Cierto: la camiseta Armani tiene un corte un poco más estilizado que las otras dos y ostenta una etiqueta "Fabricado en

Italia" pero, ¿cómo es posible que cueste 275 dólares? Armani, una marca de lujo, es reconocida sobre todo por sus trajes, bolsos y vestidos de noche, que se venden por miles de dólares. En ese contexto puede vender sus camisetas por más dinero. Sin embargo, en vista de que no existen muchos compradores para camisetas de 275 dólares, Armani no las fabrica en gran número, realzando aún más el atractivo para quienes buscan estatus y se sienten seducidos por la idea de tener una camiseta "de edición limitada". Arnold Aronson, director de gestión de estrategias minoristas para Kurt Salmon Associates y ex CEO de Saks Fifth Avenue, afirma que "El valor [de un producto] no se refiere solamente a su calidad, funcionalidad, utilidad, o canal de distribución, sino también a la percepción del cliente respecto de las connotaciones de lujo de la marca".[9]

Las actitudes del consumidor en relación con los precios cambiaron drásticamente en la reciente caída económica, cuando muchos no pudieron seguir manteniendo su estilo de vida.[10] Los consumidores comenzaron a comprar más por necesidad que por deseo, lo cual los llevó a buscar artículos de menor precio. Rechazaron el consumo superficial y las ventas de bienes de lujo sufrieron las consecuencias. Incluso las compras que antes se realizaban sin discusión empezaron a ser motivo de escrutinio. En 2010, casi un millón de pacientes estadounidenses se volvieron "turistas médicos", viajando a otros países para obtener tratamientos médicos a menor costo, a veces incluso a sugerencia de las empresas aseguradoras de salud estadounidenses.[11]

El valor percibido de un producto tan sencillo como una camiseta negra depende, en parte, de dónde sea vendido.

Sin embargo, hasta en épocas de recesión algunas empresas pueden cobrar precios más altos si sus ofertas son lo suficientemente únicas y relevantes para un segmento de mercado del tamaño adecuado. Pangea Organics expandió la distribución de sus caros jabones de 8 dólares y sus aceites de 50 gracias a sus fórmulas respetuosas del medio ambiente, y a un envase inteligente a base de pulpas naturales.[12]

Comprender cómo construyen sus percepciones de precio los consumidores es una importante prioridad en materia de marketing. En este sentido se consideran tres factores clave: precios de referencia, inferencias de precio-calidad y terminaciones de precios.

PRECIOS DE REFERENCIA Aunque es posible que los consumidores tengan un conocimiento apropiado de los rangos de precios, sorprendentemente pocos pueden recordar precios específicos con precisión.[13] Sin embargo, cuando analizan los productos suelen emplear **precios de referencia**, esto es, comparan el precio de algo que les interesa con un precio de referencia interno que recuerdan, o con un marco de referencia externo, por ejemplo, un "precio de venta regular" que vieron publicado.[14]

Hay todo tipo de precios de referencia (vea la tabla 14.1) y muchas veces los vendedores intentan manipularlos. Por ejemplo, un vendedor puede colocar sus productos entre competidores caros para insinuar que pertenece a la misma clase. Los grandes almacenes exhibirán la ropa para mujer en secciones diferenciadas por precio; los vestidos en las secciones o departamentos más caros se suponen de mayor calidad.[15] Por otro lado, los especialistas en marketing alientan la comparación con precios de referencia al establecer un precio alto como sugerencia del fabricante —con lo cual indican que el precio original era mucho más elevado—, o señalar el elevado precio de un producto competidor.[16]

Cuando los consumidores evocan uno o más de estos marcos de referencia su percepción del precio podría variar respecto del precio establecido.[17] Las investigaciones han mostrado que las sorpresas desagradables —cuando el precio percibido es menor que el precio establecido— pueden tener un mayor impacto en la probabilidad de compra que las sorpresas agradables.[18] Las expectativas del consumidor también pueden desempeñar un papel clave en su respuesta a los precios. En los sitios de subasta por Internet, como eBay, si el consumidor sabe que habrá bienes similares disponibles en subastas posteriores, ofrecerá menos en la subasta actual.[19]

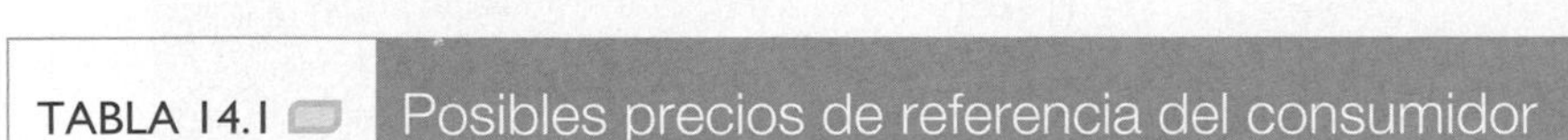

TABLA 14.1 Posibles precios de referencia del consumidor
• "Precio justo" (lo que los consumidores sienten que debe costar el producto)
• Precio típico
• Último precio pagado
• Precio de límite superior (precio de reserva o el máximo precio que pagaría la mayoría de los consumidores)
• Precio de límite inferior (precio de umbral inferior o el mínimo que pagaría la mayoría de los consumidores)
• Precios históricos de la competencia
• Precio futuro esperado
• Precio usual descontado

Fuente: Adaptado de Russell S. Winer, *Pricing*, MSI Relevant Knowledge Series (Cambridge, MA: Marketing Science Institute, 2006).

Los más hábiles especialistas en marketing tratan de dar un marco al precio para señalar el mejor valor posible. Por ejemplo, un artículo relativamente caro puede verse menos oneroso si el precio se desglosa en unidades más pequeñas aunque el total sea el mismo en ambos casos: por ejemplo, la anualidad de una membresía que cuesta 500 dólares podría anunciarse como "menos de 50 dólares al mes".[20]

INFERENCIAS DE PRECIO-CALIDAD Muchos consumidores utilizan el precio como indicador de la calidad. La fijación de precios por imagen es especialmente eficaz cuando se trata de productos que aluden al ego, como perfumes, automóviles caros y ropa de diseñador. Quizás un perfume sólo contenga fragancia por un valor de 10 dólares, pero quienes hacen un regalo pagan 100 dólares por él para comunicar su gran aprecio hacia el obsequiado.

En el caso de los automóviles, las percepciones de precio y calidad interactúan.[21] La percepción indica que los que tienen precios elevados son de alta calidad; de igual manera, se cree que los autos de mayor calidad deberían tener un precio más alto del que en realidad tienen. Cuando hay datos disponibles respecto de la calidad real del producto, el precio se convierte en un indicador menos significativo. Cuando esta información no está disponible, el precio actúa como señal de la calidad.

Algunas marcas aprovechan la exclusividad y la escasez para comunicar singularidad y justificar así sus elevados precios. Los fabricantes de bienes de lujo como relojes de pulso, joyería, perfumes y otros productos, suelen hacer énfasis en la exclusividad en sus mensajes de promoción y sus estrategias de canal. Para los clientes de bienes de lujo que desean singularidad, la demanda podría aumentar con el precio porque ellos creen que muy pocos otros consumidores se podrán permitir pagar el producto.[22]

TERMINACIONES DE PRECIOS Muchos vendedores creen que los precios deben estar ligeramente por debajo de un número entero. Cuando ven que un artículo tiene un precio de 299 dólares, los clientes consideran que está en el rango de 200 dólares en lugar de estarlo en el de 300 dólares; en otras palabras, tienden a procesar los precios de "izquierda a derecha" en vez de redondearlos.[23] Este tipo de codificación de precios es importante si existe un límite de precios imaginario al redondear en el rango superior.

Otra explicación para la popularidad de los precios que terminan en 9 es que sugieren un descuento o una ganga; por lo tanto, si una empresa desea una imagen de alto precio, probablemente debería evitar la táctica de terminar sus precios de este modo.[24] Un estudio mostró que de hecho la demanda se incrementaba un tercio cuando el precio de un vestido *aumentaba* de 34 a 39 dólares, pero no cambiaba si aumentaba de 34 a 44 dólares.[25]

Los precios que terminan en 0 y 5 también son muy utilizados, y se cree que son más fáciles de procesar y recordar por los consumidores.[26] Los letreros de "oferta" colocados junto a un precio incitan la demanda, pero solamente si no se abusa de ellos: las ventas totales de una categoría son más altas cuando algunos, pero no todos, los artículos de la misma tienen letreros de oferta; pasado cierto límite, estas señalizaciones podrían causar una caída de las ventas totales de dicha categoría.[27]

Las señales relacionadas con los precios, como los letreros de oferta y los precios con terminación 9 ejercen mayor influencia cuando los consumidores tienen un conocimiento de precios deficiente, cuando compran el artículo con poca frecuencia o son nuevos en la categoría, y cuando los diseños de productos varían con el tiempo, o los precios cambian según la estación, la calidad o la talla, y de una tienda a otra.[28] Por el

Si un producto tiene un precio de 1.99 dólares, la percepción podría indicar que es menos costoso que uno con un precio de 2 dólares.

contrario, son menos eficaces cuanto más se utilizan. Los anuncios de disponibilidad limitada ("sólo por tres días"), también pueden motivar la venta entre los consumidores que buscan activamente un producto.[29]

Fijación del precio

La empresa debe fijar el precio por vez primera cuando desarrolla un nuevo producto, cuando lanza su producto a un nuevo canal de distribución o área geográfica y cuando entra en licitaciones para una nueva venta bajo contrato. En cualquier caso, la empresa debe decidir en qué posición de calidad y precio quiere colocar su producto.

Casi todos los mercados tienen entre tres y cinco niveles o puntos de precios. La cadena de hoteles Marriott es hábil para desarrollar diferentes marcas o variaciones de marcas para diferentes puntos de precio: Marriott Vacation Club—Vacation Villas (el mejor precio), Marriott Marquis (precio alto), Marriott (precio alto-medio), Renaissance (precio medio-alto), Courtyard (precio medio), TownePlace Suites (precio medio bajo) y Fairfield Inn (precio bajo). Las empresas diseñan sus estrategias de branding de manera que contribuyan a comunicar los niveles de calidad-precio de sus productos o servicios a los consumidores.[30]

La empresa debe considerar numerosos factores al establecer su política de precios.[31] La tabla 14.2 resume los seis pasos del proceso.

Paso 1: Selección de la meta que persigue la fijación de precio

Para empezar, la empresa debe decidir en dónde quiere ubicar su oferta de mercado. Cuanto más claros sean las metas de la empresa más fácil le será fijar el precio. En este sentido, cinco metas importantes son: supervivencia, maximización de las ganancias actuales, maximización de la participación de mercado, maximización del descremado del mercado y liderazgo de producto-calidad.

SUPERVIVENCIA Las empresas buscan la *supervivencia* como meta principal cuando se enfrentan a un exceso de capacidad, a una competencia intensa o al cambio de los deseos de los consumidores. En tanto los precios cubran los costos variables y algunos costos fijos, la empresa permanecerá en el negocio. La supervivencia es una meta de corto plazo; en el largo plazo la empresa deberá aprender cómo añadir valor a sus ofertas o enfrentar su desaparición.

MAXIMIZACIÓN DE LAS GANANCIAS ACTUALES Muchas empresas tratan de fijar un precio que maximice las ganancias actuales. Para ello calculan la demanda y los costos asociados con precios alternativos y eligen aquel que produzca la mayor ganancia actual, el máximo flujo de efectivo o la mejor tasa de rentabilidad sobre la inversión. Esta estrategia supone que la empresa conoce sus funciones de costos y demanda, pero lo cierto es que éstas son difíciles de calcular. Si hace énfasis en el rendimiento actual, la empresa podría sacrificar el rendimiento en el largo plazo al ignorar los efectos de otras variables de marketing, las reacciones de los competidores y las restricciones legales al precio.

MAXIMIZACIÓN DE LA PARTICIPACIÓN DE MERCADO Algunas organizaciones desean *maximizar su participación de mercado.* En ese caso, parten de la idea de que un mayor volumen de ventas los llevará a bajar sus costos unitarios y obtener ganancias más altas en el largo plazo. Así, fijan el precio más bajo suponiendo que el mercado es sensible a ese factor. Texas Instruments (TI) practicó esta **fijación de precios de penetración de mercado** durante años. La empresa construía una enorme planta, fijaba su precio tan bajo como era posible, obtenía una gran participación de mercado, disminuía sus costos y bajaba sus precios aún más en la medida en que sus costos disminuían.

Las siguientes condiciones favorecen la adopción de una estrategia de fijación de precios de penetración de mercado: (1) el mercado es muy sensible al precio y un precio bajo estimula su crecimiento; (2) los costos de producción y distribución caen gracias a la experiencia acumulada en materia de producción, y (3) un precio bajo desanima la competencia actual y potencial.

TABLA 14.2	Pasos para establecer una política de precios
1.	Selección de la meta de la fijación de precio
2.	Determinación de la demanda
3.	Cálculo de los costos
4.	Análisis de los costos, precios y ofertas de los competidores
5.	Elección de un método de fijación de precios
6.	Selección del precio final

Apple provocó un escándalo entre los primeros clientes que adquirieron el iPhone cuando redujo significativamente su precio después de tan sólo dos meses.

MAXIMIZACIÓN DEL DESCREMADO (TAMIZADO) DEL MERCADO Las empresas que presentan nuevas tecnologías prefieren fijar precios altos para *maximizar el descremado del mercado*. Sony suele poner en práctica la **fijación de precios por descremado del mercado**, en la cual los precios inicialmente son altos y van descendiendo poco a poco con el tiempo. Cuando Sony lanzó al mercado japonés, en 1990, el primer televisor de alta definición (HDTV) tenía un precio de 43 000 dólares. Para que Sony pudiera "descremar" la mayor cantidad de ganancias de diversos segmentos del mercado fue reduciendo paulatinamente el precio al paso de los años: en 1993 el televisor HDTV Sony de 28 pulgadas costaba sólo un poco más de 6 000 dólares, y en 2010 uno de 40 pulgadas costaba únicamente 600 dólares.

No obstante, esta estrategia puede ser fatal si un competidor fuerte decide fijar precios bajos. Cuando Philips, el fabricante holandés de electrónica, estableció el precio de sus reproductores de discos de video de manera que pudiera obtener ganancias de cada uno de ellos, los competidores japoneses fijaron un precio bajo y en poco tiempo aumentaron su participación de mercado, lo que a su vez redujo sustancialmente sus costos.

Por otro lado, los consumidores que compran cuando los precios son más altos podrían sentirse descontentos al compararse con aquellos que compran un poco después a un precio menor. Cuando Apple redujo el precio del iPhone de 600 a 400 dólares solamente dos meses después de su lanzamiento, la protesta del público obligó a la empresa a dar a los compradores iniciales un crédito por 100 dólares para compras de sus productos.[32]

El descremado del mercado tiene sentido en las siguientes condiciones: (1) cuando hay una gran demanda de un producto por una cantidad suficiente de compradores; (2) cuando los costos unitarios de producir un volumen pequeño de unidades no son tan altos como para anular la ventaja del cobro de una cantidad superior; (3) el alto precio inicial no atraerá más competidores al mercado y, (4) el precio elevado transmite la imagen de un producto superior.

LIDERAZGO DE PRODUCTO-CALIDAD Una empresa podría tener como meta ser el líder en producto de calidad en el mercado. Muchas marcas se esfuerzan por ser "lujos asequibles", ofreciendo productos o servicios que se caracterizan por altos niveles de calidad percibida, gusto y estatus, con un precio apenas lo suficientemente alto como para no quedar fuera del alcance de los consumidores. Marcas como Starbucks, Aveda, Victoria's Secret, BMW y Viking se han posicionado como líderes de calidad en sus categorías, combinando calidad, lujo y precios elevados con una base de clientes intensamente leal.[33] Grey Goose y Absolut crearon nichos muy rentables en la categoría de vodka casi inodoro, incoloro e insípido a través de un hábil manejo de marketing tanto en los lugares de consumo como fuera de ellos, logrando que sus marcas parecieran modernas y exclusivas.[34]

OTROS OBJETIVOS En el caso de las organizaciones públicas y no lucrativas, la fijación de precios podría tener otras metas. Por ejemplo, una universidad buscará la *recuperación parcial de los costos*, consciente de que depende de donaciones privadas o subvenciones públicas para cubrir el resto de sus costos; un hospital privado podría buscar una recuperación total de sus costos a través de la fijación de precios; una compañía de teatro sin fines lucrativos podría fijar el precio de sus producciones de manera que llene las salas donde se presenta; una agencia de servicios sociales podría fijar el precio de sus servicios con base en los ingresos de sus clientes.

Cualquiera que sea la meta específica, las empresas que utilizan el precio como una herramienta estratégica obtendrán mayores ganancias que aquellas que se limitan a que los costos o el mercado lo determinen. Para los museos de arte, que obtienen en promedio sólo un 5% de sus ingresos por las cuotas de admisión, la fijación de precios podría enviar un mensaje capaz de afectar su imagen pública y la cantidad de donaciones y patrocinios que reciben.

Paso 2: Determinación de la demanda

Cada precio dará por resultado un nivel diferente de demanda y tendrá un impacto particular en las metas de marketing de la empresa. La relación normalmente inversa entre precio y demanda resulta evidente en la curva de demanda (vea la △ figura 14.1): cuanto más alto sea el precio, menor será la demanda. En el caso de los bienes de prestigio, la curva de demanda a veces muestra una pendiente hacia arriba. Por ejemplo, cuando cierta empresa de perfumes aumentó sus precios terminó vendiendo más y no menos, como podría esperarse. Algunos consumidores interpretan el precio más alto como señal de un mejor producto. Sin embargo, si el precio es demasiado elevado la demanda podría caer.

SENSIBILIDAD AL PRECIO La curva de demanda muestra la cantidad probable de compra del mercado para diferentes alternativas de precios. En otras palabras, suma las reacciones de muchos individuos con diferentes sensibilidades al precio. El primer paso para calcular la demanda consiste en entender cuáles son los factores que afectan la sensibilidad al precio. En términos generales, los consumidores son menos sensibles al precio cuando se trata de artículos de precio bajo o de productos que compran con poca frecuencia. También son menos sensibles al precio cuando: (1) existen pocos productos sustitutos o competidores, o

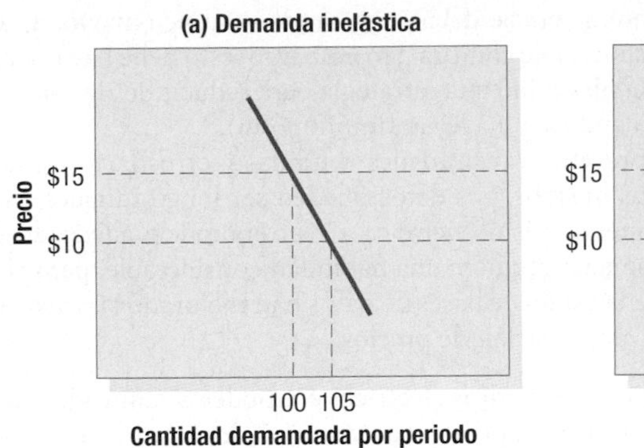

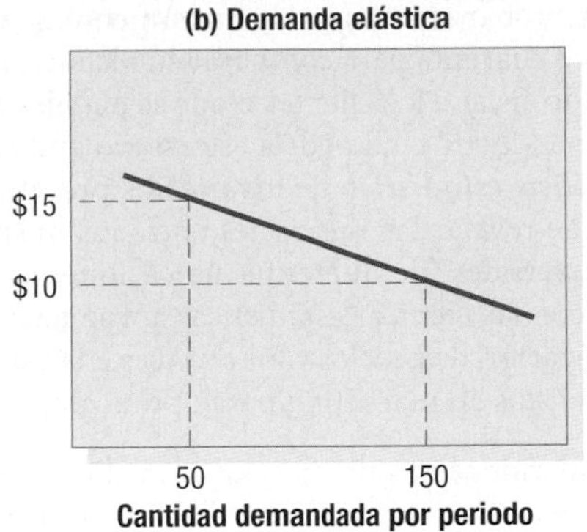

|Fig. 14.1|

Demanda inelástica y elástica

cuando no existen en absoluto; (2) no notan fácilmente el precio más alto; (3) cambian lentamente sus hábitos de compra; (4) piensan que los precios más altos se justifican y, (5) el precio es solamente una pequeña parte del costo total de operación y servicio del producto durante su vida útil.

Un vendedor puede cobrar un precio más alto que sus competidores si es capaz de convencer a los clientes de que ofrece el *costo total de adquisición* (TCO, Total Cost of Ownership) más bajo. Muchas veces los especialistas en marketing tratan los elementos de servicio que participan en una oferta de productos como incentivos de venta más que como argumentos para realzar el valor por los que podrían cobrar. De hecho, el experto en fijación de precios Tom Nagle, cree que el error más común de los fabricantes en años recientes es ofrecer todo tipo de servicios para diferenciar sus productos sin un cargo asociado.[35]

Por supuesto, las empresas prefieren clientes menos sensibles al precio. La tabla 14.3 lista algunas características asociadas a una reducida sensibilidad al precio. Por otro lado, Internet tiene el potencial de *aumentar* la sensibilidad al precio. En algunas categorías establecidas de bienes que implican compras importantes, como automóviles y seguros, los consumidores pagan precios más bajos gracias a las búsquedas en Internet. Los compradores de automóviles usan la red para reunir información y aprovechar el poder de negociación de los servicios de compra online.[36] Sin embargo, los clientes podrían tener que visitar muchos sitios para darse cuenta de esas posibilidades de ahorro, y no siempre lo hacen. Dirigirse exclusivamente a los consumidores sensibles al precio podría implicar, de hecho, un despilfarro de dinero.

ESTIMACIÓN DE CURVAS DE DEMANDA Casi todas las empresas intentan medir sus curvas de demanda utilizando varios métodos.

- Las ***encuestas*** pueden explorar cuántas unidades comprarían los consumidores a diferentes precios propuestos. Si bien los consumidores podrían disfrazar sus intenciones de compra a precios más altos para desanimar a la empresa y hacerla que fije precios más bajos, también tienden a exagerar su disposición a pagar por nuevos productos o servicios.[37]
- Los ***experimentos de precios***, consistentes en variar los precios de diferentes productos en una tienda, o cobrar diferentes precios por los mismos productos en territorios similares para ver cómo afecta a las ventas el cambio. Otro enfoque es utilizar Internet; por ejemplo, una empresa de comercio electrónico

TABLA 14.3 Factores que llevan a menor sensibilidad al precio
• El producto es más distintivo.
• Los compradores son menos conscientes de los sustitutos.
• Los compradores no pueden comparar con facilidad la calidad de los sustitutos.
• El gasto es una parte menor del ingreso total del comprador.
• El gasto es pequeño comparado con el costo total del producto final.
• Parte del costo lo absorbe un tercero.
• El producto es utilizado en conjunto con otros activos comprados con anterioridad.
• Se supone que el producto tiene mayor calidad, prestigio o exclusividad.
• Los compradores no pueden almacenar el producto.

Fuente: Basado en información de Thomas T. Nagle, John E. Hogan y Joseph Zale, *The Strategy and Tactics of Pricing*, 5a. ed. (Upper Saddle River, NJ; Prentice Hall, 2011). Impreso y reproducido de manera electrónica con autorización de Pearson Education, Inc. Upper Saddle River, Nueva Jersey.

podría probar el impacto de un aumento de precio del 5% cotizando un precio mayor a cada visitante número cuarenta para comparar su respuesta de compra. Sin embargo, esto debe hacerse con cuidado, evitando aislar a los clientes o que se perciba como una estrategia para reducir de alguna forma la competencia (con lo cual podría estarse violando alguna ley antimonopolio).[38]

- El ***análisis estadístico*** de los precios previos, las cantidades vendidas y otros factores, tiene la capacidad de revelar las relaciones entre los mismos. Los datos pueden ser longitudinales (en el tiempo) o transversales (de diferentes ubicaciones al mismo tiempo). Crear el modelo adecuado y ajustar los datos con las técnicas estadísticas apropiadas requiere una habilidad considerable, pero el software de optimización de precios y los avances en gestión de bases de datos han mejorado las capacidades de los especialistas en marketing para optimizar la fijación de precios.

Una gran cadena minorista vendía una línea de taladros eléctricos en modelos calificados como "bueno-mejor-excelente", en 90, 120 y 130 dólares, respectivamente. Las ventas de los taladros más baratos y más caros marchaban bien, pero no las de los taladros de precio medio. Con base en un análisis de optimización de precios, el minorista redujo el precio del taladro de precio medio a 110 dólares. Las ventas del taladro más barato cayeron un 4% porque dejó de parecer una ganga, pero las del taladro de precio medio aumentaron el 11%. Como resultado, las ganancias generales aumentaron.[39]

Al medir la relación precio-demanda, el investigador de mercado debe tomar en consideración varios factores que influirán en la demanda.[40] En todo caso, la respuesta del competidor hará la diferencia. Por otro lado, si la empresa cambia otros aspectos del programa de marketing además del precio, el efecto de la modificación de este último será difícil de aislar.

ELASTICIDAD PRECIO DE LA DEMANDA Los especialistas en marketing deben saber cuán elástica o susceptible es la demanda ante un cambio de precio. Considere las dos curvas de demanda de la figura 14.1. En la curva de demanda (a), un aumento de precio de 10 a 15 dólares lleva a una disminución relativamente pequeña de la demanda, de 105 a 100. En la curva de demanda (b), el mismo aumento de precio lleva a una caída significativa de la demanda, de 150 a 50. Si la demanda se mantiene casi igual ante un pequeño cambio de precio se dice que es *inelástica*. Si la demanda cambia considerablemente se dice que es *elástica*.

A mayor elasticidad, mayor será el crecimiento en volumen provocado por una reducción de precios del 1%. Si la demanda es elástica, los vendedores considerarán bajar el precio, pues un precio menor producirá más ingresos totales. Esto tiene sentido, siempre y cuando los costos de producción y venta de más unidades no aumenten desproporcionadamente.[41]

La elasticidad precio depende de la magnitud y la dirección del cambio de precio contemplado. Puede ser mínima con un pequeño cambio de precio, y significativa con un cambio de precio mayor; puede ser diferente para un recorte de precio que para un aumento, y podría existir un *rango de indiferencia de precio*, dentro del cual los cambios de precio tengan un efecto muy leve, o ninguno en absoluto.

Por último, la elasticidad precio de largo plazo puede diferir de la elasticidad de corto plazo. Los compradores podrían continuar comprando a un proveedor actual después de un aumento de precios, pero quizá llegue un momento en que lo cambien por otro; en este caso la demanda es más elástica en el largo plazo que en el corto plazo. También podría ocurrir lo contrario: los compradores dejan de comprar a un proveedor después de un aumento en los precios, pero vuelven a hacer negocios con él más adelante. La diferencia entre la elasticidad de corto y largo plazo implica que los vendedores no conocerán el efecto total de un cambio de precios hasta que pase el tiempo.

Un estudio exhaustivo que revisó las investigaciones académicas realizadas durante un periodo de 40 años en torno de la elasticidad precio, produjo hallazgos interesantes:[42]

- La elasticidad precio promedio para todos los productos, mercados y periodos estudiados fue de −2.62. En otras palabras, un descenso de 1% en los precios llevó a un aumento de 2.62% en las ventas.
- Las magnitudes de elasticidad precio fueron mayores para los bienes duraderos que para otros bienes, y mayores para los productos que estaban en las etapas de lanzamiento/crecimiento de su ciclo de vida que para los que se encontraban en las etapas de madurez/declive.
- La inflación llevó a elasticidades precio sustancialmente mayores, sobre todo en el corto plazo.
- Las elasticidades precio promocionales fueron más altas que las elasticidades precio reales en el corto plazo (aunque ocurría lo contrario en el largo plazo).
- Las elasticidades precio fueron más altas en el nivel de artículo individual que en el nivel general de marca.

Paso 3: Cálculo de los costos

La demanda establece un límite superior al precio que la empresa puede cobrar por su producto, y los costos marcan el límite inferior. La empresa desea cobrar un precio que cubra los costos en que incurre para producir, distribuir y vender el producto, incluyendo una rentabilidad justa por su esfuerzo y su riesgo.

Aunque las compañías fijan los precios de los productos para cubrir sus costos totales, el resultado neto no siempre es la obtención de rentabilidad.

TIPOS DE COSTOS Y NIVELES DE PRODUCCIÓN Los costos de producción pueden tomar dos formas, fijos y variables. Los **costos fijos**, también llamados **indirectos** u **overhead**, son aquellos que no varían según la producción o los ingresos por ventas. Independientemente de sus resultados, cada mes la empresa debe pagar alquiler, calefacción, intereses, salarios, etcétera.

Los **costos variables** son aquellos que varían directamente con el nivel de producción. Por ejemplo, cada una de las calculadoras fabricadas por Texas Instruments incurre en costos como plástico, chips microprocesadores y envasado. Estos costos tienden a ser constantes para cada unidad que se produce, pero se les llama variables porque su total varía de acuerdo con el número de unidades producidas.

Los **costos totales** son la suma de los costos fijos y los variables para un nivel determinado de producción. El **costo promedio** es el costo unitario para un nivel determinado de producción, y se calcula dividiendo los costos totales entre el número de unidades producidas. La dirección deseará cobrar un precio que cubra por lo menos los costos totales de producción en un nivel determinado de producción.

Para fijar un precio de manera inteligente, la dirección debe saber si sus costos varían según los diferentes niveles de producción. Piense, por ejemplo, en el caso de una empresa como TI, que ha construido una planta de tamaño fijo para producir 1 000 calculadoras diarias. El costo unitario (CMeCP, costo promedio a corto plazo) es alto si se producen pocas unidades al día; sin embargo, a medida que la producción se aproxima a 1 000 unidades cada día, el costo promedio disminuye porque los costos fijos se distribuyen entre más unidades. Ahora bien, el costo promedio *aumenta* cuando se rebasan las 1 000 unidades, porque la planta se vuelve ineficiente: los trabajadores se ven forzados a esperar su turno de operación, el personal se estorba entre sí, y las máquinas se averían con mayor frecuencia (vea la figura 14.2 (a)).

Si TI cree que puede vender 2 000 unidades diarias, debería considerar construir una planta de mayor tamaño. La planta utilizará maquinaria y esquemas de trabajo más eficientes, y el costo unitario de producir 2 000 calculadoras por día será menor que el de producir 1 000. Esta situación se hace evidente en la curva de costos promedio de largo plazo (CMeLP) de la figura 14.2(b). De hecho, una planta con capacidad para producir 3 000 unidades sería todavía más eficiente, de acuerdo con la figura 14.2(b), pero una que produjera diariamente 4 000 sería menos eficiente, debido a posibles deseconomías de escala: habría demasiados trabajadores que manejar y el papeleo frenaría las cosas. La figura 14.2(b) indica que el tamaño de planta óptimo sería aquel capaz de producir 3 000 unidades al día, si la demanda es lo suficientemente fuerte como para soportar ese nivel de producción.

Existen otros costos, además de los que se relacionan con la fabricación. Para calcular la rentabilidad real de la venta a diferentes tipos de minoristas o clientes, el fabricante necesita usar la contabilidad de los costos basados en actividades (CBA), en vez de una contabilidad de costos normal, como la descrita en el capítulo 5.

PRODUCCIÓN ACUMULADA Suponga que TI tiene en operación una planta que produce 3 000 calculadoras al día. A medida que la empresa va acumulando experiencia en la producción de calculadoras, sus métodos mejoran. Los trabajadores desarrollan mejor su labor, los materiales fluyen con mayor suavidad y los costos de adquisición disminuyen. El resultado, como muestra la figura 14.3, es que el costo promedio cae de acuerdo con la experiencia acumulada de producción. De esta manera, el costo promedio de producir las primeras 100 000 calculadoras es de 10 dólares por unidad. Cuando la empresa ha producido las primeras 200 000 calculadoras, el costo promedio ha caído a 9 dólares. Después de que su experiencia acumulada de producción se duplica de nuevo, llegando a las 400 000 unidades, el costo promedio unitario es de 8 dólares. Esta reducción en el costo promedio a partir de la experiencia acumulada de producción se llama **curva de experiencia** o **curva de aprendizaje**.

(a) Comportamiento de los costos en una planta de tamaño fijo

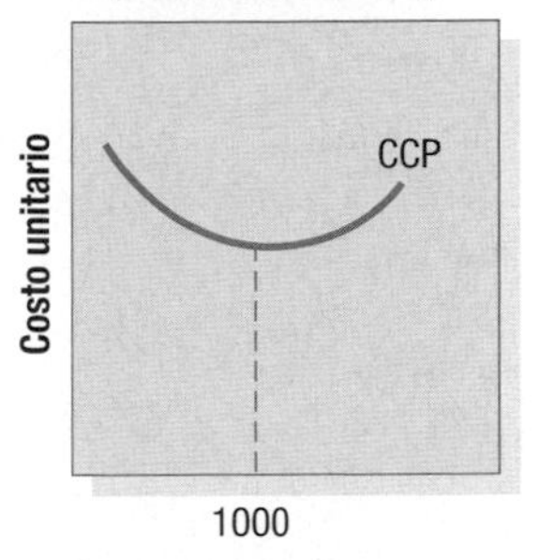

(b) Comportamiento de los costos en plantas de diferentes tamaños

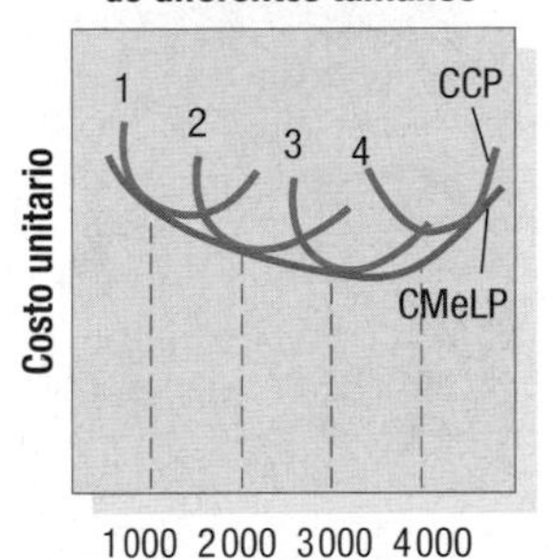

|Fig. 14.2| Costo unitario a diferentes niveles de producción por periodo

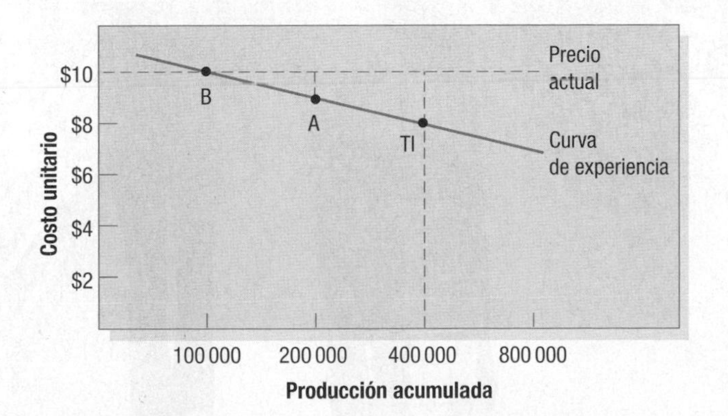

|Fig. 14.3| El costo unitario como una función de la producción acumulada: curva de experiencia

Ahora suponga que tres empresas compiten en esta industria: TI, A y B. TI es el productor con el costo más bajo —8 dólares—, habiendo producido 400 000 unidades en el pasado. Si las tres empresas venden la calculadora en 10 dólares, TI tiene una ganancia de 2 dólares por unidad. A gana 1 dólar por cada unidad, y B está en su punto de equilibrio. En este caso, lo más inteligente que podría hacer TI sería bajar su precio a 9 dólares, porque eso sacaría a B del mercado, e incluso A podría considerar salir de él. TI obtendrá los negocios que hubieran sido para B (y posiblemente de A). Además, los clientes sensibles al precio entrarán al mercado con el precio menor. A medida que aumenta la producción más allá de las 400 000 unidades, los costos de TI seguirán bajando aún más rápido y sus ganancias se incrementarán, incluso a un precio de 9 dólares. TI ha utilizado esta agresiva estrategia de precios repetidamente para obtener participación de mercado y sacar a otros de la industria.

En cualquier caso, la *fijación de precios por la curva de experiencia* implica riesgos importantes. La fijación agresiva de precios podría dar al producto una imagen de mala calidad. También supone que los competidores son seguidores débiles. La estrategia lleva a la empresa a construir más plantas para satisfacer la demanda, pero un competidor podría elegir innovar con una tecnología de menor precio, en cuyo caso el líder de mercado estaría atrapado en una tecnología obsoleta.

Casi siempre la fijación de precios por la curva de experiencia se ha enfocado en los costos de producción, pero todos los costos pueden ser mejorados, incluyendo los de marketing. Si cada una de las tres empresas invierte una suma importante de dinero en marketing, la empresa que lo ha venido haciendo durante más tiempo podría lograr los costos más bajos y, en consecuencia, estaría en condiciones de cobrar un poco menos por su producto y tener la misma rentabilidad, si todos los demás costos se mantienen iguales.[43]

COSTEO POR OBJETIVOS (*target costing*). Los costos cambian de acuerdo con la escala y la experiencia de producción. También pueden cambiar como resultado de un esfuerzo concentrado de los diseñadores, ingenieros y agentes de compras para reducirlos por medio del **costeo por objetivos (*target costing*)**.[44] Las investigaciones de mercado establecen las funciones que se desea que cumpla el nuevo producto, y el precio al que se venderá dado su atractivo y los precios de los competidores. Ese precio, menos el margen de utilidad deseado, indica el costo meta que debe lograr el especialista en marketing.

La empresa debe analizar cada uno de los elementos de costo —diseño, ingeniería, manufactura, ventas— y bajar los costos para que las proyecciones finales estén dentro del rango meta. Cuando ConAgra Foods decidió aumentar los precios de lista de sus comidas congeladas Banquet para cubrir los crecientes costos de las materias primas, el precio promedio minorista de dicho producto aumentó de 1 a 1.25 dólares. Al caer significativamente las ventas, la dirección prometió volver al precio de un dólar, lo que requirió recortar 250 millones de dólares en otros costos mediante diversos métodos, como compras y envíos centralizados, ingredientes más baratos y porciones más pequeñas.[45]

Las empresas pueden reducir los costos de muchas maneras.[46] En el caso de General Mills fue tan sencillo como reducir el número de variedades del sazonador Hamburger Helper de 75 a 45, y disminuir el número de presentaciones de pasta de 30 a 10. Dejar de usar tapas multicolores le ahorró a Yoplait dos millones de dólares al año. Algunas empresas están aplicando sus conocimientos sobre producción de artículos asequibles con recursos escasos en países en desarrollo, como India, para disminuir costos en los mercados desarrollados. Por ejemplo, Cisco forma equipos con una mezcla de ingenieros de software estadounidenses y supervisores de India. Otras empresas, como Aldi, aprovechan el alcance global.

ConAgra aprendió la importancia que tiene para sus clientes el que la empresa mantenga el precio de sus comidas congeladas a 1 dólar.

Aldi

Aldi La empresa alemana Aldi sigue globalmente una sencilla fórmula. Sólo tiene en existencia alrededor de 1 000 unidades de los artículos más populares de alimentos y para el hogar, en comparación con las más de 20 000 que mantienen algunas tiendas de alimentos tradicionales, como Albert Heijn de Royal Ahold. Casi todos los productos tienen la etiqueta exclusiva propia de Aldi. Debido a que vende tan pocos productos, la empresa puede ejercer un estricto control de la calidad y el precio, así como simplificar su envío y manejo, lo que produce altos márgenes de ganancia. Actualmente Aldi cuenta con más de 8 200 tiendas en todo el mundo y produce casi 60 000 millones de dólares en ventas anuales.[47]

Paso 4: Análisis de los costos, precios y ofertas de los competidores

Dentro del rango de los posibles precios determinados por la demanda del mercado y los costos de la empresa, ésta debe tener en cuenta los costos, precios y posibles reacciones de los precios de sus competidores. Si la oferta de la compañía incluye características que su competidor más cercano no ofrece, será necesario evaluar su valor para el cliente y sumar ese valor al precio del competidor. Si la oferta del competidor contiene algunas características que la empresa no ofrece, ésta también deberá restar ese valor de su propio precio. A partir de esa información, la empresa podrá decidir si tiene oportunidad para cobrar más, lo mismo o menos que el competidor.

La introducción o cambio de cualquier precio puede provocar una respuesta de los clientes, competidores, distribuidores, proveedores e incluso del gobierno. Es más probable que los competidores reaccionen cuando el número de empresas es escaso, el producto es homogéneo y los compradores están muy informados. Las reacciones de los competidores pueden ser un problema especial cuando tienen una fuerte propuesta de valor, como en el caso de Green Works.

Green Works

Green Works Aunque en el mercado de productos de limpieza a base de ingredientes naturales los pioneros fueron Seventh Generation y Method, Green Works, de Clorox, ahora tiene un 42% del mercado. La línea de productos Green Works está compuesta por 10 limpiadores naturales que utilizan ingredientes biodegradables, envasados en materiales reciclables y no probados en animales. La primera marca nueva importante de Clorox que aparecía en más de 20 años duplicó el tamaño de la categoría de productos ecológicos de limpieza con su estrategia de "entregar una línea de productos asequibles, que sean buenos para los consumidores, buenos para los minoristas y buenos para el medio ambiente". La empresa solamente cobra un sobreprecio de entre el 10 y el 20% respecto de los limpiadores convencionales, en comparación con el sobreprecio de hasta un 40% de otros limpiadores naturales. Los esfuerzos del marketing de lanzamiento incluyeron el uso de marketing viral y redes sociales, cobertura prominente en televisión en programas televisivos de gran audiencia, colaboraciones con clientes minoristas como Safeway y Walmart en el desarrollo de productos y promoción dentro de las tiendas, y patrocinio y un programa de marketing con causa en asociación con la organización ecologista Sierra Club (lo que produjo una donación de 645 000 dólares en 2009).[48]

¿Qué puede hacer una empresa para anticiparse a las reacciones de un competidor? En primer lugar, podría dar por sentado que el competidor reaccionará siempre del mismo modo a un cambio o fijación de precio. También puede suponer que el competidor tratará cada diferencia o cambio de precio como un desafío nuevo, y que reaccionará de acuerdo con el interés que tenga en ese momento determinado. En ese caso, la empresa tendrá que investigar la situación financiera actual del competidor, sus ventas recientes, la lealtad de sus clientes y sus metas corporativas. Si la meta del competidor es ganar participación de mercado, probablemente tratará de igualar las diferencias o cambios de precio.[49] Si su meta es la maximización de ganancias (beneficios), podría reaccionar aumentando su presupuesto de publicidad o mejorando la calidad de su producto.

El problema es complejo, porque el competidor puede hacer diferentes interpretaciones en relación con la reducción o recorte de precios: que la empresa está tratando de adueñarse del mercado, que no le está yendo bien e intenta impulsar sus ventas, o que quiere que toda la industria baje sus precios para estimular la demanda total.

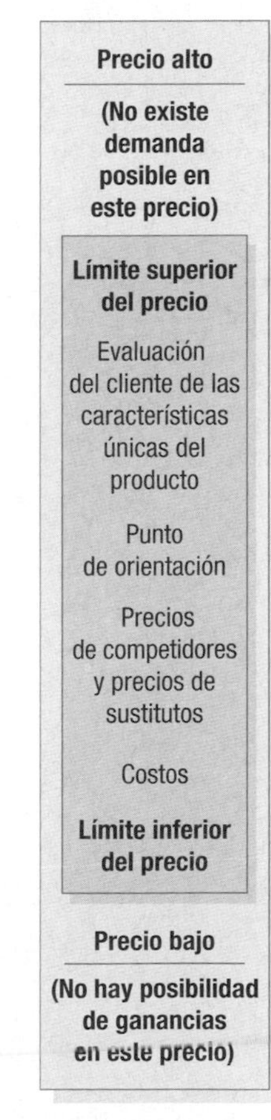

Fig. 14.4 El modelo de tres C para la fijación de precio

Paso 5: Elección de un método de fijación de precios

Una vez al tanto del programa de demanda de los clientes, la función de costos y los precios de los competidores, la empresa está lista para elegir un precio. La figura 14.4 resume las tres consideraciones más importantes que participan en la fijación de precios: los costos marcan el límite inferior del precio; los precios de los competidores y los productos sustitutos proveen un punto de orientación; la evaluación de las características únicas por parte de los consumidores establece el límite superior.

Las empresas eligen un método de fijación de precios que incluya una de estas tres consideraciones o varias de ellas. A continuación analizaremos seis métodos de fijación de precios: mediante márgenes, para alcanzar una tasa de rentabilidad, de acuerdo con el valor percibido, con base en el valor, de acuerdo con la tasa actual, y de tipo subasta.

FIJACIÓN DE PRECIOS MEDIANTE MÁRGENES El método más elemental de fijación de precios consiste en sumar un margen estándar al costo del producto. Por ejemplo, las empresas constructoras presentan cotizaciones de obra calculando el costo total del proyecto y añadiéndole un margen estándar de ganancia; por su parte, los abogados y contables suelen fijar sus precios añadiendo un margen estándar a su tiempo y costos.

Costo unitario variable	10 dólares
Costos fijos	300 000 dólares
Ventas unitarias esperadas	50 000

Suponga que un fabricante de tostadoras tiene las siguientes expectativas de costos y ventas:
El costo unitario del fabricante está dado por:

$$\text{Costo unitario} = \text{costo variable} + \frac{\text{costo fijo}}{\text{ventas unitarias}} = \$10 + \frac{\$30\,000}{50\,000} = \$16$$

Ahora suponga que el fabricante desea ganar un margen de 20% sobre las ventas. En tal caso el precio fijado mediante márgenes está dado por:

$$\text{Precio con margen} = \frac{\text{costo unitario}}{(1 - \text{rentabilidad deseada por las ventas})} = + \frac{\$16}{1 - 0.2} = \$20$$

El fabricante cobrará a los distribuidores 20 dólares por cada tostador y tendrá una ganancia de 4 dólares por unidad. Si los distribuidores desean ganar el 50% sobre su precio de venta, tendrán que aumentar el precio un 100% y fijarlo en 40 dólares. Los márgenes generalmente son más altos en los productos estacionales (para cubrir el riesgo de que no se vendan), los artículos de especialidad, los que se venden con lentitud, los que tienen altos costos de almacenamiento y manipulación, y los de demanda inelástica, como los medicamentos por prescripción médica.

¿El uso de márgenes estándar tiene lógica? Generalmente no. Cualquier método de fijación de precios que no toma en consideración la demanda actual, el valor percibido y la competencia, difícilmente producirá el precio óptimo. La fijación de precios mediante márgenes solamente funciona si el precio con el margen en realidad atrae el número esperado de ventas. Considere lo que le sucedió a Parker Hannifin.

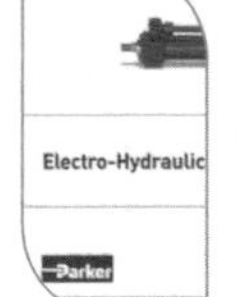

Parker Hannifin Cuando Donald Washkewicz fue nombrado CEO de Parker Hannifin, fabricante de 800 000 partes industriales para las industrias aeroespacial, de transporte y manufacturera, la fijación de precios se hacía calculando el costo de fabricar y entregar un producto, y sumándole después un porcentaje fijo (generalmente del 35%). Aunque este método había sido aceptado durante mucho tiempo, Washkewicz quería lograr que la empresa pensara más como minorista y cobrara lo que los clientes estuvieran dispuestos a pagar. Al encontrar una resistencia inicial en algunas de las 115 diferentes divisiones de la empresa, Washkewicz reunió en una lista las 50 razones citadas con más frecuencia como argumentos respecto del fracaso del nuevo esquema de precios, y anunció que solamente escucharía puntos de vista que no estuvieran en ella. El nuevo esquema de fijación de precios organizaba los productos de Parker Hannifin en una de cuatro categorías que dependían de cuánta competencia tenían. Más o menos un tercio de los productos cayeron en nichos donde Parker ofrecía un valor único, con poca competencia y en donde los precios más altos eran apropiados. Cada división tiene ahora un especialista en precios que contribuye a la fijación estratégica de precios. La división que fabrica juntas industriales revisó 2 000 artículos diferentes y concluyó que 28% tenían un precio demasiado bajo, por lo que podía aumentar los precios entre el 3 y el 60 por ciento.[50]

Aun así, la fijación de precios mediante márgenes sigue siendo popular, en primer lugar porque los vendedores pueden determinar los costos con mucha mayor facilidad de la que pueden estimar la demanda.

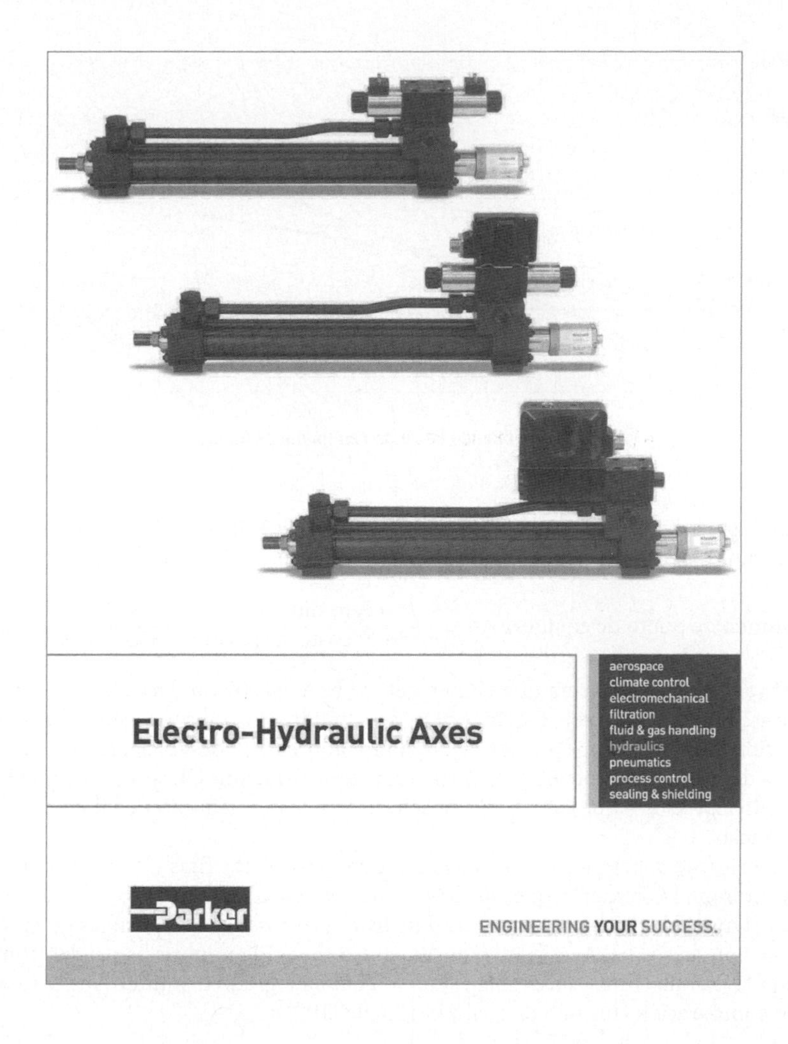

Con un mayor énfasis en el valor del cliente y en las presiones de la competencia, Parker Hannifin mejoró su enfoque en la fijación de precios para sus miles de productos.

Al vincular el precio con el costo, los vendedores simplifican la tarea de fijación de precios. En segundo lugar, cuando todas las empresas de una industria utilizan el mismo método, los precios tienden a ser similares y la competencia de precios se minimiza. En tercero, muchas personas sienten que la fijación de precios de costo más ganancia es más justa, tanto para los compradores como para los vendedores, dado que estos últimos no abusan de los compradores cuando su demanda se agudiza, y además pueden obtener una rentabilidad justa sobre su inversión.

FIJACIÓN DE PRECIOS PARA ALCANZAR UNA TASA DE RENTABILIDAD En la **fijación de precios para alcanzar una tasa de rentabilidad**, la empresa determina el precio que produciría la tasa de rentabilidad sobre la inversión (RSI o ROI, *Return on Investment*) meta de la empresa. Las empresas de servicios públicos, que necesitan obtener una rentabilidad justa sobre su inversión, suelen utilizar este método.

Suponga que el fabricante de tostadores ha invertido un millón de dólares en el negocio y desea fijar un precio que le permita obtener una RSI de 20%, específicamente 200 000 dólares. El precio para alcanzar la tasa de rentabilidad meta está dado por la fórmula siguiente:

$$\text{Precio de rentabilidad meta} = \text{costo unitario} + \frac{\text{rentabilidad deseada} \times \text{capital invertido}}{\text{ventas unitarias}}$$

$$= \$16 + \frac{.20 \times \$1\,000\,000}{50\,000} = \$20$$

El fabricante obtendrá esta RSI de 20% si sus costos y sus ventas estimadas resultan precisos. Pero, ¿qué pasará si las ventas no llegan a las 50 000 unidades? El fabricante puede preparar una gráfica de punto de equilibrio para saber lo que sucedería en otros niveles de ventas (vea la figura 14.5). Los costos fijos son de 300 000 dólares, independientemente del volumen de ventas. Los costos variables, que no se muestran en la figura, aumentan de acuerdo con el volumen. Los costos totales son iguales a la suma de los costos fijos y variables. La curva de ingreso total comienza en cero y sube con cada unidad vendida.

|Fig. 14.5|

Gráfica de punto de equilibrio para determinar el precio de rentabilidad meta y el volumen de punto de equilibrio

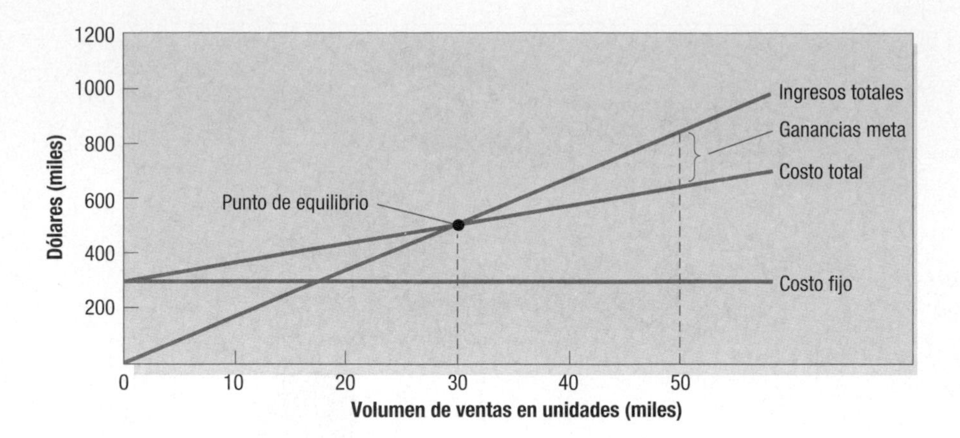

Las curvas de ingreso total y de costos totales se cruzan en las 30 000 unidades. Éste es el volumen en el que se alcanza el punto de equilibrio. El cálculo puede verificarse con la fórmula siguiente:

$$\text{Volumen de punto de equilibrio} = \frac{\text{costo fijo}}{(\text{precio} - \text{costo variable})} = \frac{\$300\,000}{\$20 - \$10} = \$30\,000$$

El fabricante, por supuesto, espera que el mercado compre 50 000 unidades a 20 dólares cada una, en cuyo caso ganará 200 000 dólares sobre su inversión de 1 millón; sin embargo, esto dependerá en gran medida de la elasticidad precio y de los precios de los competidores. Por desgracia, la fijación de precios para alcanzar una tasa de rentabilidad tiende a descartar estas consideraciones. Es preciso que el fabricante tome en cuenta diferentes precios y que calcule el impacto probable de cada uno de ellos sobre el volumen de ventas y las ganancias.

Además, el fabricante deberá buscar formas de reducir sus costos fijos o variables, porque los costos más bajos disminuirán el volumen requerido para lograr el punto de equilibrio. Acer ha estado ganando participación en el mercado de *netbooks* por sus muy bajos precios, que son posibles gracias a su estrategia de extrema reducción de costos. Acer vende únicamente a través de minoristas y otros puntos de venta, y subcontrata toda la manufactura y ensamblaje, con lo cual ha logrado disminuir sus costos fijos hasta un nivel del 8%, en comparación con 14% de Dell y el 15% de HP.[51]

FIJACIÓN DE PRECIOS CON BASE EN EL VALOR PERCIBIDO Cada vez son más las empresas que basan su precio en el **valor percibido** por el cliente. El valor percibido está compuesto por una serie de factores, como la imagen que tiene el comprador respecto del rendimiento del producto, las entregas del canal, la garantía de calidad, el servicio al cliente y otros aspectos de menor exigencia, como la reputación del proveedor, su confiabilidad y su estima. Las empresas deben entregar el valor que prometen en su propuesta y el cliente debe percibir este valor. Las organizaciones utilizan otros elementos del programa de marketing, como publicidad, fuerza de ventas e Internet, para comunicar y mejorar la percepción de valor en la mente de los compradores.[52]

Caterpillar utiliza el valor percibido para fijar los precios de su equipo para construcción. Esto le permite fijar el precio de un tractor en 100 000 dólares, aunque un tractor similar de la competencia podría tener un precio de 90 000 dólares. Cuando un cliente potencial pregunta a un distribuidor de la empresa por qué debería pagar 10 000 dólares más por el tractor de Caterpillar, el distribuidor contesta:

Precio (dólares)	Concepto
90 000	es el precio del tractor si sólo se toma en cuenta su similitud con el tractor de la competencia
7 000	es el sobreprecio por la durabilidad superior que ofrece Caterpillar
6 000	es el sobreprecio por la fiabilidad superior que ofrece Caterpillar
5 000	es el sobreprecio por el servicio superior que ofrece Caterpillar
2 000	es el sobreprecio por la garantía que ofrece Caterpillar sobre sus partes
110 000	es el precio normal para cubrir el valor superior de Caterpillar
−10 000	de descuento
100 000	es el precio final

El distribuidor de Caterpillar puede demostrar que aunque al cliente se le pide que pague un sobreprecio de 10 000 dólares, en realidad está obteniendo 20 000 dólares de valor adicional. El cliente elige el tractor Caterpillar porque está convencido de que los costos de operación durante su tiempo de vida serán menores que para otros tractores.

Asegurarse de que los clientes aprecian el valor total de una oferta de productos o servicios es crucial. Considere la experiencia de City Market.

City Market Comercial Mexicana (conocida simplemente como "La Comercial" o "La Comer"), es una cadena mexicana de supermercados, con gran presencia en el país. A principios de 2006, Controladora Comercial Mexicana lanzó City Market, el concepto de tiendas de autoservicio más sofisticado de México. City Market son tiendas de ultramarinos dirigidas a consumidores de nivel socioeconómico alto, o *premium*, y ofrecen una gran variedad de productos exclusivos y netamente *gourmet* provenientes de más de 25 países de los cinco continentes. Actualmente, sólo cuenta con dos establecimientos dentro de la ciudad de México, teniendo como competencia directa en estos rubros a Liverpool y El Palacio de Hierro, conocidas tiendas departamentales (grandes almacenes) que atienden a un segmento de mercado de ingresos elevados. De su cartera de productos, entre el 90 y el 95% son artículos de alimentos, y su objetivo es resolver necesidades inmediatas de comida o cena (alimentos preparados y refrigerados que sólo requieren calentarse), además de aceites, vinos y licores, quesos, mermeladas y jaleas, alimentos enlatados, pastelería fina y carnes de pato, codorniz, avestruz, becerro, búfalo, canguro, conejo, cordero y ternera; también ofrece una variedad de frutas, verduras y especias exóticas. En un área complementaria se ubican productos de aseo del hogar, bebidas gaseosas, cervezas, agua y café, de marcas tan prestigiosas como Hédiard, Feyel, Lindt e Illy. Otro de los servicios que City Market proporciona a sus clientes es el bar de pinchos, en donde se ofrece la variedad más representativa de platillos elaborados con ingredientes tradicionales de España. Ahí mismo se puede degustar de una copa de vino o una cerveza, así como gelatos o helados artesanales elaborados con productos frescos de primera calidad. Además de la calidad de los productos, la tienda amplía la experiencia de sofisticación mediante tecnologías innovadoras como cajeros automatizados, carritos con escáneres de productos, hornos de cocción rápida y descongelado, y pantallas electrónicas para consulta de precios en todos sus estantes. Desplegada en una superficie de 2 000 metros cuadrados, City Market apuesta por la comodidad y un excelente servicio para sus clientes.[53]

Debido a la exclusividad de los productos que maneja y a la innovación de la disposición de sus tiendas, City Market puede cobrar un precio más alto que otros autoservicios.

Incluso cuando una empresa afirma que su oferta entrega más valor total, no todos los clientes responderán positivamente; algunos sólo se preocuparán por el precio. Sin embargo, casi siempre existe también un segmento interesado en la calidad. En India, los fabricantes de los paraguas Stag —un artículo esencial durante los tres meses de lluvia interminable causada por el monzón en ciudades como Mumbai— se encontraron en una acalorada guerra de precios con los competidores chinos, cuyos productos eran más baratos. Cuando se dieron cuenta de que sacrificaban demasiado en términos de calidad, los directores de Stag decidieron aumentarla con nuevos colores, diseños, y características como linternas integradas de alto poder y música pregrabada. De hecho, a pesar de sus precios más altos, las ventas de los paraguas mejorados de Stag aumentaron.[54]

La clave para la fijación de precios basada en el valor percibido radica en entregar un valor único y más grande que la competencia y hacerlo evidente ante los clientes potenciales. Así, la empresa necesita tener una completa comprensión del proceso de toma de decisiones del cliente. Por ejemplo, a Goodyear se le dificultó cobrar un sobreprecio por sus neumáticos nuevos más costosos, a pesar de las características innovadoras que había introducido para extender la vida de su dibujo. Debido a que los consumidores no tenían un precio de referencia para comparar el valor de los neumáticos, tendían a basar su decisión en ofertas de menor precio. La solución de Goodyear consistió en fijar los precios de sus modelos según el kilometraje de desgaste esperado, más que en las características técnicas del producto. Con esto logró que las comparaciones entre productos fueran más fáciles.[55]

La empresa puede intentar determinar el valor de su oferta de varias maneras: sometiéndolo al juicio de sus directivos, considerando el valor de productos similares, o utilizando *focus groups*, encuestas, experimentos, análisis de datos históricos y análisis conjunto.[56] La tabla 14.4 incluye seis consideraciones clave en el desarrollo de precios basados en el valor.

FIJACIÓN DE PRECIOS CON BASE EN UNA PROPUESTA DE VALOR (*Value Pricing*). En años recientes, varias empresas han adoptado la **fijación de precios con base en una propuesta de valor** o ***value pricing***. En otras palabras, buscan la lealtad de los clientes cobrando un precio relativamente bajo por una oferta de alta calidad. Por lo tanto, el *value pricing* no consiste únicamente en fijar precios más bajos, sino en hacer una reingeniería de las operaciones para que la empresa se convierta en un productor de bajo costo sin sacrificar la calidad y logre atraer un gran número de clientes conscientes del valor.

TABLA 14.4	Preguntas de referencia para practicar la fijación de precios con base en el valor percibido
1.	¿Cuál es la estrategia de mercado para el segmento? (¿Qué desea lograr el proveedor? ¿Qué desearía el proveedor que sucediera?)
2.	¿Cuál es el valor diferencial *transparente* o evidente para los cliente meta? (*Transparente* significa que los cliente meta comprenden con facilidad cómo calcula el proveedor el valor diferencial entre su oferta y la siguiente mejor alternativa, y que el valor diferencial puede ser verificado con los datos propios del cliente).
3.	¿Cuál es el precio de la siguiente mejor oferta alternativa?
4.	¿Cuál es el costo de la oferta de mercado del proveedor?
5.	¿Qué tácticas de fijación de precios se utilizarán inicialmente y con el tiempo? (Las "tácticas de precios" son cambios de precio que un proveedor ha fijado para su oferta de mercado —digamos, un descuento— para motivar a los clientes a tomar acciones que lo beneficien).
6.	¿Cuál es la expectativa del cliente en cuanto a lo que es un precio "justo"?

Fuente: James C. Anderson, Marc Wouters y Wouter Van Rossum, "Why the Highest Price Isn't the Best Price", *MIT Sloan Management Review* (invierno de 2010), pp. 69-76.

Algunas de las empresas más hábiles en el *value pricing* (una propuesta de valor) son IKEA, Target y Southwest Airlines. A principios de la década de 1990, Procter & Gamble creó un gran revuelo al reducir el precio de productos básicos de supermercado, como los pañales Pampers y Luvs, el detergente líquido Tide y el café Folgers, con la intención de fijarles un precio con base en una propuesta de valor. Para lograrlo, P&G rediseñó la manera en que desarrollaba, fabricaba, distribuía, fijaba el precio, comercializaba y vendía los productos, buscando entregar un mejor valor en cada punto de la cadena de suministros.[57] Con la adquisición de Gillette en 2005 (por 57 000 millones de dólares, cantidad récord equivalente a cinco veces el monto de sus ventas), P&G sumó una marca más, la cual también ha adoptado a lo largo de su historia una estrategia de fijación de precios con base en una propuesta de valor.

Gillette

Gillette En 2006, Gillette lanzó el "mejor afeitado del planeta" con la maquinilla de seis hojas Fusion —cinco hojas al frente para un afeitado regular y una en la parte trasera para recortar—, en versiones eléctrica y mecánica. Gillette lleva a cabo investigaciones exhaustivas entre los consumidores al diseñar sus nuevos productos e implementa agresivas campañas promocionales para darlos a conocer. La empresa gastó más de 1 200 millones de dólares en investigación y desarrollo después del lanzamiento de la antecesora de Fusion, la Mach3. Alrededor de 9 000 hombres probaron los nuevos productos potenciales y prefirieron la Fusion a la Mach3 por un margen de dos a uno. Para respaldar el lanzamiento, Procter & Gamble gastó 200 millones de dólares en Estados Unidos y más de 1 000 millones de dólares en todo el mundo. ¿El resultado? Gillette goza de un enorme liderazgo en el mercado de las categorías de maquinillas y hojas de afeitar, con el 70% del mercado global y sobreprecios significativos. En cuanto a repuestos, un paquete con cuatro, para la Fusion Power cuesta 14 dólares, mientras que el paquete de cinco repuestos para la Sensor Excel tiene un precio de 5.29 dólares. Todo esto contribuye a la rentabilidad significativa y sostenida de P&G, su propietario corporativo.[58]

La fijación de precios con base en una propuesta de valor también puede cambiar la estrategia de establecimiento de precios de la empresa. Cierta empresa dedicada a la venta y mantenimiento de cajas de conmutación para líneas telefónicas de diversos tamaños, encontró que la probabilidad de fallo —y los consecuentes costos de mantenimiento— era proporcional al número de conmutadores que los clientes tenían dentro de las cajas y no al valor monetario de las cajas instaladas. Sin embargo, el número de conmutadores podía variar dentro de cada caja. Por lo tanto, en lugar de cobrar a los clientes con base en el total gastado en su instalación, la empresa comenzó a cobrar con base en el número total de conmutadores que necesitaban servicio.[59]

Un tipo importante de fijación de precios con base en una propuesta de valor es la conocida como **precios bajos permanentes, siempre precios bajos** o **EDLP** (***everyday low pricing***). Los minoristas que usan la política de fijación de precios EDLP cobran un precio bajo constante, con pocas o ninguna promoción de precios o descuentos especiales. Los precios constantes eliminan la incertidumbre recurrente y la fijación de precios de los competidores orientada a la promoción de precios "altos-bajos". En los **precios altos-bajos,** el minorista cobra precios más altos todos los días y hace promociones frecuentes con precios temporalmente inferiores al nivel de EDLP.[60] Se ha podido comprobar que la implementación de estas dos estrategias afecta el juicio de los consumidores en materia de precios: los grandes descuentos (EDLP) pueden llevar a que la percepción de los precios por parte de los clientes sea más baja que con los descuentos frecuentes y no tan grandes (altos-bajos), incluso si los promedios reales son los mismos.[61]

En años recientes, los precios altos-bajos ha dado paso a los precios EDLP en tantos lugares tan diferentes como en concesionarios Toyota Scion y grandes almacenes de lujo, como Nordstrom. Sin embargo, el líder indiscutible en EDLP es Walmart, que prácticamente definió el término. A excepción de unos cuantos artículos con descuento cada mes, Walmart promete precios bajos permanentes en las marcas principales.

El método EDLP ofrece beneficios en tiempo y dinero para el cliente. Toyota considera que a su mercado meta —la llamada generación Y— le disgusta regatear, porque hacerlo ocupa demasiado tiempo. De cualquier forma, estos compradores recopilan mucha información online, así que Toyota puede ahorrar tiempo en el cierre de ventas de su modelo Scion, utilizando sólo 45 minutos (en contraste con las 4.5 horas que se requieren como promedio en el sector), menos gerentes para autorizar los precios negociados y menos publicidad.[62] Algunos distribuidores basan toda su estrategia de marketing en los precios bajos permanentes y *extremos*.

Waldo's Mart

Waldo's Mart Waldo's Mart es una cadena internacional de tiendas de autoservicio basada en el esquema de precio fijo, que se define a sí misma como "una cadena de tiendas de venta minorista con base en oportunidades". Las tiendas de precio fijo son establecimientos que vende artículos a bajo precio, estableciendo un límite inferior general para todos los productos (casi siempre el equivalente a un dólar), un concepto muy popular en todo el mundo. Las cadenas de este tipo suelen vender todo tipo de artículos, desde productos de limpieza hasta juguetes. **Waldo's Mart** inició operaciones en 1997, en la ciudad de Illinois, expandiéndose al corto plazo hacia Detroit y Michigan. En 1999 inicia operaciones en México, con tan buena aceptación que la empresa tomó la decisión de cerrar puntos de venta en Estados Unidos para concentrarse en su expansión en su vecino. Así, en junio de 2000 se inauguraron las oficinas centrales en la ciudad de Tijuana, México. El novedoso concepto de las tiendas detonó un crecimiento acelerado, logrando expandirse a casi todo el territorio mexicano en tan sólo cuatro años. En Waldo's Mart se venden productos a precios irresistibles, de valor y útiles [artículos de belleza, para el hogar, de decoración, de cocina, ferretería, juguetes, papelería, para limpieza, para mascotas, bebidas, dulces, botanas (aperitivos), abarrotes y para bebés], además de brindar una experiencia de compra fácil para sus clientes. De acuerdo con la agencia de investigación de mercados LatinPanel México, cada tres meses 11% de los hogares mexicanos realiza al menos una compra en Waldo's Mart, destinando a ello 70 pesos (6 dólares). Al contrario de las bajas ventas que la agencia citada ha reportado para el segmento de autoservicios en tiempos recientes, Waldo's Mart ha encontrado una buena oportunidad para incrementar su negocio a pesar de los reveses económicos actuales, dado que el consumidor es más cauteloso y busca gastar lo menos posible.[63]

La razón más importante para que los minoristas adopten una estrategia de EDLP, es que los descuentos y promociones constantes resultan costosos y han erosionado la confianza de los consumidores en los precios que presentan. Por otro lado, los consumidores también tienen menos tiempo y paciencia para poner en práctica comportamientos de compra tradicionales, como mantenerse al tanto de los precios especiales o recortar cupones de descuento para ciertas compras. Con todo, las promociones crean emoción y atraen compradores, así que la implementación de EDLP no garantiza el éxito. A medida que los supermercados enfrentan mayor competencia de sus contrapartes y de los canales alternativos, muchos encuentran que la clave es una combinación de estrategias de precios altos-bajos y precios bajos permanentes, con mayor publicidad y más promociones.

FIJACIÓN DE PRECIOS CON BASE EN LA COMPETENCIA En la **fijación de precios con base en la competencia**, la empresa basa sus precios —en gran medida— en los precios de sus competidores. En algunas industrias oligopólicas de materias primas como el acero, el papel o los fertilizantes, todas las empresas cobran el mismo precio, y las compañías más pequeñas "siguen al líder", cambiando sus precios cuando se modifican los precios del líder del mercado, en lugar de hacerlo cuando su propia demanda o sus costos sufren alteraciones. Algunas empresas pueden cobrar un pequeño sobreprecio o introducir un descuento, pero mantienen la diferencia. Por ejemplo, en Estados Unidos, los minoristas independientes en la venta de gasolina cobran unos cuantos centavos menos por litro en comparación con las grandes empresas petroleras, pero sin permitir que la diferencia aumente o disminuya.

La fijación de precios con base en la competencia es bastante popular. Cuando los costos son difíciles de medir o la respuesta competitiva es incierta, las empresas sienten que el precio de la competencia constituye un buen parámetro, pues uno supondría que refleja el punto de vista general en la industria.

FIJACIÓN DE PRECIOS POR SUBASTA La fijación de precios por subasta es cada vez más popular, sobre todo a partir del surgimiento de mercados electrónicos que venden de todo, desde cerdos hasta automóviles usados, al disponer las empresas de un exceso de inventario o bienes usados. Éstos son los tres tipos de subastas y sus procedimientos respectivos de fijación de precios:

- ***Subasta inglesa (ofertas ascendientes).*** Hay un vendedor y muchos compradores. En sitios como eBay y Amazon.com, el vendedor anuncia un artículo y los oferentes elevan el precio de la oferta hasta que se llega al precio tope. El mejor postor obtiene el artículo. Las subastas inglesas se utilizan actualmente para la venta de antigüedades, ganado, bienes raíces, equipo usado y vehículos. Después de ver cómo eBay y otros intermediarios y revendedores de entradas han ganado millones cobrando lo que el mercado está dispuesto a pagar, Ticketmaster rediseñó sus políticas de venta de entradas para tratar de obtener más en esta multimillonaria industria. Ahora ofrece subastas para el 30% de las giras musicales más importantes (incluyendo las de artistas tan populares como Christina Aguilera y Madonna) y permite que algunos de sus clientes revendan sus entradas a través de su sitio Web.[64]

- ***Subastas holandesas (ofertas descendentes).*** Hay un vendedor y muchos compradores, o un comprador y muchos vendedores. En el primer caso, un subastador anuncia un precio elevado para un producto, y va reduciéndolo poco a poco hasta que un oferente lo acepta. En la otra, el comprador anuncia lo que desea comprar y los vendedores potenciales compiten para ofrecer el precio más bajo. FreeMarkets.com —que fue adquirida por Ariba— contribuyó a que Royal Mail Group plc, la empresa pública de correos del Reino Unido, ahorrara aproximadamente 2.5 millones de libras (unos 4 millones de dólares), en una subasta donde 25 aerolíneas compitieron por su negocio internacional de carga.[65]
- ***Subasta de oferta sellada.*** Permite que cada aspirante a proveedor proponga una oferta única, sin conocer las ofertas de los demás. El gobierno estadounidense suele utilizar este método para la adquisición de insumos. El proveedor no presentará ofertas por debajo de su costo, pero tampoco puede proponer un precio demasiado alto, ya que al hacerlo podría perder la asignación. El efecto neto de estas dos fuerzas es la *ganancia esperada* de la oferta.[66]

Pfizer utiliza subastas inversas para comprar el equipo requerido por sus investigadores de medicamentos; en ellas, los proveedores hacen conocer online el precio más bajo que están dispuestos a aceptar. Sin embargo, si el potencial ahorro que obtiene una empresa en una subasta online se traduce en márgenes inferiores para un proveedor actual, éste podría sentir que la empresa está siendo oportunista al presionar para obtener concesiones de precios.[67] Por su parte, las subastas online con muchos oferentes, un importante volumen de negocio en juego y menos visibilidad en cuanto a la fijación de precios, provocan una mayor satisfacción general, más expectativas positivas a futuro, y una menor precepción de oportunismo.

Paso 6: Selección del precio final

Los métodos de fijación de precios estrechan el rango de opciones en que la empresa debe elegir su precio final. Al seleccionar ese precio, la empresa debe considerar factores adicionales, incluyendo el impacto de otras actividades de marketing, las políticas de fijación de precios de la empresa, la fijación de precios compartiendo ganancias y riesgos, y el impacto del precio en otras instancias.

IMPACTO DE OTRAS ACTIVIDADES DE MARKETING El precio final debe tener en cuenta la calidad de la marca y la publicidad en relación con las de la competencia. En un estudio clásico, Paul Farris y David Reibstein analizaron las relaciones entre precio relativo, calidad relativa y publicidad relativa para 227 negocios de consumo, obteniendo los hallazgos siguientes: [68]

- Las marcas con una calidad relativa promedio, pero con presupuestos de publicidad relativamente altos, podían cobrar un sobreprecio. Los consumidores estaban más dispuestos a pagar precios altos por productos conocidos que por desconocidos.
- Las marcas con una calidad relativa alta y publicidad relativa alta cobraban los precios más altos. De manera similar, las marcas con mala calidad y baja publicidad establecieron los precios más bajos.
- En el caso de los líderes del mercado, una relación positiva entre los precios altos y mucha publicidad se sostenía con mayor fuerza en las etapas más avanzadas del ciclo de vida del producto.

Estos hallazgos sugieren que el precio no es necesariamente tan importante como la calidad y otros beneficios.

POLÍTICAS DE FIJACIÓN DE PRECIOS DE LA EMPRESA El precio debe ser consistente con las políticas de fijación de precios de la empresa. A pesar de ello, las empresas no son reacias a establecer penalizaciones de precios en determinadas circunstancias.[69]

Por ejemplo, las aerolíneas cobran una cuota de penalización a quienes cambian sus reservaciones de boletos (billetes) de descuento; los bancos cobran comisiones cuando se hacen demasiados retiros en un mes, o por retiros anticipados sobre un certificado de depósito; los dentistas, hoteles, empresas de alquiler de automóviles y otros proveedores de servicios cobran penalizaciones cuando los clientes no acuden a la cita. Aunque estos métodos son muchas veces justificables, los especialistas en marketing deben usarlos con mesura, evitando "castigar" a los clientes sin necesidad. (Vea "Marketing en acción: Aumentos de precio furtivos").

Muchas empresas tienen un departamento de precios para desarrollar políticas y establecer o aprobar las decisiones. La meta es asegurarse de que el personal de ventas cotice precios razonables para los clientes y, al mismo tiempo, rentables para la empresa.

Aumentos de precio furtivos

Cuando los consumidores se resisten a los precios más altos, las empresas intentar descifrar cómo aumentar sus ingresos sin tener que incrementar los precios. En tales situaciones, muchas veces optan por cobrar características que antes eran gratuitas. Aunque algunos consumidores aborrecen las estrategias de precios que incluyen cargos fraccionarios (racionados), los pequeños montos adicionales pueden significar una fuente importante de ingresos.

Las cifras podrían resultar sorprendentes. La industria de las telecomunicaciones ha estado añadiendo cuotas agresivamente por apertura, cambio de servicio, terminación de servicio, asistencia vía telefónica, evaluación regulatoria, portabilidad del número, y conexión a través de cable, lo que ha costado a los consumidores miles de millones de dólares. Las cuotas para los consumidores que pagan sus cuentas online, extienden cheques sin fondos o utilizan cajeros automáticos, generan miles de millones de dólares al año para los bancos.

Cuando en 2009 las empresas emisoras de tarjetas de crédito enfrentaron una serie de reformas para erradicar algunas de sus prácticas más despreciables —incluyendo los cambios abruptos de tasas de interés y las penalizaciones por pagos atrasados—, reaccionaron desarrollando nuevas maneras de aumentar sus ingresos, como la aplicación de tasas mínimas para las tarjetas de tasa variable, cuotas de penalización más altas por pago tardío cuando los saldos adeudados están por debajo de un nivel determinado y cuotas por inactividad de las tarjetas.

Esta abundancia de cuotas tiene una serie de implicaciones. Dado que los precios de lista se mantienen fijos, podrían subestimar la inflación. También es posible que se complique la labor de comparación de los clientes respecto de las ofertas de la competencia. Aunque varios grupos de ciudadanos han intentado presionar a las empresas para disminuir algunas de estas cuotas, no siempre reciben atención de los gobiernos estatales y locales, que también han sido acusados de usar su propio abanico de cuotas, multas y penalizaciones para aumentar el ingreso necesario.

Las empresas justifican las cuotas adicionales como la única manera justa y viable de cubrir los gastos sin perder a sus clientes. Muchos argumentan que tiene sentido cobrar un sobreprecio por los servicios adicionales porque proveerlos cuesta más, en lugar de cobrar a todos los clientes la misma cantidad utilicen o no el servicio adicional. Desglosar los cargos y cuotas según los servicios relacionados es una manera de mantener bajos los costos básicos. Por otro lado, las empresas usan las cuotas como una forma de deshacerse de los clientes no rentables, o para lograr que cambien su comportamiento.

En última instancia, la viabilidad de las cuotas adicionales se decidirá en el mercado, y por la disposición de los clientes de votar con sus carteras y pagar las cuotas, o votar con sus pies y dirigirse a otro lugar.

Fuentes: Alexis Leondis y Jeff Plungis, "The Latest Credit Card Tricks", *Bloomberg BusinessWeek,* 28 de diciembre de 2009 y 4 de enero de 2010, p. 95; Brian Burnsed, "A New Front in the Credit Card Wars", *BusinessWeek,* 9 de noviembre de 2009, p.60; Kathy Chu, "Credit Card Fees Can Suck You In", *USA Today,* 15 de diciembre de 2006; Michael Arndt, "Fees! Fees! Fees!" *BusinessWeek,* 29 de septiembre de 2003, pp. 99-104; "The Price is Wrong", *Economist*, 25 de mayo de 2002, pp. 59-60.

FIJACIÓN DE PRECIOS COMPARTIENDO GANANCIAS Y RIESGOS Los compradores podrían resistirse a aceptar la propuesta de un vendedor debido a que implica una alta percepción de riesgo. En tal caso, el vendedor tiene la opción de ofrecerse a absorber una parte del riesgo o la totalidad del mismo si no entrega el valor prometido. Algunas aplicaciones de riesgos compartidos incluyen las compras importantes de hardware informático y los planes de salud para los grandes sindicatos.

Baxter Healthcare, una empresa líder en productos médicos, fue capaz de asegurar un contrato para un sistema de gestión de información para Columbia/HCA, proveedor líder de cuidados de la salud, al garantizar a la empresa ahorros de varios millones de dólares en un periodo de ocho años. Cada vez serán más las organizaciones —en especial las que atienden al mercado empresarial y prometen grandes ahorros en sus equipos— que tal vez tengan que garantizar los ahorros prometidos, pero también podrán participar de los beneficios si las ganancias son mucho mayores a lo esperado.

IMPACTO DEL PRECIO EN TERCEROS ¿Cómo se sentirán los distribuidores y concesionarios con el precio contemplado?[70] Si no obtienen suficientes ganancias, podrían elegir no introducir el producto al mercado. ¿La fuerza de ventas está dispuesta a vender a ese precio? ¿Cómo reaccionarán los competidores? ¿Los proveedores aumentarán sus precios cuando conozcan el precio de la empresa? ¿Intervendrá el gobierno e impedirá que se cobre este precio?

La legislación estadounidense establece que los vendedores deben fijar sus precios sin hablar con sus competidores, pues cualquier tipo de arreglo en ese sentido es ilegal. Muchos estatutos federales y estatales protegen a los consumidores de prácticas engañosas de fijación de precios. Por ejemplo, es ilegal que una empresa fije precios "regulares" muy altos, y luego anuncie una "oferta" a precios cercanos al precio diario anterior.

Adaptación del precio

Muy pocas veces las empresas fijan un precio único; por el contrario, más bien desarrollan una estructura de fijación de precios que refleja las variaciones ocurridas en la demanda geográfica y en los costos, en los requerimientos del segmento de mercado, en la oportunidad de la compra, en los niveles de pedido, en la frecuencia de entrega, en las garantías, contratos de servicio y otros factores. Como resultado de los descuentos, las bonificaciones y el apoyo promocional, las empresas rara vez obtienen la misma ganancia por cada unidad de producto vendida. Enseguida analizaremos varias estrategias de adaptación de precios: fijación geográfica de precios, descuentos y bonificaciones, fijación de precios promocionales y fijación diferenciada de precios.

Fijación geográfica de precios (efectivo, compensación, trueque)

En la fijación geográfica de precios, la empresa decide cómo fijar los precios de sus productos para distintos clientes en diferentes ubicaciones y países. ¿La empresa debería cobrar un precio alto a los clientes lejanos para cubrir los elevados costos de envío, o un precio menor para obtener negocios adicionales? ¿Cómo tendría que justificar los tipos de cambio y la fortaleza de diferentes divisas?

Otro tema importante es cómo recibir los pagos. El asunto es crítico cuando los compradores no tienen suficiente dinero para pagar sus compras. Muchos compradores quieren ofrecer otros artículos en pago, una práctica llamada **compensación**. Las empresas estadounidenses suelen verse obligadas a participar en compensaciones si desean obtener el negocio. Las compensaciones podrían representar entre el 15 y el 20% del comercio mundial y asumen diversas formas:[71]

- ***Trueque (barter).*** El comprador y el vendedor intercambian bienes de manera directa, sin dinero de por medio, ni terceros involucrados.
- ***Acuerdos de compensación.*** El vendedor recibe un porcentaje del pago en efectivo y el resto en productos. Cuando vendió aviones al gobierno brasileño, un fabricante británico de aeronaves recibió un 70% del pago en efectivo y el resto en café.
- ***Acuerdos de recompra (buyback).*** El vendedor vende una planta, equipo o tecnología a un país extranjero y accede a aceptar como pago parcial los productos manufacturados con el equipo que proveyó. Una empresa estadounidense de productos químicos construyó una planta para una empresa en India y aceptó un pago parcial en efectivo y el resto en productos químicos fabricados en la planta.
- ***Acuerdos offset.*** El vendedor recibe el pago completo en efectivo pero acuerda gastar una cantidad importante de ese dinero en el país en donde realizó la venta, dentro de un periodo determinado. Por ejemplo, PepsiCo vendió su jarabe de cola a Rusia por una cantidad en rublos y acordó comprar vodka ruso a una tarifa determinada para venderlo en Estados Unidos.

Descuentos y bonificaciones

Casi todas las empresas ajustarán su lista de precios y darán descuentos y bonificaciones por pago anticipado, compras en volumen y compras fuera de temporada (vea la tabla 14.5).[72] Sin embargo, deben hacerlo cuidadosamente, ya que se arriesgan a que sus ganancias sean mucho menores de lo planificado.[73]

TABLA 14.5	Descuentos al precio y bonificaciones
Descuento:	Una reducción de precio a los compradores que paguen sus cuentas puntualmente. Un ejemplo típico es “2/10, neto 30”: el pago debe hacerse a más tardar en 30 días, pero si el comprador liquida la cuenta en los primeros 10 días de dicho plazo, se le hará una deducción de 2 por ciento.
Descuento por cantidad:	Una reducción de precio para quienes compran grandes volúmenes. Un ejemplo típico es “10 dólares por unidad si se compran menos de 100 unidades; 9 dólares por unidad si se compran 100 o más”. Los descuentos por cantidad deben ofrecerse de igual forma a todos los clientes y no puede permitirse que excedan los ahorros de costos del vendedor. Es posible ofrecerlos en cada pedido realizado, o dependiendo del número de unidades ordenadas en cierto periodo.
Descuento funcional:	Este descuento (llamado también *descuento comercial*) es ofrecido por un fabricante a los miembros de un canal comercial si llevan a cabo ciertas funciones, como la venta, almacenamiento y registro de cuentas individuales. Los fabricantes deben ofrecer los mismos descuentos funcionales a cada canal.
Descuento estacional:	Reducción de precio para aquellos que compran mercancías o servicios fuera de temporada. Los hoteles, moteles y líneas aéreas ofrecen descuentos estacionales durante los periodos de ventas bajas.
Bonificación:	Un pago adicional diseñado para impulsar la participación de los revendedores en programas especiales. Las *bonificaciones de intercambio* se conceden por entregar un artículo viejo al comprar uno nuevo. Las *bonificaciones promocionales* recompensan a los distribuidores por participar en programas de apoyo en materia de publicidad y ventas.

La fijación de precios de descuento se ha vuelto el *modus operandi* de un número sorprendente de empresas, tanto de productos como de servicios. Los vendedores son particularmente propensos a ofrecer descuentos para poder cerrar una venta. El problema estriba en que podría difundirse la noticia de que el precio de lista de la empresa es "suave", con lo que los descuentos se convertirían en la norma, debilitando las percepciones de valor de las ofertas. Algunas categorías de productos se destruyen a sí mismas por ofrecer descuentos con demasiada frecuencia.

Muchas empresas con sobrecapacidad se sienten tentadas a dar descuentos y algunas incluso comienzan a surtir a un minorista con una versión de marca propia de su producto, pero con un gran descuento. Sin embargo, debido a que la marca propia tiene un precio inferior, podría darse el caso de que comience a superar a la marca del fabricante. Los productores deben considerar las implicaciones de ofrecer descuentos de este tipo a los minoristas, porque podrían terminar sacrificando sus ganancias a largo plazo en un esfuerzo por cubrir las metas de volumen en el corto plazo.

Solamente las personas con ingresos más altos y una implicación más estrecha con el producto están dispuestas a pagar más por características, servicio al cliente, calidad, conveniencia adicional y el nombre de la marca. Por lo tanto, si una marca fuerte e inconfundible comienza a ofrecer descuentos para responder los ataques de sus competidores de precios bajos, es muy probable que esté cometiendo un error. Al mismo tiempo, los descuentos pueden ser herramientas útiles si la empresa tiene la oportunidad de obtener concesiones a cambio, por ejemplo, que el cliente acuerde firmar un contrato de mayor plazo, hacer pedidos electrónicos o comprar lotes completos.

La dirección de ventas debe vigilar la proporción de clientes que reciben descuentos, el descuento promedio otorgado, y a cualquier vendedor cuyos resultados dependan en exceso de los descuentos. Los ejecutivos de mayor rango tendrán que llevar a cabo un **análisis de precios netos** para llegar al "precio real" de la oferta. El precio real se ve afectado no sólo por los descuentos, sino por otros gastos que reducen el precio propuesto (vea la sección "Fijación de precios promocionales"). Suponga que el precio de lista de la empresa es de 3 000 dólares. Ahora bien, considerando que el descuento promedio es de 300 dólares, que los gastos promocionales de la empresa promedian 450 dólares (15% del precio de lista) y que los minoristas reciben 150 dólares de bonificación por respaldar el producto a través de publicidad conjunta, el precio neto de la empresa en realidad es de 2 100, no de 3 000 dólares.

Fijación de precios promocionales

Las empresas pueden utilizar varias técnicas de fijación de precios para estimular las compras tempranas:

- ***Reducción del precio del líder (loss-leader).*** Los supermercados y grandes almacenes acostumbran bajar el precio de marcas más conocidas para incrementar el flujo de clientes a la tienda. Esta estrategia puede funcionar si el ingreso extra por las ventas realizadas en otros productos compensa los márgenes más bajos en los productos líder. Los fabricantes de marcas líder generalmente se oponen, pues esta práctica puede diluir la imagen de la marca y provoca quejas entre los minoristas que cobran el precio de lista. Los fabricantes han intentado evitar que los intermediarios utilicen esta estrategia de reducción del precio del líder ejerciendo presión para que se creen leyes que obliguen a respetar el precio de lista, pero no han prosperado.
- ***Fijación de precios por eventos o fechas especiales.*** Los vendedores establecen precios especiales en determinadas estaciones para atraer más clientes. Por ejemplo, al final del verano siempre hay ofertas por el regreso a clases.
- ***Fijación de precios para clientes especiales.*** Los vendedores ofrecen precios especiales exclusivamente a algunos clientes. Road Runner Sports presenta a los miembros de su Run America Club ofertas "exclusivas" online, con descuentos equivalentes al doble de lo que están disponibles para los clientes regulares.[74]
- ***Devoluciones de efectivo.*** Las empresas automovilísticas y otros productores de bienes de consumo ofrecen devoluciones en efectivo para alentar a los clientes a comprar dentro de un periodo específico. Las devoluciones pueden ayudar a agotar los inventarios sin necesidad de rebajar el precio de lista establecido.
- ***Financiamiento de bajo interés.*** En lugar de rebajar su precio, la empresa puede ofrecer a los clientes financiamiento (Financiación) con una baja tasa de interés. Los fabricantes de automóviles han utilizado el financiamiento sin intereses para intentar atraer más clientes.
- ***Ampliación de los periodos de pago.*** Los vendedores, en especial los bancos que ofrecen préstamos y las empresas automovilísticas, amplían los periodos de pago de sus financiamientos para que las cuotas mensuales sean más bajas. Por lo general los consumidores se preocupan poco por el costo (tasa de interés) del préstamo; lo que les interesa es saber si pueden hacer frente a los pagos mensuales.
- ***Garantías y contratos de servicio.*** Las empresas pueden promover las ventas añadiendo un contrato de servicio o una garantía gratuita o de bajo costo.
- ***Descuentos psicológicos.*** Esta estrategia consiste en fijar un precio artificialmente alto, para luego ofrecer el producto con ahorros sustanciales ("Precio original: 359 dólares; sólo hoy 299"). Los des-

cuentos sobre el precio normal son una forma legítima de fijación de precios promocional, pero los organismos regulatorios luchan contra tácticas ilegales de descuento.

Casi siempre las estrategias de fijación de precios promocionales son un juego de suma cero: si no funcionan, se desperdicia dinero que pudo haberse utilizado en otras herramientas de marketing, como mejorar la calidad del producto y servicio o fortalecer su imagen mediante la publicidad.

Fijación de precios diferenciada

Las empresas suelen ajustar su precio básico para responder a diferencias en los clientes, productos, ubicaciones y demás. Lands' End fabrica camisas para hombre en muchos estilos, tallas y niveles de calidad. En enero de 2010, una camisa formal para hombre podía costar desde 14.99 hasta 79.50 dólares.[75]

La **discriminación de precios** ocurre cuando una empresa vende un producto o servicio a dos o más precios que no reflejan una diferencia de costos proporcional. En la discriminación de precios de primer grado, el vendedor cobra un precio específico a cada cliente, dependiendo de la intensidad de su demanda.

En la discriminación de precios de segundo grado, el vendedor cobra menos a los compradores de grandes volúmenes. Sin embargo, en el caso de algunos servicios, como la telefonía móvil, los precios escalonados se aplican de modo que los consumidores que mayor uso hacen paguen un mayor precio. Con el iPhone, el 3% de los usuarios eran responsables de más del 40% del tránsito en la red de AT&T, lo que provocó costosas mejoras a la red.[76]

En la discriminación de precios de tercer grado, el vendedor cobra distintas cantidades a diferentes clases de compradores, como en los casos siguientes:

- ***Fijación de precios por segmento de consumidor.*** Los diferentes grupos de consumidores pagan distintos precios por el mismo producto o servicio. Por ejemplo, los museos acostumbran cobrar una cuota de admisión más baja a los estudiantes y personas de la tercera edad.
- ***Fijación de precios por versión del producto.*** Las distintas versiones del producto tienen un precio diferente, pero sin que éste sea proporcional a sus costos. Evian fija un precio de 2 dólares a su botella de agua mineral de 1.5 litros, mientras que la presentación de 50 mililitros de la misma agua en un atomizador se vende a 6 dólares.
- ***Fijación de precios por imagen.*** Algunas empresas fijan dos niveles de precio para el mismo producto tomando en consideración las distinciones de imagen. Un fabricante de perfume podría envasar su producto, darle un nombre, promover una imagen y fijar el precio en 10 dólares por 100 mililitros. La misma cantidad de perfume, envasada en una botella distinta y con un nombre y una imagen diferentes, puede venderse en 30 dólares.
- ***Fijación de precios por canal.*** Coca-Cola tiene diferentes precios de acuerdo con el lugar de venta: un restaurante fino, uno de comida rápida, o una máquina expendedora.
- ***Fijación de precios por ubicación.*** El mismo producto tiene diferentes precios en ubicaciones distintas, aunque el costo de ofrecerlo en cada una de ellas sea el mismo. Un teatro asigna distintos precios a sus localidades, de acuerdo con las preferencias del público por las diferentes ubicaciones.
- ***Fijación de precios por tiempo.*** Los precios varían de acuerdo con la estación, el día o la hora. Las empresas de servicios públicos varían las tarifas de energía eléctrica según el horario y el día de la semana. Los restaurantes cobran menos a los clientes "madrugadores" y algunos hoteles son más baratos durante los fines de semana.

Algunas industrias como la de las aerolíneas y servicios turísticos utilizan sistemas de gestión del rendimiento, e implementan una **fijación de precios en función del rendimiento**. En este caso, ofrecen descuentos limitados a las compras tempranas, precios más elevados a las compras tardías y precios más bajos para el inventario no vendido, justo antes de que caduque.[77] Las aerolíneas cobran diferentes tarifas a los pasajeros del mismo vuelo, dependiendo de la clase de asiento, el horario (clase económica matutina o nocturna), el día de la semana (día laborable o fin de semana), la temporada del año, la empresa del cliente, sus negocios previos, o su estatus (joven, militar, adulto mayor), etcétera.

Por ello, en un vuelo de Nueva York a Miami usted podría pagar 200 dólares, mientras quien viaja a su lado tal vez haya pagado 1 290 dólares. Continental Airlines tiene en operación 2 000 vuelos al día, y cada uno tiene entre 10 y 20 precios. La empresa comienza a reservar vuelos con 330 días de anticipación, y cada día de vuelo es diferente de cualquier otro. En cualquier momento dado, este mercado tiene más de 7 millones de precios. En un sistema que sigue las diferencias de precios y los precios de las ofertas de los competidores, las aerolíneas en conjunto colocan ¡75 000 precios diferentes al día! Se trata de un sistema diseñado para castigar a quienes dejan las cosas para el último momento, cobrándoles los precios más altos posibles.

El fenómeno de ofrecer diferentes programas de precios a distintos consumidores y ajustarlos dinámicamente ha crecido cada vez más.[78] Muchas empresas están utilizando aplicaciones de software que proporcionan pruebas controladas en tiempo real de las respuestas de los consumidores a los diferentes programas de precios. Sin embargo, la variación constante de precios puede ser delicada si afecta las relaciones con el consumidor. Las investigaciones muestran que es más eficaz cuando no existe un vínculo entre el comprador y

La probabilidad de que cada uno de los pasajeros que se muestra en esta sala de aeropuerto esté pagando un precio diferente es extremadamente alta, incluso si todos viajaran en el mismo vuelo.

vendedor. Una manera de hacerlo funcionar es ofrecer a los clientes un grupo único de productos y servicios para satisfacer sus necesidades con precisión, haciendo más difícil que lleve a cabo comparaciones de precios.

Sin embargo, la táctica que favorecen casi todas las empresas es el uso de precios variables como una recompensa más que como una penalización. Por ejemplo, la empresa de mensajería APL recompensa con tarifas más bajas por sus reservaciones anticipadas a los clientes que son capaces de predecir cuánto espacio de carga necesitarán. Los clientes también están volviéndose más hábiles para evitar el remordimiento por pagar de más. Están cambiando su comportamiento de compra para ajustarse a la nueva realidad del precio dinámico, en donde los precios varían frecuentemente según los canales, los productos, los clientes y la temporada.

Muy pocos consumidores son conscientes de hasta qué punto están sujetos a la discriminación de precios. Por ejemplo, es bastante común que los minoristas por catálogo, como Victoria's Secret, vendan bienes idénticos a precios diferentes. Los clientes que viven en un código postal de mayor poder adquisitivo tal vez sólo tengan acceso a los precios más altos. Staples, una supertienda de artículos para oficina, también envía catálogos de suministros para oficina con diferentes precios.

Aunque algunas formas de discriminación de precios (en las que los vendedores ofrecen diferentes precios a distintas personas dentro del mismo grupo comercial) son ilegales, la discriminación de precios es legal si el vendedor puede probar que sus costos son diferentes cuando comercializa distintos volúmenes o calidades del mismo producto a diferentes minoristas. Por otro lado, los precios depredadores —esto es, vender por debajo del costo con la intención de destruir a la competencia—, son ilegales.[79]

Para que la discriminación de precios funcione deben existir determinadas condiciones. En primer lugar, el mercado debe ser segmentable y los segmentos deben mostrar diferentes intensidades de demanda. En segundo, los miembros del segmento de menor precio deben ser incapaces de revender el producto al segmento de mayor precio. En tercero, los competidores deben ser incapaces de vender a un precio menor en el del segmento de mayor precio. En cuarto, el costo de segmentación y de vigilancia del mercado no debe exceder el ingreso adicional derivado de la discriminación de precios. En quinto, la práctica no debe fomentar el resentimiento o la mala voluntad entre los clientes. En sexto y último, la forma particular de discriminación de precios que se utilice no debe ser ilegal.[80]

Inicio y respuesta a los cambios de precios

Muchas veces las empresas se enfrentan a la necesidad de reducir o aumentar los precios.

Inicio de una reducción de precios

Varias circunstancias pueden llevar a una empresa a reducir los precios. Una de ellas sería el contar con un *exceso en la capacidad de la planta*: la empresa necesita negocios adicionales y no puede generarlos mediante el incremento del esfuerzo de ventas, la mejora de los productos u otras medidas. En otras ocasiones, las empresas inician reducciones de precios en un *impulso por dominar el mercado a través de costos más bajos*. En tal caso la empresa comienza con costos por debajo de los de sus competidores, o bien arranca la disminución de precios con la esperanza de obtener participación de mercado y reducir los costos.

Sin embargo, reducir los costos para mantener a los clientes o para derrotar a los competidores suele llevar a los clientes a demandar concesiones de precios, y los vendedores deben estar capacitados para ofrecerlas.[81] Una estrategia de reducción de precios puede conducir a otras complicaciones:

- ***La trampa de la mala calidad.*** Los consumidores suponen que la calidad del producto/servicio es baja.
- ***La trampa de la participación de mercado frágil.*** Un precio bajo "compra" participación de mercado, pero no garantiza la lealtad. Los mismos clientes cambiarán a cualquier empresa que aparezca en el mercado con un precio menor.
- ***La trampa de los bolsillos vacíos.*** Los competidores con precios más altos igualan los precios más bajos, pero tienen un mayor poder de permanencia gracias a sus grandes reservas de efectivo.
- ***La trampa de la guerra de precios.*** Los competidores responden bajando sus precios aún más, lo que desencadena una guerra de precios.[82]

Ocurre con frecuencia que los clientes cuestionen qué motivó un cambio de precio.[83] Al hacerlo podrían asumir que el artículo está a punto de ser reemplazado por un modelo nuevo; que es defectuoso y no se vende bien; que la empresa tiene problemas financieros; que el precio bajará todavía más, o que la calidad del producto ha sufrido una merma. La empresa debe vigilar estos detalles con todo cuidado.

Inicio de un aumento de precios

Un aumento de precios exitoso puede incrementar las ganancias de manera considerable. Si el margen de ganancias de la empresa es de 3% de las ventas, un aumento de un punto porcentual elevará sus ganancias en 33%, siempre y cuando el volumen de ventas no se vea afectado. La situación se ilustra en la tabla 14.6. El supuesto es que la empresa cobraba 10 dólares, que vendía 100 unidades y sus costos eran de 970 dólares, por lo que obtenía ganancias por 30 dólares, es decir, 3% sobre las ventas. Al aumentar su precio 10 centavos (aumento de 1%), sus ganancias se incrementaron en 33%, considerando que el volumen de ventas se mantuvo constante.

Una condición importante que provoca aumentos de precio es la *inflación de costos*. Los costos que aumentan y no son equiparados por ganancias productivas reducen los márgenes de ganancia y llevan a las empresas a ciclos regulares de aumento de precios. Las empresas suelen aumentar sus precios en una proporción mayor al aumento de sus costos, anticipando una inflación más alta o controles de precio por parte del gobierno. Esta práctica se denomina *fijación de precios anticipada*.

Otro factor que motiva aumentos en los precios es el *exceso de demanda*. Cuando una empresa es incapaz de proveer a todos sus clientes, podría optar por aumentar los precios, racionar los suministros, o ambas medidas. Si elige aumentar el precio tiene a su disposición cualquiera de las estrategias siguientes, cada una con un impacto diferente en los compradores.

- ***Fijación de precios retrasada.*** La empresa sólo fija un precio final cuando el producto está terminado o entregado. Esta fijación de precios es común en las industrias con tiempos de producción prolongados, como las de construcción industrial y producción de maquinaria pesada.
- ***Cláusulas de revisión.*** La empresa requiere que el cliente pague el precio actual y también la totalidad o una parte de cualquier aumento de inflación que ocurra antes de la entrega. Las cláusulas de revisión basan los aumentos de precio en algún índice de precios específicos, y son usuales en contratos de proyectos industriales importantes, como la construcción de aeronaves y de puentes.
- ***Separación de bienes y servicios.*** La empresa mantiene su precio, pero fija por separado los precios de uno o más elementos que eran parte de la oferta original —como la entrega o instalación gratuitas—, o sencillamente los elimina de la propuesta. Las empresas automovilísticas a veces ofrecen sistemas de audio de lujo o sistemas de navegación GPS como características adicionales a sus vehículos.
- ***Reducción de descuentos.*** La empresa instruye a su fuerza de ventas para que no ofrezca sus descuentos acostumbrados por pago en efectivo o compra en volumen.

TABLA 14.6 Ganancias antes y después de un aumento de precios

	Antes	Después	
Precio	$10	$10.10	(aumento del 1% en el precio)
Unidades vendidas	100	100	
Ingresos	$1 000	$1 010	
Costos	–970	–970	
Ganancia	$30	$40	(aumento de 33 1/3% en ganancias)

Aunque siempre existe la posibilidad de que un aumento de precios derive en algo positivo para los clientes —por ejemplo, el artículo está de moda y representa un valor inusualmente bueno—, a éstos pocas veces les gustan los precios altos. Al aumentar los precios, la empresa debe evitar que se le perciba como especuladora.[84] Las máquinas expendedoras "inteligentes" de Coca-Cola (que aumentaban el precio de las bebidas a medida que subía la temperatura), y el experimento de fijación dinámica de precios de Amazon.com (que variaba los precios según las compras del cliente) llevaron a estas empresas a la primera página de los diarios. Cuanto más similares sean los productos u ofertas de una empresa, más probabilidad tendrán los consumidores de interpretar cualquier diferencia de precios como injusta. En consecuencia, tanto la personalización y diferenciación de productos, como las comunicaciones que clarifiquen las distinciones, resultan cruciales.[85]

En general, los consumidores prefieren pequeños aumentos de precio sobre una base regular, que aumentos súbitos y pronunciados. Tienen buena memoria y podrían ponerse en contra de las empresas que perciben como especuladoras de precios. Los aumentos de precios sin una inversión correspondiente con el valor de la marca aumentan la vulnerabilidad ante la competencia de menor precio. Si esto ocurre, los consumidores podrían mostrarse dispuestos a cambiar a un producto de menor calidad porque ya no están convencidos de que la marca de mayor precio lo valga.

Existen varias técnicas que ayudan a que los consumidores no sufran el impacto de un aumento de precio y desarrollen reacciones hostiles; una de ellas consiste en dar un tono de justicia al aumento de precio, por ejemplo, avisando con antelación a los clientes para que puedan comprar por anticipado o comparar precios. Los grandes aumentos de precio deben ser explicados en términos comprensibles. Otra buena técnica es hacer primero los movimientos de precios con poca visibilidad, lo cual puede lograrse eliminando los descuentos, incrementando el tamaño mínimo de pedido y reduciendo la fabricación de productos de bajo margen; por otro lado, los contratos u ofertas de los proyectos de largo plazo deben contener cláusulas de escalada con base en factores como el aumento de los índices de precios reconocidos en el país.[86]

Debido a la gran resistencia de los consumidores, es preciso que los especialistas en marketing hagan, en la medida de lo posible, cualquier esfuerzo por desarrollar enfoques alternativos que eviten el aumento de precios. A continuación se presentan algunos escenarios alternativos.

- Disminuir la cantidad del producto en lugar de aumentar el precio. (Hershey Foods mantuvo el precio de sus barras de caramelo pero redujo su tamaño. Nestlé mantuvo el tamaño pero aumentó el precio).
- Sustituir materiales o ingredientes de menor precio. (Muchas empresas productoras de barras de caramelo sustituyeron con chocolate sintético el chocolate verdadero para luchar contra los aumentos en el precio del cacao).
- Reducir o eliminar características del producto. (Sears hizo reingeniería para disminuir el número de sus electrodomésticos y poder fijar su precio de manera que pudiera competir con aquellos que se vendían en tiendas de descuento).
- Eliminar o reducir los servicios asociados a los productos, como instalación o entrega gratuitas.
- Utilizar material más barato en sus envases, o reducir su tamaño.
- Reducir el número de tallas y modelos ofrecidos.
- Crear marcas más baratas. (En Estados Unidos, las tiendas de alimentos Jewel lanzaron 170 artículos genéricos cuyos precios son entre un 10 y un 30% menores que los de otras marcas nacionales).

Respuesta a los cambios de precio de los competidores

¿Cómo debería responder una empresa a las reducciones de precio de un competidor? En general, esto dependerá de la situación. Es preciso que considere en qué etapa de su ciclo de vida se encuentra el producto, su importancia dentro de la mezcla de productos de la empresa, las intenciones y recursos del competidor, el precio del mercado y su sensibilidad a la calidad, el comportamiento de los costos según el volumen y sus oportunidades alternativas.

En los mercados que se caracterizan por una alta homogeneidad de los productos, la empresa puede buscar maneras de optimizar su "producto ampliado". Si no puede encontrar alguna, quizá necesite reducir los precios. Por otro lado, cuando un líder aumenta su precio en un mercado de productos homogéneos, otras empresas podrían decidir no hacerlo si el aumento no beneficia a toda la industria. Ante esto, el líder tendrá que revertir el aumento.

En los mercados de productos no homogéneos la empresa tiene mayor flexibilidad. Con todo, debe considerar lo siguiente: (1) ¿Por qué cambió el precio el competidor? ¿Para robar mercado, para utilizar su capacidad excesiva, para satisfacer condiciones cambiantes de costos, o para encabezar un cambio de precios en toda la industria?, (2) ¿El plan del competidor es que el cambio de precios sea temporal o permanente?, (3) ¿Qué sucederá con la participación de mercado de la empresa y sus ganancias si no responde al aumento de precio de la competencia? ¿Otras empresas reaccionarán igual?, (4) ¿Cuáles son las repuestas probables de los competidores y otras empresas para cada reacción posible?

Los líderes del mercado suelen enfrentar agresivas reducciones de precios por parte de las empresas menos importantes en un intento por obtener mayor participación de mercado. Utilizando estrategias de precio, Fuji ha atacado a Kodak, Schick a Gillette y AMD a Intel. Los líderes de marca también se enfrentan a los precios menores de las marcas propias de algunas tiendas. Tres respuestas posibles para los competidores de bajo costo son: (1) diferenciar aún más su producto o servicio; (2) introducir una línea de bajo costo, y (3) reposicionarse como competidores de bajo costo.[87] La estrategia correcta dependerá de la capacidad de la empresa para generar mayor demanda o reducir costos.

Cuando se presenta un ataque, no siempre es posible realizar un análisis extenso de las alternativas. La empresa quizá tenga que reaccionar con decisión en cuestión de horas o días, en especial cuando los precios cambian con cierta frecuencia y dar una respuesta rápida es importante, como en la industria petrolera, la de envasado de carne o los aserraderos. En tal caso tendría más sentido anticiparse a los posibles cambios de precios de los competidores y preparar respuestas de contingencia.

Resumen

1. A pesar del rol cada vez más importante que están jugando otros factores en el marketing moderno, el precio sigue siendo uno de sus elementos de más relevancia. El precio es el único factor que produce ingresos; los demás producen costos. Sin embargo, las decisiones de fijación de precios se han vuelto más desafiantes en un entorno siempre cambiante en términos económicos y tecnológicos.
2. Al establecer la política de fijación de precios, la empresa sigue un proceso de seis pasos. Selecciona el objetivo de precio; calcula la curva de demanda o las cantidades probables que se venderán con cada uno de los precios posibles; calcula la variación de los costos en diferentes niveles de producción, en diferentes niveles de experiencia de producción acumulada, y para diferentes ofertas de mercado; analiza los costos, precios y ofertas de los competidores; elige un método de fijación de precios, y determina el precio final.
3. Por lo general, las empresas no fijan un precio único, sino más bien una estructura de precios que refleje las variaciones en la demanda y los costos geográficos, los requisitos del segmento de mercado, el tiempo de las compras, los niveles de pedido y otros factores.
4. Es común que las empresas necesiten cambiar sus precios. Un descenso en los precios puede ocurrir por un exceso de capacidad de planta, por una participación de mercado en declive, por un deseo de dominar el mercado mediante costos más bajos o por una recesión económica. Un aumento en los precios puede ser resultado de una inflación de costos o un exceso en la demanda. Las empresas deben gestionar cuidadosamente las percepciones de los clientes cuando aumentan los precios.
5. Es preciso que las empresas anticipen los cambios de precios de sus competidores y preparen respuestas de contingencia. Es posible presentar diversas respuestas en términos de mantener o cambiar el precio o la calidad.
6. La empresa que se enfrenta a un cambio de precios de un competidor debe intentar comprender la intención de éste y la probable duración del cambio. Muchas veces la estrategia ideal dependerá de si la empresa está fabricando productos homogéneos o no homogéneos. Un líder de mercado que es atacado por competidores de menor precio puede buscar diferenciarse mejor, introducir su propio producto competidor de bajo costo, o transformarse de manera más completa.

Aplicaciones

Debate de marketing

¿El precio correcto es el precio justo?

Los precios suelen fijarse para satisfacer la demanda o reflejar el sobreprecio que los consumidores están dispuestos a pagar por un producto o servicio. Sin embargo, algunos críticos tiemblan de sólo pensar en botellas de agua de 2 dólares, zapatillas deportivas de 150 dólares y entradas para conciertos de 500 dólares.

Asuma una posición: Los precios deben reflejar el valor que los consumidores están dispuestos a pagar *versus* Los precios deben reflejar solamente el costo de fabricación del producto o de la entrega del servicio.

Discusión de marketing

Métodos de fijación de precios

Piense en los métodos de fijación de precios descritos en este capítulo: mediante márgenes, para alcanzar una tasa de rentabilidad, con base en una propuesta de valor (*value pricing*), con base en el valor, con base en la competencia y de tipo subasta. Como consumidor, ¿cuál prefiere usted? ¿Por qué? Si el precio promedio permaneciera igual, ¿qué preferiría que hiciera la empresa: (1) establecer un precio y no desviarlo, o (2) emplear precios ligeramente más altos la mayor parte del año, pero ofrecer precios un poco más bajos o especiales en ciertas ocasiones?

Marketing de excelencia

>>eBay

En 1995, Pierre Omidayar, un migrante estadounidense de origen franco-irlandés, escribió el código de un sitio Web de subastas donde todos los usuarios tendrían acceso a un mercado global único. Omidayar no lo podía creer cuando un coleccionista compró el primer artículo: un apuntador láser roto, por 14.83 dólares.* Pronto el sitio creció hasta convertirse en una página de subastas más amplia, en donde los consumidores podían subastar objetos de colección, como tarjetas de béisbol y muñecas Barbie. El impulso continuó cuando individuos y pequeñas empresas descubrieron que eBay era una manera eficiente de llegar a nuevos consumidores y otros negocios. Las grandes empresas comenzaron a usar eBay como un medio para vender lotes de inventario rezagado. En la actualidad la gente puede comprar y vender prácticamente cualquier producto o servicio en el mercado más grande del mundo. Desde electrodomésticos hasta automóviles y bienes raíces, los vendedores pueden anunciar cualquier cosa, siempre y cuando no sea ilegal o viole las reglas y políticas de eBay.

De hecho, el éxito de eBay dio lugar a una verdadera revolución en la fijación de precios dado que permite que los compradores determinen lo que están dispuestos a pagar por un artículo; el resultado es conveniente para ambas partes, pues los clientes tienen control y reciben el mejor precio posible, y los vendedores obtienen buenos márgenes debido a la eficiencia y al amplio alcance del sitio. Durante años, compradores y vendedores han utilizado eBay como una guía informal para valorar el mercado. Incluso si una empresa con un nuevo diseño de algún producto —desde una copiadora hasta un reproductor de DVD— deseaba saber el precio corriente de sus similares, revisaba eBay.

eBay ha evolucionado para ofrecer también una opción de precio fijo en ofertas de corta duración para aquellos que no desean esperar a la subasta y están dispuestos a pagar el monto solicitado por el vendedor. Asimismo, los vendedores pueden usar el formato de precio fijo con una opción de "mejor oferta", lo que les permite hacer contraofertas y rechazar o aceptar una propuesta.

El impacto del alcance global de eBay es significativo. En 2009 fueron vendidos bienes por más de 60 000 millones de dólares a través de eBay, lo cual equivale a casi 2 000 dólares por segundo. El sitio tiene 405 millones usuarios registrados y 90 millones de usuarios activos, y recibe 81 millones de visitas únicas por mes. Más de un millón de miembros obtienen sus ingresos regulares del sitio. Pero eBay por sí mismo no compra inventario alguno, ni es propietario de los productos que se promocionan en su sitio. Sus utilidades (beneficios) se derivan del cobro de cuotas: una cuota de inserción en lista por cada artículo más una cuota de valor final con base en el precio de la subasta o el precio fijo. Por ejemplo, si un artículo se vende en 60 dólares, el vendedor paga el 8.75% de los primeros 25 (2.19 dólares) más el 3.5% de los restantes 35 (1.23 dólares). Así, la cuota de valor final por la venta es de 3.42 dólares. Esta estructura de precios fue desarrollada para atraer a los vendedores de alto volumen, y desincentivar a quienes sólo publican algunos artículos de bajo precio. Con la expansión de eBay hacia una amplia gama de categorías —desde embarcaciones y automóviles hasta entradas a espectáculos y productos cosméticos y para el cuidado de la salud, pasando por artículos para casa y jardín— los productos de colección representan ahora tan sólo un pequeño porcentaje de las ventas del sitio.

El modelo de negocio de eBay está basado en conectar individuos que de otra manera no estarían vinculados. Fue el primer ejemplo de una red social online, años antes de que existieran Facebook y Twitter, y la confianza de los consumidores es un elemento clave de su éxito. Al principio los escépticos cuestionaban si los consumidores comprarían productos a un extraño, pero Omidayar creía que las personas son intrínsecamente buenas, y los creadores de eBay hicieron dos cosas bien: trabajaron duro para que su sitio Web se convirtiera en una comunidad, y desarrollaron herramientas para reforzar la confianza entre extraños. La empresa da seguimiento y publica la reputación de vendedores y compradores con base en los resultados de cada transacción. En 2007, eBay amplió su servicio de retroalimentación al añadir cuatro categorías: descripción de los artículos, comunicación, tiempo de envío y tarifas por envío y manipulación. Las calificaciones son anónimas, pero están a la vista de los demás compradores. Los vendedores con las mejores calificaciones aparecen en los primeros resultados de búsqueda.

Los millones de usuarios que gustan de los procedimientos de eBay también tienen voz en todas las decisiones importantes que toma la empresa, gracias a su programa *Voice of the Customer* ("Voz del cliente"). Cada pocos meses, eBay convoca hasta doce vendedores y compradores y les hace preguntas sobre cómo funciona el sitio y qué más debería hacer. Además, por lo menos dos veces por semana la empresa hace teleconferencias de una hora para encuestar a los usuarios sobre casi todas las nuevas características o políticas del sitio. El resultado es que los usuarios (los clientes de eBay) se sienten propietarios y han tomado la iniciativa de expandir la empresa siempre hacia nuevos territorios.

*Algunos creen erróneamente que eBay fue creado para ayudar a la novia de Omidayar a conseguir y coleccionar dispensadores de dulces en forma de pez. Sin embargo, esa historia fue creada por un empleado para ayudar a generar interés hacia la empresa.

eBay continúa ampliando sus capacidades para construir su comunidad y conectar a la gente de todo el mundo, para lo cual añade servicios, hace sociedades y realiza inversiones. En 2002 la empresa adquirió PayPal, un servicio de pagos online, después de que sus miembros dejaron en claro su preferencia por ese método de pago. La adquisición redujo las barreras idiomáticas y de divisas, y permitió que los comerciantes vendieran con facilidad sus productos por todo el mundo. En 2005 eBay también compró Skype, un servicio de comunicación de voz y video por Internet que permite a los compradores y vendedores establecer contacto gratuito; esta iniciativa generó un ingreso adicional por anuncios para eBay. Sin embargo, en 2009 la empresa cedió su posición como socio mayoritario de Skype para enfocarse más en sus negocios de comercio electrónico y pagos, lo que lo llevó a comprar Shopping.com, StubHub, Bill Me Later y otros. Hoy en día, eBay tiene presencia en 39 mercados alrededor del mundo.

Aunque eBay fue una de las empresas más apreciadas durante el *boom* de las puntocom, y si bien ha alcanzado un enorme éxito desde entonces, tampoco ha estado exenta de desafíos, incluyendo una recesión mundial, competencia creciente por parte de Google y una serie de dificultades a medida que se expande hacia mercados difíciles, como China. Su CEO, Meg Whitman, se retiró en 2008 después de estar al frente de la empresa durante 10 años; su sucesor es John Donahue. Bajo este nuevo liderazgo, la empresa continúa enfocándose en una de sus creencias fundamentales: un profundo compromiso y una inversión en tecnología que permita que la gente se conecte. Los esfuerzos recientes para adoptar aplicaciones móviles, integrarse con iPhone y ser más ecológica, han contribuido a su repunte, logrando que encabece listas como la de las empresas más ecológicas de América (*Newsweek*), o la de las 100 mejores empresas para trabajar (*Fortunes*) en años consecutivos.

Preguntas

1. ¿Por qué ha tenido éxito eBay como un mercado de subastas online, cuando muchas otras empresas han fracasado?
2. Evalúe la estructura libre de eBay. ¿Es óptima o podría mejorarse? ¿Por qué? ¿Cómo?
3. ¿Qué sigue para eBay? ¿Cómo continuar creciendo cuando para ello necesita tanto a los compradores como a los vendedores? ¿De dónde vendrá este crecimiento?

Fuentes: Douglas MacMillan, "Can eBay Get Its Tech Savvy Back?" *BusinessWeek*, 22 de junio de 2009, pp. 48-49; Cattherine Holahan, "eBay's New Tough Love CEO", *BusinessWeek*, 4 de febrero de 2008, pp. 58-59; Adam Lashinsky, "Building eBay 2.0", *Fortune*, 16 de octubre de 2006, pp. 161-64; Matthew Creamer, "A Million Marketers" *Advertising Age*, 26 de junio de 2006, pp. 1, 71; Clive Thompson, "eBay Heads East", *Fast Company* (julio-agosto de 2006): 87-89; Glen L. Urban, "The Emerging Era of Customer Advocacy", *MIT Sloan Management Review* (invierno de 2004): pp. 77-82; www.ebay.com

Marketing de excelencia

>>Interjet

José Luis Garza Álvarez, CEO de la empresa mexicana Interjet, relata cómo la compañía que dirige alcanzó los dos millones de pasajeros en sólo 19 meses. "Todo nació en 2004, como una idea de Miguel Alemán Velasco, entonces gobernador [del estado mexicano de] Veracruz, y su hijo, Miguel Alemán Magnani. Su inquietud era: '¿Cómo lograr que más mexicanos viajen por avión?' Entonces se nos encomendó una tarea: estudiar los modelos de las aerolíneas más exitosas del mundo, entre ellas las famosas *low cost* [de bajo costo]. Encontramos que éstas han evolucionado tanto que ese nombre dice muy poco, pues más bien deberían llamarse 'aerolíneas de alta eficiencia a precio justo'. Lo que nos inspiró de las *low cost* fue su enorme efectividad, así que decidimos seguir sus diez mandamientos: 1) generar economías en todos los renglones y transferirlas al cliente a través del precio; 2) maximizar la utilización productiva de la flota; 3) maximizar la tasa de ocupación de los aviones; 4) operar un solo tipo de avión; 5) realizar únicamente vuelos punto a punto, sin escalas; 6) elevar la productividad del talento humano; 7) usar intensiva y extensamente las tecnologías de la información; 8) hacer venta directa, con énfasis en Internet; 9) dar preferencia a los aeropuertos secundarios, con menos tránsito, y 10) reducir los tiempos de rotación de escala en aeropuertos". "La alta eficiencia del modelo de negocios de estas aerolíneas permite operar con menores costos y ofrecer precios más bajos al público. La demanda en la industria de la aviación es muy sensible al precio, fenómeno comprobado a nivel mundial. Los precios bajos generan mayor demanda, ocupación e ingresos, por lo que se crea un círculo económico virtuoso: gana el usuario y gana la aerolínea. Nuestro país había llegado tarde a las *low cost* por muchas razones. Entre ellas, un marco regulatorio restrictivo y un mercado local dividido entre los dos grandes operadores que controlaban casi el 80% del mercado, así como un conjunto de compañías con productos de bajo precio, pero con aviones viejos y problemas de puntualidad o de cancelaciones. Así se creó la primera división (Aeroméxico, Mexicana) y la segunda (Aerocalifornia, Aviacsa, Azteca, Taesa). Aun cuando Aerocaribe se transformó en Click a mediados de 2005, por tratarse de una reorganización no la consideramos como una compañía nueva. La primera *low cost* en México fue A volar, con base en Tijuana, y un solo avión. Ahí nos dimos cuenta de que para tener éxito debíamos impactar el mercado con una mayor masa crítica de aeronaves, por lo que hicimos un plan de negocios. Queríamos llegar con 10 aviones, pero como no encontramos tantos, iniciamos con siete. Los compramos seminuevos a Volare —compañía italiana que había quebrado—, y los arreglamos. Antes de entrar al mercado identificamos dos factores determinantes: primero, se abrió el marco regulatorio. Segundo, vimos la oportunidad de llegar con un producto innovador. No queríamos entrar con la lógica de las *low cost*: 'Te doy menos, te cobro menos'. No lo hicimos así porque los mexicanos estamos acostumbrados a cierto trato y cierto servicio. Lo que sí copiamos de las *low cost* fue el sistema de venta directa, pues antes de nosotros las aerolíneas vendían el 6% por Internet, el 80% a través de agentes de viajes, y el resto mediante oficinas propias. Nuestro sistema de ventas vía Web es muy efectivo y seguro. No veo por qué, en el futuro, no podríamos operar un sistema de franquicias. Hoy nuestro cliente fundamental es el viajero de negocios. Sí, invitamos a quienes no vuelan constantemente, pero nuestro primer ataque va dirigido a quienes ya están volando, pues nuestra oferta les permite viajar por la mañana y regresar el mismo día".

Por su parte, Miguel Alemán Magnani comenta: "Antes de nuestra entrada al mercado se hablaba de que solamente podía acceder al servicio de transporte por avión el 6% de la población. Estimamos que hoy le es accesible al 15%, y estamos empeñados en aumentar esta proporción. Nuestros precios actuales compiten con los precios de los autobuses de lujo, y el avión siempre tendrá ventaja en distancias superiores a 500 km o trayectos por tierra de seis horas o más de duración. El público es muy inteligente, sabe que en Interjet recibe más por su dinero, y por ello día a día se coloca en su preferencia".

Así, en sólo 19 meses de operación, la compañía llegó a los dos millones de clientes, y opera nueve aviones con 14 destinos. De acuerdo con las estimaciones originales, la compañía se encuentra hoy un 15% por encima. Considerando la compra de los siete aviones a Volare, 20 más a Airbus, y la inversión requerida para poner en marcha la aerolínea, el Grupo Alemán ha comprometido cerca de 1 500 millones de dólares para un plan de expansión para el periodo 2005-2011. Y, aunque nació con un esquema doméstico, hoy la firma ve claras oportunidades de negocio en Estados Unidos, Centro y Sudamérica.

Preguntas

1. Interjet domina el modelo de bajo precio y tiene los resultados financieros para probarlo. ¿Por qué otras aerolíneas no copian este modelo?
2. ¿Qué riesgos enfrenta Interjet? ¿Podrá continuar su auge como aerolínea de bajo costo cuando le golpeen tiempos económicamente difíciles?

Fuentes: http://www.articulosinformativos.com.mx/Cronica_De_Una_Alta_Eficiencia_Anunciada-a962389.html; http://impreso.milenio.com/node/8716926

PARTE 6 La entrega de valor

Con un original esquema de fijación de precios, distribución de productos y ubicación de puntos de venta, Sanborns ha obtenido grandes éxitos.

En este capítulo responderemos las siguientes **preguntas**

1. **¿Qué es un sistema de canales de marketing y red de valor?**
2. **¿Cómo operan los canales de marketing?**
3. **¿Cómo deben ser diseñados los canales de marketing?**
4. **¿Cuáles son las decisiones de gestión del canal a que se enfrentan las empresas?**
5. **¿Qué deben hacer las empresas para integrar los canales y enfrentar los conflictos entre ellos?**
6. **¿Cuáles son los temas clave en materia de comercio electrónico y comercio móvil?**

Diseño y gestión de los canales integrados de marketing

La creación de valor exitosa requiere de una entrega de valor exitosa. Cada vez es más frecuente que los especialistas en marketing holístico visualicen sus negocios bajo una perspectiva de una red de generación de valor. En lugar de concentrarse únicamente en sus proveedores, distribuidores y clientes inmediatos, estudian la totalidad de la cadena de suministro, que vincula las materias primas, los componentes y los productos manufacturados, y evidencia cómo llegan éstos hasta los consumidores finales. Hacia arriba en la cadena, las empresas analizan a los proveedores de sus proveedores, y hacia abajo a los clientes de sus distribuidores. Asimismo, examinan los segmentos de consumidores y toman en consideración una amplia gama de nuevos y diferentes medios de venta, distribución, y servicios relacionados con sus ofertas.

La cadena mexicana Sanborns está formada por tiendas-restaurante esencialmente familiares, con características únicas. Se trata de un lugar en donde el consumidor puede encontrar desde comida y medicamentos hasta sofisticados regalos, incluyendo una gran diversidad de artículos de novedad, con lo que cubre las necesidades de todos los integrantes de la familia. En cada uno de sus departamentos, Sanborns está siempre a la vanguardia con sus productos y servicios, que cubre público de diferentes segmentos sociales, edades y gustos. Por ello muchos mexicanos lo consideran el punto de reunión por excelencia.

Sanborns es un establecimiento insuperable en su género, que ha logrado colocarse como único en el mercado debido a que el consumidor se siente familiarizado con el ambiente, además de que puede encontrar, en la mayoría de las ocasiones, todo lo que necesita en un mismo lugar: restaurante, bar, pastelería, fotografía, óptica, audio y video, farmacia, revistas, libros, artículos para caballeros, tabaquería (estanco), perfumería, joyería y juguetería. Por otro lado, tiene la ventaja de que siempre hay un Sanborns cerca, gracias a que la cadena cuenta con más de 100 sucursales. Debido a ello, ha logrado posicionar la marca como una de las más importantes del país. Su gran variedad de productos es única, así como la disposición y el mobiliario de sus diferentes establecimientos distribuidos a lo largo de toda la República Mexicana. Y, por si esto fuera poco, en mayo de 2005 Sanborns celebró la apertura de su primera tienda más allá de las fronteras nacionales, en la ciudad de San Salvador, El Salvador. Con lo cual Sanborns demuestra que, a pesar de que ha transcurrido más de un siglo desde su fundación, sigue —y seguirá— siendo una empresa líder en su ramo, que además se conserva joven, renovada y actual. Por otro lado, la reciente creación de sus sitios Web, www.sanborns.com.mx y www.sanbornsradio.com, asegura la permanencia del emporio que inició como una pequeña droguería. Prácticamente todos los mexicanos han entrado alguna vez a una tienda Sanborns a tomar un café o a comprar ese regalo que tanto estaban buscando. Por otro lado, cada departamento lleva a cabo sus promociones independientes, de acuerdo con las necesidades de los consumidores, y enfocadas en ofrecer a éstos el mejor precio. La cadena ofrece también otros servicios, como pago de tarjetas de crédito, venta de tarjetas prepagadas para teléfonos públicos y móviles, entre otros.[1]

En la actualidad, las empresas deben crear y gestionar sistemas de canal y redes de valor en constante evolución y cada vez más complejos. En este capítulo examinaremos los aspectos estratégicos y tácticos relativos a los canales de marketing y las redes de valor. En el capítulo 16 analizaremos los canales de marketing desde la perspectiva de los minoristas, los mayoristas y las agencias de distribución física.

Los canales de marketing y las redes de valor

Son pocos los fabricantes que venden sus productos directamente a los usuarios finales; por el contrario, entre unos y otros suele existir una serie de intermediarios que realizan diversas funciones. Estos intermediarios conforman los canales de marketing (también llamados canales comerciales o canales de distribución). Formalmente, los **canales de marketing** son conjuntos de organizaciones interdependientes que participan en el proceso de poner a disposición de los consumidores un bien o un servicio para su uso o adquisición. Luego de su producción, los bienes y servicios siguen distintas trayectorias que culminan en la compra y uso por parte del consumidor final.[2]

Algunos intermediarios —como los mayoristas o los minoristas— compran, se apropian de la mercancía y la revenden; en este caso se les denomina *comerciantes* o *distribuidores*. Otros —como los corredores de bolsa, los representantes de los fabricantes o los agentes de ventas— buscan clientes y tienen la facultad de negociar en representación del fabricante, pero no compran los productos; a éstos se les llama *agentes*. Algunos más —como las empresas de transporte, los almacenes independientes, los bancos o las agencias de publicidad— colaboran en el proceso de distribución, pero no compran la mercancía ni negocian su compraventa; en este caso reciben el nombre de *facilitadores*.

Los canales de todo tipo juegan un rol importante en el éxito de la compañía y afectan todas sus decisiones de marketing. Los especialistas en marketing deben juzgarlos en el contexto del proceso completo de fabricación, distribución, venta y servicio de sus productos. Consideraremos todos estos temas en las secciones siguientes.

La importancia de los canales

El **sistema de canal de marketing** es el conjunto específico de canales de marketing que utiliza una empresa, y las decisiones relativas a él están entre las más críticas que enfrenta la dirección. En Estados Unidos los miembros del canal han conseguido, en conjunto, márgenes que van del 30 al 50% del precio final de venta. En contraste, la publicidad representa sólo entre el 5 y el 7% de dicho precio.[3] Los canales de marketing también representan un costo de oportunidad importante. Una de sus funciones más decisivas es lograr que los compradores potenciales se conviertan en clientes rentables. Los canales de marketing no sólo deben *atender* a los mercados, sino también *crearlos*.[4]

Los canales elegidos afectan todas las demás decisiones de marketing. La estrategia de fijación de precios de la empresa dependerá de si ésta comercializa sus productos en tiendas de descuento online o en boutiques exclusivas de gran prestigio. Sus decisiones en torno a la publicidad y a la fuerza de ventas tienen que ver con el nivel de capacitación y motivación que necesiten los distribuidores. Además, las decisiones de canal implican compromisos a más o menos largo plazo con otras empresas, así como la implementación de una serie de políticas y procedimientos. Cuando un fabricante de automóviles establece convenios con concesionarios independientes para comercializar sus vehículos, no puede renunciar a ellos al día siguiente para sustituirlos por sus propios establecimientos. Pero al mismo tiempo la elección del canal depende, por sí misma, de la estrategia de marketing que use la empresa, en lo que se refiere a la segmentación, la orientación y el posicionamiento. Los especialistas en marketing holístico se aseguran de que las decisiones de marketing relativas a todas estas diferentes áreas se tomen en conjunto para maximizar el valor.

Al lidiar con sus intermediarios, la empresa debe decidir cuánto esfuerzo dedicará al marketing de empuje (*push*) y qué tanto al marketing de atracción (*pull*). La **estrategia de empuje** utiliza la fuerza de ventas, el dinero destinado a la promoción comercial u otros medios del fabricante para inducir a los intermediarios a ofrecer, promover y vender el producto a los consumidores finales. La estrategia de empuje es especialmente adecuada cuando hay poca lealtad hacia la marca en una categoría, cuando la elección de la marca se hace en el punto de venta, cuando el producto es comprado por impulso y cuando se comprenden bien los beneficios del producto. En la **estrategia de atracción** el fabricante utiliza publicidad, promoción y otras formas de comunicación para convencer a los consumidores de solicitar el producto a los intermediarios, de manera que éstos se vean inducidos a realizar pedidos. La estrategia de atracción es particularmente apropiada cuando la lealtad hacia la marca es fuerte y existe un alto nivel de involucramiento en la categoría, cuando los clientes son capaces de percibir con toda claridad las diferencias entre marcas y cuando los consumidores eligen antes de desplazarse al punto de venta.

Las empresas que tienen un marketing excelente, como Coca-Cola, Intel y Nike, combinan con destreza estas dos estrategias. La estrategia de empuje es más eficaz cuando va acompañada por una estrategia de atracción bien diseñada y ejecutada que activa la demanda del consumidor. Por otro lado, de no haber por lo menos cierto interés por parte de los consumidores, puede ser muy difícil lograr aceptación y apoyo del canal, y viceversa.

Canales híbridos y marketing multicanal

Las empresas exitosas actuales suelen emplear canales híbridos y marketing multicanal, multiplicando así la cantidad de canales de "penetración" en cualquier área de un mercado. Los **canales híbridos** o el **marketing multicanal** tienen lugar cuando una sola empresa utiliza dos o más canales de marketing para llegar a segmentos de consumidores. HP ha utilizado su fuerza de ventas para comercializar sus productos a gran escala, telemarketing *out bound* (de salida) para vender a sus clientes medianos, el correo directo con un número telefónico telemarketing *in bound* para vender a sus clientes pequeños, minoristas para vender a clientes aún más pequeños, e Internet para vender artículos de especialidad. Philips también es un vendedor multicanal.

Philips

Philips Originaria de los Países Bajos, Royal Philips Electronics es una de las empresas de electrónica más grandes del mundo y la de mayor tamaño en Europa; de hecho, en 2009 alcanzó ventas por más de 66 000 millones de dólares. Los productos electrónicos de Philips se canalizan hacia los consumidores principalmente a través de minoristas nacionales e internacionales. La compañía ofrece una amplia gama de productos con precios y valores altos y bajos, basándose en un modelo diversificado de distribución que incluye tiendas de autoservicio, cadenas comerciales, almacenes independientes y pequeñas tiendas especializadas. Para trabajar de manera más efectiva con estos canales minoristas, Philips ha creado una organización diseñada en torno de sus clientes minoristas, con gerentes globales de cuentas clave dedicados específicamente a atender a los minoristas más importantes, como Best Buy, Carrefour, Costco, Dixons y Tesco. Al igual que muchas empresas modernas, Philips también vende en Internet a través de su propia tienda online y mediante otros minoristas con presencia en Web.[5]

En el marketing multicanal, cada canal está dirigido a un segmento diferente de compradores o a satisfacer las distintas etapas de necesidad del consumidor, y entrega los productos adecuados en los lugares correctos, de la forma apropiada y al menor costo posible. Cuando esto no sucede pueden presentarse conflictos de canal, costos excesivos o demanda insuficiente. Fundada en 1976, la empresa Dial-a-Mattress tuvo un exitoso crecimiento durante tres décadas al vender colchones directamente por teléfono y, más tarde, por Internet. Sin embargo, su expansión a 50 tiendas tradicionales en las principales áreas metropolitanas fue un fracaso. Las ubicaciones secundarias, elegidas porque la dirección consideraba que las primarias eran demasiado costosas, no pudieron generar suficiente afluencia de clientes. La empresa finalmente se declaró en bancarrota.[6]

Por otro lado, cuando un importante minorista por catálogo e Internet hizo una considerable inversión en tiendas tradicionales, obtuvo resultados diferentes. Los clientes que tenían tiendas cercanas compraban con menor frecuencia a través del catálogo, pero sus compras por Internet se mantuvieron sin cambios. Al final resultó que a los clientes que les gustaba curiosear disfrutaban igual usando el catálogo que visitando la tienda tradicional, de manera que esos canales eran intercambiables. Los clientes que usaban Internet, por el contrario, estaban más concentrados en las transacciones y más interesados en la eficiencia, por lo que se vieron menos afectados por la introducción de las tiendas físicas. Las devoluciones y los cambios en las tiendas aumentaron debido a su facilidad y accesibilidad, pero las compras extra realizadas por los clientes que devolvían o cambiaban mercancías en la tienda compensaban las pérdidas por devolución.

Es claro que las empresas que manejan canales híbridos deben asegurarse de que éstos trabajen bien en conjunto, y correspondan a las formas preferidas de hacer negocios de cada uno de los consumidores meta. Los clientes esperan que haya una *integración de los canales*, porque ésta les permite:

- Ordenar un producto online y recogerlo en una tienda minorista de su conveniencia.
- Devolver en una tienda minorista cercana un producto ordenado online.
- Recibir descuentos y ofertas promocionales basadas en el total de sus compras realizadas online y offline.

A continuación presentamos un ejemplo de una empresa que ha gestionado cuidadosamente sus múltiples canales. Más adelante analizaremos en detalle el tema de la integración óptima de los canales.

Cinemex Cinemex comenzó como una empresa de capital estadounidense; pero hoy, después de que Grupo México la adquirió, es completamente de capital mexicano. Dedicada a la operación de salas de cine y servicios relacionados, tiene su sede en la Ciudad de México y cuenta con varias marcas, como Cinemex, Cinemex IMAX Theatre, Platino Cinemex, Café Central, Alavista, Take One y CineMá. Con los 168 complejos cinematográficos que opera en la actualidad, la empresa tiene presencia en las principales metrópolis de este país, lo que la convierte en la segunda cadena de cines más grande de México. En 2009, Cinemex firmó un contrato con IBM mediante el cual el "gigante azul" se comprometía a instalar taquillas automáticas en las salas de cine para que el público pudiera comprar directamente las entradas sin necesidad de pasar a la taquilla, y con ello disminuir el tiempo de espera. El pago puede hacerse vía tarjeta de crédito o de débito. Además, en esta modalidad se ofrece la venta de entradas para todas las funciones de cualquier día y horario, desde cualquier complejo de la cadena. Ya Cinemex ha incursionado con otras tecnologías, como la venta automatizada de entradas vía telefonía y a través de Internet.[7]

Las taquillas automáticas de venta de entradas de Cinemex permiten que el cliente viva una nueva experiencia de compra, y pase menos tiempo en taquilla.

Redes de valor

Desde el punto de vista de la cadena de suministros, las empresas consideran los mercados como lugares de destino, lo cual equivale a tener una visión lineal del flujo de ingredientes y componentes a través del proceso de producción hasta su venta final a los consumidores. Sin embargo, la empresa debe pensar primero en los mercados meta y diseñar la cadena de suministros en retrospectiva a partir de ese punto. Esta estrategia se conoce como **planificación de la cadena de demanda**.[8]

Desde una perspectiva más amplia, las empresas son el centro de la **red de valor**, es decir, del sistema de alianzas y colaboraciones que crean las organizaciones para generar, mejorar y entregar sus ofertas. La red de valor incluye a los proveedores directos de la empresa, a los proveedores de sus proveedores, a los clientes inmediatos de los proveedores, y a los clientes finales. La red de valor comprende también relaciones de valor con terceros, como investigadores académicos y agencias gubernamentales.

La empresa debe organizar todas esas partes para poder entregar un valor superior a su mercado meta. Oracle depende de sus 5.2 millones de desarrolladores y 400 000 foros de discusión para desarrollar sus productos.[9] La iniciativa Developer Connection de Apple, una red mundial de desarrolladores de aplicaciones para el iPhone y otros productos de la compañía, cuenta con 50 000 miembros en diferentes niveles de afiliación.[10] Los desarrolladores se quedan con el 70% de los ingresos que sus productos generen, y Apple recibe el 30% restante.

La planificación de la cadena de demanda produce varios hallazgos.[11] En primer lugar, le permite a la empresa calcular en qué parte de la cadena, hacia arriba o hacia abajo, se genera más dinero, en caso de que quiera llevar a cabo una integración vertical en sentido ascendente o descendente. En segundo lugar, la empresa puede identificar, a lo largo de toda la red de valor, las interrupciones que podrían generar cambios repentinos de costos, precios o suministros. En tercer lugar, las empresas y sus socios de negocios pueden recurrir a Internet para acelerar las comunicaciones, las transacciones y los pagos, reduciendo los costos y aumentando la precisión. Ford no sólo gestiona numerosas cadenas de suministros, sino que también patrocina y opera muchos sitios Web de negocios entre empresas (B2B) y de intercambio.

La gestión de la red de valor implica aumentar las inversiones en tecnologías de información y software. Las empresas han introducido software para el manejo de la cadena de suministros (conocido como SCM), y han invitado a empresas especializadas en el desarrollo de dichas aplicaciones —como SAP y Oracle— a diseñar *sistemas de planificación de recursos empresariales* (ERP) integrales para gestionar el flujo de efectivo, la producción, los recursos humanos, las compras y otras funciones principales dentro de un marco uniforme. El objetivo de estos programas es acabar con los silos (compartimientos estanco) departamentales (en los que cada departamento actúa para satisfacer sus propios intereses), y llevar a cabo sin contratiempos los procesos de negocio fundamentales. Sin embargo, en la mayoría de los casos, las empresas aún están muy lejos de contar con sistemas ERP verdaderamente integrados.

Por su parte, los especialistas en marketing se han concentrado tradicionalmente en la parte de la red de valor que se centra en el consumidor, adoptando prácticas y software para gestión de las relaciones con los clientes (CRM). No obstante, en el futuro participarán e influirán cada vez más en las actividades que sus empresas llevan a cabo en eslabones anteriores de la red de valor, convirtiéndose en administradores de redes y no sólo de clientes y productos.

La función de los canales de marketing

¿Por qué un fabricante podría inclinarse a delegar en intermediarios algunas de las tareas de venta, renunciando a su control sobre el cómo y a quién se venden los productos? Porque a través de sus contactos, experiencia, especialización y escala de operación, los intermediarios logran que los productos estén ampliamente disponibles y accesibles en los mercados meta, y por lo general ofrecen a la empresa más eficiencia y eficacia de lo que ésta podría lograr por su cuenta.[12]

Muchos fabricantes carecen de los recursos financieros y de la experiencia para vender directamente por su cuenta. Para la William Wrigley Jr. Company no sería práctico establecer pequeñas tiendas minoristas por todo el mundo para vender su goma de mascar, o comercializar este producto por correo. Es más fácil trabajar a través de la extensa red de organizaciones de distribución de propiedad privada. Incluso Ford tendría muchos problemas para reemplazar todas las tareas que realizan sus casi 12 000 concesionarios en todo el mundo.

Funciones y flujos de los canales

Un canal de marketing se encarga de trasladar los bienes desde los fabricantes hasta los consumidores, solucionando las dificultades temporales, espaciales y de propiedad que separan los bienes y los servicios de quienes los necesitan o los desean. Los miembros del canal de marketing realizan una serie de funciones clave (vea la tabla 15.1).

Algunas de estas funciones (las de almacenaje y transporte, de propiedad y de comunicación) constituyen actividades de *flujo hacia adelante,* es decir, de la empresa al cliente; otras (como las de pedido y pago) representan un *flujo hacia atrás*, esto es, del cliente a la empresa. Existen otras funciones (como las de información, negociación, financiamiento y adopción de riesgos) que tienen lugar en ambas direcciones. La figura 15.1 muestra cinco flujos de marketing para los montacargas (carretillas elevadoras). Si todos estos flujos se representaran superpuestos en un diagrama, se pondría de manifiesto la enorme complejidad que implican incluso los canales de marketing sencillos, como éstos.

Un fabricante que vende un producto físico y los servicios correspondientes podría necesitar tres canales: un *canal de ventas*, un *canal de distribución física* y un *canal de servicios*. Para vender sus aparatos de

TABLA 15.1	Funciones de los miembros del canal
•	Recopilar información sobre clientes actuales y potenciales, competidores y otros agentes y fuerzas del entorno de marketing.
•	Desarrollar y distribuir comunicaciones persuasivas para estimular las compras.
•	Negociar y llegar a acuerdos sobre precios y otras condiciones, para que la transferencia de propiedad o posesión pueda llevarse a cabo.
•	Transferir los pedidos a los fabricantes.
•	Conseguir los fondos necesarios para financiar inventarios a diferentes niveles del canal de marketing.
•	Asumir riesgos vinculados con el desarrollo del trabajo del canal.
•	Facilitar el almacenamiento y transporte posterior de los productos físicos.
•	Ofrecer facilidades de pago a los compradores, a través de bancos u otras instituciones financieras.
•	Supervisar la transferencia de posesión real de una persona u organización a otra.

acondicionamiento físico Bowflex, Nautilus Group históricamente ha hecho hincapié en (1) el marketing directo a través de anuncios e infomerciales de televisión, centros telefónicos de llamadas de entrada y salida, campañas de correo directo e Internet como canales de venta; (2) el servicio terrestre de UPS como canal de distribución física, y (3) el personal de mantenimiento local como canal de servicio. Para reflejar los cambios en los hábitos de compra de los consumidores, en la actualidad Nautilus también comercializa su Bowflex a través de canales comerciales, minoristas y minoristas de especialidad.

Para los especialistas en marketing la pregunta no es *si* deben realizarse varias funciones dentro del canal —puesto que esto es una necesidad imperiosa—, sino *quién* habrá de llevarlas a cabo. Todas estas funciones tienen tres aspectos en común: utilizan recursos escasos; a menudo pueden realizarse mejor a través de la especialización, y es posible que sean efectuadas por distintos miembros del canal. Ceder la responsabilidad de algunas funciones a los intermediarios hace que los costos y los precios en que incurre el fabricance se reduzcan, pero el intermediario deberá añadir un cargo para compensar su trabajo. Si los intermediarios son más eficientes que el fabricante, los precios para los consumidores deberán disminuir. Si los consumidores llevan a cabo algunas de estas funciones por sí mismos, también deberán disfrutar precios aún más bajos. Por lo tanto, los cambios de función entre los componentes de un canal reflejan en gran medida el descubrimiento de formas más eficientes de combinar o separar las funciones económicas que ponen los bienes a disposición de los consumidores meta.

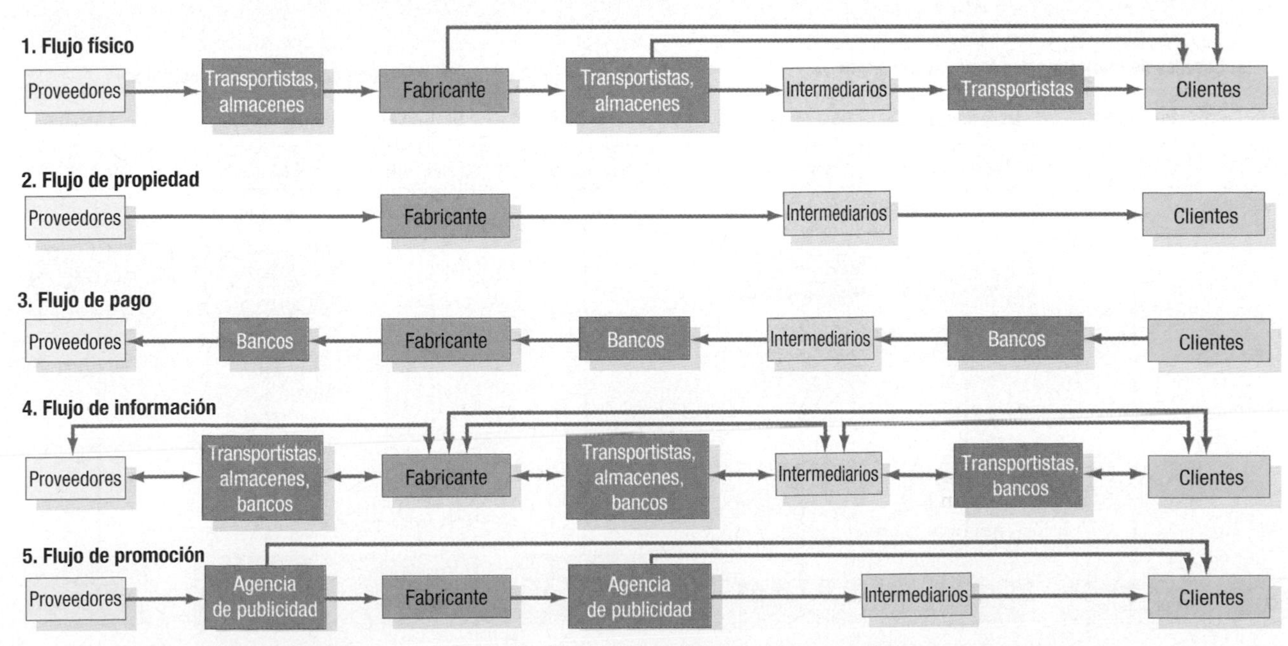

|Fig. 15.1| Cinco flujos en el canal de marketing para montacargas

Los aparatos de acondicionamiento físico Bowflex se venden a través de diversos canales.

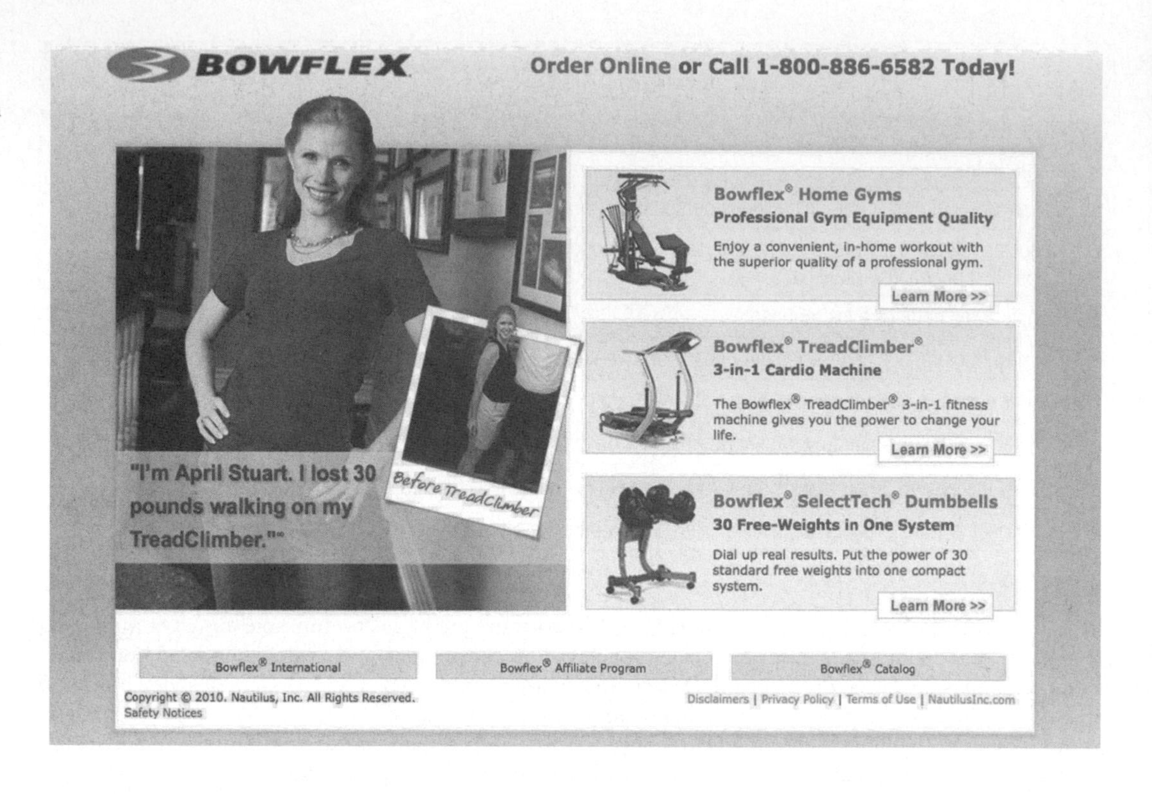

Niveles de canal

El fabricante y el consumidor final son partes integrantes de todos los canales. Usaremos el número de niveles de intermediarios para designar la longitud de un canal. La △ figura 15.2(a) ilustra varios canales de marketing de bienes de consumo de diferentes longitudes.

Un **canal de nivel cero** (también llamado **canal de marketing directo**) está formado por un fabricante que vende directamente al consumidor final. Los principales ejemplos son las ventas a domicilio, las reuniones en casa para vender productos, las ventas por correo, el telemarketing, las ventas por televisión y los puntos de venta propiedad del fabricante. Tradicionalmente, las representantes de Avon venden cosméticos a domicilio; Franklin Mint vende sus artículos de colección a través de pedidos por correo; Verizon utiliza el teléfono para captar nuevos clientes o vender servicios mejorados a los clientes existentes; Time-Life comercializa colecciones de audio y video a través de comerciales de televisión, o "infomerciales"

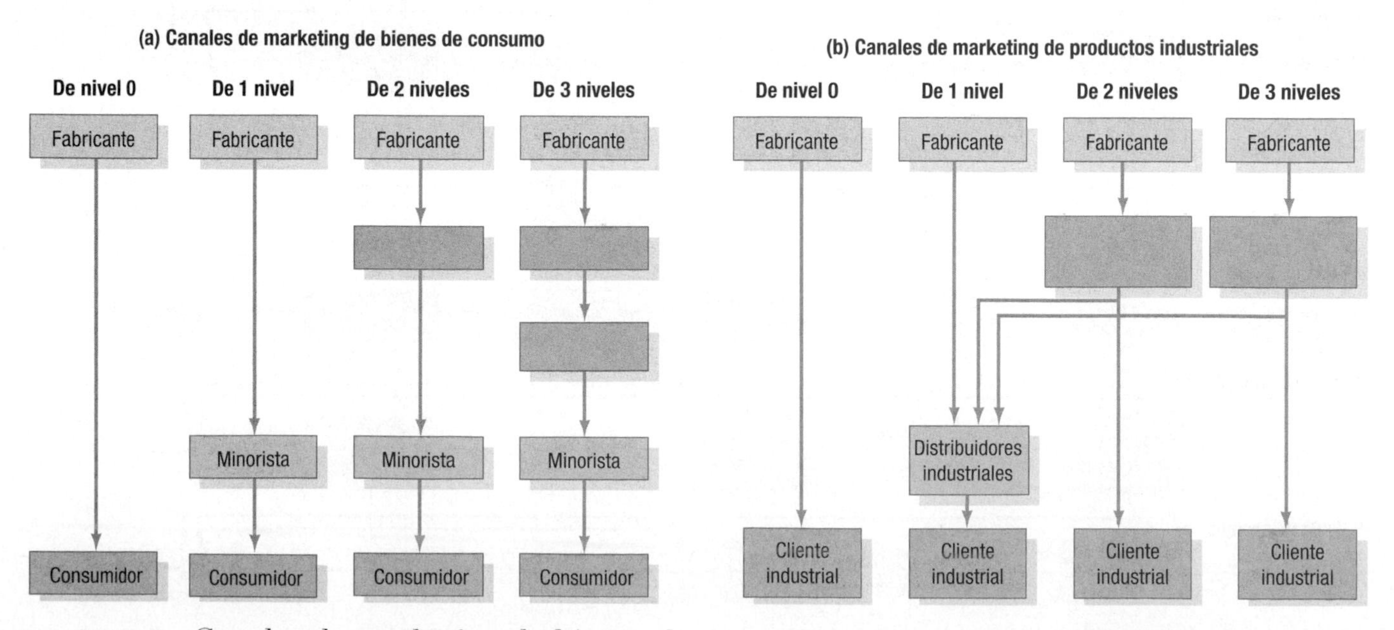

|Fig. 15.2| △ Canales de marketing de bienes de consumo y de productos industriales

de mayor duración; Red Envelope vende regalos a través de Internet y Apple vende computadoras y otros aparatos electrónicos a través de sus propias tiendas. En la actualidad, muchas de estas empresas han diversificado sus ventas directas a través de Internet, catálogos, etcétera.

Los *canales de un nivel* incluyen un intermediario, por ejemplo un minorista. Los *canales de dos niveles* están conformados por dos intermediarios; en los mercados de consumo, tales intermediarios suelen ser un mayorista y un minorista. Los *canales de tres niveles* incluyen tres intermediarios: en la industria del envasado de carne, los mayoristas venden a los **comisionistas**, que son esencialmente mayoristas de pequeña escala que venden a minoristas de tamaño reducido. En Japón, la distribución de alimentos llega a abarcar hasta seis niveles. Obtener información sobre los usuarios finales y ejercer control se vuelve más difícil para el fabricante a medida que el número de niveles del canal se incrementa.

La △ figura 15.2(b) ilustra los canales utilizados con mayor frecuencia en el marketing B2B. Un fabricante de bienes industriales puede utilizar su fuerza de ventas para vender directamente a sus clientes, aunque también puede hacerlo a través de distribuidores especializados que venden a su vez a clientes industriales a través de sus representantes, o utilizando sus propias sucursales para vender directamente a clientes industriales, o indirectamente a través de distribuidores industriales. Los canales de marketing de nivel cero, de un nivel y de dos niveles son los más comunes.

Red Envelope se ha convertido en una empresa líder en venta de regalos online.

Por lo general, los canales describen un movimiento de productos hacia adelante, desde su origen hasta el usuario final. Sin embargo, los *canales de flujo inverso* también son importantes para (1) reutilizar los productos o envases (como en el caso de los contenedores rellenables para productos químicos), (2) renovar los productos para la reventa (como los circuitos eléctricos o los equipos informáticos), (3) reciclar los productos (como el papel), y (4) desechar los productos y envases. Entre los intermediarios de flujo inverso están los centros de recepción de envases vacíos, los grupos comunitarios, los especialistas en recolección de basura, los centros de reciclaje, los corredores de reciclaje de basura y los almacenes centrales de procesamiento.[13] En los últimos años han surgido muchas soluciones creativas en este campo, como Avelop.

Avelop

Avelop Avelop es una empresa mexicana dedicada al reciclaje de plástico. Fundada en 1990 a partir del reconocimiento de la gran problemática que representa el manejo y disposición de artículos de plástico altamente contaminantes, Avelop se dio a la tarea de (1) informar y sensibilizar a la comunidad sobre los problemas de polución y salud que producen los residuos sólidos; (2) difundir y fomentar la cultura de la separación de residuos sólidos y las ventajas de su reducción, reutilización y reciclaje; (3) realizar acciones prácticas y sencillas, que fortalezcan hábitos y actitudes para disminuir la generación de residuos sólidos; (4) fomentar la colaboración y participación de la comunidad en el manejo adecuado de estos desechos; (5) crear conciencia entre la población sobre el uso eficiente de los materiales que consumimos y/o desechamos, así como la energía y los recursos naturales relacionados con su elaboración, y (6) promover la producción de composta como alternativa para el manejo de los residuos orgánicos. En sentido estrictamente práctico, una de las metas de Avelop es utilizar el plástico reciclado en la fabricación de láminas que pueden usarse como tejado en la construcción de casas, pues constituyen un buen sustituto de materiales como la fibra de vidrio, la madera, el acero y el hormigón, pero con un costo más bajo.[14]

Los canales en el sector de servicios

A medida que se desarrollan Internet y otras tecnologías, las empresas de servicios como los bancos, las aseguradoras, las agencias de viajes y los intermediarios bursátiles, están operando a través de nuevos canales. Kodak ofrece a sus clientes cuatro opciones para imprimir sus fotografías digitales: minilaboratorios en puntos de venta minoristas, impresoras caseras, servicios online disponibles en su sitio Web Kodak EasyShare Gallery (anteriormente Ofoto) y quioscos de autoservicio. Líder mundial en este último canal, con 80 000 quioscos instalados, Kodak obtiene ganancias tanto por la venta de sus unidades como por el suministro de las sustancias químicas y el papel que se utilizan para hacer las impresiones.[15]

Por otro lado, los canales de marketing también están transformando el "marketing de personas". Además de actuar en espectáculos en vivo y grabados, cantantes, músicos y otros artistas pueden utilizar diversos mecanismos online para llegar hasta sus admiradores actuales y potenciales a través de sus propios sitios Web, mediante redes sociales comunitarias como Facebook y Twitter, y aprovechando sitios Web de terceros. Los políticos también deben elegir una combinación de canales para comunicar sus mensajes a los votantes: medios masivos de comunicación, mítines, anuncios de televisión, correo directo, anuncios espectaculares, faxes, mensajes de correo electrónico, blogs, podcasts, sitios Web y redes sociales, entre otros.

Las organizaciones de servicios no lucrativas, como las escuelas y hospitales públicos, desarrollan "sistemas de difusión educativa" o "programas de salud", respectivamente. Estas instituciones deben determinar qué organismos y ubicaciones deben utilizar para llegar a poblaciones lejanas.

Grupo Empresarial Ángeles En abril de 1984, la corporación estadounidense Humana Inc. inauguró en la Ciudad de México su primer hospital en América Latina. Desde el inicio de sus operaciones esta institución fue reconocida por la capacidad de su cuerpo médico y por su ubicación privilegiada. Dos años más tarde, en diciembre de 1986, el hospital fue adquirido por un conocido empresario mexicano, quien supo identificar la necesidad de cierto sector de la población de contar con servicios médicos privados de alto nivel. Así surge la rama de Salud del Grupo Empresarial Ángeles (que cuenta también con intereses en las industrias de la comunicación, el turismo y las finanzas), convirtiéndose en poco tiempo en el líder del sector, transformando radicalmente la práctica de la medicina privada en México y contribuyendo de manera decidida a una reforma global en el sistema de salud del país. Una infraestructura de primer nivel, una plataforma tecnológica en constante evolución, una creciente diversificación geográfica y los más altos estándares de calidad, son los rasgos distintivos de Grupo Ángeles Servicios de Salud (GASS). Una de las estrategias que le ha permitido obtener gran prestigio consiste en celebrar convenios periódicos con universidades nacionales e internacionales, otorgar becas académicas y organizar y participar en múltiples congresos. Más allá de su esfera de acción, GASS contribuye al desarrollo del sistema de salud mexicano al tomar parte en programas de atención comunitaria y apoyar a distintas organizaciones de asistencia privada. Grupo Ángeles Servicios de Salud cuenta con 22 unidades hospitalarias, más de 11 000 médicos de diferentes especialidades, más de 2 000 camas, más de 200 quirófanos, alrededor de 3 000 consultorios, servicios de hospitalización y gabinete para más de 2 millones de personas al año y consulta externa a casi 5 millones de pacientes anualmente.[16]

Grupo Empresarial Ángeles ofrece servicios de salud en una variedad de lugares y entornos.

Decisiones sobre el diseño del canal

Para diseñar un sistema de canal de marketing, los especialistas deben analizar las necesidades y deseos de los consumidores, establecer las metas y límites del canal e identificar y evaluar las principales alternativas del mismo.

Análisis de los deseos y necesidades de los clientes

La preferencia de los clientes por determinados canales podría estar determinada por factores como el precio, la variedad de productos y la conveniencia, así como por sus propios objetivos de compra (económicos, sociales o experienciales).[17] Al igual que en el caso de los productos, la segmentación de clientes por canal existe, y los especialistas en marketing deben ser conscientes de que los consumidores tienen diferentes necesidades durante el proceso de compra.

Un estudio de 40 minoristas de comestibles y ropa en Francia, Alemania y el Reino Unido reveló que éstos atendían a tres tipos de clientes (1) los *consumidores de servicio o calidad*: clientes especialmente preocupados por la variedad y el rendimiento de los productos y servicios; (2) los *consumidores de precio y valor*: clientes más enfocados en gastar con prudencia, y (3) los *consumidores de afinidad*: clientes interesados sobre todo en hallar tiendas compatibles con su estilo de vida o con el de los grupos a los que querían unirse. Como ilustra la △ figura 15.3, los perfiles de los clientes diferían en los tres mercados: en Francia los compradores destacaban la calidad y el servicio; en el Reino Unido la afinidad, y en Alemania el valor y el precio.[18]

Sin embargo, incluso un mismo consumidor podría elegir distintos canales para las diferentes funciones de una compra, examinando un catálogo antes de visitar una tienda, o probando un automóvil en un concesionario antes de hacer un pedido online. Algunos consumidores están dispuestos a "pagar un precio más alto" a los minoristas que ofrecen productos de calidad superior, como los relojes TAG Heuer o los palos de golf Callaway, y a "pagar un precio más bajo" a los minoristas de descuento por toallas de papel, detergente o vitaminas de marca propia o de distribuidor.[19]

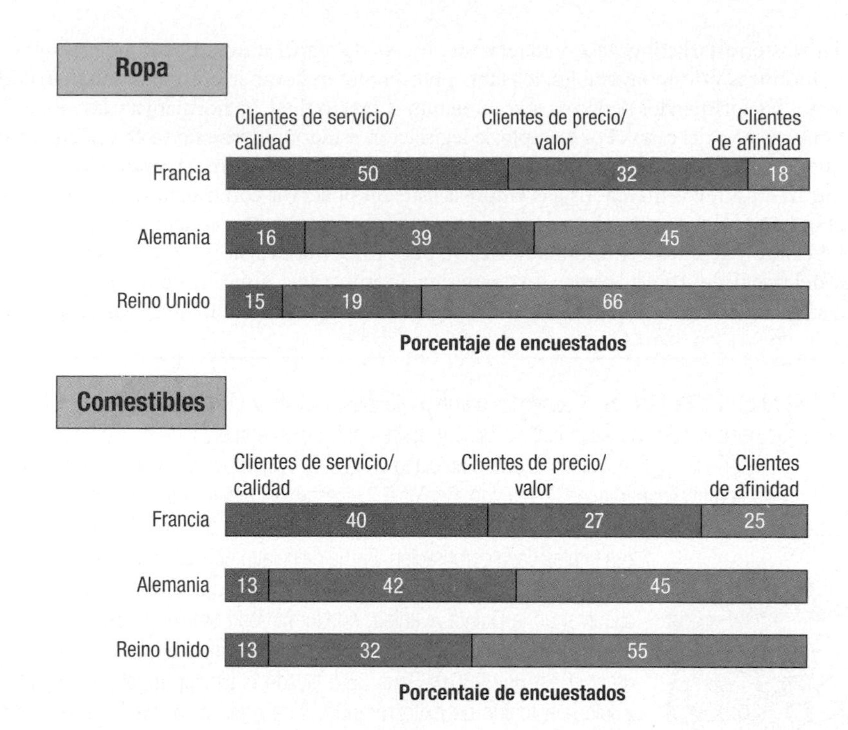

|Fig. 15.3|

Lo que valoran los consumidores europeos

Fuente: Peter N. Child, Suzanne Heywood y Michael Kliger, "Do Retail Brands Travel?", *The McKinsey Quarterly*, 2002, Número 1, pp. 11-13. Todos los derechos reservados. Reimpresión autorizada por McKinsey & Company.

Los canales producen cinco resultados de servicio:

1. ***Tamaño del lote.*** Se refiere al número de unidades que el canal permite adquirir a un cliente promedio en cada compra. Cuando Hertz compra automóviles para su flota, prefiere un canal que le permita adquirir un lote de gran tamaño, mientras que una familia espera que el canal le permita adquirir una sola unidad.
2. ***Tiempo de espera y entrega.*** Se refiere al tiempo promedio que los clientes esperan para recibir los bienes. Los clientes prefieren cada vez más los canales de entrega rápida.
3. ***Comodidad de puntos de venta.*** Es el grado en que el canal de marketing hace más fácil la compra a los consumidores. Toyota ofrece más comodidad que Lexus porque cuenta con más concesionarios y eso hace que los costos de búsqueda y transporte de los clientes se reduzcan cuando quieren comprar y reparar sus automóviles.
4. ***Variedad de productos.*** Se refiere a la diversidad de productos que ofrece el canal de marketing. Por lo general los clientes prefieren un buen surtido, porque una mayor cantidad de opciones aumenta las posibilidades de que encuentren exactamente lo que necesitan, aunque a veces la abundancia de alternativas puede crear un efecto negativo.[20]
5. ***Servicios de respaldo.*** Son los servicios adicionales (crédito, entrega, instalación, reparaciones) que ofrece el canal. Cuanto mayor sea el servicio de respaldo, más grande será el valor ofrecido por el canal.[21]

Proporcionar mayores resultados de servicio también implica un aumento de los costos del canal y un incremento de los precios. El éxito de tiendas de descuento como Walmart y Target, y de los ejemplos extremos como Dollar General y Family Dollar, indica que muchos consumidores están dispuestos a aceptar menores resultados de servicio si así pueden ahorrar dinero.

Establecimiento de las metas y las restricciones del canal

Los especialistas en marketing deben establecer sus metas de canal en términos de los niveles de servicio, y de los niveles de costo y respaldo asociados. Bajo condiciones competitivas, los miembros del canal deben organizar sus tareas funcionales de manera que su costo total se minimice y aún así puedan ofrecer los niveles de servicio deseados.[22] Por lo general, los planificadores pueden identificar varios segmentos de mercado según los niveles de servicio deseados y elegir los mejores canales para cada uno.

Las metas del canal varían de acuerdo con las características del producto. Los productos de gran tamaño, como los materiales de construcción, requieren canales que minimicen las distancias de transporte y la cantidad de manipulación necesaria. Los productos no estandarizados, como la maquinaria producida por encargo, se venden directamente a través de la fuerza de ventas de la empresa. Los productos que requieren servicios de instalación o mantenimiento, como los sistemas de calefacción o refrigeración, suelen ser vendidos y reparados por la propia empresa o por sus distribuidores bajo franquicia. Los productos que tienen un alto valor unitario, como los generadores y las turbinas, con frecuencia son vendidos a través de la fuerza de ventas de la empresa y no por los intermediarios.

Los especialistas en marketing deben adaptar sus metas del canal a un entorno más amplio. Cuando las condiciones económicas no son favorables, los fabricantes intentan llevar sus productos al mercado a través de canales más cortos y suprimen los servicios que aumentan el precio final. La normativa y las restricciones legales también afectan el diseño del canal. Por ejemplo, la legislación estadounidense no ve con buenos ojos los acuerdos de canal que tienden a disminuir significativamente la competencia o a crear monopolios.

Cuando entran en nuevos mercados, las empresas suelen observar con mucha atención lo que las demás compañías están haciendo. Auchan, la cadena francesa de supermercados, consideró la presencia en Polonia de sus rivales Leclerc y Casino como un factor clave para tomar la decisión de entrar también a ese mercado.[23] La meta del canal de Apple —crear una experiencia minorista dinámica para los consumidores— no estaba siendo satisfecha por los canales existentes, así que la empresa decidió abrir sus propias tiendas.[24]

Apple Stores Cuando las primeras tiendas Apple fueron inauguradas en 2001, muchos cuestionaron sus posibilidades de éxito; incluso *BusinessWeek* publicó un artículo titulado "Lo sentimos Steve: he aquí por qué las tiendas Apple no funcionarán". Sólo cinco años despúes, Apple celebraba la apertura de su espectacular nueva tienda escaparate en Manhattan. Con casi 275 establecimientos hacia finales de 2009, los ingresos netos de las tiendas sumaban 6600 millones de dólares, y representaron aproximadamente el 20% de los ingresos totales de la corporación. Se ha calculado que las ventas anuales por pie cuadrado de cada tienda Apple ascienden a 4700 dólares. De hecho, se ha informado que la sucursal de la Quinta Avenida, en Nueva York, obtiene la asombrosa cifra de 35000 dólares por pie cuadrado; en comparación, Tiffany produce 2666 dólares por pie cuadrado, Best Buy 930, y Saks 362. Desde cualquier ángulo que se mire, las tiendas Apple han tenido un éxito rotundo. Diseñadas para despertar el entusiasmo por la marca, permiten que las personas vean, toquen y experimenten lo que los productos Apple pueden hacer por ellas, aumentando las probabilidades de que se conviertan en clientes. Su mercado meta son los conocedores de la tecnología, a quienes atraen con presentaciones de productos y talleres en las tiendas, con una línea completa de artículos, software y accesorios, y con un "Genius Bar": especialistas de Apple que prestan su apoyo técnico, casi siempre de forma gratuita. Aunque estos puntos de venta no agradan al resto de los minoristas, Apple se ha esforzado por limar asperezas, justificando en parte su decisión como una evolución natural de su canal de ventas online.

Las tiendas Apple ofrecen una experiencia única a los entusiastas de la marca y a sus clientes potenciales.

Identificación de las principales alternativas de canal

Cada canal —fuerza de ventas, agentes, distribuidores y comisionistas, el correo directo, el telemarketing e Internet— tiene sus propias ventajas y sus inconvenientes. La fuerza de ventas puede manejar productos y transacciones complejos, pero resulta caro. Internet no es costoso, pero tal vez no sea muy eficaz para comercializar los productos complejos. Por su parte, los distribuidores son capaces de generar ventas, pero al utilizarlos la empresa pierde el contacto directo con los clientes. El costo de los representantes del fabricante puede compartirse entre varios representados, pero el esfuerzo de ventas es menos intenso del que proporcionan los representantes de la empresa.

Las alternativas de canal se distinguen según los tipos de intermediarios disponibles, el número de intermediarios necesarios, y las funciones y responsabilidades de cada uno. Analicemos estos factores.

TIPOS DE INTERMEDIARIOS Consideremos las alternativas de canal identificadas por una empresa de productos electrónicos de consumo que produce radios satelitales. La compañía podría vender sus reproductores directamente a los fabricantes de automóviles para que sean instalados como equipo original, a los concesionarios de automóviles, a las empresas de alquiler de automóviles, o a los distribuidores especializados en estos dispositivos, todo ello a través de una fuerza de ventas directa o mediante distribuidores. También podría comercializar su producto en tiendas propias, usando minoristas online, catálogos para pedidos por correo, o grandes minoristas como Best Buy.

Las empresas deben buscar canales de marketing innovadores. Columbia House ha tenido éxito en la comercialización de álbumes de música a través del correo electrónico e Internet. Compañías como Harry y David o Calyx & Corolla han sido muy creativos al vender frutas y flores, respectivamente, a través de la entrega directa.

A veces la empresa elige un canal nuevo o no convencional debido a la dificultad, al costo o a la ineficacia que implica trabajar con el canal principal. Una de las ventajas de hacerlo así suele ser la existencia de una menor competencia, al menos al principio. Hace años, después de tratar de vender relojes económicos Timex a través de tiendas de joyería, la U.S. Time Company cambió de estrategia y los colocó en puntos de venta masivos de rápido crecimiento. Frustrada porque su catálogo impreso era considerado anticuado y poco profesional, la empresa de iluminación comercial Display Supply & Lighting desarrolló un catálogo interactivo online que redujo sus costos, aceleró su proceso de venta y aumentó sus ingresos.[25]

NÚMERO DE INTERMEDIARIOS Las tres estrategias basadas en el número de intermediarios que hay en el canal son la distribución exclusiva, la distribución selectiva y la distribución intensiva.

La **distribución exclusiva** consiste en limitar de forma importante el número de intermediarios. Es apropiada cuando el fabricante desea conservar control sobre el nivel de servicio y los resultados ofrecidos por los revendedores, y a menudo incluye un acuerdo de *colaboración exclusiva*. Al conceder derechos exclusivos de distribución, el fabricante espera obtener esfuerzos de venta más intensos y una venta mejor informada. La distribución exclusiva requiere una asociación más estrecha entre el vendedor y el revendedor, y se utiliza en la distribución de automóviles nuevos, de aparatos electrodomésticos de gama alta y de algunas marcas de ropa para mujer.

Los acuerdos exclusivos se están convirtiendo en un pilar para los especialistas que buscan una ventaja en los mercados cada vez más impulsados por el precio.[26] Cuando el legendario diseñador italiano Gucci vio cómo su imagen se deterioraba por la sobreexposición de su marca a consecuencia de la concesión de licencias y la comercialización de sus productos en tiendas de descuento, decidió rescindir sus contratos de producción bajo licencia, controlar su distribución y abrir sus propios puntos de venta para recuperar parte de su antiguo prestigio.[27]

La **distribución selectiva** consiste en la utilización de sólo algunos intermediarios dispuestos a distribuir un producto determinado. Ya sea establecida o de reciente creación, la empresa no tiene que preocuparse por tener demasiados puntos de venta, ya que puede obtener la cobertura de mercado adecuada con un mayor control y un menor costo que si hiciera una distribución intensiva. STIHL es un buen ejemplo de distribución selectiva.

STIHL STIHL fabrica equipos eléctricos para usos en exteriores. Todos sus productos se comercializan bajo una misma marca, y no produce marcas propias para otras empresas. Ampliamente conocida por sus motosierras, la empresa se ha expandido a las podadoras de césped (cortabordes), los sopladores, los cortasetos y las desbrozadoras. Vende exclusivamente a seis distribuidores estadounidenses independientes y a seis centros de marketing y distribución de su propiedad, los cuales realizan ventas en una red nacional de más de 8 000 concesionarios de servicio minoristas. La empresa también exporta los productos STIHL fabricados en Estados Unidos a 80 países. STIHL es una de las pocas compañías fabricantes de equipos eléctricos para usos en exteriores que no vende a través de grandes distribuidores, catálogos o Internet.[28]

La **distribución intensiva** consiste en la distribución de bienes y servicios a través de tantos puntos de venta como sea posible. Esta estrategia es adecuada para la comercialización de artículos como snacks, bebidas refrescantes, periódicos, dulces y goma de mascar, esto es, productos que los consumidores compran con frecuencia o en muchos lugares. Las tiendas de conveniencia, como 7-Eleven y Circle K, así como las tiendas en gasolinerías como On The Run, de ExxonMobil, han sobrevivido con la venta de artículos que ofrecen precisamente eso: ubicación y horarios convenientes.

Los fabricantes se sienten constantemente tentados a pasar de un sistema de distribución exclusiva o selectiva a uno de distribución intensiva, para aumentar la cobertura de mercado y el volumen de ventas. Esta estrategia puede servir a corto plazo, pero si no se implementa adecuadamente podría deteriorar el desempeño a largo plazo, al generar una intensa competencia entre los minoristas. Las guerras de precios consecuentes son capaces de erosionar la rentabilidad, atenuar el interés de los minoristas y perjudicar el *brand equity*. Algunas empresas no quieren que sus marcas se vendan en todas partes. Después de que Sears adquirió la cadena de descuento Kmart, Nike sacó todos sus productos de Sears para asegurarse de que Kmart no pudiera vender su marca.[29]

La estrategia de distribución selectiva de STIHL incluye 8 000 distribuidores independientes, pero no contempla otras formas de distribución más amplias

CONDICIONES Y RESPONSABILIDADES DE LOS MIEMBROS DEL CANAL Todos los miembros del canal deben recibir un trato respetuoso y la oportunidad de ser rentables. Los elementos principales de la "mezcla de relaciones comerciales" son las políticas de precio, las condiciones de venta, los derechos territoriales y los servicios específicos que tiene que prestar cada parte.

- La ***política de precios*** obliga a que el fabricante establezca una lista de precios y un desglose de los descuentos e incentivos que resulten justos y suficientes desde la perspectiva de los intermediarios.
- Las ***condiciones de venta*** se refieren a los requisitos de pago y a las garantías del fabricante. Casi todos los fabricantes ofrecen descuentos en efectivo a los distribuidores por pronto pago. También podrían ofrecerles una garantía contra productos defectuosos o por declives del precio en el mercado, creando así un incentivo para que adquieran cantidades mayores.
- Los ***derechos territoriales de los distribuidores*** definen las zonas de operación de estos últimos, y las condiciones en las que el fabricante podrá conceder derechos a otros. En general, los distribuidores esperan que les sean concedidos derechos exclusivos de distribución en su territorio, independientemente de si logran o no las ventas.
- Las ***responsabilidades y servicios mutuos*** se deben evaluar cuidadosamente, sobre todo cuando se trata de canales de franquicia o de distribución exclusiva. McDonald's ofrece asesoría a sus franquicias en materia de instalación, apoyo promocional, sistemas contables, capacitación, así como asistencia gerencial y técnica en general. A su vez, espera que los franquiciados cumplan con los estándares establecidos por la empresa en términos de instalaciones físicas, cooperación con nuevos programas promocionales, suministro de la información requerida y compra de productos de vendedores específicos.

Evaluación de las principales alternativas del canal

Cada alternativa del canal debe valorarse de acuerdo con criterios económicos, de control y de adaptación.

CRITERIOS ECONÓMICOS Cada alternativa de canal generará un nivel diferente de ventas y de costos. La figura 15.4 indica cómo se dividen seis canales de ventas distintos en términos de valor añadido por venta y costo por transacción. Por ejemplo, al vender productos industriales con precios entre 2 000 y 5 000 dólares, se ha calculado que el costo por transacción es de 500 dólares (ventas en campo), 200 (distribuidores), 50 (televenta) y 10 (Internet). Un estudio de Booz Allen Hamilton mostró que una transacción promedio en una sucursal de servicio completo le cuesta a un banco 4.07 dólares, una transacción telefónica le cuesta 0.54 dólares, y una transacción de cajero automático 0.27 dólares. Sin embargo, una transacción típica realizada vía Web le cuesta sólo un centavo de dólar.[30]

Las empresas tratarán de alinear a los clientes y a los canales para maximizar la demanda al menor costo total. Es evidente que los vendedores tratarán de sustituir los canales más caros con canales de menor costo, siempre y cuando el valor añadido por venta sea suficiente. Consideremos la siguiente situación:

> Un fabricante de muebles de Carolina del Norte quiere vender su línea a los minoristas de la Costa Oeste. Una alternativa es contratar 10 nuevos representantes de ventas que operen desde una oficina comercial con sede en San Francisco, y que reciban un sueldo base más comisiones. La otra opción es utilizar la agencia de ventas de un fabricante de San Francisco, que tiene amplios contactos entre los minoristas; sus 30 representantes de ventas podrían recibir una comisión por sus ventas.

|Fig. 15.4|

El valor añadido frente a los costos de diferentes canales

Fuente: Oxford Associates, adaptado de Dr. Rowland T Moriarty, Cubex Corp.

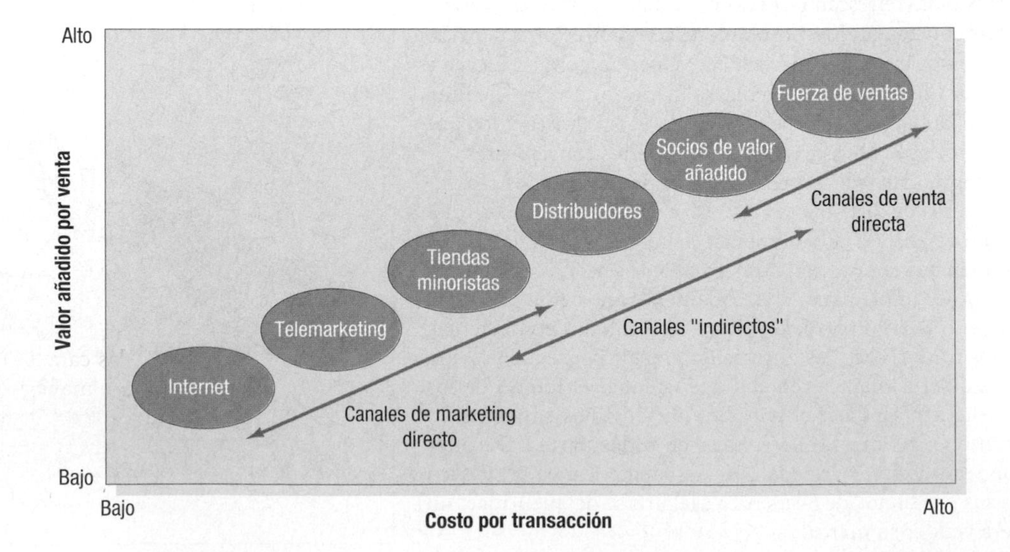

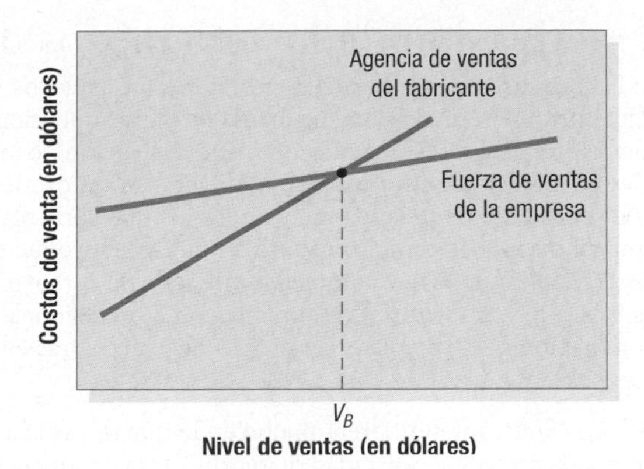

|Fig. 15.5|

Gráfica de punto de equilibrio de costos para la elección entre la fuerza de ventas de la empresa y la agencia de ventas del fabricante

El primer paso es calcular cuántas ventas es probable que genere cada alternativa. La fuerza de ventas de la empresa se centrará en sus propios productos, estará mejor capacitada para venderlos, será más agresiva porque el futuro de cada representante depende del éxito de la empresa, y tendrá más éxito porque muchos clientes prefieren tratar directamente con la empresa. Sin embargo, la agencia de ventas cuenta con 30 representantes en lugar de sólo 10; puede ser igual de agresiva, dependiendo del nivel de su comisión; los clientes podrían apreciar su independencia, y es posible que tenga amplios contactos y conocimientos del mercado. El especialista en marketing tendrá que evaluar todos estos factores al formular una función de demanda para cada uno de estos canales diferentes.

El siguiente paso es calcular los costos de vender diferentes cantidades a través de cada canal. La relación entre el nivel de ventas y los costos se ilustra en la figura 15.5. Utilizar la agencia de ventas es más barato que si la empresa establece una nueva oficina de ventas propia; no obstante, los costos aumentarán más rápido si se emplean los servicios de la agencia, porque los agentes de ventas obtienen comisiones más altas.

El último paso consiste en comparar las ventas y los costos. Como se observa en la figura 15.5, existe un nivel de ventas (V_B) para el que los costos de venta son los mismos en los dos canales. La agencia de ventas es, por lo tanto, el mejor canal para cualquier volumen inferior a V_B, y la sucursal de ventas de la empresa es el mejor canal en cualquier volumen por encima de V_B. Esta información nos permite comprender por qué los agentes de ventas son la opción preferida por las empresas pequeñas o por las grandes empresas en territorios reducidos, donde el volumen de ventas es bajo.

CRITERIOS DE CONTROL Y DE ADAPTACIÓN La utilización de una agencia de ventas plantea un problema de control. Los agentes podrían concentrarse en los clientes que compren más cantidad, pero no necesariamente en los que compren los artículos del fabricante. Además, es posible que no dominen los detalles técnicos del producto del fabricante, o sean ineficaces en el manejo de sus materiales de promoción.

Para desarrollar un canal, los miembros deben comprometerse entre sí durante un periodo específico. Sin embargo, estos compromisos dan lugar, de forma inevitable, a una reducción de la capacidad del fabricante para responder a los cambios y a la incertidumbre. El fabricante necesita estructuras y políticas de canal que le proporcionen una gran capacidad de adaptación.

Decisiones sobre la gestión del canal

Después de que una empresa ha elegido un sistema de canal, debe seleccionar, capacitar, motivar y evaluar a los intermediarios individuales de cada canal. También tendrá que modificar el diseño y los acuerdos de los canales con el paso del tiempo. A medida que la empresa crezca, deberá considerar asimismo la expansión del canal a mercados internacionales.

Selección de los miembros del canal

Desde la óptica de los clientes, los canales son la empresa. Imaginemos la impresión negativa que se llevarían los clientes de McDonald's, Shell Oil o Mercedes-Benz si alguno de sus establecimientos estuviera sucio, fuera ineficaz o fuera consistentemente desagradable.

Para facilitar la selección de los miembros del canal, los fabricantes deben determinar las características que distinguen a los mejores intermediarios: sus años de operación, las demás líneas que manejan, su historial de crecimiento y utilidades, su capacidad financiera, su capacidad de cooperación y la reputación de sus servicios. Si los intermediarios son agentes de ventas, los fabricantes deben evaluar la cantidad y la naturaleza de las demás líneas que manejan, así como el tamaño y la calidad de su fuerza de ventas. Si los intermediarios son grandes almacenes que buscan la distribución exclusiva, habrá que tomar en cuenta sus puntos de venta, su potencial de crecimiento futuro y su tipo de clientela.

Capacitación y motivación de los miembros del canal

Las empresas deben considerar a sus intermediarios como si fueran usuarios finales, determinando sus necesidades y deseos, y adaptando su oferta de canal de forma que les proporcione un valor superior.

La hábil implementación de programas de capacitación, de investigación de mercados y otros programas de desarrollo de habilidades puede contribuir a motivar y mejorar el rendimiento de los intermediarios. La empresa debe hacer saber constantemente a los intermediarios que son colaboradores cruciales en un esfuerzo conjunto, cuyo propósito es satisfacer a los usuarios finales del producto. Microsoft exige a los ingenieros de sus agencias de servicio externas que completen una serie de cursos y exámenes de certificación. Los que aprueban los exámenes son reconocidos formalmente como profesionales certificados de Microsoft y pueden utilizar esta denominación para promover su propio negocio. Otras empresas emplean encuestas a los clientes en vez de exámenes.

EL PODER DEL CANAL Los fabricantes difieren mucho en lo que respecta a su habilidad para manejar a sus distribuidores. El **poder del canal** es la capacidad de modificar la conducta de los miembros del canal, de manera que tomen medidas que no habrían tomado de otro modo.[31] Los fabricantes tienen a su disposición los siguientes tipos de poder para lograr la cooperación de los intermediarios:

- ***Poder coercitivo.*** Un fabricante amenaza con retirar recursos o poner fin a la relación si el intermediario no coopera. Este poder puede ser efectivo, pero su ejercicio provoca resentimiento y podría generar conflictos que lleven a los intermediarios a organizarse para contrarrestarlo.
- ***Poder de recompensa.*** El fabricante ofrece a los intermediarios un beneficio adicional por realizar funciones particulares o tomar medidas específicas. El poder de recompensa suele producir mejores resultados que el poder coercitivo, pero podría provocar que los intermediarios esperen una recompensa cada vez que el fabricante les pida asumir una conducta determinada.
- ***Poder legítimo.*** El fabricante solicita al intermediario que asuma una conducta prevista en el contrato. Esta forma de poder funcionará sólo si los intermediarios consideran al fabricante un líder legítimo.
- ***Poder experto.*** El fabricante posee conocimientos especiales que el intermediario valora. Sin embargo, una vez que los intermediarios adquieren dichos conocimientos, el poder experto se debilita. El fabricante debe seguir desarrollando conocimientos nuevos para que los intermediarios quieran seguir cooperando.
- ***Poder de referencia.*** El fabricante es tan respetado que los intermediarios se enorgullecen de trabajar con él. Empresas como IBM, Caterpillar y Hewlett-Packard poseen un gran poder de referencia.[32]

Los poderes coercitivo y de recompensa se observan de manera objetiva, mientras que los poderes legítimo, experto y de referencia son más subjetivos, y depende de la capacidad y la disposición de las partes a reconocerlo.

Casi todos los fabricantes consideran que obtener la cooperación de los intermediarios supone un gran desafío. Por ello suelen utilizar motivadores positivos como grandes márgenes, acuerdos especiales, primas, incentivos por cooperación publicitaria, pagos especiales por exposición de productos y concursos de ventas. En otras ocasiones aplican sanciones negativas, como amenazas de reducción de márgenes, disminución de la velocidad de entrega, o el fin de la relación comercial. La desventaja de este enfoque radica en que el fabricante utiliza un razonamiento simple de estímulo-respuesta.

En muchos casos, quienes tienen el poder son los minoristas. Por ejemplo, en Estados Unidos los fabricantes ofrecen a los supermercados de la nación entre 150 y 250 nuevos artículos cada semana, de los cuales más del 70% son rechazados por los compradores de las tiendas. Los fabricantes necesitan conocer los criterios de aceptación que utilizan los compradores, los comités de compra y los gerentes de las tiendas. Las entrevistas de ACNielsen revelaron que los gerentes de tiendas estaban influenciados principalmente por (en orden de importancia) una fuerte evidencia de aceptación por parte del consumidor, un plan de publicidad y promoción de ventas bien diseñado y generosos incentivos financieros.

ASOCIACIONES DEL CANAL Las empresas más sofisticadas tratan de forjar asociaciones de largo plazo con los distribuidores.[33] El fabricante comunica claramente lo que espera de sus distribuidores en lo que se refiere a la cobertura del mercado, los niveles de inventario, el desarrollo del marketing, los procedimientos de pago, el asesoramiento y mantenimiento técnico y la información de marketing, y podría introducir un plan de compensación para estimularlos a respetar sus políticas.

Para hacer más eficiente la cadena de suministros y reducir costos, muchos fabricantes y minoristas han adoptado *prácticas de respuesta eficiente al consumidor* (ECR, del inglés *Efficient Consumer Response*) para organizar sus relaciones en tres áreas (1) *gestión de la demanda*, o prácticas de colaboración para estimular la demanda de los consumidores mediante la promoción conjunta del marketing y de las actividades de ventas, (2) *gestión de la oferta*, o prácticas de colaboración para optimizar la oferta (con un enfoque conjunto en la logística y en las actividades de la cadena), y (3) *facilitadores e integradores*, o tecnología de información colaborativa y herramientas de mejora de procesos para apoyar las actividades conjuntas que reducen los problemas funcionales, permiten una mayor estandarización, etcétera.

La investigación ha demostrado que a pesar de que la ECR tiene un impacto positivo en el rendimiento económico y en el desarrollo de las capacidades de los fabricantes, éstos también podrían sentir que están compartiendo de manera injusta las cargas inherentes a su adopción, sin obtener todo lo que merecen de los minoristas.[34]

Evaluación de los miembros del canal

Los fabricantes deben evaluar periódicamente el rendimiento de los intermediarios, comparándolo con estándares como el logro de las cuotas de venta, los niveles promedio de existencias, el tiempo de entrega a los clientes finales, el tratamiento de bienes deteriorados o perdidos, y la cooperación en los programas de promoción y capacitación. Habrá ocasiones en que el fabricante descubrirá que está pagando demasiado a ciertos intermediarios en comparación con lo que realmente hacen. Un fabricante que pagaba a un distribuidor por mantener existencias en sus almacenes, se dio cuenta de que en realidad éste había abandonado los inventarios a su suerte en un almacén público. Los fabricantes deben fijar descuentos funcionales en los que paguen cantidades específicas según el desempeño del distribuidor en cada servicio acordado. Quienes no alcancen los niveles mínimos necesitarán más capacitación o motivación, o bien, la cancelación del contrato.

Modificación del diseño y los acuerdos del canal

Ninguna estrategia de canal es efectiva a lo largo de todo el ciclo de vida del producto. En los mercados competitivos con pocas barreras de entrada, la estructura óptima del canal inevitablemente cambiará con el tiempo. El cambio tal vez implique agregar o abandonar a ciertos miembros del canal, adoptar o dejar de lado canales de mercado específicos, o desarrollar formas totalmente nuevas de vender los bienes.

EVOLUCIÓN DEL CANAL Por lo general, las empresas nuevas comienzan como operaciones locales que venden en un mercado relativamente limitado, utilizando algunos de los intermediarios existentes. La identificación de los mejores canales quizá no sea un problema; muchas veces la dificultad estriba en convencer a los intermediarios disponibles de manejar la línea de la empresa.

Si la empresa tiene éxito, podría diversificar sus actividades a nuevos mercados con diferentes canales. En los mercados más pequeños, la empresa podría vender directamente a los minoristas, mientras que en los más grandes podría hacerlo a través de distribuidores. En las zonas rurales, podría trabajar con comerciantes de bienes generales, y en las urbanas con comerciantes de líneas limitadas. Asímismo, podría conceder licencias exclusivas o vender mediante todos los puntos de venta que estén dispuestos a hacerlo. En un país podría utilizar agentes de ventas internacionales, y en otro asociarse con una empresa local.

Es posible que los primeros compradores estén dispuestos a pagar por canales de un alto valor añadido, pero los compradores tardíos cambiarán a los canales de bajo costo. Las fotocopiadoras de capacidad reducida para oficina se vendieron primero a través de las fuerzas de ventas de los fabricantes, más tarde a través de distribuidores de equipamiento para oficina, después a través de la gran distribución, y al final a través de empresas de venta por correo y distribuidores de Internet.

En resumen, el sistema de canal evoluciona en función de las oportunidades y las condiciones locales, de las nuevas amenazas y oportunidades, de los recursos y las capacidades de la empresa, y de otros factores. En este sentido, consideremos algunos de los retos que Dell ha enfrentado en los años recientes.[35]

Dell

Dell Dell revolucionó la categoría de las PC mediante venta directa a los clientes vía telefónica, y después a través de Internet. Los clientes tenían la oportunidad de personalizar el diseño de la PC para obtener exactamente lo que querían, y una rigurosa reducción de costos permitía que la empresa ofreciera siempre precios bajos. Da la impresión de que Dell había hallado una fórmula ideal, y así fue durante casi dos décadas. Pero en 2006 la empresa enfrentó problemas que provocaron una considerable reducción del precio de sus acciones. En primer lugar competidores revigorizados, como HP, redujeron la brecha que los separaba de Dell en materia de productividad y precio. Dado que siempre había prestado mayor atención al mercado empresarial, la empresa tuvo dificultades para vender de manera efectiva al mercado de consumo. El cambio de preferencia de los consumidores —que los había llevado a comprar en tiendas minoristas— tampoco ayudó, pero quizá lo más doloroso fue el daño que la propia empresa se causó al utilizar un modelo de cadena de suministros ultra eficiente que reducía los costos, pero también la calidad, del servicio al cliente. Los gerentes evaluaban a los empleados del centro de atención telefónica basándose sobre todo en la rapidez con la que atendían cada llamada, lo cual resultó contraproducente porque muchos clientes sintieron que sus problemas eran ignorados o que no se trataban adecuadamente. Otro problema fue la reducción del gasto en investigación y desarrollo, que impidió crear nuevos productos y provocó una falta de diferenciación. Está claro que Dell había entrado en un nuevo capítulo en su historia. Un replanteamiento fundamental de toda su estrategia de canal y su enfoque de marketing ocuparía a la empresa durante los cinco años siguientes.

Decisiones de modificación del canal

El fabricante debe revisar y modificar periódicamente el diseño y los acuerdos de su canal,[36] ya sea porque el canal de distribución no funciona según lo previsto, porque los patrones de compra de los consumidores han cambiado, porque el mercado se expandió, han surgido nuevos competidores, emergieron canales de distribución innovadores, o el producto pasó a otras etapas de su ciclo de vida.[37]

La adición o eliminación de miembros individuales del canal exige un análisis más profundo. Las bases de datos cada vez más detalladas de los clientes y las herramientas de análisis más sofisticadas pueden proporcionar una guía para tomar estas decisiones.[38] Una pregunta básica que se debe plantear es: ¿cómo serían las ventas y las ganancias de la empresa con y sin este intermediario?

Quizá lo más difícil es decidir si debe revisarse la estrategia global del canal.[39] El sistema de venta de cosméticos a domicilio de Avon fue modificándose a medida que más mujeres se sumaban a la fuerza de trabajo. A pesar de la comodidad de los cajeros automáticos, la banca electrónica y los centros de atención telefónica, muchos clientes de los bancos todavía prefieren el "contacto personal" que la "alta tecnología", o por lo menos quieren tener esa opción. Por lo tanto, en algunos países los bancos están abriendo más sucursales y desarrollando prácticas de ventas cruzadas (*cross-selling*) y ventas con mayor valor añadido (*up-selling*) para aprovechar el contacto cara a cara.

Consideraciones sobre canales globales

Los mercados internacionales plantean desafíos únicos —por ejemplo, la diversidad de hábitos de compra de los clientes—, pero al mismo tiempo presentan oportunidades.[40] En India, las ventas producidas por los "distribuidores minoristas organizados" (hipermercados, supermercados y tiendas por departamentos), constituyen sólo el 4% de este mercado de 322 000 millones de dólares. La mayoría de las compras todavía se llevan a cabo en millones de tiendas de abarrotes independientes, o *kiranas* (pequeñas tiendas de barrio), manejadas por el propietario y quizá una o dos personas más.[41] Muchos de los principales minoristas mundiales, como Aldi de Alemania, Tesco del Reino Unido y Zara de España, han adaptado su imagen a las necesidades y deseos locales cuando entran en un nuevo mercado.

Las empresas de franquicias, como Curves (centros de salud física para mujeres) y Subway (tiendas de bocadillos) han experimentado crecimiento de dos dígitos en el extranjero, especialmente en mercados en desarrollo como Brasil y Europa central y oriental. En algunos casos, los *masterfranquiciados* pagan una cuota importante para adquirir la exclusividad de operación en un territorio o país como "minifranquiciador" por derecho propio. Debido a que tienen más conocimientos sobre las leyes, las costumbres y las necesidades de los consumidores locales que las empresas extranjeras, venden y supervisan las franquicias, y cobran los derechos o regalías.[42]

Subway tiene franquiciados en todo el mundo.

Sin embargo, la expansión global está llena de escollos, y los minoristas también deben ser capaces de defender su territorio contra la entrada de minoristas extranjeros. Dado que vende todo tipo de artículos, desde alimentos hasta televisores, la cadena francesa de supermercados Carrefour, el segundo minorista más grande del mundo, ha encontrado una dura competencia en el mercado doméstico de comestibles por parte de pequeños supermercados, y en el de otros bienes por parte de minoristas especializados, como IKEA o Fnac. Aunque es fuerte en algunas partes de Europa, Asia y América Latina, Carrefour (término francés para "cruce de caminos") se ha visto obligado a dejar de operar en varios países, como Japón, Corea del Sur, México, República Checa, Eslovaquia, Rusia, Suiza y Portugal. Otro enorme minorista francés, del estilo Walmart, Auchan, ha tenido bastante éxito al entrar en mercados emergentes como China, aunque no ha podido entrar en los mercados de Estados Unidos ni Gran Bretaña.[43]

Tal como suele ocurrir en el caso del marketing, el primer paso de la planificación de los canales globales consiste en acercarse a los clientes. Para adaptar mejor sus líneas de ropa a los gustos europeos, Urban Outfitters, con sede en Filadelfia, estableció una unidad independiente de diseño y comercialización en Londres antes de abrir su primera tienda en Europa. A pesar de que sus costos aumentaron, la combinación de tendencias estadounidenses y europeas le ayudó a destacarse.[44] Cruzando el Atlántico en sentido contrario, Tesco introdujo sus minisupermercados gourmet Fresh & Easy en California tras invertir 20 años en una investigación que incluyó pasar tiempo con familias estadounidenses y videograbar el contenido de sus frigoríficos. Tesco ya había implementado estos mismos pasos antes de entrar en China.[45]

Si es adaptada adecuadamente, una buena estrategia minorista que ofrezca a los clientes una experiencia de compra positiva y un valor excepcional, probablemente tendrá éxito en más de un mercado. Tomemos como ejemplo a C&A.

C&A Moda C&A Moda es una cadena internacional de negocios de ropa que ha tenido gran éxito en latinoamérica. Fundada en Sneek (Holanda) en 1841 por los hermanos Clemens y August, en 1881 abrió una sucursal en Leeuwarden y en 1893 otra en Ámsterdam. Antes de la Primera Guerra Mundial, descendientes de la familia continuaron con la expansión de la empresa, comenzando por Alemania (1911), donde la industria del vestido estaba floreciendo y en 1920 llegaron a Inglaterra.

Al comienzo de la Segunda Guerra Mundial sus puntos de venta tenían la imagen de una cadena de grandes almacenes; y no fue hasta la década de 1970 que reanudaron su expansión en Europa. En México, C&A Moda estableció su primera tienda en la ciudad de Puebla en febrero de 1999. Actualmente también tiene presencia en Brasil y Argentina.

Cualquiera que desee tener éxito en el mundo de la moda debe saber siempre cuáles son las tendencias del momento, y C&A ha tenido un buen olfato para ello. Por ejemplo, aunque en las décadas de 1950 y 1960 los biquinis y las minifaldas causaban indignación en mucha gente, C&A adoptó estas tendencias y las puso al alcance de su gran público. En la actualidad, la empresa dispone de muchos cazadores de tendencias que pasean por las calles de las metrópolis para detectar nuevas corrientes de moda y transmitirlas a los diseñadores de C&A. Por lo que se refiere a sus instalaciones, su original concepto integra un amplio espacio de venta con cafetería en donde los clientes pueden disfrutar de una cerveza y otras bebidas, ver una película, o simplemente escuchar música, lo cual se traduce en una experiencia diferente de compra. Su mercado meta se centra en jóvenes de 15 a 29 años y, en menor porcentaje, hombres y mujeres de mayor edad. Una de las principales características de C&A es que sus tiendas —de 1 800 a 2 200 metros cuadrados— se ubican en centros comerciales dirigidos al sector socioeconómico medio y medio alto, con estructura *fashion mall* o *power center* con tiendas de autoservicio. Por sí misma, C&A está catalogada como una tienda subancla dentro de los centros comerciales. Firmas como Zara, LOB o Bershka forman parte de su competencia, aunque sólo en ciertos segmentos de su mercado primario. Algunas estrategias de mercado que han servido para posicionar a C&A como líder de la moda joven es la imagen moderna que proyectan sus tiendas, la satisfacción de compra que experimenta su clientela, y la introducción de una tarjeta de crédito propia, de fácil y rápida adquisición: a los clientes más jóvenes únicamente se les pide mostrar un comprobante de domicilio, una credencial de estudiante y una identificación personal; con estos documentos se autoriza su tarjeta en media hora, y a partir de ese momento cuentan permanentemente con la posibilidad de pagar sus compras en tres mensualidades sin intereses. De esta forma C&A busca satisfacer todas y cada una de las necesidades de sus consumidores, y afianzar su lealtad.[46]

La combinación única de C&A Moda, valor y diversión está teniendo mucho éxito tanto en Europa como en México, Brasil y Argentina.

Integración y sistemas de canal

Los canales de distribución no permanecen estáticos. A continuación examinaremos el reciente crecimiento de los sistemas de marketing vertical, horizontal y multicanal. En la siguiente sección analizaremos la forma en que estos sistemas cooperan, entran en conflicto y compiten entre sí.

Los líderes del canal toman el control

V. Kasturi Rangan, de Harvard, cree que las empresas deben adoptar un nuevo enfoque al participar en el mercado: el **liderazgo del canal** (*channel stewardship*). Rangan define el *channel stewardship* como la capacidad de un determinado participante de un canal de distribución —un líder o *steward*— para crear una estrategia de salida al mercado que busque, al mismo tiempo, satisfacer los intereses de los clientes y producir ganancias para todos los socios del canal. El líder coordina el canal sin dar órdenes ni emitir directivas, sino persuadiendo a los socios que participan en él para que actúen en beneficio de todos.

El líder del canal podría ser el fabricante del producto o servicio (Procter & Gamble o American Airlines), el fabricante de un componente clave (el fabricante de microchips Intel), el proveedor o el ensamblador (Dell o Arrow Electronics), el distribuidor (W.W. Grainger) o el minorista (Walmart). En el organigrama de la empresa esta responsabilidad podría recaer en el director ejecutivo, en un alto directivo, o en un equipo de gerentes de alto mando.

El *channel stewardship* le debería interesar a cualquier organización que quiera introducir un enfoque disciplinado a la estrategia de canal. Teniendo en mente el punto de vista del cliente, el líder aboga por el cambio entre todos los participantes, transformándolos en socios con un propósito común.

El *channel stewardship* produce dos resultados importantes. En primer lugar, amplía el valor para los clientes del líder, agrandando el mercado o incrementando las compras de los clientes actuales a lo largo del canal. Un segundo resultado es la creación de un canal más estrecho y adaptable, en el que los miembros más valiosos son recompensados y los menos valiosos son eliminados.

Rangan esboza tres disciplinas fundamentales para el *channel stewardship*:

1. El *análisis* de la industria proporciona una visión global de los determinantes clave de la estrategia de canal y de cómo están evolucionando. Con esta acción se identifican las mejores prácticas y los vacíos actuales, y se hacen proyecciones sobre las necesidades futuras.
2. La *creación y corrección* para evaluar los canales del fabricante e identificar cualquier déficit en la satisfacción de las necesidades de los clientes y/o las mejores prácticas competitivas, con el propósito de elaborar un sistema global nuevo y mejorado.
3. La *coordinación y el ejercicio de la influencia* cierran las brechas y contribuyen a elaborar un paquete de compensación en sintonía con los esfuerzos y el rendimiento de aquellos miembros del canal que añaden valor o tienen la capacidad de hacerlo.

El *channel stewardship* se da en el nivel del cliente, no en el de las instituciones del canal. Por lo tanto, los directivos del canal pueden adaptar sus estrategias para el logro de la satisfacción de las necesidades de los clientes sin tener que cambiar toda la estructura del canal de un solo golpe. Este enfoque evolutivo para transformar el canal requiere una vigilancia constante, aprendizaje y adaptación, pero teniendo en cuenta los intereses de los clientes, de los socios del canal y del líder del canal. El líder del canal no tiene que ser una gran empresa o un líder del mercado; Rangan indica que puede tratarse de agentes más pequeños, como Haworth y Atlas Copco, así como distribuidores y minoristas como Walmart, Best Buy y HEB (supermercados).

Fuentes: V. Kasturi Rangan, *Transforming Your Go-to-Market Strategy: The Three Disciplines of Channel Management* (Boston: Harvard Business School Press, 2006); Kash Rangan, "Channel Stewardship: An Introductory Guide", www.channelstewardship.com; Partha Rose y Romit Dey, "Channel Stewardship: Driving Profitable Revenue Growth in High-Tech with Multi-Channel Management", *Infosys ViewPoint*, agosto de 2007.

Sistemas de marketing vertical

El **canal de marketing convencional** está formado por un fabricante independiente, uno o varios mayoristas y uno o varios minoristas. Cada uno de ellos es una empresa independiente que busca maximizar sus propias ganancias, aunque esta meta reduzca la rentabilidad del sistema en su conjunto. Ningún miembro del canal tiene un control completo o sustancial sobre los demás.

El **sistema de marketing vertical (SMV)**, por el contrario, está formado por el fabricante, uno o varios mayoristas, y uno o varios minoristas que actúan como un sistema unificado. Uno de los miembros del canal, el *capitán del canal*, es el propietario o franquiciador del resto, o tiene tanto poder que todos los demás cooperan. "Marketing en acción: Los líderes del canal toman el control", da un ejemplo de cómo puede funcionar un concepto estrechamente relacionado con los sistemas de marketing vertical, el del *channel stewarship* o canal liderado.

Los sistemas de marketing vertical surgieron como consecuencia de los intentos de los miembros fuertes del canal por controlar el comportamiento de éste y eliminar los conflictos con los miembros independientes, que perseguían sus propias metas. Con los sistemas de marketing vertical se logran economías a través del tamaño, el poder de negociación y la eliminación de los servicios duplicados. Los compradores industriales de productos y sistemas complejos valoran el amplio intercambio de información que pueden obtener de un sistema de marketing vertical,[47] modelo que se ha convertido en la forma dominante de distribución en el mercado de consumo de Estados Unidos, atendiendo a entre un 70 y un 80% del mercado total. Son tres las principales modalidades que asumen los sistemas de marketing vertical: corporativo, administrado y contractual.

SISTEMA DE MARKETING VERTICAL CORPORATIVO El *sistema de marketing vertical corporativo* combina las fases sucesivas de producción y distribución en una propiedad única. Durante años, Sears obtuvo más de la mitad de los productos que comercializaba de empresas que poseía parcial o totalmente. Sherwin-Williams fabrica pinturas, pero también es propietario y operador de 3 300 puntos de venta minoristas.

SISTEMA DE MARKETING VERTICAL ADMINISTRADO El *sistema de marketing vertical administrado* coordina las fases sucesivas de producción y distribución a través del tamaño y del poder de uno de los miembros del canal. Los fabricantes de una marca dominante pueden lograr una sólida cooperación comercial y un fuerte apoyo por parte de los revendedores. Así, Kodak, Gillette y Campbell Soup pueden exigir grandes dosis de cooperación a sus revendedores, en términos de espacio de exhibición, promociones y políticas de precios. En el caso de los sistemas de marketing vertical administrado, el acuerdo más avanzado entre proveedores y distribuidores consiste en la **programación de distribución**, que consiste en la creación de un sistema de marketing vertical bien planificado y gestionado profesionalmente, que satisfaga las necesidades tanto del fabricante como de los distribuidores.

SISTEMA DE MARKETING VERTICAL CONTRACTUAL El *sistema de marketing vertical contractual* está formado por empresas independientes con diferentes niveles de producción y distribución, que integran sus programas sobre una base contractual para obtener más economías o tener mayor impacto sobre las ventas que si trabajaran solas.[48] A veces llamados también "asociaciones de valor añadido", los sistemas de marketing vertical contractual presentan tres modalidades:

1. ***Cadenas voluntarias patrocinadas por el mayorista.*** Los mayoristas organizan cadenas voluntarias de minoristas independientes para ayudarlos a estandarizar sus prácticas de venta y lograr economías en sus compras al competir con organizaciones formadas por grandes cadenas.
2. ***Cooperativas o grupos de compra minoristas.*** Los minoristas toman la iniciativa de organizarse como una nueva entidad de negocios para realizar compras en grandes volúmenes y, en algunos casos, hacerse cargo de una parte de la producción. Los miembros manejan sus compras de manera conjunta a través de la entidad, y planean sus campañas publicitarias en grupo. Las utilidades se distribuyen entre los miembros en proporción a sus compras. Los minoristas que no son miembros también pueden comprar a través de la cooperativa, pero no tienen participación en los beneficios (utilidades).
3. ***Franquicias.*** Un miembro del canal, llamado *franquiciador*, puede unir varias fases sucesivas del proceso de producción y distribución. Las franquicias han experimentado el crecimiento más rápido de la venta minorista en los últimos años.

Aunque la idea básica es antigua, algunas formas de franquicia son bastante innovadoras. El modelo tradicional se denomina *sistema de franquicia minorista patrocinado por el fabricante*: Ford concede licencias para vender sus automóviles a empresarios independientes que están de acuerdo con cumplir con sus condiciones específicas de ventas y servicios. Un segundo sistema es el que se conoce como *sistema de franquicia mayorista patrocinado por el fabricante*: Coca-Cola concede licencias a embotelladores (mayoristas) de varios mercados para que compren su concentrado de cola, le agreguen agua carbonatada, lo embotellen y lo vendan a minoristas en mercados locales. Un sistema más reciente recibe el nombre de *franquicia minorista patrocinada por una empresa de servicios*. En este caso, una empresa de servicios organiza un sistema integral para llevar su producto de forma eficaz hasta los consumidores. Existen ejemplos de este sistema en las industrias de alquiler de vehículos (Hertz y Avis), de comida rápida (McDonald's y Burger King) y de hoteles (Howard Johnson y Ramada Inn). En los sistemas de distribución dual, las empresas utilizan tanto la integración vertical (el franquiciador en realidad posee y gestiona algunas unidades) como la gestión contractual (el franquiciador concede las licencias de las unidades a otros franquiciados).[49]

LA NUEVA COMPETENCIA EN LA DISTRIBUCIÓN MINORISTA Muchos minoristas independientes que no se han integrado a un sistema de marketing vertical establecen tiendas especializadas para atender a segmentos específicos. El resultado es una polarización de la distribución minorista entre grandes organizaciones verticales y tiendas especializadas independientes, lo que supone un problema para los fabricantes. Éstos suelen estar estrechamente vinculados con intermediarios independientes, pero en ocasiones deben realinearse con los sistemas de marketing verticales de alto crecimiento y aceptar condiciones menos atractivas. Es más, los sistemas de marketing verticales amenazan constantemente a los fabricantes con sacarlos de la jugada y empezar a fabricar ellos mismos. La nueva competencia en la distribución minorista ya no ocurre entre unidades de negocio independientes, sino entre sistemas completos que operan con redes programadas centralizadas (corporativas, administradas y contractuales), en competencia mutua para lograr las mejores economías de costos y la respuesta óptima de los consumidores.

Sistemas de marketing horizontal

Otro modelo de desarrollo del canal es el **sistema de marketing horizontal**, en el que dos o más empresas independientes unen sus recursos o programas para explotar oportunidades de marketing emergentes. Cada empresa tiene alguna carencia, ya sea de capital, de experiencia, de producción o de marketing, lo que le impide aventurarse sola porque hacerlo le supondría un riesgo demasiado importante. En tal caso, las empresas podrían colaborar de forma temporal o permanente, o crear una empresa conjunta.

Por ejemplo, muchas cadenas de supermercados tienen acuerdos con bancos locales para ofrecer servicios bancarios en las tiendas. Citizens Bank cuenta con más de 523 sucursales en supermercados estadounidenses, lo que representa aproximadamente el 35% de su red. El personal de Citizens Bank en estas ubicaciones está más orientado a las ventas, es más joven y suele contar con antecedentes de ventas minoristas más sólidos que el personal de las sucursales tradicionales.[50]

Integración de los sistemas de marketing multicanal

En la actualidad casi todas las empresas han adoptado el marketing multicanal. Disney vende sus DVD a través de cinco canales principales: tiendas de alquiler de películas (como Blockbuster), establecimientos Disney (que ahora son propiedad y están administrados por la compañía The Children's Place), tiendas minoristas (como Best Buy), minoristas online (mediante los sitios de Disney u otros, como Amazon.com) y sus catálogos propios o de terceros. Esta variedad permite que la empresa tenga la máxima cobertura de mercado posible, y ofrezca sus videos a diversos niveles de precio.[51] Las siguientes son algunas de las opciones de canal que tiene Coach, un fabricante de artículos de piel.

Coach Coach comercializa una línea de bolsos, maletines, maletas y accesorios de lujo. Aproximadamente el 84% de sus ventas se llevan a cabo a través de Internet, catálogos, tiendas minoristas de la empresa (en Norteamérica, Japón, Hong Kong, Macao y la China continental) y distribuidores en América del Norte. Coach también tiene puntos de venta en grandes almacenes de Japón y China. El 10% de sus ventas proviene de sus espacios exclusivos en 930 tiendas departamentales de Estados Unidos, como Macy's (incluyendo Bloomingdale's), Dillard's, Nordstrom, Saks (incluyendo Carson's) y Lord & Taylor, así como de los sitios Web de algunos de esos minoristas. El 5% de sus ventas proviene de mayoristas diseminados en 20 países, principalmente grandes almacenes. Por último, Coach ha concedido licencias a Movado (relojes), Jimlar (calzado) y Marchon (gafas y accesorios). Estos productos con licencia a veces se venden en otros canales, como tiendas de joyería, tiendas de calzado de lujo y ópticas.[52]

El fabricante de bienes de lujo Coach cuenta con diversas opciones de canal, cuidadosamente seleccionadas y gestionadas.

Los **sistemas de canal de marketing integrados** son aquellos en los que las estrategias y tácticas de venta de un canal reflejan las estrategias y tácticas de venta de uno o más canales. La adición de más canales ofrece a las empresas tres importantes beneficios. El primero es el aumento de la cobertura de mercado. No sólo más clientes pueden comprar los productos de la empresa en más lugares, sino que los que compran en varios canales suelen ser más rentables que aquellos que lo hacen en un solo canal.[53] El segundo beneficio son los menores costos del canal: las ventas por teléfono son más baratas que las ventas personales a pequeños clientes. El tercero son las ventas más personalizadas, lo cual ocurre por ejemplo, cuando se añade una fuerza de ventas con conocimientos técnicos para comercializar equipos complejos.

Sin embargo, también hay algunas desventajas: los canales nuevos suelen presentar conflictos y problemas en lo que se refiere al control y a la cooperación. Dos o más canales podrían terminar compitiendo por los mismos clientes.

Es claro que las empresas tienen que reflexionar acerca de la estructura de su canal y determinar cuáles funciones debe realizar cada canal. La △ figura 15.6 muestra una matriz simple que contribuye a la toma de decisiones en cuanto a la estructura del canal. La matriz consiste en los principales canales de marketing (filas) y las tareas fundamentales que deben realizares en el canal (columnas).[54]

La matriz ilustra por qué resulta ineficiente utilizar un solo canal. Consideremos una fuerza de ventas directa. Un vendedor tendría que encontrar clientes potenciales, calificarlos, hacer la preventa, cerrar la venta, proporcionar servicios y gestionar el crecimiento de la cuenta. Un enfoque de multicanal integrado sería mejor. El departamento de marketing de la empresa podría implementar una campaña de preventa para informar a los clientes potenciales sobre los productos de la empresa a través de publicidad, correo directo y telemarketing; generar clientes potenciales mediante telemarketing, correo directo, publicidad y ferias comerciales y calificar a los clientes potenciales como excelentes, buenos y malos. El vendedor entra en acción cuando el cliente potencial está dispuesto a hablar de negocios, e invierte su valioso tiempo en el cierre de la venta. Esta estructura multicanal optimiza la cobertura, la personalización y el control, y al mismo tiempo reduce al mínimo los costos y los conflictos.

En el caso de los clientes industriales de cualquier tamaño, las empresas deben utilizar diferentes canales de venta: una fuerza de ventas directa para grandes clientes, el telemarketing para los clientes medianos y distribuidores para los clientes de menor tamaño. Sin embargo, deben estar atentas a los conflictos que pudieran surgir respecto de la propiedad de la cuenta. Por ejemplo, los representantes de ventas que operan

Canales y métodos de marketing (VENDEDOR → CLIENTE)	Tareas de generación de demanda								
	Recopilar información relevante	Desarrollar y difundir las comunicaciones	Llegar a acuerdos de precios	Realizar pedidos	Adquirir fondos para los inventarios	Asumir riesgos	Facilitar el almacenamiento y transporte del producto	Facilitar el pago	Supervisar la transferencia de la propiedad
Internet									
Gestión de cuentas nacionales									
Ventas directas									
Telemarketing									
Correo directo									
Tiendas minoristas									
Distribuidores									
Concesionarios y revendedores de valor añadidos									

|Fig. 15.6| △ La matriz híbrida

Fuente: Adaptado de Rowland T. Moriarty y Ursula Moran, "Marketing Hybrid Marketing Systems", *Harvard Business Review*, noviembre-diciembre de 1990, p. 150.

en un territorio determinado podrían querer obtener el crédito por todas las ventas realizadas en el área, independientemente de los canales de marketing que se hayan utilizado.

Los especialistas en marketing multicanal también deben decidir qué proporción de su producto ofrecerán a través de cada uno de los canales. Patagonia (fabricante de ropa deportiva a partir de materiales reciclados) considera que Internet es el canal ideal para mostrar su línea completa de productos, ya que sus 20 tiendas y 5 puntos de venta tienen limitaciones de espacio y solamente pueden exhibir una selección de los mismos, e incluso su catálogo promueve menos del 70% del total de sus mercancías.[55] Otros especialistas en marketing prefieren limitar sus ofertas online, con la teoría de que los clientes consultan los sitios Web y los catálogos para hacerse una idea de "lo mejor de" una gran variedad de mercancías, pero no quieren tener que hacer clic para moverse a través de docenas de páginas.

Conflictos, cooperación y competencia

Independientemente de lo bien diseñados y gestionados que estén, los canales generarán conflictos por la sencilla razón de que los intereses de las empresas independientes no siempre son compatibles. Se dice que existe un **conflicto de canal** cuando las acciones de uno de sus miembros impiden que otro alcance sus metas. Al verse plagada de conflictos de canal entre su fuerza de ventas y sus distribuidores (a los que llama socios de ventas), la importante empresa de software Oracle Corp. decidió desplegar nuevos "territorios de todos los socios", en los que todas las ofertas —con excepción de ciertas cuentas estratégicas— pasarían por socios exclusivos de Oracle.[56]

La **coordinación del canal** se presenta cuando todos los miembros del canal se unen para alcanzar las metas comunes en lugar de sus metas personales, las cuales podrían ser incompatibles entre sí.[57] A continuación examinaremos tres cuestiones: los tipos de conflictos que surgen en los canales, sus causas y sus posibles soluciones.

Tipos de conflictos y competencia

Supongamos que un fabricante crea un canal vertical formado por mayoristas y minoristas, esperando que haya cooperación dentro del canal y mayores beneficios para cada uno de los miembros. Sin embargo, es probable que surjan conflictos en cualquier tipo de sistema de canal, sea vertical, horizontal o multicanal.

- Los ***conflictos de canal horizontal*** se producen entre los miembros del canal que se encuentran en un mismo nivel. Algunos franquiciados de Pizza Inn se quejaron de que otros ofrecían ingredientes de baja calidad, proporcionaban un servicio deficiente y perjudicaban la imagen global de la marca.

Cuando Goodyear expandió sus canales para incluir a grandes minoristas, enfureció a los distribuidores independientes con los que había trabajado desde hacía mucho tiempo.

- Los ***conflictos de canal vertical*** se producen entre los diferentes niveles del canal. Cuando Estée Lauder creó un sitio Web para vender sus marcas Clinique y Bobbi Brown, los grandes almacenes Dayton Hudson redujeron su espacio de exhibición para dichos productos.[58] Una mayor concentración en la distribución minorista (los 10 minoristas más grandes de Estados Unidos son responsables de más del 80% de los negocios del fabricante promedio) ha provocado un incremento en la influencia y en la capacidad de presión de los minoristas en materia de precios.[59] Walmart, por ejemplo, es el principal comprador de muchos fabricantes, incluyendo a Disney, Procter & Gamble y Revlon, y puede exigir una reducción de precios o descuentos por volumen a éstos y a otros proveedores.[60]
- Los ***conflictos multicanal*** se presentan cuando un fabricante ha establecido dos o más canales que venden a un mismo mercado.[61] Estos conflictos suelen ser especialmente intensos cuando los miembros de un canal obtienen un precio más bajo (por mayor volumen de compra) o trabajan con un margen inferior. Cuando Goodyear empezó a vender su popular marca de neumáticos en Sears, Walmart y Discount Tire enfureció a sus distribuidores independientes, aunque al final logró tranquilizarlos ofreciéndoles modelos exclusivos que no se vendían en otros puntos de venta minoristas.

Causas del conflicto de canal

Algunas de las causas de los conflictos de canal son fáciles de resolver, otras no tanto. Los conflictos podrían surgir a partir de:

- ***Incompatibilidad de metas.*** Tal vez el fabricante quiera lograr una rápida penetración de mercado a través de una política de precios bajos. Los distribuidores, en contraste, quizá prefieran trabajar con márgenes más altos y obtener rentabilidad a corto plazo.
- ***Funciones y derechos confusos.*** HP podría vender computadoras personales (ordenadores) a grandes clientes a través de su propia fuerza de ventas, pero quizá sus distribuidores autorizados también intenten vender a las mismas cuentas. Los límites territoriales y el financiamiento de las ventas a menudo provocan conflictos.
- ***Diferencias de percepción.*** Tal vez el fabricante sea optimista sobre la evolución económica a corto plazo y quiera que sus distribuidores aumenten el nivel de existencias, mientras que éstos podrían mostrarse pesimistas. En la categoría de las bebidas, es frecuente que surjan disputas entre fabricantes y distribuidores en relación a cuál es la mejor estrategia publicitaria.
- ***Dependencia de los intermediarios respecto de los fabricantes.*** Los distribuidores exclusivos, como los vendedores de automóviles, dependen en gran medida de las decisiones que los fabricantes toman en relación con el producto y el precio. Esta situación crea un gran potencial para el conflicto.

Manejo de los conflictos de canal

La existencia de algunos conflictos resulta constructiva, porque permite una mayor adaptación a un entorno cambiante; sin embargo, cuando hay demasiados conflictos la situación resulta perjudicial.[62] El desafío

TABLA 15.2 Estrategias para manejar los conflictos de canal
Justificación estratégica
Compensación dual
Metas de orden superior
Intercambio de empleados
Membresías conjuntas
Cooptación
Diplomacia, conciliación o arbitraje
Recursos legales

no consiste en eliminar los conflictos, lo cual es imposible, sino en manejarlos de la mejor manera posible. Hay varios mecanismos para manejar los conflictos de manera eficaz (vea la tabla 15.2).[63]

Justificación estratégica. En algunos casos, ofrecer una justificación estratégica de que se está atendiendo a segmentos distintivos y no se está compitiendo tanto como podría pensarse, puede reducir el potencial de conflicto entre los miembros del canal. El desarrollo de versiones especiales de los productos para diferentes miembros del canal (variantes de marca, como se describe en el capítulo 9) es una forma clara de demostrar su carácter distintivo.

Compensación dual. La compensación dual paga a los canales existentes por las ventas realizadas a través de nuevos canales. Cuando Allstate comenzó a vender seguros online, acordó pagar a los agentes una comisión del 2% por su servicio personal a los clientes que recibían sus cotizaciones por Internet. Aunque esto era inferior a la comisión del 10% que solían recibir los agentes por las transacciones tradicionales, logró reducir las tensiones.[64]

Metas de orden superior. Los miembros del canal pueden llegar a un acuerdo sobre las metas fundamentales o de orden superior que se buscan de manera conjunta, ya sea la supervivencia, la participación de mercado, una mayor calidad o la satisfacción del cliente. Normalmente esto se hace cuando el canal se enfrenta a una amenaza externa, como un canal competidor más eficaz, una ley adversa o un cambio en los deseos del consumidor.

Intercambio de empleados. Un paso útil es el intercambio de personal entre dos o más niveles en los canales. Los ejecutivos de GM podrían acordar trabajar por un corto tiempo en las oficinas de algunos concesionarios, y los propietarios de éstos podrían trabajar en el departamento de políticas para concesionarios de GM. Así, los participantes tienen oportunidad de apreciar los puntos de vista de sus contrapartes.

Membresías conjuntas. Del mismo modo, los especialistas en marketing pueden alentar el establecimiento de membresías conjuntas en las asociaciones comerciales. Una buena cooperación entre la Grocery Manufacturers of America y el Food Marketing Institute, que representa a la mayoría de las cadenas de alimentos, llevó al desarrollo del código universal de producto (UPC—Universal Product Code). Las asociaciones pueden abordar las problemáticas surgidas entre los fabricantes de alimentos y los minoristas, y resolverlas de manera ordenada.

Cooptación. La *cooptación* es un esfuerzo de una organización por obtener el apoyo de los líderes de otra organización, mediante su inclusión en los consejos consultivos, los consejos directivos y otros similares. Si la organización trata con seriedad a los líderes invitados y escucha sus opiniones, la cooptación puede reducir los conflictos, pero el iniciador tal vez tenga que comprometer sus políticas y planes para obtener el apoyo externo.

Diplomacia, conciliación y arbitraje. Cuando los conflictos son crónicos o agudos, es posible que las partes tengan que recurrir a medios más radicales para resolverlos. La *diplomacia* tiene lugar cuando cada parte envía a una persona o grupo a reunirse con su homólogo para resolver el conflicto. La *conciliación* depende de una tercera parte neutral experta en buscar acuerdos que tomen en consideración los intereses de ambas partes. En el *arbitraje* dos partes se comprometen a presentar sus argumentos a uno o más árbitros, y a aceptar su decisión.

Recursos legales. Si ninguna otra alternativa resulta eficaz, un socio de canal podría optar por presentar una demanda. Cuando Coca-Cola decidió distribuir la bebida antideshidratación Powerade directamente a los almacenes regionales de Walmart, 60 embotelladoras se quejaron de que tal práctica podría socavar sus principales servicios de entrega directa a tiendas (DSD, *Direct Store Distribution*) y presentó una demanda. Un acuerdo permitió la colaboración de ambas partes en la búsqueda de nuevos servicios y sistemas de distribución para complementar el sistema DSD.[65]

Dilución y canibalización de las marcas

Los especialistas en marketing deben tener cuidado de no diluir su marca al comercializarla en canales inapropiados, en particular cuando se trata de marcas de lujo, cuyas imágenes suelen basarse en la exclusividad y el servicio personalizado. Calvin Klein y Tommy Hilfiger resultaron perjudicados al vender demasiados productos en canales de descuento.

Para llegar a los compradores adinerados que trabajan largas horas y tienen poco tiempo para comprar, las marcas de moda de alto perfil como Dior, Louis Vuitton y Fendi han dado a conocer sitios de comercio electrónico como una manera para que los clientes analicen los artículos antes de entrar en una tienda, y como un medio para ayudar a combatir las falsificaciones que se venden en Internet. Teniendo en cuenta los extremos a los que estas marcas llegan para consentir a los clientes en sus tiendas tradicionales (porteros, copas de champán y decorados extravagantes), es comprensible que hayan tenido que trabajar duro para ofrecerles una experiencia online de alta calidad.[66]

Cuestiones legales y éticas en las relaciones del canal

En casi todos los casos las empresas son libres, desde el punto de vista legal, de desarrollar en el canal cualquier acuerdo que les convenga. De hecho, la ley trata de evitar que las empresas utilicen tácticas de exclusión que mantengan a los competidores fuera de un canal. En este apartado se analizará brevemente la legalidad de ciertas prácticas, incluida la intermediación exclusiva, la territorialidad exclusiva, los acuerdos vinculantes y los derechos de los distribuidores.

En la *distribución exclusiva* el vendedor sólo permite que determinados establecimientos comercialicen sus productos. Cuando el vendedor exige a estos distribuidores que no comercialicen productos de la competencia, esta práctica se denomina *intermediación exclusiva*. Ambas partes se benefician de los acuerdos exclusivos: el vendedor obtiene puntos de venta más leales y dependientes, y los distribuidores una fuente constante de suministro de productos especiales y un apoyo más firme del vendedor. Los acuerdos exclusivos son legales, siempre y cuando no disminuyan el nivel de competencia ni tiendan a crear monopolios y con la condición de que ambas partes suscriban tales convenios de manera voluntaria.

La intermediación exclusiva suele incluir acuerdos territoriales exclusivos. El fabricante podría aceptar no vender a otros distribuidores de una zona determinada, o el comprador podría acordar vender únicamente en su territorio. La primera práctica incrementa el entusiasmo y el compromiso del distribuidor. Asimismo, es totalmente legal: un vendedor no tiene obligación legal de vender a través de más establecimientos de los que desee. La segunda práctica, por medio de la cual el fabricante intenta evitar que un distribuidor venda fuera de su territorio, se ha convertido en un tema legal candente. Un ejemplo en este sentido es el complejo conflicto protagonizado GT Bicycles de Santa Ana, California, y la enorme cadena PriceCostco, que vendió 2 600 de las costosas bicicletas de montaña del fabricante a un precio muy inferior al del resto del mercado, lo que enfureció a otros distribuidores estadounidenses de GT. GT argumenta que primero vendió las bicicletas a un distribuidor ruso, el cual sólo podía venderlas en su nación. GT sostiene que la práctica en la que los establecimientos de descuento trabajan con intermediarios para conseguir bienes exclusivos es fraudulenta.[67]

A veces los fabricantes de una marca reconocida limitan su venta a los distribuidores que adquieren una parte importante o la totalidad de la línea de productos. Esta práctica se conoce como *obligación de línea completa*. Este tipo de **acuerdos vinculados** no necesariamente son ilegales, pero sí violan las leyes de algunos países si su propósito es disminuir sustancialmente la competencia.

Los fabricantes son libres de escoger a sus distribuidores, pero su derecho a rescindir los contratos está algo restringido. Por lo general, los vendedores pueden romper relaciones con los distribuidores "por causas justificadas", pero no pueden hacerlo si, por ejemplo, un distribuidor se niega a cooperar en un acuerdo de legalidad dudosa, como la intermediación exclusiva o los acuerdos vinculados.

Prácticas de marketing en el comercio electrónico

El **comercio electrónico** utiliza un sitio Web para realizar transacciones o para facilitar la venta de productos y servicios online. Las ventas minoristas por esta vía se han disparado en los últimos años y es fácil comprender por qué. Los minoristas online pueden ofrecer experiencias convenientes, informativas y personalizadas para tipos muy diferentes de consumidores y empresas. Al ahorrarse el costo del espacio de exhibición en el punto de venta, el personal y el inventario, los minoristas online pueden vender de manera rentable un bajo volumen de productos a mercados especializados. Los minoristas online compiten en tres aspectos clave de las transacciones: (1) la interacción del cliente con el sitio Web, (2) la entrega, y (3) la capacidad para resolver los problemas cuando ocurren.[68]

Es posible hacer una distinción entre las empresas con **presencia exclusiva online (empresas de sólo clic)** —es decir, cuya existencia se limita al entorno de Internet—, y las empresas **con presencia online y offline** (conocidas en el medio como empresas *brick-and-click*), esto es, compañías con presencia física que han abierto un sitio en Internet para dar información o para realizar transacciones de comercio electrónico.

Empresas con presencia exclusiva online

Existen numerosos tipos de empresas con presencia exclusiva online: los motores de búsqueda, los proveedores de servicios de Internet, los sitios de comercio electrónico, los sitios de transacciones, los sitios de contenido y los *enabler sites* (Web facilitadores de proyectos de emprendimiento). Los sitios de comercio electrónico venden todo tipo de productos y servicios, especialmente libros, música, juguetes, seguros, acciones, ropa, servicios financieros, etc. Estos sitios emplean diversas estrategias para competir: AutoNation es un líder metaintermediario líder en adquisición de automóviles y servicios relacionados; Hotels.com es líder en información sobre reservaciones (reservas) de hoteles; Buy.com es líder en precios bajos, y Wine Spectator es un especialista en una sola categoría (en su caso la de la venta de vinos).

FACTORES DE ÉXITO EN EL COMERCIO ELECTRÓNICO Las empresas deben crear y operar cuidadosamente sus sitios Web de comercio electrónico. El servicio al cliente es fundamental. Tal vez los compradores online seleccionen un artículo para comprarlo, pero sin llegar a completar la transacción: de acuerdo con un cálculo publicado en marzo de 2008, la tasa de conversión de los compradores en Internet era de sólo el 35% y, lo que es todavía peor, sólo entre el 2 y 3% de las visitas a los minoristas online producían ventas, frente al 5% de las visitas a los grandes almacenes.[69] Para mejorar las tasas de conversión, las empresas deben lograr que el sitio Web sea rápido, simple y fácil de usar. Algo tan sencillo como la ampliación de las imágenes de los productos que aparecen en pantalla podría aumentar el tiempo de lectura y la cantidad que los clientes compran.[70]

Las encuestas de consumidores sugieren que los inhibidores más importantes de las compras online son la ausencia de experiencias placenteras, de interacción social y de atención personal de un representante de la empresa.[71] Las empresas están respondiendo. Actualmente muchas ofrecen un servicio de chat online, para proporcionar a los clientes potenciales asesoramiento inmediato sobre los productos y sugerirles la compra de artículos adicionales. Cuando un representante actúa adecuadamente en la venta, la cantidad promedio por pedido suele ser más alta. Los especialistas en marketing B2B también deben dar un rostro humano a sus actividades de comercio electrónico, y algunos están aprovechando tecnologías Web 2.0 como los entornos virtuales y los blogs, así como los videos y los chats online.

Para aumentar la satisfacción del cliente y el valor del entretenimiento y la información en la experiencia de compra basada en Web, algunas empresas están utilizando *avatares*: representaciones gráficas de personajes virtuales animados, que actúan como representantes de la empresa, asistentes personales de compras, guías de sitios Web o compañeros de conversación. Los avatares pueden mejorar la eficacia de un canal de ventas basado en Web, especialmente si se les percibe como expertos o si resultan atractivos.[72]

Garantizar la seguridad y la privacidad online sigue siendo importante. Los clientes deben sentir que el sitio Web es confiable por sí mismo, independientemente de que represente a una empresa tradicional con tradición de honestidad. Las inversiones en el diseño y en los procesos de los sitios Web pueden ayudar a tranquilizar a los clientes sensibles a los riesgos que existen en Internet.[73] Los minoristas online también están probando nuevas tecnologías, como los blogs, las redes sociales y el marketing móvil para atraer a nuevos compradores.

COMERCIO ELECTRÓNICO B2B A pesar de que los sitios Web dirigidos al consumidor (B2C) han atraído bastante atención de la prensa, en Internet existe mucha más actividad entre empresas. Los sitios B2B están cambiando drásticamente las relaciones entre proveedores y clientes.

En el pasado, los compradores tenían que esforzarse mucho para recopilar información sobre los proveedores internacionales. Los sitios Web B2B hacen que los mercados sean más eficientes, proporcionando a los compradores un acceso muy sencillo a grandes cantidades de información a partir de (1) sitios Web de proveedores; (2) *infomediarios*, es decir, terceros que añaden valor con información sobre las diferentes alternativas; (3) *creadores de mercados*, esto es, terceros que crean mercados al vincular a compradores con vendedores, y (4) *comunidades de compradores*, que son sitios Web en donde los compradores pueden intercambiar experiencias sobre los productos y servicios de los proveedores.[74] Las empresas están recurriendo a los sitios B2B de subastas, lugares de intercambio, catálogos de productos, sitios de trueque y otros recursos online para obtener mejores precios. Irónicamente, el más grande de los creadores de mercados B2B es Alibaba, originario de China, país donde las organizaciones han enfrentado durante décadas la antipatía comunista hacia la empresa privada.

Alibaba Alibaba, creación de Jack Ma, inició operaciones en 1999 y creció en la siguiente década hasta convertirse en el mercado B2B online más grande del mundo, y en el sitio de subastas por Internet más popular de Asia. Sus resultados son asombrosos. La empresa, cuyo valor asciende a 9 000 millones de dólares, tiene 43 millones de usuarios registrados (35 millones en China y 10.5 millones a nivel internacional) y alberga más de 5.5 millones de sitios de tiendas; en cualquier momento dado, más de 4 millones de empresas están negociando. En el corazón de Alibaba se encuentran dos sitios Web B2B: alibaba.com, un mercado para empresas de todo el mundo que compran y venden en inglés, y china.alibaba, un mercado doméstico chino. La potencia china tiene un propósito nacionalista: la creación de mercados para el gran número de pequeñas y medianas empresas del país. Alibaba permite que dichas empresas comercien entre sí y se vinculen con cadenas globables de suministros. Para establecer la confianza de los clientes la empresa creó TrustPass, un servicio mediante el cual un tercero —pagado por los usuarios a Alibaba— verifica las transacciones realizadas. Para participar en el sitio, los usuarios deben tener cinco personas que respondan por ellos, y proporcionar una lista de todos sus certificados o licencias comerciales. A los miembros de Alibaba que han hecho negocios con un usuario se les alienta a hacer comentarios sobre la empresa, de la misma forma que los compradores hacen comentarios sobre los vendedores de Amazon.com o eBay. Las empresas están incluso empezando a imprimir la leyenda "TrustPass" en sus tarjetas de presentación, una verdadera señal de la credibilidad del B2B de Alibaba. El crecimiento global se ha convertido en prioridad para esta empresa: en 2008 puso en marcha sitios en español, alemán, italiano, francés, portugués y ruso para complementar sus opciones en chino e inglés. Después de su salida a bolsa en 2007 con una valoración inicial de 1 700 millones de dólares (cifra sólo superada por Google entre las empresas de Internet), según Jack Ma Alibaba "pondrá en funcionamiento una plataforma de comercio electrónico para 10 millones de pequeñas empresas, creando así 100 millones de empleos en todo el mundo y proporcionando una plataforma minorista online para satisfacer las necesidades diarias de 1 000 millones de personas".[75]

Jack Ma ha sido la fuerza visionaria detrás de Alibaba, un exitoso sitio de subastas y mercado chino online.

Uno de los efectos de estos mecanismos es que hacen más transparentes los precios.[76] En el caso de productos no diferenciados, la presión sobre los precios es mayor. Por lo que respecta a los productos altamente diferenciados, los compradores obtienen una imagen más clara de cuál es su verdadero valor. Los proveedores de productos superiores podrán superar la transparencia en los precios con transparencia en el valor, mientras que los proveedores de productos estandarizados tendrán que reducir los costos para poder competir.

Empresas con presencia online y offline

A pesar de que muchas empresas tradicionales reflexionaron mucho sobre si debían agregar un canal de comercio electrónico a través de Internet, porque tenían miedo de crear conflictos de canal con sus minoristas tradicionales, con sus agentes o con sus propias tiendas, al final casi todas añadieron la red como canal de distribución tras percatarse de la cantidad de negocios que se generaban online.[77] Incluso Procter & Gamble, que durante años utilizó exclusivamente canales de distribución física tradicionales, está vendiendo online algunas grandes marcas, como Tide, Pampers y Olay, en parte para poder examinar más de cerca los hábitos de compra de los consumidores.[78] Por lo tanto, la gestión de los canales tradicionales y los canales online se ha convertido en una prioridad para muchas empresas.[79]

La adición de canales de comercio electrónico plantea el riesgo de que los minoristas, agentes y demás intermediarios se rebelen. La cuestión es cómo vender a través de intermediarios y mediante Internet. Existen al menos tres estrategias para obtener el visto bueno de los intermediarios. Una es ofrecer marcas o productos diferentes a través de Internet. Otra es dar a los socios tradicionales comisiones más importantes para amortiguar el impacto negativo sobre las ventas. Y la tercera es recibir pedidos a través del sitio Web, pero entregarlos y cobrarlos a través de los minoristas. Harley-Davidson decidió estudiar estas alternativas con cuidado antes de aventurarse en Internet.

Harley-Davidson

Harley-Davidson Puesto que Harley vende piezas y accesorios por más de 860 millones de dólares a sus fieles seguidores, la venta a través de Internet era un paso lógico para obtener aún más ingresos. Sin embargo, Harley tenía que ser cautelosa para no despertar la furia de sus 850 distribuidores, que se beneficiaban con importantes márgenes en tales ventas. Su solución fue dirigir a los consumidores que quieren adquirir accesorios online a su sitio Web. Antes de permitirles comprar, se les solicita que seleccionen un distribuidor Harley-Davidson. Cuando el comprador realiza el pedido, éste se redirige al distribuidor seleccionado para que lo tramite. De esta forma, el distribuidor sigue siendo el centro de la experiencia de los consumidores. Los distribuidores, a su vez, aceptaron una serie de condiciones, como revisar dos veces al día los pedidos realizados y enviar los productos a tiempo. El sitio Web recibe en la actualidad más de un millón de visitantes cada mes.[80]

Muchos minoristas con presencia online y offline están tratando de dar a sus consumidores más control sobre sus experiencias de compra al integrar tecnologías basadas en Web en sus tiendas tradicionales. Food Lion ha experimentado con escáneres personales para que los clientes puedan realizar un seguimiento de sus compras en el supermercado. Barnes & Noble tiene quioscos que permiten a los clientes buscar en sus inventarios, localizar mercancías y ordenar artículos que no están en existencia.[81]

Prácticas de marketing en el comercio móvil

La penetración generalizada de los teléfonos móviles y los teléfonos inteligentes (actualmente en el mundo hay más teléfonos móviles que PC) permite que las personas se conecten a Internet y hagan pedidos online mientras se hallan en movimiento. Muchos ven un gran futuro en lo que ahora se denomina *comercio móvil* (*m-commerce*).[82] La existencia de canales y medios de comunicación móviles puede mantener a los consumidores conectados, permitiéndoles que interactúen con una marca a lo largo de su día. Las características tipo GPS de estos dispositivos pueden ayudar a los consumidores a identificar oportunidades de compra de sus marcas favoritas.

Aunque en 2009 sólo uno de cada cinco teléfonos en Estados Unidos era inteligente —por ejemplo, un iPhone o una BlackBerry—, se pronostica que en 2011 las ventas de los teléfonos inteligentes superarán a las de los teléfonos regulares. A medida que aumente la penetración y adopción del 3G, y en tanto vayan desarrollándose opciones de pago más fáciles y diversas aplicaciones para estos teléfonos, el comercio móvil tendrá mayor éxito. Se espera que para 2015 más personas accederán a Internet usando teléfonos móviles que PC.[83]

En algunos países el comercio móvil ya tiene una fuerte presencia. Millones de adolescentes japoneses tienen teléfonos DOCOMO comercializados por NTT (Nippon Telephone and Telegraph) que, entre otras funciones, permiten a los usuarios pedir productos. Cada mes el suscriptor recibe una factura de NTT que enumera la tarifa de suscripción mensual, la de uso y el costo de todas las transacciones. Las facturas pueden pagarse en una de las muy numerosas tiendas de conveniencia de 7-Eleven.

En Estados Unidos el marketing móvil es cada vez más frecuente y está tomando muchas formas.[84] Minoristas como Amazon.com, CVS y Sears han lanzado sitios de comercio móvil que permiten a los consumidores comprar libros, medicamentos y hasta cortadoras de césped utilizando sus teléfonos inteligentes. La industria turística ha utilizado el comercio móvil para dirigirse a los empresarios que necesitan hacer reservaciones de avión o de hotel mientras viajan.[85]

Un vendedor de Nordstrom aumentó la cantidad de mercancía que vendía en un 37%, gracias al envío de mensajes de texto y correos electrónicos de noticias y promociones a los teléfonos móviles de sus clientes.[86] El marketing móvil también puede tener una influencia dentro de la tienda. Los consumidores están usando cada vez más sus teléfonos móviles para enviar mensajes de texto a amigos o familiares sobre algún producto mientras realizan sus compras.

A continuación se narra qué hizo Dunkin' Donuts para desarrollar una estrategia de comercio móvil con el propósito de complementar sus amplios esfuerzos de marketing.

Dunkin' Donuts

Dunkin' Donuts El público objetivo de Dunkin' Donuts son personas ocupadas y en movimiento. La empresa atiende diariamente a 2.7 millones de clientes en aproximadamente 8 800 tiendas de 31 países, incluyendo alrededor de 6 400 ubicaciones en Estados Unidos. La portabilidad sigue siendo una parte esencial de su propuesta de valor, evidente en el tema de su campaña "Estados Unidos funciona con Dunkin'". Sabiendo que muchos clientes hacen una "visita rápida a Dunkin'", especialmente por las tardes, para llevar donuts a otras personas, la empresa ha introducido nuevas herramientas Web interactivas y una aplicación de iPhone para crear una experiencia de solicitud de grupo social. La campaña móvil "Visita rápida a Dunkin'" ofrece alertas interactivas enviadas a una lista de los amigos o compañeros de trabajo de sus clientes, avisándoles cuándo está planeada una visita a Dunkin' Donuts, junto con un mensaje personal invitándolos a hacer un pedido online. Para hacer un pedido los invitados pueden ver el menú o utilizar una lista personalizada de favoritos. Todos los pedidos se integran en una sola pantalla que puede imprimirse o desplegarse en un teléfono móvil antes de ir a la tienda. "Visita rápida a Dunkin'" no fue el primer esfuerzo de marketing móvil de la empresa. Una campaña de promoción anterior, basada en mensajes de texto y realizada durante dos meses en Italia, aumentó sus ventas en casi un 10 por ciento.[87]

Por otro lado, el marketing móvil y el hecho de que una empresa tenga la posibilidad de identificar a un cliente o la ubicación de un empleado utilizando la tecnología GPS plantea problemas de privacidad. ¿Qué pasaría si un empleador se enterara de que un empleado está recibiendo tratamiento contra el SIDA en una clínica local, o si una mujer descubriera que su marido está bailando en una discoteca? Al igual que muchas nuevas tecnologías, los servicios basados en la localización tienen el potencial de hacer el bien o el mal. En última instancia, necesitarán de escrutinio público y la regulación.

Resumen

1. Son pocos los fabricantes que venden sus productos directamente a los usuarios finales. Entre unos y otros existen uno o más canales de marketing y una multitud de intermediarios que realizan funciones diferentes.
2. Entre las decisiones más importantes que debe tomar la dirección de la empresa están las relativas a los canales de marketing que utilizará. El canal o canales que la empresa elija afectará considerablemente el resto de las decisiones de marketing.
3. Las empresas utilizan intermediarios cuando no poseen los recursos financieros necesarios para llevar a cabo el marketing directo, cuando hacerlo no es factible y cuando pueden incrementar sus ganancias por esta vía. Las funciones más importantes que desempeñan los intermediarios son la información, la promoción, la negociación, la recepción de pedidos, el financiamiento, la adopción de riesgos, la posesión física, el pago y la acumulación de inventarios.
4. Los fabricantes tienen muchas alternativas para llegar al mercado, ya sea vendiendo sus productos directamente, o bien utilizando sistemas de canal de uno, dos o tres niveles. Para decidir qué tipo de canal le conviene utilizar, la empresa deberá analizar las necesidades de los clientes, fijarse objetivos de canal, e identificar y evaluar las principales alternativas, así como los tipos y la cantidad de intermediarios que hay en cada canal.
5. Para una gestión eficaz del canal se requiere seleccionar los intermediarios, capacitarlos y motivarlos. La meta es desarrollar una relación duradera que resulte rentable para todos los miembros del canal.
6. Los canales de marketing se caracterizan por cambios continuos y, en ocasiones, radicales. Tres de las más importantes tendencias son el crecimiento de los sistemas de marketing verticales, los horizontales y los sistemas de marketing multicanal.
7. Todos los canales de marketing están sujetos a conflictos potenciales y a la competencia que proviene de fuentes como la incompatibilidad de metas, la escasa definición de los roles y los deberes, las diferencias de percepción y las relaciones de interdependencia. Existe una serie de enfoques diferentes que las empresas pueden asumir para tratar de manejar los conflictos.
8. Los acuerdos de canal son decisión de la empresa, pero existen ciertas restricciones legales y éticas que deben tenerse en cuenta, por ejemplo ciertas prácticas, como la intermediación exclusiva, la distribución geográfica exclusiva, los acuerdos vinculados y los derechos de los distribuidores.
9. El comercio electrónico ha ganado importancia a medida que las empresas han adoptado sistemas de canal online y offline. La integración del canal debe reconocer las fortalezas distintivas de la venta tanto tradicional como a través de Internet y maximizar sus contribuciones conjuntas.
10. Dos áreas que cada vez adquieren mayor importancia son el comercio móvil y el marketing a través de los teléfonos inteligentes y los asistentes digitales personales (PDA).

Aplicaciones

Debate de marketing

¿De verdad importa el punto de venta?

Algunos especialistas en marketing creen que la imagen del canal específico a través del cual venden sus productos no importa en absoluto, sino que lo realmente relevante es que el cliente adecuado utilice el canal y que los productos se expongan de la manera apropiada. Sin embargo, otros sostienen que la imagen del canal (por ejemplo, una tienda minorista) es crucial y que debe ser consistente con la imagen del producto.

Asuma una posición: **La imagen del canal en realidad no influye en la imagen de marca de los productos** ***versus*** **La imagen del canal debe ser consistente con la imagen de marca.**

Análisis de marketing

Integración de canales

Piense en sus minoristas favoritos. ¿Cómo han integrado su sistema de canal? ¿Cómo le gustaría que integraran sus canales? ¿Utiliza los canales múltiples de estos minoristas? ¿Por qué?

Marketing de excelencia

>>Amazon.com

Fundada por Jeff Bezos, Amazon.com comenzó como "la librería más grande del mundo" en julio de 1995. Siendo una librería virtual que no poseía libros físicos, Amazon.com prometía revolucionar la distribución minorista. Aunque podría debatirse si logró esta meta, es evidente que Bezos fue el primero en introducir en el comercio electrónico innovaciones que muchos han estudiado y seguido.

Amazon.com se propuso crear tiendas personalizadas para cada cliente, proporcionándole información más útil y más opciones de las que podría encontrar en su típica librería de vecindario. Los lectores podían analizar los libros y evaluarlos en una escala de una a cinco estrellas, y los navegadores permitían clasificar las reseñas según su utilidad. El servicio de recomendaciones personales de Amazon.com agrupa los datos sobre los patrones de compra para deducir a quién le gustaría cada libro. El sitio ofrece una vista previa del contenido, el índice, y las primeras páginas de los obras mediante una "búsqueda dentro del libro", característica que también permite que los clientes hagan búsquedas en el texto completo de 120000 libros, casi la misma cantidad de títulos que tiene la librería Barnes & Noble. La característica "compra por clic" de Amazon.com da oportunidad a los compradores de realizar compras con rapidez y facilidad.

A lo largo de los años, Amazon.com ha diversificado sus líneas de productos para incluir DVD, CD de música, software, videojuegos, electrónica, ropa, muebles, alimentos, juguetes y mucho más. Además, ha establecido sitios Web independientes en Canadá, el Reino Unido, Alemania, Francia, China y Japón. En 2007, Amazon.com siguió ampliando su oferta de productos con el lanzamiento de Amazon Video On Demand, que permite a los usuarios alquilar o comprar películas y programas de televisión para verlos directamente en sus computadoras o televisores. Más tarde ese mismo año, Amazon.com introdujo Amazon MP3, que compite directamente con el iTunes de Apple y cuenta con la participación de todos los principales sellos discográficos. El lanzamiento de producto más reciente y de mayor éxito de la empresa fue el Kindle de la marca Amazon: un lector de libros electrónicos que puede abrir cientos de miles de libros, revistas, blogs y periódicos de forma inalámbrica en cuestión de segundos. Tan delgado como una revista y tan ligero como un libro de bolsillo, el dispositivo fue el producto de mayor venta de Amazon.com en 2009.

Para superar el desfase entre la compra y la entrega del producto, Amazon.com ofrece envíos rápidos y baratos. Por una cuota anual de 79 dólares, Amazon.com Prime ofrece envíos exprés gratuitos sin límite para casi todos sus artículos. A pesar de que los envíos gratuitos y los recortes de precios a veces son impopulares entre los inversionistas, Bezos cree que esto aumenta la satisfacción, la lealtad y la frecuencia de compra de los clientes.

Amazon.com se ha consolidado como un mercado electrónico al permitir que comerciantes de todo tipo vendan artículos en su sitio. Mantiene y opera sitios Web minoristas para Target, la NBA, Timex y Marks & Spencer. Amazon.com obtiene el 40% de sus ventas de su más de medio millón de afiliados, a los que llama "socios": vendedores independientes o empresas que reciben comisiones por referir a los clientes, que luego hacen compras en el sitio de Amazon.com. Los socios pueden referir a los consumidores a Amazon.com a través de diversas maneras, incluyendo enlaces directos y banners, así como los Amazon Widgets: miniaplicaciones que incluyen la amplia selección de productos de Amazon.com.

Amazon.com también ha lanzado un producto afiliado llamado aStore, que da a los socios la posibilidad de crear una tienda online operada por Amazon, de fácil manejo y sin exigir conocimientos sobre programación. Amazon.com apoya a estos comerciantes proporcionándoles nuevas herramientas para su sitio Web, ofreciéndoles acceso al catálogo de productos de Amazon.com, y manejando todos los pagos y la seguridad de los mismos a través de sus servicios Web. Amazon.com también puede "recoger, embalar y enviar los productos a los clientes del comerciante, a cualquier hora y en cualquier lugar" mediante su "servicio de cumplimiento" (FBA, *Fulfillment by Amazon*). En esencia, esto crea una tienda virtual para los comerciantes externos, con pocos riegos y sin costos adicionales.

Una de las claves del éxito de Amazon.com en todas estas diferentes empresas fue su voluntad de invertir en las últimas tecnologías de Internet, para hacer que las compras online fueran más rápidas, más fáciles y más gratificantes para sus clientes y comerciantes externos. La empresa continúa invirtiendo en tecnología, se enfoca en el largo plazo y ha logrado posicionarse como una organización de tecnología con su amplia gama de servicios Web. Este creciente conjunto de servicios de infraestructura satisface las necesidades de las empresas minoristas de prácticamente todos los tamaños.

Desde el comienzo, Bezos afirmó que, a pesar de haber comenzado como una librería online, con el tiempo quería vender de todo a través de Amazon.com. Hoy en día, teniendo más de 600 millones de visitantes anuales, la empresa sigue acercándose a esa meta con productos revolucionarios como el Kindle y servicios Web de "informática en la nube".

Preguntas

1. ¿A qué se debe que Amazon.com haya tenido éxito en Internet, cuando tantas otras empresas han fracasado?
2. ¿Revolucionará el Kindle la industria editorial? ¿Por qué?
3. ¿Qué sigue para Amazon.com? ¿La informática en la nube es la dirección correcta para la empresa? ¿Cuáles otros caminos podría tomar para seguir creciendo?

Fuentes: "Click to Download", *Economist*, 19 de agosto de 2006, pp. 57-58; Robert D. Hof, "Jeff Bezos' Risky Bet", *BusinessWeek*, 13 de noviembre de 2006; Erick Schonfteld, "The Great Giveaway", *Business 2.0*, abril de 2005, pp. 80-86; Elizabeth West, "Who's Next?", *Potentials*, febrero de 2004, pp. 7-8; Robert D. Hof, "The Wizard of Web Retailing", *BusinessWeek*, 20 de diciembre de 2004, p.18; Chris Taylor, "Smart Library", *Time*, 17 de noviembre de 2003, p. 68; Deborah Solomon, "Questions for Jeffrey P. Bezos", *New York Times*, 2 de diciembre de 2009; Patrick Seitz, "Amazon.com Whiz Jeff Bezos Keeps Kindling Hot Concepts", *Investors' Daily Business*, 31 de diciembre de 2009; Amazon.com, Amazon.com 2009 Annual Report.

Marketing de excelencia

>>Costco

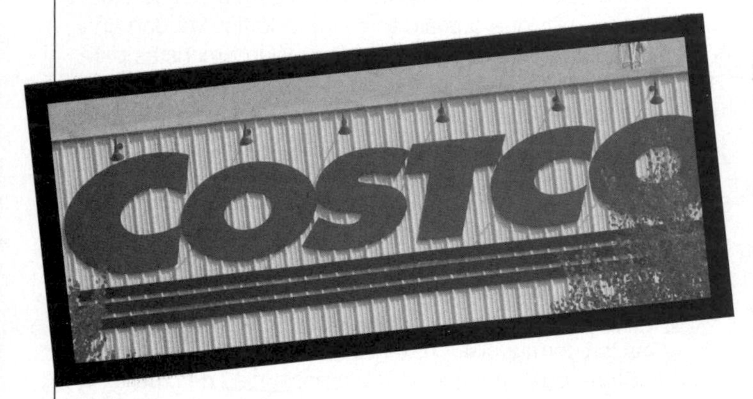

La misión de Costco es "ofrecer continuamente a nuestros socios bienes y servicios de la más alta calidad al precio más bajo posible". Con cerca de 60 millones de miembros y más de 71 000 millones de dólares en ventas, Costco es actualmente la cadena de clubes de almacenes más grande de Estados Unidos, el tercer minorista más grande en ese país y el noveno minorista más grande del mundo. El éxito de Costco es resultado de años de creación de lealtad del consumidor a través de su estrategia de comercialización y precios, combinada con políticas de reducción de costos prácticas y funcionales.

La estrategia de comercialización de Costco se centra en ofrecer una amplia gama de productos de marcas de prestigio y marcas propias o de distribuidor a precios muy bajos. A diferencia de las tiendas de comestibles, que pueden ofrecer 40 000 referencias (SKU, Stock Keeping Units), o de Walmart, que puede ofrecer hasta 150 000 unidades, Costco pone a disposición de sus socios alrededor de 4 000: únicamente los sabores, tamaños, modelos y colores de venta más rápida de un solo proveedor en cada categoría. Este eficiente abastecimiento de productos produce varios resultados: alto volumen de ventas, rápida rotación de inventarios, precios extremadamente bajos y mejor manipulación del producto.

Costco compra sus mercancías directamente del fabricante. Los productos son enviados a los almacenes Costco o a un depósito que reasigna los envíos a aquellos en 24 horas. Este proceso elimina varios pasos, como el uso de un distribuidor y otros intermediarios, gracias a lo cual desaparecen los costos asociados con el almacenamiento, el transporte adicional y la manipulación. En el almacén, los envíos suelen ser conducidos directamente al área de ventas, en donde se les desempaqueta y coloca en tarimas, listos para venderse.

A través de los años, Costco ha ampliado sus productos y servicios de simples artículos envasados, como los cereales y los productos de papel, para incluir elementos más complejos, como alimentos, productos frescos y las flores, que deben exhibirse de forma atractiva y exigena una manipulación más cuidadosa. Hoy en día vende productos lácteos, productos horneados, mariscos, ropa, libros, programas de software, aspiradoras, electrodomésticos, artículos electrónicos, joyas, neumáticos, arte, vinos, licores, bañeras de hidromasaje y muebles. Los servicios de Costco incluyen farmacias, ópticas, procesadores de fotografías, área de comidas y estaciones de servicio. La marca propia de la empresa, Kirkland Signature, ofrece a los consumidores productos de alta calidad a precios incluso más bajos que los artículos de marca similares. La gama de productos Kirkland Signature incluye desde pañales hasta ropa de cama, café y maquillajes.

De los 4 000 productos que vende, 3 000 son productos básicos que se encuentran en Costco semana tras semana, mientras que los 1 000 restantes son artículos que rotan, formando parte de la "búsqueda del tesoro" de Costco. Estos artículos especiales se ofrecen sólo temporalmente y pueden ser tan exóticos como los bolsos Coach, el cristal Waterford y costosas joyas. Costco considera que sus artículos de "búsqueda del tesoro" crean entusiasmo y aumentan la lealtad de los consumidores, atrayendo una y otra vez a los cazadores de gangas.

La estrategia de fijación de precios de Costco es transparente: la empresa limita el margen de beneficio de cualquier artículo de marca al 14%, y de cualquier artículo de marca propia al 15%. (Los supermercados y los grandes almacenes obtienen márgenes de entre el 25 y el 50%). Si el precio de un fabricante es demasiado alto, la empresa no resurte el artículo. El director ejecutivo de Costco, Jim Sinegal, explicó: "El minorista tradicional dice: 'Estoy vendiendo esto a 10 dólares, me pregunto si podría obtener 10.50 u 11 dólares'. Nosotros decimos: 'Estamos vendiendo esto a 9 dólares, ¿cómo podríamos venderlo a 8?'".

Las tácticas de ahorros de costos de Costco se extienden a sus más o menos 560 almacenes en todo el mundo. En promedio, casi todos ellos constan de unos 44 000 metros cuadrados, con planos diseñados para optimizar el espacio de venta, el manejo de mercancías y el control de inventario. La decoración es simple: suelo de hormigón, señalización escueta y muestras de productos que consisten en tarimas sacadas directamente del camión. Los tragaluces centrales y los centros de iluminación diurna controlan el uso de la energía, y Costco también ahorra al no suministrar bolsas de compras. En cambio, los consumidores utilizan las cajas sobrantes que están apiladas cerca de las cajas registradoras para llevar a casa sus compras. Costco invierte poco en marketing y promociones, a excepción del correo directo ocasional que envía a sus posibles nuevos miembros, y los cupones que envía a sus socios regulares.

En la única área en la que Costco no repara en gastos es en sus empleados. Les paga bien, y el 85% cuenta con un seguro de salud, más del doble del porcentaje de Target o Walmart. Como resultado, la rotación de personal y el robo por parte de los empleados son extremadamente bajos. La leal base de clientes de Costco aprecia el hecho de que sus grandes descuentos provienen de su planificación estratégica de negocios y no de restricciones a sus trabajadores.

Los clientes de Costco no sólo son leales, sino que muchos son adinerados. Su ingreso familiar promedio es de 74 000 dólares; el 31% gana más de 100 000 dólares al año. Casi todos los consumidores tienden a ser empresas o familias numerosas, con casas lo suficientemente grandes como para almacenar productos a granel. Las membresías de Costco comienzan en 50 dólares al año y su categoría puede elevarse al nivel ejecutivo, el cual proporciona beneficios adicionales. Costco sólo acepta tarjetas de débito, efectivo, cheques y American Express, quien cobra a Costco una comisión interbancaria muy alta. Aunque los consumidores necesitan una membresía para comprar en los almacenes, pueden hacer compras online sin ella. En 2008, 58 millones de consumidores visitaron costco.com y quienes no eran socios pagaron una tarifa adicional del 5% por cualquier compra.

El éxito de Costco es consecuencia del hecho de que se ha centrado en un conjunto de prácticas comerciales: vender un número limitado de artículos, mantener los costos bajos, depender de los grandes volúmenes, pagar bien a los trabajadores, obligar a los consumidores a pagar membresías, y dirigirse a los consumidores de alto nivel y a los empresarios. Esta visión le ha permitido alcanzar muchos logros, incluyendo ser la empresa número 24 en la lista de los 500 de *Fortune* y la número 22 en la lista de las empresas más admiradas de *Fortune*. Costco también se convirtió en la primera empresa en crecer de cero a 3 000 millones de dólares en ventas en menos de seis años.

Preguntas

1. ¿Cuál es una característica única en el proceso de gestión de canal de Costco? ¿Qué componentes podrían copiar o implementar otros minoristas?
2. ¿En qué aspecto podría mejorar Costco? ¿Debería ofrecer más productos o promocionarse más? ¿Por qué?

Fuentes: Matthew Boyle, "Why Costco Is So Addictive", *Fortune*, 25 de octubre de 2006; Steven Greenhouse, "How Costco Became the Anti-Walmart", *New York Times*, 17 de julio de 2005; Costco, Costco.com 2009 Annual Report.

En este capítulo responderemos las siguientes **preguntas**

1. ¿Qué tipos de intermediarios de marketing integran este sector?
2. ¿Qué decisiones de marketing toman estos intermediarios?
3. ¿Cuáles son las tendencias principales entre los intermediarios de marketing?
4. ¿Qué les depara el futuro a las marcas de distribuidor?

"Hágalo usted mismo". Con este lema, Home Depot, la cadena estadounidense de mejoramiento en el hogar, ha conquistado al mercado mexicano y se ha posicionado como uno de los minoristas de mayor crecimiento en este país.

Gestión de la distribución minorista, de la venta mayorista y de la logística de mercado

En el capítulo anterior estudiamos los intermediaros de marketing desde el punto de vista de los fabricantes que querían crear y gestionar canales de marketing. En este capítulo analizaremos a esos mismos intermediarios (minoristas, mayoristas y empresas de logística) como agentes que necesitan y crean sus propias estrategias de marketing en un mundo que cambia rápidamente. Los intermediarios también buscan la excelencia en el marketing y pueden gozar de sus beneficios como cualquier otro tipo de empresa.

Desde que inició operaciones en México, Home Depot ha tenido un crecimiento promedio anual de 60%. En 2001 abrió sus primeras cuatro tiendas —tres en Monterrey y una en la Ciudad de México—; actualmente cuenta con 66 establecimientos, en 40 ciudades, por los que cada año pasan 37 millones de personas. Sus ventas en todo el país superan los 1 000 millones de dólares anuales.

"Nuestra estrategia es llevar una tienda de Home Depot a donde está el cliente y evitar que éste tenga que venir a donde está Home Depot", dice Ricardo Saldívar, presidente de Home Depot México. En buena medida, esta expansión se deriva del auge del sector vivienda, de la difusión de la cultura "hágalo usted mismo" que ha emprendido la cadena y de su política de precios bajos, factores que constituyen la ecuación para el vertiginoso crecimiento de un modelo de negocios hasta hace poco desconocido en México.

El modelo de la cadena siempre se ha basado en una combinación de surtido, servicio, exhibición y precios bajos, lo que implica contar con la mayor cantidad y variedad de productos y el número adecuado de empleados en cada tienda. Asimismo, tiene una política de exhibición que se basa en tres aspectos: producto, modo de instalación y despliegue del producto instalado. En todo caso, lo innovador de su modelo está en otra parte: "Le hemos dado a la cultura del 'hágalo usted mismo' un giro y un énfasis mayor... tenemos talleres de mejoramiento del hogar donde informamos sobre nuestros productos", señala Saldívar. Parte importante de esta cultura tiene que ver no sólo con desarrollar un hobby para el cliente, sino también con ayudarle a que pueda llevar a cabo un proyecto de manera más económica.

Home Depot emplea en México la misma estrategia que en Estados Unidos al entrar a una nueva ciudad. El método es profesional y cauteloso. "Evaluamos cada nueva ubicación con estudios de mercado, sus factores demográficos, socioeconómicos y tendencias de crecimiento de la ciudad. Hasta las sobrevolamos para identificar áreas de mayor crecimiento y desarrollo. Luego hacemos las proyecciones y tomamos una decisión bien informada", explica el presidente de Home Depot México.

En lo que respecta a la competencia, ésta es bastante particular: en rigor, la única competencia que enfrenta está constituida por las ferreterías, las casas de materiales, los viveros y las ferreterías locales. Pero Saldívar insiste en que la cadena no representa una amenaza para los pequeños establecimientos: "para el cliente siempre tendrá más sentido ir por una emergencia a la ferretería que queda a unas calles de su casa; en ese sentido, somos canales complementarios", dice. El ejecutivo asegura que donde se instala una tienda de Home Depot, el mercado mejora incluso para estos pequeños negocios. "Hay proveedores y dueños de empresas que me preguntan la fecha en que llegaremos a un nuevo mercado", comenta. "Y cuando yo les pregunto por qué tanto interés en que lleguemos, me dicen que porque han comprobado que un año después de que abrimos en un determinado lugar, las ventas crecen un 30%". Actualmente existen 87 tiendas ubicadas en diferentes ciudades de la República Mexicana.[1]

Mientras los minoristas innovadores como Zappos, H&M de Suecia, Zara y Mango de España, y Topshop de Gran Bretaña han prosperado en los últimos años, otros han tenido dificultades, como los anteriormente gigantes estadounidenses Gap y Kmart. Los intermediarios más exitosos utilizan planificación estratégica, sistemas de información más avanzados y sofisticadas herramientas de marketing. Segmentan sus mercados, mejoran la definición de su mercado meta y su posicionamiento, y se esfuerzan denodadamente para conseguir la expansión del mercado e introducir estrategias de diversificación. En este capítulo consideraremos cómo alcanzar la excelencia en marketing en la distribución minorista, la venta mayorista y la logística de mercado.

Distribución minorista

La **distribución minorista** incluye todas las actividades relacionadas con la venta directa de bienes y servicios al consumidor final para su uso personal no comercial. Un **minorista** o una **tienda minorista** es toda aquella empresa cuyo volumen de ventas procede, principalmente, de la venta al pormenor o al menudeo.

Cualquier empresa que venda a los consumidores finales, ya sea un fabricante, un mayorista o un minorista, lleva a cabo una distribución minorista. No importa *cómo* se vendan los bienes o servicios (en persona, por correo, por teléfono, a través de una máquina expendedora o a través de Internet), ni *dónde* se vendan (en una tienda, en la calle o en el hogar del consumidor).

Después de analizar los diferentes tipos de minoristas y el nuevo entorno de marketing minorista, examinaremos las decisiones de marketing que deben tomar los minoristas. Los siguientes son cuatro ejemplos de empresas minoristas innovadoras que han experimentado éxito en el mercado durante años recientes.

Panera Bread

Organizaciones minoristas innovadoras

Panera Bread. La cadena de restaurantes de 2 600 millones de dólares, Panera Bread, se orienta a "personas que se interesan en los alimentos y los entienden, o que están a punto de hacerlo" y les vende alimentos frescos "reales" —con mucho pan caliente— a precios elevados que los clientes están más que dispuestos a pagar. Su ambiente sin pretensiones y sin camareros, pero también sin tiempo máximo de estancia, anima a sus clientes a quedarse. La marca es considerada como orientada a la familia, pero también como sofisticada, ya que ofrece una atractiva combinación de alimentos frescos, adaptables, prácticos y asequibles.

GameStop. El minorista de videojuegos y software de entretenimiento GameStop tiene más de 6 000 locales en centros y parques comerciales de todo Estados Unidos, lo cual es muy cómodo para sus clientes. Su personal está integrado por amantes incondicionales de los videojuegos a quienes les gusta comunicarse con los clientes. GameStop ofrece una política de intercambio que da crédito a los clientes por los juegos viejos que cambian por nuevos.

Lumber Liquidators. Lumber Liquidators compra con descuento excedentes de madera directamente a los aserraderos y ofrece cerca de 350 tipos de suelos de madera, casi la misma cantidad que Lowe's y Home Depot. Sus precios de venta son más bajos, ya que reduce sus costos de operación al eliminar a los intermediarios y ubicar sus tiendas en lugares económicos. Lumber Liquidators también sabe mucho sobre sus clientes, como el hecho de que los compradores que solicitan muestras de productos tienen un 30% de probabilidades de realizar una compra en un periodo de un mes y que la mayoría suele renovar una habitación cada vez, no toda la casa al mismo tiempo.

Net-a-Porter. Con sede en Londres, Net-a-Porter es una línea de ropa de lujo y minorista de accesorios cuya página Web combina el estilo de una revista de moda con la emoción de comprar en una boutique de moda. Considerada por sus clientes más fieles como una autoridad en la moda, Net-a-Porter ofrece más de 300 marcas internacionales, como Jimmy Choo, Alexander McQueen, Stella McCartney, Givenchy, Marc Jacobs y otras. La empresa realiza envíos a 170 países y ofrece entrega el mismo día en Londres y Manhattan; su pedido promedio es de 250 dólares.

Fuentes: Kate Rockwood, "Rising Dough", *Fast Company*, octubre de 2009, pp. 69-71; Devin Leonard, "GameStop Racks Up the Points", *Fortune*, 9 de junio de 2008, pp. 109-22; Helen Coster, "Hardwood Hero", *Forbes*, 30 de noviembre de 2009, pp. 60-62; John Brodie, "The Amazon of Fashion", *Fortune*, 14 de septiembre de 2009, pp. 86-95.

Tipos de minoristas

En la actualidad, los consumidores pueden comprar bienes y servicios en tiendas minoristas, a minoristas sin tienda y a organizaciones de minoristas.

TIENDAS MINORISTAS Tal vez el tipo más conocido de tienda minorista es el de los grandes almacenes o las tiendas departamentales. En el caso de Japón, las tiendas departamentales como Takashimaya y Mitsukoshi atraen a millones de compradores cada año e incluyen galerías de arte, restaurantes, escuelas de cocina, gimnasios y áreas de juego para los niños. Los tipos más importantes de las principales tiendas minoristas se resumen en la tabla 16.1.

Los formatos de las tiendas minoristas presentan diferentes dinámicas de competencia y precios. Por ejemplo, las tiendas de descuento compiten mucho más intensamente entre sí que las de otros formatos.[2] Los minoristas también satisfacen las preferencias de consumidores muy dispares en términos de calidad y cantidad de servicios. En concreto, pueden posicionarse en torno a uno de estos cuatro niveles de servicio:

1. ***Autoservicio.*** El autoservicio es la clave de todas las empresas de descuento. Muchos consumidores están dispuestos a llevar a cabo su propio proceso de "búsqueda-comparación-selección" para ahorrar dinero.
2. ***Autoselección.*** Los clientes buscan sus propios productos, aunque tienen la posibilidad de solicitar ayuda.
3. ***Servicio limitado.*** Estos minoristas ofrecen un mayor número de bienes y servicios, como facilidades de crédito o devolución de mercancías. Estos clientes necesitan más información y asistencia.
4. ***Servicio completo.*** Hay vendedores dispuestos a atender a los consumidores en cualquier fase del proceso de "búsqueda-comparación-selección". Los clientes a quienes les gusta ser atendidos prefieren este tipo de tienda. Los altos costos del personal, la mayor proporción de productos de especialidad con una rotación más lenta y los numerosos servicios que ofrecen implican altos costos de venta.

TABLA 16.1 Principales tipos de tiendas minoristas

Tienda especializada. Línea de productos reducida. The Limited, The Body Shop.
Grandes almacenes o tienda departamental. Varias líneas de productos. JCPenney, Bloomingdale's.
Supermercado. Tienda grande de autoservicio de bajo costo, márgenes reducidos y gran volumen de ventas diseñada para satisfacer la totalidad de las necesidades de alimentación y productos para el hogar de los consumidores. Kroger, Safeway.
Tienda de conveniencia. Tienda pequeña ubicada en una zona residencial, abierta las 24 horas, los 7 días de la semana. Línea limitada de productos de conveniencia con una gran rotación, además de comida para llevar. Ejemplos: 7-Eleven, Circle K.
Farmacia. Medicamentos con receta y productos OTC (*over the counter* o medicamentos sin receta), productos para la salud y la belleza, para el cuidado personal, pequeños artículos duraderos, artículos variados. CVS, Walgreens.
Tienda de descuento blando (*soft-discount*). Mercancía estándar o de especialidad; tiendas de precios bajos, márgenes reducidos y grandes volúmenes de venta. Walmart, Kmart.
Tienda de valor extremo (*hard discount*). Mezcla de productos más limitada que la de las tiendas de descuento, pero a precios incluso más bajos. Aldi, Lidl, Dollar General, Family Dollar.
Detallistas *Off-Price*. Productos excedentes, irregulares o fuera de temporada que son vendidos a precios inferiores a los de lista para la venta minorista. *Outlets* de fábricas, minoristas independientes como TJ Maxx, clubes mayoristas como Costco.
Grandes superficies comerciales. Inmenso espacio de ventas con productos alimenticios y del hogar que se adquieren de forma rutinaria, servicios adicionales (lavandería, reparación de calzado, tintorería, cambio de cheques). Asesinos de categoría (*category killers*) con un amplio surtido en una categoría, como Staples; tiendas combinadas como Jewel-Osco; hipermercados (tiendas enormes que combinan supermercado, tienda de descuento y tienda de fábrica) como Carrefour en Francia y Meijer en los Países Bajos.
Salas de exhibición de catálogo. Gran selección de productos de marca con amplio margen y gran rotación que se venden por catálogo a precios de descuento. Los clientes recogen la mercancía en la tienda. Inside Edge Ski y Bike.

Fuente: Datos obtenidos en: www.privatelabelmag.com.

DISTRIBUCIÓN MINORISTA SIN TIENDAS A pesar de que la inmensa mayoría de los bienes y servicios (el 97%) se venden a través de tiendas, la *distribución minorista sin tiendas* ha experimentado un crecimiento mucho más rápido que la venta en tiendas. La distribución minorista sin tiendas se divide en cuatro categorías principales: venta directa, marketing directo (que incluye el telemarketing y las ventas por Internet), la venta automática y los servicios de compras:

1. La ***venta directa*** (también conocida como *venta multinivel* o *marketing de red*) es una industria multimillonaria, con cientos de empresas que venden a domicilio o en reuniones de carácter doméstico. Algunas empresas conocidas de venta a domicilio son Avon, Electrolux y Southwestern Company of Nashville (Biblias). En el caso de Tupperware y Mary Kay Cosmetics, una persona vende a varios compradores: el vendedor se dirige a la casa de un anfitrión que ha invitado a sus amigos, hace una demostración de los productos y recibe pedidos. Amway fue pionera en la venta multinivel, que consiste en contratar a vendedores independientes que actúan como distribuidores. La remuneración del distribuidor incluye un porcentaje de las ventas de aquellos a quienes contrató y otro sobre las ventas directas a los clientes. Estas empresas de venta directa, que ahora encuentran menos a menudo a sus clientes potenciales en casa, están desarrollando estrategias de distribución múltiple.
2. El ***marketing directo*** tiene sus raíces en el correo directo y en el marketing por catálogo (Lands' End, L.L. Bean). Éste incluye el *telemarketing* (1-800-FLOWERS), *el marketing televisivo de respuesta directa* (HSN, QVC) y las *compras electrónicas* (Amazon.com, Autobytel.com). Conforme las personas se acostumbran cada vez más a comprar por Internet, piden una mayor variedad de bienes y servicios de una amplia gama de sitios Web. Se calcula que en Estados Unidos, las ventas online ascendieron a 210 mil millones de dólares en 2009 y el turismo ocupó una categoría muy importante (80 mil millones de dólares).[3]
3. La ***venta automática*** se utiliza para un sinfín de productos, entre los que se cuentan los productos de compra impulsiva como gaseosas (refrescos), café, golosinas, periódicos, revistas y otros como medias, cosméticos, comida caliente y libros de bolsillo. Las máquinas expendedoras se sitúan en fábricas, oficinas, grandes empresas minoristas, gasolineras, hoteles, restaurantes y muchos otros lugares. Estas máquinas ofrecen productos a la venta las 24 horas, autoservicio y productos siempre frescos. Japón es el país con el mayor número de máquinas expendedoras por persona (Coca-Cola tiene allí más de un millón de máquinas y obtiene ventas anuales por 50 000 millones de dólares), el doble que en Estados Unidos.
4. Los **servicios de compras** son minoristas sin tiendas que atienden a una clientela específica: por lo general a los empleados de organizaciones grandes, quienes están autorizados a comprar a una serie de distribuidores que han acordado otorgar descuentos a cambio de su afiliación.

TABLA 16.2	Principales tipos de organizaciones minoristas empresariales
Cadenas corporativas de tiendas. Dos o más puntos de venta, en propiedad y bajo un control único, que centralizan sus compras y actividades de comercialización y venden líneas de mercancía similares. Gap, Pottery Barn.	
Cadena voluntaria. Asociación de minoristas independientes patrocinada por un mayorista que agrupa volúmenes de compra y tienen un mismo surtido. Independent Grocers Alliance (IGA).	
Cooperativa de minoristas. Minoristas independientes que bajo la fórmula de cooperativa emplean una organización de compra central y unen esfuerzos de promoción. Associated Grocers, ACE Hardware.	
Cooperativa de consumidores. Empresa minorista propiedad de sus clientes. Los miembros contribuyen con su dinero para abrir su propia tienda, votan sobre las políticas de la empresa, eligen un grupo para que la dirija y reciben dividendos. Las tiendas de abarrotes (pequeñas tiendas de alimentación) de cooperativas locales se pueden encontrar en muchos mercados.	
Franquicias. Asociación contractual entre un franquiciador y un franquiciado, muy común para ofrecer determinados productos y servicios. McDonald's, Subway, Pizza Hut, Jiffy Lube, 7-Eleven.	
Conglomerado de venta. Corporación que combina varias líneas diversificadas de distribución minorista y se agrupan bajo un mismo propietario, con cierto grado de integración en sus funciones de distribución y gestión. Federated Department Stores cambió su nombre por el de una de las marcas más conocidas, Macy's, pero también es propietario de otras insignias como Bloomingdale's.	

MINORISTAS EMPRESARIALES Y FRANQUICIAS Aunque muchas tiendas minoristas son de propietarios independientes, un número cada vez mayor pertenece al grupo de los **minoristas empresariales**. Este tipo de organizaciones obtienen economías de escala, mayor poder adquisitivo, mayor conciencia de marca y empleados mejor capacitados que lo que las tiendas independientes por lo general podrían obtener por sí solas. Los principales tipos de minoristas empresariales son las cadenas voluntarias, las cooperativas de minoristas, las franquicias y los conglomerados, y se describen en la tabla 16.2.

Los negocios de franquicias, como Subway, Jiffy-Lube, Holiday Inn, Supercuts y 7-Eleven representan más de 1 billón de dólares en ventas anuales en Estados Unidos y aproximadamente el 40% de todas las transacciones minoristas. Uno de cada 12 negocios minoristas estadounidense es una franquicia; estas empresas emplean a 1 de cada 16 trabajadores de ese país.[4]

En un sistema de franquicias, los *franquiciados* individuales son un grupo de empresas cuyas operaciones sistemáticas son planificadas, dirigidas y controladas por el innovador de la operación, llamado *franquiciador*. Las franquicias se distinguen por tres características:

1. El franquiciador es propietario de una marca o servicio y concede una licencia a los franquiciados a cambio del pago de regalías o cuotas.
2. El franquiciado paga por el derecho a ser parte del sistema. Los costos iniciales incluyen el alquiler de equipos y accesorios, y por lo general una tarifa regular por la licencia. Las franquicias de McDonald's podrían invertir hasta 1.6 millones de dólares en los costos totales de la puesta en marcha y las tarifas. El franquiciado le paga a McDonald's un cierto porcentaje de sus ventas, más una renta mensual.
3. El franquiciador proporciona a sus franquiciados un sistema para hacer negocios. McDonald's exige a sus franquiciados que asistan a la "Universidad de la Hamburguesa" en Oak Brook, Illinois, durante dos semanas para aprender a manejar el negocio. Los franquiciados deben seguir ciertos procedimientos para adquirir sus materiales.

Las franquicias benefician tanto al franquiciador como al franquiciado. Los franquiciadores obtienen la motivación y el trabajo duro de empleados que son empresarios en lugar de "mano de obra contratada", la familiaridad de los franquiciados con las comunidades y las condiciones locales, y el enorme poder de compra de ser un franquiciador. Los franquiciados se benefician de adquirir un negocio con una marca bien conocida y aceptada. Les resulta más fácil pedir prestado dinero para su negocio en las instituciones financieras y reciben apoyo en áreas que van desde el marketing y la publicidad hasta la selección de la ubicación y el personal.

Los franquiciados caminan en una línea muy delgada entre la independencia y la lealtad hacia la franquicia. Algunos franquiciadores están dando a sus franquiciados la libertad de manejar sus propias operaciones, desde la personalización de los nombres de las tiendas hasta el ajuste de las ofertas y los precios. A los franquiciados del bar de deportes Beef's 'O' Brady se les permite fijar precios que reflejen sus mercados locales. Great Harvest Bread cree en el enfoque de "licencia libre" para alentar a sus panaderos franquiciados a crear nuevos elementos para los menús de sus tiendas y compartirlos con otros franquiciados si tienen éxito.[5]

Beleki

Beleki Beleki es una empresa mexicana dedicada a la elaboración de donitas (donuts) y productos complementarios como café, helados *soft*, frappé slush y helados artesanales, la cual fue abierta en 1997 en Walmart Tláhuac, al sur de la Ciudad de México. En 2001 ya contaba con más de 15 sucursales en varias ciudades del país. Luego de seis años de funcionamiento, Beleki inició la comercialización formal de franquicias. Para 2007, con casi 100 establecimientos a nivel nacional, inició su expansión a Centro y Sudamérica. En 2009 se inauguraron dos franquicias en Panamá. Por otro lado, Los Ángeles será la primera ciudad estadounidense en contar con Beleki, en lo que constituye una apuesta por el mercado latino en dicha ciudad. La empresa ya cuenta con más de 130 tiendas a nivel nacional, 25 de las cuales son propias y el resto franquicias. La empresa proporciona una proyección orientada a quien busca emprender. Aquí las razones de su éxito:

1. **Calidad.** Es prioritaria en cada uno de sus productos; al ofrecer la más alta calidad, sabor y atención a precios competitivos se mantienen siempre presentes en la mente de los clientes.
2. **Experiencia.** años de trayectoria avalan los productos y servicios de Beleki, oportunidad que es compartida en el mercado.
3. **Asistencia.** En la búsqueda de un patrimonio sólido y duradero, y de inversionistas serios, Beleki entrega apoyo y asistencia permanente. Así, la oferta de sus productos siempre será de excelencia.
4. **Ubicación.** La estrategia de ubicación de cada una de sus tiendas permite la presencia oportuna y los momentos ideales para generar amplios volúmenes de venta.
5. **Bajos costos.** Los costos bajos hacen de Beleki una franquicia con excelentes posibilidades de crecimiento en la actualidad.
6. **Rápida recuperación.** La inversión realizada será recuperada rápidamente gracias a los altos márgenes de utilidad que maneja la marca, además de los bajos costos de operación y un funcionamiento sencillo del sistema administrativo.
7. **Tecnología.** Beleki maneja tecnología de punta en todos sus procesos de elaboración y ofrece a sus franquiciados un soporte técnico continuo.
8. **Capacitación.** En el momento de abrir su tienda, el franquiciado ya ha recibido de Beleki capacitación, que después recibirá permanentemente.

El nuevo entorno minorista

Con el inicio de la recesión en 2008, muchos minoristas tuvieron que reevaluar prácticamente todo lo que hacían. Algunos adoptaron una actitud cautelosa y defensiva, disminuyendo los niveles de existencias, desacelerando la expansión y realizando grandes descuentos. Otros fueron más creativos en la gestión del inventario, el ajuste de las líneas de productos y evitaron cuidadosamente la promoción excesiva. Por ejemplo, JCPenney retrasó el lanzamiento del 60% de su inventario para la temporada de vacaciones de otoño de 2009, en comparación con su habitual 20%, para evitar estantes vacíos y falta de existencias, o estanterías rebosantes y fuertes descuentos. Algunas empresas, como Container Store y Saks, redujeron sus precios promedio, mientras que otras, como Gilt.com y Neiman Marcus, introdujeron grandes descuentos seleccionados de muy corta duración. Restoration Hardware decidió hacer más lujosas sus líneas de muebles.[6]

Aunque muchos de estos ajustes a corto plazo probablemente se mantuvieron durante un plazo mayor, una serie de tendencias a largo plazo también son evidentes en el entorno de marketing minorista. Las siguientes son algunas de las tendencias que están cambiando la manera en que los consumidores compran y los fabricantes y minoristas compiten (vea el resumen de la tabla 16.3).

- ***Nuevas formas y combinaciones minoristas.*** Para proporcionar una mayor comodidad de consumo a sus clientes, han surgido nuevas formas de distribución minorista. Las librerías tienen cafeterías. Las gasolineras tienen tiendas de alimentos. Los supermercados tienen gimnasios. Los centros comerciales, así como las estaciones de autobuses y trenes tienen carros de vendedores ambulantes en sus pasillos. Los

TABLA 16.3 Avances recientes en la distribución minorista
• Nuevas formas y combinaciones minoristas.
• Crecimiento de la competencia entre empresas de diferentes tipos que venden el mismo producto.
• Competencia entre minoristas con y sin tiendas.
• Crecimiento de los grandes minoristas.
• Declive de los minoristas que atienden al mercado medio.
• Incremento de la inversión en tecnología.
• Presencia internacional de los principales minoristas.
• Crecimiento del marketing de compradores.

minoristas también están experimentando con tiendas "de aparición súbita" por tiempo limitado que les permiten promover algunas marcas a los compradores de temporada durante algunas semanas en las zonas ocupadas y provocar emoción. Para la temporada navideña de 2009, Toys "R" Us estableció 350 tiendas y boutiques temporales de juguetes, en muchos casos alquilando locales comerciales vacíos en centros comerciales.[7]

- ***Crecimiento de la competencia entre empresas de diferentes tipos que venden el mismo producto.*** Los grandes almacenes no pueden preocuparse sólo por otros grandes almacenes; las cadenas de descuento como Walmart y Tesco se están expandiendo en áreas de productos como la ropa, la salud, la belleza y los aparatos eléctricos. Varios tipos de tiendas (tiendas de descuento, salas de exhibición de catálogos, grandes almacenes) compiten por los mismos consumidores dado que ofrecen el mismo tipo de mercancías.
- ***Competencia entre minoristas con y sin tiendas.*** En la actualidad, los consumidores reciben ofertas a través de cartas personalizadas y catálogos, la televisión, los teléfonos móviles e Internet. Los minoristas sin tiendas que hacen estas ofertas están arrebatándoles los clientes a los minoristas con tiendas. Algunos de estos últimos han respondido aumentando su presencia online y buscando otras maneras de vender online, como sus propios sitios Web, y están creando experiencias más atractivas en sus tiendas. Los minoristas quieren que sus tiendas sean destinos en los que los consumidores disfruten de experiencias intensas que cautiven todos sus sentidos. Se emplea cada vez más iluminaciones sofisticadas, aromas y diseños acogedores e íntimos.[8]
- ***Crecimiento de los grandes minoristas.*** Gracias a sus magníficos sistemas de información y logística, y a su capacidad de compra, los grandes minoristas como Walmart son capaces de ofrecer un buen servicio y volúmenes inmensos de productos a precios atractivos que atraen a infinidad de consumidores. Están dejando fuera de la jugada a los minoristas más pequeños que no pueden ofrecer una cantidad suficiente, y a menudo indican a los fabricantes más poderosos qué deben hacer: cómo fijar sus precios y promover sus productos, cuándo y cómo expedir sus mercancías, e incluso cómo mejorar la producción y la administración. Los fabricantes necesitan estas cuentas, de lo contrario perderían entre el 10 y el 30% del mercado. Algunos minoristas gigantes son *asesinos de categoría* que se concentran en una sola categoría de productos, como alimentos para mascotas (PETCO), mejoramiento del hogar (Home Depot) o productos para oficina (Staples). Otros son *supercentros* que combinan abarrotes con otra gran selección de productos no alimenticios (Walmart).
- ***Declive de los minoristas que atienden al mercado medio.*** Podemos pensar en el mercado minorista actual como un mercado en forma de reloj de arena: el crecimiento parece estar centrado en la parte superior (con ofertas de lujo en tiendas como Nordstrom y Neiman Marcus) y en la parte inferior (con precios de descuento de minoristas como Target y Walmart). A medida que los minoristas de descuento mejoran su calidad e imagen, los consumidores están más dispuestos a comprar en ellos. Target ofrece diseños de Proenza Schouler y Kmart vende una extensa línea de ropa interior y para dormir de Joe Boxer. En el otro extremo del espectro, Coach ha convertido recientemente 40 de sus casi 300 tiendas en un formato de más alta categoría que ofrece bolsas de precios más elevados y servicios de conserjería. Las oportunidades son más escasas en la parte media, donde minoristas una vez exitosos como Sears, CompUSA y Montgomery Ward han tenido dificultades e incluso han ido a la quiebra.[9]

  Kohl's ha encontrado cierto éxito dirigiéndose a los consumidores del mercado medio al incorporar nombres de moda como Lauren Conrad, Vera Wang, Daisy Fuentes y Tony Hawk. Además de ofrecer mercancías más costosas, Kohl's también ha adaptado sus tiendas para hacer que la experiencia de compra sea más cómoda y agradable.[10] Marks & Spencer en el Reino Unido ofrece marcas de la empresa y ha creado una fuerte imagen de marca minorista. A pesar de que estas tiendas suelen tener altos costos de operación, obtienen márgenes altos si sus marcas propias son modernas y populares.[11]
- ***Incremento de la inversión en tecnología.*** Casi todos los minoristas actualmente utilizan la tecnología para hacer proyecciones más precisas, controlar los costos de inventario y realizar pedidos a los proveedores. La tecnología está influyendo también en lo que sucede dentro de las tiendas, como la programación de televisores que permite mostrar demostraciones continuas o mensajes promocionales. Después de encontrarse con problemas en la medición del tráfico en las tiendas y en los pasillos (los GPS en los carritos de compras no dieron resultado porque a menudo los consumidores abandonaban sus carritos durante sus visitas o las imágenes térmicas no pudieron diferenciar entre un pavo y un bebé), se ha introducido con éxito sensores infrarrojos bidireccionales en los estantes de las tiendas. Las etiquetas electrónicas en los estantes permiten a los minoristas cambiar los niveles de precios de forma instantánea en cualquier momento del día o de la semana. Los minoristas también están introduciendo instalaciones que ayudan a los clientes mientras compran. Algunos supermercados están utilizando carritos de compra "inteligentes" o aplicaciones para teléfonos móviles que ayudan a los clientes a localizar artículos en la tienda, a obtner información sobre rebajas y ofertas especiales, y a pagar por los artículos con mayor facilidad. Aunque estas nuevas tecnologías son muy emocionantes, su costo y eficacia (que en muchos casos están aún por demostrarse) podrían crear inconvenientes importantes.[12]

- ***Presencia internacional de los principales minoristas.*** Los minoristas con un formato único y un fuerte posicionamiento de marca se están expandiendo hacia otros países. Algunos minoristas estadounidenses como The Limited y Gap tienen una presencia mundial prominente. Walmart opera más de 3 600 tiendas en el extranjero, donde realiza el 25% de sus negocios. El minorista holandés Ahold y el minorista belga Delhaize obtienen casi dos tercios y cuatro quintos de sus ventas, respectivamente, en los mercados internacionales. Entre los minoristas internacionales con sede en el extranjero con presencia en Estados Unidos están Benetton de Italia, las tiendas de muebles para el hogar IKEA de Suecia, y el minorista de ropa casual UNIQLO y los supermercados Yaohan de Japón.

La tecnología está influyendo también en lo que sucede dentro de las tiendas.

- ***Crecimiento del marketing de compradores.*** Animadas por las investigaciones que sugieren que entre un 70 y un 80% de las decisiones de compra se toman dentro de la tienda minorista, las empresas están reconociendo cada vez más la importancia de influir en los consumidores en el punto de compra.[13] El lugar y la forma en que un producto se muestra y se vende puede tener un efecto significativo en las ventas.[14] Más opciones de comunicación están disponibles a través de la publicidad en tiendas como Walmart TV.[15] Algunas emplean dispositivos mecánicos, por ejemplo, gafas (anteojos) que registran lo que los clientes de prueba ven al proyectar un haz de luz infrarroja en la retina del usuario. Uno de sus hallazgos fue que muchos compradores ignoran los productos que están al nivel de sus ojos y que la ubicación óptima de los productos debe estar entre la cintura y el pecho.[16]

Las decisiones de marketing

Con este nuevo entorno minorista como telón de fondo examinaremos las decisiones de marketing a las que se enfrentan los minoristas en las áreas de mercado meta, canales, surtido y abastecimiento de productos, precios, servicios y atmósfera de la tienda, actividades y experiencias en las tiendas, comunicaciones y ubicación. En la siguiente sección estudiaremos el importante tema de las marcas propias de los minoristas.

MERCADO META Hasta que no defina y perfile el mercado meta, el minorista no podrá tomar decisiones coherentes sobre el surtido de productos, la decoración de la tienda, los mensajes publicitarios y medios de comunicación, el precio y los niveles de servicio. Ann Taylor ha utilizado un panel de 3 000 clientes para obtener retroalimentación sobre su mercancía e incluso sobre su campaña de marketing. La empresa también solicita aportaciones a sus empleados.[17] Whole Foods ha alcanzado el éxito al ofrecer una experiencia de compra única a su base de clientes interesados en productos orgánicos y naturales.

Whole Foods Market

Whole Foods Market

En sus 284 tiendas en América del Norte y el Reino Unido, Whole Foods hace una verdadera celebración de los alimentos. Sus mercados están bien iluminados y bien atendidos, y los alimentos son presentados de manera abundante y seductora. Whole Foods es la tienda de comestibles orgánicos y naturales más grande del país y ofrece más de 2 400 artículos en cuatro líneas de productos de marca propia que representan el 11% de sus ventas: las líneas de lujo Whole Foods, Whole Kitchen y Whole Market, y la línea de bajo precio 365 Everyday Value. Whole Foods también ofrece mucha información sobre sus alimentos. Si se quiere averiguar, por ejemplo, si el pollo que está en la vitrina vivió una vida feliz sin estar en cautiverio, se puede conseguir un folleto de 16 páginas y una invitación para visitar la granja en Pennsylvania donde fue criado. Si no se encuentra la información que se necesita, sólo hay que preguntarle a un bien capacitado e informado empleado. El enfoque de Whole Foods está funcionando, sobre todo para los consumidores que consideran que los alimentos orgánicos y artesanales son un lujo asequible. Entre 1991 y 2009, sus ventas crecieron a una tasa anual compuesta de crecimiento (CAGR) del 28%.[18]

Los errores en la selección o el cambio de los mercados meta pueden ser costosos. Cuando el joyero Zales —tradicionalmente vendedor masivo (generalista)— decidió dirigirse a clientes de alto nivel, reemplazó un tercio de sus mercancías, abandonando su joyería de diamantes de bajo costo y baja calidad por piezas modernas de alto margen de oro de 14 quilates y plata, y en el proceso cambió su campaña publicitaria. Esta medida fue un desastre. Zales perdió muchos de sus clientes tradicionales y no obtuvo los nuevos clientes que esperaba.[19]

Para llegar mejor a sus clientes meta, los minoristas están dividiendo el mercado en segmentos cada vez más estrechos e introduciendo nuevas líneas de tiendas para explotar los mercados especializados con ofertas más relevantes: Gymboree lanzó Janie and Jack que vende ropa y regalos para bebés y niños pequeños; Hot Topic introdujo Torrid, que vende ropa de moda para adolescentes de tallas más grandes, y Tween Brands de Limited Brand vende ropa moderna para niñas preadolescentes a precios más bajos.

Canales

Basándose en un análisis del mercado meta y en las demás consideraciones que se analizaron en el capítulo 15, los minoristas deben decidir los canales a emplear para llegar a sus clientes. Cada vez más, la respuesta son los canales múltiples. Staples vende a través de su canal minorista tradicional, un sitio de Internet de respuesta directa, tiendas virtuales y miles de enlaces a sitios afiliados.

Como se explicó en el capítulo 15, los canales deben ser diseñados para trabajar juntos con eficacia. La centenaria cadena de grandes almacenes JCPenney se ha asegurado de que sus ventas por Internet, en las tiendas y por catálogo estén totalmente entrelazadas. Vende una amplia variedad de productos online, ha facilitado el acceso a Internet en sus 35 000 cajas registradoras y permite a los compradores online recoger y devolver sus pedidos en las tiendas y verificar qué productos tienen en existencia. Estas estrategias, así como la introducción de a.n.a., una elegante línea de ropa para mujer, han ayudado a JCPenney a proyectar una imagen juvenil y lujosa.[20]

Aunque algunos expertos predijeron lo contrario, los catálogos han crecido en el mundo de Internet a medida que más empresas los utilizan como dispositivos de marca. El enfoque multicanal integrado de Victoria's Secret para sus tiendas minoristas, por catálogo y por Internet, ha desempeñado un papel clave en el desarrollo de su marca.

Victoria's Secret

Victoria's Secret Leslie Wexner, fundador de Limited Brands, sentía que las mujeres estadounidenses disfrutarían la oportunidad de tener una experiencia de compras de lencería al estilo europeo. "Las mujeres necesitan ropa interior, pero ellas quieren lencería", comentó. La suposición de Wexner resultó correcta: poco más de una década después de que compró el negocio (en 1982), las clientes promedio de Victoria's Secret adquirían entre 8 y 10 sujetadores al año, cuando el promedio nacional es de dos. Para mejorar su elegante reputación y seductor atractivo, la marca está respaldada por supermodelos de alto perfil en anuncios y desfiles de moda. Para ampliar su privacidad y ofrecer accesibilidad, la empresa comenzó a vender directamente a los consumidores. Victoria's Secret utilizó una estrategia de marketing integral para vincular sus ventas minoristas, por catálogo y por Internet. Lo que Wexner buscaba era: "Sobresalir como una marca integrada de clase mundial lanzando los mismos productos a través de todos los canales (catálogos, tiendas e Internet) exactamente de la misma manera, con la misma calidad y con el mismo posicionamiento". Desde 1985, Victoria's Secret ha obtenido un crecimiento anual en las ventas del 25%, vendiendo a través de sus más de 1 000 tiendas, catálogos y el sitio Web de la empresa, y obtuvo ingresos por 5 600 millones de dólares en 2009. Victoria's Secret envía 400 millones de catálogos al año, 1.33 por cada ciudadano estadounidense. Sus pedidos por catálogo y online representan casi el 28% de sus ingresos totales y crecen al doble de la velocidad de las ventas en sus tiendas.[21]

SURTIDO DE PRODUCTOS El surtido de productos del fabricante debe satisfacer las expectativas de compra de su mercado meta en lo que se refiere a su *amplitud* y *profundidad*. Un restaurante puede ofrecer un surtido estrecho y poco profundo (mostradores de bocadillos), un surtido estrecho y profundo (*delicatessen*), un surtido amplio y poco profundo (cafetería) o un surtido amplio y profundo (restaurante grande).

La identificación del surtido correcto de productos puede ser especialmente difícil en las industrias que cambian rápidamente, como la tecnología o la moda. Urban Outfitters se metió en problemas cuando se desvió de su fórmula "en la onda, pero no demasiado" y comenzó a adoptar nuevos estilos con rapidez excesiva. Sus ventas cayeron más del 25% durante 2006.[22] Por otro lado, Aéropostale, el minorista de ropa activa y casual, encontró el éxito al centrarse plenamente en satisfacer las necesidades de su mercado meta de adolescentes con su gama de productos.

Aéropostale Aéropostale ha optado por aceptar una realidad fundamental de su mercado objetivo: los adolescentes de 11 a 18 años, especialmente los más jóvenes, a menudo quieren verse como otros adolescentes. Así, mientras Abercrombie y American Eagle reducen el número de pantalones holgados con muchas bolsas en sus puntos de venta, Aéropostale mantiene una amplia selección a precios accesibles. Mantenerse en la cima de las tendencias adecuadas no es fácil, pero Aéropostale es uno de los minoristas para adolescentes más diligentes cuando se trata de investigar a los consumidores. Además de llevar a cabo *focus groups* en escuelas secundarias y pruebas de productos en las tiendas, la empresa lanzó un programa basado en Internet que busca obtener las aportaciones de los compradores online para la creación de estilos. Se dirige a 10 000 de sus mejores clientes y calcula 3 500 participantes en cada una de sus 20 pruebas al año. Aéropostale ha pasado de ser un actor mediocre, que poseía sólo 100 tiendas, a una potencia con 914 establecimientos en Estados Unidos, Puerto Rico y Canadá. Sus ventas totales aumentaron un 19% en 2008 (a 1 900 millones de dólares) y sus ventas netas por comercio electrónico aumentaron un 85% (a 79 millones de dólares).[23]

El verdadero desafío comienza tras definir el surtido de productos de la tienda y consiste en desarrollar una estrategia de diferenciación de producto. Para diferenciarse mejor y generar el interés de los consumidores, algunos minoristas de lujo están haciendo que sus tiendas y mercancías sean más variadas. Chanel ha ampliado sus productos "ultra lujosos" para incluir bolsas de cocodrilo de 26 000 dólares, al tiempo que garantiza una amplia oferta de sus "imprescindibles", que se venden muy bien de manera constante.[24] Algunas otras opciones son:

La campaña de marketing con causa "Teens for Jeans" de Aéropostale alienta a sus clientes a donar sus pantalones vaqueros usados a adolescentes sin hogar en Estados Unidos.

- ***Desarrollar marcas nacionales exclusivas no disponibles a través de minoristas competidores.*** Saks podría obtener los derechos exclusivos para comercializar los vestidos de un diseñador de renombre internacional.
- ***Enfocarse casi exclusivamente en productos de marcas propias.*** Benetton y Gap diseñan la mayor parte de la ropa que se vende en sus tiendas. Muchas cadenas de supermercados y farmacias venden productos de marcas propias.
- ***Diferenciarse a través de eventos comerciales.*** Bloomingdale's realizó una celebración de un mes de duración para el 50 aniversario de la muñeca Barbie en marzo de 2009.
- ***Sorprender con cambios en el diseño de los productos.*** El minorista de ropa de descuento TJ Maxx ofrece surtidos sorpresa de productos (que el propietario quiere vender rápidamente porque necesita efectivo), excedentes de inventario y ropa fuera de temporada, totalizando 10 000 artículos nuevos por semana a precios entre el 20 y 60% más bajos que los precios regulares de los grandes almacenes y tiendas especializadas.
- ***Ser el primero en introducir lo último o lo más nuevo.*** Zara se destaca y obtiene ganancias al ser el primero en sacar al mercado los más nuevos y atractivos diseños y estilos.
- ***Ofrecer los productos con servicios personalizados.*** Harrods de Londres confecciona trajes, camisas y corbatas a la medida, además de contar con una sección de ropa ya confeccionada para caballero.
- ***Ofrecer un surtido muy especializado.*** Lane Bryant ofrece artículos para mujeres de tallas grandes. Brookstone ofrece electrónica y otros aparatos poco comunes para personas que desean comprar "juguetitos".

Los productos pueden variar en función del mercado geográfico. La supertienda de aparatos electrónicos Best Buy hizo una revisión de cada una de sus 25 000 unidades de control de inventarios para ajustar sus mercancías según el nivel de ingresos y los hábitos de compra de los consumidores. También utiliza diferentes formatos de tienda y personal en diferentes áreas: un lugar con clientes que gustan de las computadoras (ordenadores) sofisticadas recibe un tratamiento diferente a una tienda con compradores técnicamente menos sofisticados.[25] Las tiendas Macy's y Ross utilizan *micromerchandizing* y dejan que los administradores seleccionen un porcentaje significativo del surtido de productos de las tiendas.[26]

ABASTECIMIENTO Después de haber decidido la estrategia de surtido de productos, el minorista tiene que definir los proveedores de sus mercancías, así como políticas y prácticas de abastecimiento. En las oficinas corporativas de las cadenas de supermercados, los compradores especialistas (a veces denominados *gerentes de categoría*) son los responsables de desarrollar el surtido de productos y de escuchar las presentaciones de los proveedores.

Los minoristas están mejorando rápidamente sus habilidades en lo que se refiere al pronóstico de la demanda, la selección de las mercancías, el control de inventarios, la asignación de espacio y la exhibición. Utilizan computadoras para realizar el seguimiento del inventario, calcular el volumen económico del pedido, pedir productos y analizar el dinero que se gasta en los proveedores y los productos. Las cadenas de supermercados utilizan los datos de los escáneres para administrar su mezcla de productos basándose en cada tienda individual.

Algunas tiendas están experimentando con sistemas de identificación por radiofrecuencia (RFID) que consisten en etiquetas "inteligentes" (microchips con diminutas antenas de radio) y lectores electrónicos. Las etiquetas inteligentes pueden ser incorporadas o pegadas a los productos, y cuando la etiqueta se encuentra cerca de un lector transmite un número de identificación único a su base de datos informática. El uso de estos dispositivos RFID ha ido en constante aumento. Coca-Cola y Gillette los usan para controlar sus inventarios y hacer un seguimiento en tiempo real de los productos a medida que se desplazan de las fábricas a los supermercados y finalmente a los carritos de compras.[27]

Cuando los minoristas estudian la rentabilidad de la compra y venta de cada producto suelen descubrir que una tercera parte de su superficie está repleta de productos que no aportan beneficios económicos para la tienda (por encima del costo del capital). Otra tercera parte de la superficie por lo general se destina a categorías de productos que presentan un punto de equilibrio. La tercera parte restante es la que genera la mayoría de las ganancias. Cabe mencionar que casi ningún minorista sabe cuál tercio de sus productos es el que reporta utilidades.[28]

Las tiendas están utilizando la **rentabilidad directa del producto (DDP)** para calcular los costos de manipulación de un producto (recepción, traslado hasta el almacén, papeleo, selección, comprobación, carga y espacio) desde que llega al almacén hasta el momento en que un cliente lo adquiere en la tienda minorista.

Las tiendas que han adoptado este cálculo se sorprenden al constatar que el margen bruto de un producto suele guardar escasa relación con su rentabilidad directa. Algunos productos de gran volumen pueden tener costos de manipulación tan altos que resultan poco rentables, por lo que merecerían menos espacio en los estantes que otros de menor volumen.

El Delirio se ha diferenciado en gran medida gracias a su innovadora estrategia de abastecimiento.

El Delirio

El Delirio El Delirio, tienda *gourmet* de la chef mexicana Mónica Patiño, se ha diferenciado en gran medida gracias a su innovador concepto de tienda especializada en alimentos gourmet importados y nacionales. Este establecimiento es un ejemplo de la focalización en productos para extranjeros y mexicanos *bon vivant* que desean precios accesibles.

El Delirio es un concepto novedoso de tienda con barra para degustar que ofrece aceites de oliva perfumados con hierbas finas, mermeladas exóticas, vinos poco comerciales, patés finísimos, carnes frías de la mejor calidad y otros productos *delicatessen*. El Delirio es una tiendita gourmet que ha cambiado la forma de vivir de una zona bien conocida de la Ciudad de México (la colonia Roma), en una esquina que ofrece los mejores deleites para el paladar, con una presentación fuera de serie. Desde su lanzamiento hace un par de años este proyecto fue todo un éxito, el cual consiste en conjuntar tienda, café y *deli* en un mismo lugar con ambiente informal pero sofisticado; con sillas y mesas diferentes pero guardando un estilo rústico, con una pizarra para el menú decorada con gises (tizas) de colores y todos los platos y productos presentados a la manera de una tienda tradicional europea. Tiene un menú a precios acequibles que cambia todos los días. La tienda posee una pequeña barra para degustar alguna especialidad del día: ostras *blue point*, centollas, nécoras (crustáceos tipo jaiba), percebes y atún aleta amarilla, entre otras frescas exquisiteces preparadas al momento, pero en su concepto es más tienda que restaurante.[29]

PRECIOS Los precios son un factor clave para el posicionamiento y se deben establecer teniendo en cuenta el mercado meta, la mezcla de surtido de productos y servicios, y la competencia.[30] A todos los minoristas les gustaría obtener altas rotaciones multiplicadas por altos márgenes (grandes volúmenes de ventas y altos márgenes brutos), pero por lo general estos dos conceptos no van de la mano. La mayoría de los minoristas optan por los *márgenes más altos* y un *volumen de ventas más pequeño* (tiendas finas de especialidad), o por *márgenes reducidos* y *volumen de ventas alto* (comerciantes masivos y tiendas de descuento). Dentro de cada uno de estos grupos hay distintas categorías. Bijan en Rodeo Drive, Beverly Hills, vende trajes a partir de 1 000 dólares y zapatos a 400. En el otro extremo, Target ha combinado hábilmente una imagen moderna con precios de descuento para ofrecer a sus clientes una sólida propuesta de valor.

Fresko

Fresko Como parte de su estrategia de operar e invertir en los formatos de tienda que le den la mayor tasa de retorno, Controladora Comercial Mexicana convertirá en los próximos dos o tres años la mayor parte de sus tiendas del formato Sumesa a la marca Fresko, supermercado que le ha dado buenos resultados. "La idea es hacerlo paso a paso, muchas tiendas Sumesa se convertirán a Fresko, otras quizá a City Market, la meta es tener una cadena de supermercados que se llame Fresko", comentó Santiago García, director general de Comercial Mexicana. Este nuevo formato basa sus fortalezas en la excelente atención al cliente, la frescura de sus alimentos y la variedad seleccionada de sus productos con precios competitivos, con el objetivo de satisfacer a clientes que quieren un servicio práctico, surtido seleccionado, comodidad y una excelente atención dentro del autoservicio. Actualmente, la firma cuenta con una tienda Fresko en la Ciudad de México pero contempla la apertura de cuatro más en poco tiempo. Su crecimiento estará orientado principalmente a City Market, Fresko y Mega, que son los formatos más exitosos de este grupo corporativo. Para 2012, la firma estima una inversión de 1 800 millones de pesos en la apertura de 13 unidades, de las cuales tres serán City Market, dos Mega, tres Costco, tres Fresko y dos Beer Factory. A mediados de 2011 la empresa operaba 232 establecimientos en todo el territorio mexicano a través de ocho formatos de tienda, con las marcas Comercial Mexicana, Mega, Bodega Comercial Mexicana, Costco, Sumesa, City Market, Alprecio y Fresko.[31]

La mayoría de los minoristas establece precios bajos en algunos productos para atraer consumidores, como productos-gancho o para que sirvan de señal a los compradores sobre sus políticas de precios.[32] También suelen llevar a cabo rebajas generalizadas en todo el establecimiento o ciertos descuentos en mercancía de lenta rotación. Los minoristas de zapatos, por ejemplo, calculan vender el 50% de sus artículos a precio normal, el 25% con 40% de descuento y el 25% restante a precio de costo.

Como se estudió en el capítulo 14, algunos minoristas como Walmart abandonaron las "rebajas" en favor de precios bajos todos los días. Esta estrategia supone costos de publicidad menores, mayor estabilidad de precios, una imagen más fuerte de precios justos y estables, y mayores beneficios para el detallista. Las cadenas de supermercados que practican esta estrategia de precios bajos todos los días pueden ser más rentables que las que siguen una estrategia de precios consistente en rebajas promocionales temporales sobre precios regulares superiores (estrategia de precios *High-low*).[33]

SERVICIOS Los minoristas deben decidir qué *mezcla de servicios* quieren ofrecer a sus clientes:

- Los ***servicios previos a la compra*** incluyen pedidos por teléfono y por correo, publicidad, escaparates y exposiciones en el interior de la tienda; probadores, horarios de compra, desfiles de moda y aceptación de artículos usados.
- Los ***servicios posteriores a la compra*** incluyen transporte y entrega a domicilio, envoltura para regalo, arreglos y devoluciones, modificaciones y confección a la medida, instalaciones y grabados.
- Los ***servicios adicionales*** incluyen información general, recepción de cheques personales, estacionamiento, restaurantes, reparaciones, decoración interior, crédito, servicios sanitarios y guardería.

Otro elemento diferenciador es el servicio al cliente infalible y confiable, ya sea cara a cara, a través del teléfono o a través del chat online. Barnes & Noble contrata personas con buena presencia, una pasión por el servicio al cliente y un amor general por los libros; los empleados de Borders tienen más probabilidades de estar tatuados o tener múltiples perforaciones en el cuerpo. La empresa se enorgullece de la diversidad de sus empleados y contrata a personas que irradian entusiasmo por determinados libros y tipos de música en lugar de aquellos que simplemente buscan libros para los clientes.[34]

Independientemente de lo que hagan los minoristas para mejorar el servicio al cliente, siempre tendrán que pensar en las mujeres. Cerca del 85% de todos los bienes y servicios vendidos en Estados Unidos los compra una mujer, o al menos influye en su adquisición. Lo cierto es que las mujeres están hartas del deterioro en el servicio al cliente e intentan por todos los medios darle la vuelta al sistema: desde haciendo pedidos online hasta resistiéndose a las rebajas falsas, o simplemente dejando de comprar.[35] Pero cuando van de compras quieren encontrarse con tiendas bien organizadas, personal atento y cobros rápidos.[36]

ATMÓSFERA DE LA TIENDA La *atmósfera* es otro elemento clave del arsenal minorista. Todas las tiendas tienen una apariencia propia y una determinada distribución física que hace fácil o difícil moverse a través de ella (vea "Apuntes de marketing: Cómo ayudar a las tiendas a vender"). El planograma del punto de venta de Kohl's se ajusta al modelo de un circuito de pista de carreras y está diseñado para guiar a los clientes sin problemas a través de toda la mercancía de la tienda. Incluye un pasillo central que los compradores con prisa pueden utilizar como atajo y produce mayores niveles de gasto de los compradores que muchos de sus competidores.[37]

Los minoristas deben tener en cuenta todos los sentidos cuando moldean la experiencia del cliente. La variación del ritmo de la música afecta el promedio de tiempo y de dinero que gastan en el supermercado. Las tiendas Sony Style despiden un sutil aroma a vainilla y mandarina, y todas sus superficies, desde los mostradores hasta los paneles, están diseñadas para poder tocarse. Bloomingdale's utiliza diferentes fragancias en diferentes departamentos: talco para bebés en la sección de bebés; bronceador en el área de trajes de baño; lilas en la ropa interior; y canela y pino durante la temporada navideña.[38]

ACTIVIDADES Y EXPERIENCIAS EN LA TIENDA El auge del comercio electrónico ha obligado a los minoristas tradicionales a tomar medidas. Además de sus ventajas naturales, como la oferta de productos que los compradores pueden ver, tocar y sentir, el servicio al cliente cara a cara y la reducción de tiempos en la entrega de la mayoría de las compras, las tiendas tradicionales también ofrecen experiencias de compra que son un factor de diferenciación muy importante.[39]

La atmósfera de la tienda debe coincidir con las motivaciones básicas de los compradores: si los clientes tienden a ser de una mentalidad funcional orientada a las tareas, un ambiente más simple y más moderado en las tiendas puede ayudar.[40] Por otro lado, algunos minoristas de productos basados en la experiencia están creando entretenimiento dentro de la tienda para atraer a los clientes que buscan diversión y emoción.[41] REI, vendedor de equipo y ropa para actividades al aire libre, permite a los consumidores que prueben sus equipos para escalar en las paredes de 25 y hasta 65 pies de alto que se encuentran en la tienda, y que prueben los impermeables GORE-TEX bajo una lluvia simulada. Bass Pro Shops, una tienda de equipo para deportes al aire libre, cuenta con acuarios gigantes, cascadas, estanques de truchas, campos de tiro para arco y rifle, demostraciones de atado de moscas y algunas tienen incluso un estanque al aire libre para probar el equipo, un campo de prácticas de manejo (conducción), campos de golf en interiores y clases de todo: desde pesca en hielo hasta conservación, todo gratis. Su primera y más grande sala de exposición en Missouri es el destino turístico número uno en el estado.

Bass Pro Shops vende sus equipos para deportes al aire libre en un ambiente propicio para la experimentación mediante demostraciones y prueba de productos.

COMUNICACIONES Los minoristas emplean una amplia gama de herramientas de comunicación para atraer a los clientes y generar compras. Utilizan anuncios publicitarios, ofertas especiales y rebajas, emiten cupones de descuento, anuncian programas de lealtad, ofrecen degustaciones y regalan vales en los anaqueles o las cajas registradoras. Trabajan con los fabricantes para diseñar los materiales del punto de venta que reflejarán sus respectivas imágenes.[42] Los minoristas *off-price* (de lujo) colocan anuncios de buen gusto a toda página en revistas como *Vogue, Vanity Fair* o

Apuntes de marketing

Cómo ayudar a las tiendas a vender

En su búsqueda de un mayor volumen de ventas, los minoristas analizan el entorno de sus tiendas para mejorar las experiencias de los compradores. Paco Underhill es el director general de la consultora de distribución minorista Envirosell, entre cuyos clientes se incluyen McDonald's, Starbucks, Estée Lauder, Blockbuster, Citibank, Gap, Burger King, CVS y Wells Fargo. Utilizando una combinación de grabación en video y observación dentro de las tiendas, Underhill y sus colegas estudian cada año a 50 000 personas mientras hacen sus compras. Underhill ofrece los siguientes consejos para poner a punto el espacio:

- *Atraer a los consumidores y mantenerlos en la tienda.* La cantidad de tiempo que pasan los compradores en la tienda es quizás el factor más importante para determinar cuánto comprarán. Para aumentar su tiempo de compra hay que darles una sensación de comunidad, reconocerlos de alguna manera, proporcionarles medios para que no tengan que preocuparse por sus acompañantes o paquetes (por ejemplo, poniendo sillas en lugares convenientes para los novios, esposos, hijos o bolsas), y hacer que el entorno sea tanto familiar como novedoso cada vez que entran.
- *Respetar la "zona de transición".* Cuando entran a la tienda, los compradores deben aminorar el ritmo y ordenar los estímulos que reciben, lo que supone que probablemente llevarán un ritmo demasiado rápido como para responder positivamente a las señales, los productos o los dependientes antes de hacer esa transición. Es necesario asegurar una disposición visual adecuada. Se debe crear un centro de información dentro de la tienda. La mayoría de las personas diestras giran a la derecha al entrar en una tienda.
- *Evitar la saturación de mensajes.* Los elementos fijos, la información sobre los puntos de venta, las presentaciones, la señalización y los televisores de pantalla plana pueden combinarse y crear una "cacofonía" visual. Se debe utilizar una señalización nítida y clara como "Nuestro producto mejor vendido" o "Nuestra mejor computadora para el estudiante", en lugares donde las personas se sientan cómodas deteniéndose y mirando hacia el lado correcto. Los carteles para escaparates, las exposiciones y los maniquíes comunican su mensaje mejor cuando se encuentran en un ángulo de 10 a 15 grados frente a la dirección en que la gente se está moviendo.
- *Evitar que los compradores tengan que buscar.* Es recomendable situar los productos más populares a la vista para ayudar a los compradores más ocupados y animar a los que tienen más tiempo a ver más. En Staples, los cartuchos de tinta son uno de los productos que primero ven los consumidores cuando entran en la tienda.
- *Permitir que los compradores vean y toquen la mercancía.* Nunca será demasiada la importancia que se le dé a las manos de los consumidores. Una tienda puede ser la más exclusiva, la más barata o la que tenga los productos más llamativos, pero si el comprador no puede verlos ni tocarlos, perderá gran parte de su atractivo.
- *Hacer que los niños se sientan bienvenidos.* Si los niños se sienten bienvenidos, los padres lo estarán también. Tome la perspectiva de un niño de tres años y asegúrese de que haya objetos de su interés al nivel de sus ojos. Un modelo a escala o un dinosaurio en el suelo pueden convertir una aburrida visita de compras en una experiencia agradable para un niño.
- *Los hombres no hacen preguntas.* Los hombres siempre se mueven más de prisa que las mujeres por los pasillos de las tiendas. En muchos establecimientos es difícil llamar su atención sobre un producto que no pretenden comprar. A los hombres tampoco les gusta preguntar dónde pueden encontrar los artículos que buscan. Si un hombre no encuentra la sección que busca, dará un par de vueltas y después se irá sin pedir ayuda.
- *Las mujeres necesitan espacio.* Los compradores, sobre todo las mujeres, estarán menos dispuestas a comprar si cada vez que se mueven o ven un mostrador otro comprador les roza el trasero, aunque sea ligera e involuntariamente. Es fundamental que los pasillos sean amplios y que estén despejados.
- *Facilitar la salida.* Los productos más rentables deben estar cerca de las cajas para satisfacer a los compradores impulsivos. A los compradores golosos les encanta comprar caramelos a la salida para satisfacer su ansiedad de comer azúcar.

Fuentes: Paco Underhill, *Call of the Mall: The Geography of Shopping* (Nueva York: Simon & Schuster, 2004); Paco Underhill, *Why We Buy: The Science of Shopping* (Nueva York: Simon & Schuster, 1999). Vea también Kenneth Hein, "Shopping Guru Sees Death of Detergent Aisle", *Brandweek*, 27 de marzo de 2006, p. 11; Bob Parks, "5 Rules of Great Design", *Business 2.0* (marzo de 2003): pp. 47-49; Russell Boniface, "I Spy a Shopper!" *A/Architect*, junio de 2006; Susan Berfield, "Getting the Most Out of Every Shopper", *BusinessWeek*, 9 de febrero de 2009, pp. 45-46; www.envirosell.com.

Esquire, y capacitan cuidadosamente a sus vendedores para que saluden a los clientes, interpreten sus necesidades y manejen sus quejas. Los minoristas de precios bajos preparan su mercancía para promover oportunidades y grandes ahorros, al tiempo que ahorran en el servicio y la asistencia de los vendedores. Los minoristas también están utilizando los medios interactivos y sociales para transmitir información y crear comunidades en torno a sus marcas.[43] La cadena de restaurantes de comida informal Houlihan's ha creado HQ, un sitio de redes sociales para obtener retroalimentación honesta e inmediata de sus 10 500 clientes por invitación "Houlifan" a cambio de información privilegiada.

UBICACIÓN Hay un proverbio en el sector que afirma que las tres claves del éxito en la distribución minorista son "ubicación, ubicación y ubicación". Los grandes almacenes, las empresas petroleras y las franquicias de comida rápida ponen mucho esmero en seleccionar las regiones del país en las que van a situar sus puntos de venta, después en las ciudades específicas y por último en los sitios exactos. Los minoristas pueden abrir sus tiendas en las siguientes ubicaciones:

- ***Distritos centrales de negocios.*** Las áreas más antiguas y de mayor tráfico en la ciudad, a menudo conocidas como "el centro".
- ***Centros comerciales regionales.*** Grandes centros comerciales suburbanos que contienen entre 40 y 200 tiendas, por lo general con una o dos tiendas reconocidas a nivel nacional como Macy's o Lord & Taylor, o una combinación de grandes tiendas como PETCO, Payless Shoes, Borders o Bed Bath & Beyond, y un gran número de tiendas pequeñas, muchas operadas por franquicias.[44]
- ***Centros comerciales de la comunidad.*** Pequeños centros comerciales con una tienda reconocida grande y de 20 a 40 tiendas más pequeñas.
- ***Galerías comerciales.*** Un grupo de tiendas, por lo general en una edificación grande, que satisfacen las necesidades del vecindario en cuanto a comestibles, ferretería, lavandería, reparación de calzado y tintorería.
- ***Un lugar dentro de una tienda más grande.*** Ciertos minoristas bien conocidos como McDonald's, Starbucks, Nathan's y Dunkin' Donuts, ubican sus unidades nuevas más pequeñas en espacio concesionado dentro de almacenes o establecimientos más grandes como aeropuertos, escuelas o centros comerciales.
- ***Tiendas independientes.*** Algunas minoristas como Kohl's y JCPenney están evitando los centros comerciales y ubicando sus nuevas tiendas en sitios independientes, por lo que no están conectadas directamente con otras tiendas minoristas.

En vista de la relación que existe entre el tráfico de consumidores y los altos alquileres, los minoristas deben decidirse por los lugares más ventajosos para sus puntos de venta utilizando el cálculo de la densidad del tráfico, las encuestas de los hábitos de compra de los consumidores y el análisis de las ubicaciones competitivas.

Marcas propias

Una **marca propia** (también llamada marca del distribuidor, marca privada o marca de la casa) es aquella marca desarrollada por los propios minoristas o mayoristas. Los minoristas como Benetton, The Body Shop y Marks & Spencer ofrecen principalmente mercancías propias. En los supermercados de Europa y Canadá, las marcas de las tiendas representan hasta un 40% de los artículos vendidos. En Gran Bretaña, aproximadamente la mitad de lo que venden las cadenas de alimentos más grandes como Sainsbury y Tesco, son productos de marca de distribuidor.

Para muchos fabricantes, los minoristas son tanto colaboradores como competidores. Según la Asociación de Fabricantes de Marcas Propias, uno de cada cuatro productos que se venden en los supermercados, cadenas de farmacias y grandes minoristas de Estados Unidos son de marcas de la tienda (marca propia), lo cual está por encima del 19% de 1999.

Según un estudio reciente, siete de cada diez compradores, creen que los productos de marcas propias que compraron eran tan buenos como los de las marcas comerciales. Omitiendo las bebidas, las marcas propias ocupan cerca del 30% de todos los productos alimenticios que se sirven en hogares estadounidenses y virtualmente todos los hogares han adquirido en algún momento un producto de marca propia.[45]

Las marcas de distribuidor están ganando tanto terreno que algunos fabricantes de marcas conocidas se muestran temerosos. Sin embargo, algunos expertos creen que el 50% es el límite natural del volumen de marcas propias que se debe ofrecer porque (1) los consumidores prefieren algunas marcas nacionales y (2) muchas categorías de productos no serían viables ni atractivas si fueran de marca propia.[46] La tabla 16.4 muestra las categorías de productos que tienen las ventas más altas de marcas propias.

TABLA 16.4	Las 10 principales categorías de marcas propias en 2009 (miles de millones de dólares)
• Leche ($8.1)	
• Pan y productos horneados ($4.2)	
• Queso ($3.5)	
• Medicamentos/Remedios/Vitaminas ($3.4)	
• Productos de papel ($2.6)	
• Huevos frescos ($1.9)	
• Productos alimenticios frescos ($1.5)	
• Carne envasada ($1.5)	
• Alimento para mascotas ($1.5)	
• Carne sin preparar/Mariscos congelados ($1.4)	

Fuente: Datos obtenidos de: www.privatelabelmag.com. Consultado el 9 de diciembre de 2010. Reproducción autorizada.

Función de las marcas propias

¿Por qué se preocupan los intermediarios por respaldar sus propias marcas?[47] En primer lugar, estas marcas pueden ser más rentables. Los intermediarios buscan fabricantes con exceso de capacidad para que produzcan sus marcas propias a bajo costo. Otros costos, como los de investigación y desarrollo, publicidad, promoción de ventas y distribución física, también son mucho más bajos, por lo que las marcas propias pueden generar un mayor margen de ganancias. Los minoristas también desarrollan marcas exclusivas de la tienda para diferenciarse de los competidores. Muchos consumidores sensibles al precio prefieren las marcas de las tiendas en determinadas categorías. Estas preferencias dan a los minoristas mayor poder de negociación con los vendedores de marcas nacionales.

Las marcas propias o marcas de distribuidor deben distinguirse de los productos genéricos. Los **genéricos** son versiones menos costosas de productos comunes sin marca y con envases sencillos, como el espagueti, las toallas de papel y los duraznos (melocotones) en conserva, los cuales ofrecen una calidad estándar o inferior a un precio que puede ser entre un 20 y un 40% menor que las marcas nacionales y del 10 al 20% más bajo que las marcas propias. Fijar un precio más bajo es posible debido a los costos más bajos de etiquetado y envasado, a la publicidad mínima y, a veces, a la utilización de ingredientes de menor calidad. Los genéricos se pueden encontrar en una amplia gama de productos, incluidos los medicamentos.

Farmacias GI Hace aproximadamente 10 años un grupo de empresarios mexicanos identificó la apremiante necesidad de atención médica que tenía un amplio sector de la población, fundamentalmente las clases más desprotegidas del país, y vio en esta condición una oportunidad de negocio que además tendría un apoyo social muy importante, pues le permitiría a la población socioeconómicamente más débil atender sus problemas de salud (a pesar de los grandes esfuerzos que en esta materia han venido desarrollando las sucesivas administraciones gubernamentales, el problema de salud se ve aún muy lejos de ser resuelto). Con esta información se hizo un análisis más profesional de las necesidades reales de servicios de salud que tenía la población y se identificó que aproximadamente el 80% de ésta pertenece a la clase socioeconómica media baja y baja, y que no era derechohabiente de alguna institución pública de seguridad social o empresa de atención médica. Esto identificó al nicho de mercado descrito como una gran oportunidad de negocio; por ello se decidió iniciar Farmacias GI (Genéricos Intercambiables). El reto fue crear un concepto con personalidad propia y que realmente atendiera estas necesidades. Se decidió diseñar un consultorio anexo a cada farmacia; ahí se obtendría atención médica profesional a precios simbólicos y medicamentos con precios accesibles a todos los niveles socioeconómicos; todo esto con una imagen corporativa bien definida. El concepto de Farmacias GI consiste en un consultorio planeado para brindar atención médica general a pacientes ambulatorios y con precios simbólicos, contiguo a una farmacia que cuenta con un surtido de medicamentos que le permite al médico un manejo adecuado de sus pacientes. Considerando que un médico general puede atender aproximadamente el 80% de las patologías que se le presentan, que la ubicación de sus unidades es en colonias populares principalmente, y que los precios de sus medicamentos y servicios están muy por debajo de los tradicionales, tienen una afluencia importante de pacientes en sus unidades. De este modo, el consultorio apoya a la farmacia y la farmacia al consultorio, lo que genera ingresos adecuados para el médico y buenas ventas para la farmacia. Farmacias GI es actualmente una empresa franquiciadora de unidades para la comercialización de medicamentos e insumos para la salud con presencia en todas las entidades federativas de México y cuenta con más de 1 000 puntos de venta. Asimismo, hay representantes de Farmacias GI en todas las entidades del país que comercializan más de 600 productos entre medicamentos genéricos, genéricos intercambiables, herbolarios, suplementos alimenticios e insumos para la salud.[48]

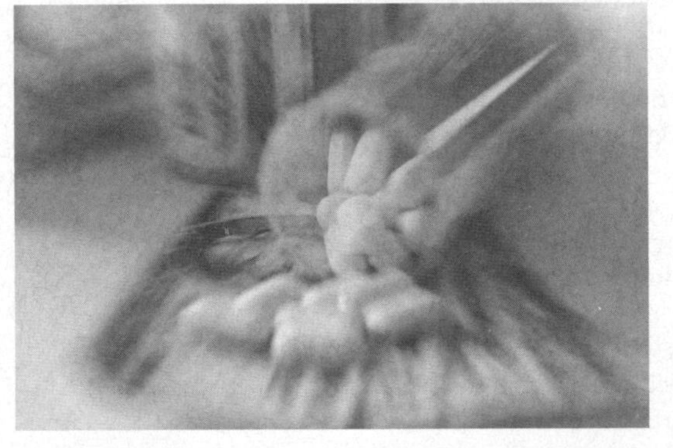

Los medicamentos genéricos se han convertido en grandes negocios y en una opción para reducir los costos por atención médica.

Factores de éxito de las marcas propias

En la confrontación entre los fabricantes y las marcas de distribuidor, los minoristas tienen muchas ventajas y un creciente poder sobre el mercado.[49] Debido a que el espacio en los estantes es escaso, muchos supermercados cobran una *cuota por dedicar espacio* a una nueva marca para poder cubrir los costos de incluirla en el inventario y almacenarla. Los minoristas también cobran por los espacios de exhibición especiales y los espacios publicitarios dentro de las tiendas. Por lo general dan espacios más prominentes a sus propias marcas y se aseguran de tener existencias suficientes.

Los minoristas están mejorando la calidad de las marcas de sus tiendas. Los supermercados minoristas están añadiendo artículos de mayor calidad con marca propia, como los productos orgánicos, o creando nuevos productos que no tienen competencia directa, como las pizzas para microondas que están listas en 3 minutos.

La respuesta de los fabricantes a la amenaza de las marcas de distribuidores

Para mantener su poder de mercado, los especialistas en marketing de las principales marcas están invirtiendo fuertemente en investigación y desarrollo para producir nuevas marcas, extensiones de líneas y características, así como mejoras en la calidad para mantenerse un paso adelante de las marcas de la tienda. También están invirtiendo en sólidos programas de publicidad "de atracción" para mantener el alto reconocimiento de la marca y la preferencia de los consumidores, y así superar la ventaja de marketing de que gozan las marcas propias dentro de las tiendas. Los especialistas de marketing de las marcas importantes también tratan de asociarse con los grandes distribuidores en la búsqueda conjunta de economías de logística y estrategias competitivas que produzcan ahorros para ambas partes. El recorte de todos los gastos innecesarios permite seguir siendo competitivas a las marcas nacionales, al tiempo que se puede seguir manteniendo un sobreprecio en la medida en que las percepciones de valor de los consumidores así lo justifique.

Jan-Benedict E. M. Steenkamp, de la University of North of Carolina, y Nirmalya Kumar, de la London Business School, ofrecen cuatro recomendaciones estratégicas para que los fabricantes compitan o colaboren con las marcas de distribuidor.

- *Luchar de forma selectiva* en los lugares en los que los fabricantes pueden ganar contra las marcas propias y añadir valor para los consumidores, los minoristas y los accionistas. Esto por lo general es el lugar en que la marca es la primera o segunda en la categoría o donde ocupa una posición privilegiada en el nicho. Procter & Gamble racionalizó su cartera al vender diversas marcas como la bebida con jugo Sunny Delight, la mantequilla de maní Jif y la mantequilla vegetal Crisco, en parte para poder concentrarse en el fortalecimiento de sus más de 20 marcas que le reportan más de 1 000 millones de dólares en ventas.
- *Asociarse eficazmente* mediante la búsqueda de relaciones ganadoras con los minoristas a través de estrategias que complementan las marcas propias del minorista. Estée Lauder creó cuatro marcas (American Beauty, Flirt, Good Skin y Grassroots) exclusivamente para Kohl's con el propósito de ayudar al minorista a generar un volumen y proteger sus marcas más prestigiosas en el proceso. Los fabricantes que venden a través de tiendas de descuento duro (*hard-discount*), como Lidl y Aldi, han aumentado sus ventas mediante la búsqueda de nuevos clientes que no han comprado antes la marca.
- *Innovar extraordinariamente* con nuevos productos para superar a las marcas de distribuidor. El lanzamiento incremental continuo de nuevos productos mantiene a las marcas del fabricante luciendo renovadas, pero la empresa también debe lanzar periódicamente productos radicalmente nuevos y proteger la propiedad intelectual de todas las marcas. Kraft duplicó su número de abogados especializados en patentes para asegurarse de que sus innovaciones estuvieran protegidas legalmente tanto como fuera posible.
- *Crear propuestas de valor ganadoras* al incluir en las marcas imágenes simbólicas, así como con una calidad funcional que supere a las marcas de distribuidor. Demasiadas marcas del fabricante han dejado que las marcas de distribuidor igualen, y a veces mejoren, su calidad funcional. Además, para tener una propuesta de valor ganadora, los especialistas de marketing deben revisar sus precios y asegurarse de que su precio más alto se corresponda con mayores beneficios percibidos.

Fuentes: James A. Narus y James C. Anderson, "Contributing as a Distributor to Partnerships with Manufacturers", *Business Horizons* (septiembre-octubre de 1987); Nirmalya Kumar y Jan-Benedict E. M. Steenkamp, *Private Label Strategy: How to Meet the Store-Brand Challenge* (Boston: Harvard Business School Press, 2007); Nirmalya Kumar, "The Right Way to Fight for Shelf Domination", *Advertising Age*, 22 de enero de 2007; Jan-Benedict E. M. Steenkamp y Nirmalya Kumar, "Don't Be Undersold", *Harvard Business Review*, diciembre de 2009, p. 91.

También están haciendo énfasis en los envases atractivos e innovadores. Algunos incluso están realizando una publicidad agresiva: Safeway llevó a cabo un programa de publicidad integrada de 100 millones de dólares que incluía anuncios televisivos e impresos donde se alardeaba de la calidad de la marca de la tienda.[50]

Loblaw

Loblaw Desde 1984, cuando hizo su debut su línea de alimentos President's Choice, el término *marca privada* hace pensar inmediatamente en Loblaw. La galleta de chispas de chocolate Decadent Chocolate Chip Cookie de Loblaw, con sede en Toronto, rápidamente se convirtió en un líder en Canadá y mostró cómo podían las marcas de la tienda innovadoras competir eficazmente con las marcas nacionales al igualar o incluso exceder su calidad. Una estrategia de marca bien afinada para su costosa línea President's Choice y su línea barata con etiquetas color amarillo No Name (que la empresa volvió a lanzar durante la reciente recesión) ha ayudado a diferenciar sus tiendas y a convertir a Loblaw en una potencia en Canadá y Estados Unidos. La línea de productos President's Choice ha tenido tanto éxito que Loblaw está otorgando licencias a minoristas no competitivas en otros países. En 2010, Loblaw introdujo un nuevo nivel de marcas de la tienda de bajo precio, con precios ligeramente más altos que los de la línea No Name, que estarán disponibles en su cadena de 175 tiendas de abarrotes sin lujos y con "grandes descuentos".[51]

No obstante que los minoristas obtienen el crédito por el éxito de las marcas propias, el creciente poder de las marcas de distribuidor se ha beneficiado también del debilitamiento de las marcas reconocidas. Muchos consumidores se han vuelto más sensibles a los precios, una tendencia reforzada por el continuo bombardeo de cupones y ofertas especiales de precios que ha enseñado a toda una generación a realizar compras basadas en el precio. Los fabricantes competidores y los minoristas nacionales copian y duplican la calidad y las características de las mejores marcas en una categoría, reduciendo así la diferenciación física del producto. Además, al reducir los presupuestos de promoción de marketing, algunas empresas han hecho más difícil la creación de diferencias intangibles en la imagen de marca. Un flujo constante de extensiones de marca y extensiones de línea ha desdibujado la identidad de las marcas y producido una cantidad confusa de proliferación de productos.

Para luchar contra estas tendencias, muchos fabricantes y marcas nacionales están contraatacando. "Marketing en acción: La respuesta de los fabricantes a la amenaza de las marcas de distribuidor" describe las estrategias y tácticas que se están adoptando para competir más eficazmente con las marcas propias de distribuidor.

La venta mayorista

La **venta mayorista** incluye todas las actividades relacionadas con la venta de bienes o servicios a aquellos que los adquieren para volver a venderlos o usarlos en su negocio. En la venta mayorista no se incluye a los fabricantes ni a los agricultores puesto que éstos participan fundamentalmente en la producción, y tampoco se incluye a los minoristas.

Los mayoristas (también llamados genéricamente *distribuidores*) se diferencian de los minoristas en varios aspectos. En primer lugar, los mayoristas prestan menos atención a la promoción, atmósfera y ubicación, puesto que tratan con clientes empresariales y no con los consumidores finales. En segundo lugar, las transacciones al por mayor suelen ser de mayor monto que los intercambios a nivel minorista y los mayoristas normalmente cubren una zona comercial más amplia que los minoristas. En tercer lugar, el gobierno impone diferentes regímenes legales y fiscales a mayoristas y minoristas.

¿Por qué los fabricantes no venden directamente a los minoristas o a los consumidores finales? ¿Por qué se recurre a los mayoristas? Por regla general, se recurre a los mayoristas cuando resultan más eficaces en el desarrollo de una o más de las siguientes funciones:

- ***Venta y promoción.*** La fuerza de ventas de los mayoristas ayuda a los fabricantes a llegar a muchos clientes de tamaño reducido a un costo relativamente bajo. Los mayoristas tienen más contactos y los compradores suelen confiar más en ellos que en un fabricante lejano.

TABLA 16.5 Principales tipos de mayoristas

Principales tipos de mayoristas
Comerciante mayorista. Negocios independientes que asumen la propiedad de la mercancía con que operan. Pueden ser intermediarios, distribuidores o proveedores industriales que ofrecen servicio completo o limitado.
Mayoristas de servicios completos. Almacenan mercancías, mantienen una fuerza de ventas, otorgan créditos, reparten mercancías y proporcionan asesoramiento de gestión. Los comerciantes mayoristas venden fundamentalmente a minoristas: algunos ofrecen varias líneas, otros una o dos y otros ofrecen sólo parte de una línea. Los distribuidores industriales venden a los fabricantes y además ofrecen servicios como repartos y facilidades de crédito.
Mayoristas de servicios limitados. Los *autoservicios mayoristas* (*cash and carry*) venden en efectivo una línea limitada de productos con gran rotación a pequeños minoristas o negocios. Los *mayoristas en camión* venden y reparten una línea limitada de bienes semiperecederos a supermercados, tiendas de comestibles, hospitales, restaurantes y hoteles. Los *mayoristas transportistas* trabajan para sectores que operan con productos a granel, como el carbón, la madera o la maquinaria pesada. Asumen la propiedad y el riesgo desde el momento en que aceptan la orden hasta su entrega. Los *mayoristas de anaquel* (*rack jobbers*) venden productos no alimenticios a minoristas de comestibles. Los empleados del mayorista montan exhibidores, fijan los precios y mantienen el inventario; mantienen la propiedad de los bienes y facturan los bienes vendidos a los minoristas a finales de año. Las *cooperativas de productores* son propietarios agrícolas que producen y venden en mercados locales. Los *mayoristas por correo* envían catálogos a clientes minoristas, industriales e institucionales, y los pedidos se solicitan y envían por correo, ferrocarril, avión o carretera.
Comisionistas y agentes. Facilitan la compra y la venta a cambio de una comisión de entre el 2 y el 6% del precio de venta; tienen funciones limitadas y se especializan en una línea de productos o en un tipo de clientes. Los *comisionistas* ponen en contacto a compradores y vendedores y les ayudan en la negociación; son retribuidos por la parte que los contrata. Algunos ejemplos son los corredores de bienes inmuebles, vendedores de seguros y del sector de la alimentación. Los *agentes* representan a los compradores o a los vendedores de forma permanente. La mayor parte de los agentes de los fabricantes son pequeñas empresas con un número reducido de empleados muy capaces. Los agentes de venta tienen licencia contractual para vender toda la producción de un fabricante; los agentes de compra realizan las adquisiciones en lugar del comprador y a menudo las reciben, inspeccionan, almacenan y transportan; los comerciantes a comisión toman posesión física de los productos y negocian su venta.
Sucursales y oficinas de fabricantes y de distribuidores minoristas. Se trata de operaciones mayoristas que llevan a cabo los propios vendedores o compradores en lugar de recurrir a mayoristas independientes. Estas sucursales independientes (oficinas separadas de su organización matriz) se dedican a la compra o a la venta. Muchos minoristas establecen oficinas de compra en los mercados principales.
Mayoristas especializados. Mayoristas que se especializan en agricultura (adquieren la producción agrícola de numerosas granjas), plantas petrolíferas y sus terminales (consolidan el producto de varios pozos) y casas de subastas (por ejemplo, subastas de automóviles o maquinaria a concesionarios y otras empresas).

- ***Compra y definición del surtido de productos.*** Los mayoristas son capaces de seleccionar productos y combinarlos de modo que se ajusten a las necesidades de sus clientes, lo que les ahorra una cantidad considerable de trabajo.
- ***Ahorros derivados de un gran volumen de compras.*** Los mayoristas obtienen ahorros para sus clientes al comprar en grandes cantidades que después fragmentan en lotes más pequeños.
- ***Almacenamiento.*** Los mayoristas almacenan sus existencias, por lo que reducen los costos de inventario y los riesgos para sus proveedores y para sus clientes.
- ***Transporte.*** Los mayoristas ofrecen repartos más rápidos a los compradores porque están más cerca de éstos.
- ***Financiamiento.*** Los mayoristas ofrecen facilidades de pago a sus clientes mediante créditos y financian a sus proveedores al realizar pedidos con gran antelación y pagar sus facturas a tiempo.
- ***Manejo de riesgos.*** Los mayoristas asumen algunos riesgos puesto que absorben los costos de robos, daños, deterioros y obsolescencia de la mercancía.
- ***Información del mercado.*** Los mayoristas ofrecen información a clientes y proveedores sobre los competidores, sus actividades, productos nuevos, precios, etcétera.
- ***Servicios de administración y asesoría.*** Los mayoristas con frecuencia ayudan a los minoristas a mejorar sus operaciones cuando colaboran con ellos en la capacitación de los dependientes, cuando participan en el orden y la distribución de sus tiendas, y cuando implantan sistemas de contabilidad y de control de inventarios. Asimismo, muchos brindan capacitación y asistencia técnica a sus clientes industriales.

Tendencias en la venta mayorista

En años recientes, los distribuidores mayoristas han soportado cada vez más presión como consecuencia de la aparición de nuevas fuentes de competencia, de clientes más exigentes, de avances tecnológicos y de programas de compra directa de grandes compradores industriales, institucionales y minoristas. Las principales quejas de los fabricantes contra los mayoristas son las siguientes: no promueven agresivamente la línea de productos del fabricante y actúan más como tomadores de pedidos; no tienen suficiente inventario y, por tanto, no surten los pedidos de los clientes con suficiente rapidez; no proporcionan al fabricante información actualizada sobre el mercado, el cliente y la competencia; no atraen a gerentes de alto calibre para reducir sus propios costos, y cobran demasiado por sus servicios.

Los mayoristas experimentados han superado este reto y han adaptado sus servicios para satisfacer las cambiantes necesidades de sus proveedores y clientes meta. Ellos reconocen que deben aportar un valor añadido al canal.

Arrow Electronics

Arrow Electronics Arrow Electronics es un proveedor global de productos, servicios y soluciones para las industrias de componentes electrónicos y productos informáticos. Funciona como un socio de canal de suministro para más de 900 proveedores y 125 000 fabricantes de equipos originales, fabricantes por contrato y clientes comerciales a través de una red global de 310 locales en 51 países y territorios. Debido a que las grandes empresas tienden a comprar sus materiales directamente de sus fabricantes, los distribuidores como Arrow están siendo dejados de lado. Para competir mejor, Arrow comenzó a ofrecer servicios como el otorgamiento de financiamiento, la gestión de inventarios en las instalaciones, el uso de software de seguimiento de los productos y la programación de chips. Estos servicios ayudaron a cuadruplicar el precio de las acciones de Arrow en cinco años y la empresa se acercó a los 15 mil millones de dólares en ventas en 2009.[52]

Los mayoristas han trabajado para aumentar la productividad de sus activos al administrar mejor los inventarios y las cuentas por cobrar. También están reduciendo los costos de operación mediante la inversión en las más avanzadas tecnologías de manejo de materiales, sistemas de información e Internet. Por último, están mejorando sus decisiones estratégicas sobre los mercados meta, el surtido de productos y servicios, los precios, la promoción y la distribución.

Narus y Anderson entrevistaron a distribuidores líderes de productos industriales y detectaron que, fundamentalmente, utilizaban cuatro métodos para fortalecer sus relaciones con los fabricantes:

1. Buscaban un acuerdo explícito con sus fabricantes sobre las funciones que esperaban de ellos dentro del canal de marketing.
2. Obtenían más información sobre las exigencias de los fabricantes a través de la visita a sus plantas y la asistencia a convenciones de asociaciones de fabricantes y ferias comerciales.
3. Atendían sus compromisos con los fabricantes adquiriendo los volúmenes de ventas que éstos deseaban, pagaban sus facturas puntualmente y les proporcionaban información sobre sus clientes.
4. Identificaban y ofrecían servicios de valor añadido para ayudar a sus proveedores.[53]

La industria mayorista sigue siendo vulnerable a una de las tendencias más persistentes: la resistencia feroz a los aumentos de precios y la selección de los proveedores en función del costo y de la calidad. La tendencia hacia la integración vertical, en la que los fabricantes tratan de controlar o adquirir a sus intermediarios, sigue siendo fuerte. Una empresa que triunfa en el negocio de venta mayorista es W.W. Grainger.

W.W. Grainger

W.W. Grainger W.W. Grainger es el proveedor líder de productos para el mantenimiento de instalaciones que ayuda a 1.8 millones de empresas e instituciones a mantenerse en funcionamiento. Sus ventas en 2008 ascendieron a 6 900 millones de dólares. Grainger atiende a sus clientes a través de una red de más de 600 sucursales en América del Norte y China, 18 centros de distribución, numerosos catálogos y documentos de correo directo, y cuatro sitios Web que garantizan la disponibilidad de los productos y un servicio rápido. Su catálogo de más de 4 000 páginas incluye 138 000 productos como motores, iluminación, manipuladores de materiales, cierres, herramientas y suministros de seguridad, y sus clientes pueden comprar más de 300 000 productos en Grainger.com. Los centros de distribución están vinculados a través de una red vía satélite, que ha reducido el tiempo de respuesta a los clientes e incrementado las ventas. Con la ayuda de más de 3 000 proveedores, Grainger ofrece a sus clientes un total de más de 900 000 suministros y partes de repuesto.[54]

Logística de mercado

La distribución física comienza en la fábrica. Los gerentes seleccionan un conjunto de almacenes (puntos de almacenamiento) y de empresas de transporte que entregarán los bienes en los puntos de destino final, en el tiempo deseado o con el menor costo total. La distribución física se ha extendido a un concepto más amplio, que es el de la **Administración de la cadena de suministro (SCM)**. La administración de la cadena de suministro comienza antes que la distribución física y consiste en abastecer estratégicamente los insumos adecuados (materias primas, componentes y principales equipos de producción), convertirlos de manera eficaz en productos terminados y luego transportarlos hasta su destino final. Una perspectiva incluso más amplia requiere estudiar cómo los proveedores de la empresa obtienen sus insumos.

La perspectiva de la cadena de suministro ayuda a una empresa a seleccionar los mejores proveedores y distribuidores, y a ayudarlos a mejorar su productividad y reducir sus costos. P&G, Kraft, General Mills, PepsiCo y Nestlé son fabricantes de bienes de consumo admirados por su administración de la cadena de suministro; otros minoristas dignos de mención incluyen a Walmart, Target, Publix, Costco, Kroger y Meijer.[55]

Las empresas también están tratando de mejorar el impacto medioambiental y la sustentabilidad (sostenibilidad) de su cadena de suministro al reducir su huella de carbono y utilizar envases reciclables. Johnson & Johnson comenzó a utilizar cartón certificado por la Forest Stewardship Council (FSC) en las cajas de su marca BAND-AID. Como comentó un ejecutivo: "Johnson & Johnson y sus empresas operadoras están posicionados para tomar decisiones sobre el abastecimiento del papel y del embalaje que puedan ayudar a influir en la gestión responsable de los bosques".[56]

La **logística de mercado** consiste en planificar la infraestructura necesaria para satisfacer la demanda, implementarla y controlar los flujos físicos de materiales y bienes finales desde sus puntos de origen hasta sus puntos de uso final, con el fin de satisfacer las exigencias del cliente obteniendo un beneficio. La planificación de la logística de mercado se desarrolla en cuatro fases:[57]

1. Decidir la propuesta de valor que ofrece la empresa a sus clientes. (¿Qué estándar de puntualidad de entrega se debe ofrecer? ¿Qué niveles de precisión se debe alcanzar en la realización de pedidos y en la facturación?).
2. Decidir el mejor diseño de canal y la mejor estrategia de red para llegar a los clientes. (¿Debe la empresa atender a los clientes directamente o a través de intermediarios? ¿Qué productos es necesario adquirir y de qué fabricantes? ¿Cuántos almacenes es conveniente mantener y dónde deben estar situados?).
3. Desarrollar la excelencia operativa en el pronóstico de ventas y la gestión de almacenes, transporte y materiales.
4. Implementar la solución que incluya los mejores sistemas de información, el mejor equipo, así como las mejores políticas y procedimientos.

El estudio de la logística de mercado conduce a los gerentes a encontrar el modo más eficaz de generar valor. Por ejemplo, una empresa de software podría tradicionalmente producir y envasar discos de software y manuales, enviarlos a los mayoristas, quienes a su vez los enviarán a los minoristas, éstos los venden a los clientes, que los llevan a casa para descargarlos en su computadora personal (ordenador). La logística de mercado ofrece dos sistemas de entrega superiores. El primero permite al cliente descargar el software directamente en su computadora. El segundo permite al fabricante de la computadora descargar el software en sus productos. Ambas soluciones eliminan la necesidad de imprimir, envasar, enviar y almacenar millones de discos y manuales.

Sistemas integrados de logística

Las funciones de logística requieren **sistemas integrados de logística (ILS, *Integrated Logistics Systems*)**, que consisten en la gestión de materiales, sistemas de flujos de materiales y distribución física mediante el uso de la tecnología de la información (TI). Los sistemas de información desempeñan una función esencial en la gestión de la logística de mercado, especialmente a través de las computadoras, las terminales en los puntos de venta, los códigos de barras universales de los productos, el seguimiento por satélite, el intercambio electrónico de datos

(EDI, *Electronic Data Interchange*) y la transferencia electrónica de fondos (EFT, *Electronic Funds Trusfer*). Estos avances han acortado el tiempo del ciclo de pedido, reducido el trabajo y los errores administrativos, y proporcionado un mejor control de las operaciones. Han permitido a las empresas hacer la promesa de que "el producto estará en el muelle 25 a las 10:00 A.M. de mañana", y cumplirla.

La logística de mercado implica diversas actividades. La primera es el pronóstico de ventas, a partir del cual la empresa planea la distribución, la producción y los niveles de inventario. Los planes de producción indican el volumen de materiales que el departamento de compras debe adquirir. Estos materiales llegan a la empresa gracias al transporte de entrada, llegan a un área de recepción, y se almacenan y se registran en un inventario de materias primas. A continuación, las materias primas se convierten en productos terminados. El inventario de productos terminados es el vínculo entre los pedidos de los clientes y la actividad manufacturera. Los pedidos de los clientes disminuyen el nivel de inventario de productos terminados y la actividad de fabricación se incrementa. Los bienes terminados abandonan la línea de montaje y pasan al proceso de envasado, almacenaje en la planta, procesamiento en la sala de envíos, transporte de salida, almacenamiento en campo, y entrega y servicio al cliente.

Algo que suele preocupar a la dirección es el costo total de la logística de mercado, que supone entre el 30 y 40% del costo del producto. En el sector alimentario de Estados Unidos, los desperdicios o "desechos" llegan a estar entre el 8 y el 10% en los productos perecederos, costando alrededor de 20 mil millones de dólares al año. Para reducir los desechos, el minorista alimentario Stop & Shop analizó toda su cadena de suministro de alimentos frescos y redujo todo, desde el tamaño de las cajas de los proveedores hasta el número de productos en exhibición. Con estos cambios, la cadena de supermercados redujo los desperdicios en casi un tercio, ahorrando más de 50 millones de dólares y eliminando 36 000 libras de comida en descomposición, mejorando al mismo tiempo la satisfacción del cliente.[58]

Muchos expertos llaman a la logística de mercado "la última frontera para las economías de costos" y las empresas están decididas a sacar del sistema todos los costos innecesarios. En 1982, la logística representó el 14.5% del PIB de Estados Unidos; para 2007, esta proporción había disminuido hasta casi el 10%.[59] Los menores costos de la logística de mercado permitirán reducir los precios, obtener mayores márgenes de ganancias, o ambos. A pesar de que los costos de la logística de mercado pueden ser altos, un programa bien planificado puede ser una herramienta potente en el marketing competitivo.

Muchas empresas están adoptando la **manufactura esbelta (*lean manufacturing* tambien conocida como fabricación libre de despilfarro)**, originalmente iniciada por empresas japonesas como Toyota, para producir bienes con el mínimo desperdicio de tiempo, materiales y dinero. Los dispositivos desechables de ConMed, por ejemplo, son utilizados por un hospital en algún lugar del mundo cada 90 segundos para insertar y extraer el líquido alrededor de las articulaciones durante la cirugía ortoscópica.

ConMed Para hacer más continua su producción, el fabricante de productos médicos ConMed se dispuso a vincular sus operaciones lo más cerca que fuera posible al comprador final de sus productos. En lugar de trasladar sus fábricas a China, lo cual podría haber reducido sus costos de mano de obra, pero con el riesgo de alargar sus plazos de entrega, acumular inventarios y producir retrasos no previstos, la empresa utilizó nuevos procesos de producción para ensamblar sus productos desechables justo después de que los hospitales realizaran sus pedidos. Un 80% de los pedidos eran lo suficientemente previsibles para que los pronósticos de demanda que se actualizaban cada pocos meses pudieran establecer sus planes de producción por hora. Como prueba de la nueva eficiencia de la empresa, el área de montaje de dispositivos de inyección de líquido redujo los 3 300 pies cuadrados que ocupaba y los 93 000 dólares en partes almacenadas, a 650 pies cuadrados y 6 000 dólares. La producción por obrero aumentó un 21 por ciento.[60]

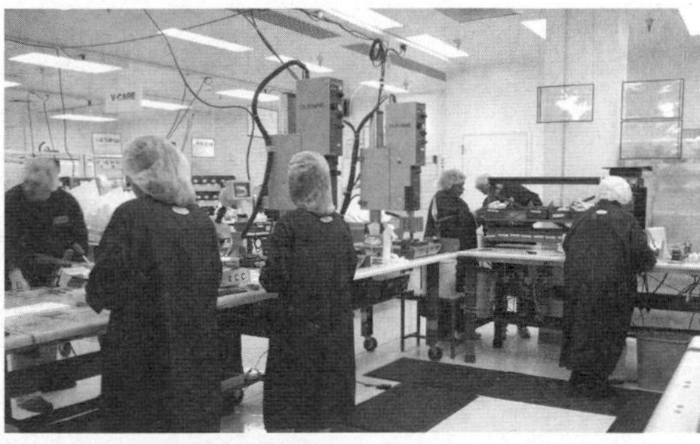

Mediante el rediseño de su línea de montaje, el fabricante de productos médicos ConMed aumentó significativamente su productividad.

La eficiencia de la manufactura esbelta debe implementarse cuidadosamente y supervisarse de cerca. La reciente crisis de Toyota en seguridad del producto que tuvo como resultado una extensa retirada de productos, se ha atribuido en parte al hecho de que algunos aspectos de su enfoque de manufactura esbelta (la eliminación de duplicidad de costos mediante el uso de partes y diseños comunes a través de múltiples líneas de productos, y la reducción del número de proveedores para abastecerse de partes en mayor escala), pueden ser contraproducentes cuando surgen problemas de control de calidad.[61]

Objetivos de la logística de mercado

Muchas empresas afirman que su objetivo de logística de mercado es "obtener las mercancías correctas, llevarlas a los lugares oportunos en su debido tiempo y al costo más bajo". Por desgracia, este objetivo no resulta de gran ayuda en la práctica. Ningún sistema es capaz de maximizar el servicio a los clientes y, simultáneamente, minimizar los costos de distribución. Para prestar el mejor servicio a los clientes es necesario tener grandes inventarios, un transporte inmejorable y varios almacenes, lo que incrementa los costos de logística.

Una empresa tampoco puede lograr eficacia en la logística de mercado al pedir a cada gerente relacionado con esta actividad que minimice sus costos. Los costos de la logística de mercado tienen que interactuar y a menudo manifiestan intereses contrapuestos. Por ejemplo:

- El gerente de transporte se inclina por el transporte en ferrocarril, en lugar de en avión, porque es más barato. Sin embargo, como los ferrocarriles son más lentos, el capital circulante está bloqueado durante más tiempo, el pago del cliente se retrasa y es probable que los clientes acaben por comprar a competidores que ofrezcan un servicio más rápido.
- El departamento de embarques utiliza contenedores económicos para minimizar los costos, pero estos contenedores suponen un mayor número de artículos deteriorados, lo que genera reclamaciones por parte de los clientes.
- El director de almacén es partidario de bajos volúmenes de existencias. Esto aumenta los desabastecimientos, los pedidos retrasados, el papeleo, la producción de series especiales y el aumento en los costos de envíos urgentes.

Como las actividades de logística de mercado suponen sacrificar una ventaja por otra, las decisiones se deben tomar desde una perspectiva global. El punto de partida es estudiar qué desean los clientes y qué ofrecen los competidores. Los clientes quieren una entrega puntual, la disposición del proveedor a satisfacer necesidades de emergencia, un manejo cuidadoso de la mercancía, la devolución de los productos defectuosos y su pronta sustitución.

La empresa debe investigar la importancia relativa que tienen estos servicios para los clientes. Por ejemplo, el tiempo de reparación es muy importante para los compradores de fotocopiadoras. Por eso, Xerox desarrolló un servicio que "puede recoger una máquina en cualquier punto continental de Estados Unidos y repararla dentro de las tres horas siguientes a la recepción de la llamada de solicitud del servicio". Para ello diseñó una división de servicios dotada con personal, partes y ubicaciones tales que permitían cumplir esta promesa.

La empresa también debe fijarse en los niveles de servicio de los competidores a la hora de fijar el suyo. Generalmente deseará igualar o mejorar el nivel de servicio de la competencia, pero su objetivo debe ser el de maximizar las utilidades (los beneficios), no las ventas. Algunas empresas ofrecen menos servicios y cobran precios más bajos, mientras que otras ofrecen más servicios y cobran precios más altos.

En última instancia, la empresa tendrá que lanzar alguna promesa al mercado. Coca-Cola quiere "poner la Coca-Cola al alcance de la mano". Lands' End, el gran minorista textil, pretende responder las llamadas de teléfono en un plazo de 20 segundos y enviar los pedidos en las 24 horas siguientes a su recepción. Algunas empresas definen niveles mínimos a cumplir para cada factor de servicio. Un fabricante de electrodomésticos se fijó los siguientes estándares: entregar por lo menos el 95% de los pedidos de los distribuidores en un plazo de siete días, cumplir con los pedidos con un 99% de precisión, responder las preguntas sobre el estado del pedido en tres horas y garantizar que las mercancías dañadas durante el transporte no superen el uno por ciento.

Una vez que la empresa ha definido los objetivos de logística de mercado, debe diseñar un sistema para minimizar los costos de su consecución. Cada sistema de logística de mercado posible supone un costo total de distribución expresado por la siguiente ecuación:

$$M = T + CFA + CVA + V$$

donde M = costo total de la logística de mercado del sistema propuesto.
T = costo total del transporte del sistema propuesto.
CFA = costo fijo de almacenamiento del sistema propuesto.
CVA = costo variable del almacenamiento (incluidas las existencias) del sistema propuesto.
V = costo total de las ventas perdidas debido al retraso en la entrega, de acuerdo con el sistema propuesto.

La elección de un sistema de logística de mercado exige el examen de los costos totales *(M)* asociados con los diferentes sistemas propuestos y la selección de aquel que minimice el costo total de distribución. Alternativamente, si V es difícil de medir, la empresa debe intentar minimizar $T + CFA + CVA$ para un objetivo concreto de servicio al cliente.

Decisiones de logística de mercado

La empresa debe tomar cuatro decisiones principales relacionadas con la logística de mercado (1) ¿Cómo se deben atender los pedidos? (Tramitación de pedidos), (2) ¿Dónde deben almacenarse las existencias? (Almacenamiento), (3) ¿Qué volumen de existencias hay que almacenar? (Inventario) y (4) ¿Cómo deben enviarse los productos? (Transporte).

TRAMITACIÓN DE PEDIDOS En la actualidad, la mayoría de las empresas intentan reducir el *ciclo pedido-envío-facturación*, es decir, el tiempo que transcurre entre la recepción de un pedido, su entrega y el cobro. Este ciclo incluye muchos pasos: la transmisión del pedido por parte del vendedor, el registro del pedido y la verificación del crédito del cliente, el nivel de existencias y el calendario de producción, el envío del pedido y la factura, y la recepción del pago. Cuanto más largo sea este ciclo, menores serán la satisfacción del cliente y las utilidades de la empresa.

ALMACENAMIENTO Todas las empresas tienen que almacenar sus mercancías y esperar hasta poder venderlas, puesto que los ciclos de producción y consumo raras veces coinciden. Las empresas de bienes envasados han reducido su número de almacenes de entre 10 y 15 hasta entre 5 y 7, y los distribuidores farmacéuticos han reducido los suyos de aproximadamente 90 a cerca de 45. Por otra parte, cuantos más almacenes tenga una empresa, mayores serán las posibilidades de atender a los clientes más rápidamente, pero también serán mayores los costos de almacenamiento e inventario. Para reducir estos costos, la empresa podría centralizar su inventario en una ubicación única y utilizar transporte rápido para atender los pedidos.

Parte del inventario se mantiene en la planta o cerca de ella, y el resto en almacenes en otros lugares. La empresa puede poseer almacenes privados o alquilar espacio en almacenes públicos. Los *almacenes de depósito* almacenan bienes por periodos de moderados a largos. Los *almacenes de distribución* reciben las mercancías procedentes de diversas plantas de la empresa y de los proveedores y les dan salida tan pronto como es posible. Los *almacenes automatizados* emplean avanzados sistemas de manejo de materiales controlados por una computadora central y se están convirtiendo en la norma de la industria.

En la actualidad, algunos almacenes están realizando actividades que tradicionalmente se realizaban en la planta. Entre éstas se cuentan el ensamblado, el envasado y la construcción de displays (expositores) para promociones. Posponiendo hasta los almacenes la finalización de los productos a ofrecer es posible obtener ahorros en costos y un ajuste más preciso de la oferta y la demanda.

INVENTARIO Los vendedores desearían que sus empresas tuvieran un volumen de inventario tal que pudieran atender todos los pedidos de los clientes de forma inmediata. Sin embargo, esto no es conveniente desde el punto de vista de los costos. *El costo de mantenimiento de las existencias se eleva a una tasa cada vez mayor a medida que el nivel de servicio se aproxima al 100%.* La dirección necesita saber en qué medida las ventas y las utilidades se incrementarían como resultado de mantener un volumen de existencias más alto que permitiera plazos más cortos de atención y surtido de pedidos, para después tomar una decisión en consecuencia.

Conforme disminuyen las existencias, la dirección debe saber para qué nivel de pedido tiene que realizar un nuevo abastecimiento. Este nivel de inventario se denomina *nivel de reabastecimiento* o *punto de pedido*. Si el nivel de reabastecimiento es de 20, significa que cuando las existencias desciendan hasta ese nivel habrá que realizar un nuevo pedido. El nivel de reabastecimiento debe tener en cuenta y valorar simultáneamente los riesgos de quedarse sin existencias y los costos que supone un volumen excesivo de inventario. La otra decisión es cuánto pedir: cuanto mayor sea la cantidad pedida, menor será la frecuencia necesaria de abastecimiento. La empresa debe encontrar un equilibrio entre los costos de hacer los pedidos y los costos de almacenamiento. Los *costos de procesamiento de pedidos* de un fabricante son los *costos de preparación* y los *costos de operación* (los costos operativos cuando se está en producción). Si los costos de preparación son bajos, el fabricante puede producir sus artículos con frecuencia y el costo promedio por producto será casi constante, similar a los costos de operación. Sin embargo, si los costos de preparación son altos, el fabricante puede reducir el costo promedio por unidad al fabricar un mayor número de productos y mantener un volumen de existencias considerable.

Los costos de procesamiento de pedidos se deben comparar con los *costos de almacenamiento*. Cuanto mayores sean las existencias almacenadas, mayores serán los costos de almacenamiento. Estos costos incluyen los derivados del propio almacén, el costo del capital, los impuestos, los seguros, la depreciación y la obsolescencia. Los costos de almacenamiento podrían alcanzar incluso un 30% del valor de inventario. Esto significa que los gerentes de marketing que deseen que sus empresas tengan grandes volúmenes de inventario deben demostrar que un mayor volumen de inventario podría producir un incremento de la rentabilidad bruta mayor que el aumento de los costos derivados de almacenar esas existencias.

La cantidad óptima de pedido se puede determinar al observar las curvas de costos de almacenamiento y de procesamiento de pedidos. La △ figura 16.1 muestra que el costo de procesamiento de pedido por unidad disminuye con el número de unidades pedidas, porque cada unidad permanece más tiempo en el inventario. Estas dos curvas se suman verticalmente y se representan en una curva de costo total. El punto mínimo de la curva de costo total se proyecta en el eje horizontal para hallar la cantidad óptima de pedido Q*.[62]

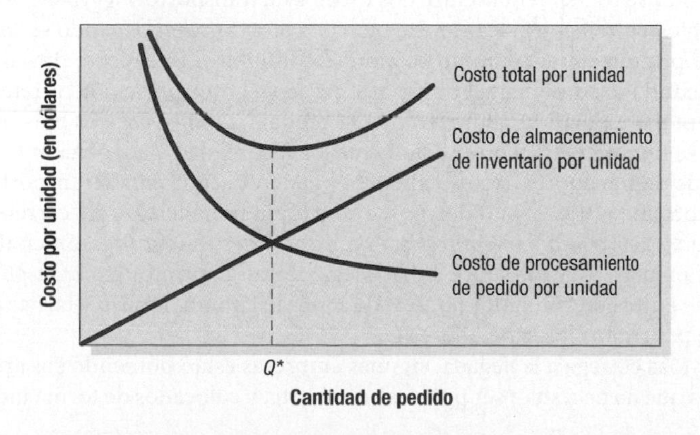

|Fig. 16.1| △

Determinación de la cantidad óptima de pedido

Las empresas están reduciendo sus costos de inventario al administrar los artículos del inventario de manera distinta: posicionándolos en función del riesgo y la oportunidad o impacto sobre las utilidades (beneficios). Así, diferencian entre los productos de cuello de botella (alto riesgo, pocas oportunidades), los productos críticos (alto riesgo, muchas oportunidades), los productos básicos (bajo riesgo, muchas oportunidades) y los productos tediosos (bajo riesgo, pocas oportunidades).[63] Asimismo, están manteniendo los artículos de baja rotación en una ubicación central y los artículos de alta rotación en almacenes más cercanos a los clientes. Todas estas estrategias le darán más flexibilidad si algo sale mal, como sucede a menudo, ya sea una huelga portuaria en California, un tifón en Taiwán, un tsunami en Asia o un huracán en Nueva Orleans.[64]

La solución más reciente para tener un inventario cercano a cero es la de fabricar para surtir los pedidos y no para almacenar. Sony denomina a este sistema SOMO "sell-one, make-one" (vender uno, fabricar uno). La estrategia de inventario que Dell ha utilizado durante años ha sido la de hacer que sus clientes ordenen una computadora y paguen por ella con antelación. Después, Dell utiliza el dinero del cliente para pagar a sus proveedores para que le envíen las piezas necesarias. Siempre que los compradores no necesiten el producto de manera inmediata, todos pueden ahorrar dinero. Algunos minoristas se deshacen de su exceso de inventario en eBay donde, al prescindir del intermediario tradicional, pueden obtener un margen de entre 60 y 80 centavos por dólar, en comparación con los 10 centavos que obtenían anteriormente.[65] Algunos proveedores incluso se están deshaciendo del exceso de inventario con el fin de obtener utilidades rápidas.

Cameron Hughes "Si una cava (bodega) tiene un lote de ocho barriles, es posible que utilice sólo cinco barriles para sus clientes", dice Cameron Hughes, un "négociant" de vinos que compra el excedente de mostos de cavas de alta gama y de corredores de vinos, y los mezcla para hacer costosas combinaciones de ediciones limitadas que tienen mucho mejor sabor de lo que cuestan. Los "négociants" han existido desde hace mucho tiempo, primero como intermediarios que vendían o enviaban vinos como mayoristas, pero la profesión se ha expandido a medida que los buscadores de oportunidades como Hughes se involucran más en la producción de sus propios vinos. Hughes no posee viñedos, máquinas de envasado ni camiones. Subcontrata a los embotelladores y vende directamente a minoristas como Costco, Sam's Club y Safeway, eliminando a los intermediarios y sus márgenes de utilidades. Hughes nunca sabe qué tipo o cuántas porciones excedentes de vino tendrá, pero ha convertido esto en una ventaja a su favor: crea un nuevo producto con cada lote. Esta rápida rotación es parte del atractivo que siente Costco hacia él. Los clientes de la tienda de descuento adoran la idea de encontrar una ganga rara y Hughes promueve sus vinos a través de catas de vino en las tiendas y de correos electrónicos con información privilegiada que alertan a los clientes de Costco sobre los lotes numerados que están por venir. Debido a que muchos se venden rápidamente, los admiradores de Cameron se suscriben a sus alertas por correo electrónico en chwine.com, donde les indica cuándo se pondrá a la venta un nuevo lote.[66]

Cameron Hughes ha desarrollado un negocio próspero al usar los lotes excedentes de vinos como insumos para sus costosos vinos de edición limitada.

TRANSPORTE Las decisiones sobre el transporte influyen en el precio del producto, los periodos de entrega y su puntualidad, y el estado de los productos a su llegada, lo que a la vez influye en la satisfacción de los clientes.

Al enviar mercancías a los almacenes, a los distribuidores o a los clientes, las empresas seleccionan distintos medios de transporte: ferrocarril, avión, camión, barco u otros conductos. Los expedidores deben considerar criterios como velocidad, frecuencia, formalidad, capacidad, disponibilidad, costo y la posibilidad de hacer un seguimiento de la mercancía. Si un expedidor busca rapidez, el transporte aéreo, ferroviario y por carretera serán las opciones a considerar. Si el objetivo es un bajo costo, el transporte marítimo o fluvial serán las alternativas más convenientes.

Los expedidores combinan con mayor frecuencia dos o más modalidades de transporte gracias al almacenamiento en contenedores. El **almacenamiento en contenedores** consiste en colocar los bienes en cajas o remolques para facilitar su transferencia entre dos medios de transporte. *Piggyback* es el término utilizado cuando se combina el ferrocarril con el transporte por carretera; *fishyback* cuando se combina el transporte fluvial y el transporte por carretera; *trainship* cuando se combina el transporte fluvial o marítimo y el ferrocarril, y *airtruck* cuando se combinan el transporte aéreo y el transporte por carretera. Cada modalidad coordinada ofrece ventajas específicas. Por ejemplo, la modalidad *piggyback* es más barata que el empleo exclusivo de transporte por carretera y proporciona mayor flexibilidad y adaptación.

Al elegir las formas de transporte, los expedidores pueden decidir entre transporte propio, contratistas y transportistas comunes. Si el expedidor posee su propia flota aérea o de carretera, entonces recibe el nombre de *transportista privado*. Un *contratista de transportes* es una organización independiente que presta servicios de transporte a otros sobre la base legal de un contrato. Un *transportista común* presta servicios de transporte entre determinados puntos, de acuerdo con un horario y tarifas preestablecidas, y se encuentra disponible para todos los expedidores.

Para reducir la costosa entrega a la llegada, algunas empresas están poniendo sus artículos en embalajes listos para los estantes que no necesitan ser puestos en una caja y colocados de forma individual. En Europa,

P&G utiliza un sistema logístico de tres niveles para programar las entregas de los bienes de rápido y lento movimiento, los artículos voluminosos y los objetos pequeños de la manera más eficiente.[67] Para reducir daños en el envío, el tamaño, el peso y la fragilidad de la pieza deben tomarse en cuenta al elegir la técnica de embalaje o la densidad de la espuma de relleno, por ejemplo.[68]

Lecciones de organización

Las estrategias de logística de mercado tienen que partir de las estrategias de negocio y no sólo de meras consideraciones de costos. El sistema de logística debe proporcionar grandes dosis de información y establecer vínculos electrónicos entre todos los participantes. Por último, la empresa debe fijarse como meta de logística el igualar o superar los niveles de servicio de la competencia, y debe incluir a todos los equipos relevantes en el proceso de planificación.

La mayor demanda actual de apoyo logístico de los grandes clientes aumentará los costos de los proveedores. Los clientes solicitan entregas más frecuentes para no tener que guardar demasiado inventario. Buscan ciclos de pedido más cortos, lo que significa que los proveedores tendrán que tener más existencias disponibles. Asimismo, los clientes prefieren repartos directos al punto de venta en lugar de repartos a centros de distribución y prefieren lotes mixtos en lugar de lotes separados. Quieren plazos de entrega más estrictos y, por último, prefieren un envasado, un etiquetado y exhibidores totalmente personalizados.

Los proveedores no pueden negarse a muchas de estas demandas, pero al menos pueden crear diferentes programas de logística con diferentes niveles de servicio y precios. Las empresas más perspicaces ajustarán sus ofertas a las necesidades de los principales clientes. El grupo comercial de la empresa logrará una *distribución diferenciada* si ofrece un programa de servicios elaborado de forma específica para los diferentes clientes.

Resumen

1. La distribución minorista engloba todas las actividades relacionadas con la venta directa de bienes y servicios al consumidor final para su uso personal, no comercial. Los minoristas se clasifican en tiendas minoristas, minoristas sin tienda y organizaciones de minoristas.
2. Al igual que los productos, todos los tipos de tiendas minoristas atraviesan fases de crecimiento y declive. Dado que las tiendas existentes ofrecen más servicios para seguir siendo competitivas, sus costos y precios aumentan, lo que permite la entrada de nuevas formas de distribución minorista que ofrecen una mezcla de productos y servicios a precios inferiores. Los principales tipos de tiendas minoristas son: tiendas especializadas, grandes almacenes, supermercados, tiendas de conveniencia, farmacias, tiendas de descuento blando (*soft discount*), tiendas de descuento duro (*hard discount*) minoristas de precios bajos *off-price*, grandes superficies, supertiendas y tiendas por catálogo.
3. Aunque la inmensa mayoría de bienes y servicios se venden a través de las tiendas, la distribución minorista sin tienda está creciendo. Los principales tipos de distribución minorista sin tienda son la venta directa (venta a domicilio, venta en reuniones de carácter doméstico, venta multinivel); el marketing directo (que incluye el comercio electrónico y la distribución minorista por Internet), la venta automática y los servicios de compras.
4. Aunque muchas tiendas minoristas son de propiedad independiente, un número cada vez mayor recae bajo alguna forma de distribución minorista empresarial. Las organizaciones minoristas logran muchas economías de escala, mayor poder adquisitivo, mayor reconocimiento de marca y empleados mejor capacitados. Los principales tipos de organizaciones minoristas empresariales son las cadenas corporativas de tiendas, las cadenas voluntarias, las cooperativas de minoristas, las cooperativas de consumidores, las franquicias y los conglomerados de venta.
5. El entorno minorista ha cambiado considerablemente en años recientes. Conforme surgen nuevas formas de distribución minorista se incrementa la competencia entre tiendas de distintos tipos y entre los minoristas sin tienda y los minoristas con tienda. El crecimiento de los minoristas gigantes ha sido igualado por el declive de los minoristas del mercado intermedio. Por otro lado, la inversión en tecnología y la expansión global han crecido, y el crecimiento del marketing de compradores dentro de las tiendas se ha convertido en una prioridad.
6. Igual que todos los especialistas de marketing, los minoristas deben preparar planes de marketing que incluyan decisiones sobre los mercados meta, los canales, el surtido de productos y su abastecimiento, los precios, los servicios, la atmósfera de las tiendas, las actividades y experiencias de las tiendas, la promoción y la ubicación.
7. La venta mayorista incluye todas las actividades relacionadas con la venta de bienes y servicios a compradores con fines de reventa o comerciales. Los mayoristas pueden realizar ciertas funciones mejor que los fabricantes y con costos más bajos. Estas funciones incluyen la venta, la promoción, la compra y selección del surtido de productos, el almacenamiento, el transporte, el financiamiento, el manejo de riesgos, la diseminación de información del mercado y la prestación de servicios de gestión y consultoría.
8. Existen cuatro tipos de mayoristas: mayoristas en general; comisionistas y agentes; sucursales y oficinas de fabricantes y minoristas (oficinas de venta y oficinas de compra) y mayoristas diversos como los especialistas agrícolas y las casas de subastas.

9. Al igual que los minoristas, los mayoristas deben tomar decisiones relativas a su mercado meta, surtido de productos, y servicios, precios, promoción y plaza (ubicación). Los mayoristas de más éxito son los que adaptan sus servicios a las necesidades de sus proveedores y de sus clientes.
10. Los fabricantes de productos físicos y servicios deben establecer sus sistemas de logística de mercado: la mejor forma de almacenar y transportar bienes y servicios hasta los mercados de destino; coordinar las actividades de los proveedores, agentes de compra, fabricantes, especialistas de marketing, miembros del canal y clientes. Los principales beneficios en la eficiencia logística provienen de los avances en la tecnología de la información.

Aplicaciones

Debate de marketing

¿Deberían los fabricantes de marcas nacionales también fabricar para las marcas de distribuidor?

Ralston-Purina, Borden, ConAgra y Heinz admiten que fabrican productos, en ocasiones de menor calidad que los normales, para marcas propias. Otras empresas, sin embargo, critican esta estrategia de "si no puedes vencer al enemigo, únete a él" y sostienen que estas medidas, si salen a la luz, pueden crear confusión e incluso reforzar la idea de los consumidores de que todas las marcas de la categoría son esencialmente iguales.

Asuma una posición: Los fabricantes deberían producir marcas propias como fuente de ingresos si así lo desean *versus* Los fabricantes nacionales nunca deberían participar en la producción de marcas propias.

Discusión de marketing

La lealtad del cliente minorista

Piense en sus tiendas favoritas. ¿Qué es lo que estimula su lealtad hacia ellas? ¿Qué es lo que le gusta de las experiencias en la tienda? ¿Qué mejoras podrían realizar?

Marketing de excelencia

>>Zara

Zara, de España, se ha convertido en el principal minorista de ropa en Europa, proporcionando a los consumidores estilos actuales de alta moda a precios razonables. Con ventas de más de 8700 millones de dólares y más de 1500 tiendas, el éxito de la empresa ha provenido de romper prácticamente todas las reglas tradicionales de la industria de la distribución minorista.

La primera tienda Zara abrió sus puertas en 1975. Para la década de 1980, el fundador de Zara, Amancio Ortega, estaba trabajando con programadores de computadoras para desarrollar un nuevo modelo de distribución que revolucionaría la industria de la confección. Este nuevo modelo requería de varios pasos estratégicos para reducir el tiempo de espera desde el diseño hasta la distribución a tan sólo dos semanas: una diferencia significativa del promedio de la industria de seis a nueve meses. Como resultado, la empresa fabrica aproximadamente 20000 artículos diferentes al año, alrededor del triple de lo que Gap o H&M fabrican en un año. Al reducir los tiempos de entrega a una fracción de los de sus competidores, Zara ha sido capaz de proporcionar "moda rápida" para sus consumidores a precios accesibles. El éxito de la empresa se puede encontrar en cuatro elementos estratégicos clave:

Diseño y producción. Zara emplea cientos de diseñadores en su sede en España. Por tanto, constantemente crean y producen estilos, mientras que otros son mejorados con nuevos colores o diseños. La empresa garantiza la velocidad a la que produce estos diseños al ubicar la mitad de sus instalaciones de producción en áreas cercanas: España, Portugal y Marruecos. Zara produce sólo una pequeña cantidad de cada colección y está dispuesta a experimentar la escasez de vez en cuando para mantener su imagen de exclusividad. La ropa que permanece más tiempo en los estantes, como las camisetas, se subcontrata a proveedores de bajo costo en Asia y Turquía. Con un estricto control sobre su proceso de fabricación, Zara puede actuar más rápidamente que cualquiera de sus competidores y continúa ofreciendo estilos renovados en sus tiendas cada semana.

Logística. Zara distribuye toda su mercancía, independientemente de su origen, desde España. Su proceso de distribución está diseñado para que desde el momento de la recepción de un pedido hasta su entrega en la tienda, promedie 24 horas en Europa y 48 horas en Estados Unidos y Asia. Tener cerca el 50% de sus instalaciones de producción es la clave del éxito de este modelo. Todas las tiendas de Zara reciben nuevos envíos dos veces por semana y las pequeñas cantidades de cada colección no sólo hacen que los consumidores regresen a las tiendas de Zara una y otra vez, sino que también los alienta a que realicen compras con mayor rapidez. Mientras que un comprador promedio en España visita una tienda en cualquier calle (o en una calle principal) tres veces al año, los compradores de Zara promedian 17 visitas al año. Algunos admiradores de Zara saben exactamente cuándo llegan envíos nuevos y llegan temprano ese día para ser los primeros en comprar la última moda. Estas prácticas mantienen las ventas fuertes durante todo el año y ayudan a la empresa a vender más productos al precio completo: el 85% de sus mercancías frente al promedio de la industria del 60%.

Clientes. Todo gira en torno a los clientes de Zara. El minorista reacciona a las necesidades, tendencias y gustos cambiantes de sus clientes utilizando informes diarios de los gerentes de las tiendas Zara sobre qué productos y estilos se han vendido y cuáles no. Debido a que hasta el 70% de sus salarios provienen de las comisiones, los gerentes tienen un fuerte incentivo para permanecer alerta. Los diseñadores de Zara no tienen que predecir cómo serán las tendencias de la moda en el futuro, sino que reaccionan a los comentarios de los clientes, buenos y malos; si algo falla, la línea es retirada inmediatamente. Zara reduce sus pérdidas y el impacto es mínimo debido a las bajas cantidades que se producen de cada estilo.

Tiendas. Zara nunca ha llevado a cabo una campaña publicitaria. Las tiendas, de las cuales el 90% son de su propiedad, son el elemento clave de su publicidad y están ubicadas en lugares prestigiosos de alto tráfico en todo el mundo. Zara gasta mucho tiempo y esfuerzo cambiando regularmente los escaparates de sus tiendas para atraer a los clientes. En comparación con otros minoristas que gastan entre el 3 y 4% de sus ingresos en grandes campañas de creación de marca, Zara gasta sólo el 0.3%.

El éxito de la empresa proviene de tener un control completo sobre todas las partes de su negocio: el diseño, la producción y la distribución. El director de moda de Louis Vuitton, Daniel Piette, describió a Zara como "posiblemente el minorista más innovador y devastador en el mundo". Actualmente, a medida que Zara continúa su expansión a nuevos mercados y países, corre el riesgo de perder parte de su velocidad, así que tendrá que trabajar duro para seguir proporcionando las mismas "novedades" en todo el mundo, tan bien como lo hace en Europa. También está realizando un gran empuje online, un tanto tardío, que tendrá que funcionar dentro de su modelo de negocio existente.

Preguntas

1. ¿Funcionaría el modelo de Zara para otros minoristas? ¿Por qué o por qué no?
2. ¿Cómo podría Zara expandirse exitosamente en todo el mundo con el mismo nivel de velocidad y moda instantánea?

Fuentes: Rachel Tiplady, "Zara: Taking the Lead in Fast-Fashion", *BusinessWeek*, 4 de abril de 2006; enotes.com, Inditex overview; "Zara: A Spanish Success Story", *CNN*, 15 de junio de 2001; "Fashion Conquistador", *BusinessWeek*, 4 de septiembre de 2006; Caroline Raux, "The Reign of Spain", *The Guardian*, 28 de octubre de 2002; Kerry Capell, "Zara Thrives by Breaking All the Rules", *BusinessWeek*, 20 de octubre de 2008, p. 66; Christopher Bjork, "Zara Is to Get Big Online Push", *Wall Street Journal*, 17 de septiembre de 2009, p. B8.

Marketing de excelencia

>>Best Buy

Best Buy es el líder mundial minorista de productos electrónicos de consumo con 34 200 millones de dólares en ventas en el año fiscal 2009. Sus ventas se dispararon en la década de 1980 conforme Best Buy se expandió a nivel nacional y tomó algunas decisiones empresariales riesgosas, como pagar un salario a su personal de ventas en lugar de pagarles por comisión. Esta decisión creó una atmósfera sin presiones más favorable para el consumidor y dio lugar a un repunte inmediato en sus ingresos totales. En la década de 1990, Best Buy aumentó su oferta de productos informáticos y, para 1995, era el mayor vendedor de computadoras personales para el hogar, una poderosa posición durante el auge de Internet.

En el cambio de siglo, Best Buy enfrentó nuevos competidores como Costco y Walmart, que comenzaron a aumentar gradualmente sus divisiones de electrónica y la oferta de productos. Best Buy consideró que la mejor manera de diferenciarse era aumentar su enfoque en el servicio al cliente mediante la venta de garantías de productos y prestación de servicios personales, como la instalación y entrega a domicilio. Su compra del Geek Squad, una empresa de servicios para computadoras que operaba las 24 horas, resultó muy rentable y estratégica a medida que las redes del hogar y de pequeñas oficinas se hacían más complejas y la necesidad de atención informática personal aumentaba. Para 2004, Best Buy había colocado una estación del Geek Squad en cada una de sus tiendas, ofreciendo a los consumidores servicios de informática personal en las tiendas online, por teléfono y a domicilio.

En la actualidad, Best Buy ha adoptado una estrategia empresarial que denomina "Customer Centricity" (enfoque en el cliente). Ha segmentado su extensa base de clientes en un grupo controlable de públicos objetivos específicos, como los amantes de la tecnología adinerados, la ocupada madre de los suburbios, los jóvenes entusiastas de los aparatos y el padre de familia consciente de los precios. Después, utiliza su amplia investigación y análisis para determinar qué segmentos son los más abundantes y lucrativos en cada mercado. Por último, configura sus tiendas y capacita a sus empleados para que se dirijan a estos consumidores y los animen a volver una y otra vez. Por ejemplo, las tiendas dirigidas a los amantes de la tecnología adinerados tienen departamentos de teatro en casa (*home cinemas*) independientes con vendedores expertos que pueden pasar un largo tiempo analizando las diferentes opciones de productos. Las tiendas con un alto volumen de ocupadas madres de los suburbios ofrecen asistentes personales de compras para ayudar a las madres a entrar y salir lo más rápido posible con los artículos exactos que necesitan.

A veces, una tienda experimentará un nuevo tipo de comprador lucrativo. En la ciudad costera de Baytown, Texas, el Best Buy local notó que recibía frecuentes visitas de trabajadores de Europa oriental que desembarcaban de los buques de carga y petroleros. Estos hombres y mujeres utilizaban su preciado tiempo libre para correr a Best Buy y buscar en los pasillos iPods y computadoras portátiles de Apple, que son más baratos en Estados Unidos que en Europa. Para atender a este consumidor único, el local de Best Buy reorganizó su tienda y trasladó los iPods, MacBooks y sus accesorios de la parte trasera de la tienda al frente, y agregó señalizaciones en un inglés simple. El resultado: las ventas provenientes de estos trabajadores europeos aumentaron un 67 por ciento.

Este ingenio local combinado con la capacidad de atender a cada mercado y las necesidades de cada segmento han ayudado a Best Buy a sobrevivir a la tormenta de la electrónica, mientras competidores como CompUSA y Circuit City han fracasado. El negocio es duro, con bajos márgenes de ganancias y productos en constante evolución. Sin embargo, con más de 1 300 tiendas, incluidas instalaciones en Canadá, México, China y Turquía, Best Buy tiene una participación de mercado del 19% y una familia de marcas de confianza.

Preguntas

1. ¿Cuáles son las claves del éxito de Best Buy? ¿Cuáles son los riesgos que enfrentará en el futuro?
2. ¿De qué otra mejor manera podría competir Best Buy contra nuevos competidores como Walmart y las empresas online?

Ocean Spray ha revitalizado su marca mediante el desarrollo extensivo de nuevos productos y un programa moderno de comunicaciones de marketing completamente integrado.

En este capítulo responderemos las siguientes **preguntas**

1. **¿Cuál es el rol de las comunicaciones de marketing?**
2. **¿Cómo funcionan las comunicaciones de marketing?**
3. **¿Cuáles son los pasos principales para desarrollar comunicaciones eficaces?**
4. **¿Cuál es la mezcla de comunicaciones y cómo debería establecerse?**
5. **¿Qué es un programa integrado de comunicaciones de marketing?**

Diseño y gestión de comunicaciones integradas de marketing

El marketing moderno requiere más que sólo desarrollar un buen producto, fijarle un precio atractivo y hacerlo accesible. Las empresas también deben comunicarse con los grupos de interés potenciales y el público en general. Para la mayoría de los especialistas en marketing, por lo tanto, la cuestión no es si comunicar, sino *qué* decir, *cómo* y *cuándo* decirlo, *a quién* y con *cuánta frecuencia.* Los consumidores pueden enfrentarse a cientos de canales de televisión de cable y satélite, y millones de páginas de Internet. Ellos están tomando un rol más activo al decidir el tipo de comunicación que quieren recibir así como la manera de comunicar a otras personas sobre los productos y servicios que utilizan. Para llegar e influir efectivamente a los mercados meta, los expertos en marketing holístico están utilizando creativamente múltiples formas de comunicación. Ocean Spray —una cooperativa de agricultores de arándanos— ha usado gran variedad de medios de comunicación para revertir tendencias de ventas negativas.

Escanea este código con tu smartphone o tablet.

Kevin Keller habla sobre comunicaciones de marketing.

http://goo.gl/kL1hs

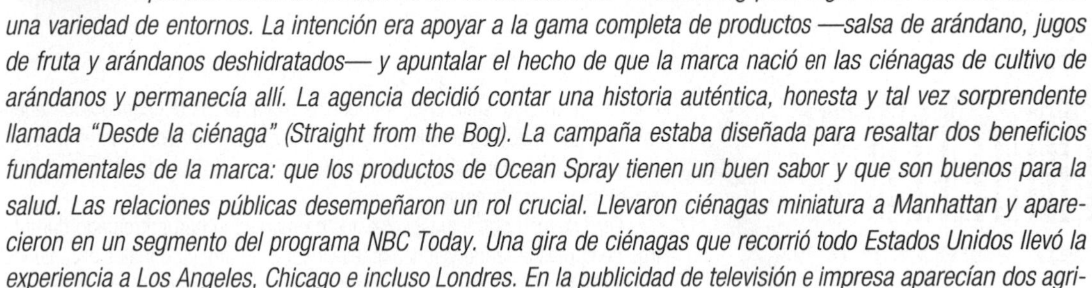

Al enfrentarse a una fuerte competencia, una serie de tendencias adversas de consumo y casi una década de ventas decrecientes, el COO de Ocean Spray, Ken Romanzi y Arnold Worldwide decidieron "relanzar el arándano en Estados Unidos" como "la pequeña fruta sorprendentemente versátil que satisface los requerimientos de la vida moderna," a través de una verdadera campaña de 360 grados que usó todas las facetas de las comunicaciones de marketing para llegar a los consumidores en una variedad de entornos. La intención era apoyar a la gama completa de productos —salsa de arándano, jugos de fruta y arándanos deshidratados— y apuntalar el hecho de que la marca nació en las ciénagas de cultivo de arándanos y permanecía allí. La agencia decidió contar una historia auténtica, honesta y tal vez sorprendente llamada "Desde la ciénaga" (Straight from the Bog). La campaña estaba diseñada para resaltar dos beneficios fundamentales de la marca: que los productos de Ocean Spray tienen un buen sabor y que son buenos para la salud. Las relaciones públicas desempeñaron un rol crucial. Llevaron ciénagas miniatura a Manhattan y aparecieron en un segmento del programa NBC Today. Una gira de ciénagas que recorrió todo Estados Unidos llevó la experiencia a Los Angeles, Chicago e incluso Londres. En la publicidad de televisión e impresa aparecían dos agricultores (representados por actores) parados en una ciénaga que les llegaba a la cintura y hablaban, generalmente con sentido del humor, sobre lo que hacían. La campaña también incluyó un sitio Web, anuncios en las tiendas y eventos para los consumidores y miembros de la cooperativa de agricultores. La innovación del producto fue crucial: se lanzaron nuevas mezclas de sabores junto con una línea de bebidas 100% jugo, versiones light y de dieta, y los arándanos deshidratados y endulzados Craisins. La campaña dio en el blanco, levantando las ventas, en promedio, 10% anual de 2005 a 2009 a pesar del declive continuado en la categoría de los jugos de frutas.[1]

Bien ejecutadas, las comunicaciones de marketing pueden tener enormes recompensas. Este capítulo describe cómo funcionan las comunicaciones y qué pueden hacer las comunicaciones de marketing por una empresa. También aborda cómo los especialistas en marketing holístico combinan e integran las comunicaciones de marketing. El capítulo 18 analiza las comunicaciones masivas (no personales) —publicidad, promoción de ventas, eventos y experiencias, relaciones públicas y publicity—; y en el capítulo 19 veremos las comunicaciones personales (marketing directo e interactivo, marketing de boca en boca y ventas personales).

El rol de las comunicaciones de marketing

Las **comunicaciones de marketing** son los medios por los cuales las empresas intentan informar, persuadir y recordar a los consumidores, de manera directa o indirecta, sobre los productos y marcas que venden. De cierta manera, las comunicaciones de marketing representan la voz de la empresa y sus marcas; son los medios por los cuales la empresa puede establecer un diálogo y construir relaciones con sus consumidores. Al fortalecer la lealtad de los clientes, las comunicaciones de marketing pueden contribuir al capital de clientes.

Las comunicaciones de marketing también funcionan para los consumidores cuando les muestran cómo y por qué un producto es utilizado, por quién, dónde y cuándo. Los consumidores pueden aprender quién fabrica el producto y lo que la empresa y la marca representan, y pueden obtener incentivos por hacer la prueba o utilizarlo. Las comunicaciones de marketing permiten a las empresas vincular sus marcas con otras personas, lugares, eventos, marcas, experiencias, sentimientos y cosas. Pueden contribuir al *brand equity* —al establecer la marca en la memoria y crear una imagen de marca— así como impulsar las ventas e incluso afectar el valor para los accionistas.[2]

El entorno cambiante de las comunicaciones de marketing

La tecnología y otros factores han cambiado profundamente la manera en que los consumidores procesan las comunicaciones o inclusive si deciden procesarlas. La rápida difusión de los teléfonos inteligentes de usos múltiples, las conexiones inalámbricas y de banda ancha de Internet, y las grabadoras digitales de video que omiten los comerciales (DVR) han erosionado la eficacia de los medios masivos. En 1960, una empresa podía llegar a 80% de las mujeres estadounidenses con un comercial de 30 segundos transmitido simultáneamente en tres televisoras: ABC, CBS y NBC. Hoy, el mismo anuncio tendría que transmitirse en 100 canales o más para lograr esta hazaña de marketing. Los consumidores no sólo tienen más medios para

No toque el control remoto

En ningún lugar es tan evidente el poder de los consumidores sobre el mercado como en los programas de televisión, donde los DVR permiten a los consumidores saltarse los anuncios con sólo apretar el botón de avance. A fines de 2009 se calculaba que 34% de los hogares estadounidenses tenía DVR (para controlar la programación), y que de ellos, entre 60 y 70% usaba la función de avance para saltarse los anuncios (al resto le gustan los anuncios, no les importan o no se molestan en saltárselos).

¿Es esto tan malo? Sorprendentemente, las investigaciones muestran que al centrarse en un anuncio para avanzar hasta donde termina, los consumidores en realidad retienen y recuerdan una buena cantidad de información. Los anuncios más exitosos en "modo de avance rápido" son los que los consumidores ya han visto antes, donde aparecen personajes familiares y que no tenían muchas escenas. También ayudó que la información relativa a la marca estuviera en el centro de la pantalla, el lugar donde los ojos de los televidentes se enfocan al estar saltando los anuncios. Aunque los consumidores tienen mayor probabilidad de recordar un anuncio al día siguiente si lo vieron en vivo, existen ciertos recuerdos de la marca incluso después de que un anuncio fue acelerado deliberadamente.

Otro desafío que los especialistas de marketing han enfrentado durante largo tiempo es la tendencia de los televidentes a cambiar canales durante los intermedios comerciales. Sin embargo, Nielsen, que maneja los ratings de programas de televisión, recientemente ha comenzado a ofrecer ratings para anuncios específicos. Antes, los anunciantes pagaban con base en el rating del programa, incluso si entre 5 y 15% de los consumidores cambiaban de canal. Ahora pueden pagar con base en el público comercial real disponible cuando su anuncio se transmite. Para aumentar la audiencia durante los intermedios, las televisoras nacionales y de cable están haciendo comerciales más cortos y retrasándolos hasta que haya mayor probabilidad de que el público esté involucrado con el programa.

Fuentes: Andrew O'Connell, "Advertisers: Learn to Love the DVR," *Harvard Business Review*, abril de 2010, p. 22; Erik du Plesis, "Digital Video Recorders and Inadvertent Advertising Exposure," *Journal of Advertising Research* 49 (junio de 2009); S. Adam Brasel y James Gips, "Breaking Through Fast-Forwarding: Brand Information and Visual Attention," *Journal of Marketing* 72 (noviembre de 2008), pp. 31-48; "Watching the Watchers," *Economist,* 15 de noviembre de 2008, p. 77; Stephanie Kang, "Why DVR Viewers Recall Some TV Spots," *Wall Street Journal,* 26 de febrero de 2008; Kenneth C. Wilbur, "How Digital Video Recorder Changes Traditional Television Advertising," *Journal of Advertising* 37 (verano de 2008), pp. 143-49; Burt Helm, "Cable Takes a Ratings Hit," *BusinessWeek*, 24 de septiembre de 2007.

escoger, también pueden elegir si desean recibir contenido comercial o no, y cómo recibirlo. "Marketing en acción: No toque el control remoto" describe los avances en la publicidad por televisión.

Pero aunque algunos especialistas en marketing huyan de los medios masivos, siguen encontrando desafíos. Existe un desenfrenado atestamiento de anuncios. Se calcula que el habitante promedio de las ciudades está expuesto a entre 3 000 y 5 000 mensajes publicitarios al día. Los cortos de video y los anuncios aparecen en gasolineras, tiendas de alimentos, consultorios médicos y grandes minoristas. Los huevos de supermercado han sido estampados con el nombre de programas de CBS, en algunas ciudades estadounidenses los torniquetes del metro muestran el nombre de GEICO; los cartones de comida china promueven a Continental Airlines, y US Airways ha vendido anuncios en sus bolsas contra el mareo. Dubai vendió los derechos de branding corporativo a 23 de las 47 paradas además de dos líneas de metro en su nuevo sistema de transporte masivo por ferrocarril.[3]

Las comunicaciones de marketing han aumentado en prácticamente todos los medios y formas, y algunos consumidores sienten que son cada vez más invasivas. Los especialistas de marketing deben ser creativos al usar la tecnología pero no inmiscuirse en las vidas de los consumidores. Considere lo que hizo Motorola para resolver ese problema.[4]

Motorola En el aeropuerto internacional de Hong Kong, la promoción especial de Motorola permitía a los seres queridos "Decir adiós" por medio de fotos y mensajes enviados desde sus teléfonos hacia carteleras publicitarias en el área de salidas. Cuando los viajeros llegaban a las salas de espera veían en vallas publicitarias fotos de los amigos y familiares que los acababan de dejar. La empresa también ofrecía instrucciones especiales a los viajeros que partían para utilizar sus teléfonos con el fin de enviar a amigos y familiares un video de despedida, marca Motorola, donde aparecían la estrella de fútbol soccer David Beckham y la estrella pop Jay Chou.

La promoción de alta tecnología de Motorola permitía a los pasajeros, y a quienes se quedaban, despedirse otra vez con carteleras publicitarias digitales.

Comunicaciones de marketing, brand equity y ventas

En este nuevo entorno de marketing, aunque la publicidad con frecuencia es un elemento central de un programa de comunicaciones de marketing, generalmente no es el único —a veces no es siquiera el más importante— para las ventas y para generar capital de marca y nuevos clientes. Como muchas otras empresas, en un periodo de cinco años, de 2004 a 2008, Kimberly Clark redujo el porcentaje de su presupuesto de marketing para televisión de 60% a poco más de 40% al invertir con mayor fuerza en marketing por Internet y marketing experiencial.[5] También tome en cuenta el esfuerzo de Gap al lanzar una nueva línea de jeans.[6]

Gap Para 2009, y con las ventas en caída, Gap decidió celebrar el 40 aniversario de su primera tienda con la introducción de la línea 1969 Premium Jeans "Born to Fit". Para el lanzamiento, Gap se alejó de su típica campaña de anuncios intensiva en los medios, como la de 1998 "Khakis Swing" para la temporada navideña. La campaña abarcaba elementos de comunicación como una página de Facebook, clips de video, una pasarela online de moda muy realista y una aplicación para iPhone, StyleMixer. La aplicación permitía a los usuarios combinar prendas y organizar atuendos, obtener retroalimentación de sus amigos en Facebook y recibir descuentos cuando estaban cerca de una tienda Gap. Para atraer más la atención, hubo shows acústicos simutáneos en 700 ubicaciones y tiendas de mezclilla temporales en las principales ubicaciones urbanas.

LA MEZCLA DE COMUNICACIONES DE MARKETING La **mezcla de comunicaciones de marketing** está compuesta por ocho tipos principales de comunicación:[7]

1. ***Publicidad.*** Cualquier forma pagada no personal de presentación y promoción de ideas, bienes o servicios por parte de un patrocinador identificado, a través de medios impresos (periódicos y revistas), medios transmitidos (radio y televisión), medios de redes (teléfono, cable, satélite, inalámbricos), medios electrónicos (cintas de audio, cintas de video, videodisco, CD-ROM, páginas Web) y medios de display (carteleras, letreros, pósters).
2. ***Promoción de ventas.*** Incentivos de corto plazo para animar a la prueba o compra de un producto o servicio; incluye promociones para el consumidor (muestras gratis, cupones y premios), promociones comerciales (displays y publicidad) y promociones para la fuerza de ventas y empresarial (concursos para los representantes de ventas).
3. ***Eventos y experiencias.*** Actividades patrocinadas por la empresa y programas diseñados para crear interacciones diarias o especiales de la marca con los consumidores, incluyendo eventos deportivos, artísticos y de entretenimiento, entre otros, con causas específicas, así como actividades menos formales.
4. ***Relaciones públicas y* publicity.** Programas dirigidos internamente a los empleados de la empresa o externamente a los consumidores, otras empresas, el gobierno o los medios para promover o proteger la imagen de la empresa o sus comunicaciones de productos individuales.
5. ***Marketing directo.*** Uso del correo, teléfono, fax, correo electrónico o Internet para comunicarse directamente o solicitar una respuesta o diálogo con clientes específicos y potenciales.
6. ***Marketing interactivo.*** Actividades y programas online diseñados para que los clientes regulares o potenciales participen y, directa o indirectamente, aumenten la conciencia, mejoren la imagen o provoquen ventas de productos y servicios.
7. ***Marketing de boca en boca.*** Comunicaciones entre personas de manera oral, escrita o electrónica que se relacionan con los méritos o experiencias de compra o uso de productos o servicios.
8. ***Ventas personales.*** Interacción cara a cara con uno o más compradores potenciales con el propósito de hacer presentaciones, responder preguntas y obtener pedidos.

La tabla 17.1 incluye numerosas plataformas de comunicación. La comunicación de la empresa va más allá. El estilo y el precio del producto, la forma y el color del envase, los modales y el vestuario del vendedor, la decoración de la tienda, la papelería de la empresa, todo comunica algo a los compradores. Cada *contacto de marca* entrega una impresión que puede fortalecer o debilitar el punto de vista de una empresa.[8]

Las actividades de comunicación de marketing contribuyen al brand equity e impulsan las ventas de muchas maneras: creando conciencia de marca, formando la imagen de la empresa en la memoria de los consumidores, provocando juicios o sentimientos positivos sobre la marca y fortaleciendo la lealtad de los consumidores.

EFECTOS DE LA COMUNICACIÓN DE MARKETING La manera en que se forman las asociaciones de marca no importan. Si un consumidor asocia intensa, favorable y distintivamente los conceptos "exteriores", "activo" y "resistente" con, por ejemplo, la marca Subaru, en términos del impacto en el brand equity, es indistinto si hace la asociación gracias a su exposición a los anuncios de TV que muestran al auto

TABLA 17.1 Plataformas de comunicación comunes

Publicidad	Promoción de ventas	Eventos y experiencias	Relaciones públicas y *publicity*	Marketing directo e interactivo	Marketing de boca en boca	Ventas personales
Anuncios impresos y transmitidos	Concursos, juegos, rifas y loterías	Deportes	Kits de prensa	Catálogos	Persona a persona	Presentaciones de ventas
Empaque/exterior	Incentivos y obsequios	Entretenimiento	Discursos	Correo	Grupos de chat	Juntas de ventas
Inserciones en el empaque	Muestras	Festivales	Seminarios	Telemarketing	Blogs	Programas de incentivos
Cine	Ferias y exposiciones comerciales	Artes	Informes anuales	Compras electrónicas		Muestras
Folletos y cuadernillos	Exhibiciones	Causas	Donaciones a caridad	Compras por televisión		Ferias y exposiciones comerciales
Pósters y volantes	Demostraciones	Visitas a las fábricas	Publicaciones	Fax		
Directorios	Cupones	Museos de la empresa	Relaciones con la comunidad	Correo electrónico		
Reimpresiones de anuncios	Devoluciones de efectivo	Actividades callejeras	Cabildeo	Correo de voz		
Carteleras	Financiamiento con intereses bajos		Medios de identidad	Blogs de la empresa		
Anuncios de display	Subvenciones por intercambios		Revista de la empresa	Sitios Web		
Display en punto de venta	Programas de continuidad					
DVD	Vinculaciones					

avanzando sobre terreno áspero en diferentes épocas del año, o si la hace porque Subaru patrocina eventos de esquí, kayak y bicicleta de montaña.

Pero estas actividades de comunicaciones de marketing deben estar integradas para entregar un mensaje consistente y lograr un posicionamiento estratégico. El punto de partida para la planificación de comunicaciones de marketing es una auditoría de comunicación que perfile todas las interacciones posibles entre los clientes del mercado meta y todos sus productos y servicios. Por ejemplo, alguien interesado en comprar una nueva computadora portátil podría hablar con otras personas, ver anuncios de televisión, leer artículos, buscar información en Internet y ver las computadoras en una tienda.

Para implementar los programas de comunicaciones correctos y asignar recursos de manera eficaz, los especialistas de marketing necesitan evaluar cuáles experiencias e impresiones tendrán mayor influencia en cada etapa del proceso de compra; a partir de esta información pueden emitir juicios sobre las comunicaciones de marketing según la capacidad de éstas para afectar las experiencias e impresiones, generar lealtad en los clientes y brand equity, e impulsar las ventas. Por ejemplo, ¿qué tanto contribuye una campaña a la conciencia o para crear, mantener o fortalecer las asociaciones de marca? ¿Un patrocinio mejora los juicios y sentimientos sobre la marca? ¿Una promoción anima a los consumidores a comprar más de un determinado producto? ¿A qué sobreprecio?

Al generar brand equity, los especialistas de marketing deben ser "neutrales respecto a los medios" y evaluar *todas* las opciones de comunicación según su eficacia (¿qué tan bien funciona?) y eficiencia (¿cuánto cuesta?). El sitio Web de finanzas personales Mint desafió al líder del mercado, Intuit —y finalmente fue adquirida por esta última— con un presupuesto de marketing mucho menor al que una empresa gasta normalmente. Un blog con muchos lectores, una página popular en Facebook y otras redes sociales —en combinación con relaciones públicas extensivas— ayudaron a atraer a los jóvenes a Mint, quienes eran su mercado meta.[9] La experiencia de Grupo Bimbo constituye un ejemplo en este sentido.[10]

Haz Sandwich Esta campaña surgió a raíz del Mundial de Fútbol Sudáfrica 2010, donde Grupo Bimbo —empresa mexicana con más de 65 años en el mercado— decidió convertirse en la marca más recordada de ese evento. Con este propósito, pidió a la agencia *Draftfcb* un "*hit*" que además ocasionara un aumento del 4% en ventas. La campaña "Haz Sandwich" tuvo como objetivo reforzar el posicionamiento del sándwich como el alimento ideal, de una forma divertida, fresca y renovada. Y esto se logró con el apoyo de seis elementos de la selección mexicana de fútbol, quienes fueron los voceros de la campaña más grande de esta empresa para este mundial de fútbol. El lanzamiento se llevó a cabo el domingo 18 de abril de 2010 a través de un *road block* en todos los canales de TV abierta con un spot de un minuto (previa transmisión de *teasers* en las principales cadenas del país), en el que los jugadores interactuaban de una manera muy dinámica y divertida con el producto al ritmo de la música, la cual fue seleccionada por ser pegajosa y actual. *Haz Sandwich* causó tal impacto que generó los siguientes resultados:

El éxito de la campaña "Haz Sandwich" de Bimbo logró reposicionar la imagen de la marca y un aumento en sus ventas.

- 104 millones de impresiones en la Web.
- Un millón de visitas únicas en YouTube.
- 500 mil fans en Facebook.
- Ser *trending topic* en Twitter.
- Generación de noticias en todos los medios impresos y audiovisuales.
- Parodias en humorismo gráfico y televisivo.

La campaña se convirtió en cultura popular e, incluso, la gente comenzó a crear su propia versión de los comerciales. El éxito de la campaña posiblemente se debe a que nunca utilizó un doble discurso y el mensaje siempre fue consistente. Tras esta campaña, las ventas de Bimbo aumentaron un 6%, superando el 4% estimado.

Los modelos del proceso de comunicación

Los especialistas en marketing deben entender los elementos fundamentales de las comunicaciones eficaces. Existen dos modelos útiles: un macromodelo y un micromodelo.

MACROMODELO DEL PROCESO DE COMUNICACIONES La figura 17.1 muestra un macromodelo con nueve factores fundamentales de la comunicación eficaz. Dos representan las partes principales: *emisor* y *receptor*. Dos representan las herramientas principales: *mensaje* y *medios*. Cuatro representan funciones importantes de comunicación: *codificación*, *decodificación*, *respuesta* y *retroalimentación*. El último elemento es el *ruido*, constituido por mensajes aleatorios y competitivos que podrían interferir con la comunicación deseada.[11]

Los emisores deben conocer a qué audiencias desean llegar y qué respuestas desean obtener. Deben codificar sus mensajes para que el público meta pueda decodificarlos. También deben transmitir el mensaje a través de medios que lleguen al público meta, y desarrollar canales de retroalimentación para monitorear las respuestas. Cuanto más se traslape el campo de experiencia del emisor con el del receptor, el mensaje tendrá mayor probabilidad de ser más eficaz. Note que los procesos de atención selectiva, distorsión y retención —conceptos que se presentaron en el capítulo 6— podrían estar operando durante la comunicación.

MICROMODELO DEL PROCESO DE COMUNICACIONES Los micromodelos de comunicaciones de marketing se concentran en las respuestas específicas de los consumidores a la comunicación. La figura 17.2 resume cuatro clásicos *modelos de jerarquías de respuesta*.

|Fig. 17.1|

Elementos del proceso de comunicación

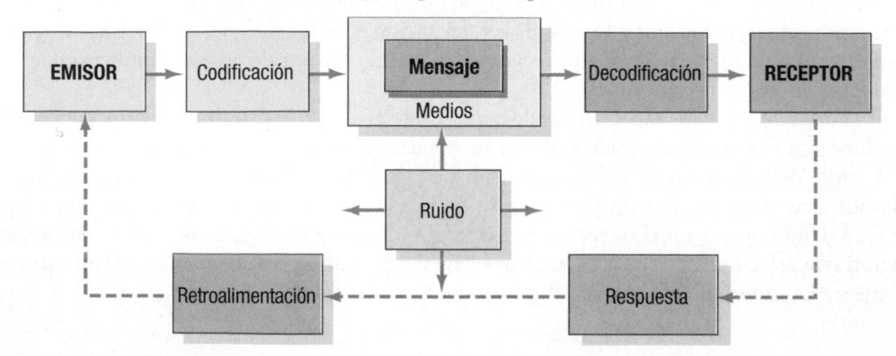

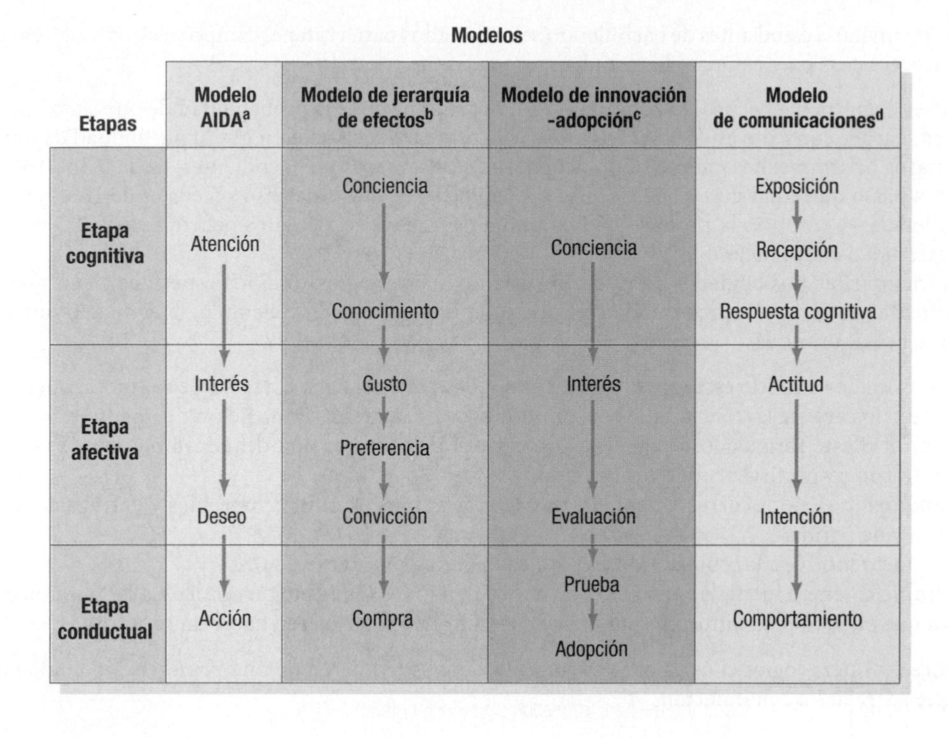

|Fig. 17.2|

Modelos de jerarquías de respuesta

Fuentes: [a]E.K. Strong, *The Psychology of Selling* (Nueva York: McGraw-Hill, 1925), p-9; [b]Robert J. Lavidge y Gary A. Steiner, "A Model for Predictive Measurements of Advertising Effectiveness," *Journal of Marketing* (octubre de 1961), p. 61; [c]Everett M. Rogers, *Diffusion of Innovation* (Nueva York: Free Press, 1962), pp. 79-86; [d]varias fuentes.

Todos estos modelos suponen que el comprador pasa por etapas cognitivas, afectivas y conductuales, en ese orden. Esta secuencia de "aprender-sentir-hacer" es adecuada cuando el público tiene un alto involucramiento con una categoría de productos percibida como de alta diferenciación, como un automóvil o una casa. Una secuencia alternativa de "hacer-sentir-aprender" es relevante cuando la audiencia tiene un alto involucramiento pero percibe poca o ninguna diferenciación dentro de la categoría de productos, tales como un boleto de avión o una computadora personal. Una tercera secuencia, "aprender-hacer-sentir" es relevante cuando la audiencia tenga un bajo involucramiento y percibe poca diferenciación tales como la sal o las pilas. Al elegir la secuencia correcta, el especialista de marketing puede hacer un mejor trabajo de planificación de las comunicaciones.[12]

Supongamos que un comprador tiene un alto involucramiento con la categoría de productos y percibe una alta diferenciación dentro de ella. Se ilustrará el *modelo de jerarquía de efectos* (la segunda columna de la figura 17.2) en el contexto de una campaña de comunicaciones de marketing para una pequeña universidad de Iowa llamada Pottsville:

- ***Conciencia.*** Si la mayor parte del público meta no está consciente del objeto, la tarea del comunicador es generar conciencia. Suponga que Pottsville busca solicitantes de Nebraska pero no tiene reconocimiento de nombre allí, aunque 30 000 estudiantes de preparatoria de los últimos dos años podrían estar interesados en ella. La universidad podría fijarse la meta de que 70% de esos estudiantes estén conscientes de su nombre en el lapso de un año.
- ***Conocimiento.*** El público meta podría tener conciencia de marca pero no saber mucho más. Pottsville podría desear que su público meta supiera que su universidad privada de cuatro años tiene excelentes programas de lengua inglesa, lenguas extranjeras e historia. Necesita saber cuánta gente en el público meta tiene poco, algún o mucho conocimiento sobre Pottsville. Si el conocimiento es débil, Pottsville podría elegir el conocimiento de marca como su meta de comunicación.
- ***Gusto.*** Si los miembros meta conocen la marca, ¿cómo se sienten con respecto a ella? Si el público no ve favorablemente a la universidad Pottsville, el comunicador necesita averiguar por qué. En el caso de que existan problemas verdaderos, Pottsville necesitará arreglarlos y entonces comunicar su calidad renovada. Las relaciones públicas buenas necesitan "buenas acciones seguidas de buenas palabras."
- ***Preferencia.*** El público meta podría gustar del producto pero no preferirlo a los demás. El comunicador debe entonces intentar crear preferencia instando a los consumidores a comparar la calidad, el valor, el rendimiento y otras características de los competidores posibles.
- ***Convicción.*** Un público meta podría preferir un producto específico, pero no desarrollar la convicción de compra. El trabajo del comunicador será crear convicción e intentar aplicarla entre los estudiantes interesados en la universidad de Pottsville.
- ***Compra.*** Por último, algunos miembros del público meta podrían tener la convicción pero no llegar a realizar la compra. El comunicador debe guiar a estos consumidores para que tomen el paso final, tal vez ofreciendo el producto a un bajo precio, incentivos o permitiéndoles hacer una prueba. Pottsville

podría invitar a estudiantes de bachillerato seleccionados para visitar el campo y asistir a algunas clases, u ofrecer becas parciales para los estudiantes que las merezcan.

Para ver cuán frágil es el proceso de comunicación, suponga que la probabilidad de que *cada uno* de los seis pasos se logre con éxito es de 50%. Las leyes de la probabilidad sugieren que la posibilidad de que *todos* los seis pasos ocurran exitosamente, suponiendo que sean eventos independientes, es de 0.5 × 0.5 × 0.5 × 0.5 × 0.5 × 0.5 lo que equivale a 1.5625%. Si la probabilidad de que cada paso suceda es de 10% —una cifra más moderada—, entonces la probabilidad conjunta de que los seis eventos ocurran es de 0.0001%, ¡sólo una oportunidad en un millón!

Para mejorar las posibilidades de una campaña de marketing exitosa, los especialistas en marketing deben intentar aumentar la probabilidad de que *cada* paso ocurra. Por ejemplo, la campaña publicitaria ideal debería asegurar que:

1. El consumidor correcto esté expuesto al mensaje correcto en el lugar correcto y en el momento correcto.
2. El anuncio capture la atención del consumidor pero no distraiga la intención del mensaje.
3. El anuncio esté formulado de acuerdo con el nivel de comprensión del consumidor y su comportamiento con respecto al producto y la marca.
4. El anuncio posicione correctamente la marca en términos de puntos deseables y entregables de diferencia y de paridad.
5. El anuncio motive a los consumidores para considerar comprar la marca.
6. El anuncio genere fuertes asociaciones de marca con todos los efectos acumulados de comunicaciones para que puedan tener impacto cuando los consumidores consideren hacer una compra.

Los desafíos para lograr el éxito con las comunicaciones requieren de una planificación cuidadosa, un punto que se tratará a continuación.

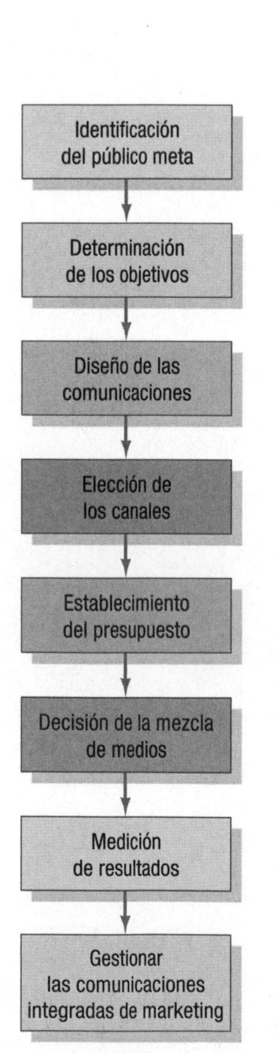

|Fig. 17.3| ▲

Pasos para desarrollar comunicaciones eficaces

Desarrollo de comunicaciones eficaces

La ▲ figura 17.3 muestra los ocho pasos para desarrollar comunicaciones eficaces. Inicia con lo básico: identificar el público meta, determinar los objetivos, diseñar las comunicaciones, elegir los canales y establecer el presupuesto.

Identificación del público meta

El proceso debe comenzar considerando claramente al público meta: compradores potenciales de los productos, usuarios actuales, tomadores de decisiones o influyentes, así como individuos, grupos, públicos específicos o el público en general. El público meta constituye una influencia crítica sobre las decisiones del comunicador con respecto a qué decir, cómo, cuándo, dónde y a quién.

Aunque es posible perfilar el público meta en términos de cualquiera de los segmentos de mercado identificados en el capítulo 8, en general es útil hacerlo en términos de uso y lealtad. ¿Es la meta nueva con respecto a la categoría o se trata de un usuario actual? ¿La meta es leal a la marca, leal a un competidor o se trata de alguien que cambia entre marcas? Si es usuario de la marca, ¿es frecuente o esporádico? La estrategia de comunicación específica debe depender de las respuestas. También se puede llevar a cabo un *análisis de imagen* perfilando al público meta en términos de conocimiento de marca.

Determinación de los objetivos de las comunicaciones

Como en el ejemplo de la universidad de Pottsville, los especialistas de marketing pueden fijar objetivos de comunicación en cualquier nivel del modelo de la jerarquía de efectos. John R. Rossiter y Larry Percy identifican cuatro objetivos posibles de la siguiente manera:[13]

1. ***Necesidad de la categoría.*** Establecer una categoría de productos o servicios como necesaria para eliminar una discrepancia o satisfacer una necesidad percibida entre un estado motivacional actual y un estado motivacional deseado. Un producto nuevo, como los automóviles eléctricos, debe comenzar con el objetivo de comunicación de establecer la necesidad de la categoría.
2. ***Conciencia de marca.*** Fomentar la capacidad del consumidor para reconocer o recordar la marca dentro de la categoría con el suficiente detalle para llevar a cabo la compra. El reconocimiento es más fácil de lograr que la recordación: a los consumidores que les pide pensar sobre una marca de alimentos congelados tienen mayor probabilidad de reconocer los distintivos paquetes anaranjados de Stouffer's que de recordar la marca. La recordación de marca es importante fuera de la tienda; el reconocimiento de marca es importante dentro de ella. La conciencia de marca proporciona un cimiento para el brand equity.

3. ***Actitud hacia la marca.*** Ayudar a los consumidores a evaluar la capacidad percibida de la marca para satisfacer una necesidad relevante. Las necesidades de marcas relevantes pueden estar orientadas negativamente (eliminación de un problema, evitar un problema, satisfacción incompleta, escasez normal) o positivamente (gratificación sensorial, estimulación intelectual o aprobación social). Los productos de limpieza para el hogar utilizan con frecuencia la solución de problemas; los productos alimenticios generalmente utilizan anuncios orientados sensorialmente que enfatizan el mensaje al apetito.
4. ***Intención de compra de marca.*** Animar a los consumidores para que decidan comprar la marca o tomar una acción relativa a la compra. Las ofertas promocionales como las que obsequian cupones o ponen algunos productos a mitad de precio animan a los consumidores a hacer un compromiso mental de compra. Muchos consumidores, sin embargo, no tienen una necesidad expresa de categoría y podrían no estar en el mercado cuando se les expone a un anuncio, así que tienen poca probabilidad de formularse intenciones de comprar. En una semana dada, solamente 20% de los adultos podría estar planeando la compra de detergente, 2% la compra de limpiador para alfombras y sólo 0.25% la de un auto.

Las comunicaciones más eficaces pueden lograr objetivos múltiples. Para promover su programa de tecnología Smart Grid, GE apretó una serie de botones.[14]

GE Smart Grid La visión fundamental del programa Smart Grid de GE es renovar la red de energía de Estados Unidos haciéndola más eficaz, sostenible y capaz de entregar energía de fuentes renovables tales como la eólica y la solar. Una campaña integrada de anuncios impresos, de televisión y online, así como un demo de realidad mejorada, fueron diseñados para aumentar la comprensión y el apoyo hacia Smart Grid y el liderazgo de GE para la solución de problemas tecnológicos. GE y su agencia asociada, BBDO, eligieron utilizar referencias culturales creativas y familiares para abordar los asuntos tecnológicos relevantes. En su spot de lanzamiento por televisión, emitido durante el Super Bowl 2009, el famoso espantapájaros del *Mago de Oz* se mostraba haciendo piruetas en la cima de una torre de transmisión mientras cantaba "Si tan sólo tuviera cerebro". Un narrador en *voice over* entregaba el mensaje fundamental: "Smart Grid hace una distribución más eficiente simplemente al hacerlo de manera más inteligente". Un anuncio online utilizaba una parvada de pájaros sobre cables eléctricos cantando y aleteando al son del "Barbero de Sevilla" de Rossini. Otro más mostraba las líneas de energía convirtiéndose en cuerdas de banjo donde las torres de alta tensión interpretaban "Oh Susannah". Después de atraer al público, los anuncios exponían la intención básica de la Smart Grid con enlaces para tener más información. El micrositio de realidad mejorada de GE, PlugIntoTheSmartGrid.com, permitía a los usuarios crear un holograma digital de la tecnología Smart Grid utilizando los periféricos y gráficos tridimensionales de la computadora.

La campaña Smart Grid de GE ha logrado varios objetivos para la marca GE, incluyendo el fortalecimiento de la reputación de la empresa como innovadora.

Diseño de las comunicaciones

Formular las comunicaciones para lograr la respuesta deseada requiere resolver tres problemas: qué decir (estrategia de mensaje), cómo decirlo (estrategia creativa) y quién debe decirlo (fuente del mensaje).

ESTRATEGIA DEL MENSAJE Para determinar la estrategia de mensaje, la dirección busca algún atractivo, tema o idea que se asocie con el posicionamiento de la marca y ayude a establecer puntos de paridad o puntos de diferencia: algunos podrían estar relacionados directamente con el rendimiento del producto o servicio (la calidad, economía o el valor de la marca) mientras que otros podrían relacionarse con consideraciones más extrínsecas (la marca como contemporánea, popular o tradicional).

El investigador John C. Maloney sentía que los compradores esperaban una de cuatro tipos de recompensa de un producto: racional, sensorial, social o satisfacción del ego.[15] Los compradores podrían visualizar estas recompensas de experiencias como los resultados del uso, las experiencias durante el uso o las experiencias incidentales al uso. Cruzar los cuatro tipos de recompensas con los tres tipos de experiencias genera 12 tipos de mensajes. Por ejemplo, el mensaje "que la ropa quede más limpia" es una promesa de recompensa racional que sigue a una experiencia como resultado del uso. La frase "verdadero sabor a cerveza en una fabulosa cerveza light" es una promesa de recompensa sensorial conectada con una experiencia durante el uso.

ESTRATEGIA CREATIVA La eficacia de las comunicaciones depende de cómo se expresa un mensaje, así como de su contenido. Que la comunicación sea ineficaz puede deberse a que se utilizó el mensaje equivocado o a que el mensaje correcto fue mal expresado. Las *estrategias creativas* son la manera en que los especialistas de marketing traducen su mensaje en una comunicación específica. Podemos clasificarlas ampliamente como **mensajes informativos** o **mensajes transformativos**.[16]

Mensajes informativos o racionales. Un mensaje informativo se elabora según los atributos o beneficios del producto o servicio. Este término (del inglés *informational appeal*) también se usa como reclamo informativo. Los ejemplos publicitarios son los anuncios de solución de problemas (Excedrin detiene el dolor de cabeza más intenso), anuncios de demostración de productos (Thompson Water Seal es capaz de resistir la lluvia intensa, la nieve y el calor), anuncios de comparación de productos (DIRECTV ofrece mejores opciones de HD que cable u otros operadores de satélite) y testimoniales de desconocidos o celebridades patrocinadores (LeBron James, fenomenal jugador de la NBA vendiendo Nike, Sprite y McDonald's). Los mensajes informativos suponen un procesamiento estrictamente racional de la comunicación por parte del consumidor. Deciden la lógica y la razón.

Las investigaciones de Carl Hovland de Yale han permitido tener mayor información sobre los mensajes informativos y su relación con cuestiones como la obtención de conclusiones, argumentos sólo de ventajas contra argumentos de pros y contras, o presentación de argumentos. Algunos experimentos iniciales apoyaban la presentación de conclusiones para el público. Sin embargo, las investigaciones subsecuentes indican que los mejores anuncios hacen una pregunta y permiten que los lectores y espectadores se formen sus propias conclusiones.[17] Si Honda hubiera insistido que el Element era para jóvenes, esta fuerte definición hubiese bloqueado la compra de los conductores de mayor edad. Ciertas ambigüedades de estímulos pueden llevar a una definición de mercado más amplia y a compras más espontáneas.

Pringles capitalizó el sonido que ocurre cuando su paquete se abre para desarrollar una campaña publicitaria muy exitosa.

Se podría esperar que las presentaciones de un solo sentido (pros o ventajas) que elogian un producto, fueran más eficaces que los argumentos de dos sentidos (pros y contras) que también mencionan sus debilidades. Pero los mensajes de dos sentidos podrían ser más apropiados, especialmente cuando asociaciones negativas deben ser sus fortalezas.[18] Los mensajes de dos sentidos son más eficaces con los públicos más educados y aquellos que inicialmente se oponían.[19] El capítulo 6 describió cómo Domino's tomó el paso drástico de admitir los problemas de sabor de sus pizzas para intentar cambiar la opinión de los consumidores que tenían percepciones negativas.

Por último, el orden en que se presentan los argumentos es importante.[20] En un mensaje de un solo sentido, presentar primero el argumento más fuerte llama la atención y el interés, lo cual es importante en medios donde el público con frecuencia no atiende al mensaje completo. Con un público cautivo, una presentación con clímax puede ser más eficaz. Para un mensaje de dos sentidos, si el público se opone al inicio, el comunicador podría iniciar con el argumento en contra y concluir con su argumento más fuerte.[21]

Mensajes transformativos o emocionales. Éstos abundan sobre un beneficio o una imagen que no tiene relación con el producto. Podría ilustrar qué clase de persona utiliza una marca [VW se anunciaba para personas jóvenes y activas con su famosa campaña de "Drivers Wanted" (se buscan conductores)] o qué tipo de experiencia es resultado del uso [durante años Pringles anunciaba, "Once You Pop, The Fun Don't Stop" ("Una vez que haces 'pop' la diversión no para")]. Los mensajes transformativos con frecuencia intentan despertar emociones que impulsen a la compra.

Los comunicadores utilizan mensajes negativos basados en sentimientos como el miedo, la culpa y la vergüenza para que la gente haga cosas (cepillarse los dientes, hacerse una revisión médica anual) o deje de hacerlas (fumar, abusar del alcohol, comer de más). Los mensajes de miedo funcionan mejor cuando no son demasiado fuertes, cuando la credibilidad de la fuente es alta y cuando la comunicación promete, de manera creíble y eficaz, aliviar el miedo que despierta el mensaje. Los mensajes son más persuasivos cuando son moderadamente discrepantes con las creencias del público. Decir exclusivamente lo que el público ya cree sólo reforzará sus creencias; si, al contrario, los mensajes son demasiado discrepantes, los públicos argumentarán en contra y no los creerán.[22]

Los comunicadores utilizan también mensajes emocionalmente positivos basados en el humor, el amor, el orgullo y la alegría, por ejemplo, los mecanismos motivacionales o de "intereses prestados" —tales como la presencia de bebés lindos, cachorros juguetones, música popular o mensajes sexuales atractivos— se emplean con frecuencia para captar la atención y aumentar el involucramiento en un anuncio. Se cree que estas técnicas son necesarias en el nuevo entorno de medios caracterizado por un procesamiento de bajo involucramiento del consumidor y en un ambiente de infinidad de anuncios desordenados que compiten entre sí. Las tácticas para captar la atención a menudo son demasiado eficaces. También podrían distraer de la comprensión, agotar rápidamente su bienvenida y opacar al producto.[23] Así, descifrar cómo "sobresalir entre el desorden" y entregar el mensaje deseado constituyen todo un desafío.

Incluso los medios de expresión que más entretienen y son más creativos deben mantener la perspectiva adecuada en consideración del consumidor. Toyota fue demandada en Los Angeles por una campaña promocional diseñada para crear sensación para su Toyota Matrix dirigido a los jóvenes. El esfuerzo online implicaba una serie de mensajes dirigidos a consumidores por un ficticio y ebrio *hooligan* británico llamado Sebastian Bowler, donde decía conocerlos y les avisaba que iría a quedarse con ellos, en compañía de su *pit bull*, Trigger, para "esconderse de la policía". La autora de la demanda decía estar tan convencida de que un extraño "perturbado y agresivo" se dirigía a su casa, que dormía con un machete a su lado.[24]

La magia de la publicidad es llevar los conceptos desde una hoja de papel a la realidad en la mente del consumidor meta. En un anuncio impreso, el comunicador debe decidir el encabezado, el texto publicitario, la ilustración y los colores.[25] Para un mensaje de radio, el comunicador debe elegir palabras, cualidades de la voz y vocalizaciones. El sonido de un anunciador que promueve un automóvil usado debe ser diferente del que promueve un Cadillac nuevo. Si el mensaje se entregará por televisión o en persona, todos estos elementos, más el lenguaje corporal, deben ser planeados. Para que el mensaje se publique online debe establecerse la disposición, las fuentes, los gráficos y cualquier otro elemento de información visual y verbal.

FUENTE DEL MENSAJE Los mensajes entregados por fuentes atractivas o populares pueden lograr mayor atención y recordación, por lo que los anunciantes a menudo utilizan celebridades como portavoces.

Las celebridades tienen probabilidades de ser eficaces cuando son creíbles o personifican un atributo clave de un producto. Dennis Haysbert, con su apariencia de estadista, para la aseguradora State Farm; el rudo Brett Favre para los jeans Wrangler, y quien fuera la *novia televisiva*, Valerie Bertinelli, para el programa de pérdida de peso Jenny Craig han sido elogiados por los consumidores por adecuarse a su función. Sin embargo, Celine Dion no pudo agregar glamour —o ventas— a Chrysler, y aun cuando estaba contratada por tres años y 14 millones de dólares, la dejaron "en libertad". Ozzy Osbourne podría parecer una elección rara para "I Can't Believe It's Not Butter" debido a su aparentemente perpetua confusión.

Lo que *sí* es importante es la credibilidad del vocero. Las tres fuentes que se identifican con más frecuencia son experiencia, fiabilidad y simpatía.[26] La *experiencia* es el conocimiento especializado que posee el comunicador para respaldar la afirmación. La *fiabilidad* describe cuán objetiva y honesta parece ser la fuente. Los amigos son más fiables que los extraños o los vendedores, y la gente a la que no se le paga por promover un producto se ve más fiable que aquella que sí recibe una remuneración.[27] La *simpatía* describe el atractivo de la fuente. Cualidades como la franqueza, el humor y la naturalidad hacen que una fuente sea más simpática.

La fuente con mayor credibilidad podría tener altas puntuaciones en las tres dimensiones: experiencia, fiabilidad y simpatía. Las empresas farmacéuticas desean que los médicos testifiquen sobre los beneficios de sus productos, pues son ellos quienes tienen una alta credibilidad. Charles Schwab se convirtió en la pieza central de los anuncios para su empresa de intermediación financiera de descuento con valor de 4 000 millones de dólares a través de la campaña corporativa de publicidad "Talk to Chuck". Otro vendedor creíble era el boxeador George Foreman y su máquina de ventas multimillonaria, la Lean, Mean, Fat-Reducing Grilling Machine. "Marketing en acción: Recomendación de celebridades como estrategia" se enfoca en el uso de testimoniales.

Si una persona tiene una actitud positiva hacia una fuente y un mensaje, o una actitud negativa hacia ambos, se dice que existe un estado de *congruencia*. Pero, ¿qué sucede si un consumidor escucha a una celebridad simpática alabando a una marca que le disgusta? Charles Osgood y Percy Tannenbaum creen que

Recomendación de celebridades como estrategia

La buena selección de una celebridad puede llamar la atención hacia un producto o una marca —como lo descubrió Priceline al elegir al icono de *Star Trek*, William Shatner, como la estrella de sus desaforados anuncios para reforzar su imagen en cuanto a los precios bajos. Las extravagantes campañas llevan más de una década, y la decisión de Shatner de recibir compensación en especie en la forma de opciones de acciones, según se informó, le permitió recibir un neto de 600 millones de dólares por su trabajo. La celebridad correcta también debe prestar su imagen a una marca. Para reforzar su imagen de alto estatus y prestigio, American Express ha utilizado a leyendas del cine como Robert De Niro y Martin Scorsese en sus anuncios.

La elección de la celebridad es crítica. La persona debe tener un alto reconocimiento, un afecto positivo y una adecuación alta (o "ajuste") hacia la marca. Paris Hilton, Howard Stern y Donald Trump tienen alto reconocimiento pero un afecto negativo entre muchos grupos. Johnny Depp tiene alto reconocimiento y afecto positivo pero puede no parecer relevante, por ejemplo, para anunciar un nuevo servicio. Tom Hanks y Oprah Winfrey podrían anunciar un gran número de productos porque tienen ratings excepcionalmente altos de familiaridad y simpatía (lo que en la industria del entretenimiento se denomina factor Q).

Las celebridades pueden desempeñar un rol fundamentalmente más estratégico para sus marcas, no sólo al recomendar un producto, sino también ayudando en su diseño, posición y venta de mercancía y servicios. Al creer que los atletas de élite tienen perspectivas únicas de la competencia deportiva, Nike con frecuencia involucra a los deportistas que recomiendan su marca en el diseño de productos. Tiger Woods, Paul Casey y Stewart Cink han ayudado a diseñar, crear prototipos y probar nuevos palos y pelotas de golf en las instalaciones de investigación y desarrollo de Nike Golf denominadas "El horno."

Algunas celebridades prestan su talento a las marcas sin utilizar su fama de manera directa. Una serie de estrellas de cine y televisión —incluyendo a Kiefer Sutherland (Bank of America), Alec Baldwin (Blockbuster), Patrick Dempsey (State Farm), Lauren Graham (Special K) y Regina King (Always)— realizan *voice-overs* o narraciones en comerciales donde no reciben créditos. Aunque los anunciantes suponen que algunos espectadores reconocerán sus voces, el raciocinio básico para estas narraciones sin créditos son el talento y la habilidad incomparables que sus carreras de actuación les otorgan.

El uso de celebridades implica ciertos riesgos. La celebridad podría esperar renovar su contrato o retirarse si no obtiene una suma mayor. E igual que sucede con las películas o los lanzamientos de audio, las campañas con celebridades pueden ser fracasos muy costosos. La celebridad podría perder popularidad, o incluso peor, verse implicada en un escándalo o situación embarazosa, como sucedió en el caso de Tiger Woods y el episodio tan publicitado en 2009. Además de revisar cuidadosamente los antecedentes de las celebridades que contratan, algunos especialistas de marketing prefieren utilizar a más de uno para disminuir la exposición de su marca a los errores de una sola persona.

Otra solución es que los especialistas en marketing creen sus propias celebridades de la marca. La cerveza mexicana Dos Equis aumentó sus ventas en Estados Unidos en más de 20% durante la reciente recesión al apoyarse en su campaña "Most Interesting Man in the World" (El hombre más interesante del mundo). Suave, elegante, con acento exótico y barba plateada, el personaje tiene cientos de miles de amigos en Facebook a pesar de ser, por supuesto, completamente ficticio. Los videos de sus proezas tienen millones de reproducciones en YouTube. Incluso sirvió como base para el tour *The Most Interesting Show in the World* (El show más interesante del mundo) de los 14 mercados urbanos más grandes de la marca, que incluyó artistas circenses peculiares tales como un comediante haciendo una acrobacia de malabarismo con bolas de boliche en llamas, un bailarín de *break dance* inspirado por robots y una contorsionista que disparaba flechas con los pies. A través de una combinación de publicidad y cobertura de medios, el tour logró casi 100 millones de impactos en medios.

Fuentes: Scott Huver, "Here's the Pitch!", *TV Guide*, 23 de mayo de 2010; Linda Massarella, "Shatner's Singing a Happy Tune", *Toronto Sun*, 2 de mayo de 2010; "Nike Golf Celebrates Achievements and Successes of Past Year", www.worldgolf.com, 2 de enero de 2009; Piet Levy, "Keeping it Interesting", *Marketing News*, 30 de octubre de 2009, p. 8; Keith Naughton, "The Soft Sell", *Newsweek*, 2 de febrero de 2004, pp. 46-47; Irving Rein, Philip Kotler y Martin Scoller, *The Making and Marketing of Professionals into Celebrities* (Chicago: NTC Business Books, 1997).

el cambio de actitud sucederá en la dirección del aumento en la cantidad de congruencia entre las dos evaluaciones.[28] El consumidor terminará por respetar a la celebridad un poco menos o a la marca un poco más. Si se encuentra con la misma celebridad alabando otras marcas que le disgustan, tarde o temprano desarrollará un punto de vista negativo sobre esa celebridad y mantendrá actitudes negativas hacia las marcas que promueve. El **principio de congruencia** es un mecanismo psicológico que estipula que los comunicadores pueden usar su buena imagen para reducir algunos sentimientos negativos hacia una marca, pero que en el proceso podrían perder algo de la estima del público.

Elección de los canales de comunicación

Elegir un medio eficaz para llevar el mensaje se vuelve más difícil conforme los canales de comunicación se fragmentan y cunde el desorden. Los canales de comunicación pueden ser personales y no personales. Dentro de cada uno de ellos existen muchos subcanales.

CANALES DE COMUNICACIÓN PERSONAL Los **canales de comunicación personal** permiten comunicación entre dos o más personas de manera directa, o cara a cara, de cara al público, por teléfono o por correo electrónico. Su eficacia deriva de una presentación y retroalimentación individualizadas e incluyen marketing directo e interactivo, marketing boca en boca y ventas personales.

Es posible hacer distinciones más grandes entre canales defensores, expertos y de comunicación social. Los *canales defensores* consisten en vendedores de la empresa que contactan a compradores en el mercado meta. Los *canales expertos* consisten en expertos independientes que hacen declaraciones a los compradores meta. Los *canales sociales* consisten en vecinos, amigos, miembros de la familia y asociados que hablan con los compradores meta.

Un estudio de Burson-Marsteller y Roper Starch Worldwide encontró que lo que dice una persona influyente tiende a afectar las actitudes de compra de otras dos personas en promedio; cuando ese círculo de influencia se construye online, se extiende a ocho. La información sobre buenas empresas viaja con velocidad; pero la que habla de empresas malas viaja más rápido. Llegar a las personas correctas es fundamental.

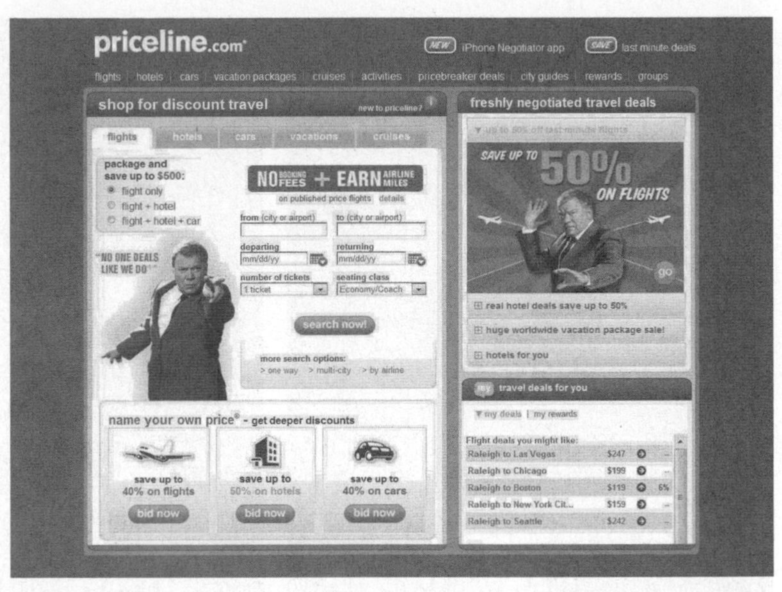

William Shatner se ha convertido en el extravagante pero querido portavoz de la publicidad de Priceline.

Muchos anunciantes buscan ahora los *medios ganados* —comentarios profesionales no solicitados, entradas en blogs personales, discusión en redes sociales— como resultado de sus esfuerzos de marketing de medios pagados. Kimberly-Clark transmitió un anuncio de 30 segundos antes de los Academy Awards en marzo de 2010 para su marca Poise, donde aparecía Whoopi Goldberg representando a mujeres famosas de la historia que podrían haber sufrido incontinencia. La meta era que la gente hablara, ¡y lo hizo! Siguió una avalancha en las redes sociales que culminó con una parodia en *Saturday Night Live*, lo que finalmente sumó 200 millones de impresiones de relaciones públicas en total.[29]

La influencia personal tiene un peso especialmente grande cuando (1) los productos son caros, arriesgados o se compran con poca frecuencia y, (2) cuando los productos sugieren algo sobre el estatus o gusto del usuario. Las personas con frecuencia piden a otras que recomienden médicos, plomeros, hoteles, abogados, contadores, arquitectos, agentes de seguros, decoradores de interiores o consultores financieros. Si tenemos confianza en la recomendación, normalmente se toma acción sobre la referencia. Los proveedores de servicio claramente tienen interés en crear fuentes de referencia.

Incluso los especialistas en marketing entre negocios pueden beneficiarse de una fuerte comunicación de boca en boca. A continuación se describe cómo John Deere creó emociones y expectativas al introducir su 764 High Speed Dozer, el primer lanzamiento en su categoría en 25 años.[30]

John Deere Para culminar con el lanzamiento de su excavadora de alta velocidad (*dozer*) en la feria comercial más grande de CONEXPO, John Deere creó una extensa campaña de relaciones públicas: primero envió anuncios por correo electrónico a todos los registrados a la feria con imágenes de la excavadora cubierta con una lona y provocativos encabezados como "Unos cuantos años por delante de nuestra competencia" y "La forma de lo que está por venir"; por otro lado, los editores recibieron una invitación para asistir a una conferencia de prensa a puertas cerrada donde se les entregó un pase VIP y el acceso a un área especial para verlo en la CONEXPO. Por último, se dijo a los editores que podrían registrarse para una conferencia de prensa sólo por invitación con los ejecutivos de alto nivel de John Deere, incluyendo su CEO. Aproximadamente 2 000 personas asistieron a la feria comercial para la presentación estilo estrella de rock de la excavadora, a la que asistieron cerca de 80 editores. Los clientes en el evento que expresaron su deseo de adquirir la máquina ayudaron al personal de Deere a asegurar más clientes potenciales. La reacción de la prensa también fue extremadamente positiva, e incluyó varias piezas editoriales de portada sobre la excavadora en revistas del gremio y tres segmentos en CNBC. El esfuerzo integrado a nombre de John Deere, que incluyó anuncios impresos en las publicaciones del gremio se llevó el Grand CEBA Award en la competencia anual de los premios del American Business Media.

CANALES DE COMUNICACIÓN NO PERSONAL (MASIVOS) Los canales no personales son comunicaciones dirigidas a más de una persona que incluyen publicidad, promoción de ventas, eventos y experiencias, y relaciones públicas. Mucho del crecimiento reciente ha tenido lugar a través de eventos y experiencias. Los especialistas de marketing de eventos, que alguna vez prefirieron los eventos deportivos, ahora utilizan otras sedes como muesos, zoológicos y espectáculos sobre hielo para divertir a sus clientes y empleados. AT&T e IBM patrocinan conciertos sinfónicos y exposiciones de arte, Visa es promotor activo de los Juegos Olímpicos y Harley-Davidson patrocina *rallies* anuales de motocicletas.

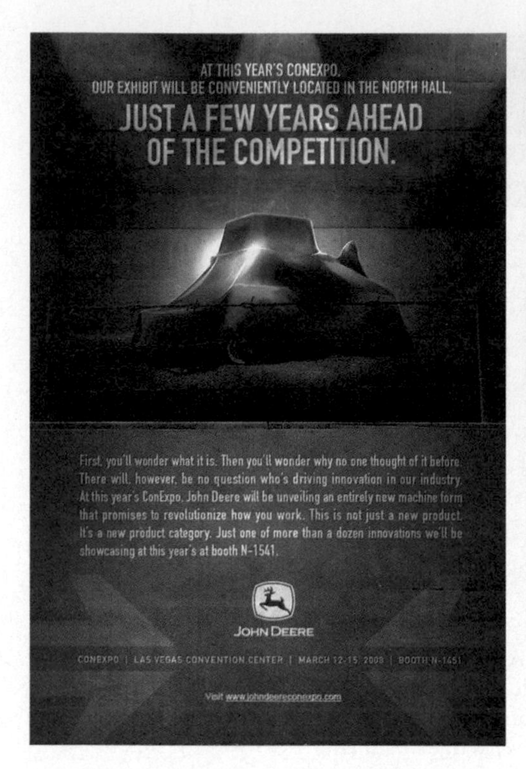

A través de su anuncio impreso y sus esfuerzos en las ferias comerciales, John Deere creó alboroto y una gran promoción de boca en boca en anticipación al lanzamiento de su nueva topadora de alta velocidad.

Las empresas están buscando maneras mejores de cuantificar los beneficios de los patrocinios y demandan mayor responsabilidad de los propietarios y organizadores de eventos. También están creando eventos diseñados para sorprender al público y crear alboroto. Muchos esfuerzos se resumen en tácticas de marketing de guerrilla. Como parte de su campaña global de marketing y publicidad de 100 millones de dólares para sus televisores, LG Electronics desarrolló la promoción de una nueva serie de televisión ficticia llamada *Scarlet*, que incluía una muy promocionada premier en Hollywood. Una vez dentro, los asistentes se encontraron con una serie de televisores LG reales con un panel trasero color escarlata. Los provocativos comerciales en televisión y online, y las extensas relaciones públicas respaldaron el esfuerzo.[31]

Los eventos pueden captar la atención; el que tengan un efecto duradero en la conciencia de marca, el conocimiento o la preferencia variará considerablemente dependiendo de la calidad del producto, del evento mismo y de su ejecución.

INTEGRACIÓN DE CANALES DE COMUNICACIÓN Aunque las comunicaciones personales por lo general son más efectivas que las comunicaciones masivas, los medios masivos podrían ser el medio principal para estimular la comunicación personal. Las comunicaciones masivas afectan las actitudes personales y el comportamiento a través de un proceso de dos pasos. Las ideas a menudo fluyen desde la radio, la televisión y los medios impresos hacia los líderes de opinión, y de ellos hacia los grupos de población menos implicados en los medios.

Este flujo de dos pasos tiene varias implicaciones. Primero, la influencia de medios masivos en la opinión pública no es tan directa, poderosa y automática como los especialistas en marketing habían supuesto. Está mediada por líderes de opinión, personas cuyas opiniones buscan los demás o que llevan sus opiniones a los demás. Segundo, el flujo de dos pasos desafía la noción de que los estilos de consumo están primordialmente influidos por un efecto de "filtración" hacia abajo o hacia arriba de los medios masivos. Las personas interactúan primeramente dentro de sus propios grupos sociales y adquieren ideas de los líderes de opinión de esos grupos. Tercero, la comunicación de dos pasos sugiere que los comunicadores masivos deberían dirigir sus mensajes específicamente a los líderes de opinión y dejarlos llevar el mensaje a los demás.

Establecimiento del presupuesto total de comunicaciones de marketing

Una de las decisiones de marketing más difíciles es determinar cuánto gastar en comunicaciones de marketing. John Wanamaker, el magnate de las tiendas departamentales, una vez dijo: "Sé que la mitad de mi publicidad se desperdicia, pero no sé cual mitad".

El gasto en comunicaciones de marketing de las industrias y empresas varía considerablemente: podrían ser de entre 40 y 45% de las ventas en la industria de ventas de cosméticos, pero de sólo entre 5 y 10% en la industria del equipo industrial. Dentro de una industria, existen empresas que gastan mucho y gastan poco.

¿Cómo deciden las empresas sobre el presupuesto de comunicación? Se describirán cuatro métodos comunes: el método alcanzable, el del porcentaje de ventas, el de paridad competitiva y el de objetivo y tarea.

EL MÉTODO ALCANZABLE Algunas empresas fijan el presupuesto de comunicación en el límite de lo que creen que la empresa puede pagar. El método alcanzable desprecia por completo el rol de la promoción como una inversión y su efecto inmediato en el volumen de ventas. Lleva a un presupuesto anual incierto que dificulta la planeación a largo plazo.

EL MÉTODO DEL PORCENTAJE DE VENTAS Algunas empresas fijan los gastos de comunicaciones como un porcentaje específico sobre las ventas actuales o pronosticadas, o como un porcentaje del precio de venta. Las empresas automotrices generalmente presupuestan un porcentaje fijo con base en el precio planificado del auto; las petroleras asignan una fracción de un centavo por cada galón de gasolina vendido bajo su propia marca.

Quienes apoyan el método del porcentaje de ventas le ven una serie de ventajas. Primero, los gastos de comunicaciones varían con lo que la empresa puede pagar. Esto satisface a los gerentes financieros, quienes creen que los gastos deben estar relacionados de cerca con el movimiento de las ventas corporativas durante el ciclo del negocio. Segundo, fomenta que la dirección piense en la relación entre el costo de comunicación, el precio de venta y las ganancias por unidad. Tercero, fomenta la estabilidad cuando las empresas competidoras gastan aproximadamente el mismo porcentaje de sus ventas en comunicaciones.

A pesar de estas ventajas, el método del porcentaje de ventas tiene poco para justificarse a sí mismo. Contempla las ventas como el determinante de las comunicaciones en lugar de contemplarlas como resultado. Conduce a un presupuesto que se fija según la disponibilidad de fondos más que por las oportunidades de mercado. No fomenta la experimentación con comunicaciones contracíclicas o gastos agresivos. La dependencia de las fluctuaciones de ventas entre un año y otro interfiere con la planeación en el largo plazo. No existe una base lógica para elegir el porcentaje específico, excepto lo que se ha hecho en el pasado o lo que hacen los competidores. Por último, no fomenta la creación del presupuesto de comunicación determinando lo que merece cada producto y territorio.

EL MÉTODO DE PARIDAD COMPETITIVA Algunas empresas fijan sus presupuestos de comunicación para lograr con los competidores una paridad de participación de la voz. Existen dos argumentos que apoyan este método: que los gastos de los competidores representan la sabiduría colectiva de la industria y que mantener una paridad competitiva previene las guerras de comunicación. Ningún argumento es válido. No existen bases para creer que los competidores saben más. La reputación, los recursos, las oportunidades y los objetivos de las empresas difieren tanto que los presupuestos de comunicaciones difícilmente pueden ser una guía. Tampoco existe evidencia de que los presupuestos basados en una paridad competitiva desanimen las guerras de comunicaciones.

EL MÉTODO DE OBJETIVO Y TAREA Este método requiere que los mercadólogos desarrollen presupuestos de comunicaciones mediante la definición de objetivos específicos, determinen las tareas necesarias para lograrlos y calculen el costo de realización. La suma de estos costos constituye el presupuesto propuesto de comunicación.

Suponga que Dr. Pepper Snapple Group desea lanzar una nueva bebida energizante llamada Sunburst, para el atleta casual.[32] Sus objetivos podrían ser los siguientes:

1. ***Establecer la meta de participación de mercado.*** La empresa calcula 50 millones de usuarios potenciales y se fija la meta de atraer a 8% del mercado, es decir, 4 millones de usuarios.
2. ***Determinar el porcentaje del mercado al que se debe llegar por medio de la publicidad.*** El anunciante espera llegar a 80% (40 millones de clientes potenciales) con su mensaje publicitario.
3. ***Determinar el porcentaje de clientes potenciales conscientes que deberían ser persuadidos para probar la marca.*** El anunciante estaría complacido si 25% de los clientes potenciales conscientes (10 millones) probaran Sunburst. Calcula que 40% de todos los que lo prueban, o 4 millones de personas, se volverán usuarios leales. Ésta es la meta de mercado.
4. ***Determinar el número de impresiones de publicidad por una tasa de prueba de 1%.*** El anunciante calcula que 40% de las impresiones de publicidad (exposiciones) por cada 1% de la población logrará una tasa de prueba del 25 por ciento.

5. ***Determinar el número de puntos de rating bruto que necesitaría ser comprado.*** Un punto de rating bruto es una exposición a 1% de la población meta. Debido a que la empresa desea lograr 40 exposiciones a 80% de la población, deseará adquirir 3 200 puntos de rating bruto.
6. ***Determinar el presupuesto necesario de publicidad con base en el costo promedio de comprar un punto de rating bruto.*** Exponer a 1% de la población meta a una impresión cuesta un promedio de 3 277 dólares. Por lo tanto, 3 200 puntos de rating bruto costarán 10 486 400 dólares (= 3 277 × 3 200) en el año de su lanzamiento.

El método de objetivo y tarea tiene la ventaja de requerir que la dirección explique detalladamente sus supuestos sobre la relación entre el monto gastado, los niveles de exposición, las tasas de prueba y el uso regular.

COMPENSACIONES EN EL PRESUPUESTO DE COMUNICACIÓN Una cuestión fundamental es determinar la importancia de las comunicaciones de marketing en comparación con alternativas como la mejora de productos, fijar precios más bajos o mejorar el servicio. La respuesta depende del punto en que los productos de la empresa se encuentren dentro de su ciclo de vida, de si son materias primas o productos altamente diferenciados, de si son productos necesarios o requieren "ser vendidos" y otras consideraciones. Los presupuestos de comunicaciones de marketing tienden a ser más altos cuando hay un apoyo de canal bajo, muchos clientes a los que es difícil llegar, muchos cambios en el programa de marketing en el tiempo, una más compleja toma de decisiones del consumidor, productos diferenciados y necesidades del cliente no homogéneas, y compras frecuentes de producto en pequeñas cantidades.[33]

En teoría, los especialistas en marketing deberían establecer el presupuesto total de comunicaciones de manera que las ganancias marginales de lo último gastado en comunicaciones sean equivalentes a la ganancia marginal de lo último gastado en el mejor uso posible que no sea comunicación. Sin embargo, la implementación de este principio no es fácil.

Decisión de la mezcla de comunicaciones de marketing

Las empresas deben asignar el presupuesto de comunicaciones de marketing para los ocho modos principales de comunicación —publicidad, promoción de ventas, relaciones públicas y publicity, eventos y experiencias, marketing interactivo, marketing de boca en boca y fuerza de ventas. Dentro de una misma industria, las empresas pueden diferir considerablemente en sus elecciones de medios y canales. Avon concentra sus fondos promocionales en las ventas personales, mientras que Revlon gasta mucho en publicidad. Electrolux gastó mucho en una fuerza de ventas de puerta en puerta durante años, mientras que Hoover ha dependido más de la publicidad. La tabla 17.2 desglosa los gastos de algunas formas principales de comunicación.

Las empresas siempre buscan maneras de obtener eficiencia al sustituir una herramienta de comunicación por otras. Muchas están reemplazando algunas actividades de ventas en campo por anuncios, correo directo y telemarketing. Un concesionario de autos despidió a sus cinco vendedores y redujo los precios, y las ventas aumentaron. La capacidad de sustitución entre las herramientas de comunicación explica por qué las funciones de marketing necesitan estar coordinadas.

Características de la mezcla de comunicaciones de marketing

Cada herramienta de comunicación tiene sus propias características y costos; esto se revisará brevemente a continuación y se analizará con mayor detalle en los capítulos 18 y 19.

PUBLICIDAD La publicidad llega a los compradores geográficamente dispersos. Puede crear una imagen de largo plazo para un producto (anuncios de Coca-Cola) o disparar ventas rápidas (un anuncio de una barata de fin de semana en Macy's). Algunas formas de publicidad, la televisiva, pueden requerir un gran presupuesto, mientras que otras, como el periódico, no lo requieren. La mera presencia de la publicidad podría tener un efecto en las ventas: los consumidores podrían creer que una marca muy publicitada debe ofrecer un "buen valor".[34] Debido a las muchas formas y usos de la publicidad, es difícil hacer generalizaciones sobre ella.[35] Sin embargo, vale la pena hacer algunas observaciones:

1. ***Capacidad de penetración.*** La publicidad permite al vendedor repetir un mensaje muchas veces. También permite al comprador recibir y comparar los mensajes de varios competidores. La publicidad de gran escala dice algo positivo sobre el tamaño, poder y éxito del vendedor.

TABLA 17.2 Pronóstico de comunicaciones de publicidad y marketing digital para 2010

Proyecciones de gastos de publicidad global	% de cambio 2009-2010	Dólares (miles de millones) en 2010
Cine	2.0%	2.23
Internet	12.0%	60.35
Revistas	–4.0%	43.10
Periódicos	–4.0%	97.85
Exterior	2.0%	29.61
Radio	–2.0%	33.10
Televisión	2.0%	174.94
Total	0.9%	441.19
Fuente: *ZenithOptimedia, diciembre de 2009.*		
Comunicaciones de marketing digital		
Publicidad de display	7%	8.40
Marketing por correo electrónico	8%	1.36
Marketing móvil	44%	0.56
Marketing de búsqueda	15%	17.80
Redes sociales	31%	0.94
Total	13%	29.01
Fuente: Datos de la figura 4 de *US Interactive Marketing Forecast 2009 to 2014*. Forester Research Inc. julio de 2009.		

Fuente: Tabla de Piet Levy, "The Oscar-Contending Drama: Finding the Right Marketing Mix," *Marketing News*, 30 de enero de 2009, p. 15.

2. ***Expresividad amplificada.*** La publicidad proporciona oportunidades para dramatizar la empresa y su marcas y productos a través del uso astuto de lo medios impresos, el sonido y el color.
3. ***Control.*** El anunciante puede elegir los aspectos de la marca y del producto sobre los que se enfocarán las comunicaciones.

Escanea este código con tu smartphone o tablet.

Caso en video. Estrategia de Relaciones Públicas de la Feria Internacional del Libro de Guadalajara.

http://goo.gl/VqcOb

PROMOCIÓN DE VENTAS Las empresas utilizan herramientas de promoción de ventas —cupones, concursos, premios y demás— para atraer una respuesta más fuerte y rápida de los compradores, incluyendo efectos de corto plazo tales como destacar las ofertas de productos e impulsar las ventas caídas. La herramienta de promoción de ventas ofrece tres beneficios distintivos:

1. ***Capacidad de captar la atención.*** Captan la atención y pueden llevar al consumidor hacia el producto.
2. ***Incentivo.*** Incorporan alguna concesión, incentivo o contribución que le da valor al consumidor.
3. ***Invitación.*** Incluyen una invitación distintiva para participar en la transacción en ese momento.

RELACIONES PÚBLICAS Y PUBLICITY Los especialistas en marketing tienden a subutilizar las relaciones públicas; sin embargo, un programa bien pensado coordinado con otros elementos de la mezcla de comunicaciones puede ser extremadamente eficaz, en especial si la empresa necesita desafiar las falsas ideas de los consumidores. El atractivo de las relaciones públicas y publicity se basa en tres cualidades distintivas:

1. ***Alta credibilidad.*** Las historias en los noticiarios y las apariciones son más auténticas y creíbles para los lectores que los anuncios.
2. ***La capacidad de llegar a compradores difíciles de alcanzar.*** Las relaciones públicas pueden llegar a los clientes potenciales que prefieren evitar los medios masivos y las promociones dirigidas.
3. ***Dramatización.*** Las relaciones públicas pueden contar la historia detrás de una empresa, marca o producto.

EVENTOS Y EXPERIENCIAS Existen muchas ventajas para los eventos y experiencias siempre que tengan las siguientes características:

1. ***Relevantes***. Un evento o experiencia bien elegido puede ser visto como muy relevante porque el consumidor con frecuencia está personalmente interesado en el resultado.
2. ***Atractivos***. Dado que se llevan a cabo en vivo y en tiempo real, los eventos y experiencias son más atractivos para los consumidores.
3. ***Implícitos***. Los eventos son típicamente una indirecta "venta suave".

MARKETING DIRECTO E INTERACTIVO Los mensajes de marketing directo e interactivo toman muchas formas: por teléfono, online o en persona. Comparten tres características:

1. ***Personalizado***. El mensaje puede ser preparado para agradar al individuo al que se dirige.
2. ***Actual***. Un mensaje puede ser preparado con gran rapidez.
3. ***Interactivo***. El mensaje puede ser cambiado dependiendo de la respuesta de la persona.

MARKETING DE BOCA EN BOCA El boca en boca también toma diversas formas tanto online como fuera de ella. Tres características notables son:

1. ***Influyente***. Debido a que las personas confían en quienes conocen y respetan, el boca a boca puede tener mucha influencia.
2. ***Personal***. El boca en boca puede ser un diálogo muy íntimo que refleje los hechos, las opiniones y experiencias personales.
3. ***Oportuno***. El boca en boca ocurre cuando las personas así lo desean y cuando están más interesadas, y a menudo es posterior a eventos o experiencias notables o significativas.

VENTAS PERSONALES Las ventas personales son la herramienta más eficaz en las etapas tardías del proceso de compra, en particular al generar en el comprador preferencia, convicción y acción. La venta personal tiene tres características notables:

1. ***Interacción personal***. La venta personal crea un episodio inmediato e interactivo entre dos o más personas. Cada una es capaz de observar las reacciones de los demás.
2. ***Cultivo***. La venta personal permite que surjan todo tipo de relaciones, que van desde una relación práctica de ventas hasta una profunda amistad personal.
3. ***Respuesta***. El comprador con frecuencia tiene opciones personales y se le anima a responder directamente.

Factores en la definición de la mezcla de comunicaciones de marketing

Las empresas deben considerar varios factores al desarrollar su mezcla de comunicaciones: el tipo de mercado de productos, la disposición de los clientes para hacer una compra y la etapa dentro del ciclo de vida del producto.

TIPO DE MERCADO DE PRODUCTO Las asignaciones de mezcla de comunicaciones varían entre los mercados de consumo y de negocios. Los especialistas de marketing de consumo tienden a gastar más en promociones de ventas y publicidad; los de marketing industrial tienden a gastar más en las ventas personales. En general, la venta personal se usa más con bienes más complejos, caros y arriesgados, y en mercados con menos vendedores y de mayor tamaño (de ahí, los mercados industriales).

Aunque los especialistas en marketing dependen más de las visitas de negocios en los mercados industriales, la publicidad sigue desempeñando un rol significativo:

- La publicidad puede constituir una presentación para las empresas y sus productos.
- Si el producto tiene características nuevas, la publicidad puede explicarlas.
- La publicidad de recordación es más económica que las llamadas de ventas.
- La publicidad que ofrece folletos y lleva el número de teléfono de la empresa o su dirección Web son una manera eficaz de generar clientes potenciales para los representantes de ventas.
- Los representantes de ventas pueden utilizar copias de los anuncios de la empresa para legitimar su compañía y sus productos.
- La publicidad puede recordarle a los clientes cómo utilizar el producto y tranquilizarlos sobre su compra.

La publicidad combinada con las ventas personales puede aumentar las ventas por encima de la sola venta personal. La publicidad corporativa puede mejorar la reputación de la empresa y mejorar las oportunidades de la fuerza de ventas de obtener una primera audiencia favorable y la adopción temprana del producto.[36] El esfuerzo de marketing corporativo de IBM es un éxito notable de años recientes.[37]

IBM Smarter Planet En 2008 y trabajando con su agencia de largo tiempo, Ogilvy & Mather, IBM lanzó su estrategia de negocios y programa de comunicaciones multiplataforma "Smarter Planet" para promover la manera en que la tecnología y experiencia de IBM ayuda a la industria, al gobierno, al transporte, a la energía, a la educación, al cuidado de la salud, a las ciudades y a otros negocios a trabajar mejor y "más inteligentemente". El argumento era que la tecnología ha evolucionado tanto que muchos de los problemas del mundo son ahora reparables. Con énfasis en Estados Unidos, el Reino Unido, Alemania y China, la campaña comenzó internamente para informar e inspirar a los empleados de IBM sobre cómo podrían contribuir a la construcción de un "planeta más inteligente". Una serie no convencional de "Mandate for Change" (Mandato para el cambio) ofrecía anuncios de formato largo y ricos en contenido en los principales diarios del mundo de los negocios describiendo cómo IBM se orientaría a 25 asuntos fundamentales para hacer que el mundo funcione mejor. Los anuncios de televisión dirigidos, y detallados anuncios interactivos online proveían mayor soporte y fondo. Un tour de "Smarter Cities" (Ciudades más inteligentes) tenía eventos importantes donde IBM y otros expertos discutían y debatían los desafíos a los que se enfrentan las ciudades: transporte, energía, cuidado de la salud, educación y seguridad pública. El éxito de la campaña en general fue evidente en las mejoras significativas en la imagen de IBM como empresa que "hace un mundo mejor" y es "conocida por resolver los problemas más desafiantes de sus clientes." A pesar de la recesión, ocurrieron aumentos significativos en las oportunidades de nuevos negocios y en el número de empresas interesadas en hacer negocios con IBM.

La campaña de marca corporativa de IBM, "Smarter Planet" (Un planeta más inteligente), que ha tenido tanto éxito, a veces rompe las reglas, como en el caso de este anuncio que contiene mucho texto.

Por otro lado, las ventas personales también pueden hacer una importante contribución al marketing de bienes de consumo. Algunos especialistas en marketing de consumo utilizan a la fuerza de ventas principalmente para recopilar pedidos semanales de los distribuidores y cerciorarse de que exista suficiente inventario en los anaqueles. Sin embargo, una fuerza de ventas eficazmente entrenada puede hacer cuatro contribuciones importantes:

1. ***Aumentar la posición del inventario.*** Los representantes de ventas pueden persuadir a los distribuidores de adquirir mayor inventario y dedicar más espacio de anaquel a la marca de la empresa.
2. ***Generar entusiasmo.*** Los representantes de ventas pueden generar entusiasmo en los distribuidores al dramatizar la publicidad y el apoyo de comunicaciones planificados para la marca de la empresa.
3. ***Llevar a cabo ventas misioneras.*** Los representantes de ventas pueden enrolar a más distribuidores.
4. ***Gestionar las cuentas clave.*** Los representantes de ventas pueden tomar la responsabilidad de hacer crecer el negocio con las cuentas más importantes.

ETAPA DE PREPARACIÓN PARA COMPRAR Las herramientas de comunicación varían en su eficiencia de costos en las diferentes etapas de la preparación del comprador. La △ figura 17.4 muestra la eficacia relativa al costo de tres herramientas de comunicación. La publicidad y publicity tienen los roles más importantes en la etapa de generación de conciencia. La comprensión del cliente se afecta principalmente por la publicidad y las ventas personales. La convicción del cliente es influida sobre todo por las ventas personales. La mayor parte del cierre de la venta recibe la influencia de la venta personal y la promoción de ventas. Hacer un nuevo pedido también está afectado por las ventas personales, la promoción de ventas y por la publicidad de recordación.

ETAPA DEL CICLO DE VIDA DEL PRODUCTO En la etapa de introducción del ciclo de vida del producto, la publicidad, los eventos, las experiencias y la publicity tienen la mayor eficacia de costos, seguida por las ventas personales para obtener cobertura de distribución y promoción de ventas, y el marketing directo para inducir a la prueba. En la etapa de crecimiento, la demanda tiene su propia inercia mediante el boca en boca y el marketing interactivo. Publicidad, eventos y experiencias, y venta personal, adquieren mayor importancia en la etapa de madurez. En las etapas de declinación, la promoción de ventas continúa fuerte, otras herramientas de comunicación son disminuidas y los vendedores le dan al producto solamente atención mínima.

|Fig. 17.4|

Eficacia de costos de tres diferentes herramientas de comunicación en tres diferentes etapas de disposición del comprador

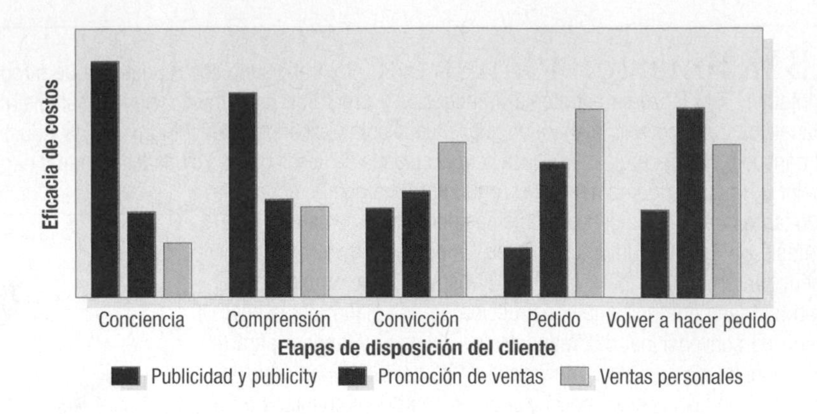

Medición de resultados de la comunicación

Los directivos desearán conocer los *resultados* e *ingresos* obtenidos como resultado de sus inversiones en comunicación. Sin embargo, con demasiada frecuencia sus directores de comunicación proveen solamente *entradas* y *gastos*: recopilación de recortes de prensa, número de anuncios colocados, costos de medios. Hablando con justicia, los directores de comunicación intentan traducir las entradas en resultados tales como alcance y frecuencia (el porcentaje del mercado meta expuesto a la comunicación y el número de exposiciones), puntuaciones de recordación y reconocimiento; cambios de persuasión y cálculos de costo por millar. En última instancia, son las medidas de cambio de comportamiento las que reflejan el resultado real.

Después de implementar el plan de comunicaciones, el director de comunicación debe medir su impacto. Se les pregunta a los miembros del público meta si reconocen o recuerdan el mensaje, cuántas veces lo vieron, qué puntos recuerdan, cómo se sienten sobre el mensaje y cuáles son las actitudes anteriores y actuales hacia el producto y la empresa. El comunicador también debe recopilar las medidas conductuales de la respuesta del público, tales como cuánta gente compró el producto, si les gustó y si habló con otros sobre él.

La figura 17.5 provee un ejemplo de una buena medición de retroalimentación. Se encuentra que 80% de los consumidores del mercado total estaban conscientes de la marca A, 60% la habían probado y solamente 20% de quienes la probaron se encontraban satisfechos. Esto indica que el programa de comunicación es eficaz para crear conciencia, pero el producto no satisface las expectativas de los clientes. En contraste, 40% de los consumidores en el mercado total están conscientes de la marca B y solamente 30% la han probado, pero 80% de ellos están satisfechos. En este caso, el programa de comunicaciones debe ser reforzado para aprovechar el poder potencial de la marca.

Gestión del proceso de las comunicaciones integradas de marketing

Muchas empresas aún dependen de sólo una o dos herramientas de comunicación. Esta práctica persiste a pesar de la fragmentación de los mercados masivos en multitud de minimercados, cada uno de los cuales requiere su propio enfoque, de la proliferación de nuevos tipos de medios y de la creciente sofisticación de los consumidores. La amplia gama de herramientas de comunicación, mensajes y públicos hace imperativo para las empresas moverse hacia comunicaciones integradas de marketing. Las empresas deben adoptar una "vista de 360 grados" hacia los consumidores para entender completamente todas las maneras en que la comunicación puede afectar el comportamiento de los consumidores en su vida diaria.[38]

|Fig. 17.5|

Estados actuales de los clientes para dos marcas

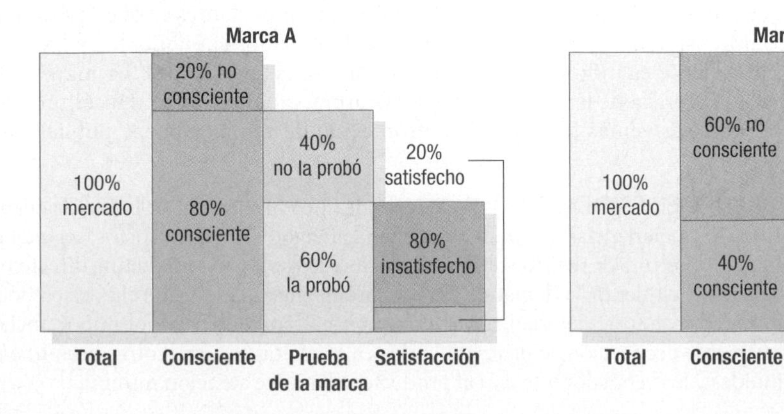

La American Marketing Association define la **Comunicación integral de marketing (IMC)** como un "proceso de planificación diseñado para asegurar que todos los contactos de marca recibidos por un cliente o cliente potencial para un producto, servicio u organización sean relevantes a la persona y consistentes en el tiempo". Este proceso de planificación evalúa los roles estratégicos de varias disciplinas de comunicación —por ejemplo, publicidad general, respuesta directa, promoción de ventas y relaciones públicas— y hábilmente las combina para proveer claridad, consistencia e impacto máximo mediante la integración perfecta de los mensajes.

Las empresas de medios y las agencias de publicidad expanden sus capacidades para ofrecer tratos de plataformas múltiples a los especialistas de marketing. Estas capacidades expandidas facilitan a los especialistas de marketing ensamblar diversas contrataciones de medios —así como servicios relacionados de marketing— en un programa integral de comunicación. La tabla 17.3 muestra las diferentes líneas de negocio de la gigante de los servicios de marketing y publicidad, WPP.

Coordinación de medios

La coordinación de medios puede ocurrir a través y dentro de tipos de medios, pero los especialistas en marketing deben combinar canales de comunicación personal y no personal a través de *campañas de múltiples vehículos y múltiples etapas* para lograr el mayor impacto y aumentar el alcance y el impacto de los mensajes.

Las promociones pueden ser más eficaces cuando se combinan con la publicidad, por ejemplo.[39] La conciencia y actitud creada por las campañas de publicidad pueden aumentar el éxito de los discursos más directos de ventas. La publicidad puede transmitir el posicionamiento de la marca y beneficiarse de la publicidad en display online o marketing de buscador online que ofrece una llamada más fuerte a la acción.[40]

Muchas empresas están coordinando sus actividades de comunicación online y offline. Las direcciones Web en los anuncios (en especial los impresos) y en empaques permiten a las personas explorar más

TABLA 17.3 Líneas de negocio de WPP
Publicidad
Servicios publicitaros globales, nacionales y especializados de variedad de las principales agencias internacionales y especializadas, entre ellas Grey, JWT, Ogilvy & Mather, United Network y Y&R.
Gestión de inversiones en medios
Planificación y compra de medios por encima y por debajo de la línea, patrocinios especializados y servicios de entretenimiento de marca de las empresas de GroupM: MediaCom, Mediaedge:cia, Mindshare, Maxus y otras.
Percepciones de los consumidores
Las empresas Kantar de WPP, incluyendo TNS, Millward Brown, The Futures Company y muchas otras especializadas en percepciones de marca, consumidores, medios y mercado, trabajan con los clientes para generar y aplicar excelentes percepciones.
Relaciones públicas y asuntos públicos
Servicios corporativos, de consumo, financieros y de construcción de marca de las empresas de relaciones públicas y cabildeo Burson-Marsteller, Cohn & Wolfe, Hill & Knowlton, Ogilvy Public Relations Worldwide y otras.
Branding e identidad
Servicios de branding para el consumidor, corporativos y para empleados; servicios de diseño que abarcan identidad, envasado, literatura, eventos, capacitación y arquitectura provistos por Addison, The Brand Union, Fitch, Lambie-Nairn, Landor Associates, The Partners y otros.
Marketing directo, de promoción y de relaciones
La gama entera de servicios generales y especializados de clientes, canal, directo, de campo, minorista, promocional y punto de ventas, provistos por Bridge Worldwide, G2, OgilvyOne, OgilvyAction, RTC Relationship Marketing, VML, Wunderman y otros.
Comunicaciones de cuidados a la salud
CommonHealth, GCI Health, ghg, Ogilvy Healthworld, Sudler & Hennessey y otros proveen soluciones integrales de marketing de cuidado a la salud desde publicidad hasta educación médica y marketing online.
Comunicaciones especializadas
Una gama completa de servicios especializados, desde medios personalizados y marketing multicultural hasta marketing de eventos, deportes, juvenil y entretenimiento; corporativo y negocio a negocio; servicios de medios, tecnología y producción.
WPP Digital
A través de WPP Digital, las empresas de WPP y sus clientes tienen acceso a un portafolios de expertos digitales que incluyen 24/7 Real Media, Schematic y BLUE.

Fuente: Adaptado de WPP, "What We Do", en: www.wpp.com/wpp/about/whatwedo (como aparecía el 1 de octubre de 2010). Utilizado con autorización.

completamente los productos de una empresa, encontrar ubicaciones de tiendas y obtener mayor información de los productos o servicios. Incluso si los consumidores no hacen pedidos online, los especialistas de marketing pueden utilizar los sitios Web de formas que los impulsen a ir a las tiendas a comprar.

Implementación de la comunicación integral de marketing (IMC)

En años recientes, las grandes agencias de publicidad han mejorado sustancialmente sus ofertas integradas. Para facilitar la adquisición de todos los servicios en un solo lugar, estas agencias han adquirido agencias de promoción, empresas de relaciones públicas, consultorías de diseño de empaques, desarrolladores de sitios Web y casas de correo directo. Se están redefiniendo como *empresas de comunicación* que ayudan a los clientes a mejorar su eficacia general de comunicación al ofrecer consejos estratégicos y prácticos de muchas maneras de comunicación.[41] Muchos clientes internacionales tales como IBM (Ogilvy), Colgate (Young & Rubicam) y GE (BBDO) han optado por colocar una porción significativa de sus trabajo de comunicación a través de una agencia de servicio completo. El resultado es una comunicación de marketing más integral y eficaz a un costo total de comunicaciones mucho menor.

La comunicación integral de marketing puede producir una mayor consistencia de mensajes y ayudar a generar brand equity y crear un mayor impacto de ventas.[42] Obliga a la dirección a pensar sobre todas las formas en que el cliente tiene contacto con la empresa, cómo la empresa comunica su posicionamiento, la importancia relativa de cada vehículo y las cuestiones de tiempo. Le da a alguien la responsabilidad —que antes no existía— de unificar las imágenes y mensajes de marca de la empresa a medida que pasan por las miles de actividades de la misma. IMC debería mejorar la capacidad de la empresa de llegar a los clientes correctos con los mensajes adecuados en el momento oportuno y en el lugar correcto.[43] "Apuntes de marketing: ¿Qué tan integrado está su programa de IMC?" proporciona algunos lineamientos.

Apuntes de marketing

¿Qué tan integrado está su programa de IMC?

Al evaluar el impacto colectivo de un programa de IMC, la meta primordial del especialista de marketing es crear el programa de comunicaciones más eficaz y eficiente posible. Los siguientes seis criterios pueden ayudar a determinar si las comunicaciones están realmente integradas.

- *Cobertura.* La cobertura es tanto la proporción de la audiencia alcanzada por cada una de las opciones de comunicación empleadas, como la dimensión del traslape existente entre las opciones de comunicación. En otras palabras, es la medida en que las opciones de comunicación llegan al mercado meta elegido y alcanzan a los mismos consumidores o a otros del mismo mercado meta.
- *Contribución.* La contribución es la capacidad inherente de una comunicación de marketing para crear la respuesta deseada y los efectos de comunicación de los consumidores en ausencia de exposición a cualquier otra opción de comunicación. ¿Cuánto afecta una comunicación al procesamiento del consumidor y cómo crea conciencia, realza la imagen, provoca respuestas e induce a la compra?
- *Cosas en común.* Las cosas en común son la medida en que las asociaciones *comunes* son reforzadas entre las opciones de comunicación, es decir, la dimensión en la que la información transmitida por diferentes opciones de comunicación comparten su significado. La consistencia y cohesión de la imagen de marca es importante porque determina la facilidad para recordar las asociaciones y respuestas existentes, y para vincularlas con la marca en la memoria.
- *Complementariedad.* Frecuentemente, las opciones de comunicación son más eficaces si se usan en conjunto. La complementariedad es la medida en que las opciones de comunicación enfatizan todos y cada uno de los vínculos y asociaciones. Es posible establecer con mayor eficacia las distintas asociaciones de marca dando preferencia a la opción —o las opciones—de comunicación de marketing más adecuada(s) para provocar una respuesta particular en el consumidor o establecer un tipo determinado de asociación de marca. Muchos de los anuncios de televisión durante el Super Bowl —el evento de medios más grande de Estados Unidos— están diseñados para crear curiosidad e interés con el fin de que los consumidores entren online y participen en las redes sociales y en el boca en boca para experimentar y encontrar información más detallada.[44] Un spot durante el Super Bowl de 2010 para la barra de caramelo Snickers, donde aparecía la comediante de televisión Betty White, produjo más de 3.5 millones de visitas al sitio Web de la marca después de que se transmitió.
- *Versatilidad.* En cualquier programa integral de comunicación, de todos los consumidores expuestos a una determinada comunicación de marketing, algunos ya lo habrán estado a otras de la marca, mientras que otros no habrán tenido ninguna exposición previa. La versatilidad se refiere a la medida en la que una opción de comunicaciones de marketing es robusta y "funciona" para distintos grupos de consumidores. La capacidad de una comunicación de marketing de funcionar en dos niveles —comunicar eficazmente a los consumidores que ya vieron, tanto como a los no han visto, otras comunicaciones— tiene una importancia crítica.
- *Costo.* Los especialistas en marketing deben ponderar las evaluaciones de las comunicaciones de marketing en todos estos criterios contra su costo de llegar al programa de comunicaciones más eficaz *y* más efectivo.

Fuente: Adaptado de Kevin Lane Keller, *Strategic Brand Management,* 3a. ed. (Upper Saddle River, NJ: Prentice Hall, 2008).

Resumen

1. El marketing moderno requiere más que desarrollar un buen producto, asignarle un precio atractivo y hacerlo accesible a los clientes meta. Las empresas también deben comunicarse con los grupos de interés presentes y potenciales así como con el público en general.
2. La mezcla de comunicaciones de marketing consiste de ocho modos principales de comunicación: publicidad, promoción de ventas, relaciones públicas y publicity, eventos y experiencias, marketing interactivo, marketing de boca en boca y ventas personales.
3. El proceso de comunicación está formado por nueve elementos: emisor, receptor, mensaje, medios, codificación, decodificación, respuesta, retroalimentación y ruido. Para que sus mensajes sean recibidos, los especialistas de marketing deben codificarlos tomando en consideración la manera en que el público meta generalmente los decodifica. También deben transmitir el mensaje a través de medios eficaces que lleguen al público meta y desarrollar canales de retroalimentación para monitorear su respuesta al mensaje.
4. El desarrollo de comunicaciones eficaces requiere ocho pasos: (1) identificación del público meta, (2) determinación de los objetivos de comunicación, (3) diseño de las comunicaciones, (4) elección los canales, (5) establecimiento del presupuesto total de comunicaciones, (6) definición de la mezcla de medios, (7) medición de resultados de la comunicación, (8) gestión del proceso de las comunicaciones integradas de marketing.
5. Al identificar al público meta, el especialista de marketing necesita cerrar cualquier hueco que exista entre la percepción pública actual y la imagen buscada. Los objetivos de comunicación pueden ser la creación de una necesidad de categoría, conciencia de marca, actitud de marca o intención de compra de marca.
6. El diseño de la comunicación requiere resolver tres problemas: qué decir (estrategia del mensaje), cómo decirlo (estrategia creativa) y quién debe decirlo (fuente del mensaje). Los canales de comunicación pueden ser personales (defensor, experto y canales sociales) o no personales (medios, ambientes y eventos).
7. Aunque existen otros métodos, en términos generales es más recomendable el método de objetivo y tarea para fijar el presupuesto de comunicaciones, y requiere que los especialistas en marketing desarrollen presupuestos con base en la definición de objetivos específicos.
8. Al elegir la mezcla de comunicaciones de marketing, los especialistas en marketing deben examinar las distintas ventajas y los costos de cada herramienta de comunicación, así como la posición de la empresa dentro del mercado. También deben considerar el tipo de mercado de productos en el que están vendiendo, la disposición de los consumidores para hacer una compra y la etapa del producto dentro de la empresa, la marca y su ciclo.
9. Para medir la eficacia de la mezcla de comunicaciones de marketing se requiere que los miembros del público meta respondan si reconocen o recuerdan la comunicación, cuántas veces la vieron, cuáles puntos recuerdan, cómo se sienten sobre la comunicación y cuáles eran sus actitudes previas y actuales hacia la empresa, la marca y el producto.
10. La gestión y coordinación del proceso completo de comunicaciones requiere comunicación integral de marketing (IMC): una planificación de comunicaciones de marketing que reconozca el valor añadido de un plan completo de evaluación de los roles estratégicos de varias disciplinas de comunicación y que combine estas disciplinas para proveer claridad, consistencia y máximo impacto a través de la integración perfecta de mensajes discretos.

Aplicaciones

Debate de marketing

¿Ha perdido su poder la publicidad televisiva?

Considerada por mucho tiempo el medio de marketing más exitoso, la publicidad en televisión es cada vez más criticada por ser demasiado cara y —pero incluso— por no ser tan eficaz como alguna vez lo fue. Los críticos mantienen que los consumidores eliminan muchos de los anuncios al cambiar de canales y que es difícil hacer una impresión fuerte. El futuro, dicen algunos, está en la publicidad online. Quienes apoyan la publicidad en televisión no están de acuerdo, alegando que el impacto multisensorial de la televisión no puede superarse y que ninguna otra opción de medios les ofrece el mismo impacto potencial.

Asuma una posición: La publicidad en televisión ha perdido importancia ***versus*** La publicidad en televisión continúa siendo el medio de publicidad más poderoso.

Discusión de marketing

Auditoría de comunicación

Elija una marca y visite su página Web. Ubique tantas formas de comunicación como pueda encontrar. Lleve a cabo una auditoría informal de comunicación. ¿Qué nota usted? ¿Qué tan consistentes son las diferentes comunicaciones?

Marketing de excelencia

>>Red Bull

La mezcla de comunicaciones integrales de marketing de Red Bull ha sido tan exitosa que la empresa ha creado otra categoría —las bebidas energizantes funcionales— y se ha convertido en una marca multimillonaria junto con los reyes de las bebidas como Coca-Cola y Pepsi. En menos de 20 años, Red Bull se ha vuelto el líder del mercado de bebidas energizantes al conectar hábilmente con los jóvenes del mundo. Dietrich Mateschitz fundó Red Bull en Austria y lanzó la bebida energizante a Hungría, su primer mercado en el exterior en 1992. Hoy, Red Bull vende 4 mil millones de latas de bebidas energizantes al año en más de 160 países.

¿Cómo lo hace? Diferenciándose de los demás. Durante años, Red Bull ofreció sólo un producto, Red Bull Energy Drink, en un solo tamaño: una brillante lata plateada de 250 ml con apariencia europea. Los ingredientes de Red Bull —el aminoácido taurina, vitaminas del complejo B, cafeína y carbohidratos— la convierten en una bebida tan vigorizante que sus aficionados la llaman "cocaína líquida" y "anfetaminas enlatadas." Durante la última década, Red Bull ha lanzado tres variaciones ligeras del producto original: Red Bull Sugarfree, Red Bull Energy Shots y Red Bull Cola.

Desde el inicio, Red Bull ha utilizado poca publicidad tradicional y ningún anuncio impreso, espectacular, banner ni spot en el Super Bowl. La empresa transmite un mínimo de comerciales de televisión: unos spots animados con el eslogan "Red Bull Gives You Wings" (Red Bull te da alas), que tienen la intención de divertir a su joven público y conectar de forma relajada y no tradicional.

Red Bull crea alboroto sobre el producto a través de tácticas de marketing de raíces y viral, comenzando con su "programa de semillas" cuyas micrometas incluyen establecimientos modernos, clubes, bares y tiendas. Como explicó un ejecutivo de Red Bull, "Vamos primero a los puntos de venta de botella abierta, porque ahí el producto obtiene mucha visibilidad y atención. Es más rápido atender cuentas individuales que a grandes cadenas y su proceso de autorización". Red Bull es aceptado con facilidad en los clubes porque "en los clubes, las personas están abiertas a las cosas nuevas".

Una vez que Red Bull ha obtenido cierta inercia en los bares, se mueve a las tiendas de conveniencia cercanas a universidades, gimnasios, tiendas de comida saludable y supermercados, ubicaciones principales para su público meta de hombres y mujeres entre 16 y 29 años. Red Bull también es conocida por dirigirse a los estudiantes universitarios, a quienes proporciona gratuitamente cajones enteros de Red Bull y alienta para organizar fiestas. Paulatinamente, Red Bull se mueve hacia los restaurantes y por último a los supermercados.

Los esfuerzos de marketing de Red Bull intentan generar su imagen de marca de autenticidad, originalidad y comunidad de diversas maneras. Primero, Red Bull se dirige a los líderes de opinión, haciendo muchas pruebas de producto. Hay bebidas vigorizantes Red Bull en competencias deportivas, en limusinas antes de los shows de premiaciones y en exclusivas post-fiestas. Las muestras gratuitas son repartidas en campus universitarios y calles de la ciudad a quienes parecen necesitar más energía.

Después, Red Bull se alinea con una amplia variedad de deportes extremos, atletas, equipos, eventos y artistas (en la música, la danza y el cine). Desde deportes motorizados hasta ciclismo de montaña; de surfeo en nieve y en el mar; de la danza a la navegación extrema: no hay límites para la locura de un evento o patrocinio de Red Bull. Algunos de ellos se han distinguido por llevar la originalidad y el deporte extremo al límite, como el Flugtag anual (Día de Vuelo). En el Flugtag, los competidores construyen máquinas "voladoras" caseras que deben pesar menos de 204 kg, incluyendo al piloto; después lanzan sus inventos desde una rampa especialmente diseñada marca Red Bull a 9 m de altura sobre un cuerpo de agua. Muchedumbres de hasta 300 000 consumidores jóvenes animan a los competidores mientras sus "aviones" se mantienen fieles al eslogan de la marca: "¡Red Bull te da alas!".

Otro evento anual es el Red Bull Air Race, que prueba los límites de la cordura. Doce de los mejores pilotos de acrobacias del mundo compiten a baja altura en una pista aérea de 5.6 km delimitada por torres inflables Red Bull de 20 m dispuestas cada 10. En otras palabras, los pilotos vuelan aviones con una envergadura de 8 m a través de huecos de 10 m a 370 km/h. Estos aviones marca Red Bull ocasionalmente se estrellan, pero hasta la fecha no ha habido víctimas mortales.

El sitio Web de Red Bull proporciona a los consumidores información sobre eventos de Red Bull, videos y entrevistas con atletas patrocinados por la marca y videos con asombrosas pruebas próximas a realizarse. Por ejemplo, Bull Stratos es una misión que está llevando a cabo un hombre para descender en caída libre desde 36.5 km de altura. El salto será intentado desde el límite de la atmósfera terrestre y, si tiene éxito, marcará la primera vez que un ser humano alcance velocidades supersónicas en caída libre.

Red Bull compra publicidad tradicional una vez que el mercado necesita reforzar la marca para sus consumidores. Como lo explicó un ejecutivo de Red Bull, "Los medios no son una herramienta que usemos para establecer el mercado. Es una parte fundamental. Solamente es que lo usamos más adelante en el desarrollo".

La estrategia "antimarketing" de IMC de Red Bull ha sido extremadamente exitosa para conectar con sus consumidores jóvenes. También está directamente alineada con la misión de la empresa de ser percibida como única, original y rebelde, justo como sus consumidores de la Generación Y quieren ser vistos.

Preguntas

1. ¿Cuáles son las mayores fortalezas y riesgos de Red Bull a medida que más empresas (como Coca-Cola, Pepsi y Monster) entran en la categoría de bebidas vigorizantes y obtienen participación de mercado?
2. ¿Debería Red Bull hacer publicidad más tradicional? ¿Por qué o por qué no?
3. Analice la eficacia de los patrocinios de Red Bull, por ejemplo, Bull Stratos. ¿Es un buen uso del presupuesto de marketing de Red Bull? ¿Dónde debería la empresa marcar el límite?

Fuentes: Kevin Lane Keller, "Red Bull: Managing a High-Growth Brand", *Best Practice Cases in Branding,* 3a. ed. (Upper Saddle River, NJ: Prentice Hall, 2008); Peter Ha, "Red Bull Stratos: Man Will Freefall from Earth's Stratosphere", *Time,* 22 de enero de 2010; Red Bull, www.redbull.com.

Marketing de excelencia

>>Comercial Mexicana

Comercial Mexicana (conocida popularmente como "La Comercial" o "La Comer"), es una cadena mexicana de supermercados con gran presencia en el país, administrada por Controladora Comercial Mexicana. Desde hace varios años, Comercial Mexicana ha utilizado diferentes estrategias promocionales que le han permitido lograr un posicionamiento en la mente de los consumidores mexicanos.

Durante sus ocho décadas de existencia, la compañía ha encontrado singulares prácticas comerciales acordes con las cambiantes necesidades de los consumidores y sustentadas en exitosas campañas de comunicación como "Julio Regalado" y "Miércoles de Plaza", además de posicionar lemas publicitarios tales como "*Una tienda muy nuestra*" o "*¿Vas al súper o a La Comer?*", *acordes* a las circunstancias y contextos. Durante la celebración del Bicentenario de la Independencia de México y Centenario de la Revolución Mexicana, su comunicación utilizó el lema "Orgullosa de ser mexicana". "Julio Regalado" es sin duda su campaña promocional más conocida. "Julio Regalado" es un personaje emblemático para sus clientes y el público en general, con el que los mexicanos encuentran una asociación directa en los beneficios para su bolsillo. Año con año se realizan campañas muy intensas que giran en torno a un concepto diferente: desde cuentos de hadas, el Viejo Oeste, el espacio hasta lo más reciente: "Todos quieren ser Julio". La campaña se lleva a cabo a través de diversos medios masivos como televisión, radio, espectaculares e impresos, y ahora también por Internet con esfuerzos en Facebook y Twitter, donde no se encuentra como "Comercial Mexicana", ya que la empresa es conocida como "La Comer", el nombre de su *fanpage*, la cual tiene más de 5 000 fans y en Twitter alrededor de 4 000 seguidores.

La estrategia publicitaria de "Miércoles de plaza", se ha desarrollado durante 28 años sin interrupción y representa el 33% de la recordación publicitaria de la marca, además de que acerca a los clientes a través de las promociones. Una estrategia derivada del posicionamiento de "Miércoles de plaza" fue la contratación de una conocida actriz mexicana, Jacqueline Bracamontes, quien por tercer año consecutivo encabeza la campaña. Esta promoción permite registrar hasta 5% más ventas que el resto de los días de la semana, lo que equivale a hasta 18% de las ventas anuales, y se basa en los nuevos valores fundamentales como parte del marketing social de la empresa, promoviendo la salud y el consumo de frutas y verduras para contribuir a la reducción de los índices de obesidad en general, y en especial la infantil. La campaña es desarrollada en promedio 12 semanas, involucra a un equipo de al menos 100 personas y ha logrado aumentar el tráfico en puntos de venta hasta en un 3.3%, en 2011.

Otra estrategia de comunicación y promoción que ha sido muy aceptada por sus consumidores es el "Monedero naranja" el cual distingue a los clientes especiales de la Comer, para agradecer su confianza y lealtad, ofreciéndoles ventajas y beneficios exclusivos como:

- Promociones exclusivas que permiten adquirir artículos de marcas internacionales de prestigio con descuentos hasta del 80%, a través de "timbres" electrónicos que se depositan en este monedero.
- Bonificaciones en cientos de productos. Constantemente ofrecen productos en distintos departamentos que bonifican dinero electrónico en el monedero naranja.
- Bonificaciones en farmacia del 10% varias veces al año.
- Promociones exclusivas vía correo electrónico para clientes con direcciones registradas en la base de datos.

Más de 50 000 clientes se han visto beneficiados a través de esta promoción y, hasta el momento, más de 80 000 productos han sido adquiridos en el piso de ventas gracias a las bonificaciones en efectivo que ofrece el monedero naranja.

Además, con ella se han agregado más de 100 000 miembros a este instrumento de "La Comer".

Adicionalmente, la cadena cuenta con un servicio de entrega a domicilio para permitir compras rápidas, cómodas y seguras, lo cual ha generado una mayor lealtad por parte de sus consumidores: "La Comer en tu Casa" es un servicio que se puede solicitar vía telefónica o a través de su sitio de Internet.

En conclusión y de acuerdo con Andrés Ehrli, director de Mercadotecnia y Publicidad de Comercial Mexicana, "Uno de los objetivos de 'La Comer' es que nuestros clientes vayan a sus tiendas buscando estructuras de producto y precio, enfocándonos a presentarle una cara a nuestro cliente en donde le ofrecemos producto, variedad y servicio, y posicionarnos como una de la mejores alternativas".

Actualmente, Comercial Mexicana compite empresarialmente con Walmart, en la región centro y área metropolitana del Distrito Federal, donde tiene la mayor parte del mercado; Soriana, en las regiones norte y noreste de México, y Chedraui en el sur del país.

Preguntas

1. ¿Qué ha hecho bien Comercial Mexicana durante estos años, en términos de su estrategia de comunicaciones de marketing? ¿Qué debería hacer en adelante?
2. ¿Cómo compite Comercial Mexicana contra el gigantesco Walmart? ¿Cuáles son las diferencias distintivas en sus estrategias de IMC?
3. ¿Hizo lo correcto Comercial Mexicana al contratar a una actriz como su portavoz de su promoción de "Miércoles de Plaza"? ¿Por qué si o por qué no?

Fuentes: http://www.informabtl.com/2010/la-comer-lanza-campana-promocional-para-festejar-el-bicentenario.php; http://www.informabtl.com/2011/miercoles-de-plaza-consigue-el-33-de-la-recordacion-de-la-cadena.php; http://www.comercialmexicana.com.mx; http://www.merca20.com/comercial-mexicana-promocion-con-frottana/; http://www.informabtl.com/2011/miercoles-de-plaza-consigue-el-33-de-la-recordacion-de-la-cadena.php; http://www.milenio.com/cdb/doc/noticias2011/7c954b2a681dd8c89db2c26caf50a86b; http://www.cnnexpansion.com/negocios/2009/02/11/la-comer-fortalece-campana-de-publicidad; http://www.merca20.com/la-comer-lanza-promocion-para-celebrar-el-bicentenario/; http://es.wikipedia.org/wiki/Comercial_Mexicana

En este capítulo responderemos las siguientes **preguntas**

1. ¿Qué pasos son necesarios para desarrollar un programa de publicidad?
2. ¿Cómo se deben tomar decisiones para la promoción de ventas?
3. ¿Cuáles son los lineamientos para llevar a cabo eventos y experiencias eficaces que fortalezcan la marca?
3. ¿Cómo pueden las empresas explotar el potencial de las relaciones públicas y publicity?

Aspirina y Cafiaspirina han tenido que hacer algo más que remediar "el dolor de cabeza" —y su publicidad— para modernizar su marca, cuya edad ya es de varias décadas.

Gestión de las comunicaciones masivas: publicidad, promociones de ventas, eventos, experiencias y relaciones públicas

Aunque en años recientes los especialistas en marketing han incrementado sustancialmente su uso de comunicaciones personales, debido a la rápida penetración de Internet, entre otros factores, el hecho es que los medios masivos, si se usan correctamente, aún son un componente importante de un programa moderno de comunicaciones de marketing. Los tiempos en los que bastaba un anuncio fabuloso para que los compradores aparecieran ya pasaron hace mucho. Para generar interés en los consumidores —y ventas—, los medios masivos deben ser complementados y cuidadosamente integrados con otras comunicaciones, como fue el caso de Aspirina y Cafiaspirina de Bayer.

Desde hace más de 100 años, los productos de Bayer están presentes en México y muchos países de Latinoamérica. Con el tiempo, la farmacéutica se ha convertido en lo que actualmente es: una importante empresa con modernas plantas y amplia presencia en todo el país. Desde principios del siglo pasado, Bayer es conocida principalmente por la Aspirina, importada en esa época por mayoristas. Después de la Primera Guerra Mundial se introdujo en el mercado mexicano la Cafiaspirina, cuyas ventas aumentaron año tras año, de tal forma que a finales de la década de 1930 llegó a tener una gran participación en el mercado. Hoy, Bayer México forma parte de las filiales extranjeras más importantes del consorcio Bayer, empresa con un enfoque global y actividades en casi todos los países del mundo. Recientemente ha lanzado diversas campañas de comunicación y publicidad apoyando las marcas Aspirina y Cafiaspirina, lo que le ha permitido recuperar el liderazgo en el mercado. Esto comenzó en 2008, cuando Bayer detectó la necesidad de refrescar la comunicación de la marca madre, Aspirina, ante la tendencia negativa de los analgésicos, caracterizada por un estancamiento en las ventas, 51% de consumidores leales y una excesiva oferta de productos. La empresa de publicidad BBDO México ganó la propuesta global con el eslogan "Un mundo sin dolor" y un recurso creativo que rompía con la seriedad y los paradigmas de la categoría: los dibujos animados. Luego, en 2010, la empresa enfrentó un nuevo reto: la submarca Cafiaspirina pedía explotar los beneficios adicionales del medicamento para distinguirse de la competencia. Nuevamente, BBDO México bajó el recurso creativo a una campaña que destacó las dotes de un analgésico que no sólo cura el dolor de cabeza sino también reanima. El gran logro de la campaña fue su racionalidad, que traduce los beneficios funcionales en emocionales, enfatizando el elemento diferenciador ("reanima"); lo lograron con dibujos y activaciones poco tradicionales. Las tabletas de Cafiaspirina salieron por primera vez a la calle a presumir sus beneficios. Se les vio en el servicio de transporte Metro (tren subterráneo), en muros y en autobuses aludiendo a quienes trabajan duro y padecen dolor de cabeza y necesitan reanimarse. El consumo aumentó 28 puntos, la base real de consumidores creció de 8 a 25%, el valor de la marca creció más de 10% y —lo mejor— el mensaje de que Cafiaspirina no sólo alivia sino que reanima se triplicó. Estos logros son el resultado de atreverse a romper los típicos esquemas de una categoría (en este caso el de los analgésicos) donde la compra no la detona el deseo sino la necesidad. La estrategia rompió los paradigmas de comunicación de un sector donde todos los competidores parecen vender lo mismo. Otro éxito fue su campaña publicitaria "Insert Coin", innovadora y original, la cual busca que las personas ayuden a otras a aliviar su dolor de cabeza al "insertarle" un par de Cafiaspirinas. En un mercado de analgésicos que en 2010 alcanzó un valor de 1 655 mdp (millones de pesos mexicanos), según International Marketing Services, y saturado de fármacos que cada vez aumentan más su inversión en medios, Cafiaspirina rompió convencionalismos y superó sus objetivos de posicionamiento con una inversión que en un año (julio de 2010 a junio de 2011) fue de 143 mdp, de acuerdo con IBOPE, logrando aumentar sus ventas en un 28 por ciento.

La campaña no incluyó una estrategia digital debido al tipo de público al que iba dirigida, ya que Cafiaspirina es una marca madura que puede darse el lujo de desarrollar campañas en medios masivos y "prints", y cumplir sus objetivos de penetración incluso sin herramientas digitales, lo cual se justifica con el fuerte brand equity.[1]

Aunque es claro el gran éxito que estas marcas han tenido con su campaña publicitaria, otros especialistas en marketing están tratando de encontrar una mejor forma de utilizar los medios masivos en el nuevo —y cambiante— entorno de comunicación.[2] En este capítulo se analiza la naturaleza y el uso de cuatro herramientas de comunicación masiva: publicidad, promoción de ventas, eventos y experiencias, relaciones públicas y publicity.

Desarrollo y gestión de un programa de publicidad

La **publicidad** puede ser una forma eficaz de diseminar mensajes, ya sea para crear una preferencia de marca o educar a las personas. Incluso en el desafiante entorno actual de medios, los buenos anuncios pueden dar resultados. En los años recientes, P&G también ha logrado incrementos porcentuales de dos dígitos en las ganancias por ventas gracias a los anuncios que describen la eficacia de los productos antiedad Olay Definity y el champú Head & Shoulders Intensive Treatment.[3]

Al desarrollar un programa de publicidad, los gerentes de marketing siempre deben iniciar con la identificación del mercado meta y los motivos de los compradores; a partir de esas definiciones pueden tomar las cinco decisiones principales conocidas como las cinco M: *Misión*: ¿Cuáles son nuestros objetivos publicitarios?, *Monetarias*: ¿Cuánto podemos gastar y cómo asignamos nuestros gastos a los varios tipos de medios? *Mensaje*: ¿Qué mensaje deberíamos enviar? *Medios*: ¿Qué medios deberíamos utilizar? *Mediciones*: ¿Cómo deberíamos evaluar los resultados? La △ figura 18.1 resume y describe estas decisiones en las secciones siguientes.

Formulación de objetivos

Los objetivos de publicidad deben fluir a partir de decisiones previas sobre el mercado meta, el posicionamiento de la marca y el programa de marketing.

Un **objetivo publicitario** (o meta) es una tarea específica de comunicación y nivel de logro que debe alcanzarse con un público específico en un periodo específico:[4]

> *Aumentar del 10 al 40% (de los 30 millones que existen actualmente) el número de personas dedicadas a su hogar, propietarias de lavadoras automáticas, que identifican la marca X como un detergente de baja espuma y que están convencidas de que deja la ropa más limpia.*

Podemos clasificar los objetivos publicitarios según si su meta es informar, persuadir, recordar o reforzar. Estos objetivos corresponden a las diferentes etapas del *modelo de jerarquías de efectos* que se analizó en el capítulo 17.

- ***Publicidad informativa.*** Tiene como meta crear conciencia de marca y conocimiento de nuevos productos o nuevas características de productos existentes.[5] Para promover su sistema OnStar de protección, seguridad e información mediante tecnología GPS en sus vehículos, GM lanzó la campaña "Real Stories" en 2002. La campaña ganadora de premios que apareció en televisión, radio e impresos utilizó experiencias reales de suscriptores, narradas por ellos mismos, mediante las que compartían la importancia y los beneficios de OnStar que les cambiaron la vida. Para 2005, la marca OnStar había llegado a una conciencia de 100% entre los consumidores que buscaban comprar un vehículo nuevo.[6]
- ***Publicidad persuasiva.*** Su meta es crear gusto, preferencia, convicción y compra de un producto o servicio. Alguna publicidad persuasiva utiliza la publicidad comparativa, que hace una comparación

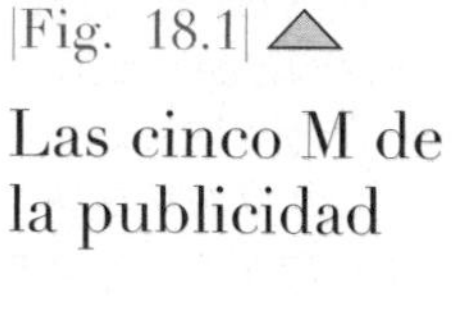

|Fig. 18.1| △

Las cinco M de la publicidad

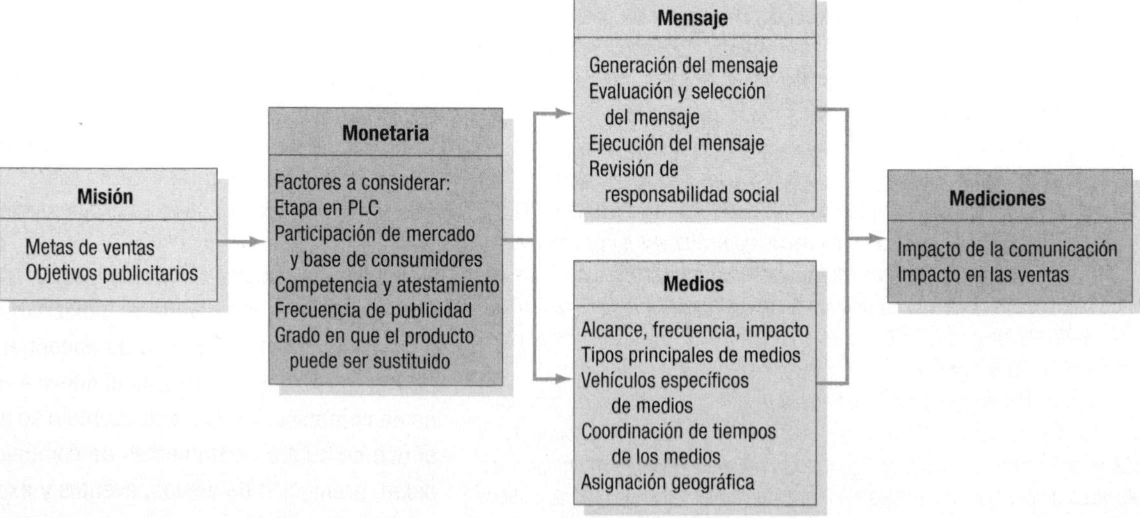

explícita de los atributos de dos o más marcas. Miller Lite le quitó participación de mercado a Bud Lite al destacar que Bud Lite tenía más carbohidratos. La publicidad comparativa funciona mejor cuando obtiene motivaciones cognitivas y afectivas de manera simultánea, y cuando los consumidores procesan la publicidad de modo detallado y analítico.[7]

- ***Publicidad de recordación.*** Su meta es estimular la compra repetida de productos y servicios. Los caros anuncios a cuatro tintas de Coca-Cola en las revistas tienen el propósito de recordar a la gente que compre la bebida.
- ***Publicidad de refuerzo.*** Busca convencer a los compradores actuales de que tomaron la elección correcta. Los anuncios de automóviles con frecuencia muestran a clientes satisfechos que disfrutan características especiales de sus autos nuevos.

El objetivo publicitario debería surgir de un análisis concienzudo de la situación actual de marketing. Si la clase de producto está madura, la empresa es líder del mercado y el uso de marca es bajo, el objetivo será estimular un mayor uso. Si la clase de producto es nueva y la empresa no es líder del mercado pero la marca supera a la líder, entonces el objetivo será convencer al mercado de la superioridad de la marca.

Decisión del presupuesto de publicidad

¿Cómo sabe una empresa que está gastando la cantidad correcta? Aunque la publicidad sea tratada como un gasto corriente, parte de ella es en realidad una inversión para generar brand equity y lealtad de los clientes. Si una empresa gasta 5 millones de dólares en bienes de capital podría considerar el equipamiento como un activo que se deprecia y descontar solamente una quinta parte del costo durante el primer año. Cuando gasta 5 millones de dólares en publicidad para lanzar un nuevo producto, debe descontar el costo completo en el primer año, reduciendo sus ganancias informadas incluso si los efectos persisten durante muchos años por venir.

FACTORES QUE AFECTAN LAS DECISIONES DE PRESUPUESTO A continuación se mencionan cinco factores específicos que es necesario considerar cuando se fija el presupuesto de publicidad:[8]

1. ***Etapa en el ciclo de vida del producto.*** Los nuevos productos generalmente ameritan grandes presupuestos de publicidad para crear conciencia y lograr que los clientes los prueben. Las marcas establecidas por lo general están apoyadas por presupuestos de publicidad menores medidos como una proporción relativa a las ventas.
2. ***Participación de mercado y base de consumidores.*** Las marcas con alta participación de mercado generalmente necesitan menos gastos de publicidad como porcentaje de las ventas para mantener su participación. Para crear participación mediante el crecimiento del tamaño del mercado es necesario hacer mayores desembolsos.
3. ***Competencia y atestamiento.*** En un mercado muy competido y altos gastos en publicidad, una marca debe publicitarse con mayor intensidad para ser escuchada. Incluso el atestamiento de publicidad que no compite directamente con la marca crea la necesidad de hacer publicidad más intensa.
4. ***Frecuencia de la publicidad.*** El número de repeticiones necesarias para que el mensaje de la marca llegue a los consumidores y que tiene un impacto obvio en el presupuesto de publicidad.
5. ***Sustituibilidad del producto.*** Las marcas de clases de productos menos diferenciados, o que se asemejan más a materias primas (cerveza, bebidas refrescantes, bancos y aerolíneas), requieren de publicidad intensa para establecer una imagen única.

ELASTICIDAD DE LA PUBLICIDAD La función predominante de respuesta de la publicidad con frecuencia es cóncava pero puede tener forma de S. Cuando la respuesta del consumidor tiene forma de S, una cantidad positiva de publicidad es necesaria para generar cualquier impacto de ventas, pero los aumentos en las ventas por lo general tienden a la horizontalidad.[9]

Un estudio clásico encontró que aumentar el presupuesto de publicidad en televisión tiene un efecto medible sobre las ventas solamente la mitad de las ocasiones. La tasa de éxito era mayor para los nuevos productos o las extensiones de línea que para las marcas establecidas, o cuando había cambios en el texto publicitario o en la estrategia de medios (tales como un mercado meta expandido). Cuando la publicidad aumentó las ventas, su impacto duró hasta dos años después del gasto más alto. Además, las ventas incrementales generadas en el largo plazo eran aproximadamente del doble de las ventas incrementales observadas en el primer año de un aumento de gastos en publicidad.[10]

Otros estudios refuerzan estas conclusiones. En un estudio de 23 marcas de IRI en 2004, era frecuente que la publicidad no aumentara las ventas de las marcas maduras o categorías en decadencia. Una revisión de las investigaciones académicas encontró que las elasticidades de publicidad se estimaban más altas para los productos nuevos (0.3) que para los establecidos (0.1).[11]

Desarrollo de la campaña publicitaria

Al diseñar y evaluar una campaña de anuncios, los especialistas en marketing emplean tanto el arte como la ciencia para desarrollar la *estrategia del mensaje* o posicionamiento del anuncio —*qué* intenta comunicar el anuncio acerca de la marca— y su *estrategia creativa* —*cómo* expresa el anuncio las afirmaciones de la marca—. Los anunciantes pasan por tres etapas: generación y evaluación del mensaje, desarrollo creativo y ejecución, y revisión de la responsabilidad social.

GENERACIÓN Y EVALUACIÓN DEL MENSAJE Muchos de los anuncios actuales de automóviles se ven similares: un automóvil es conducido a alta velocidad por una carretera curveada en una montaña o en un desierto. Los publicistas siempre buscan "la gran idea" que conecte racionalmente y emocionalmente con los consumidores, que distingue la marca de los competidores y es suficientemente amplia y flexible para traducirse a diferentes medios, mercados y periodos.[12] Las perspectivas frescas son importantes para evitar usar el mismo mensaje y posición que los demás.

Alpura Cuadritos

En 2009, la marca mexicana de leche Alpura lanzó una nueva presentación: Alpura Cuadritos. El planteamiento estratégico consistía en aprovechar un mercado maduro caracterizado por una búsqueda de la salud y el bienestar ("tengo que y quiero cuidarme"), que se da en el contexto de una sociedad atareada en la que es frecuente la falta de tiempo para comer ordenadamente y en la que, por tanto, es frecuente la necesidad de a deshoras y en la "calle", la oficina o el transporte. En el caso de la categoría de leches se detectó que el consumo de ésta es muy puntual y ocurre en casa en dos momentos del día: en el desayuno y antes de dormir. ¿Cómo incrementar las ventas de leche Alpura, un producto que se percibe como excelente fuente de calcio y proteínas, y un alimento básico en la dieta de niños y adultos mayores? La respuesta surgió en una presentación de 250 ml que motivó un amplio consumo fuera de casa, lo que permitió aprovechar un producto existente al que, sin invertirle en producción, pudo obtenérsele un mayor margen de utilidad por litro.

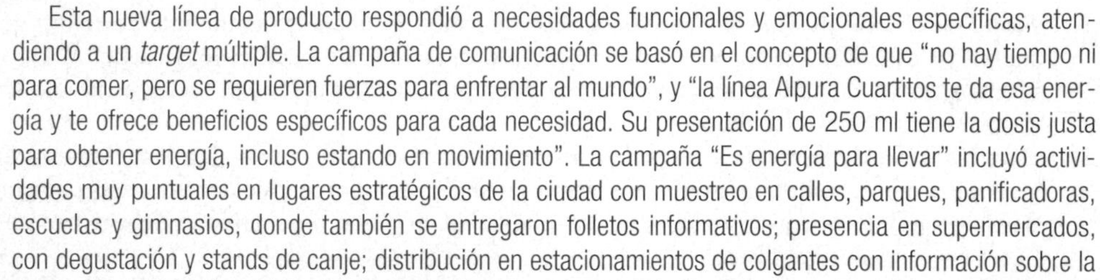

Esta nueva línea de producto respondió a necesidades funcionales y emocionales específicas, atendiendo a un *target* múltiple. La campaña de comunicación se basó en el concepto de que "no hay tiempo ni para comer, pero se requieren fuerzas para enfrentar al mundo", y "la línea Alpura Cuartitos te da esa energía y te ofrece beneficios específicos para cada necesidad. Su presentación de 250 ml tiene la dosis justa para obtener energía, incluso estando en movimiento". La campaña "Es energía para llevar" incluyó actividades muy puntuales en lugares estratégicos de la ciudad con muestreo en calles, parques, panificadoras, escuelas y gimnasios, donde también se entregaron folletos informativos; presencia en supermercados, con degustación y stands de canje; distribución en estacionamientos de colgantes con información sobre la leche; y una campaña publicitaria en los principales medios de comunicación masivos como TV, radio, salas de cine y plumas de estacionamientos, todo con la finalidad de que los consumidores comprobaran que Alpura Cuartitos, en sus 10 presentaciones: Light, Deslactosada, Deslactosada chocolate, Semi, Clásica, Kids, Kids Chocolate y las Saborizadas fresa, vainilla y chocolate están listas para tomarse a cualquier hora del día y son ideales para llevar a la escuela, la oficina, en el auto o a cualquier sitio fuera de casa.

La campaña "Es energía para llevar" de la marca alpura, introdujo al mercado un nuevo formato: Alpura Cuadritos, la cual tuvo un alto impacto en el consumo de leche.

Para dar mayor realce y reforzar la imagen de la marca, durante todas las actividades planeadas se incluyó la participación de una minibotarga de "Cuartitos", además de edecanes y GOs en supermercados y tiendas de autoservicio, principales avenidas de la ciudad y otros puntos clave. A través de esta gran campaña, Alpura asumió el gran compromiso de poner en la mano de los consumidores mexicanos un producto que regularmente no sale de casa, fomentando los buenos hábitos de nutrición y difundiendo los beneficios que aporta a la salud. Los resultados superaron el objetivo: incrementar 10 000 litros diarios de venta, lo que se traduce en 31 100 litros promedio al día. Se superó el objetivo de 32 puntos de participación de mercado alcanzando 36.6% durante la campaña.[13]

Un buen anuncio generalmente se enfoca en una o dos propuestas de venta centrales. Como parte del refinamiento del posicionamiento de la marca, el anunciante debe llevar a cabo investigaciones de mercado para determinar cuál mensaje funciona mejor con su público meta y entonces preparar un *informe creativo*, que por lo general consta de una o dos páginas. Ésta es una versión más elaborada de la declaración de posicionamiento e incluye consideraciones tales como el mensaje fundamental, el público meta, los objetivos de comunicación (para hacer, para saber, para creer), beneficios fundamentales de la marca, apoyos para la promesa de marca y medios.

¿Cuántos temas alternativos de anuncios debería crear el anunciante antes de hacer una elección? Cuantos más temas de anuncios sean explorados, mayor será la probabilidad de encontrar uno excelente. Afortunadamente, el departamento creativo de una agencia de publicidad puede componer muchos anuncios alternativos en un corto tiempo a partir de imágenes fijas y de video de sus archivos de computadora. Los especialistas en marketing también pueden disminuir dramáticamente el costo de la creatividad utilizando a los consumidores como su equipo creativo, una estrategia llamada a veces de "fuente abierta" o "*crowdsourcing*".[14]

La Revancha de Edgar

La Revancha de Edgar Gamesa lanzó un proyecto diferente para promover sus galletas de la línea Emperador basándose en un caso de difusión viral. Con este propósito se designó como "emperador" de la justicia a Edgar, un joven oriundo de Monterrey, México, que había cobrado fama gracias a un video donde lo tiran a un riachuelo. La estrategia de la compañía consistió en una nueva pieza creada por la agencia Olabuenaga Chemistri y subida al portal de YouTube, donde se muestra al muchacho, quien con la ayuda de ocho guardias imperiales que representan la marca, cobra venganza al lanzar a sus amigos al lugar que lo hiciera popular. Jesús Velázquez, director de mercadotecnia de la marca Gamesa, afirmó que fue un experimento con el objetivo de llegar a un alto número de consumidores cuyo *target* había fijado el propio medio. Asimismo, afirma que la intención fue comunicar de manera más apegada a la realidad a través de canales mantenidos por el mismo público y establecer un vínculo más efectivo con el consumidor. La campaña se difundió sólo por Internet con un alto impacto publicitario. (Fuente: http://www.merca20.com/dulce-venganza/).

Aunque confiar a los consumidores el esfuerzo de marketing de una marca puede ser genial, también puede producir fracasos lamentables. Cuando Kraft buscó en Australia un nombre moderno para el nuevo sabor de su representativo producto Vegemite en Australia, etiquetó los primeros tres millones de frascos "Ponme nombre" para solicitar el apoyo de los consumidores. La empresa eligió, de entre las 48 000 participaciones, una que fue inscrita como una broma —iSnack 2.0— y las ventas se desplomaron. La empresa tuvo que retirar los frascos de iSnack 2.0 de los anaqueles y comenzar de cero en una forma más convencional, lo que produjo el nuevo nombre Cheesybite.[15]

DESARROLLO CREATIVO Y EJECUCIÓN El impacto del anuncio depende no solamente de lo que dice; con frecuencia, lo más importante es *cómo* lo dice. La ejecución puede ser decisiva. Cada medio publicitario tiene sus ventajas y desventajas. A continuación revisamos brevemente los medios publicitarios de televisión, impresos y radio.

Anuncios de televisión. La televisión por lo general es reconocida como el medio publicitario más poderoso y llega a un amplio espectro de consumidores a un bajo costo por exposición. La publicidad por televisión tiene dos fortalezas particularmente importantes. Primero, puede demostrar vívidamente los atributos del producto y explicar de manera persuasiva los beneficios correspondientes al consumidor. Segundo, puede representar dramáticamente imágenes de usuarios y de uso, personalidad de marca y otros beneficios intangibles.

Sin embargo, debido a la naturaleza pasajera del anuncio y a los distractores elementos creativos, es frecuente que se pase por alto los mensajes relacionados tanto el producto como la marca misma. Además, el gran volumen de material no programado en televisión genera un atestamiento que facilita a los consumidores ignorar y olvidar los anuncios. De todas maneras, los anuncios de televisión adecuadamente diseñados y ejecutados pueden ser poderosas herramientas de marketing y mejorar el brand equity, así como afectar las ventas y las ganancias. En la tan competida categoría de los seguros, la publicidad puede ayudar a que una marca destaque entre las demás.[16]

Gansito En México, cuando se menciona la marca Gansito, se evoca diversión, aventura, nostalgia y buenos momentos, ya que por más de 50 años ha sido el pastelito industrializado preferido por muchos mexicanos de distintas edades. Su combinación de mermelada de fresa, crema y chocolate lo han hecho inolvidable, un clásico. Gansito es portador de una extraña fuerza que ha permeado de generación en generación de consumidores. Es una marca que goza de excelente reconocimiento y está presente en todos los rincones del país, con su ampliamente conocido y famoso eslogan: "Recuérdame". Gansito se ha mantenido en el gusto del consumidor mexicano gracias a la aplicación de estrategias comerciales adecuadas, apoyadas en campañas de comunicación claras. Este éxito se debe primordialmente a la aplicación de estrategias comerciales adecuadas, apoyadas en campañas de comunicación claras y con un mensaje sólido enfocado a transmitir la personalidad de la marca. Con el objetivo de mantener una comunicación constante con su consumidor y entender así sus actitudes, intereses, motivaciones, necesidades y pasiones, Marinela dedica vastos recursos para desarrollar propuestas promocionales atractivas y novedosas. Su meta es entablar un auténtico diálogo con sus consumidores a través de experiencias únicas. Hasta hace unos años sólo se implementaban promociones in-pack, las cuales siempre han sido bien recibidas por el consumidor. Ahora Marinela busca innovar en esta área, y ha creado la formula "regala-regala", que se aplica al menos una vez al año para premiar el antojo del consumidor regalándole otra cantidad del mismo producto. Otra promoción importante es

El personaje icónico Gansito de Marinela ha sido el centro de su publicidad para crear y fortalecer su marca durante años.

"Video Gansito" que se ha implementado desde hace años con el fin de invitar a los consumidores a divertirse y tener un poco más de actividad física, regalando, además de Gansitos, productos como consolas de videojuegos que promueven el ejercicio en casa, con juegos dinámicos que les ayudan a quemar calorías. A partir de 2010, la imagen de Gansito ha sido renovada gracias a diversos estudios con los consumidores, elaborando una estrategia que evoca tanto la nostalgia de los adultos como la diversión de los niños, lo que dio como resultado un diseño moderno, fresco y dinámico. La estrategia de mercadotecnia contó con una intensa campaña en medios, que incluye televisión nacional, revistas, carteleras de cine y apoyo en puntos de venta en toda la República Mexicana. (Fuentes: www.mexicosgreatestbrands.org/Vol4/pdf/Gansito.pdf; http://www.merca20.com/mccann-y-la-nueva-imagen-de-gansito-marinela/).

Anuncios impresos. Los medios impresos ofrecen un fuerte contraste con la radio y la televisión. Debido a que los lectores los consumen a su propio ritmo, las revistas y diarios pueden proveer información detallada de los productos y comunicar eficazmente imágenes del usuario y de su uso. Al mismo tiempo, la naturaleza estática de las imágenes de los medios impresos hace que las presentaciones o demostraciones dinámicas sean difíciles. Además, los medios impresos son pasivos.

Los dos principales medios impresos —diarios y revistas— comparten muchas ventajas y desventajas. Aunque los diarios son oportunos y tienen una gran penetración, las revistas por lo general son más eficaces para generar imágenes de usuarios y de uso. Los diarios son populares para publicidad local, en especial de minoristas. En un día promedio, aproximadamente entre la mitad y tres cuartas partes de los adultos estadounidenses leen un periódico, aunque cada vez más en su versión online. La circulación de diarios impresos cayó casi 9% en 2009.[17] Aunque los anunciantes tienen cierta flexibilidad al diseñar y publicar anuncios en los diarios, la relativamente mala calidad de reproducción y su corta vida en los anaqueles disminuyen el impacto del anuncio.

Los investigadores que estudian la publicidad impresa informan que la *imagen*, el *encabezado* y el *texto* son importantes, en ese orden. La imagen debe ser lo suficientemente fuerte para llamar la atención. El encabezado debe reforzar la imagen y llevar a la persona a leer el texto. El texto debe ser atractivo y el nombre de la marca ser suficientemente prominente. Aun así, menos del 50% del público expuesto notará incluso un anuncio realmente destacado. Cerca del 30% podría recordar el tema principal del encabezado, cerca de 25% registra el nombre del anunciante y menos del 10% leerán la mayor parte del cuerpo de texto. Los anuncios ordinarios ni siquiera alcanzan estos resultados.

Debido a la manera en que los consumidores procesan los anuncios impresos, surgen algunas claras implicaciones administrativas, como se resume en "Apuntes de marketing: Criterios de evaluación de anuncios impresos". Una campaña impresa que logró crear una imagen de marca es el vodka Absolut.[18]

Apuntes de marketing

Criterios de evaluación de anuncios impresos

Al juzgar la eficacia de un anuncio impreso, además de considerar la estrategia de comunicación (mercado meta, objetivos de comunicaciones y mensaje y estrategia creativa), los especialistas en marketing deberían ser capaces de contestar "sí" a las siguientes preguntas sobre la ejecución del anuncio:

1. ¿El mensaje es claro de un vistazo? ¿Se puede decir rápidamente de qué trata el anuncio?
2. ¿El beneficio se encuentra en el encabezado?
3. ¿La ilustración apoya el encabezado?
4. ¿La primera línea del texto sostiene o explica al encabezado y a la ilustración?
5. ¿El anuncio es fácil de leer y seguir?
6. ¿El producto es fácil de identificar?
7. ¿La marca o el patrocinador se identifican con claridad?

Fuente: Adaptado de Scott C. Purvis y Philip Ward Burton, *Which Ad Pulled Best,* 9a. edición (Lincolnwood, IL: NTC Business Books, 2002).

Absolut Vodka

Absolut Vodka El vodka generalmente es percibido como un producto materia prima, pero la gran cantidad de preferencia de marca y de lealtad en el mercado del vodka es sorprendente y se atribuye en su mayor parte a la imagen de la marca. Cuando la marca sueca Absolut entró al mercado estadounidense en 1979, la empresa vendió la decepcionante cantidad de 7 000 cajas. Para 1991, las ventas habían ascendido a más de 2 millones de cajas. Absolut se convirtió en el vodka importado de mayor venta en Estados Unidos, con más del 65% del mercado, gracias en buena parte a sus estrategias de marketing y publicidad dirigidas a bebedores acaudalados, sofisticados y con movimiento social ascendente. El vodka se encuentra en una botella distintiva y transparente que sirvió como el centro de 15 000 ejecuciones de anuncios durante un periodo de 25 años. La campaña yuxtaponía inteligentemente un juego de palabras contra una imagen estilizada de la botella; por ejemplo, "Absolut Texas" con la imagen de una botella de enorme tamaño o "Absolut 19th" con una botella hecha a base de un *green* de golf. Pero al sentir que los consumidores empezaban a perder sintonía con el mensaje, en 2007 Absolut introdujo una nueva campaña global que mostraba cómo serían las cosas en un mundo Absolut. En este mundo de fantasía, los hombres quedan embarazados, salen burbujas de jabón de las chimeneas, las obras maestras de la pintura cuelgan de las paredes de Times Square, manifestantes y policías pelean con almohadas y, tal vez lo más fantástico de todo, los Cubs de Chicago ganan la Serie Mundial. La campaña revitalizada llevó a un aumento de 9% en la venta de cajas antes de que la recesión golpeara en 2008.

Anuncios de radio. La radio es un medio muy penetrante: 93% de los ciudadanos estadounidenses mayores de 12 años escuchan la radio diariamente, aproximadamente 20 horas a la semana en promedio, cifras que se han mantenido constantes en años recientes. Buena parte de la escucha de radio se realiza en el automóvil y fuera del hogar. A medida que crece el acceso a la radio por Internet, las estaciones tradicionales de AM/FM sienten la presión y son responsables de menos de la mitad de la escucha en casa.[19]

Tal vez la mayor ventaja de la radio es la flexibilidad; las estaciones están muy dirigidas, los anuncios son relativamente baratos de producir y colocar, y los cierres rápidos permiten respuestas rápidas. La radio es un medio particularmente eficaz durante las mañanas; también permite a las empresas lograr un equilibrio entre cobertura del mercado amplia y localizada.

Las desventajas obvias de la radio son su falta de imágenes y la naturaleza relativamente pasiva del procesamiento del consumidor que resulta de ella. De cualquier forma, los anuncios de radio pueden ser extremadamente creativos. Algunos ven la falta de imágenes como un valor adicional porque sienten que el uso inteligente de la música, el sonido y otros elementos creativos pueden llegar a la imaginación del radioescucha para crear así imágenes auditivas poderosamente relevantes y agradables. A continuación, un ejemplo.[20]

Motel 6

Motel 6 La más grande cadena de moteles de presupuesto limitado de Estados Unidos, Motel 6, fue fundada en 1962 cuando el "6" significaba que costaba 6 dólares por noche. Después de que la fortuna del negocio tocara fondo en 1986 con una tasa de ocupación de solamente 66.7%, Motel 6 hizo una serie de cambios de marketing, incluyendo el lanzamiento de anuncios humorísticos para radio de 60 segundos y donde aparecía el contratista que ahora es escritor, Tom Bodett, diciendo el inteligente eslogan: "We'll Leave the Light on for You" (Dejaremos la luz prendida para usted). Ésta fue considerada una de las 100 mejores campañas de anuncios del siglo XX por la publicación líder del ramo, *Advertising Age*, y la campaña de Motel 6 continúa recibiendo premios, incluyendo el gran premio para los Radio Mercury Awards de 2009 por un anuncio llamado "DVD". En ese anuncio, Bodett introduce la "versión para DVD" de su último comercial, utilizando su característico estilo de autodesprecio para proveer comentario "detrás de las cámaras" de su propia actuación. A esta campaña, aún vigorosa, se le atribuye un aumento en la ocupación y la revitalización de la marca que continúa hasta hoy.

ASUNTOS LEGALES Y SOCIALES Para destacar entre el atestamiento, algunos anunciantes creen que tienen que ser modernos e ir más allá de los límites de lo que los consumidores están acostumbrados a ver en la publicidad. Al hacerlo, los especialistas en marketing deben asegurarse de que la publicidad no traspase las normas sociales y legales,[21] u ofenda al público en general, a grupos étnicos, minorías raciales o grupos de intereses especiales.

Un cuerpo sustancial de leyes y regulaciones rige la publicidad. Según las leyes estadounidenses, los anunciantes no deben hacer falsas declaraciones, tales como asegurar un producto cura algo cuando no lo haga. Deben evitar las falsas demostraciones, como usar acrílico cubierto de arena, en lugar de papel de lija, para demostrar que una hoja de afeitar puede rasurar papel de lija. Es ilegal en Estados Unidos crear anuncios con capacidad para engañar aunque nadie sea engañado en la realidad. Un anunciante de cera para pisos no puede decir que el producto protege durante seis meses a menos que lo haga en condiciones normales y el fabricante de un pan dietético no puede decir que tiene menos calorías solamente porque sus rebanadas son más delgadas. El desafío es diferenciar entre el engaño y el "elogio", exageraciones simples que no tienen como fin ser creídas y que *son* permitidas por ley.

Splenda contra Equal

Splenda contra Equal El eslogan para el edulcorante artificial Splenda, "Hecho de azúcar, por lo que sabe a azúcar" aparecía con el complemente "pero no es azúcar" escrito en letra más pequeña como un añadido de poca relevancia. McNeil Nutritionals, el fabricante de Splenda, sí comienza la producción con pura azúcar de caña pero ésta se quema durante el proceso de producción. Sin embargo, Merisant, fabricante de Equal, afirmaba que la publicidad de Splenda confunde a los consumidores, dado que ellos podrían concluir que un producto "hecho de azúcar" es más saludable que uno fabricado con aspartame, el ingrediente principal de Equal. Un documento utilizado en la corte y tomado de los propios archivos de McNeil observa que la percepción de los consumidores de Splenda como un "endulzante no artificial" fue uno de los mayores triunfos de la campaña de marketing de la empresa, que comenzó en 2003. Splenda se convirtió en el líder arrollador en la categoría de sustitutos para el azúcar con un 60% del mercado, dejando aproximadamente el 14% a cada uno de los siguientes: Equal (sobres azules) y Sweet'N Low (sobres rosas). Aunque McNeil finalmente acordó resolver la demanda pagando a Merisant un monto privado y "sustancial" (además de cambiar su publicidad), tal vez ya era demasiado tarde para que los consumidores cambiaran su percepción de Splenda como algo azucarado y libre de azúcar.[22]

Los vendedores en Estados Unidos están legalmente obligados a evitar publicidad que "dé gato por liebre" y atraiga a los compradores sobre la base de premisas falsas. Suponga que se anuncia una máquina de coser en 149 dólares; cuando los consumidores intenten adquirirla, el vendedor no puede rehusarse a venderla, disminuir sus características, mostrar una máquina defectuosa o prometer fechas de entrega no razonables con el fin de que el comprador adquiera una máquina más cara.[23]

La publicidad puede jugar un rol social positivo más amplio. El Ad Council es una organización no lucrativa que utiliza a los mayores talentos de la industria para producir y distribuir anuncios de servicio público para organizaciones no lucrativas y agencias gubernamentales. Desde sus orígenes con carteles de "Buy War Bonds" (Compre bonos de guerra), el Ad Council ha abordado innumerables asuntos sociales de presión a través de los años. En uno de sus esfuerzos recientes aparecían las amadas estrellas de *Plaza Sésamo*, Elmo y Gordon exhortando a los niños a lavarse las manos por la amenaza del virus de la influenza AH1N1.[24]

Decisión de los medios y medición de su eficacia

Después de elegir el mensaje, la siguiente tarea del publicista será escoger el medio que lo llevará. Los pasos son decidir el alcance deseado, la frecuencia y el impacto; elegir entre los tipos principales de medios, escoger vehículos específicos de medios; decidir la oportunidad y asignación geográfica de los medios. Finalmente, el especialista de marketing debe evaluar los resultados de estas decisiones.

Decisión sobre alcance, frecuencia e impacto

La **selección de medios** se refiere a encontrar el medio que más eficiente en costos para entregar el número y tipo deseados de exposiciones al público meta. ¿Qué significa el número deseado de exposiciones? Los anunciantes buscan un objetivo específico de publicidad y una respuesta del público meta; por ejemplo, un nivel meta de prueba de producto. Este nivel depende, entre otras cosas, del nivel de conciencia de marca. Suponga que la tasa de prueba del producto aumenta a una tasa decreciente con el nivel de conciencia del público, como se muestra en la △ figura 18.2(a). Si el anunciante busca una tasa de prueba del producto de T^*, será necesario lograr un nivel de conciencia de marca de A^*.

La siguiente tarea es averiguar cuántas exposiciones, E^*, producirán un nivel A^* de conciencia en el público. El efecto de las exposiciones en la conciencia del público depende del alcance de las exposiciones, la frecuencia y el impacto:

- ***Alcance (R).*** El número de personas u hogares expuestos a un horario particular de medios al menos una vez durante un periodo específico de tiempo.
- ***Frecuencia (F).*** El número de veces dentro del periodo específico que una persona u hogar promedio están expuestos al mensaje.
- ***Impacto (I).*** El valor cualitativo de una exposición a través de un medio determinado (por ejemplo, un anuncio de comida tendrá un impacto más alto en la revista *Bon Appetit* que en *Fortune*).

La △ figura 18.2(b) muestra la relación entre conciencia del público y alcance. La conciencia del público será mayor cuanto mayores sean el alcance de las exposiciones, su frecuencia y su impacto. Aquí existen compensaciones importantes. Suponga que el planificador tiene un presupuesto de publicidad de 1 millón de dólares y el costo por millar de exposiciones de calidad promedio es de 5 dólares. Esto significa 200 000 000 exposiciones (1 000 000 ÷ [5/1 000]). Si el anunciante busca una frecuencia promedio de exposición de 10, puede llegar a 20 000 000 de personas (200 000 000 ÷ 10) con el presupuesto determinado. Sin embargo, si el anunciante desea medios de mayor calidad que cuestan 10 dólares por millar de exposiciones, solamente podrá alcanzar 10 000 000 personas, a menos que esté dispuesto a disminuir la frecuencia de exposición deseada.

La relación entre alcance, frecuencia e impacto se plasma en los siguientes conceptos:

- ***Número total de exposiciones (E).*** Es el alcance multiplicado por el número de veces de la frecuencia promedio; es decir, $E = R \times F$, también se conoce como *puntos de rating bruto* (GRP). Si un horario de medios determinado llega a 80% de los hogares con una frecuencia promedio de exposición de 3, el horario de medios tiene un GRP de 240 (80 × 3). Si otro horario de medios tiene un GRP de 300, su peso es mayor pero no es posible determinar cómo se desglosa en alcance y frecuencia.
- ***Número ponderado de exposiciones (WE).*** Es el alcance multiplicado por la frecuencia promedio y multiplicado por el impacto promedio, es decir $WE = R \times F \times I$.

El alcance es más importante cuando se lanzan nuevos productos, marcas acompañantes, extensiones de marcas bien reconocidas o marcas que son compradas con poca frecuencia; o cuando la meta es un mercado no definido. La frecuencia es más importante donde existen fuertes competidores, cuando es necesario contar una historia compleja, donde existe alta resistencia del consumidor o en el caso de un ciclo de compras frecuentes.[25]

Una razón fundamental para la repetición es el olvido. Cuanto mayor sea la tasa de olvido asociada con una marca, categoría de productos o mensaje, mayor el nivel garantizado de repetición. Sin embargo, los anunciantes no deberían continuar con un anuncio cansado sino insistir en ejecuciones frescas de su agencia de publicidad.[26] LG ha encontrado el éxito publicitario al mantener frescas tanto sus campañas como sus ejecuciones.

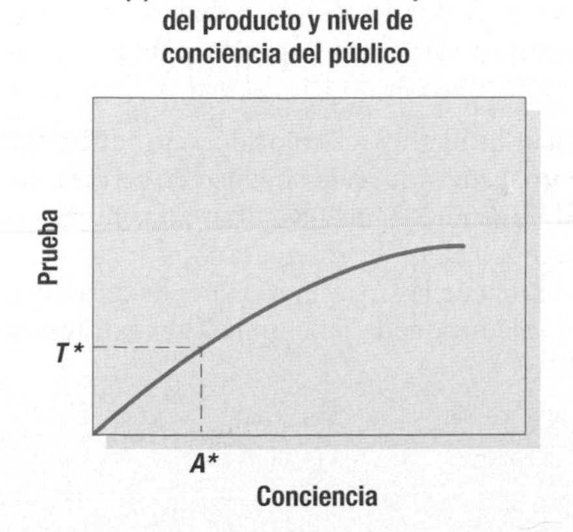

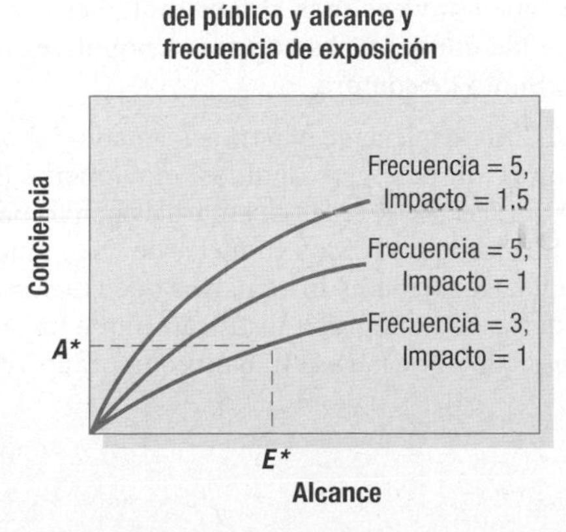

|Fig. 18.2| △

La relación entre prueba, conciencia y la función de exposición

Lavadoras LG LG se planteó como reto cambiar la percepción del lavado rudo que realizan las lavadoras. En 2010, se realizó una campaña de publicidad orientada a mujeres de entre 25 y 45 años con un nivel socioeconómico medio alto, usuarias de lavadoras o con intención de comprar lavadora. El reto era posicionar a las lavadoras LG como la forma "moderna" de lavar. La estrategia creativa consistió en enaltecer el diferenciador LG de delicadeza y eficiencia, haciendo evidentes las características negativas de las aspas mediante una estrategia que se desmarcara creativamente. Se hizo énfasis en transmitir la idea de que los chorros de agua son mejores que las aspas, a través de un tierno personaje: un osito de peluche. En los anuncios de televisión, un niñito veía angustiado cómo su mama metía su osito de peluche en la lavadora, imaginándolo destrozado por las aspas. Al terminar el lavado la mamá sacaba el oso impecable y limpio; el niño sorprendido lo recibía, viendo que dentro de la lavadora no había aspas. Para esta campaña se aprovechó al osito como portavoz en actividades en calle y promociones en punto de venta. Además del vínculo emocional, se reforzó la comunicación en piso de ventas con demostraciones en vivo del funcionamiento de la lavadora. Esta campaña logró una participación de mercado del 14%, superando en 35% lo planeado en facturación.[27]

Uno de los anunciantes más activos actualmente es LG, que emplea múltiples campañas de anuncios para atraer a nuevos clientes.

Elección entre los principales tipos de medios

El planificador de medios debe conocer la capacidad de los principales medios de publicidad para entregar alcance, frecuencia e impacto. Los principales medios de publicidad junto con sus costos, ventajas y limitaciones se muestran en la tabla 18.1. Los planificadores de medios hacen sus elecciones al considerar factores tales como los hábitos del público meta, las características del producto, los requerimientos del mensaje y el costo.

Opciones alternativas de publicidad

En años recientes, la eficacia reducida de los medios masivos tradicionales ha llevado a los anunciantes a aumentar su énfasis en los medios publicitarios alternos.

PUBLICIDAD EXTERIOR La **publicidad exterior**, también llamada publicidad fuera de casa, es una amplia categoría que incluye muchas formas creativas e inesperadas de captar la atención del consumidor. La lógica es que conviene más al fabricante llegar a las personas en donde trabajan, se divierten y, por supuesto, donde compran. Las opciones populares incluyen carteleras, espacios públicos, colocación de productos y punto de compra.

Carteleras. Las carteleras se han transformado y ahora utilizan gráficos coloridos y producidos de manera digital, iluminación posterior, sonidos, movimiento e imágenes inusuales incluso en tercera dimensión.[28] En Nueva York, las tapas de las alcantarillas han tomado una nueva imagen como tazas humeantes de café Folgers; en Bélgica, eBay colocó etiquetas de "Nos mudamos a eBay" en los aparadores vacíos de las tiendas; y en Alemania, trabajadores imaginarios que laboran dentro de las máquinas expendedoras, cajeros automáticos y kioscos de fotografía justificaron que un sitio de búsqueda de empleos alemán proclamara "La vida es demasiado corta para el trabajo equivocado".[29]

TABLA 18.1 Perfiles de los tipos principales de medios

Medio	Ventajas	Limitaciones
Diarios	Flexibilidad, oportunidad, buena cobertura del mercado local, amplia aceptación, alta credibilidad.	Corta vida, mala calidad de reproducción, *pass-along* reducido.
Televisión	Combina la vista, el sonido y el movimiento, es atractiva a los sentidos, alta atención, gran alcance.	Alto costo total, mucho atestamiento, exposición pasajera, menor selectividad de audiencia.
Correo directo	Selectividad de público, flexibilidad, no hay competencia con anuncios en el mismo medio, personalización.	Costo relativamente alto; imagen de "correo basura".
Radio	Uso masivo, alta selectividad geográfica y demográfica, bajo costo.	Presentación de audio únicamente, menor atención que la televisión, estructuras no estandarizadas de calificación, exposición pasajera.
Revistas	Alta selectividad geográfica y demográfica, credibilidad y prestigio, reproducción de alta calidad, larga vida, buen *pass-along* (número de lectores por ejemplar).	Largo tiempo de compra del espacio; algo de desperdicio en la circulación.
Exterior	Flexibilidad, alta exposición repetida, bajo costo, baja competencia.	Selectividad limitada de público, creatividad limitada.
Páginas amarillas	Excelente cobertura local, alta credibilidad, amplio alcance, bajo costo.	Fuerte competencia; altos costos por la adquisición de tiempos; creatividad limitada.
Boletines de noticias	Muy alta selectividad, control absoluto, oportunidades de interacción, costos relativamente bajos.	Los costos pueden descontrolarse.
Folletos	Flexibilidad, control absoluto, capacidad de dramatizar los mensajes.	La sobreproducción puede llevar a costos sin control.
Teléfono	Muchos usuarios, oportunidad de dar un toque personal.	Costo relativamente alto, aumento de la resistencia de los consumidores.
Internet	Alta selectividad, posibilidades de interacción, costo relativamente bajo.	Aumenta el atestamiento.

Las nuevas técnicas de medición permiten a los especialistas en marketing comprender mejor quién ha visto realmente sus anuncios exteriores.[30] La cartelera correcta puede producir una gran diferencia. Chang Soda en Bangkok tenía suficiente dinero en su presupuesto para sólo una cartelera digital. Con el fin de maximizar el impacto, construyó una botella burbujeante tamaño gigante en la cartelera para ilustrar el carbonatado de su producto. El rumor causado de boca en boca quintuplicó las ventas de 200 000 a un millón de botellas.[31]

Un fuerte mensaje creativo también puede sobresalir entre el atestamiento visual. El programa exterior de Snickers utilizó las carteleras y los anuncios en el toldo de los taxis con juegos de palabras que combinaban los beneficios de la marca con ubicaciones estratégicas, tales como "Satisflying" en el aeropuerto, "Transfer to the Ate Train" en el metro y "Snackonomics" en los taxis de Wall Street.[32]

Espacios públicos. Los anunciantes colocan cada vez más anuncios en sitios no convencionales como películas, aviones, gimnasios, así como en salones de clases, arenas deportivas, elevadores de hoteles y oficinas, y otros lugares públicos.[33] Los anuncios estilo cartelera están apareciendo por todas partes. Los anuncios de tránsito en autobuses, metro y trenes suburbanos —que han existido por años— se han convertido en una manera valiosa de llegar a las mujeres que trabajan. El "mobiliario urbano" —paradas de autobús, kioscos y áreas públicas— es otra alternativa de rápido crecimiento.

Los anunciantes pueden comprar espacio en estadios y arenas, así como en botes de basura, estacionamientos de bicicleta, parquímetros, bandas para equipaje de los aeropuertos, elevadores, bombas de gasolina, el fondo de los hoyos de golf y piscinas, paquetes de refrigerios de avión y en los perecederos del supermercado, como las pequeñas etiquetas en las manzanas y los plátanos. Incluso pueden comprar espacio en las mamparas de los baños y sobre los mingitorios que, según un estudio de investigación, los trabajadores de oficinas visitan un promedio de entre tres y cuatro veces al día durante aproximadamente cuatro minutos por visita.[34]

Snickers utiliza anuncios ingeniosos sobre los toldos de los taxis para aumentar su rentabilidad.

Product Placement (colocación de producto). Los especialistas de marketing pagan cuotas de colocación del producto de hasta 100 000 dólares y hasta 500000 dólares para que sus productos hagan apariciones en cine y televisión.[35] A veces el *product placement* es resultado de un acuerdo publicitario más grande de la cadena televisora, pero en otras ocasiones son el trabajo de pequeñas empresas de *product placement* vinculadas con los responsables de utilería, diseñadores de escenarios y ejecutivos de producción. Algunas empresas consiguen el *product placement* sin costo al proveer su producto a la empresa de cine (Nike no paga por salir en los filmes, pero con frecuencia les provee zapatos, chamarras, bolsas y demás). Cada vez más, las marcas y los productos se están entretejiendo en la trama de la historia.[36]

Staples y *The Office*

Staples y *The Office* Cuando Staples lanzó un nuevo aparato triturador de papeles de 69.99 dólares llamado MailMate en 2006, la empresa hizo un trato de dos episodios con el programa popular de NBC, *The Office.* En el primer episodio, el personaje Kevin Malone tenía la responsabilidad de triturar papel con el MailMate; en el segundo, otro personaje, Dwight Schrute, comienza a trabajar en Staples. Los escritores y productores del programa trataron de acomodar los objetivos de marketing de Staples para ese producto tanto como era posible. Para asegurarse de que la trituradora se viera lo suficientemente pequeña, la colocaron sobre el escritorio de Kevin. Para enfatizar su durabilidad, Kevin no sólo trituró papel sino también su tarjeta de crédito. Para enfatizar que la trituradora estaba disponible sólo en Staples, el episodio cerraba con Kevin triturando lechuga y haciendo con ella una ensalada. Cuando un colega le preguntaba dónde había conseguido la ensalada, él contestaba "En Staples".

El *product placement* no es inmune a las críticas conforme los legisladores critican cada vez más su naturaleza furtiva, amenazando obligar la revelación explícita de los anunciantes participantes.

Punto de venta. El capítulo 16 analizó la importancia del marketing para quienes van de compras y los esfuerzos de marketing dentro de las tiendas. El atractivo de la publicidad de punto de venta se basa en el hecho que en muchas categorías de productos, los consumidores toman el grueso de sus decisiones finales de marca en la tienda; según un estudio, se trata del 74 por ciento.[37]

Existen muchas maneras de comunicarse con los consumidores en el **punto de venta (P-O-P)**. La publicidad dentro de la tienda incluye anuncios en los carritos de compra, cinturones de los carros, pasillos y anaqueles, así como opciones de promoción tales como demostraciones en tienda, pruebas en vivo y máquinas de cupones instantáneos.[38] Algunos supermercados están vendiendo superficie de piso para logotipos de empresas y experimentando con anaqueles parlantes. El radio de P-O-P proporciona programación estilo FM y mensajes comerciales a miles de tiendas de alimentos y farmacias por todo Estados Unidos. La programación incluye un formato de música elegida por la tienda, consejos para los consumidores y comerciales. Las pantallas de video en algunas tiendas permiten que transmitan anuncios de tipo televisivo.[39]

Walmart SMART Network

Walmart SMART Network Uno de los pioneros en la publicidad dentro de la tienda, Walmart, reemplazó su original Walmart TV con su nueva red SMART en 2008. La nueva red de televisión permite a Walmart monitorear y controlar más de 27 000 pantallas individuales en unas 2 700 tiendas por todo Estados Unidos, llegando a 160 millones de espectadores cada cuatro semanas. Su característica de "triple play" permite que se muestren anuncios en una enorme pantalla de bienvenida al ingresar a la tienda, una pantalla en cada categoría de producto en cada departamento, y pantallas en cada pasillo. Estas tan visibles pantallas de cabecera de pasillo no son baratas. Los anunciantes pagan 325 000 dólares por spots de 30 segundos por ciclos de dos semanas en la sección de alimentos, y 650 000 dólares por una transmisión de cuatro semanas en el departamento de belleza y salud. Los anuncios de cinco segundos que pasan cada dos minutos durante dos semanas en las pantallas de bienvenida tienen un costo de 80 000 dólares para los anunciantes y los spots de 10 segundos presentados dos veces cada seis minutos en toda la red cuestan 50 000 dólares a la semana. Al obtener una relación entre el horario en que los anuncios fueron mostrados y cuando se realizaban las ventas de los productos, Walmart puede calcular cuánto aumentaron las ventas en cada departamento gracias a los anuncios (de 7% en Electrónica hasta 28% en Salud y belleza) y por tipo de producto (los artículos maduros aumentan en 7%; los estacionales, 18%).

EVALUACIÓN DE MEDIOS ALTERNOS Los anuncios pueden aparecer actualmente en prácticamente cualquier lugar donde los consumidores pasen unos cuantos minutos, o incluso segundos, libres para notarlos. La ventaja principal de los medios no tradicionales es que con frecuencia pueden llegar a un público muy preciso y cautivo de manera eficaz en cuanto a costos. El mensaje debe ser simple y directo. La publicidad exterior, por ejemplo, con frecuencia se llama la "venta de 15 segundos". Es más eficaz para realzar la conciencia de marca o la imagen de marca que para crear nuevas asociaciones de marca.

Sin embargo, la colocación de anuncios única diseñada para sobresalir entre el atestamiento también puede percibirse como invasiva y molesta. A menudo sucede que las personas ven anuncios en espacios que tradicionalmente consideran libres de ellos, tales como escuelas, autos de la policía y en salas de espera de médicos. No obstante, tal vez debido a su única penetración, algunos consumidores parecen estar menos molestos con los medios tradicionales actualmente que en el pasado.

El desafío para los medios no tradicionales es demostrar su alcance y eficacia a través de investigaciones creíbles e independientes. Los consumidores deben verse afectados favorablemente de alguna manera para justificar los gastos en marketing. Siempre existirá lugar para medios que permitan colocar la marca frente a los consumidores, como ocurrió con el juego de realidad virtual de McDonald's llamado "The Lost Ring".[40] En "Marketing en acción: Juegos con las marcas" se describe el rol de los juegos en el marketing en general.

McDonald's y The Lost Ring

McDonald's y The Lost Ring Como patrocinador oficial de los Juegos Olímpicos de Beijing 2008, McDonald's emprendió un esfuerzo de marketing con varias facetas. Con el fin de atrapar a jóvenes adultos inmunes a las estrategias tradicionales de medios, McDonald' —en conjunto con su agencia de marketing AKQA y el desarrollador de juegos Jane McGonigal— creó un juego de realidad alternativa (ARG) global y multilingüe llamado The Lost Ring. El juego, disponible en Web, se centraba alrededor de Ariadne, una amnésica atleta olímpica ficticia de un universo paralelo; con él unió a jugadores de todo el mundo para recuperar los antiguos secretos de estos juegos. Patrocinado discretamente por McDonald's, el juego comenzó con 50 blogueros de juegos que recibieron paquetes enigmáticos el 29 de febrero de 2008 (el "Día Bisiesto"). Los paquetes incluían un cartel con temas olímpicos de 1920 y otros artículos para picar la curiosidad con pistas de TheLostRing.com. Paulatinamente, casi 3 millones de personas en más de 100 países participaron en el juego que terminó en 24 de agosto de 2008, el último día de la Olimpiada. El juego recibió el Grand Prize en los Buzz Awards de *Adweek* en 2008.

Juegos con las marcas

Más de la mitad de los adultos estadounidenses mayores de 18 años juegan juegos de video, y casi uno de cada cinco juega todos los días o casi todos los días. Prácticamente todos los adolescentes (97%) juegan juegos de video y hasta el 40% de ellos son mujeres. Las mujeres parecen preferir los rompecabezas y juegos colaborativos, mientras los hombres parecen ser más atraídos por juegos competitivos o de simulación. Debido a esta popularidad explosiva, muchos anunciantes han decidido que "si no puedes contra ellos, úneteles".

El desarrollo de un "publijuego" de primera puede costar entre 100 000 y 500 000 dólares. El juego puede ser jugado en la página corporativa de Internet, en portales de juego o incluso en lugares públicos tales como restaurantes. 7-Up, McDonald's y Porsche han aparecido en juegos; Honda desarrolló uno que permitía a los jugadores elegir un Honda y conducir a gran velocidad por calles urbanas llenas de logotipos de Honda. En los primeros tres meses, 78 000 personas jugaron un promedio de ocho minutos cada una. El costo por millar del juego, 7 dólares, se comparaba favorablemente con un comercial de TV en horario estelar con un CPM de 11.65 dólares. Los especialistas de marketing recopilan datos valiosos de los clientes al registrarse y con frecuencia buscan su autorización para enviarles correo electrónico. De los jugadores patrocinados por la SUV Ford Escape, 54% se registraron para recibir correo electrónico.

Los especialistas de marketing también están desempeñando roles estelares en los juegos de video populares. En el juego de multijugadores Test Drive Unlimited, los jugadores pueden descansar de las carreras para ir de compras, donde encuentran al menos 10 marcas reales tales como Lexus y Hawaiian Airlines. Lara Croft de Tomb Raider conduce un Jeep Commander. Comerciantes importantes como Apple, Procter & Gamble, Toyota y Visa están subiéndose a bordo de esta tendencia. En general, las investigaciones sugieren que a los jugadores no les importan los anuncios ni la manera en que afectan la experiencia del juego. Un estudio mostró que el 70% de los jugadores sentían que los anuncios dinámicos dentro del juego "contribuían al realismo", "se ajustaban al juego" en los que aparecían y se veían bien.

Fuentes: "In-Game Advertising Research Proves Effectiveness for Brands across Categories and Game Titles," www.microsoft.com, 3 de junio de 2008; Amanda Lenhart, "Video Games: Adults Are Players Too", Pew Internet & American Life Project, www.pewresearch.org, 7 de diciembre de 2008; Erika Brown, "Game On!" *Forbes*, 24 de julio de 2006, pp. 84-86; David Radd, "Advergaming: You Got it", *BusinessWeek*, 11 de octubre de 2006; Stuart Elliott, "Madison Avenue's Full-Court Pitch to Video Gamers", *New York Times*, 16 de octubre de 2005.

Elección de vehículos específicos de medios

El planificador de medios debe buscar los vehículos más eficaces por costo dentro de cada tipo de medio elegido. El anunciante que decide comprar 30 segundos de publicidad en las cadenas de televisión puede pagar cerca de 100 000 dólares por un programa nuevo, y más de 300 000 dólares por un programa popular de horario estelar como *Sunday Night Football*, *American Idol*, *Grey's Anatomy* o *Desperate Housewives*, o más de 2.5 millones de dólares por eventos tales como el Super Bowl.[41] Estas elecciones son críticas: el costo promedio de producir un comercial de televisión de 30 segundos en 2007 era de aproximadamente 342 000 dólares.[42] Transmitir una vez un anuncio por televisión puede costar tanto como crearlo y producirlo.

Al elegir, el planificador debe contratar servicios de medición que calculan el tamaño del público, su composición y el costo de los medios. Los planificadores de medios entonces calculan el costo por millar de personas a los que se llega por cada vehículo. Un anuncio de página completa a cuatro tintas en *Sports Illustrated* costaba aproximadamente 350 000 dólares en 2010. Si *Sports Illustrated* calcula que su base de lectores es de 3.15 millones de personas, el costo de exposición del anuncio a 1 000 personas es de aproximadamente 11.20 dólares. El mismo anuncio en *Time* cuesta aproximadamente 500 000 dólares pero llega a 4.25 millones de personas, un costo por millar más alto (11.90 dólares).

El planificador de medios califica cada revista por costo por millar y prefiere las revistas con el menor costo por millar que lleguen a sus consumidores meta. Las revistas en sí mismas con frecuencia tienen un "perfil del lector" para sus anunciantes, donde se describe a sus lectores promedio con respecto a su edad, ingreso, residencia, estado civil y actividades recreativas.

Los especialistas en marketing requieren aplicar varios ajustes a la medida de costo por millar. Primero deben ajustar la *calidad del público*. Para un anuncio de loción para bebés, una revista que 1 millón de madres primerizas leen tiene un valor de exposición de 1 millón; si es leída por 1 millón de adolescentes, tiene un valor de exposición de casi cero. Segundo, deben ajustar el valor de exposición a la *probabilidad de atención del público*. Los lectores de *Vogue* podrían prestar más atención a los anuncios que los lectores de *Newsweek*.[43] Tercero, es necesario ajustarse a la *calidad editorial* del medio (prestigio y credibilidad). Las personas tienen mayor probabilidad de creer en un anuncio de radio o televisión y de tener una mayor disposición positiva hacia la marca cuando el anuncio se coloca dentro de un programa que les agrada.[44] Cuarto, es necesario considerar las *políticas de product placement adicionales* (tales como ediciones regionales u ocupacionales, o los requisitos de tiempo de elaboración de las revistas).

Los planificadores de medios están utilizando medidas más sofisticadas de eficacia y utilizándolas en modelos matemáticos para llegar a la mejor mezcla de medios. Muchas agencias de publicidad utilizan software para elegir los medios iniciales y hacer mejoras con base en factores subjetivos.[45]

Decisión del tiempo y asignación de medios

Al elegir los medios, el anunciante debe tomar decisiones tanto de macroplanificación como de microplanificación. La *decisión de macroplanificacion* se refiere a las estaciones y el ciclo de negocios. Suponga que 70% de las ventas de un producto sucede entre junio y septiembre; la empresa puede variar sus gastos de publicidad para seguir el patrón estacional, oponerse al patrón estacional o ser constante durante todo el año.

La *decisión de microplanificación* requiere una asignación de gastos de publicidad dentro de un periodo corto para obtener el máximo impacto. Suponga que la empresa decide comprar 30 spots de radio en septiembre. La ▲ figura 18.3 muestra varios patrones posibles. El lado izquierdo muestra que los mensajes publicitarios del mes pueden ser concentrados (publicidad "explosiva"), distribuidos continuamente durante todo el mes o distribuidos intermitentemente. La parte superior muestra que los mensajes publicitarios pueden ser dirigidos con una frecuencia nivelada, en aumento, en descenso o alternante.

El patrón elegido debería cumplir con los objetivos de comunicación fijados en relación con la naturaleza del producto, clientes meta, canales de distribución y otros factores de marketing. El patrón de tiempo deberá considerar tres factores. La *rotación de compradores* expresa la tasa a la cual entran nuevos compradores al mercado; cuanto más alta es esta tasa, más continua debería ser la publicidad. La *tasa de compra* es el número de veces que el comprador promedio adquiere el producto durante el periodo; cuanto mayor sea la frecuencia de compra, más continua deberá ser la publicidad. La *tasa de olvido* es la tasa a la cual el comprador olvida la marca: cuanto más alta sea ésta, más continua deberá ser la publicidad.

Al lanzar un nuevo producto, el anunciante debe elegir entre continuidad, concentración, *flighting* y pulso.

- ***Continuidad.*** Significa exposiciones que aparecen regularmente durante un periodo determinado. En general, los anunciantes utilizan la publicidad continua en situaciones del mercado en expansión, para artículos que se compran con frecuencia y en categorías de compradores estrechamente definidas.
- ***Concentración.*** Requiere gastar todo el presupuesto de publicidad en un solo periodo. Esto tiene sentido en el caso de productos con una estacionalidad de venta o una festividad relacionada.
- ***Flighting.*** Requiere publicidad durante un periodo, seguido de otro periodo sin publicidad, seguido de un segundo periodo de actividad publicitaria. Es útil cuando el presupuesto es limitado, el ciclo de compra es relativamente infrecuente o cuando los artículos son estacionales.
- ***Pulso.*** Es publicidad continua a niveles bajos, reforzada periódicamente por ondas de mayor actividad. Utiliza la fuerza de la publicidad continua y del *flighting* para crear una nueva estrategia de horario haciendo ciertas compensaciones.[46] Aquellos que favorecen los pulsos creen que el público aprenderá el mensaje con mayor profundidad y a un costo menor para la empresa.

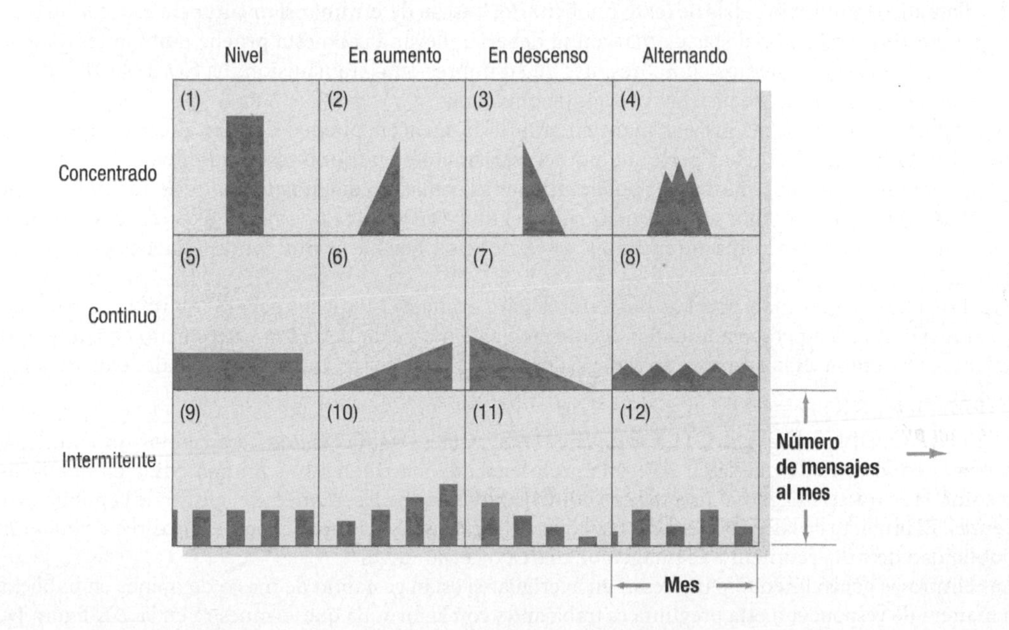

|Fig. 18.3| ▲ Clasificación de los patrones de tiempo de la publicidad

TABLA 18.2 Técnicas de investigación de pruebas previas de publicidad

Técnicas de investigación de pruebas previas de publicidad
Para anuncios impresos
Starch y Gallup & Robinson Inc. son dos servicios ampliamente utilizados de pruebas previas de impresos. Se colocan anuncios de prueba en revistas, las cuales circulan entonces entre los consumidores. Estos consumidores son contactados más adelante y entrevistados. Las pruebas de recordación y reconocimiento se usan para determinar la eficacia de la publicidad.
Para anuncios transmitidos
Pruebas en casa. Se toma video o se descarga en los hogares de los consumidores meta, quienes pueden ver los comerciales.
Pruebas de cortos. En un corto en un centro comercial, se muestran los productos a quienes van de compras y se les da la oportunidad de elegir una serie de marcas. Entonces ven los comerciales y se les proporciona cupones para utilizarlos en el centro comercial. Las tasas de redención de los cupones indican la influencia del comercial en el comportamiento de compra.
Pruebas de teatro. Los consumidores son invitados a un teatro a ver una nueva serie piloto de televisión junto con algunos comerciales. Antes de que inicie el programa, los consumidores indican las marcas preferidas en diferentes categorías; después de la presentación los consumidores eligen de nuevo las marcas preferidas. Los cambios en la preferencia miden el poder persuasivo de los comerciales.
Pruebas al aire. Se recluta a los encuestados para ver un programa en un canal de televisión normal durante la prueba del comercial o son elegidos con base en si vieron o no el programa. Entonces se les pregunta sobre la recordación del comercial.

La empresa debe decidir cómo asignar su presupuesto de publicidad en el espacio y el tiempo. La empresa hace "compras nacionales" cuando coloca anuncios en cadenas televisoras o en revistas de circulación nacional. Hace "compras de spots" cuando compra tiempo de televisión en sólo unos cuantos mercados o en ediciones regionales de revistas. Estos mercados se llaman *áreas de influencia dominante* (ADI) o *áreas designadas de marketing* (DMA). La empresa hace "compras locales" cuando se anuncia en diarios locales, en radio o sitios exteriores.

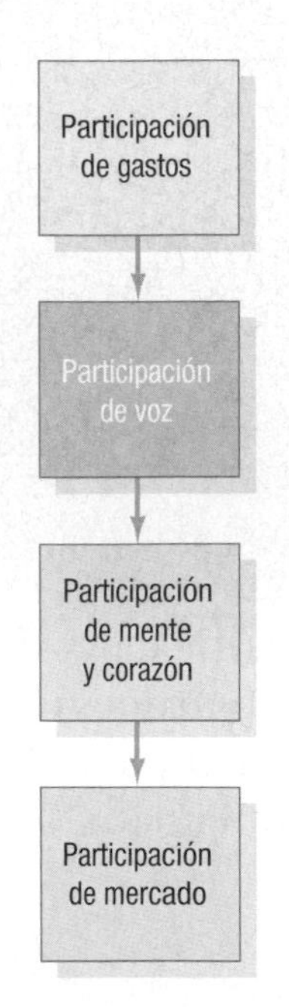

Fig. 18.4

Fórmula para medir las diferentes etapas en el impacto de ventas de la publicidad

Evaluación de la eficacia de la publicidad

La mayoría de los anunciantes intentan medir el efecto de la comunicación de un anuncio, es decir, su impacto potencial en la conciencia, conocimiento o preferencia. También les gustaría medir el efecto sobre las ventas del anuncio.

ESTUDIO DE LOS EFECTOS DE LA COMUNICACIÓN Los estudios de los efectos de la comunicación, llamados también pruebas de texto publicitario, buscan determinar si un anuncio está comunicando de forma efectiva. Los especialistas de marketing deberían llevar a cabo esta prueba tanto antes de que un anuncio sea colocado en medios como después de su impresión o transmisión. La tabla 18.2 describe algunas técnicas específicas de pruebas previas de publicidad.

Los críticos de las pruebas previas mantienen que las agencias pueden diseñar anuncios que tendrán buenos resultados en las pruebas pero que no necesariamente tendrán buen rendimiento en el mercado. Sus proponentes mantienen que de ellas puede emanar información diagnóstica y que de cualquier manera, las pruebas previas no deberían ser utilizadas como el único criterio de decisión. Nike, reconocido ampliamente como uno de los mejores anunciantes, es reconocido por hacer muy pocas pruebas previas de sus anuncios.

Muchos anunciantes usan pruebas posteriores para evaluar el impacto general de una campaña completa. Si una empresa esperaba aumentar su conciencia de marca de 20 a 50% y tuvo éxito en aumentarla a solamente 30%, entonces la empresa no está gastando lo suficiente, sus anuncios son males o ha pasado por alto algún otro factor.

INVESTIGACIONES DE EFECTO DE VENTAS ¿Cuáles ventas son generadas por un anuncio que aumenta la conciencia de marca en 20% y la preferencia de marca en 10%? En la medida en que factores tales como las características y el precio sean controlables, más fácil será medir el efecto de la publicidad en las ventas. El impacto de las ventas es más fácil de medir en las situaciones de marketing directo y más difícil en publicidad de fortalecimiento de imagen de marca o corporativa.

Las empresas generalmente se interesan en averiguar si están gastando de más o de menos en publicidad. Una manera de responder a esta pregunta es trabajando con la fórmula que se muestra en la figura 18.4.

Los *gastos de participación de publicidad* de una empresa producen el "share of voice" (proporción de la publicidad de la empresa de este producto con respecto a toda la publicidad de esa categoría de producto) que obtiene una *participación en la mente y corazón de los consumidores* y en última instancia, una *participación de mercado.*

Los investigadores intentan medir el impacto de las ventas analizando datos históricos o experimentales. El *enfoque histórico* correlaciona las ventas pasadas con gastos pasados de publicidad utilizando técnicas estadísticas avanzadas.[47] Otros investigadores utilizan un diseño experimental para medir el impacto en las ventas de la publicidad.

Un creciente número de investigadores se esfuerza en medir el efecto de los gastos de publicidad en las ventas en lugar de conformarse con las medidas de los efectos de la comunicación.[48] Millward Brown International ha llevado a cabo estudios de seguimiento durante años para ayudar a los anunciantes a decidir si la publicidad está beneficiando a su marca.[49]

Promoción de ventas

La **promoción de ventas** es un ingrediente fundamental en las campañas de marketing y está formado por conjunto de herramientas de incentivos, sobre todo a corto plazo, diseñados para estimular una compra mayor o más rápida de productos o servicios específicos por parte de consumidores o intermediarios.[50]

Mientras que la publicidad ofrece una *razón* para comprar, la promoción de ventas ofrece un *incentivo.* La promoción de ventas incluye herramientas para *promoción al cliente* (muestras, cupones, ofertas de reembolso de efectivo, descuentos, obsequios, premios, recompensas para clientes frecuentes, pruebas gratuitas, garantías, promociones vinculadas, promociones cruzadas, displays de punto de compra y demostraciones), promociones comerciales (descuentos, ajustes por publicidad y display, artículos gratuitos) y *promoción para la fuerza de ventas* (ferias comerciales y convenciones, concursos para representantes de ventas y publicidad especializada).

Objetivos

Las herramientas de promoción de ventas varían con sus objetivos específicos. Una muestra gratis estimula las pruebas de los clientes, mientras que el servicio gratuito de asesoría de administración se dirige a establecer una relación de largo plazo con un detallista.

Los vendedores utilizan promociones de incentivos para atraer a nuevas personas a probar el producto, para recompensar a los clientes leales y para aumentar las tasas de compra repetida de los usuarios ocasionales. Las promociones de ventas a menudo atraen a quienes cambian de marca y, primordialmente, buscan un precio bajo, buen valor u obsequios. Si algunos de ellos no hubiesen probado la marca, la promoción puede producir aumentos de largo plazo en la participación de mercado.[51]

Las promociones de ventas en los mercados de gran similitud de marcas pueden producir una alta respuesta en ventas en el corto plazo pero pocas ganancias permanentes en preferencia de marca en el largo. En mercados de gran disimilitud de marca, podrían ser capaces de alterar las participaciones de mercado de manera permanente. Además del cambio de marcas, los consumidores podrían comenzar a almacenar, comprando antes de lo normal (aceleración de compras) o cantidades adicionales. Pero las ventas entonces podrían tener una caída posterior a la promoción.[52]

Publicidad contra promoción

Los gastos de promoción de ventas aumentaron como porcentaje de los gastos de presupuesto durante varios años, aunque su crecimiento se ha frenado recientemente. Varios factores contribuyeron a este crecimiento, en particular en los mercados de consumo. La promoción fue más aceptada por la alta dirección como una herramienta eficaz de ventas, el número de marcas aumentó, los competidores utilizaron las promociones con frecuencia, muchas marcas se percibían como similares, los consumidores se volvieron más orientados al precio, la industria demandaba mejores tratos de los fabricantes y la eficacia de la publicidad decayó.

Pero el rápido crecimiento de la promoción de ventas provocó atestamiento. Los consumidores comenzaron a pasar por alto las promociones: la redención de cupones tuvo su máximo nivel en 1992 con 7 900 millones de cupones que fueron cambiados, pero para 2008 solamente se cambiaron 2 600 millones. Las incesantes reducciones de precios, cupones, ofertas y obsequios también pueden devaluar el producto en la mente de los compradores. Sostener una promoción de marca bien conocida en promoción más del 30% del tiempo conlleva riesgos. Los fabricantes de automóviles que recurrieron a la tasa cero de interés, los reembolsos en efectivo y programas especiales de arrendamiento para impulsar las ventas en un contexto de economía deprimida después del 11 de septiembre, tienen desde entonces dificultades para que los consumidores se desacostumbren a ellos.[53]

Los compradores leales de marcas tienden a no cambiar sus patrones de compra como resultado de las promociones competitivas. La publicidad parece ser más eficaz para aumentar la lealtad de marca, aunque podemos distinguir las promociones de valor añadido de las promociones de precios.[54] La campaña del detergente Gain, "Love at First Sniff" (Amor al primer olfateo) utilizó almohadillas aromatizadas distribuidas por correo directo o disponibles en los anaqueles, así como televisión en los anaqueles (ShelfVision) para animar a los consumidores a oler el producto, lo que produjo un aumento de casi 500% por encima de la meta en los envíos.[55]

Las promociones de precios podrían no generar un volumen permanente del total de la categoría. Un estudio de más de 1 000 promociones concluyó que solamente el 16% da resultados.[56] Los competidores con pequeña participación podrían encontrar que es ventajoso utilizar la promoción de ventas, pues no pueden gastar lo suficiente para igualar los enormes presupuestos de los líderes del mercado, ni obtener el espacio de anaquel sin ofrecer ajustes comerciales, o estimular las pruebas de los clientes sin ofrecer incentivos. Las marcas líderes ofrecen descuentos con menor frecuencia debido a que la mayoría de ellos subsidian solamente a los usuarios actuales.

El resultado es que muchas empresas productoras de bienes de consumo envasados se ven forzadas a utilizar más promoción de ventas que lo que ellas desearían. Culpan al uso intenso de las promociones de ventas por la disminución en la lealtad de marca, el aumento en la sensibilidad al precio, la dilución de imagen de la calidad de la marca y el enfoque en la planificación de marketing de corto plazo. Una reseña de la eficacia de las promociones concluyó: "Cuando son incluidas las desventajas estratégicas de las promociones, es decir, perder el control del comercio y la capacitación de los consumidores para comprar solamente con descuentos, la evidencia apunta a que es necesaria una reevaluación de las prácticas actuales y de los sistemas de incentivos responsables de esta tendencia".[57]

Decisiones principales

Al utilizar la promoción de ventas, la empresa debe establecer sus objetivos, seleccionar las herramientas, desarrollar el programa, hacer pruebas previas del programa, implementar y controlar y evaluar los resultados.

ESTABLECIMIENTO DE OBJETIVOS Los objetivos de la promoción de ventas derivan de objetivos más amplios de comunicación, los cuales derivan de objetivos de marketing más básicos para el producto. Para los consumidores, los objetivos incluyen fomentar la compra de unidades de mayor tamaño, fomentar la prueba entre los no usuarios y atraer a los consumidores cambiantes de marca fuera de las marcas competidoras. Idealmente, las promociones con los consumidores tendrían un impacto de ventas de corto plazo así como efectos de brand equity de largo plazo.[58] Para el caso de los minoristas, los objetivos incluyen persuadir a los minoristas para que tengan a la venta nuevos artículos y niveles de inventario más altos, incentivar la compra fuera de temporada, fomentar el inventario de productos relacionados, compensar las promociones de la competencia, crear lealtad de marca y obtener entrada a nuevos puntos de venta minorista. Para la fuerza de ventas, los objetivos incluyen fomentar el apoyo de un nuevo producto o modelo, fomentar una mayor prospectación y estimular las ventas fuera de temporada.[59]

SELECCIÓN DE LAS HERRAMIENTAS DE PROMOCIÓN AL CLIENTE El planificador de promociones debería tomar en cuenta el tipo de mercado, los objetivos de promoción de ventas, las condiciones de la competencia y la eficacia respecto al costo de cada herramienta. Las principales herramientas de promoción al cliente se resumen en la tabla 18.3. Las *promociones del fabricante* son, por ejemplo en la industria automotriz, las devoluciones de efectivo, obsequios para motivar las pruebas de manejo y las compras, y un alto valor de reemplazo del vehículo al darlo a cuenta de uno nuevo. Las *promociones a minoristas* incluyen reducciones de precios, publicidad donde aparezca el minorista, cupones de minoristas y concursos o premios para ellos.[60]

También es posible distinguir entre herramientas de promoción de ventas que otorgan *privilegios al consumidor* y aquellas que no lo hacen. Las primeras imparten un mensaje de ventas junto con el descuento, tales como muestras gratuitas, premios por frecuencia, cupones cuando incluyen un mensaje de ventas y obsequios cuando éstos están relacionados con el producto. Las herramientas de promoción de ventas que por lo general no crean marca incluyen los paquetes con descuento, obsequios a los consumidores que no se relacionan con el producto, concursos y rifas, ofertas de reembolsos al consumidor y ajustes comerciales.

Las promociones que otorgan privilegios al consumidor ofrecen lo mejor de ambos mundos: crean brand equity mientras movilizan el producto. Las pruebas han ganado popularidad en años recientes; empresas como McDonald's, Dunkin' Donuts y Starbucks han regalado millones de muestras de sus nuevos productos, porque agradan a los consumidores y con frecuencia llevan a ventas más altas en el largo plazo para los productos de calidad.[61]

Los cupones digitales eliminan los costos de impresión, reducen el desperdicio de papel y son fáciles de actualizar, además de tener una alta tasa de redención. Coupons.com recibe casi 5 millones de visitantes únicos al mes que buscan obtener ofertas. Casi 2 millones de consumidores visitan CoolSavings.com cada mes para obtener cupones que ahorran dinero y ofertas de marcas, así como consejos y artículos útiles, boletines de noticias, recetas gratis, rifas, pruebas y muestras gratuitas y demás. Los cupones electrónicos pueden llegar por teléfono celular, por Twitter, correo electrónico o Facebook.[62]

SELECCIÓN DE LAS HERRAMIENTAS DE PROMOCIÓN COMERCIAL Los fabricantes utilizan una serie de herramientas de promoción comercial (vea la tabla 18.4).[63] Los fabricantes entregan dinero al gremio comercial para (1) persuadir al minorista o mayorista de vender la marca; (2) persuadir al minorista o mayorista de tener un mayor número de unidades en inventario que la cantidad normal; (3) inducir

TABLA 18.3 Principales herramientas de promoción al consumidor
Muestras. Ofrecen una cantidad gratis de un producto o servicio, son entregados de puerta en puerta, por correo, en una tienda, se anexan a otros productos o aparecen en una oferta de publicidad.
Cupones. Certificados que dan derecho al portador a obtener un descuento estipulado en la compra de un producto específico: enviados por correo, anexos o sujetos a otros productos, o insertos en anuncios de diarios y revistas.
Ofertas de reembolsos en efectivo. Proveen una reducción al precio después de la compra en vez de hacerlo en la tienda minorista: el consumidor envía una "prueba de compra" al fabricante que "reembolsa" parte del precio de la compra por correo.
Paquetes con descuento. Ofertas para los consumidores con ahorros sobre el precio normal de un producto, que se destacan en la etiqueta o en el empaque. Un paquete con descuento es un paquete único que se vende a un precio reducido (por ejemplo, dos por el precio de uno). Un paquete unido son dos productos relacionados que están pegados en un mismo paquete (por ejemplo, un cepillo de dientes y un dentífrico).
Obsequios. La mercancía que se ofrece a un costo relativamente bajo o gratis como incentivo para comprar un producto determinado. Un *obsequio con paquete* acompaña el producto dentro o sobre el empaque. Un *obsequio gratuito por correo* se envía a los consumidores que envían una prueba de compra como la parte superior de una caja o un código UPC. Un *premio autoliquidable* se vende por debajo de su precio normal de minorista a los consumidores que así lo solicitan.
Programas de frecuencia. Programas que proveen recompensas relacionadas con la frecuencia del consumidor y con la intensidad de compra de los productos o servicios de la empresa.
Premios (concursos, rifas, juegos). Los *premios* ofrecen la posibilidad de ganar efectivo, viajes o mercancía como resultado de la compra de algo. Un *concurso* convoca a los consumidores a someter una participación para que sea analizado por un panel de jueces que elegirán las mejores participaciones. Una *rifa* pide a los consumidores que entreguen sus nombres para participar en ella. Un *juego* presenta a los consumidores algo cada vez que compran —números de bingo, letras faltantes— que podría ayudarles a ganar un premio.
Recompensas por compra. Valores en efectivo o en otras formas que son proporcionales a las compras a un cierto vendedor o grupo de vendedores.
Pruebas gratis. Invitación a los compradores potenciales a probar el producto sin costo, con la esperanza de que lo compren.
Garantías de producto. Promesas explícitas o implícitas de los vendedores de que el producto tendrá un rendimiento como se especifica o que el vendedor lo reparará o reembolsará su costo dentro de un plazo específico.
Promociones vinculadas. Dos o más marcas o empresas hacen alianzas en cupones, reembolsos y concursos para aumentar su poder de convocatoria.
Promociones cruzadas. Usar una marca para publicitar otra marca no competidora.
Displays de punto de compra (P-O-P) y demostraciones. Displays de punto de compra (P-O-P) y demostraciones que se llevan a cabo en el punto de compra o venta.

TABLA 18.4 Principales herramientas de promociones comerciales
Precio con descuento (sobre factura o sobre precio de lista). Un descuento aplicado al precio de lista en cada envase adquirido durante un periodo establecido.
Subsidios. Una cantidad que se ofrece a cambio de que el minorista esté de acuerdo en que los productos del fabricante aparezcan de alguna manera. Un *subsidio por publicidad* compensa a los minoristas por anunciar el producto del fabricante. Un *subsidio por display* los compensa por tener una exhibición especial del producto.
Artículos gratuitos. Ofertas de envases adicionales de mercancía para los intermediarios que compran una determinada cantidad o que tienen en exhibición un sabor o tamaño específico.

Los cupones digitales como éstos, que reflejan los cambios en los comportamientos del consumidor y están disponibles en Coupons.com, han ganado mayor importancia.

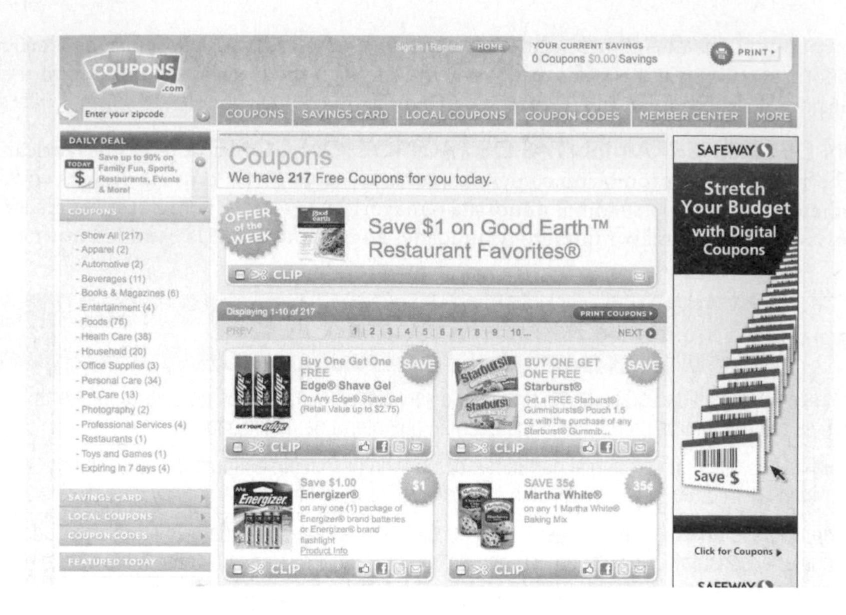

a los minoristas a promover la marca dando a conocer sus características, exhibiéndola y con reducciones de precios; y (4) estimular a los minoristas y sus vendedores a impulsar el producto.

El creciente poder de los grandes minoristas ha disminuido su capacidad de demandar promociones comerciales a expensas de las promociones al consumidor y publicidad.[64] La fuerza de ventas de la empresa y sus gerentes de marca a menudo se encuentran confundidos respecto a las promociones comerciales. La fuerza de ventas dice que los minoristas locales no mantendrán los productos de la empresa en los anaqueles a menos que reciban más incentivos monetarios de promoción comercial, mientras que los gerentes de marca desean gastar sus fondos limitados en la promoción al consumidor y en publicidad.

Los fabricantes se enfrentan a varios desafíos al administrar las promociones comerciales. Primero, encuentran difícil la supervisión cercana de los minoristas para asegurarse de que estén haciendo lo acordado. Los fabricantes insisten cada vez más en tener pruebas de rendimiento antes de pagar cualquier ajuste. Segundo, algunos minoristas están llevando a cabo *compras adelantadas*, es decir, durante el periodo de descuento compran cantidades mayores de las que pueden vender de inmediato. Los minoristas podrían responder a un ajuste de 10% menos por caja al comprar insumos para 12 semanas o más. Entonces el fabricante deberá programar más producción que la planificada y absorber los costos de turnos adicionales de trabajo y horas extra. Tercero, algunos minoristas *desvían*, comprando más cajas que las necesarias en una región donde el fabricante ofrece un descuento y envían el superávit a sus tiendas en regiones donde no esté vigente la oferta. Los fabricantes gestionan las compras adelantadas y los desvíos limitando la cantidad que venden con descuento o produciendo y entregando menos que el pedido completo en un esfuerzo por nivelar la producción.[65]

A la larga, muchos fabricantes sienten que las promociones comerciales se han vuelto una pesadilla. Contienen diversas ofertas, son complejas de administrar y con frecuencia conducen a pérdidas de ingresos.

SELECCIÓN DE HERRAMIENTAS DE PROMOCIÓN EMPRESARIAL Y DE LA FUERZA DE VENTAS Las empresas gastan miles de millones de dólares en herramientas de promoción empresarial y de la fuerza de ventas (vea la tabla 18.5) para recopilar clientes potenciales, impresionar y recompensar a los clientes, y motivar a la fuerza de ventas.[66] Por lo general desarrollan presupuestos para herramientas que se mantienen bastante constantes de un año a otro. Para muchos nuevos negocios que quieren ser reconocidos por un público meta —en especial en el mundo B2B—, las ferias comerciales son una herramienta importante, pero el costo por contacto es el más alto de todas las opciones de comunicación.

DESARROLLO DEL PROGRAMA Al planear los programas de promoción de ventas, los especialistas de marketing cada vez más están mezclando varios medios en un concepto de campaña total, como la siguiente promoción ganadora de premios.[67]

Promoción Double Stuf de Oreo

Promoción Double Stuf de Oreo La promoción ganadora del premio Super Reggie de la Marketing Association por el mejor programa integrado de marketing de 2008, Oreo Double Stuf Racing League de Kraft, capitalizó inteligentemente las imágenes de atletas profesionales que son hermanos. En su anuncio para atraer la curiosidad, los mariscales de campo de la NFL, los hermanos Peyton y Eli Manning anunciaron que oficialmente se convertirían en competidores en dos deportes. Un

TABLA 18.5 Principales herramientas de promoción empresarial y de la fuerza de ventas

Ferias comerciales y convenciones. Las asociaciones industriales organizan ferias comerciales y convenciones cada año. Las ferias comerciales son un negocio de 11 500 millones de dólares y los especialistas en marketing industrial pueden gastar hasta 35% de su presupuesto anual de promoción en ellas. La asistencia a las ferias comerciales puede variar entre pocos miles de personas hasta más de 70 000 asistentes para las grandes ferias de las industrias de restaurantes o de hoteles y moteles. Una de las ferias comerciales más grandes del mundo es la International Consumer Electronics Show que contó con más de 200 000 asistentes en 2009. Los vendedores participantes esperan varios beneficios, incluyendo la generación de nuevas ventas, mantener contacto con los clientes, el lanzamiento de nuevos productos, conocer nuevos clientes, vender más a los clientes actuales y educar a los clientes con publicaciones, videos y otros materiales audiovisuales.

Concursos de ventas. Un concurso de ventas está enfocado a inducir a la fuerza de ventas o a los distribuidores a aumentar sus resultados durante un periodo determinado, con premios para los que lo logren (por ejemplo, dinero, viajes, obsequios o puntos).

Publicidad especializada. La publicidad especializada está formada por artículos útiles y de bajo costo que llevan el nombre y dirección de la empresa y, en ocasiones, algún mensaje publicitario que los vendedores dan a los clientes y clientes potenciales. Los artículos más comunes son los bolígrafos, calendarios, llaveros, linternas, bolsas y blocks de notas.

anuncio siguiente con los hermanos reveló que el clásico ritual de "dividir y lamer" las galletas Oreo se estaba convirtiendo en un deporte profesional. Los Manning animaban al público a unirse a la liga y entrar en una rifa que les daría a 10 ganadores un viaje de tres días a Nueva Orleans para participar en una carrera de lamidas, la Double Stuf Lick Race (DSLR) y competir por un premio de 10 mil dólares. Kraft promovió la rifa del DSLR colocando la imagen de los Manning en 15 millones de paquetes de galletas Oreo y colocando displays en las tiendas y los puntos de compra. Un juego de premios instantáneos en la página Web les daba a los visitantes la oportunidad de ganar uno de los 2 000 "kits de entrenamiento" para DSLR que incluían una hielera, dos vasos y un jersey con la marca. Las estrellas del tenis, las hermanas Serena y Venus Williams también aparecieron en la segunda ronda de anuncios, desafiando a los Manning para alcanzar la supremacía de lamer galletas en la que fue llamada la "máxima rivalidad de hermanos".

Al decidir utilizar un incentivo en particular, los especialistas en marketing deben primero determinar su *tamaño*. Es necesario un mínimo determinado para que la promoción tenga éxito. Segundo, el gerente de marketing deberá establecer *condiciones* de participación. Los incentivos pueden ser ofrecidos a todos o a grupos selectos. Tercero, el especialista en marketing deberá decidir la *duración* de la promoción. Cuarto, el especialista en marketing deberá establecer el *tiempo* de la promoción y por último, el *presupuesto total de ventas de la promoción*. El costo de una promoción determinada consiste de el costo administrativo (imprimir, enviar por correo y promover la oferta) y el costo de incentivo (costo del obsequio o descuento, incluyendo los costos de redención), multiplicado por el número esperado de unidades vendidas. El costo de una oferta de cupones reconocería que únicamente una parte de los consumidores utilizará los cupones.

IMPLEMENTACIÓN Y EVALUACIÓN DEL PROGRAMA Los gerentes de marketing deben preparar planes de implementación y control para cubrir el tiempo de preparación y de venta de cada promoción individual. El *tiempo de preparación* es el tiempo necesario para preparar el programa antes de lanzarlo.[68] El *tiempo de ventas* comienza con el lanzamiento promocional y termina cuando aproximadamente el 95% de la mercancía de la oferta está en manos de los consumidores.

Los fabricantes pueden evaluar el programa utilizando datos de venta, encuestas de consumidores y experimentos. Los datos de venta (de scanner) ayudan a analizar el tipo de persona que aprovechó la promoción, lo que compraron antes de ella y cómo se comportaron más adelante hacia la marca y hacia otras marcas. Las promociones de ventas funcionan mejor cuando atraen a los clientes de los competidores, que entonces cambian de marca. Las *encuestas a los consumidores* pueden descubrir cuántos consumidores recuerdan la promoción, lo que pensaron de ella, cuántos la aprovecharon y cómo afectó la promoción el comportamiento subsecuente de elección de marca.[69] Los *experimentos* varían los atributos como el valor del incentivo, su duración y los medios de distribución. Por ejemplo, los cupones pueden ser enviados a la mitad de los hogares en un panel de consumidores. Los datos de escáner pueden registrar si los cupones llevaron a comprar el producto y cuándo.

Los costos adicionales más allá del costo de promociones específicas incluyen el riesgo de que las promociones pudieran disminuir la lealtad de marca en el largo plazo. Segundo, las promociones pueden ser más caras de lo que parecen; algunas inevitablemente se distribuyen a los consumidores equivocados. Tercero, los costos de tirajes de producción especiales, el esfuerzo adicional de la fuerza de ventas y los requerimientos de manejo. Por último, ciertas promociones molestan a los minoristas, quienes podrían exigir ajustes comerciales adicionales o rehusarse a cooperar.

Eventos y experiencias

El informe IEG Sponsorship Report proyectó que se gastarían 17 100 millones de dólares en patrocinios en Norteamérica en 2010: 68% en deportes; 10% en tours de entretenimiento y atracciones; 5% en festivales, ferias y eventos anuales; 5% en las artes; 3% en asociaciones y organizaciones de miembros y 9% en marketing con causa.[70] Convertirse en parte de un momento personalmente relevante en la vida de los consumidores a través de los eventos y experiencias puede ampliar y hacer más profunda la relación de la empresa o la marca con su mercado meta.

Los encuentros diarios con marcas podrían también afectar las actitudes de los consumidores hacia la marca y sus creencias. Los ambientes son "entornos empacados" que crean o refuerzan la inclinación de compra del producto. Las oficinas de abogados decorados con tapetes orientales y mobiliario de encino comunican "estabilidad" y "éxito".[71] Un hotel de cinco estrellas utilizará elegantes candiles, columnas de mármol y otros signos tangibles de lujo. Muchas empresas están creando experiencias de productos y de marcas en sitio y fuera de él. Existe Everything Coca-Cola en Las Vegas y M&M World en Times Square en Nueva York.[72]

Muchas empresas están creando sus propios eventos y experiencias para crear interés e implicación de los consumidores y los medios. Para presentar su alcance internacional y las mejoras en los asientos, comida y bebida, Delta Airlines creó temporalmente un salón minorista emergente llamado SKY360 en la West 57th Street de Manhattan. En el salón se ofrecían muestras de vino y comida del chef Todd English, cómodos asientos de la clase económica forrados en piel para sentarse y un sistema de entretenimiento en el respaldo de los asientos para escucharlo.[73] Debido a su ubicación central de negocios para la industria de los medios, Manhattan es el sitio de muchos eventos y experiencias.[74]

GE Profile

GE Profile Para promover su nueva lavadora de carga frontal y secadora GE Profile, con la tecnología SmartDispense —diseñada para optimizar la cantidad de detergente que se utiliza en cualquier ciclo de lavado— GE utilizó medios online y tradicionales masivos. Para crear incluso más murmullo, la empresa colgó 243 metros de jeans y camisas en un enorme tendedero en Times Square para representar los seis meses de lavadas que las nuevas máquinas podían hacer típicamente antes de necesitar más detergente. En una de las secciones del camellón había versiones inflables de 6 metros de altura de la nueva lavadora y secadora. Una subasta en vivo de celebridades para beneficiar a la caridad Clothes Off Our Back Foundation fue conducida por la mamá de televisión, Alison Sweeney. Un pequeño ejército de 20 representantes que regalaban artículos relacionados con los productos (tales como botellas de agua y libros para colorear con la forma de la puerta de los electrodomésticos) se sumaban al espectáculo. GE también tuvo una promoción online. Todos estos esfuerzos combinados atrajeron a 150 000 concursantes por un regalo de lavadora/secadora.

Objetivos de los eventos

Los especialistas en marketing informan una serie de razones para patrocinar eventos:

1. ***Para identificarse con un mercado meta o estilo de vida en particular***. Los clientes pueden ser captados geográficamente, demográficamente, psicográficamente o conductualmente según los eventos. Old Spice patrocina deportes de universidad y de motor —incluyendo un trato de 10 años con el conductor Tony Stewart para participar en la Nextel Cup y la Busch Series— para destacar la relevancia del producto y dar muestras entre su público meta de hombres entre 16 y 24 años.[75]
2. ***Para aumentar el prestigio de la empresa o del nombre del producto***. Los patrocinios con frecuencia ofrecen exposición sostenida para la marca, una condición necesaria para reforzar su prestigio. La conciencia de recordación espontánea o *top-of-mind* para los patrocinadores de la Copa Mundial de soccer tales como Emirates, Hyundai, Kia y Sony se beneficiaron con la exposición repetida de marcas y anuncios durante el torneo que dura un mes.
3. ***Para crear o reforzar percepciones de asociaciones fundamentales de imagen de marca***. Los eventos en sí mismos tienen asociaciones que ayudan a crear o reforzar las asociaciones de marca.[76] Para hacer más ruda su imagen y mensaje a la región central de Estados Unidos, la Tundra de Toyota eligió patrocinar los torneos de pesca B.A.S.S. y un tour de música *country* de Brooks & Dunn.

4. ***Para mejorar la imagen corporativa.*** Los patrocinios pueden mejorar las percepciones de que la empresa es agradable y prestigiosa. Aunque Visa percibe su patrocinio de largo plazo de los Juegos Olímpicos como un medio para mejorar la conciencia de marca internacional y aumentar el uso y volumen, también engendra buena voluntad patriótica y accede al espíritu emotivo olímpico.[77]
5. ***Para crear experiencias y evocar sentimientos.*** Los sentimientos que genera un evento emocionante o gratificante podrían vincularse indirectamente con la marca. Los modelos Audi se presentaron exitosamente en el filme taquillero *Iron Man 2* incluyendo el auto personal del personaje principal, Tony Stark, un R8 Spyder, el A8, las SUV Q5 y Q7 y un *hatchback* A3. Con el respaldo de un bombardeo de marketing de un mes, las encuestas revelaron que se duplicó el boca en boca positivo para la marca.[78]
6. ***Para expresar compromiso con la comunidad o con asuntos sociales.*** El marketing con causa patrocina a organizaciones no lucrativas y de caridad. Las empresas tales como Timberland, Sonyfield Farms, Home Depot, Starbucks, American Express y Tom's of Maine han hecho que el marketing con causa sea una piedra angular de sus programas de marketing.
7. ***Para entretener a clientes clave o recompensar a empleados clave.*** Muchos eventos incluyen lujosas carpas de hospitalidad y otros servicios o actividades especiales solamente para los patrocinadores y sus invitados. Estos beneficios generan buena voluntad y establecen valiosos contactos de negocios. Desde una perspectiva del empleado, los eventos pueden también generar participación y ánimo, o servir como un incentivo. BB&T Corp., un actor principal de banca y servicios financieros en el sur y sureste de Estados Unidos utiliza su patrocinio de NASCAR Busch Series para entretener a sus clientes de negocios y su patrocinio de las ligas menores de béisbol para generar emoción entre sus empleados.[79]
8. ***Para permitir oportunidades de comercialización o promoción.*** Muchos especialistas en marketing vinculan concursos o rifas, comercialización dentro de las tiendas, respuesta directa u otras actividades de marketing con un evento. Ford, Coca-Cola y AT&T Mobility han utilizado su patrocinio del programa de TV *American Idol* de esta manera.

A pesar de estas ventajas potenciales, el resultado de un evento puede ser impredecible y estar más allá del control del patrocinador. Aunque muchos clientes darán crédito al patrocinador por proveer la ayuda financiera necesaria para hacer posible un evento, algunos pueden resentir la comercialización de los eventos.

Decisiones importantes de patrocinio

Para que el patrocinio sea exitoso es necesario elegir los eventos adecuados, diseñar el programa de patrocinios óptimo y medir los efectos del patrocinio.[80]

ELECCIÓN DE LOS EVENTOS Debido al número de oportunidades y su enorme costo, muchos especialistas en marketing están siendo más selectivos sobre su elección de eventos patrocinados.

El evento debe cumplir los objetivos de marketing y la estrategia de comunicación definida para la marca. El público debe ser igual al mercado meta. Debe existir la suficiente conciencia del evento, debe poseer la imagen deseada y ser capaz de crear los efectos deseados. Los consumidores deben hacer atribuciones favorables a la participación del patrocinador. Un evento ideal también es único y no debe estar plagado de muchos patrocinadores, se presta a las actividades secundarias de marketing y refleja o realza la marca del patrocinador o su imagen corporativa.[81]

DISEÑO DEL PROGRAMA DE PATROCINIOS Muchos especialistas en marketing creen que el programa de marketing que acompaña el patrocinio de un evento en última instancia determina su éxito. Debe gastarse por lo menos dos o tres veces la cantidad de patrocinio en actividades de marketing relacionadas.

La *creación de eventos* es una habilidad particularmente importante en la publicidad realizada para recaudar fondos para las organizaciones no lucrativas. Los expertos en recaudación de fondos han desarrollado un enorme repertorio de eventos especiales: celebraciones de aniversario, exhibiciones de arte, subastas, noches a beneficio, ventas de libros, ventas de pasteles, concursos, bailes, cenas, ferias, desfiles de moda, campañas de solicitud de fondos por teléfono, ventas de beneficencia de artículos de segunda mano, tours, caminatas, etcétera.

Más empresas ahora utilizan sus nombres para patrocinar arenas, estadios y otras sedes de eventos. Miles de millones de dólares se han gastado en la última década por los derechos de nombre para las instalaciones deportivas en Norteamérica. Pero como sucede con cualquier patrocinio, la consideración más importante son las actividades adicionales de marketing.[82]

MEDIR LAS ACTIVIDADES DE PATROCINIO Es un desafío medir el éxito de los eventos. El método de medición del *enfoque en la oferta* se centra en la exposición potencial a la marca al evaluar la extensión de la cobertura de medios, y el método de medición del *enfoque en la demanda* se centra en la exposición informada por los consumidores. "Apuntes de marketing: Medición de los programas de patrocinio de alto rendimiento" ofrece algunos lineamientos críticos para las cuestiones de medición de patrocinio por parte de los expertos en la industria IEG.

Los métodos de **enfoque en la oferta** hacen aproximaciones a la cantidad de tiempo o espacio dedicado a la cobertura de medios de un evento; por ejemplo, el número de segundos que una marca está claramente visible en la pantalla del televisor o las pulgadas de columna en un recorte de prensa donde se la menciona. Estas "impresiones" potenciales se traducen en un valor equivalente al costo monetario de anunciarse realmente en determinado vehículo de medios. Algunos consultores de la industria han calculado que 30 segundos de exposición en televisión del logotipo durante un evento televisado pueden valer 6%, 10% o tanto como 25% de un spot publicitario de 30 segundos en televisión.

Aunque los métodos de enfoque en la oferta proveen medidas cuantificables, equiparando la cobertura de medios con la exposición publicitaria, ignoran el contenido de las respectivas comunicaciones. El anunciante utiliza espacio en medios y tiempo para comunicar un mensaje estratégicamente diseñado. La cobertura de medios y las transmisiones por televisión solamente exponen la marca y no necesariamente embellecen su significado de forma directa. Aunque algunos relacionistas públicos sostienen que la cobertura editorial positiva puede valer entre 5 y 10 veces el equivalente valor publicitario, los patrocinios rara vez proveen un tratamiento tan favorable.[83]

El **método de enfoque en la demanda** identifica el efecto que tiene el patrocinio en el conocimiento de la marca por parte del consumidor. Los especialistas en marketing pueden hacer encuestas entre los espectadores de un evento para medir la recordación del evento así como las actitudes e intenciones resultantes hacia el patrocinador.

Creación de experiencias

Una gran parte del marketing local y de raíces es el marketing experiencial, que no solamente comunica las características y los beneficios, sino que también conecta un producto o servicio con experiencias únicas e interesantes. "La idea no es vender algo, sino demostrar cómo una marca puede enriquecer la vida de un cliente".[84]

Apuntes de marketing — Medición de los programas de patrocinio de alto rendimiento

1. *Mida los resultados, no las salidas.* Enfóquese en lo que el patrocinio produjo en realidad en lugar de en lo que el patrocinador hizo u obtuvo; en lugar de enfocarse en las 5 000 personas que probaron en un evento, pregúntese cuántas de ellas podrían pertenecer al mercado meta y cuál es la tasa de conversión probable entre su comportamiento de prueba y futuro.
2. *Defina y fije objetivos futuros.* Los objetivos específicos ayudan a identificar que a las medidas se les debe dar seguimiento. Una meta de motivar a la fuerza de ventas y a los distribuidores sugiere diferentes medidas que una que sea para fortalecer la imagen de la marca y sus beneficios clave. Las medidas de contraste en términos de efectos de patrocinio y lo que hubiera podido suceder si no se hubiera llevado a cabo el patrocinio.
3. *Mida la rentabilidad para cada objetivo contra las participaciones de derechos y cuotas de activación prorrateadas.* Clasifique por rango y evalúe las metas por importancia y asigne el presupuesto total de patrocinio contra cada uno de los objetivos.
4. *Mida el comportamiento.* Lleve a cabo un análisis completo de las ventas para identificar los cambios en el comportamiento del mercado como resultado del patrocinio.
5. *Aplique los supuestos y las proporciones utilizados por otros departamentos dentro de la empresa.* La aplicación de métodos estadísticos que utilicen otros departamentos hace que sea más fácil que cualquier análisis del patrocinio sea aceptado.
6. *Investigue las identidades emocionales de los clientes y mida los resultados de sus conexiones emocionales.* ¿De qué maneras afecta el patrocinio psicológicamente a los consumidores y facilita y profundiza las relaciones de lealtad de largo plazo?
7. *Identifique las normas de grupo.* ¿Qué tan fuerte es la comunidad existente alrededor del evento o sus participantes? ¿Existen grupos formales que compartan intereses y que tendrán un impacto por parte del patrocinio?
8. *Incluya cálculos de ahorro en costos y ROI.* Haga un contraste entre los gastos en los que una empresa haya incluido regularmente en el pasado para lograr un objetivo específico contra los gastos asignados para lograr el objetivo como parte del patrocinio.
9. *Desglose los datos.* El patrocinio afecta de diferente manera a cada segmento de mercado. Al dividir el mercado meta en segmentos más pequeños es posible identificar mejor los efectos del patrocinio.
10. *Capture los datos normativos.* Desarrolle un conjunto central de criterios de evaluación que pueda aplicarse de manera cruzada en todos los diferentes programas de patrocinio.

Fuente: "Measuring High Performance Sponsorship Programs," IEG Executive Brief, IEG Sponsorship Consulting, www.sponsorship.com, 2009.

Los consumidores parecen apreciarlo. En una encuesta, cuatro de cinco encuestados encontraron que participar en un evento en vivo era más atractivo que todas las demás formas de comunicación. La gran mayoría también sentía que el marketing de experiencia les daba mayor información que otras formas de comunicación y aumentaría la posibilidad de que contaran a los demás sobre participar en el evento y ser receptivos de otras formas de marketing para la marca.[85]

Las empresas incluso pueden crear una fuerte imagen al invitar a los prospectos y clientes a visitar sus corporativos y fábricas. Ben & Jerry's, Boeing, Crayola y Hershey's patrocinan excelentes tours por sus empresas que atraen a millones de visitantes cada año. Otras empresas tales como Hallmark, Kohler y Beiersdorf (fabricantes de NIVEA) han construido museos en sus corporativos o cerca de ellos que muestran su historia y el *drama* de la producción y marketing de sus productos.

Crayola proporciona diversión llena de color a sus tours y visitas de la empresa.

Relaciones públicas

La empresa debe relacionarse constructivamente no sólo con sus clientes, proveedores y distribuidores, sino también con un gran número de públicos interesados. Un **público** es cualquier grupo que tenga un interés real o potencial en la promoción o protección de la imagen de una empresa o de sus productos. Las **relaciones públicas (RP)** incluyen varios programas diseñados para promover o proteger la imagen de una empresa o de sus productos individuales.

La empresa inteligente toma pasos concretos para gestionar las relaciones exitosas con sus públicos clave. La mayoría de las empresas tiene un departamento de relaciones públicas que monitorea las actitudes de los públicos de la organización y distribuye información y comunicaciones para generar buena voluntad. Los mejores departamentos de RP aconsejan a la alta dirección adoptar programas positivos y eliminar prácticas cuestionables para evitar que surja, en primer lugar, cualquier tipo de publicity negativa. Llevan a cabo las siguientes cinco funciones:

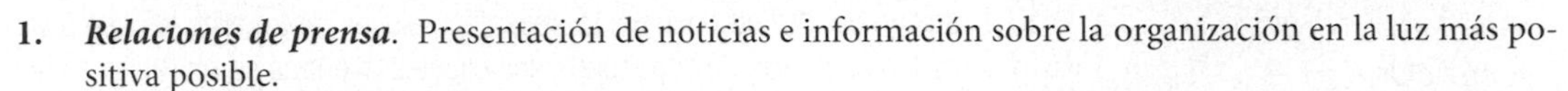

1. ***Relaciones de prensa***. Presentación de noticias e información sobre la organización en la luz más positiva posible.
2. ***Publicity del producto***. Esfuerzos de patrocinio para publicitar productos específicos.
3. ***Comunicaciones corporativas***. Promoción del entendimiento de la organización a través de comunicaciones internas y externas.
4. ***Cabildeo***. Tratar con legisladores y funcionarios para promover o rechazar legislaciones y regulaciones.
5. ***Asesoramiento.*** Asesoría a la dirección sobre asuntos públicos y posiciones e imagen de la empresa durante épocas buenas y malas.

Relaciones públicas de marketing

Muchas empresas están recurriendo a las **relaciones públicas de marketing** (**RPM**) para apoyar la promoción corporativa o de productos y la creación de imagen. RPM, igual que las RP financieras y RP comunitarias atienden una circunscripción especial: el departamento de marketing.

El nombre antiguo de las RPM era el de **publicity**, la tarea que trata de asegurar espacio editorial (y no espacio pagado) en medios impresos y de difusión masiva para promover un producto, servicio, idea, lugar, persona u organización. RPM va más allá de la simple publicity y desempeña un rol importante en las siguientes tareas:

- ***Lanzar nuevos productos.*** El fabuloso éxito comercial de los juguetes LeapFrog, Beanie Babies e incluso la última locura infantil, Silly Bandz, le debe mucho a la publicity fuerte.
- ***Reposicionar un producto maduro.*** En un clásico estudio de caso de RP, la ciudad de Nueva York tenía extremadamente mala prensa en la década de 1970, hasta que salió la campaña de "I Love New York".
- ***Crear interés en una categoría de productos.*** Las empresas y asociaciones comerciales han utilizado RPM para reconstruir el interés en las mercancías en declive, tales como los huevos, la leche, la carne de res y las papas, y para expandir el consumo de productos tales como el té, el puerco y el jugo de naranja.
- ***Influir en grupos meta específicos.*** McDonald's patrocina eventos especiales de vecindarios en comunidades latinas y afroamericanas de Estados Unidos para crear buena voluntad.

- ***Defender productos que han encontrado problemas públicos.*** Los profesionales de RP deben ser hábiles para manejar crisis, como las que soportaron marcas bien establecidas como Tylenol, Toyota y BP en 2010.
- ***Creación de la imagen corporativa de manera que se refleje favorablemente en sus productos.*** Los discursos de apertura tan anticipados de Steve Jobs en Macworld han ayudado a crear una imagen innovadora y simbólica para Apple Corporation.

A medida que el poder de la publicidad masiva se debilita, los gerentes de marketing están volviéndose hacia las RPM para crear conciencia y conocimiento de marca para productos nuevos y establecidos. RPM también es eficaz para cubrir a comunidades locales y llegar a grupos específicos y puede ser más eficaz respecto a costos que la publicidad. No obstante, debe estar planeada en conjunto con la publicidad.[86]

Es claro que las relaciones públicas creativas pueden afectar la conciencia del público por una fracción del costo de la publicidad. La empresa no paga espacio en medios o tiempo sino solamente al personal que desarrolle y ponga en circulación las historias y que gestione ciertos eventos. Una historia interesante que los medios capten puede valer millones de dólares en publicidad equivalente. Algunos expertos dicen que los consumidores tienen cinco veces más probabilidades de verse influidos por el texto editorial que por la publicidad. El siguiente es un ejemplo de una campaña de relaciones públicas ganadora de premios.[87]

Un hombre vive dentro de IKEA IKEA mostró que una campaña de marketing muy exitosa no tiene que costar mucho dinero si se emplean las RP de manera apropiada. En conjunto con su empresa de RP, Ketchum, la empresa creó su inteligente campaña de RP "Man Lives in IKEA". Con un presupuesto de tan sólo 13 500 dólares, IKEA le permitió al comediante Mark Malkoff habitar un departamento en la tienda Paramus, Nueva Jersey, del 7 al 12 de enero de 2007, periodo durante el cual se le dio acceso para filmar cualquier cosa y todo lo que quisiera. Las metas de la campaña incluían un aumento en las ventas, impulsar el tráfico a IKEA-USA.com y promover dos mensajes centrales de la marca: "IKEA tiene todo lo que necesitas para vivir y crear un hogar" y "El hogar es el lugar más importante del mundo". Ketchum e IKEA aseguraron entrevistas con los ejecutivos de la tienda y planearon el horario de la semana, que incluía una fiesta de despedida con la cantante Lisa Loeb. El equipo de Malkoff documentó sus interacciones, entre ellas las que tuvo con los guardias de seguridad y los clientes mientras se relajaban en su "hogar", y subió 25 videos durante la semana. MarkLivesInIKEA.com recibió más de 15 millones de dólares de visitas y la cobertura acerca de IKEA en blogs con relación al hogar aumentó 356% de enero de 2007 a enero de 2008. IKEA calculó que el esfuerzo generó más de 382 millones de impresiones positivas de medios. En la cobertura destacaron la AP, *Today, Good Morning America* y CNN. Las ventas en la tienda de Paramus aumentaron 5.5% comparadas con enero de 2007, y el tráfico al sitio Web de IKEA aumentó 6.8 por ciento.

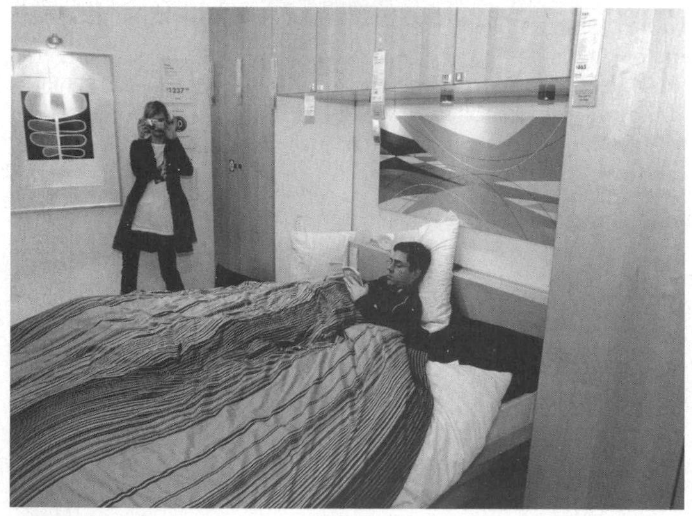

En una inteligente campaña de RP para reforzar su mensaje de marca de "todo para el hogar", un hombre vivió dentro de una tienda IKEA durante casi una semana, de lo que se enteraron muchas personas mediante el equipo de filmación que lo seguía para un corto documental en su sitio Web: http://marklivesinikea.com.

Decisiones importantes en marketing de RP

Al considerar cómo y cuándo utilizar RPM, la dirección debe establecer los objetivos de marketing, elegir los mensajes de RP y sus objetivos, escoger los mensajes de RPM y sus vehículos, implementar el plan cuidadosamente y evaluar los resultados. Las herramientas principales de RPM se describen en la tabla 18.6.

ESTABLECIMIENTO DE OBJETIVOS Las RPM pueden crear *conciencia* al colocar historias en los medios para captar la atención de un producto, servicio, persona, organización o idea. Puede crear *credibilidad* al comunicar el mensaje en un contexto editorial. Puede ayudar a impulsar la fuerza de ventas y el *entusiasmo* de los distribuidores con historias sobre un nuevo producto antes de su lanzamiento. Puede mantener bajos los *costos de promoción* debido a que RPM cuesta menos que el correo directo y la publicidad en medios.

Mientras los especialistas de RP llegan a sus públicos meta a través de los medios masivos, cada vez más las RPM toman prestadas las técnicas y tecnología del marketing de respuesta directa para llegar a los miembros del público meta uno por uno.

ELECCIÓN DE LOS MENSAJES DE RPM Y SUS VEHÍCULOS Suponga que una universidad relativamente desconocida desea mayor visibilidad. El especialista en RPM buscará historias. ¿Alguno de los miembros del cuerpo docente trabajan en proyectos inusuales? ¿Se están impartiendo cursos nuevos

TABLA 18.6 Herramientas importantes en el marketing de RP
Publicaciones. Las empresas dependen mucho en los materiales publicados para llegar e influir en sus mercados meta. Éstos incluyen los informes anuales, folletos, artículos, boletines de noticias de la empresa y revistas, así como material audiovisual.
Eventos. Las empresas pueden captar atención hacia los nuevos productos u otras actividades de la empresa al arreglar y publicitar eventos especiales tales como conferencias de prensa, seminarios, salidas, ferias comerciales, exhibiciones, concursos y competencias, y aniversarios que llegarán a los públicos meta.
Patrocinios. Las empresas pueden promover sus marcas y nombre corporativo al patrocinar y publicitar eventos deportivos y culturales, y causas que tengan alta estima.
Noticias. Una de las tareas principales de los profesionales en RP es encontrar o crear noticias favorables sobre la empresa, sus productos y su gente y que los medios acepten sus comunicados de prensa y asistan a conferencias de prensa.
Discursos. Cada vez más, los ejecutivos de las empresas deben responder a preguntas de los medios o dar pláticas en asociaciones comerciales o juntas de ventas, y estas apariciones pueden fortalecer la imagen de la empresa.
Actividades de servicio público. Las empresas pueden crear buena voluntad contribuyendo con dinero y tiempo a causas benéficas.
Medios de identidad. Las empresas necesitan una identidad visual que el público reconozca de inmediato. La identidad visual la llevan los logotipos de la empresa, la papelería, folletos, señalamientos, formas de negocios, tarjetas de negocios, edificios, uniformes y códigos de vestuario.

o inusuales? ¿Están sucediendo eventos interesantes en el campus? Si no existen historias interesantes, el especialista en RPM debería proponer eventos dignos de ser noticia que la universidad podría patrocinar. El desafío es crear noticias significativas. Las ideas de RP incluyen ser la sede de convenciones académicas importantes, invitar a oradores expertos o celebridades y desarrollar conferencias de prensa.

Cada evento y actividad es una oportunidad de desarrollar una multitud de historias dirigidas a diferentes públicos. Una buena campaña de RP atraerá al público desde una variedad de ángulos como lo hizo esta campaña ganadora de premios de helados Dreyer's.[88]

Helados Dreyer's En 2010, para la Campaign of the Year de *PRWeek* Dreyer's Ice Cream hizo equipo con la empresa de PR, Ketchum, para lanzar una campaña cuyo fin era cambiar el entorno económico difícil en uno positivo. Aprovechando el 80o aniversario de que lanzaran su sabor Rocky Road —diseñado para alegrar a las personas durante la Gran Depresión— Dreyer's lanzó una edición limitada de sabor para celebrar llamado "Red, White & No More Blues!". El helado combinaba un rico y cremoso helado de vainilla con espirales de fresa y mora azul reales. La campaña posterior "A Taste of Recovery" (Una probada de recuperación) fue diseñada para reforzar el espíritu de "sentirse bien" de la marca. Un concurso de Monster.com pedía a los concursantes que enviaran videos que explicaran el sueño personal que cumplirían si ganaban 100 000 dólares por servir helado. El concurso atrajo más de 85 000 visitas online y más de 14 000 entradas. Un torbellino de medios que dio la bienvenida al ganador ayudó a contribuir a los 46 millones de impresiones de medios que disfrutó la campaña. A pesar de los tiempos económicamente difíciles, las ventas del helado de Dreyer's aumentaron más de 25% sobre el año anterior para su Slow Churned Limited Editions.

Un aniversario de la marca constituye una fabulosa oportunidad para celebrar sus aspectos positivos, como lo hizo Dreyer's al lanzar su edición especial de helado.

IMPLEMENTACIÓN CUIDADOSA DEL PLAN Y EVALUACIÓN DE RESULTADOS La contribución de RPM al balance general es difícil de medir, debido a que se utiliza junto con otras herramientas de promoción.

La medida más fácil de la eficacia de RPM es el número de *exposiciones* que se logran con los medios. Los publicistas proporcionan al cliente un libro de recortes donde se muestran todos los medios donde aparecieron noticias sobre el producto y un enunciado de resumen como el siguiente:

> *La cobertura de medios incluyó 8 900 centímetros de columnas de noticias y fotografías en 350 publicaciones con una circulación combinada de 79.4 millones; 2 500 minutos de tiempo aire en 290 estaciones de radio y un público estimado de 65 millones; además de 660 minutos de tiempo aire en 160 estaciones de televisión con un público estimado de 91 millones. Si este tiempo y espacio hubiesen sido comprados a tarifas de publicidad, hubieran sumado 1 047 000 de dólares.*[89]

Esta medida no es muy satisfactoria pues no contiene indicaciones de cuánta gente realmente leyó, escuchó o recuerda el mensaje, ni lo que ellos pensaron después. Tampoco proporciona información sobre el público neto al que se llegó, debido a que las publicaciones se traslapan en su lectura. También quedan fuera los efectos de los medios electrónicos. La meta de publicity es el alcance, no la frecuencia, así que sería más útil conocer el número de exposiciones sin duplicarse en todos los tipos de medios.

Una mejor medida es el cambio en *conciencia del producto, comprensión y actitud* que son resultado de la campaña de RPM (después de descontar el efecto de otras herramientas promocionales). Por ejemplo, ¿cuántas personas recuerdan haber escuchado la noticia? ¿Cuántos contaron a otros sobre ella (una medida de boca en boca)? ¿Cómo cambió su opinión después de escucharlo?

Resumen

1. La publicidad es cualquier forma de promoción y presentación no personal y pagada de ideas, bienes o servicios de un patrocinador identificado. Los anunciantes incluyen no solamente empresas, sino también organizaciones de caridad, no lucrativas e instituciones gubernamentales.
2. El desarrollo de un programa de publicidad tiene un proceso de cuatro pasos: (1) formulación de objetivos, (2) establecimiento del presupuesto, (3) elección del mensaje publicitario y la estrategia creativa, (4) decisión sobre los medios y (5) evaluación de los efectos de la comunicación y las ventas.
3. La promoción de ventas consiste en su mayor parte de herramientas de incentivos de corto plazo, diseñadas para estimular una compra más rápida o mayor de productos y servicios determinados por los consumidores o por el gremio.
4. Al utilizar la promoción de ventas, la empresa debe establecer sus objetivos, elegir las herramientas, desarrollar el programa, hacer pruebas previas del programa, implementarlo y controlarlo y, por último, evaluar los resultados.
5. Los eventos y experiencias son medios para convertirse en parte de momentos especiales y personalmente relevantes en las vidas de los consumidores. Los eventos pueden ampliar y profundizar la relación del patrocinador con su mercado meta, pero solamente si se gestiona adecuadamente.
6. Las *relaciones públicas* (RP) incluyen variedad de programas diseñados para promover o proteger la imagen de una empresa o de sus productos individuales. Las *relaciones públicas de marketing* (RPM) para apoyar al departamento de marketing en la promoción corporativa o de productos, y la creación de imagen, pueden afectar la conciencia del público por una fracción del costo de la publicidad y con frecuencia tiene mayor credibilidad. Las herramientas principales de RP son las publicaciones, eventos, noticias, asuntos comunitarios, medios de identificación, cabildeo y responsabilidad social.

Aplicaciones

Debate de marketing

¿Deberían los especialistas de marketing probar la publicidad?

Los creativos de publicidad se han lamentado por largo tiempo de que se hagan pruebas con los anuncios. Creen que esto inhibe su proceso creativo y provoca que los comerciales se parezcan demasiado entre sí. Los especialistas en marketing, por otro lado, creen que las pruebas previas proveen controles y balances que aseguran que la campaña publicitaria conectará con los consumidores y será bien recibida en el mercado.

Asuma una posición: Las pruebas previas de los anuncios con frecuencia son un desperdicio innecesario de presupuesto de marketing *versus* Las pruebas previas proveen un diagnóstico importante para los especialistas de marketing acerca del éxito probable de una campaña publicitaria.

Discusión de marketing

Publicidad por televisión

¿Cuáles son algunos de sus anuncios favoritos de televisión? ¿Qué tan eficaces son el mensaje y la estrategia creativa? ¿Cómo crean preferencia del consumidor y lealtad, y cómo generan brand equity?

Marketing de excelencia

>>Coca-Cola

Cuando se trata de marketing masivo, tal vez nadie lo haga mejor que Coca-Cola. Es la bebida refrescante más popular y de mayor venta en la historia. Con un presupuesto de marketing de casi 3 000 millones de dólares y ventas anuales que rebasan los 30 000 millones de dólares, la marca es la primera del ranking de Interbrand año tras año. Hoy, Coca-Cola tiene un valor actual de marca de 68 000 millones de dólares y llega a los consumidores en más de 200 países, lo que la convierte en el producto mejor conocido del mundo. De hecho, Coca-Cola es un fenómeno global de tal magnitud que su nombre es la segunda palabra mejor comprendida del mundo (la primera es *okay*).

La historia del éxito de Coca-Cola es asombrosa. La bebida fue inventada en 1886 por el Dr. John S. Pemberton, quien mezcló un jarabe de su propia invención con agua carbonatada para curar los dolores de cabeza. El primer presidente de la empresa convirtió el producto en un fenómeno cultural al presentarlo a los farmacéuticos y consumidores de todo el mundo y regalando relojes, carteles y otra parafernalia con el logotipo de Coca-Cola.

Coca-Cola creía en sus inicios que para tener aceptación mundial, la marca necesitaba conectar emocionalmente y socialmente con las masas, y que el producto necesitaba encontrarse "al alcance de la mano del deseo". Así que la empresa se enfocó en obtener distribución extensiva y trabajó duro para que todos amaran su producto. Durante la segunda Guerra Mundial, declaró que "cada hombre uniformado obtendrá una botella de Coca-Cola por cinco centavos, donde quiera que esté y cualquiera que sea el costo para la empresa". Esta estrategia ayudó a lanzar la bebida refrescante a personas de todo el mundo así como a conectarse con ellos de manera positiva en un momento de agitación.

¿Por qué Coca-Cola es mucho más grande que cualquiera de sus competidores? Lo que Coca hace mejor que casi todos los demás es crear campañas globales muy actuales y capaces de subir el ánimo, las cuales se traducen bien en diferentes países, idiomas y culturas. A través de los años, la publicidad de Coca se ha enfocado principalmente en la capacidad del producto para saciar la sed y la capacidad mágica de la marca de conectar personas sin importar quiénes son o cómo viven. Andy Warhol lo dijo mejor: "Una Coca es una Coca y ninguna cantidad de dinero te puede conseguir una Coca mejor que la que el vago de la esquina está bebiéndose".

Uno de los comerciales de Coca-Cola más memorables y exitosos se llamaba "Hilltop" (Cima de la colina) y en él aparecía la canción "I'd like to buy the world a Coke" (en español, cantaba "Quisiera al mundo darle hogar..."). Lanzado en 1971, en el anuncio aparecían adultos jóvenes de todo el mundo compartiendo un momento feliz y armonioso y un vínculo común (beber una Coca) en una colina en Italia. El comercial tocó emocionalmente a tantos consumidores y mostraba con tanta eficacia el atractivo de Coca por todo el mundo que ese mismo año la canción se convirtió en un sencillo del *Top-ten*.

Los comerciales de televisión todavía se vinculan con el mensaje de la conexión universal por una Coca, con frecuencia con un tono ligero para atraer un público joven. En un spot, un grupo de adultos jóvenes están sentados alrededor de una fogata, tocando la guitarra, sonriendo y riendo y pasando entre ellos una botella de Coca-Cola. La botella le llega a un extraterrestre baboso y con un solo ojo que participa en la diversión, le da un trago a la botella y la pasa. Cuando el siguiente bebedor limpia con disgusto la baba, la música se detiene de pronto y el grupo lo mira fijamente, decepcionado. El hombre de inmediato le devuelve la botella al extraterrestre para que la babee de nuevo y entonces bebe de ella, y la música y la fiesta continúan en perfecta armonía.

La estrategia de comunicación masiva de Coca-Cola ha evolucionado con los años y ahora mezcla un amplio rango de medios que incluye televisión, radio, impresos, online, en tienda, digital, carteleras, relaciones públicas, eventos, parafernalia e incluso su propio museo. El público meta y el alcance de la empresa son tan masivos que la elección de los medios y el mensaje de marketing correctos es crítico. Coca-Cola utiliza los grandes eventos para llegar a públicos enormes; ha patrocinado las Olimpiadas desde 1928 y se anuncia durante el Super Bowl. Vasos rojos de Coca-Cola aparecen al frente y en medio durante programas de *rating* alto como *American Idol* y la empresa gasta más de 1 000 millones de dólares al año en patrocinios deportivos como NASCAR y la Copa Mundial de Fútbol. Las campañas globales de Coca-Cola también deben ser relevantes a escala local. Por ejemplo, en China, Coca-Cola ha otorgado a sus gerentes regionales el control sobre la publicidad para que puedan incluir mensajes apropiados a la cultura.

El delicado equilibrio entre el marketing local y global de Coca-Cola es crucial porque, como explicó un ejecutivo de la empresa, "Crear marketing eficaz a nivel local en ausencia de una escala global puede llevar a enormes ineficiencias". En 2006, por ejemplo, Coca-Cola transmitió dos campañas durante la Copa Mundial de Fútbol así como varias campañas locales. En 2010, la empresa tuvo una sola campaña durante el mismo evento en más de 100 mercados. Los ejecutivos de Coca-Cola calculan que la segunda estrategia, más global, le ahorró a la empresa más de 45 millones de dólares en eficiencias.

A pesar de su éxito sin precedentes durante los años, Coca no es perfecta. En 1985, en lo que probablemente sea el peor lanzamiento de producto de la historia, Coca-Cola introdujo la New Coke, una mezcla más dulce que la fórmula original secreta. Los consumidores la rechazaron de inmediato y las ventas cayeron. Tres meses después, Coca-Cola retiró la New Coke y relanzó la fórmula original con el nombre Coca-Cola Classic para deleite de los consumidores en todas partes. Roberto Goizueta, el entonces CEO declaró, "El hecho simplemente es que todo el tiempo, dinero y capacidad que se dedicó a investigaciones del consumidor para la nueva Coca-Cola no podía medir o revelar el original apego emocional tan profundo y perdurable de tanta gente por la Coca-Cola original".

El éxito de Coca-Cola para comercializar un producto en una escala tan global y masiva es único. Ningún otro producto es tan universalmente disponible, aceptado y amado. A medida que la empresa continúa creciendo, busca nuevas maneras de conectar mejor con más personas. Al referirse a sí misma como la "Fábrica de la felicidad" es optimista en que tendrá éxito.

Preguntas

1. ¿Qué es lo que representa Coca-Cola? ¿Es lo mismo para todos? Explique.
2. Coca-Cola ha comercializado exitosamente a miles de millones de personas en todo el mundo. ¿Por qué es tan exitosa?
3. ¿Puede Pepsi o cualquier otra empresa rebasar a Coca-Cola? ¿Por qué sí o por qué no? ¿Cuáles son los mayores riesgos para Coca-Cola?

Fuentes: Natalie Zmuda, "Coca-Cola Lays Out Its Vision for the Future at 2010 Meeting", *Advertising Age*, 22 de noviembre de 2009; Natalie Zmuda, "Coke's 'Open Happiness' Keeps It Simple for Global Audience", *Advertising Age*, 21 de enero de 2009; John Greenwald, "Will Teens Buy It?" *Time*, 24 de junio de 2001; "Coca-Cola Still Viewed as Most Valuable Brand", *USA Today*, 18 de septiembre de 2009; Edward Rothstein, "Ingredients: Carbonated Water, High-Fructose Corniness…", *New York Times*, 30 de julio de 2007; Brad Cook, "Coca-Cola: A Classic", *Brandchannel*, 2 de diciembre de 2002; Coca-Cola, *Annual Report*.

Marketing de excelencia

>>Gillette

Gillette conoce a los hombres. La empresa no solamente comprende qué productos desean los hombres para sus necesidades de arreglo personal, sino también sabe cómo hacer marketing para los hombres de todo el mundo. Desde que King C. Gillette, en 1901, inventó la navaja de seguridad, Gillette ha tenido una serie de productos innovadores y de gran avance. Éstos incluyen el primer sistema de hojas gemelas en 1971 llamado Trac II, una máquina de afeitar con cabeza que pivoteaba llamada Atra, y la primera máquina con hojas gemelas montadas sobre resortes en 1989 llamada Sensor. En 1998 Gillette lanzó el primer sistema de hoja triple, Mach3, que se convirtió en una marca multimillonaria sobrepasada solamente por el lanzamiento en 2006 de "la mejor afeitada del planeta": la Fusión de seis hojas, con cinco hojas al frente para un afeitado regular y una en la parte de atrás para recortar.

Hoy, Gillette tiene un establecido liderazgo del negocio de la afeitada y las rasuradoras con una participación de mercado global de 70% y 7 500 millones de dólares anuales en ventas. 600 millones de hombres utilizan un producto Gillette todos los días, y la Fusion representa el 45% de las máquinas de afeitar vendidas en Estados Unidos. El atractivo masivo de Gillette es resultado de varios factores, incluyendo extensas investigaciones del consumidor, innovaciones en calidad del producto y comunicaciones masivas exitosas.

Mientras que los lanzamientos de productos Gillette han mejorado el cuidado de la apariencia de los hombres, lo que la ha ayudado a alcanzar este nivel internacional de éxito son su impresionante conocimiento de marketing y sus campañas. Tradicionalmente, Gillette utiliza un mensaje global de marketing en lugar de mensajes individuales dirigidos para cada país o región. Este mensaje está respaldado por un amplio espectro de apoyo publicitario, incluyendo patrocinios de atletas, campañas de televisión, promociones en tienda, anuncios impresos, publicidad online y marketing directo.

El más reciente esfuerzo de marketing global de Gillette, "The Moment", lanzado en 2009, es una extensión de su bien reconocida campaña "The Best a Man Can Get". En la campaña aparecen hombres comunes así como los Campeones Gillette —el estrella del béisbol, Derek Jeter; el campeón de tenis, Roger Federer y el grande del soccer, Thierry Henry— experimentando momentos de duda y los productos para el arreglo personal de Gillette ayudándoles a obtener confianza. La campaña estaba diseñada para ayudar a Gillette a expandirse más allá de las máquinas y cremas para afeitar, y para aumentar las ventas de su línea completa de productos de arreglo personal. El enorme esfuerzo de marketing fue lanzado alrededor del mundo e incluyó publicidad por televisión, impresa y en punto de venta.

Otro elemento crucial en la estrategia de marketing de Gillette es el marketing deportivo. El ajuste natural de Gillette con el béisbol y la tradición ha ayudado a la empresa a conectar emocionalmente con su público principal, y su patrocino de la Major League Baseball data de 1939. Tim Brosnan, EVP de Major League Baseball, explicó: "Gillette es una pionera del marketing deportivo que trazó el rumbo para los patrocinios y promociones de la era moderna". En los anuncios de Gillette han aparecido héroes del béisbol como Hank Aaron, Mickey Mantle y Honus Wagner ya desde 1910.

Gillette también tiene vínculos con el fútbol americano. La empresa patrocina a Gillette Stadium, casa de los Patriotas de Nueva Inglaterra, y es un patrocinador corporativo de la NFL, donde cuatro de sus productos —Gillette, Old Spice, Head & Shoulders y Febreze— son "Productos oficiales de los vestuarios de la NFL". La sociedad de Gillette incluye rifas para ganar boletos a los partidos de la NFL, promociones en los sitios Web y vínculos con la NFL tales como la presencia de algunos jugadores de la liga en sus comerciales. Gillette también patrocina varias carreras y conductores de NASCAR y el torneo de rugby Tri-Nations del Reino Unido. Incluso creó un Zamboni en los juegos de hockey de los Bruins de Boston que parecía una enorme Fusion que afeitaba el hielo.

Mientras el marketing deportivo es un elemento crítico de la estrategia de marketing de Gillette, la marca tiene como objetivo llegar a todos los hombres, y por lo tanto se alinea con músicos, juegos de video y películas (en una película de James Bond, *Goldfinger,* una máquina de afeitar Gillette contenía un dispositivo de guía).

Cuando Procter & Gamble adquirió Gillette en 2005 por 57 000 millones de dólares (un récord de cinco veces las ventas), su objetivo era más que las ventas y las ganancias. P&G, experta en marketing para mujeres, quería aprender sobre el marketing para hombres a escala global, y nadie es mejor que Gillette.

Preguntas

1. Gillette ha convencido con éxito al mundo que "más es mejor" en términos del número de hojas y otras características de las máquinas de afeitar. ¿Por qué ha funcionado esto en el pasado? ¿Qué sigue?

2. Algunos de los portavoces de Gillette, como Tiger Woods, han caído en controversia después de convertirse en figuras de la marca. ¿Esto perjudica el brand equity de Gillette o su mensaje de marketing? Explique.

3. ¿Podrá algún día Gillette ser tan exitosa en hacer marketing para mujeres como lo es para los hombres? ¿Por qué sí o por qué no?

Fuentes: Comunicado de prensa de Gillette, "Gillette Launches New Global Brand Marketing Campaign," 1 de julio de 2009; comunicado de prensa de Major League Baseball, "Major League Baseball Announces Extension of Historic Sponsorship with Gillette Dating Back to 1939," 16 de abril de 2009; Gillette, *2009 Annual Report;* Jeremy Mullman y Rich Thomaselli "Why Tiger Is Still the Best Gillette Can Get," *Advertising Age,* 7 de diciembre de 2009; Louise Story, "Procter and Gillette Learn from Each Other's Marketing Ways". *New York Times,* 12 de abril de 2007; Dan Beucke, "A Blade Too Far," *BusinessWeek,* 14 de agosto de 2006; Jenn Abelson, "And Then There Were Five," *Boston Globe,* 15 de septiembre de 2005; Jack Neff, "Six-Blade Blitz," *Advertising Age,* 19 de septiembre de 2005, pp. 3, 53; Editorial, "Gillette Spends Smart on Fusion," *Advertising Age,* 26 de septiembre de 2005, p.24.

En este capítulo responderemos las siguientes preguntas

1. ¿Qué pueden hacer las empresas para poner en práctica marketing directo y lograr ventajas competitivas?
2. ¿Qué pueden hacer las empresas para implementar un marketing interactivo eficaz?
3. ¿Cómo se ve influido el éxito del marketing por las recomendaciones de boca en boca?
4. ¿Qué decisiones enfrentan las compañías al diseñar y gestionar una fuerza de ventas?
5. ¿Qué pueden hacer los vendedores para mejorar sus habilidades de ventas, negociación y marketing de relaciones?

Como un reflejo de la nueva sensibilidad de los consumidores ante el bien que hacen las empresas, Pepsi utilizó el Super Bowl para lanzar una importante iniciativa de marketing con causa en lugar de sus típicas campañas.

Gestión de las comunicaciones personales: marketing directo e interactivo, recomendación de boca en boca y ventas personales

De cara a la revolución de Internet, en la actualidad es cada vez más frecuente que las comunicaciones de marketing se den como una especie de diálogo personal entre la empresa y sus clientes. Las empresas deben preguntar no solamente "¿Cómo debemos llegar a nuestros clientes?", sino "¿De qué manera llegan ellos hasta nosotros?" y "¿Cómo pueden ponerse en contacto entre sí?". Las nuevas tecnologías han animado a las empresas a dejar atrás las comunicaciones masivas y adoptar formatos de dos vías, mejor dirigidos. Los consumidores ahora desempeñan un rol mucho más participativo en el proceso de marketing. Veamos qué ha hecho Pepsi para involucrar al consumidor en sus comunicaciones de marketing.[1]

Por primera vez en 23 años, PepsiCo eligió no anunciar sus marcas de bebidas refrescantes durante el evento de medios masivos más grande de Estados Unidos: el Super Bowl. En lugar de ello lanzó su ambicioso Pepsi Refresh Project. Con el eslogan "Every Pepsi Refreshes the World" (Cada Pepsi refresca al mundo), Pepsi destinó 20 millones de dólares para que el programa tuviera fondos para promover ideas de cualquier persona, en cualquier lugar y en cualquier momento, tendientes a hacer la diferencia en seis áreas: salud, arte y cultura, vivienda y alimentación, el planeta, acción comunitaria y educación. Las ideas debían registrarse en refresheverything.com, y el público en general votaba por ellas online. Un aspecto fundamental del programa ha sido su presencia significativa en Facebook, Twitter y otras redes sociales. Los primeros ganadores recibieron fondos para diversos proyectos, por ejemplo la construcción de un parque de juegos comunitario, la provisión de paquetes de cuidado y confort para soldados estadounidenses en misión o en recuperación de sus heridas en casa, o sesiones de capacitación financiera para adolescentes. En el verano de 2010 Pepsi también asignó 1.3 millones de dólares adicionales para apoyar a comunidades de las regiones del Golfo de México, afectadas por el catastrófico derrame de petróleo.

Los especialistas en marketing intentan descifrar la manera correcta de participar en las conversaciones de los consumidores. Un aspecto crítico para la eficacia del marketing es la personalización de las comunicaciones y la creación de diálogos donde se hace y dice lo correcto a la persona adecuada y en el momento apropiado. En este capítulo hablaremos de cómo las empresas personalizan sus comunicaciones de marketing para tener mayor impacto. Comenzaremos con la evaluación del marketing directo e interactivo, para después analizar el marketing de boca en boca, y por último las ventas personales y la fuerza de ventas.

Marketing directo

Actualmente muchos especialistas de marketing crean relaciones a largo plazo con sus clientes.[2] Por ejemplo, les envían tarjetas de cumpleaños, material informativo o pequeños obsequios. Las aerolíneas, los hoteles y otras empresas adoptan programas de recompensas y programas de clubes.[3] El **marketing directo** implica el uso de canales directos al consumidor (CD) para llegar hasta los clientes y entregarles bienes y servicios sin utilizar intermediarios de marketing.

Los especialistas en marketing directo pueden utilizar diversos canales para llegar de manera individual a sus clientes potenciales y actuales: correo directo, marketing por catálogo, telemarketing, TV interactiva, kioscos, sitios Web y dispositivos móviles. Con frecuencia buscan una respuesta medible del consumidor —por lo general un pedido— a través del **marketing de pedido directo**. El marketing directo ha tenido un gran crecimiento como medio de atención a clientes, en parte debido a los cada vez más altos costos que implica llegar a los mercados industriales mediante una fuerza de ventas. Las ventas producidas a través de canales de marketing directo tradicionales (catálogos, correo directo y telemarketing) se han venido incrementando con rapidez, al igual que las ventas de correo directo, incluyendo las realizadas en los mercados de consumo y B2B, así como la generación de fondos por parte de las instituciones de caridad.

En Estados Unidos, el marketing directo se ha impuesto a las ventas minoristas y contribuyó con casi 53% al gasto total en publicidad en 2009; además, las empresas gastaron más de 149 000 millones de dólares en marketing directo por año, lo que representa un 8.3% del PIB.[4]

Los beneficios del marketing directo

La *desmasificación del mercado* ha provocado un constante aumento de nichos de mercado. Los consumidores con poco tiempo, cansados del tránsito y la escasez de lugares de estacionamiento agradecen los números telefónicos gratuitos, los sitios de Internet siempre activos, la entrega rápida de mercancía y el compromiso del especialista en marketing directo con el servicio al cliente. Además, muchas cadenas de tiendas han dejado de comercializar artículos de especialidad de lento desplazamiento, lo que crea una oportunidad para los especialistas en marketing directo para cubrir ese hueco y atender a los compradores interesados.

Los vendedores también se ven beneficiados por la desmasificación. Los especialistas en marketing directo pueden comprar listas de correos con nombres correspondientes a casi cualquier grupo demográfico: personas zurdas, con sobrepeso, millonarios. Pueden personalizar o adaptar a su gusto los mensajes y crear una relación continua con cada cliente. Por ejemplo, a medida que sus bebés vayan creciendo los padres primerizos recibirán periódicamente por correo mensajes con descripciones de nueva ropa, juguetes y otros productos.

El marketing directo puede llegar a los clientes potenciales en el momento en que deseen hacer un pedido y, por lo tanto, será recibido con mayor interés. Además, permite que los especialistas en marketing prueben medios y mensajes alternativos hasta encontrar el enfoque más eficaz en función de su inversión. El marketing directo también hace que la oferta y la estrategia del especialista en marketing directo sean menos visibles para los competidores. Por último, los especialistas en marketing directo tienen la capacidad de medir las respuestas a sus campañas y decidir cuáles han sido más rentables. Un exitoso especialista en marketing directo es Martha Sophia.[5]

Martha Sophia Las grandes historias de éxito empresarial tienen una característica común: la capacidad del fundador de la compañía para detectar una necesidad desatendida y desarrollar una manera original de satisfacerla. Martha Sophia Elizondo fue más allá. Con su empresa de ambientación de espacios y creación de arreglos florales no sólo abrió un mercado totalmente nuevo en México, sino que desarrolló y patentó una tecnología especial, única en el mundo. Se trata de una innovación que permite que plantas, follajes y flores naturales conserven su color, aroma y textura hasta por 15 años, según el cuidado que se les dé. Este descubrimiento la llevó a fundar en 1985 *Martha Sophia*, una compañía líder en su mercado, que hoy cuenta con 12 sucursales en el país. Esta emprendedora comenzó trabajando en casa, y al principio se concentró en la fabricación de productos navideños, como pinos y coronas de adviento, hechos con materiales naturales preservados. Pero había un problema. "La Navidad sólo ocurre una vez al año y no podíamos sostenernos sólo de las ventas decembrinas", comenta Martha Sophia. La solución fue pensar en grande y pasar al siguiente nivel. Con una inversión bastante modesta, la empresaria adaptó un local al sur de la Ciudad de México y amplió su oferta con nuevas líneas de negocio. Hoy éstas incluyen arreglos florales —elaborados con flores preservadas y sintéticas, y frutas artificiales hechas y pintadas a mano—, servicios de jardinería y diseño de paisaje, interiores y decoración de espacios para ceremonias y eventos. Sólo un año después de su fundación, la compañía había desarrollado ya una importante cartera de consumidores en todo el país, tanto de mayoristas —mueblerías, tiendas de regalos y de decoración— como de minoristas. En la actualidad su lista de compradores está constituida en un 90% por particulares; el resto de la venta deriva de una mezcla de clientes corporativos (hoteles, restaurantes, centros comerciales, spas, etc.). Para Martha Sophia el activo más valioso de la empresa son sus colaboradores, a quienes capacita semanalmente en temas como diseño de paisaje, horticultura, técnicas de ventas y atención al cliente, con el propósito de lograr la satisfacción total de sus consumidores al ofrecerles soluciones en ambientación y decoración de acuerdo con sus necesidades. Martha Sophia y sus vendedores no ofrecen adornos, sino "emociones y recuerdos". "La regla de oro es siempre ir más allá y ofrecer toda una experiencia de compra. Queremos que los compradores regresen convertidos en fanáticos. Eso, junto con la calidad de nuestros productos, es lo que hace que tengamos clientes que han permanecido leales a nuestra marca desde hace 25 años", asegura la fundadora. Gracias a la buena respuesta que tuvo del mercado, en 2003 la empresa fue invitada por una de las cadenas de almacenes departamentales más importantes del país, El Palacio de Hierro, a comercializar sus productos en sus tiendas, pero no como un proveedor más, sino con una "tienda dentro de la tienda", es decir, montando una *corner* dentro de sus instalaciones. Hoy en día nueve de sus 12 sucursales están ubicadas dentro de esas unidades, y las ventas generadas ahí representan el 30% del total de la facturación de la marca. Además de estos canales de venta, la empresa maneja una tienda online y tiene presencia en clubes de precio como Sam's Club y Costco, bajo la marca Home Accents by Martha Sophia. Uno de los retos más importantes para la compañía fue la comunicación, ya que la publicidad de la marca antes dependía solamente de las recomendaciones "de boca en boca". Gracias al apoyo de un consultor especializado, la empresa ha mejorado mucho en este renglón usando una fórmula sencilla que se basa en definir un mercado meta, un cliente ideal, una propuesta de valor, y probar semana tras semana la generación de prospectos para convertirlos en clientes. La estrategia actual incluye distribución de *flyers*, publicación de anuncios en periódicos zonales, campañas de e-marketing y página Web, promociones y descuentos en punto de venta, patrocinio de eventos, mejora de la imagen corporativa, etc. Además se implementaron otras tácticas, como la mejora de la entrega y el reparto a domicilio, y la creación de planes de pago y financiamiento. Los beneficios fueron evidentes desde la primera semana, y cinco meses después las ventas se habían incrementado 43% en las tiendas independientes y 42% en los espacios de El Palacio de Hierro.

Martha Sophia tiene un enfoque de satisfacción total de las necesidades del cliente, así como una adecuada estrategia de comunicación y comercialización.

El marketing directo debe estar integrado con otras comunicaciones y actividades de canal.[6] Empresas de marketing directo como Eddie Bauer, Land's End y Franklin Mint han hecho fortunas fortaleciendo sus marcas en el negocio de los pedidos telefónicos y por correo y, subsecuentemente, abriendo tiendas minoristas. La promoción de sus puntos de venta físicos, catálogos y sitios Web se da de manera cruzada, por ejemplo, poniendo sus direcciones Web en sus bolsas de compras.

Los especialistas en marketing directo que han alcanzado más éxito ven las interacciones con el cliente como una oportunidad para vender hacia arriba, hacer ventas cruzadas, o simplemente hacer más estrecha la relación. En consecuencia, se aseguran de conocer a cada cliente lo suficiente como para adecuar y personalizar sus ofertas y mensajes, y desarrollar un plan de marketing de por vida para cada cliente valioso, con base en su conocimiento de los eventos y transiciones de su vida. Por supuesto, también planifican cuidadosamente cada elemento de sus campañas. A continuación se comenta una campaña ganadora de premios que hizo justamente eso.[7]

Páginas amarillas de Nueva Zelanda

Páginas amarillas de Nueva Zelanda Uno de los ganadores más importantes de la edición 2009 de los premios ECHO, otorgados por la Direct Marketing Association, fue el New Zealand Yellow Pages Group. Con el tema "Job Done" (tarea cumplida), el grupo reclutó a una joven que fue el foco de la campaña y le dio la misión de construir un restaurante a 12 metros de altura, en la copa de un árbol de secuoya, utilizando solamente proveedores que se anunciaran en las páginas amarillas. La campaña fue lanzada a través de un anuncio de televisión, una cartelera y medios online, y un sitio Web presentaba actualizaciones. El acceso a la llamativa Casa del Árbol en forma de vaina era mediante una pasarela elevada entre las copas de los árboles. Como parte de esa campaña, el restaurante operó de diciembre de 2008 a febrero de 2009. A la muy popular campaña se le acredita un aumento del 1% en el uso de las páginas amarillas, un nivel récord.

A continuación se considerarán algunos de los asuntos fundamentales que caracterizan a los distintos canales de marketing.

Correo directo

El marketing por correo directo implica hacer llegar una oferta, anuncio, recordatorio u otro artículo a un consumidor individual. Utilizando listas de correo muy selectivas, los especialistas en marketing directo envían millones de piezas de correo al año: cartas, folletos, páginas desplegables y otras comunicaciones de venta "con alas". Algunos especialistas en marketing directo utilizan este medio para entregar DVD multimedia a sus clientes y clientes potenciales.

Para demostrar enfáticamente la utilidad de su producto, New Zealand Yellow Pages Group encargó a una diseñadora la construcción de un restaurante en la copa de un árbol, utilizando solamente contratistas que se anunciaran en las páginas amarillas.

El correo directo es un medio popular, porque permite selectividad del mercado meta, puede ser personalizado, es flexible, y da oportunidad de realizar pruebas y medir la respuesta desde el inicio de la campaña. Aunque proporcionalmente su costo es más alto que el de los medios masivos, las personas a las que se llega son mucho mejores clientes potenciales. Sin embargo, el éxito del correo directo también se ha convertido en su desventaja: son tantos los especialistas en marketing directo que lo utilizan, que el correo atiborra los buzones de algunos consumidores, quienes optan por ignorar la gran cantidad de ofertas recibidas.

Para crear una campaña de correo directo eficaz, los especialistas en marketing directo deben elegir sus objetivos, sus mercados meta y clientes potenciales, los elementos de la oferta, los medios para probar la campaña y las formas de medir el éxito de la misma.

OBJETIVOS Casi todos los especialistas en marketing directo tienen como meta recibir un pedido de sus clientes potenciales y juzgan el éxito de la campaña según la tasa de respuesta. Una tasa de respuesta de pedido de entre 2 y 4% suele considerarse buena, aunque este número varía dependiendo de la categoría del producto, su precio y la naturaleza de la oferta.[8] El correo directo también puede generar clientes potenciales interesados, fortalecer las relaciones con los clientes, informar y educar a los clientes, recordarles de las ofertas y reforzar las decisiones de compra reciente de los clientes.

MERCADOS META Y CLIENTES POTENCIALES La mayoría de los especialistas en marketing directo aplican la fórmula UFI (*última adquisición, frecuencia de compra e importe gastado*) para seleccionar clientes dependiendo del tiempo que ha pasado desde su última compra, cuántas veces han comprado y cuánto han gastado desde que se volvieron clientes. Suponga que la empresa desea comercializar una chaqueta de cuero. Podría presentar esta oferta a los clientes más atractivos, a los que hicieron una compra en el periodo de los 30 y 60 días anteriores, a quienes compran entre tres y seis veces al año, y los que han gastado al menos 100 dólares desde que se volvieron clientes. Se establecen puntos para diferentes niveles de UFI; a mayor cantidad de puntos, más atractivo resulta el cliente.[9]

Los especialistas en marketing también identifican a sus clientes potenciales con base en su edad, sexo, ingreso, educación, compras anteriores por correo y ocasión. Los recién inscritos en la universidad comprarán computadoras portátiles, mochilas y refrigeradores compactos; los recién casados buscan vivienda, muebles, electrodomésticos y préstamos bancarios. Otra variable útil es el estilo de vida o las "pasiones" del cliente, incluyendo aparatos electrónicos, la cocina o la naturaleza.

Dun & Bradstreet provee gran cantidad de datos para el marketing directo B2B. En este caso el cliente potencial por lo general no es un individuo, sino un grupo o comité que integra decisores e influyentes en la decisión. Cada miembro necesita ser tratado de manera diferente y el tiempo, la frecuencia, la naturaleza y el formato del contacto debe reflejar su estatus y el rol que juega.

Los mejores clientes potenciales de una empresa son aquellos que ya le han comprado productos. Por otro lado, el especialista en marketing también puede comprar listas de nombres a corredores especializados, pero éstas suelen presentar diversas problemáticas, como nombres duplicados, datos incompletos y direcciones obsoletas. Las mejores listas incluyen información demográfica y psicográfica. Los especialistas en marketing directo por lo general compran y prueban una muestra antes de adquirir más nombres de la misma lista. Asimismo, pueden generar sus propias listas al anunciar una oferta promocional y recopilar las respuestas.

ELEMENTOS DE LA OFERTA La estrategia de la oferta consta de cinco elementos: el *producto*, la *oferta*, el *medio*, el *método de distribución* y la *estrategia creativa*.[10] Afortunadamente todos son susceptibles de prueba. El especialista en marketing directo también debe considerar cinco componentes para el envío por correo: el sobre exterior, la carta de venta, la circular, la forma de respuesta y el sobre de respuesta. Una estrategia común en el marketing directo consiste en enviar un mensaje de correo electrónico como seguimiento al correo directo.

PRUEBA DE LOS ELEMENTOS Una de las grandes ventajas del marketing directo es que ofrece la oportunidad de probar, en condiciones reales del mercado, los elementos de una estrategia de oferta, tales como productos, características de productos, plataforma de texto publicitario, tipo de envío, sobres, precios o listas de correo.

Las tasas de respuesta generalmente subestiman el impacto a largo plazo de la campaña. Suponga que solamente 2% de quienes reciben una publicidad de equipajes Samsonite por correo directo hacen un pedido. Un porcentaje mucho mayor estará consciente del producto (el correo directo tiene un gran número de lectores), y es probable que parte del mismo se haya hecho el propósito de comprar dicho artículo más adelante (ya sea por correo o a través de un punto de venta minorista). Algunos de los destinatarios del mensaje podrían mencionar el equipaje Samsonite a otras personas como resultado de la pieza de correo directo. Para calcular mejor la penetración de la promoción, algunas empresas miden el impacto del marketing directo según la conciencia, la intención de compra y la publicidad de boca en boca generadas.

MEDIDAS DE ÉXITO DE LA CAMPAÑA: VALOR DE POR VIDA Al sumar los costos planificados de campaña, el especialista en marketing directo puede determinar la tasa de respuesta necesaria para alcanzar el punto de equilibrio. Esta tasa debe tomar en cuenta el monto neto de la mercancía devuelta y las deudas incobrables. Es posible que una campaña específica no llegue al punto de equilibrio en el corto plazo, pero puede ser rentable en el largo plazo si se toma en consideración el valor de vida del cliente (vea el capítulo 5), calculando su longevidad promedio, sus gastos anuales promedio, el margen bruto promedio menos el costo promedio implícito en su adquisición y mantenimiento (descontando el costo de oportunidad monetario).[11]

Marketing por catálogo

En el marketing por catálogo las empresas suelen enviar catálogos de su línea completa de mercancías, catálogos de especialidades de consumo y catálogos de negocios, generalmente impresos pero también en DVD u online. En 2009, tres de los principales vendedores por catálogo B2C en Estados Unidos fueron Dell (51 000 millones de dólares); Staples (8 900 millones de dólares) y CDW (8 100 millones de dólares). Los tres principales vendedores por catálogo B2B fueron Thermo Scientific, insumos científicos para laboratorio e investigación (10 500 millones de dólares); Henry Schien, insumos para dentistas, médicos y veterinarios (6 400 millones de dólares), y WESCO International con insumos de mantenimiento eléctrico e industrial (6 100 millones de dólares). Miles de pequeños negocios también publican catálogos de especialidad.[12] Muchos especialistas en marketing directo encuentran que la combinación de catálogos y sitios Web constituye una forma eficaz de venta.

Los catálogos son un enorme negocio: en Estados Unidos, por ejemplo, la industria de minoristas por Internet y por catálogo incluye 16 000 empresas con ingresos combinados anuales de 235 000 millones de dólares.[13] El éxito de un negocio por catálogo depende de la gestión cuidadosa de las listas de cliente para evitar duplicados o deudas incobrables, controlar el inventario, y ofrecer mercancía de buena calidad para tener pocas devoluciones y proyectar una imagen distintiva. Algunas empresas añaden información en varias formas, envían muestras de materiales, mantienen en operación una línea telefónica u online para responder preguntas, envían obsequios a sus mejores clientes y donan un porcentaje de sus ventas a causas benéficas. La colocación de su catálogo completo online también da a los especialistas en marketing directo un mejor acceso a los consumidores globales que nunca antes, lo que produce ahorros en costos de impresión y envío postal.

Telemarketing

El **telemarketing** es el uso del teléfono y de centros de llamadas telefónicas para atraer a los clientes potenciales, vender a los clientes actuales y dar servicio tomando pedidos y respondiendo preguntas. Ayuda a las empresas a aumentar sus ingresos, reducir los costos de ventas y mejorar la satisfacción del cliente. Las compañías utilizan centros de llamadas para tener *telemarketing de entrada*, es decir, recibir llamadas de los clientes— y *telemarketing de salida*: iniciar llamadas a clientes y clientes potenciales.

Aunque el telemarketing de salida históricamente ha sido una herramienta de marketing directo muy importante, su naturaleza potencialmente intrusiva llevó a la Federal Trade Commission de Estados Unidos a establecer el National Do Not Call Registry en 2003. Cerca de 191 millones de consumidores que no deseaban recibir llamadas de telemarketing en casa estaban registrados en 2009. Debido a que solamente las organizaciones políticas, de beneficencia, los encuestadores telefónicos o las empresas que tienen relaciones establecidas con los clientes están exentos de ese registro, el telemarketing de consumo ha perdido mucha eficacia.[14]

Sin embargo, el telemarketing entre empresas está en aumento. Raleigh Bicycles utilizó el telemarketing para reducir los costos de venta personal implícitos en contactar a sus distribuidores. En el primer año, los costos de viaje de la fuerza de ventas cayeron 50%, y las ventas en un solo trimestre aumentaron 34 por ciento. A medida que mejore con el uso de los videoteléfonos, el telemarketing reemplazará cada vez más, aunque nunca eliminará, las relativamente más costosas visitas de venta en campo.

Otros medios para marketing de respuesta directa

Los especialistas en marketing directo utilizan todos los medios principales. Los diarios y las revistas tienen anuncios que ofrecen libros, ropa, electrodomésticos, vacaciones y otros bienes y servicios que se pueden ordenar llamando a números gratuitos. Los anuncios en radio presentan ofertas las 24 horas del día. Algunas empresas preparan *infomerciales* de 30 y 60 minutos para combinar la venta de comerciales de televisión con el atractivo de la información y el entretenimiento. Los infomerciales promueven productos que son complicados o de tecnología avanzada, o que requieren muchas explicaciones (Cruceros Carnival, Mercedes, Universal Studios e incluso Monster.com). Los canales de compras en casa están dedicados a la venta de bienes y servicios mediante un número gratuito o a través de la Web, entregándolos en un máximo de 48 horas después de realizado el pedido.

Cuestiones públicas y éticas en el marketing directo

Los especialistas en marketing directo generalmente disfrutan relaciones mutuamente gratificantes con el público. Sin embargo, ocasionalmente surgen inconvenientes:

- ***Irritación.*** A muchas personas no les agrada recibir propuestas de venta insistentes y marketing directo.
- ***Injusticia.*** Algunos especialistas en marketing directo se aprovechan de compradores más impulsivos o menos sofisticados, o acechan a los vulnerables, en especial a los ancianos.[15]
- ***Engaño y fraude.*** Algunos especialistas en marketing directo diseñan envíos y escriben textos con la intención de engañar o exagerar sobre el tamaño del producto, su rendimiento o el "precio minorista". La Federal Trade Commission recibe miles de quejas al año sobre inversiones fraudulentas y caridades ficticias.
- ***Invasión de la privacidad.*** Da la impresión de que cada vez que los consumidores piden productos por correo o por teléfono, solicitan una tarjeta de crédito o compran una suscripción a una revista, sus nombres, direcciones y comportamientos de compra podrían añadirse a varias bases de datos de empresas. Los críticos se preocupan de que los especialistas en marketing puedan saber demasiado sobre las vidas de los consumidores, y utilizar ese conocimiento para tomar ventaja de manera injusta.

Quienes laboran en la industria del marketing directo saben que, si no se atienden, esos problemas llevarán a los consumidores a asumir actitudes cada vez más negativas, ocasionando menores tasas de respuesta y exigencias de mayores regulaciones estatales y federales. Casi todos los especialistas en marketing directo quieren lo mismo que los consumidores: ofertas de marketing honestas y bien diseñadas, dirigidas solamente a quienes estén interesados en escucharlas.

Marketing interactivo

Los canales más nuevos y de crecimiento más rápido para comunicar y vender directamente a los consumidores son los electrónicos.[16] Internet ofrece a los especialistas en marketing y a los consumidores oportunidades para tener mucha mayor *interacción* e *individualización*. Pronto, pocos programas de marketing serán considerados completos sin un componente significativo online.

Online	4:13
TV y video	3:17
Música y radio	1:26
Teléfono móvil	1:18
Teléfono fijo	0:36
Jugando	0:36
Leyendo	0:24

|Fig. 19.1| △

Tiempo promedio diario dedicado a medios, según el US Consumers, 2009 (horas:minutos)

Fuente: Yankee Group, "2009 Advertising Forecast Update: Less TV, More Internet", 6 de abril de 2010. Derechos de autor 1997-2010, Yankee Group. Todos los derechos reservados.

Ventajas y desventajas del marketing interactivo

La variedad de opciones de comunicación online implica que las empresas pueden enviar mensajes adecuados para atraer consumidores al reflejar sus intereses y comportamientos especiales. Internet también es responsable de ello y sus efectos pueden rastrearse con facilidad al observar cuántos visitantes únicos o "UV" hacen clic en una página o anuncio, cuánto tiempo pasan en ella y a dónde van después.[17]

Los especialistas en marketing pueden generar o acceder a comunidades online, invitando a los consumidores a participar y creando un activo de marketing de largo plazo en el proceso. La Web ofrece la ventaja de la *colocación contextual*, comprando anuncios en sitios relacionados con las ofertas del especialista en marketing. Los especialistas en marketing también pueden colocar anuncios con base en palabras clave de los buscadores, para llegar a las personas cuando en realidad ya han comenzado el proceso de compra.

El uso de la Web también tiene desventajas. Los consumidores pueden filtrar la mayoría de los mensajes. Otro riesgo es que los especialistas en marketing piensen que sus anuncios son más eficaces de lo que son si se generan clics falsos por medio de sitios Web con software para ese fin.[18] Los anunciantes también pierden algo de control sobre sus mensajes online, mismos que pueden ser víctimas de hackers o de vandalismo.

Pero muchos sienten que las ventajas superan las desventajas, y la Web atrae a especialistas en marketing de todo tipo. Los voceros de la empresa pionera en productos de belleza, Estée Lauder, quienes llegaron a afirmar que la compañía dependía de tres medios de comunicación para crear su negocio de cosméticos multimillonario —"el teléfono, el telégrafo y contárselo a una mujer"— ahora tendrían que agregar la Web: el sitio oficial de la empresa describe productos nuevos y viejos, anuncia ofertas especiales y promociones, y ayuda a los clientes a encontrar una tienda donde puedan comprar los productos de Estée Lauder.[19]

Los especialistas en marketing deben ir a donde están los clientes, y cada vez más ese lugar está online. Los consumidores estadounidenses están en la Web más del 25% del tiempo total que dedican a los medios (vea la △ figura 19.1). Sin embargo, son los clientes quienes definen las reglas de participación, y se aíslan con ayuda de agentes e intermediarios si así lo desean. Los clientes definen qué información necesitan, qué ofertas les interesan y cuánto están dispuestos a pagar.[20]

La publicidad online continúa robando terreno a los medios tradicionales. Se estima que el gasto total en anuncios de Internet aumentó a 26000 millones de dólares en 2009 —de un total de 24000 millones de dólares en 2008— y que los anuncios por televisión cayeron a 41 000 millones de dólares en 2009, de 52000 millones de dólares en 2008. El surgimiento de anuncios multimedia que combinan animación, video y sonido con características interactivas han ayudado a impulsar el crecimiento online.[21] Considere lo que Burger King ha hecho en este medio.

Burger King

Burger King "La promesa global de marca 'Have It Your Way' (Se hará como quieras)", dice Russ Klein, ex presidente de marketing global, estrategia e innovación de Burger King, "implica poner a los clientes a cargo", incluso si "hablan mal" de la marca. Dado que compite contra McDonald's y su imagen amigable con la familia, "es más importante para nosotros ser provocativos que agradables", añadió Klein, en especial cuando se atrae a un mercado principalmente de adolescentes de sexo masculino. Las descaradas campañas de Burger King —donde aparece el extraño rey de enorme cabeza oscilante y un pollo que habla— han aparecido en YouTube y MySpace, así que la empresa puede aprovechar la "conectividad social" a medida que los consumidores reaccionan ante los anuncios. Burger King anima a los clientes a crear comunidades online alrededor de sus iconos y productos favoritos de la empresa. Para celebrar el 50 aniversario de su popular hamburguesa Whooper, la empresa ocupó un restaurante Burger King en Las Vegas durante un día y le dijo a la gente que la Whooper había sido retirada del menú para siempre. Las reacciones escandalizadas de los clientes fueron filmadas como parte de una campaña ganadora de premios llamada "Whooper Freakout", que sirvió como base para anuncios por televisión y videos online. Más de cinco millones de consumidores vieron el video de ocho minutos, otros 14 millones vieron los spots de televisión en YouTube, y millones más escucharon o leyeron sobre ellos por medio de RP o comentarios de boca en boca.[22]

Opciones de comunicación interactiva de marketing

La empresa elige cuáles formas de marketing interactivo serán las más eficaces en cuanto a costos para lograr sus objetivos de comunicación y ventas.[23] Algunas de las categorías principales, que se tratan a continuación, son: (1) sitios Web: (2) anuncios de búsqueda: (3) anuncios en display, y (4) mensajes de correo electrónico. Después de resumir algunos desarrollos en el marketing móvil, describiremos los medios sociales y los efectos de la publicidad de boca en boca.

SITIOS WEB Las empresas deben diseñar sitios Web que personalicen o expresen su propósito, historia, productos y visión, que sean atractivos al verlos por primera vez, y lo suficientemente interesantes para visitarlos repetidamente.[24] Jeffrey Rayport y Bernard Jaworski proponen siete elementos de diseño, las 7 C, que un sitio eficaz debe tener (vea la △ figura 19.2).[25] Para estimular las visitas repetitivas, las empresas deben poner especial atención a los factores de contexto y contenido, y adoptar otra "C": el cambio constante.[26]

Al demostrar vívidamente la lealtad de sus clientes, los videos online de Burger King, "Whooper Freakout", se convirtieron en un éxito viral.

|Fig. 19.2|

Siete elementos clave de diseño para un sitio web eficaz

Fuente: Jeffrey F. Rayport and Bernard J. Jaworski, *e-commerce* (New York: McGraw-Hill, 2001), p. 116.

- *Contexto.* Distribución y diseño.
- *Contenido.* Texto, imágenes, sonido y video que contiene el sitio.
- *Comunidad.* Cómo permite el sitio la comunicación entre usuarios.
- *Personalización.* Capacidad del sitio para adaptarse a diferentes usuarios, o que permita a éstos personalizar el sitio.
- *Comunicación.* La manera en que se permiten la comunicación entre el sitio y el usuario, entre el usuario y el sitio o de ambas vías.
- *Conexión.* Grado en el que el sitio está vinculado a otros sitios.
- *Comercio.* Las capacidades del sitio para permitir transacciones comerciales.

Los visitantes juzgarán el rendimiento del sitio con base en su facilidad de uso y su atractivo físico.[27] La *facilidad de uso* significa que (1) el sitio se descarga con rapidez, (2) la página de inicio es fácil de comprender, y (3) es fácil navegar a otras páginas que se abren con rapidez. El *atractivo físico* se asegura cuando (1) las páginas individuales son limpias y no están atestadas de contenido, (2) la tipografía y las fuentes son muy legibles, y (3) el sitio hace buen uso del color y del sonido.

Empresas como comScore y Nielsen Online registran a dónde van los consumidores online a través de visitas a las páginas, visitantes únicos, duración de la visita y otros datos estadísticos.[28] Las empresas también deben ser sensibles a la seguridad online y a la protección de la privacidad.[29]

Además de sus sitios Web, las empresas pueden emplear **micrositios**, páginas Web individuales o grupos de páginas que funcionan como complementos de un sitio primario. Este recurso es especialmente adecuado para las empresas que pretenden comercializar productos de bajo interés. Las personas rara vez visitan el sitio Web de una empresa aseguradora, pero ésta puede crear un micrositio en sitios de autos usados que ofrece consejos a los compradores de ese tipo de mercancía, ofreciéndoles al mismo tiempo buen precio en el seguro para sus automóviles.

ANUNCIOS DE BÚSQUEDA Un área de gran crecimiento en el marketing interactivo son las **búsquedas pagadas** o los **anuncios de pago por clic**, que en la actualidad son responsables de aproximadamente la mitad de los gastos totales en anuncios online.[30] Se informa que 35% de todas las búsquedas son de productos y servicios.

En la búsqueda pagada, los especialistas en marketing pujan en una subasta continua por los términos de búsqueda que funcionen como representaciones de los intereses del consumidor respecto a un producto o de sus consumos. Cuando un consumidor realiza una búsqueda en Internet con los términos de búsqueda utilizando Google, Yahoo! o Bing, el anuncio del especialista en marketing aparecerá por encima o en el mismo nivel que los resultados de la búsqueda, lo que dependerá de la cantidad ofrecida por la empresa y del algoritmo que el buscador emplee para determinar la relevancia de un anuncio para una búsqueda específica.[31]

Escanea este código con tu smartphone o tablet.

Kevin Keller habla sobre comunicación interactiva de marketing.

http://goo.gl/kLlhs

Los anunciantes pagarán solamente si los usuarios hacen clic en el vínculo, pero los especialistas en marketing creen que los consumidores que ya expresaron su interés al participar en la búsqueda son, de por sí, importantes clientes potenciales. El promedio de clics realizados es de aproximadamente 2%, mucho más elevado que para los anuncios online comparables. El costo por clic depende de qué tan altas son la calificación del vínculo y la popularidad de la palabra clave. La popularidad siempre en aumento de las búsquedas pagadas ha incrementado la competencia entre los oferentes por las palabras clave, lo que eleva significativamente los precios de búsqueda y permite un sobreprecio para la mejor elección posible, haciendo ofertas estratégicas por ellas y monitoreando los resultados en función de la eficacia y la eficiencia.

La *optimización de los buscadores* se ha convertido en una parte crucial del marketing, debido a la enorme cantidad de dinero gastado en búsquedas por los especialistas en marketing. Se ha sugerido una serie de lineamientos para tener anuncios de búsqueda más eficaces.[32] Los términos de búsqueda más amplios son útiles para la creación general de marca; los más específicos —por ejemplo, la determinación del modelo de un producto o servicio particular— son útiles para generar y convertir en ventas a los clientes potenciales. Los términos de búsqueda deben aparecer destacados en las páginas adecuadas para que los buscadores puedan identificarlos con facilidad. En general, es necesario especificar múltiples palabras clave para cualquier producto, pero el uso de cada una de ellas debe corresponder con su posible rentabilidad en materia de ingresos. También ayuda contar con sitios populares que contengan vínculos hacia el sitio propio. Los datos pueden ser recopilados para dar seguimiento a los efectos de la búsqueda pagada.

ANUNCIOS EN DISPLAY Los **anuncios en display** o **banners** son anuncios rectangulares pequeños que contienen texto y tal vez una imagen, y que las empresas pagan para que sean colocados en sitios Web relevantes.[33] Cuanto más grande sea su público, mayor será su costo. Algunos banners se publican sobre una base de intercambio. En los primeros días de Internet, quienes los veían hacían clic sobre el 2 o 3% de los banners que veían, pero ese porcentaje cayó rápidamente a 0.25%, y los anunciantes comenzaron a explorar otras formas de comunicación.

Si se considera que en realidad los usuarios de Internet pasan solamente 5% de su tiempo buscando información, los anuncios en display siguen resultando muy prometedores en comparación con los populares anuncios de búsqueda. Pero es preciso que los anuncios capten más la atención y sean más influyentes, estén mejor dirigidos y tengan un seguimiento más cuidadoso.[34]

Los **mensajes emergentes (*pop-ups*)** son anuncios que suelen incluir video o animación, y que surgen durante los cambios en un sitio Web. Por ejemplo, los anuncios para el medicamento contra el dolor de cabeza Tylenol, de Johnson & Johnson, podrían aparecer en los sitios Web de los intermediarios financieros cada vez que el mercado de valores cayera 100 puntos o más. En vista de que a los consumidores les parece que los *pop-ups* son intrusivos y los distraen, muchos utilizan software para bloquearlos.

Un medio publicitario popular son los *podcasts*, archivos de medios digitales creados para su ejecución en reproductores portátiles de MP3, equipos de cómputo portátiles o PC. Los patrocinadores pagan aproximadamente 25 dólares por cada 1 000 escuchas de la transmisión de un anuncio de audio de 15 o 30 segundos al inicio del *podcast*. Aunque estas tarifas son más altas que para los programas de radio de mayor difusión, los *podcasts* son capaces de llegar a segmentos muy específicos del mercado y su popularidad ha crecido.[35]

CORREO ELECTRÓNICO El correo electrónico permite que los especialistas en marketing informen y se comuniquen con los clientes por un costo mucho menor que el que implicaría hacerlo con una campaña de "correo-d" o correo directo. Sin embargo, los consumidores se sienten apabullados por los correos electrónicos, y muchos utilizan filtros contra correo basura o *spam*. Algunas empresas están solicitando a los consumidores que digan si desean recibir correos electrónicos y cuándo. FTD, un minorista en el mercado de las flores, permite que los clientes elijan entre recibir recordatorios por correo electrónico para prácticamente todos los días de celebración, así como en cumpleaños o aniversarios específicos.[36]

Los correos electrónicos deben ser oportunos, dirigidos y relevantes. Por ejemplo, United Way, en Massachusetts Bay y Merrimack Valley, utilizaron correos electrónicos que contenían video para aumentar las inscripciones a sus eventos y reducir costos. Los videos se hicieron de un minuto de duración cuando las pruebas revelaron que dos minutos era demasiado y 30 segundos muy poco.[37] En "Apuntes de marketing: Cómo maximizar el valor de marketing del correo electrónico" se ofrecen algunos lineamientos importantes para que las campañas de correo electrónico sean productivas.

MARKETING MÓVIL Dada la omnipresencia de los teléfonos celulares y la capacidad de los especialistas en marketing para personalizar mensajes con base en la demografía y otras características de conducta del consumidor (vea el capítulo 15), el atractivo del marketing móvil como herramienta de comunicación es obvio.[38]

Apuntes de marketing

Cómo maximizar el valor de marketing del correo electrónico

- *Dé al consumidor una razón para responder.* Ofrezca incentivos poderosos por leer los mensajes de correo electrónico promocionales y los anuncios online, como juegos de trivias, búsquedas de tesoros y rifas con ganadores instantáneos.
- *Personalice el contenido de sus mensajes de correo electrónico.* Los clientes que están de acuerdo en recibir el boletín de noticias semanal de IBM, iSource, especifican cuáles noticias desean recibir al determinar los temas que se encuentran en un perfil de intereses.
- *Ofrezca algo que el cliente no pueda obtener por medio del correo directo.* Debido a que las campañas de correo electrónico pueden llevarse a cabo con rapidez, son capaces de ofrecer información pertinente en un momento dado. Travelocity envía mensajes electrónicos frecuentes donde promueve tarifas aéreas de último minuto, y Club Med promueve paquetes de vacaciones con descuento que no se han vendido.
- *Facilite a los suscriptores cancelar su suscripción.* Los clientes online exigen una experiencia de salida positiva. Los clientes insatisfechos que tienen problema para retirarse son más propensos a extender su disgusto a los demás.
- *Combine con otros medios de comunicación, por ejemplo, las redes sociales.* Southwest Airlines encontró que el mayor número de reservaciones se da después de una campaña de correo electrónico seguida por una campaña en redes sociales. Papa John's pudo añadir 45 000 fanáticos a su página de Facebook por medio de una campaña de correo electrónico que invitaba a los clientes a participar en un concurso de baloncesto de la NCAA, llamado "March Madness".

Para aumentar la eficacia de los correos electrónicos, algunos investigadores están empleando el "mapeo por calor", mediante el cual es posible medir lo que las personas leen en una pantalla de computadora utilizando cámaras que se fijan en el equipo y siguen los movimientos oculares. Un estudio mostró que los iconos y botones donde se puede hacer clic para obtener más detalles de una oferta de marketing aumentaron las tasas de clic real en 60% por encima de los vínculos que utilizaban solamente una dirección de Internet.

Fuentes: Richard Westlund, "Success Stories in eMail Marketing", *Adweek Special Advertising Section to Adweek, Brandweek, and Mediaweek*, 16 de febrero de 2010; Suzanne Vranica, "Marketers Give E-Mail Another Look", *Wall Street Journal*, 17 de julio de 2006; Seth Godin, *Permission Marketing: Turning Strangers into Friends and Friends into Customers* (New York: Simon & Schuster, 1999).

Con más de 4 100 millones de suscriptores en el mundo en 2009 —existen más del doble de teléfonos móviles en el mundo que PC— los teléfonos celulares representan una oportunidad importante para que los anunciantes lleguen a los consumidores en la "tercera pantalla" (la primera y la segunda son la televisión y la computadora). Algunas empresas se están desplazando rápidamente al espacio-m. Un pionero del marketing móvil en la industria bancaria es Bank of America.[39]

Bank of America

Bank of America Bank of America está utilizando los medios móviles como un canal de comunicación y un medio para brindar soluciones bancarias a las muchas maneras en que sus clientes viven sus vidas. Más de 2 millones de sus 59 millones de clientes utilizan aplicaciones de banca móvil, lo que la institución considera un gran atractivo, dado que entre 8 y 10% de estos usuarios móviles son clientes nuevos. Al dirigirse inicialmente a un grupo de usuarios más jóvenes, de entre 18 y 30 años de edad —con especial énfasis en los estudiantes universitarios—, los servicios de banca móvil de Bank of America han resultado cada vez más atractivos para otros grupos, como los usuarios de mayor edad y mayores ingresos. Sus aplicaciones para teléfonos inteligentes y las soluciones tradicionales basadas en buscadores han sido halagadas por ofrecer una navegación sencilla, facilidad de uso y alcance. El localizador de sucursales y cajeros automáticos, por ejemplo, es empleado por uno de cada ocho clientes móviles. El marketing móvil se integra en todos los esfuerzos de marketing del banco: el sitio Web proporciona recorridos y demostraciones de sus servicios móviles, y las campañas de televisión enfatizan los beneficios de la banca móvil. Al sólo hacer clic en un banner móvil, los usuarios de teléfonos inteligentes pueden descargar la aplicación gratuita de Bank of America, o simplemente aprender más sobre sus servicios bancarios móviles.

- ***Opciones de marketing móvil.*** El gasto en anuncios móviles fue casi de 1 000 millones de dólares en todo el mundo en 2009; buena parte de ese monto fue utilizado en mensajes de texto SMS y anuncios sencillos de display. Sin embargo, gracias a las más desarrolladas capacidades de los teléfonos celulares, los anuncios móviles pueden ser más que un medio de display que utilice "minicarteleras" estáticas.[40]

  Gran parte del interés reciente se debe a las aplicaciones móviles, software de pequeño tamaño que puede cargarse en los teléfonos inteligentes. En muy poco tiempo empresas de todo tamaño han introducido miles de ellas. VW decidió lanzar su GTI en Estados Unidos con una aplicación para iPhone, recibiendo 2 millones de descargas en tres semanas. En Europa, VW lanzó la Tiguan con una aplicación móvil, así como con mensajes de texto y un sitio Web adicional.[41]

  Los teléfonos inteligentes también permiten programas de lealtad, con los cuales los clientes pueden llevar un registro de sus visitas y compras con un vendedor y así recibir recompensas.[42] Al llevar un registro de la ubicación de los clientes receptivos que autorizan el envío de comunicaciones, los minoristas pueden hacerles llegar promociones de ubicación específica cuando se encuentren cerca de tiendas o puntos de venta. Sonic Corp. utiliza datos de GPS y de proximidad a sus torres celulares en Atlanta para identificar el momento en que los clientes suscritos a las comunicaciones de la empresa se encuentran cerca de uno de los casi 50 restaurantes Sonic del área. Cuando esto ocurre, Sonic envía a los clientes un mensaje de texto con una oferta de descuento o un anuncio para invitarlos a visitar el restaurante.[43]

  Dado que las tasas de redención de cupones han estado disminuyendo durante años, una función de los celulares —avisar de ofertas relevantes y oportunas a consumidores en la proximidad o dentro de un punto de compra— ha despertado el interés de muchos especialistas en marketing. Estos nuevos cupones pueden tomar todo tipo de formas; los anuncios digitales dentro de las tiendas ya pueden expenderlos a los teléfonos inteligentes.[44]

VW lanzó su modelo GTI en Estados Unidos con una aplicación para iPhone para su juego Real Racing.

- ***Desarrollo de programas de marketing móvil.*** Incluso con los más nuevos teléfonos inteligentes, la experiencia Web puede ser muy diferente para los usuarios debido a las pantallas de tamaño reducido, el mayor tiempo de descarga y la falta de algunas capacidades de software (por ejemplo, la ausencia de Adobe Flash Player en el iPhone). Los especialistas en marketing deberían diseñar sitios sencillos, claros y "limpios", poniendo incluso mayor atención de lo normal a la experiencia del usuario y la navegación.[45]

Los especialistas en marketing estadounidenses pueden aprender mucho del marketing móvil que se realiza en otros países. En los mercados desarrollados de Asia, como Hong Kong, Japón, Singapur y Corea del Sur, el marketing móvil se está convirtiendo en un componente central de las experiencias de los clientes.[46] En los mercados

Apuntes de marketing

Segmentación de usuarios de tecnología

Nombre del grupo	% de adultos	Lo que necesita saber de ellos	Hechos demográficos clave
Motivados por la movilidad (39%)			
Colaboradores digitales	8%	Los colaboradores digitales son quienes poseen la mayor cantidad de activos tecnológicos y los utilizan para trabajar y compartir sus creaciones con los demás. Son entusiastas sobre cómo los ayudan las TIC (Tecnologías de la Información y la Comunicación) a conectarse con los demás, y están seguros de cómo se manejan los dispositivos digitales y la información.	En su mayoría hombres (56%), a finales de sus treinta, bien educados y con buena posición.
Networkers ambivalentes	7%	Los networkers ambivalentes han incluido los dispositivos móviles en su vida social, ya sea mediante mensajes de texto o herramientas de redes sociales online. También dependen de las TIC para su entretenimiento, pero expresan preocupación sobre la conectividad; algunos encuentran que los dispositivos móviles son estorbosos, y muchos creen que es bueno descansar del tiempo dedicado a la actividad online.	Principalmente hombres (60%), son jóvenes (a finales de sus veinte) y étnicamente diversos.
Influyentes en los medios	7%	Los influyentes en los medios tienen una amplia gama de hábitos online y offline, y tienden a encontrar o crear y compartir trozos de información. Estos intercambios sociales son centrales para el uso de TIC de este grupo. El ciberespacio como senda hacia la productividad personal o como salida para la creatividad es menos importante.	Hombres (56%) a mediados de sus treinta, muchos con hijos y con un rango de ingresos medio.
Nodos ambulantes	9%	Los nodos ambulantes gestionan activamente sus vidas sociales y laborales utilizando su dispositivo móvil. Les sacan el máximo provecho a las aplicaciones básicas, como correo electrónico o mensajes de texto, y les resultan fabulosas para ordenar la logística de sus vidas y mejorar su productividad personal.	En su mayoría mujeres (56%) a finales de sus treinta, bien educadas y con buena posición.
Novatos móviles	8%	Este grupo califica bajo en los activos tecnológicos, pero a sus miembros realmente les agradan sus teléfonos celulares. Los novatos móviles, muchos de los cuales adquirieron un celular en el último año, disfrutan de la manera en que el dispositivo les ayuda a estar más disponibles para los demás. Sería muy difícil hacerlos renunciar al teléfono móvil.	En su mayoría mujeres (55%), cerca de sus cincuenta, niveles educativos y de ingresos más bajos.
Mayoría de los medios estáticos (61%)			
Veteranos de escritorio	13%	Este grupo de usuarios veteranos, de mayor edad, se conforma con utilizar una conexión de alta velocidad y un equipo de escritorio para explorar Internet y estar en contacto con sus amigos, dejando su teléfono celular y sus aplicaciones móviles rezagados.	En su mayoría hombres (55%), a mediados de sus cuarenta, bien educados y con buena posición económica.
Usuarios sin propósito definido	14%	Muchos cuentan con los activos tecnológicos indispensables, como banda ancha o un teléfono móvil, pero los usuarios sin propósito definido son poco frecuentes. Cuando utilizan la tecnología es para recopilar información básica. Al típico usuario sin propósito definido no le preocupa renunciar a Internet o a su teléfono móvil.	En su mayoría mujeres (56%) a principios de sus cuarenta, con ingresos medios y nivel educativo promedio.
Agobiados por la información	10%	Casi todas las personas de este grupo sufren sobrecarga de información y creen que tomar tiempo fuera de Internet está bien. Los agobiados por la información siguen confiando firmemente en los viejos medios para obtener información.	Dos terceras partes son hombres, a inicios de sus cincuenta, con educación promedio, ingresos bajos-medios.
Indiferentes a la tecnología	10%	Los miembros de este grupo son usuarios ocasionales de Internet, y aunque casi todos ellos tienen teléfonos móviles, no les gusta la naturaleza intrusiva de tales dispositivos. Los indiferentes también podrían prescindir de losservicios y aparatos modernos.	En su mayoría mujeres (55%) a finales de sus cincuenta, de bajos niveles de ingreso y educativos.
Fuera de la red	14%	Los miembros de este grupo no tienen teléfonos móviles ni acceso online, y tienden a ser de mayor edad e ingresos más bajos. Sin embargo, algunos de ellos tienen experiencia con las TIC: una parte de ellos solía tener acceso online, y hasta uno de cada cinco acostumbraba tener un teléfono móvil.	Mujeres de la tercera edad de bajos ingresos, un gran porcentaje de afroamericanos.

Fuente: "The Mobile Difference —Tech User Types", Pew Internet & American Life Project, 31 de marzo de 2009, www.pewinternet.org/Infographics/The-Mobile-Difference—Tech-User-Types.aspx.

en desarrollo, la alta penetración de los teléfonos celulares también hace que el marketing móvil sea atractivo. Coca-Cola, pionera en China, creó una campaña nacional pidiendo a los residentes de Beijing que enviaran mensajes de texto adivinando la temperatura máxima en la ciudad, todos los días a lo largo de poco más de un mes, para tener oportunidad de ganar una dotación de productos Coca-Cola para todo un año. La campaña generó más de 4 millones de mensajes en el curso de 35 días.[47]

Aunque un segmento creciente de la población utiliza sus teléfonos móviles para todo tipo de propósitos, desde entretenimiento hasta transacciones bancarias, diferentes personas tienen distintas actitudes y experiencias con la tecnología móvil. En "Apuntes de marketing: Segmentación de usuarios de tecnología" se perfila el rol del acceso móvil a Internet en los estilos de vida digitales de varios grupos.

Publicidad de boca en boca

Los consumidores utilizan el método de promoción y publicidad de *boca en boca* para hablar sobre docenas de marcas cada día, desde productos de medios y entretenimiento, como filmes, programas de televisión y publicaciones, hasta productos alimenticios, servicios de viaje y tiendas minoristas.[48]

Las empresas están sumamente conscientes del poder de este método. Los zapatos Hush Puppies, las rosquillas Krispy Kreme, filmes de éxito como *La pasión de Cristo* y, más recientemente, los zapatos Crocs, se han creado mediante una fuerte promoción de boca en boca, tal como lo hicieron empresas como The Body Shop, Palm, Red Bull, Starbucks y Amazon.com.

El método de boca en boca positivo suele darse de manera natural con poca publicidad, pero también puede ser gestionado y facilitado.[49] Es particularmente eficaz para los negocios pequeños, con los cuales los clientes pueden sentir una relación más personal. Muchos pequeños negocios están invirtiendo en varias formas de redes sociales para difundir sus comunicaciones, dejando de lado los periódicos, la radio y las páginas amarillas. Southern Jewelz, empresa de joyería iniciada por un recién graduado de la universidad, encontró que sus ventas se duplicaron seis meses después de comenzar a utilizar activamente Facebook, Twitter y software de comercio electrónico.[50]

Como se comenta en el capítulo 17, a partir del crecimiento de las redes sociales los especialistas en marketing a veces distinguen los medios pagados de los medios ganados o gratuitos. Aunque prevalecen diferentes puntos de vista, los *medios pagados* son resultado de la cobertura de prensa de publicidad, publicity u otros esfuerzos promocionales generados en la empresa. Los *medios ganados* —a veces llamados *medios gratuitos*— son todos los beneficios de RP que recibe la empresa sin tener que pagar directamente por ellos, como las historias noticiosas, los blogs y las conversaciones en redes sociales que tienen que ver con la marca. Los medios ganados no son literalmente gratuitos: la empresa debe invertir en cierta medida en sus productos, servicios y marketing para que las personas pongan atención y escriban y hablen sobre ellos, pero los gastos no están dedicados a obtener una respuesta de los medios.

Primero hablaremos de cómo promueven las redes sociales el flujo de las recomendaciones de boca en boca, y luego comentaremos con más detalle hacia cómo se forman y se difunden. Para comenzar el análisis, considere algunas de las diferentes maneras en que Intuit utiliza las redes sociales.[51]

Intuit

Intuit Siempre pionera en la industria del software, Intuit ha recibido mucho reconocimiento por sus amplios programas de redes sociales. Intuit adoptó un enfoque de difusión dirigida con su QuickBooks Live Community, que atiende el mercado de los pequeños negocios: está disponible solamente para clientes que compran QuickBooks 2009 para PC o Mac, y es un lugar donde los consumidores pueden intercambiar consejos y hacer preguntas, 70% de las cuales son respondidas por otros clientes de QuickBooks. Un contador ha colocado 5600 respuestas en el sitio. La comunidad también provee a Intuit una útil retroalimentación de sus productos. Intuit ha organizado concursos de TurboTax para promover la colocación del producto en Facebook, MySpace y Twitter. Los usuarios con los "más originales y únicos" estatus online relacionados con TurboTax reciben premios. Uno de sus programas, "Love a Local Business", otorga 1000 dólares en premios a las empresas locales con base en los votos que emita la comunidad online. Una variedad de otros eventos de relaciones sociales ayudan a Intuit a interactuar con las pequeñas empresas. Como un experto en redes sociales de la empresa observó: "Las redes sociales son una de las tendencias clave que impulsan nuestro negocio… se trata de establecer conexiones rápidas con los clientes, y de generar y fortalecer una relación constante".

Social media

Los social media son un vehículo para que los consumidores compartan información en forma de texto, imágenes, audio y video entre sí y con las empresas. Los social media permiten que los especialistas en marketing establezcan una voz pública y una presencia en la Web, así como reforzar otras actividades de comunicación. Debido a su inmediatez del día a día, también pueden fomentar que las empresas se mantengan innovadoras y relevantes.

Existen tres plataformas principales para los social media (1) comunidades y foros online, (2) blogueros (individuos y redes como Sugar y Gawker), y (3) redes sociales como Facebook, Twitter y YouTube.

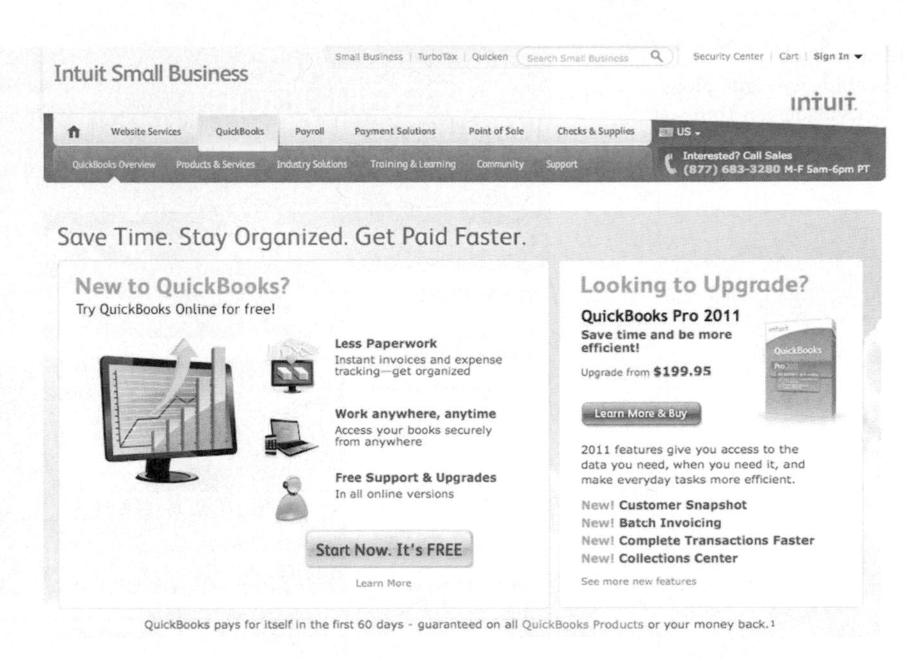

Intuit, empresa pionera en el marketing tecnológico, creó una robusta comunidad online de su marca para su producto de software, QuickBooks.

COMUNIDADES Y FOROS ONLINE

Las comunidades y foros online tienen toda clase de tamaños y formas. Muchos son creados por consumidores o grupos de consumidores sin intereses comerciales o afiliación alguna. Otros están patrocinados por empresas cuyos miembros se comunican con la compañía y entre sí a través de comentarios, mensajes instantáneos y foros de chat, para abordar intereses especiales relacionados con los productos y marcas de la empresa. Estas comunidades y foros online pueden ser un recurso valioso para las empresas, y proveer múltiples funciones tanto para recolectar como para comunicar información clave.

Una clave para el éxito de las comunidades online es crear actividades individuales y grupales que ayuden a generar vínculos entre sus miembros. El Idea Center en Kodak Gallery es una comunidad online dedicada al intercambio de ideas sobre cómo utilizar los productos Kodak para diseñar regalos personalizados y otros productos creativos a partir de fotografías digitales. Kodak descubrió que las recomendaciones entre los usuarios de la comunidad muchas veces daban como resultado compras más frecuentes y cuantiosas.[52] Apple brinda *hosting* a un gran número de grupos de discusión organizados por líneas de productos y por uso del consumidor o los profesionales. Para los clientes, estos grupos son la principal fuente de información del producto una vez que la garantía ha expirado.

El flujo de información en las comunidades y foros online es bidireccional y puede proveer a las empresas información y perspectivas útiles y difíciles de conseguir. Cuando GlaxoSmithKline se preparaba para el lanzamiento de su primer medicamento para bajar de peso, Alli, patrocinó una comunidad para perder peso. La empresa pensaba que la retroalimentación que obtendría sería más valiosa en comparación con la que podría haber recibido a través de *focus groups* tradicionales. Sin embargo, las investigaciones han demostrado que las empresas deben evitar demasiada democratización cuando de innovación se trata. Las ideas innovadoras pueden ser reemplazadas por las soluciones de denominador común más bajo.[53]

BLOGS Los *blogs*, diarios o publicaciones online que se actualizan regularmente, se han convertido en un punto de salida importante para la recomendación de boca en boca. Existen millones de ellos, y varían ampliamente: algunos son personales y tienen como propósito compartir con los amigos cercanos y la familia; otros están diseñados para alcanzar e influir a un público más amplio. Un atractivo obvio de los blogs es que reúnen a personas con intereses comunes. Las redes de blogs como Gawker Media ofrecen a los especialistas en marketing diversas alternativas. El blog de chismes de celebridades PopSugar ha generado una familia de blogs frescos sobre moda (FabSugar), belleza (BellaSugar) y romance y cultura (TrèsSugar), que atrae a mujeres de entre 18 y 49 años.[54]

Las corporaciones están creando sus propios blogs y monitoreando cuidadosamente los blogs ajenos.[55] Los buscadores de blogs proveen análisis al minuto de millones de blogs, evidenciando lo que está en la mente de las personas.[56] Los blogs populares están creando influyentes líderes de opinión. En el sitio TreeHugger un equipo de blogueros sigue los productos verdes de consumo para 3.5 millones de visitantes únicos al mes, ofreciendo guías en video y de consulta, y un promedio de 35 comentarios diarios.[57]

Debido a que muchos consumidores examinan la información de los productos y las reseñas que contienen los blogs, la comisión de comercio justo de Estados Unidos también ha tomado medidas para exigir que los blogueros revelen sus relaciones con los especialistas en marketing cuyos productos promueven. En el otro extremo, algunos consumidores usan los blogs y videos como medio de retribución y venganza contra las empresas que dan mal servicio y comercializan productos defectuosos. Las carencias del servicio a clientes de Dell fueron difundidas por todo Internet a través de una serie de comentarios relativos al *Dell Hell* (el infierno Dell). AOL también fue víctima cuando un cliente frustrado grabó y transmitió online a un representante de ventas que se resistía enfáticamente a cancelar su servicio. Comcast también fue avergonzada cuando surgió un video de uno de sus representantes tomando una siesta en el sofá de un cliente.[58]

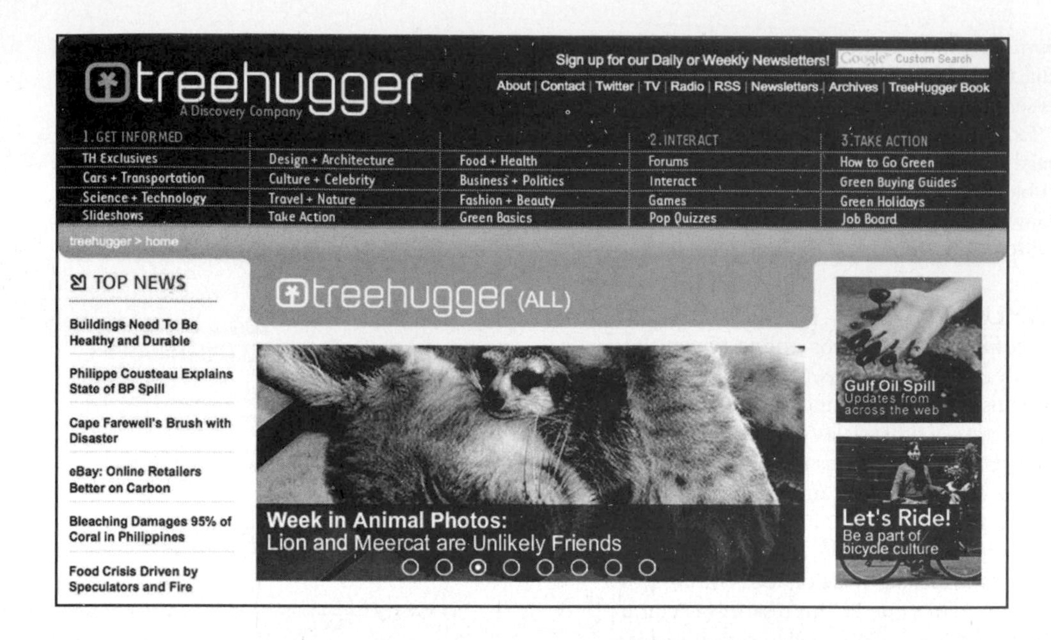

El sitio Web TreeHugger sigue blogs y actividades en Internet respecto de los productos verdes.

REDES SOCIALES Las redes sociales se han convertido en una fuerza importante tanto en el marketing negocio a consumidor como en el marketing entre empresas.[59] Entre las principales están Facebook, la más grande del mundo; MySpace, que se concentra en música y entretenimiento; LinkedIn, dirigida a profesionales concentrados en sus carreras, y Twitter, que permite a los usuarios interactuar mediante mensajes o *tweets* de 140 caracteres. Las diferentes redes ofrecen distintos beneficios a las empresas. Por ejemplo, Twitter puede funcionar como un sistema de aviso temprano que permite una respuesta inmediata, mientras Facebook ofrece incursiones para implicar a los consumidores de manera más significativa.[60]

Los especialistas en marketing aún están aprendiendo cómo aprovechar mejor las redes sociales y sus enormes y bien definidos públicos. Debido a su naturaleza no comercial —los usuarios generalmente están buscando conectarse con los demás— puede ser más desafiante captar la atención y persuadir. Además, debido a que los usuarios generan su propio contenido, se corre el riesgo de que los anuncios aparezcan al lado de contenido inadecuado o incluso ofensivo.[61]

Sin embargo, la publicidad es sólo una de las posibilidades. Como cualquier individuo, las empresas pueden también unirse a los grupos sociales y participar activamente en ellos. Tener una página de Facebook se ha convertido en un prerrequisito virtual para muchas empresas. Twitter puede beneficiar incluso a la empresa más pequeña. Para generar interés en sus productos y en los eventos que llevó a cabo, una pequeña panadería de San Francisco, *Mission Pie*, comenzó a mandar alertas por Twitter, obteniendo 1 000 seguidores en poco tiempo y un considerable aumento en el negocio. Cada vez aparecen más anuncios de "Sígueme en Twitter" en las puertas y aparadores de pequeñas tiendas.[62]

Y aunque las principales redes sociales ofrecen la mayor exposición, las redes de nicho proveen un mercado mejor definido y pueden tener mayor oportunidad de difundir el mensaje de la marca, como ocurrió con Bbmundo.[63]

Bbmundo

Bbmundo Con el propósito de ofrecer a las mamás y los papás la información y los servicios que les permitan tomar decisiones inteligentes en torno de la crianza y educación de sus hijos, la compañía multimedia bbmundo lanzó la nueva plataforma de su versión Web www.bbmundo.com como una experiencia más completa, dinámica y personalizada. Las interrogantes y los desafíos crecen a la par de los niños. De ahí que bbmundo.com ha ido renovándose con nuevas etapas de desarrollo, que van desde la concepción hasta la adolescencia. Con una comunidad online constituida por más de 650 mil mamás y papás comprometidos con el desarrollo de sus hijos, y más de un millón de bebés registrados, bbmundo.com busca acercarse desde una perspectiva diferente a los padres —quienes a su vez han mostrado fidelidad al sitio—, recompensándolos con un apoyo más complejo y a la medida de sus necesidades. Además, pretende llegar a nuevos usuarios que estén buscando un embarazo, esperando un bebé o criando niños. Actualmente cuenta con 1 743 temas en 13 foros. El registro a bbmundo.com es gratuito y permite que sus seguidores disfruten de inmediato de privilegios exclusivos.

USO DE SOCIAL MEDIA Las redes sociales permiten que los clientes participen con una marca en un nivel tal vez más profundo y amplio que nunca antes. Los especialistas en marketing deben hacer todo lo posible para que los consumidores dispuestos participen activamente. Pero tan útiles como pueden resultar, los social media nunca podrán ser la única fuente de comunicaciones de marketing.

Acoger los social media, controlar las recomendaciones de boca en boca y crear barullo requiere que las empresas tomen tanto lo malo como lo bueno. Mire lo que les sucedió a los especialistas en marketing de Motrin, de Johnson & Johnson.[64]

Motrin Cuando los especialistas en marketing de J&J decidieron transmitir por Web un video un tanto burlón, en el cual estaba implícito el mensaje de que las madres jóvenes que cargan a sus bebés por todos lados en cabestrillos y canguros al pecho buscando mantener la vinculación con ellos —o tal vez solamente para estar a la moda— estaban arriesgándose a padecer dolores de espalda, quizás ignoraban el tipo de dolor que tendrían que soportar por su cuenta. Después de que el anuncio se transmitió online durante varias semanas sin mayor notoriedad, algunas madres ruidosas expresaron su molestia en Twitter la noche de un viernes, creando una tormenta que duró el fin de semana completo por toda la Web. El lunes siguiente los especialistas de marketing de Motrin rápidamente utilizaron el correo electrónico para excusarse de manera personal, y reemplazaron el video con un mensaje de disculpas más amplio. Entonces se les criticó por ceder ante la presión y reaccionar de forma exagerada.

El ejemplo de Motrin muestra el poder y la velocidad de los social media, y también los desafíos que representan para las empresas. Sin embargo, la realidad es que si una empresa elige participar en ellos o no, Internet siempre permitirá el escrutinio, la crítica e incluso los "golpes bajos" de los consumidores y organizaciones. Al usar social media y la Web de manera constructiva y atenta, las empresas por lo menos cuentan con un medio para crear una fuerte presencia online y ofrecer de mejor manera puntos de vista creíbles y alternos si ocurren tales eventos.[65]

La respuesta negativa que tuvo online el anuncio de Motrin representó un desafío significativo de social media para la marca.

Marketing viral y de rumor

Algunos especialistas en marketing destacan dos formas particulares de recomendación de boca en boca: el rumor y el marketing viral.[66] El *marketing de rumor* genera emoción, crea publicity y comunica información nueva y relevante a la marca a través de medios inesperados o incluso escandalosos.[67] El *marketing viral* es otra forma de difusión de boca en boca, que anima a los consumidores a compartir online productos y servicios desarrollados por la empresa, o audio, video o información escrita a otros.[68]

Con sitios de contenido generado por el usuario, como YouTube, MySpace Video y Google Video, los consumidores y anunciantes pueden subir anuncios y videos para compartirlos viralmente con millones de personas. Los videos online pueden ser eficaces en cuanto a costos —entre 50 000 y 200 000 dólares— y permiten que los especialistas en marketing se tomen mayores libertades con ellos.

Blendtec Blendtec, con oficinas centrales en Utah, solía ser conocida primordialmente por sus licuadoras comerciales y molinos para alimentos. La empresa no le resultaba conocida al público en general hasta que lanzó una serie de graciosos videos online bajo el tema "Will it Blend?" (¿Se licuará?), con el propósito de promover algunos de sus productos comerciales para uso doméstico. En los videos aparece el fundador y CEO Tom Dickson con una bata blanca de laboratorio pulverizando diversos objetos, desde pelotas de golf hasta bolígrafos o botellas de cervezas, siempre de manera genial pero inexpresiva. Lo interesante de los videos (www.willitblend.com) es que se vinculan con eventos actuales. Tan pronto como fue lanzado el iPhone con enorme fanfarria en los medios, Blendtec transmitió un video en el cual Dickson sonreía diciendo: "Me encanta mi iPhone. Hace de todo. Pero, ¿se licuará?". Después de que la licuadora pulverizó el iPhone, Dickson levantó la tapa sobre la pequeña pila de polvo negro y dijo "iHumo". El video generó más de 3.5 millones de descargas en YouTube. Dickson ha aparecido en populares programas de televisión estadounidenses, y tuvo una pequeña aparición en un video de la banda de rock alternativo Weezer. Una de las pocas cosas que no consiguió licuar fue: ¡una barreta de acero![69]

Los ya clásicos videos transmitidos online bajo el título "Will It Blend?", de Blendtec, crearon un brand equity significativo para una marca que antes era bastante desconocida.

Lo extravagante es una espada de dos filos. Por supuesto, el sitio Web de Blendtec pone sus videos en la categoría de "*No* intente esto en casa", y otro conjunto de videos que muestran cómo moler vegetales para hacer sopa, por ejemplo, en la categoría de "*Inténtelo* en casa".

Contradiciendo la opinión popular, los productos no deben ser escandalosos o muy modernos para generar rumores; las empresas pueden ayudar a crearlos, y los medios y la publicidad no siempre son necesarios para que ocurra.[70] Algunas agencias han sido desarrolladas con el único fin de ayudar al cliente a crear rumores. P&G tiene a 225 000 adolescentes listados en Tremor, y a 600 000 madres inscritas a Vocalpoint. Ambos grupos fueron creados bajo la premisa de que ciertos individuos desean conocer los nuevos productos, recibir muestras y cupones, compartir sus opiniones con las empresas, y por supuesto, hablar bien de sus experiencias con los demás. P&G elige a personas bien conectadas —las mamás en Vocalpoint tienen grandes redes sociales, y generalmente hablan con entre 25 y 30 mujeres durante el día, en comparación con cinco personas para las otras mamás—, cuyos mensajes llevan implícita una buena razón para compartir información sobre productos con las amigas.[71] BzzAgent es otra empresa dedicada a crear rumores.[72]

BzzAgent

BzzAgent Con oficinas centrales en Boston, BzzAgent ha ensamblado una red de medios de difusión de boca en boca en la que participan 600 000 personas de diversa demografía —pero esencialmente común—, que se ofrecen voluntariamente a realizar comentarios positivos sobre cualquiera de los productos del cliente que ellos consideren digno de ser promovido. La empresa busca coincidencias entre las personas, los productos, la información y las herramientas digitales, con el objetivo de activar un amplio intercambio de opiniones en su propia red social, llamada BzzScapes, y dentro de los círculos sociales personales de los miembros. BzzAgent cree que esta combinación única de personas y plataforma acelera la difusión y medición de mensajes de boca en boca, y promueve una defensa sostenida de las marcas. Los participantes en BzzAgent han extendido sus propias opiniones y puntos de vista personales a casi 100 millones de amigos y familiares. Cada vez que un agente completa una actividad, se espera que envíe un informe en el que se describa la naturaleza del rumor y su eficacia. La empresa asegura que los rumores son honestos, porque el proceso únicamente requiere el trabajo necesario para lograr que algunos agentes participen teniendo como motivación exclusiva obtener productos gratis; además, los agentes no están obligados a hacer comentarios positivos de los productos que les desagradan, y en todos los casos deben revelar que trabajan para BzzAgent. La empresa ha llevado a cabo cientos de proyectos para clientes como Dockers de Levi's, Anheuser-Busch, Cadbury-Schweppes, V Guide, Bacardi, Dunkin' Donuts, Silk, Tropicana Pure, Mrs. Dash y los editores de los bestsellers *Eats, Shoots and Leaves* y *Freakonomics.*

Tanto los rumores como el marketing viral intentan crear revuelo en el mercado para mostrar una marca y sus características notables. Algunos creen que estas influencias están impulsadas más por las reglas del entretenimiento que por las de las ventas. Considere estos ejemplos: Quicksilver publica videos de surf y libros relacionados con dicha práctica para adolescentes; tanto Johnson & Johnson como Pampers tienen sitios Web populares, con consejos para los padres de familia; Walmart coloca videos con consejos para ahorrar dinero en YouTube; el vodka Grey Goose tiene una división completa de entretenimiento; Mountain Dew cuenta con una disquera, y Hasbro se ha unido a Discovery para crear un canal de televisión.[73] Sin embargo, en última instancia el éxito de cualquier campaña viral o basada en rumores depende de la voluntad de los consumidores para hablar con otros consumidores.[74]

Líderes de opinión

Los investigadores en materia de comunicación proponen una perspectiva de estructura social de las comunicaciones interpersonales.[75] Desde su punto de vista la sociedad está constituida por *camarillas*, pequeños grupos cuyos miembros interactúan con frecuencia. Los integrantes de las camarillas son similares, y su cercanía facilita una comunicación eficaz pero también aísla al grupo de nuevas ideas. El desafío es crear más apertura para que las camarillas intercambien información con los demás miembros de la sociedad. Esta apertura es estimulada por personas que funcionan como vinculación para conectar a dos o más camarillas sin pertenecer a ninguna de ellas, y por *puentes*, individuos que pertenecen a una camarilla pero están relacionados con un integrante de otra.

El exitoso autor Malcolm Gladwell asegura que son tres los factores que impulsan el interés de la gente en una idea.[76] De acuerdo con el primero, conocido como "la ley de los pocos", existen tres tipos de personas que ayudan a difundir una idea como si fuera una epidemia: los *genios*, individuos con todo tipo de conocimientos; los *conectores*, personas que conocen y se comunican con un gran número de semejantes, y los *vendedores*, que poseen un poder natural de persuasión. Cualquier idea que atrape el interés de los genios, los conectores y los vendedores probablemente se transmitirá en todas direcciones. El segundo factor es lo "pegajoso". Una idea debe ser expresada de manera que motive a la gente a la acción. De lo contrario la "ley de los pocos" no llevará a una epidemia autosustentable. Por último está el tercer factor, "el poder del contexto", que controla si quienes están difundiendo una idea son capaces de organizar grupos y comunidades alrededor de ella.

No todos están de acuerdo con las ideas de Gladwell.[77] Un equipo de expertos en marketing viral advierte que aunque los influyentes o "alfas" inician las tendencias, a menudo son demasiado introspectivos y socialmente aislados como para difundirlas. Por lo tanto, aconsejan a los especialistas en marketing que cultiven "abejas", es decir, clientes sumamente devotos que no quedan satisfechos con el mero hecho de conocer cuál es la siguiente tendencia, sino que viven para darla a conocer.[78] Más empresas están encontrando maneras de implicar activamente a los apasionados evangelizadores de su marca. Por ejemplo, el programa de embajadores de LEGO está dirigido a sus seguidores más entusiastas, y busca generar lluvias de ideas y retroalimentación.[79]

Las empresas pueden estimular los canales de influencia personal para que trabajen a su favor. En "Apuntes de marketing: Cómo iniciar una ola de rumores" se describen algunas técnicas para hacerlo. Las empresas también registran la actividad online para identificar a los usuarios más influyentes, pues pueden funcionar como líderes de opinión.[80]

Es posible que los consumidores se sientan molestos al recibir comunicaciones personales que no han solicitado. Algunas tácticas de difusión de boca en boca están en la línea entre lo aceptable y lo que no es ético. Una táctica controversial, llamada en ocasiones *marketing de señuelo* o *marketing furtivo*, paga a las personas por promover anónimamente un producto o servicio en lugares públicos, sin revelar su relación financiera con la empresa patrocinadora. Para lanzar su teléfono con cámara móvil T681, Sony Ericsson contrató actores y les pidió que se disfrazaran de turistas con el objetivo de acercarse a la gente en lugares turísticos y pedir que les tomaran una foto. Al entregar el teléfono se creaba una oportunidad para hablar de sus virtudes, pero a muchas personas esta estratagema les pareció de mal gusto.[81] Heineken también lo intentó y convirtió cierta iniciativa, que admitió había sido engañosa, en un enorme éxito de RP.[82]

Heineken

Heineken Nada puede ser más importante para los adultos jóvenes europeos de sexo masculino que el fútbol soccer. Heineken aprovechó ese hecho para presentar un falso concierto de música clásica, al mismo tiempo que se llevaba a cabo un partido crucial entre el Real Madrid y el AC Milán, contando con la complicidad de novias, jefes y profesores. Más de 1 000 apasionados fanáticos del AC Milán aparecieron a regañadientes en el teatro con sus acompañantes, dispuestos a presenciar el "concierto". Cuando el cuarteto de cuerdas comenzó a tocar y los aficionados al fútbol sufrían pensando en el partido, en una pantalla situada detrás de los músicos comenzaron a aparecer palabras que iban revelando pistas sobre la naturaleza de la broma. Por último, el partido fue proyectado en toda su gloria sobre la enorme pantalla. Más de 1.5 millones de personas vieron las reacciones del público en vivo por SkySport TV, y el sitio de Heineken dedicado al evento recibió cinco millones de visitantes. Las RP subsecuentes y los comentarios de boca en boca convirtieron el evento en un fenómeno mundial.

Apuntes de **marketing**

Cómo iniciar una ola de rumores

Aunque muchos de los efectos de la difusión de boca en boca rebasan el control del especialista en marketing, existen ciertos pasos que aumentan la probabilidad de iniciar un rumor positivo.

- *Identificar individuos y empresas influyentes, y dedicarles esfuerzo adicional.* En el ámbito de la tecnología los influyentes podrían ser grandes clientes corporativos, analistas de la industria y periodistas, creadores de políticas seleccionados y una muestra de adoptantes tempranos.
- *Entregar muestras de producto a personas clave.* Cuando dos pediatras lanzaron MD Moms para comercializar productos para el cuidado de la piel del bebé, entregaron muestras gratuitas a médicos y madres esperando obtener menciones en boletines de mensajes de Internet y sitios para padres. La estrategia funcionó: la empresa cumplió sus objetivos de distribución para el primer año en tan sólo un mes.
- *Trabaje a través de influyentes de la comunidad, como disc jockeys locales, presidentes de clase y presidentes de organizaciones femeninas.* El prelanzamiento de Ford con la campaña "Fiesta Movement" invitó a 100 jóvenes adultos —de la llamada generación del milenio—seleccionados cuidadosamente, para vivir con el automóvil Fiesta durante seis meses. Los participantes fueron elegidos con base en su experiencia online escribiendo blogs, con sus redes de amistades y a partir de un video que enviaron sobre su deseo de vivir aventuras. Después de seis meses la campaña había logrado 4.3 millones de visitas en YouTube, más de 500 000 visitas en Flickr, más de 3 millones de impresiones por Twitter, y 50 000 clientes potenciales, 97% de los cuales no eran propietarios de un Ford.[83]
- *Desarrolle canales de referencia de boca en boca para generar negocios.* Los profesionales suelen animar a sus clientes para que recomienden sus servicios. Weight Watchers encontró que las referencias de boca en boca de los participantes en su programa de pérdida de peso tenían un enorme impacto en el negocio.
- *Proveer información persuasiva que los clientes deseen compartir con los demás.* Las empresas no deberían comunicarse con los clientes en términos que son más adecuados para un desplegado de prensa. Haga que sea fácil y deseable para un cliente tomar prestados elementos de un mensaje por correo electrónico o blog. La información debe ser original y útil. La originalidad aumenta la cantidad de referencias de boca en boca, pero la utilidad determina si éstas serán positivas o negativas.

Ford Fiesta utilizó a 100 consumidores jóvenes para que difundieran online comentarios preliminares sobre su experiencia al utilizar su nuevo auto.

Fuentes: Matthew Dolan, "Ford Takes Online Gambles with New Fiesta", *Wall Street Journal,* 8 de abril de 2009; Sarit Moldovan, Jacob Goldenberg y Amitava Chattopadhyay, "What Drives Word of Mouth? The Roles of Product Originality and Usefulness", *MSI Report no. 06-111* (Cambridge, MA: Marketing Science Institute, 2006); Karen J. Bannan, "Online Chat Is a Grapevine That Yields Precious Fruit", *New York Times,* 25 de diciembre de 2006; John Batelle, "The Net of Influence", *Business 2.0* (marzo de 2004): 70; Ann Meyer, "Word-of-Mouth Marketing Speaks Well for Small Business", *Chicago Tribune,* 28 de julio de 2003; Malcolm Macalister Hall, "Selling by Stealth", *Business Life* (Noviembre de 2001); pp. 51-55.

Medición de los efectos de la difusión de boca en boca[84]

La empresa de investigación y consultoría Keller Fay observa que aunque 80% de las referencias de boca en boca ocurre offline, muchos especialistas en marketing se concentran en sus efectos online dada la facilidad de darles seguimiento a través de la publicidad, las RP o las agencias digitales.[85] Gatorade creó un "Mission Control Center" (Centro de control de misiones), equipado con una sala de control de transmisiones por televisión, para monitorear la marca en las redes sociales durante las veinticuatro horas del día.

A través de información demográfica, o de *proxies* y *cookies*, las empresas pueden monitorear cuando los clientes *bloguean*, comentan, se ponen online, comparten, siguen vínculos, suben archivos a la red, hacen amigos, ven videos, escriben en un muro o actualizan un perfil. Gracias a estas herramientas de seguimiento es posible, por ejemplo, vender a los anunciantes de películas "un millón de mujeres estadounidenses entre 14 y 24 años, que han subido información a la red, que han blogueado, calificado, compartido o comentado algún tema relacionado con el entretenimiento en las 24 horas anteriores".[86]

DuPont mide la promoción de boca en boca online a través de herramientas como la escala (alcance) o la velocidad (rapidez de difusión) de la campaña, la participación de la voz en ese espacio, la participación de la voz en esa velocidad, el logro de un aumento positivo en los sentimientos, la comprensión del mensaje, la relevancia del mismo, su sustentabilidad (es decir, su capacidad de perdurar), y la lejanía respecto a su fuente.

Otros investigadores se enfocan más en caracterizar la fuente de la referencia de boca en boca. Por ejemplo, un grupo está buscando evaluar blogs de acuerdo con tres dimensiones: relevancia, sentimiento y autoridad.[87]

Diseño de la fuerza de ventas

La forma original y más antigua del marketing directo es la visita de venta en campo. Para ubicar clientes potenciales, desarrollarlos de manera que se conviertan en clientes y ampliar su negocio, casi todas las empresas industriales dependen en gran medida de una fuerza de ventas profesional, o de la contratación de representantes y agentes de los fabricantes. Muchas organizaciones de consumo, como Allstate, Amway, Avon, Mary Kay, Merrill Lynch y Tupperware, utilizan una fuerza de venta directa.

Las empresas estadounidenses gastan más de un billón de dólares cada año en sus fuerzas de ventas y en materiales para ellas, cantidad superior a cualquier otro método promocional. Más del 10% del total de la fuerza laboral trabaja tiempo completo en tareas de ventas, tanto no lucrativas como lucrativas.[88] Los hospitales y museos, por ejemplo, utilizan eventos de recaudación de fondos para contactar donadores y solicitar donaciones. Para muchas empresas, el rendimiento de su fuerza de ventas es crítico.[89]

Natura Natura es una compañía brasileña con más de 40 años en el mercado y, en los últimos tiempos se ha expandido a México y otros países de Latinoamérica. Se trata de una empresa comprometida con la conservación del medio ambiente y el bienestar de sus consumidores. Desde su fundación, en 1969 a partir de un laboratorio y una pequeña tienda ubicados en São Paulo, Natura fue impulsada por dos pasiones fundamentales: el cosmético como vehículo de autoconocimiento y poder de transformación en la vida de las personas, y las relaciones humanas como la gran expresión de la existencia. Uno de los factores decisivos del éxito de Natura radicó en su elección de la estrategia de venta directa a partir de 1974; a partir de este hecho surgieron las Consultoras Natura, participantes de un sistema que hoy cuenta con una estupenda recepción en todos los países en donde la empresa mantiene operaciones. El crecimiento de la empresa ha dependido tanto de la calidad y originalidad de sus productos como de su modelo de negocios, basado en la venta personal. Las consultoras pueden pasar por siete niveles: consultora Natura, consultora natura emprendedora, formadora Natura 1 y 2, transformadora Natura 1 y 2, inspiradora Natura y asociada Natura. En el último nivel las consultoras pueden empezar a participar en decisiones y aportar ideas para la definición de las directrices de la empresa. Las integrantes de esta original fuerza de ventas suelen entablar una relación de confianza y empatía con sus clientas, lo cual les permite cerrar transacciones repetidamente y con frecuencia. Las consultoras pueden combinar sus actividades personales y profesionales con la venta de sus productos; el esquema se basa en la creación de relaciones directas con el consumidor a través de la promoción de boca en boca. Actualmente la empresa cuenta con más de 6 200 empleados y más de 1.2 millones de consultoras a nivel mundial. En 2010 registró ingresos netos de 2 772 millones de dólares, y sus ventas siguen creciendo.

Aunque nadie discute la importancia que tiene la fuerza de ventas en los programas de marketing, las empresas son sensibles a los cada vez más altos costos que implica mantener una, incluyendo salarios, comisiones, bonos, gastos de viaje y beneficios. No es sorprendente que las empresas estén tratando de aumentar la productividad de la fuerza de ventas a través de una mejor selección, capacitación, supervisión, motivación y remuneración de sus integrantes.[90]

El término *representante de ventas* abarca seis posiciones que varían según el esquema de comercialización elegido por la empresa y el nivel de creatividad que exigen; de menor a mayor, son las siguientes.[91]

1. ***Distribuidor físico.*** Un vendedor cuya tarea principal es la entrega de un producto (agua, combustible, aceite).
2. ***Receptor de pedidos.*** Un vendedor que actúa desde el interior de la empresa recibiendo pedidos (detrás del mostrador), o desde el exterior realizando visitas con el propósito de levantar órdenes (por ejemplo, entre los gerentes de supermercado).
3. ***Misionero.*** Es un vendedor que no tiene permitido levantar un pedido, pero de quien se espera que genere buena voluntad o capacite al usuario real o potencial (un ejemplo es el "minorista" médico que representa a una empresa farmacéutica completa).
4. ***Técnico.*** Un vendedor con un alto nivel de conocimiento técnico (por ejemplo, el vendedor de ingeniería, que es sobre todo un consultor para las empresas clientes).
5. ***Generador de demanda.*** Un vendedor que depende de métodos creativos para vender productos tangibles (aspiradoras, cepillos de limpieza, productos para el hogar) o intangibles (seguros, servicios publicitarios o educación).
6. ***Vendedor de soluciones.*** Un vendedor cuya experiencia es la resolución de los problemas de los clientes, para lo cual suele emplear un sistema de los productos o servicios de la empresa (por ejemplo, sistemas de cómputo y comunicación).

Los vendedores son el vínculo personal de la empresa con sus clientes. Al diseñar la fuerza de ventas, la empresa debe determinar también los objetivos, la estrategia, la estructura, el tamaño y la remuneración de la misma (vea la figura 19.3).

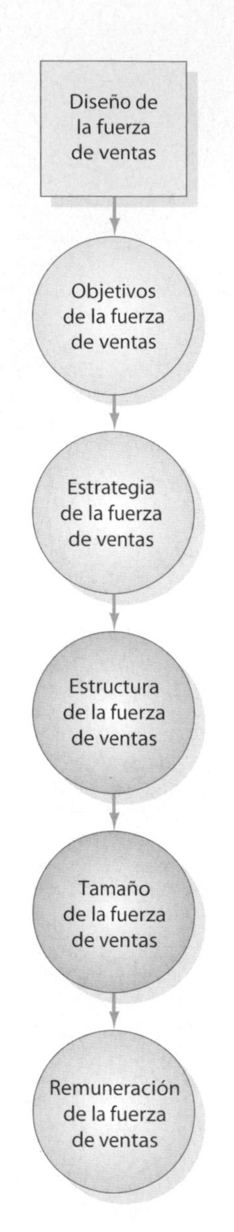

|Fig. 19.3|

Diseño de la fuerza de ventas

Objetivos y estrategia de la fuerza de ventas

Los días en que la única misión de la fuerza de ventas era "vender, vender y vender" pasaron hace mucho. Los representantes de ventas necesitan saber cómo diagnosticar el problema de un cliente y proponer una solución que pueda ayudar a mejorar su rentabilidad.

Las empresas necesitan definir objetivos específicos para su la fuerza de ventas. Por ejemplo, una empresa podría desear que sus representantes de ventas pasen 80% de su tiempo con clientes actuales y 20% con clientes potenciales, y 85% del tiempo promoviendo productos establecidos y 15% difundiendo los nuevos productos. Independientemente del contexto de ventas, los vendedores llevan a cabo una o más tareas específicas:

- ***Prospección.*** Búsqueda de clientes potenciales u oportunidades de venta.
- ***Determinación de clientes/prospectos.*** Decisión sobre cómo asignar su tiempo entre los clientes y los clientes potenciales.
- ***Comunicación.*** Comunicar la información sobre los productos y servicios de la empresa.
- ***Venta.*** Acercamiento, presentación, respuesta a preguntas, manejo de objeciones y cierre de la venta.
- ***Servicio.*** Proporcionar varios servicios a los clientes: asesorando sobre soluciones a sus problemas, dándoles asistencia técnica, arreglando financiamiento, acelerando la entrega de productos.
- ***Recopilación de información.*** Llevar a cabo investigación de mercado y hacer trabajo de inteligencia.
- ***Asignación.*** Decidir cuáles clientes recibirán suministros durante periodos de escasez de productos.

Para tener un mejor manejo de los costos, casi todas las empresas eligen una *fuerza de ventas apalancada*, cuyos representantes se enfocan en vender los productos más complejos y personalizados a las grandes cuentas; por otro lado, utilizan vendedores internos y pedidos por Web para realizar las ventas más sencillas. Los vendedores atienden menos cuentas y se les recompensa por el crecimiento de las cuentas clave; la generación de oportunidades de venta, la redacción de propuestas, el cumplimiento de pedidos y el soporte postventa son delegados a otros. Esta estrategia es muy diferente a aquella en la que se espera que los vendedores vendan a todas las cuentas posibles, una debilidad común entre las fuerzas de ventas asignadas geográficamente.[92]

Las empresas deben desplegar sus fuerzas de ventas de manera estratégica, de manera que visiten a los clientes correctos en el momento oportuno y de la forma adecuada, actuando como "gerentes de cuenta" que desarrollan un contacto fructífero entre el personal encargado de comprar y vender en las organizaciones. Las ventas exigen cada vez más trabajo en equipo y apoyo de otras áreas, por ejemplo, la *alta dirección*, en especial cuando están en juego las cuentas nacionales o ventas muy importantes; el *personal técnico* que provee información y servicio antes, durante y después de la adquisición del producto; los *representantes de servicio al cliente*, que proveen la instalación, el mantenimiento y otros servicios; y el *personal administrativo*, que consta de analistas de ventas, expendedores de pedidos y asistentes.[93]

Para mantener el enfoque en el mercado, los vendedores deberían saber cómo analizar datos de ventas, medir el potencial de mercado, reunir información de inteligencia del mercado, y desarrollar estrategias y planes de marketing. Quienes ocupan los niveles más altos de la gestión de ventas necesitan, más que nadie, contar con habilidades analíticas de marketing. Los especialistas en marketing creen que las fuerzas de ventas son más eficaces en el largo plazo si entienden y aprecian tanto el marketing como las ventas. Con demasiada frecuencia ambas disciplinas entran en conflicto: la fuerza de ventas se queja de que marketing no está creando suficientes oportunidades de negocio, y los especialistas en marketing se quejan de que la fuerza de ventas no las está capitalizando (vea la figura 19.4). Una mejor colaboración y comunicación entre las dos funciones puede aumentar los ingresos y las ganancias.[94]

|Fig. 19.4|

Un hipotético, y disfuncional, diálogo entre ventas y marketing

Fuente: Basado en una charla de Scott Sanderude y Jeff Standish, "Work Together, Win Together: Resolving Misconceptions between Sales and Marketing", conversación que se dio en la conferencia *Marketing, Sales, and Customers* del Marketing Science Institute, 7 de diciembre de 2005.

Ventas. Necesito oportunidades de venta, pero marketing nunca me manda buenas alternativas. ¿Cómo se supone que voy a traer nuevos negocios si no hay buenas oportunidades?

Marketing. Mandamos toneladas de oportunidades, y sólo se quedan ahí en el sistema. ¿Por qué ventas no visita a ninguno de esos clientes potenciales?

Ventas. No tengo nada nuevo para vender. ¿Qué hacen en marketing? ¿Por qué no pueden descifrar con antelación lo que los clientes desean? ¿Por qué no nos dan algo fácil de vender?

Marketing. ¿Por qué la gente de ventas no sale a vender mis nuevos programas? ¿Cómo esperan que los clientes hagan pedidos sin contactos de venta?

Ventas. Mi gente pasa demasiado tiempo desempeñando tareas administrativas y papeleo. Los necesito allá afuera, vendiendo.

Marketing. Necesitamos información para desarrollar nuevas ideas. ¿Cuánto les toma escribir unas cuantas palabras? ¿No conocen a sus propios clientes?

Ventas. ¿Cómo voy a cumplir mi meta? Marketing es una pérdida de tiempo. Preferiría tener más representantes de ventas.

Marketing. ¿Cómo voy a cumplir mi meta? Los de ventas no ayudan y no tengo suficiente personal para hacerlo yo mismo.

Una vez que la empresa elija su estrategia podrá utilizar una fuerza de ventas directa o por contrato. Una **fuerza de ventas directa (o de la empresa)** está compuesta por empleados a tiempo completo o parcial que trabajan exclusivamente para la organización. El personal de ventas interno trabaja desde la oficina, utilizando el teléfono y recibiendo visitas de los compradores potenciales, y el personal de ventas en campo viaja y visita a los clientes. Una **fuerza de ventas contractual** está compuesta por representantes del fabricante, agentes de ventas e intermediarios que reciben una comisión sobre sus ventas.

Estructura de la fuerza de ventas

La estrategia de la fuerza de ventas también tiene implicaciones en su estructura. Una empresa que vende una línea de productos a una sola industria con clientes en muchas ubicaciones utilizaría una estructura territorial. Una empresa que vende muchos productos a muchos tipos de clientes podría necesitar una estructura por producto o por mercado. Algunas organizaciones requieren estructuras más complejas. Por ejemplo, Motorola gestiona cuatro tipos de fuerzas de ventas (1) la fuerza de ventas de mercados estratégicos, compuesta por ingenieros técnicos, de aplicaciones y de calidad, así como personal de servicios asignado a las cuentas más importantes; (2) la fuerza de ventas geográfica, que visita a miles de clientes en distintos territorios; (3) la fuerza de ventas de distribuidores, que visita y asesora a los distribuidores Motorola, y (4) la fuerza de ventas interna, que hace telemarketing y toma pedidos vía telefónica o por fax.

Es preciso que las empresas establecidas revisen las estructuras de su fuerza de ventas a medida que cambian las condiciones económicas y del mercado. SAS, vendedora de software de inteligencia empresarial, reorganizó su fuerza de ventas en grupos para industrias específicas, como la banca, los intermediarios financieros y las aseguradoras; el resultado fue que sus ingresos aumentaron 14 por ciento.[95] En "Marketing en acción: Gestión de cuentas importantes" se analiza una estructura especializada de la fuerza de ventas.

Gestión de cuentas importantes

Los especialistas en marketing acostumbran distinguir a las cuentas importantes (también llamadas cuentas clave, cuentas nacionales, cuentas globales, grandes cuentas o cuentas de la casa), para asegurarse de que reciban la atención adecuada. Estas cuentas representan a los clientes más relevantes de la organización, los cuales suelen tener múltiples divisiones en muchas ubicaciones, y utilizan precios uniformes y un servicio coordinado para cada una de ellas. Por lo general, los gerentes encargados de este tipo de cuentas están subordinados al gerente de ventas nacionales, y supervisan a los representantes de ventas que visitan las plantas de los clientes dentro de su territorio. La empresa promedio gestiona aproximadamente 75 cuentas clave. Si una empresa tiene varias de ellas, es posible que organice una división de gestión de cuentas, en donde el gerente especializado promedio gestionará nueve cuentas.

Casi siempre las cuentas clave son atendidas por un equipo de gestión de cuentas estratégicas con miembros que cumplen funciones cruzadas y que integran el desarrollo de nuevos productos, el soporte técnico, la cadena de suministro, las actividades de marketing y múltiples canales de comunicación para cubrir todos los aspectos de la relación. Procter & Gamble tiene un equipo de gestión de cuentas estratégicas conformado por 300 personas que trabajan con Walmart en su corporativo en Bentonville, Arkansas, y otros más en los corporativos de Walmart en Europa, Asia y Latinoamérica. P&G reconoce que esta relación le ahorra a la empresa miles de millones de dólares.

La gestión de grandes cuentas está en crecimiento. A medida que la concentración de compradores aumenta debido a las fusiones y adquisiciones, menos compradores son responsables de una mayor porción de las ventas. Muchos están centralizando sus compras de determinados artículos, con lo que obtienen un mayor poder para demandar descuentos. A medida que los productos se tornan más complejos, más grupos en la organización compradora participan en el proceso de compra. El vendedor típico podría no tener la habilidad, la autoridad o la cobertura para vender con eficacia al gran comprador.

Al elegir sus cuentas clave, las empresas buscan clientes que compren en grandes volúmenes (en especial los productos más rentables), que lo hagan de manera centralizada, que requieran un alto nivel de servicio en varias ubicaciones geográficas, que sean sensibles al precio y que deseen desarrollar una relación de largo plazo. Los gerentes de grandes cuentas actúan como puntos de contacto exclusivos; desarrollan y hacen crecer el negocio del cliente, entienden sus procesos de decisión, identifican las oportunidades de añadir valor, proveen inteligencia competitiva, negocian las ventas y organizan el servicio al cliente.

Muchas grandes cuentas buscan obtener un valor añadido más que una ventaja en materia de precio. Les importa más tener un punto único de contacto dedicado, facturación exclusiva, garantías especiales, vínculos de intercambio electrónico de datos (EDI), prioridad en los envíos, información anticipada, productos personalizados, mantenimiento eficaz, reparaciones y un mejor servicio. No hay que olvidar el valor de la buena voluntad. Las relaciones personales en las que se valora el negocio de las grandes cuentas y se muestra interés en su éxito, representan importantes razones para que el cliente mantenga su lealtad.

Fuentes: Noel Capon, Dave Potter y Fred Schindler, *Managing Global Accounts: Nine Critical Factors for a World Class Program*, 2ª. ed. (Bronxville, NY: Wessex Press, 2008); Peter Cheverton, *Global Account Management: A Complete Action Kit of Tools and Techniques for Managing Key Global Customers* (Londres, RU: Kogan Page, 2008); Malcolm McDonald y Diana Woodburn, *Key Account Management: The Definitive Guide*, 2ª ed. (Oxford, RU: Butterworth-Heinemann, 2007); Jack Neff, "Bentonville or Bust", *Advertising Age*, 24 de febrero de 2003. Para obtener información adicional consulte SAMA (Strategic Account Management Association) y el *Journal of Selling and Major Account Management*.

Tamaño de la fuerza de ventas

Los representantes de ventas constituyen uno de los activos más productivos y costosos de la empresa. Al aumentar su número se incrementan también las ventas y los costos. Una vez que la empresa establece el número de clientes a los que quiere llegar, puede utilizar un *enfoque de carga de trabajo* para establecer el tamaño de la fuerza de ventas. Este método consta de cinco pasos:

1. Agrupar a los clientes en clases, según su tamaño y de acuerdo con el volumen anual de ventas.
2. Establecer la frecuencia deseable de visitas (número de visitas por cuenta al año) para cada clase de clientes.
3. Multiplicar el número de cuentas en cada clase por la frecuencia correspondiente para obtener la carga de trabajo total del país, en visitas de ventas por año.
4. Determinar el número promedio de visitas que un representante de ventas puede hacer al año.
5. Dividir el total de las visitas anuales requeridas entre el promedio de las visitas anuales realizadas por un representante de ventas, para llegar al número de representantes de ventas necesarios.

Suponga que la empresa calcula tener 1 000 cuentas tipo A y 2 000 cuentas tipo B. Las cuentas tipo A requieren 36 visitas al año y las tipo B exigen 12, así que la empresa necesita una fuerza de ventas que pueda hacer 60 000 visitas de ventas (36 000 + 24 000) al año. Si el representante promedio de tiempo completo puede hacer 1 000 visitas al año, la empresa necesitará 60 representantes.

Remuneración de la fuerza de ventas

Para atraer a representantes de la mejor calidad, la empresa debe desarrollar un paquete de remuneración atractivo. Los representantes de ventas desean regularidad en sus ingresos, recompensas adicionales por un rendimiento superior al promedio, y una paga justa por su experiencia y longevidad. La dirección desea control, economía y simplicidad. Algunos de estos objetivos entrarán en conflicto. No es sorprendente que los planes de remuneración muestren enormes divergencias de una industria a otra, e incluso dentro de la misma industria.

La empresa debe cuantificar cuatro componentes de la remuneración de la fuerza de ventas. La *cantidad fija*, un salario, satisface la necesidad de estabilidad en los ingresos. La *cantidad variable*, ya sean comisiones, bonos o reparto de utilidades, sirve para estimular y recompensar el esfuerzo. Los *gastos de representación* permiten que los representantes de ventas cubran los gastos de viaje y entretenimiento. Las *prestaciones*, tales como las vacaciones pagadas, beneficios por enfermedad o accidente, pensiones y seguro de vida, proveen seguridad y satisfacción en el empleo.

La remuneración fija es común en empleos donde es alta la proporción entre responsabilidades no relacionadas con las ventas y las que sí lo están. La remuneración variable funciona mejor cuando las ventas son cíclicas o dependen de la iniciativa individual. De la remuneración fija y variable surgen tres tipos básicos de planes de remuneración: sólo salario, sólo comisiones y una combinación de salario y comisión. Una encuesta reveló que más de la mitad de los representantes de ventas reciben 40% o más de su remuneración en pagos variables.[96]

Los planes de sólo salario proveen un ingreso seguro, animan a los representantes a llevar a cabo actividades que no tienen relación con las ventas, y reducen el incentivo de abarrotar a los clientes. Para la empresa estos planes representan simplicidad administrativa y una baja rotación de personal. Los planes de sólo comisión atraen a quienes tienen mayor rendimiento, les dan más motivación, requieren menos supervisión y controlan los costos de ventas. Por el lado negativo, enfatizan la obtención de la venta por encima de cuidar las relaciones. Los planes combinados tienen beneficios de ambas modalidades y, al mismo tiempo, limitan sus desventajas.

Los planes que combinan las formas de pago fijo y variable vinculan la porción variable a una gran variedad de metas estratégicas. Una tendencia actual quita el énfasis al volumen de ventas a favor de la rentabilidad bruta, la satisfacción del cliente y su retención. Otras empresas recompensan a sus representantes parcialmente sobre el rendimiento del equipo de ventas, o incluso el de toda la empresa, lo que motiva a todo el personal a trabajar en conjunto por el bien común.

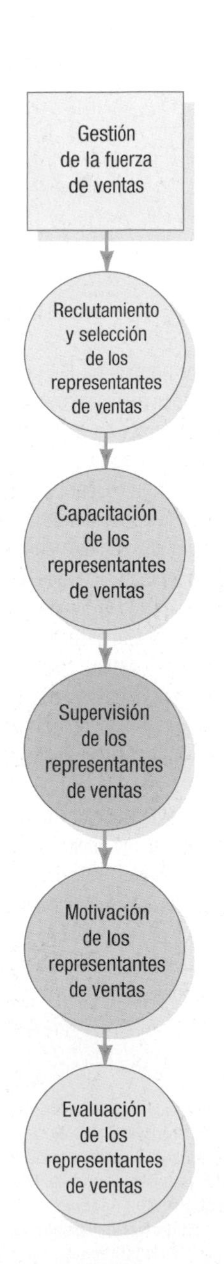

|Fig. 19.5|

Gestión de la fuerza de ventas

Gestión de la fuerza de ventas

Varias políticas y procedimientos guían a la empresa al reclutar, seleccionar, capacitar, supervisar, motivar y evaluar a los representantes para gestionar su fuerza de ventas (vea la figura 19.5).

Reclutamiento y selección de representantes

En el centro de cualquier fuerza de ventas exitosa se encuentra un medio para seleccionar representantes eficaces. Una encuesta reveló que el 25% superior de la fuerza de ventas es responsable del 52% de las ventas. Contratar a la gente equivocada es un gran desperdicio. La rotación de personal promedio entre los representantes de ventas de todas las industrias es casi del 20 por ciento. La rotación de personal provoca pérdida de ventas, mayores costos por encontrar y capacitar remplazos y, con frecuencia, más presión en los vendedores existentes para compensar la falta de personal.[97]

Después de que la dirección desarrolla sus criterios de selección, debe hacer contrataciones. El departamento de recursos humanos solicita los nombres de los representantes de ventas actuales, utiliza agencias de empleo, publica anuncios y contacta estudiantes universitarios. Los procesos de selección pueden variar desde una sola entrevista informal hasta varias de ellas y la realización de prolongadas pruebas.

Los estudios han demostrado poca relación entre el rendimiento, por un lado, y las variables de antecedentes y experiencia, el estatus actual, el estilo de vida, la actitud, la personalidad y las habilidades, por el otro. Los elementos de predicción más eficaces han sido las pruebas compuestas y los centros de evaluación que simulan el entorno de trabajo, de manera que los solicitantes puedan ser evaluados en un ambiente similar a aquel dentro del cual trabajarían.[98] Aunque las puntuaciones de las pruebas formales son sólo un elemento en un conjunto que incluye las características personales, las referencias, el historial laboral y las reacciones de los entrevistadores, empresas como IBM, Prudential y Procter & Gamble las ponderan bastante. Gillette asegura que las pruebas han disminuido la rotación de personal, y que las puntuaciones se correlacionan bien con el progreso de los nuevos representantes.

Capacitación y supervisión de los representantes de ventas

Los clientes de hoy esperan que los vendedores tengan un profundo conocimiento del producto, que añadan ideas para mejorar las operaciones y que sean eficaces y confiables. Estas demandas han requerido que las empresas hagan una inversión mucho mayor en la capacitación de su fuerza de ventas.

Los nuevos representantes pueden pasar en capacitación entre unas cuantas semanas y varios meses. La mediana del periodo de capacitación es de 28 semanas en las empresas de productos industriales, 12 en las compañías de servicios y cuatro en las empresas de productos de consumo. El tiempo de capacitación varía según la complejidad de la tarea de ventas y el tipo de proceso de contratación. En todos los casos, la escalada de los recién contratados hasta su eficacia total está llevando más tiempo que nunca, con un 27% que toma entre 3 y 6 meses, 38% entre 6 y 12 meses y 28% que requieren 12 meses o más.

Continuamente surgen nuevos métodos de capacitación, tales como el uso de cintas de audio y video, CD y CD-ROM, aprendizaje programado, aprendizaje a distancia y películas. Algunas empresas utilizan juegos de rol y capacitación de empatía y sensibilidad para ayudar a los representantes a identificarse con las situaciones y las motivaciones de los clientes.

Los representantes que son pagados en su mayor parte con comisiones generalmente reciben menos supervisión. Los que son asalariados y deben atender cuentas definidas son los que tienen mayor probabilidad de recibir supervisión sustancial. En las ventas multinivel, como las que realizan Avon, Sara Lee, Virgin y otras organizaciones, los distribuidores independientes están también a cargo de que su propia fuerza de ventas comercialice los productos de la empresa. A estos contratistas independientes o representantes se les paga una comisión no solamente por sus propias ventas, sino también por las de las personas a las que contratan y capacitan.[99]

Productividad de los representantes de ventas

¿Cuántas visitas debería hacer anualmente la empresa a una cuenta específica? Algunas investigaciones sugieren que los representantes de ventas actuales pasan demasiado tiempo vendiendo a cuentas más pequeñas y menos rentables, en lugar de enfocarse en las cuentas más grandes y más rentables.[100]

NORMAS PARA LAS VISITAS A CLIENTES POTENCIALES Si se les deja a su libre albedrío, muchos representantes pasarán la mayor parte de su tiempo con sus clientes actuales, que representan montos conocidos; los representantes pueden depender de ellos para obtener utilidades, mientras que un cliente potencial podría terminar por no hacer aportación alguna. Por ello las empresas suelen especificar cuánto tiempo deberían pasar los representantes buscando nuevas cuentas. Spector Freight desea que sus representantes pasen 25% del tiempo buscando clientes potenciales, y que dejen de hacerlo después de tres visitas infructuosas. Algunas empresas dependen de su fuerza de ventas misionera para abrir nuevas cuentas.

USO EFICAZ DEL TIEMPO DE VENTAS Los mejores representantes de ventas gestionan eficazmente su tiempo. El *análisis de tiempo y deberes* ayuda a que los representantes entiendan cómo pasan el tiempo y de qué manera podrían aumentar su productividad. En el curso de un día, los representantes de ventas pasan tiempo planeando, desplazándose, esperando, vendiendo y haciendo tareas administrativas (escribir informes y facturas; asistir a juntas de ventas; hablar con otros empleados de la empresa sobre producción, entrega, facturación y rendimiento de las ventas). No es sorprendente que la venta cara a cara represente tan poco como el 29% del tiempo total de trabajo.[101]

Las empresas constantemente intentan mejorar la productividad de la fuerza de ventas.[102] Para reducir los costos, disminuir las demandas de tiempo en su fuerza de ventas externa, y apalancar las innovaciones informáticas y de telecomunicaciones, muchas han aumentado el tamaño y las responsabilidades de sus fuerzas de ventas internas.

Los vendedores internos son de tres tipos: *personal de soporte técnico*, que provee información técnica y respuestas a las preguntas de los clientes; *asistentes de ventas*, que ofrecen respaldo en la realización de labores de oficina para los vendedores externos, llaman con anticipación para confirmar las citas, hacen revisiones de historial crediticio de los clientes, dan seguimiento a las entregas y responden las preguntas relativas al negocio que hacen los clientes; *personal de telemarketing*, que utiliza el teléfono para encontrar nuevas oportunidades de negocio, calificarlas y venderles. El personal de telemarketing puede llamar hasta a 50 clientes al día, en comparación con las cuatro visitas que es capaz de llevar a cabo un vendedor externo.

La fuerza de ventas interna libera a los representantes externos para que pasen más tiempo vendiendo a las cuentas importantes, identificando y convirtiendo a los nuevos grandes clientes potenciales, colocando nuevos sistemas de pedidos electrónicos en las instalaciones de los clientes, y obteniendo más pedidos de cobertura y contratos de sistemas. Los vendedores internos pasan más tiempo revisando el inventario, dando seguimiento a los pedidos y llamando por teléfono a las cuentas más pequeñas. A los representantes de ventas externos se les paga en su mayor parte sobre una base de remuneración por incentivos, y a los representantes internos sobre una base de salario o salario más bono.

TECNOLOGÍA DE VENTAS El vendedor actual realmente se ha vuelto electrónico. Por esta vía no sólo se transfiere con mayor velocidad la información de ventas e inventario, sino que se han creado sistemas específicos de apoyo de decisiones basados en equipos informáticos para los gerentes y representantes de ventas. Con el uso de computadoras portátiles, los vendedores tienen acceso a información valiosa sobre los productos y los clientes. Con presionar unas cuantas teclas, los vendedores pueden empaparse de los antecedentes del cliente, abrir cartas de ventas escritas previamente, transmitir pedidos y resolver problemas de servicio al cliente en el momento, así como enviar muestras, folletos y otros materiales a los clientes.

Una de las herramientas electrónicas más valiosas para el representante de ventas es el sitio Web de la empresa, y una de las aplicaciones más útiles de la misma es la generación de nuevas oportunidades. Los sitios Web organizacionales pueden ayudar a definir la relación de la compañía con las cuentas individuales e identificar aquellas cuyo negocio requiera una visita de ventas personal; proveen una introducción a los clientes potenciales que se identifiquen, y pueden incluso recibir el pedido inicial. Para las transacciones más complejas, el sitio provee mecanismos para que el comprador contacte al vendedor. Al resolver problemas que no requieren intervención humana, la venta por Internet apoya al marketing de relaciones y de esta manera permite disponer de más tiempo para los asuntos que son mejor resueltos cara a cara.

Motivación de los representantes de ventas

Casi todos los representantes de ventas requieren que se les anime y también recibir incentivos especiales, en especial aquellos que trabajan en campo y encuentran desafíos todos los días.[103] La mayoría de los especialistas en marketing cree que cuanto más grande sea la motivación del vendedor, más relevantes serán su esfuerzo y el rendimiento resultante, las recompensas y la satisfacción, factores que, a su vez, incrementan aún más la motivación.

RECOMPENSAS INTRÍNSECAS Y RECOMPENSAS EXTRÍNSECAS Los especialistas en marketing refuerzan las recompensas intrínsecas y extrínsecas de todo tipo. Cierta investigación encontró que la recompensa con más alto valor es la paga, seguida por los ascensos, el crecimiento personal y la sensación de logro.[104] Las menos valoradas eran caer bien a los demás y tener respeto, seguridad y reconocimiento. En otras palabras, los vendedores están muy motivados por la paga y la oportunidad de salir adelante y satisfacer sus necesidades intrínsecas, y podrían estar menos motivados por los halagos y la seguridad. Algunas empresas emplean concursos de ventas para aumentar el esfuerzo de sus representantes.[105]

CUOTAS DE VENTAS Muchas empresas fijan cuotas anuales de ventas, desarrolladas a partir del plan de marketing, como importe monetario de ventas, volumen de unidades, margen, esfuerzo o actividad de venta o tipo de producto. La compensación suele estar vinculada con el grado en que se cumpla la cuota. La empresa primero prepara un pronóstico de ventas que se convierte en la base para planear la producción, el tamaño de la fuerza laboral y los requerimientos financieros. Entonces la dirección establece las cuotas para los territorios y regiones, lo que normalmente suma más que el pronóstico de ventas para alentar a los gerentes y vendedores a tener su mejor rendimiento. Incluso si no logran cumplir sus cuotas, la empresa podría llegar a su pronóstico de ventas.

Cada gerente de ventas de área divide la cuota de su región entre sus representantes. En ocasiones, las cuotas de un representante se fijan altas para inducir un mayor esfuerzo, o se fijan más modestamente para crear confianza. Un punto de vista general es que la cuota del vendedor debería ser al menos igual a las ventas del año anterior, más alguna fracción de la diferencia entre el potencial de ventas del territorio y las ventas del año anterior. Cuanto más favorablemente reaccione el vendedor a la presión, esa fracción debería ser más alta.

El sentido común indica que las ganancias son maximizadas por los representantes de ventas centrados en los productos más importantes y los más rentables. Los representantes tienen poca probabilidad de cumplir sus cuotas para determinados artículos si la empresa está lanzando varios productos nuevos al mismo tiempo. La compañía tendrá que expandir su fuerza de ventas para los lanzamientos de nuevos productos.

La fijación de cuotas de ventas puede crear problemas. Si la empresa las subestima y el representante de ventas las logra fácilmente, le habrán pagado de más. Si sobrestima el potencial de ventas, al vendedor le costará mucho llegar a sus cuotas y se frustrará o renunciará. Otra desventaja es que las cuotas pueden impulsar a los representantes a obtener tantos negocios como sea posible, a menudo dejando de lado la responsabilidad implícita de ofrecer servicio. La empresa obtiene resultados en el corto plazo a costa de la satisfacción a largo plazo del cliente. Por estas razones, algunas empresas están dejando de utilizar cuotas. Incluso la competitiva Oracle ha cambiado su enfoque respecto de la compensación por ventas.

Oracle

Oracle Al ver que sus ventas disminuían y sus clientes se quejaban, Oracle, la segunda empresa de software más grande del mundo, decidió reformar su departamento y sus prácticas de ventas. Sus capacidades en rápida expansión, entre las cuales se hallaban aplicaciones para áreas tan diversas como los recursos humanos, la gestión de cadena de suministros y CRM, implicaban que un solo representante no podría ser responsable de la venta de todos los productos Oracle a ciertos clientes. La reorganización permitió que los representantes se especializaran en unos cuantos productos específicos. Para moderar la reputación de excesivamente agresiva que tenía su fuerza de ventas, Oracle cambió la estructura de comisiones de un rango de 2 a 12% a uno de 4 a 6%, y adoptó lineamientos sobre cómo "jugar amablemente" con los canales, vendedores independientes de software (ISV), revendedores, integradores y revendedores de valor añadido (VAR). Los seis principios instruían al personal de ventas para que identificaran y trabajaran con socios en las cuentas, y respetaran las posiciones y el valor que éstos añaden, para de esa forma atender a la retroalimentación de sus asociados en el sentido de que Oracle debería ser más predecible y confiable.[106]

Evaluación de los representantes de ventas

Hemos venido describiendo los aspectos de *información requerida anticipada* relacionados con la supervisión de ventas: cómo comunica la dirección lo que los representantes de ventas deberían hacer y lo que los motiva a hacerlo. Pero si se quiere tener buena información requerida anticipada es preciso contar con una retroalimentación adecuada, lo que implica obtener información regular de los representantes para evaluar su rendimiento.

FUENTES DE INFORMACIÓN La más importante fuente de información acerca de los representantes son los informes de ventas. La información adicional proviene de la observación personal, los informes del vendedor, las cartas y quejas del cliente, y las conversaciones con otros representantes.

Los informes de ventas se dividen en *planes de actividades* e *informes de resultados de actividades*. El mejor ejemplo del primero es el plan de trabajo del vendedor, el cual entregan los representantes por anticipado una vez por semana o por mes, y en el que se describen las rutas y visitas planificadas. Este informe obliga al representante de ventas a planificar o programar los horarios de sus actividades e informar a la gerencia en dónde se encuentran. Provee una base para comparar sus planes contra sus logros, o su capacidad de "planificar su trabajo y llevar a cabo su plan".

Muchas empresas requieren que los representantes desarrollen un plan territorial anual, en el cual describan su programa para abrir nuevas cuentas y aumentar el negocio de las existentes. Los gerentes de ventas estudian estos planes, hacen sugerencias y los utilizan para desarrollar las cuotas de ventas. Los representantes de ventas escriben sus actividades realizadas en los *informes de visita*. También entregan informes de gastos, informes de nuevos negocios, informes de negocios perdidos e informes sobre los negocios locales y las condiciones económicas.

Estos informes proveen datos crudos, a partir de los cuales los gerentes de ventas pueden extraer indicadores clave del rendimiento de ventas (1) número promedio de visitas de ventas por vendedor por día, (2) tiempo promedio de la visita de ventas por contacto, (3) ingreso promedio por visita de ventas, (4) costo promedio por visita de ventas, (5) costo de entretenimiento por visita de ventas, (6) pedidos por cada 100 visitas de ventas, (7) número de nuevos clientes por periodo, (8) número de clientes perdidos por periodo, y (9) costo de la fuerza de ventas como porcentaje de las ventas totales.

EVALUACIÓN FORMAL Junto con otras observaciones, los informes de la fuerza de ventas proveen la materia prima de la evaluación. Un tipo de evaluación compara el rendimiento pasado con el actual. Un ejemplo se muestra en la tabla 19.1.

El gerente de ventas puede aprender muchas cosas sobre un representante a partir de esa tabla. Las ventas totales aumentaron cada año (línea 3). Esto no necesariamente quiere decir que esté haciendo un mejor

TABLA 19.11 Formulario de evaluación de rendimiento de los representantes de ventas

Territorio: Medio representante de ventas: John Smith	2007	2008	2009	2010
1. Ventas netas del producto A	$251 300	$253 200	$270 000	$263 100
2. Ventas netas del producto B	423 200	439 200	553 900	561 900
3. Ventas netas totales	674 500	692 400	823 900	825 000
4. Porcentaje de cuota del producto A	95.6	92.0	88.0	84.7
5. Porcentaje de cuota del producto B	120.4	122.3	134.9	130.8
6. Ganancias brutas del producto A	$50 260	$50 640	$54 000	$52 620
7. Ganancias brutas del producto B	42 320	43 920	55 390	56 190
8. Ganancias brutas totales	92 580	94 560	109 390	108 810
9. Gastos de ventas	$10 200	$11 100	$11 600	$13 200
10. Gastos de ventas contra ventas totales (%)	1.5	1.6	1.4	1.6
11. Número de visitas	1 675	1,700	1,680	1,660
12. Costo por visita	$6.09	$6.53	$6.90	$7.95
13. Número promedio de clientes	320	24	328	334
14. Número de clientes nuevos	13	14	15	20
15. Número de clientes perdidos	8	10	11	14
16. Ventas promedio por cliente	$2 108	$2 137	$2 512	$2 470
17. Ganancias brutas promedio por cliente	$289	$292	$334	$326

trabajo. El desglose de productos muestra que ha sido capaz de impulsar las ventas del producto B más que las del producto A (líneas 1 y 2). Según sus cuotas para ambos productos (líneas 4 y 5), su aumento en las ventas del producto B podrían ser a costa del producto A. Según las ganancias brutas (líneas 6 y 7), la empresa gana más con la venta de A que de B. El representante podría estar impulsando el producto de mayor volumen y menor margen a expensas de las ventas del producto A. Aunque el representante aumentó sus ventas totales en 1 100 dólares entre 2009 y 2010 (línea 3), las ganancias brutas sobre las ventas totales en realidad disminuyeron en 580 dólares (línea 8).

Los gastos de ventas (línea 9) muestran un aumento constante, aunque el gasto total como porcentaje de las ventas totales parece estar bajo control (línea 10). La tendencia ascendente en el importe del gasto total no parece estar justificada por algún aumento en el número de visitas (línea 11), aunque podría estar relacionada con el éxito en la adquisición de nuevos clientes (línea 14). Tal vez al buscar nuevos clientes este representante está descuidando a sus clientes actuales, como lo indica la tendencia ascendente en el número anual de cuentas perdidas (línea 15).

Las últimas dos líneas muestran el nivel y la tendencia de las ventas y las ganancias brutas por cliente. Estas cifras se vuelven más significativas cuando se comparan con los promedios generales de la empresa. Si la ganancia bruta promedio de este representante es menor que el promedio de la empresa, podría estar concentrándose en los clientes equivocados, o quizá no está pasando suficiente tiempo con cada cliente. Una revisión del número anual de visitas (línea 11) muestra que podría estar realizando menos visitas que el vendedor promedio. Si las distancias en su territorio son similares a las de otros territorios, el representante podría no estar dedicando un día completo de trabajo, podría ser malo para la planificación y trazado de rutas de ventas, o está pasando demasiado tiempo con ciertas cuentas.

Incluso si es eficaz en producir ventas, los clientes podrían no calificar bien a este vendedor. Su éxito podría derivarse de que los vendedores de la competencia son aún menos competentes, de que el producto del representante sea mejor, o de que siempre encuentra nuevos clientes para remplazar a aquellos que han terminado disgustados por su desempeño. Los gerentes pueden recopilar las opiniones de los clientes acerca del vendedor, el producto y el servicio mediante cuestionarios enviados por correo o a través de llamadas telefónicas. Los representantes de ventas pueden analizar el éxito o fracaso de una visita de ventas y entender cómo podrían mejorar sus probabilidades en visitas subsecuentes. Su rendimiento podría estar relacionado con factores internos (esfuerzo, capacidad y estrategia) y/o factores externos (tareas y suerte).[107]

Principios de las ventas personales

La venta personal es un arte antiguo. Sin embargo, en la actualidad los vendedores eficaces son algo más que puro instinto. Hoy en día las empresas gastan miles de millones de dólares cada año para capacitarlos en métodos de análisis y de gestión de clientes, y para transformarlos de personas pasivas que levantan pedidos en individuos activos que obtienen pedidos. A los representantes se les enseña el método SPIN para crear relaciones de largo plazo, con preguntas como las siguientes:[108]

1. ***Preguntas de situación***. Inquieren sobre factores o exploran la situación actual del comprador. Por ejemplo, "¿Qué sistema está utilizando para la emisión de facturas a sus clientes?".

2. ***Preguntas de problemas.*** Tratan sobre los problemas, dificultades e insatisfacciones que experimenta el comprador. Por ejemplo, "¿Qué parte del sistema causa errores?".
3. ***Preguntas de implicación.*** Plantean cuestionamientos sobre las consecuencias o los efectos de los problemas de un comprador, sus dificultades e insatisfacciones. Por ejemplo, "¿Cómo afecta este problema la productividad de su personal?".
4. ***Preguntas de necesidad-recompensa.*** Buscan averiguar cuál es el valor o la utilidad de una solución propuesta. Por ejemplo: "¿Cuánto ahorraría usted si nuestra empresa pudiera ayudarle a reducir 80% de los errores?".

Casi todos los programas de capacitación de ventas están de acuerdo en cuáles son los pasos principales en cualquier proceso de ventas. Estos pasos se muestran en la △ figura 19.6, y después se analiza su aplicación a las ventas industriales.[109]

|Fig. 19.6| △

Principales pasos de la venta eficaz

Los seis pasos

PROSPECCIÓN Y CALIFICACIÓN El primer paso de la venta consiste en identificar y calificar a los prospectos. Casi todas las empresas se están haciendo responsables de encontrar y calificar las oportunidades para que los vendedores puedan utilizar su valioso tiempo en hacer lo que mejor hacen: vender. Las empresas califican las oportunidades al contactar prospectos por correo o por teléfono, con el propósito de evaluar su nivel de interés y su capacidad financiera. Los clientes potenciales "calientes" se entregan a la fuerza de ventas en campo, y los clientes potenciales "tibios" a la unidad de telemarketing para darles seguimiento. Incluso entonces se requieren alrededor de cuatro visitas a los clientes potenciales para cerrar una transacción de negocios.

APROXIMACIÓN PREVIA El vendedor debe saber todo lo posible sobre la empresa cliente potencial (lo que necesita, quién toma parte en la decisión de compra) y sus compradores (características personales y estilos de compra). ¿Cómo se lleva a cabo el proceso de compra en esa empresa? ¿Cómo está estructurado el departamento de adquisiciones? Muchos departamentos de compras de las empresas más grandes han sido elevados a departamentos de insumos estratégicos con prácticas más profesionales. Las compras centralizadas podrían hacer más importante tener proveedores de mayor tamaño, capaces de satisfacer todas las necesidades de la empresa. Al mismo tiempo, algunas compañías también descentralizan las compras por artículos más pequeños, como las cafeteras, los insumos de oficina y otros artículos básicos de bajo costo.

El representante de ventas debe entender completamente el proceso de compra en términos de "quién, cuándo, dónde, cómo y por qué" para poder fijar los objetivos de sus visitas: calificar al cliente potencial, obtener información o hacer una venta inmediata. Otra tarea es elegir el mejor enfoque de contacto: una visita personal, una llamada telefónica o una carta. El enfoque correcto es crucial, dado que se ha vuelto cada vez más difícil para los representantes de ventas entrar a las oficinas de los agentes de compras, los médicos y otros clientes que tienen poco tiempo y con disponibilidad de Internet. Por último, el vendedor debe planear una estrategia general de ventas para esa cuenta.

PRESENTACIÓN Y DEMOSTRACIÓN El vendedor cuenta la "historia" del producto al comprador, usando un enfoque de *características, ventajas, beneficios* y *valor* (FAVB, por sus siglas en inglés). Las características describen las particularidades físicas de una oferta de mercado, como la velocidad de procesamiento de un chip o su capacidad de memoria. Las ventajas describen las razones por las que las características constituyen una ventaja para el cliente. Los beneficios describen las ventajas económicas, técnicas, de servicio y sociales que brinda la oferta. El valor describe la valía (por lo general en términos monetarios). Los vendedores suelen dedicar demasiado tiempo a describir las características del producto (orientación al producto) y muy poco a destacar sus beneficios y valor (orientación al cliente). El discurso dirigido a un cliente potencial debe ser muy relevante, atractivo y persuasivo; siempre hay otra empresa esperando quedarse con el negocio.[110]

VENCER LAS OBJECIONES Por lo general los clientes presentan objeciones. La *resistencia psicológica* incluye la resistencia a la interferencia, la preferencia por fuentes de insumos establecidas o por ciertas marcas, la apatía, la resistencia a entregar algo, las asociaciones desagradables creadas por el representante de ventas, las ideas preconcebidas, el disgusto por la toma de decisiones, y por una actitud neurótica hacia el dinero. La *resistencia lógica* podría estar conformada por objeciones al precio, a los horarios de entrega o a las características del producto o de la empresa.

Para manejar estas objeciones el vendedor mantiene un enfoque positivo, pide al comprador que clarifique la objeción, hace preguntas de tal manera que el comprador conteste su propia objeción, niega la validez de la objeción o la convierte en una razón para comprar. Aunque el precio frecuentemente es el asunto que más se negocia —en especial durante las recesiones económicas— también son importantes el tiempo de terminación del contrato, la calidad de los bienes y servicios ofrecidos, el volumen de compras, la responsabilidad por financiamiento, toma de riesgos, promoción y propiedad, así como la seguridad del producto.

Los vendedores en ocasiones ceden con demasiada facilidad cuando los clientes exigen un descuento. Una empresa reconoció el problema cuando los ingresos por ventas subieron 25%, pero las ganancias se mantuvieron igual. La empresa decidió capacitar de nuevo a su personal de ventas para "vender el precio" y no a "vender a través del precio". Entregaron a los vendedores mayor información sobre el historial de ventas de cada cliente y su comportamiento. Además, les brindó capacitación para reconocer oportunidades de añadir valor más que oportunidades de reducir el precio. Como resultado, los ingresos de ventas de la empresa aumentaron y también sus márgenes.[111]

CIERRE Los signos de cierre por parte del comprador incluyen acciones físicas, afirmaciones o comentarios y preguntas. Los representantes pueden solicitar el pedido, recapitular los puntos de acuerdo, ofrecerse a poner por escrito el pedido, preguntar si el comprador desea A o B, lograr que el comprador tome decisiones menores, como el color o el tamaño, o indicar lo que el comprador perderá si no hace el pedido en ese momento. El vendedor puede ofrecer incentivos específicos para cerrar, tales como servicio adicional, una cantidad extra o un obsequio.

Si el cliente continúa sin ceder, tal vez el vendedor no esté actuando con el ejecutivo correcto; una persona de mayor jerarquía tal vez tenga la autoridad necesaria. El vendedor tal vez también necesita encontrar otras maneras de reforzar el valor de la oferta y aliviar las presiones financieras o de otro tipo a las que se enfrente el cliente.[112]

SEGUIMIENTO Y MANTENIMIENTO El seguimiento y el mantenimiento son necesarios para asegurar la satisfacción del cliente y su negocio constante y repetido. Inmediatamente después del cierre, el vendedor debe fortalecer cualquier detalle necesario sobre tiempo de entrega, términos de compra y otros detalles importantes para el cliente. El vendedor debería programar una llamada de seguimiento después de la entrega para garantizar que la instalación sea adecuada, que se den las instrucciones y el servicio convenidos, y detectar cualquier problema, dar seguridad al comprador acerca del interés del vendedor, y reducir cualquier disonancia cognitiva. Por último, el vendedor debería desarrollar también un plan de mantenimiento y crecimiento para la cuenta.

Marketing de relaciones

Los principios de la venta personal y la negociación están muy orientados a las transacciones, debido a que su propósito es cerrar una venta específica. Pero en muchos casos la empresa no busca una venta inmediata, sino una relación de largo plazo entre el proveedor y el cliente. Los clientes actuales prefieren proveedores que puedan vender y entregar un conjunto coordinado de productos y servicios en múltiples ubicaciones, que sean capaces de resolver problemas con rapidez en las diferentes ubicaciones, y que puedan trabajar de manera estrecha con los equipos de los clientes para mejorar los productos y los procesos.

Los vendedores que trabajan con clientes clave deben hacer algo más que limitarse a llamar cuando creen que los clientes podrían estar listos para hacer nuevos pedidos. Deberían llamarlos o visitarlos en otras ocasiones, y hacer sugerencias útiles sobre el negocio. Deberían monitorear las cuentas clave, conocer los problemas de sus clientes y estar listos para atenderlos de varias maneras, adaptándose y respondiendo a diferentes necesidades y situaciones que se les presenten.[113]

El marketing de relaciones no es tan eficaz en todas las situaciones, pero cuando se emplea la estrategia correcta y se implementa adecuadamente, la organización se enfocará tanto en la gestión de sus clientes como en la gestión de sus productos.

Resumen

1. El marketing directo es un sistema de marketing interactivo que utiliza uno o más medios para provocar una respuesta medible o una transacción en cualquier ubicación. El marketing directo, en especial el marketing electrónico, está mostrando un crecimiento explosivo.
2. Los especialistas en marketing directo planifican las campañas mediante la decisión de objetivos, mercados meta y clientes potenciales, ofertas y precios.
3. Los canales principales para el marketing directo incluyen la venta cara a cara, el correo directo, el marketing por catálogo, el telemarketing, la televisión interactiva, los kioscos, los sitios Web y los dispositivos móviles.
4. El marketing interactivo proporciona a los especialistas en marketing oportunidades para tener mucha mayor interacción e individualización a través de sitios Web bien diseñados y ejecutados, anuncios de búsqueda, anuncios en display y correo electrónico.
5. El marketing de boca en boca encuentra formas de hacer que los clientes participen de manera que elijan hablar con los demás sobre productos, servicios y marcas. El marketing de boca en boca se ve cada vez más impulsado por los social media, en forma de comunidades online y foros, blogs y redes sociales como Facebook, Twitter y YouTube.
6. Dos formas notables de marketing de boca en boca son el marketing de rumor, que busca que la gente hable sobre una marca al asegurar que un producto o servicio, o la manera en que éste se comercializa, salga de lo ordinario, y el marketing viral, que anima a la gente a intercambiar información online relacionada con un producto o servicio.
7. Los vendedores funcionan como vínculo entre la empresa y sus clientes. El representante de ventas *es* la empresa para muchos de sus clientes, y es el repre-

sentante quien trae a su empresa información necesaria sobre su cliente.

8. El diseño de la fuerza de ventas requiere elegir objetivos, estrategia, estructura, tamaño y remuneración. Los objetivos pueden incluir prospección, fijación de metas, comunicación, venta, recopilación de información y asignación. Para determinar la estrategia es necesario elegir la mezcla más eficaz de enfoques de ventas. Elegir la estructura de la fuerza de ventas implica dividir los territorios por geografía, producto o mercado (o alguna combinación de ellos). Para calcular qué tan grande debe ser la fuerza de ventas, la empresa calcula la carga de trabajo total y cuántas horas de ventas (y por ende, vendedores) serán requeridas. La remuneración de la fuerza de ventas implica determinar los tipos de salarios, comisiones, bonos, cuentas de gastos y beneficios que se otorgarán, y cuánto peso debería tener la satisfacción del cliente para determinar la remuneración total.

9. Existen cinco pasos para gestionar la fuerza de ventas (1) reclutamiento y selección de los representantes de ventas; (2) capacitación de los representantes en técnicas de ventas y en los productos, políticas y orientación hacia la satisfacción del cliente; (3) supervisión de la fuerza de ventas y ayuda a los representantes para utilizar su tiempo de manera eficaz; (4) motivación de la fuerza de ventas y balance de cuotas, recompensas monetarias y motivadores complementarios; (5) evaluación del rendimiento de ventas individuales y de grupo.

10. Los vendedores eficaces están capacitados en los métodos de análisis y gestión de clientes, así como en el arte de la venta profesional. Ningún enfoque único funciona de manera óptima en todas las circunstancias, pero casi todos los capacitadores están de acuerdo en que la venta es un proceso de seis pasos: prospección y calificación de clientes, aproximación previa, presentación y demostración, vencer las objeciones, cierre, y seguimiento y mantenimiento.

Aplicaciones

Debate de marketing

¿Los grandes vendedores nacen o se hacen?

Cierta polémica de ventas tiene que ver con el impacto de la capacitación contra la selección en el desarrollo de una fuerza de ventas eficaz. Algunos observadores mantienen que los mejores vendedores nacen de esa manera y son eficaces debido a sus personalidades y habilidades interpersonales desarrolladas durante su vida. Otros argumentan que la aplicación de las técnicas de ventas de vanguardia puede hacer que prácticamente todos sean estrellas de las ventas.

Asuma una posición: La clave para desarrollar una fuerza de ventas eficaz es la selección *versus* La clave para desarrollar una fuerza de ventas eficaz es la capacitación.

Discusión de marketing

Sitios Web corporativos

Elija una empresa y visite su página Web corporativa. ¿Cómo evaluaría usted el sitio Web? ¿Cómo califica en las 7 C de los elementos de diseño: contexto, contenido, comunidad, personalización, comunicación, conexión y comercio?

Marketing de excelencia

>>Facebook

Facebook ha llevado el mundo de los negocios a un nuevo nivel de marketing personal. El sitio Web de esta red social llena el deseo de la gente de comunicarse e interactuar entre sí, y utiliza ese poder para ayudar a otras empresas a dirigirse a públicos muy específicos con mensajes personalizados.

Facebook fue fundado en 2004 por Mark Zuckerberg, quien era estudiante en la Harvard University en ese momento y creó la primera versión del sitio Web en su dormitorio universitario. Zuckerberg recuerda, "Yo sólo pensé que tener la capacidad de acceder a los perfiles de diferentes personas sería interesante. Obviamente, no hay manera que uno tenga acceso a esa información a menos que la gente esté creando perfiles, así que yo deseaba hacer una aplicación que permitiera a la gente hacer eso, compartir tanta información como deseara mientras tuviera control de lo que ponía allí". Desde el principio, Facebook ha mantenido sus perfiles y herramientas de navegación relativamente sencillos para unificar la apariencia y el sentimiento para cada individuo. Dentro de las primeras 24 horas que Facebook entró en operación, entre 1 200 y 1 500 estudiantes de Harvard se habían registrado y se habían convertido en parte de la comunidad Facebook. En el primer mes, la mitad del campus se había registrado.

Inicialmente, el sitio Web de Facebook solamente podía verse y ser utilizado por estudiantes de Harvard. La inercia inicial era enorme, por lo que Facebook pronto creció para incluir a estudiantes de toda la Ivy League y de otras universidades. La decisión inicial de mantener a Facebook exclusivo para uso de estudiantes universitarios fue fundamental para su éxito: le dio al sitio Web social un sentido de privacidad, unidad y exclusividad que los sitios competidores como MySpace no ofrecían. Paulatinamente, en 2006, Facebook se abrió a todos.

Actualmente, Facebook es el sitio Web de redes sociales más popular del mundo, con más de 500 millones de usuarios activos. El sitio permite a los usuarios crear perfiles personales con información como su lugar de residencia, trabajo, educación, cosas favoritas y afiliación religiosa. Los anima a expandir su red añadiendo a otros usuarios como amigos y mucha gente intenta ver cuántos "amigos" pueden acumular. Para interactuar con los amigos de Facebook, los usuarios pueden mandar mensajes; "asomarse" entre sí; subir y ver álbumes, fotos, juegos y videos; "etiquetar" o identificar a otras personas en sus fotografías. Pueden escribir comentarios en los "muros" de sus amigos y crear actualizaciones de su estatus que son visibles para todos. En resumen, Facebook está cumpliendo su misión de "darle a la gente el poder de compartir y hacer que el mundo esté más abierto y más conectado".

Facebook se ha vuelto un componente de marketing crítico para casi todas las marcas por varias razones. Primero, las empresas, equipos de deportes, músicos y políticos pueden crear páginas de Facebook, lugares para comunicarse con sus fanáticos. Las páginas de Facebook ofrecen a los grupos y marcas una manera de interactuar personalmente, crear conciencia, comunicarse y ofrecer información a cualquiera que esté interesado. Las empresas utilizan Facebook para introducir nuevos productos, lanzar videos y promociones, subir imágenes, comunicarse con los consumidores, recibir retroalimentación y crear una apariencia general y un sentimiento personal. Incluso los políticos de todo el mundo —desde Estados Unidos hasta Filipinas— utilizan Facebook para impulsar sus campañas y comunicarse con sus seguidores en una base personal y local.

Facebook también ofrece oportunidades de publicidad dirigidas. Los anuncios de tipo banner —la fuente principal de ingresos de la empresa— pueden ser dirigidos a individuos con base en su demografía o en palabras clave que se basan en información específica que han colocado en sus perfiles. Por ejemplo, Adidas utiliza Facebook para promover marcas específicas de la empresa, para dirigirse a los consumidores de manera regional y darle un toque personal a la marca. El director del grupo de marketing digital de Adidas explicó, "Dondequiera que estén nuestros fanáticos, vamos a utilizar Facebook para hablar con ellos de una manera localmente relevante".

El crecimiento e influencia de Facebook han sido increíbles. En una encuesta, los estudiantes universitarios mencionaron a Facebook como la segunda cosa más popular en su mundo estudiantil, empatada únicamente con la cerveza. Y Facebook no solamente es utilizado por estudiantes. De los más de 150 millones de usuarios en Estados Unidos, 29% tienen entre 35 y 54 años, mientras 25% tienen entre 18 y 24 años. En general, las mujeres son el segmento con mayor crecimiento. Facebook también tiende a tener una demografía de mayor nivel social y educación, y más deseable que otras redes sociales competitivas, por lo tanto cobra más por sus anuncios publicitarios.

En 2010, Facebook sobrepasó a Google como el sitio Web número uno en el mundo basado en visitantes únicos por mes y también fue calificado número uno por la cantidad de páginas visitadas por mes. Facebook se ha convertido en una parte importante de las vidas diarias de los consumidores y por lo tanto es un componente crítico en las estrategias de marketing personal.

Preguntas

1. ¿Por qué Facebook es único en el mundo del marketing personal?
2. ¿Facebook es solamente una moda pasajera o llegó para quedarse? ¿Cuáles son los mayores riesgos y fortalezas de la empresa?
3. Analice las problemáticas recientes de privacidad que desafiaron a Facebook. ¿Las restricciones a la privacidad limitarán su capacidad de ofrecer oportunidades de marketing personal?

Fuentes: John Cassidy, "Me Media", *New Yorker,* 15 de mayo de 2006; "Survey: College Kids Like iPods Better Than Beer", *Associated Press,* 8 de junio de 2006; Peter Corbett, "Facebook Demographics and Statistics Report 2010", I Strategy Labs, www.istrategylabs.com; Brian Womack, "Facebook Sees Fourfold Jump in Number of Advertisers Since 2009", *BusinessWeek,* 2 de junio de 2010; Kermit Pattison, "How to Market Your Business with Facebook", *New York Times,* 11 de noviembre de 2009; Facebook, www.facebook.com.

Marketing de excelencia

>>Unilever (Axe y Dove)

Unilever, fabricante de varias marcas de cuidado del hogar, alimentos y cuidado personal, entiende la importancia de utilizar comunicaciones de marketing personal para dirigirse a grupos específicos de edad, demografía y estilo de vida. Como resultado, ha desarrollado algunas de las marcas más exitosas del mundo, incluyendo Axe, una marca de cuidado personal masculino, y Dove, una marca de cuidado personal dirigida a las mujeres.

Axe es la marca de cuidado personal masculino más popular del mundo y la que vende mejor de Unilever. La marca, que ofrece una amplia gama de productos de cuidado personal, desde aerosol para el cabello hasta gel para el cuerpo, desodorante y champú, fue lanzada en 1983 e introducida en Estados Unidos en 2002. Axe está dirigida a hombres jóvenes entre 15 y 25 años interesados en mejorar su atractivo al sexo opuesto y "mantenerse un paso adelante en el juego de seducción". La mayoría de los anuncios de Axe utilizan el humor y el sexo, y por lo general en ellos aparecen tipos delgados y del montón que atraen a chicas muy bonitas por docenas. El resultado: la marca es aspiracional y es accesible, y el tono ligero da en el blanco con los hombres jóvenes. En una campaña global reciente llamada "Bom-chika-wah-wah" (por la frase de la cultura pop que simula el sonido de una guitarra de las películas de adultos de la década de 1970), mujeres guapísimas son atraídas instantáneamente a tipos promedio con tan sólo oler el aerosol para cuerpo Axe.

Axe ha ganado numerosos premios de publicidad no solamente por su creatividad sino también por su uso eficaz de canales de medios poco convencionales. Desde tensos videos online hasta juegos de video, blogs, salas de chat y aplicaciones móviles, la marca Axe atrae a hombres jóvenes adultos en su propio terreno. Por ejemplo, en Colombia, una Patrulla Axe femenina revisa los bares y clubes, y les aplica aerosol para el cuerpo a los hombres. El director de marketing de Unilever, Kevin George explicó: "Esto se trata de ir más allá del comercial de 30 segundos en la televisión para crear un vínculo más profundo con nuestro cliente".

Axe sabe dónde llegar a sus clientes. Se anuncia no solamente en canales de televisión dominados por hombres tales como MTV, ESPN, Spike y Comedy Central. Se asocia con la NBA y NCAA que atraen a los públicos masculinos más jóvenes que muchos otros deportes. Los anuncios impresos aparecen en *Playboy, Rolling Stone, GQ* y *Maxim.* Los esfuerzos online de Axe vía Facebook, Twitter, salas de chat y banners ayudan a impulsar a los consumidores de vuelta a su sitio Web (www.theaxeeffect.com) donde Axe continúa generando lealtad de marca. Por ejemplo, en un anuncio que costó 200 000 dólares, aparecían hombres en un pueblo pequeño de Alaska que utilizan Axe para atraer mujeres. Fue visto más de 10 millones de veces online.

Axe también entiende que tiene que trabajar duro para mantener la marca fresca, relevante y a la moda con su público joven. Así que lanza una nueva fragancia cada año y refresca sus comunicaciones online y de publicidad constantemente. El éxito de Axe en el marketing personal ha levantado a la marca para convertirse en el líder de lo que muchos pensaron era la categoría madura de desodorantes de 2 400 millones de dólares.

Del otro lado del espectro de marketing personal, la marca Dove de Unilever habla a las mujeres con un tono y mensaje diferentes. En 2003, Dove se cambió de su publicidad tradicional que hablaba de los beneficios de la marca de tener un cuarto de crema humectante y los resultados que se experimentaban siete días después con la prueba Dove. En lugar de ello, su campaña "Real Beauty" celebra a las "mujeres reales" de todas formas, tamaños, edades y colores. La campaña surgió de investigaciones que revelaban que solamente 2% de las mujeres del mundo se consideraban bellas y una abrumante mayoría está muy de acuerdo en que "los medios y la publicidad fijan estándares de belleza irreales".

En la primera fase de la campaña "Real Beauty" aparecían modelos femeninas no tradicionales y pedían a los consumidores que juzgaran su apariencia online (¿Arrugada? ¿Grandiosa? ¿Enorme? ¿Excepcional?) en www.campaignforrealbeauty.com. Las preguntas personales sorprendieron a muchos, pero crearon tan gran barullo de RP que Dove continuó la campaña. En la segunda fase aparecían imágenes espontáneas y seguras de mujeres curvilíneas y de cuerpos rellenos, de nuevo haciendo polvo los estereotipos y llegando a la mayoría de las mujeres del mundo mientras promovían los productos para la piel marca Dove tales como la crema, loción y gel de baño Intensive Firming. La campaña multimedia estaba totalmente integrada, combinando anuncios tradicionales de televisión e impresos con nuevas formas de medios, tales como votaciones en tiempo real por las modelos desde el teléfono celular y gráficos de resultados tabulados en enormes carteleras. Además, la página Web de Dove se convirtió en un componente crucial para iniciar diálogos entre las mujeres. En la tercera fase de la campaña, llamada "Pro Age", aparecían mujeres desnudas de mayor edad y hacía preguntas como, "¿La belleza tiene un límite de edad?" Casi de inmediato, la empresa escuchó retroalimentación positiva de sus clientes de mayor edad.

Además, la marca lanzó dos filmes Dove, uno de los cuales, *Evolution*, ganó tanto un Cyber y un Grand Prix en el International Advertising Festival. En el filme se muestra una vista en movimiento rápido de una mujer de apariencia común que es transformada por artistas de maquillaje, estilistas del cabello, iluminación y retoques digitales para que termine viéndose como una supermodelo de carteleras. El eslogan dice: "No es sorprendente que nuestra percepción de la belleza esté distorsionada". El filme se convirtió en un éxito viral instantáneo y ha sido visto más de 15 millones de veces online y por más de 300 millones de personas en todo el mundo, incluso en las noticias y otros canales de distribución. En total, la campaña por la belleza verdadera de Dove ha tocado a las mujeres de todo el mundo y ha sido mencionada en más de 800 artículos en los principales diarios, desde *Le Parisien* hasta *The Times* en Londres.

Aunque ambas campañas han encendido mucha controversia y debates por diferentes razones, las dos han recibido crédito por impulsar las ventas y participación de mercado de Unilever por todo el mundo.

Preguntas

1. ¿Qué hace que el marketing personal funcione? ¿Por qué Dove y Axe son tan exitosos en él?
2. ¿Puede el marketing personal ir demasiado lejos en una empresa? ¿Por qué si o por qué no?
3. ¿Existe un conflicto de intereses en la forma en que Unilever hace marketing para las mujeres y para los hombres jóvenes? ¿Está deshaciendo todo el bien que puede tener su campaña por la belleza verdadera al hacer que las mujeres parezcan símbolos sexuales en los anuncios de Axe? Discuta.

Fuentes: Jack Neff, "Dove's 'Real Beauty' Pics Could Be Big Phonies", *Advertising Age,* 7 de mayo de 2008; Catherine Holahan, "Raising the Bar on Viral Web Ads", *BusinessWeek,* 23 de julio de 2006; Robert Berner, "How Unilever Scored with Young Guys", *BusinessWeek,* 23 de mayo de 2005; Thomas Mucha, "Spray Here. Get Girl". *Business 2.0,* junio de 2003; Randall Rothenberg, "Dove Effort Gives Packaged-Goods Marketers Lessons for the Future", *Advertising Age,* 5 de marzo de 2007; Theresa Howard, "Ad Campaign Tells Women to Celebrate Who They Are", *USA Today,* 8 de julio de 2005; Jack Neff, "In Dove Ads, Normal Is the New Beautiful", *Advertising Age,* 27 de septiembre de 2004; Laura Petrecca, "Amusing or Offensive, Axe Ads Show That Sexism Sells", *USA Today,* 18 de abril de 2007; Dove, www.campaignforrealbeauty.com; Unilever, www.unilever.com.

La introducción de nuevos productos y servicios atraen nuevos consumidores, tal es el caso de la transformación de los videojuegos.

En este capítulo responderemos las siguientes **preguntas**

1. ¿Qué desafíos enfrenta la empresa al desarrollar nuevos productos y servicios?
2. ¿Cuáles estructuras y procesos organizacionales utilizan los directivos para supervisar el desarrollo de nuevos productos?
3. ¿Cuáles son las principales etapas del desarrollo de nuevos productos y servicios?
4. ¿Cuál es la mejor manera de gestionar el proceso de desarrollo de nuevos productos?
5. ¿Qué factores influyen en los índices de difusión y adopción de los productos y servicios recién lanzados?

Lanzamiento de nuevas ofertas de mercado

El desarrollo de nuevos productos define el futuro de la empresa. El perfeccionamiento o el reemplazo de productos y servicios podría mantener o generar ventas; sin embargo, la introducción de nuevos productos y servicios es capaz de transformar industrias y empresas, e incluso cambiar la vida de la gente. Ahora bien, la baja tasa de éxito que tienen los productos y servicios innovadores ilustra bien los numerosos desafíos que tienen que enfrentar. Las empresas están haciendo algo más que limitarse a hablar de innovación: están desafiando las normas de la industria y los convencionalismos del pasado para desarrollar nuevos productos y servicios que deleitan y atraigan a los consumidores. El Wii de Nintendo es un buen ejemplo de esto.[1]

Aunque Nintendo contribuyó a crear el negocio global de los videojuegos, cuyo valor asciente a 30 mil millones de dólares, para 2006 sus ventas en Estados Unidos se habían reducido en un 50 por ciento. Satoru Iwata, director ejecutivo, y Shigeru Miyamoto, diseñador de juegos, decidieron hacer frente a dos preocupantes tendencias de la industria: a medida que los jugadores iban creciendo, formando familias y ocupándose de su desarrollo profesional, jugaban con menos frecuencia; además, a medida que las consolas de videojuegos se hacían más poderosas, se volvían más costosas. ¿La solución de Nintendo? Rediseñar los controles de los juegos y la forma en que interactuaban con las consolas. Rebelándose contra las tendencias de la industria, Nintendo eligió usar un chip más barato, con menor consumo de energía y menos capacidades gráficas, creando un estilo de juego totalmente diferente, basado en la gesticulación física. Un elegante diseño blanco y un nuevo control inalámbrico sensible al movimiento, hicieron que el juego fuera mucho más atractivo e interactivo. La decisión de Nintendo de emplear desarrolladores de software externos significó que una serie de títulos estuvieron disponibles rápidamente. Así nació Wii. Su naturaleza colaborativa lo convirtió en un éxito entre los no jugadores, quienes se sintieron atraídos por sus capacidades, y entre los jugadores de corazón, que buscaban dominar sus numerosos e intrigantes juegos.

Los especialistas en marketing desempeñan un papel clave en el desarrollo de nuevos productos, al identificar y evaluar ideas y trabajar en todas las etapas de creación con el departamento de investigación y desarrollo, así como con otras áreas. En este capítulo se ofrece un análisis detallado del proceso de desarrollo de nuevos productos. Gran parte de este análisis es igualmente relevante para los nuevos productos, servicios o modelos de negocio. En el capítulo 21 se habla sobre qué pueden hacer los especialistas en marketing para acceder a los mercados globales como fuente alternativa de crecimiento a largo plazo.

Opciones de nuevos productos

Existe una gran variedad de nuevos productos y formas de crearlos.[2]

Crear o comprar

La empresa puede incorporar nuevos productos a su oferta ya sea adquiriéndolos o desarrollándolos. El primer caso ocurre cuando la compañía adquiere otras empresas o compra patentes, licencias o franquicias. El gigante suizo Nestlé aumentó su presencia en Norteamérica mediante la adquisición de marcas tan diversas como Carnation, Hills Brothers, Stouffer's, Ralston Purina, Dreyer's Ice Cream, Chef America, Jenny Craig y Gerber.

Pero las empresas no siempre podrán alcanzar el éxito a partir de adquisiciones. En algún momento necesitarán del *crecimiento estructurado*, esto es, de su propio desarrollo de nuevos productos. Praxair, proveedor mundial de gases industriales, logró su ambiciosa meta de obtener 200 millones de dólares al año en nuevas ventas de dos dígitos gracias únicamente a una saludable dosis de crecimiento estructurado y a un gran número de proyectos pequeños pero significativos, con valor de 5 millones de dólares.[3]

Para desarrollar productos la empresa puede crearlos en sus propios laboratorios o contratar investigadores o empresas especializadas, que le ayuden a diseñar artículos específicos o le suministren nuevas tecnologías para ello.[4] Empresas como Samsung, GE, Diageo, Hershey y USB han utilizado boutiques de consultoría de nuevos productos para obtener nuevas ideas.

Tipos de nuevos productos

Los nuevos productos van desde aquellos que son absolutamente novedosos en todo el mundo y pueden crear mercados totalmente nuevos, hasta productos existentes a los que se les hacen pequeñas modificaciones. Casi toda la actividad relacionada con nuevos productos tiene por propósito mejorar productos existentes. Algunos de los más exitosos productos de consumo de aparición reciente han sido extensiones de marca; tal es el caso de Tide Total Care, Gillette Venus Embrace, Bounce Extra Soft, Always Infinity y el desodorante Secret Flawless.[5] En Sony, las modificaciones de los productos establecidos representan más del 80% de las actividades relativas a nuevos productos.

Cada vez es más difícil identificar los productos de gran éxito, capaces de transformar un mercado, pero la innovación continua puede obligar a los competidores a ponerse al día y también a ampliar el significado de la marca.[6] Aunque alguna vez fue tan sólo un productor de zapatillas para correr, hoy en día Nike compite con fabricantes de todo tipo de calzado, ropa y equipo deportivo. Armstrong World Industries pasó de la venta de revestimientos para piso a la venta de techos, y más tarde a la de artículos decorativos para todo tipo de superficies interiores.

Menos del 10% de todos los productos nuevos son verdaderamente innovadores a nivel mundial.[7] Estos productos incurren en el mayor costo y riesgo. A pesar de que es posible que las innovaciones radicales dañen las ganancias netas de la empresa en el corto plazo, si tienen éxito pueden crear una mayor ventaja competitiva sostenible que los productos normales y generar, en consecuencia, importantes recompensas económicas.[8]

En general, para lograr producir innovaciones radicales las empresas deben crear una sólida asociación entre las funciones de investigación, desarrollo y marketing.[9] Contar con una cultura corporativa adecuada es otro factor determinante; es preciso que la empresa se prepare para canibalizar los productos existentes, tolerar el riesgo y mantener una orientación hacia el mercado futuro.[10] Existen algunas técnicas confiables para el cálculo de la demanda de innovaciones radicales.[11] Los *focus groups* pueden proporcionar una perspectiva sobre el interés y la necesidad de los clientes, pero es posible que los especialistas en marketing tengan que hacer uso de un enfoque de "prueba y error" con base en la observación y la retroalimentación resultantes de las experiencias de los primeros usuarios y de otros medios, como los chats online o los blogs centrados en productos.

Las empresas de alta tecnología, sobre todo en las industrias de telecomunicaciones, informática, aparatos electrónicos de consumo, biotecnología y software, buscan la innovación radical.[12] Al mismo tiempo, enfrentan diversos retos relacionados con el lanzamiento de productos: gran incertidumbre tecnológica, enorme incertidumbre del mercado, una competencia feroz, altos costos de inversión, cortos ciclos de vida del producto y escasas fuentes de financiamiento para proyectos riesgosos.[13] Sin embargo, los casos de éxito abundan.[14] BMW está gastando más de mil millones de dólares en el desarrollo de un coche pequeño para conductores urbanos, incluyendo una versión con motor eléctrico. El software de aprendizaje electrónico con pizarra digital (*blackboard e-learning*) introduce la nueva tecnología a las aulas para ayudar a los profesores a manejar sus clases y materiales del curso. Incluso los fabricantes de bienes de consumo envasados pueden beneficiarse al utilizar cierta dosis de tecnología. Danone usa sofisticadas técnicas de investigación y desarrollo para estudiar las bacterias y fabricar productos que venden miles de millones de dólares, por ejemplo el yogur Activia, comercializado como auxiliar en la regulación digestiva.

Desafíos en el desarrollo de nuevos productos

La introducción de nuevos productos se ha acelerado, y en las industrias minorista, de bienes de consumo, electrónica y automotriz, entre otras, el tiempo para lanzar un producto al mercado se ha reducido a la mitad.[15] El fabricante de lujosos artículos de piel Louis Vuitton implementó un nuevo formato de planta llamado *Pégase* (Pegaso) para poder enviar las nuevas colecciones a sus tiendas cada seis semanas (esto es, más del doble de lo que lo hacía en el pasado), ofreciendo así a sus clientes más estilos nuevos para elegir.[16]

La innovación es imperativa

En una economía de rápido cambio, la innovación continua es una necesidad. Las empresas altamente innovadoras son capaces de identificar y aprovechar rápidamente las nuevas oportunidades de mercado. Crean una actitud positiva hacia la innovación y la toma de riesgos, hacen del proceso de innovación algo rutinario, practican el trabajo en equipo y permiten que sus empleados experimenten e incluso fracasen. Una de estas empresas es Distroller.

Las empresas que no desarrollan nuevos productos permiten que sus ofertas existentes sean vulnerables a las necesidades y gustos cambiantes de los clientes, a los ciclos de vida del producto más cortos y al aumento de la competencia nacional y extranjera, pero sobre todo a las tecnologías nuevas. Kodak, líder durante mucho tiempo del mercado tradicional de películas fotográficas (hoy en vías de desaparición), ha

Distroller Juguetes, joyería, artículos para el hogar y papelería son algunas de las categorías que integran los 2000 productos de la franquicia Distroller, una marca de regalos que transmite de forma creativa e irreverente algunas de las imágenes y frases más populares de la cultura popular mexicana. La primera tienda inició actividades en octubre de 2004, en la Ciudad de México, pronto le siguieron dos más y de ahí inició la expansión de la empresa. Con mensajes como "Virgencita... plis cuídame mucho", Distroller desarrolló un negocio que consiguió un rápido crecimiento en poco tiempo. En la actualidad cuenta con 31 tiendas en México, Latinoamérica y Estados Unidos. Los pilares de su crecimiento son:

1. **Innovación.** El elemento principal de su éxito es la creatividad. La empresa cuenta con una estrategia clara de negocios, enfocada en esta línea de acción. Todas sus actividades se basan en marcar una diferencia y crear un sello único.
2. **Equipo creativo.** Los empleados son parte fundamental del proyecto, así que la empresa les da oportunidad de crecer y mucha confianza para presentar sus propuestas y proyectos. Su gran equipo de trabajo, conformado por 79 colaboradores, es prueba de ello.
3. **Crecimiento estratégico.** Distroller define al negocio como un *mix* de creatividad, innovación, autenticidad y trabajo en equipo. Creció siguiendo la demanda, con un esquema familiar y recomendaciones de boca en boca.
4. **Estrategia comercial dinámica.** La estrategia comercial de esta franquicia se basa en la rotación de productos. Esto le permite ofrecer siempre novedades en los puntos de venta, y a través de licencias de productos de Walmart y Sony Ericsson.
5. **Imagen colorida.** Distroller es una marca atrevida, colorida y muy mexicana, que se conecta con la emoción del cliente, pues lo entiende y le propone una forma de ser a través de sus productos. ¿Cómo lo consigue? Adaptando con creatividad algunas de las imágenes y frases más populares de la cultura popular mexicana.
6. **Amplia gama de productos.** Distroller ofrece una amplia gama de productos a través de sus distintas líneas: entretenimiento, papelería, líneas de joyería, hogar, accesorios y ropa.
7. **Creatividad ilimitada.** Esta empresa sabe que la creatividad es un activo muy valioso. Por eso no le pone límites. Si detecta una necesidad, apuesta por ella. Aunque cuenta ya con una extensa línea de artículos, se atreve a ofrecer innovaciones constantemente.
8. **Emplazamiento bien definido.** Como para cualquier negocio, la ubicación de sus puntos de venta es un aspecto fundamental para el éxito de Distroller. Por tal motivo ha definido con toda precisión los criterios para la selección de los locales: los nuevos establecimientos se eligen por cada 30000 personas de sexo femenino, de niveles socioeconómicos medio, medio-alto y alto. Además, busca colocar las instalaciones en una zona de influencia dentro de la plaza/centro comercial donde se ubique.
9. **Estandarización del local.** La imagen ante el cliente es muy importante para evitar confusiones. En esta franquicia saben del tema, y lo demuestran preocupándose por definir ciertos lineamientos para estandarizar el tipo de local donde se ubicará cada franquiciatario, como las dimensiones del punto de venta y del estacionamiento, y la distribución y exhibición de mercancía, entre otras cosas.
10. **Estricta selección del franquiciatario.** El prospecto debe acreditar el capital disponible por el total de la inversión inicial estimada para una tienda. Asimismo, es preciso que cuente con solvencia financiera suficiente para hacer frente a gastos no contemplados en el plan original, y que no tenga antecedentes delictivos de índole penal o civil. Además, su perfil debe cumplir con una excelente capacidad de atención a clientes, proactividad y experiencia en ventas.[17]

La reflexiva estrategia de desarrollo de nuevos productos de Distroller ha producido muchas innovaciones exitosas en los últimos años, entre las que incluye juguetes, joyería y regalos.

trabajado duro en la creación de nuevos modelos de negocio y procesos de desarrollo de productos para el mundo de la fotografía digital. Su nueva meta es hacer por las fotografías lo que Apple hizo por la música, ayudando a la gente a organizar y manejar sus bibliotecas personales de imágenes.

La innovación consiste en "la creación de nuevas opciones" a las que la competencia no tiene acceso, afirma el director ejecutivo de IDEO, Tim Brown. Según él, no se trata de gente brillante que espontáneamente genera nuevas ideas, sino de descubrir presunciones ocultas y procesos ignorados que pueden cambiar la forma en que una empresa hace negocios.[18]

El éxito de los nuevos productos

Casi todas las empresas establecidas se centran en la *innovación incremental*, y entran a los nuevos mercados ajustando los productos para los nuevos clientes, usando variaciones de un producto básico para estar un paso adelante del mercado, y creando soluciones provisionales para problemas que afectan a toda la industria.

Cuando Scott Paper no pudo competir más con Fort Howard Paper Co. en los precios del lucrativo mercado institucional del papel higiénico, tomó prestada una solución de las empresas europeas: un dispensador que contenía rollos más grandes. Scott fabricó los rollos de papel más grandes y proporcionó a los clientes institucionales dispensadores gratuitos; después hizo lo mismo con las toallas de papel. La empresa no sólo ganó clientes en un mercado nuevo, sino que se hizo menos vulnerable a la competencia de compañías como Fort Howard, que podía reducir sus precios pero era incapaz de ofrecer rollos más grandes en dispensadores hechos a la medida.

Las empresas más nuevas crean *tecnologías de punta*, que son más económicas y presentan mayor potencial para alterar el panorama competitivo. Las empresas consolidadas podrían ser lentas en reaccionar o invertir en estas tecnologías de punta, porque amenazan su inversión. De repente se encontrarán ante competidores formidables, y muchas de ellas terminarán por fracasar.[19] Para asegurarse de no caer en esta trampa, las empresas deben vigilar de cerca las preferencias tanto de sus clientes como de quienes no lo son, y descubrir las necesidades de los consumidores, en continua evolución y, a veces, difíciles de articular.[20]

¿Qué otra cosa pueden hacer las empresas? En un estudio de productos industriales, los especialistas en nuevos productos Cooper y Kleinschmidt descubrieron que el principal factor de éxito es un producto único y superior. Estos productos tienen éxito el 98% de las veces, en comparación con aquellos que sólo cuentan con una ventaja moderada (58% de éxito) o una ventaja mínima (18% de éxito). Otro factor clave es un concepto de producto bien definido. Antes de proceder, la empresa debe definir y evaluar cuidadosamente el mercado meta, los requisitos del producto y los beneficios. Otros factores de éxito son las sinergias tecnológicas y de marketing, la calidad de la ejecución en todas las etapas y el atractivo del mercado.[21]

Cooper y Kleinschmidt también descubrieron que los productos diseñados exclusivamente para mercados domésticos suelen mostrar un alto índice de fracaso, poca participación de mercado y bajo crecimiento. Los productos diseñados para el mercado internacional, o al menos para los países vecinos, obtienen ganancias significativamente más altas en casa y en el extranjero. Sin embargo, sólo el 17% de los productos considerados en su estudio fueron diseñados con una orientación internacional.[22] Esto sugiere que las empresas deberían considerar la adopción de una perspectiva internacional en el diseño y desarrollo de nuevos productos, aunque sólo sea para vender en su mercado nacional.

El fracaso de los nuevos productos

El fracaso de nuevos productos sigue mostrando índices estimados de hasta 50 o incluso 95% en Estados Unidos y 90% en Europa.[23] Las razones son muchas: ignorar o malinterpretar la investigación de mercado; sobreestimar el tamaño del mercado; los elevados costos de desarrollo; un diseño inadecuado o un rendimiento ineficaz; posicionamiento, publicidad o precio incorrectos; insuficiente apoyo a la distribución; competencia agresiva y un retorno de la inversión o una recuperación inadecuados. Algunos inconvenientes adicionales son:[24]

- ***Escasez de buenas ideas en ciertas áreas.*** Es posible que queden pocas formas de mejorar determinados productos básicos (como el acero o los detergentes).
- ***Mercados fragmentados.*** Las empresas tienen que dirigir sus productos nuevos a segmentos de mercado cada vez más pequeños, lo cual puede significar menos ventas y utilidades por cada producto.
- ***Limitaciones sociales, económicas o legales.*** Los nuevos productos deben satisfacer las preocupaciones de los consumidores en materia de seguridad y protección del entorno. También es preciso que sean flexibles si los tiempos económicos son difíciles.
- ***Costos de desarrollo.*** Por lo regular la empresa tiene que generar muchas ideas para encontrar una que valga la pena desarrollar, lo cual implica costos elevados en investigación y desarrollo, fabricación y marketing.
- ***Escasez de capital.*** Algunas empresas con buenas ideas no cuentan con los fondos necesarios para hacer investigación y lanzar nuevos productos.
- ***Largos periodos de desarrollo.*** Las empresas tienen que aprender a reducir el tiempo de desarrollo mediante el empleo de nuevas técnicas, colaboraciones estratégicas, pruebas del producto en etapas muy tempranas, y planificación de marketing.
- ***Lanzamientos inoportunos.*** A veces hay un desface entre el lanzamiento de los nuevos productos y el despegue de la categoría, o la presentación de los mismos se da cuando todavía no hay un interés suficiente.
- ***Acortamiento del ciclo de vida de los productos.*** Los competidores son rápidos para imitar los productos que tienen éxito. Sony solía disfrutar tres años de ventaja antes de que sus competidores respondieran a sus nuevos productos. Sin embargo, en la actualidad Matsushita puede copiarlos en un plazo de seis meses, lo que apenas da tiempo a Sony para recuperar su inversión.
- ***Apoyo organizacional.*** Podría darse el caso de que el nuevo producto no encaje en la cultura empresarial, o que no reciba el apoyo necesario en términos financieros o de cualquier otro tipo.

Pero el fracaso es parte del juego, y las empresas realmente innovadoras lo aceptan como parte de lo que se necesita para tener éxito. El experto en marketing de Silicon Valley, Seth Godin, afirma: "Fracasar no sólo está bien; fracasar es imprescindible".[25] Muchas empresas Web son resultado del fracaso de iniciativas previas, y experimentaron numerosos fracasos a medida que sus servicios evolucionaban. Dogster.com, un sitio de redes sociales para los amantes de los perros, surgió después de la espectacular desaparición de Pets.com.[26]

El fracaso inicial no siempre implica el fin del camino para una idea. Consciente de que el 90% de los medicamentos experimentales no tienen éxito, Eli Lilly considera el fracaso como una parte inevitable del descubrimiento. Por ello la empresa alienta a sus científicos a encontrar nuevos usos para los compuestos que fracasan en cualquier etapa de los ensayos clínicos en seres humanos. Evista, un método anticonceptivo fallido, se convirtió en un medicamento contra la osteoporosis que produce mil millones de dólares al año. Strattera no funcionó como antidepresivo, pero terminó siendo un éxito de ventas como remedio para el trastorno de déficit de atención con hiperactividad. Otro caso similar es el de un prometedor fármaco cardiovascular en desarrollo, que comenzó como un proyecto para tratar el asma.[27]

Estrategias organizacionales

Muchas empresas utilizan la *ingeniería orientada al cliente* para desarrollar nuevos productos, incorporando al diseño final las preferencias de los consumidores. Algunas otras se enfocan en realizar cambios internos para desarrollar nuevos productos más exitosos. Consideremos el caso de Johnson & Johnson.

Johnson & Johnson

Johnson & Johnson Para aumentar las probabilidades de éxito de los nuevos productos de su creciente negocio de dispositivos médicos, Johnson & Johnson ha implementado una serie de cambios. En primer lugar, está tratando de replicar el dinamismo del capital de riesgo en el mundo dentro de la empresa, mediante la creación de nuevas compañías internas que buscan el financiamiento de otras unidades de J&J. Asimismo, está estimulando un incremento de la retroalimentación de médicos y aseguradoras para obtener certidumbre de que los dispositivos que introduzca serán altamente deseables, factibles y efectivos en función de su costo. La unidad Ethicon-Endo diseñó nuevas pinzas quirúrgicas basándose en conversaciones con médicos en torno a la necesidad de lograr que las cirugías sean menos invasivas. Por otro lado, J&J asignó a uno de sus científicos más exitosos el recién creado puesto de científico en jefe y director de tecnología, para fomentar la colaboración entre los diferentes negocios de J&J y superar los obstáculos de su estructura descentralizada. Uno de los productos más exitosos que ha lanzado es el stent CYPHER recubierto con fármacos, que le aportó 2.6 mil millones de dólares.[28]

El desarrollo de nuevos productos exige que la alta dirección defina el alcance del negocio, las categorías de producto y los criterios específicos. Una empresa fijó los siguientes criterios de aceptación de nuevos productos:

- El producto puede ser introducido al mercado en un plazo de cinco años.
- El producto tiene un mercado potencial de por lo menos 50 millones de dólares y una tasa de crecimiento del 15 por ciento.
- El producto es capaz de generar al menos un 30% de rentabilidad sobre las ventas y un 40% sobre la inversión.
- El producto puede alcanzar el liderazgo técnico o de mercado.

Presupuesto para el desarrollo de nuevos productos

Los resultados de investigación y desarrollo son tan inciertos que es difícil utilizar criterios de inversión normales cuando se estima el presupuesto para la creación de nuevos productos. Algunas empresas simplemente financian tantos proyectos como les es posible, con la esperanza de que unos cuantos triunfen. Otras aplican un porcentaje prestablecido de las ventas, o invierten lo mismo que la competencia. Las hay también que deciden cuántos productos de éxito necesitan, y con base en ello calculan la inversión que se requerirá.

La tabla 20.1 muestra una opción para calcular el costo del desarrollo de un producto nuevo. El gerente de nuevos productos de una gran empresa de bienes de consumo envasados analizó los resultados de 64 ideas. Dieciséis pasaron la etapa de análisis y la revisión de cada idea en esta fase tuvo un costo de 1 000 dólares. La mitad de ellas —es decir, ocho— superaron la etapa de prueba de concepto, con un costo individual de 20 000 dólares. La mitad de éstas superaron la etapa de desarrollo del producto, a un costo de 200 000 dólares cada una. A dos les fue bien en la prueba de mercado, con un costo unitario de 500 000 dólares. Cuando estas dos ideas fueron lanzadas al mercado, a un costo individual de 5 millones de dólares, sólo una tuvo éxito. Por lo tanto, el desarrollo de esta idea exitosa le costó a la empresa 5 721 000 dólares,

TABLA 20.1 Desarrollo de un nuevo producto exitoso (a partir de 64 ideas innovadoras)

Etapa	Número de ideas	Proporción de productos que superan las pruebas	Costo por idea de producto (en dólares)	Costo total (en dólares)
1. Análisis de la idea	64	1:4	1 000	64 000
2. Prueba del concepto	16	1:2	20 000	320 000
3. Desarrollo del producto	8	1:2	200 000	1 600 000
4. Prueba de mercado	4	1:2	500 000	2 000 000
5. Lanzamiento nacional	2	1:2	5 000 000	10 000 000
			5 721 000	13 984 000

mientras que otras 63 quedaron de lado, para un costo total de desarrollo de 13 984 000 dólares. A menos que la empresa pueda aumentar la proporción de productos que superan las pruebas y reducir los costos de cada etapa, tendrá que presupuestar cerca de 14 millones de dólares por cada idea exitosa que espere encontrar.

Los índices de éxito varían. El inventor sir James Dyson afirma que realizó 5 127 prototipos de su aspiradora transparente sin bolsa en un periodo de 14 años antes de obtener un buen producto; afortunadamente, en términos de ingresos su aspiradora resultó la mejor vendida en Estados Unidos, con más de 20 millones de unidades vendidas e ingresos anuales de mil millones de dólares. Sir Dyson no lamenta sus fracasos porque, según sus propias palabras: "Si se quiere descubrir algo que los demás no han descubierto, se tienen que hacer las cosas mal... y observar por qué las fallas pueden conducirnos por un camino totalmente diferente". Sus éxitos más recientes son la Airblade, una secadora de manos de bajo consumo de energía para baños públicos, y el Air Multiplier, un ventilador de mesa sin aspas.[29]

Organización del desarrollo de nuevos productos

Las empresas manejan el aspecto organizacional del desarrollo de nuevos productos de varias maneras.[30] Muchas asignan esta responsabilidad a los *gerentes de producto*. Sin embargo, éstos suelen hallarse ocupados gestionando las líneas existentes, y quizá carezcan de las habilidades y conocimientos necesarios para desarrollar y criticar los nuevos productos.

Kraft y Johnson & Johnson emplean *gerentes de nuevos productos*, que dependen de los gerentes de cada categoría o línea de producto. Westinghouse tiene *líderes de crecimiento*, un cargo de tiempo completo desempeñado por sus gerentes más creativos y exitosos.[31] Algunas empresas tienen un *comité de gestión de alto nivel* que se encarga de examinar y aprobar las propuestas de productos. Las grandes organizaciones suelen establecer un *departamento de nuevos productos* a cargo de un gerente con autoridad sustancial y acceso a la alta dirección, cuyas responsabilidades incluyen generar y detectar nuevas ideas, colaborar con el departamento de investigación y desarrollo, y hacer pruebas de campo y comercialización.

Adobe Systems Inc.

Adobe Systems Inc.

Adobe Systems, un desarrollador de software para diseño gráfico y editorial, estableció un grupo de trabajo encargado de identificar los obstáculos que enfrentaban sus empleados al tratar de desarrollar nuevos productos. El equipo descubrió que las ideas que requerían de un nuevo canal de ventas, un nuevo modelo de negocio o incluso nuevos envases, fallaban debido a la jerarquía corporativa. Además, Adobe había crecido tanto que las ideas que se originaban en sus sucursales no estaban recibiendo un trato justo. En consecuencia, la empresa creó un grupo de iniciativas de nuevos negocios que imitaba el modelo de capital de riesgo, apoyando a los emprendedores y mostrando los proyectos de éstos a sus propios empleados. Este grupo exhibe las mejores ideas cada tres meses, en eventos donde aproximadamente 20 gerentes de producto y otros empleados (con excepción de los altos ejecutivos, quienes están excluidos de los procedimientos) observan mientras los empleados-emprendedores en potencia hacen breves presentaciones y responden cuestionamientos. Las ideas son examinadas por los emprendedores de Adobe, y a las mejores se les otorga una primera ronda de financiamiento. Pero incluso las propuestas que son rechazadas pueden obtener una segunda oportunidad en el sitio Web de lluvia de ideas de la empresa. El evento se ha vuelto muy popular en Adobe, por tratarse de un método tipo American Idol de que las buenas ideas pasen al primer plano.32

EQUIPOS MULTIFUNCIONALES 3M, Dow y General Mills asignan el desarrollo de nuevos productos a equipos de innovación, esto es, grupos multifuncionales de trabajo encargados de desarrollar productos o negocios específicos. A estos "intraemprendedores " se les libera de otras responsabilidades y se les asigna un presupuesto, un marco de tiempo y una "madriguera". Las madrigueras son lugares de trabajo informales, a veces garajes, en donde el equipo trata de desarrollar nuevos productos.

Los equipos multifuncionales pueden colaborar y utilizar el desarrollo de otros productos del mismo tipo para lanzar nuevos productos al mercado.[33] El desarrollo de productos de índole similar se parece a un partido de rugby, pues los integrantes del equipo "lanzan" de un lado a otro a medida que avanzan hacia la meta. Con este sistema, Allen-Bradley Corporation (fabricante de sistemas de control industrial) fue capaz de desarrollar un nuevo dispositivo en tan sólo dos años, en contraste con los seis que tardó en crear el anterior. Los equipos multifuncionales contribuyen a asegurar que los ingenieros se abstengan de crear un producto mejorado pero irrelevante, que los consumidores en realidad no quieran ni necesiten.

SISTEMAS ETAPA-PUERTA Muchas empresas importantes utilizan el llamado *sistema etapa-puerta*, de acuerdo con el cual el proceso de innovación se divide en etapas con una "puerta" o punto de revisión al final de cada una de ellas.[34] El líder del proyecto, en colaboración con un equipo multifuncional, tiene que establecer —y comunicar— un conjunto de condiciones que el proyecto debe cumplir en cada puerta antes de poder pasar a la siguiente etapa. Para pasar de la etapa de plan de negocio a la de desarrollo del producto,

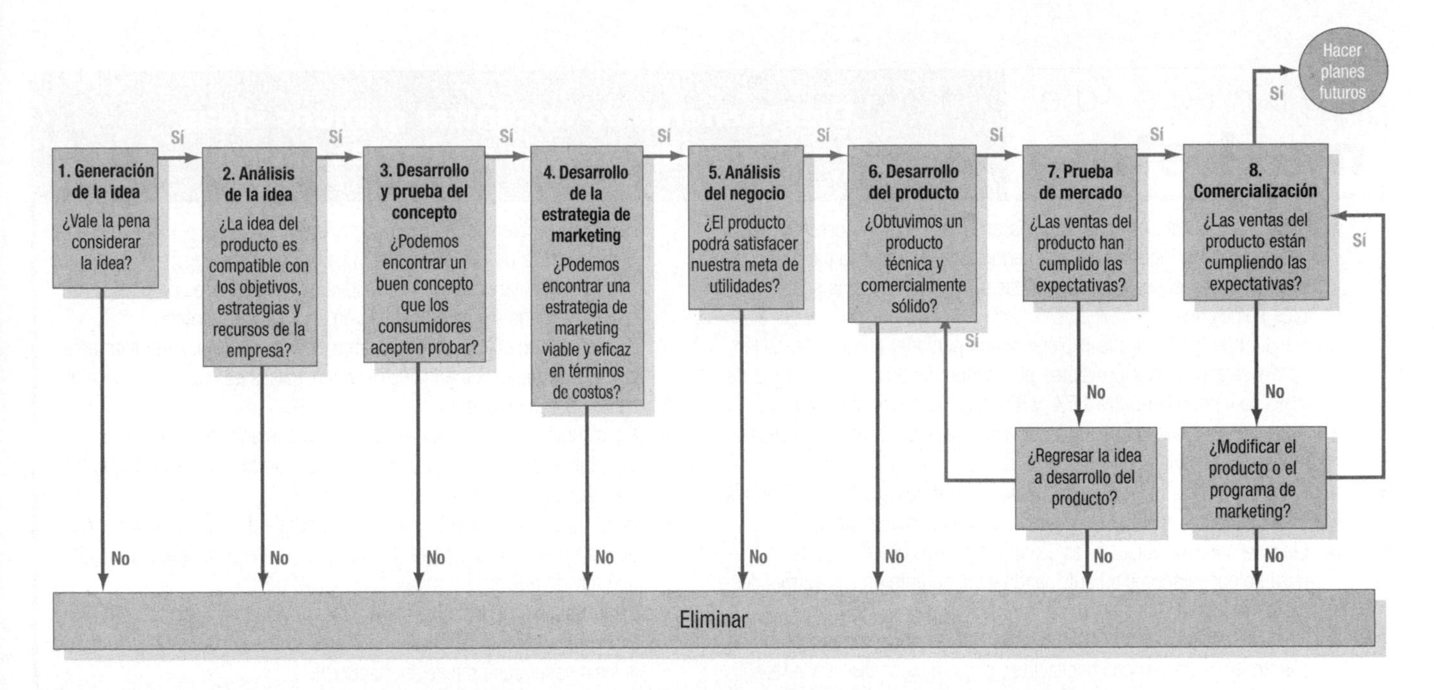

|Fig. 20.1| Proceso de decisión en el desarrollo de un nuevo producto

es necesario contar con un estudio de mercado convincente sobre las necesidades y los intereses de los consumidores, un análisis de la competencia y una evaluación técnica. A continuación, los directivos revisan los criterios utilizados en cada puerta con el propósito de tomar una de cuatro decisiones: *avanzar, eliminar, paralizar* o *reciclar*. Los sistemas etapa-puerta hacen que el proceso de innovación sea visible para todos los participantes, y definen con claridad las responsabilidades que corresponden en cada etapa tanto para el líder del proyecto como para el equipo.[35] Sin embargo, las puertas o controles no deben ser tan rígidos que inhiban el aprendizaje y el desarrollo de nuevos productos.[36]

Las etapas del desarrollo de nuevos productos se muestran en la figura 20.1. Muchas empresas tienen conjuntos de proyectos paralelos en proceso, cada uno en una etapa diferente.[37] El proceso podría compararse con un *embudo*: al principio se tiene un gran número de ideas y conceptos de nuevos productos, a partir de los cuales se hace una selección hasta que finalmente sólo se lanzan unos cuantos de gran potencial. Sin embargo, este proceso no siempre es lineal. Otras numerosas organizaciones emplean *procesos de desarrollo en espiral* que reconocen el valor de retroceder a una etapa previa para hacer mejoras antes de seguir avanzando.[38]

Ansell Healthcare, el mayor fabricante mundial de ropa y guantes protectores, adoptó un proceso etapa-puerta y descubrió que la contribución de los nuevos productos a las ventas generales pasó del 4.5 al 13% en poco más de dos años. Hydro Quebec, una de las instalaciones hidroeléctricas más grandes del mundo, implementó un sistema etapa-puerta que enfoca los recursos en los proyectos más valiosos y obtuvo más de mil millones de dólares en beneficios.[39]

Gestión del proceso de desarrollo: las ideas

Generación de ideas

El proceso de desarrollo de nuevos productos comienza con la búsqueda de ideas. Algunos expertos en marketing consideran que las mayores oportunidades y el apalancamiento más alto en materia de nuevos productos se presentan al descubrir el mejor conjunto posible de necesidades insatisfechas de los consumidores o innovaciones tecnológicas.[40] Las ideas de nuevos productos pueden provenir de la interacción con diversos grupos y del uso de técnicas que estimulan la creatividad.[41] (Vea "Apuntes de marketing: Diez maneras de encontrar grandes ideas para nuevos productos").

Erich Joachimsthaler cree que algunas de las mejores oportunidades de nuevos productos se encuentran justo frente de los ojos de los especialistas en marketing. Según su punto de vista, el error que muchos cometen es ver el mundo desde la perspectiva de sus propios productos y servicios, y buscar clientes para ellos. Su modelo "anticipación a la demanda y el crecimiento" (DIG) está diseñado para proporcionar a las

Apuntes de marketing — Diez maneras de encontrar grandes ideas para nuevos productos

1. Llevar a cabo sesiones informales en donde grupos de clientes se reúnan con los ingenieros y diseñadores de la empresa para analizar problemas y necesidades, y realizar una lluvia de ideas sobre posibles soluciones.
2. Dar tiempo libre (para la exploración) al personal técnico, permitiéndole desarrollar sus proyectos personales favoritos. Google les da 20% de tiempo libre; 3M 15%; y Rohm & Haas 10 por ciento.
3. Aprovechar cualquier visita de los clientes a la fábrica para realizar sesiones de lluvia de ideas con ellos.
4. Encuestar a los clientes para averiguar qué les gusta y qué no les gusta de los productos de la empresa y de la competencia.
5. Llevar a cabo investigaciones de campo con los clientes, ya sea a manera de observadores o participando directamente en sus actividades, tal como hacen Fluke y Hewlett-Packard.
6. Realizar análisis bajo el esquema de rondas iterativas: un grupo de clientes se reúne en una habitación y centran su análisis en la identificación de problemas; al mismo tiempo, un grupo del personal técnico de la empresa ocupa la habitación contigua, para escuchar y plantear soluciones a manera de lluvia de ideas. Las soluciones propuestas se ponen a prueba inmediatamente con el grupo de clientes.
7. Establecer una búsqueda por palabra clave que examine regularmente las publicaciones comerciales de varios países en busca de anuncios sobre nuevos productos.
8. Considerar la asistencia a exposiciones comerciales como misiones de inteligencia, donde puede verse bajo un mismo techo todas las novedades de la industria.
9. Hacer que el personal técnico y de marketing visite los laboratorios de los proveedores y pase tiempo con sus técnicos para averiguar qué hay de nuevo.
10. Establecer un "depósito de ideas" abierto y de fácil acceso. Permitir a los empleados que revisen las ideas de forma constructiva y estimularlos a hacer sus propias aportaciones.

Fuente: Adaptado de Robert G. Cooper, *Product Leadership: Creating and Launching Superior New Products* (Nueva York: Perseus Books, 1998). Adaptado con autorización del autor. Vea también Robert G. Cooper y Scott J. Edgett, "Ideation for Product Innovation: What are the Best Methods?: Visions", marzo de 2008, pp. 12-17.

empresas un punto de vista imparcial y una perspectiva de afuera hacia adentro sobre las oportunidades que presenta la demanda. Este modelo consta de tres partes:[42]

1. ***El entorno de la demanda.*** Utilizar métodos de observación antropológicos y etnográficos, o informes de los propios consumidores, para definir sus necesidades y deseos.
2. ***El espacio de oportunidad.*** Utilizar lentes conceptuales y herramientas de razonamiento estructurado e innovador para obtener las perspectivas del mercado desde diferentes ángulos.
3. ***El programa estratégico.*** Pensar en cómo puede el nuevo producto encajar en la vida de los clientes, y de qué manera puede distinguirse de los competidores.

Utilizándolo como ejemplo de la aplicación de un tipo de DIG, Joachimsthaler señala que Intel abandonó su muy competitivo negocio de memorias para aprovechar oportunidades en el más fértil terreno de los microprocesadores.

INTERACCIÓN CON LOS DEMÁS Entusiasmadas por el movimiento de *innovación abierta*, muchas empresas están rebasando sus fronteras para aprovechar las fuentes externas de nuevas ideas, incluyendo clientes, empleados, científicos, ingenieros, miembros del canal, agencias de marketing, altos directivos e incluso competidores.[43] "Marketing en acción: El nuevo enfoque en la innovación de P&G: conectar y desarrollar" describe qué ha hecho P&G para lograr que el desarrollo de nuevos productos se enfoque más en el exterior.

Las necesidades y los deseos del cliente consituyen el punto lógico para comenzar la búsqueda.[44] Griffin y Hauser sugieren que si se realizan entre 10 y 20 entrevistas experimentales a profundidad por segmento de mercado, con frecuencia será posible descubrir la gran mayoría de las necesidades de los consumidores.[45] Pero también otros métodos pueden ser rentables (vea "Apuntes de marketing: Siete formas de obtener nuevas ideas de los clientes"). Por ejemplo, una cafetería patrocinada por un vendedor en Tokio prueba todo tipo de productos con mujeres japonesas jóvenes, adineradas e influyentes.[46]

El tradicional enfoque de innovación de productos centralizado en la empresa está dando paso a un mundo en donde las compañías crean productos en conjunción con los consumidores.[47] Las empresas están recurriendo cada vez más al *crowdsourcing* para generar nuevas ideas o, como vimos en el capítulo anterior, para crear campañas de marketing originadas por el consumidor. El *crowdsourcing* consiste en invitar a la comunidad de Internet a contribuir en la creación de contenido o software, a menudo ofreciéndole como incentivo premios monetarios o algún reconocimiento público.[48]

Esta estrategia ha ayudado a crear nuevos productos y empresas, como Wikipedia, YouTube (que al final fue comprada por Google) e iStockphoto, una empresa de "microstock". Una de las compañías que ha recurrido recientemente al *crowdsourcing* es Cisco.[49]

El nuevo enfoque en la innovación de P&G: conectar y desarrollar

En la primera década del siglo XXI, una de las grandes empresas de mayor crecimiento en ingresos y ganancias fue Procter & Gamble. La responsabilidad de este crecimiento recae en sus exitosos nuevos productos, como Swifter, Mr. Clean Magic Eraser y Actonel (un medicamento recetado contra la osteoporosis). Muchos de estos nuevos productos reflejaron la innovación en aspectos que el ex director ejecutivo de P&G, A.G. Lafley, califica como "centrales", esto es, los principales mercados, categorías, marcas, tecnologías y capacidades de la compañía.

Para trabajar estos elementos con mayor eficacia, P&G adoptó un modelo de "Conectar + Desarrollar", el cual hace énfasis en la búsqueda de la innovación externa. La empresa colabora con organizaciones e individuos de todo el mundo en busca de tecnologías probadas, paquetes y productos que pueda mejorar, escalar y comercializar por cuenta propia o en asociación con otras empresas. P&G tiene sólidas relaciones con diseñadores externos y distribuye el desarrollo de productos en todo el mundo para incrementar lo que denomina "sensibilidad a los consumidores".

P&G identifica las 10 necesidades principales de los clientes, los productos que están estrechamente relacionados con éstas y que podrían apalancarse o beneficiarse del brand equity existente, y las "condiciones del juego" que definen la ruta de adopción tecnológica a través de diferentes categorías de productos. Además, podría consultar con laboratorios públicos y privados, así como con instituciones académicas y de investigación, empresas de capital de riesgo, empresarios individuales, proveedores, minoristas, competidores y socios comerciales y de desarrollo, utilizando las redes online para llegar a miles de expertos de todo el mundo.

Las tres condiciones fundamentales de P&G para el éxito de su estrategia "Conectar + Desarrollar" son:

1. *Nunca asumir que las ideas "listas para llevar" que se encuentran en el exterior están en realidad listas.* Siempre habrá trabajo de desarrollo que realizar, incluido el riesgoso escalamiento.
2. *No subestimar los recursos internos necesarios.* Se requerirá que un alto ejecutivo trabaje tiempo completo para llevar a cabo cualquier iniciativa de conectar y desarrollar.
3. *Nunca lanzar un producto sin la aprobación del director ejecutivo.* La estrategia conectar y desarrollar no puede tener éxito si está circunscrita en investigación y desarrollo. La estrategia debe fluir de arriba hacia abajo y contar con la participación de toda la empresa.

A través de la estrategia "Conectar + Desarrollar" —y de las mejoras que implementó en cuanto al costo, el diseño y el marketing del producto—, P&G aumentó la productividad de su función de investigación y el desarrollo en casi un 60% durante la década. La tasa de éxito de innovación se duplicó y los costos disminuyeron.

Fuentes: www.pgconnectdevelop.com A.G. Laftey y Ram Charan, *The Game Changer: How You Can Drive Revenue and Profit Growth Through Innovation* (Nueva York: Crown Business, 2009); Robert Berner, "How P&G Pampers New Thinking", *BusinessWeek*, 14 de abril de 2008, pp. 73-74; Steve Hamm, "Speed Demons", *BusinessWeek*, 27 de marzo de 2006, pp. 69-76; Larry Huston y Nabil Sakkab, "Connect and Develop: Inside Procter & Gamble's New Model for Innovation", *Harvard Business Review*, marzo de 2006, pp. 58-66; Geoff Colvin, "Lafley and Immelt: In Search of Billions", *Fortune*, 11 de diciembre de 2006, pp. 70-72; Rajat Gupta y Jim Wendler, "Leading Change: An Interview with the CEO of P&G", *McKinsey Quarterly* (julio de 2005).

Cisco

Cisco El I-Prize, una competencia de innovación patrocinada por Cisco, ofrece a un equipo externo la oportunidad de unirse a la empresa liderando un negocio de tecnología emergente, para lo cual le otorga un bono de 250 000 dólares a la firma, y hasta 10 millones de dólares en fondos durante los dos primeros años. La lógica que llevó a Cisco a realizar este concurso —el cual atrajo a 1 200 participantes de 104 países— fue simple: "En muchas partes del mundo hay gente increíblemente ingeniosa, con ideas muy brillantes, pero que no tiene acceso al capital para convertirlas en un negocio". Los jueces aplicaron cinco criterios principales (1) ¿El proyecto aborda un punto débil real? (2) ¿Atraerá a un mercado lo suficientemente grande? (3) ¿Es un buen momento para ponerlo en práctica? (4) Si consideramos la idea, ¿seremos lo suficientemente aptos para desarrollarla? y (5) ¿Podemos aprovechar la oportunidad a largo plazo? El público juzgó las propuestas online, y Cisco descubrió que los comentarios detallados eran aún más útiles que los votos reales. El proyecto ganador de la primera competencia fue el plan para producir una red eléctrica inteligente activada por sensor.

El enfoque en la innovación de la estrategia "Conectar + Desarrollar" de P&G permitió que los sacudidores Swiffer Dusters dieran el salto hacia el éxito en el mercado global.

Además de producir nuevas y mejores ideas, la creación conjunta puede contribuir a que los clientes se sientan más cerca de la empresa y mejor dispuestos hacia ella, así como a generar recomendaciones verbales favorables.[50] Sin embargo, lograr que los clientes adecuados se comprometan de las maneras correctas tiene una importancia fundamental.[51]

Los principales usuarios de un potencial nuevo producto pueden ser una buena fuente de aportaciones, incluso cuando sus propuestas de innovación no cuenten con el consentimiento de las empresas

Apuntes de marketing

Siete formas de obtener nuevas ideas de los clientes

1. ***Observar cómo utilizan el producto los clientes.*** Medtronic, un fabricante de dispositivos médicos, hace que sus vendedores e investigadores de mercado observen regularmente a los cirujanos de columna que utilizan sus productos y los de la competencia para obtener información sobre cómo pueden mejorarlos. Después de vivir con algunas familias de clase media baja en la Ciudad de México, los investigadores de Procter & Gamble idearon Downy Single Rinse, un suavizante de telas que elimina un paso difícil en el proceso de lavado manual.
2. ***Interrogar a los clientes sobre sus problemas con los productos.*** Komatsu Heavy Equipment envió un grupo de ingenieros y diseñadores a Estados Unidos durante seis meses para que viajaran con los conductores de sus equipos y aprendieran a mejorar sus productos. Reconociendo que los consumidores se sentían frustrados porque las patatas fritas se rompían y era difícil conservarlas después de abrir la bolsa, Procter & Gamble diseñó Pringles, que tienen tamaño uniforme y se comercializan en una lata protectora parecida a los envases de pelotas de tenis.
3. ***Preguntar a los clientes cuáles serían sus productos soñados.*** Se debe preguntar a los clientes qué quieren que el producto haga, aunque sus ideas parezcan imposibles de llevar a la realidad. Un septuagenario usuario de la cámara fotográfica Minolta dijo que le gustaría que el aparato hiciera que las personas se vieran mejor y no mostrara sus arrugas y otros signos de envejecimiento. En respuesta, Minolta produjo una cámara con dos lentes, uno de ellos diseñado para representar las imágenes de las personas con rasgos más suaves.
4. ***Utilizar un panel de asesoramiento de clientes para analizar las ideas de la empresa.*** Levi Strauss utiliza paneles de jóvenes para analizar las formas de vida, hábitos, valores y compromisos de la marca; Cisco opera foros de clientes para mejorar sus ofertas, y Harley-Davidson solicita ideas sobre productos al millón de miembros que conforman el H.O.G. (grupo de propietarios de vehículos Harley).
5. ***Utilizar los sitios Web para obtener nuevas ideas.*** Las empresas pueden utilizar buscadores especializados, como Technorati y Daypop, para encontrar blogs y anuncios relevantes para sus negocios. El sitio de P&G incluye las secciones *We're Listening* (Estamos escuchando) y *Share Your Thoughts* (Comparte tus pensamientos), y patrocina sesiones de asesoramiento para obtener consejos y retroalimentación de los clientes.
6. ***Formar una comunidad de entusiastas de la marca que analicen el producto.*** Harley-Davidson y Apple cuentan con sólidos grupos de entusiastas y defensores de sus marcas; Sony participó en diálogos de colaboración con los consumidores para desarrollar su PlayStation 2. LEGO confía en la retroalimentación que le brindan los niños y sus influyentes entusiastas adultos sobre los nuevos conceptos de productos en las primeras etapas de desarrollo.
7. ***Alentar o retar a los clientes a cambiar o mejorar el producto.*** Salesforce.com quiere que sus usuarios desarrollen y compartan nuevas aplicaciones de software utilizando herramientas de programación sencillas. International Flavors & Fragrances ofrece a sus clientes un conjunto de herramientas para modificar sabores específicos con la finalidad de fabricarlos más tarde; LSI Logic Corporation también ofrece a los clientes dispositivos "hágalo usted mismo" para que puedan diseñar sus propios chips especializados; por último, BMW publicó en su sitio Web una serie de herramientas para que los clientes desarrollen ideas utilizando la telemática y los servicios online dentro del automóvil.

Fuente: Tomado de un artículo inédito de Philip Kotler, "Drawing New Ideas from Your Customers", 2007.

Algunas de las mejores ideas de nuevos productos provienen de consumidores o usuarios altamente involucrados. Así fue como nacieron las bicicletas de montaña.

que los producen, o ni siquiera hayan sido informados de ellas. Por ejemplo, las bicicletas de montaña fueron desarrolladas cuando la gente joven comenzó a llevar sus bicicletas hasta las cimas de las montañas para lanzarse sobre ellas cuesta abajo. Como las bicicletas se dañaban, los jóvenes empezaron a hacerlas más resistentes añadiéndoles frenos de motocicleta, suspensiones mejoradas y otros accesorios. Fueron ellos, y no las empresas, quienes desarrollaron estas innovaciones.

Algunas empresas, sobre todo aquellas que quieren atraer a los consumidores jóvenes modernos, involucran a sus principales usuarios en el proceso de diseño de sus productos. Las organizaciones de perfil técnico pueden aprender mucho al analizar a los clientes que hacen el uso más avanzado de sus productos y que se percatan antes que nadie de la necesidad de introducir mejoras en ellos.[52] En los mercados B2B la recopilación de información de distribuidores y minoristas que no están en contacto directo con la empresa puede proporcionar información y puntos de vista diversos.[53]

No todo el mundo cree que un enfoque en el cliente ayuda a crear mejores nuevos productos. Como afirmó Henry Ford en su famosa frase: "Si hubiera preguntado a la gente qué quería, me habrían dicho que un caballo más rápido". Incluso hay quienes advierten que estar excesivamente centrados en los consumidores —los cuales en realidad no saben lo que quieren ni qué cosas son factibles— podría dar por resultado el desarrollo de productos de miras estrechas y la omisión de verdaderos avances potenciales.[54]

INTERACCIÓN CON LOS EMPLEADOS Los empleados pueden ser una fuente de ideas para mejorar la producción, los productos y los servicios.[55] Toyota afirma que sus empleados proponen dos millones de ideas cada año (cerca de 35 sugerencias por empleado), de las cuales la empresa implementa más del 85%. Kodak, Milliken y otras compañías ofrecen dinero en efectivo, vacaciones o premios como reconocimiento a los empleados que proponen las mejores ideas. Nokia recluta a los ingenieros que inscriben por lo menos diez patentes en su "Club 10", reconociéndolos cada año en una ceremonia oficial organizada por el director ejecutivo de la empresa.[56] Las organizaciones pueden motivar a sus empleados para que presenten propuestas nuevas a un *gerente de ideas*, cuyo nombre y datos de contacto debe difundir ampliamente entre su personal.

La alta dirección puede ser otra importante fuente de ideas. Algunos líderes empresariales, como el ex director ejecutivo de Intel, Andy Grove, asumen la innovación tecnológica en sus compañías como una responsabilidad personal. Las ideas de nuevos productos pueden provenir de inventores, abogados de patentes, laboratorios universitarios y comerciales, consultores industriales, agencias de publicidad, empresas de investigación de mercados y publicaciones industriales. Sin embargo, la probabilidad de que cualquiera de estas fuentes reciba una atención seria a menudo depende de que algún miembro de la organización asuma la responsabilidad del desarrollo de nuevos productos.

ANÁLISIS DE LA COMPETENCIA Las empresas pueden encontrar buenas ideas mediante la investigación de los productos y servicios de sus competidores y demás compañías. También tienen la posibilidad de averiguar qué les gusta y qué les disgusta a los clientes respecto de los productos de la competencia. Pueden comprar los productos de sus competidores, desarmarlos y construir otros mejores. Los representantes de ventas y los intermediarios de la empresa constituyen una fuente de ideas particularmente buena. Estos grupos tienen una exposición de primera mano a los clientes, y a menudo son los primeros en conocer los desarrollos de la competencia. El minorista de productos electrónicos Best Buy incluso pregunta a los capitalistas de riesgo en qué nuevas iniciativas están trabajando.

ADOPCIÓN DE TÉCNICAS CREATIVAS Las sesiones internas de lluvias de ideas también pueden ser muy eficaces si se realizan correctamente. "Apuntes de marketing: Cómo llevar a cabo una sesión de lluvia de ideas exitosa" ofrece algunas pautas para lograrlo.

La lista siguiente es una muestra de técnicas destinadas a estimular la creatividad de grupos e individuos.[57]

- ***Listas de atributos.*** Consiste en elaborar una lista de los atributos de un objeto, digamos, un destornillador. A continuación se modifica cada atributo, por ejemplo, se sustituye el mango de madera por uno de plástico, se le da una fuerza de torque, se le añaden diferentes tipos de punta, etcétera.
- ***Relaciones forzadas.*** Consiste en hacer una lista de diversas ideas y considerar cada una en relación con las demás. Por ejemplo, para diseñar mobiliario de oficina, se puede pensar en un escritorio, un librero y un archivador como ideas separadas. A continuación se imagina un escritorio con un librero empotrado o con un archivador adosado, o un librero que también sirva como archivador.
- ***Análisis morfológico.*** Esta técnica comienza con un problema, como "trasladar algo de un sitio a otro utilizando un vehículo automático". A continuación se consideran las dimensiones, como el tipo de plataforma (carro, silla, cabrestante, cama), el medio (aire, agua, aceite, rieles) y la fuente de energía (aire comprimido, motor eléctrico, campos magnéticos). Considerar todas las combinaciones posibles permite generar numerosas soluciones nuevas.

Apuntes de marketing

Cómo llevar a cabo una sesión de lluvia de ideas exitosa

Si se realizan correctamente, las sesiones de lluvia de ideas pueden crear percepciones, ideas y soluciones que habría sido imposible obtener sin las aportaciones de todos los participantes. No obstante, si se realizan incorrectamente estas sesiones son una pérdida de tiempo que puede frustrar a los participantes y crear antagonismos entre ellos. Para asegurar su éxito, los expertos recomiendan seguir estas pautas:

1. Un facilitador capacitado debe dirigir la sesión.
2. Los participantes deben sentir que pueden expresarse libremente.
3. Es preciso que los participantes se vean a sí mismos como colaboradores que trabajan para conseguir una meta común.
4. Para que las conversaciones no se desvíen del tema es necesario establecer normas y cuidar que se respeten.
5. Se debe proporcionar a los participantes la preparación adecuada sobre los antecedentes y materiales, con el propósito de que puedan poner manos a la obra rápidamente.
6. A veces es útil realizar sesiones individuales antes y después de la lluvia de ideas, para que los participantes puedan pensar y aprender sobre el tema con anticipación, y luego reflexionar sobre lo que haya ocurrido.
7. Las sesiones de lluvia de ideas deben dar por resultado planes de acción y ejecución claros, de manera que las ideas que se materialicen puedan aportar un valor tangible.
8. Las sesiones de lluvia de ideas son capaces de lograr algo más que generar ideas: pueden ayudar a crear equipos, y a producir participantes mejor informados y con más energía.

Fuentes: Linda Tischler, "Be Creative: You Have 30 Seconds", *Fast Company*, mayo de 2007, pp. 47-50; Michael Myser, "When Brainstorming Goes Bad", *Business 2.0*, octubre de 2006, p. 76; Robert I. Sutton, "Eight Rules to Brilliant Brainstorming", *BusinessWeek IN Inside Innovation*, septiembre de 2006, pp. 17-21.

- ***Análisis invertido de supuestos.*** Consiste en hacer una lista de todos los supuestos normales de una entidad y luego invertirlos. En lugar de dar por sentado que un restaurante tiene menús, sirve comida y cobra por ello, se invierten cada uno de esos supuestos. El nuevo restaurante podría decidir servir únicamente lo que el chef haya comprado y cocinado por la mañana; podría ofrecer comida pero cobrar sólo por el tiempo que se ocupa una mesa, o diseñar una atmósfera exótica y alquilar el espacio a personas que traen su propia comida y bebida.
- ***Nuevos contextos.*** Consiste en considerar algún proceso familiar, como los servicios de asistencia, y colocarlos en un nuevo contexto. Por ejemplo, imagine que en lugar de brindar atención a la gente con cuidados diurnos, reducción de estrés, psicoterapia o funerales, estos servicios se destinan al cuidado de perros y gatos. Otro ejemplo sería éste: en lugar de que los huéspedes de un hotel tengan que presentarse en la recepción para registrarse, se les da la bienvenida en la puerta y se utiliza un sistema inalámbrico para registrarlos.
- ***Mapa mental.*** Esta técnica comienza con un pensamiento, digamos un automóvil. El concepto se escribe en una hoja de papel; luego se piensa en lo primero que venga a la mente (por ejemplo, Mercedes) y se establece un vínculo entre eso y el concepto original ("automóvil"). A continuación se piensa en la siguiente asociación (Alemania), y así sucesivamente, con todas las asociaciones que se nos ocurran en relación con cada nueva palabra. Al final es posible que se materialice una idea totalmente nueva.

Kinder Sorpresa es un ejemplo del marketing lateral, porque combina dos conceptos en una oferta de producto: los caramelos y los juguetes.

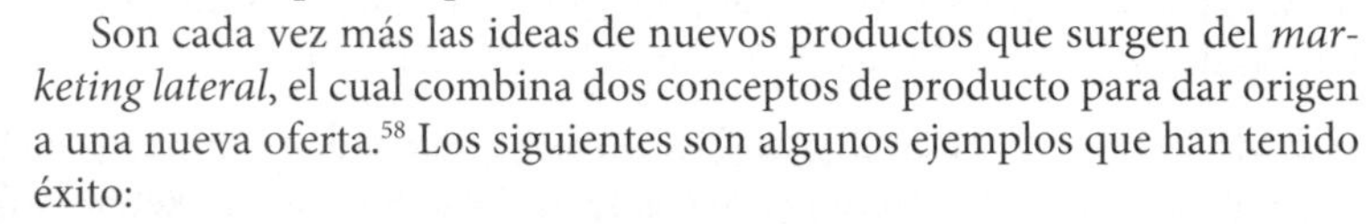

Son cada vez más las ideas de nuevos productos que surgen del *marketing lateral*, el cual combina dos conceptos de producto para dar origen a una nueva oferta.[58] Los siguientes son algunos ejemplos que han tenido éxito:

- Tiendas de las gasolinerías = gasolinería + alimentos
- Cibercafés = cafetería + Internet
- Barras de cereal = cereales + refrigerio o golosina
- Kinder Sorpresa = chocolate + juguete
- Sony Walkman = música + aparato portátil

Uso del análisis de las ideas

Cuando analizan ideas, las empresas deben evitar caer en dos tipos de errores. El *error de abandono* es el que ocurre cuando la empresa rechaza una buena idea. Es muy fácil detectar errores en las ideas ajenas (△ figura 20.2). Algunas empresas se estremecen cuando vuelven la vista atrás y recuerdan algunas ideas que dejaron pasar, o respiran aliviadas cuando se dan cuenta de lo cerca que estuvieron de dejar pasar algo que al final se convirtió en un éxito enorme. Éste fue el caso de la exitosa serie de televisión *Friends*.

Friends

Friends La serie *Friends* de la cadena NBC se transmitió durante 10 años, de 1994 a 2004, y siempre encabezó la lista de índices de audiencia. Sin embargo, esta serie estuvo a punto de no salir a la luz. Según un informe interno de la cadena, el episodio piloto fue considerado "poco entretenido, falto de perspicacia y nada original"; de hecho no pasó la primera prueba, pues obtuvo una calificación de 41 sobre 100. Resulta irónico que el episodio piloto de otro exitoso programa televisivo, *Seinfeld*, también fuese tachado de "débil", si bien el piloto del drama *ER* recibió una excelente calificación: 91 puntos. En el caso de *Friends*, el personaje de Mónica —interpretado por Courtney Cox— fue el que mayor aceptación logró entre el público de prueba, mientras que a los caracterizados por Lisa Kudrow y Matthew Perry se les consideró de un atractivo secundario, y los de Rachel, Ross y Joey recibieron calificaciones aún más bajas. En las emisiones de prueba los adultos mayores de 35 años consideraron que, en general, todos los personajes eran "petulantes, superficiales y egocéntricos".[59]

El propósito del análisis de ideas es abandonar aquellas que sean malas lo antes posible. La lógica de este objetivo es que los costos del desarrollo de productos aumentan considerablemente en cada una de las sucesivas etapas del proceso. Casi todas las empresas necesitan que las ideas de nuevos productos se describan de manera estandarizada para que puedan someterse a la revisión de un comité. La descripción debe incluir la idea del producto, la delimitación del mercado meta y la competencia, así como cálculos aproximados del tamaño del mercado, el precio del producto, el tiempo y el costo de desarrollo, los costos de fabricación y la rentabilidad sobre la inversión.

A continuación, el comité ejecutivo revisa cada idea con base en una serie de criterios. ¿El producto satisface alguna necesidad? ¿Ofrecerá un valor superior? ¿Se puede anunciar de forma distintiva? ¿La empresa cuenta con el conocimiento y el capital necesarios? ¿El producto alcanzará el volumen de ventas, el índice de aumento de ventas y las utilidades esperados? Para responder estos cuestionamientos es posible que se requieran los comentarios de los consumidores, pues ello permitirá aprovechar las realidades del mercado.[60]

TABLA 20.2 Método de valoración de ideas de productos

Requisitos para el éxito del producto	Importancia relativa (a)	Puntuación del producto (b)	Puntuación general (c = a × b)
Producto único o superior	0.40	0.8	0.32
Alta proporción entre desempeño y costos	0.30	0.6	0.18
Fuerte apoyo económico de marketing	0.20	0.7	0.14
Falta de una fuerte competencia	0.10	0.5	0.05
Total	1.00		0.69[a]

[a] Escala de puntuación: 0.00-0.30 insuficiente; 0.31-0.60 regular; 0.61-0.80 buena. Puntuación mínima aceptable: 0.61

Las ideas que superen el contraste con los criterios de evaluación se pueden valorar con la ayuda del método de índices ponderados, como el que aparece en la tabla 20.2. La primera columna lista los factores requeridos para el lanzamiento exitoso de un nuevo producto, y la segunda indica la importancia que se confiere a cada uno de ellos. La tercera columna muestra la puntuación alcanzada por la idea de producto, en una escala de 0 a 1.0, donde 1.0 es la mayor puntuación posible. El paso final consiste en multiplicar la importancia de cada factor por la puntuación del producto, para obtener así una calificación general. En este ejemplo, la idea de producto recibe una puntuación de 0.69, lo que significa que se trata de una "buena idea". El propósito de este sencillo sistema de clasificación es promover la evaluación y la discusión sistemáticas de las ideas de producto; en ningún caso pretende determinar la decisión, pues ésta corresponde a la dirección.

Conforme se desarrolle la idea, la empresa tendrá que revisar constantemente su cálculo de la probabilidad general de éxito del producto, para lo cual deberá utilizar la siguiente fórmula:

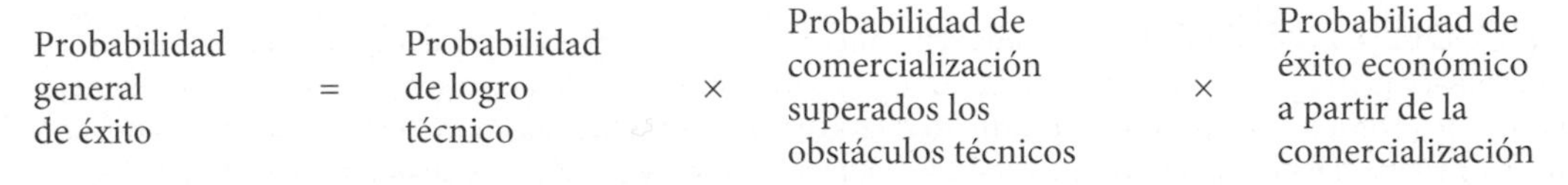
Probabilidad general de éxito = Probabilidad de logro técnico × Probabilidad de comercialización superados los obstáculos técnicos × Probabilidad de éxito económico a partir de la comercialización

Por ejemplo, si los valores de probabilidad son 0.50, 0.65 y 0.74, respectivamente, la probabilidad general de éxito será de 0.24. En ese caso, la empresa tendrá que determinar si esta cifra es lo suficientemente elevada como para continuar con el desarrollo de la idea.

Gestión del proceso de desarrollo: del concepto a la estrategia

Las ideas atractivas deben ser pulidas hasta convertirse en conceptos de producto susceptibles de prueba. Una *idea de producto* es la posibilidad de un producto que la empresa podría lanzar al mercado. Un *concepto de producto* es una versión elaborada de la idea de producto, expresada en términos del consumidor.

Desarrollo y prueba del concepto de producto

El desarrollo del concepto es un paso necesario pero insuficiente para el éxito de los nuevos productos. Los especialistas en marketing también deben distinguir entre los conceptos ganadores y los perdedores.

DESARROLLO DEL CONCEPTO Para explicar el desarrollo del concepto de producto se utilizará el siguiente ejemplo: a una gran empresa de procesamiento de alimentos se le ocurre la idea de fabricar un producto en polvo que, al agregarse a la leche, enriquece su valor nutricional y su sabor. Ésta es una *idea* de producto, pero los consumidores no compran ideas, sino *conceptos*.

Una idea de producto puede convertirse en varios conceptos. La primera pregunta es: ¿quién utilizará el producto? En este caso el polvo podría tener como mercado objetivo a los niños, los adolescentes, los adultos jóvenes o los adultos maduros. La segunda pregunta es: ¿qué ventajas ofrece este producto? ¿Sabor, nutrición, sacia la sed, da energía? Y la tercera pregunta es: ¿cuándo se consumirá esta bebida? ¿En el desayuno, a media mañana, con la comida, en la merienda, en la cena, antes de ir a la cama? Una vez respondidos estos cuestionamientos, la empresa está en condiciones de desarrollar diversos conceptos:

- ***Concepto 1.*** Bebida instantánea destinada a adultos que quieren un desayuno nutritivo y rápido, sin necesidad de preparación.

|Fig. 20.2|

Argumentos contra las nuevas ideas

Fuente: Reproducción autorizada por Jerold Panas, Young & Partners Inc.

(a) Mapa de posicionamiento del producto (mercado de desayunos)

Caro
Huevos con tocino
Cereal frío
Hot-cakes
Cereal caliente
Desayuno instantáneo
Lento
Rápido
Barato

(b) Mapa de posicionamiento de la marca (mercado de desayunos instantáneos)

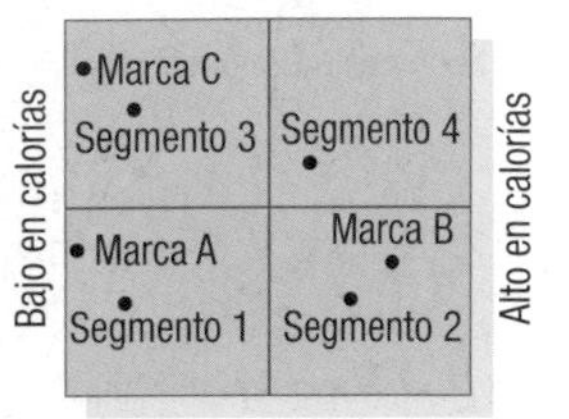

|Fig. 20.3|

Posicionamiento del producto y de la marca

- ***Concepto 2.*** Bebida sabrosa, destinada a los niños como refrigerio a media mañana.
- ***Concepto 3.*** Complemento saludable para adultos mayores, que se recomienda beber antes de acostarse.

Cada uno de estos conceptos representa un *concepto de categoría* que define la competencia del producto. Una bebida instantánea para el desayuno se enfrentaría a los huevos con tocino, a los cereales, al pan dulce, al café y a otras alternativas. Una bebida sabrosa para niños competiría con bebidas refrescantes, jugos y demás productos para mitigar la sed.

Imaginemos que el concepto más prometedor es el de la bebida instantánea para el desayuno. La siguiente tarea es demostrar qué posición ocuparía este producto en polvo respecto de otros productos para el desayuno; en esta labor echaremos mano de mapas perceptuales. La figura 20.3(a) utiliza las dos dimensiones costo y tiempo de preparación para crear un *mapa de posicionamiento de producto* para la bebida para el desayuno. Una bebida instantánea para el desayuno ofrece rapidez de preparación y bajo costo. Sus competidores más cercanos son los cereales fríos y las barras nutritivas, mientras que los más lejanos son el tocino y los huevos. Estos contrastes pueden contribuir a comunicar y promover el producto en el mercado.

A continuación, el concepto de producto se convierte en un *concepto de marca*. La figura 20.3(b) es un *mapa de posicionamiento de marca*: un mapa perceptual que muestra las posiciones actuales que ocupan las tres marcas de bebidas instantáneas para el desayuno (A a C) que hay en el mercado, según la opinión de los consumidores. Este mapa también puede ser útil para superponer las preferencias del consumidor en función de sus preferencias actuales o deseadas. La figura 20.3(b) muestra cuatro segmentos de consumidores (1 a 4), cuyas preferencias se agrupan alrededor de los puntos en el mapa.

El mapa de posicionamiento de marca ayuda a la empresa a decidir cuánto cobrar y cuántas calorías debe tener su bebida. Tres segmentos (1 a 3) están bien atendidos por las marcas existentes (A a C). La empresa no debería posicionarse al lado de una de las marcas existentes, a menos que ésta sea débil o inferior, o que la demanda del mercado sea lo suficientemente alta como para que se pueda compartir. Como resultado, la nueva marca sería distintiva en el mercado de precios y calorías medios, o en el mercado de precios y calorías altos. También hay un segmento de consumidores (4) que se agrupan muy cerca del mercado de precios y calorías medios, lo que sugiere que éste es el que puede ofrecer las mejores oportunidades.

PRUEBA DEL CONCEPTO La prueba del concepto implica presentar el concepto del producto a los consumidores meta, ya sea física o simbólicamente, para conocer sus reacciones. Cuanto más se asemejen los conceptos sometidos a prueba al producto o la experiencia final, más confiable será la prueba del concepto. La prueba del concepto con prototipos puede ayudar a evitar errores costosos, pero es posible que llevarla a cabo resulte especialmente difícil cuando se trata de productos radicalmente diferentes o nuevos.[61] Las técnicas de visualización pueden contribuir a que los encuestados relacionen su estado mental con lo que podría ocurrir cuando en realidad estén evaluando o eligiendo un nuevo producto.[62]

En el pasado, la creación de prototipos físicos era costosa y lenta, pero hoy en día las empresas pueden utilizar el *desarrollo rápido de prototipos* para diseñar productos en una computadora, y luego producir modelos aproximados para mostrarlos a los consumidores potenciales y obtener sus reacciones. En respuesta a un exceso de oferta de vinos a corto plazo en el mercado, los fabricantes de Kendall-Jackson desarrollaron dos nuevas marcas utilizando el desarrollo rápido de prototipos para poder materializar sus ideas en poco tiempo, y en el proceso vendieron 100 000 cajas (10 veces más de lo esperado) de cada marca.[63]

Las empresas también están empleando la *realidad virtual* para someter a prueba sus conceptos de producto. Los programas de realidad virtual son aplicaciones informáticas con dispositivos sensoriales (como guantes o visores) que simulan la realidad. Las supercomputadoras también permiten realizar elaboradas pruebas de productos para evaluar los cambios en el rendimiento y en el aporte complementario de los consumidores. Los camiones Kenworth solían probar los nuevos diseños de sus vehículos con modelos de arcilla y túneles aerodinámicos. Utilizando el análisis con supercomputadoras ahora pueden hacer estimaciones más precisas sobre qué tanta resistencia y consumo de combustible pueden eliminar con los nuevos guardabarros cónicos recortados (respuesta: 400 dólares del gasto típico anual de gasolina de un camión).[64]

En la prueba del concepto se presenta a los consumidores una versión elaborada del concepto. La siguiente es la elaboración del concepto número 1 de nuestro ejemplo de leche:

> Nuestro producto es una mezcla en polvo que se agrega a la leche para hacer un desayuno instantáneo, el cual proporciona al consumidor todo el valor nutritivo diario que requiere, al mismo tiempo que le ofrece un buen sabor y gran conveniencia. El producto estará disponible en tres sabores (chocolate, vainilla y fresa), en cajas de seis sobres individuales, y a un precio de 2.49 dólares.

Tras recibir esta información los investigadores miden ciertas dimensiones del producto, pidiendo a los consumidores que respondan preguntas como las siguientes:

1. ***Capacidad de comunicación y credibilidad.*** "¿Los beneficios del producto son claros y creíbles?" Si el puntaje obtenido en estos parámetros es bajo, el concepto debe ser depurado o revisado.

2. ***Nivel de necesidad***. "¿Le parece que este producto resuelve algún problema o cubre alguna necesidad insatisfecha?" Cuanto más fuerte sea la necesidad, mayor será el interés esperado de los consumidores.
3. ***Nivel de diferenciación***. "¿En la actualidad existen otros productos que cubran esta necesidad y que lo satisfagan?" Entre más grande sea la diferenciación, mayor será el interés esperado de los consumidores. Para determinar una *calificación de la necesidad-diferenciación* los especialistas en marketing pueden multiplicar el nivel de la necesidad por el nivel de diferenciación. Una alta puntuación implica que, de acuerdo con la percepción del consumidor, el producto satisface una necesidad importante que no está siendo cubierta por las alternativas disponibles.
4. ***Valor percibido***. "¿El precio del producto es razonable en relación con su valor?" En tanto más alto sea el valor percibido, mayor será el interés esperado de los consumidores.
5. ***Intención de compra***. "¿Compraría usted el producto?" Las opciones de respuesta son: sin duda, probablemente sí, probablemente no, definitivamente no. Los consumidores que respondieron positivamente las tres primeras preguntas deberían contestar aquí "Definitivamente".
6. ***Usuarios meta, ocasiones y frecuencia de compra***. "¿Quién utilizará este producto, cuándo y con cuánta frecuencia?

Las respuestas de los encuestados indican si el concepto tiene un atractivo sólido y amplio para los consumidores, contra cuáles productos compite y qué consumidores conforman el mejor mercado meta. Los niveles de necesidad-diferenciación y de intención de compra pueden contrastarse con las normas de la categoría del producto, con el propósito de dilucidar si éste se perfila como un éxito, un fracaso o si tiene alguna posibilidad, aunque sea remota, de triunfar en el mercado. Una empresa procesadora de alimentos rechaza cualquier concepto que reciba una puntuación inferior al 40% en la dimensión intención de compra.

ANÁLISIS CONJUNTO La preferencia de los consumidores por conceptos de producto alternativos puede examinarse mediante el **análisis conjunto**, un método para identificar los valores de utilidad que los consumidores asocian a los diferentes niveles de atributos del producto.[65] El análisis conjunto se ha convertido en una de las herramientas más populares del desarrollo y la prueba de conceptos. Por ejemplo, Marriott lo utilizó para diseñar el concepto de sus hoteles Courtyard.[66]

En el análisis conjunto, los encuestados consideran distintas ofertas hipotéticas en las que se combinan diferentes niveles de atributos, y a continuación se les solicita que clasifiquen las alternativas. De esta forma la dirección puede identificar la oferta más atractiva, así como un estimado de la participación de mercado y de las utilidades que podría generar. En un ejemplo clásico Green y Wind, pioneros de la investigación académica, utilizaron este enfoque en relación con el desarrollo de un nuevo producto de uso doméstico para eliminar manchas de las alfombras.[67] Supongamos que el fabricante del nuevo producto está considerando cinco elementos de diseño:

- Tres diseños de envase (A, B, C; vea la △ figura 20.4).
- Tres nombres de marca (K2R, Glory, Bissell).
- Tres precios (1.19, 1.39 y 1.59 dólares).
- Un posible sello de garantía patrocinado por la revista *Good Housekeeping* (sí, no).
- Una posible garantía de devolución del dinero (sí, no).

Aunque el investigador puede formar 108 conceptos de producto posibles (3 × 3 × 3 × 2 × 2), pedir a los consumidores que califiquen cada uno de acuerdo con sus preferencias sería excesivo. En cambio, utilizar una muestra de —digamos— 18 conceptos de producto contrastantes resultaría más factible.

A continuación el fabricante utiliza un programa estadístico para obtener las funciones de utilidad de los consumidores para cada uno de los cinco atributos (vea la △ figura 20.5). El rango de utilidad va de cero a uno: cuanto mayor es la utilidad, más fuerte es la preferencia del consumidor por ese nivel del atributo. Por lo que respecta al envase, el B es el favorito, seguido del C y del A (este último apenas tiene utilidad). En orden de preferencia, los nombres serían Bissell, K2R y Glory. La percepción de utilidad de los consumidores varía en proporción inversa con el precio.

En el caso del sello de garantía patrocinado por la revista *Good Housekeeping*, los consumidores lo prefieren pero no agrega demasiada utilidad y quizá no valdría la pena incluirlo. La garantía de devolución del dinero sí refleja una preferencia considerable.

De este modo, la oferta preferida por los consumidores sería la del diseño de envase B, con el nombre Bissell, un precio de venta de 1.19 dólares, el sello de *Good Housekeeping* y una garantía de devolución del dinero. Asimismo, es posible determinar la importancia relativa de cada atributo para este consumidor: la diferencia entre los niveles de utilidad máximo y mínimo de ese atributo. Cuanto mayor sea la diferencia, más importante será el atributo. Es evidente que este consumidor considera que el precio y el diseño del envase son los atributos más importantes, seguidos por la garantía de devolución del dinero, la marca y el sello de *Good Housekeeping*.

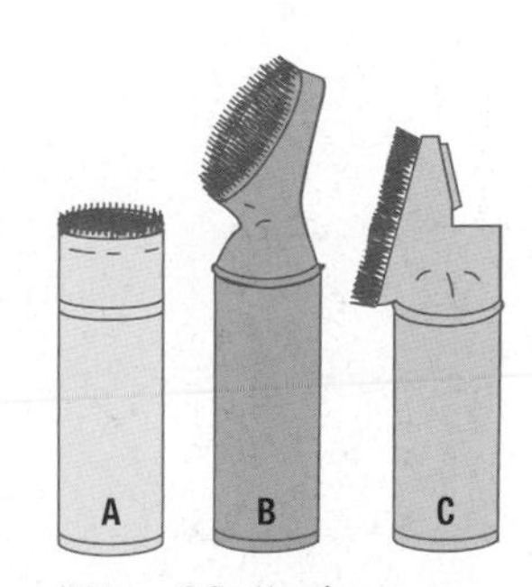

|Fig. 20.4| △

Muestras para análisis conjunto

|Fig. 20.5|

Funciones de utilidad basadas en un análisis conjunto

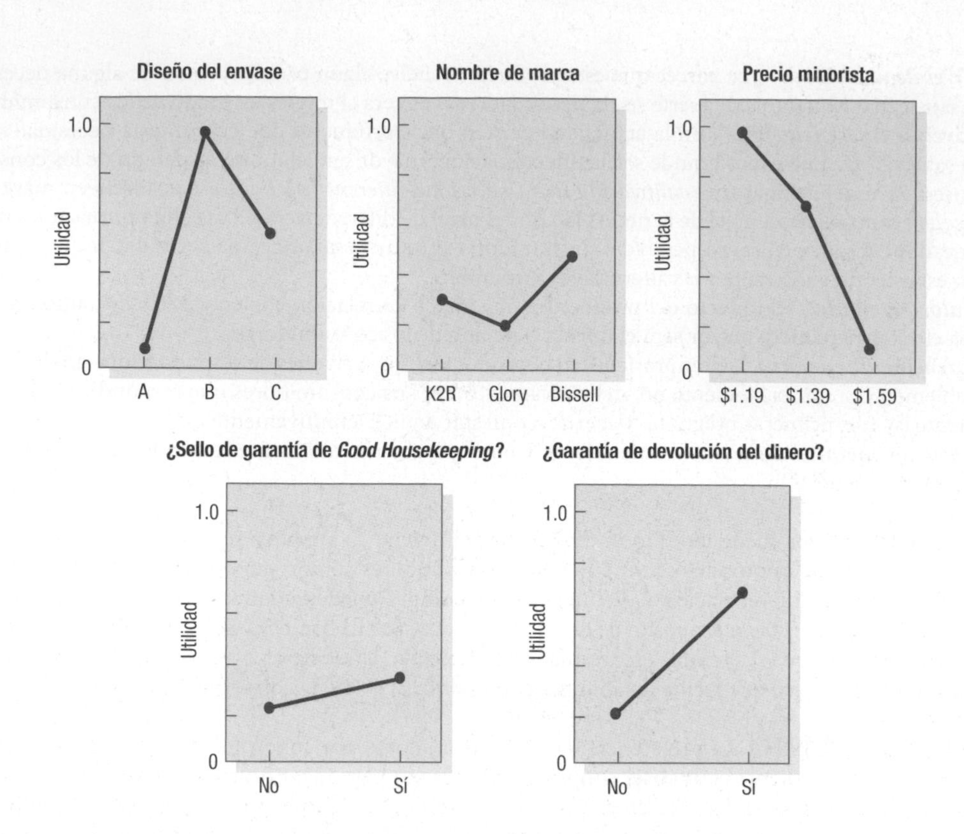

Los datos sobre las preferencias de una muestra suficiente de consumidores meta ayuda a calcular la participación de mercado que una oferta específica puede lograr, si se toman en cuenta todas las suposiciones acerca de la respuesta de la competencia. Sin embargo, podría darse el caso de que, por razones de costos, la empresa decidiera no lanzar la oferta que promete mayor participación de mercado. La oferta más atractiva para los consumidores no siempre resulta la más rentable.

Bajo ciertas condiciones, los investigadores recopilarán la información sin hacer una descripción exhaustiva de cada oferta, sino presentando únicamente dos factores a la vez. Por ejemplo, se podría mostrar a los encuestados una tabla con tres niveles de precio y tres tipos de envases, preguntarles cuál de las nueve combinaciones prefieren y pedirles que clasifiquen las combinaciones restantes por orden de preferencia. Una tabla subsecuente consistiría de las alternativas disponibles tomando en consideración otras dos variables. Este enfoque de compensación resulta más sencillo de utilizar cuando existen muchas variables y ofertas posibles. Sin embargo, no resulta tan realista, puesto que los encuestados sólo consideran dos variables a la vez. El análisis conjunto adaptivo (ACA) es una técnica "híbrida" de recolección de datos que combina las calificaciones de la importancia autoexplicada con las tareas de formación de pares compensatorios.

Desarrollo de estrategias de marketing

Después de una prueba de concepto exitosa, el responsable del nuevo producto desarrollará un plan estratégico preliminar de tres partes para lanzar el producto al mercado. La primera parte describe el tamaño, la estructura y el comportamiento del mercado meta, el posicionamiento esperado del producto, y las metas de ventas, la participación de mercado y las utilidades estimadas para los primeros años:

> El mercado meta de la bebida instantánea para el desayuno está formado por familias con hijos, dispuestas a aceptar formas nuevas y económicas de desayuno, que al mismo tiempo sean convenientes y nutritivas. La marca de la empresa se posicionará en el segmento de precio alto y gran calidad, dentro de la categoría de bebidas instantáneas para el desayuno. Al principio, la empresa pretende vender 500 000 cajas del producto, es decir, planea atender al 10% del mercado, sin que las pérdidas superen la cantidad de 1.3 millones de dólares durante el primer año. Para el segundo año espera que las ventas alcancen las 700 000 cajas de producto, es decir, se espera atender al 14% del mercado y obtener 2.2 millones de dólares por concepto de utilidades.

En la segunda parte se debe destacar el precio planeado, la estrategia de distribución y el presupuesto de marketing para el primer año:

> El producto se presentará en paquetes de seis sobres individuales, con sabor a chocolate, vainilla y fresa. Su precio minorista será de 2.49 dólares por paquete. En cada caja habrá 48 paquetes del

producto, y el precio para los distribuidores será de 24 dólares por caja. Durante los dos primeros meses se ofrecerá a los distribuidores una caja gratis por cada cuatro cajas adquiridas, más incentivos para la cooperación publicitaria. Se hará una distribución de muestras gratuitas a domicilio. Se publicarán cupones de descuento de 50 centavos en los periódicos. El presupuesto total de promoción de ventas será de 2.9 millones de dólares. El presupuesto de publicidad, de 6 millones de dólares, se dividirá al 50% en publicidad local y nacional. Dos tercios se destinarán a la televisión y el resto a medios impresos. El texto de los anuncios hará hincapié en las ventajas nutricionales y la conveniencia del producto. El concepto del anuncio girará en torno del fortalecimiento gradual de un niño que toma la bebida instantánea para el desayuno. Durante el primer año se destinarán 100 000 dólares a la investigación de marketing, con el propósito de adquirir auditorías de tiendas e información de paneles de consumidores para monitorear la reacción del mercado y los índices de compra.

La tercera parte del plan estratégico de marketing describe las metas de ventas y de utilidades a largo plazo, y la estrategia de mezcla de marketing a lo largo del tiempo:

La empresa pretende obtener un 25% de la participación de mercado y lograr un 12% de rentabilidad sobre la inversión, después de impuestos. Para lograrlo, la calidad inicial del producto será alta, e irá mejorándose con el paso del tiempo a través de la investigación técnica. En un principio el precio será elevado, e irá reduciéndose gradualmente para expandir el mercado e igualar el de la competencia. El presupuesto total de promoción aumentará cada año en un 20%, con una proporción inicial de publicidad-promoción de ventas de 65:35, monto que se modificará hasta que cada una alcance el 50% del presupuesto. La investigación de marketing se reducirá a 60 000 dólares anuales tras el primer año de vida del producto.

Análisis del negocio

Una vez que la dirección de la empresa desarrolla el concepto de producto y la estrategia de marketing, tiene la capacidad de evaluar el atractivo de la propuesta de negocio. La dirección tendrá que preparar proyecciones de ventas, de costos y de utilidades para poder decidir si satisfacen las metas de la empresa. De ser así, el concepto podrá pasar a la fase de desarrollo. A medida que se recopile nueva información, se tendrá que revisar y ampliar el análisis de negocio.

CÁLCULO DEL TOTAL DE VENTAS Las ventas totales estimadas son la suma de los estimados de venta al lanzamiento del producto, las ventas de reemplazo y las ventas de repetición. Los métodos de estimación de ventas dependen de si se trata de un producto de una sola compra (por ejemplo, un anillo de compromiso o una residencia para la jubilación), de si es un producto de compra poco frecuente, o de si es un producto de compra frecuente. En el caso de los productos que se compran una sola vez, las ventas son altas al principio, alcanzan un punto máximo, y luego van acercándose a cero conforme se agota el número de compradores potenciales [vea la figura 20.6(a)]. La curva no llegará a cero mientras nuevos compradores sigan entrando en el mercado.

Los productos de compra poco frecuente, como los automóviles, las tostadoras o la maquinaria industrial, presentan ciclos de sustitución determinados por el uso o la obsolescencia asociada a cambios de estilo, características y desempeño. Para proyectar las ventas de esta categoría de productos es necesario calcular independientemente las ventas de primera vez y las ventas de sustitución [vea la figura 20.6(b)].

Los productos de compra frecuente, como los bienes perecederos industriales o de consumo, registran ventas con un ciclo de vida similar al de la figura 20.6(c). El número de compradores primerizos aumenta al principio y después va disminuyendo conforme se reduce el número de consumidores (suponiendo que la población permanece constante). Las compras repetidas tienen lugar pronto, siempre que el producto satisfaga a algunos compradores. Después, la curva de ventas se estanca en un nivel de ventas repetidas constantes; para ese momento el producto deja de ser nuevo.

Para calcular las ventas de un nuevo producto, la primera tarea del gerente es calcular un estimado de las ventas de primera vez en cada periodo. Para calcular las ventas de sustitución, la gerencia tiene que averiguar cuál es la *distribución anual de supervivencia del producto*, es decir, el número de unidades que sobreviven al primer año, al segundo, al tercero, etc. El nivel mínimo de supervivencia indica el momento en el que comenzarán a producirse ventas de reemplazo. Puesto que las ventas de reemplazo son difíciles de calcular antes de que el producto esté en uso, algunos fabricantes basan su decisión de lanzar un producto nuevo exclusivamente en las estimaciones de ventas de primera vez.

Para un producto nuevo de compra frecuente, el vendedor tiene que calcular las ventas de repetición junto con las de primera vez. Cuando la repetición de compra alcanza niveles altos es porque los consumidores están satisfechos; las ventas suelen mantenerse en un nivel elevado incluso una vez que ya se han producido todas las ventas de primera vez. Algunos productos y marcas se adquieren unas cuantas veces y después se abandonan. El cepillo de dientes desechable Wisp de Colgate fue bien recibido durante sus numerosas pruebas, pero las ventas de repetición se redujeron considerablemente después de eso.[68]

(a) Producto que se compra una sola vez

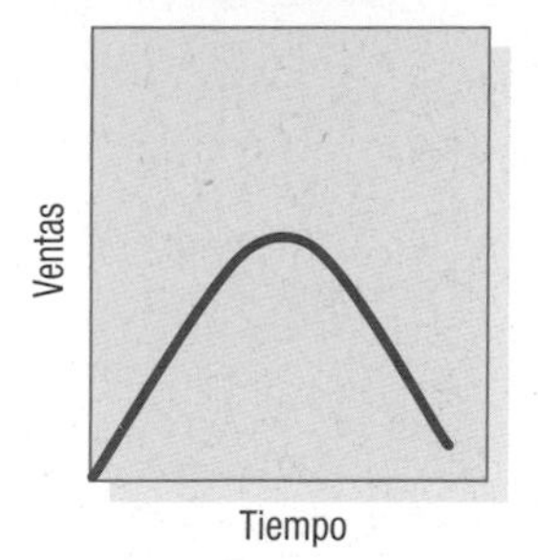

(b) Producto de compra poco frecuente

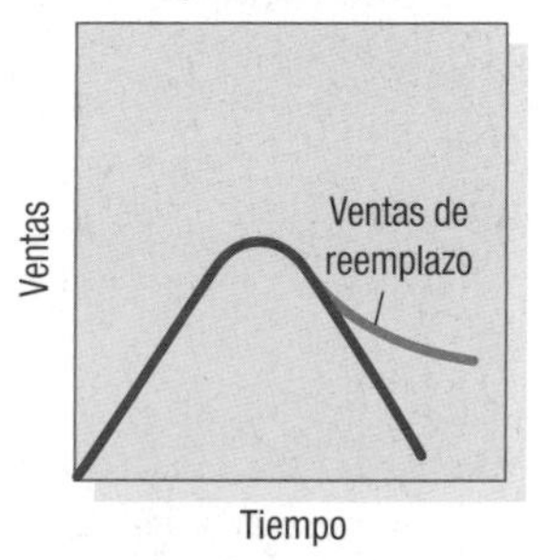

(c) Producto de compra frecuente

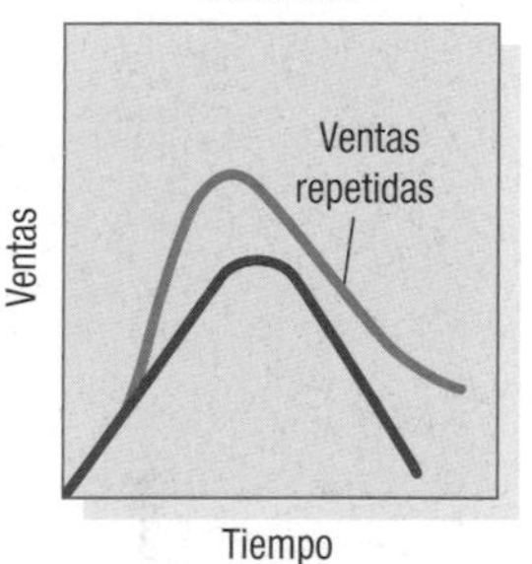

|Fig. 20.6|

Ventas durante el ciclo de vida de tres tipos diferentes de productos

CÁLCULO DE COSTOS Y UTILIDADES Los departamentos de investigación y desarrollo, producción, marketing y finanzas se encargan de estimar los costos. La tabla 20.3 ilustra una proyección a cinco años de ventas, costos y utilidades para la bebida instantánea para el desayuno.

La *fila 1* muestra las ventas esperadas para los cinco primeros años. La empresa espera vender 11 889 000 dólares (cerca de 500 000 cajas a 24 dólares cada una) durante el primer año. Estas proyecciones están respaldadas por una serie de supuestos sobre la tasa de crecimiento del mercado, la participación de mercado de la empresa y el precio del producto. La *fila 2* muestra el costo de los bienes vendidos, que gira alrededor del 33% de los ingresos por ventas. Para llegar a esta cifra hay que calcular el costo de la mano de obra, de los ingredientes y del empaque por cada caja. La *fila 3* muestra el margen bruto esperado, que es la diferencia entre los ingresos por ventas y el costo de los bienes vendidos.

En la *fila 4* se muestran los costos anticipados de desarrollo, estimados en 3.5 millones de dólares; en este rubro se incluyen los costos de desarrollo del producto, de investigación de marketing y de fabricación. La *fila 5* lista una estimación de los costos de marketing para los primeros cinco años, destinados a cubrir la publicidad, la promoción de ventas, la investigación de marketing, más una partida especial para la fuerza de ventas y la gestión de marketing. La *fila 6* representa los costos fijos asociados al nuevo producto, destinados a cubrir la proporción correspondiente de salarios, calefacción, electricidad, etcétera.

En la *fila 7* aparece la contribución bruta, que se obtiene al restar los tres costos anteriores del margen bruto. En la *fila 8* se indica la contribución suplementaria, esto es, cualquier cambio en los ingresos de otros productos de la empresa provocado por el lanzamiento del nuevo producto. Los *ingresos por arrastre*, que son utilidades adicionales que obtienen otros productos a consecuencia de añadir el producto nuevo a la línea, y los *ingresos por canibalismo*, es decir, la reducción de ingresos para otros productos de la empresa como resultado de sumar el producto nuevo a la línea.[69] La tabla 20.3 da por supuesto que no habrá ingresos suplementarios. La *fila 9* refleja la contribución neta, que en este caso es igual a la contribución bruta. La *fila 10* indica la contribución descontada, es decir, el valor presente de cada contribución futura descontada a un 15% anual. Por ejemplo, la empresa sólo recibirá 4 716 000 dólares hacia el quinto año. En la actualidad esta cantidad únicamente vale 2 346 000 dólares si la empresa puede obtener el 15% de este dinero a través de otras inversiones.[70]

Por último, la *fila 11* refleja el flujo de efectivo acumulativo descontado, que es el valor acumulado de las contribuciones anuales de la fila 10. Dos cifras son especialmente interesantes. La primera es el riesgo máximo para la inversión, es decir, la mayor pérdida que puede generar el proyecto. Se observa que la empresa enfrentará una situación de riesgo máximo durante el primer año, con 4 613 000 dólares. El segundo dato que hay que considerar es el periodo de recuperación de la inversión, es decir, el tiempo que la empresa tarda en recuperar toda su inversión más la rentabilidad del 15%. En este caso, la pérdida de recuperación de la inversión se da en aproximadamente tres años y medio. Los directivos tendrán que decidir si deben enfrentarse al riesgo de perder una inversión de 4.6 millones de dólares y a un periodo de recuperación de la inversión de tres años y medio. Como parte de su análisis financiero, las empresas pueden llevar a cabo un análisis de punto de equilibrio o un análisis de riesgos.

TABLA 20.3 Estado de flujo de efectivo proyectado a cinco años (en miles de dólares)

	Año 0	Año 1	Año 2	Año 3	Año 4	Año 5
1. Ingresos por venta	$ 0	$11 889	$ 15 381	$19 654	$28 253	$ 32 491
2. Costo de bienes vendidos	0	3 981	5 150	6 581	9 461	10 880
3. Margen bruto	0	7 908	10 231	13 073	18 792	21 611
4. Costos de desarrollo	–3 500	0	0	0	0	0
5. Costos de marketing	0	8 000	6 460	8 255	11 866	13 646
6. Asignación de costos fijos	0	1 189	1 538	1 965	2 825	3 249
7. Contribución bruta	–3 500	–1 281	2 233	2 853	4 101	4 716
8. Contribución suplementaria	0	0	0	0	0	0
9. Contribución neta	–3 500	–1 281	2 233	2 853	4 101	4 716
10. Contribución descontada (15%)	–3 500	–1 113	1 691	1 877	2 343	2 346
11. Flujo de efectivo acumulativo descontado	–3 500	–4 613	–2 922	–1 045	1 298	3 644

Gestión del proceso de desarrollo: del desarrollo a la comercialización

Hasta este momento, el producto sólo ha existido como una descripción verbal, un esquema o un prototipo. El siguiente paso constituye un salto en la inversión que eclipsa los costos en que se ha incurrido hasta ese punto. En esta etapa la empresa debe determinar si la idea de producto se puede traducir en un producto factible desde el punto de vista técnico y comercial. De no ser así, el costo acumulado del proyecto se perderá, excepto por lo que se refiere a cualquier información útil que se haya obtenido en el proceso.

Desarrollo del producto

La tarea de traducir los requerimientos de los clientes meta en un prototipo funcional consiste en un conjunto de métodos conocidos como *despliegue de funciones de calidad* (DFC). Esta metodología toma la lista de *atributos deseados por el consumidor* (ADC) que se generó mediante la investigación de mercado, y la convierte en una lista de *atributos de ingeniería* (AI) que los ingenieros de la empresa puedan utilizar. Por ejemplo, los usuarios de un camión propuesto podrían desear una *capacidad de aceleración determinada* (ADC). Los ingenieros pueden convertir este atributo en la potencia necesaria y demás *equivalencias de ingeniería* (AI). Una de las principales contribuciones del despliegue de funciones de calidad es que mejora la comunicación entre los especialistas de marketing, los ingenieros y el personal de producción.[71]

PROTOTIPOS FÍSICOS La meta del departamento de investigación y desarrollo es encontrar el prototipo que reúna los atributos clave de la descripción del concepto de producto, que tenga un desempeño seguro en condiciones de uso normales, y que pueda fabricarse sin rebasar el presupuesto de producción establecido. En el pasado, el desarrollo y la fabricación de un prototipo físico útil podía tomar semanas, o incluso años. La sofisticada tecnología de realidad virtual y la Web permiten hoy en día que el desarrollo del prototipo sea más rápido, y que puedan aprovecharse procesos de desarrollo más flexibles. Por ejemplo, las simulaciones dan a las empresas la flexibilidad para responder a la nueva información y resolver las incertidumbres mediante la rápida exploración de las alternativas.

El departamento de investigación y desarrollo decide también cómo reaccionarán los consumidores ante diferentes colores, tamaños y pesos. En el caso de un enjuague bucal, históricamente el color amarillo es un indicador de “antiséptico” (Listerine), el color rojo da sensación de “frescura” (Lavoris) y los colores verde o azul generan una percepción de “modernidad” (Scope). Los especialistas en marketing deben proporcionar al personal de investigación y desarrollo información sobre los atributos que aprecian los consumidores, y acerca de la importancia que les dan.

PRUEBAS CON CONSUMIDORES Cuando los prototipos están listos, deben superar una serie de rigurosas pruebas funcionales y con los consumidores antes de entrar al mercado. Las *pruebas alfa* son las que tienen lugar dentro del laboratorio de la empresa, y permiten estudiar el desempeño del producto en diferentes aplicaciones. Después de afinar el prototipo aún más, la empresa comienza a realizar *pruebas beta* con consumidores.[72]

Las pruebas con consumidores pueden requerir que los consumidores acudan al laboratorio, o que se les den muestras del producto para que las utilicen en casa. Procter & Gamble cuenta con laboratorios fuera de sus instalaciones, como un centro para pruebas de pañales, donde decenas de madres llevan a sus hijos para que sean estudiados. Con el propósito de desarrollar su lápiz labial de larga duración Cover Girl Outlast, P&G invitó a 500 mujeres a acudir a sus laboratorios todas las mañanas para aplicarse el lápiz labial, registrar sus actividades y volver ocho horas más tarde con la finalidad de medir el color que quedaba en sus labios, lo que dio como resultado un producto que viene con un tubo de brillo hidratante en crema que las mujeres pueden aplicarse sobre el lápiz labial sin siquiera mirarse al espejo. Las pruebas en el hogar son comunes en el caso de productos que van desde nuevos sabores de helados hasta electrodomésticos.

Pruebas de mercado

Una vez que la dirección está satisfecha con el desempeño funcional y psicológico del producto, éste se encuentra listo para recibir una marca, un logotipo y un envase, y someterse a las pruebas de mercado.

No todas las empresas realizan este tipo de pruebas. Un ejecutivo de Revlon afirmó que: “En nuestro sector —cosméticos caros de distribución exclusiva, no aptos para distribución masiva—, no es necesario hacer pruebas de mercado. Cuando desarrollamos un producto nuevo, digamos un maquillaje líquido mejorado, sabemos que se va a vender porque conocemos el terreno. Y además contamos con 1 500 demostradoras para ayudarnos a promoverlo en tiendas departamentales”. Sin embargo, muchas empresas consideran que las pruebas de mercado permiten recabar información muy valiosa sobre los compradores, los distribuidores, la eficacia del programa de marketing y el potencial del mercado. En este sentido, los principales criterios a determinar son: ¿cuántas pruebas de mercado es preciso llevar a cabo?, y ¿de qué tipo(s)?

Las pruebas con los consumidores suelen ser un paso fundamental del proceso de desarrollo de nuevos productos.

La cantidad de pruebas de mercado estará determinada por el costo y el riesgo de la inversión, por un lado, y por la presión de tiempo y los costos de investigación, por el otro. Los productos de alto riesgo y considerable inversión, cuyas probabilidades de fracaso son elevadas, deben someterse a pruebas de mercado; el costo de estas pruebas será un porcentaje insignificante del costo total del proyecto. Los productos de alto riesgo que crean nuevas categorías de producto (como la primera bebida instantánea para el desayuno) o los que contienen características innovadoras (como la primera pasta dental que fortalece las encías), deben someterse a más pruebas que los productos modificados (como una marca más de pasta dental).

PRUEBAS DE MERCADO PARA BIENES DE CONSUMO El propósito de las pruebas de bienes de consumo es calcular cuatro variables: la *prueba*, la *primera repetición*, la *adopción* y la *frecuencia de compra*. Muchos consumidores podrían probar el producto pero no volver a comprarlo, o tal vez el producto logre una adopción permanente, pero poca frecuencia de compra (como sucede con los alimentos gourmet congelados).

A continuación comentaremos cuatro de los principales métodos para realizar pruebas de mercado, comenzando por el menos costoso.

Investigación de ventas por ondas. Una vez que han probado el producto de manera gratuita, la empresa ofrece a los consumidores la posibilidad de adquirirlo o de adquirir un producto de la competencia a precios rebajados. Esta oferta se puede hacer hasta cinco veces (ondas), mientras la empresa registra dos datos: cuántos consumidores seleccionan el producto de nuevo y cuál es su nivel de satisfacción.

La investigación de ventas por ondas se puede poner en práctica con rapidez y con un grado razonable de seguridad; además, es posible implementarla sin tener aún el envase o la publicidad definitivos. Sin embargo, debido a que los clientes son preseleccionados, no revela las tasas de prueba que el producto podría obtener con diferentes incentivos de venta, y tampoco indica el poder de la marca para obtener facilidades de distribución o una posición privilegiada en los anaqueles.

Pruebas de comercialización simulada. Se seleccionan entre 30 y 40 compradores calificados, y se les pregunta sobre cuán familiarizados están con la marca y cuáles son sus preferencias dentro de una determinada categoría de productos. También se les pide que asistan a una breve proyección de anuncios de televisión y publicidad impresa, tanto conocidos como nuevos. Uno de estos anuncios es la publicidad del nuevo producto, pero no se destaca entre los demás. Luego los consumidores reciben una pequeña cantidad de dinero y se les invita a ir a una tienda a gastarla comprando cualquier artículo. La empresa registra cuántos consumidores compran la nueva marca, y cuántos adquieren las marcas de la competencia. Esto proporciona una medida de la eficacia relativa del anuncio frente a la publicidad de la competencia en las pruebas simuladas. Enseguida se pregunta a los consumidores por qué compraron o no compraron determinadas marcas. A quienes no compraron la nueva marca se les da una muestra gratuita. Algunas semanas más tarde, son entrevistados por teléfono para determinar sus actitudes hacia el producto, su uso, su nivel de satisfacción y su intención de volver a comprarlo, y se les ofrece la oportunidad de volver a comprar cualquier producto.

Con este método se obtienen resultados sorprendentemente precisos sobre la eficacia de la publicidad y las tasas de prueba (y de recompra, si se amplía el experimento), en un plazo de tiempo mucho más corto y por una fracción del costo de utilizar mercados reales.[73] Sin embargo, a medida que los medios de comunicación y los canales vayan fragmentándose más, resultará más difícil simular las condiciones del mercado utilizando únicamente los métodos tradicionales.

Pruebas de comercialización controlada. El fabricante del nuevo producto especifica la cantidad de tiendas y de ubicaciones geográficas en donde desea probarlo. Una empresa de investigación reparte el producto al panel de tiendas participantes, y controla la distribución de los anaqueles, el precio y el número de muestrarios, los exhibidores y las promociones en el punto de venta. Las ventas se miden utilizando los escáneres electrónicos de las cajas registradoras. La empresa también puede evaluar el impacto de la publicidad y las promociones locales, así como entrevistar más tarde a una muestra de clientes para obtener sus impresiones sobre el producto. No tiene que utilizar su propia fuerza de ventas, ofrecer incentivos por compra, ni "adquirir" facilidades de distribución. No obstante, las pruebas de comercialización controlada no ofrecen información sobre cómo reaccionarán los intermediarios con el nuevo producto; además, dan oportunidad de que la competencia estudie el producto y sus características.

Mercados de prueba. La mejor forma de probar un nuevo producto de consumo es someterlo a condiciones reales de comercialización. La empresa selecciona unas cuantas ciudades representativas, lanza una campaña completa de marketing, y la fuerza de ventas intenta convencer a los distribuidores de que comercialicen su producto y lo coloquen en los anaqueles a la vista del público. Los mercados de prueba también permiten probar el impacto de diferentes planes de marketing alternativos al implementarlos en distintas ciudades.

Una prueba a gran escala puede costar más de un millón de dólares, dependiendo del número de ciudades de prueba, la duración y la cantidad de información que la empresa desee recopilar.

En este caso la dirección tendrá que tomar varias decisiones:

1. ***¿En cuántas ciudades conviene realizar la prueba?*** En casi todos los casos se utilizan entre dos y seis ciudades para llevar a cabo las pruebas. Cuanto mayor sea la posible pérdida de la empresa, el número de alternativas de estrategias de marketing, las diferencias regionales y las posibilidades de interferencia en el mercado de prueba por parte de los competidores, más grande será el número de ciudades que la dirección deberá probar.
2. ***¿En cuáles ciudades?*** Los criterios de selección incluyen una cobertura de medios adecuada, la existencia de cadenas de tiendas dispuestas a cooperar, y una actividad competitiva promedio. También se debe considerar qué tan representativa es la ciudad para otros mercados.
3. ***¿Cuál debe ser la duración de la prueba?*** Las pruebas de mercado duran entre unos cuantos meses y un año. Cuanto más extenso sea el periodo de recompra promedio, mayor deberá ser el periodo de prueba.
4. ***¿Qué información se debe recopilar?*** La información de partidas de salida del almacén reflejará la compra bruta de inventario, pero no indicará el volumen de ventas semanal a nivel minorista. Las auditorías del punto de venta reflejarán las ventas minoristas y las participaciones de mercado de los competidores, pero no revelarán las características de los compradores. Los paneles de consumidores indicarán quién compra cuáles marcas y sus índices de lealtad y de alternancia de marcas. Los sondeos entre compradores aportarán información detallada sobre la actitud, el uso y la satisfacción de los consumidores respecto del producto.
5. ***¿Qué acciones deben implementarse?*** Si los mercados de prueba reflejan altos índices de prueba y de recompra, la empresa deberá lanzar el producto a nivel nacional; si reflejan altos índices de prueba y bajos índices de recompra deberá rediseñar o abandonar el producto; si reflejan bajos índices de prueba y altos índices de recompra deberá desarrollar comunicaciones de marketing para convencer a más personas de que lo prueben. Si tanto los índices de prueba como de recompra son bajos, el producto debe ser abandonado. Muchos gerentes tienen dificultades para abandonar un proyecto que requirió un gran esfuerzo y atención, incluso cuando deben hacerlo, lo que da como resultado una lamentable (y por lo general fallida) intensificación del compromiso.[74]

A pesar de las ventajas que presentan las pruebas de mercado, muchas empresas eligen no llevarlas a cabo, y utilizan métodos más rápidos y económicos en su lugar. General Mills prefiere lanzar sus productos nuevos en el 25% de Estados Unidos, una zona demasiado amplia para que sus competidores interfieran en ella. Los gerentes revisan la información proveniente de los escáneres de los minoristas, dato que les indica en cuestión de días cómo se está desempeñando el producto y qué medidas correctivas puede implementar. Colgate-Palmolive a menudo lanza los productos nuevos en una serie de pequeños "países prueba" y sigue adelante en sus otros territorios si los resultados son satisfactorios.

PRUEBAS DE MERCADO PARA BIENES INDUSTRIALES Los bienes industriales también pueden verse beneficiados por las pruebas de mercado. Por lo general, los productos industriales caros y las nuevas tecnologías se someten a pruebas alfa y beta. Durante las pruebas beta, el personal técnico del fabricante observa cómo utilizan el producto los consumidores, una práctica que con frecuencia pone de manifiesto problemas de seguridad imprevistos, así como las necesidades de capacitación y servicio de los clientes. Asimismo, la empresa puede observar cuánto valor añade el producto a las operaciones del cliente, y utilizar más adelante esta información para fijar los precios.

Las empresas deben ser cautelosas al interpretar los resultados de las pruebas beta, ya que sólo utilizan un número limitado de clientes elegidos específicamente, y las pruebas están personalizadas en alguna medida para cada caso. Otro riesgo que corre el fabricante es que los participantes que no queden impresionados con el producto difundan información desfavorable acerca del mismo.

En las ferias comerciales, la empresa puede observar cuánto interés despierta el nuevo producto en los consumidores, cómo reaccionan ante sus diversas características y términos, y cuántos expresan intenciones de compra o de realizar un pedido. En las salas de exhibición de los distribuidores y concesionarios, los nuevos productos se pueden colocar junto a otros productos del fabricante, y quizás al lado de productos de la competencia, con lo cual es posible obtener información sobre la preferencia y los precios en el escenario normal de venta del producto. Sin embargo, podría darse el caso de que los clientes que asisten a estas salas no sean representativos del mercado meta, o tal vez quieran hacer pedidos tempranos que no se podrán satisfacer.

Los fabricantes de bienes industriales realizan pruebas de mercado reales cuando ofrecen un suministro limitado del producto a la fuerza de ventas para que lo comercialice en un límitado número de áreas, a las que se dan apoyos promocionales y catálogos impresos.

Algunas empresas evitan los mercados de prueba y utiliza en su lugar lanzamiento de productos de alcance limitado.

Comercialización

Si la empresa sigue adelante con la comercialización, incurrirá en los costos más altos de todo el proceso.[75] La empresa tendrá que contratar personal para fabricar el producto y construir o alquilar una planta de producción. El lanzamiento de un nuevo producto de consumo envasado en el mercado doméstico estadounidense puede llegar a costar entre 25 y 100 millones de dólares en publicidad, promoción y otras comunicaciones, sólo en el primer año. En el caso del lanzamiento de productos alimenticios, los gastos de marketing suelen representar el 57% de las ventas durante el primer año. Casi todas las campañas para nuevos productos utilizan una mezcla secuenciada de herramientas de comunicación de marketing.

CUÁNDO (OPORTUNIDAD) Supongamos que una empresa ha completado prácticamente todos los trabajos de desarrollo de un producto y se entera de que un competidor está a punto de concluir su propio proceso de desarrollo. La empresa se enfrenta a tres decisiones:

1. ***Lanzar primero el producto.*** Por lo regular, la primera empresa que lanza un producto al mercado disfruta de "las ventajas de llevar la delantera ", por ejemplo, liderar el mercado y tener asegurada la participación de distribuidores y clientes clave. Pero si la empresa se apresura a lanzar al mercado el producto sin depurarlo, podría resultar contraproducente.
2. ***Lanzar el producto simultáneamente.*** La empresa podría sincronizar el lanzamiento de su producto para que coincida con el de su competidor. El mercado presta más atención cuando dos empresas anuncian un producto novedoso al mismo tiempo.[76]
3. ***Lanzar el producto después que la competencia.*** La empresa podría retrasar el lanzamiento de su producto hasta que el competidor se haya hecho cargo de los gastos necesarios para informar al mercado; por otro lado, quizás el primer producto presente fallas que la segunda empresa podría evitar. Otra ventaja es que, de este modo, la empresa podrá conocer el tamaño del mercado.

Si un producto nuevo sustituye a otro, la empresa podría retrasar su lanzamiento hasta que se agoten las existencias del producto anterior. Si el producto es estacional, su lanzamiento podría retrasarse hasta que llegue la temporada adecuada; en otras ocasiones el lanzamiento del producto se posterga hasta que se presenta una "aplicación revolucionaria". En la actualidad, muchas empresas también se encuentran con que los competidores imitan sus innovaciones y hacen sus propias versiones lo suficientemente diferentes como para evitar acusaciones de violación de patentes y de pago de regalías.[77]

DÓNDE (ESTRATEGIA GEOGRÁFICA) Casi todas las empresas desarrollan un plan de mercados que van expandiendo poco a poco. Para decidir cuáles serán estos mercados, los criterios más importantes a considerar son el potencial del mercado, la reputación local de la empresa, el costo implícito en el desarrollo de mercado, el costo de los medios de comunicación, la influencia de la zona en otras áreas y la penetración de la competencia. Las pequeñas empresas seleccionan una ciudad atractiva y llevan a cabo una campaña en oleadas, entrando en otras ciudades una por una. Las grandes empresas introducen sus productos en una región completa y luego pasan a la siguiente. Las empresas con redes de distribución nacionales, como las compañías automotrices, lanzan sus nuevos modelos a nivel nacional.

Ahora que Internet conecta entre sí las partes más remotas del mundo, es más probable que la competencia rebase las fronteras nacionales. Las empresas están lanzando los nuevos productos simultáneamente en todo el mundo. Sin embargo, la planificación y organización de un lanzamiento a nivel mundial plantea desafíos, y un lanzamiento secuencial a los distintos países sigue siendo la mejor opción.[78]

A QUIÉN (PROSPECCIÓN DEL MERCADO META) La empresa debe seleccionar a quién dirigir su distribución y promoción iniciales dentro de los mercados de expansión que haya considerado. Lo ideal sería que fueran los consumidores que adoptaron el producto en una fase inicial, los usuarios frecuentes y los líderes de opinión a los que se puede llegar a bajo costo.[79] Pocos grupos reúnen todas estas características, por lo que la empresa debe clasificar a los clientes potenciales y dirigirse al mejor grupo. El objetivo es generar un volumen de ventas significativo lo antes posible, para atraer a otros clientes potenciales.

CÓMO (ESTRATEGIA PARA EL LANZAMIENTO EN EL MERCADO) Debido a que los lanzamientos de nuevos productos a menudo toman más tiempo y cuestan más de lo esperado, muchas ofertas con posibilidades de éxito enfrentan la falta de fondos. Es importante dedicarles el tiempo y los recursos suficientes sin gastar de más, a medida que el nuevo producto adquiere fuerza en el mercado.[80]

Para coordinar las numerosas actividades de lanzamiento de un nuevo producto, la dirección puede utilizar técnicas de planificación en red. Un ejemplo es la **programación de la ruta crítica (CPS)**, que consiste en desarrollar un esquema maestro en donde se muestren las diferentes actividades simultáneas y secuenciales que deben llevarse a cabo. Al calcular cuánto tiempo requiere cada actividad, los planificadores calculan también el tiempo total necesario para completar el proyecto. Cualquier retraso en las actividades del proceso principal —la ruta de terminación más corta— hará que todo el proyecto se retrase. Si el lanzamiento debe completarse antes, los planificadores tendrán que buscar la forma de reducir la duración de las distintas fases de la ruta crítica.[81]

El proceso de adopción de los consumidores

La **adopción** es la decisión individual de convertirse en usuario regular de un producto, y va seguida por el *proceso de lealtad del consumidor*. Los especialistas en marketing de nuevos productos suelen dirigirse a los primeros consumidores que adoptan el producto, y utilizan la teoría de la difusión de la innovación y la adopción de los consumidores para identificarlos.

Etapas del proceso de adopción

Una **innovación** es cualquier bien, servicio o idea que se *percibe* como algo nuevo, independientemente de lo larga que sea su historia. Everett Rogers define el **proceso de difusión de la innovación** como "la propagación de una nueva idea, desde su fuente de invención o creación, hasta sus usuarios o adoptantes finales".[82] Por otra parte, *el proceso de adopción del consumidor* está conformado por las etapas del proceso mental por las que atraviesa un individuo desde que oye hablar de la innovación por primera vez hasta que la adopta.[83] Éstas son:

1. ***Conocimiento***. El consumidor es consciente de la existencia de la innovación, pero le falta información sobre ella.
2. ***Interés***. El consumidor siente interés por buscar información sobre la innovación.
3. ***Evaluación***. El consumidor considera si vale la pena o no probar la innovación.
4. ***Prueba***. El consumidor prueba la innovación para cerciorarse de su valor.
5. ***Adopción***. El consumidor decide hacer uso pleno y regular de la innovación.

El fabricante del producto nuevo deberá facilitar el movimiento entre estas etapas. Un fabricante de sistemas de filtración de agua podría descubrir que muchos consumidores están atrapados en la etapa de interés: no compran porque no conocen bien el producto y porque esto supone una inversión importante.[84] Sin embargo, estos mismos consumidores podrían estar dispuestos a utilizar el sistema de filtración de agua en casa, a modo de prueba, por una pequeña cuota mensual. En consecuencia, el fabricante deberá considerar la posibilidad de ofrecer un plan de prueba con opción de compra.

Factores que influyen en el proceso de adopción

Los especialistas en marketing distinguen las siguientes características en el proceso de adopción: diferencias en la disposición individual para probar productos nuevos, efecto de la influencia personal, distintos índices de adopción y diferencias en la disposición de las organizaciones para probar productos nuevos. Algunos investigadores se están centrando en los procesos que utilizan la difusión como complemento para los modelos del proceso de adopción, con el propósito de descubrir cómo utilizan en realidad los consumidores los nuevos productos.[85]

DISPOSICIÓN PARA PROBAR NUEVOS PRODUCTOS E INFLUENCIA PERSONAL Everett Rogers define el nivel de innovación de la gente como "el grado en que una persona adopta las ideas innovadoras en un plazo relativamente menor en comparación con otros miembros de su mismo sistema social". Algunas personas son las primeras en adoptar las modas en materia de vestuario o electrodomésticos; algunos médicos son los primeros en recetar los nuevos medicamentos.[86] Las distintas tendencias pueden clasificarse en las categorías de adopción que se presentan en la △ figura 20.7. Tras un comienzo lento, hay un número cada vez mayor de personas que adoptan la innovación; esta cifra alcanza un punto máximo y después disminuye a medida que quedan menos individuos sin probar el producto. Los cinco grupos tienen diferentes escalas de valores y motivos para adoptar el nuevo producto o resistirse a ello.[87]

- Los ***innovadores*** son entusiastas de la tecnología a quienes les encanta probar nuevos productos y estudiar sus complejidades. A cambio de precios bajos, suelen ofrecerse como voluntarios para realizar pruebas alfa y beta, e informar a la empresa sobre las debilidades tempranas del producto.
- Los ***adoptadores tempranos*** son líderes de opinión que buscan nuevas tecnologías capaces de ofrecerles una ventaja competitiva importante. Son menos sensibles al precio y se muestran dispuestos a adoptar el producto si reúne determinadas soluciones personalizadas y un buen servicio.
- La ***mayoría temprana*** está constituida por pragmáticos reflexivos que adoptan las nuevas tecnologías cuando sus ventajas han quedado demostradas y un gran número de consumidores los están utilizando ya. Conforman el mercado principal.
- La ***mayoría tardía*** está integrada por conservadores escépticos a quienes no les gusta el riesgo, no les interesa demasiado la tecnología y son sensibles al precio.

Muchos innovadores y adoptantes tempranos se emocionaron cuando Steve Jobs, el director ejecutivo de Apple, anunció el lanzamiento del iPad en enero de 2010.

|Fig. 20.7|

Categorías de adopción con base en el tiempo relativo de adopción de innovaciones

Fuente: Tungsten, http://en.wikipedia.org/wiki/Everett_Rogers. Basado en *Diffusion of Innovations*, de Rogers, E. (1962). Free Press, Londres, Nueva York, Estados Unidos.

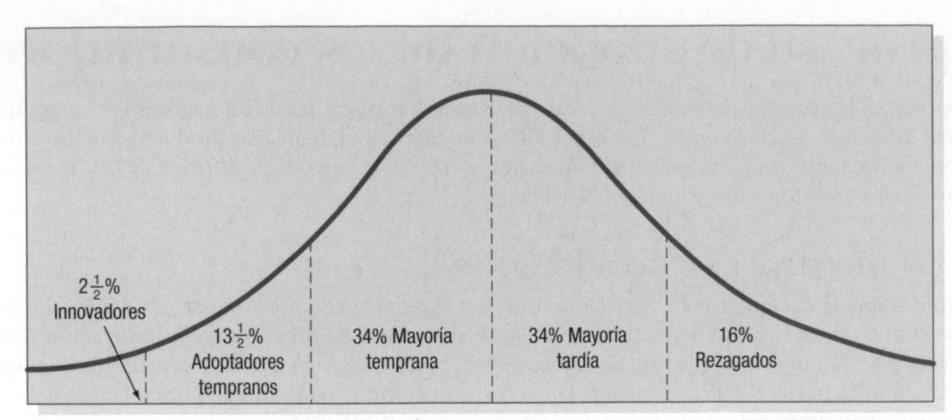

- Los ***rezagados*** son de tradiciones muy arraigadas y se resisten a la innovación hasta que se dan cuenta de que su postura ya no es justificable.

Las empresas deben dirigirse a cada uno de estos cinco grupos con un marketing diferente si quieren que su innovación complete su ciclo de vida.[88]

La **influencia personal**, es decir, el efecto que una persona ejerce sobre la actitud o probabilidad de compra de otra, tiene mayor importancia en algunas situaciones y para algunos individuos, y es más relevante en la etapa de evaluación que en el resto del proceso. Cobra mayor importancia para quienes tardan más en adoptar las innovaciones y en situaciones de riesgo.

Las empresas suelen dirigirse primero a los innovadores y a los adoptantes tempranos. Cuando Nike entró en el mercado de las patinetas, reconoció que la presencia de muchos inconformes y un sesgo contra las grandes empresas por parte del mercado meta podían representar un gran reto. Para obtener "credibilidad callejera" entre los patinadores adolescentes, vendió exclusivamente a tiendas independientes, se anunció exclusivamente en revistas de patinaje y obtuvo el patrocinio de admirados patinadores profesionales al atraerlos por medio del diseño del producto.[89]

Escanea este código con tu smartphone o tablet.

Philip Kotler habla sobre innovación.

http://goo.gl/7qlgp

CARACTERÍSTICAS DE LA INNOVACIÓN Algunos productos se ponen de moda inmediatamente (como los patines en línea), mientras que otros necesitan más tiempo para imponerse (automóviles con motores a diesel). Existen cinco características que influyen en los índices de adopción de los nuevos productos. Para estudiarlas utilizaremos el ejemplo de la adopción de las grabadoras digitales de video (DVR) para uso doméstico, como TiVo.[90]

La primera característica es la *ventaja relativa*, es decir, el grado en que la innovación parece superior a los productos existentes. Cuanto mayor sea la ventaja relativa percibida de utilizar un DVR —por ejemplo para grabar la serie favorita de televisión, hacer una pausa al ver un programa en vivo y omitir los anuncios—, más rápidamente será adoptado. La segunda característica es la *compatibilidad*, es decir, el grado en que la innovación se ajusta a los valores y experiencias de las personas. Por ejemplo, el DVR es totalmente compatible con las preferencias de las personas que gustan de ver la televisión. En tercer lugar está la *complejidad*, es decir, el grado en que la innovación es difícil de comprender o utilizar. Los DVR son un tanto complejos y, por lo tanto, tardarán cierto tiempo en penetrar en el mercado doméstico. En cuarto lugar está la *divisibilidad*, que hace referencia a la posibilidad de probar el producto de manera limitada. Esto supone un reto importante para los DVR, puesto que sólo se pueden probar en la tienda o quizás en casa de un amigo. Por último está la *comunicabilidad*, que se refiere al grado en que los resultados favorables del uso del producto son observables y descriptibles. El hecho de que el DVR ofrezca ventajas evidentes contribuirá a despertar el interés y la curiosidad por él.

Otras características que influyen en la adopción de nuevos productos son el costo, el riesgo, la incertidumbre, la credibilidad científica y la aprobación social. El fabricante del nuevo producto tendrá que investigar todos estos factores y prestar su máxima atención a los más importantes cuando diseñe tanto el producto como el programa de marketing.[91]

DISPOSICIÓN DE LAS ORGANIZACIONES PARA ADOPTAR NUEVOS PRODUCTOS El creador de un nuevo método de enseñanza querrá identificar las escuelas más innovadoras. El productor de un nuevo aparato médico tratará de identificar los hospitales más innovadores. El proceso de adopción se relaciona con las variables del entorno de la organización (nivel de progreso de la comunidad, nivel de ingresos de la población), de la propia organización (tamaño, utilidades, resistencia al cambio) y de sus administradores (nivel educativo, edad, nivel de sofisticación). Cuando se pretende que organizaciones financiadas por el gobierno (como las escuelas públicas) adopten un producto, entran en juego otros factores. Por ejemplo, es factible que la opinión pública rechace un producto innovador controvertido.

Resumen

1. Una vez que la empresa ha segmentado el mercado, seleccionado su mercado meta, identificado sus necesidades y determinado su posicionamiento en el mercado, está en condiciones de desarrollar y lanzar nuevos productos y servicios. El departamento de marketing deberá participar, junto con otros, en todas las etapas del desarrollo de nuevos productos.
2. Para desarrollar nuevos productos exitosos es necesario que la empresa establezca una organización efectiva para gestionar el proceso. Las empresas pueden recurrir a gerentes de producto, gerentes de nuevos productos, comités de nuevos productos, departamentos de nuevos productos o equipos de proyectos. Cada vez más empresas están adoptando los equipos multifuncionales, relacionándose con personas y organizaciones fuera de la empresa, y desarrollando diferentes conceptos de producto.
3. El proceso de desarrollo de nuevos productos se divide en ocho etapas: generación de ideas, análisis de ideas, desarrollo y prueba del concepto, desarrollo de la estrategia de marketing, análisis del negocio, desarrollo del producto, pruebas de mercado y comercialización. En cada etapa la empresa tiene que decidir si abandona la idea o sigue adelante.
4. El proceso de adopción del consumidor es aquel mediante el cual los consumidores llegan a conocer nuevos productos, los prueban y los adoptan o los rechazan. En la actualidad muchos especialistas en marketing se dirigen a los usuarios frecuentes y a los adoptantes tempranos de nuevos productos, porque se puede llegar hasta ellos a través de medios específicos y porque suelen ser líderes de opinión. El proceso de adopción del consumidor es influenciado por numerosos factores que escapan del control del especialista en marketing, incluyendo la disposición de las organizaciones y de los individuos a probar nuevas productos, las influencias personales y las características del nuevo producto o innovación.

Aplicaciones

Debate de marketing

¿A quién deberían dirigirse los nuevos productos?

Algunos expertos en nuevos productos mantienen que acercarse a los clientes a través de una intensa investigación es la única manera de desarrollar con éxito nuevos productos. Otros no están de acuerdo, y sostienen que los clientes no pueden proporcionar una retroalimentación útil sobre algo que desconocen, y son incapaces de aportar ideas que conduzcan a productos innovadores.

Asuma una posición: La investigación del consumidor es fundamental para el desarrollo de nuevos productos *versus* La investigación del consumidor tal vez no sea del todo útil para el desarrollo de nuevos productos.

Análisis de marketing

Innovación de productos

Piense en el último nuevo producto que compró. ¿De qué manera cree que las cinco características de la innovación (ventaja relativa, compatibilidad, complejidad, divisibilidad y comunicabilidad) influirán en su éxito?

Marketing de excelencia

>>Apple

Durante la última década, Apple se ha convertido en un líder mundial en el lanzamiento de productos innovadores. De hecho, la empresa ha transformado la forma de escuchar música, jugar videojuegos, hablar por teléfono e incluso leer libros. Las revolucionarias innovaciones de productos de Apple incluyen iPod, iMac, iPhone e iPad, y son la razón por la que esta organización encabezó la lista de las empresas más admiradas del mundo de la revista *Fortune* durante tres años consecutivos, de 2008 a 2010.

Una de las innovaciones más importantes de Apple en la década pasada fue el iPod, un reproductor de MP3. El iPod no sólo se convirtió en un fenómeno cultural, sino que también hizo que la marca Apple fuera conocida por muchos consumidores e inició una monumental serie de innovaciones de productos. El iPod ejemplificó la capacidad de innovación en el diseño de Apple y se veía, se sentía y funcionaba como ningún otro dispositivo. Con el lanzamiento de la iTunes Music Store, el dúo dinámico de música descargable legalmente y reproductor portátil de vanguardia, las ventas del iPod se dispararon. Para el deleite de Apple (y el disgusto de su competidor Sony), el iPod se ha convertido en "el walkman del siglo XXI".

Además de estimular las ventas, el iPod ha sido fundamental para cambiar la forma de escuchar y utilizar la música. Según el músico John Mayer, cuando las personas utilizan sus iPods "sienten que están caminando a través de la musicología", lo que hace que escuchen más música y con mayor pasión. El iPod ha evolucionado, y en el camino Apple le ha añadido características como capacidades para ver fotos y videos, y escuchar la radio.

Apple obtuvo su impresionante dominio del mercado a través de una combinación de astuta innovación de productos y marketing inteligente. Definió un punto de acceso general para su mercado meta de amantes de la música que querían escuchar *su* música a cualquier hora y en cualquier lugar. La campaña de marketing fue diseñada para atraer a los admiradores de Mac, así como a las personas que nunca antes habían utilizado los productos de Apple. Este acceso más amplio requirió un cambio en las estrategias de canal de Apple. Como resultado, Apple añadió minoristas "masivos de productos electrónicos" como Best Buy y (el ahora extinto) Circuit City a sus canales ya existentes, cuadruplicando su número de puntos de venta.

Además de esta mejora en su estrategia "de empuje", Apple también desarrolló una memorable y creativa estrategia de publicidad "de atracción" que contribuyó a impulsar la popularidad del iPod. La campaña "Silhouettes", que presentaba siluetas de personas escuchando sus iPod y bailando, apareció en todo el mundo con un mensaje lo suficientemente simple para funcionar en todas las culturas, retratando al iPod como algo moderno pero al alcance de quienes disfrutan de la música.

A medida que la popularidad del iPod crecía, un efecto de halo ayudó a Apple a aumentar su participación de mercado en otros productos. De hecho, en 2007 Apple cambió oficialmente su nombre, de Apple Computer Inc. a Apple Inc., para comunicar mejor el enfoque de la empresa en otros productos además de las computadoras. Para 2009, las ventas del iPod habían superado los 8 mil millones de dólares, y en 2010 se habían vendido más de 250 millones de unidades en todo el mundo.

El siguiente lanzamiento de producto más grande de Apple después del iPod fue el iPhone, que entró en la industria de la telefonía celular en 2007. Con su pantalla táctil, teclado virtual y capacidades de Internet y correo electrónico, el lanzamiento del iPhone fue recibido con enorme emoción por parte de los consumidores: las personas hacían fila durante horas para ser las primeras en comprar uno. Los analistas de inversiones temían que el contrato de dos años de Apple con AT&T y su alto precio inicial dificultarían el éxito del iPhone. Sin embargo, setenta y cuatro días después del debut del producto, Apple vendió su iPhone número un millón. Al iPod le tomó dos años alcanzar las ventas acumuladas (1.1 millones de dólares) que el iPhone logró después de su primer trimestre. De hecho, la mitad de los compradores del iPod cambiaron a AT&T de diferentes proveedores de servicios inalámbricos, e incurrieron en gastos para terminar sus contratos, sólo para tener la oportunidad de poseer un iPhone.

Durante los siguientes tres años, Apple redujo el precio del iPhone de manera significativa y le añadió impresionantes capacidades de imagen y video, funciones para videojuegos, un procesador más rápido y cientos de miles de aplicaciones adicionales. Para entonces, el iPhone era ya una innovación tecnológica que había cambiado el panorama. Apple obtuvo 13 mil millones de dólares en ventas mundiales del iPhone en 2009, y cuando el iPhone 4 fue lanzado en 2010, presentando la video llamada Face Time, Steve Jobs declaró que ése era "el lanzamiento de producto más exitoso en la historia de Apple".

También en 2010, un frenesí de los medios de comunicación ayudó a Apple a lanzar el iPad, un dispositivo multitáctil que combina la apariencia del iPhone con la potencia del MacBook. El ingenioso dispositivo portátil da a los consumidores acceso a música, libros, películas, fotografías y documentos de trabajo con el toque de un dedo, sin utilizar el ratón ni el teclado. La campaña de marketing de Apple enfatizaba su atractivo: "¿Qué es el iPad? El iPad es delgado. El iPad es hermoso. El iPad va a todos lados y dura todo el día. No hay manera correcta o incorrecta de utilizarlo. Es sumamente poderoso. Es mágico. Usted ya sabe cómo utilizarlo. Tiene 200 000 aplicaciones y contando... Inició una revolución y apenas acaba de empezar".

Con ingresos anuales de 42 mil millones de dólares, Apple sigue aumentando sus presupuestos para investigación y desarrollo, gastando 1 300 millones de dólares solamente en 2009. La empresa toma muy en serio la creación, la producción y el lanzamiento de nuevos productos. Con el apoyo del marketing creativo, estos productos son la razón por la que los consumidores y los analistas por igual están a la espera de las noticias más recientes sobre los productos Apple.

Preguntas

1. Los lanzamientos de productos Apple durante la última década han sido monumentales. ¿Qué hace que la empresa sea tan buena en la innovación? ¿Hay otras compañías comparables con Apple en este sentido?
2. ¿Qué tan importante fue el iPod para el éxito actual de Apple? Analice la importancia de los lanzamientos del iPhone y del iPad para la estrategia de desarrollo de nuevos productos de Apple.
3. ¿Cuál será el siguiente paso de Apple? ¿Deberá seguir alejándose de los equipos informáticos y enfocándose más en los nuevos dispositivos portátiles?

Fuentes: "World's Most Admired Companies", *Fortune*, 2010; "iPhone4:The 'Most Successful Product Launch' in Apple's History", *Independent*, 28 de junio de 2010; Joseph De Avila, "Why Some Apple Fans Won't Buy the iPhone", *Wall Street Journal*, 12 de septiembre de 2007, D.3; Nick Wingfield. "Apple Businesses Fuel Each Other; Net Jumps as Mac Sales Top PC-Industry Growth Rate; iPhones, iPods Also Thrive", *Wall Street Journal*, 23 de octubre de 2007; Terril Yue Jones, "How Long Can the iPod Stay on Top?", *Los Angeles Times*, 5 de marzo de 2006; Beth Snyder Bulik, "Grab an Apple and a Bag of Chips", *Advertising Age*, 23 de mayo de 2005; Jay Parsons, "A Is for Apple on iPod", *Dallas Morning News*, 6 de octubre de 2005; Peter Burrows, "Rock On, iPod", *BusinessWeek*, 7 de junio de 2004, pp. 130-31; Jay Lyman, "Mini iPod Moving Quickly, Apple Says", *TechNewsWorld*, 26 de febrero de 2004; Steven Levy, "iPod Nation", *Newsweek*, 25 de julio de 2004; "Apple Computer: iPod Silhouettes", New York Marketing Association; Steven Levy, "iPod Nation", *Newsweek*, 25 de julio de 2004; "Apple, www.apple.com; Effie Worldwide, www.effie.org.

Marketing de excelencia

>>Research In Motion

Research in Motion (RIM) es la empresa detrás de BlackBerry, la marca de teléfonos inteligentes mejor vendida en Estados Unidos. RIM comenzó a cotizar en la bolsa en 1997, e introdujo la primera BlackBerry dos años más tarde; se trataba de un voluminoso dispositivo de localización empresarial que funcionaba con dos baterías AA para leer el correo electrónico. Actualmente a la empresa se le atribuye el haber impulsado la moda de los teléfonos inteligentes y la obsesión por el acceso permanente al

correo electrónico e Internet. Con el tiempo, la BlackBerry se ganó el apropiado sobrenombre de "CrackBerry", ya que los consumidores se volvían adictos a ese aparato tecnológico.

Esta obsesión comenzó con el fundador de RIM, Mike Lazaridis, quien solía recolectar las tarjetas de presentación de los banqueros de Wall Street y enviar a estudiantes universitarios a sus oficinas a instalarles los dispositivos BlackBerry. "Era como vender cachorritos" dice Lazaridis. "Llevas a casa al cachorro, y si no te gusta lo regresas. Ellos nunca lo regresaban". En pocos años la BlackBerry se había convertido en un elemento básico en Wall Street, y el 11 de septiembre de 2001 generó atención en Estados Unidos como un dispositivo fundamental de seguridad y comunicaciones para el gobierno.

RIM siguió lanzando nuevas generaciones de los productos BlackBerry, centrándose en sus capacidades de alta seguridad y en las características empresariales esenciales, como un organizador, un calendario, un buscador, una batería de larga duración y un mejor acceso inalámbrico a Internet. La empresa centró su estrategia de empuje en la creación de la marca BlackBerry como la solución de dispositivos de datos más segura, más confiable y más eficiente del mercado.

Le tomó cinco años, pero en 2003 RIM vendió su BlackBerry número un millón. Sólo un año después vendió su dispositivo número dos millones, y el crecimiento de la BlackBerry explotó. En 2005 la revista *PCWorld* colocó a la BlackBerry 850 en el número 14 de su lista de aparatos más grandiosos de los últimos 50 años, y entre 2006 y 2008 *Fortune* nombró a RIM la empresa de más rápido crecimiento en el mundo.

Varios factores produjeron el crecimiento explosivo de RIM a mediados de la década de 2000. En primer lugar, en ese momento era líder en innovación. La BlackBerry cambió la forma en que las personas se comunicaban, trabajaban y vivían. Y, a diferencia de sus competidores, RIM ofrecía una solución completa, al desarrollar y producir el hardware, así como el software y los servicios que hacían funcionar las BlackBerry.

A medida que RIM se expandía, tomó la decisión estratégica de asociarse con numerosas empresas en todo el mundo en lugar de hacerlo con una sola. Esto le confirió dos ventajas. En primer lugar, los consumidores podrían comprar fácilmente un dispositivo BlackBerry sin importar cuál fuera su proveedor de telefonía o su ubicación geográfica, y no tenían que preocuparse por terminar su contrato vigente con su proveedor. En segundo lugar, RIM comenzó a fabricar productos únicos para sus diferentes empresas y audiencias. También otorgó licencias de su arquitectura a dispositivos de terceros, haciendo que las soluciones inalámbricas de BlackBerry estuvieran disponibles para otras empresas. Todas estas decisiones aumentaron sus ingresos y suscriptores en todo el mundo.

En términos de marketing, RIM dirigió con éxito sus esfuerzos iniciales a la comunidad empresarial, presentando la marca del teléfono inteligente BlackBerry como algo que la fuerza de trabajo "debía tener", y centrando sus productos e innovaciones de software en la satisfacción de las necesidades de las empresas. Hoy en día sigue atendiendo a este mercado con soluciones como su servidor BlackBerry Enterprise Server para pequeñas y medianas empresas.

Por último, BlackBerry aprovechó el lanzamiento del iPhone en 2007. El iPhone de Apple despertó el interés de muchos consumidores, al comunicarles que los teléfonos inteligentes no sólo eran para la comunidad empresarial; en consecuencia, muchos consumidores probaron la BlackBerry por primera vez. En 2008 RIM lanzó su primera campaña publicitaria masiva dirigida a los consumidores, y las ventas de nuevos suscriptores se dispararon. Tal vez el mayor promotor de la BlackBerry fue el presidente Obama, quien pudo ser visto llevando y revisando su BlackBerry a lo largo del año electoral. Al instante la BlackBerry se convirtió en "lo último" a los ojos de los consumidores más jóvenes.

En la actualidad, BlackBerry sigue compitiendo en la categoría de los teléfonos inteligentes, obteniendo más consumidores que clientes empresariales cada año. A los productos lanzados recientemente se les han añadido capacidades de video, fotos y música, pantallas táctiles y mensajería instantánea, características que atraen a los preadolescentes y a los adultos jóvenes. RIM obtuvo ventas de 15 mil millones de dólares en el año fiscal 2010, vendió 37 millones de teléfonos inteligentes sólo en 2010 y ahora cuenta con más de 41 millones de usuarios en 175 países. A pesar de que la competencia se ha incrementado enormemente y sigue siendo dura, el enfoque de la empresa en generar nuevos productos y soluciones es claro. Lazaridis explicó: "Hay una gran profundidad y amplitud en lo que hacemos. Es algo más que la BlackBerry. Desarrollamos silicio, sistemas operativos, diseño industrial; fabricamos; manejamos nuestras propias redes. RIM es una industria en sí misma".

Preguntas

1. Evalúe las claves del éxito de Research In Motion. ¿Qué hizo bien la empresa?, y en retrospectiva, ¿qué debería haber hecho de otra manera durante su década de crecimiento extremo?
2. ¿Sigue siendo Research In Motion un líder en innovación? ¿Por qué? ¿Cuál es el siguiente paso para la empresa?

Fuentes: Jessi Hempel, "Smartphone Wars—BlackBerry's Plan to Win", *Fortune*, 17 de agosto de 2009; Saul Hansell y Ian Austen, "BlackBerry, Upgraded, Aims to Suit Every User", *New York Times*, 13 de octubre de 2009; Michael Comeau, "Can Research In Motion's BlackBerry Regain Market Share?", *Minyanville*, 12 de julio de 2010; "The World Masters of Innovation", *BusinessWeek*, Research In Motion, Informes anuales; RIM, www.rim.com.

Grupo Modelo de México cuenta con diversas marcas que se venden a nivel mundial, siendo Corona la de mayor exportación, sobre todo a Estados Unidos.

En este capítulo responderemos las siguientes preguntas

1. **¿Qué factores debería considerar una empresa antes de decidirse a incursionar en mercados extranjeros?**
2. **¿Qué pueden hacer las empresas para evaluar y seleccionar de manera específica los mercados extranjeros a los que entrarán?**
3. **¿Cuáles son las diferencias del marketing en un mercado en desarrollo y en un mercado desarrollado?**
4. **¿Cuáles son las vías más comunes para introducirse en mercados extranjeros?**
5. **¿Hasta qué punto debe una empresa adaptar sus productos y su programa de marketing al mercado extranjero?**
6. **¿Cómo influyen los especialistas en marketing en las condiciones del país de origen?**
7. **¿Qué tendría que hacer la empresa para gestionar y organizar sus actividades internacionales?**

Acceso a los mercados globales

Gracias a la rapidez de las comunicaciones, los transportes y los flujos financieros, el mundo es cada vez más pequeño. Los países son multiculturales, y los productos y servicios que se desarrollan en una nación están encontrando una entusiasta aceptación en otras. Un hombre de negocios alemán podría vestirse con un traje italiano para cenar con un amigo inglés en un restaurante japonés, y luego volvería a su casa a beber vodka ruso y ver una película estadounidense en un televisor coreano. Los mercados emergentes que adoptan el capitalismo y el consumismo son mercados meta extremadamente atractivos. También se están convirtiendo en potencias de marketing por derecho propio.[1]

Grupo Modelo, fundado en 1925, es líder en la elaboración, distribución y venta de cerveza en México, donde cuenta con ocho plantas cerveceras, con una capacidad instalada de 41 millones de hectolitros anuales de cerveza y 45 000 empleados que dan vida a la organización. La integración horizontal del grupo y la estrategia de posicionamiento de sus marcas en el segmento de cervezas premium en el extranjero, le han permitido un desarrollo exitoso. La huella internacional de Grupo Modelo se extiende a más de 170 países, y Corona Extra es la cerveza importada premium líder en cerca de 50 mercados. Además, Modelo Especial, Corona Light, Negra Modelo, Pacífico y Victoria, las otras marcas de exportación de Grupo Modelo, también continúan ganando presencia en el mundo. Grupo Modelo trabaja incesantemente para lograr el alto nivel de internacionalización que tiene. En todo el mundo se diseñan campañas publicitarias que comparten un mismo estilo y mensaje, adaptados a los gustos de los consumidores en cada mercado. Además, se han establecido alianzas estratégicas globales, que contribuyen a hacer de Grupo Modelo una de las empresas líderes en cuanto a presencia internacional. Grupo Modelo importa y comercializa sus marcas en Estados Unidos a través de Crown Imports, su alianza estratégica. En este país, Modelo tiene tres marcas entre las primeras cinco de mayor importación, y es la única empresa que tiene sus seis marcas de exportación entre las primeras veinte. Corona Extra ha mantenido el liderazgo desde 1997. Por otro lado, Modelo Especial ocupa el tercer lugar en las preferencias de los estadounidenses, Corona Light el quinto —además de ser la primera entre las cervezas ligeras importadas—, Pacífico el decimoquinto y Negra Modelo el decimonoveno. La vicepresidencia comercial de Grupo Modelo coordina los esfuerzos realizados para incrementar las ventas globales y consolidar la presencia de la organización a nivel mundial. A través de sus oficinas en el extranjero se atienden los diferentes mercados con el fin de dar el mejor servicio a importadores, distribuidores, consumidores y clientes, y garantizar el éxito de los productos de Grupo Modelo. La expansión internacional de sus productos se inició en los años setenta, con la apertura del mercado estadounidense. En los años ochenta Corona Extra se convirtió en la cerveza importada con mayor crecimiento en la historia de Estados Unidos, y desde mediados de esa década el mundo de los negocios empezó a hablar del "fenómeno Corona". Más adelante se comenzó a producir y exportar Corona Light, exclusivamente para el mercado estadounidense. En 1985, Grupo Modelo empezó su expansión a otros mercados, iniciando por Canadá y Japón, y después se incorporaron Australia y Nueva Zelanda. En 1989 incursionó en Europa y más adelante el grupo llegó a Rusia, África y América Latina. Al incursionar en otros mercados, Grupo Modelo realiza algunas adaptaciones a sus estrategias domésticas: fabrica botellas especiales para todos los países que así lo requieran (principalmente por cuestiones de etiquetado), además de estar muy atento a los mercados que demandan presentaciones muy específicas y que se deben atender. Sólo en España y Hungría hubo necesidad de cambiar el nombre de Corona por el de Coronita, debido a que existía en el mercado otro producto con aquella marca. En cuanto a la estrategia de imagen, los especialistas en marketing de la organización se ocupan de proyectar algunos de sus atributos exclusivos: la calidad indiscutible del producto, ser una cerveza joven que está imponiendo una moda y el orgullo de ser un producto mexicano. De ahí se deriva el resto de las actividades publicitarias que se realizan, cuidando —naturalmente— las características especiales de cada país en los que se distribuye.

Las empresas deben ser capaces de ir más allá de las fronteras nacionales e internacionales. Aunque las oportunidades para ingresar y competir en los mercados globales son significativas, los riesgos también pueden ser altos. Sin embargo, las empresas que venden en las industrias globales no tienen otra opción más que internacionalizar sus operaciones. En este capítulo analizaremos las decisiones más importantes que debe tomar la organización para expandirse hacia los mercados globales.

La competencia global

Muchas empresas han sido vendedores globales durante décadas; compañías como Shell, Bayer y Toshiba han vendido mercancías en todo el mundo a lo largo de años. Por lo que se refiere a los artículos de lujo, como joyas, relojes y bolsos de mano, para los que el mercado meta es relativamente pequeño, resulta esencial que las empresas como Prada, Gucci y Louis Vuitton tengan un perfil global para poder crecer de manera rentable. Lo cierto es que la competencia global se está intensificando en más categorías de productos a medida que las nuevas empresas dejan su huella en la escena internacional.[2]

El mercado automovilístico se está convirtiendo en un mercado abierto para todo el mundo. En Chile, donde no hay fabricantes de automóviles nacionales, las importaciones proceden de todas partes del mundo, incluidas 14 marcas diferentes de autos, camiones y vehículos comerciales chinos.[3] En el mercado chino de telefonía móvil —caracterizado por un rápido movimiento—, la participación de mercado de Motorola se redujo a la mitad en tan sólo dos años, cuando Nokia y sus competidores asiáticos hicieron sus propios avances.

La competencia de empresas en mercados en desarrollo también está aumentando. Los camiones operados con diesel, de cuatro puertas y plataforma corta, producidos por Mahindra Motors de India están tratando de entrar en Europa, Asia y Estados Unidos, prometiendo un gran ahorro de combustible.[4] Fundado en Guatemala, Pollo Campero ha utilizado a los inmigrantes latinoamericanos para poner en marcha más de 50 establecimientos en Estados Unidos, mezclando clásicos gastronómicos como los plátanos fritos y la bebida de horchata con alimentos tradicionales estadounidenses, como el pollo a la parrilla y el puré de patata.[5]

El pollo frito favorito de América Latina, Pollo Campero, ha entrado en el mercado estadounidense instalándose, en primera instancia, en las zonas pobladas por inmigrantes hispanos.

Aunque a muchas empresas estadounidenses les gustaría borrar del mapa a los competidores extranjeros mediante una legislación de carácter proteccionista, la mejor forma de competir con ellos es mejorar continuamente los productos dentro de sus fronteras para después lanzarlos en los mercados extranjeros. En una **industria global** las posiciones estratégicas de los competidores dentro de los mercados geográficos importantes o domésticos se ven afectadas de manera importante por sus posiciones globales generales.[6] Una **empresa global** tiene operaciones en más de un país, y goza de ventajas en las aéreas de investigación y desarrollo, producción, logística, marketing y finanzas, a las que sus competidores nacionales no pueden aspirar.

Las empresas globales planean, operan y coordinan sus actividades a nivel mundial. Otis Elevator utiliza sistemas de puertas de Francia, pequeñas piezas de engranaje de España, aparatos electrónicos de Alemania y controladores automatizados de Japón; la integración de estos sistemas se produce en Estados Unidos. Otro caso de éxito internacional es el de Hyundai.[7]

Hyundai

Hyundai Alguna vez sinónimo de automóviles baratos y poco confiables, Hyundai Motor Company ha experimentado una transformación global masiva. En 1999 su nuevo presidente, Mong-Koo Chung, declaró que Hyundai ya no se centraría en el volumen de ventas y en la participación de mercado, sino en la calidad. Con este propósito instituyó una serie de cambios: Hyundai comenzó a utilizar como parámetro de *benchmark* a Toyota, el líder de la industria, adoptó el proceso Seis Sigma, organizó de manera multifuncional el desarrollo de los productos, se asoció más estrechamente con los proveedores, y aumentó el número de reuniones de supervisión de calidad. En 2001 ocupó el lugar 32 entre las 37 marcas que se incluyeron en el estudio de J.D. Power sobre la calidad de los nuevos vehículos en Estados Unidos, pero en 2009 logró el cuarto lugar, siendo superado únicamente por las marcas de lujo Lexus, Porsche y Cadillac. Hyundai también transformó su marketing. Su campaña *Assurance* (Garantía), respaldada por un costoso anuncio transmitido durante el Super Bowl, permitía que los nuevos compradores de sus autos pudieran devolverlos sin sanción alguna si perdían sus trabajos. Otros programas garantizaban a los clientes precios bajos en el consumo de gasolina durante un año y créditos fiscales en anticipación al programa gubernamental "Dinero por chatarra" (Cash for Clunkers). El mercado estadounidense no era el único en recibir atención por parte de Hyundai y de su marca de precio más asequible, Kia. Hyundai es el segundo mayor fabricante de automóviles en India, está abasteciendo a Europa desde una nueva fábrica de mil millones de euros en la República Checa, y tiene presencia en China mediante una empresa conjunta con Beijing Automotive.

Muchas exitosas marcas globales estadounidenses han aprovechado los valores y las necesidades universales de los consumidores; tal es el caso de Nike con el desempeño deportivo, de MTV con la cultura juvenil, y de Coca-Cola con el optimismo de la gente joven. Estas empresas contratan miles de empleados en el extranjero, y se aseguran de que sus productos y actividades de marketing están en consonancia con las sensibilidades locales.

El marketing global va más allá de los productos. Los servicios son el sector de más rápido crecimiento de la economía internacional, y representan dos tercios de la producción global, un tercio del empleo global y cerca del 20% del comercio global. A pesar de que algunos países han levantado barreras de entrada o impuesto regulaciones, la Organización Mundial del Comercio, integrada por 150 naciones, sigue presionando para que haya más libre comercio en los servicios internacionales y otras áreas.[8]

Para que una empresa de cualquier tamaño o de cualquier tipo se pueda globalizar, es necesario que tome una serie de decisiones (vea la △ figura 21.1). A continuación analizaremos cada una de ellas.[9]

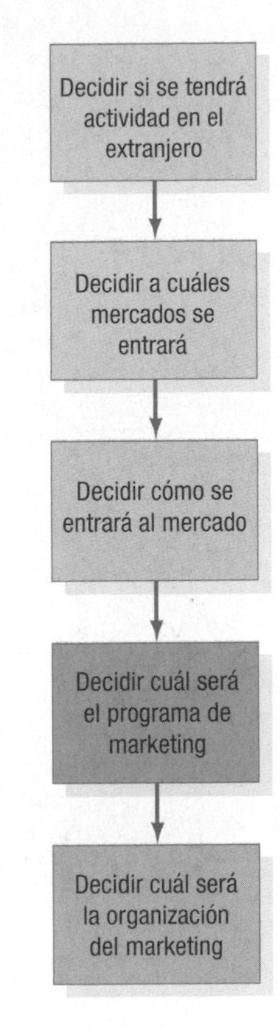

|Fig. 21.1| △

Principales decisiones del marketing internacional

Decidir si se debe tener actividad en el extranjero

Casi todas las empresas preferirían limitarse a los mercados nacionales si éstos fueran lo suficientemente grandes. De esta forma los directivos no tendrían que estudiar otros idiomas ni otros sistemas legales; no tendrían que negociar usando monedas extranjeras cuyos tipos de cambio fluctúan, ni se verían obligados a enfrentar incertidumbres de índole legal o política, y tampoco tendrían que rediseñar sus productos para adaptarlos a las necesidades y a las expectativas de diferentes consumidores. Los negocios serían más sencillos y seguros. Sin embargo, existen otros factores que hacen que cada vez más empresas salten a la esfera internacional:

- La empresa descubre que determinados mercados extranjeros ofrecen mejores oportunidades de generar utilidades que los mercados nacionales.
- La empresa necesita una base de clientes más extensa para conseguir economías de escala.
- La empresa quiere reducir su dependencia en un único mercado.
- La empresa decide contraatacar a sus competidores globales en sus mercados nacionales.
- Los clientes de la empresa van al extranjero y demandan un servicio internacional.

Como un reflejo del poder que tienen estos factores, las exportaciones representaron aproximadamente el 13% del PIB estadounidense en 2008, casi el doble de lo que era 40 años atrás.[10] Antes de tomar la decisión de salir al extranjero, la empresa también debe sopesar varios riesgos:

- La empresa podría no comprender las preferencias de los consumidores extranjeros y ofrecer productos que no les resulten atractivos.
- La empresa podría no comprender la cultura empresarial del mercado extranjero.
- La empresa podría subestimar la normativa extranjera e incurrir en costos inesperados.
- La empresa podría percatarse de que sus directivos carecen de la experiencia internacional necesaria.
- La legislación comercial del mercado extranjero podría cambiar, su moneda podría devaluarse o el país podría experimentar una revolución política que expropiara las empresas extranjeras.

Algunas empresas sólo toman esta decisión cuando algún acontecimiento las empuja a la esfera internacional. Por lo general, el *proceso de internacionalización* consta de cuatro fases:[11]

1. Actividades de exportación irregulares.
2. Exportación a través de representantes independientes (agentes).
3. Establecimiento de una o más oficinas comerciales en el extranjero.
4. Establecimiento de fábricas en el extranjero.

La primera tarea es pasar de la etapa 1 a la etapa 2. La mayoría de las empresas trabajan con un agente independiente y penetran en un mercado similar o cercano. Más adelante la compañía crea un departamento de exportaciones para manejar la relación con los agentes independientes. Posteriormente, sustituye a los agentes independientes abriendo sus propias oficinas comerciales en los mercados de exportación más importantes. Esto dispara la inversión y el riesgo de la empresa, pero también sus oportunidades de obtener más ingresos. Para gestionar estas oficinas comerciales, la organización sustituye el departamento de exportaciones con un departamento o división internacional. Si los mercados mantienen su volumen y estabilidad, o si el país importador insiste en la fabricación local, la empresa ubicará ahí sus centros de producción.

Para ese momento estará operando como empresa multinacional y optimizando su abastecimiento, financiamiento, fabricación y comercialización como una organización global. Según algunos investigadores, la alta gerencia comienza a centrarse en las oportunidades globales cuando más del 15% de los ingresos provienen de mercados internacionales.[12]

Decidir a cuáles mercados entrará

Cuando una empresa decide salir al extranjero se ve obligada a definir sus objetivos y políticas de marketing. ¿Qué proporción de ventas nacionales e internacionales quiere obtener? Casi todas las compañías prefieren ser prudentes cuando se aventuran más allá de sus fronteras. Algunas planean ser empresas pequeñas en el extranjero, mientras que otras tienen pretensiones de mayor alcance.

En cuántos mercados debería entrar

La empresa debe decidir en cuántos mercados quiere entrar y con qué rapidez desea expandirse. Las estrategias de entrada típicas son el *modelo en cascada*, en el que se entra a los países gradualmente y en secuencia, y el *modelo de regadera*, mediante el cual la empresa entra en numerosos países a la vez.[13]

Matsushita, BMW, General Electric, Benetton y The Body Shop utilizan el modelo en cascada. Éste permite que las empresas planifiquen cuidadosamente su expansión, y tiene menores probabilidades de agotar sus recursos humanos y financieros. Cuando la ventaja del recién llegado es esencial y existe un alto grado de intensidad competitiva, el modelo de regadera es mejor. En el otoño de 2009, Microsoft vendió más de 150 millones de copias de Windows 7 en 100 países, realizando sólo algunos pequeños ajustes en su marketing. Entre los riesgos más importantes de este modelo están los considerables recursos necesarios y la dificultad que implica planificar las estrategias de entrada para muchos mercados diversos.[14]

La empresa también debe decidir a qué tipo de países debe entrar, tomando como base el producto, la geografía, los ingresos, la población y el clima político.

Mercados desarrollados o mercados en desarrollo

Una de las distinciones más importantes que se hacen en el marketing global es entre los países desarrollados y los países en desarrollo, o los mercados emergentes, como Brasil, Rusia, India y China (a menudo conocidos en conjunto bajo el acrónimo "BRIC").[15] Otros dos mercados en desarrollo, con mucha importancia económica y de marketing, son Indonesia y Sudáfrica. Las necesidades insatisfechas de los países en desarrollo representan grandes mercados potenciales para los productos alimenticios, el vestido, la vivienda, los artículos electrónicos de consumo, los electrodomésticos y muchos otros bienes. Los líderes del mercado dependen de los mercados en desarrollo para impulsar su crecimiento. Consideremos lo siguiente:

- Coca-Cola, Unilever, Colgate-Palmolive, Groupe Danone y PepsiCo obtienen entre el 5 y el 15% de sus ingresos totales de los tres mayores mercados emergentes de Asia: China, India e Indonesia.[16]
- Los mercados en desarrollo representan más del 25% del total de los negocios de Kraft, casi el 40% de los de Cadbury, y más del 50% de las ventas de Tupperware.[17]
- Nestlé calcula que alrededor de mil millones de consumidores en los mercados emergentes aumentarán sus ingresos lo suficiente para comprar sus productos en la próxima década. La empresa de alimentos más grande del mundo obtiene alrededor de un tercio de sus ingresos de las economías emergentes, y tiene como meta elevarlos al 45% en una década.[18]

Los países desarrollados representan alrededor del 20% de la población mundial. ¿Podrían los especialistas de marketing atender al 80% restante, que tiene mucho menos poder adquisitivo y cuyas condiciones de vida van desde la privación leve hasta la severa deficiencia? Este desequilibrio probablemente empeorará, ya que se prevé que en el futuro más del 90% del crecimiento demográfico se producirá en los países menos desarrollados.[19]

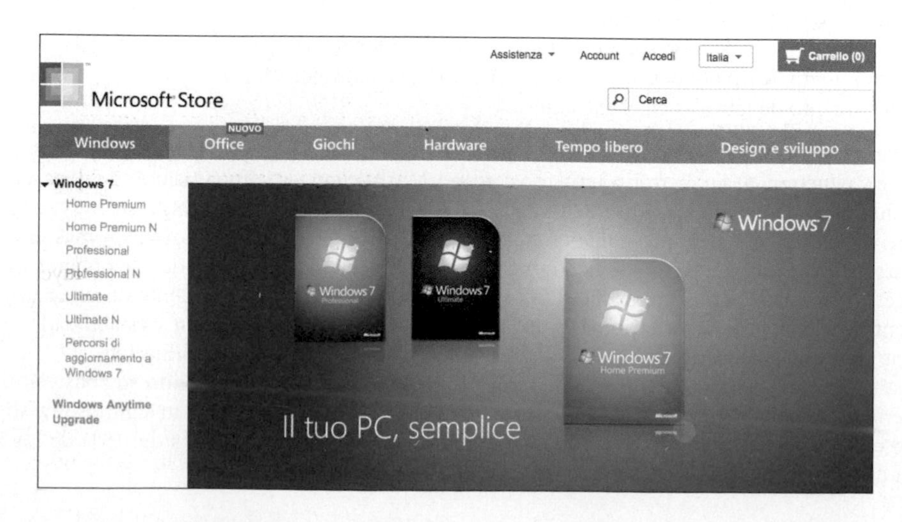

Microsoft lanzó Windows 7 con una campaña global masiva.

Para lograr penetrar en los mercados en desarrollo es preciso contar con un conjunto de habilidades y planes especiales. Consideremos la manera en que algunas empresas se constituyeron en pioneras de atención a los consumidores “invisibles”:[20]

- Grameenphone comercializó teléfonos móviles en 35 000 poblaciones de Bangladesh mediante la contratación de mujeres de esas comunidades como agentes que alquilaban "tiempo de llamada (aire)" a otros habitantes, una llamada a la vez.
- Colgate-Palmolive entró en las poblaciones indígenas con camionetas que mostraban videos sobre los beneficios del cepillado dental.
- Corporación GEO construye viviendas para personas de bajos ingresos en México. Las viviendas de dos dormitorios son de tipo modular y susceptibles de ampliación.

Estos especialistas de marketing aprovecharon el potencial de los mercados en desarrollo al cambiar sus prácticas de marketing convencional.[21] La venta en las zonas en desarrollo no puede ser igual a la venta normal. Las diferencias económicas y culturales abundan, es posible que la infraestructura de marketing sea incipiente, y la competencia local puede ser sorprendentemente dura.[22]

Dinamos locales Un extenso estudio realizado por el Boston Consulting Group identifica a 50 empresas en 10 economías emergentes como “dinamos locales”. Según BCG, una dinamo local (1) está prosperando en su mercado local, (2) se defiende de los rivales multinacionales, y (3) no se centra en la expansión en el extranjero. La cooperativa de agricultores Amul de India vende productos lácteos a través de una red de 2.8 millones de miembros, con el apoyo de una de las campañas publicitarias más antiguas y más queridas en India. Sus negocios de helados y chocolates de leche han sobrevivido la entrada de Unilever y Nestlé, respectivamente. La aerolínea de bajo costo Gol de Brasil se ha centrado en los ahorrativos consumidores brasileños, dispuestos a sacrificar la comodidad por el precio; sus aviones a menudo despegan a horas extrañas y hacen varias escalas. En México, el minorista Grupo Elektra [una corporación financiera y minorista propiedad del Grupo Salinas, que cotiza en la Bolsa de Nueva York (EKT), la Bolsa Mexicana de Valores (ELEKTRA) y el Mercado de Valores Latibex de España(XEKT)] vende lavadoras, refrigeradores, televisores y otros artículos a crédito a personas que ganan menos de 10 dólares al día. Las numerosas tiendas de la empresa también sirven como sucursales bancarias donde se puede retirar, depositar y tranferir efectivo, así como obtener préstamos. Según BCG, las dinamos locales a menudo combinan una profunda comprensión de los gustos del consumidor con técnicas de producción rentables, para crear un modelo de negocio con amplio enfoque local.[23]

Las tiendas del Grupo Elektra en México y América Latina venden electrodomésticos y ofrecen servicios financieros a los consumidores de bajos ingresos.

Obtener la fórmula de marketing correcta para los mercados en desarrollo puede producir grandes dividendos:

- Los envases más pequeños y los precios de venta más bajos suelen ser fundamentales cuando los ingresos y los espacios de vivienda son limitados. Los sobres de detergente y champú de Unilever —comercializados a cuatro centavos por unidad— fueron un gran éxito en la India rural, donde todavía vive el 70% de la población.[24]
- El 80% de los consumidores en los mercados emergentes compran sus productos en pequeñas bodegas, puestos y quioscos, y en “tienditas de la esquina”, que no son mucho más grandes que un armario, a las que Procter & Gamble denomina “tiendas de alta frecuencia”. En India, el 98% de los alimentos siguen siendo comprados en las 12 millones de tiendas de barrio llamadas “kirana”.[25]
- Nokia envía personal de marketing, ventas e ingeniería de su grupo de teléfonos de nivel básico a pasar una semana en los hogares de zonas rurales de China, Tailandia y Kenia para que observen cómo se utilizan los equipos en esos lugares. Mediante el desarrollo de teléfonos de bajísimo precio que sólo incluyen la funcionalidad adecuada, Nokia se ha convertido en el líder de participación de mercado en África y Asia.[26]
- Una imagen occidental puede ser útil. El éxito de Coca-Cola frente a la marca de cola local Jianlibao en China, se debió en parte a sus valores simbólicos de modernidad y opulencia.[27]

La competencia por parte de las empresas con sede en los mercados en desarrollo también es cada vez mayor. China ha estado exportando automóviles a África, el sureste asiático y Oriente Medio. Tata de India, Cemex de México y Petronas de Malasia han surgido de los mercados en desarrollo para convertirse en fuertes multinacionales que venden en muchos países.[28]

Son numerosas las empresas que están utilizando las lecciones aprendidas del marketing en los mercados en desarrollo para competir mejor en los mercados desarrollados (vea el análisis de la "base de la pirámide" en el capítulo 3). Las instalaciones de investigación de John Deere en Pune, India, desarrollaron tractores de bajo costo cuya accesibilidad y maniobrabilidad también encontraron un mercado en Estados Unidos y en otras naciones. Aproximadamente la mitad de los tractores que fabrica Deere en India se venden en el extranjero.[29]

La innovación de productos se ha convertido en un canal de doble flujo entre los mercados en desarrollo y los mercados desarrollados. El reto es pensar de manera creativa sobre cómo puede el marketing cumplir los sueños de un mejor nivel de vida para la mayoría de la población mundial.[30] Muchas empresas están apostando a que pueden hacerlo. "Marketing en acción: Enfoque en los principales mercados en desarrollo" destaca algunos avances importantes en los países BRIC, así como en Sudáfrica e Indonesia.

Enfoque en los principales mercados en desarrollo

Brasil

Según el Banco Mundial, el 25% de los latinoamericanos viven con menos de dos dólares al día; millones más ganan sólo unos pocos cientos de dólares al mes. En Brasil, el mercado más grande de la región, los grupos de bajos ingresos representan el 87% de la población, pero obtienen sólo el 53% de los ingresos. Los especialistas en marketing están buscando formas innovadoras de vender productos y servicios a los residentes pobres y de bajos ingresos. Nestlé Brasil aumentó las ventas de las galletas Bono un 40% tras la reducción del paquete de 200 a 140 g. y la disminución de su precio. Con un analfabetismo generalizado, Unilever lanzó una marca de jabón en el noreste de Brasil con el sencillo nombre de "Ala".

Brasil experimentó años de crecimiento que prometían rápidos beneficios en la década de 1960 y 1970, cuando fue la segunda economía de más rápido crecimiento en el mundo. Como resultado, ahora cuenta con grandes y bien desarrollados sectores agrícola, minero, manufacturero y de servicios. Las empresas brasileñas que han tenido éxito a nivel internacional son el armador de aviones Embraer, el fabricante de sandalias Havaianas y el productor de cervezas y bebidas AmBev, que se fusionó con Interbrew para formar InBev. También difiere de otros mercados emergentes en que es una verdadera democracia, a diferencia de Rusia y China, y no tiene graves conflictos con sus vecinos, como India.

Sin embargo, existe una serie de obstáculos vulgarmente llamados *custo Brasil* (el costo de Brasil). El costo del transporte de los productos representa casi el 13% del PIB nacional, cinco puntos porcentuales más que en Estados Unidos. La descarga de un contenedor cuesta el doble que en India y el triple que en China. Casi todos los observadores consideran la transformación económica, social y política de Brasil como un trabajo en proceso, aunque el país emergió de la reciente recesión económica relativamente ileso.

Rusia

La escisión de la Unión Soviética en 1991 transformó la aislada economía rusa centralmente planificada en una economía global integrada basada en el mercado. Rusia es el mayor exportador mundial de gas natural, el segundo mayor exportador de petróleo, y el tercer mayor exportador de acero y aluminio. Sin embargo, la dependencia en las materias primas tiene su lado negativo. La economía del país se vio sumamente afectada durante la reciente recesión por la disminución de los precios de las materias primas y la contracción de los créditos.

Recientemente, la cervecera holandesa Heineken, el minorista sueco IKEA, el banco estadounidense Citibank y más de una docena de fabricantes de automóviles intensificaron sus operaciones en Rusia para dirigirse a su creciente clase media, que ahora constituye entre un cuarto y un tercio de la población, debido al rápido aumento de los salarios y al acceso de los consumidores al crédito. Pero el ruso promedio sigue ganando sólo 700 dólares al mes, una fracción del promedio estadounidense, y muchos se sienten abandonados. La crisis económica también produjo una reducción significativa en la inversión extranjera en el país.

Rusia cuenta con una fuerza laboral cada vez menor y una infraestructura deficiente. La Organización para la Cooperación y el Desarrollo Económicos (OCDE) advierte que las reformas económicas se han estancado, y ubica a Rusia como uno de los países más corruptos del mundo. Muchos opinan que el gobierno de Vladimir Putin ha sido impredecible y que es difícil trabajar con él.

Sin embargo, las empresas siguen siendo optimistas. En 2006, más de 167 000 teléfonos Motorola fueron incautados a su llegada al aeropuerto de Moscú. Se cree que el Ministerio del interior destruyó alrededor de 50 000 unidades por considerarlas contrabando o falsificaciones, aunque más tarde se informó que algunas de estas unidades se encontraron en el mercado negro. Al final, la mayoría fueron devueltas, pero lo más revelador fue la reacción de Motorola. Teniendo a Rusia como su tercer mercado de teléfonos móviles más grande del mundo en ese momento, Motorola mantuvo su interés por el mercado ruso.

India

Las reformas implementadas en la década de 1990, que redujeron las barreras al comercio y liberalizaron los mercados de capital, produjeron en India un auge en la inversión y el consumo. Pero no todo se trata de la demanda. Con muchos empleados de bajo costo y alto coeficiente intelectual que hablan inglés, India está obteniendo los trabajos de programación y centros de llamadas que una vez estuvieron en manos de trabajadores estadounidenses. Su crecimiento ha sido impulsado principalmente por los sectores manufacturero y de servicios, donde se encuentran la mayoría de sus trabajadores.

El ascenso de India abre un gran mercado para los bienes estadounidenses y occidentales. Casi dos tercios de la población tienen menos de 35 años, y alrededor de 16 millones, el 3%, constituye un mercado meta de altos ingresos para marcas de perfil juvenil que denotan estatus y riqueza. Los automóviles de lujo y las relucientes motocicletas son los símbolos de estatus más buscados, seguidos por la ropa, la comida, el entretenimiento, los bienes de consumo duraderos y los viajes.

India sigue luchando con leyes laborales restrictivas, y con una infraestructura pobre y malos servicios públicos, como el de la educación, la salud y el suministro de agua. Cada uno de sus 28 estados tiene sus propias políticas y normas tributarias. Sin embargo, algunas empresas globales como Mittal, Reliance, Tata, Wipro e Infosys han logrado tener éxito en el mercado hindú, y muchas organizaciones extranjeras están planeando establecerse allí.

China

Los 1 300 millones de habitantes de China mantienen a los especialistas en marketing luchando por afianzarse ahí, y la competencia entre las empresas nacionales e internacionales se ha intensificado. Con su entrada en 2001 a la Organización Mundial de Comercio, la nación suavizó sus leyes sobre fabricación e inversión, y modernizó las industrias de venta minorista y de logística. Se produjo una mayor competencia en los precios, los productos y los canales, pero los sectores editorial, de telecomunicaciones, de exploración petrolera, de marketing, de productos farmacéuticos, bancario y de seguros se mantuvieron fuertemente protegidos o completamente fuera de la competencia extranjera. Las empresas foráneas se quejan de competencia subsidiada, acceso restringido, disposiciones contradictorias, falta de protección a la propiedad intelectual, y una burocracia opaca y aparentemente arbitraria.

Vender en China significa ir más allá de las grandes ciudades, hasta los 700 millones de consumidores potenciales que viven en pequeñas comunidades en el interior rural. Alrededor de la mitad de los compradores potenciales de computadoras personales viven fuera de las grandes ciudades, y sólo un tercio del total de los ingresos minoristas provienen de las 24 ciudades más grandes de China. Los consumidores de las zonas rurales constituyen un reto potencial, ya que tienen ingresos más bajos, son menos sofisticados y a menudo se aferran a las costumbres locales. No obstante, el fabricante de computadoras Lenovo, el proveedor de telefonía móvil TCL y el fabricante de electrodomésticos Haier han prosperado a pesar de la fuerte competencia extranjera. Además de su aguda comprensión de los gustos chinos, tienen grandes redes de distribución, especialmente en las zonas rurales.

La emergente clase media china urbana es activa y exigente, y demanda productos de mayor calidad y variedad. A pesar de que su población es cuatro veces mayor que la de Estados Unidos, los consumidores chinos gastan sólo una fracción de lo que gastan los consumidores estadounidenses. Los automóviles de lujo son el segmento de la industria automovilística de más rápido crecimiento, gracias al creciente número de millonarios chinos.

Indonesia

La reputación de Indonesia como un país que históricamente ha luchado contra desastres naturales, terrorismo e incertidumbre económica está siendo rápidamente reemplazada por la de una nación caracterizada por la estabilidad política y el crecimiento económico. Siendo el cuarto país más grande del mundo y la nación musulmana de mayor tamaño, y dados todos sus avances, no es de extrañar que Morgan Stanley haya sugerido la inclusión de Indonesia en los cuatro países en vías de desarrollo, para conformar un renovado grupo conocido como BRICI.

Indonesia se ha convertido en la tercera economía de más rápido crecimiento en la región, detrás de India y China, en gran medida sobre la base de sus 240 millones de consumidores. La inversión extranjera directa representa sólo el 25% de su producto interno bruto. A pesar de que la mitad de la población vive con menos de dos dólares al día, sus gastos y los de una población activa más joven están impulsando el crecimiento económico.

Algunas empresas extranjeras están aprovechando las oportunidades que ahí existen. Indonesia es uno de los mercados más populares de Research In Motion (RIM), y la BlackBerry ha alcanzado el estatus de icono en el país. RIM ha aprovechado este entorno propicio para los teléfonos móviles (el servicio de banda ancha es irregular y caro), y también ha personalizado sus ofertas con decenas de aplicaciones diseñadas específicamente para el mercado indonesio. Sin embargo, sus logros no han estado exentos de problemas: ha inspirado decenas de imitaciones desde China, llamadas localmente como "Chinaberries".

Indonesia presenta otros desafíos. En un archipiélago con más de 14 000 islas y un clima caliente y húmedo, la distribución efectiva y eficiente es fundamental. Los grandes importadores han establecido amplias redes de distribución que les permiten extenderse más allá del tercio de la población que vive en las seis o siete ciudades más grandes. Al igual que en muchos países en desarrollo, su infraestructura puede ser insuficiente. Pero el progreso de Indonesia en los últimos años ha sido notable. Como prueba adicional, más del 20% de los usuarios de Internet en Indonesia tienen una cuenta en Twitter, y el país es el sexto más activo en el sitio de micro-blogging.

Sudáfrica

Aunque Sudáfrica es un mercado desarrollado, se incluye aquí en su papel de punto de acceso a la región africana, así como por ser un mercado importante por derecho propio. Según el Banco Mundial, de los 35 países menos favorables para los negocios, 27 se encuentran en el África subsahariana y el 42% de la economía de la región es informal. Las malas carreteras, la electricidad poco confiable y las volátiles fluctuaciones de la moneda añaden retos logísticos y financieros. La guerra, el hambre, el Sida y los desastres naturales son problemas humanos todavía más importantes. La mayoría de los africanos viven en la pobreza, el 60% todavía se dedica a la agricultura para obtener su ingreso primario.

Sin embargo, un reciente periodo de relativa estabilidad ha coincidido con la mejora de la atención médica, la educación y los servicios sociales. La Copa del Mundo de 2010 ofreció la oportunidad de reexaminar el progreso económico de Sudáfrica y de otros países africanos. Muchas empresas internacionales están utilizando a Sudáfrica como una plataforma de lanzamiento.

- El operador de telefonía móvil Celtel invirtió en servicios rurales mediante la introducción del servicio Me2U, que permite a los usuarios enviar tiempo aire a otros teléfonos móviles. Como sólo una minoría de los africanos tiene cuenta bancaria, esto se convirtió en una forma cómoda y barata de transferir dinero; incluso sustituyó al efectivo en algunas poblaciones.
- MTN de Sudáfrica, la empresa más grande de telefonía móvil de la región, construyó su propia estructura de transmisión de microondas y fuentes de alimentación en Nigeria, y el primer teléfono solar público en Lago Victoria, Uganda.
- Net1 de Sudáfrica ha creado una base de clientes de 3.6 millones de cuentas mediante la emisión gratuita de tarjetas inteligentes para personas indigentes que carecen de cuentas bancarias o tarjetas de crédito, obteniendo diminutos porcentajes de ingresos a partir de sus transacciones.

Las empresas dispuestas a hacer negocios en África suelen verse recompensadas por grandes márgenes y mínima competencia. SABMiller, la segunda cervecera más grande del mundo, disfruta de sus mejores márgenes de operación en África. Encontrar un socio local puede aportar experiencia y contactos. Las operaciones africanas de SABMiller son empresas conjuntas con organizaciones locales, algunas del gobierno. The Boston Consulting Group ha calificado a las ocho economías más fuertes de África —Argelia, Botsuana, Egipto, Libia, Marruecos, Mauricio, Sudáfrica y Túnez— como los "leones africanos".

Fuentes: *Brasil*: Antonio Regalado, "Marketers Pursue the Shallow Pocketed", *Wall Street Journal*, 26 de enero de 2007; "Land of Promise", *Economist*, 12 de abril de 2007; Melissa Campanelli, "Marketing to Latin America? Think Brazil", *DMNews*, 20 de junio de 2006. *Rusia*: Jason Bush, "Russia Economy Turns Swiftly Siberian", *BusinessWeek*, 15 de diciembre de 2008, p. 68; "Risk and Reward in Russia", *BusinessWeek Emerging Market Report*, 20 de octubre de 2008; "Dancing with the Bear", *Economist*, 3 de febrero de 2007, pp. 63-64; Jason Bush, "Russia: How Long Can the Fun Last?", *BusinessWeek*, 18 de diciembre de 2006, pp. 50-51; Steven Lee Myers, "Business as Usual, Russian-Style", *International Herald Tribune*, 13 de junio de 2006. *India*: Nandan Nilekani, *Imagining India: The Idea of a Renewed Nation* (Nueva York; Penguin Press, 2009); Anil K. Gupta y Haiyan Wang, "Five Myths about India", *Economic Times*, 29 de diciembre de 2009; "India on Fire", *Economist*, 3 de febrero de 2007, pp. 69-71; "16m. Young High-Earning Consumers Are Targets of High-End Lifestyle Products", *News India Times*, 4 de agosto de 2006, p. 16. *China*: Edward Wong, "China's Export Economy Begins Turning Inward", *New York Times*, 24 de junio de 2010; Arthur Kroeber, "Five Myths about the Chinese Economy", *Washington Post*, 11 de abril

de 2010; "Impenetrable: Selling Foreign Goods in China", *Economist*, 17 de octubre de 2009; Dexter Roberts, "Cadillac Floors It in China", *BusinessWeek*, 4 de junio de 2007, p. 52; Bruce Einhorn, "Grudge Match in China", *BusinessWeek*, 2 de abril de 2007, pp. 42-43; Russell Flannery, "Watch Your Back", *Forbes*, 23 de abril de
2007, pp. 104-5; Dexter Roberts, "Cautious Consumers", *BusinessWeek*, 30 de abril de 2007, pp. 32-34; Seung Ho Park y Wilfried R. Vanhonacker, "The Challenge for Multinational Corporations in China: Think Local, Act Global", *MIT Sloan Management Review* (31 de mayo de 2007); Dexter Roberts, "Scrambling to Bring Crest to the Masses", *BusinessWeek*, 25 de junio de 2007, pp. 72-73. *Indonesia*: Louise Lavabre, "Talking with Our Thumbs: Twitter in Indonesia", *Jakarta Post*, 22 de septiembre de 2010; Alexandra A. Seno, "Gung-ho Attitude Delivers Success in Indonesia", *Globe and Mail*, 25 de marzo de 2010; Mark MacKinnon, "RIM's Indonesian Bonanza", *Globe and Mail*, 24 de marzo de 2010; Peter Geiling, "Will Indonesia Make It BRICI?" *GlobalPost*, 7 de julio de 2009; Margie Bauer, Indonesia—An Economic Success Story", www.fas.usda.gov, 14 de octubre de 2004. *Sudáfrica*: "The Price of Freedom: A Special Report on South Africa", *Economist*, 5 de junio de 2010; "Africa's Dynamo", *BusinessWeek Emerging Market Report*, 15 de diciembre de 2008; Frank Aquilla, "Africa's Biggest Score: A Thriving Economy", *BusinessWeek*, 28 de junio de 2010; Helen Coster, "Great Expectations", *Forbes*, 12 de febrero de 2007, pp. 56-58; *All: CIA World Factbook*, www.cia.gov.

La integración económica regional, es decir, la creación de acuerdos comerciales entre bloques de países, se ha intensificado en los últimos años. Esto significa que las empresas tienen más probabilidades de entrar en regiones enteras de un solo golpe. Algunos países han formado zonas de libre comercio o comunidades económicas, que son grupos de naciones organizadas para trabajar hacia la consecución de metas comunes en la regulación del comercio internacional (vea la tabla 21.1).

Evaluación de mercados potenciales

Sin importar el número de países y regiones que integren sus políticas y normas comerciales, cada nación tiene una serie de características específicas que hay que comprender. La disposición de un país ante diferentes productos y servicios, y su atractivo como mercado para empresas extranjeras, dependen de su entorno demográfico, económico, sociocultural, natural, tecnológico y político-legal.

¿Cómo elige una empresa en cuáles mercados potenciales debe entrar? Muchas prefieren vender en países vecinos porque se entienden mejor y porque pueden controlar los costos de manera más eficaz. Por lo tanto, no sorprende que los dos mercados a los que más exporta Estados Unidos sean el canadiense y el mexicano, ni que las empresas suecas vendan sobre todo a las naciones escandinavas vecinas.

En otras ocasiones, la *proximidad psicológica* determina las elecciones. Muchas empresas estadounidenses prefieren vender sus productos en Canadá, Inglaterra y Australia, que en mercados de mayores dimensiones como Alemania y Francia, porque se sienten más cómodas haciendo negocios en su idioma, legislación y cultura. Sin embargo, las organizaciones deben ser muy cautas si pretenden seleccionar sus mercados en función de la distancia cultural. Además de que tal vez estén pasando por alto mercados con mayor potencial, quizá sólo estén analizando superficialmente las diferencias reales que los pondrían en desventaja en esas naciones.[31]

TABLA 21.1 Zonas y acuerdos comerciales regionales

UNIÓN EUROPEA. Fundada en 1957, la Unión Europea se constituyó para crear un mercado común único mediante la reducción de las barreras contra la libre circulación de productos, servicios, capitales y trabajadores entre los Estados miembros, y mediante el desarrollo de políticas comerciales comunes respecto de los países no pertenecientes a la UE. En la actualidad, la Unión Europea es uno de los mercados más grandes del mundo, con 27 Estados miembros, una moneda común (el euro) y más de 495 millones de consumidores, lo que representa el 37% de las exportaciones mundiales. Sin embargo, las empresas de marketing en Europa se enfrentan a 23 idiomas diferentes, dos mil años de diferencias históricas y culturales, y una enorme cantidad de leyes locales.

TLCAN. En enero de 1994, el Tratado de Libre Comercio de América del Norte (conocido también como NAFTA) unificó a la participación de Estados Unidos, México y Canadá en un mercado único de 440 millones de personas que producen y consumen 16 billones de dólares en bienes y servicios cada año. Implementado a lo largo de un periodo de 15 años, el TLCAN eliminó todas las barreras comerciales y restricciones a la inversión entre los tres países. Antes de la entrada en vigor de este tratado, los aranceles sobre los productos estadounidenses que ingresaban a México eran en promedio del 13%, mientras que los aranceles de Estados Unidos sobre los bienes mexicanos eran en promedio del 6 por ciento.

MERCOSUR. MERCOSUR (o MERCOSUL) vincula a Brasil, Argentina, Paraguay, Uruguay y (en breve) a Venezuela para promover el libre comercio y el movimiento fluido de bienes, personas y divisas. Estos cinco países tienen 270 millones de ciudadanos y un PIB colectivo de 2.4 billones de dólares. Bolivia, Chile, Colombia, Ecuador y Perú son miembros asociados y no gozan de plenos derechos de voto, ni de acceso a todos los mismos mercados. Es probable que el TLCAN eventualmente se fusione con éste y otros tratados para formar una zona de libre comercio que abarque todo el continente americano.

APEC. Veintiún países, así como los miembros del TLCAN, Japón y China, están trabajando para crear una zona de libre comercio del Pacífico, bajo los auspicios del Foro de Cooperación Económica Asia-Pacífico (APEC). Estas naciones representan aproximadamente el 40.5% de la población mundial, más o menos el 54.2% del PIB mundial, y cerca del 43.7% del comercio mundial. Los jefes de gobierno de los miembros de APEC se reúnen en una cumbre anual para hablar sobre la economía, la cooperación, el comercio y la inversión en la región.

ASEAN. Diez países conforman la Asociación de Naciones del Sureste Asiático: Brunei Darussalam, Camboya, Indonesia, Laos, Malasia, Myanmar, Filipinas, Singapur, Tailandia y Vietnam. La región es un atractivo mercado de más de 590 millones de personas, con un PIB de 1.2 billones de dólares. Los Estados miembros pretenden mejorar el área y convertirla en un importante centro de producción y exportación.

Fuentes: www.europa.eu; "World Trade Report 2009", www.wto.org; www.naftanow.org; Council on Foreign Relations, "Mercosur: South America's Fractious Trade Bloc", www.cfr.org; www.apec.org; www.asean.org.

Los puertos activos, como el de Buenos Aires, Argentina, están impulsando la demanda por una mayor cooperación comercial.

Con frecuencia es recomendable operar en menos países, pero hacerlo con un compromiso y una penetración más profundos en cada uno de ellos. En general, las empresas prefieren entrar en países que constituyan mercados atractivos y de bajo riesgo, y en los que dispongan de ventaja competitiva. Consideremos de qué manera han evaluado algunas de estas empresas las oportunidades del mercado:

- Coke y Suntory están buscando oportunidades de distribución de bebidas energizantes fuera de la saturada América del Norte —donde dominan Red Bull y Monster—, centrándose en mercados menos competitivos en Europa Occidental y Asia. Ambas empresas están considerando utilizar sus extensas redes de distribución para vender las marcas cuyos derechos han adquirido: Monster y V, respectivamente.[32]
- Con sede en Jamaica, Digicel ha conquistado países en desarrollo políticamente inestables, como Papúa Nueva Guinea, Haití y Tonga, con productos atractivos para los consumidores pobres y por lo general ignorados, cuya feroz lealtad ayuda a proteger a Digicel de las agresivas intervenciones del gobierno.[33]
- Bechtel Corporation, el gigante de la construcción, hace un análisis de costo-beneficio de los mercados extranjeros, considerando la posición de los competidores, la infraestructura, las barreras regulatorias y comerciales, y los impuestos corporativos e individuales. Busca las necesidades insatisfechas para sus productos o servicios, una fuerza laboral calificada y un entorno acogedor (tanto gubernamental como físico).[34]

La decisión de cómo entrar al mercado

Una vez que la empresa ha decidido entrar en un país específico, debe determinar el mejor modo de hacerlo. Las alternativas principales son la *exportación indirecta*, la *exportación directa*, la *concesión de licencias*, las *empresas conjuntas* y la *inversión directa*. Estas cinco estrategias de entrada en el mercado aparecen en la △ figura 21.2. El grado de compromiso, riesgo, control y potencial de utilidades aumenta conforme se avanza hacia arriba en el diagrama.

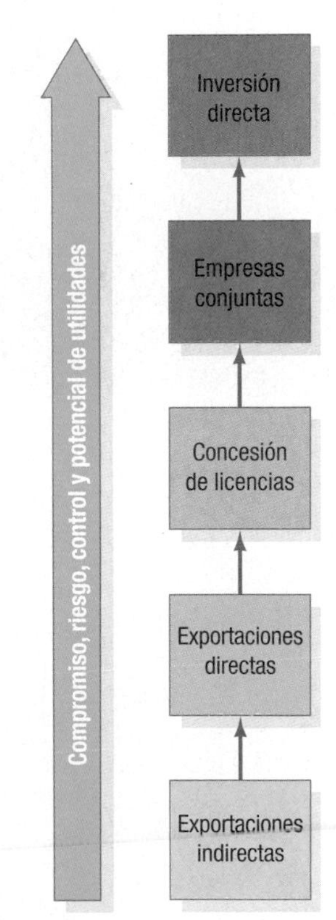

|Fig. 21.2| △

Cinco formas de entrar en mercados extranjeros

La exportación directa e indirecta

Las empresas suelen comenzar con la exportación, específicamente la exportación indirecta, esto es, trabajando a través de intermediarios independientes. Los exportadores nacionales adquieren los productos del fabricante y los comercializan en el extranjero. Los agentes de exportación nacionales, incluidas las sociedades mercantiles, buscan y negocian compras en el extranjero a cambio de una comisión. Las organizaciones cooperativas desarrollan actividades de exportación en representación de diversos productores (a menudo de bienes primarios, como frutas o frutos secos) y se encuentran, parcialmente, bajo su control administrativo.

Las *empresas de logística de exportaciones* son intermediarios que acuerdan hacerse cargo de las actividades de exportación de una empresa a cambio de una cuota.

La exportación indirecta presenta dos ventajas. En primer lugar, requiere menos inversión: la empresa no necesita un departamento de exportaciones, ni una fuerza de ventas en el país de destino de los productos, y tampoco una serie de contactos internacionales. En segundo lugar, implica menos riesgo, pues los intermediarios internacionales, al aportar sus conocimientos y servicios a la relación, evitan que el vendedor cometa errores.

Con el tiempo, las empresas tal vez decidan manejar sus exportaciones por sí mismas.[35] La inversión y el riesgo son mayores, pero también lo son las utilidades potenciales. Las exportaciones directas se manejan de varias maneras:

- ***Departamento de exportaciones en el país de origen.*** Una función puramente de servicio podría evolucionar hasta convertirse en un departamento de exportaciones autónomo que opere como su propio centro generador de utilidades.
- ***Oficina comercial o filial en el país de destino.*** La oficina comercial se encarga de las ventas y de la distribución, y podría ocuparse también del almacenamiento y de la promoción. Con frecuencia sirve como centro de exposición y servicios para clientes.
- ***Representantes de ventas viajeros.*** Vendedores con sede en el país de origen, viajan al extranjero en busca de oportunidades de negocios.
- ***Distribuidores o agentes extranjeros.*** La empresa podría otorgar derechos limitados o exclusivos a distribuidores o agentes extranjeros para que la representen en el país de destino.

Muchas empresas recurren a la exportación directa o indirecta para "conocer el terreno" antes de construir instalaciones y empezar a fabricar el producto en el extranjero. No es indispensable que las empresas asistan a ferias internacionales, ya que pueden utilizar eficientemente Internet para atraer a nuevos clientes extranjeros, proporcionar apoyo a los clientes actuales que viven en el extranjero, abastecerse de proveedores internacionales, y crear una conciencia de marca global.

Las empresas de éxito adaptan sus sitios Web para proporcionar contenidos y servicios específicos para cada país a sus mercados internacionales de más alto potencial, de ser posible en el idioma local. La búsqueda de información gratuita sobre el comercio y la exportación nunca ha sido tan fácil. Los siguientes son algunos sitios Web en los que se puede iniciar esta labor:

www.trade.gov	Administración de Comercio Internacional del Departamento de Comercio de Estados Unidos.
www.exim.gov	Banco de Importaciones y Exportaciones de Estados Unidos.
www.sba.gov	Administración de Pequeñas Empresas de Estados Unidos.
www.bis.doc.gov	Departamento de Industria y Seguridad, una rama del Departamento de Comercio de Estados Unidos.

Asimismo, muchas oficinas estatales de promoción a la exportación tienen recursos online, y permiten que las empresas establezcan vínculos a los mismos en sus sitios Web.

Concesión de licencias

La concesión de licencias representa una forma sencilla de incorporarse a los mercados internacionales. La empresa otorgante concede una licencia a una organización extranjera para que utilice un proceso de fabricación, una marca registrada, una patente, un secreto industrial o cualquier otro elemento de valor, a cambio del pago de derechos. De esta forma, la empresa que otorga la licencia podrá entrar en un mercado extranjero con poco riesgo, y la compañía que la recibe ganará conocimientos y experiencia, así como un producto o una marca de renombre.

Sin embargo, la empresa otorgante tiene menos control sobre la que obtiene la licencia que sobre su propia producción y volumen de ventas. Es más, si la empresa que recibe la licencia tiene mucho éxito, la compañía otorgante habrá dejado pasar la oportunidad de conseguir más utilidades, y cuando el contrato llegue a su fin, podría encontrarse con que ha creado un competidor fuerte. Para evitar esta situación, la empresa otorgante suele proveer determinados ingredientes o piezas necesarias para la fabricación del producto (como hace Coca-Cola). Sin embargo, la mejor estrategia para la empresa otorgante es innovar de modo que la organización concesionaria siga dependiendo de ella.

Existen diversas variantes del sistema de concesión de licencias. Algunas empresas, como Hyatt y Marriott, venden *contratos de gestión* a propietarios de hoteles extranjeros, para que se hagan cargo de estos negocios a cambio de una cuota. Estas empresas podrían tener la opción de comprar acciones del negocio gestionado durante un determinado periodo.

En un *contrato de fabricación*, la empresa contrata fabricantes locales para que produzcan un artículo determinado. Cuando Sears abrió sus grandes almacenes en México, encontró fabricantes locales calificados para la producción de muchos de sus artículos. Los contratos de fabricación tienen el inconveniente de que la empresa otorgante pierde control sobre el proceso productivo y sacrifica una parte de las utilidades que éste genera. Sin embargo, ofrece a la organización la oportunidad de comenzar a operar pronto en un país, y asociarse o comprar el negocio del productor local más adelante.

Por último, las empresas también tienen la posibilidad de entrar en un mercado extranjero por medio de una *franquicia*, que es una forma de concesión de licencias más completa. Quien otorga la franquicia ofrece un concepto de marca y un sistema operativo; a cambio, quien recibe la franquicia invierte y paga una cuota determinada al primero. McDonald's, Ramada y Avis han entrado en decenas de países con sus conceptos de franquicias minoristas, y haciendo que su marketing sea culturalmente relevante.[36]

KFC Corporation KFC es la cadena de comida rápida a base de pollo más grande del mundo, atiende a más de 12 millones de clientes en más de 5 200 restaurantes en Estados Unidos, y tiene más de 15 000 unidades en 109 países y territorios alrededor del mundo. KFC es mundialmente famoso por la "receta original" de su pollo frito, hecha con la misma mezcla secreta de 11 hierbas y especias que el coronel Harland Sanders perfeccionó hace más de medio siglo. Su éxito en Asia es muy ilustrativo:

Al adaptar su marketing a las diferentes regiones del mundo, KFC ha tenido un gran éxito global, como con sus numerosos restaurantes en China.

- Cuando KFC entró en el mercado nipón en 1970, los japoneses consideraban que la comida rápida era artificial, que estaba hecha con medios mecánicos, y que resultaba poco saludable. Para generar confianza en la marca, transmitir la hospitalidad del sur estadounidense y las antiguas tradiciones del país, su publicidad mostraba los inicios del coronel Sanders en Kentucky. La campaña fue un gran éxito. Hoy en día KFC ofrece en ese mercado pollo con sabor a salsa de soja y de ajonjolí, y un emparedado de salmón frito con panko.
- En China, KFC es la cadena de restaurantes de servicio rápido más grande, más antigua, más popular y de más rápido crecimiento, con más de 3 400 restaurantes en 650 poblaciones o ciudades, y sustanciales márgenes del 20% por establecimiento. Usando su propio sistema de suministro y distribución, se ha expandido rápidamente en ciudades cada vez más pequeñas. La empresa también ha adaptado su menú a los gustos locales, con elementos como el "Twister dragon", un emparedado relleno de tiras de pollo, salsa de pato Pekín, pepinos y cebolletas. KFC incluso tiene una mascota china: un amigable personaje llamado Chicky que, según presume la empresa, se ha convertido en el "Ronald McDonald de China".

Empresas conjuntas

Históricamente, los inversionistas extranjeros han tendido a unirse a los inversionistas locales en una **empresa** conjunta (o *joint venture*) en la que comparten la propiedad y el control del negocio. Para llegar a mercados más geográficos y tecnológicos, y para diversificar sus inversiones y riesgos, GE Money (la sección de préstamos minoristas de GE) considera que las empresas conjuntas son una de sus "herramientas estratégicas más poderosas". Ha formado este tipo de sociedades con instituciones financieras de Corea del Sur, España, Turquía y otros países.[37] En los mercados emergentes, sobre todo los de naciones grandes y complejas como China e India, operan muchas empresas conjuntas.

Una empresa conjunta puede resultar necesaria o aconsejable por razones económicas o políticas. Podría darse el caso de que la compañía extranjera carezca de los recursos financieros, físicos o administrativos para lanzarse a la aventura por sí sola, o que el gobierno del país en cuestión exija la participación conjunta con una empresa local como condición para entrar en el mercado. La propiedad conjunta, sin embargo, también tiene sus desventajas. Los socios podrían no estar de acuerdo con el volumen de inversión necesario, el marketing o cualquier otra política. Uno podría desear reinvertir las ganancias para crecer, y el otro para declarar más dividendos. Asimismo, las empresas conjuntas podrían representar obstáculos para que la organización multinacional aplique políticas específicas de fabricación y marketing a escala mundial.

El valor de una asociación puede extenderse mucho más allá del aumento de las ventas o del acceso a la distribución. Los buenos socios comparten los "valores de la marca" que les ayudan a mantener la coherencia de la marca a través de los mercados. Por ejemplo, el firme compromiso de McDonald's hacia la estandarización de sus productos y servicios, es una de las razones por las que sus puntos de venta son muy similares en todo el mundo. McDonald's selecciona a sus socios globales, uno por uno, para encontrar a los "triunfadores compulsivos" que desplegarán el esfuerzo deseado.

Inversión directa

La máxima expresión de la participación en mercados extranjeros es la propiedad directa: la empresa extranjera puede adquirir la totalidad o una parte de una compañía local, o construir su propia fábrica o instalación de servicio. Cisco no tenía presencia en India antes de 2005, pero abrió una segunda sede en Bangalore para aprovechar las oportunidades en India y otros lugares, como Dubai.[38]

Si el mercado es lo suficientemente grande, la inversión directa ofrece una serie de ventajas. En primer lugar, la empresa asegura la posibilidad de disfrutar economías de escala en forma de mano de obra o materias primas a precios inferiores, incentivos a la inversión por parte del gobierno del país, y ahorros en los gastos de transporte. En segundo lugar, la empresa refuerza su imagen en el país que recibe la inversión, porque genera puestos de trabajo. En tercer lugar, la empresa desarrolla una relación más estrecha con el gobierno, los clientes, los proveedores locales y los distribuidores, lo que le permite adaptar mejor sus productos al entorno local. En cuarto lugar, la empresa conserva todo el control sobre su inversión y, por lo tanto, puede establecer las políticas de producción y de marketing que se ajusten a sus objetivos internacionales a largo plazo. Por último, la empresa se asegura el acceso al mercado en caso de que el país de destino insista en que los productos del mercado deben contener cierto porcentaje de elementos de manufactura nacional.

La desventaja principal de la inversión directa es que la empresa se expone a riesgos de inversión importantes, por ejemplo, que la moneda se congele o se devalúe, que el mercado enfrente condiciones adversas o que se proceda a la expropiación. También es factible que la empresa no sea capaz de reducir o terminar sus operaciones en el país como consecuencia de las indemnizaciones exigidas para los trabajadores despedidos.

TABLA 21.2 Ventajas y desventajas del markenting globlal estandarizado

Ventajas
Economías de escala en la producción y la distribución.
Menores costos de marketing.
Mayor poder y alcance.
Consistencia en la imagen de marca.
Capacidad de desarrollar las buenas ideas de manera rápida y eficaz.
Uniformidad en las prácticas de marketing.
Desventajas
Ignora las diferencias en las necesidades, los deseos y los patrones de uso de productos de los consumidores.
Ignora las diferencias en la respuesta de los consumidores ante los programas y actividades de marketing.
Ignora las diferencias en el desarrollo de marcas y productos, y en el entorno competitivo.
Ignora las diferencias en el entorno legal.
Ignora las diferencias en las instituciones de marketing.
Ignora las diferencias en los procedimientos de gestión.

La decisión sobre el programa de marketing

Las empresas internacionales deben decidir en qué medida adaptarán su estrategia de marketing a las condiciones locales.[39] En un extremo se encuentra el *programa de marketing estandarizado* para todo el mundo, el cual promete los costos más bajos; la tabla 21.2 resume algunas de sus ventajas y desventajas. En el otro extremo se encuentra el *programa de marketing adaptado*, en el que la empresa —en congruencia con el concepto de marketing— considera que las necesidades de los consumidores varían y adapta su marketing a cada mercado meta.

Similitudes y diferencias globales

El desarrollo de la Web, la propagación de la televisión por cable y satélite, y la conexión global de las redes de telecomunicaciones han dado lugar a una convergencia de estilos de vida. Las necesidades y deseos cada vez más comunes han creado mercados globales para productos más estandarizados, en particular entre los jóvenes de clase media. Alguna vez blanco de burlas, tras ser adquirido por Volkswagen, el fabricante de automóviles checo Skoda utilizó sus inversiones para mejorar su calidad e imagen y para ofrecer una opción accesible a los consumidores de bajos ingresos de todo el mundo.[40]

Al mismo tiempo, los consumidores seguirán variando significativamente en los diferentes mercados.[41] El promedio de edad en India y China es de 25 años, y en Japón, Alemania e Italia de aproximadamente 43 años. Cuando se les preguntó si estaban más preocupados por conseguir una marca específica que el mejor precio, aproximadamente dos tercios de los consumidores estadounidenses dijeron que sí, en comparación con cerca del 80% en Rusia e India.[42] Consideremos los siguientes hechos relativos a las bebidas:[43]

- En Estados Unidos el consumo de bebidas gaseosas (refrescantes) per cápita es de 760 porciones de ocho onzas, el más alto del mundo. Los mexicanos beben 674 porciones al año, los brasileños 315, los rusos 149 y los chinos 39.
- Cuando se trata de cerveza, la República Checa lidera el grupo en Europa, con 81.9 litros per cápita; Noruega es uno de los más bajos con 40.3 litros.

- En lo que se refiere al vino, Portugal encabeza la lista europea con 33.1 litros per cápita, mientras que Finlandia es uno de los más bajos, con 9.9 litros.

El comportamiento de los consumidores es capaz de reflejar diferencias culturales que pueden ser pronunciadas a través de los diferentes países.[44]

Hofstede identifica cuatro dimensiones culturales que diferencian a los países:[45]

1. ***Individualismo frente a colectivismo.*** En las sociedades colectivistas, el valor individual de una persona está más arraigado en el sistema social que en los logros personales (colectivismo alto: Japón; colectivismo bajo: Estados Unidos).
2. ***Alta o baja distancia del poder.*** Las culturas con alta distancia del poder suelen ser menos igualitarias (alta distancia del poder: Rusia; baja distancia del poder: los países nórdicos).
3. ***Masculino o femenino.*** Esta dimensión se refiere al grado en que la cultura está dominada por hombres autoritarios o por mujeres educadas (muy masculino: Japón; poco masculino: los países nórdicos).
4. ***Rechazo a la incertidumbre.*** El rechazo a la incertidumbre indica qué tanta aversión al riesgo tienen las personas (alto rechazo: Grecia; bajo rechazo: Jamaica).

Las diferencias de comportamiento del consumidor, así como los factores históricos de los mercados, provocan que los especialistas en marketing posicionen sus marcas de manera diferente en los distintos mercados.[46]

- La cerveza Heineken es una oferta de muy alta calidad y precio en Estados Unidos, pero de calidad y precio medios en su mercado nacional holandés.
- Los automóviles Honda denotan velocidad, juventud y energía en Japón, y calidad y confiabilidad en Estados Unidos.
- El Toyota Camry es el automóvil de la clase media por excelencia en Estados Unidos, pero es muy elegante en China, aunque en ambos mercados los autos difieren sólo en sus formas estéticas.

Adaptación de marketing

Debido a todas estas diferencias, la mayoría de los productos requieren por lo menos de cierta adaptación. Incluso la Coca-Cola es más dulce o menos carbonatada en ciertos países. En lugar de asumir que puede introducir su producto nacional "como es" en otra nación, la empresa debe examinar los siguientes elementos y determinar cuáles suman más ingresos que costos si se adaptan:

- Características del producto.
- Etiquetado.
- Colores.
- Materiales.
- Promoción de ventas.
- Marca.
- Envasado.
- Ejecución de la publicidad.
- Precios.
- Temas de la publicidad.
- Medios de publicidad.

Las mejores marcas globales tienen un tema consistente, pero reflejan las diferencias significativas en lo que se refiere al comportamiento del consumidor, el desarrollo de marca, las fuerzas competitivas, y el entorno jurídico y político.[47] Un consejo muy citado, y a veces modificado, que deben considerar los especialistas en marketing de marcas globales es el de "Pensar de manera global, pero actuar de manera local". Con este espíritu, HSBC se ha posicionado explícitamente como "el banco local del mundo". Tomemos a McDonald's como otro ejemplo.[48]

McDonald's McDonald's permite que cada país y región personalicen su diseño y menú básicos. En China, el maíz reemplaza las patatas fritas de las Cajitas Felices (*Happy Meals*), algunos restaurantes de Estados Unidos ofrecen batidos de frutas, y Australia y Francia cuentan con salones parecidos a los de Starbucks. En India, la Maharaja Mac con carne de ovino reemplaza a la Big Mac de carne de res, y se ofrecen burritos de requesón y hamburguesas de patata a los consumidores vegetarianos. En las ciudades plagadas de embotellamientos de tránsito, como Manila, Taipei, Yakarta y El Cairo, McDonald's entrega a domicilio utilizando flotas de motocicletas.

McDonald's personaliza sus ofertas de menús, e incluso su servicio de entrega a domicilio, para adaptarse a los mercados en los que vende: en las ciudades con mucho tránsito hace entregas a domicilio utilizando motocicletas.

Las empresas deben asegurarse de que sus marcas sean relevantes para los consumidores en todos los mercados en que entran (vea "Apuntes de marketing: Los Diez Mandamientos del branding global").

A continuación analizaremos algunos temas específicos del desarrollo global de productos, comunicaciones, precios y estrategias de distribución.

Apuntes de marketing

Los Diez Mandamientos del branding global

Las siguientes directrices contribuirán a que las empresas aprovechen muchas de las ventajas del branding global y minimicen sus desventajas potenciales:

1. *Comprender el panorama del branding global.* Los mercados internacionales raramente son idénticos o completamente diferentes unos de otros en términos de desarrollo de marca, comportamiento de los consumidores, actividad de la competencia o restricciones legales.
2. *Evitar tomar atajos en la creación de la marca.* Para erigir una marca se debe empezar por el principio y seguir un orden, tanto desde un punto de vista estratégico (creando conciencia de marca antes que imagen de marca), como desde una perspectiva táctica (creando fuentes generadoras de *brand equity*).
3. *Establecer una infraestructura de marketing.* La infraestructura de marketing se debe crear ya sea a partir de cero, o bien, adaptando y modificando la infraestructura existente en otros países.
4. *Integrar las comunicaciones de marketing.* Muchas formas de comunicación funcionan en los mercados extranjeros, no sólo la publicidad.
5. *Formar alianzas de marca.* Casi todas las empresas que tienen marcas globales eligen cuidadosamente a los socios de marketing que les ayudarán a mejorar su distribución, rentabilidad y valor añadido.
6. *Equilibrar la estandarización y la personalización.* Con frecuencia los envases y los nombres de marca pueden ser estandarizados, mientras que los canales de distribución y las comunicaciones suelen requerir una mayor personalización.
7. *Equilibrar el control global y el local.* Las empresas deben equilibrar el control global y el local dentro de la organización, y distribuir la toma de decisiones entre los directivos locales y globales.
8. *Establecer directrices operativas.* La definición de la marca y de las directrices permite que los especialistas en marketing de todas partes sepan qué deben hacer y qué no deben hacer. Su objetivo es comunicar y hacer cumplir las reglas para el posicionamiento y el marketing de la marca.
9. *Aplicar un sistema global de medición de brand equity.* La información obtenida del sistema global de medición de *brand equity* permite que los especialistas en marketing tomen las mejores decisiones e implementen las tácticas más adecuadas a corto y largo plazo para cada mercado.
10. *Reforzar los elementos de marca.* La aplicación y el diseño adecuados de los elementos de marca y los identificadores de la marca registrada constituyen una fuente incalculable de *brand equity* en todo el mundo.

Fuente: Adaptado de Kevin Lane Keller y Sanjay Sood, "The Ten Commandments of Global Branding", *Asian Journal of Marketing* 8, núm. 2 (2001), pp. 97-108.

Estrategias para los productos globales

El desarrollo de estrategias para productos globales demanda conocer qué tipos de productos o servicios pueden estandarizarse fácilmente, y cuáles estrategias de adaptación son las adecuadas.

ESTANDARIZACIÓN DE LOS PRODUCTOS Algunos productos cruzan las fronteras sin adaptación alguna, pero otros exigen diversos ajustes. Mientras que los productos maduros tienen diferentes historias o posiciones en los distintos mercados, el conocimiento del consumidor sobre los nuevos productos generalmente es el mismo en todas partes, porque aún no se han formado percepciones sobre ellos. Muchas marcas líderes de Internet, como Google, eBay y Amazon.com, progresaron rápidamente en los mercados extranjeros.

Los productos de alta calidad también se ven beneficiados por la estandarización, porque la calidad y el prestigio a menudo pueden comercializarse de manera similar en todos los países. A los vendedores de alimentos y bebidas les resulta más difícil la estandarización, debido a que los gustos y los hábitos culturales son muy variados. Los factores culturales y la riqueza influyen en la rapidez con que un nuevo producto se aceptará en un país, a pesar de que los índices de adopción y difusión cada vez se parecen más en todas las naciones.[49]

Las empresas pueden destacar sus productos de manera diferente en cada mercado. IBM tiene un enfoque de dos vías para su negocio de servicios: debido a que sus clientes estadounidenses a menudo quieren economizar, se centra en ayudarles a reducir costos; en cuanto a sus clientes en mercados en desarrollo, que buscan modernizarse y ponerse al día con otros países, IBM los ayuda a desarrollar su infraestructura tecnológica. En su negocio de equipamiento médico, Philips reserva sus productos de mayor calidad y precio a mercados desarrollados, y hace hincapié en los productos con funcionalidades básicas y accesibles en los mercados en desarrollo.[50]

ESTRATEGIAS DE ADAPTACIÓN DE PRODUCTO Warren Keegan distingue cinco estrategias de adaptación de producto y comunicaciones (vea la figura 21.3).[51] En esta sección analizaremos las estrategias de producto, y en la siguiente examinaremos las estrategias de comunicación.

La **extensión directa** supone introducir el producto en el mercado extranjero sin modificación alguna. Esta alternativa es tentadora, ya que no requiere un mayor gasto en investigación y desarrollo o en el uso de nuevas herramientas de fabricación ni la modificación de la promoción, y ha tenido éxito en las cámaras fotográficas, los productos electrónicos de consumo y numerosas herramientas mecánicas. En otros casos, ha sido un desastre. Campbell Soup Company perdió un estimado de 30 millones de dólares cuando introdujo sus sopas condensadas en Inglaterra: los consumidores sólo vieron pequeñas y costosas latas, y no se dieron cuenta de que había que agregarles agua para aumentar su rendimiento.

Comunicaciones	Producto		
	El producto no cambia	El producto se adapta	Se desarrolla un nuevo producto
Las comunicaciones no cambian	Extensión directa	Adaptación del producto	Invención de productos
Las comunicaciones se adaptan	Adaptación de la comunicación	Adaptación dual	

|Fig. 21.3|

Cinco estrategias de productos y comunicación internacionales

La **adaptación del producto** supone alterarlo para satisfacer las condiciones o preferencias locales. La fabricación flexible permite que sea más fácil hacerlo en varios niveles.

- Una empresa puede fabricar una *versión regional* de su producto, digamos, una versión especial para Europa Occidental. La superestrella finlandesa de la telefonía móvil, Nokia, personalizó su serie de teléfonos 6100 para todos sus mercados principales. Los desarrolladores les agregaron un sistema de reconocimiento de voz rudimentario en Asia, donde los teclados son un problema, y aumentaron el volumen de los tonos para que los usuarios pudieran oírlos en las transitadas calles asiáticas.
- Las empresas también pueden fabricar una *versión por país* de sus productos. Kraft mezcla diferentes cafés para el público británico (que bebe café con leche), para el público francés (que bebe café solo) y para el público latinoamericano (que prefiere el sabor de la achicoria).
- Las empresas pueden producir una *versión por ciudad* de su producto, por ejemplo, una cerveza que se ajuste a los gustos de Munich o de Tokio.
- Las empresas también pueden fabricar diferentes *versiones por minorista* de su producto, por ejemplo, un café para la cadena Migros y otro para Cooperative, ambas suizas.

Algunas empresas han aprendido sobre la adaptación de una forma difícil. El parque temático Euro Disney, puesto en marcha en las afueras de París en 1992, fue duramente criticado como un ejemplo del imperialismo cultural estadounidense, ya que ignoró las costumbres y los valores de Francia; por ejemplo, servir vino con las comidas. Como señaló un ejecutivo de Euro Disney: "Cuando inauguramos el parque creímos que la marca Disney sería suficiente. Ahora nos damos cuenta de que nuestros clientes necesitan sentirse bien recibidos, de acuerdo con su propia cultura y hábitos de viaje". El parque temático fue rebautizado como Disneyland París, y al final se convirtió en la mayor atracción turística de Europa —siendo incluso más popular que la Torre Eiffel—, gracias a la aplicación de una serie de cambios y la utilización de más toques locales.[52]

La **invención de productos** consiste en crear algo nuevo, y puede adoptar dos formas:

- La **invención hacia el pasado** reintroduce formas anteriores de un producto, que se pueden adaptar bien a las necesidades de otro país. La National Cash Register Company reintrodujo su caja registradora manual a la mitad del precio de una registradora moderna, y vendió un volumen importante en Latinoamérica y África.
- La **invención hacia adelante** consiste en crear un producto nuevo para satisfacer una necesidad en otro país. Las naciones menos desarrolladas necesitan productos alimenticios ricos en proteínas y de bajo costo. Empresas como Quaker Oats, Swift y Monsanto estudian las necesidades nutricionales de estos países, elaboran alimentos nuevos y desarrollan campañas publicitarias para impulsar la prueba del producto y su aceptación.

ADAPTACIÓN DEL ELEMENTO DE MARCA Es posible que cuando los especialistas de marketing lancen productos y servicios a nivel mundial, tengan que cambiar algunos elementos de la marca.[53] Incluso una marca conocida podría requerir de la elección entre su traducción fonética y semántica.[54] Cuando Clairol presentó su rizador "Mist Stick" en Alemania, descubrió que en alemán "mist" es el argot para abono. Asimismo, a veces es necesario cambiar los eslóganes o los lemas de los anuncios de la marca:[55]

- Cuando Coors tradujo el eslogan de su marca "Turn it loose" al español, aprendió que podía interpretarse como "padecer diarrea".
- Un anuncio de detergente que en inglés decía algo así como "acaba con las partes más sucias" se tradujo al francés de Quebec de tal manera que podía interpretarse como "un jabón para lavar las partes íntimas".
- El eslogan de Perdue en inglés, "It takes a tough man to make a tender chicken" ("Se necesita un hombre fuerte para criar un pollo tierno"), fue traducido al español como "Se necesita un hombre excitado sexualmente para que una chica sea cariñosa".

Disneyland obtuvo un mayor éxito cuando se adaptó mejor a la cultura y a las tradiciones locales.

- El eslogan de las aspiradoras Electrolux en Gran Bretaña, "Nothing sucks like an Electrolux" ("Nada aspira como una Electrolux"), desde luego no atraería en absoluto a los consumidores de Estados Unidos, donde el verbo "suck" tiene una connotación vulgar.

La tabla 21.3 enumera otros famosos errores de marketing en esta área.

TABLA 21.3 Errores clásicos en el marketing global
• Las tarjetas Hallmark fracasaron en Francia, donde a los consumidores les disgustan los mensajes empalagosos y prefieren escribir sus propias tarjetas de felicitación.
• Philips logró generar ganancias en Japón sólo después de que redujo el tamaño de sus cafeteras para que cupieran en las pequeñas cocinas de ese país, y el de sus máquinas de afeitar para que se ajustaran a las pequeñas manos de los japoneses.
• El producto Tang de General Foods al principio fracasó en Francia porque se posicionó como un sustituto del jugo (zumo) de naranja para el desayuno. Los franceses casi no consumen jugo de naranja, y menos en el desayuno.
• Las Pop-Tarts de Kellogg's fueron un fracaso en Gran Bretaña porque el porcentaje de hogares con tostadoras era significativamente más bajo que en Estados Unidos y porque el producto era demasiado dulce para el gusto de los británicos.
• En un principio, la campaña estadounidense para la pasta dental Crest de Procter & Gamble fracasó en México. Los mexicanos no se preocupan tanto por la prevención de las caries, por lo que no les atrajo la publicidad basada en información de carácter científico.
• General Foods gastó millones de dólares al tratar de introducir sus mezclas de polvo para preparar pasteles en Japón, donde sólo el 3% de los hogares tenía hornos en esa época.
• Al principio, la cera para pisos S.C. de Johnson fracasó en Japón, ya que hacía muy resbaladizos los pisos en una cultura en donde las personas no usan zapatos en casa.

Estrategias globales de comunicación

El ajuste de los programas de comunicación para cada mercado local es un proceso denominado **adaptación de la comunicación**. Si la empresa adapta tanto el producto como las comunicaciones al mercado local, se dice que ha realizado una **adaptación dual**.

Veamos qué ocurre con el mensaje. La empresa puede utilizar un mensaje en todas partes, variando sólo el idioma, el nombre y tal vez los colores para evitar los tabús relacionados con ellos en algunos países.[56] En Birmania y en algunas naciones latinoamericanas, el púrpura se asocia con la muerte; el blanco es un color de luto en India, y en Malasia el verde connota enfermedad.[57]

La segunda posibilidad consiste en utilizar el mismo mensaje y tema creativo a nivel global, pero adaptando su ejecución. La campaña publicitaria global de GE, "Ecomagination", sustituye sus contenidos creativos en Asia y Oriente Medio para reflejar los intereses culturales de la región. Las adaptaciones locales incluso podrían ser necesarias en el sector de la alta tecnología.[58]

Apple

Apple La exitosa campaña publicitaria de Apple Computer, "Mac vs. PC", presentaba dos actores haciendo bromas. Uno era moderno (Apple) y el otro un *nerd* (PC). Apple transmitió los anuncios en España, Francia, Alemania e Italia, pero decidió volver a filmarlos con un guión distinto para el Reino Unido y Japón, dos mercados importantes con culturas muy singulares en cuanto a publicidad y comedia. Los anuncios para el Reino Unido siguieron una fórmula similar, pero incluían a dos conocidos actores de carácter y las bromas se ajustaron para reflejar el humor británico; los anuncios japoneses evitaban las comparaciones directas, y su tono era más sutil; los dos personajes eran más parecidos y eran interpretados por cómicos de un grupo local llamado Rahmens, que representaban el trabajo (PC) en comparación con el hogar (Mac).

El tercer enfoque, que ha sido utilizado por Coca-Cola y Goodyear, consiste en desarrollar un conjunto de anuncios publicitarios para que cada país seleccione el más apropiado a su idiosincrasia. Por último, algunas empresas permiten que sus directivos nacionales creen anuncios específicos para cada país, desde luego, bajo ciertas directrices. El reto consiste en hacer que el mensaje sea tan convincente y eficaz como en el mercado nacional de la empresa.

ADAPTACIONES GLOBALES Las empresas que adaptan sus comunicaciones deben enfrentar una serie de desafíos. En primer lugar, es preciso que se aseguren de que sus comunicaciones sean legal y culturalmente aceptables. En muchos países musulmanes no se puede anunciar ni vender cervezas, vinos ni bebidas alcohólicas. En muchos lugares, los productos derivados del tabaco están sujetos a una estricta regulación.

Los fabricantes de juguetes estadounidenses se sorprendieron al saber que en muchos países (Noruega y Suecia, por ejemplo) los anuncios de televisión no se pueden dirigir a niños menores de 12 años. Para ir sobre seguro, McDonald's se anuncia como un restaurante familiar en Suecia.

A continuación, las empresas deben revisar la conveniencia de sus estrategias creativas y de sus enfoques de comunicación. Los anuncios que comparan un producto con el de la competencia, aunque aceptables e incluso comunes en Estados Unidos y Canadá, son menos frecuentes en el Reino Unido, inaceptables en Japón, e ilegales en India y Brasil. La Unión Europea parece tener una tolerancia muy baja a la publicidad comparativa, y prohíbe atacar a los rivales en los anuncios.

Las empresas también deben estar preparadas para variar el atractivo de sus mensajes.[59] Al hacerle publicidad a sus productos para el cuidado del cabello, Helene Curtis descubrió que las mujeres británicas de clase media se lavaban el cabello con frecuencia, pero las españolas no tanto. Las mujeres japonesas evitaban lavarse el cabello demasiado por temor a eliminar sus aceites protectores naturales. Es posible que también los usos idiomáticos varíen, ya sea la lengua local, otros idiomas como el inglés, o alguna combinación de ellos.[60]

Muchos mensajes requieren ajustes porque la marca está en una etapa inicial de desarrollo en su nuevo mercado. A veces puede ser necesario que los esfuerzos de desarrollo de marca de un producto en específico vayan acompañados por información sobre el mismo.

- En algunos mercados asiáticos en desarrollo los consumidores adoraban la marca Coca-Cola, pero nunca la habían probado. Se les tuvo que recomendar que la bebieran fría.[61]
- Cuando lanzó su champú Chik en zonas rurales del sur de India, donde el cabello se lava con agua y jabón, CavinKare informó a las personas cómo utilizar el producto a través de demostraciones "en vivo" y regalando muestras del producto en las ferias.[62]

Es posible que las tácticas de ventas personales también se tengan que modificar. El enfoque directo que se prefiere en Estados Unidos ("vayamos al grano" y "¿qué gano con esto?") podría no funcionar tan bien en Europa o en Asia, en donde son mejor recibidos los mensajes indirectos y sutiles.[63]

Estrategias globales de precios

Las empresas multinacionales que venden en el extranjero deben lidiar con las tazas, impuestos y márgenes asociados con la actividad de exportación y con la transferencia de precios (así como con los cargos por *dumping*). Dos problemas especialmente difíciles en cuando a fijación de precios son los mercados paralelos y las falsificaciones.

ESCALADA DE PRECIOS Un bolso Gucci podría venderse por 120 dólares en Italia y por 240 dólares en Estados Unidos. ¿Por qué? La razón es que Gucci tiene que añadir a su precio de fabricación los costos de transporte, los aranceles, los márgenes de ganancia del importador, del mayorista y del minorista. La **escalada de precios** de estos costos adicionales y el riesgo de la fluctuación monetaria pueden provocar que el precio aumente de dos a cinco veces en otro país para que el fabricante obtenga las mismas ganancias.

Las empresas tienen tres opciones para fijar los precios en los distintos países:

1. ***Establecer un precio único generalizado.*** PepsiCo podría querer cobrar 75 centavos por lata en todo el mundo, pero entonces la empresa obtendría márgenes de ganancia muy diferentes en los distintos países. Además, esta estrategia daría como resultado que el precio fuera demasiado elevado en las naciones pobres, y no lo suficientemente alto en los países ricos.
2. ***Establecer un precio para cada país según el mercado.*** PepsiCo podría estar interesada en cobrar lo que cada país estuviera en condiciones de pagar. Sin embargo, esta estrategia pasa por alto las diferencias en el costo real de una nación a otra. Además, podría motivar a los intermediarios de países de bajo precio a revender el producto a países con precios más elevados.[64]
3. ***Un precio para cada país según los costos.*** En este caso, PepsiCo utilizaría un margen estándar para todos sus costos, pero esto provocaría que sus precios resultaran desorbitados en los países donde sus costos son elevados.

Cuando las empresas venden sus productos a través de Internet, el precio se hace transparente y la diferenciación de precios entre los países disminuye. Pongamos como ejemplo un curso de formación online. En tanto que el precio de un día de formación dentro del aula puede variar significativamente entre Estados Unidos y Francia o Tailandia, el precio de un día de formación online sería similar en todas partes.

Otro de los nuevos retos globales para la fijación de precios estriba en que los países con exceso de capacidad, monedas baratas y necesidad de exportar agresivamente han hecho que los precios bajen y las monedas se devalúen. La débil demanda y la renuencia a pagar precios más altos hace que vender en estos mercados sea muy difícil. Esto es lo que hizo IKEA para competir en el complejo mercado de precios de China.[65]

PRECIOS DE TRANSFERENCIA Un problema diferente se presenta cuando una unidad cobra a otra de la misma empresa un **precio de transferencia** por los bienes que envía a las filiales en otros países. Si la empresa cobra un precio demasiado *alto* a su filial, podría terminar pagando aranceles muy elevados, aunque quizá pagara impuestos sobre el ingreso más bajos en el país extranjero. Si la empresa cobra un precio

IKEA

IKEA IKEA ha utilizado la fijación de precios de penetración en el mercado para comprender mejor el creciente mercado chino de mobiliario para el hogar. Cuando el gigante sueco de fabricación de muebles abrió su primera tienda en Beijing, en 2002, otros almacenes locales vendían copias de sus diseños a una fracción de los precios de IKEA. La única manera de atraer a los frugales clientes chinos fue recortar drásticamente los precios. Las marcas occidentales en China suelen fijar los precios de productos como el maquillaje y las zapatillas para correr entre 20 y 30% por encima de lo que cuestan en sus otros mercados, tanto para compensar los altos impuestos de importación de China, como para dar mayor prestigio a sus marcas. Al surtir sus tiendas en China con productos fabricados localmente, IKEA ha podido llevar sus precios hasta un 70% por debajo de su nivel fuera de China. A pesar de que todavía compite con persistentes imitaciones, IKEA mantiene tiendas de considerable tamaño en Beijing, Shanghai, Guangzhou, Chengdu y Tianjin, y abre uno o dos nuevos puntos de venta cada año.

demasiado *bajo* a su filial, podría incurrir en una práctica de ***dumping***, situación en la que la empresa establece un precio inferior a sus costos o fija un precio menor del establecido en el mercado nacional con la finalidad de entrar o ganar un nuevo mercado. Los gobiernos suelen estar atentos a este tipo de abusos, y a menudo obligan a las empresas a cobrar el **precio de mercado**, que es el precio que cobra la competencia por un producto igual o similar.

Cuando el Departamento de Comercio estadounidense detecta evidencia de *dumping*, puede imponer a la empresa culpable un arancel *antidumping*. Por ejemplo, tras descubrir que algunos exportadores y fabricantes de China estaban vendiendo neumáticos todo terreno en Estados Unidos a un precio entre el 11 y el 210% por debajo del valor justo de mercado, el Departamento de Comercio impuso aranceles de entre 11 y 52% a cuatro fabricantes de neumáticos chinos, y un arancel promedio del 25% a otros 23 fabricantes de dicho producto.[66]

MERCADOS PARALELOS Numerosas multinacionales sufren el problema del **mercado paralelo**, en el que los productos de marca se desvían de los canales de distribución autorizados tanto en su país de origen como en el extranjero. De alguna forma, los intermediarios del país con precios más bajos se las arreglan para vender sus productos en mercados con precios más altos, obteniendo así mayores utilidades. A menudo las empresas pueden encontrarse con algunos distribuidores emprendedores que compran más de lo que pueden vender en su propio país, y revenden la mercancía en otro para aprovechar las diferencias de precios.

Los estudios sugieren que las actividades del mercado paralelo representan miles de millones de dólares en ingresos cada año, y alrededor del 8% de las ventas globales totales de las tecnologías de la información, que ascienden a 725 mil millones de dólares. Los productores de tecnologías de la información pierden alrededor de 10 mil millones de dólares en ganancias en el mercado paralelo cada año.[67]

Los mercados paralelos crean un problema de parasitismo, lo cual provoca que las inversiones legítimas de los distribuidores que apoyan los productos de un fabricante sean menos productivas y que los sistemas de distribución selectiva sean más intensivos. Además, dañan las relaciones con los distribuidores, empañan el *brand equity* del fabricante de la marca y minan la integridad del canal de distribución. Incluso suponen riesgos para los consumidores si el producto aparentemente nuevo que piensan que están comprando está dañado, reetiquetado, es obsoleto, carece de garantía o soporte, o simplemente es una falsificación.

Las multinacionales tratan de evitar mercados paralelos aplicando normas a los distribuidores, aumentando los precios a los distribuidores de bajo costo, o alterando las características del producto o las garantías del servicio para los diferentes países.[68] 3Com demandó con éxito a varias empresas en Canadá (por un total de 10 millones de dólares) que proporcionaban ideas falsas, tanto oralmente como por escrito, para obtener grandes descuentos en los equipos de red de la empresa. Los equipos, que valían millones de dólares, iban a ser vendidos a una empresa estadounidense de software educacional y enviados a China y Australia, pero terminaron regresando a Estados Unidos.

Los productos falsificados son un dolor de cabeza para los fabricantes de bienes de lujo.

Un estudio demostró que la actividad del mercado paralelo se puede impedir de manera más eficaz cuando las multas son elevadas y los fabricantes pueden detectar las violaciones o imponer castigos de manera oportuna, o ambas cosas.[69]

PRODUCTOS FALSIFICADOS Si mencionamos una marca popular, lo más probable es que exista una versión falsificada de ella en algún lugar del mundo.[70] Se calcula que la falsificación cuesta más de un billón de dólares al año. El servicio de Aduanas y Protección Fronteriza de Estados Unidos incautó 260 millones de dólares en bienes en 2009; los principales infractores fueron China (81%) y Hong Kong (10%) y el principal producto fue el calzado (38%).[71]

Las falsificaciones se llevan una gran tajada de las ganancias de las marcas de lujo como Hermès, LVMH Moët Hennessy Louis Vuitton y Tiffany, pero las falsificaciones defectuosas pueden, literalmente, matar a las personas. Los teléfonos móviles con baterías falsificadas, las pastillas para frenos falsas hechas de recortes de pasto comprimido, y las piezas de avión falsificadas plantean riesgos para la seguridad de las personas. Prácticamente todos los productos son vulnerables a esto. Como comentó un consultor contra la falsificación: "Si se puede fabricar, se puede falsificar". La defensa contra los falsificadores es una lucha interminable; algunos observadores estiman que un nuevo sistema de seguridad puede durar únicamente algunos meses antes de que los falsificadores vuelvan a afectar las ventas.[72]

Internet ha sido especialmente problemática en este sentido. Después de inspeccionar miles de artículos, LVMH calculó que el 90% de los artículos de Louis Vuitton y Christian Dior que se vendían en eBay eran falsos, lo que provocó una demanda por parte de la empresa. Los fabricantes están contraatacando este problema a través de software de rastreo Web que detecta el fraude y advierte automáticamente a los aparentes infractores, sin necesidad de intervención humana. Gracias a estas aplicaciones, Acushnet, fabricante de los palos de golf y las pelotas Titleist, canceló 75 subastas de equipo falsificado en un solo día.[73]

La tecnología de rastreo Web busca tiendas y ventas falsas mediante la detección de nombres de dominio similares a las marcas legítimas, y sitios Web no autorizados que anuncian marcas y logotipos en sus páginas Web. También busca palabras clave como *descuento, barato, auténtico* y *variantes de fábrica*, así como colores en que los productos nunca fueron fabricados y precios demasiado bajos.

Estrategias de distribución global

Demasiados fabricantes estadounidenses piensan que su trabajo termina una vez que el producto sale de la fábrica. Sin embargo, harían bien en prestar atención a la forma en que se mueven sus productos por el extranjero, y en adoptar una visión amplia de la totalidad del canal para distribuir sus productos a los usuarios finales.

CANAL DE ENTRADA La figura 21.4 muestra los tres vínculos intermedios más importantes entre el vendedor y el usuario final. En el primero, las *oficinas de comercio exterior*, el departamento de exportación o la división internacional, toma la decisión sobre los canales y demás actividades de marketing. En el segundo, los *canales entre países* llevan los productos hasta la frontera de la nación extranjera. Las decisiones que se toman en esta fase incluyen el tipo de intermediarios (agentes, empresas de intermediación), el tipo de transporte (por aire, por mar) y los acuerdos sobre el financiamiento y el manejo de riesgos. En el tercero, los *canales extranjeros* llevan los productos desde el punto de entrada en el país hasta los compradores y los usuarios finales.

Cuando las multinacionales entran en un país por primera vez prefieren trabajar con distribuidores locales que conocen la zona, pero a menudo surgen fricciones entre ellos.[74] La multinacional se queja de que el distribuidor local no invierte en el crecimiento del negocio o no sigue las políticas de la empresa, y de que no comparte la información necesaria. El distribuidor local, por su parte, se queja de que no recibe suficiente apoyo, de que la empresa le fija objetivos imposibles de alcanzar, y de que las políticas son confusas. Las empresas multinacionales tienen que escoger a los distribuidores adecuados, invertir en ellos y fijar objetivos de desempeño en los que ambas partes estén de acuerdo.[75]

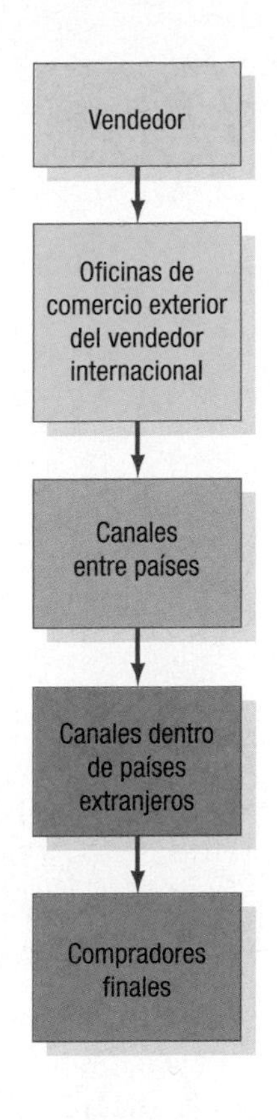

|Fig. 21.4|

Concepto de canal total para el marketing internacional

DIFERENCIAS DE CANAL Los canales de distribución varían considerablemente en cada país. Para vender productos de consumo en Japón, las empresas deben trabajar a través de uno de los sistemas de distribución más complicados del mundo. Primero venden a un mayorista general, que después vende a un mayorista de productos, el cual vende a un mayorista de productos especializados, y éste a un mayorista regional que vende a un mayorista local que, finalmente vende a los minoristas. Todos estos niveles de distribución pueden hacer que los precios al consumidor dupliquen o tripliquen los precios del importador. Si llevara estos mismos productos de consumo al África tropical, la empresa podría vender a un mayorista importador, el cual los vendería a varios intermediarios, que los comercializarían entre pequeños vendedores (en su mayoría mujeres) que trabajan en los mercados locales.

Otra diferencia reside en el tamaño y en la naturaleza de las unidades minoristas extranjeras. Las cadenas minoristas a gran escala dominan la escena estadounidense, pero gran parte del comercio minorista extranjero está en manos de pequeños minoristas independientes. En India, millones de minoristas operan pequeñas tiendas o venden en mercados al aire libre. Sus márgenes de ganancia son elevados, pero el precio real se reduce mediante el regateo. Los ingresos son bajos, y como la mayoría de los hogares carecen de dispositivos para almacenamiento y refrigeración, las personas compran diariamente sólo lo que pueden llevar a casa a pie o en bicicleta. En India, la gente suele comprar un cigarrillo a la vez. La reducción del tamaño mínimo de pedido continúa siendo una importante función de los intermediarios y ayuda a perpetuar los canales de distribución más largos, un gran obstáculo a la expansión de los grandes detallistas en los países en desarrollo.

Algunas veces las empresas cometen el error de adaptar las estrategias de infraestructura que fueron factores críticos para su éxito, sólo para descubrir que estos cambios erosionan la ventaja competitiva de la marca. Al principio de su introducción en el mercado europeo, Dell Computer abandonó su estrategia de distribución directa a favor de una red de minoristas tradicionales en los canales existentes, pero obtuvo muy malos resultados. Haciendo caso omiso de los críticos que afirmaban que el modelo de distribución directa nunca funcionaría en Europa, Dell renovó su enfoque directo y volvió a lanzar su línea de computadoras personales con un nuevo equipo directivo para ejecutar el modelo directo que había sido pionero en Estados Unidos, obteniendo como resultado un mayor éxito.

Cada vez son más los minoristas que están entrando en nuevos mercados globales, ofreciendo a las empresas la oportunidad de vender en más países, y creando retos para los distribuidores y minoristas locales.[76] Carrefour de Francia, Metro de Alemania, y Tesco del Reino Unido han establecido posiciones globales. Sin embargo, algunos de los minoristas más exitosos del mundo han tenido logros relativos en el extranjero. A pesar de haber vivido un éxito temprano y de sus esfuerzos coordinados en América Latina y China, Walmart tuvo que retirarse de los mercados de Alemania y Corea del Sur.

Efectos del país de origen

Las *percepciones del país de origen* son las asociaciones mentales y las creencias que provoca un país. Los funcionarios públicos tratan de fortalecer la imagen de su nación para ayudar a las empresas locales que se dedican a la exportación, y atraer a empresas e inversionistas extranjeros. Las empresas buscan utilizar las percepciones del país de origen de la forma más ventajosa posible para vender sus productos y servicios.

La imagen del país

En la actualidad, los gobiernos reconocen que la imagen de sus ciudades y países no sólo influye en el turismo, sino que también tiene un importante valor comercial. Si se consigue atraer a empresas extranjeras, la economía local se verá estimulada, se generarán puestos de trabajo y la infraestructura mejorará. Para su primera campaña publicitaria global de los automóviles de lujo Infiniti, Nissan optó por aprovechar sus raíces japonesas y su asociación con el arte y su ingeniería.[77]

Los países se están comercializando como cualquier otra marca.[78] Nueva Zelanda desarrolló programas de marketing coordinados tanto para vender sus productos fuera del país a través de su programa New Zealand Way (“a la manera neozelandesa”), como para atraer a los turistas mostrando los dramáticos paisajes que aparecieron en la trilogía fílmica *El señor de los anillos*. Ambos esfuerzos contribuyeron a difundir la imagen fresca y pura de Nueva Zelanda.[79]

Otra película influyó en la imagen de un país de una manera totalmente diferente. A pesar de que Kazajistán tiene una historia positiva que contar debido a su enorme tamaño, sus abundantes recursos naturales y su rápida modernización, el documental fársico *Borat*, del comediante británico Sacha Baron Cohen, mostraba al país de una manera a veces cruda y vulgar. Como señaló un funcionario del gobierno: “El único hecho real de la película es la ubicación geográfica de Kazajistán”. Afortunadamente, la irónica película también ha creado conciencia e interés en la nación, y un aumento turístico inesperado, debido a lo que se ha llamado el “rebote Borat”.[80]

A pesar de que la película Borat se burla de Kazajistán, también creó una gran conciencia e interés del público hacia ese país.

Las actitudes hacia los países también pueden cambiar con el paso del tiempo. Antes de la segunda guerra mundial Japón tenía una mala reputación, pero el éxito de Sony y de sus televisores Triniton, así como de los fabricantes de automóviles Honda y Toyota, ha conseguido cambiar la opinión pública. Asimismo, una empresa fuerte que emerge como un actor global puede hacer maravillas por la imagen de un país. Basándose parcialmente en el éxito global de Nokia, Finlandia lanzó una campaña para mejorar su imagen como centro de innovación tecnológica.[81]

Los acontecimientos del momento también pueden dar forma a la imagen de un país. Con el descontento público y las protestas violentas rodeando al programa de austeridad que debía enfrentar la crisis de la deuda de Grecia, las reservaciones (reservas) turísticas se redujeron hasta en 30 por ciento.[82]

Percepción de los consumidores respecto del país de origen

Los especialistas en marketing competentes saben que los compradores presentan distintas actitudes y creencias sobre las marcas y los productos de diferentes países.[83] Estas percepciones se pueden incluir como atributo en el proceso de toma de decisiones, o como factor de influencia de otros atributos (“si es francés, seguramente está a la moda”). El simple hecho de que una marca sea percibida como exitosa en el escenario global (ya sea por enviar una señal de calidad, por aprovechar los mitos culturales o por reforzar un sentido de responsabilidad social) puede generar credibilidad y respeto.[84] Diversos estudios han revelado lo siguiente:[85]

- Las personas suelen ser etnocéntricas y estar predispuestas a favorecer los productos nacionales, a menos que provengan de un país con escaso desarrollo.
- Cuanto más favorable sea la imagen de un país, más prominente debería ser la etiqueta "Hecho en...".
- El impacto del país de origen varía según el tipo de producto. Los consumidores quieren saber dónde se fabricó un automóvil, pero no les importa el país de origen del lubricante.
- Algunos países tienen reputación como fabricantes de determinados artículos: Japón de automóviles y productos electrónicos; Estados Unidos de innovación tecnológica, bebidas refrescantes, juguetes, cigarrillos y jeans; Francia de vinos, perfumes y artículos de lujo.
- En ocasiones, las percepciones sobre el país de origen engloban a todos los productos de esa nación. En un estudio se observó que los consumidores chinos en Hong Kong percibían los productos estadounidenses como artículos de prestigio, los japoneses como innovadores y los chinos como baratos.

Los especialistas en marketing deben tener en cuenta las percepciones sobre el país de origen tanto desde una perspectiva nacional como desde una perspectiva extranjera. En el mercado nacional estas percepciones podrían despertar los sentimientos patrióticos de los consumidores y recordarles su pasado. Conforme aumenta el comercio internacional, los consumidores conciben ciertas marcas como símbolos importantes de su patrimonio e identidad cultural.

Los temas patrióticos se han utilizado en estrategias de marketing por todo el mundo, a pesar de que pueden carecer de exclusividad y de que con frecuencia caen en excesos, especialmente durante las crisis económicas o políticas. Muchas pequeñas empresas aprovechan el orgullo de la comunidad para destacar sus raíces locales. Para tener éxito, éstas deben ser claramente locales y ofrecer productos y servicios atractivos.[86]

Algunas veces los consumidores no saben de dónde provienen las marcas. En las encuestas es común que se dé por sentado que Heineken es de origen alemán y Nokia es de origen japonés (en realidad son holandesa y finlandesa, respectivamente). Pocos consumidores saben que Häagen-Dazs y Estée Lauder se originaron en Estados Unidos.

Con la subcontratación y la fabricación extranjera es difícil saber cuál es realmente el país de origen de un producto. Sólo el 65% del contenido de un Ford Mustang proviene de Estados Unidos o Canadá, mientras que el Toyota Sienna es ensamblado en Indiana con el 90% de componentes locales. Los fabricantes de automóviles extranjeros están invirtiendo en plantas, proveedores y concesionarios, así como en centros de diseño, pruebas e investigación en América del Norte. Pero, ¿qué hace que un producto sea más "estadounidense": que tenga un porcentaje más alto de componentes del país o que cree más puestos de trabajo en él? Es probable que cada una de estas dos medidas conduzcan a una conclusión diferente.[87]

Muchas marcas han hecho todo lo posible por mezclarse en el tejido cultural de sus mercados extranjeros. Un ejecutivo de Coca-Cola habla sobre una niñita japonesa que visitó Estados Unidos y comentó a sus padres al ver una máquina expendedora de Coca-Cola: "¡Miren, aquí también tienen Coca Cola!". Para ella, Coca-Cola era una marca japonesa.

Incluso cuando Estados Unidos no siempre ha sido popular, sus marcas típicamente sí lo han sido. Un estudio reciente reveló que el 70% de los consumidores en los países en desarrollo, como Argentina o los Emiratos Árabes Unidos, sentían que los productos locales no eran tan buenos como las marcas internacionales.[88] En Arabia Saudita el queso envasado Kraft, las patatas fritas Lay y los restaurantes McDonald's eran considerados como marcas líderes en sus categorías. Como dijo un especialista de marketing estadounidense al hablar sobre este estudio: "A pesar de todos los problemas que tenemos como país, todavía somos considerados como la capital de productos de consumo del mundo".[89]

Las empresas tienen la opción de dirigirse a nichos para utilizarlos como trampolín en los mercados nuevos. La empresa china líder en refrigeradores, lavadoras y sistemas de aire acondicionado, Haier, se está abriendo camino en Estados Unidos entre los estudiantes universitarios que adquieren sus minirrefrigeradores de venta en Walmart y otros establecimientos. Los planes de Haier a largo plazo son introducir productos innovadores en otras áreas, como los televisores de pantalla plana y los minibares.[90]

La empresa china Haier tiene ambiciosos planes de vender sus diversos aparatos en Estados Unidos y en otros mercados.

Decisiones en torno a la organización del marketing

Las empresas pueden manejar sus actividades de marketing internacional de tres formas diferentes: mediante departamentos de exportación, divisiones internacionales o una organización global.

Departamento de exportación

Por lo general, la empresa se introduce en el marketing internacional mediante la venta de sus productos. Si estas ventas internacionales aumentan, la empresa organizará un departamento de exportación que estará integrado por un gerente de ventas y unos cuantos asistentes. Posteriormente, si las ventas siguen en aumento, se ampliará el departamento de exportación para incluir diferentes servicios de marketing para que la empresa pueda buscar oportunidades de negocio de forma más intensiva. En el momento en que la empresa realice inversiones directas o forme empresas conjuntas, el departamento de exportación dejará de ser adecuado para gestionar las operaciones internacionales.

División internacional

Tarde o temprano todas las empresas que participan en varios mercados internacionales o en empresas conjuntas crean una división internacional para poder manejar sus operaciones en el extranjero. A esta división la dirige un presidente, quien fija las metas, determina los presupuestos y se responsabiliza del crecimiento internacional de la empresa.

El personal de la división internacional se compone de varios especialistas en distintas funciones que suministran servicios a varias unidades operativas. Las unidades operativas pueden ser *organizaciones geográficas*, en las que los vicepresidentes regionales para América del Norte, Europa, África, Oriente Medio y el Lejano Oriente se encuentran bajo la supervisión del presidente de la división internacional. Estos vicepresidentes regionales recibirán los informes de los directores nacionales, quienes son responsables de la fuerza de ventas, las oficinas comerciales, los distribuidores y los concesionarios de sus países respectivos. Las unidades operativas también pueden constituir *grupos internacionales de producto*, cada uno con un vicepresidente internacional responsable de las ventas de un tipo de producto a escala mundial. Los vicepresidentes cuentan con la ayuda de especialistas en determinadas áreas de la empresa o con expertos en diferentes áreas geográficas. Por último, las unidades operativas pueden constituirse como *filiales internacionales* dirigidas por un presidente que depende del presidente de la división internacional.

Organización global

Algunas empresas se han convertido en verdaderas organizaciones globales. La alta dirección de la empresa planea la producción, las políticas de marketing, los flujos financieros y los sistemas de logística a escala mundial. Las unidades operativas internacionales dependen del director general o del comité ejecutivo, y no del responsable de una división internacional. La empresa capacita a sus directivos en operaciones internacionales, recluta ejecutivos de muchos países, adquiere componentes y suministros donde los puede conseguir a menores costos, y realiza inversiones donde los rendimientos anticipados son mayores.

Estas empresas se enfrentan a complejidades organizativas diversas. Por ejemplo, cuando la empresa fija el precio de una computadora central para una importante entidad bancaria en Alemania, ¿cuánta influencia debería tener el gerente de producto de la sede?, ¿y el director del departamento encargado del sector bancario?, ¿y el director nacional de Alemania?

Cuando las fuerzas de la "integración global" (producción intensiva de capital, demanda homogénea) son sólidas y las fuerzas de la "receptividad nacional" (barreras y normas locales, marcadas preferencias locales) son débiles, quizá tenga sentido utilizar una estrategia global que trate al mundo como un mercado único (lo cual ocurre, por ejemplo, con los productos electrónicos de consumo). Cuando sucede lo contrario, puede ser apropiado utilizar una estrategia multinacional que trate al mundo como una cartera de oportunidades nacionales (como se da en el caso de los productos alimenticios o de limpieza).[91]

LG, la empresa coreana con integración global, decidió contratar a varios altos directivos de empresas occidentales para contribuir en su transformación de "una potencia de ingeniería que se destacaba en la fabricación y venta en diferentes partes del mundo", a una "organización creadora de tendencias globalmente eficaz". A los nuevos directivos se les encargó la estandarización de la mezcla de procesos y sistemas que LG había desarrollado en los diferentes mercados en lo referente a la compra, la cadena de suministros, el marketing y otras áreas. La responsabilidad global de vender un creciente número de productos de más alta calidad se le otorgó a una sola agencia (Bartle Bogle Hegarty de Londres).[92]

Cuando ambas fuerzas prevalecen en cierta medida, el camino a seguir podría ser una estrategia "glocal" que estandariza ciertos elementos y localiza a otros (por ejemplo, en las telecomunicaciones). Muchas empresas buscan tener una combinación de control centralizado de la sede corporativa mundial con la participación de los comerciantes locales y regionales. Un especialista de marketing de Jack Daniels, una marca global icónica, describió los retos de gestionar la marca de whisky de mejor venta en el mundo a través de 135 países: "Está bien decir 'No se inventó aquí'; también está bien decir 'Se inventó aquí'; pero es mejor decir 'No se inventó aquí, pero se mejoró aquí'".[93]

Sin embargo, encontrar el equilibrio puede ser difícil. Coca-Cola adoptó la filosofía de "pensar localmente, actuar localmente" y descentralizó el poder y la responsabilidad del diseño de los programas y actividades de marketing. Pero su ejecución fracasó debido a que muchos gerentes locales carecían de las habilidades o la disciplina necesarias para realizar el trabajo. Entonces aparecieron anuncios decididamente anti Coca-Cola, como algunos que incluían a nadadores corriendo desnudos en las playas italianas, y las ventas se estancaron. Las cosas cambiaron y los ejecutivos de Coca-Cola en Atlanta volvieron a asumir un fuerte papel estratégico.[94]

La transferencia eficaz de ideas de marketing exitosas de una región a otra es una prioridad para muchas empresas. En lugar de desarrollar productos globales para las empresas de propiedad conjunta Renault y Nissan, su director ejecutivo, Carlos Ghosn, ha ordenado que las empresas diseñen para los gustos locales, y les ha dado la flexibilidad de exportar ese diseño a otras regiones para aprovechar tendencias de consumo similares. El Logan de bajo costo fue desarrollado por Renault para Europa Oriental y América Latina, pero encontró otra casa en Francia. Cuando los productos trascienden una región, también se pueden transferir las ideas y las formas de pensar en el proceso. Ghosn asoció a Nissan y Renault con Bajaj Auto para vender un automóvil de 3 000 dólares en el mercado de India, en parte con el propósito de infundir a estas empresas el razonamiento de diseño de bajo costo de India: "[Los hindúes] entienden la ingeniería frugal, que es algo en lo que no somos muy buenos en Europa o en Japón".[95]

Resumen

1. A pesar de las fronteras cambiantes, los gobiernos inestables, las fluctuaciones monetarias, la corrupción y la piratería tecnológica, las empresas que venden en las industrias globales necesitan internacionalizar sus operaciones.
2. Al decidir salir al extranjero, las empresas deben definir sus objetivos y políticas de marketing internacional. Tendrán que determinar si van a operar en pocos o en muchos países, y evaluar cada país candidato según tres criterios: atractivo del mercado, riesgo y ventaja competitiva.
3. Los países en desarrollo ofrecen un conjunto único de oportunidades y riesgos. Los países "BRIC" (Brasil, Rusia, India y China), además de otros mercados importantes, como Indonesia y Sudáfrica, son una prioridad para muchas empresas.
4. Las formas de entrada son la exportación indirecta, la exportación directa, la concesión de licencias, la creación de empresas conjuntas y la inversión directa. Cada estrategia subsiguiente implica un mayor grado de compromiso, riesgo, control y potencial de utilidades.
5. Para decidir en qué medida deben adaptar sus programas de marketing en lo que respecta al producto, las empresas pueden adoptar una estrategia de extensión directa, de adaptación del producto o de invención de productos. En lo que se refiere a las comunicaciones, pueden optar por una adaptación de la comunicación o por una adaptación dual. En cuanto a los precios, las empresas podrían enfrentarse a una escalada de precios, al *dumping*, a los mercados grises y a los productos falsificados. En lo referente a la distribución, las empresas deben adoptar una perspectiva de todo el canal para distribuir sus productos a los usuarios finales. Las empresas siempre deben tener en cuenta los aspectos culturales, sociales, políticos, tecnológicos y ambientales, así como las limitaciones legales que enfrentan en otros países.
6. Las percepciones respecto del país de origen pueden influir por igual tanto en los consumidores como en las empresas. La gestión de estas percepciones de la forma más ventajosa es una prioridad de marketing.
7. En función de su nivel de participación internacional, las empresas gestionan las actividades de marketing internacional de tres maneras: a través de un departamento de exportación, de una división internacional o de una organización global.

Aplicaciones

Debate de marketing

¿El mundo se está volviendo más pequeño?

Muchos analistas sociales afirman que los jóvenes y los adolescentes de todo el mundo cada vez se parecen más. Otros, aunque no disputan este hecho, señalan que las diferencias culturales, incluso a edades tempranas, superan con creces las similitudes.

Asuma una posición: "Las personas cada vez somos más similares" *versus* "Las diferencias entre las personas de distintas culturas superan sus similitudes".

Análisis de marketing

País de origen

Piense en algunas de sus marcas favoritas. ¿Sabe de dónde provienen? ¿Sabe dónde se fabrican y cómo llegan hasta usted? ¿Piensa que esta información influiría en sus percepciones de calidad o satisfacción?

Marketing de excelencia

>>Nokia

Nokia ha atravesado por una notable transformación en las últimas dos décadas, desde su origen como un oscuro conglomerado finlandés, hasta convertirse en un gigante de la telefonía móvil. Actualmente el fabricante más grande de teléfonos móviles del mundo, tiene más de mil millones de usuarios y en 2010 tuvo una participación de mercado global de 33%. La empresa vende alrededor de 11 teléfonos móviles cada segundo, y es un líder destacado en Asia, Europa Oriental y África.

La transformación de Nokia se inició en la década de 1990 con su decisión estratégica de deshacerse de su cartera de productos y concentrarse exclusivamente en las telecomunicaciones. Su negocio pronto explotó, en parte debido a su dominio de las tecnologías innovadoras en telecomunicaciones. Nokia fue un desarrollador clave de las nuevas tecnologías móviles, como el GSM (sistema global para comunicaciones móviles), que permitió a los consumidores el roaming internacional y el uso de los nuevos servicios de datos, como los mensajes de texto. Aunque la empresa ha tenido que luchar en América del Norte, en parte porque muchas redes en esa parte del mundo utilizan un estándar inalámbrico diferente (CDMA) al de Europa (GSM), su presencia global sigue siendo impresionante.

El éxito de Nokia también se deriva de su amplia visión estratégica sobre cómo crear una marca global y una base de clientes internacionales. La empresa vende una gran diversidad de productos y servicios en todos los rangos de precios para diferentes tipos de consumidores en todo el mundo. En resumen, su planteamiento es "Todos los puntos de precios, todos los mercados". Nokia tiene un razonamiento práctico respecto de lo que los consumidores necesitan, valoran y pueden costear en función de su ubicación geográfica y sus características demográficas. Al proporcionarles los productos, las características y los precios adecuados, la empresa ha construido exitosamente un valor de marca a largo plazo en todo el mundo.

Debido a que la mayor parte del crecimiento de la industria se da en los mercados en desarrollo, Nokia se ha asegurado de que sus aparatos más baratos sean atractivos, y además rentables, en mercados como China, India y América Latina. Por otro lado, para mantener su liderazgo en el mercado y competir en mercados difíciles como los de Europa y Estados Unidos, ha lanzado una gama de teléfonos de alta calidad con avanzadas funciones y aplicaciones. Esta base de consumidores es tan importante para su crecimiento que Nokia ha creado una división de negocio centrada exclusivamente en la creación de software y sus servicios, incluida la música, los videos, los juegos, los mapas, la mensajería y los medios de comunicación. En la actualidad, la gama de productos de Nokia varía de 30 dólares por los modelos básicos, hasta 600 dólares por los teléfonos inteligentes que incluyen edición de videos, navegación guiada por voz y miles de aplicaciones. El futuro de Nokia también depende de su creciente línea de computadoras portátiles (móviles), dispositivos que incluyen las avanzadas capacidades de una computadora y caben en la palma de la mano.

Nokia también tiene una perspectiva amplia sobre la competencia, considerando como rivales a Apple, Sony y Canon, así como a sus competidores tradicionales Motorola y Samsung. Los productos de la competencia, como el iPhone, la BlackBerry y los teléfonos inteligentes con Android, han obtenido una participación de mercado significativa. Si bien el 84% de sus ventas consiste en teléfonos móviles, Nokia se concentra en hacer que sus teléfonos inteligentes sean duraderos, confiables y asequibles para los consumidores de los mercados emergentes, como lo hizo con los teléfonos móviles.

Como líder mundial, Nokia entiende lo importante que es mantenerse al tanto de lo que ocurre en los países y culturas de todo el mundo. Con 16 diferentes ubicaciones de investigación y desarrollo, plantas de fabricación en 10 naciones, sitios Web en 7 países y 650 000 puntos de venta (la red de distribución más grande del mundo), Nokia se esfuerza por ser un líder mundial, pero relevante a nivel local. Para ello forma relaciones con socios comerciales locales, se involucra en la comunidad y trabaja para ganarse la confianza de los consumidores de cada región.

En India, por ejemplo, la empresa ha aumentado su participación local al incluir en la Nokia Music Store un porcentaje significativo de canciones de artistas locales y regionales, añadir miles de servicios locales de atención al cliente, y apoyar una iniciativa ecológica local llamada "Planeta Ke Rakwale", que anima a los consumidores a reciclar sus viejos teléfonos y baterías. Nokia incluso añadió el eslogan "Hecho en India para India".

Hoy en día, con un valor de casi 35 mil millones de dólares, Nokia es la quinta marca más valiosa en la clasificación mundial de Interbrand/*BusinessWeek*, superando a Google, Samsung, Apple y BlackBerry. Nokia continúa bien posicionada en la mente de los consumidores como una marca de alta calidad, robusta, fácil de usar y confiable, una combinación perfecta para tener éxito tanto en los países emergentes como en los maduros.

Preguntas

1. ¿Cuáles han sido las claves de la fuerza global de Nokia?
2. ¿Qué puede hacer Nokia para ganar participación de mercado en Estados Unidos y Europa, donde su presencia no es tan fuerte?
3. En el siempre cambiante mundo de la tecnología móvil, ¿cuáles son las mayores amenazas para la presencia global de Nokia?

Fuentes: Jack Ewing, "Nokia: Lesson Learned, Reward Reaped", *BusinessWeek*, 30 de julio de 2007; "Face Value", *Economist*, 27 de mayo de 2006; Oli Pekka Kalasvuo, "Brand Identity: A Delicate Balance between Image and Authenticity", *Economic Times*, 31 de agosto de 2010; Kevin J. O'Brien, "Nokia Seeks to Reconnect with the U.S. Market", *New York Times*, 15 de agosto de 2010; "Best Global Brands 2009", *Interbrand/BusinessWeek*, presentación Nokia Capital Markets Day, 2009: Nokia, www.nokia.com.

Marketing de excelencia

>>L'Oreal

Cuando se trata de globalizar la belleza, nadie lo hace mejor que L'Oreal. La empresa fue fundada en París hace 100 años, por un joven químico, Eugene Schueller, quien vendía sus tintes para el cabello patentados a los peluqueros y salones de belleza locales. Para la década de 1930, Schueller había inventado productos de belleza como el aceite bronceador y el primer champú para el mercado masivo. En la actualidad, la empresa ha evolucionado hasta convertirse en la compañía de belleza y cosméticos más grande del mundo, con distribución en 130 países, 23 marcas globales y ventas de más de 17 500 millones de euros.

Gran parte de la expansión y el éxito internacional de la empresa se atribuye a sir Lindsay Owen-Jones, quien transformó a L'Oreal de una pequeña empresa francesa a un fenómeno internacional de cosméticos, mediante una visión estratégica y una precisa gestión de la marca. Durante sus casi 20 años como director ejecutivo y presidente, Owen-Jones se deshizo de las marcas débiles, invirtió cuantiosas sumas en la innovación de productos, adquirió marcas con diversidad étnica, y se expandió a mercados que nadie había soñado, entre ellos los de China, América del Sur y la ex Unión Soviética. Su misión: lograr la diversidad "satisfaciendo las necesidades de hombres y mujeres de todo el mundo, y haciendo productos de belleza al alcance del mayor número posible de personas".

Hoy en día, L'Oreal se centra en sus cinco áreas de especialización: cuidado de la piel, cuidado del cabello, maquillaje, coloración del cabello y perfumes. Sus marcas recaen en cuatro grupos diferentes (1) Productos de consumo (el 52% de la cartera de L'Oreal, incluida la marca del mercado masivo Maybelline y productos de alta tecnología que se venden a precios competitivos a través de las cadenas minoristas del mercado masivo), (2) Productos de lujo (marcas prestigiosas como el perfume Ralph Lauren, que sólo está disponible en tiendas de alta calidad, grandes almacenes o tiendas especializadas), (3) Productos profesionales (marcas como Redken, diseñadas específicamente para los profesionales de los salones de belleza) y (4) Active (productos cosméticos y dermatológicos que se venden en farmacias).

L'Oreal cree que el marketing dirigido con precisión, esto es, aludir a la audiencia adecuada con el producto apropiado en el lugar correcto, es crucial para su éxito global. Como explicó Owen-Jones: "Cada marca se posiciona en un segmento [de mercado] muy preciso, que se solapa lo menos posible con los demás".

La empresa ha creado su cartera principalmente mediante la compra de compañías locales de belleza en todo el mundo, renovándolas con dirección estratégica, y expandiendo la marca hacia nuevas áreas a través de su rama de marketing de gran alcance. Por ejemplo, L'Oreal se convirtió instantáneamente en participante activo (con el 20% del mercado) en la creciente industria étnica del cuidado del cabello cuando compró y fusionó las empresas estadounidenses Soft Sheen Products en 1988 y Carson Products en 2000. L'Oreal cree que la competencia había pasado por alto esta categoría porque estaba fragmentada y mal comprendida. SoftSheen-Carson ahora genera aproximadamente el 30% de sus ingresos anuales procedentes de Sudáfrica.

L'Oreal también invierte dinero y tiempo en la innovación en sus 14 centros de investigación por todo el mundo, gastando el 3% de sus ventas anuales en investigación y desarrollo, más de un punto porcentual por encima del promedio del sector. Comprender las diferentes y singulares rutinas y necesidades de belleza de las distintas culturas, países y consumidores es crucial para el éxito global de L'Oreal. El cabello y la piel difieren mucho de una parte del mundo a otra, por lo que los científicos de L'Oreal estudian a los consumidores en los baños de los laboratorios y en los de sus propias casas, a veces alcanzando hitos científicos en materia de belleza. En Japón, por ejemplo, L'Oreal desarrolló la máscara para pestañas Wondercurl, especialmente formulada para rizar las pestañas de las mujeres asiáticas, que suelen ser cortas y rectas. El resultado: en tres meses se había convertido en la máscara número uno en ventas en Japón, y las jóvenes hacían fila entusiasmadas frente a las tiendas para comprarlo. L'Oreal siguió investigando el mercado y desarrolló un esmalte de uñas, un rubor y otros cosméticos destinados a esta nueva generación de chicas asiáticas.

Bien conocida por su eslogan de 1973, "Porque creo que lo valgo", L'Oreal es ahora líder mundial en productos de belleza. Como explicó Gilles Weil, el jefe de productos de lujo de la empresa: "Es necesario ser local y tan fuerte como los mejores de la región, pero respaldado por una imagen y una estrategia internacionales".

Preguntas

1. Revise la cartera de marcas de L'Oreal. ¿Qué papel han desempeñado el marketing dirigido, las adquisiciones inteligentes y la investigación y el desarrollo en su crecimiento?
2. ¿Quiénes son los más grandes competidores de L'Oreal? ¿Son locales, globales o ambos? ¿Por qué?
3. ¿Cuál ha sido la clave del éxito en el lanzamiento de productos locales como el Wondercurl de Maybelline en Japón?
4. ¿Qué sigue para L'Oreal a nivel mundial? Si usted fuera su director ejecutivo, ¿cómo mantendría el liderazgo global de la empresa?

Fuentes: Andrew Roberts, "L'Oreal Quarterly Sales Rise Most Since 2007 on Luxury Perfume", *Bloomberg BusinessWeek*, 22 de abril de 2010; Richard Tomlinson, "L'Oreal's Global Makeover", *Fortune*, 30 de septiembre de 2002; Doreen Carvajal, "International Business; Primping for the Cameras in the Name of Research", *New York Times*, 7 de febrero de 2006; Richard C. Morais, "The Color of Beauty", *Forbes*, 27 de noviembre de 2000; L'Oreal, www.loreal.com.

En este capítulo responderemos las siguientes **preguntas**

1. ¿Cuáles son las tendencias más importantes en las prácticas de marketing?
2. ¿Cuáles son las claves para desarrollar un marketing interno eficaz?
3. ¿Qué pueden hacer las empresas para ejercer su responsabilidad social?
4. ¿Qué hacen las empresas para mejorar su capacidad de ejecución de marketing?
5. ¿Qué herramientas utilizan las empresas para controlar y mejorar sus actividades de marketing?

La pasión de Timberland por las actividades al aire libre y el medio ambiente influye tanto en los productos que vende como en la forma en que los fabrica y comercializa.

Gestión de una organización de marketing holístico a largo plazo

Para que una marca crezca a largo plazo y de manera rentable, es necesario que la organización de marketing esté gestionada adecuadamente. Los especialistas en marketing holístico tendrán que participar en una serie de actividades de marketing cuidadosamente planificadas e interconectadas, y satisfacer un conjunto cada vez más amplio de elementos y objetivos. También tendrán que tomar en consideración una gran diversidad de efectos producidos por sus acciones. La responsabilidad social corporativa y la sostenibilidad se han convertido en una prioridad a medida que las organizaciones hacen frente a los efectos implícitos en sus actividades de marketing en el corto y largo plazos. Algunas empresas han adoptado esta nueva visión de "iluminación" corporativa, convirtiéndola en la esencia misma de lo que hacen. Un claro ejemplo de lo anterior es Timberland.[1]

Timberland, empresa fabricante de botas, zapatos, ropa y equipo para uso rudo, siente pasión por la naturaleza. La compañía tiene como consumidores meta a quienes viven, trabajan y juegan al aire libre, por lo que resulta comprensible que quiera hacer todo lo necesario para proteger el medio ambiente. Durante las últimas dos décadas, el compromiso y las acciones de Timberland han allanado el camino para las empresas ecológicas en todo el mundo. Sus iniciativas revolucionarias incluyen dar a sus zapatos una "etiqueta de ingredientes", la cual sirve para evaluar sus cualidades ecológicas: la cantidad de energía que fue utilizada en su elaboración, los costos de transporte y mano de obra en que se incurrieron, y qué porcentaje del calzado es renovable. Timberland también introdujo una nueva línea de zapatos llamados Earthkeepers ("Guardianes de la Tierra"), hechos de algodón orgánico, polietileno tereftalato (PET) y neumáticos reciclados (para las suelas). Los zapatos están diseñados para ser desmontados, y más del 50% de sus partes pueden ser reutilizadas. Timberland ha conformado una comunidad online para los Earthkeepers, ofreciendo consejos e información sobre los eventos enfocados en la preservación del medio ambiente. Sus logros empresariales demuestran que las empresas ambiental y socialmente responsables pueden tener éxito. Sus ventas ascendieron a 1 200 millones de dólares en 2009. Timberland ha ganado numerosos premios, incluyendo el reconocimiento constante de Fortune como una las 100 mejores empresas para trabajar, y la presea Ron Brown por liderazgo corporativo, el único premio presidencial que reconoce a las empresas por sus relaciones sobresalientes con sus empleados y con la comunidad.

Muchas otras marcas, como Ben & Jerry, Odwalla, Patagonia, Stonyfield Farm, Whole Foods y Seventh Generation, han adoptado filosofías y prácticas similares. Para que el marketing holístico tenga éxito es necesario un marketing de relaciones eficaz, un marketing integrado, un marketing interno y un marketing de desempeño. En capítulos anteriores se analizaron los dos primeros temas, así como la estrategia y las tácticas de marketing. En éste consideraremos los dos últimos y la forma de poner en práctica un marketing con responsabilidad. Examinaremos la forma en que las empresas organizan, implementan, evalúan y controlan las actividades de marketing en un contexto con mayor conciencia de la responsabilidad social. Comenzaremos por analizar de qué manera ha cambiado la implementación del marketing en las empresas actuales.

Tendencias en las prácticas de marketing

En los capítulos 1 y 3 se describieron algunos cambios importantes ocurridos en el macroentorno de marketing, como la globalización, la liberalización, la fragmentación del mercado, el creciente poder de los consumidores y la preocupación por el medio ambiente.[2] Con estos y otros notables avances en los equipos informáticos, el software, Internet y los teléfonos móviles, sin duda el mundo se ha convertido en un lugar muy diferente para los especialistas en marketing. En capítulos anteriores detallamos las numerosas transformaciones que vivió el marketing en la primera década del siglo XXI.[3] La tabla 22.1 resume algunas de las más importantes; a continuación repasaremos brevemente algunas otras.

TABLA 22.1	Cambios importantes en las prácticas del marketing y los negocios
• ***Reingeniería.*** Creación de equipos para la gestión de los procesos de generación de valor para los clientes y la eliminación de separaciones entre departamentos.	
• ***Subcontratación.*** Mayor disposición para adquirir un creciente número de bienes y servicios de proveedores externos nacionales o extranjeros.	
• ***Benchmarking.*** Estudio de las "empresas con mejores prácticas" para mejorar el desempeño propio.	
• ***Asociación con proveedores.*** Mayor colaboración con un menor número de proveedores, pero que agregan más valor.	
• ***Asociación con clientes.*** Colaboración más estrecha con los clientes para agregar valor a sus operaciones.	
• ***Fusiones.*** Adquisiciones o fusiones de empresas en industrias similares o complementarias, para lograr mayor alcance y economías de escala.	
• ***Globalización.*** Esfuerzos cada vez mayores para "pensar a escala global" y "actuar a nivel local".	
• ***Compresión.*** Reducción del número de niveles de la organización para acercarse más a los clientes.	
• ***Enfoque.*** Identificación de los clientes y negocios más rentables a fin de concentrarse en ellos.	
• ***Justificación.*** Mayor responsabilidad a partir de la medición, el análisis y la documentación de los efectos de las acciones de marketing.	
• ***Aceleración.*** Diseño de la organización y creación de procesos que respondan más rápidamente a los cambios del entorno.	
• ***Empowerment.*** Motivación y empoderamiento del personal, para que genere más ideas y tome más iniciativas.	
• ***Ampliación.*** Factorización de los intereses de los clientes, empleados, accionistas y otras partes interesadas en las actividades de la empresa.	
• ***Vigilancia.*** Seguimiento de lo que se dice online y en otros lugares, y estudio de los clientes, competidores y demás actores para mejorar las prácticas empresariales.	

En años recientes, los especialistas en marketing han tenido que operar en un entorno económico de lento crecimiento, caracterizado por consumidores exigentes, competencia agresiva y un mercado turbulento. La era de alto consumo ha llegado a su fin, debido a que muchos consumidores tienen que hacer frente a la disminución de los ingresos y la riqueza.[4] Una endeudada base de consumidores castiga a las empresas que siguen promocionando la filosofía de ventas de "compre ahora, pague después"; por otro lado, los consumidores y las empresas por igual están considerando cada vez más las consecuencias ambientales y sociales de sus acciones.

A medida que los consumidores se vuelven más disciplinados en sus gastos y adoptan la actitud de "menos es más", es responsabilidad de los especialistas en marketing crear y comunicar el verdadero valor de sus productos y servicios.[5] El marketing puede y debe desempeñar un papel clave en la mejora de los estándares y la calidad de vida, sobre todo en tiempos difíciles. Es preciso que los especialistas en marketing busquen mejorar continuamente sus actividades.[6]

Las empresas no pueden ganar si no toman cartas en el asunto. Los recientes problemas y fracasos de organizaciones como Blockbuster, Barnes & Noble y Kodak reflejan su incapacidad para adaptarse a un entorno de marketing totalmente diferente. En lugar de permanecer inactivas, las empresas deben invertir en mejorar sus ofertas y encontrar ideas realmente innovadoras. A veces es posible que tengan que cambiar de manera radical sus modelos de negocio, tal como lo han hecho IBM, Microsoft e Intel. Para desarrollar y vender porductos y servicios que satisfagan plenamente las necesidades y los deseos de los clientes, los especialistas de marketing deben colaborar estrechamente y desde el primer momento con los departamentos de desarrollo de productos e investigación y desarrollo, y más tarde con la fuerza de ventas. Asimismo, es fundamental que trabajen con las áreas de finanzas, fabricación y logística, con el propósito de establecer un modo de pensar que haga hincapié en la creación de valor para la organización.

Los mercados emergentes, como India y China, ofrecen enormes fuentes de demanda inexploradas, pero a menudo sólo para ciertos tipos de productos y a determinados puntos de precio. En todos los mercados, los planes y los programas de marketing serán más locales y culturalmente sensibles, mientras que las marcas fuertes que estén bien diferenciadas y mejoren continuamente seguirán siendo esenciales para el éxito del marketing. Las empresas seguirán utilizando cada vez más los medios de comunicación social, y los medios de comunicación tradicionales cada vez menos. Internet permite una profundidad y una amplitud sin precedente en lo que se refiere a comunicación y distribución; además, su transparencia obliga a las empresas a ser honestas y auténticas.

Los especialistas en marketing también enfrentan dilemas éticos y disyuntivas desconcertantes. Es posible que los consumidores valoren la conveniencia pero, ¿cómo se pueden justificar los productos desechables o los envases elaborados en un mundo que está tratando de minimizar los desechos? El aumento de las aspiraciones materiales puede desafiar la necesidad de sostenibilidad. Dada la creciente sensibilidad de los consumidores y el mayor número de regulaciones gubernamentales, las empresas inteligentes están diseñando de manera creativa, teniendo en mente la eficiencia energética, las emisiones de carbono, la toxicidad y la facilidad de desecho. Algunas están eligiendo proveedores locales en lugar de proveedores más lejanos. Las empresas automotrices y las aerolíneas deben ser especialmente conscientes de la liberación de CO_2 en la atmósfera.

Prius de Toyota

Prius de Toyota Algunos expertos en autos se burlaron cuando Toyota pronosticó ventas de 300 000 vehículos en los cinco años posteriores al lanzamiento de su sedán híbrido —eléctrico y de gasolina— Prius, en 2001. Pero para 2004, el Prius tenía una lista de espera de seis meses. La fórmula ganadora de Toyota consiste en un potente motor eléctrico y la capacidad de cambiar rápidamente de una fuente de energía a otra, lo que da como resultado un rendimiento superior a los 26 km por litro, capacidad de conducción tanto en la ciudad como en la carretera, la amplitud y el poder de un sedán familiar, y un diseño y apariencia ecológicos, todo por un poco más de 20 000 dólares. ¿Cuál es la lección? Los productos funcionalmente exitosos que los consumidores consideran buenos para el medio ambiente pueden representar alternativas muy tentadoras. En la actualidad Toyota cuenta con vehículos híbridos en toda su línea de automóviles, y los fabricantes estadounidenses están siguiendo su ejemplo.[7]

Hoy más que nunca, los especialistas en marketing deben pensar de manera holística y utilizar soluciones creativas del tipo ganar-ganar para equilibrar las demandas conflictivas. Deben desarrollar programas de marketing totalmente integrados, y crear relaciones significativas con diversos elementos.[8] Deben hacer todo lo correcto dentro de su empresa, y considerar las consecuencias de sus acciones en el mercado, temas de los que hablaremos a continuación.

Marketing interno

Los especialistas en marketing han desempeñado tradicionalmente el papel de intermediarios encargados de entender las necesidades de los clientes y transmitir su voz a las distintas áreas funcionales de la compañía.[9] Sin embargo, en las empresas en red *todas* las áreas funcionales pueden interactuar directamente con los clientes. El departamento de marketing ya no es el único que tiene relación con los consumidores; en lugar de ello, su función actual consiste en integrar todos los procesos orientados a los clientes para que éstos puedan ver una sola cara y escuchar una sola voz cuando interactúen con la empresa.[10]

El *marketing interno* requiere que todos los participantes en la empresa acepten los conceptos y las metas de marketing, y se involucren en la selección, la generación y la comunicación de valor para el cliente. Sólo cuando *todos* los empleados se percaten de que su trabajo consiste en crear, servir y satisfacer a los clientes, la empresa se convierte en un comercializador eficaz.[11] "Apuntes de marketing: Características de los departamentos de la empresa que verdaderamente están orientados al cliente" presenta una herramienta para determinar cuáles funciones organizacionales tienen en cuenta al consumidor.

A continuación veremos cómo se organizan los departamentos de marketing, cómo pueden colaborar de manera eficaz con otras áreas, y qué pueden hacer las empresas para fomentar una cultura de marketing creativo dentro de toda la compañía.[12]

Organización del departamento de marketing

Los departamentos de marketing modernos se pueden organizar de diferentes formas, que en ocasiones se traslapan: funcionalmente, geográficamente, por producto o marca, por mercado o a manera de matriz.

ORGANIZACIÓN FUNCIONAL La forma más común de organizar el departamento de marketing consiste en que todos los especialistas funcionales dependan de un vicepresidente de marketing que coordine sus actividades. En la figura 22.1 se consideran cinco especialistas; en otros casos, los especialistas podrían ser un gerente de servicio al cliente, un gerente de planificación de marketing, un gerente de logística de marketing, un gerente de marketing directo y un gerente de marketing digital.

|Fig. 22.1|

Organización funcional

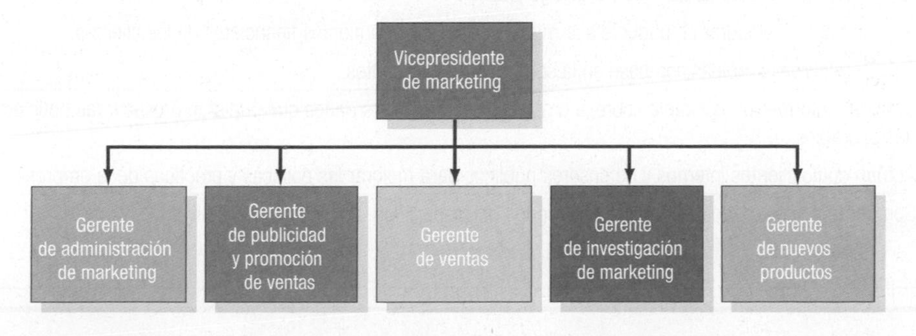

Apuntes de **marketing**

Características de los departamentos de la empresa que verdaderamente están orientados al cliente

Investigación y desarrollo	___	Dedican tiempo a reunirse con los clientes y escuchar sus problemas.
	___	Aceptan de buen grado la participación de otros departamentos (marketing, producción, etc.) en cada nuevo proyecto.
	___	Hacen benchmarking de los productos de la competencia y buscan siempre "las mejores" soluciones.
	___	Toman en cuenta las reacciones y sugerencias de los clientes a medida que el proyecto avanza.
	___	Mejoran y depuran el producto de manera continua en función de la retroalimentación del mercado.
Compras	___	Buscan de manera proactiva los mejores proveedores, en lugar de limitarse a aquellos que quieren hacer negocios con la empresa.
	___	Construyen relaciones a largo plazo con unos cuantos proveedores, pero que ofrecen un alto nivel de calidad y son confiables.
	___	No sacrifican la calidad por ahorrar dinero.
Producción	___	Invitan a los clientes a visitar y conocer sus plantas.
	___	Visitan las fábricas de los clientes para ver cómo utilizan los productos de la empresa.
	___	Están dispuestos a trabajar tiempo extra para cumplir con los plazos de entrega prometidos.
	___	Siempre buscan maneras de producir los bienes más rápidamente y/o con menores costos.
	___	Mejoran continuamente la calidad de los productos buscando que estén libres de defectos.
	___	"Personalizan" los productos para satisfacer los requerimientos de los clientes siempre que esto pueda hacerse de manera rentable.
Marketing	___	Analizan las necesidades y deseos de los clientes en segmentos de mercado bien definidos.
	___	Distribuyen los esfuerzos de marketing de acuerdo con el potencial de utilidades a largo plazo de los segmentos meta.
	___	Desarrollan ofertas con posibilidades de éxito para cada segmento meta.
	___	Evalúan de manera continua la imagen de la empresa y la satisfacción del cliente.
	___	Trabajan permanentemente en la recopilación y evaluación de ideas para desarrollar nuevos productos, mejorar los ya existentes y ofrecer servicios que satisfagan las necesidades de los clientes.
	___	Influyen en todos los departamentos y empleados de la empresa, para que orienten su pensamiento y sus prácticas hacia el cliente.
Ventas	___	Adquieren conocimiento especializado sobre el sector industrial del cliente.
	___	Se esmeran en ofrecer al cliente "la mejor solución", pero sólo hacen promesas que pueden cumplir.
	___	Transmiten las ideas y necesidades de los clientes a los encargados del desarrollo de productos.
	___	Atienden a los mismos clientes durante largos periodos.
Logística	___	Establecen altos estándares en materia de atención oportuna y los cumplen de manera consistente.
	___	Operan un departamento de servicio al cliente caracterizado por su pericia, por su trato amable y por su capacidad de responder preguntas, manejar quejas y resolver problemas satisfactoria y oportunamente.
Contabilidad	___	Preparan informes periódicos de rentabilidad por producto, segmentos de mercado, territorios de ventas, tamaño de pedidos y clientes individuales.
	___	Elaboran facturas acordes a las necesidades de los clientes, y responden sus peticiones de rápida y cortésmente.
Finanzas	___	Comprenden y apoyan las inversiones en marketing (por ejemplo, en publicidad corporativa) que generan la preferencia y lealtad de los clientes a largo plazo.
	___	Son capaces de elaborar un paquete a la medida de los requerimientos financieros de los clientes.
	___	Toman decisiones rápidas con base en la solvencia de los clientes
Relaciones públicas	___	Difunden información favorable sobre la empresa y controlan los daños que pudieran provocar las noticias desfavorables.
	___	Actúan como clientes internos y defensores públicos para mejorar las políticas y prácticas de la empresa.
Otros empleados que interactúan con el cliente	___	Son competentes, corteses, entusiastas, dignos de credibilidad, confiables y receptivos.

La principal ventaja de la organización funcional del marketing radica en su sencillez administrativa. Sin embargo, crear relaciones de trabajo fluidas dentro del departamento puede constituir todo un reto. Este tipo de organización también puede dar lugar a una planificación inadecuada a medida que aumenta el número de productos y mercados, y cada grupo funcional compite por presupuesto y estatus. Por eso el vicepresidente de marketing tendrá que sopesar constantemente las exigencias de cada especialista, y hacer frente al difícil problema de coordinación que tiene en sus manos.

ORGANIZACIÓN GEOGRÁFICA Las empresas que operan en un mercado nacional suelen organizar su fuerza de ventas (y en ocasiones también su marketing) en áreas geográficas.[13] Es posible que el gerente nacional de ventas supervise a cuatro gerentes regionales, cada uno de los cuales supervisa a seis gerentes de zona, y éstos a su vez supervisan a ocho gerentes de ventas de distrito que tienen jurisdicción sobre 10 vendedores.

Algunas empresas están incorporando *especialistas de área* (gerentes de marketing regionales o locales), cuya función consiste en apoyar las campañas de ventas en mercados de gran volumen. Digamos, por ejemplo, que uno de esos mercados es el condado de Miami-Dade, en el estado de Florida, donde casi dos tercios de los hogares son hispanos.[14] El especialista de Miami debe conocer perfectamente a los consumidores de la zona y estar al tanto de la composición del mercado, para ayudar así a los gerentes de marketing de las oficinas centrales a ajustar la mezcla de marketing para esa ciudad, y preparar planes de venta anuales y a largo plazo que permitan comercializar todos los productos de la empresa en Miami. Algunas compañías se ven obligadas a desarrollar planes de marketing diferentes en distintas partes de un país, porque el desarrollo de la marca difiere por completo de una región a otra.

Algunas empresas emplean especialistas de mercado que se centran en regiones muy específicas de un país, por ejemplo, el condado de Miami-Dade en Florida.

ORGANIZACIÓN POR PRODUCTOS O MARCAS Las empresas que fabrican diversos productos o marcas suelen adoptar una organización por productos (o marcas). Este tipo de organización no sustituye a la funcional, más bien constituye otro nivel de gestión. Un gerente de producto supervisa a los gerentes de categoría, quienes, por su parte, supervisan a los gerentes de marca o de producto específicos.

La organización por productos es adecuada cuando los productos de la empresa son muy diversos, o cuando su número es tal que la capacidad de gestión de una organización funcional se ve rebasada. En ocasiones la administración por productos y marcas adopta una forma radial. Este tipo de organización se caracteriza a veces como un **sistema de centro y radios**: el gerente de marca o de producto se encuentra —figurativamente— en el centro, los radios llevan a los diferentes departamentos y representan las relaciones de trabajo (vea la △ figura 22.2). El gerente podría:

- Desarrollar una estrategia competitiva a largo plazo para el producto.
- Preparar un plan de marketing y un pronóstico de ventas anuales.
- Colaborar con agencias de publicidad y comercialización para desarrollar anuncios, programas y campañas.
- Fomentar el apoyo al producto entre vendedores y distribuidores.
- Recopilar información constante sobre el desempeño del producto, las actitudes de los consumidores e intermediarios, y los nuevos problemas y oportunidades.
- Impulsar mejoras al producto, para adaptarlo a las necesidades cambiantes del mercado.

La organización basada en la gestión del producto permite que el gerente de producto se concentre en el desarrollo de un programa de marketing eficaz desde la perspectiva del costo, y que reaccione más rápidamente al lanzamiento de nuevos productos en el mercado; también proporciona un defensor a las marcas más débiles de la empresa. Sin embargo, no deja de presentar algunas desventajas:

- Podría darse el caso de que los gerentes de producto y de marca carezcan de la autoridad suficiente para desarrollar con efectividad sus responsabilidades.

|Fig. 22.2|

Interacciones del gerente de producto

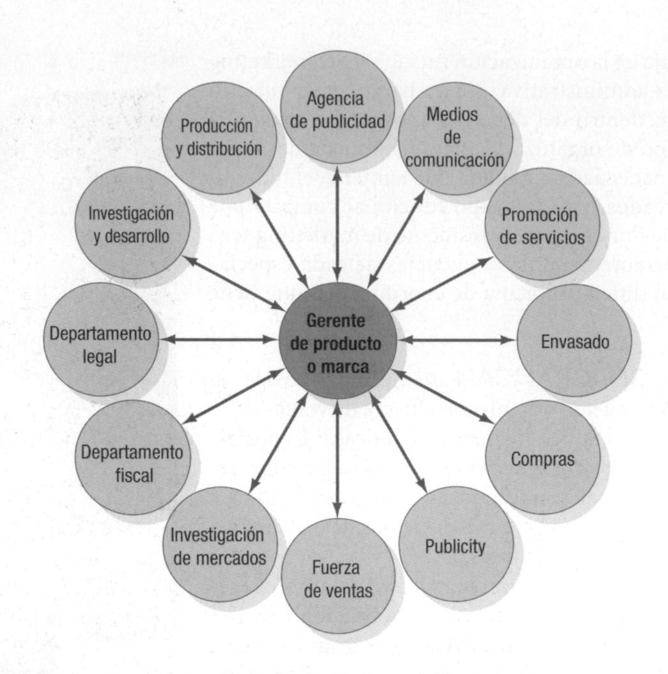

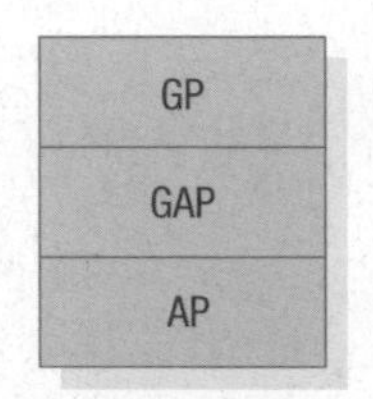

(a) Estructura vertical de equipo de producto

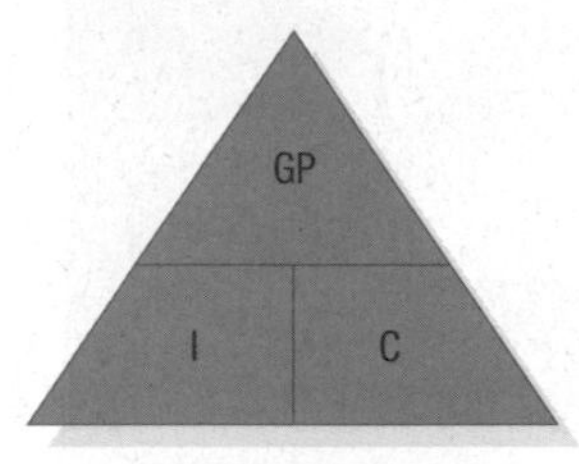

(b) Estructura triangular de equipo de producto

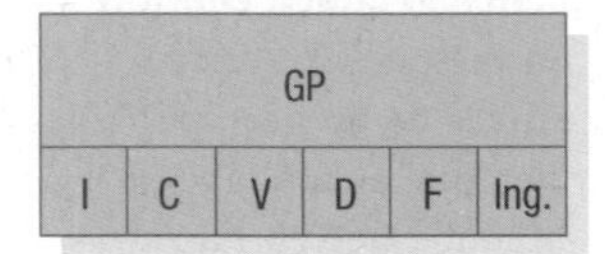

(c) Estructura horizontal de equipo de producto

GP = gerente de producto
GAP = gerente asociado de producto
AP = asistente de producto
I = investigador de mercados
C = especialista en comunicación
V = gerente de ventas
D = especialista en distribución
F = especialista en finanzas y contabilidad
Ing. = ingeniero

|Fig. 22.3|

Tres tipos de equipos de producto

- Se convierten en expertos en su área de productos, pero rara vez logran tener experiencia funcional.
- El sistema suele resultar costoso. Al principio se nombra a una persona para que se encargue de un producto o marca importantes, pero poco tiempo después hace falta asignar a otros individuos para que se responsabilicen de productos o marcas de menor importancia.
- Los gerentes de marca suelen manejar una marca por poco tiempo. Esta breve implicación con la marca conduce a una planificación de marketing a corto plazo, y no desarrolla fortalezas a largo plazo.
- La fragmentación de los mercados hace más difícil el desarrollo de una estrategia nacional centralizada. Los gerentes de marca deben complacer a un creciente número de equipos de ventas regionales y locales, lo que supone un traspaso de poder del departamento de marketing a la fuerza de ventas.
- Los gerentes de producto y de marca enfocan la labor de la empresa en la creación de participación de mercado, y no en la consolidación de las relaciones con los clientes.

Una segunda alternativa para la organización basada en la gestión de producto consiste en crear *equipos de producto* con distintas estructuras: vertical, triangular y horizontal (vea la figura 22.3). Los enfoques de equipos de producto triangular y horizontal permiten que cada marca principal sea dirigida por un **equipo de gestión de activos de la marca (BAMT)**, integrado por representantes clave de las funciones que afectan el desempeño de la marca. La empresa cuenta con varios BAMT que informan periódicamente a un comité de directores BAMT, el cual a su vez reporta a un director de marca. Esto difiere bastante de la forma en que las marcas se han manejado tradicionalmente.

Una tercera alternativa es eliminar los puestos de gerentes de producto de escasa relevancia, y asignar varios productos a cada uno de los gerentes restantes. Esto es posible cuando dos o más productos cubren un conjunto de necesidades similares. Las empresas de cosméticos no necesitan tener gerentes de producto diferentes, puesto que todos los cosméticos responden a la misma necesidad: la belleza. Una empresa de artículos para la higiene personal sí requiere diferentes gerentes, de manera que cada uno se ocupe de los remedios contra el dolor de cabeza, la pasta de dientes, el jabón de baño y el champú, en virtud de las distinciones de uso e imagen de esos productos.

En una cuarta alternativa, la *gestión por categorías*, la empresa se enfoca en categorías de producto para manejar sus marcas. Tanto Procter & Gamble —empresa pionera del sistema de gestión de marcas— como otras grandes organizaciones de productos envasados, han cambiado al sistema de gestión por categorías, y lo mismo han hecho compañías que no están en el canal de abarrotes.[15] P&G destaca una serie de ventajas de su sistema de gestión por categorías. Al fomentar la competencia interna entre los gerentes de marca, el sistema tradicional de gestión de marcas creó fuertes incentivos para sobresalir, pero también falta de coordinación y competencias internas por los recursos. El nuevo esquema fue diseñado para garantizar que todas las categorías tengan los recursos adecuados.

Otro argumento a favor de la gestión por categorías es la creciente importancia de la distribución minorista, que considera la rentabilidad en términos de categorías de productos. P&G consideró que tenía sentido manejar líneas de productos similares. Los minoristas y las cadenas regionales de abarrotes, como Walmart y Dominick's, adoptaron la gestión por categorías como un medio para definir el papel estratégico de una categoría de producto dentro de la tienda, así como para manejar la logística, el papel de los productos de marca privada y la disyuntiva entre tener diversidad de productos y caer en un sobreabasto ineficiente.[16]

De hecho, para algunas empresas de productos envasados, la gestión por categorías ha evolucionado hasta tomar la forma de gestión de espacios de exhibición, y abarca varias categorías relacionadas que suelen compartir una sección de los supermercados y tiendas de abarrotes. El yogur Yoplait de General Mills ha funcionado como líder de categoría en los anaqueles de lácteos de 24 minoristas importantes, aumentando el espacio base para yogures de 1.5 a 2.5 m, e incrementando las ventas de dicho producto un 9% y las ventas de la categoría en productos lácteos un 13% en todo Estados Unidos.[17]

Los especialistas en marketing del yogur Yoplait de General Mills utilizaron la gestión por categorías para ayudar a los principales minoristas a obtener mayores utilidades mediante la reorganización de sus anaqueles.

ORGANIZACIÓN POR GESTIÓN DE MERCADOS Canon vende máquinas de fax a consumidores, empresas y organismos gubernamentales. Nippon Steel comercializa acero en las industrias ferrocarrilera, de la construcción y de servicios públicos. Cuando los clientes pertenecen a grupos diferentes, con preferencias y prácticas de compra distintas, es recomendable adoptar una **organización por gestión de mercados**, en la que un gerente de mercado supervisa a varios gerentes de desarrollo de mercado, especialistas de mercado o especialistas en el sector industrial, y recurre a sus servicios funcionales a medida que va necesitándolos. Los gerentes de mercado de los mercados importantes incluso pueden tener especialistas funcionales a su cargo.

Los gerentes de mercado son personal de campo (no administrativo) y tienen obligaciones similares a las de los gerentes de producto. Desarrollan planes anuales y a largo plazo para sus mercados correspondientes, y son evaluados con base en el crecimiento y la rentabilidad de sus mercados. Debido a que este sistema organiza las actividades de marketing para satisfacer las necesidades de los distintos grupos de clientes, comparte muchas de las ventajas y desventajas de los sistemas de gestión de productos. Un buen número de empresas se están reorganizando en función de líneas del mercado, convirtiéndose en **organizaciones centradas en el mercado**. Por ejemplo, Xerox pasó de la venta por zona geográfica a la venta por industria, lo mismo que IBM y Hewlett-Packard.

Cuando las relaciones estrechas constituyen una ventaja —lo cual ocurre, por ejemplo, cuando los clientes tienen requerimientoso diversos y complejos, y compran un paquete integrado de productos y servicios—, debe prevalecer la **organización por gestión de clientes**, en la cual se trata con clientes individuales más que con el mercado masivo o con algún segmento de mercado en particular.[18] Un estudio reveló que las empresas organizadas por grupos de clientes presentan un mayor índice de responsabilidad respecto a la calidad general de las relaciones y la libertad de los empleados para implementar acciones que satisfagan a los clientes individuales.[19]

ORGANIZACIÓN MATRICIAL Las empresas que fabrican numerosos productos destinados a muchos mercados pueden adoptar una organización de tipo matricial, empleando tanto gerentes de producto como de mercado. El problema de esta organización es que resulta costosa y muchas veces genera conflictos. Por ejemplo, implica el costo de mantener a todos los gerentes y el problema de dilucidar en dónde debe recaer la autoridad y la responsabilidad de las actividades de marketing: ¿en la sede o en la división?[20] Algunos grupos de marketing corporativo ayudan a la alta dirección en la evaluación de las oportunidades generales, proporcionan asistencia en términos de consultoría cuando las divisiones lo solicitan, apoyan a las divisiones que tienen poco o ningún marketing, y promueven el concepto de marketing en toda la empresa.

Relaciones con otros departamentos

De acuerdo con el concepto de marketing, todos los departamentos deben "pensar en los clientes" y trabajar de forma cooperativa para satisfacer sus necesidades y expectativas. Sin embargo, cada departamento de la empresa define los problemas y las metas desde su punto de vista, por lo que los conflictos de intereses y las fallas de comunicación son inevitables. Por lo general, el vicepresidente de marketing tendrá que mostrarse más persuasivo que autoritario para (1) coordinar las actividades internas de marketing de la empresa, y (2) coordinar el departamento de marketing con los de finanzas, operaciones y otros para atender mejor a los clientes.[21] Para que marketing y los demás departamentos puedan determinar conjuntamente lo que conviene más a la empresa, ésta podría proporcionar seminarios en donde todos participen, formar comités mixtos y empleados de enlace, implementar programas de intercambio de empleados, e implementar métodos analíticos que permitan determinar los cursos de acción más rentables.[22]

En la actualidad muchas empresas se centran en los procesos clave en lugar de hacerlo en los departamentos, ya que la organización departamental puede convertirse en una barrera contra su buen funcionamiento. Nombran a líderes de procesos que manejan equipos interdisciplinarios en los cuales se incluye personal de marketing y de ventas. Por lo tanto, los especialistas en marketing tienen una sólida responsabilidad directa hacia sus equipos, y una responsabilidad indirecta hacia el departamento de marketing.

Creación de una organización de marketing creativa

Muchas empresas comienzan a darse cuenta de que en realidad no tienen una orientación hacia el mercado y hacia el cliente, sino que más bien están enfocándose en los productos y las ventas. Transformarse en una compañía verdaderamente orientada al mercado exige:

1. Desarrollar pasión por los clientes en toda la empresa.
2. Organizarse en torno a segmentos de clientes en lugar de hacerlo en torno a los productos.
3. Conocer a los clientes mediante investigaciones cualitativas y cuantitativas.

Esta tarea no es fácil, pero las recompensas pueden ser considerables. El éxito no será resultado de los discursos con los que el director ejecutivo trate de animar a todos los empleados a "pensar en el cliente". Vea "Marketing en acción: El director ejecutivo de marketing" para conocer las acciones concretas que un director ejecutivo puede tomar para mejorar las capacidades de marketing.

Aunque es *necesario*, estar orientado al cliente no es *suficiente*. La organización también debe ser creativa.[23] Las empresas de hoy copian más rápidamente las ventajas y estrategias de las demás; esta creciente similitud entre las compañías provoca que sea más difícil lograr la diferenciación y la reducción de los márgenes. La única solución consiste en desarrollar la imaginación y la capacidad de innovación estratégica. Para lograrlo es necesario unificar las herramientas, los procesos, las habilidades y los parámetros que permitirán a la empresa generar mejores ideas que sus competidores.[24]

El director ejecutivo de marketing

¿Qué puede hacer el director ejecutivo de marketing para crear una empresa orientada a los clientes y al mercado?

1. ***Convencer a la alta dirección de la necesidad de enfocarse en el cliente.*** El propio director ejecutivo de marketing es ejemplo de un sólido compromiso con los clientes, y recompensa a los integrantes de la empresa que asumen la misma responsabilidad. Se dice que los ex directores ejecutivos de GE, Jack Welch, y de IBM, Lou Gerstner, dedicaban unos cien días del año para visitar a sus clientes, a pesar de las numerosas responsabilidades estratégicas, financieras y administrativas a las que tenían que hacer frente.
2. ***Nombrar a un ejecutivo de marketing y a un equipo de trabajo específico para esa función.*** En el equipo de trabajo deben participar el director ejecutivo de marketing y los vicepresidentes de ventas, investigación y desarrollo, compras, producción, finanzas, recursos humanos y otros empleados que ocupen puestos clave.
3. ***Buscar asistencia y directrices externas.*** Los despachos de consultoría tienen gran experiencia en ayudar a las empresas a adoptar una orientación de marketing.
4. ***Modificar el sistema de evaluación y los parámetros de recompensas de la empresa.*** Como los departamentos de producción y compras suelen recibir recompensas por mantener los costos bajos, es normal que muestren resistencia a aceptar los costos necesarios para atender mejor a los clientes. Por su parte, en vista de que el departamento de finanzas se concentra en las utilidades a corto plazo, se opondrá a las importantes inversiones destinadas a conseguir clientes leales y satisfechos.
5. ***Contratar empleados de marketing con talento.*** La empresa necesita un vicepresidente de marketing con talento, que no sólo sea capaz de manejar su departamento, sino también de ganarse el respeto de otros directivos y la posibilidad de influir en ellos. Una empresa organizada en múltiples divisiones se verá beneficiada si logra establecer un departamento de marketing corporativo sólido.
6. ***Desarrollar programas sólidos de capacitación de marketing para los integrantes de la empresa.*** La compañía debe implementar programas de capacitación de marketing bien diseñados para los directivos y los gerentes divisionales, así como para el personal de marketing, de ventas, de producción y de investigación y desarrollo, entre otros. GE, Motorola y Accenture ofrecen este tipo de programas.
7. ***Poner en acción un sistema de planificación de marketing moderno.*** El formato de planificación exigirá que los directivos consideren el entorno de marketing, las oportunidades, las tendencias competitivas y otros factores de importancia. Con base en ello, los directivos prepararán estrategias, pronósticos de ventas y utilidades por productos y segmentos, y se responsabilizarán de los resultados.
8. ***Establecer un programa anual de reconocimiento al marketing de excelencia.*** Para participar en esta especie de concurso, las unidades de negocio que crean que han desarrollado planes de marketing ejemplares deberán presentar una descripción de éstos y de sus resultados. Es recomendable que los equipos ganadores reciban un reconocimiento en una ceremonia especial, y que sus planes sean difundidos entre las demás unidades de negocio como "modelos de razonamiento de marketing". Becton, Dickinson and Company, Procter & Gamble y SABMiller han puesto en práctica esta estrategia.
9. ***Abandonar el enfoque por departamentos a favor de un enfoque de proceso-resultados.*** Luego de definir los procesos de negocio fundamentales que determinarán el éxito de la empresa, ésta debe nombrar responsables y equipos multidisciplinarios para rediseñarlos y ponerlos en acción.
10. ***Empoderar a los empleados.*** Las empresas más avanzadas animan a sus empleados a proponer nuevas ideas y los recompensan por ello. Asimismo, les otorgan el poder necesario para dar solución a las quejas de los clientes y salvaguardar la relación con ellos. IBM permite que sus empleados de primera línea gasten hasta 5 000 dólares en solucionar directamente los problemas del cliente.

Las empresas deben prestar atención a las tendencias, y estar listas para sacar provecho de ellas. Motorola tardó 18 meses en pasar de los teléfonos celulares analógicos a los digitales, lo que confirió a Nokia y a Ericsson una ventaja importante. Nestlé identificó tarde la tendencia hacia cafeterías como Starbucks. Coca-Cola fue lenta para detectar la tendencia en el gusto de los consumidores hacia las bebidas con sabores de frutas como Snapple, hacia las bebidas energéticas como Gatorade, y hacia el agua embotellada. Los líderes de mercado suelen dejar pasar las tendencias cuando tienen demasiada aversión al riesgo, cuando se obsesionan con proteger sus mercados existentes y sus recursos físicos, o cuando se interesan más por la eficiencia que por la innovación.[25]

Marketing socialmente responsable

Para que el marketing interno sea eficaz, debe ir acompañado por un fuerte sentido ético, así como por una atención a los valores y a la responsabilidad social.[26] Diversas fuerzas —como el aumento de las expectativas de los clientes, la evolución de las metas y ambiciones de los empleados, la existencia de normativas más estrictas, una mayor presión gubernamental, el interés de los inversionistas en temas sociales, el escrutinio de los medios y la transformación de las prácticas de procuración de negocios— están impulsando a las empresas a elevar el nivel de la responsabilidad social corporativa.[27]

Prácticamente todas las empresas han decidido asumir un papel más activo y estratégico en materia de responsabilidad social corporativa al escudriñar cuidadosamente sus creencias y la forma en que deben tratar a sus clientes, empleados y competidores, a la comunidad y al medio ambiente. Asumir este punto de vista incluyente de todas las partes interesadas, también beneficiará a otro elemento importante: los accionistas. Consideremos cómo se ocupa Walmart de la responsabilidad social corporativa.[28]

Walmart

Walmart En 2005, el ex presidente ejecutivo de Walmart, Lee Scott, dijo: "Pensábamos que podíamos sentarnos en Bentonville [Arkansas] y desde ahí atender tranquilamente a nuestros clientes y socios, pero las cosas ya no funcionan de esa manera". Decidido a hacer que la empresa fuera más ecológica, Scott prometió que invertiría 500 millones de dólares en proyectos sostenibles, como duplicar la eficiencia de su flota de vehículos en los 10 años siguientes, reducir en un 30% el consumo energético en las tiendas, y disminuir un 25% la emisión de residuos sólidos de sus tiendas estadounidenses en tres años. Pequeñas decisiones pueden producir grandes diferencias para el gigante minorista. Al eliminar el exceso de embalaje de sus juguetes de marca privada Kid Connection, la empresa salvó 3 800 árboles, utilizó un millón de barriles de petróleo menos, y ahorró un aproximado de 2.4 millones de dólares al año en gastos de envío. Además, redirigió más del 57% de los desechos generados por las tiendas y las instalaciones de Sam's Club a centros de reciclaje en lugar de tirarlos en vertederos, y contrató a la ambientalista y fundadora de Patagonia, Yvon Chouinard, para que le proporcionara información y asesoría. Los principales grupos ecologistas han quedado satisfechos, pero Walmart todavía enfrenta las críticas de los dirigentes sindicales y activistas liberales sobre sus políticas salariales y de cuidado de la salud de sus empleados, la discriminación de género y el trato a la competencia local. La empresa ha respondido citando sus mejoras en cada una de esas áreas, como el hecho de que creó unos 63 000 puestos de trabajo en todo el mundo en 2008, incluyendo más de 33 000 en Estados Unidos.

Las empresas no siempre han creído en el valor de la responsabilidad social. En 1776, Adam Smith proclamó: "Nunca he sabido que quienes profesan la idea de hacer comercio para el bien público hayan producido grandes beneficios". El legendario economista Milton Friedman pronunció una célebre frase, según la cual las iniciativas sociales eran "fundamentalmente subversivas", porque desde su punto de vista quebrantaban el propósito de las empresas públicas (generar ganancias) y malgastaban el dinero de los accionistas. Algunos críticos se preocupan de que las grandes inversiones empresariales en áreas como la investigación y el desarrollo podrían verse afectadas por el enfoque en la responsabilidad social.[29]

Sin embargo, estos críticos son una pequeña minoría. Son muchas las personas que creen que la satisfacción de los clientes, empleados y otras partes interesadas, así como el logro del éxito comercial, están íntimamente ligados a la adopción y la aplicación de altos estándares en los negocios y en la ejecución del marketing. Una ventaja adicional para las empresas consideradas socialmente responsables, es la capacidad de atraer empleados, especialmente a los más jóvenes, que quieren trabajar para organizaciones que les causan una buena impresión.

Las empresas más admiradas y exitosas del mundo se apegan a un código: atender no sólo sus propios intereses, sino también los de la gente. El nuevo director ejecutivo de Procter & Gamble, Bob McDonald, ha hecho que el "propósito de la marca" sea un componente clave de las estrategias de marketing de la empresa. Según sus propias palabras: "Los consumidores tienen mayores expectativas de las marcas, y quieren saber qué están haciendo por el mundo, pero sus acciones deben ser auténticas, y [las empresas] deben tener un deseo genuino de hacerlo". El programa de marketing con causa del suavizante Downy "Touch of Comfort", por ejemplo, dona 5 centavos de dólar por cada compra a Quilts for Kids, una organización que trabaja con voluntarios para hacer y distribuir cobertores a los niños hospitalizados.[30] Pero P&G no es la única empresa que hace un esfuerzo semejante, tal como se demuestra en el siguiente ejemplo.

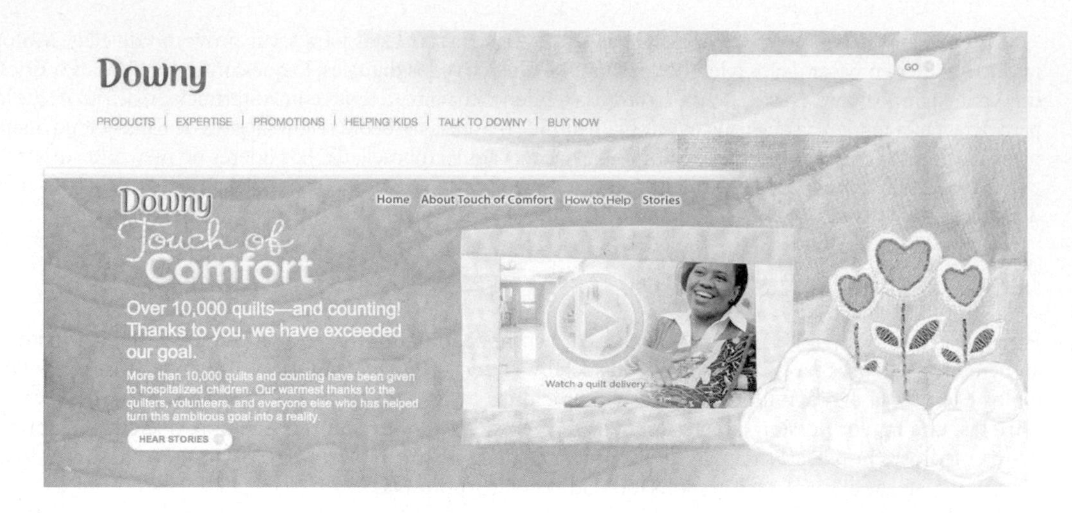

El marketing con causa del suavizante Downy "Touch of Comfort" donó miles de cobertores a los niños hospitalizados.

Firms of Endearment

Firms of Endearment Los investigadores Raj Sisodia, David Wolfe y Jag Sheth creen que las empresas humanitarias son las mejores. Por ejemplo, consideran que las compañías que han sido reconocidas como "Firms of Endearment" (literalmente "empresas cariñosas") tienen una cultura humanitaria que atiende las expectativas de sus grupos de interés, definidas por el acrónimo SPICE (por las siglas en inglés de sociedad, socios, inversionistas, clientes y empleados). Sisodia y otros analistas opinan que las empresas de Firms of Endearment establecen relaciones amorosas con las partes interesadas. Los directivos ejecutan una política de puertas abiertas, sienten pasión por los clientes y ganan una compensación modesta. Pagan más a sus empleados, se relacionan más estrechamente con un grupo reducido de excelentes proveedores, y retribuyen a las comunidades en las que trabajan. Los investigadores afirman que las empresas galardonadas como Firms of Endearment de hecho gastan un menor porcentaje de sus ventas en actividades de marketing y, sin embargo, obtienen mayores ganancias, ya que los clientes sienten un gran respeto por las compañías y realizan por su propia cuenta una buena parte de dichas acciones. Los autores consideran que el paradigma de marketing del siglo XXI dicta la creación de valor para las partes interesadas, y hace que las empresas sean mejor recibidas por el público. La tabla 22.2 lista las empresas que han recibido las mejores calificaciones como Firms of Endearment, a partir de encuestas realizadas en una muestra de miles de clientes, empleados y proveedores.[31]

Responsabilidad social corporativa

Para mejorar el nivel del marketing de responsabilidad social es necesaria una estrategia de tres flancos: una conducta legal adecuada, una conducta ética adecuada y una conducta social responsable. Una empresa que coloca al marketing de responsabilidad social en el centro de todas sus actividades es Stonyfield Farm.[32]

Stonyfield Farm

Stonyfield Farm La responsabilidad social es la base de Stonyfield Farm. La empresa fue fundada en 1983 por Gary Hirshberg y sus socios. Hirshberg, durante mucho tiempo presidente ejecutivo de la compañía, se basó en la creencia de que había una oportunidad de negocios en la venta de productos lácteos orgánicos, mientras "se restauraba el medio ambiente" al mismo tiempo. Stonyfield, líder mundial del mercado de yogur orgánico, trabaja con proveedores socialmente responsables, adopta práctcas de

TABLA 22.2 Principales empresas reconocidas como Firms of Endearment

Best Buy	BMW	CarMax	Caterpillar
Commerce Bank	Container Store	Costco	eBay
Google	Harley-Davidson	Honda	IDEO
IKEA	JetBlue	Johnson & Johnson	Jordan's Furniture
L.L.Bean	New Balance	Patagonia	Progressive Insurance
REI	Southwest	Starbucks	Timberland
Toyota	Trader Joe's	UPS	Wegmans
Whole Foods			

Fuente: Raj Sisodia, David B. Wolfe y Jag Sheth, *Firms of Endearment: How World-Class Companies Profit from Passion and Purpose* (Upper Saddle River, NJ: Wharton School Publishing, 2007), p. 16. © 2007. Reproducción e impresión electrónica autorizadas por Pearson Education, Inc., Upper Saddle River, Nueva Jersey.

fabricación ecológicas, y aprovecha sus envases para promover su punto de vista respecto a los problemas ambientales y de salud. Stonyfield dona el 10% de sus ganancias a "esfuerzos que ayudan a proteger y restaurar la Tierra", y ha puesto en marcha una fundación sin fines de lucro llamada "El clima cuenta". Sus progresistas prácticas de negocios no han afectado su rendimiento financiero. Stonyfield es la tercera marca de yogur en Estados Unidos, y ahora también vende batidos, leche, yogures congelados y helados.

COMPORTAMIENTO LEGAL Las organizaciones deben asegurarse de que todos sus empleados conozcan y cumplan las leyes pertinentes para su negocio.[33] Por ejemplo, en Estados Unidos es ilegal que un vendedor mienta a los compradores o los engañe en relación con los beneficios de un producto. Está prohibido que los vendedores ofrezcan sobornos a los gerentes de compras o a otros agentes que participen en las decisiones relativas a la comercialización entre empresas. Sus afirmaciones deben coincidir con lo que ofrezca la publicidad de sus productos, y no pueden obtener ni utilizar secretos técnicos o comerciales de la competencia a través del soborno o del espionaje industrial. Por último, los vendedores no deben menospreciar a los competidores ni a sus productos haciendo comentarios falsos. Por su parte, los gerentes deben asegurarse de que todos los vendedores conozcan las normas vigentes y actúen en consecuencia.

COMPORTAMIENTO ÉTICO Las prácticas de negocios podrían ser criticadas debido a que las situaciones comerciales suelen plantear dilemas éticos: no es fácil trazar una línea clara entre la práctica normal de marketing y el comportamiento poco ético. En este sentido, los críticos muestran agudas discrepancias ante ciertos temas. Aunque Kraft eligió suprimir la publicidad de algunos de sus productos menos saludables —como las galletas Oreo y Chips Ahoy!— en los programas de televisión dirigidos a los niños de 6 a 11 años, algunos grupos censores consideraron que eso no era suficiente.[34]

Por supuesto, ciertas prácticas de negocios son claramente antiéticas o ilegales. Entre ellas están el soborno, el robo de secretos comerciales, la publicidad falsa y engañosa, los acuerdos comprometedores o de exclusividad, el ocultamiento de defectos de calidad o de seguridad, las garantías falsas, el etiquetado con información inexacta, la fijación de precios indebida o que esté guiada por pretensiones discriminatorias, las barreras de entrada y la competencia depredadora.

Las empresas deben adoptar y divulgar por escrito un código ético, desarrollar una tradición ética dentro de la empresa, y responsabilizar a sus empleados del cumplimiento de las directrices éticas y legales.[35] En el pasado, un cliente descontento era capaz de divulgar el desempeño poco ético o deficiente de una empresa a otras 12 personas; hoy en día, a través de Internet, ese mismo cliente puede llegar a miles de personas. Microsoft, por ejemplo, ha sido testigo del surgimiento de decenas de sitios antiMicrosoft, incluyendo www.msboycott.com y www.ihatemicrosoft.com. La desconfianza que sienten los consumidores estadounidenses hacia las empresas en general quedó evidenciada en cierta investigación, según la cual el porcentaje de consumidores que tiene opiniones desfavorables hacia las corporaciones ha llegado al 26 por ciento.[36]

COMPORTAMIENTO SOCIALMENTE RESPONSABLE Las empresas deben hacer alarde de su conciencia social en cada uno de sus tratos específicos con clientes y otros grupos de interés. Algunas compañías con una gran responsabilidad social corporativa son Microsoft, Johnson & Johnson, 3M, Google, Coca-Cola, General Mills, UPS, Sony y Procter & Gamble.[37]

Cada vez es más frecuente que las personas quieran tener información sobre los antecedentes de responsabilidad social y ecológica de las empresas para decidir a cuáles de ellas comprar, en cuáles invertir y en cuáles trabajar.[38] H. J. Heinz recibió premios por su "Informe de responsabilidad social corporativa 2009", de 108 páginas, que refleja el compromiso de la empresa por "lograr un crecimiento sostenible que beneficie a nuestros accionistas, consumidores, clientes, empleados y comunidades, guiado por los principios de integridad, transparencia y responsabilidad social". La tabla 22.3 muestra el texto introductorio de dicho informe.

Comunicar la responsabilidad social corporativa puede ser un desafío. Tan pronto como la empresa promocione una iniciativa ecológica, es posible que se convierta en blanco de críticas. Muchas iniciativas bien intencionadas de productos o de marketing pueden tener consecuencias negativas imprevistas o inevitables.[39]

Nestlé

Nestlé El aceite de palma tuvo muy buena recepción como combustible renovable entre las empresas de alimentos que buscaban una solución a la prohibición de usar grasas transgénicas, pero luego su utilización se relacionó con la destrucción de los bosques tropicales y la extinción de los orangutanes y el oso malayo. Cuando Greenpeace publicó un informe criticando a Nestlé por comprar aceite de palma para fabricar sus barras de chocolate KitKat a una empresa de Indonesia vinculada con la destrucción de los bosques tropicales de ese país, se produjo una guerra en los medios sociales. Los quejosos publicaron un video negativo en YouTube, bombardearon las páginas de Nestlé en Twitter y Facebook, y protestaron afuera de sus oficinas en Yakarta. Nestlé puso fin a sus relaciones con la empresa indonesia y tomó otras medidas para hacer frente a la controversia, pero las críticas en su contra continuaron.

TABLA 22.3 Extracto del "Informe de responsabilidad social corporativa 2009" de H. J. Heinz

Mensaje del presidente y director ejecutivo

Haciendo la diferencia para las personas y el planeta

H. J. Heinz Company ha sido un buen ciudadano corporativo durante 140 años. A lo largo de nuestra historia hemos tenido un impacto social y económico positivo en las comunidades, utilizando siempre prácticas de negocios sostenibles...

En los años fiscales 2008 y 2009 obtuvimos ventas récord, mayores ganancias por acción y un crecimiento en los dividendos de nuestros accionistas; al mismo tiempo, nos mantuvimos fieles a los principios que han guiado nuestra empresa desde 1869: calidad, integridad, innovación y producción de alimentos seguros.

Por otro lado, afianzamos nuestro firme compromiso con la responsabilidad ambiental mediante el lanzamiento de una iniciativa global en todos los continentes, cuyo objetivo es lograr una reducción del 20% en nuestras emisiones de gases de efecto invernadero, en nuestro consumo de agua y energía, y en nuestros residuos sólidos para el año 2015.

Nuestra empresa ha estado trabajando para lograr la transparencia y la sostenibilidad desde que Henry John Heinz empezó a vender el rábano picante, su primer producto, en botellas de vidrio transparente para que los consumidores pudieran ver su pureza...

Heinz tiene un consejo de administración sólido e independiente, así como un Código global de conducta, unos Principios universales de operación, y una Guía de valores para los proveedores, documentos que establecen altos estándares éticos para nuestros empleados y proveedores.

Pero lo más importante es que Heinz es una empresa global que valora a las personas, su dignidad y sus derechos en el lugar de trabajo y en la comunidad. Motivamos a nuestra fuerza laboral multiétnica, conformada por aproximadamente 33 000 hombres y mujeres, para que marque una diferencia sostenible en el trabajo y en sus comunidades, y fomentamos una cultura laboral en la que los salarios competitivos, la seguridad, la justicia y el respeto son los pilares de nuestro éxito.

Por último, como una de las empresas de alimentos de primer nivel en el mundo, Heinz se dedica a mejorar la salud y el bienestar de los hombres, las mujeres y los niños de todo el mundo...

La campaña de micronutrientes de Heinz está combatiendo el problema mundial de anemia por deficiencia de hierro y la desnutrición entre los infantes y los niños. La campaña ha proporcionado suplementos nutricionales a casi tres millones de niños en 15 países en desarrollo, y se está expandiendo a otros países para ayudar a muchos pequeños más en los próximos años.

Nuestra empresa ha invertido millones en esta campaña de micronutrientes, con el propósito de asegurar un futuro sostenible para las personas y nuestro planeta.

Los invito a aprender más acerca de Heinz, de nuestro desempeño y nuestro progreso en las secciones Responsabilidad social, Responsabilidad ambiental y Responsabilidad económicas de este informe interactivo basado en Web, donde encontrarán hechos y datos completos, videos y fotos, y enlaces a otros documentos informativos de Heinz.

Gracias por su interés en Heinz.

Atentamente,

William R. Johnson
Presidente y director ejecutivo

Fuente: Extracto del "Informe de responsabilidad social corporativa 2009" de H. J. Heinz.

Frecuentemente, cuanto más comprometida está una empresa con la sostenibilidad y la protección ambiental, más dilemas podrían surgir. Green Mountain Coffee Roasters, con sede en Vermont, se enorgullece de sus esfuerzos de sostenibilidad que, en parte, han ayudado a la empresa a convertirse en una de las marcas de café de mayor venta. Sin embargo, al comprar en 2006 la compañía Kuerig y su popular sistema de preparación de una sola taza de café, tuvo que enfrentar un dilema: los recipientes K-Cups que se utilizaban en el mencionado sistema eran de plástico y papel aluminio no reciclables. Teniendo en cuenta sus creencias y su tradición en materia de cuidado del medio ambiente, Green Mountain Coffee comprendió que sólo podía hacer una cosa, así que ha emprendido numerosas actividades de investigación y desarrollo para encontrar una solución más ecológica.[40]

La filantropía corporativa también puede plantear disyuntivas. Merck, DuPont, Walmart y Bank of America han donado cada uno por su parte 100 millones de dólares o más a obras de caridad en un año. Sin embargo, las buenas acciones pueden ser deliberadamente ignoradas —e incluso causar resentimiento— si se considera que la empresa es explotadora o no está a la altura de la imagen de "caritativa". La campaña publicitaria de 250 millones de dólares de Philip Morris para sus actividades de beneficencia fue recibida con escepticismo debido a su imagen negativa como empresa tabacalera. Algunos críticos se preocupan de que el marketing con causa, llamado también "filantropía de consumo", pueda sustituir las acciones virtuosas con compras menos reflexivas, reducir el énfasis en las soluciones reales o desviar la atención del hecho de que, para empezar, los mercados pueden crear muchos problemas sociales.[41]

SOSTENIBILIDAD La *sostenibilidad*, o capacidad de satisfacer las necesidades de la humanidad sin dañar a las generaciones futuras, hoy en día está a la cabeza de muchas agendas corporativas. Las grandes corporaciones explican con todo detalle la forma en que están tratando de minimizar el impacto a largo plazo de sus acciones en las comunidades y en el medio ambiente. Como dijo un consultor de sostenibilidad: "La ecuación fundamental consta de tres elementos: las personas, el planeta y las ganancias; de ellos, las personas son lo más importante. La sostenibilidad implica algo más que respetar el medio ambiente; también tiene que ver con mantenerse involucrados todo el tiempo".[42]

Existen clasificaciones de sostenibilidad, pero no hay un acuerdo consistente acerca de cuáles son los parámetros apropiadas.[43] Un amplio estudio utilizó 11 factores para evaluar y armar una lista de las 100 empresas sostenibles más importantes del mundo: energía, agua, CO_2 y productividad de los residuos; diversidad en el liderazgo; proporción entre el salario del presidente ejecutivo y el de los trabajadores promedio; impuestos pagados; liderazgo en sostenibilidad; enlace con el pago de la sostenibilidad; capacidad de innovación, y transparencia. Las cinco empresas con mejores calificaciones fueron GE, PG&E, TNT, H&M y Nokia.[44]

Hay quien considera que las empresas que obtienen buenos resultados en términos de sostenibilidad suelen mostrar una gran calidad en la gestión porque "tienden a ser más ágiles estratégicamente, y están mejor equipadas para competir en el complejo y rápido entorno global".[45] El interés del consumidor también está creando oportunidades de mercado. Green Works, la línea de productos naturales de Clorox para lavado de ropa y limpieza del hogar ha tenido éxito desde su aparición (con la ayuda de precios moderados y el respaldo del Sierra Club).[46] Otro buen ejemplo son los productos orgánicos (vea "Marketing en acción: El auge de los productos orgánicos").

Desafortunadamente, el creciente interés en la sostenibilidad también ha producido el *lavado verde*, el cual da a los productos la apariencia de ser amigables con el ambiente sin serlo necesariamente. Un estudio reveló que la mitad de las etiquetas de los productos supuestamente ecológicos se centran en un solo beneficio de esa índole (por ejemplo, su contenido de material reciclado), pero al mismo tiempo omiten información acerca de importantes inconvenientes para el medio ambiente (como el volumen de fabricación o los costos de transporte).[47]

Debido a que empresas no del todo honestas están subiéndose al tren ecológico, los consumidores responden con un saludable escepticismo hacia cualquier reivindicación ecológica, pero también están dispuestos a sacrificar el desempeño y la calidad del producto.[48] Muchas empresas están aceptando el reto, aprovechando la necesidad de la sostenibilidad para impulsar la innovación. Las ventas de los productos que hacen hincapié en la sostenibilidad se mantuvo constante durante la más reciente recesión económica.[49]

El auge de los productos orgánicos

Los productos orgánicos han ido ganando espacios en muchas categorías de alimentos y bebidas. El éxito de Caster & Pollux en la producción de alimentos orgánicos y naturales para mascotas ha conducido a la distribución de sus artículos en las cadenas minoristas de especialidad más importantes, como Petco. El té completamente orgánico Honest Tea creció 50% durante el año posterior a la fundación de su empresa productora en 1998; la compañía vendió el 40% del negocio a Coca-Cola en 2008.

El hecho de ser orgánicas y naturales es la base del posicionamiento de algunas marcas. La declaración de misión de Chipotle Mexican Grill, "Comida con integridad", refleja su enfoque en la buena comida con un mensaje de responsabilidad social. Siendo una de las primeras cadenas de restaurantes de comida rápida e informal, Chipotle utiliza ingredientes naturales y orgánicos, y sirve carne de animales criados de manera más natural que cualquier otro restaurante. Hacer cada burrito a mano toma tiempo, pero la calidad de sus alimentos y el mensaje que los respalda son una compensación satisfactoria para muchos clientes.

Numerosas empresas de industrias distintas a la alimentaria están adoptando ofertas orgánicas al evitar los productos químicos y pesticidas que dañan la preservación ecológica. Las prendas de vestir y otros artículos no alimenticios constituyen la segunda categoría de crecimiento más rápido en la industria de productos orgánicos, cuyo valor asciende a 3 500 millones de dólares. Los productos orgánicos no alimenticios crecieron un 9.1% en 2009, llegando a los 1 800 millones de dólares, que ahora constituyen el 7% de la industria de productos orgánicos de 26 600 millones de dólares. El algodón orgánico cultivado por agricultores que combaten la plaga de gorgojos con cochinillas (catarinas o mariquitas), deshierban manualmente las cosechas y utilizan estiércol como fertilizante, se ha convertido en un producto popular en la distribución minorista.

Fuentes: "Industry Statistics and Projected Growth", Organic Trade Association, junio de 2010; Jessica Shambora, "The Honest Tea Guys Look Back", *Fortune*, 26 de julio de 2010; Arianne Cohen, "Ode to a Burrito", *Fast Company*, abril de 2008, pp. 54-56; Kenneth Hein, "The World on a Platter", *Brandweek*, 23 de abril de 2007, pp. 27-28; Megan Johnston, "Hard Sell for a Soft Fabric", *Forbes*, 30 de octubre de 2006, pp. 73-80.

Modelos de negocio socialmente responsables

El futuro depara una gran cantidad de oportunidades a las empresas; sin embargo, las fuerzas en el entorno socioeconómico, cultural y natural impondrán nuevos límites a las prácticas de marketing y de negocios. Las empresas capaces de encontrar nuevas soluciones innovadoras y valores en el marco de la responsabilidad social, son las que más posibilidades de éxito tendrán.[50]

Empresas como The Body Shop, Working Assets y Smith & Hawken están dando un papel más prominente a la responsabilidad social. El aderezo para ensaladas casero del fallecido actor Paul Newman se ha convertido en un gran negocio. La marca propia de Newman, que también incluye salsa para pasta, rosetas de maíz y limonada, se vende en 15 países. La empresa ha entregado todos sus beneficios y regalías después de impuestos (casi 300 millones de dólares hasta el momento) a programas educativos y de beneficencia, como los campos Hole in the Wall Gang que Newman creó para niños con enfermedades graves.[51]

La filantropía corporativa en conjunto va en aumento: después de años de crecimiento constante —y habiendo donado 14 100 millones de dólares en efectivo y en especie en 2009— se mantuvo bastante estable, incluso durante la recesión.[52] Además de estas contribuciones, cada vez más empresas están empezando a pensar en la responsabilidad social corporativa como una forma de marketing con causa; los programas de voluntariado de empleados no son sólo algo "correcto", sino también "lo más inteligente" que puede hacerse.[53]

Marketing con causa

Muchas empresas combinan sus iniciativas de responsabilidad social con sus actividades de marketing.[54] El **marketing con causa** es toda actividad de marketing que vincula la contribución de la empresa a una causa determinada, con la participación directa o indirecta de sus clientes en las transacciones que le generan ingresos.[55] El marketing con causa también se considera parte del *marketing social de la empresa (CSM)*, que Minette Drumwright y Patrick Murphy definen como todos los esfuerzos de marketing "que tienen por lo menos un objetivo no económico relacionado con el bienestar social, y que emplean los recursos de la empresa y/o de sus socios".[56] Drumwright y Murphy también incluyen en el CSM la filantropía tradicional y estratégica y el voluntariado.

La tabla 22.4 resume tres programas de marketing con causa premiados y de gran éxito. A continuación analizaremos las ventajas y desventajas de estos programas, y señalaremos algunas pautas importantes al respecto.

TABLA 22.4 Tres programas clásicos de marketing con causa
Tesco
Tesco, un importante minorista del Reino Unido, ha creado "Tesco para escuelas y clubes", un programa que encaja bien con su posicionamiento global de marca corporativa "todo ayuda". Los clientes reciben un bono por cada 10 libras esterlinas que gastan, mismo que pueden donar a la escuela de su elección o a cualquier club de aficionados registrado para niños menores de 18 años. En 2009, la empresa entregó 540 000 artículos con un valor de 13 400 millones de libras esterlinas. También ofrece vales a cambio de la donación de cartuchos de inyección de tinta reciclados y teléfonos.
Dawn
Dawn, de Procter & Gamble, el líquido para lavar platos de mayor venta en Estados Unidos, siempre ha resaltado su poco usual beneficio secundario: puede limpiar a las aves que quedan atrapadas en los derrames de petróleo. Un informe del Servicio de Pesca y Vida Silvestre de Estados Unidos llamó a Dawn "el único agente limpiador de aves que se recomienda, ya que elimina el aceite de las plumas, no es tóxico y no deja residuos". Su sitio Web lanzado en 2006, www.DawnSavesWildlife.com, atrajo a 130 000 personas que formaron grupos virtuales para animar a sus amigos y conocidos a detener los derrames de gasolina y aceite de sus automóviles. Después del catastrófico derrame de petróleo de BP en 2010, P&G donó miles de botellas de Down y colocó un código en las mismas, amparando la donación de un dólar a causas para proteger la fauna del Golfo. Cada vez que un cliente activaba uno de esos códigos su donativo se sumaba al total, que llegó a 500 000 dólares. La marca también atrajo una publicidad masiva y numerosas visitas a su sitio de Facebook, en donde explicaba sus esfuerzos para ayudar y limpiar el medio ambiente.
British Airways
British Airways desarrolló una campaña de marketing con causa llamada "Cambio para el bien", cuyo propósito fue alentar a sus pasajeros a donar a UNICEF la moneda extranjera que les sobrara de sus viajes. La aerolínea anunciaba su programa proyectando un video durante los vuelos, en el dorso de las tarjetas de seguridad, y mediante anuncios durante los trayectos. También desarrolló un anuncio de televisión que mostraba a un niño agradeciendo a British Airways por su contribución a la UNICEF. Debido a que "Cambio para el bien" se dirigía directamente a los pasajeros, no requirió una amplia publicidad o promoción, y fue muy rentable. Produjo resultados inmediatos, y durante un periodo de 15 años, de 1994 a 2009, distribuyó casi 45 millones de dólares en todo el mundo.

Fuentes: www.tescoforschoolsandclubs.co.uk; www.dawnsaveswildlife.com; www.britishairways. com; Jack Neff y Stephanie Thompson, "Eco-Marketing Has Staying Power This Time Around", *Advertising Age*, 30 de abril de 2007, p. 55.

BENEFICIOS Y COSTOS DEL MARKETING CON CAUSA

Un programa de marketing con causa exitoso puede mejorar el bienestar social, crear un posicionamiento de marca diferenciado, establecer vínculos más fuertes con los consumidores, mejorar la imagen pública de la empresa, despertar sentimientos de buena voluntad hacia la misma, reforzar su moral interna, motivar a los empleados, generar ventas y aumentar su valor de mercado.[57] De hecho, podría darse el caso de que los consumidores desarrollen un vínculo sólido y único con la empresa, trascendiendo las transacciones normales del mercado.

En concreto, desde el punto de vista de branding, el marketing con causa puede (1) crear una conciencia de marca, (2) mejorar la imagen de la marca, (3) establecer la credibilidad de la marca, (4) evocar sentimientos hacia la marca, (5) crear un sentido de comunidad hacia la marca, y (6) generar un compromiso con la marca.[58] Este marketing tiene un público especialmente interesado en la conciencia cívica en los consumidores del milenio, jóvenes de 18 a 24 años de edad (vea la tabla 22.5).

El doble significado del programa de marketing con causa de British Airways "Cambio para el bien", manifestó hábilmente cómo funcionaba el programa y los beneficios que producía.

Sin embargo, el marketing con causa podría ser contraproducente si los consumidores cuestionan la relación entre el producto y la causa, o si consideran que la empresa es egoísta y explotadora.[59] También pueden surgir problemas si los consumidores creen que la empresa no es coherente y lo suficientemente responsable en todas sus conductas, como le sucedió a KFC.[60]

KFC

KFC El programa "Cubetas para curar" de KFC donaba 50 centavos de dólar por cada cinco dólares gastados en sus cubetas "rosa" de pollo frito a lo largo de un periodo de un mes a la famosa fundación Susan G. Komen for the Cure. La iniciativa fue anunciada como la donación corporativa más importante para financiar la investigación contra el cáncer de mama, con más de 8.5 millones de dólares. Sin embargo, había un problema: prácticamente al mismo tiempo, KFC presentó también su emparedado Double Down, que incluía dos piezas de pollo frito, tocino y queso. Los críticos inmediatamente señalaron que KFC estaba vendiendo un alimento con demasiadas calorías, grasa y sodio, por lo que estaba contribuyendo a la obesidad, un factor de riesgo para desarrollar cáncer de mama. En el mismo sitio de Susan G. Kamen, se señala que el sobrepeso es un factor que aumenta de 30 a 60% el riesgo de padecer cáncer de mama en las mujeres posmenopáusicas, lo cual también dejó a la fundación expuesta a las críticas respecto de su sociedad con KFC.

Para evitar repercusiones negativas, algunas empresas adoptan un enfoque flexible en los esfuerzos con causa. Entre 2004 y 2010, la alianza de Nike con la Fundación Lance Armstrong para la investigación contra el cáncer vendió más de 80 millones de pulseras amarillas LIVESTRONG por un dólar pero, de manera intencional, el famoso logo de Nike no apareció por ningún lado.[61] Un interesante programa con causa reciente es la campaña PRODUCT(RED).[62]

TABLA 22.5 La generación del milenio: actitudes de los jóvenes de 18 a 24 años hacia las causas sociales
85% son proclives a cambiar de una marca a otra que tenga casi el mismo precio y calidad, si ésta se asocia a una buena causa.
86% toman en cuenta los compromisos sociales o ambientales de la empresa al momento de decidir qué productos y servicios recomendar a otras personas.
84% consideran los compromisos sociales o ambientales de la empresa al momento de decidir qué comprar o dónde hacerlo.
87% consideran los compromisos sociales o ambientales de la empresa al momento de decidir dónde trabajar.
86% afirman que cuando un producto o empresa apoya una causa (un problema social o ambiental) que les importa, tienen una imagen más positiva de ese producto o empresa.

Fuente: 2010 Cone Cause Evolution Study; para conocer información adicional consulte www.coneinc.com/2010-cone-cause-evolution-study.

Nike deliberadamente resta importancia a su papel en los programas de marketing con causa, como las pulseras LIVESTRONG de la Fundación Lance Armstrong.

PRODUCT (RED)

PRODUCT(RED) El muy publicitado lanzamiento de PRODUCT (RED) en 2006, liderado por Bono, el activista y vocalista de U2, y por Bobby Shriver, el presidente de DATA, recaudaba fondos y hacía conciencia para el Fondo Mundial al colaborar con algunos de los productos más emblemáticos del mundo en la producción de los artículos respaldados por la marca (RED): las tarjetas American Express, los teléfonos Motorola, las zapatillas deportivas Converse, las camisetas Gap, los iPods de Apple y los lentes para sol Emporio Armani. Hasta el 50% de las ganancias de las ventas de estos productos se destinaron al Fondo Mundial para ayudar a las mujeres y los niños afectados por el VIH o el Sida en África. Cada una de las empresas que se convertía en un PRODUCT(RED) colocaba su logotipo en el "abrazo" representado por un paréntesis, y era "elevado a la potencia del rojo". Aunque algunos críticos sintieron que PRODUCT(RED) se había comercializado demasiado, en sus primeros 18 meses su contribución al Fondo Mundial superó los 36 millones de dólares, más de siete veces lo que las empresas habían contribuido desde su fundación en 2002. Muchas marcas conocidas se han unido a la causa desde entonces, como la productora de equipo informático Dell, la tarjetas Hallmark y las cafeterías Starbucks.

Para una organización sin fines de lucro o para un grupo comunitario, los conocimientos, las habilidades y los recursos de una empresa importante pueden ser aún más relevantes que el financiamiento. Las organizaciones sin fines de lucro deben tener bien claro cuáles son sus metas, comunicar con transparencia lo que esperan lograr, y diseñar una estructura organizativa para trabajar con diferentes empresas. Desarrollar una relación a largo plazo con una empresa puede tomar tiempo. Como comentó un consultor: "Lo que suele ser un problema entre las empresas y las organizaciones no lucrativas son las diferentes expectativas y las distintas consideraciones respecto a la cantidad de tiempo que será necesario invertir".[63]

Las empresas deben tomar varias decisiones sobre el diseño y la implementación de los programas de marketing con causa, por ejemplo, cuántas y cuáles causas elegir y cómo denominar al programa.

DISEÑO DE UN PROGRAMA CON CAUSA Algunos expertos consideran que el impacto positivo del marketing con causa puede reducirse si la empresa se involucra de manera esporádica con numerosas causas. Cathy Chizauskas, directora de asuntos sociales de Gillette, afirma: "Cuando se hace una donación de 50 dólares, luego otra de 1 000, y más tarde varias más por diversos montos, nadie sabe con certeza a que causa está contribuyendo la empresa realmente... En tales circunstancias apenas si hay algún impacto".[64]

Muchas empresas se centran en un par de causas principales para simplificar la ejecución del programa y maximizar su impacto. Las casas Ronald McDonald de McDonald's en más de 30 países ofrecen más de 7 200 habitaciones cada noche a las familias que necesitan apoyo mientras sus hijos está en el hospital, ahorrándoles un total de 257 millones de dólares al año en gastos de hotel. Desde 1974, el programa ha proporcionado un "hogar lejos del hogar" a los casi 10 millones de personas con familiares enfermos.[65]

Sin embargo, limitar el apoyo de la empresa a una sola causa reduce el número de consumidores o de otros grupos de interés que pueden transferir a la empresa los sentimientos positivos que les despierta una causa. Además, algunas causas cuentan ya con muchos patrocinadores empresariales. Más de 300 empresas, incluyendo Avon, Ford, Estée Lauder, Revlon, Lee Jeans, Polo Ralph Lauren, Yoplait, Saks, BMW y American Express, están vinculadas actualmente con la causa de la lucha contra el cáncer de mama.[66] En consecuencia, la marca podría terminar "perdida en el tumulto", sin destacar en absoluto entre un mar de lazos de color rosa.

Las "causas huérfanas", es decir, las que afectan a menos de 200 000 personas, pueden generar más oportunidades.[67] Otra opción son las enfermedades a las que no se presta demasiada atención, como el cáncer de páncreas, que es el cuarto tipo de cáncer de mayor mortalidad después del cáncer de piel, de pulmones y de mama, y que apenas recibe algún apoyo empresarial. Incluso importantes causas relacionadas con padecimientos mortales, como el cáncer de próstata en los hombres y las enfermedades cardiacas en las mujeres, han estado relativamente descuidados en comparación con el cáncer de mama, pero algunas empresas han comenzado a llenar este vacío. Gillette y la cerveza Grolsch se han unido a Safeway y a las Grandes Ligas de Béisbol, partidarios desde hace mucho tiempo de la lucha contra el cáncer de próstata. La Asociación Americana del Corazón puso en marcha su programa "Go Red for Women", que tiene como símbolo un vestido rojo y el objetivo de incrementar la conciencia y atraer el interés de las corporaciones y otras personas hacia una enfermedad que mata cada año a casi 12 veces más mujeres que el cáncer de mama.[68]

Casi todas las empresas eligen las causas que se ajustan a su imagen corporativa o de marca, y que son relevantes tanto para sus empleados como para sus accionistas. El programa "Dar el regalo de la vista", de LensCrafters, rebautizado como "Una visión" después de que la empresa fue adquirida por la firma italiana Luxottica, es una familia de programas de caridad para el cuidado de la vista, que ofrecen exámenes gratuitos de la vista, exámenes de los ojos y lentes a más de seis millones de personas necesitadas en América del Norte y los países en desarrollo en todo el mundo. Todas las tiendas están facultadas para entregar lentes gratis en sus

Apuntes de marketing

Marcar la diferencia: 10 consejos para llevar a cabo el branding con causa

Cone, una agencia de comunicaciones estratégicas especializada en el branding con causa y en la responsabilidad empresarial con sede en Boston, ofrece los siguientes consejos para desarrollar programas auténticos y de peso:

1. *Seleccionar un área de interés que se alinee con la misión, las metas y la organización de la empresa.*
2. *Evaluar las "voluntades" y los recursos institucionales.* Si la empresa, los empleados y otros aliados no creen o no invierten en la causa de la organización, tampoco lo hará el público.
3. *Analizar el posicionamiento de causa de la competencia.* Existen pocos espacios abiertos, pero esto puede ayudar a encontrar una necesidad legítima de la sociedad o un elemento sin explotar dentro de un espacio más concurrido.
4. *Elegir cuidadosamente a los socios.* Se debe buscar que los socios tengan los mismos valores, misión y voluntad. Las funciones y las responsabilidades se deben establecer con cuidado. Lo que se busca es una relación sostenible por varios años, y será preciso evaluar anualmente los logros de ambos socios.
5. *No subestimar el nombre del programa, pues es el elemento clave para dar identidad a la campaña.* Es necesario elegir con cuidado una frase que indique exactamente qué se está haciendo, y que sea capaz de crear una identidad visual simple pero memorable. La "Cruzada de Avon contra el cáncer de mama", la campaña "Go Red for Women" de la Asociación Americana del Corazón, y el programa "Hágase cargo de la educación" de Target son buenos ejemplos.
6. *Para crear un programa sostenible y eficaz, hay que empezar por desarrollar una estrategia de equipo multifuncional.* Será preciso incluir representantes de la oficina del director ejecutivo, asuntos públicos, recursos humanos, marketing, relaciones públicas y con la comunidad, investigación y medición, gestión de voluntarios y programas, entre otros. Si la empresa está dividida en áreas, tendrá que invertir mucho tiempo valioso en el establecimiento de lazos con otros departamentos para llevar a cabo el trabajo real.
7. *Aprovechar tanto los activos de la empresa como los de los socios para materializar el programa.* Estos activos podrían incluir a los voluntarios, los donativos en efectivo y en especie, los eventos especiales, la presencia en las tiendas, los recursos de los socios y el apoyo para el marketing y la publicidad. No olvide, además, que las emociones son uno de los activos más importantes, ya que pueden ayudar a conectar a la empresa con su audiencia, y diferenciar a la organización en un mercado saturado.
8. *Comunicarse a través de todos los canales posibles.* Deben crearse mensajes y elementos visuales convincentes, ya que las imágenes conmovedoras pueden penetrar en el corazón. Asimismo, los mensajes deben llevarse más allá de los medios de comunicación tradicionales y volverse multidimensionales, por ejemplo, en eventos especiales, sitios Web, talleres, anuncios de servicio público, y utilizando expertos —e incluso celebridades— como portavoces.
9. *Participar en la comunidad.* Los programas nacionales llegan al "nivel más alto", pero la verdadera transformación comienza en las raíces. Para ello es necesario involucrar a los ciudadanos/voluntarios a través de actividades prácticas en eventos locales, promociones de la causa y eventos para recaudar fondos.
10. *Innovar.* Los verdaderos líderes con causa transforman constantemente sus programas infundiéndoles energía, creando nuevas oportunidades de participación y contenido, con el propósito de mantener su pertinencia y crear sostenibilidad.

Fuentes: Cone, "Top 10 Tips for Cause Branding", www.coneinc.com/10-tips-cause-branding; vea también Carol L. Cone, Mark A. Feldman y Alison T. DaSilva, "Cause and Effects", *Harvard Business Review* (julio de 2003), pp. 95-101.

comunidades, y dos consultorios itinerantes se centran en los niños de América del Norte, realizando recorridos mensuales con duración de dos semanas en el extranjero. Luxottica paga la mayor parte de los gastos generales, por lo que el 92% de todas las donaciones se destinan directamente al financiamiento de los programas.[69]

Otra buena causa son las galletas de animalitos de Barnum, que lanzó una campaña para crear conciencia sobre las especies en peligro de extinción y ayudar a proteger al tigre asiático. "Apuntes de marketing: Marcar la diferencia: 10 consejos para llevar a cabo el branding con causa" ofrece algunos consejos de una empresa importante sobre el marketing con causa. El siguiente es un ejemplo de una compañía de reciente creación que utiliza el marketing con causa para desarrollar con éxito su nuevo negocio.[70]

TOMS Shoes Aunque como concursante Blake Mycoskie no ganó el reality *Amazing Race* alrededor del mundo, su viaje a Argentina en 2006 le provocó el deseo de iniciar un negocio para ayudar a las decenas de niños que vio sufriendo por una sencilla razón: carecían de zapatos. Los niños descalzos se exponen a riesgos de salud, pero también tienen la desventaja de que a menudo no se les permite asistir a la escuela. Así nació TOMS Shoes, y su nombre fue elegido para transmitir el mensaje de "un mañana mejor", con la promesa de donar un par de zapatos a niños necesitados por cada par de zapatos que se vendían. Comercializados por tiendas como Whole Foods, Nordstrom y Neiman Marcus, y también vendidos online, TOMS Shoes están basados en la clásica alpargata argentina. Como resultado del programa Uno por uno de la empresa, estos zapatos ligeros también se pueden encontrar en los pies de más de un millón de niños en países en desarrollo, como Argentina y Etiopía. Utilizar el dinero —que de otra forma habría sido empleado para financiar los esfuerzos de promoción— en pagar los zapatos dona-

La protección a la niñez ha sido tema del marketing social de diversas empresas.

dos también ha sido positivo en términos de marketing: la empresa ha ganado mucha de publicidad; AT&T incluso incluyó a Mycoskie en un comercial, se calcula que los ingresos por ventas durante los primeros cinco años de existencia de la empresa ascienden a 50 millones de dólares.

Marketing social

El marketing con causa respalda una causa. El **marketing social** es el que hace una organización sin fines de lucro o gubernamental para *promover* una causa, por ejemplo, "Di no a las drogas" o "Haz más ejercicio y lleva una dieta saludable".[71]

El marketing social existe desde hace mucho tiempo. En la década de 1950 India puso en acción campañas de planificación familiar. En la década de 1970 Suecia presentó campañas de marketing social para convertirse en una nación de no fumadores y no bebedores, el gobierno australiano introdujo las campañas "Usa el cinturón de seguridad", y el gobierno canadiense puso en marcha las campañas "Di no a las drogas", "Deja de fumar" y "Ejercítate". En la década de 1980 el Banco Mundial, la Organización Mundial de la Salud y los Centros para el Control y Prevención de Enfermedades de Estados Unidos comenzaron a utilizar el término *marketing social* y a promover el interés por él. Algunos notables éxitos mundiales del marketing social son:

- La terapia de rehidratación oral en Honduras redujo de manera significativa la muerte por diarrea en los niños menores de 5 años.
- Especialistas en marketing social colocaron cabinas en los mercados de Uganda, para que las comadronas vendieran en ellas anticonceptivos a precios accesibles.
- Population Communication Services creó y promovió dos canciones muy populares en América Latina, llamadas "Stop" y "When We Are Together", para ayudar a las mujeres jóvenes a "decir no" a las relaciones sexuales tempranas.
- El National Heart, Lung, and Blood Institute logró despertar la conciencia de la población estadounidense sobre los riesgos que implican la presión arterial elevada y el colesterol, lo que ha reducido de manera significativa el número de muertes asociadas a estos trastornos.

Existen diferentes tipos de organizaciones que realizan marketing social en Estados Unidos. Algunas de las agencias gubernamentales que lo practican son los Centros para el Control y la Prevención de Enfermedades, el Departamento de Salud, el Departamento de Bienestar Social y Servicios Humanos, el Departamento del Transporte y la Agencia de Protección Ambiental. Hay cientos de organizaciones no lucrativas que practican el marketing social; entre ellas se encuentran la Cruz Roja, el United Way y la Asociación Estadounidense contra el Cáncer.

Seleccionar el objetivo adecuado para un programa de marketing social es fundamental. ¿Una campaña de planificación familiar debería concentrarse en la abstinencia sexual o en el control de la natalidad? ¿Una campaña contra la contaminación ambiental debería enfocarse en el número de ocupantes de los vehículos o en el uso del transporte público? Las campañas de marketing social pueden tener objetivos relacionados con el conocimiento, los valores, las acciones o la conducta de las personas. Los siguientes ejemplos ilustran la gama de posibilidades.

Campañas cognitivas

- Explicar el valor nutricional de los diferentes alimentos.
- Demostrar la importancia de la protección del ambiente.

Campañas de acción

- Fomentar la participación en campañas de vacunación masiva.
- Motivar a la población para que vote a favor de algo en un plebiscito.
- Motivar a la población para que done sangre.
- Motivar a las mujeres para se sometan a la prueba de Papanicolau.

Campañas conductuales

- Desmotivar el tabaquismo.
- Desmotivar el consumo de drogas.
- Desmotivar el consumo excesivo de alcohol.

Campañas sobre valores

- Cambiar las ideas sobre el aborto.
- Cambiar la actitud de las personas intolerantes.

TABLA 22.6 Proceso de planificación del marketing social

¿Dónde estamos? • Determinar el enfoque del programa. • Identificar el propósito de la campaña. • Realizar un análisis de fortalezas, oportunidades, debilidades y amenazas (FODA). • Revisar los esfuerzos pasados y similares.
¿A dónde queremos ir? • Seleccionar el público meta. • Establecer objetivos y metas. • Analizar el público meta y la competencia.
¿Cómo llegar ahí? • Producto: diseñar la oferta de mercado. • Precio: gestionar los costos del cambio de conducta. • Distribución: hacer que el producto esté disponible. • Comunicaciones: crear mensajes y elegir los medios de comunicación.
¿Cómo mantener el rumbo? • Desarrollar un plan de evaluación y seguimiento. • Establecer presupuestos y encontrar fuentes de financiación. • Completar un plan de implementación.

Si bien el marketing social emplea una serie de tácticas distintivas para lograr sus objetivos, el proceso de planificación consta de muchas de las mismas etapas que la planificación de productos y servicios convencional (vea la tabla 22.6).[72] Algunos de los factores clave para el éxito en el cambio de comportamiento incluyen:[73]

- Seleccionar los mercados meta más dispuestos a responder.
- Promover una única conducta factible en términos sencillos y claros.
- Explicar las ventajas en términos convincentes.
- Facilitar la adopción de la nueva conducta.
- Desarrollar mensajes que llamen la atención en los medios adecuados.
- Considerar un enfoque que combine la educación y el entretenimiento.

Una organización que ha alcanzado la mayor parte de estos objetivos mediante la aplicación de técnicas de marketing modernas es la Operación Sonrisa & Pepsi.

Pepsi utiliza la Web para realizar campañas de marketing social en Latinoamérica. Un ejemplo exitoso es Operación Sonrisa.

Operación Sonrisa y Pepsi Con un antecedente de 600 cirugías para la corrección de paladar hendido en niños de escasos recursos, Pepsi, en conjunto con el organismo Operación Sonrisa y su agencia de comunicación digital Rapp Brasil, dieron a conocer en Facebook su nueva campaña de responsabilidad social destinada a los países latinoamericanos. Operación Sonrisa, una organización sin fines de lucro con presencia en 60 países (incluyendo trece en Latinoamérica), es la encargada de promover este tipo de cirugías, y ahora cuenta con un espacio especial en la página de Facebook de la marca para divulgar de manera innovadora todas sus acciones entre el público. En el perfil se colocó una aplicación de audio en la que pueden escucharse cinco tipos de risas de niños; cada vez que una persona pulse Play para escuchar alguna de las risas, Pepsi dona 50 centavos de dólar. Además existe la posibilidad de que los usuarios descarguen las risas y las utilicen como tonos para teléfonos móviles. Rapp también permite que los audios puedan usarse en otros perfiles de Facebook, como una invitación a interactuar y a difundir la campaña a través de los medios sociales. Usando esta misma herramienta de comunicación se publicaron fotografías en blanco y negro de cinco niños símbolo de la entidad, y cuando alguna persona escucha una de las risas, una de las fotografías se llena de color. Asimismo, la página presenta un contador automático que muestra la progresión de la cantidad de dinero recaudado, hasta alcanzar la cifra de 100 000 dólares.

Los programas de marketing social son complejos, consumen tiempo y muchas veces exigen la inclusión de varias campañas o actividades por etapas. Por ejemplo, veamos la secuencia de medidas que se han tomado en la lucha contra el tabaquismo: informes sobre la incidencia de cáncer, etiquetado de las cajetillas, prohibición de la publicidad de tabacaleras, educación sobre efectos secundarios del tabaco, prohibición de fumar en restaurantes y aviones, aumento de los impuestos a los cigarrillos para financiar las campañas contra el tabaquismo, y demandas de los gobiernos contra las tabacaleras.

Las organizaciones de marketing social deben evaluar el éxito del programa en función de sus objetivos. Los criterios podrían incluir la incidencia de la adopción de la conducta, la velocidad de adopción, la continuidad de adopción, el bajo costo por unidad de adopción y la ausencia de consecuencias contraproducentes.

Implementación y control del marketing

La tabla 22.7 resume las características de las empresas con mejores prácticas de marketing, que no son grandiosas por lo que son sino por lo que hacen. Las grandes empresas de marketing conocen a los mejores especialistas en marketing, valoran sus puntos de vista, y diseñan creativamente los planes de marketing para luego darles vida. La implementación y el control del marketing son fundamentales para asegurar que los planes correspondientes tengan los resultados esperados año tras año.

La implementación del marketing

La **implementación del marketing** es el proceso que convierte los planes de marketing en tareas de acción, y garantiza que las mismas se ejecuten de manera que se logren los objetivos establecidos en el plan.[74] Un plan de marketing estratégico brillante cuenta poco si no se implementa correctamente. La estrategia aborda el *qué* y el *porqué* de las actividades de marketing; la implementación se refiere al *quién*, *dónde*, *cuándo* y *cómo*, aspectos que están estrechamente relacionados: cada nivel de la estrategia implica ciertas tareas de implementación táctica en un nivel inferior. Por ejemplo, la decisión estratégica de la alta dirección de "exprimir" un producto debe traducirse en acciones y asignaciones específicas.

En la actualidad, las empresas se esfuerzan para que sus operaciones de marketing sean más eficaces y para que sus rendimientos sobre la inversión de marketing sean más cuantificables (vea el capítulo 4). Los costos de marketing pueden representar hasta una cuarta parte del presupuesto operativo total de una empresa. Los especialistas en marketing necesitan esquemas más adecuados para los procesos de marketing, una mejor gestión de sus activos y una asignación más precisa de los recursos de marketing.

El software de gestión de recursos de marketing (MRM, por sus siglas en inglés) proporciona un conjunto de aplicaciones basadas en Web que automatizan e integran la gestión de proyectos, campañas, presupuestos, activos, marcas, relaciones con los clientes y conocimientos. El componente de gestión del conocimiento consiste en plantillas de procesos, asistentes y mejores prácticas. Los paquetes de software pueden proporcionar lo que

TABLA 22.7	Características de las empresas con prácticas de marketing destacadas
• La empresa selecciona los mercados meta en los que goza de más ventajas, y abandona o rechaza aquellos en los que es intrínsecamente más débil.	
• Prácticamente todos los empleados y departamentos de la empresa tienen una orientación hacia el cliente y hacia el mercado.	
• Existe una magnífica relación profesional entre los departamentos de marketing, investigación y desarrollo y producción.	
• Existe una magnífica relación profesional entre los departamentos de marketing, ventas y servicio al cliente.	
• La empresa cuenta con sistemas de incentivos para las conductas más adecuadas.	
• La empresa cultiva y controla de forma permanente la satisfacción y la lealtad de sus clientes.	
• La empresa gestiona un sistema de generación de valor en colaboración con los principales proveedores y distribuidores.	
• La empresa es capaz de crear nombre e imagen de marca.	
• La empresa es flexible al satisfacer las diferentes necesidades de sus clientes.	

TABLA 22.8 Tipos de control de marketing

Tipo de control	Responsable	Propósito del control	Enfoques
I. Control del plan anual.	Alta dirección. Nivel directivo medio.	Examinar si se están alcanzando los resultados previstos.	• Análisis de ventas. • Análisis de participación de mercado. • Relación entre gastos y ventas. • Análisis financiero. • Análisis de los resultados basados en el mercado.
II. Control de rentabilidad.	Controlador de marketing.	Determinar si la empresa registra ganancias o pérdidas.	Rentabilidad por: • producto. • territorio. • cliente. • segmento. • canal comercial. • tamaño de pedido.
III. Control de eficacia.	Gestión del personal de base y directivos. Controlador de marketing.	Evaluar y mejorar la eficacia del gasto y el impacto de la inversión en marketing.	Eficacia por: • fuerza de ventas. • publicidad. • promoción de ventas. • distribución.
IV. Control estratégico.	Alta dirección. Auditor de marketing.	Determinar si la empresa va tras las mejores oportunidades en los mercados, productos y canales.	• Instrumento de valoración de la eficiencia del marketing. • Auditoría de marketing. • Revisión del nivel de excelencia del marketing. • Revisión de la responsabilidad ética y social de la empresa.

algunos han llamado el *marketing de escritorio*, que da a los especialistas en marketing estructuras informáticas de información y decisión. El software MRM permite mejorar las decisiones relacionadas con los gastos y la inversión, lanzar nuevos productos al mercado más rápidamente, y reducir el tiempo de decisión y los costos.

El control del marketing

El *control del marketing* es el proceso por el cual las empresas evalúan los efectos de sus actividades y programas de marketing, y realizan los cambios y ajustes necesarios. La tabla 22.8 enumera los cuatro tipos de control de marketing que se requieren: control del plan anual, control de rentabilidad, control de eficacia y control estratégico.

Control del plan anual

El control del plan anual pretende garantizar que la empresa logre los objetivos de ventas, utilidades, etc. La piedra angular del control del plan anual es la gestión por objetivos (vea la figura 22.4). En primer lugar, la dirección establece objetivos mensuales o trimestrales. En segundo, controla sus resultados en el mercado. En tercer lugar, la dirección determina las causas de las desviaciones de los resultados. Y en cuarto lugar, toma medidas correctivas para reducir las diferencias entre objetivos y resultados.

Este modelo de control se aplica a todos los niveles de la organización. La alta dirección establece los objetivos anuales de ventas y utilidades; todos los gerentes de producto, gerentes regionales, gerentes de ventas y vendedores se comprometen a alcanzar determinados niveles de ventas y costos. En cada periodo, la alta dirección revisa e interpreta los resultados. En la actualidad los especialistas en marketing cuentan

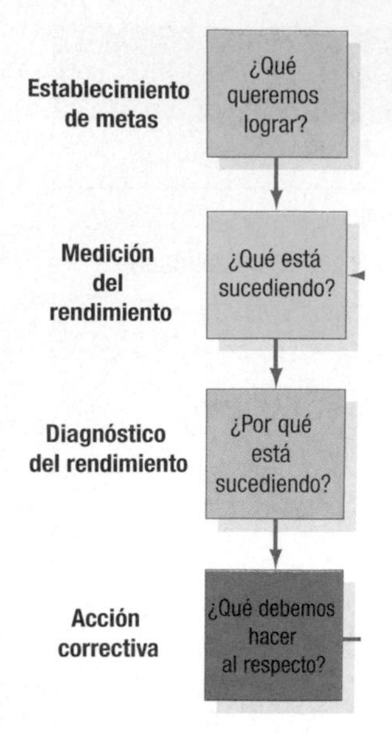

|Fig. 22.4|

El proceso de control

con mejores indicadores para medir el rendimiento de los planes de marketing (la tabla 22.9 presenta algunos ejemplos).[75] Existen cuatro instrumentos para este propósito: el análisis de ventas, el análisis de participación de mercado, el análisis de gastos de marketing y de ventas, y el análisis financiero. El apéndice de este capítulo los describe en detalle.

Control de rentabilidad

Las empresas deben medir la rentabilidad de sus productos, territorios, grupos de clientes, segmentos, canales de comercialización y tamaños de pedidos para ayudar a determinar la posibilidad de ampliar, reducir o eliminar los productos o las actividades de marketing. El apéndice de este capítulo muestra cómo elaborar e interpretar un análisis de rentabilidad de marketing.

Control de eficacia

Supongamos que un análisis de rentabilidad pone de manifiesto que la empresa está obteniendo bajas ganancias en determinados productos, territorios o mercados. ¿Hay formas más eficientes de gestionar la fuerza de ventas, la publicidad, la promoción de ventas y la distribución?

Algunas empresas han establecido el puesto de *controlador de marketing* para trabajar desde la oficina del controlador, pero se especializan en mejorar la eficiencia del marketing. General Foods, DuPont y Johnson & Johnson llevan a cabo un sofisticado análisis financiero de los gastos y resultados del marketing. Sus controladores de marketing examinan el cumplimiento de los planes de utilidades, ayudan a los gerentes de marca a preparar los presupuestos, miden la eficacia de las promociones, analizan los costos de producción de medios, evalúan la rentabilidad geográfica y por cliente, e instruyen al personal de marketing sobre las implicaciones financieras de sus decisiones.[76]

TABLA 22.9 Métricas de marketing

Métricas de ventas

- Crecimiento de las ventas.
- Participación de mercado.
- Ventas de nuevos productos.

Métricas sobre la disposición del cliente para comprar

- Conciencia.
- Preferencia.
- Intención de compra.
- Índice de prueba.
- Índice de recompra.

Métricas de clientes

- Quejas de los clientes.
- Satisfacción de los clientes.
- Proporción de promotores y detractores.
- Costos de adquisición de clientes.
- Obtención de nuevos clientes.
- Pérdida de clientes.
- Rotación de clientes.
- Índice de retención.
- Valor de vida del cliente.
- Capital de clientes.
- Rentabilidad de los clientes.
- Rendimiento de los clientes.

Métricas de distribución

- Número de puntos de venta.
- Participación en el manejo de las tiendas.
- Distribución ponderada.
- Ganancias de distribución.
- Volumen promedio de acciones (valor).
- Cobertura de existencias en días.
- Frecuencia de falta de inventario.
- Participación en los anaqueles.
- Promedio de ventas por punto de venta.

Métricas de comunicación

- Conciencia de marca espontánea (sin ayuda).
- Reconocimiento inmediato de la marca.
- Conciencia de marca provocada (con ayuda).
- Conciencia de la publicidad espontánea (sin ayuda).
- Conciencia de la publicidad provocada (con ayuda).
- Alcance efectivo.
- Frecuencia efectiva.
- Puntos porcentuales brutos (GRP).
- Índice de respuesta.

Control estratégico

Todas las empresas deben reevaluar periódicamente su enfoque estratégico en el mercado mediante una auditoría de marketing bien realizada. Las empresas también pueden realizar revisiones del nivel de excelencia del marketing, y revisiones de su responsabilidad ética y social.

LA AUDITORÍA DE MARKETING Las empresas estadounidenses pierden en promedio la mitad de sus clientes en cinco años, la mitad de sus empleados en cuatro años y la mitad de sus inversionistas en menos de un año. Sin duda esto refleja deficiencias importantes. Tan pronto como las empresas detecten estas deficiencias, deberán realizar un estudio profundo y detallado para solucionarlas: una auditoría de marketing.[77]

Una **auditoría de marketing** es un examen exhaustivo, sistemático, independiente y periódico del entorno de marketing, y de los objetivos, estrategias y actividades de la empresa o unidad de negocio, con el propósito de identificar oportunidades y áreas problemáticas, y recomendar un plan de acción para mejorar el marketing de la organización.

Las cuatro características de la auditoría de marketing son:

1. ***Exhaustiva.*** A diferencia de la auditoría funcional, la auditoría de marketing abarca todas las principales actividades de marketing de un negocio y no sólo unos pocos focos de conflicto. Aunque las auditorías funcionales son útiles, a veces confunden a la alta dirección. Por ejemplo, una rotación excesiva de vendedores tal vez no se deba a una capacitación deficiente o a un sistema de remuneración inadecuado, sino a que los productos y la promoción de la empresa no son buenos. Una auditoria de marketing exhaustiva por lo general resulta más eficaz para identificar la verdadera fuente de los problemas.
2. ***Sistemática.*** La auditoría de marketing es un estudio ordenado del macroentorno y del microentorno de la organización, de los objetivos y de las estrategias de marketing, de los sistemas de marketing y de otras actividades específicas dentro de la empresa. Identifica las mejoras más necesarias y las incorpora en un plan de acciones correctivas con medidas a corto y largo plazo.
3. ***Independiente.*** Las autoauditorías, en las que los administradores evalúan sus propias operaciones, carecen de objetividad e independencia.[78] La empresa 3M ha hecho un buen uso de su oficina de auditoría corporativa, que ofrece servicios de auditoría de marketing a las divisiones que lo solicitan.[79] Sin embargo, en términos generales, los consultores externos proporcionan la objetividad necesaria, una amplia experiencia en diversas industrias, familiaridad con la industria que está siendo auditada, y completa dedicación en términos de tiempo y atención.
4. ***Periódica.*** Las empresas suelen emprender auditorías de marketing sólo cuando no pueden revisar sus operaciones de marketing en los periodos de auge, con lo cual terminan enfrentando algunos problemas. Una auditoría de marketing periódica puede beneficiar tanto a las empresas en buen estado de salud como a las que tienen problemas.

Johnson & Johnson, el fabricante del famoso talco para bebés, lleva a cabo un cuidadoso análisis de sus gastos y resultados de marketing.

La auditoría de marketing comienza con el acuerdo entre los ejecutivos de la empresa y los auditores de marketing sobre los objetivos y plazos del proceso, y un plan detallado respecto a qué se preguntará y a quién. La regla de oro para los auditores de marketing es no basarse únicamente en los datos y las opiniones de los gerentes de la empresa. Se debe entrevistar también a sus clientes, distribuidores y otros grupos externos. Muchas empresas no saben realmente cómo son percibidas por sus clientes y distribuidores, ni comprenden a cabalidad las necesidades de sus clientes.

La auditoría de marketing examina seis componentes principales de la situación del marketing de la empresa. La tabla 22.10 describe los más importantes.

ANÁLISIS DEL NIVEL DE EXCELENCIA DEL MARKETING Las tres columnas de la tabla 22.11 incluyen prácticas de marketing excelentes, buenas y deficientes. El perfil que la dirección crea al indicar en qué lugar considera que se encuentra el negocio en cada línea, puede destacar en dónde deberían implementarse cambios para ayudar a la empresa a convertirse en un participante verdaderamente excepcional en el mercado.

El futuro del marketing

La alta dirección reconoce que el marketing exige una mayor responsabilidad que en el pasado. "Apuntes de marketing: Las principales debilidades del marketing" resume las deficiencias más importantes de las empresas en cuestión de marketing, e indica cómo encontrarlas y corregirlas.

Para tener éxito en el futuro, el marketing debe ser más holístico y menos departamental. Los especialistas en marketing deben conseguir más influencia dentro de las empresas, generar nuevas ideas de manera constante, y esforzarse por conocer perfectamente a los clientes y tratarlos de forma diferenciada,

TABLA 22.10 Componentes de la auditoría de marketing

Parte I. Auditoría del entorno de marketing	
Macroentorno	
A. Demográfico	¿Cuáles son los principales acontecimientos y tendencias demográficas que plantean oportunidades o amenazas para la empresa? ¿Qué medidas ha tomado la empresa en respuesta a estos acontecimientos y tendencias?
B. Económico	¿Cuáles son los principales acontecimientos en materia de ingresos, precios, ahorro y créditos que afectarán a la empresa? ¿Qué medidas ha tomado la empresa en respuesta a estos acontecimientos y tendencias?
C. Ambiental	¿Cuál es la perspectiva que necesita adoptar la empresa en relación con el costo y la disponibilidad de recursos naturales y energéticos? ¿Cuáles son las preocupaciones que se han expresado acerca del papel de la empresa en relación con la contaminación y la conservación del ambiente, y qué medidas ha tomado al respecto?
D. Tecnológico	¿Cuáles son los principales cambios que ocurren en la tecnología de productos y procesos? ¿Cuál es la posición de la empresa en relación con estas tecnologías? ¿Cuáles son los principales sustitutos genéricos que podrían reemplazar los productos de la empresa?
E. Político	¿Qué cambios en la legislación podrían afectar la estrategia y las tácticas de marketing? ¿Qué está ocurriendo en el control de la contaminación, las oportunidades de empleo, la seguridad de los productos, la publicidad, el control de precios, entre otros factores que afectan la estrategia de marketing?
F. Cultural	¿Cuál es la actitud del público hacia el negocio y hacia los productos de la empresa? ¿Qué cambios en los estilos de vida y valores de los clientes podrían afectar a la empresa?
Entorno de las actividades	
A. Mercados	¿Qué sucede con las dimensiones, el crecimiento, la distribución geográfica y las utilidades del mercado? ¿Cuáles son los principales segmentos del mercado?
B. Clientes	¿Cuáles son las necesidades y procesos de compra de los clientes? ¿Cómo califican los clientes reales y potenciales a la empresa y a sus competidores en cuanto a reputación, calidad de producto, servicio, fuerza de ventas y precio? ¿Cómo toman sus decisiones de compra los diferentes segmentos de clientes?
C. Competidores	¿Quiénes son los principales competidores? ¿Cuáles son sus objetivos, estrategias, fortalezas, debilidades, tamaños y participaciones de mercado? ¿Qué tendencias afectarán a la futura competencia y a los sustitutos de los productos de la empresa?
D. Distribución e intermediarios	¿Cuáles son los principales canales comerciales para llevar los productos hasta los consumidores? ¿Cuáles son los niveles de eficiencia y potencial de crecimiento de los diferentes canales comerciales?
E. Proveedores	¿Cuál es la perspectiva de disponibilidad de los recursos básicos utilizados en la producción? ¿Qué tendencias se manifiestan entre los proveedores?
F. Facilitadores y compañías de marketing	¿Cuál es la perspectiva del costo y de la disponibilidad de los servicios de transporte, instalaciones de almacenamiento y recursos financieros? ¿Qué tan eficaces son las agencias de publicidad y las compañías de marketing de la empresa?
G. Públicos	¿Qué públicos representan oportunidades o problemas particulares para la empresa? ¿Qué medidas ha tomado la empresa para lidiar de manera eficaz con cada uno de estos públicos?
Parte II. Auditoría de la estrategia de marketing	
A. Misión del negocio	¿La misión del negocio está formulada con claridad en términos de orientación hacia el mercado? ¿Es factible?
B. Objetivos y metas	¿Los objetivos y metas de la empresa en general y de su marketing en particular están formulados de forma clara y de manera suficiente para guiar la planificación del marketing y la evaluación de resultados? ¿Las metas del marketing son apropiadas en función de la posición competitiva, los recursos y las oportunidades de la empresa?
C. Estrategia	¿La dirección ha puesto en acción una estrategia de marketing clara para alcanzar sus metas de comercialización? ¿La estrategia es convincente? ¿La estrategia es apropiada de acuerdo con la etapa del ciclo de vida del producto, las estrategias de los competidores y la situación económica? ¿La empresa utiliza una base adecuada para hacer su segmentación de mercado? ¿Tiene criterios claros para evaluar los segmentos y elegir los mejores? ¿Ha realizado descripciones precisas de cada uno de sus segmentos meta? ¿Ha desarrollado un posicionamiento y una mezcla de marketing eficaces para cada uno de los segmentos meta? ¿Los recursos de marketing están asignados de manera óptima para cada uno de los principales elementos de la mezcla de marketing? ¿Se presupuestan suficientes recursos o demasiados recursos para cumplir los objetivos de marketing?
Parte III. Auditoría de la organización de marketing	
A. Estructura formal	¿El vicepresidente o el director de marketing tienen el nivel de autoridad y responsabilidad que ameritan las actividades de la empresa que afectan la satisfacción de los clientes? ¿Las actividades de marketing están estructuradas de manera óptima a lo largo de las líneas funcionales, de producto, de segmento, de usuarios finales y geográficas?

TABLA 22.10	Componentes de la auditoría de marketing (Continuación)
B. Eficiencia funcional	¿Existen buenas relaciones de trabajo y buena comunicación entre los departamentos de marketing y de ventas? ¿El sistema de gestión de producto funciona de manera eficaz? ¿Los gerentes de producto son capaces de planificar las utilidades o sólo el volumen de ventas? ¿En el departamento de marketing hay grupos que necesiten más capacitación, motivación, supervisión o evaluación?
C. Eficiencia de contactos	¿Existen problemas entre los departamentos de marketing, producción, investigación y desarrollo, compras, finanzas, contabilidad y jurídico que requieran atención?
Parte IV. Auditoría de los sistemas de marketing	
A. Sistema de información de marketing	¿El sistema de información de marketing genera información precisa, suficiente y oportuna acerca de los acontecimientos del mercado respecto de los clientes reales y potenciales, los distribuidores e intermediarios, los competidores, proveedores y diversos públicos? ¿Los encargados de tomar las decisiones dentro de la empresa cuentan con suficiente investigación de mercados y hacen uso de ella? ¿La empresa utiliza los mejores métodos a su alcance para valorar el mercado y hacer pronósticos de ventas?
B. Sistemas de planificación de marketing	¿El sistema de planificación de marketing está bien diseñado y es empleado de manera eficaz? ¿Los especialistas de marketing disponen de sistemas de apoyo para la toma de decisiones? ¿El sistema de planificación da como resultado metas y cuotas de ventas aceptables?
C. Sistema de control de marketing	¿Los procedimientos de control son adecuados para garantizar el logro de las metas planteadas en el plan anual? ¿La dirección analiza de forma periódica la rentabilidad de los productos, mercados, territorios y canales de distribución? ¿Se examinan con periodicidad los costos de marketing y los niveles de productividad?
D. Sistema de desarrollo de nuevos productos	¿La empresa está bien organizada para reunir, generar y analizar las ideas de nuevos productos? ¿Realiza la investigación de conceptos y los análisis de negocio adecuados antes de invertir en nuevas ideas? ¿Lleva a cabo pruebas de producto y de mercado antes de lanzar los nuevos productos?
Parte V. Auditoría de la productividad del marketing	
A. Análisis de rentabilidad	¿Cuál es la rentabilidad de los diferentes productos, mercados, territorios y canales de distribución de la empresa? ¿Debería la empresa entrar, expandir, contraer o retirarse de alguno de su segmentos de negocio?
B. Análisis de costo-eficacia	¿Alguna de las actividades de marketing parece tener costos excesivos? ¿Se han tomado medidas para reducir los costos?
Parte VI. Auditoría de las funciones de marketing	
A. Productos	¿Cuáles son los objetivos de la línea de productos de la empresa? ¿Son adecuados? ¿La línea de productos actual satisface los objetivos? ¿La línea de productos debería ser ampliada o contraída hacia arriba, hacia abajo, o en ambas direcciones? ¿Cuáles productos deberían retirarse del mercado? ¿Cuáles productos deberían agregarse a la línea? ¿Los compradores conocen los productos de la empresa y de la competencia? ¿Cuáles son sus actitudes hacia la calidad, las características, los estilos, las marcas, etc., de los productos de la empresa y de la competencia? ¿Qué áreas de producto y estrategia de marca necesitan mejorarse?
B. Precio	¿Cuáles son las metas, políticas, estrategias y procedimientos de fijación de precios de la empresa? ¿En qué grado los precios se basan en criterios de costo, demanda y competencia? ¿Los clientes consideran que los precios de la empresa concuerdan con el valor de su oferta? ¿Qué sabe la dirección acerca de la elasticidad del precio de la demanda, los efectos de la curva de experiencia y las políticas de precios de la competencia? ¿En qué grado son compatibles las políticas de precio con las necesidades de los distribuidores e intermediarios, de los proveedores y con la regulación gubernamental?
C. Distribución	¿Cuáles son los objetivos y estrategias de distribución de la empresa? ¿Existe una cobertura adecuada del mercado? ¿Qué tan eficaces son los distribuidores, intermediarios, representantes de los fabricantes, comisionistas y agentes? ¿La empresa debería considerar la posibilidad de cambiar sus canales de distribución?
D. Publicidad, promoción de ventas, relaciones públicas y marketing directo	¿Cuáles son los objetivos de publicidad de la organización? ¿Son adecuados? ¿Se invierte lo suficiente en publicidad? ¿Los temas y el texto de los anuncios son eficaces? ¿Qué piensan los clientes y el público en general de la publicidad? ¿Es apropiada la selección de los medios publicitarios? ¿Es competente el personal interno de publicidad? ¿Es adecuado el presupuesto de promoción de ventas? ¿Se hace un uso suficiente y eficaz de las herramientas de promoción de ventas, como las muestras, los cupones, los exhibidores y los concursos de ventas? ¿El personal de relaciones publicas es competente y creativo? ¿La empresa hace suficiente uso del marketing directo, del marketing online y del marketing de bases de datos?
E. Fuerza de ventas	¿Cuáles son los objetivos de la fuerza de ventas? ¿La fuerza de ventas es lo suficientemente grande como para lograr las metas de la empresa? ¿La fuerza de ventas está organizada de acuerdo con los principios de especialización adecuados (territorios, mercados, productos)? ¿Hay suficientes (o demasiados) gerentes de ventas para coordinar a los vendedores? ¿El nivel y la estructura de remuneración brindan los incentivos y las recompensas adecuados? ¿La fuerza de ventas manifiesta un elevado nivel de entusiasmo, capacidad y esfuerzo? ¿Los procedimientos para establecer las cuotas de ventas y para evaluar los resultados son adecuados? ¿Cómo se compara la fuerza de ventas de la empresa con la fuerza de ventas de la competencia?

TABLA 22.11 Análisis del nivel de excelencia del marketing: mejores prácticas

Deficiente	Bueno	Excelente
Orientado hacia el producto.	Orientado hacia el mercado.	Brinda orientación al mercado.
Orientado hacia el mercado masivo.	Orientado hacia segmentos.	Orientado hacia nichos y hacia el cliente.
Oferta de producto.	Oferta de producto mejorada.	Oferta de soluciones al cliente.
Producto con calidad promedio.	Mejor que el promedio.	Legendario.
Servicio con calidad promedio.	Mejor que el promedio.	Legendario.
Orientado hacia el producto terminado.	Orientado hacia el producto principal.	Orientado hacia la competencia principal.
Orientado a la función.	Orientado al proceso.	Orientado a los resultados.
Reacciona ante los competidores.	Reacciona ante los competidores con mejores prácticas.	Supera con creces a los competidores.
Explotación del proveedor.	Preferencia por el proveedor.	Sociedad con el proveedor.
Explotación del distribuidor.	Apoyo al distribuidor.	Sociedad con el distribuidor.
Orientado al precio.	Orientado a la calidad.	Orientado al valor.
Rapidez promedio.	Mejor que el promedio.	Legendaria.
Jerarquía.	Red.	Equipo de trabajo.
Integrado verticalmente.	Organización plana.	Alianzas estratégicas.
Orientado hacia los accionistas.	Orientado hacia los accionistas.	Orientado hacia la sociedad.

pero adecuada. Asimismo, es necesario que creen sus marcas con base en los resultados y no a través de la promoción. Por último, es preciso que adopten la tecnología electrónica y la utilicen para crear potentes sistemas de información y comunicación.

En los años venideros seremos testigos de:

- La desaparición del departamento de marketing y el auge del marketing holístico.
- La desaparición del marketing derrochador y el auge del marketing concentrado en la rentabilidad de la inversión.
- La desaparición del marketing intuitivo y el auge del marketing científico.
- La desaparición del marketing manual y el auge del marketing automatizado *y* del marketing creativo.
- La desaparición del marketing masivo y el auge del marketing de precisión.

Para efectuar estos cambios y lograr un marketing verdaderamente holístico, los especialistas en marketing deben adquirir toda una serie de nuevos conocimientos y habilidades en lo que se refiere a:

- La gestión de relaciones con clientes (CRM).
- La gestión de relaciones con socios (PRM).
- El marketing de bases de datos y el análisis de la información (*data mining*).
- La gestión de los centros de contacto y de telemarketing.
- El marketing de relaciones públicas (incluidos los eventos y los patrocinios).
- La creación de marcas y la dirección de activos de marca.
- El marketing de experiencias.
- La comunicación integral de marketing.
- El análisis de rentabilidad por segmento, cliente y canal.

Los beneficios del marketing exitoso del siglo XXI son muchos, pero sólo se lograrán mediante el trabajo arduo, la visión y la inspiración. El presente es un momento emocionante, ya que están surgiendo nuevas normas y prácticas. Quizá nunca antes las palabras del autor estadounidense del siglo XIX, Ralph Waldo Emerson, hayan sido más ciertas: "Este momento, como todos, es un buen momento, pero sólo si sabemos qué hacer con él".

Apuntes de **marketing**

Las principales debilidades del marketing

En marketing existe una serie de "pecados capitales" que funcionan como indicadores de que el programa de marketing está en peligro. A continuación se enumeran estos 10 pecados capitales del marketing, junto con sus síntomas y sus posibles soluciones.

Pecado capital: La empresa no está lo suficientemente orientada al mercado ni a los clientes.

Síntomas: Mala definición de los segmentos de mercado, escasa priorización de los segmentos de mercado, ausencia de gerentes de segmento, empleados que piensan que las funciones de los departamentos de marketing y de ventas sólo consisten en atender a los clientes, ausencia de programas de capacitación para crear una cultura en torno a los clientes, ausencia de incentivos para tratar especialmente bien a los clientes.

Soluciones: Emplear técnicas de segmentación más avanzadas, dar prioridad a los segmentos, especializar a la fuerza de ventas, desarrollar una jerarquía clara de los valores de la empresa, fomentar la "conciencia del cliente" en los empleados y en los agentes de la empresa, facilitar el acceso de los clientes a la empresa y responder de inmediato ante cualquier mensaje de éstos.

Pecado capital: La empresa no comprende bien a sus clientes meta.

Síntomas: El estudio de clientes más reciente se hizo hace tres años, los clientes no compran el producto como antes, los productos de la competencia se venden mejor y el índice de devoluciones y reclamaciones es alto.

Soluciones: Realizar estudios de consumidores con más detalle, emplear técnicas más analíticas, crear paneles de consumidores e intermediarios, emplear un software de relaciones con los clientes, analizar la información.

Pecado capital: La empresa necesita definir y vigilar mejor a sus competidores.

Síntomas: La empresa se concentra en los competidores cercanos, no presta atención a los competidores distantes ni a las tecnologías emergentes, y no cuenta con un sistema para recopilar y distribuir la inteligencia competitiva.

Soluciones: Crear una oficina de inteligencia competitiva, contratar empleados de la competencia, vigilar la tecnología que podría afectar a la empresa, preparar ofertas como las de los competidores.

Pecado capital: La empresa no gestiona adecuadamente las relaciones con los grupos de interés.

Síntomas: Descontento de empleados, distribuidores e inversionistas, y ausencia de buenos proveedores.

Soluciones: Adoptar un pensamiento positivo, gestionar mejor las relaciones con empleados, distribuidores, proveedores, concesionarios e inversionistas.

Pecado capital: La empresa no logra encontrar buenas oportunidades.

Síntomas: La empresa lleva años sin encontrar una oportunidad novedosa y emocionante, las ideas nuevas que lanza son fracasos rotundos.

Soluciones: Instaurar un sistema para estimular el flujo de nuevas ideas.

Pecado capital: El proceso de planificación de marketing de la empresa es deficiente.

Síntomas: El formato del plan de marketing no cuenta con los elementos adecuados, no hay forma de calcular las implicaciones financieras de las diferentes estrategias y no existe un plan de contingencia.

Soluciones: Crear un formato estándar que incluya un análisis de la situación, un FODA, los problemas principales, las metas, la estrategia, las tácticas, los presupuestos y los controles periódicos; preguntar a los especialistas de marketing qué cambios harían si recibieran un presupuesto 20% superior o inferior, ofrecer premios anuales a los mejores planes y resultados.

Pecado capital: Las políticas de productos y servicios son muy laxas.

Síntomas: Existen demasiados productos, una parte importante de los cuales pierde dinero; la empresa presta demasiados servicios y no logra hacer venta cruzada de productos y servicios.

Soluciones: Establecer un sistema para controlar los productos débiles y reencauzarlos o sacarlos del mercado; ofrecer servicios a diferentes precios y niveles, y mejorar los procesos de venta cruzada y vertical.

Pecado capital: La empresa no logra crear marca ni generar comunicaciones de forma adecuada.

Síntomas: El mercado meta casi no conoce a la empresa; la marca no se percibe como exclusiva; la empresa asigna su presupuesto a las mismas herramientas de marketing y en la misma proporción cada año; existe poco análisis de la rentabilidad de las inversiones en promoción.

Soluciones: Mejorar las estrategias de creación de marca y control de resultados, destinar el dinero a instrumentos de marketing eficaces, y pedir a los especialistas en marketing que calculen la rentabilidad de la inversión antes de solicitar fondos.

Pecado capital: La empresa no está organizada para desarrollar un marketing eficiente y eficaz.

Síntomas: Los empleados carecen de los conocimientos de marketing necesarios para desenvolverse en el siglo XXI, y hay una mala relación entre los departamentos de marketing y de ventas, entre otros.

Soluciones: Nombrar a un líder sólido y crear nuevas capacidades en el departamento de marketing, así como mejorar las relaciones del departamento de marketing con los demás.

Pecado capital: La empresa no utiliza al máximo la tecnología.

Síntomas: Uso mínimo de Internet, sistema de automatización de ventas obsoleto; ausencia de automatización de marketing; ausencia de modelos para la toma de decisiones; ausencia de tableros de control de marketing.

Soluciones: Recurrir más a Internet, mejorar el sistema de automatización de ventas, aplicar la automatización a decisiones rutinarias, desarrollar modelos formales para las decisiones de marketing y tener tableros de control.

Fuente: Philip Kotler, *Ten Deadly Marketing Sins: Signs and Solutions* (Hoboken, NJ: Wiley, 2004). © Philip Kotler.

Resumen

1. El departamento de marketing moderno ha evolucionado con los años, de un simple departamento de ventas a una estructura organizacional en la que los especialistas de marketing trabajan, fundamentalmente, en equipos multidisciplinarios.
2. Algunas empresas se organizan según la especialidad funcional, mientras que otras se concentran en la regionalización y en la geografía, en la gestión de marcas y productos, o en la gestión de segmentos de mercado. Algunas empresas adoptan una estructura matricial que integra gerentes tanto de producto como de mercado.
3. En la actualidad las organizaciones de marketing eficaces se caracterizan por un importante nivel de cooperación, y por la orientación en el cliente de todos los departamentos de la empresa: marketing, investigación y desarrollo, ingeniería, compras, producción, operaciones, finanzas, contabilidad y crédito.
4. Las empresas deben ejercer su responsabilidad social en todas sus acciones y mensajes de índole legal, ético y social. El marketing con causa puede ser un medio para que las empresas vinculen productivamente la responsabilidad social con los programas de marketing dirigidos a los clientes. El marketing social se practica en instituciones gubernamentales o en organizaciones no lucrativas que trabajan por una causa o atienden de manera directa un problema social.
5. Un buen plan de marketing estratégico resulta inútil si no se ejecuta de forma adecuada. Esto incluye la identificación y diagnóstico de los problemas, la detección del lugar en que existe el problema, y la evaluación de los resultados.
6. El departamento de marketing deberá supervisar y controlar continuamente las actividades de marketing. Los planes de control de marketing aseguran que la empresa alcanzará las ventas, utilidades y otras metas señaladas en su plan anual. Las herramientas principales son el análisis de ventas, el análisis de participación de mercado, el análisis de gastos de marketing y de ventas, y el análisis financiero del plan de marketing. El control de rentabilidad mide y controla la rentabilidad de los productos, territorios, grupos de clientes, canales comerciales y tamaños de los pedidos. El control de eficacia encuentra la manera de aumentar la eficiencia de la fuerza de ventas, la publicidad, la promoción de las ventas y la distribución. El control estratégico evalúa periódicamente el enfoque estratégico de la empresa en el mercado, mediante revisiones de la efectividad del marketing y de su nivel de excelencia, así como realizando auditorías de marketing.
7. Lograr un marketing de excelencia en el futuro exige contar con un nuevo conjunto de habilidades y competencias.

Aplicaciones

Debate de marketing

¿La gestión del marketing es un arte o una ciencia?

Algunos observadores sostienen que el marketing bien utilizado es, sobre todo, un arte que no se presta a deliberaciones ni análisis rigurosos. Otros argumentan que su gestión es una tarea totalmente organizada que tiene mucho en común con otras disciplinas comerciales.

Asuma una posición: "La dirección de marketing es un arte y, por lo tanto, subjetivo" *versus* "La dirección de marketing es una ciencia, con directrices y criterios claramente definidos".

Análisis de marketing

Marketing con causa

¿Cómo influye el marketing con causa o el marketing social corporativo en su conducta personal como consumidor? ¿Adquiere los productos o servicios dependiendo de las políticas o programas ambientales de la empresa que los produce? ¿Por qué?

Marketing de excelencia

>>Starbucks

Starbucks abrió sus puertas en 1971, en la ciudad de Seattle, en una época en que el consumo de café en Estados Unidos había ido disminuyendo desde una década atrás y las marcas rivales utilizaban granos de café más baratos para poder competir en precio. Los fundadores de Starbucks decidieron experimentar con un nuevo concepto: una tienda que vendiera sólo los mejores granos de café importados y los mejores equipos para su preparación (la tienda original no vendía café preparado, únicamente granos).

Howard Schultz llegó a Starbucks en 1982. Encontrándose en Milán por cuestiones de negocios, entró en una cafetería italiana y tuvo una revelación: "No había nada como aquello en Estados Unidos. Era una extensión de la sala familiar. Era una experiencia emocional...". Para llevar este concepto a Estados Unidos, Schultz se dedicó a crear un entorno que reflejara la elegancia italiana combinada con la informalidad estadounidense, y lo reprodujera en las cafeterías Starbucks. Tuvo la visión de las tiendas como un "regalo" para sus clientes, un "espacio especial", un lugar cómodo de reunión social, que vinculara el trabajo con el hogar.

La expansión de Starbucks a lo largo de Estados Unidos fue cuidadosamente planificada. Todas las tiendas eran de propiedad y operación de la empresa, lo que garantizaba un control total sobre su imagen de calidad sin precedentes. Utilizando una estrategia unificada, las cafeterías entraron como un grupo en un nuevo mercado. A pesar de que esta saturación deliberada a menudo canibalizaba el 30% de las ventas de una tienda debido a la apertura de una tienda cercana, cualquier disminución de sus ingresos era compensada por eficiencias en los costos de marketing y distribución, y por una imagen de conveniencia mejorada. El cliente típico visitaba Starbucks 18 veces al mes. Ningún minorista estadounidense había tenido una frecuencia mayor de visitas de sus clientes.

Parte del éxito de Starbucks reside, sin duda, en sus productos y servicios, y en su compromiso inquebrantable de ofrecer las experiencias sensoriales más agradables posibles. Pero otra de sus claves es su sentido progresista de responsabilidad social, que se manifiesta de diferentes maneras. Schultz creía que para superar las expectativas de los clientes primero era necesario superar las de los empleados. Desde 1990, Starbucks ha brindado atención integral de salud a todos sus empleados, incluidos los de medio tiempo. Los seguros de salud actualmente le cuestan a la empresa más dinero al año que el café. Un plan de opciones sobre acciones denominado "Acción grano" también permite que los empleados participen en el éxito financiero de la empresa.

Por otro lado, Schultz creía que las operaciones de Starbucks debían funcionar de una manera respetuosa, ética, y que la toma de decisiones debía tener un impacto positivo en las comunidades y en el planeta.

Comunidad: La Fundación Starbucks, que comenzó operaciones en 1997 con el dinero recaudado por la venta del libro de Schultz, tiene como objetivo "crear esperanza, descubrimiento y oportunidades en las comunidades donde los socios [empleados] de Starbucks viven y trabajan". Su objetivo principal es apoyar los programas de alfabetización para niños y familias en Estados Unidos y Canadá. Ahora con metas más amplias, el programa ha donado millones de dólares a organizaciones de beneficencia y a comunidades de todo el mundo.

Los empleados de Starbucks donan horas de servicio comunitario para causas de cualquier envergadura (por ejemplo, la reconstrucción de Nueva Orléans tras el huracán Katrina), y la compañía se ha fijado el objetivo de que sus empleados y clientes lleguen a donar más de un millón de horas de servicio comunitario al año para finales de 2015. Como se mencionó en este mismo capítulo, Starbucks es socio de PRODUCT(RED), una iniciativa para ayudar a combatir y detener la propagación del VIH en África, y hasta la fecha ha donado lo suficiente para comprar 14 millones de días de medicamentos. También ha donado cinco centavos de dólar por cada venta de su agua embotellada Ethos, para mejorar la calidad del agua en los países pobres, lo cual es parte de un donativo prometido de 10 millones de dólares distribuidos en cinco años.

Compra ética: Starbucks se asoció con Conservation Internacional para asegurarse de que el café que compra no sólo es de la más alta calidad, sino también "cultivado y comercializado de manera responsable y ética". Starbucks es el mayor comprador mundial de café bajo el esquema de comercio justo, y paga un promedio de 23% por arriba del precio de mercado por las más de 18 000 toneladas de café que adquiere al año. Además, trabaja de forma continua con los agricultores para desarrollar métodos responsables, como la plantación de árboles a lo largo de los ríos y el uso de técnicas de cultivo bajo sombra para ayudar a preservar los bosques.

Medio ambiente: A Starbucks le tomó diez años el desarrollo de la primera taza de papel reciclado, hecha con 10% de fibra reutilizada, con lo que se logra un ahorro de más de dos mil toneladas de papel, o el equivalente a 78 000 árboles al año. En la actualidad, el equipo está trabajando para asegurarse de que sus clientes también reciclen. Jim Hanna, director de impacto ambiental de Starbucks, explicó: "[Starbucks] no define una taza reciclable a partir de los materiales de los que está fabricada, sino con base en la posibilidad de que nuestros clientes tengan acceso a los servicios de reciclaje". El objetivo de Starbucks es hacer que el 100% de sus tazas sean recicladas o reutilizadas para el año 2015. La empresa también hace hincapié en la conservación de la luz y el agua y en la construcción ecológica, teniendo la certificación LEED en sus edificios de todo el mundo.

Howard Schultz renunció como director ejecutivo en 2000, pero regresó como director ejecutivo y presidente en 2008 para ayudar a restaurar el crecimiento y la emoción por la poderosa cadena. Actualmente, Starbucks tiene más de 16700 establecimientos en todo el mundo, más o menos 142000 empleados, 9800 millones de dólares en ingresos, y planes de expansión en todo el mundo. Para lograr sus objetivos de crecimiento internacional, Schultz cree que Starbucks debe mantener su pasión por el café y su sentido humanitario, seguir siendo humilde aunque crezca, y ser una empresa responsable.

Preguntas

1. Starbucks se ha esforzado mucho para actuar de manera ética y responsable. ¿Ha hecho un buen trabajo por lo que se refiere a comunicar sus esfuerzos a los consumidores? ¿Éstos creen que Starbucks es una empresa responsable? ¿Por qué?
2. Para una empresa como Starbucks, ¿en dónde debe colocarse el límite en lo que se refiere al apoyo a programas de responsabilidad social? Por ejemplo, ¿qué porcentaje de su presupuesto anual debe destinarse a estos programas? ¿Cuánto tiempo deben los empleados centrarse en ellos? ¿Cuáles programas debe apoyar?
3. ¿Cómo deben medirse los resultados de los programas de responsabilidad social de Starbucks?

Fuentes: Howard Schultz, "Dare to Be a Social Entrepreneur", *Business 2.0*, diciembre de 2006, p. 87; Edward Iwata, "Owner of Small Coffee Shop Takes on Java Titan Starbucks", *USA Today*, 20 de diciembre de 2006; "Staying Pure: Howard Schultz's Formula for Starbucks", *Economist*, 25 de febrero de 2006, p. 72; Diane Anderson, "Evolution of the Eco Cup", *Business 2.0*, junio de 2006, p. 50: Bruce Horovitz, "Starbucks Nation", *USA Today*, 19 de mayo de 2006; Theresa Howard, "Starbucks Takes Up Cause tor Safe Drinking Water", *USA Today*, 2 de agosto de 2005; Howard Schultz y Dori Jones Yang, *Pour Your Heart into It: How Starbucks Built a Company One Cup at a Time* (Nueva York: Hyperion, 1997); "At MIT-Starbucks Symposium, Focus on Holistic Approach to Recycling", *MIT*, www.mit.edu, 12 de mayo de 2010; Starbucks.

Marketing de excelencia

>>Grupo Danone

Grupo Danone (Groupe Danone SA, en francés), más conocida como Danone (o Dannon en Estados Unidos) es una multinacional de productos alimenticios que tiene su sede en París, Francia. Su especialidad es la producción de lácteos, en especial su famoso yogur.

La empresa Danone fue fundada en 1919 por Isaac Carasso, en Barcelona (España), como una pequeña fábrica artesanal que producía yogures. Aquel fue el nacimiento del yogur industrial en España. Actualmente, la empresa se ha preocupado por poner en acción una serie de exitosas campañas de responsabilidad social para ayudar a segmentos desprotegidos de la población.

Un ejemplo es la campaña "Construyamos sus sueños", orientada a ayudar a niños con cáncer. A partir de la puesta en marcha de dicha campaña, en 1996, Danone de México se convirtió en la primera empresa del país en implementar un plan de ayuda permanente y sistemático de responsabilidad social corporativa en beneficio de la niñez. Celebrando este año su 90 aniversario en medio de una crisis económica mundial, Danone reafirma la solidez de su compromiso como empresa socialmente responsable, con la donación de casi 10 millones de dólares a lo largo de 11 años. Su más reciente éxito ha sido la conclusión de la decimoprimera edición de su campaña "Construyamos sus sueños", que logró recaudar casi 900000 dólares, monto que puede traducirse en una esperanza de vida para más de 50 niños con cáncer. Gracias al apoyo incondicional de las familias mexicanas, "Construyamos sus sueños" logrará ofrecer tratamientos completos a más de 1100 pequeños de escasos recursos que han ganado —y seguirán ganando— la batalla contra el cáncer. Para Danone este esfuerzo no representa sólo una edición más de un programa de apoyo, sino la celebración de un proyecto que consolida la contribución de millones de mexicanos que tienen el anhelo de ayudar. Es, además, un espacio para crear conciencia, regalar ilusiones y brindar una esperanza a niños que quieren jugar, soñar, ser grandes y dar testimonio de vida.

La cultura de Danone se basa en la convicción de que el éxito del negocio y la búsqueda de bienestar social forman un vínculo inseparable. Por ello, mantener unidos los objetivos sociales y económicos se ha convertido en un principio básico corporativo llamado "Doble proyecto", según el cual no puede haber un desarrollo económico sostenible sin crecimiento social. Este principio rector de la compañía conjunta las metas económicas y sociales como si fueran un solo pilar, y es motor de cada una de las operaciones del Grupo a nivel mundial. Como testimonio de esta campaña, Danone de México dio a conocer su libro conmemorativo de responsabilidad social, que reúne la historia del negocio a lo largo de 90 años, así como el recuento del desarrollo de una cultura a favor de la ayuda mutua y el bienestar social. El compromiso de Grupo Danone está basado en la calidad nutrimental, la inversión en investigación, y el desarrollo de programas sociales que promueven la salud y el bienestar de todos los consumidores. Teniendo como fundamento la convicción de que la innovación juega un papel esencial en la salud, Danone está comprometido a compartir conocimientos y hallazgos científicos con profesionales y con el público en general.

En México, el cáncer es la segunda causa de mortalidad infantil, y un porcentaje mínimo de los niños que padecen esa enfermedad tiene posibilidad de recibir tratamiento. El diagnóstico oportuno y la aplicación de tratamiento adecuado pueden salvar la vida de muchos pequeños, ya que la enfermedad es curable el 70% de las veces, de ahí la relevancia de campañas como "Construyamos sus sueños".

Gracias a estas acciones, Danone ha recibido el "Reconocimiento a las mejores prácticas de responsabilidad social empresarial", creado por el centro Mexicano para la Filantropía (CEMEFI) en el año 2000, como una herramienta para la promoción de la responsabilidad social en México y América Latina.

Preguntas

1. ¿Qué diferencia a Danone en su búsqueda por ser una empresa socialmente responsable y sostenible?
2. Analice las ventajas y desventajas de la campaña "Construyamos sus sueños".
3. Si usted fuera director de Danone México, ¿qué nuevas campañas de responsabilidad social plantearía, y cómo lo haría?

APÉNDICE
Herramientas para el control del marketing

Este apéndice proporciona una guía detallada y un análisis sobre cómo llevar a cabo varios procedimientos de control de marketing.

Control del plan anual

Existen cuatro series de análisis que pueden ser útiles para el control del plan anual.

Análisis de ventas El **análisis de ventas** mide y evalúa las ventas reales en relación con las metas. Funciona mediante dos herramientas específicas.

El **análisis de varianza de ventas** mide la contribución relativa de diferentes factores con la diferencia en el rendimiento de las ventas. Supongamos que el plan anual requería que se vendieran 4 000 aparatos en el primer trimestre, a un dólar por unidad, para obtener ingresos totales de 4 000 dólares. Al cierre del trimestre sólo se habían vendido 3 000 aparatos a 0.80 dólar cada uno, con ingresos totales de 2 400 dólares. ¿Qué parte de la diferencia en el rendimiento de las ventas se debe a la disminución del precio y qué parte a la disminución del volumen? El siguiente cálculo responde la pregunta:

Varianza debida a la disminución del precio: ($1.00 − $0.80) (3 000) =	$ 600	37.5%
Varianza debida a la disminución del volumen: ($1.00) (4 000 − 3 000) =	$1 000	62.5%
	$1 600	100.0%

Casi dos tercios de la varianza se deben a la imposibilidad de lograr la meta de volumen. La empresa debe examinar minuciosamente la razón por la que no pudo alcanzar el volumen de ventas esperado.

El **análisis de microventas** es el análisis de productos y territorios específicos que no logran las ventas esperadas. Supongamos que la empresa vende en tres territorios y las ventas esperadas eran de 1 500, 500 y 2 000 unidades, respectivamente. Los volúmenes reales fueron de 1 400, 525 y 1 075 unidades, respectivamente. Por lo tanto, el territorio 1 mostró un déficit del 7% en términos de ventas esperadas; el territorio 2 mostró una mejora del 5% respecto a las expectativas, y el territorio 3 tuvo un déficit del 46%. El territorio 3 es el que está causando la mayor parte del problema. Tal vez el representante de ventas del territorio 3 no está siendo eficaz, un competidor importante ha entrado en este territorio o los negocios atraviesan una recesión ahí.

Análisis de participación de mercado Las ventas de la empresa no revelan qué tan bien se está desempeñando en relación con los competidores. Para obtener esa información, la dirección necesita realizar un seguimiento de su participación de mercado en una de tres maneras.

La **participación de mercado general** expresa las ventas de la empresa como un porcentaje de las ventas totales del mercado. La **participación de mercado atendido** son las ventas expresadas como porcentaje de las ventas totales del mercado atendido. El **mercado atendido** son todos los compradores capaces y dispuestos a comprar el producto de la empresa; la participación de mercado atendido siempre es mayor que la participación de mercado general. Una empresa podría captar el 100% de su mercado atendido y, sin embargo, tener una participación relativamente pequeña del mercado total. La **participación relativa de mercado** es la participación del mercado de una empresa en relación con su competidor más grande. Una participación relativa de mercado de exactamente 100% significa que la empresa está empatada en el liderato; más del 100% indica que la empresa es líder del mercado. Un aumento de la participación relativa de mercado significa que la empresa está superando a su principal competidor.

Sin embargo, las conclusiones del análisis de participación de mercado están sujetas a las siguientes condiciones:

- ***La suposición de que las fuerzas externas afectan a todas las empresas de la misma manera suele ser errónea.*** El informe del Cirujano General de Estados Unidos sobre las consecuencias nocivas del consumo de tabaco redujo las ventas totales de cigarrillos, pero no por igual en todas las empresas.
- ***La suposición de que el desempeño de una empresa debe ser juzgado en comparación con el desempeño promedio de todas las empresas no siempre es válida.*** El desempeño de una empresa se juzga mejor en comparación con el de sus competidores más cercanos.
- ***Si una nueva empresa entra en la industria, la participación de mercado de todas las empresas existentes podría caer.*** Un descenso de la participación de mercado no significa necesariamente que la empresa se está desempeñando peor que otras. La pérdida de participación depende del grado en que la nueva empresa afecte a los mercados específicos de la empresa.
- ***A veces una disminución de la participación de mercado está deliberadamente diseñada para mejorar las ganancias.*** Por ejemplo, la dirección podría abandonar a los clientes o productos no rentables.

- ***La participación de mercado puede fluctuar por muchas razones de menor importancia.*** Por ejemplo, puede verse afectada por el hecho de que se produzca una gran venta en el último día del mes o a principios del mes siguiente. No todos los cambios en la participación de mercado tienen importancia en términos de marketing.[80]

Un mecanismo útil para analizar los movimientos de la participación de mercado consta de cuatro componentes:

$$\textit{Participación de mercado global} = \textit{Penetración de los clientes} \times \textit{Lealtad de los clientes} \times \textit{Selectividad de clientes} \times \textit{Selectividad de precios}$$

donde:

Penetración de los clientes	Es el porcentaje de todos los clientes que compran a la empresa.
Lealtad del cliente	Son las compras de los clientes a la empresa como un porcentaje de las compras totalcs a todos los proveedores de los mismos productos.
Selectividad de clientes	Es el tamaño de la compra promedio de los clientes a la empresa como un porcentaje del tamaño de la compra promedio de los clientes de una empresa promedio.
Selectividad de precios	Es el precio promedio cobrado por la empresa como un porcentaje del precio promedio cobrado por todas las empresas.

Ahora bien, supongamos que la participación de mercado (en dólares) de la empresa cae durante el periodo. La ecuación de la participación de mercado global ofrece cuatro posibles explicaciones: la empresa perdió algunos clientes (menor penetración de los clientes); los clientes existentes están comprando menos de la empresa (baja lealtad de los clientes); la cantidad de los clientes restantes de la empresa es pequeña (menor selectividad de clientes), o el precio de la empresa ha bajado en relación con el de la competencia (menor selectividad de precios).

Análisis de gastos de marketing y de ventas El control del plan anual requiere asegurarse de que la empresa no está incurriendo en gastos excesivos para alcanzar sus metas de ventas. La proporción clave que se debe vigilar son los *gastos y las ventas de marketing*. En una empresa, esta proporción era del 30% y constaba de cinco componentes de gastos y ventas: la fuerza de ventas y las ventas (15%), la publicidad y las ventas (5%), la promoción de ventas y las ventas (6%), la investigación de marketing y las ventas (1%), y la gestión de ventas y las ventas (3%).

Las fluctuaciones que se encuentren fuera del rango normal son motivo de preocupación. La dirección debe vigilar las fluctuaciones entre los periodos en cada proporción utilizando una *gráfica de control* (vea la △ figura 22.5). Esta gráfica muestra que la proporción de gastos a ventas normalmente fluctúa entre 8 y 12%, digamos 99 de 100 veces. Sin embargo, en el decimoquinto periodo, la proporción superó el límite de control superior. Lo que ocurre es, ya sea que (1) la empresa aún tiene un buen control sobre este gasto y esta situación representa un caso excepcional, o (2) la empresa ha perdido el control sobre este gasto y debe encontrar la causa. Si no se lleva a cabo una investigación, se corre el riesgo de que haya ocurrido un cambio real y la empresa se quedará atrás.

Los gerentes deben hacer observaciones sucesivas, incluso dentro de los límites de control superiores e inferiores. En la △ figura 22.5, el nivel del proporción de los gastos y las ventas aumentó de manera constante a partir del octavo periodo. La probabilidad de encontrar seis incrementos sucesivos en lo que deberían ser eventos independientes es de sólo 1 en 64.[81] Este patrón poco usual debería haber conducido a una investigación en algún momento antes de la decimoquinta observación.

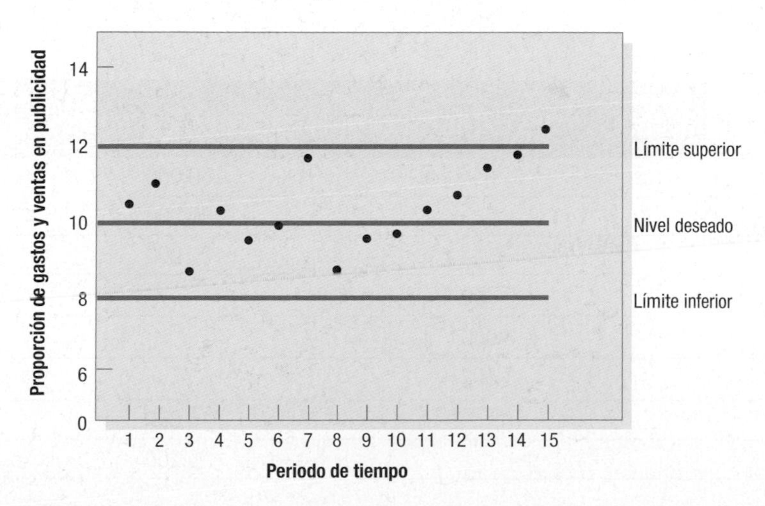

|Fig. 22.5| △

Modelo de la gráfica de control

|Fig. 22.6|

Modelo financiero de rendimiento sobre patrimonio neto

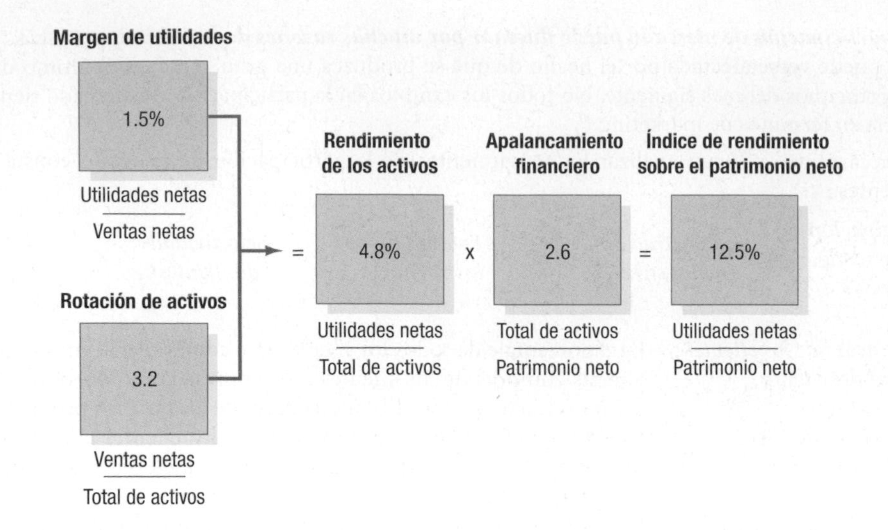

Análisis financiero Los especialistas en marketing deben analizar la proporción entre los gastos y las ventas en un marco financiero global, para determinar cómo y dónde está la empresa obteniendo su dinero. Cada vez más están utilizando el análisis financiero para encontrar estrategias rentables que hagan más que aumentar las ventas.

La dirección utiliza el análisis financiero para identificar los factores que afectan el *índice de rendimiento sobre el patrimonio neto* de la empresa.[82] Los principales factores se muestran en la figura 22.6, junto con cifras ilustrativas de una gran cadena de tiendas minoristas. El minorista está obteniendo un rendimiento del 12.5% sobre el patrimonio neto. El rendimiento sobre el patrimonio neto es el producto de dos proporciones, el *rendimiento de los activos* de la empresa y su *apalancamiento financiero*. Para mejorar su rendimiento sobre el patrimonio neto, la empresa debe aumentar su proporción de utilidades netas y activos, o aumentar su proporción de activos y patrimonio neto. La empresa debe analizar la composición de sus activos (efectivo, cuentas por cobrar, inventarios, planta y equipo) y ver si puede mejorar su gestión de activos.

El rendimiento de los activos es el producto de dos proporciones, el *margen de utilidades* y la *rotación de activos*. El margen de utilidades en la figura 22.6 parece bajo, mientras que la rotación de activos es más normal para la distribución minorista. El ejecutivo de marketing puede tratar de mejorar el rendimiento de dos maneras: (1) aumentando el margen de utilidades mediante el incremento de las ventas o la reducción de los costos y (2) aumentando la rotación de los activos mediante el incremento de las ventas o la reducción de los activos (inventarios, cuentas por cobrar) frente a un nivel determinado de ventas.[83]

Control de rentabilidad

Análisis de rentabilidad de marketing Ilustraremos los pasos del análisis de rentabilidad de marketing utilizando el siguiente ejemplo: el vicepresidente de marketing de una empresa fabricante de cortadoras de césped quiere determinar la rentabilidad de vender a través de tres tipos de canales minoristas: ferreterías, tiendas de jardinería y tiendas departamentales (y grandes almacenes). El estado de resultados de la empresa se muestra en la tabla 22.12.

TABLA 22.12 Estado de resultados simplificado (en dólares)

Ventas		60 000
Costo de bienes vendidos		39 000
Margen bruto		21 000
Salarios	9 300	
Alquiler	3 000	
Suministros	3 500	
Gastos		15 800
Utilidades netas		5 200

Paso 1: Identificar los gastos funcionales Supongamos que para vender, anunciar, empacar, enviar, facturar y cobrar el producto se incurre en los gastos que figuran en la tabla 22.12. La primera tarea consiste en calcular en qué cantidad de cada gasto se incurrió para cada actividad.

Imaginemos que la mayoría de los gastos por salarios se destinaron a los representantes de ventas y el resto a un gerente de publicidad, a ayudantes para el empaque y la entrega y al contador de la oficina. Entonces, el desglose sería 9 300, 5 100, 1 200, 1 400 y 1 600 dólares respectivamente. La tabla 22.13 muestra la asignación de los gastos por salarios de estas cuatro actividades.

TABLA 22.13 Asignación de los gastos naturales a los gastos funcionales (en dólares)

Cuentas naturales	Total	Ventas	Publicidad	Empaque y entrega	Facturación y cobranza
Salarios	9 300	5 100	1 200	1 400	1 600
Alquiler	3 000	---	400	2 000	600
Suministros	3 500	400	1 500	1 400	200
	15 800	5 500	3 100	4 800	2 400

La tabla 22.13 también muestra la cuenta del alquiler de 3 000 dólares asignados a las cuatro actividades. Debido a que los representantes de ventas trabajan fuera de la oficina, ninguno de los gastos de alquiler del edificio se asignan a las ventas. La mayor parte de los gastos del alquiler de espacio y de equipos se destinan al empaque y la entrega. La cuenta de suministros cubre los materiales de promoción, el material de empaque, las compras de combustible para la entrega y los materiales de oficina. Los 3 500 dólares de esta cuenta se reasignan a los usos funcionales de los suministros.

Paso 2: Asignar los gastos funcionales a las entidades de marketing La siguiente tarea consiste en calcular cuánto gasto funcional se asoció con la venta a través de cada tipo de canal. Consideremos el esfuerzo de ventas, que se indica con la cantidad de ventas en cada canal. Esta cifra se encuentra en la columna de Ventas de la tabla 22.14. En total, se realizaron 275 visitas de ventas durante el periodo. Debido a que el costo total de las ventas ascendió a 5 500 dólares (vea la tabla 22.14), el gasto de ventas promedió 20 dólares por visita.

TABLA 22.14 Bases para la asignación de los gastos funcionales a los canales

Tipo de canal	Ventas	Publicidad	Empaque y entrega	Facturación y cobranza
Ferreterías	200	50	50	50
Tiendas de jardinería	65	20	21	21
Tiendas departamentales	10	30	9	9
	275	**100**	**80**	**80**
Gasto funcional ÷ número de unidades	$5 500	$3 100	$4 800	$2 400
	275	100	80	80
Es igual a	**$ 20**	**$ 31**	**$ 60**	**$ 30**

Podemos asignar el gasto de publicidad en función del número de anuncios dirigidos a los diferentes canales. Debido a que hubo 100 anuncios en total, el costo promedio del anuncio fue de 31 dólares.

El gasto de empaque y entrega se asigna según el número de pedidos realizados por cada tipo de canal. Esta misma base se utilizó para la asignación de los gastos de facturación y cobranza.

Paso 3: Preparar un estado de resultados para cada entidad de marketing Ahora podemos preparar un estado de resultados para cada tipo de canal (vea la tabla 22.15). Debido a que las ferreterías representaron la mitad de las ventas totales (30 000 de 60 000 dólares), se debe cobrar a este

TABLA 22.15 Estado de resultados por canal (en dólares)

	Ferreterías	Tiendas de jardinería	Tiendas departamentales	Toda la empresa
Ventas	30 000	10 000	20 000	60 000
Costo de los bienes vendidos	19 500	6 500	13 000	39 000
Margen bruto	10 500	3 500	7 000	21 000
Gastos				
Ventas (20 dls. por visita)	4 000	1 300	200	5 500
Publicidad (31 dls. por anuncio)	1 550	620	930	3 100
Empaque y entrega (60 dls. por orden)	3 000	1 260	540	4 800
Facturación (30 dls. por orden)	1 500	630	270	2 400
Total de gastos	10 050	3 810	1 940	15 800
Ganancia o pérdida neta	450	(310)	5 060	5 200

canal la mitad del costo de los bienes vendidos (19 500 de 39 000 dólares). Esto deja un margen bruto de las ferreterías de 10 500 dólares. A esto podemos deducirle las proporciones de los gastos funcionales que consumieron las ferreterías.

Según la tabla 22.14, las ferreterías recibieron 200 de las 275 visitas de ventas totales. A un valor imputado de 20 dólares por visita, las ferreterías deben cargar con un gasto de ventas de 4 000 dólares. La tabla 22.14 también muestra que las ferreterías fueron el objetivo de 50 anuncios. A 31 dólares por anuncio, a las ferreterías se les cobran 1 550 dólares por publicidad. El mismo razonamiento se aplica para calcular la proporción de los gastos funcionales. El resultado es que las ferreterías originaron 10 050 dólares de los gastos totales. Si restamos esto al margen bruto, nos encontramos con que la ganancia de vender a través de ferreterías es de sólo 450 dólares.

Este análisis se repite para los otros canales. La empresa está perdiendo dinero al vender a través de tiendas de jardinería y obtiene prácticamente todas sus utilidades a través de las tiendas departamentales. Se debe tener en cuenta que las ventas brutas no son un indicador confiable de las utilidades netas de cada canal.

Determinación de las medidas correctivas Sería ingenuo concluir que la empresa debe abandonar a las tiendas de jardinería y a las ferreterías para concentrarse en las tiendas departamentales. Primero se deben contestar las siguientes preguntas:

- ¿Hasta qué punto los consumidores compran basándose en el tipo de establecimiento minorista o en la marca?
- ¿Qué tendencias influyen en la importancia relativa de estos tres canales?
- ¿Qué tan buenas son las estrategias de marketing de la empresa para los tres canales?

Utilizando las respuestas a estas preguntas, la dirección de marketing puede evaluar cinco alternativas:

1. Establecer un cargo adicional por el manejo de pedidos pequeños.
2. Dar más ayuda promocional a las tiendas de jardinería y a las ferreterías.
3. Reducir las visitas de ventas y la publicidad a las tiendas de jardinería y a las ferreterías.
4. Hacer caso omiso a las unidades minoristas más débiles en cada canal.
5. No hacer nada.

El análisis de rentabilidad del marketing indica la rentabilidad relativa de los diferentes canales, productos, territorios y otras entidades de marketing. Esto no prueba que el mejor curso de acción sea abandonar a las entidades de marketing poco rentables, ni captura la mejora probable en ganancias si se hace esto.

Costeo directo frente a costeo total Al igual que todas las herramientas de información, el análisis de rentabilidad de marketing puede ser claro o engañoso, en función de qué tan bien entiendan los especialistas de marketing sus métodos y sus limitaciones. La empresa fabricante de cortadoras de césped eligió bases un tanto arbitrarias para la asignación de los gastos de funcionamiento de sus entidades de marketing. Utilizó el "número de visitas de ventas" para asignar los gastos de ventas, lo cual generó menores registros y cálculos, cuando en principio el "número de horas laborales de las ventas" es un indicador más preciso de los costos.

Una decisión mucho más seria es si se deben asignar los costos totales o sólo los costos directos e identificables en la evaluación del desempeño de una entidad de marketing. La empresa fabricante de cortadoras de césped evadió este problema al asumir sólo los costos simples que se adaptan a las actividades de marketing, pero no podemos eludir esta cuestión en los análisis de rentabilidad reales. Podemos distinguir tres tipos de costos:

1. ***Costos directos.*** Podemos asignar los costos directos directamente a las entidades de marketing apropiadas. Las comisiones de ventas son un costo directo en un análisis de rentabilidad de territorios de ventas, representantes de ventas o clientes. Los gastos de publicidad son un costo directo en un análisis de rentabilidad de productos en la medida en que cada anuncio promueva un solo producto. Otros costos directos para fines específicos son los salarios de la fuerza de ventas y los gastos de viaje.
2. ***Costos comunes detectables.*** Podemos asignar los gastos comunes detectables solamente de manera indirecta, pero plausible, a las entidades de marketing. En el ejemplo, analizamos así al alquiler.
3. ***Costos comunes indetectables.*** Los gastos comunes cuya asignación a las entidades de marketing es sumamente arbitraria son los costos comunes indetectables. Asignar la "imagen corporativa" a los gastos por igual para todos los productos sería arbitrario, porque todos los productos no se beneficiarían por igual. Asignarlos en proporción a las ventas de los diferentes productos sería arbitrario, porque las ventas relativas de los productos reflejan muchos factores, además de la creación de la imagen corporativa. Otros ejemplos son los sueldos de la alta dirección, los impuestos, los intereses y otros gastos generales.

Nadie pone en duda la inclusión de los costos directos en el análisis de los costos de marketing. Existe cierta controversia sobre la inclusión de los costos comunes detectables, ya que agrupan costos que podrían cambiar y no cambiar la escala de la actividad de marketing. Si la empresa fabricante de cortadoras de césped abandona las tiendas de jardinería, probablemente seguirá pagando el mismo alquiler. Sus utilidades no aumentarán de inmediato en la cantidad de pérdida presente al vender en las tiendas de jardinería (310 dólares).

La gran controversia es si se deben asignar los costos comunes indetectables a las entidades de marketing. Dicha asignación se conoce como el *enfoque de costo total* y sus defensores argumentan que, en última instancia, todos los costos deben ser imputados con el fin de determinar la rentabilidad verdadera. Sin embargo, este argumento confunde el uso de la contabilidad para la elaboración de informes financieros con su uso para la toma de decisiones gerenciales. El costeo total tiene tres debilidades principales:

1. La rentabilidad relativa de las diferentes entidades de marketing puede cambiar radicalmente cuando se reemplaza una forma arbitraria de asignar los costos comunes indetectables por otra.
2. La arbitrariedad desmoraliza a los gerentes, que sienten que su rendimiento es evaluado negativamente.
3. La inclusión de los costos comunes indetectables podría debilitar los esfuerzos a un costo de control real.

La gestión operativa es la más eficaz para controlar los costos directos y los costos comunes detectables. Las asignaciones arbitrarias de los costos comunes indetectables podrían provocar que los gerentes dediquen su tiempo a luchar contra las asignaciones de costos en lugar de gestionar adecuadamente los costos controlables.

Las empresas están mostrando un creciente interés en el uso del análisis de rentabilidad del marketing, o de su versión más amplia, el costeo basado en actividades (ABC), para cuantificar la verdadera rentabilidad de las diferentes actividades.[84] Los gerentes entonces pueden reducir los recursos requeridos para llevar a cabo diversas actividades, hacer que los recursos sean más productivos, adquirirlos a un costo menor o aumentar los precios de los productos que consumen grandes cantidades de recursos de apoyo. La contribución del ABC es la de hacer que la dirección deje de enfocarse en la utilización de costos estándares de mano de obra o de materiales, y vuelva a centrar su atención en la asignación de costos totales y en la captura de los costos reales de respaldar a los productos individuales, clientes y otras entidades.

Apéndice

PLAN DE MARKETING PARA SONIC Y EJERCICIOS

El plan de marketing: una introducción

Como especialista en marketing, usted necesitará un buen plan de marketing para dirigir y enfocar su marca, producto o empresa. Con un plan detallado cualquier empresa estará mejor preparada para lanzar un nuevo producto innovador o aumentar las ventas entre los clientes actuales. Las organizaciones no lucrativas también utilizan planes de marketing para guiar sus esfuerzos promocionales y de recaudación de fondos. Incluso las agencias gubernamentales crean planes de marketing para iniciativas tales como la generación de conciencia pública sobre nutrición adecuada o la promoción turística de una región.

Propósito y contenido del plan de marketing

Los planes de marketing tienen un alcance más limitado que los planes de negocios, los cuales ofrecen una visión general de la misión, las metas, la estrategia y la asignación de recursos de toda la organización. El plan de marketing documenta cómo se lograrán las metas estratégicas a través de métodos y tácticas específicas de marketing, con el cliente como punto de partida; y también está vinculado con los planes de otros departamentos de la organización. Suponga que un plan de marketing tiene como objetivo que se vendan 200 000 unidades anualmente. El departamento de producción deberá equiparse para fabricar todas esas unidades; el de finanzas deberá poner a disposición los fondos para cubrir los gastos; el de recursos humanos tendrá que estar listo para contratar y capacitar al personal necesario, y así cada parte de la organización. Sin el nivel adecuado de apoyo y recursos organizacionales, ningún plan de marketing puede tener éxito.

Aunque su extensión y diseño varían de una empresa a otra, el plan de marketing suele contener las secciones que se describen en el capítulo 2. Los negocios pequeños podrán crear planes de marketing más cortos o menos formales, mientras que las corporaciones en general requieren planes de marketing bien estructurados. Para guiar su implementación de forma eficaz, cada parte del plan debe ser descrita con el mayor detalle posible. Habrá ocasiones en que la empresa publicará su plan de marketing en un sitio Web interno, para que los gerentes y empleados que estén en diferentes ubicaciones puedan consultar secciones específicas y colaborar con ampliaciones o cambios.

El rol de la investigación

Para desarrollar productos innovadores, estrategias exitosas y programas de acción, los especialistas en marketing necesitan información actualizada sobre el entorno, la competencia y los segmentos de mercado seleccionados. Con frecuencia, el análisis de los datos internos es el punto de partida para evaluar la situación de marketing actual, junto con la inteligencia de marketing y las investigaciones del mercado en general, de la competencia, de las problemáticas clave, así como de las amenazas y las oportunidades. A medida que el plan se va implementando, los especialistas en marketing hacen nuevas investigaciones para medir el progreso hacia el cumplimiento de las metas, y para identificar áreas de mejora si los resultados están quedándose cortos respecto a las proyecciones.

Por último, las investigaciones de marketing contribuyen a que los especialistas aprendan más sobre los requerimientos, expectativas y percepciones de sus clientes, así como sus niveles de satisfacción y lealtad. Esta comprensión más profunda provee los cimientos para construir una ventaja competitiva a partir de las decisiones correctas y bien informadas en materia de segmentación, determinación de mercados meta y posicionamiento. Por lo tanto, el plan de marketing debe dar una idea general de qué tipo de investigaciones de marketing serán llevadas a cabo, así como cuándo y de qué manera se aplicarán los hallazgos.

El rol de las relaciones

Aunque el plan de marketing muestra qué hará la empresa para establecer y mantener unas relaciones rentables con sus clientes, también afecta las relaciones internas y externas. En primer lugar, influye en cómo trabaja el personal de marketing de manera interna y con otros departamentos para entregar valor y satisfacer a sus clientes. En segundo, afecta la forma en que la empresa trabaja con sus proveedores, distribuidores y socios para lograr las metas del plan. En tercero, influye en los tratos de la empresa con otros grupos de interés, incluyendo los reguladores del gobierno, los medios de comunicación y la comunidad en general. Todas estas relaciones son importantes para el éxito de la organización, y deben ser tomadas en cuenta al desarrollar un plan de marketing.

Del plan de marketing a la acción de marketing

Casi todas las empresas crean planes anuales de marketing, aunque algunos de ellos abarcan periodos más largos. Los especialistas en marketing inician su planificación con mucha anticipación a la fecha de implementación, con el propósito de contar con suficiente tiempo para hacer investigaciones y análisis de marketing, revisiones de gestión y coordinación entre departamentos. Una vez que se ha dado inicio a cada programa de acción, los especialistas en marketing comienzan a monitorear los resultados que van presentándose, investigan cualquier desviación respecto al resultado proyectado, y ponen en práctica acciones correctivas conforme sea necesario. Algunos especialistas en marketing también preparan planes de contingencia para implementarlos si surgen determinadas situaciones. Debido a los inevitables y a veces impredecibles cambios del entorno, los especialistas en marketing deben estar listos para actualizar y adaptar los planes de marketing en cualquier momento.

Para la implementación y el control eficaces, el plan de marketing debe definir cómo se medirá el progreso hacia el cumplimiento de las metas. Los gerentes suelen utilizar presupuestos, programaciones y métricas de marketing para monitorear y evaluar los resultados. Los presupuestos les permiten comparar los gastos proyectados con los gastos reales en un periodo determinado. Las programaciones constituyen un recurso con el que la dirección puede visualizar en qué fechas se suponía que las tareas estarían completadas y cuándo fueron terminadas en la realidad. Las métricas de marketing registran los resultados reales de los programas de marketing, para determinar si la empresa realmente está avanzando hacia el cumplimiento de sus metas.

Ejemplo de plan de marketing para Sonic

En esta sección analizaremos un ejemplo de plan de marketing desarrollado para Sonic, una incipiente empresa hipotética. El primer producto de la compañía es el Sonic 1000, un smartphone (teléfono inteligente) de última tecnología y con todas las capacidades multimedia. Sonic competirá con Apple, BlackBerry, Motorola, Nokia, Samsung y otros rivales bien establecidos en el mercado de smartphone con muchas capacidades de comunicación y entretenimiento, un entorno caracterizado por los rápidos cambios y la presencia de numerosos competidores. Las notas que aparecen a un lado del texto principal explican más sobre lo que cada sección del plan debe contener.

En esta sección se resumen las oportunidades de mercado, la estrategia de marketing y las metas financieras y de comercialización, información necesaria para que los directivos de primer nivel aprueben el plan de marketing.

1.0 Resumen ejecutivo

Sonic se prepara para lanzar un nuevo smartphone de última tecnología, el Sonic 1000, en un mercado maduro. Podemos competir eficazmente con muchos tipos de smartphone porque nuestro producto ofrece una combinación única de características avanzadas y funcionalidad a un precio muy competitivo y con valor añadido. Estamos dirigiéndonos a segmentos específicos de los mercados de consumo y empresariales, aprovechando el creciente interés en un único y poderoso dispositivo, que sea asequible y brinde amplios beneficios en materia de comunicación, organización y entretenimiento.

La principal meta de marketing consiste en lograr una participación del 1% del mercado estadounidense en el primer año, con la venta de 800 000 unidades. Las metas financieras más importantes son lograr ingresos por ventas de 200 millones de dólares en el primer año, mantener las pérdidas por debajo de los 40 millones de dólares en el mismo periodo, y alcanzar el punto de equilibrio a principios del segundo año.

El análisis de situación describe el mercado, la capacidad de la empresa para atender a los segmentos meta, y la competencia.

2.0 Análisis de situación

Sonic, empresa fundada hace 18 meses por dos reconocidos emprendedores con experiencia en telecomunicaciones, está por entrar al altamente competido mercado de los smartphone. Los teléfonos móviles multifuncionales son cada vez más populares, tanto para uso personal como profesional, y en 2010 vendieron más de 320 millones de smartphones en todo el mundo. La competencia sigue intensificándose, aun cuando la tecnología no para de evolucionar, la consolidación de la industria continúa y las presiones de precios reducen la rentabilidad. Palm —empresa pionera en la producción de dispositivos de organización personal— es uno de los varios jugadores clave que están enfrentando dificultades para adaptarse al desafío que implica los smartphone. Para obtener participación de mercado en este dinámico entorno, Sonic debe dirigirse con cuidado a segmentos meta específicos con características valiosas, y planificar un producto de siguiente generación que le permita mantener la inercia de la marca en movimiento.

Este resumen incluye el tamaño, las necesidades, la capacidad de crecimiento y las tendencias del mercado. La descripción detallada de los segmentos meta establece el contexto de las estrategias y programas de marketing que se plantean más adelante.

2.1 Resumen del mercado El mercado de Sonic está formado por consumidores y usuarios de negocios que prefieren utilizar un dispositivo único, poderoso y asequible, que les proporcione comunicaciones totalmente funcionales, capacidad de almacenamiento e intercambio de información, así como características de organización y entretenimiento móvil. Los segmentos meta específicos para el primer año incluyen a profesionales, corporaciones, estudiantes, emprendedores y médicos. La figura A.1 muestra cómo

Segmento meta	Necesidad del cliente	Característica/beneficio correspondiente
Profesionales (mercado de consumo)	■ Mantenerse en contacto cuando está en movimiento.	■ Correo electrónico inalámbrico para enviar y recibir mensajes desde cualquier lugar; capacidad de telefonía móvil para comunicarse por voz desde cualquier lugar.
	■ Guardar información cuando está en movimiento.	■ Reconocimiento de voz para grabar sin usar las manos.
Estudiantes (mercado de consumo)	■ Realizar múltiples funciones sin cargar muchos aparatos.	■ Compatibilidad con numerosas aplicaciones y periféricos para tener funcionalidad conveniente y eficaz en cuanto a costo.
	■ Expresar estilo e individualidad.	■ Diversidad de carcasas en diferentes colores y diseños para expresar el gusto del usuario por la moda.
Usuarios corporativos (mercado empresarial)	■ Ingresar datos importantes y tener acceso a ellos mientras está en movimiento.	■ Compatibilidad con una amplia diversidad de aplicaciones de software.
	■ Usarlo para tareas del propietario.	■ Posibilidad de personalización para adecuar el dispositivo a diversas tareas y redes corporativas.
Emprendedores (mercado empresarial)	■ Organizar sus contactos y actividades, y tener acceso a esa información.	■ Acceso inalámbrico y sin necesidad de usar las manos para el calendario y el directorio, para las citas e interactuar con los contactos fácilmente.
Médicos (mercado empresarial)	■ Actualizar, tener acceso e intercambiar registros médicos.	■ Acceso inalámbrico y sin necesidad de usar las manos para registrar e intercambiar información, reducir el papeleo y aumentar la productividad.

|Fig. A.1| △ Necesidades y características/beneficios correspondientes del smartphone Sonic

resuelve el Sonic 1000 algunas de las necesidades fundamentales de los segmentos meta de consumo y empresariales, de manera eficaz respecto a los costos. Los beneficios adicionales del producto, por lo que se refiere a comunicación y entretenimiento, realzan su atractivo en esos segmentos.

Los compradores de smartphone pueden elegir entre distintos modelos basados en diferentes sistemas operativos. El sistema operativo para smartphone mejor vendido es Symbian. Algunos de los rivales de Symbian son Android, BlackBerry OS, iOS y Windows Phone OS. Varios sistemas operativos móviles que incluyen Android e iOS están basados en Linux y Unix. Sonic licencia un sistema basado en Linux, porque resulta un poco menos vulnerable al ataque de hackers y virus informáticos. La capacidad de almacenaje (en disco duro o unidad flash) es una característica esperada, así que Sonic está equipando su primer producto con una unidad de disco de 64 gigabytes súper rápida, que puede ser complementada con almacenaje adicional. Los costos de tecnología disminuyen incluso si las capacidades aumentan, lo que hace que los modelos con precios económicos sean más atractivos para los consumidores y los usuarios empresariales con smartphone más antiguos, que quieren renovarlos con unidades multifuncionales nuevas y de lujo.

2.2 Análisis de fortalezas, debilidades, oportunidades y amenazas Sonic tiene varias fortalezas poderosas en las cuales apoyarse, pero nuestra debilidad más importante es la falta de conciencia e imagen de marca. La principal oportunidad es la demanda de aparatos de comunicación multifuncionales, con capacidad de organización y entretenimiento, que provean una serie de beneficios valiosos a un costo menor. Por otro lado, también nos enfrentamos a la amenaza de la siempre creciente competencia y a la presión de bajar los precios.

Fortalezas Sonic puede respaldarse en tres fortalezas importantes:

Las fortalezas son capacidades internas que pueden ayudar a la empresa a lograr sus metas.

1. *Producto innovador.* El Sonic 1000 ofrece una combinación de características difíciles de encontrar en un solo dispositivo, con amplias capacidades de telecomunicación y la más alta calidad digital para almacenamiento/reproducción de video/música/televisión.
2. *Seguridad.* Nuestro smartphone utiliza un sistema operativo basado en Linux, que es menos vulnerable a los hackers y a otras amenazas de seguridad que pueden dar como resultado el robo o la corrupción de datos.
3. *Precio.* Nuestro producto tiene un precio más bajo que los smartphone de la competencia —ninguno de los cuales ofrece el mismo paquete de características—; esto nos da una ventaja con los clientes a quienes les importa el precio.

Debilidades Al haber postergado su entrada en el mercado de los smartphone hasta que hubiera una consolidación de los competidores, Sonic ha aprendido de los éxitos y los fracasos ajenos. No obstante, tenemos dos puntos débiles importantes.

Las debilidades son elementos internos que podrían afectar la capacidad de la empresa para lograr sus metas.

1. *Falta de conciencia de marca.* Sonic carece de una marca o imagen establecida, mientras que Samsung, Apple, Motorola y otros competidores tienen un sólido reconocimiento de marca. Para solucionar esta carencia pondremos en acción una promoción agresiva.

2. *Dispositivo más pesado y grueso.* El Sonic 1000 es ligeramente más pesado y grueso que los modelos de casi todos los competidores porque incorpora un alto número de características de telecomunicaciones y multimedia. Para contrarrestar esta debilidad haremos hincapié en los beneficios de nuestro producto y su precio de valor añadido, dos convincentes fortalezas competitivas.

Las oportunidades son áreas de necesidad o de interés potencial del comprador, en las que la empresa podría tener un desempeño rentable.

Oportunidades Sonic puede aprovechar dos importantes oportunidades del mercado:

1. *Creciente demanda de dispositivos de tecnología de vanguardia, con gran variedad de funciones de comunicación.* El mercado para los dispositivos multimedia y multifunción de vanguardia está creciendo con mucha rapidez. Los smartphone ya son algo común en el entorno público, laboral y educativo; de hecho, los usuarios que al principio compraron modelos de nivel básico hoy están adquiriendo equipos más completos.
2. *Costos más bajos de tecnología.* Actualmente está disponible una mejor tecnología, y su precio es más bajo que nunca. En consecuencia, Sonic puede incorporar características avanzadas a un precio de valor añadido que permite obtener ganancias razonables.

Las amenazas son desafíos impuestos por una tendencia o desarrollo desfavorable, capaz de provocar una disminución de las ventas y las ganancias.

Amenazas Enfrentamos tres amenazas principales al lanzar el Sonic 1000:

1. *Competencia creciente.* Más empresas están ofreciendo dispositivos con algunas —pero no todas— las características y beneficios proporcionados por el Sonic 1000. Por lo tanto, nuestras comunicaciones de marketing deben enfatizar la clara diferenciación y precio de valor añadido.
2. *Presiones para reducir precios.* El aumento de la competencia y las estrategias de participación de mercado están llevando a la baja los precios de los smartphone. Aun así, nuestra meta de llegar al punto de equilibrio con las ventas del segundo año del modelo original es realista, debido a los márgenes más bajos que existen en el mercado de los smartphone.
3. *Brevedad del ciclo de vida del producto.* La etapa de madurez está llegando con más rapidez en el ciclo de vida de los smartphone que en el de los productos de tecnología anterior. Debido a este ciclo de vida más breve, queremos lanzar un segundo producto aún mejor y orientado al mercado durante el año siguiente al lanzamiento del Sonic 1000.

Esta sección identifica a los competidores clave, describe las posiciones que ocupan en el mercado, y ofrece una visión general de sus estrategias.

2.3 Competencia El surgimiento de smartphone bien diseñados y multifuncionales, incluyendo el iPhone de Apple, ha aumentado la presión competitiva. Los competidores no dejan de agregar características y puntos de precio cada vez más atractivos. Nuestros competidores clave son:

- *Motorola.* Tiene una larga tradición en la comercialización de teléfonos móviles exitosos; por ejemplo, vendió millones de unidades de su teléfono plegable RAZR en todo el mundo. Sin embargo, en los últimos tiempos no le ha sido fácil mantenerse al mismo nivel que sus competidores.
- *Apple.* El primer iPhone, un smartphone con pantalla a color de 3.5 pulgadas, fue diseñado primordialmente para los entusiastas del entretenimiento. Está bien equipado para música, video y acceso a la Web, además de funciones de gestión de calendario y contactos. Al principio Apple se asoció en exclusiva con la red de AT&T, y dos meses después de la presentación del teléfono redujo su precio a 399 dólares para acelerar la penetración en el mercado.
- *RIM.* Research In Motion fabrica teléfonos inalámbricos ligeros con funciones de PDA marca BlackBerry, que son tan populares entre los usuarios corporativos. La continua innovación de RIM y su sólido servicio de soporte al cliente fortalecen su posición competitiva a medida que lanza más smartphone y dispositivos PDA.
- *Samsung.* Valor, estilo, función: Samsung es un poderoso competidor que ofrece una variedad de smartphone y PC ultramóviles para los segmentos de consumo y empresarial. Algunos de sus smartphone trabajan con redes de telecomunicaciones específicas, mientras que otros no tienen esa restricción, por lo que están listos para funcionar con cualquier red compatible.
- *Nokia.* Con presencia en prácticamente todos los mercados de teléfonos móviles existentes, Nokia siempre es un rival experimentado y digno de temer. En vista de que fue responsable del lanzamiento de uno de los primeros smartphone, se da por seguro que seguirá compitiendo agresivamente en este mercado.

A pesar de la fuerte competencia, Sonic puede crearse una imagen definitiva y obtener reconocimiento entre los segmentos meta. Nuestra atractiva combinación de características de tecnología de punta y precio bajo constituyen un importante rasgo de diferenciación para obtener ventaja competitiva. Nuestro segundo producto será incluso más orientado a medios para atraer segmentos donde tendremos un sólido reconocimiento de marca. La △ figura A.2 presenta ejemplos de los productos y precios de la competencia.

Esta sección resume las características principales de los diversos productos de la empresa.

2.4 Oferta del producto El Sonic 1000 ofrece las siguientes características estándar:

- Reconocimiento de voz para operación a manos libres.
- Gama completa de aplicaciones.

	Samsung Galaxy S - Captivate	Apple iPhone 4	Motorola Droid Pro	Nokia N900	BlackBerry Storm 2 9550
Almacenamiento	Tarjeta de memoria de 32 GB.	Unidad de disco flash de 32 GB.	Soporta hasta 32 GB en memoria micro SD.	Hasta 32 GB de memoria interna. 16 GB en micro SD (se vende por separado).	2GB eMMC. Tarjeta de medios de 16 MB incluida.
Pantalla	Pantalla táctil WVGA de 4".	Retina de 3.5" (en diagonal) pantalla ancha pantalla Multi-Touch.	HGVA. Pantalla táctil de 3.1".	WVGA. Pantalla táctil de 3.5".	Pantalla táctil de 3.25".
Cámara	Enfoque automático 5.0 MP. Zoom digital de 4× Video MPEG4, ACC, ACC+. H.263 H.264. Reproducción continua de video.	Toque para enfocar 5.0 MP. Fotos con calidad VGA. Flash de LED. Grabadora de video. Geoetiquetado.	Enfoque automático 5 MP. Zoom digital. Flash de LED. Herramientas para edición de imágenes.	Enfoque automático con tecla de captura de dos pasos. 5 MP. Flash LED dual. Herramientas para edición de imágenes Geoetiquetado.	Enfoque automático. 3.2 MP. Zoom digital de 2×. Flash. Enfoque automático. Estabilización de imagen. Grabadora de video.
Precio	449-599 dólares.	723 dólares. 199 dólares 16 GB. 299 dólares 32 GB.	449–489 dólares.	349 dólares.	349 dólares.

|Fig. A.2| △ Características y precios de smartphone seleccionados

- Funciones completas de organización, incluyendo un calendario vinculado, una libreta de direcciones y sincronización.
- Grabación digital de música/video/televisión, descargas inalámbricas y reproducción instantánea.
- Web y correo electrónico inalámbricos, mensajes de texto, mensajería instantánea.
- Pantalla táctil de alta calidad de cuatro pulgadas.
- Unidad de disco ultrarrápida de 64 gigabytes y ranuras de expansión.
- Cámara integrada de 12 megapixeles con flash y herramientas de edición y para compartir fotografías.

Según las proyecciones, los ingresos por ventas durante el primer año serán de 200 millones de dólares, considerando la venta de 800 000 unidades del Sonic 1000 a un precio mayorista de 250 dólares cada una. Nuestro producto para el segundo año será el Sonic All Media 2000, que destacará por su comunicación multimedia mejorada, capacidades de red y funciones de entretenimiento. El Sonic All Media 2000 incluirá las mismas características del Sonic 1000 más otras adicionales, como:

- Reproducción directa de medios para compartir archivos de música, video y televisión con otros dispositivos.
- Webcam para captura instantánea de video y *upload* de archivos a sitios Web populares.
- Acceso por comandos de voz a sitios Web de redes sociales populares.

2.5 Distribución Los productos marca Sonic serán distribuidos a través de una red de minoristas en los 50 principales mercados de Estados Unidos. Entre los socios de canal más importantes que se están contactando se encuentran:

La distribución explica cuáles son los canales para los productos de la empresa, y menciona los nuevos desarrollos y tendencias.

- *Grandes cadenas de suministros para oficinas.* Office Max, Office Depot y Staples tendrán productos Sonic en sus puntos de venta, catálogos y tiendas online.
- *Tiendas de productos informáticos.* CompUSA y minoristas independientes de productos informáticos comercializarán los productos Sonic.
- *Tiendas especializadas en electrónica.* Best Buy exhibirá los smartphone Sonic en sus puntos de venta, tiendas online y publicidad en medios.
- *Minoristas online.* Amazon.com comercializará los smartphone Sonic, y les dará un lugar prominente en su página principal durante el lanzamiento a cambio del pago de una tarifa promocional.

Al principio la distribución estará restringida a Estados Unidos, con el adecuado apoyo de promoción de ventas. Más adelante tenemos planes de expandirnos a Canadá y otros mercados.

3.0 Estrategia de marketing

3.1 Metas Hemos establecido metas ambiciosas pero alcanzables para los primeros dos años de entrada al mercado.

Las metas deben ser definidas en términos específicos para que la dirección pueda medir la progresión de su cumplimiento e implementar acciones correctivas cuando sea necesario.

- *Metas del primer año.* Lograr una participación de 1% en el mercado estadounidense de smartphone, a través de la venta de un volumen de 800 000 unidades.
- *Metas del segundo año.* Lograr el punto de equilibrio del Sonic 1000 y lanzar el segundo modelo.

Todas las estrategias de marketing inician con la segmentación, la determinación de consumidores meta y el posicionamiento.

3.2 Mercados meta La estrategia de Sonic está basada en un posicionamiento por diferenciación de producto. Nuestro consumidor meta principal para el Sonic 1000 son profesionistas con ingresos medios y altos que necesitan un dispositivo totalmente equipado para coordinar sus numerosas actividades, mantenerse en contacto con su familia y colegas, y entretenerse durante sus desplazamientos. Nuestro consumidor meta secundario son los estudiantes de preparatoria, universidad y posgrado que desean contar con un dispositivo multimedia de modo dual. Este segmento puede describirse demográficamente por su edad (16-30 años) y estatus educativo. Nuestro Sonic All Media 2000 estará dirigido a adolescentes y jóvenes adultos que desean un dispositivo con características de soporte para redes sociales y un consumo de medios de entretenimiento más demandante.

Por lo que respecta al mercado empresarial, el principal consumidor meta para el Sonic 1000 son las corporaciones medianas y grandes que desean ayudar a que sus gerentes y empleados se mantengan en contacto con la empresa y puedan ingresar o tener acceso a datos relevantes cuando estén fuera de la oficina. Este segmento está conformado por empresas con ventas anuales superiores a los 25 millones de dólares y más de 100 empleados. Un mercado meta secundario son los emprendedores, los propietarios de pequeñas empresas, y los médicos interesados en actualizar o tener acceso a los expedientes de sus pacientes.

Cada una de las estrategias de la mezcla de marketing toma en consideración la diferenciación de Sonic hacia estos segmentos del mercado meta.

El posicionamiento identifica la marca, los beneficios, los puntos de diferencia y los puntos de paridad del producto o línea de productos.

3.3 Posicionamiento Utilizando la diferenciación de productos, posicionaremos el smartphone Sonic como el modelo más versátil, conveniente y con valor añadido para uso personal y profesional. Nuestro marketing se enfocará en el valor añadido y las capacidades distintivas de comunicación múltiple, entretenimiento e información del Sonic 1000.

3.4 Estrategias

La estrategia de producto incluye decisiones sobre la mezcla de productos, y relativas a líneas, marcas, garantías, envasado y etiquetado.

Producto El Sonic 1000, incluyendo todas las características descritas en la sección Oferta del producto y algunas más, será vendido con garantía por un año. Al año siguiente se lanzará el Sonic All Media 2000; para entonces ya habremos posicionado nuestra marca Sonic. La marca y el logotipo (un rayo amarillo distintivo de Sonic) aparecerán tanto en nuestros productos y envases como en todas nuestras campañas de marketing.

La estrategia de precios abarca decisiones sobre la fijación de los precios iniciales y la adaptación de éstos en respuesta a las oportunidades y los desafíos de la competencia.

Precio El Sonic 1000 se lanzará con un precio por unidad de 250 dólares al mercado mayorista y de 300 dólares en el mercado minorista. Esperamos bajar el precio de este modelo cuando la línea de productos se amplíe con el lanzamiento del Sonic All Media 2000, el cual tendrá un precio mayorista de 350 dólares por unidad. Estos precios reflejan una estrategia para (1) atraer a socios de canal deseables, y (2) restar participación de mercado a los competidores establecidos.

La estrategia de distribución incluye la selección y gestión de las relaciones de canal para entregar valor a los clientes.

Distribución Nuestra estrategia de canal consiste en utilizar una distribución selectiva, comercializando los smartphone Sonic a través de tiendas bien conocidas y minoristas en línea. Durante el primer año iremos añadiendo socios de canal hasta lograr una cobertura en todos los principales mercados estadounidenses y la inclusión del producto en los catálogos y sitios Web de electrónica más importantes. También evaluaremos la oportunidad de distribución en los puntos de venta de teléfonos móviles mantenidos por los principales proveedores de servicios, como Verizon Wireless. En apoyo a los socios de canal, proveeremos productos de demostración, detallados folletos de especificaciones, así como fotografías y displays del producto a todo color. Por último, planeamos ofrecer plazos de pago especiales para los minoristas que hagan pedidos en volumen.

La estrategia de comunicación de marketing abarca todos los esfuerzos por comunicarse con los públicos meta y los miembros del canal.

Comunicaciones de marketing La difusión del nombre de marca y de los principales puntos de diferenciación del producto serán reforzados mediante la integración de todos los mensajes en todos los medios. Las investigaciones sobre patrones de consumo de medios ayudarán a nuestra agencia de publicidad a elegir los medios y los tiempos apropiados para llegar hasta nuestros clientes potenciales, antes y durante el lanzamiento del producto. Posteriormente, la publicidad aparecerá de manera intermitente para mantener la conciencia de marca y comunicar varios mensajes de diferenciación. La agencia también coordinará los esfuerzos de relaciones públicas para desarrollar la marca Sonic y apoyar el mensaje de diferenciación. Para generar difusión de boca a boca, en nuestra página Web se llevará a cabo un concurso de videos generados por los usuarios. Con el propósito de atraer, retener y motivar a los socios de canal a llevar a cabo una estrategia de empuje, utilizaremos promociones de ventas comerciales y ventas personales. Hasta que la marca se haya establecido, nuestras comunicaciones alentarán las compras a través de los socios de canal y no en nuestro sitio Web.

La mezcla de marketing incluye tácticas y programas que apoyan las estrategias de producto, precio, distribución y comunicaciones de marketing.

3.5 Mezcla de marketing El Sonic 1000 será lanzado en febrero. A continuación se presenta un resumen de los programas de acción que utilizaremos durante los primeros seis meses para lograr las metas establecidas:

- *Enero.* Lanzaremos una campaña promocional de ventas de 200 000 dólares, y participaremos en las principales ferias comerciales para informar a los concesionarios y generar soporte de canal para el lanzamiento del producto en febrero. Por otro lado, generaremos publicidad regalando el equipo a una selección de reseñadores de producto, líderes de opinión, blogueros influyentes y celebridades. Nuestro personal de capacitación trabajará con los vendedores de las principales cadenas minoristas, explicándoles las características, beneficios y ventajas del Sonic 1000.
- *Febrero.* Comenzaremos una campaña integrada en medios impresos, radio e Internet, dirigida a profesionistas y consumidores. La campaña mostrará cuántas funciones puede realizar el Sonic 1000, y hará hincapié en la conveniencia de manejar un solo —pero poderoso— dispositivo manual. Esta campaña multimedia será apoyada por señalizaciones en los puntos de venta, así como anuncios y videos descriptivos exlusivos para el canal online.
- *Marzo.* Mientras la campaña multimedia continúa, iremos añadiendo promociones de ventas para el mercado de consumo. Por ejemplo, convocaremos a un concurso en donde los consumidores publicarán videos en nuestro sitio Web, mostrando cómo utilizan el Sonic de maneras creativas e inusuales. También distribuiremos nuevos displays de punto de venta para apoyar a nuestros distribuidores.
- *Abril.* Llevaremos a cabo un concurso de ventas donde ofreceremos premios tanto al vendedor como a la empresa minorista que vendan más unidades de smartphone Sonic durante un periodo de cuatro semanas.
- *Mayo.* Hemos planificado el lanzamiento de una nueva campaña publicitaria nacional para este mes. En los anuncios de radio aparecerán voces de celebridades, ordenando a sus smartphone Sonic que lleven a cabo ciertas funciones, como realizar una llamada, enviar un correo electrónico, reproducir una canción o video, etc. En los impresos y online aparecerán avatares estilizados de esas celebridades, llevando en la mano sus smartphone Sonic. Planeamos repetir este tema para el lanzamiento del producto del año siguiente.
- *Junio.* Nuestra campaña de radio añadirá un eslogan en *voice-over*, promoviendo el Sonic 1000 como regalo de graduación. Tendremos presencia en la feria comercial de electrónica y, como apoyo a las ventas, proporcionaremos a los minoristas nuevos folletos presentando comparativos con productos de la competencia. Además, analizaremos los resultados de las investigaciones sobre satisfacción del cliente para utilizarlas en futuras campañas y en los esfuerzos de desarrollo de productos.

Los programas deben estar coordinados con los recursos y actividades de otros departamentos que contribuyen a generar valor para el cliente en el caso de cada producto.

3.6 Investigaciones de marketing A partir de las investigaciones identificaremos características y beneficios específicos que valoran los segmentos de nuestro mercado meta. La retroalimentación obtenida mediante pruebas de mercado, encuestas y *focus groups* nos ayudará a desarrollar y dar los últimos toques al Sonic All Media 2000. También estamos midiendo y analizando las actitudes de los clientes hacia las marcas y productos de la competencia. Las investigaciones sobre conciencia de marca nos ayudarán a determinar la eficacia y eficiencia de nuestros mensajes y medios. Por último, utilizaremos estudios de satisfacción del cliente para evaluar las reacciones del mercado.

Esta sección muestra de qué manera las investigaciones de marketing apoyan el desarrollo, la implementación y la evaluación de las estrategias y programas de marketing.

4.0 Finanzas

Las finanzas incluyen presupuestos y pronósticos para planificar los gastos de marketing, el calendario de actividades y las operaciones.

Los ingresos totales por ventas del primer año de comercialización del Sonic 1000 están proyectados en 200 millones de dólares, con un precio promedio mayorista de 250 dólares por unidad y un costo variable unitario de 150 dólares para un volumen de ventas de 800 000 unidades. Anticipamos una pérdida de hasta 40 millones de dólares en el primer año. Los cálculos de punto de equilibrio indican que el Sonic 1000 será rentable después de que el volumen de ventas exceda las 267 500 unidades durante el segundo año de vida del producto. Nuestro análisis de punto de equilibrio supone un ingreso unitario mayorista de 250 dólares, un costo variable unitario de 150 dólares, y costos fijos estimados para el primer año en 26 750 000 dólares. Tomando en cuenta lo anterior, el cálculo del punto de equilibrio es:

$$\frac{26\,750\,000}{\$250 - \$150} = 267\,500 \text{ unidades}$$

5.0 Controles

Los controles permiten que la dirección evalúe los resultados e identifique cualquier problema o variación de rendimiento que exijan la implementación de acciones correctivas.

Estamos estableciendo controles que abarquen la implementación y organización de nuestras actividades de marketing.

5.1 Implementación Hemos planificado el uso de medidas estrictas de control para monitorear de cerca la calidad y la satisfacción del cliente en términos de servicio. Esto nos permitirá reaccionar con mucha rapidez para corregir cualquier problema que pudiera surgir. Otras señales de alerta que vigilaremos desde el principio para detectar cualquier signo de desviación del plan incluyen las ventas (por segmento y por canal) y los gastos mensuales.

|Fig. A.3|

Organización del departamento de marketing en Sonic

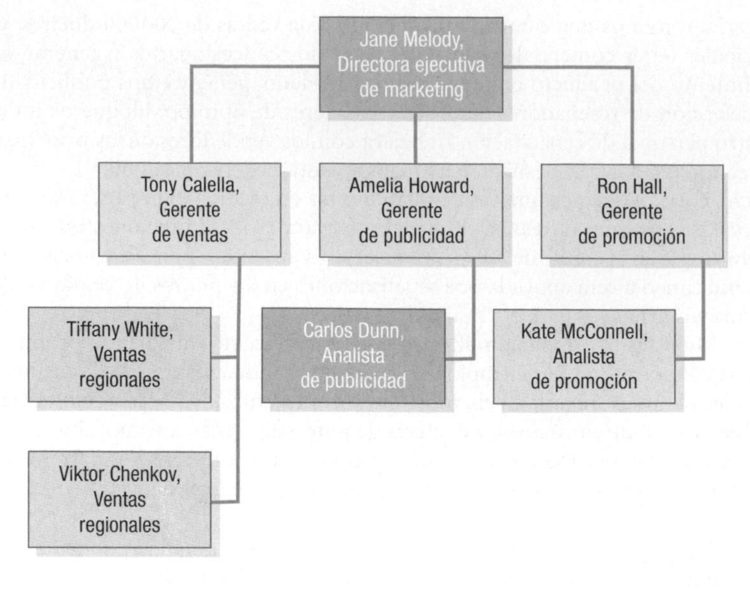

El departamento de marketing podría estar organizado según sus funciones, como en este ejemplo, o por geografía, producto, cliente, o una combinación de estos esquemas.

5.2 Organización de marketing La directora ejecutiva de marketing de Sonic, Jane Melody, es la responsable general de todas las actividades de marketing de la empresa. La figura A.3 muestra la estructura organizativa del departamento marketing, conformado por ocho personas. Sonic ha contratado a Worldwide Marketing para que maneje las campañas nacionales de ventas, las promociones de ventas comerciales y de consumo, y los esfuerzos de relaciones públicas.

Tareas por capítulo del plan de marketing de Sonic[1]

Capítulo 2

Usted es asistente de Jane Melody, directora ejecutiva de marketing de Sonic, y se le ha asignado la redacción de una declaración de misión para que la revise la alta dirección. Esta declaración debe cubrir las esferas competitivas dentro de las cuales operará la empresa y su recomendación de una adecuada estrategia genérica competitiva. Utilizando sus conocimientos de marketing, la información que posee acerca de Sonic y recursos bibliográficos o de Internet, responda las siguientes preguntas:

- ¿Cuál debería ser la misión de Sonic?
- ¿En cuáles esferas competitivas (industria, productos y aplicaciones, competencia, segmento de mercado, vertical y geográfica) debería operar Sonic?
- ¿Cuál de las estrategias genéricas competitivas de Porter recomendaría que siga Sonic al formular su estrategia general?

De acuerdo con las instrucciones de su profesor, incluya sus respuestas sobre el entorno de Sonic en las secciones adecuadas de un plan de marketing escrito o utilice el software *Marketing Plan Pro* para registrar sus comentarios.

Capítulo 3

Jane Melody le ha pedido que analice el entorno externo de la empresa para detectar señales de alerta de nuevas oportunidades y amenazas que pudieran afectar el éxito del smartphone Sonic 1000. Utilizando Internet o fuentes bibliográficas (o ambas), localice información que le permita responder las tres preguntas siguientes sobre áreas clave del macroentorno.

- ¿Cuáles cambios demográficos podrían afectar los segmentos meta de Sonic?
- ¿Cuáles tendencias económicas podrían influir en el comportamiento de compra de los segmentos meta de Sonic?
- ¿El avance vertiginoso de la tecnología podría modificar o alterar la situación competitiva de Sonic? ¿De qué manera?

Incluya sus respuestas sobre el entorno de Sonic en las secciones adecuadas de un plan de marketing escrito o utilice el software *Marketing Plan Pro* para registrar sus comentarios.

Capítulo 4

Su siguiente tarea consistirá en considerar cómo pueden contribuir las investigaciones de marketing a respaldar la estrategia de marketing de Sonic. Además, Jane Melody le ha preguntado cómo puede medir Sonic sus resultados después de que se haya implementado el plan de marketing. Jane desea que usted responda las siguientes tres preguntas:

- ¿Cuáles encuestas, *focus groups*, observaciones, datos conductuales o experimentos necesitará Sonic para respaldar su estrategia de marketing? Sea específico sobre las preguntas o problemáticas que Sonic necesita resolver utilizando la investigación de mercado.
- ¿Dónde puede conseguir datos secundarios adecuados sobre la demanda total de smartphone para los próximos dos años? Identifique por lo menos dos fuentes (online u offline), describa qué cree poder obtener de cada fuente, e indique en qué sentido estos datos serían útiles en la planificación de marketing de Sonic.
- Recomiende tres métricas específicas de marketing para que Sonic las aplique en la determinación de la eficacia y eficiencia del marketing.

Ingrese esta información en el plan de marketing que ha estado redactando o utilice el software *Marketing Plan Pro* para documentar sus respuestas.

Capítulo 5

Sonic ha decidido enfocarse en la satisfacción total del cliente como una manera de alentar la lealtad hacia marca en un mercado altamente competitivo. Con esto en mente, se le ha asignado la tarea de analizar tres asuntos específicos mientras continúa trabajando en el plan de marketing de Sonic.

- ¿Cómo (y qué tan frecuentemente) debería monitorear Sonic la satisfacción de sus clientes?
- ¿Recomendaría que Sonic utilice el método Net Promoter? Explique su razonamiento.
- ¿En cuáles puntos de contacto con el cliente debería poner especial atención Sonic? ¿Por qué?

Considere sus respuestas en el contexto de la situación actual de Sonic y de las metas que se ha fijado. Luego registre sus puntos de vista en el plan de marketing escrito o en el software *Marketing Plan Pro.*

Capítulo 6

Usted es responsable de la investigación y análisis del mercado de consumo para el producto de Sonic, el smartphone. Analice nuevamente los datos que ya averiguó respecto a la situación actual de la empresa y el macroentorno, en especial el mercado meta. Ahora responda estas preguntas sobre el mercado y el comportamiento del comprador.

- ¿Qué factores culturales, sociales y personales podrían influir más en las compras de consumo de los smartphone? ¿Cuáles herramientas de análisis le ayudarían a comprender mejor el efecto de dichos factores sobre las actitudes y el comportamiento de los compradores?
- ¿En cuáles aspectos del comportamiento del comprador debería hacer énfasis el plan de marketing de Sonic? ¿Por qué?
- ¿Qué actividades de marketing debería planificar Sonic para que coincidan con cada etapa del proceso de compra del consumidor?

Después de que haya analizado estos aspectos del comportamiento del consumidor, considere sus implicaciones para los esfuerzos de marketing que Sonic desplegará para apoyar el lanzamiento de su smartphone. Por último, documente sus hallazgos y conclusiones en un plan de marketing por escrito o a través del *Marketing Plan Pro*.

Capítulo 7

Usted ha venido averiguando detalles sobre el mercado empresarial para el smartphone de Sonic. Jane Melody ha definido este mercado como corporaciones medianas y grandes que desean que sus empleados se mantengan en contacto con la empresa y puedan ingresar o tener acceso a datos relevantes desde cualquier ubicación. Responda las siguientes tres preguntas con base en su conocimiento de la situación actual de Sonic y el marketing B2B.

- ¿Qué tipo de empresas parecen ajustarse a la definición de mercado de Melody? ¿Cómo podría averiguar cuál es el número de empleados de dichas organizaciones y otros datos sobre este tipo de negocios?
- ¿Qué tipo de compra representaría un smartphone Sonic para estas empresas? ¿Quién participaría o influiría en este tipo de compra?
- ¿La demanda de smartphone entre los compradores corporativos tendería a ser inelástica? ¿Cuáles son las implicaciones para el plan de marketing de Sonic?

Sus respuestas a estas preguntas afectarán la planificación que haga Sonic de las actividades de marketing para los segmentos meta de tipo empresarial. Tómese unos minutos para anotar sus ideas en un plan de marketing por escrito o utilice *Marketing Plan Pro.*

Capítulo 8

La identificación de los segmentos adecuados del mercado y la elección de consumidores meta son aspectos de gran importancia para el éxito de cualquier plan de marketing. Como asistente de Jane Melody, usted es responsable de la segmentación y definición del mercado meta. Vuelva a revisar la información de mercado, los datos sobre el comportamiento de los compradores y los detalles sobre la competencia que recopiló reviamente, y luego responda las siguientes preguntas.

- ¿Qué variables debería utilizar Sonic para segmentar sus mercados de consumo y empresarial?
- ¿Qué puede hacer Sonic para evaluar el atractivo de cada segmento identificado? ¿Debería enfocar su comercialización en un solo segmento de consumo y un solo segmento empresarial, o dirigirse a más de un segmento en cada mercado? ¿Por qué?
- ¿Debería esforzarse por alcanzar una cobertura total del mercado, una especialización del mercado, una especialización de producto, una especialización selectiva o una concentración en un solo segmento? ¿Por qué?

A continuación, considere de qué manera se verían afectados los esfuerzos de marketing de Sonic por sus decisiones sobre segmentación y definición de mercados meta. Según las instrucciones que le dé su profesor, resuma sus conclusiones en un plan de marketing por escrito o utilice *Marketing Plan Pro.*

Capítulo 9

Sonic es una marca nueva sin asociaciones de marca previas, lo cual implica una serie de oportunidades y desafíos de marketing. Jane Melody le ha dado la responsabilidad de hacer recomendaciones sobre tres asuntos de brand equity que son importantes para el plan de marketing de Sonic.

- ¿Cuáles elementos de marca serían más útiles para diferenciar a Sonic de las marcas de la competencia?
- ¿Cómo puede Sonic resumir su promesa de marca para el nuevo smartphone?
- ¿La empresa debería añadir una nueva marca para su segundo producto, o mantener el nombre de Sonic?

Asegúrese de que sus ideas de marca sean apropiadas, tomando en cuenta lo que ha averiguado sobre sus segmentos meta y la competencia. A continuación añada esta información a su plan de marketing escrito o al que ha estado desarrollando con *Marketing Plan Pro.*

Capítulo 10

Usted ha venido trabajando con Jane Melody en el desarrollo del plan de marketing de Sonic para lanzar un nuevo smartphone. Ahora deberá centrarse en las estrategias de posicionamiento y de ciclo de vida del producto, comenzando por responder las siguientes preguntas.

- Describa, en una o dos frases, cuál es un posicionamiento adecuado para el smartphone Sonic 1000.
- Tomando en consideración la etapa del ciclo de vida del producto que está atravesando el smartphone Sonic, ¿cuáles son las implicaciones en materia de precio, promoción y distribución?
- ¿En cuál etapa de su evolución parece estar el mercado de los smartphone? ¿Qué significa esto para el plan de marketing de Sonic?

Documente sus ideas en un plan de marketing por escrito o utilice *Marketing Plan Pro.* Anote cualquier investigación adicional que pudiera necesitar para determinar cómo proceder después del lanzamiento del Sonic 1000.

Capítulo 11

Sonic es un nuevo participante en una industria establecida, caracterizada por la presencia de competidores con una identidad de marca relativamente alta y un sólido posicionamiento en el mercado. Utilice las investigaciones y sus conocimientos acerca de cómo tratar con los competidores para reflexionar sobre tres cuestiones que afectarán la capacidad de la empresa para tener éxito en la introducción de su primer producto.

- ¿Cuáles factores utilizará para determinar el grupo estratégico de Sonic?
- ¿La empresa debería elegir una clase de competidores para atacarla con base en fortalezas contra debilidades, cercanía contra distancia, o bueno contra malo? ¿Por qué esto resultaría adecuado en el mercado de los smartphone?

- Como empresa de reciente aparición, ¿qué estrategia competitiva sería más eficaz para que Sonic introduzca su primer producto?

Dedique un tiempo a analizar de qué manera la estrategia competitiva de Sonic afectará su estrategia y sus tácticas de marketing. Ahora resuma sus ideas en un plan de marketing por escrito o utilizando el software *Marketing Plan Pro*.

Capítulo 12

La introducción de un nuevo producto implica la necesidad de tomar diversas decisiones sobre estrategia de producto, incluyendo diferenciación, branding de ingredientes, envasado, etiquetado y garantías. A continuación, su tarea será responder las siguientes preguntas sobre la estrategia de producto de Sonic.

- ¿Qué aspecto de la diferenciación de producto sería más valioso para distinguir a Sonic de sus competidores? ¿Por qué?
- ¿Sonic debería utilizar branding de ingredientes para destacar su sistema operativo basado en Linux, gracias al cual supuestamente su smartphone es más seguro que aquellos que utilizan otros sistemas operativos?
- ¿Qué puede hacer Sonic para aprovechar el envasado y etiquetado del producto para apoyar su imagen de marca y ayudar a sus socios de canal a vender el smartphone con mayor eficacia?

Una vez que haya reflexionado sobre estas preguntas, incorpore sus respuestas en el plan de marketing que ha estado redactando o documéntelas utilizando el software *Marketing Plan Pro*.

Capítulo 13

Otra de sus responsabilidades es planificar los servicios de soporte al cliente para el nuevo producto de Sonic, el smartphone. Revise lo que sabe acerca de su mercado meta y sus necesidades; piense también en lo que ofrecen los competidores de Sonic. Luego conteste estas tres preguntas sobre el diseño y la gestión de servicios.

- ¿Cuáles servicios de soporte es probable que deseen y necesiten los compradores de smartphone?
- ¿De qué manera puede manejar Sonic las brechas que hay entre el servicio percibido y el servicio esperado, con el propósito de satisfacer a sus clientes?
- ¿Qué esquemas de servicio postventa debería ofrecer Sonic, y cómo cree usted que se vería afectada la satisfacción de los clientes por ellos?

Considere de qué manera apoyará esta estrategia de servicios los esfuerzos generales de marketing de Sonic. Resuma sus recomendaciones en un plan de marketing por escrito o utilice *Marketing Plan Pro* para documentar sus ideas.

Capítulo 14

Usted está a cargo de la fijación de precios para el lanzamiento del producto Sonic a principios del año entrante. Revise el análisis FODA que preparó previamente, así como el entorno competitivo de Sonic, su estrategia de metas y de posicionamiento del producto. Responda las preguntas siguientes para continuar trabajando en su plan de marketing.

- ¿Cuál debería ser la principal meta de fijación de precios de Sonic? Explique su razonamiento.
- ¿Los clientes de smartphone son propensos a mostrar sensibiidad al precio? ¿Cuáles son las implicaciones para sus decisiones de fijación de precio?
- ¿Cuáles adaptaciones de precios (como descuentos, pagos en plazos y precios promocionales) debería incluir Sonic en su plan de marketing?

Anote sus respuestas a estas preguntas y documente la información correspondiente en un plan de marketing por escrito o utilice *Marketing Plan Pro*, según las instrucciones de su profesor.

Capítulo 15

La emprea le ha pedido que desarrolle un sistema de canal de marketing para el nuevo smartphone Sonic 1000. Con base en lo que sabe sobre diseño y gestión de canales integrados de marketing, conteste las siguientes tres preguntas.

- ¿Está de acuerdo con la decisión de Jane Melody de utilizar una estrategia de empuje para el nuevo producto? Explique su razonamiento.
- ¿Cuántos niveles de canal son adecuados para los segmentos meta de consumo y empresariales de Sonic?

- ¿Qué criterio debería utilizar para determinar el número de miembros de canal, distribución exclusiva, selectiva o intensiva? ¿Por qué?

Asegúrese de que sus puntos de vista respecto al canal de marketing respalden el posicionamiento de producto y sean consistentes con las metas que se han fijado. Registre sus recomendaciones en un plan de marketing por escrito, o utilice *Marketing Plan Pro.*

Capítulo 16

En este punto, usted necesita tomar decisiones más específicas sobre la gestión de intermediarios de marketing para el primer producto Sonic. Formule sus ideas respondiendo las siguientes preguntas.

- ¿Qué tipos de minoristas serían los más adecuados para distribuir el smartphone de Sonic? ¿Cuáles son las ventajas y desventajas de vender a través de este tipo de minoristas?
- ¿Qué rol deberían desempeñar los mayoristas en la estrategia de distribución de Sonic? ¿Por qué?
- ¿Qué cuestiones de logística de mercado debe considerar Sonic para el lanzamiento de su primer smartphone?

Resuma sus decisiones acerca de la venta minorista, mayorista y logística en el plan de marketing que ha estado redactando o utilice el software *Marketing Plan Pro.*

Capítulo 17

Jane Melody le ha asignado la tarea de planificar las comunicaciones integradas de marketing para el lanzamiento del nuevo producto de Sonic. Antes de responder las preguntas siguientes, revise los datos, las decisiones y estrategias que documentó previamente en su plan de marketing.

- ¿Qué objetivos de comunicaciones son adecuados para la campaña inicial de Sonic?
- ¿Cómo puede aprovechar la empresa los canales de comunicación personal para influir en su público meta?
- ¿Qué herramientas de comunicación recomendaría que se utilicen después de que el producto inicial de Sonic haya estado en el mercado durante seis meses? ¿Por qué?

Confirme que sus planes de comunicación de marketing sean coherentes con los esfuerzos de marketing generales de Sonic. Siguiendo las instrucciones que le dé su profesor, resuma sus conclusiones en un plan de marketing por escrito o utilice el software *Marketing Plan Pro.*

Capítulo 18

Las comunicaciones masivas desempeñarán un rol fundamental en la introducción del producto de Sonic. Después de revisar sus decisiones anteriores y tomando en cuenta la situación actual (especialmente en circunstancias competitivas), responda las siguientes preguntas para continuar planificando la estrategia de comunicaciones de marketing de Sonic.

- Una vez que Sonic comience a utilizar publicidad dirigida al mercado de consumo, ¿cuáles metas sería adecuado establecer?
- ¿Sonic debería continuar la promoción de ventas comercial y al consumidor después de que el nuevo producto ha estado en el mercado por seis meses? Explique su razonamiento
- Jane Melody desea que usted recomiende una posibilidad de patrocinio adecuada para la campaña del nuevo producto. ¿Qué tipo de evento sugeriría, y qué metas establecería para el patrocinio?

Registre sus ideas sobre las comunicaciones masivas en el plan de marketing que ha estado desarrollando, o utilice *Marketing Plan Pro.*

Capítulo 19

Sonic necesita una estrategia para gestionar sus comunicaciones personales durante el lanzamiento de su nuevo producto. Éste es el momento de pensar en marketing interactivo, difusión de boca en boca y ventas personales. Responda las siguientes tres preguntas mientras considera la estrategia de comunicaciones personales de Sonic.

- ¿Qué formas de marketing interactivo serán adecuadas para Sonic, considerando sus metas, su esquema de comunicación masiva y sus decisiones de canal?
- ¿Qué debería hacer Sonic para aprovechar la difusión de boca en boca para generar conciencia de marca y animar a los compradores potenciales a visitar personalmente a los minoristas para conocer el nuevo smartphone?

- ¿Necesitará Sonic una fuerza de ventas directa, o puede vender su smartphone a través de agentes y otros representantes externos?

Revise sus decisiones y puntos de vista previos antes de documentar sus comentarios sobre las comunicaciones personales en su plan de marketing por escrito o utilizando el software *Marketing Plan Pro*.

Capítulo 20

Jane Melody sabe que el mercado de smartphone probablemente seguirá siendo muy competitivo, y desea que usted se anticipe y recomiende qué podría hacer Sonic para desarrollar nuevos productos fuera del mercado de smartphone. Revise la situación competitiva y la situación del mercado antes de seguir trabajando en el plan de marketing de Sonic.

- Haga una lista de tres ideas de nuevos productos que aprovechen las fortalezas de Sonic y las necesidades de sus diversos segmentos meta. ¿Qué criterios debería usar Sonic para evaluar estas ideas?
- Desarrolle la idea más promisoria en un concepto de producto, y explique qué podría hacer Sonic para someterlo a prueba. ¿Cuáles dimensiones en particul deben probarse?
- Suponga que la idea más promisoria se prueba favorablemente. Ahora desarrolle una estrategia de marketing para su lanzamiento, incluyendo una descripción del mercado meta, el posicionamiento del producto, las metas estimadas de ventas, ganancias y participación de mercado para el primer año; su estrategia de canal y el presupuesto de marketing que recomendará para el lanzamiento de este nuevo producto. Si es posible, calcule los costos y lleve a cabo un análisis de punto de equilibrio para Sonic.

Documente todos los detalles de sus ideas para desarrollo de nuevos productos en el plan de marketing por escrito, o utilice el software *Marketing Plan Pro*.

Capítulo 21

Como asistente de Jane Melody, usted está investigando cómo comercializar el smartphone Sonic 1000 fuera de Estados Unidos dentro de un año, y ahora se la ha pedido que responda las siguientes preguntas acerca del uso del marketing global para Sonic.

- Como empresa que inicia, ¿Sonic debería utilizar exportaciones indirectas o directas, licencias, empresas conjuntas o inversión directa para entrar al mercado canadiense el año próximo? ¿Y para entrar a otros mercados? Explique sus respuestas.
- Si Sonic comienza a comercializar su smartphone en otros países, ¿cuáles estrategias internacionales de producto serán más adecuadas? ¿Por qué?
- Aunque algunos componentes son fabricados en Asia, los smartphone Sonic serán ensamblados en México a través de un arreglo contractual con una fábrica local. ¿Es probable que las percepciones del país de origen afecten sus recomendaciones de marketing? ¿En qué sentido?

Piense de qué manera se ajustan estas cuestiones de marketing global a la estrategia general de marketing de Sonic. Documente sus ideas en el plan de marketing que ha escrito o utilice *Marketing Plan Pro*.

Capítulo 22

Una vez desarrollado el plan de marketing, usted está listo para hacer recomendaciones acerca de cómo gestionar las actividades de marketing de Sonic. A continuación hay algunas preguntas específicas que Jane Melody desea que tome en consideración.

- ¿Qué puede hacer Sonic para impulsar el marketing centrado en el cliente y la innovación estratégica en toda la organización?
- ¿Qué rol debería desempeñar la responsabilidad social en el marketing de Sonic?
- ¿Cómo puede Sonic evaluar su marketing? Sugiera varios pasos específicos que la empresa deberá poner en práctica.

Para completar su labor, incorpore sus respuestas a estas preguntas en el plan de marketing que ha escrito o en el software *Marketing Plan Pro*. Por último, redacte el resumen ejecutivo con lo más destacado del plan.

Notas

Capítulo 1

1. Michael Learmonth, "Social Media Paves Way to White House", *Advertising Age*, 30 de marzo de 2009, p. 16; Noreen O'Leary, "GMBB", *AdweekMedia*, 15 de junio de 2009, p. 2; John Quelch, "The Marketing of a President", *Harvard Business School Working Knowledge*, 12 de noviembre de 2008.
2. Philip Kotler, "Marketing: The Underappreciated Workhorse", *Market Leader* Quarter 2 (2009), pp. 8–10.
3. Peter C. Verhoef y Peter S. H. Leeflang, "Understanding the Marketing Department's Influence within the Firm", *Journal of Marketing* 73 (marzo de 2009), pp. 14–37.
4. Eric Newman, "To Boost the Bottom Line, Strengthen the Front Line", *Brandweek*, 9 de junio de 2008, p. 10.
5. Stephanie Clifford, "A Video Prank at Domino's Taints Brand", *New York Times*, 15 de abril de 2009; Thom Forbes, "Domino's Takes Cautious Approach to 'Prank' Video", *Ad Age*, 15 de abril de 2009.
6. Jon Fine, "Marketing's Drift Away From Media", *BusinessWeek*, 17 de agosto de 2009, p. 64.
7. American Marketing Association, "Definition of Marketing", www.marketingpower.com/AboutAMA/Pages/DefinitionofMarketing.aspx, 2007; Lisa Keefe, "Marketing Defined", *Marketing News*, 15 de enero de 2008, pp. 28–29.
8. Peter Drucker, *Management: Tasks, Responsibilities, Practices* (Nueva York: Harper and Row, 1973), pp. 64–65.
9. B. Joseph Pine II y James Gilmore, *The Experience Economy* (Boston: Harvard Business School Press, 1999); Bernd Schmitt, *Experience Marketing* (Nueva York: Free Press, 1999); Philip Kotler, "Dream Vacations: The Booming Market for Designed Experiences", *The Futurist,* octubre de 1984, pp. 7–13.
10. Irving J. Rein, Philip Kotler, Michael Hamlin y Martin Stoller, *High Visibility*, 3a. ed. (Nueva York: McGraw-Hill, 2006).
11. Philip Kotler, Christer Asplund, Irving Rein y Donald H. Haider, *Marketing Places in Europe: Attracting Investments, Industries, Residents, and Visitors to European Cities, Communities, Regions, and Nations* (Londres: Financial Times Prentice Hall, 1999); Philip Kotler, Irving J. Rein y Donald Haider, *Marketing Places: Attracting Investment, Industry, and Tourism to Cities, States, and Nations* (Nueva York: Free Press, 1993).
12. Michael McCarthy, "Vegas Goes Back to Naughty Roots", *USA Today*, 11 de abril de 2005; Julie Dunn, "Vegas Hopes for Payoff with Denverites", *Denver Post*, 16 de junio de 2005; John M. Broder, "The Pied Piper of Las Vegas Seems to Have Perfect Pitch", *New York Times*, 4 de junio de 2004; Chris Jones, "Las Vegas Tourism: Fewer Visitors, Don't Blame Fuel", *Las Vegas Review-Journal*, 15 de julio de 2006; Richard Velotta, "Report: Las Vegas Tourism Tumbles 11.9 percent in January", *Las Vegas Sun*, 10 de marzo de 2009.
13. Carl Shapiro y Hal R. Varian, "Versioning: The Smart Way to Sell Information", *Harvard Business Review,* noviembre–diciembre de 1998, pp. 106–14.
14. John R. Brandt, "Dare to Be Different", *Chief Executive*, mayo de 2003, pp. 34–38.
15. Jena McGregor, Matthew Boyle y Peter Burrows, "Your New Customer: The State", *BusinessWeek*, 23 y 30 de marzo de 2009, p. 66.
16. Jeffrey Rayport y John Sviokla, "Exploring the Virtual Value Chain", *Harvard Business Review,* noviembre–diciembre de 1995, pp. 75–85; Jeffrey Rayport y John Sviokla, "Managing in the Marketspace", *Harvard Business Review,* noviembre–diciembre de 1994, pp. 141–150.
17. Mohan Sawhney, *Seven Steps to Nirvana* (Nueva York: McGraw-Hill, 2001).
18. Nikolaus Franke, Peter Keinz y Christoph J. Steger, "Testing the Value of Customization: When Do Customers Really Prefer Products Tailored to Their Preferences?", *Journal of Marketing* 73 (septiembre de 2009), pp. 103–121.
19. www.laspaginasverdes.com/
20. "Food Site Finds Recipe For Mixing in Sponsors, On the Hot Seat", *Boston Globe*, 6 de septiembre de 2009, p. G3; "Allrecipes.com Stirs Up Success", press release; www.allrecipes.com, 21 de julio de 2009; Eric Engelman, "Questions for Lisa Sharples, President of Allrecipes.com", *Puget Sound Business Journal*, 10 de octubre de 2008.
21. Adam Lashinsky, "Shoutout in Gadget Land", *Fortune*, 10 de noviembre de 2003, pp. 77–86; "Computer Industry Trends: Top 100 Companies", www.netvalley.com; Tim Conneally, "Gartner: Acer Gains Big Worldwide, Apple Gains in US", *Betanews*, 15 de octubre de 2008.
22. "Dick's Sporting Goods, Inc. (DKS.N) (New York Stock Exchange)", *Reuters,* www.reuters.com
23. Anya Kamenetz, "The Network Unbound", *Fast Company*, junio de 2006, pp. 69–73.
24. David Kiley, "Advertisers, Start Your Engines", *BusinessWeek*, 6 de marzo de 2006, p. 26; Cameron Wykes, "Making Sense Out of Social Nets", *AdweekMedia*, 6 de julio de 2009, p. 2.
25. "2005 Marketing Receptivity Survey", *Yankelovich Partners Inc*., 18 de abril de 2005.
26. Kate Brumbeck, "Alabama Flea Market Owner Turns Into YouTube Phenomenon", *Associated Press*, 30 de junio de 2007.
27. Martin Bosworth, "Loyalty Cards: Rewards or Threats?" *ConsumerAffairs.com*, 11 de julio de 2005.

28. Antonio Gonsalves, "Dell Makes $3 Million from Twitter-Related Sales", *InformationWeek*, 12 de junio de 2009.
29. Linda Tischler, "What's The Buzz?", *Fast Company*, mayo de 2004, p. 76.
30. Valerie Alderson, "Measuring the Value of a Managed WOM Program in Test & Control Markets", *BzzAgent Inc.*, 2007.
31. Suzanne Vranica, "Marketers Aim New Ads at Video iPod Users", *Wall Street Journal*, 31 de enero de 2006; Kevin Redmond, "GPS + Mobile Marketing = Goodness", *Barbarian Blog*, 21 de febrero de 2009.
32. Bruce Horovitz, "In Trend Toward Vanity Food, It's Getting Personal", *USA Today*, 9 de agosto de 2006.
33. Josh Catone, "15 Companies That Really Get Corporate Blogging", www.sitepoint.com
34. "Intranet Case Study: GM's mySocrates", www.communitelligence.com
35. Gail McGovern y John A. Quelch, "The Fall and Rise of the CMO", *Strategy + Business*, invierno de 2004.
36. Richard Rawlinson, "Beyond Brand Management", *Strategy + Business*, verano de 2006.
37. Jennifer Rooney, "As If You Didn't Know by Now, It's About the Bottom Line for CMOs", *Advertising Age*, 5 de mayo de 2008, pp. 3–57.
38. Elisabeth Sullivan, "Solving the CMO Puzzle", *Marketing News*, 30 de marzo de 2009, p. 12.
39. Constantine von Hoffman, "Armed with Intelligence", *Brandweek*, 29 de mayo de 2006, pp. 17–20.
40. "China's Second Biggest PC Maker to Push Windows", www.digitalworldtokyo.com, 15 de abril de 2006.
41. Robert J. Keith, "The Marketing Revolution", *Journal of Marketing* 24 (enero de 1960), pp. 35–38; John B. McKitterick, "What Is the Marketing Management Concept?" Frank M. Bass, ed., *The Frontiers of Marketing Thought and Action* (Chicago: American Marketing Association, 1957), pp. 71–82; Fred J. Borch, "The Marketing Philosophy as a Way of Business Life", *The Marketing Concept: Its Meaning to Management* (Marketing series, núm. 99; Nueva York: American Management Association, 1957), pp. 3–5.
42. Theodore Levitt, "Marketing Myopia", *Harvard Business Review,* julio-agosto de 1960, p. 50.
43. Rohit Deshpande y John U. Farley, "Measuring Market Orientation: Generalization and Synthesis", *Journal of Market-Focused Management* 2 (1998), pp. 213–232; Ajay K. Kohli y Bernard J. Jaworski, "Market Orientation: The Construct, Research Propositions, and Managerial Implications", *Journal of Marketing* 54 (abril de 1990), pp. 1–18; John C. Narver y Stanley F. Slater, "The Effect of a Market Orientation on Business Profitability", *Journal of Marketing* 54 (octubre de 1990), pp. 20–35.
44. Evert Gummesson, *Total Relationship Marketing* (Boston: Butterworth-Heinemann, 1999); Regis McKenna, *Relationship Marketing* (Reading, MA: Addison-Wesley, 1991); Martin Christopher, Adrian Payne y David Ballantyne, *Relationship Marketing: Bringing Quality, Customer Service, and Marketing Together* (Oxford, Reino Unido: Butterworth-Heinemann, 1991).
45. James C. Anderson, Hakan Hakansson y Jan Johanson, "Dyadic Business Relationships within a Business Network Context", *Journal of Marketing* 58 (15 de octubre de 1994), pp. 1–15.
46. www.ixe.com.mx
47. Allison Fass, "Theirspace.com", *Forbes*, 8 de mayo de 2006, pp. 122–124.
48. La Experiencia Starbucks de Joseph A. Michelli y apuntes de Malú Ascanio.
49. Christian Homburg, John P. Workman Jr. y Harley Krohmen, "Marketing's Influence within the Firm", *Journal of Marketing* 63 (enero de 1999), pp. 1–15.
50. Robert Shaw y David Merrick, *Marketing Payback: Is Your Marketing Profitable?* (Londres, Reino Unido: Pearson Education, 2005).
51. Rajendra Sisodia, David Wolfe y Jagdish Sheth, *Firms of Endearment: How World-Class Companies Profit from Passion* (Upper Saddle River, NJ: Wharton School Publishing, 2007).
52. Si elige desarrollar un programa estratégico corporativo de responsabilidad social, consulte en Michael E. Porter y Mark R. Kramer, "Strategy and Society: The Link between Competitive Advantage and Corporate Social Responsibility", *Harvard Business Review,* diciembre de 2006, pp. 78–92.
53. Jeffrey Hollender y Stephen Fenichell, *What Matters Most* (Nueva York: Basic Books, 2004), p. 168.
54. www.circuloverde.com.mx/
55. E. Jerome McCarthy y William D. Perreault, *Basic Marketing: A Global-Managerial Approach,* 14a. ed. (Homewood, IL: McGraw-Hill/Irwin, de 2002).
56. Joann Muller, "Ford: Why It's Worse Than You Think", *BusinessWeek*, 25 de junio de 2001; Ford de 1999 Annual Report; Greg Keenan, "Six Degrees of Perfection", *Globe and Mail*, 20 de diciembre de 2000.

Capítulo 2

1. Catherine Holahan, "Yahoo!'s Bid to Think Small", *BusinessWeek*, 26 de febrero de 2007, p. 94; Ben Elgin, "Yahoo!'s Boulevard of Broken Dreams", *BusinessWeek*, 13 de marzo de 2006, pp. 76–77; Justin Hibbard, "How Yahoo! Gave Itself a Face-Lift", *BusinessWeek*, 9 de octubre de 2006, pp. 74–77; Kevin J. Delaney, "As Yahoo! Falters, Executive's Memo Calls for Overhaul", *Wall Street Journal*, 18 de noviembre de 2006; "Yahoo!'s Personality Crisis", *Economist*, 13 de agosto de 2005, pp. 49–50; Fred Vogelstein, "Yahoo!'s Brilliant Solution", *Fortune*, 8 de agosto de 2005, pp. 42–55.
2. Nirmalya Kumar, *Marketing as Strategy: The CEO's Agenda for Driving Growth and Innovation* (Boston: Harvard Business School Press, 2004); Frederick E.Webster Jr., "The Future Role of Marketing in the Organization", Donald R. Lehmann y Katherine

Jocz, eds., *Reflections on the Futures of Marketing* (Cambridge, MA: Marketing Science Institute, 1997), pp. 39–66.

3. Michael E. Porter, *Competitive Advantage: Creating and Sustaining Superior Performance* (Nueva York: Free Press, 1985).
4. Para un tratamiento académico del *benchmarking*, vea Douglas W. Vorhies y Neil A. Morgan, "Benchmarking Marketing Capabilities for Sustained Competitive Advantage", *Journal of Marketing* 69 (enero de 2005), pp. 80–94.
5. Michael Hammer y James Champy, *Reengineering the Corporation: A Manifesto for Business Revolution* (Nueva York: Harper Business, 1993).
6. Ibid.; Jon R. Katzenbach y Douglas K. Smith, *The Wisdom of Teams: Creating the High-Performance Organization* (Boston: Harvard Business School Press, 1993).
7. Sachi Izumi, "Sony to Halve Suppliers", *Reuters*, 21 de mayo de 2009.
8. C. K. Prahalad y Gary Hamel, "The Core Competence of the Corporation", *Harvard Business Review,* mayo–junio de 1990, pp. 79–91.
9. George S. Day, "The Capabilities of Market-Driven Organizations", *Journal of Marketing* 58 (octubre de 1994), p. 38.
10. George S. Day y Paul J. H. Schoemaker, *Peripheral Vision: Detecting the Weak Signals That Will Make or Break Your Company* (Cambridge, MA: Harvard Business School Press, 2006); Paul J. H. Schoemaker y George S. Day, "How to Make Sense of Weak Signals", *MIT Sloan Management Review* (primavera de 2009), pp. 81–89.
11. "Kodak Plans to Cut Up to 5,000 More Jobs", *Bloomberg News,* 8 de febrero de 2007; Leon Lazaroff, "Kodak's Big Picture Focusing on Image Change", *Chicago Tribune*, 29 enero de 2006.
12. *Pew Internet and American Life Project Survey,* noviembre–diciembre de 2000.
13. Peter Drucker, *Management: Tasks, Responsibilities and Practices* (Nueva York: Harper and Row, 1973), capítulo 7.
14. Kawasaki también sugiere, humorosamente, revisar primero el generador de enunciados de misión del personaje de tiras cómicas, Dilbert, en caso de que la organización necesite desarrollar uno: *www.Dilbert.com.*
15. www.google.es/intl/es/about/corporate/company/index.html; www.google.es/intl/es/about/corporate/company/tenthings.html; www.google.com/support/forum/p/web%20search/thread?tid=661888abc867cae5&hl=es
16. Peter Freedman, "The Age of the Hollow Company", *TimesOnline*, 25 de abril de 2004; *Pew Internet and American Life Project Survey,* noviembre–diciembre de 2000.
17. Jeffrey F. Rayport y Bernard J. Jaworski, *e-commerce* (Nueva York: McGraw-Hill, 2001), p. 116.
18. Tilman Kemmler, Monika Kubicová, Robert Musslewhite y Rodney Prezeau, "E-Performance II—The Good, the Bad, and the Merely Average", exclusivo para *mckinseyquarterly.com,* 2001.
19. Bruce Horovitz, "Campbell's 10-Year Goal to Clean Up a Soupy Mess", *USA Today*, 26 de enero de 2009, p. 1B.
20. www.merca20.com/manuel-gilardi-encabeza-la-nueva-unidad-de-negocios-de-televisa/; es.wikipedia.org/wiki/Grupo_Televisa
21. Esta sección se basa en Robert M. Grant, *Contemporary Strategy Analysis*, 7a. ed. (Nueva York: John Wiley & Sons, 2009), capítulo 17.
22. Tom Lowry, "ESPN's Cell Phone Fumble", *BusinessWeek,* 30 de octubre de 2006, p. 26.
23. Jesse Eisinger, "The Marriage from Hell", *Condé Nast Portfolio*, febrero de 2008, pp. 84–88, 132.
24. Tim Goodman, "NBC Everywhere?", *San Francisco Chronicle,* 4 de septiembre de 2003.
25. Jon Fortt, "Mark Hurd, Superstar", *Fortune*, 9 de junio de 2008, pp. 35–40.
26. Jena McGregor, "The World's Most Innovative Companies", *BusinessWeek*, 24 de abril de 2006, pp. 63–74.
27. E. Jerome McCarthy, *Basic Marketing: A Managerial Approach,* 12a. ed. (Homewood, IL: Irwin, de 1996).
28. Paul J. H. Shoemaker, "Scenario Planning: A Tool for Strategic Thinking", *Sloan Management Review* (invierno de 1995), pp. 25–40.
29. Ronald Grover, "Hollywood Ponders a Post-DVD Future, *BusinessWeek*, 2 de marzo de 2009, p. 56; Brooks Barnes, "Movie Studios See a Threat in Growth of Redbox", *New York Times*, 7 de septiembre de 2009.
30. Philip Kotler, *Kotler on Marketing* (Nueva York: Free Press, 1999).
31. Ibid.
32. www.asesorate.com.mx
33. Dominic Dodd y Ken Favaro, "Managing the Right Tension", *Harvard Business Review,* diciembre de 2006, pp. 62–74.
34. Michael E. Porter, *Competitive Strategy: Techniques for Analyzing Industries and Competitors* (Nueva York: Free Press, de 1980), capítulo 2.
35. Michael E. Porter, "What Is Strategy?", *Harvard Business Review,* noviembre-diciembre de 1996, pp. 61–78.
36. Para más lecturas sobre alianzas estratégicas, vea John R. Harbison y Peter Pekar, *Smart Alliances: A Practical Guide to Repeatable Success* (San Francisco, CA: Jossey-Bass, 1998); Peter Lorange y Johan Roos, *Strategic Alliances: Formation, Implementation and Evolution* (Cambridge, MA: Blackwell, 1992); Jordan D. Lewis, *Partnerships for Profit: Structuring and Managing Strategic Alliances* (Nueva York: Free Press, 1990).
37. Bharat Book Bureau, *Strategic Alliances in World Pharma and Biotech Markets*, mayo de 2008.

38. Telmex.com; es.wikipedia.org/wiki/Telmex
39. Robin Cooper y Robert S. Kalpan, "Profit Priorities from Activity-Based Costing", *Harvard Business Review,* mayo–junio de 1991, pp. 130–135.
40. Vea Robert S. Kaplan y David P. Norton, *The Balanced Scorecard: Translating Strategy into Action* (Boston: Harvard Business School Press, 1996) como una herramienta para monitorear la satisfacción de los grupos de interés.
41. Thomas J. Peters y Robert H. Waterman Jr., *In Search of Excellence: Lessons from America's Best-Run Companies* (Nueva York: Harper and Row, 1982), pp. 9–12.
42. John P. Kotter y James L. Heskett, *Corporate Culture and Performance* (Nueva York: Free Press, 1992); Stanley M. Davis, *Managing Corporate Culture* (Cambridge, MA: Ballinger, 1984); Terrence E. Deal y Allan A. Kennedy, *Corporate Cultures: The Rites and Rituals of Corporate Life* (Reading, MA: Addison-Wesley, 1982); "Corporate Culture", *BusinessWeek,* 27 de octubre de 1980, pp. 148–160.
43. Marian Burk Wood, *The Marketing Plan: A Handbook* (Upper Saddle River, NJ: Prentice Hall, 2003).
44. Donald R. Lehmann y Russell S. Winer, *Product Management,* 3a. ed. (Boston: McGraw-Hill/Irwin, 2001).
45. David B. Hertz, "Risk Analysis in Capital Investment", *Harvard Business Review,* enero–febrero de 1964, pp. 96–106.

Capítulo 3

1. www.merca2.0.com; http://testserver/merca2.0.com/?p=57507
2. Ronald D. Michman, Edward M. Mazze y Alan J. Greco, *Lifestyle Marketing: Reaching the New American Consumer* (Westport: Praeger, 2008).
3. www.mincetur.gob.pe/newweb/
4. "Mobile Access to Inventory Data Reduces Back Orders by 80 Percent", www.microsoft.com/casestudies; "Smarter Supply Chain Utilization for the Retailer", www.microsoft.com/casestudies; "Ten Ways to Reduce Inventory While Maintaining or Improving Service", www.microsoft.com/casestudies
5. "Vendor-Managed Inventory in Consumer Electronics and Durables", *The Supply Chain Company*, www.i2.com/industries/consumer_industries/vmi/vmi_case_study.cfm
6. William Holstein, "The Dot Com within Ford", *BusinessWeek*, 30 de enero de 2000.
7. Mara Der Hovanesian, "Wells Fargo", *BusinessWeek,* 24 de noviembre de 2004, p. 96.
8. Jeff Zabin, "The Importance of Being Analytical", *Brandweek*, 24 de julio de 2006, p. 21; Stephen Baker, "Math Will Rock Your World", *BusinessWeek*, 23 de enero de 2006, pp. 54–62; Michelle Kessler y Byron Acohido, "Data Miners Dig a Little Deeper", *USA Today*, 11 de julio de 2006.
9. Leonard M. Fuld, "Staying a Step Ahead of the Rest", *Chief Executive* 218 (junio de 2006), p. 32.
10. "Spies, Lies & KPMG", *BusinessWeek*, 26 de febrero de 2007.
11. Jennifer Esty, "Those Wacky Customers!", *Fast Company,* enero de 2004, p. 40.
12. Helen Coster, "Shopping Cart Psychology", *Forbes*, 7 de septiembre de 2009, pp. 64–65.
13. Sara Steindorf, "Shoppers Spy on Those Who Serve", *Christian Science Monitor,* 28 de mayo de 2002; Edward F. McQuarrie, *Customer Visits: Building a Better Market Focus,* 2a. ed. (Newbury Park, CA: Sage Press, 1998).
14. Shirely S. Wang, "Heath Care Taps 'Mystery Shoppers'", *Wall Street Journal,* 10 de agosto de 2006.
15. Heather Green, "It Takes a Web Village", *Business Week,* 4 de septiembre de 2006, p. 66.
16. Amy Merrick, "Counting on the Census", *Wall Street Journal,* 14 de febrero de 2001.
17. Kim Girard, "Strategies to Turn Stealth into Wealth", *Business 2.0,* mayo de 2003, p. 66.
18. "The Blogs in the Corporate Machine", *The Economist*, 11 de febrero de 2006, pp. 55–56; también adaptado de Robin T. Peterson y Zhilin Yang, "Web Product Reviews Help Strategy", *Marketing News,* 7 de abril de 2004, p. 18.
19. American Productivity & Quality Center, "User-Driven Competitive Intelligence: Crafting the Value Proposition", 3–4 de diciembre de 2002.
20. Alex Wright, "Mining the Web for Feelings, Not Facts", *New York Times*, 24 de agosto de 2009; Sarah E. Needleman, "For Companies, a Tweet in Time Can Avert PR Mess", *Wall Street Journal*, 3 de agosto de 2009, p. B6.
21. Vea *BadFads Museum*, www.badfads.com para ejemplos de modas pasajeras y coleccionables a través de los años.
22. Katy McLaunghlin, "Macaroni Grill's Order: Cut Calories, Keep Customers", *Wall Street Journal*, 16 de septiembre de 2009, p. B6.
23. John Naisbitt y Patricia Aburdene, *Megatrends 2000* (Nueva York: Avon Books, 1990).
24. Indata, *IN* (junio de 2006), p. 27.
25. World POPClock, U.S. Census Bureau, www.census.gov, 2009.
26. Vea Donella H. Meadows, Dennis L. Meadows y Jorgen Randers, *Beyond Limits* (White River Junction, VT: Chelsea Green, 1993) para algunos comentarios: geography.about.com/od/obtainpopulationdata/a/worldvillage.htm
27. "World Development Indicators Database", *World Bank*, site resources.worldbank.org/DATASTATISTICS/Resources/POP.pdf, 15 de septiembre de 2009; "World Population Growth", www.worldbank.org/depweb/english/beyond/beyondco/beg_03.pdf
28. Andrew Zolli, "Demographics: The Population Hourglass", *Fast Company,* www.fastcompany.com/

magazine/103/open_essay-demographics.html, 19 de diciembre de 2007.

29. Brian Grow, "Hispanic Nation", *BusinessWeek,* 15 de marzo de 2004, pp. 58–70.
30. Queena Sook Kim, "Fisher-Price Reaches for Hispanics", *Wall Street Journal,* 1 de noviembre de 2004.
31. Para descripciones acerca de los hábitos de compra y enfoques de marketing para afroamericanos e hispanos, vea M. Isabel Valdes, *Marketing to American Latinos: A Guide to the In-Culture Approach, Part II* (Ithaca, NY: Paramount Market Publishing, 2002); Alfred L. Schreiber, *Multicultural Marketing* (Lincolnwood, IL: NTC Business Books, 2001).
32. Jacquelyn Lynn, "Tapping the Riches of Bilingual Markets", *Management Review,* marzo de 1995, pp. 56–61; Mark R. Forehand y Rohit Deshpandé, "What We See Makes Us Who We Are: Priming Ethnic Self-Awareness and Advertising Response", *Journal of Marketing Research* 38 (agosto de 2001), pp. 336–348.
33. Tennille M. Robinson, "Tapping into Black Buying Power", *Black Enterprise* 36 (enero de 2006), p. 64.
34. *The Central Intelligence Agency's World Factbook*, www.cia.gov/library/publications/the-world-factbook, 9 de diciembre de 2010.
35. "Projections of the Number of Households and Families in the United States: 1995–2010, P25–1129", *U.S. Department of Commerce, Bureau of the Census,* www.census.gov/prod/1/pop/p25-1129.pdf, 9 de diciembre de 2010.
36. Michelle Conlin, "Unmarried America", *BusinessWeek,* 20 de octubre de 2003, pp. 106–116; James Morrow, "A Place for One", *American Demographics,* noviembre 2003, pp. 25–30.
37. Rebecca Gardyn, "A Market Kept in the Closet", *American Demographics,* noviembre de 2001, pp. 37–43.
38. Nanette Byrnes, "Secrets of the Male Shopper", *BusinessWeek,* 4 de septiembre de 2006, p. 44.
39. Elisabeth Sullivan, "The Age of Prudence", *Marketing News*, 15 de abril de 2009, pp. 8–11; Steve Hamm, "The New Age of Frugality", *BusinessWeek*, 20 de octubre 2008, pp. 55–60; Jessica Deckler, "Never Pay Retail Again", *CNNMoney.com,* 30 de mayo de 2008.
40. David Welch, "The Incredible Shrinking Boomer Economy", *BusinessWeek*, 3 de agosto de 2009, pp. 27–30.
41. Julie Schlosser, "Infosys U.", *Fortune,* 20 de marzo de 2006, pp. 41–42.
42. Pamela Paul, "Corporate Responsibility", *American Demographics,* mayo de 2002, pp. 24–25.
43. Stephen Baker, "Wiser about the Web", *BusinessWeek,* 27 de marzo de 2006, pp. 53–57.
44. "Clearing House Suit Chronology", *Associated Press,* 26 de enero de 2001; Paul Wenske, "You Too Could Lose $19,000!" *Kansas City Star,* 31 de octubre de 1999.
45. Laura Zinn, "Teens: Here Comes the Biggest Wave Yet", *BusinessWeek,* 11 de abril de 2004, pp. 76–86.
46. Chris Taylor (ed.), "Go Green. Get Rich." *Business 2.0*, enero/febrero de 2007, pp. 68–79.
47. Subhabrata Bobby Banerjee, Easwar S. Iyer y Rajiv K Kashyap, "Corporate Enviromentalism: Antecedents and Influence of Industry Type", *Journal of Marketing* 67 (abril de 2003), pp. 106–122.
48. Chris Taylor, ed., "Go Green. Get Rich." *Business 2.0*, enero/febrero de 2007, pp. 68–79.
49. Vea Dorothy Cohen, *Legal Issues on Marketing Decision Making* (Cincinnati: South-Western, 1995).
50. Rebecca Gardyn, "Swap Meet", *American Demographics,* julio de 2001, pp. 51–55.
51. Pamela Paul, "Mixed Signals", *American Demographics,* julio de 2001, pp. 45–49.
52. Conference Summary, "Excelling in Today's Multimedia World", Economist Conferences' Fourth Annual Marketing Roundtable, Landor, marzo de 2006.
53. Para un buen análisis e ilustración, vea Roger J. Best, *Market-Based Management,* 4a. ed. (Upper Saddle River, NJ: Prentice Hall, 2005).
54. Para mayor análisis, vea Gary L. Lilien, Philip Kotler y K. Sridhar Moorthy, *Marketing Models* (Upper Saddle River, NJ: Prentice Hall, 1992).
55. www.naics.com; www.census.gov/epcd/naics02, 9 de diciembre de 2010.
56. Stanley F. Slater y Eric M. Olson, "Mix and Match", *Marketing Management,* julio–agosto de 2006, pp. 32–37; Brian Sternthal y Alice M. Tybout, "Segmentation and Targeting", Dawn Iacobucci, ed., *Kellogg on Marketing* (Nueva York: John Wiley & Sons, 2001), pp. 3–30.
57. Stephanie Clifford, "Measuring the Results of an Ad Right Down to the City Block", *New York Times*, 5 de agosto de 2009.
58. Para un excelente panorama general de pronósticos de mercado, vea Scott Armstrong, ed., *Principles of Forecasting: A Handbook for Researchers and Practitioners* (Norwell, MA: Kluwer Academic Publishers, 2001) y su sitio Web: www.forecastingprinciples.com; también vea Roger J. Best, "An Experiment in Delphi Estimation in Marketing Decision Making", *Journal of Marketing Research* 11 (noviembre de 1974), pp. 447–452; Norman Dalkey y Olaf Helmer, "An Experimental Application of the Delphi Method to the Use of Experts", *Management Science*, abril de 1963, pp. 458–467.

Capítulo 4

1. Jia Lynn Yang, "The Bottom Line", *Fortune*, 1 de septiembre de 2008, pp. 107–112 Jack Neff, "From Mucus to Maxi Pads: Marketing's Dirtiest Jobs", *Advertising Age*, 16 de febrero de 2009, p. 9.
2. Vea Robert Schieffer, *Ten Key Customer Insights: Unlocking the Mind of the Market* (Mason, OH: Thomson, 2005) para un análisis completo y a profundidad de cómo lograr que las prespecitivas del cliente impulsen los resultados de la empresa.

3. www.merca 2.0/tag/ciel/; www.merca2.0.com/tag/coca-cola/page/5/
4. Natalie Zmuda, "Tropicana Line's Sales Plunge 20% Post-Rebranding", *Advertising Age*, 2 de abril de 2009.
5. "2009 Global Market Research Report", *Esomar,* www.esomar.org.
6. Melanie Haiken, "Tuning In to Crowdcasting", *Business 2.0,* noviembre de 2006, pp. 66–68.
7. Michael Fielding, "Special Delivery: UPS Conducts Surveys to Help Customers Export to China", *Marketing News*, 1 de febrero de 2007, pp. 13–14.
8. "Would You Fly in Chattering Class?", *The Economist,* 9 de septiembre de 2006, p. 63.
9. Para alguna información y antecedentes acerca del servicio de Internet durante los vuelos, vea "Boeing In-Flight Internet Plan Goes Airborne", *Associated Press,* 18 de abril de 2004; John Blau, "In-Flight Internet Service Ready for Takeoff", *IDG News Service,* 14 de junio de 2002; "In-Flight Dogfight", *Business2.com,* 9 de enero de 2001, pp. 84–91.
10. Para un análisis del enfoque de teoría de decisiones al valor de las investigaciones, vea Donald R. Lehmann, Sunil Gupta y Joel Steckel, *Market Research* (Reading, MA: Addison-Wesley, 1997).
11. Gregory Solman, "Finding Car Buyers at Their Home (sites)", *Adweek,* 21–28 de agosto de 2006, p. 8.
12. Linda Tischler, "Every Move You Make", *Fast Company*, abril de 2004, pp. 73–75; Allison Stein Wellner, "Look Who's Watching", *Continental*, abril de 2003, pp. 39–41.
13. Para una revisión detallada de algunos trabajos académicos relevantes, vea Eric J. Arnould y Amber Epp, "Deep Engagement with Consumer Experience", Rajiv Grover y Marco Vriens, eds., *Handbook of Marketing Research* (Thousand Oaks, CA: Sage Publications, 2006); para variedad de análisis académicos, vea el siguiente ejemplar especial, "Can Ethnography Uncover Richer Consumer Insights?", *Journal of Advertising Research* 46 (septiembre de 2006); para algunos consejos prácticos, vea Richard Durante y Michael Feehan, "Leverage Ethnography to Improve Strategic Decision Making", *Marketing Research* (invierno de 2005).
14. Eric J. Arnould y Linda L. Price, "Market-Oriented Ethnography Revisited", *Journal of Advertising Research* 46 (septiembre de 2006), pp. 251–262; Eric J. Arnould y Melanie Wallendorf, "Market-Oriented Ethnography: Interpretation Building and Marketing Strategy Formulation", *Journal of Marketing Research* 31 (noviembre de 1994), pp. 484–504.
15. eleconomista.com.mx/finanzas-personales/2010/03/07/hay-pocos-productos-financieros-ellas
16. Helen Coster, "Shopping Cart Psychology", *Forbes*, 7 de septiembre de 2009, pp. 64–65.
17. Andrew Kaplan, "Mass Appeal", *Beverage World*, febrero de 2007, pp. 48–49.
18. Michael Fielding, "Shift the Focus", *Marketing News,* 1 de septiembre de 2006, pp. 18–20.
19. Piet Levy, "In with the Old, in Spite of the New", *Marketing News*, 30 de mayo de 2009, p. 19.
20. Eric Schellhorn, "A Tsunami of Surveys Washes over Consumers", *Christian Science Monitor,* 2 de octubre de 2006, p. 13.
21. Catherine Marshall and Gretchen B. Rossman, *Designing Qualitative Research*, 4a. ed. (Thousand Oaks, CA: Sage Publications, 2006); Bruce L. Berg, *Qualitative Research Methods for the Social Sciences*, 6a. ed. (Boston: Allyn & Bacon, 2006); Norman K. Denzin e Yvonna S. Lincoln, eds., *The Sage Handbook of Qualitative Research*, 3a. ed. (Thousand Oaks, CA: Sage Publications, 2005); Linda Tischler, "Every Move You Make", *Fast Company*, abril de 2004, pp. 73–75.
22. Paula Andruss, "Keeping Both Eyes on Quality", *Marketing News*, 15 de septiembre de 2008, pp. 22–23.
23. Louise Witt, "Inside Intent", *American Demographics,* marzo de 2004, pp. 34–39; Andy Raskin, "A Face Any Business Can Trust", *Business 2.0,* diciembre de 2003, pp. 58–60; Gerald Zaltman, "Rethinking Market Research: Putting People Back In", *Journal of Marketing Research* 34 (noviembre de 1997), pp. 424–437; Wally Wood, "The Race to Replace Memory", *Marketing and Media Decisions*, julio de 1986, pp. 166–167; Roger D. Blackwell, James S. Hensel, Michael B. Phillips y Brian Sternthal, *Laboratory Equipment for Marketing Research* (Dubuque, IA: Kendall/Hunt, 1970); Laurie Burkitt, "Battle for the Brain", *Forbes*, 16 de noviembre de 2009, pp. 76–77.
24. Stephen Baker, "Wiser about the Web", *BusinessWeek,* 27 de marzo de 2006, pp. 54–62.
25. Michael Fielding, "Shift the Focus", *Marketing News,* 1 de septiembre de 2006, pp. 18–20; Aaron Ukodie, "Worldwide Mobile Phones Reach Four Billion de 2008", *allAfrica.com,* allafrica.com/stories/200810070774.html, 6 de octubre de 2008.
26. Kelly K. Spors, "The Customer Knows Best", *Wall Street Journal*, 13 de julio de 2009, p. R5; Susan Kristoff, "Local Motors Breaking Design Rules in Engineering", www.suite.com, 22 de octubre de 2009; Emily Sweeney, "Machine Dream", *Boston Globe*, 1 de febrero de 2009.
27. Bradley Johnson, "Forget Phone and Mail: Online's the Best Place to Administer Surveys", *Advertising Age,* 17 de julio de 2006, p. 23.
28. Emily Steel, "The New Focus Groups: Online Networks Proprietary Panels Help Consumer Companies Shape Products, Ads", *Wall Street Journal*, 14 de enero de 2008.
29. Elisabeth A. Sullivan, "Delve Deeper", *Marketing News*, 15 de abril de 2008, p. 24.
30. Kate Maddox, "The ROI of Research", *BtoB,* pp. 25, 28.
31. Bradley Johnson, "Online Methods Upend Consumer Survey Business", Advertising Age, 17 de julio de 2006.
32. "Survey: Internet Should Remain Open to All", *ConsumerAffairs*.com, www.consumeraffairs.com/news04/2006/01/internet_survey.html, 25 de enero de 2006; "Highlights from the National Consumers League's Survey on Consumers and Communications

Technologies: Current and Future Use", www.nclnet.org/research/utilities/telecom_highlights.htm, 21 de julio de 2005; Catherine Arnold, "Not Done Net; New Opportunities Still Exist in Online Research", *Marketing News,* 1 de abril de 2004, p. 17; Louella Miles, "Online, on Tap", *Marketing,* 16 de junio de 2004, pp. 39–40; Suzy Bashford, "The Opinion Formers", *Revolution,* mayo de 2004, pp. 42–46; Nima M. Ray y Sharon W. Tabor, "Contributing Factors; Several Issues Affect e-Research Validity", *Marketing News,* 15 de septiembre de 2003, p. 50; Bob Lamons, "Eureka! Future of B-to-B Research Is Online", *Marketing News,* 24 de septiembre de 2001, pp. 9–10; Burt Helm, "Online Polls: How Good Are They?" *BusinessWeek,* 16 de junio de 2008, pp. 86–87.

33. *The Nielsen Company,* www.nielsen.com
34. Elisabeth Sullivan, "Qual Research by the Numb3rs", *Marketing News*, 1 de septiembre de 2008.
35. Deborah L. Vence, "In an Instant: More Researchers Use IM for Fast, Reliable Results", *Marketing News,* 1 de marzo de 2006, pp. 53–55.
36. Catherine Arnold, "Global Perspective: Synovate Exec Discusses Future of International Research", *Marketing News,* 15 de mayo de 2004, p. 43; Michael Erard, "For Technology, No Small World after All", *New York Times,* 6 de mayo de 2004; Deborah L. Vence, "Global Consistency: Leave It to the Experts", *Marketing News,* 28 de abril de 2003, p. 37.
37. Jim Stachura y Meg Murphy, "Multicultural Marketing: Why One Size Doesn't Fit All", *MarketingProfs.com*, 25 de octubre de 2005.
38. Michael Fielding, "Global Insights: Synovate's Chedore Discusses MR Trends", *Marketing News,* 15 de mayo de 2006, pp. 41–42.
39. Kevin J. Clancy y Peter C. Krieg, *Counterintuitive Marketing: How Great Results Come from Uncommon Sense* (Nueva York: Free Press, 2000).
40. Vea "Special Issue on Managerial Decision Making", *Marketing Science* 18 (1999) para algunas perspectivas contemporáneas; vea también John D. C. Little, "Decision Support Systems for Marketing Managers", *Journal of Marketing* 43 (verano de 1979), p. 11.
41. *The Advertising Research Foundation*, www.thearf.org/assets/ogilvy-09
42. *Marketing News* puede encontrarse en: www.marketingpower.com
43. Rajiv Grover y Marco Vriens, "Trusted Advisor: How It Helps Lay the Foundation for Insight", *Handbook of Marketing Research* (Thousand Oaks, CA: Sage Publications, 2006), pp. 3–17; Christine Moorman, Gerald Zaltman, y Rohit Deshpandé, "Relationships between Providers and Users of Market Research: The Dynamics of Trust within and between Organizations", *Journal of Marketing Research* 29 (agosto de 1992), pp. 314–328.
44. Adaptado de Arthur Shapiro, "Let's Redefine Market Research", *Brandweek,* 21 de junio de 2004, p. 20; Kevin Ohannessian, "Star Wars: Thirty Years of Success", *Fast Company*, 29 de mayo de 2007.
45. Karen V. Beaman, Gregory R. Guy y Donald E. Sexton, "Managing and Measuring Return on Marketing Investment", The Conference Board Research Report R-1435-08-RR, 2008.
46. "Report: Marketers Place Priority on Nurturing Existing Customers", directmag.com/roi/0301-customersatisfaction-retention
47. Factor TG, www.factortg.com/ideas/CMO_MPM_Audit__cmo.pdf
48. Paul Farris, Neil T. Bendle, Phillip E. Pfeifer y David J. Reibstein, *Marketing Metrics: 50+ Metrics Every Executive Should Master* (Upper Saddle River, NJ: Pearson Education, 2006); John Davis, *Magic Numbers for Consumer Marketing: Key Measures to Evaluate Marketing Success* (Singapur: John Wiley & Sons, 2005).
49. Elisabeth Sullivan, "Measure Up", *Marketing News*, 30 de mayo de 2009, pp. 8–11.
50. Michael Krauss, "Which Metrics Matter Most?", *Marketing News*, 28 de febrero de 2009, p. 20.
51. Tim Ambler, *Marketing and the Bottom Line: The New Methods of Corporate Wealth,* 2a. ed. (Londres: Pearson Education, 2003).
52. Kusum L. Ailawadi, Donald R. Lehmann y Scott A. Neslin, "Revenue Premium as an Outcome Measure of Brand Equity", *Journal of Marketing* 67 (octubre de 2003), pp. 1–17.
53. Tim Ambler, *Marketing and the Bottom Line: The New Methods of Corporate Wealth,* 2a. ed. (Londres: Pearson Education, 2003).
54. Josh Bernoff, "Measure What Matters", *Marketing News*, 15 de diciembre de 2008, p. 22; e información de Servus Credit Union, mayo de 2010.
55. Gerard J. Tellis, "Modeling Marketing Mix", Rajiv Grover y Marco Vriens, eds., *Handbook of Marketing Research* (Thousand Oaks, CA: Sage Publications, 2006).
56. Jack Neff, "P&G, Clorox Rediscover Modeling", *Advertising Age,* 29 de marzo de 2004, p. 10.
57. Laura Q. Hughes, "Econometrics Take Root", *Advertising Age,* 5 de agosto de 2002, p. S-4.
58. David J. Reibstein, "Connect the Dots", *CMO Magazine*, mayo de 2005.
59. Jeff Zabin, "Marketing Dashboards: The Visual Display of Marketing Data", *Chief Marketer*, 26 de junio de 2006.
60. Robert S. Kaplan y David P. Norton, *The Balanced Scorecard* (Boston: Harvard Business School Press, 1996).
61. Spencer Ante, "Giving the Boss the Big Picture", *BusinessWeek,* 13 de febrero de 2006, pp. 48–50.

Capítulo 5

1. informanet1.blogspot.com/2008/10/steren-premia-sus-clientes-frecuentes.html
2. Robert Schieffer, *Ten Key Consumer Insights* (Mason, OH: Thomson, 2005).

3. Don Peppers y Martha Rogers, "Customers Don't Grow on Trees", *Fast Company,* julio de 2005, pp. 25–26.
4. Para un análisis de algunas de las cuestiones implicadas, vea Glen Urban, *Don't Just Relate—Advocate* (Upper Saddle River, NJ: Pearson Education Wharton School Publishing, 2005).
5. Vea Glen L. Urban y John R. Hauser, "'Listening In' to Find and Explore New Combinations of Customer Needs", *Journal of Marketing* 68 (abril de 2004), pp. 72–87.
6. "Customer reviews drive 196% increase in paid search revenue for Office Depot", *Bazaarvoice,* www.bazaarvoice.com/cs_rr_adresults_ officedepot.html, 2008.
7. Glen L. Urban, "The Emerging Era of Customer Advocacy", *Sloan Management Review* 45 (2004), pp. 77–82.
8. Steven Burke, "Dell's vs. HP's Value", *CRN,* 15 de mayo de 2006, p. 46; David Kirkpatrick, "Dell in the Penalty Box", *Fortune*, 18 de septiembre de 2006, p. 70.
9. Michael Bush, "Consumers Rate Brands that Give Best Bang for Buck", *Advertising Age*, 3 de noviembre de 2008, p. 8.
10. Irwin P. Levin y Richard D. Johnson, "Estimating Price–Quality Tradeoffs Using Comparative Judgments", *Journal of Consumer Research* 11 (junio de 1984), pp. 593–600. El valor percibido por el cliente puede ser medido como una diferencia o como una proporción. Si el valor total del cliente es de 20 000 dólares y el costo total del cliente es 16 000 dólares, entonces el valor percibido por el cliente es de 4 000 dólares (medido como una diferencia) o de 1.25 (medido como una proporción). Las proporciones que se utilizan para comparar las ofertas con frecuencia son llamadas *proporciones de valor-precio.*
11. Alex Taylor, "Caterpillar: Big Trucks, Big Sales, Big Attitude", *Fortune*, 20 de agosto de 2007, pp. 48–53; Tim Kelly, "Squash the Caterpillar", *Forbes*, 21 de abril de 2008, pp. 136–141; Jeff Borden, "Eat My Dust", *Marketing News*, 1 de febrero de 2008, pp. 20–22.
12. Para más acerca del valor percibido por el cliente vea David C. Swaddling y Charles Miller, *Customer Power* (Dublin, OH: Wellington Press, 2001).
13. Gary Hamel, "Strategy as Revolution", *Harvard Business Review,* julio–agosto de 1996, pp. 69–82.
14. "2010 Brand Keys Customer Loyalty Engagement Index", *Brand Keys, Inc.*
15. Michael J. Lanning, *Delivering Profitable Value* (Oxford, Reino Unido: Capstone, 1998).
16. Vikas Mittal, Eugene W. Anderson, Akin Sayrak y Pandu Tadilamalla, "Dual Emphasis and the Long-Term Financial Impact of Customer Satisfaction", *Marketing Science* 24 (otoño de 2005), pp. 544–555.
17. Michael Tsiros, Vikas Mittal y William T. Ross Jr., "The Role of Attributions in Customer Satisfaction: A Reexamination", *Journal of Consumer Research* 31 (septiembre de 2004), pp. 476–483; para una reseña concisa, vea Richard L. Oliver, "Customer Satisfaction Research", Rajiv Grover y Marco Vriens, eds., *Handbook of Marketing Research* (Thousand Oaks, CA: Sage Publications, 2006), pp. 569–587.
18. Para algunos análisis y discusiones provocativos, vea Praveen K. Kopalle y Donald R. Lehmann, "Setting Quality Expectations when Entering a Market: What Should the Promise Be?", *Marketing Science* 25 (enero–febrero de 2006), pp. 8–24; Susan Fournier y David Glenmick, "Rediscovering Satisfaction", *Journal of Marketing* 63 (octubre de 1999), pp. 5–23.
19. Jennifer Aaker, Susan Fournier y S. Adam Brasel, "When Good Brands Do Bad", *Journal of Consumer Research* 31 (junio de 2004), pp. 1–16; Pankaj Aggrawal, "The Effects of Brand Relationship Norms on Consumer Attitudes and Behavior", *Journal of Consumer Research* 31 (junio de 2004), pp. 87–101.
20. Para un análisis a profundidad, vea Michael D. Johnson y Anders Gustafsson, *Improving Customer Satisfaction, Loyalty, and Profit* (San Francisco: Jossey-Bass, 2000).
21. Para un análisis interesante acerca de los efectos de diferentes tipos de expectativas, vea William Boulding, Ajay Kalra y Richard Staelin, "The Quality Double Whammy", *Marketing Science* 18 (abril de 1999), pp. 463–484.
22. Neil A. Morgan, Eugene W. Anderson y Vikas Mittal, "Understanding Firms' Customer Satisfaction Information Usage", *Journal of Marketing* 69 (julio de 2005), pp. 131–151.
23. Por factores de moderación, vea Kathleen Seiders, Glenn B. Voss, Dhruv Grewal y Andrea L. Godfrey, "Do Satisfied Customers Buy More? Examining Moderating Influences in a Retailing Context", *Journal of Marketing* 69 (octubre de 2005), pp. 26–43.
24. Vea, por ejemplo, Christian Homburg, Nicole Koschate y Wayne D. Hoyer, "Do Satisfied Customers Really Pay More? A Study of the Relationship between Customer Satisfaction and Willingness to Pay", *Journal of Marketing* 69 (abril de 2005), pp. 84–96.
25. Claes Fornell, Sunil Mithas, Forrest V. Morgeson III y M. S. Krishnan, "Customer Satisfaction and Stock Prices: High Returns, Low Risk", *Journal of Marketing* 70 (enero de 2006), pp. 3–14. Vea también, Thomas S. Gruca y Lopo L. Rego, "Customer Satisfaction, Cash Flow, and Shareholder Value", *Journal of Marketing* 69 (julio de 2005), pp. 115–130; Eugene W. Anderson, Claes Fornell y Sanal K. Mazvancheryl, "Customer Satisfaction and Shareholder Value", *Journal of Marketing* 68 (octubre de 2004), pp. 172–185.
26. Thomas O. Jones y W. Earl Sasser Jr., "Why Satisfied Customers Defect", *Harvard Business Review,* noviembre–diciembre de 1995, pp. 88–99.
27. Las empresas también deberían notar que los gerentes y vendedores pueden manipular las calificaciones de satisfacción de los clientes. Pueden ser especialmente amables con los clientes justo antes de la encuesta. También pueden intentar excluir a los clientes

insatisfechos. Otro peligro es que si los clientes saben que la empresa hará hasta lo imposible para agradarles, algunos pueden expresar un alto grado de insatisfacción para recibir mayores concesiones.

28. Jennifer Rooney, "Winning Hearts and Minds", *Advertising Age,* 10 de julio de 2006, pp. S10–13.

29. Para una comparación empírica de diferentes métodos para medir la satisfacción del cliente, vea Neil A. Morgan y Lopo Leotto Rego, "The Value of Different Customer Satisfaction and Loyalty Metrics in Predicting Business Performance", *Marketing Science* 25 (septiembre–octubre de 2006), pp. 426–439.

30. Frederick K. Reichheld, "The One Number You Need to Grow", *Harvard Business Review,* diciembre de 2003, pp. 46–54.

31. James C. Ward y Amy L. Ostrom, "Complaining to the Masses: The Role of Protest Framing in Customer-Created Complaint Sites", *Journal of Consumer Research* 33 (septiembre de 2006), pp. 220–230; Kim Hart, "Angry Customers Use Web to Shame Firms", *Washington Post,* 5 de julio de 2006.

32. Eugene W. Anderson y Claes Fornell, "Foundations of the American Customer Satisfaction Index", *Total Quality Management* 11 (septiembre de 2000), pp. S869–S882; Claes Fornell, Michael D. Johnson, Eugene W. Anderson, Jaaesung Cha y Barbara Everitt Bryant, "The American Customer Satisfaction Index: Nature, Purpose, and Findings", *Journal of Marketing* 60 (octubre de 1996), pp. 7–18.

33. Technical Assistance Research Programs (Tarp), *U.S. Office of Consumer Affairs Study on Complaint Handling in America,* 1986.

34. Stephen S. Tax y Stephen W. Brown, "Recovering and Learning from Service Failure", *Sloan Management Review* 40 (otoño de 1998), pp. 75–88; Ruth Bolton y Tina M. Bronkhorst, "The Relationship between Customer Complaints to the Firm and Subsequent Exit Behavior", *Advances in Consumer Research,* vol. 22 (Provo, UT: Association for Consumer Research, 1995), pp. 94–100; Roland T. Rust, Bala Subramanian y Mark Wells, "Making Complaints a Management Tool", *Marketing Management* 1 (marzo de 1992), pp. 40–45; Karl Albrecht y Ron Zemke, *Service America!* (Homewood, IL: Dow Jones–Irwin, 1985), pp. 6–7.

35. Christian Homburg y Andreas Fürst, "How Organizational Complaint Handling Drives Customer Loyalty: An Analysis of the Mechanistic and the Organic Approach", *Journal of Marketing* 69 (julio de 2005), pp. 95–114.

36. Philip Kotler, *Kotler on Marketing* (Nueva York: Free Press, 1999), pp. 21–22.

37. "Basic Concepts", *ASQ,* www.asq.org/glossary/q.html, 16 de enero de 2010.

38. Robert D. Buzzell y Bradley T. Gale, "Quality Is King", *The PIMS Principles: Linking Strategy to Performance* (Nueva York: Free Press, 1987), pp. 103–134. (PIMS significa Profit Impact of Market Strategy).

39. Brian Hindo, "Satisfaction Not Guaranteed", *BusinessWeek,* 19 de junio de 2006, pp. 32–36.

40. www.web-mix.ws/pyme/2010/04/comerci-y-su-estrategia-de-comparacion/ www.comercialmexicana.com

41. Lerzan Aksoy, Timothy L. Keiningham yTerry G. Vavra, "Nearly Everything You Know about Loyalty Is Wrong", *Marketing News,* 1 de octubre de 2005, pp. 20–21; Timothy L. Keiningham, Terry G. Vavra, Lerzan Aksoy y Henri Wallard, *Loyalty Myths* (Hoboken, NJ: John Wiley & Sons, 2005).

42. Werner J. Reinartz y V. Kumar, "The Impact of Customer Relationship Characteristics on Profitable Lifetime Duration", *Journal of Marketing* 67 (enero de 2003), pp. 77–99; Werner J. Reinartz y V. Kumar, "On the Profitability of Long-Life Customers in a Noncontractual Setting: An Empirical Investigation and Implications for Marketing", *Journal of Marketing* 64 (octubre de 2000), pp. 17–35.

43. Rakesh Niraj, Mahendra Gupta y Chakravarthi Narasimhan, "Customer Profitability in a Supply Chain", *Journal of Marketing* 65 (julio de 2001), pp. 1–16.

44. Thomas M. Petro, "Profitability: The Fifth 'P' of Marketing", *Bank Marketing,* septiembre de 1990, pp. 48–52; "Who Are Your Best Customers?", *Bank Marketing,* octubre de 1990, pp. 48–52.

45. "Easier Than ABC", *Economist,* 25 de octubre de 2003, p. 56; Robert S. Kaplan y Steven R. Anderson, *Time-Driven Activity Based Costing* (Boston MA: Harvard Business School Press, 2007); "Activity-Based Accounting", *Economist*, 29 de junio de 2009.

46. V. Kumar, "Customer Lifetime Value", Rajiv Grover y Marco Vriens, eds., *Handbook of Marketing Research* (Thousand Oaks, CA: Sage Publications, 2006), pp. 602–627; Sunil Gupta, Donald R. Lehmann y Jennifer Ames Stuart, "Valuing Customers", *Journal of Marketing Research* 61 (febrero de 2004), pp. 7–18; Rajkumar Venkatesan y V. Kumar, "A Customer Lifetime Value Framework for Customer Selection and Resource Allocation Strategy", *Journal of Marketing* 68 (octubre de 2004), pp. 106–125.

47. V. Kumar, "Profitable Relationships", *Marketing Research* 18 (otoño de 2006), pp. 41–46.

48. Para algunos análisis y discusiones recientes, vea Michael Haenlein, Andreas M. Kaplan y Detlef Schoder, "Valuing the Real Option of Abandoning Unprofitable Customers when Calculating Customer Lifetime Value", *Journal of Marketing* 70 (julio de 2006), pp. 5–20; Teck-Hua Ho, Young-Hoon Park y Yong-Pin Zhou, "Incorporating Satisfaction into Customer Value Analysis: Optimal Investment in Lifetime Value", *Marketing Science* 25 (mayo–junio de 2006), pp. 260–277; y Peter S. Fader, Bruce G. S. Hardie y Ka Lok Lee, "RFM and CLV: Using Iso Value Curves for Customer Base Analysis", *Journal of Marketing Research* 62 (noviembre de 2005), pp. 415–430; V. Kumar, Rajkumar Venkatesan, Tim Bohling y Denise Beckmann, "The Power of CLV: Managing Customer Lifetime Value at IBM", *Marketing Science* 27 (2008), pp. 585–599.

49. Nicole E. Coviello, Roderick J. Brodie, Peter J. Danaher y Wesley J. Johnston, "How Firms Relate to Their Markets: An Empirical Examination of Contemporary Marketing Practices", *Journal of Marketing* 66 (julio de 2002), pp. 33–46. Para un grupo completo de artículos desde una variedad de perspectivas acerca de relaciones de marca, vea Deborah J. MacInnis, C. Whan Park y Joseph R. Preister, eds., *Handbook of Brand Relationships* (Armonk, NY: M. E. Sharpe, 2009).

50. Para un vistazo actualizado de las perspectivas académicas vea los artículos contenidos en la Sección especial sobre gestión de relaciones con clientes (CRM), *Journal of Marketing* 69 (octubre de 2005). Para un estudio acerca de los procesos implicados, vea Werner Reinartz, Manfred Kraft y Wayne D. Hoyer, "The Customer Relationship Management Process: Its Measurement and Impact on Performance", *Journal of Marketing Research* 61 (agosto de 2004), pp. 293–305.

51. Nora A. Aufreiter, David Elzinga y Jonathan W. Gordon, "Better Branding", *The McKinsey Quarterly* 4 (2003), pp. 29–39.

52. Michael J. Lanning, *Delivering Profitable Value* (Nueva York: Basic Books, 1998).

53. www.levi.com.mx/mexico/levis-y-un-fabuloso-sistema-de-estilos-que-se-rige-por-formas-y-no-por-tallas-n-35.aspx

54. Susan Stellin, "For Many Online Companies, Customer Service Is Hardly a Priority", *New York Times,* 19 de febrero de 2001; Michelle Johnson, "Getting Ready for the Onslaught", *Boston Globe,* 4 de noviembre de 1999.

55. Julie Jargon, "Domino's IT Staff Delivers Slick Site, Ordering System", *Wall Street Journal*, 24 de noviembre de 2009; Bruce Horovitz, "Where's Your Domino's Pizza? Track It Online", *USA Today*, 30 de enero de 2008; Domino's Pizza, www.dominosbiz.com, 16 de enero de 2010.

56. James H. Donnelly Jr., Leonard L. Berry y Thomas W. Thompson, *Marketing Financial Services—A Strategic Vision* (Homewood, IL: Dow Jones–Irwin, 1985), p. 113.

57. Seth Godin, *Permission Marketing: Turning Strangers into Friends, and Friends into Customers* (Nueva York: Simon & Schuster, 1999). Vea también Susan Fournier, Susan Dobscha y David Mick, "Preventing the Premature Death of Relationship Marketing", *Harvard Business Review,* enero–febrero de 1998, pp. 42–51.

58. Don Peppers y Martha Rogers, *One-to-One B2B: Customer Development Strategies for the Business-to-Business World* (Nueva York: Doubleday, 2001); Peppers y Rogers, *The One-to-One Future: Building Relationships One Customer at a Time* (Londres: Piatkus Books, 1996); Don Peppers y Martha Rogers, *The One-to-One Manager: Real-World Lessons in Customer Relationship Management* (Nueva York: Doubleday, 1999); Don Peppers, Martha Rogers y Bob Dorf, *The One-to-One Fieldbook: The Complete Toolkit for Implementing a One-to-One Marketing Program* (Nueva York: Bantam, 1999); Don Peppers y Martha Rogers, *Enterprise One to One: Tools for Competing in the Interactive Age* (Nueva York: Currency, 1997).

59. Mark Rechtin, "Aston Martin Woos Customers One by One", *Automotive News*, 28 de marzo de 2005.

60. Stuart Elliott, "Letting Consumers Control Marketing: Priceless", *New York Times*, 9 de octubre de 2006; Todd Wasserman y Jim Edwards, "Marketers' New World Order", *Brandweek*, 9 de octubre de 2006, pp. 4–6; Heather Green y Robert D. Hof, "Your Attention Please", *BusinessWeek*, 24 de julio de 2006, pp. 48–53; Brian Sternberg, "The Marketing Maze", *Wall Street Journal*, 10 de julio de 2006.

61. Rob Walker, "Amateur Hour, Web Style", *Fast Company*, octubre de 2007, p. 87.

62. Ben McConnell y Jackie Huba, "Learning to Leverage the Lunatic Fringe", *Point,* julio–agosto de 2006, pp. 14–15; Michael Krauss, "Work to Convert Customers into Evangelists", *Marketing News*, 15 de diciembre de 2006, p. 6; Ben McConnell y Jackie Huba, *Creating Customer Evangelists: How Loyal Customers Become a Loyal Sales Force* (Nueva York: Kaplan Business, 2003).

63. Jonah Bloom, "The New Realities of a Low Trust Marketing World", *Advertising Age*, 13 de febrero de 2006.

64. Mylene Mangalindan, "New Marketing Style: Clicks and Mortar", *Wall Street Journal*, 21 de diciembre de 2007, p. B5.

65. Nick Wingfield, "High Scores Matter to Game Makers, Too", *Wall Street Journal*, 20 de septiembre de 2007, p. B1.

66. Candice Choi, "Bloggers Serve Up Opinions", *Associated Press*, 23 de marzo de 2008.

67. Elisabeth Sullivan, "Consider Your Source", *Marketing News*, 15 de febrero de 2008, pp. 16–19; Mylene Mangalindan, "Web Stores Tap Product Reviews", *Wall Street Journal*, 11 de septiembre de 2007.

68. Erick Schonfeld, "Rethinking the Recommendation Engine", *Business 2.0*, julio de 2007, pp. 40–43.

69. Michael Lewis, "Customer Acquisition Promotions and Customer Asset Value", *Journal of Marketing Research* 63 (mayo de 2006), pp. 195–203.

70. Hamish Pringle y Peter Field, "Why Customer Loyalty Isn't as Valuable as You Think", *Advertising Age*, 23 de marzo de 2009, p. 22.

71. Werner Reinartz, Jacquelyn S. Thomas y V. Kumar, "Balancing Acquisition and Retention Resources to Maximize Customer Profitability", *Journal of Marketing* 69 (enero de 2005), pp. 63–79.

72. "Service Invention to Increase Retention", *CMO Council*, 3 de agosto de 2009, www.cmocouncil.org

73. Frederick F. Reichheld, "Learning from Customer Defections", *Harvard Business Review,* marzo–abril de 1996, pp. 56–69.

74. Frederick F. Reichheld, *Loyalty Rules* (Boston: Harvard Business School Press, 2001); Frederick F. Reichheld,

The Loyalty Effect (Boston: Harvard Business School Press, 1996).

75. Michael D. Johnson y Fred Selnes, "Diversifying Your Customer Portfolio", *MIT Sloan Management Review* 46 (primavera de 2005), pp. 11–14.

76. Tom Ostenon, *Customer Share Marketing* (Upper Saddle River, NJ: Prentice Hall, 2002); Alan W. H. Grant y Leonard A. Schlesinger, "Realize Your Customer's Full Profit Potential", *Harvard Business Review*, septiembre–octubre de 1995, pp. 59–72.

77. Gail McGovern y Youngme Moon, "Companies and the Customers Who Hate Them", *Harvard Business Review*, junio de 2007, pp. 78–84.

78. Elisabeth A. Sullivan, "Just Say No", *Marketing News*, 15 de abril de 2008, p. 17.

79. Sunil Gupta y Carl F. Mela, "What Is a Free Customer Worth", *Harvard Business Review*, noviembre de 2008, pp. 102–109.

80. Leonard L. Berry y A. Parasuraman, *Marketing Services: Computing through Quality* (Nueva York: Free Press, 1991), pp. 136–142. Para un análisis académico en un contexto negocio a negocio, vea Robert W. Palmatier, Srinath Gopalakrishna y Mark B. Houston, "Returns on Business-to-Business Relationship Marketing Investments: Strategies for Leveraging Profits", *Marketing Science* 25 (septiembre–octubre de 2006), pp. 477–493.

81. Frederick F. Reichheld, "Learning from Customer Defections", *Harvard Business Review,* 3 de marzo de 2009, pp. 56–69.

82. Mike White y Teresa Siles, mensaje de correo electrónico, 14 de julio de 2008.

83. Ben McConnell y Jackie Huba, "Learning to Leverage the Lunatic Fringe", *Point,* julio–agosto de 2006, pp. 14–15; Michael Krauss, "Work to Convert Customers into Evangelists", *Marketing News*, 15 de diciembre de 2006, p. 6; Ben McConnell y Jackie Huba, *Creating Customer Evangelists: How Loyal Customers Become a Loyal Sales Force* (Nueva York: Kaplan Business, 2003).

84. Utpal M. Dholakia, "How Consumer Self-Determination Influences Relational Marketing Outcomes: Evidence from Longitudinal Field Studies", *Journal of Marketing Research* 43 (febrero de 2006), pp.109–120.

85. Allison Enright, "Serve Them Right", *Marketing News,* 1 de mayo de 2006, pp. 21–22.

86. Para una reseña, vea Grahame R. Dowling y Mark Uncles, "Do Customer Loyalty Programs Really Work?", *Sloan Management Review* 38 (verano de 1997), pp. 71–82.

87. Thomas Lee, "Retailers Look for a Hook", *St. Louis Post-Dispatch,* 4 de diciembre de 2004.

88. Joseph C. Nunes y Xavier Drèze, "Feeling Superior: The Impact of Loyalty Program Structure on Consumers' Perception of Status", *Journal of Consumer Research* 35 (abril de 2009), pp. 890–905; Joseph C. Nunes y Xavier Drèze, "Your Loyalty Program Is Betraying You", *Harvard Business Review*, abril de 2006, pp. 124–131.

89. Adam Lashinsky, "The Decade of Steve Jobs", *Fortune*, 23 de noviembre de 2009, pp. 93–100; *Apple,* www.apple.com, 16 de enero de 2010; Peter Burrows, "Apple vs. Google", *BusinessWeek*, 25 de enero de 2010, pp. 28–34.

90. Jacquelyn S. Thomas, Robert C. Blattberg y Edward J. Fox, "Recapturing Lost Customers", *Journal of Marketing Research* 61 (febrero de 2004), pp. 31–45.

91. Werner Reinartz y V. Kumar, "The Impact of Customer Relationship Characteristics on Profitable Lifetime Duration", *Journal of Marketing* 67 (enero de 2003), pp. 77–99; Werner Reinartz y V. Kumar, "The Mismanagement of Customer Loyalty", *Harvard Business Review,* julio de 2002, pp. 86–97.

92. V. Kumar, Rajkumar Venkatesan y Werner Reinartz, "Knowing What to Sell, When, and to Whom", *Harvard Business Review,* marzo de 2006, pp. 131–137.

93. Jeff Zabin, "The Importance of Being Analytical", *Brandweek*, 24 de julio de 2006, p. 21. Stephen Baker, "Math Will Rock Your World", *BusinessWeek*, 23 de enero de 2006, pp. 54–62. Michelle Kessler y Byron Acohido, "Data Miners Dig a Little Deeper", *USA Today*, 11 de julio de 2006.

94. Burt Heim, "Getting Inside the Customer's Mind", *BusinessWeek*, 22 de septiembre de 2008, p. 88; Mike Duff, "Dunnhumby Complicates Outlook for Tesco, Kroger, Wal-Mart", *bnet.com*, 13 de enero de 2009; Sarah Mahoney, "Macy's Readies New Marketing Strategy, Hires Dunnhumby", *Marketing Daily*, 14 de agosto de 2008.

95. Christopher R. Stephens y R. Sukumar, "An Introduction to Data Mining", Rajiv Grover y Marco Vriens, eds., *Handbook of Marketing Research* (Thousand Oaks, CA: Sage Publications, 2006), pp. 455–486; Pang-Ning Tan, Michael Steinbach y Vipin Kumar, *Introduction to Data Mining* (Upper Saddle River, NJ: Addison Wesley, 2005); Michael J. A. Berry y Gordon S. Linoff, *Data Mining Techniques: For Marketing, Sales, and Customer Relationship Management,* 2a. ed. (Hoboken, NJ: Wiley Computer, 2004); James Lattin, Doug Carroll y Paul Green, *Analyzing Multivariate Data* (Florence, KY: Thomson Brooks/Cole, 2003).

96. George S. Day, "Creating a Superior Customer-Relating Capability", *Sloan Management Review* 44 (primavera de 2003), pp. 77–82.

97. Ibid; George S. Day, "Creating a Superior Customer-Relating Capability", *MSI Report,* Núm. 03-101 (Cambridge, MA: Marketing Science Institute, 2003); "Why Some Companies Succeed at CRM (and Many Fail)", *Knowledge at Wharton,* knowledge.wharton. upenn. edu, 15 de enero de 2003.

98. Werner Reinartz y V. Kumar, "The Mismanagement of Customer Loyalty", *Harvard Business Review*, julio de 2002, pp. 86–94; Susan M. Fournier, Susan Dobscha y David Glen Mick, "Preventing the Premature Death of Relationship Marketing", *Harvard Business Review,* enero–febrero de 1998, pp. 42–51.

99. Jon Swartz, "Ebay Faithful Expect Loyalty in Return", *USA Today,* 1 de julio de 2002.

Capítulo 6

1. "Lego's Turnaround: Picking Up the Pieces", *The Economist,* 28 de octubre de 2006, p. 76; Paul Grimaldi, "Consumers Design Products Their Way", *Knight Ridder Tribune Business News,* 25 de noviembre de 2006; Michael A. Prospero, *Fast Company*, septiembre de 2005, p. 35; David Robertson y Per Hjuler, "Innovating a Turnaround at LEGO", *Harvard Business Review*, septiembre de 2009, pp. 20–21; Kim Hjelmgaard, "Lego, Refocusing on Bricks, Builds on Image", *Wall Street Journal*, 24 de diciembre de 2009.
2. Michael R. Solomon, *Consumer Behavior: Buying, Having, and Being,* 9a. ed. (Upper Saddle River, NJ: Prentice Hall, 2011).
3. Leon G. Schiffman y Leslie Lazar Kanuk, *Consumer Behavior,* 10a. ed. (Upper Saddle River, NJ: Prentice Hall, 2010).
4. Para algunas perspectivas clásicas, vea Richard P. Coleman, "The Continuing Significance of Social Class to Marketing", *Journal of Consumer Research* 10 (diciembre de 1983), pp. 265–280; Richard P. Coleman y Lee P. Rainwater, *Social Standing in America: New Dimension of Class* (Nueva York: Basic Books, 1978).
5. Leon G. Schiffman y Leslie Lazar Kanuk, *Consumer Behavior,* 10a. ed. (Upper Saddle River, NJ: Prentice Hall, 2010).
6. Kimberly L. Allers, "Retail's Rebel Yell", *Fortune,* 10 de noviembre de 2003, p. 137; Kate Rockwood, "Rock Solid", *Fast Company*, septiembre de 2009, pp. 44–48.
7. Elizabeth S. Moore, William L. Wilkie y Richard J. Lutz, "Passing the Torch: Intergenerational Influences as a Source of Brand Equity", *Journal of Marketing* 66 (abril de 2002), pp. 17–37; Robert Boutilier, "Pulling the Family's Strings", *American Demographics,* agosto de 1993, pp. 44–48; David J. Burns, "Husband-Wife Innovative Consumer Decision Making: Exploring the Effect of Family Power", *Psychology & Marketing* (mayo–junio de 1992), pp. 175–189; Rosann L. Spiro, "Persuasion in Family Decision Making", *Journal of Consumer Research* 9 (marzo de 1983), pp. 393–402. Para comparaciones entre culturas de roles de compras de marido y mujer, vea John B. Ford, Michael S. LaTour y Tony L. Henthorne, "Perception of Marital Roles in Purchase-Decision Processes: A Cross-Cultural Study", *Journal of the Academy of Marketing Science* 23 (primavera de 1995), pp. 120–131.
8. Kay M. Palan y Robert E. Wilkes, "Adolescent-Parent Interaction in Family Decision Making", *Journal of Consumer Research* 24 (marzo de 1997), pp. 159–169; Sharon E. Beatty y Salil Talpade, "Adolescent Influence in Family Decision Making: A Replication with Extension", *Journal of Consumer Research* 21 (septiembre de 1994), pp. 332–341.
9. Chenting Su, Edward F. Fern y Keying Ye, "A Temporal Dynamic Model of Spousal Family Purchase-Decision Behavior", *Journal of Marketing Research* 40 (agosto de 2003), pp. 268–281.
10. Hillary Chura, "Failing to Connect: Marketing Messages for Women Fall Short", *Advertising Age,* 23 de septiembre de 2002, pp. 13–14.
11. Valentyna Melnyk, Stijn M. J. van Osselaer y Tammo H. A. Bijmolt, "Are Women More Loyal Customers Than Men? Gender Differences in Loyalty to Firms and Individual Service Providers", *Journal of Marketing* 73 (julio de 2009), pp. 82–96.
12. Michele Miller, *The Soccer Mom Myth* (Austin, TX: Wizard Academy Press, 2008).
13. "YouthPulse: The Definitive Study of Today's Youth Generation", *Harris Interactive*, www.harrisinteractive.com, 29 de enero de 2010.
14. Dana Markow, "Today's Youth: Understanding Their Importance and Influence", *Trends & Tudes* 7, núm. 1, www.harrisinteractive.com, febrero de 2008.
15. Deborah Roedder John, "Consumer Socialization of Children: A Retrospective Look at Twenty-Five Years of Research", *Journal of Consumer Research* 26 (diciembre de 1999), pp. 183–213; Lan Nguyen Chaplin y Deborah Roedder John, "The Development of Self-Brand Connections in Children and Adolescents", *Journal of Consumer Research* 32 (junio de 2005), pp. 119–129; Lan Nguyen Chaplin y Deborah Roedder John, "Growing Up in a Material World: Age Differences in Materialism in Children and Adolescents", *Journal of Consumer Research* 34 (diciembre de 2007), pp. 480–493.
16. "Families and Living Arrangements", *U.S. Census Bureau*, www.census.gov/population/www/socdemo/hh-fam.html, 29 de enero de 2010.
17. Rex Y. Du y Wagner A. Kamakura, "Household Life Cycles and Lifestyles in the United States", *Journal of Marketing Research* 48 (febrero de 2006), pp. 121–132; Lawrence Lepisto, "A Life Span Perspective of Consumer Behavior", Elizabeth Hirshman y Morris Holbrook, eds., *Advances in Consumer Research,* vol. 12 (Provo, UT: Association for Consumer Research, 1985), p. 47; vea también Gail Sheehy, *New Passages: Mapping Your Life across Time* (Nueva York: Random House, 1995).
18. Brooks Barnes y Monica M. Clark, "Tapping into the Wedding Industry to Sell Broadway Seats", *Wall Street Journal,* 3 de julio de 2006; "Columbus, Ga.–Based Bank Targets Newlyweds for Online Banking", *Knight Ridder/Tribune Business News*, 2 de marzo de 2000.
19. www.eluniversal.com.mx/articulos/47254.html; www.radioformula.com.mx/notas.asp?Idn=111749
20. Harold H. Kassarjian y Mary Jane Sheffet, "Personality and Consumer Behavior: An Update", Harold H. Kassarjian y Thomas S. Robertson, eds., *Perspectives in Consumer Behavior* (Glenview, IL: Scott Foresman, 1981), pp. 160–180.
21. Jennifer Aaker, "Dimensions of Measuring Brand Personality", *Journal of Marketing Research* 34 (agosto de 1997), pp. 347–356.

22. Jennifer L. Aaker, Veronica Benet-Martinez y Jordi Garolera, "Consumption Symbols as Carriers of Culture: A Study of Japanese and Spanish Brand Personality Constructs", *Journal of Personality and Social Psychology* 81 (marzo de 2001), pp. 492–508.
23. Yongjun Sung y Spencer F. Tinkham, "Brand Personality Structures in the United States and Korea: Common and Culture-Specific Factors", *Journal of Consumer Psychology* 15 (diciembre de 2005), pp. 334–350.
24. M. Joseph Sirgy, "Self Concept in Consumer Behavior: A Critical Review", *Journal of Consumer Research* 9 (diciembre de 1982), pp. 287–300.
25. Timothy R. Graeff, "Consumption Situations and the Effects of Brand Image on Consumers' Brand Evaluations", *Psychology & Marketing* 14 (enero de 1997), pp. 49–70; Timothy R. Graeff, "Image Congruence Effects on Product Evaluations: The Role of Self-Monitoring and Public/Private Consumption", *Psychology & Marketing* 13 (agosto de 1996), pp. 481–499.
26. Jennifer L. Aaker, "The Malleable Self: The Role of Self-Expression in Persuasion", *Journal of Marketing Research* 36 (febrero de 1999), pp. 45–57.
27. www.eluniversaledomex.mx/otros/nota20200.html
28. "LOHAS Forum Attracts Fortune 500 Companies", *Environmental Leader*, 22 de junio de 2009.
29. Toby Weber, "All Three? Gee", *Wireless Review,* mayo de 2003, pp. 12–14.
30. www.comonuevo.com.mx
31. Para una reseña de investigaciones académicas acerca del comportamiento del consumidor, vea Barbara Loken, "Consumer Psychology: Categorization, Inferences, Affect, and Persuasion", *Annual Review of Psychology* 57 (2006), pp. 453–495. Para aprender más acerca de cómo puede ser aplicada la teoría de comportamiento del consumidor a las decisiones de políticas vea, "Special Issue on Helping Consumers Help Themselves: Improving the Quality of Judgments and Choices", *Journal of Public Policy & Marketing* 25 (primavera de 2006).
32. Thomas J. Reynolds y Jonathan Gutman, "Laddering Theory, Method, Analysis, and Interpretation", *Journal of Advertising Research* (febrero–marzo de 1988), pp. 11–34; Thomas J. Reynolds y Jerry C. Olson, *Understanding Consumer Decision-Making: The Means-Ends Approach to Marketing and Advertising* (Mahwah, NJ: Lawrence Erlbaum, 2001); Brian Wansink, "Using Laddering to Understand and Leverage a Brand's Equity", *Qualitative Market Research* 6 (2003).
33. Ernest Dichter, *Handbook of Consumer Motivations* (Nueva York: McGraw-Hill, 1964).
34. Jan Callebaut et al., *The Naked Consumer: The Secret of Motivational Research in Global Marketing* (Amberes, Bélgica: Censydiam Institute, 1994).
35. Melanie Wells, "Mind Games", *Forbes,* 1 de septiembre de 2003, p. 70.
36. Clotaire Rapaille, "Marketing to the Reptilian Brain", *Forbes,* 3 de julio de 2006; Clotaire Rapaille, *The Culture Code* (Nueva York: Broadway Books, 2007).
37. Abraham Maslow, *Motivation and Personality* (Nueva York: Harper & Row, 1954), pp. 80–106. Para una interesante aplicación empresarial, vea Chip Conley, *Peak: How Great Companies Get Their Mojo from Maslow* (San Francisco: Jossey Bass 2007).
38. Vea Frederick Herzberg, *Work and the Nature of Man* (Cleveland: William Collins, 1966); Thierry y Koopman-Iwema, "Motivation and Satisfaction", P. J. D. Drenth, H. Thierry, P. J. Willems y C. J. de Wolff, eds., *A Handbook of Work and Organizational Psychology* (East Sussex, Reino Unido: Psychology Press, 1984), pp. 141–142.
39. Bernard Berelson y Gary A. Steiner, *Human Behavior: An Inventory of Scientific Findings* (Nueva York: Harcourt Brace Jovanovich, 1964), p. 88.
40. J. Edward Russo, Margaret G. Meloy y Victoria Husted Medvec, "The Distortion of Product Information during Brand Choice", *Journal of Marketing Research* 35 (noviembre de 1998), pp. 438–452.
41. Leslie de Chernatony y Simon Knox, "How an Appreciation of Consumer Behavior Can Help in Product Testing", *Journal of Market Research Society* (julio de 1990), p. 333. Vea también Chris Janiszewski y Stiju M. J. Osselar, "A Connectionist Model of Brand–Quality Association", *Journal of Marketing Research* 37 (agosto de 2000), pp. 331–351.
42. Chris Janiszewski de Florida ha llevado a cabo fascinantes investigaciones observando los efectos de los procesos preconscientes. Vea Chris Janiszewski, "Preattentive Mere Exposure Effects", *Journal of Consumer Research* 20 (diciembre de 1993), pp. 376–392, así como sus investigaciones previas y posteriores. Para más perspectivas, vea también John A. Bargh y Tanya L. Chartrand, "The Unbearable Automaticity of Being", *American Psychologist* 54 (1999), pp. 462–479 y los programas de investigación de ambos autores. Para un activo debate académico, vea la sección de "Research Dialogue" del ejemplar de julio de 2005 del *Journal of Consumer Psychology.*
43. Vea Timothy E. Moore, "Subliminal Advertising: What You See Is What You Get", *Journal of Marketing* 46 (primavera de 1982), pp. 38–47 para un clásico y antiguo análisis; y para un análisis adicional vea Andrew B. Aylesworth, Ronald C. Goodstein y Ajay Kalra, "Effect of Archetypal Embeds on Feelings: An Indirect Route to Affecting Attitudes?", *Journal of Advertising* 28 (otoño de 1999), pp. 73–81.
44. Patricia Winters Lauro, "An Emotional Connection between Sleeper and Mattress", *New York Times*, 5 de julio de 2007.
45. Ellen Byron, "Tide, Woolite Tout Their Fashion Sense", *Wall Street Journal*, 11 de marzo de 2009.

46. Robert S. Wyer Jr. y Thomas K. Srull, "Person Memory and Judgment", *Psychological Review* 96 (enero de 1989), pp. 58–83; John R. Anderson, *The Architecture of Cognition* (Cambridge, MA: Harvard University Press, 1983).

47. Para un análisis adicional, vea John G. Lynch Jr. y Thomas K. Srull, "Memory and Attentional Factors in Consumer Choice: Concepts and Research Methods", *Journal of Consumer Research* 9 (junio de 1982), pp. 18–36; y Joseph W. Alba, J. Wesley Hutchinson y John G. Lynch Jr., "Memory and Decision Making", Harold H. Kassarjian y Thomas S. Robertson, eds., *Handbook of Consumer Theory and Research* (Englewood Cliffs, NJ: Prentice Hall, 1992), pp. 1–49.

48. Robert S. Lockhart, Fergus I. M. Craik y Larry Jacoby, "Depth of Processing, Recognition, and Recall", John Brown, ed., *Recall and Recognition* (Nueva York: John Wiley & Sons, 1976); Fergus I. M. Craik y Endel Tulving, "Depth of Processing and the Retention of Words in Episodic Memory", *Journal of Experimental Psychology* 104 (septiembre de 1975), pp. 268–294; Fergus I. M. Craik y Robert S. Lockhart, "Levels of Processing: A Framework for Memory Research", *Journal of Verbal Learning and Verbal Behavior* 11 (1972), pp. 671–684.

49. Leonard M. Lodish, Magid Abraham, Stuart Kalmenson, Jeanne Livelsberger, Beth Lubetkin, Bruce Richardson y Mary Ellen Stevens, "How T.V. Advertising Works: A Meta-Analysis of 389 Real World Split Cable T.V. Advertising Experiments", *Journal of Marketing Research* 32 (mayo de 1995), pp. 125–139.

50. Elizabeth F. Loftus y Gregory R. Loftus, "On the Permanence of Stored Information in the Human Brain", *American Psychologist* 35 (mayo de 1980), pp. 409–420.

51. Para una reseña completa de la literatura académica sobre toma de decisiones, vea J. Edward Russo y Kurt A. Carlson, "Individual Decision Making", Bart Weitz y Robin Wensley, eds., *Handbook of Marketing* (Londres: Sage Publications, 2002), pp. 372–408.

52. Benson Shapiro, V. Kasturi Rangan y John Sviokla, "Staple Yourself to an Order", *Harvard Business Review,* julio–agosto de 1992, pp. 113–122. Vea también Carrie M. Heilman, Douglas Bowman y Gordon P. Wright, "The Evolution of Brand Preferences and Choice Behaviors of Consumers New to a Market", *Journal of Marketing Research* 37 (mayo de 2000), pp. 139–155.

53. Los académicos de marketing han desarrollado varios modelos del proceso de compra del consumidor a lo largo de los años. Vea Mary Frances Luce, James R. Bettman y John W. Payne, *Emotional Decisions: Tradeoff Difficulty and Coping in Consumer Choice* (Chicago: University of Chicago Press, 2001); James F. Engel, Roger D. Blackwell y Paul W. Miniard, *Consumer Behavior,* 8a. ed. (Fort Worth, TX: Dryden, 1994); John A. Howard y Jagdish N. Sheth, *The Theory of Buyer Behavior* (Nueva York: John Wiley & Sons, 1969).

54. William P. Putsis Jr. y Narasimhan Srinivasan, "Buying or Just Browsing? The Duration of Purchase Deliberation", *Journal of Marketing Research* 31 (agosto de 1994), pp. 393–402.

55. Chem L. Narayana y Rom J. Markin, "Consumer Behavior and Product Performance: An Alternative Conceptualization", *Journal of Marketing* 39 (octubre de 1975), pp. 1–6. Vea también, Lee G. Cooper y Akihiro Inoue, "Building Market Structures from Consumer Preferences", *Journal of Marketing Research* 33 (agosto de 1996), pp. 293–306; Wayne S. DeSarbo y Kamel Jedidi, "The Spatial Representation of Heterogeneous Consideration Sets", *Marketing Science* 14 (verano de 1995), pp. 326–342.

56. Para un estudio sobre la estructura del mercado acerca de los atributos de jerarquía en el mercado de café, vea Dipak Jain, Frank M. Bass y Yu-Min Chen, "Estimation of Latent Class Models with Heterogeneous Choice Probabilities: An Application to Market Structuring", *Journal of Marketing Research* 27 (febrero de 1990), pp. 94–101. Para una aplicación del análisis de cadena de medios y fines a los mercados globales, vea Frenkel Ter Hofstede, Jan-Benedict E. M. Steenkamp y Michel Wedel, "International Market Segmentation Based on Consumer–Product Relations", *Journal of Marketing Research* 36 (febrero de 1999), pp. 1–17.

57. Virginia Postrel, "The Lessons of the Grocery Shelf Also Have Something to Say about Affirmative Action", *New York Times,* 30 de enero de 2003.

58. David Krech, Richard S. Crutchfield y Egerton L. Ballachey, *Individual in Society* (Nueva York: McGraw-Hill, 1962), capítulo 2.

59. Seth Stevenson, "Like Cardboard", *Slate*, 11 de enero de 2010; Ashley M. Heher, "Domino's Comes Clean with New Pizza Ads", *Associated Press*, 11 de enero de 2010; Bob Garfield, "Domino's Does Itself a Disservice by Coming Clean about Its Pizza", *Advertising Age*, 11 de enero de 2010; *Domino's Pizza,* www.pizzaturnaround.com

60. Vea Leigh McAlister, "Choosing Multiple Items from a Product Class", *Journal of Consumer Research* 6 (diciembre de 1979), pp. 213–224; Paul E. Green y Yoram Wind, *Multiattribute Decisions in Marketing: A Measurement Approach* (Hinsdale, IL: Dryden, 1973), capítulo 2; Richard J. Lutz, "The Role of Attitude Theory in Marketing", H. Kassarjian y T. Robertson, eds., *Perspectives in Consumer Behavior* (Lebanon, IN: Scott Foresman, 1981), pp. 317–339.

61. Este modelo de valor esperado fue desarrollado originalmente por Martin Fishbein, "Attitudes and Prediction of Behavior", Martin Fishbein, ed., *Readings in Attitude Theory and Measurement* (Nueva York: John Wiley & Sons, 1967), pp. 477–492; para una reseña crítica, vea Paul W. Miniard y Joel B. Cohen, "An Examination of the Fishbein-Ajzen Behavioral-Intentions Model's Concepts and Measures", *Journal of Experimental Social Psychology* (mayo de 1981), pp. 309–339.

62. Michael R. Solomon, *Consumer Behavior: Buying, Having, and Being,* 9a. ed. (Upper Saddle River, NJ: Prentice Hall, 2011).

63. James R. Bettman, Eric J. Johnson y John W. Payne, "Consumer Decision Making", Kassarjian y Robertson, eds., *Handbook of Consumer Theory and Research* (Upper Saddle River, NJ: Pearson Prentice Hall, 1991), pp. 50–84.

64. Jagdish N. Sheth, "An Investigation of Relationships among Evaluative Beliefs, Affect, Behavioral Intention and Behavior", John U. Farley, John A. Howard y L. Winston Ring, eds., *Consumer Behavior: Theory and Application* (Boston: Allyn & Bacon, 1974), pp. 89–114.
65. Martin Fishbein, "Attitudes and Prediction of Behavior", M. Fishbein, ed., *Readings in Attitude Theory and Measurement* (Nueva York: John Wiley & Sons, 1967), pp. 477–492.
66. Andrew Hampp, "How 'Paranormal Activity,' Hit It Big", *Advertising Age*, 12 de octubre de 2009.
67. Margaret C. Campbell y Ronald C. Goodstein, "The Moderating Effect of Perceived Risk on Consumers' Evaluations of Product Incongruity: Preference for the Norm", *Journal of Consumer Research* 28 (diciembre de 2001), pp. 439–449; Grahame R. Dowling, "Perceived Risk", Peter E. Earl y Simon Kemp, eds., *The Elgar Companion to Consumer Research and Economic Psychology* (Cheltenham, Reino Unido: Edward Elgar, 1999), pp. 419–424; Grahame R. Dowling, "Perceived Risk: The Concept and Its Measurement", *Psychology and Marketing* 3 (otoño de 1986), pp. 193–210; James R. Bettman, "Perceived Risk and Its Components: A Model and Empirical Test", *Journal of Marketing Research* 10 (mayo de 1973), pp. 184–190; Raymond A. Bauer, "Consumer Behavior as Risk Taking", Donald F. Cox, ed., *Risk Taking and Information Handling in Consumer Behavior* (Boston: Division of Research, Harvard Business School, 1967).
68. Richard L. Oliver, "Customer Satisfaction Research", Rajiv Grover y Marco Vriens, eds., *Handbook of Marketing Research* (Thousand Oaks, CA: Sage Publications, 2006), pp. 569–587.
69. Ralph L. Day, "Modeling Choices among Alternative Responses to Dissatisfaction", *Advances in Consumer Research* 11 (1984), pp. 496–499. Vea también Philip Kotler y Murali K. Mantrala, "Flawed Products: Consumer Responses and Marketer Strategies", *Journal of Consumer Marketing* (verano de 1985), pp. 27–36.
70. Albert O. Hirschman, *Exit, Voice, and Loyalty* (Cambridge, MA: Harvard University Press, 1970).
71. John D. Cripps, "Heuristics and Biases in Timing the Replacement of Durable Products", *Journal of Consumer Research* 21 (septiembre de 1994), pp. 304–318.
72. Ben Paytner, "From Trash to Cash", *Fast Company*, febrero de 2009, p. 44.
73. Richard E. Petty, *Communication and Persuasion: Central and Peripheral Routes to Attitude Change* (Nueva York: Springer-Verlag, 1986); Richard E. Petty y John T. Cacioppo, *Attitudes and Persuasion: Classic and Contemporary Approaches* (Nueva York: McGraw-Hill, 1981).
74. Para un panorama general de algunas cuestiones implicadas, vea James R. Bettman, Mary Frances Luce y John W. Payne, "Constructive Consumer Choice Processes", *Journal of Consumer Research* 25 (diciembre de 1998), pp. 187–217; e Itamar Simonson, "Getting Closer to Your Customers by Understanding How They Make Choices", *California Management Review* 35 (verano de 1993), pp. 68–84. Para ejemplos de estudios clásicos sobre el tema, vea algunos de los siguientes: Dan Ariely y Ziv Carmon, "Gestalt Characteristics of Experiences: The Defining Features of Summarized Events", *Journal of Behavioral Decision Making* 13 (abril de 2000), pp. 191–201; Ravi Dhar y Klaus Wertenbroch, "Consumer Choice between Hedonic and Utilitarian Goods", *Journal of Marketing Research* 37 (febrero de 2000), pp. 60–71; Itamar Simonson y Amos Tversky, "Choice in Context: Tradeoff Contrast and Extremeness Aversion", *Journal of Marketing Research* 29 (agosto de 1992), pp. 281–295; Itamar Simonson, "The Effects of Purchase Quantity and Timing on Variety-Seeking Behavior", *Journal of Marketing Research* 27 (mayo de 1990), pp. 150–162.
75. Leon Schiffman y Leslie Kanuk, *Consumer Behavior,* 10a. ed. (Upper Saddle River, NJ: Prentice Hall, 2010); Wayne D. Hoyer y Deborah J. MacInnis, *Consumer Behavior*, 5a. ed. (Cincinnati, OH: South-Western College Publishing, de 2009).
76. Para una reseña detallada de la importancia práctica de la toma de decisiones del consumidor, vea Itamar Simonson, "Get Close to Your Customers by Understanding How They Make Their Choices", *California Management Review* 35 (verano de 1993), pp. 78–79.
77. Richard H. Thaler y Cass R. Sunstein, *Nudge: Improving Decisions about Health, Wealth, and Happiness* (Nueva York: Penguin, 2009); Michael Krauss, "A Nudge in the Right Direction", *Marketing News*, 30 de marzo de 2009, p. 20.
78. Vea Richard H. Thaler, "Mental Accounting and Consumer Choice", *Marketing Science* 4 (verano de 1985), pp. 199–214 para una pieza original y de gran influencia; y Richard Thaler, "Mental Accounting Matters", *Journal of Behavioral Decision Making* 12 (septiembre de 1999), pp. 183–206 para perspectivas adicionales.
79. Gary L. Gastineau y Mark P. Kritzman, *Dictionary of Financial Risk Management,* 3a. ed. (Nueva York: John Wiley & Sons, 1999).
80. Ejemplo adaptado de Daniel Kahneman y Amos Tversky, "Prospect Theory: An Analysis of Decision under Risk", *Econometrica* 47 (marzo de 1979), pp. 263–291.

Capítulo 7

1. Adam Lashinsky, "The Enforcer", *Fortune*, 28 de septiembre de 2009, pp. 117–124; Steve Hamm, "Oracle Faces Its Toughest Deal Yet", *BusinessWeek*, 4 de mayo de 2009, p. 24; Steve Hamm y Aaron Ricadela,

"Oracle Has Customers Over a Barrel", *BusinessWeek*, 21 de septiembre de 2009, pp. 52–55.

2. Para una reseña completa del tema, vea James C. Anderson y James A. Narus, *Business Market Management: Understanding, Creating, and Delivering Value,* 3a. ed. (Upper Saddle River, NJ: Prentice Hall, 2009).
3. Frederick E. Webster Jr. y Yoram Wind, *Organizational Buying Behavior* (Upper Saddle River, NJ: Prentice Hall, 1972), p. 2; para una reseña de algunos artículos académicos acerca del tema, vea Håkan Håkansson y Ivan Snehota, "Marketing in Business Markets", Bart Weitz y Robin Wensley, eds., *Handbook of Marketing* (Londres: Sage Publications, 2002), pp. 513–526; Mark Glynn y Arch Woodside, eds., *Business-to-Business Brand Management: Theory, Research, and Executive Case Study Exercises in Advances in Business Marketing & Purchasing* series, volumen 15 (Bingley, Reino Unido: Emerald Group Publishing, 2009).
4. John Low y Keith Blois, "The Evolution of Generic Brands in Industrial Markets: The Challenges to Owners of Brand Equity", *Industrial Marketing Management* 31 (2002), pp. 385–392; Philip Kotler y Waldemar Pfoertsch, *B2B Brand Management* (Berlin, Germany: Springer, 2006).
5. Stuart Elliott, "A Film on the Trucking Life Also Promotes a Big Rig", *New York Times*, 13 de agosto de 2008; Nikki Hopewell, "Be Brave B-to-B Marketers", *Marketing News*, 15 de noviembre de 2008, pp. 18–21.
6. "B-to-B Marketing Trends de 2010", *Institute for the Study of Business Markets*, isbm.smeal.psu.edu
7. Susan Avery, *Purchasing* 135 (noviembre 2, de 2006), p. 36; "PPG Honors Six Excellent Suppliers", www.ppg.com, 16 de junio de 2009.
8. Michael Collins, "Breaking into the Big Leagues", *American Demographics,* enero de 1996, p. 24.
9. Patrick J. Robinson, Charles W. Faris y Yoram Wind, *Industrial Buying and Creative Marketing* (Boston: Allyn & Bacon, 1967).
10. Michele D. Bunn, "Taxonomy of Buying Decision Approaches", *Journal of Marketing* 57 (enero de 1993), pp. 38–56; Daniel H. McQuiston, "Novelty, Complexity, and Importance as Causal Determinants of Industrial Buyer Behavior", *Journal of Marketing* 53 (abril de 1989), pp. 66–79; Peter Doyle, Arch G. Woodside y Paul Mitchell, "Organizational Buying in New Task and Rebuy Situations", *Industrial Marketing Management* (febrero de 1979), pp. 7–11.
11. Urban B. Ozanne y Gilbert A. Churchill Jr., "Five Dimensions of the Industrial Adoption Process", *Journal of Marketing Research* 8 (agosto de 1971), pp. 322–328.
12. Para aprender más acerca de cómo las empresas negocio-a-negocio pueden mejorar su branding, vea Philip Kotler y Waldemar Pfoertsch, *B2B Brand Management* (Berlin, Germany: Springer, 2006).
13. Steve Hamm, "The Fine Art of Tech Mergers", *BusinessWeek,* 10 de julio de 2006, pp. 70–71.
14. Elisabeth Sullivan, "Building a Better Brand", *Marketing News*, 15 de septiembre de 2009, pp. 14–17.
15. www.attsa.com.mx Consultoría realizada por Malú Ascanio en julio de 2011.
16. Jeffrey E. Lewin y Naveen Donthu, "The Influence of Purchase Situation on Buying Center Structure and Involvement: A Select Meta-Analysis of Organizational Buying Behavior Research", *Journal of Business Research* 58 (octubre de 2005), pp. 1381–1390; R. Venkatesh y Ajay K. Kohli, "Influence Strategies in Buying Centers", *Journal of Marketing* 59 (octubre de 1995), pp. 71–82; Donald W. Jackson Jr., Janet E. Keith y Richard K. Burdick, "Purchasing Agents' Perceptions of Industrial Buying Center Influence: A Situational Approach", *Journal of Marketing* 48 (otoño de 1984), pp. 75–83.
17. Frederic E. Webster y Yoram Wind, *Organizational Buying Behavior* (Saddle River, NJ: Prentice Hall, 1972), p. 6.
18. James C. Anderson y James A. Narus, *Business Market Management: Understanding, Creating, and Delivering Value,* 3a. ed. (Upper Saddle River, NJ: Prentice Hall, 2009); Frederick E. Webster Jr. y Yoram Wind, "A General Model for Understanding Organizational Buying Behavior", *Journal of Marketing* 36 (abril de 1972), pp. 12–19; Frederic E. Webster y Yoram Wind, *Organizational Buying Behavior* (Saddle River, NJ: Prentice Hall, 1972).
19. Allison Enright, "It Takes a Committee to Buy into B-to-B", *Marketing News,* 15 de febrero de 2006, pp. 12–13.
20. Frederick E. Webster Jr. y Kevin Lane Keller, "A Roadmap for Branding in Industrial Markets", *Journal of Brand Management* 11 (mayo de 2004), pp. 388–402.
21. Scott Ward y Frederick E. Webster Jr.", Organizational Buying Behavior", Tom Robertson y Hal Kassarjian, eds., *Handbook of Consumer Behavior* (Upper Saddle River, NJ: Prentice Hall, 1991), capítulo 12, pp. 419–458.
22. Bob Donath, "Emotions Play Key Role in Biz Brand Appeal", *Marketing News,* 1 de junio de 2006, p. 7.
23. Michael Krauss, "Warriors of the Heart", *Marketing News,* 1 de febrero de 2006, p. 7; Brian Hindo, "Emerson Electric's Innovation Metrics", *BusinessWeek*, 5 de junio de 2008.
24. Bob Lamons, "Branding, B-to-B Style", *Sales and Marketing Management* 157 (septiembre de 2005), pp. 46–50; David A. Kaplan, "No. 1 SAS", in "The 100 Best Companies to Work For", *Fortune*, 8 de febrero de 2010, pp. 56–64.
25. www.avaya.com. Información de Malú Ascanio al formar parte como participante del evento Avaya Evolutions 2010.
26. Richard J. Harrington y Anthony K. Tjan, "Transforming Strategy One Customer at a Time", *Harvard Business Review*, marzo de 2008, pp. 62–72; Stanley Reed, "The Rise of a Financial Data Powerhouse", *BusinessWeek*, 15 de mayo de 2007; Stanley Reed, "Media Giant or Media Muddle?" *BusinessWeek*, 1 de mayo de 2008.

27. Frederic E. Webster y Yoram Wind, *Organizational Buying Behavior* (Saddle River, NJ: Prentice Hall, 1972), p. 6.
28. James C. Anderson, James A. Narus y Wouter van Rossum, "Customer Value Proposition in Business Markets", *Harvard Business Review,* marzo de 2006, pp. 2–10; James C. Anderson, "From Understanding to Managing Customer Value in Business Markets", H. Håkansson, D. Harrison y A. Waluszewski, eds., *Rethinking Marketing: New Marketing Tools* (Londres: John Wiley & Sons, 2004), pp. 137–159.
29. Susan Caminiti, "Drivers of the Economy", *Fortune*, 17 de abril de 2006, p. C1; "Pfizer Turns Around Its Diversity & Inclusion Initiatives", *Diversity/Careers in Engineering and Information Technology*, diciembre de 2009–enero de 2010; Barbara Frankel, "Pfizer's Newest CDO Represents Transferable Talent", *Diversity Inc.*, noviembre–diciembre de 2009; "From One Small Business to Another: Enhancing Community Through Commerce", *Pfizer,* www.pfizersupplierdiversity.com, 6 de febrero de 2010.
30. "Case Studies: Rio Tinto", *Quadrem,* www.quadrem.com, 6 de febrero de 2010.
31. "Case Study de 2003: Mitsui & Co. Cuts the Cost of Trade Transactions by 50% by Using Trade Card", *Mitsui & Co., LTD.*, www.tradecard.com
32. "Best Practices of the Best-Run Sales Organizations: Sales Opportunity Blueprinting", *SAP,* download.sap.com, 6 de febrero de 2010.
33. Patrick J. Robinson, Charles W. Faris y Yoram Wind, *Industrial Buying and Creative Marketing* (Boston, MA: Allyn & Bacon, 1967).
34. *Institute Of Scrap Recycling Institute,* www.isri.org
35. Geri Smith, "Hard Times Ease for a Cement King", *BusinessWeek*, 9 de noviembre de 2009, p. 28.
36. Rajdeep Grewal, James M. Comer y Raj Mehta, "An Investigation into the Antecedents of Organizational Participation in Business-to-Business Electronic Markets", *Journal of Marketing* 65 (julio de 2001), pp. 17–33.
37. "Open Sesame? Or Could the Doors Slam Shut for Alibaba.com?", *Knowledge@Wharton*, julio 27, de 2005; Julia Angwin, "Top Online Chemical Exchange Is Unlikely Success Story", *Wall Street Journal,* 8 de enero de 2004; Olga Kharif, "B2B, Take 2", *BusinessWeek,* 25 de noviembre de 2003; George S. Day, Adam J. Fein y Gregg Ruppersberger, "Shakeouts in Digital Markets: Lessons from B2B Exchanges", *California Management Review* 45 (invierno de 2003), pp. 131–151.
38. *Ritchie Bros Auctioneers,* www.rbauction.com.
39. Brian J. Carroll, *Lead Generation for the Complex Sale* (Nueva York: McGraw-Hill, 2006).
40. "2009–10 B2B Marketing Benchmark Report", *Marketing Sherpa,* www.sherpastore.com, 6 de febrero de 2010.
41. Allison Enright, "It Takes a Committee to Buy into B-to-B", *Marketing News,* 15 de febrero de 2006, pp. 12–13.
42. Robert Hiebeler, Thomas B. Kelly y Charles Ketteman, *Best Practices: Building Your Business with Customer-Focused Solutions* (Nueva York: Arthur Andersen/Simon & Schuster, 1998), pp. 122–124.
43. Daniel J. Flint, Robert B. Woodruff y Sarah Fisher Gardial, "Exploring the Phenomenon of Customers' Desired Value Change in a Business-to-Business Context", *Journal of Marketing* 66 (octubre de 2002), pp. 102–117.
44. Ruth N. Bolton y Matthew B. Myers, "Price-Based Global Market Segmentation for Services", *Journal of Marketing* 67 (julio de 2003), pp. 108–128.
45. Wolfgang Ulaga y Andreas Eggert, "Value-Based Differentiation in Business Relationships: Gaining and Sustaining Key Supplier Status", *Journal of Marketing* 70 (enero de 2006), pp. 119–136.
46. Christopher Palmeri, "Serving Two (Station) Masters", *BusinessWeek,* 24 de julio de 2006, p. 46.
47. David Kiley, "Small Print Jobs for Peanuts", *BusinessWeek,* 17 de julio de 2006, p. 58.
48. Nirmalya Kumar, *Marketing as Strategy: Understanding the CEO's Agenda for Driving Growth and Innovation* (Boston: Harvard Business School Press, 2004).
49. Ibid.
50. www.slideshare.net/antonigoes/caso-de-xito-voz-farmacias-del-ahorro-presentation
51. "Case Study: Automotive Vendor Managed Inventory, Plexco (Australia)", www.marciajedd.com
52. Para material fundamental, vea Lloyd M. Rinehart, James A. Eckert, Robert B. Handfield, Thomas J. Page Jr. y Thomas Atkin, "An Assessment of Buyer–Seller Relationships", *Journal of Business Logistics* 25 (2004), pp. 25–62; F. Robert Dwyer, Paul Schurr y Sejo Oh, "Developing Buyer–Supplier Relationships", *Journal of Marketing* 51 (abril de 1987), pp. 11–28; y Barbara Bund Jackson, *Winning & Keeping Industrial Customers: The Dynamics of Customer Relations* (Lexington, MA: D. C. Heath, 1985).
53. Arnt Buvik y George John, "When Does Vertical Coordination Improve Industrial Purchasing Relationships?", *Journal of Marketing* 64 (octubre de 2000), pp. 52–64.
54. Piet Levy, "Ringing Up a New Approach", *Marketing News*, 15 de marzo de 2009, p. 8; "The Inspiration Behind Tellabs' 'New Life' Campaign", *Business Marketing Association,* www.bmachicago.org, 6 de febrero de 2010; Kate Maddox, "Marketers Look to Social Media for Interaction", *BtoB Magazine*, 15 de enero de 2007; Chelsea Ely, "Tellabs Aims to "Outsmart, Not Outspend Large Competitors", *BtoB Magazine*, 9 de enero de 2009.
55. Das Narayandas y V. Kasturi Rangan, "Building and Sustaining Buyer–Seller Relationships in Mature Industrial Markets", *Journal of Marketing* 68 (julio de 2004), pp. 63–77.
56. Robert W. Palmatier, Rajiv P. Dant, Dhruv Grewal y Kenneth R. Evans, "Factors Influencing the Effectiveness of Relationship Marketing: A Meta-

Analysis", *Journal of Marketing* 70 (octubre de 2006), pp. 136–153; Jean L. Johnson, Ravipreet S. Sohli y Rajdeep Grewal, "The Role of Relational Knowledge Stores in Interfirm Partnering", *Journal of Marketing* 68 (julio de 2004), pp. 21–36; Fred Selnes y James Sallis, "Promoting Relationship Learning", *Journal of Marketing* 67 (julio de 2003), pp. 80–95; Patricia M. Doney y Joseph P. Cannon, "An Examination of the Nature of Trust in Buyer–Seller Relationships", *Journal of Marketing* 61 (abril de 1997), pp. 35–51; Shankar Ganesan, "Determinants of Long-Term Orientation in Buyer–Seller Relationships", *Journal of Marketing* 58 (abril de 1994), pp. 1–19.

57. William W. Keep, Stanley C. Hollander y Roger Dickinson, "Forces Impinging on Long-Term Business-to-Business Relationships in the United States: An Historical Perspective", *Journal of Marketing* 62 (abril de 1998), pp. 31–45.

58. Joseph P. Cannon y William D. Perreault Jr., "Buyer–Seller Relationships in Business Markets", *Journal of Marketing Research* 36 (noviembre de 1999), pp. 439–460.

59. Jan B. Heide y Kenneth H. Wahne, "Friends, Businesspeople, and Relationship Roles: A Conceptual Framework and Research Agenda", *Journal of Marketing* 70 (julio de 2006), pp. 90–103.

60. Joseph P. Cannon y William D. Perreault Jr., "Buyer–Seller Relationships in Business Markets", *Journal of Marketing Research* 36 (noviembre de 1999), pp. 439–460.

61. Thomas G. Noordewier, George John y John R. Nevin, "Performance Outcomes of Purchasing Arrangements in Industrial Buyer–Vendor Arrangements", *Journal of Marketing* 54 (octubre 1990), pp. 80–93; Arnt Buvik y George John, "When Does Vertical Coordination Improve Industrial Purchasing Relationships?", *Journal of Marketing* 64 (octubre de 2000), pp. 52–64.

62. Akesel I. Rokkan, Jan B. Heide y Kenneth H. Wathne, "Specific Investment in Marketing Relationships: Expropriation and Bonding Effects", *Journal of Marketing Research* 40 (mayo de 2003), pp. 210–224.

63. Kenneth H. Wathne y Jan B. Heide, "Relationship Governance in a Supply Chain Network", *Journal of Marketing* 68 (enero de 2004), pp. 73–89; Douglas Bowman y Das Narayandas, "Linking Customer Management Effort to Customer Profitability in Business Markets", *Journal of Marketing Research* 61 (noviembre de 2004), pp. 433–447; Mrinal Ghosh y George John, "Governance Value Analysis and Marketing Strategy", *Journal of Marketing* 63 (Special Issue, 1999), pp. 131–145.

64. Sandy Jap, "Pie Expansion Effects: Collaboration Processes in Buyer–Seller Relationships", *Journal of Marketing Research* 36 (noviembre de 1999), pp. 461–475.

65. Buvik y John, "When Does Vertical Coordination Improve Industrial Purchasing Relationships?", pp. 52–64.

66. Kenneth H. Wathne y Jan B. Heide, "Opportunism in Interfirm Relationships: Forms, Outcomes, and Solutions", *Journal of Marketing* 64 (octubre de 2000), pp. 36–51.

67. Mary Walton, "When Your Partner Fails You", *Fortune,* mayo 26, de 1997, pp. 151–154.

68. Mark B. Houston y Shane A. Johnson, "Buyer–Supplier Contracts versus Joint Ventures: Determinants and Consequences of Transaction Structure", *Journal of Marketing Research* 37 (febrero de 2000), pp. 1–15.

69. Aksel I. Rokkan, Jan B. Heide y Kenneth H. Wathne, "Specific Investment in Marketing Relationships: Expropriation and Bonding Effects", *Journal of Marketing Research* 40 (mayo de 2003), pp. 210–224.

70. Elisabeth Sullivan, "A Worthwhile Investment", *Marketing News*, 30 de diciembre de 2009, p. 10.

71. Shar VanBoskirk, "B2B Email Marketing Best Practices: Hewlett Packard", *Forrester,* www.forrester.com, 21 de febrero de 2006.

72. Josh Bernoff, "Why B-to-B Ought to Love Social Media", *Marketing News*, 15 de abril de 2009, p. 20; Elisabeth Sullivan, "A Long Slog", *Marketing News*, 28 de febrero de 2009, pp. 15–18.

73. Elisabeth Sullivan, "One to One", *Marketing News*, 15 de mayo de 2009, pp. 10–12.

74. Elisabeth Sullivan, "Cognos Inc.", *Marketing News*, 1 de abril de 2008, p. 10.

75. Paul King, "Purchasing: Keener Competition Requires Thinking Outside the Box", *Nation's Restaurant News,* 18 de agosto de 2003, p. 87.

76. Bill Gormley, "The U.S. Government Can Be Your Lifelong Customer", *Washington Business Journal*, 23 de enero de 2009; Chris Warren, "How to Sell to Uncle Sam", *BNET Crash Course*, www.bnet.com, 6 de febrero de 2010.

77. Matthew Swibel y Janet Novack, "The Scariest Customer", *Forbes,* 10 de noviembre de 2003, pp. 96–97.

78. Laura M. Litvan, "Selling to Uncle Sam: New, Easier Rules", *Nation's Business* (marzo de 1995), pp. 46–48.

79. Ellen Messmer, "Feds Do E-Commerce the Hard Way", *Network World,* 13 de abril de 1998, pp. 31–32.

80. Bill Gormley, "The U.S. Government Can Be Your Lifelong Customer", *Washington Business Journal*, 23 de enero de 2009.

Capítulo 8

1. www.pergo.com.mx Adaptación de María de la Luz Ascanio, consultora de Pergo, sobre una investigación propia.

2. Dale Buss, "Brands in the 'Hood", *Point,* diciembre de 2005, pp. 19–24.

3. www.coca-colamexico.com.mx/grupos_embotelladores.html

4. Al visitar el sitio patrocinado por la empresa, MyBestSegments.com, usted puede ingresar un código postal y descubrir los cinco grupos o *clusters* principales de esa área. Observe que otro proveedor líder de datos geodemográficos es ClusterPlus (Strategic Mapping).

5. Becky Ebenkamp, "Urban America Redefined", *Brandweek,* 6 de octubre de 2003, pp. 12–13.
6. Mike Freeman, "Clusters of Customers", *San Diego Union-Tribune*, 19 de diciembre de 2004.
7. Michael J. Weiss, "To Be About to Be", *American Demographics,* septiembre de 2003, pp. 29–36.
8. "YouthPulse: The Definitive Study of Today's Youth Generation", *Harris Interactive*, 2009, www.harrisinteractive.com
9. Gina Chon, "Car Makers Talk 'Bout G-G-Generations", *Wall Street Journal,* 9 de mayo de 2006.
10. Para algunas implicaciones prácticas, vea Marti Barletta, *Marketing to Women: How to Increase Share of the World's Largest Market*, 2a. ed. (Nueva York: Kaplan Business, 2006); Bridget Brennan, *Why She Buys: The New Strategy for Reaching the World's Most Powerful Consumers* (Nueva York: Crown Business, 2009).
11. Para más perspectivas sobre el comportamiento del consumidor por género vea Jane Cunningham y Philippa Roberts, "What Woman Want", *Brand Strategy,* diciembre de 2006–enero de 2007, pp. 40–41; Robert J. Fisher y Laurette Dube, "Gender Differences in Responses to Emotional Advertising: A Social Desirability Perspective", *Journal of Consumer Research* 31 (marzo de 2005), pp. 850–858; Joan Meyers-Levy y Durairaj Maheswaran, "Exploring Males' and Females' Processing Strategies: When and Why Do Differences Occur in Consumers' Processing of Ad Claims", *Journal of Consumer Research* 18 (junio de 1991), pp. 63–70; Joan Meyers-Levy y Brian Sternthal, "Gender Differences in the Use of Message Cues and Judgments", *Journal of Marketing Research* 28 (febrero de 1991), pp. 84–96.
12. Dawn Klingensmith, "Marketing Gurus Try to Read Women's Minds", *Chicago Tribune,* 19 de abril de 2006; Elisabeth Sullivan, "The Mother Lode", *Marketing News*, 15 de julio de 2008, p. 28; Claire Cain Miller, "Advertising Woman to Woman, Online", *New York Times*, 13 de agosto de 2008; Eric Newman, "The Mook Industrial Complex", *Brandweek*, 14 de enero de 2008, pp. 21–24.
13. Marti Barletta, "Who's Really Buying That Car? Ask Her", *Brandweek,* 4 de septiembre de 2006, p. 20; Robert Craven, Kiki Maurey y John Davis, "What Women Really Want", *Critical Eye* 15 (julio de 2006), pp. 50–53; Michael J. Silverstein y Kate Sayre, "The Female Economy", *Harvard Business Review*, septiembre de 2009, pp. 46–53.
14. Aixa Pascual, "Lowe's Is Sprucing Up Its House", *BusinessWeek,* 3 de junio de 2002, pp. 56–57; Pamela Sebastian Ridge, "Tool Sellers Tap Their Feminine Side", *Wall Street Journal,* 16 de junio de 2002.
15. Michael J. Silverstein y Neil Fiske, *Trading Up: The New American Luxury* (Nueva York: Portfolio, 2003); Dylan Machan, "Sharing Victoria's Secret", *Forbes,* 5 de junio de 1995, p. 132; www.limitedbrands.com
16. Ian Zack, "Out of the Tube", *Forbes,* 26 de noviembre de 2001, p. 200.
17. Gregory L. White y Shirley Leung, "Middle Market Shrinks as Americans Migrate toward the Higher End", *Wall Street Journal,* 29 de marzo de 2002.
18. Burt Helm, "PNC Lures Gen Y with Its 'Virtual Wallet' Account", *BusinessWeek*, 26 de noviembre de 2008; *Virtual Wallet by PNC Leading the Way,* www.pncvirtualwallet.com, 26 de enero de 2010.
19. Charles D. Schewe y Geoffrey Meredith, "Segmenting Global Markets by Generational Cohort: Determining Motivations by Age", *Journal of Consumer Behavior* 4 (octubre de 2004), pp. 51–63; Geoffrey E. Meredith y Charles D. Schewe, *Managing by Defining Moments: America's 7 Generational Cohorts, Their Workplace Values, and Why Managers Should Care* (Nueva York: Hungry Minds, 2002); Geoffrey E. Meredith, Charles D. Schewe y Janice Karlovich, *Defining Markets Defining Moments* (Nueva York: Hungry Minds, 2001).
20. Piet Levy, "The Quest for Cool", *Marketing News*, 28 de febrero de 2009, p. 6; Michelle Conlin, "Youth Quake", *BusinessWeek*, 21 de enero de 2008, pp. 32–36.
21. Karen E. Klein, "The ABCs of Selling to Generation X", *BusinessWeek*, 15 de abril de 2004; M. J. Stephey, "Gen-X: the Ignored Generation?", *Time*, 16 de abril de 2008; Tamara Erickson, "Don't Treat Them Like Baby Boomers", *BusinessWeek*, 25 de agosto de 2008, p. 64.
22. Louise Lee, "Love Those Boomers", *BusinessWeek,* 24 de octubre de 2005, p. 94; Bob Moos, "Last of Boomers Turn 40", *Dallas Morning News,* 1 de enero de 2005; Linda Tischler, "Where the Bucks Are", *Fast Company*, marzo de 2004, pp. 71–77; Alycia de Mesa, "Don't Ignore the Boomer Consumer", *brandchannel,* www.brandchannel.com, 25 de junio de 2007; Judann Pollack, "Boomers Don't Want Your Pity, but They Do Demand Your Respect", *Advertising Age*, 8 de octubre de 2007, p. 24.
23. Mark Dolliver, "Marketing to Today's 65-plus Consumers", *Adweek*, 27 de julio de 2009.
24. Stuart Elliott, "The Older Audience Is Looking Better Than Ever", *New York Times*, 19 de abril de 2009.
25. Marissa Miley, "Don't Bypass African-Americans", *Advertising Age*, 2 de febrero de 2009.
26. Elisabeth Sullivan, "Choose Your Words Wisely", *Marketing News*, 15 de febrero de 2008, p. 22; Emily Bryson York, "Brands Prepare for a More Diverse 'General Market'", *Advertising Age*, 30 de noviembre de 2009, p. 6.
27. Emily Bryson York, "Brands Prepare for a More Diverse 'General Market'", *Advertising Age*, 30 de noviembre de 2009, p. 6.
28. Daniel B. Honigman, "10 Minutes with . . . Caralene Robinson", *Marketing News*, 15 de febrero de 2008, pp. 24–28; Sonya A. Grier, Anne Brumbaugh y Corliss G.

Thornton, "Crossover Dreams: Consumer Responses to Ethnic-Oriented Products", *Journal of Marketing* 70 (abril de 2006), pp. 35–51.

29. "Hispanics Will Top All U.S. Minority Groups for Purchasing Power by 2007", *Selig Center of Economic Growth, Terry College of Business, University of Georgia,*/www.selig.uga.edu, 1 de septiembre de 2006; Jeffrey M. Humphreys, "The Multicultural Economy 2008", *Selig Center of Economic Growth, Terry College of Business, University of Georgia,* 2008.

30. Andrew Pierce, "Multiculti Markets Demand Multilayered Markets", *Marketing News*, 1 de mayo de 2008, p. 21.

31. Barbara De Lollis, "At Goya, It's All in La Familia", *USA Today*, 24 de marzo de 2008, pp. 1B–2B.

32. Ronald Grover, "The Payoff from Targeting Hispanics", *BusinessWeek*, 20 de abril de 2009, p. 76; Della de Lafuente, "The New Weave", *Adweek Media*, 3 de marzo de 2008, pp. 26–28.

33. Piet Levy, "La Musica to Their Ears", *Marketing News*, 15 de mayo de 2009, pp. 14–16; Ronald Grover, "The Payoff from Targeting Hispanics", *BusinessWeek*, 20 de abril de 2009, p. 76.

34. Elaine Wong, "Why Bounty Is a Hit with U.S. Hispanics", *Brandweek*, 17 de agosto de 2009, p. 6.

35. Samar Farah, "Latino Marketing Goes Mainstream", *Boston Globe*, 9 de julio de 2006; Dianne Solis, "Latino Buying Power Still Surging", *Dallas Morning News*, 1 de septiembre de 2006; Joseph Tarnowski, "Assimilate or Perish", *Progressive Grocer*, 1 de febrero de 2006.

36. Kevin Lane Keller, "got milk?: Branding a Commodity", *Best Practice Cases in Branding*, 3a. ed. (Upper Saddle River, NJ: Prentice Hall, 2008); *got milk?* www.gotmilk.com; Jeff Manning, *got milk?: The book* (Roseville, CA: Prima Lifestyles, 1999).

37. Elisabeth A. Sullivan, "Speak Our Language", *Marketing News*, 15 de marzo de 2008, pp. 20–22.

38. Rita Chang, "Mobile Marketers Target Receptive Hispanic Audience", *Advertising Age*, 26 de enero de 2009, p. 18.

39. Adele Lassere, "The Marketing Corner: Marketing to African-American Consumers", *Epoch Times*, 27 de noviembre de 2009.

40. Lisa Sanders, "How to Target Blacks? First You Gotta Spend", *Advertising Age*, 3 de julio de 2006, p. 19; Pepper Miller y Herb Kemp, *What's Black about It? Insights to Increase Your Share of a Changing African-American Market* (Ithaca, NY: Paramount Market Publishing, 2005).

41. Marissa Fabris, "Special Report on Multicultural Marketing: Market Power", *Target Marketing*, www.targetmarketingmag.com, mayo de 2008.

42. Sonya A. Grier y Shiriki K. Kumanyika, "The Context for Choice: Health Implications of Targeted Food and Beverage Marketing to African-Americans", *American Journal of Public Health* 98 (septiembre de 2008), pp. 1616–1629.

43. "The 'Invisible' Market", *Brandweek*, 30 de enero de 2006.

44. Andrew Pierce, "Multiculti Markets Demand Multilayered Markets", *Marketing News*, 1 de mayo de 2008, p. 21.

45. "The 'Invisible' Market", *Brandweek*, 30 de enero de 2006; Bill Imada, "Four Myths about the Asian-American Market", *Advertising Age*, 31 de octubre de 2007; "Kraft Targets Asian American Moms", *Brandweek*, 1 de septiembre de 2005.

46. "Marketing to Asian-Americans", suplemento especial de *Brandweek*, 26 de mayo de 2008.

47. Kate Rockwood, "Partnering with Pride", *Fast Company*, noviembre de 2009, pp. 21–28.

48. *Prime Access, Inc*, www.primeaccess.net

49. *Strategic Business Insights,* www.strategicbusinessin sights.com

50. Andrew Kaplan, "A Fruitful Mix", *Beverage World,* mayo de 2006, pp. 28–36.

51. Esta clasificación fue adaptada de la serie de George H. Brown, "Brand Loyalty: Fact or Fiction?", *Advertising Age,* junio de 1952–enero de 1953. Vea también, Peter E. Rossi, Robert E. McCulloch y Greg M. Allenby, "The Value of Purchase History Data in Target Marketing", *Marketing Science* 15 (otoño de 1996), pp. 321–340.

52. James C. Anderson y James A. Narus, "Capturing the Value of Supplementary Services", *Harvard Business Review,* enero–febrero de 1995, pp. 75–83.

53. Para una reseña de muchas de las cuestiones metodológicas en el desarrollo de esquemas de segmentación, vea William R. Dillon y Soumen Mukherjee, "A Guide to the Design and Execution of Segmentation Studies", Rajiv Grover y Marco Vriens, eds., *Handbook of Marketing Research* (Thousand Oaks, CA: Sage, 2006); y Michael Wedel y Wagner A. Kamakura, *Market Segmentation: Conceptual and Methodological Foundations* (Boston: Kluwer, 1997).

54. Michael E. Porter, *Competitive Strategy* (Nueva York: Free Press, 1980), pp. 22–23.

55. *Estee Lauder,* www.esteelauder.com

56. Barry Silverstein, "Hallmark—Calling Card", www.brandchannel.com, 15 de junio de 2009; *Hallmark,* www.hallmark.com; Brad van Auken, "Leveraging the Brand: Hallmark Case Study", www.brandstrategyinsider.com, 11 de enero de 2008.

57. Jerry Harkavy, "Colgate Buying Control of Tom's of Maine for $100 Million", *Associated Press, Boston.com*, 21 de marzo de 2006.

58. Robert Blattberg y John Deighton, "Interactive Marketing: Exploiting the Age of Addressibility", *Sloan Management Review* 33 (otoño de 1991), pp. 5–14.

59. Don Peppers y Martha Rogers, *One-to-One B2B: Customer Development Strategies for the Business-To-Business World* (Nueva York: Doubleday, 2001); Jerry Wind y Arvind Rangaswamy, "Customerization: The Next Revolution in Mass Customization", *Journal of Interactive Marketing* 15 (invierno de 2001), pp. 13–32.

60. James C. Anderson y James A. Narus, "Capturing the Value of Supplementary Services", *Harvard Business Review,* enero–febrero de 1995, pp. 75–83.

61. Itamar Simonson, "Determinants of Customers' Responses to Customized Offers: Conceptual Framework and Research Propositions", *Journal of Marketing* 69 (enero de 2005), pp. 32–45.

62. Joann Muller, "Kmart con Salsa: Will It Be Enough?", *BusinessWeek,* 9 de septiembre de 2002.

63. Bart Macchiette y Roy Abhijit, "Sensitive Groups and Social Issues", *Journal of Consumer Marketing* 11 (otoño de 1994), pp. 55–64.

64. Roger O. Crockett, "They're Lining Up for Flicks in the 'Hood'", *BusinessWeek,* 8 de junio de 1998, pp. 75–76.

65. Caroline E. Mayer, "Nurturing Brand Loyalty; with Preschool Supplies, Firms Woo Future Customers—and Current Parents", *Washington Post,* 12 de octubre de 2003.

Capítulo 9

1. Alli McConnon, "Lululemon's Next Workout", *BusinessWeek*, 9 de junio de 2008, pp. 43–44; Danielle Sacks, "Lululemon's Cult of Selling", *Fast Company*, marzo de 2009; Bryant Urstadt, "Lust for Lulu", *New York Magazine*, 26 de julio de 2009.

2. Para trabajos fundamentales de branding, vea Jean-Noel Kapferer, *The New Strategic Brand Management,* 4a. ed. (Nueva York: Kogan Page, 2008); David A. Aaker y Erich Joachimsthaler, *Brand Leadership* (Nueva York: Free Press, 2000); David A. Aaker, *Building Strong Brands* (Nueva York: Free Press, 1996); David A. Aaker, *Managing Brand Equity* (Nueva York: Free Press, 1991).

3. Interbrand Group, *World's Greatest Brands: An International Review* (Nueva York: John Wiley & Sons, 1992). Vea también Karl Moore y Susan Reid, "The Birth of Brand", *Business History* 50 (2008), pp. 419–432.

4. Rajneesh Suri y Kent B. Monroe, "The Effects of Time Pressure on Consumers' Judgments of Prices and Products", *Journal of Consumer Research* 30 (junio de 2003), pp. 92–104.

5. Rita Clifton y John Simmons, eds., *The Economist on Branding* (Nueva York: Bloomberg Press, 2004); Rik Riezebos, *Brand Management: A Theoretical and Practical Approach* (Essex, England: Pearson Education, 2003); y Paul Temporal, *Advanced Brand Management: From Vision to Valuation* (Singapur: John Wiley & Sons, 2002).

6. Constance E. Bagley, *Managers and the Legal Environment: Strategies for the 21st. Century,* 3a. ed. (Cincinnati, OH: South-Western College/West Publishing, 2005); para un punto de vista académico de marketing de algunas importantes cuestiones legales, vea Judith Zaichkowsky, *The Psychology behind Trademark Infringement and Counterfeiting* (Mahwah, NJ: LEA Publishing, 2006) y Maureen Morrin y Jacob Jacoby, "Trademark Dilution: Empirical Measures for an Elusive Concept", *Journal of Public Policy & Marketing* 19 (mayo de 2000), pp. 265–276; Maureen Morrin, Jonathan Lee y Greg M. Allenby, "Determinants of Trademark Dilution", *Journal of Consumer Research* 33 (septiembre de 2006), pp. 248–257.

7. Tulin Erdem, "Brand Equity as a Signaling Phenomenon", *Journal of Consumer Psychology* 7 (1998), pp. 131–157; Joffre Swait y Tulin Erdem, "Brand Effects on Choice and Choice Set Formation Under Uncertainty", *Marketing Science* 26 (septiembre–octubre de 2007), pp. 679–697; Tulin Erdem, Joffre Swait y Ana Valenzuela, "Brands as Signals: A Cross-Country Validation Study", *Journal of Marketing* 70 (enero de 2006), pp. 34–49.

8. Scott Davis, *Brand Asset Management: Driving Profitable Growth through Your Brands* (San Francisco: Jossey-Bass, 2000); Mary W. Sullivan, "How Brand Names Affect the Demand for Twin Automobiles", *Journal of Marketing Research* 35 (mayo de 1998), pp. 154–165; D. C. Bello y M. B. Holbrook, "Does an Absence of Brand Equity Generalize across Product Classes?" *Journal of Business Research* 34 (octubre de 1996), pp. 125–131; Adrian J. Slywotzky y Benson P. Shapiro, "Leveraging to Beat the Odds: The New Marketing Mindset", *Harvard Business Review,* septiembre–octubre de 1993, pp. 97–107.

9. El poder del branding no carece de críticos, sin embargo, algunos rechazan el comercialismo asociado con las actividades de branding. Vea Naomi Klein, *No Logo: Taking Aim at the Brand Bullies* (Nueva York: Picador, 2000).

10. "Study: Food in McDonald's Wrapper Tastes Better to Kids", *Associated Press*, 6 de agosto de 2007.

11. Natalie Mizik y Robert Jacobson, "Talk about Brand Strategy", *Harvard Business Review,* octubre de 2005, p. 1; Baruch Lev, *Intangibles: Management, Measurement, and Reporting* (Washington, D.C.: Brookings Institute, 2001).

12. Para un análisis académico acerca de cómo los consumidores se vuelven tan apegados a las personas como a las marcas, vea Matthew Thomson, "Human Brands: Investigating Antecedents to Consumers' Stronger Attachments to Celebrities", *Journal of Marketing* 70 (julio de 2006), pp. 104–119; para algunos consejos prácticos de branding del mundo del rock and roll, vea Roger Blackwell y Tina Stephan, *Brands That Rock* (Hoboken, NJ: John Wiley & Sons, 2004); y del mundo de los deportes, vea Irving Rein, Philip Kotler y Ben Shields, *The Elusive Fan: Reinventing Sports in a Crowded Marketplace* (Nueva York: McGraw-Hill, 2006).

13. stilo.es/2007/08/la-nueva-fragancia-de-christina-aguilera/; style.popcrunch.com/procter-gamble-teams-up-with-christina-aguilera-for-new-fragrance/; caras.esmas.com/moda/322362/christina-aguilera-presenta-coleccion-ca; es.wikipedia.org/wiki/Christina_Aguilera

14. Kevin Lane Keller, *Strategic Brand Management,* 3a. ed. (Upper Saddle River, NJ: Prentice Hall, 2008); David A. Aaker y Erich Joachimsthaler, *Brand Leadership* (Nueva York: Free Press, 2000); David A. Aaker, *Building Strong*

Brands (Nueva York: Free Press, 1996); David A. Aaker, *Managing Brand Equity* (Nueva York: Free Press, 1991).

15. Otros enfoques se basan en los principios económicos de señalización, por ejemplo, Tulin Erdem, "Brand Equity as a Signaling Phenomenon", *Journal of Consumer Psychology* 7 (1998), pp. 131–157; o más desde una perspectiva sociológica, antropológica o biológica (por ejemplo, Grant McCracken, *Culture and Consumption II: Markets, Meaning, and Brand Management* (Bloomington: Indiana University Press, 2005); Susan Fournier, "Consumers and Their Brands: Developing Relationship Theory in Consumer Research", *Journal of Consumer Research* 24 (septiembre de 1998), pp. 343–373; Craig J. Thompson, Aric Rindfleisch y Zeynep Arsel, "Emotional Branding and the Strategic Value of the Doppelganger Brand Image", *Journal of Marketing* 70 (enero de 2006), pp. 50–64.

16. Jennifer L. Aaker, "Dimensions of Brand Personality", *Journal of Marketing Research* 34 (agosto de 1997), pp. 347–356; Jean-Noel Kapferer, *Strategic Brand Management: New Approaches to Creating and Evaluating Brand Equity* (Londres: Kogan Page, 1992), p. 38; Scott Davis, *Brand Asset Management: Driving Profitable Growth through Your Brands* (San Francisco: Jossey-Bass, 2000). Para una semblanza de investigaciones académicas sobre branding, vea Kevin Lane Keller, "Branding and Brand Equity", Bart Weitz y Robin Wensley, eds., *Handbook of Marketing* (Londres: Sage Publications, 2002), pp. 151–178; Kevin Lane Keller y Don Lehmann, "Brands and Branding: Research Findings and Future Priorities", *Marketing Science* 25 (noviembre–diciembre de 2006), pp. 740–759.

17. Kevin Lane Keller, *Strategic Brand Management,* 3a. ed. (Upper Saddle River, NJ: Prentice Hall, 2008).

18. Theodore Levitt, "Marketing Success through Differentiation—of Anything", *Harvard Business Review,* enero–febrero de 1980, pp. 83–91.

19. Kusum Ailawadi, Donald R. Lehmann y Scott Neslin, "Revenue Premium as an Outcome Measure of Brand Equity", *Journal of Marketing* 67 (octubre de 2003), pp. 1–17.

20. Jon Miller y David Muir, *The Business of Brands* (West Sussex, England: John Wiley & Sons, 2004).

21. Adaptado de www.alveni.com/web/customers/caso-aeromexico.htm; www.eluniversal.com.mx/articulos/66088.html; *segmento.itam.mx/.../Entrevista%20con%20Andres%20Conesa%20vf.pdf*

22. Kevin Lane Keller, "Building Customer-Based Brand Equity: A Blueprint for Creating Strong Brands", *Marketing Management* 10 (julio–agosto de 2001), pp. 15–19.

23. Para algunas perspectivas académicas, vea Matthew Thomson, Deborah J. MacInnis y C. W. Park, "The Ties That Bind: Measuring the Strength of Consumers' Emotional Attachments to Brands", *Journal of Consumer Psychology* 15 (2005), pp. 77–91; Alexander Fedorikhin, C. Whan Park y Matthew Thomson, "Beyond Fit and Attitude: The Effect of Emotional Attachment on Consumer Responses to Brand Extensions", *Journal of Consumer Psychology* 18 (2008), pp. 281–291; Jennifer Edson Escalas, "Narrative Processing: Building Consumer Connections to Brands", *Journal of Consumer Psychology* 14 (1996), pp. 168–179. Para algunos lineamientos gerenciales, vea Kevin Roberts, *Lovemarks: The Future beyond Brands* (Nueva York: Powerhouse Books, 2004); y Douglas Atkins, *The Culting of Brands* (Nueva York: Penguin Books, 2004).

24. Paul Rittenberg y Maura Clancey, "Testing the Value of Media Engagement for Advertising Effectiveness", www.knowledgenetworks.com, primavera–verano de 2006, pp. 35–42.

25. M. Berk Ataman, Carl F. Mela y Harald J. van Heerde, "Building Brands", *Marketing Science* 27 (noviembre–diciembre de 2008), pp. 1036–1054.

26. Walter Mossberg, "Is Bing the Thing?" *Wall Street Journal*, 2 de junio de 2009, p. R4; Burt Heim, "The Dubbing of 'Bing'", *BusinessWeek*, 15 de junio de 2009, p. 23; Todd Wasserman, "Why Microsoft Chose the Name 'Bing'", *Brandweek*, 1 de junio de 2009, p. 33.

27. Rachel Dodes, "From Tracksuits to Fast Track", *Wall Street Journal,* 13 de septiembre de 2006.

28. "42 Below", www.betterbydesign.org.nz, 14 de septiembre de 2007.

29. Amanda Baltazar, "Silly Brand Names Get Serious Attention", *Brandweek*, 3 de diciembre de 2007, p. 4.

30. Alina Wheeler, *Designing Brand Identity* (Hoboken, NJ: John Wiley & Sons, 2003).

31. Pat Fallon y Fred Senn, *Juicing the Orange: How to Turn Creativity into a Powerful Business Advantage* (Cambridge, MA: Harvard Business School Press, 2006); Eric A. Yorkston y Geeta Menon, "A Sound Idea: Phonetic Effects of Brand Names on Consumer Judgments", *Journal of Consumer Research* 31 (junio), pp. 43–51; Tina M. Lowery y L. J. Shrum, "Phonetic Symbolism and Brand Name Preference", *Journal of Consumer Research* 34 (octubre de 2007), pp. 406–414.

32. Para algunas perspectivas teóricas interesantes, vea Claudiu V. Dimofte y Richard F. Yalch, "Consumer Response to Polysemous Brand Slogans", *Journal of Consumer Research* 33 (marzo de 2007), pp. 515–522.

33. John R. Doyle y Paul A. Bottomly, "Dressed for the Occasion: Font-Product Congruity in the Perception of Logotype", *Journal of Consumer Psychology* 16 (2006), pp. 112–123; Kevin Lane Keller, Susan Heckler y Michael J. Houston, "The Effects of Brand Name Suggestiveness on Advertising Recall", *Journal of Marketing* 62 (enero de 1998), pp. 48–57; para un examen a profundidad acerca de cómo son desarrollados los nombres de las marcas, vea Alex Frankel, *Wordcraft: The Art of Turning Little Words into Big Business* (Nueva York: Crown Publishers, 2004).

34. Don Schultz y Heidi Schultz, *IMC: The Next Generation* (Nueva York: McGraw-Hill, 2003); Don E. Schultz, Stanley I. Tannenbaum y Robert F. Lauterborn,

Integrated Marketing Communications (Lincolnwood, IL: NTC Business Books, 1993).

35. Mohanbir Sawhney, "Don't Harmonize, Synchronize", *Harvard Business Review,* julio–agosto de 2001, pp. 101–108.
36. David C. Court, John E. Forsyth, Greg C. Kelly y Mark A. Loch, "The New Rules of Branding: Building Strong Brands Faster", *McKinsey White Paper Fall 1999*; Scott Bedbury, *A New Brand World* (Nueva York: Viking Press, 2002).
37. Sonia Reyes, "Cheerios: The Ride", *Brandweek,* 23 de septiembre de 2002, pp. 14–16.
38. Dawn Iacobucci y Bobby Calder, eds., *Kellogg on Integrated Marketing* (Nueva York: John Wiley & Sons, 2003).
39. Adaptado de experiencia propia (Malú Ascanio) y www.italiannis.com; txt.mx/index.php?option=com_content&view=article&id=2337:percepcion-a-imagen-a-la-italiannis&catid=1:general&Itemid=22
40. Michael Dunn y Scott Davis, "Building Brands from the Inside", *Marketing Management* (mayo–junio de 2003), pp. 32–37; Scott Davis y Michael Dunn, *Building the Brand-Driven Business* (Nueva York: John Wiley & Sons, 2002).
41. Stan Maklan y Simon Knox, *Competing on Value* (Upper Saddle River, NJ: Financial Times, Prentice Hall, 2000).
42. Coeli Carr, "Seeking to Attract Top Prospects, Employers Brush Up on Brands", *New York Times,* 10 de septiembre de 2006.
43. Los principios y ejemplos de este pasaje están basados en Colin Mitchell, "Selling the Brand Inside", *Harvard Business Review,* enero de 2002, pp. 99–105. Para un análisis a profundidad acerca de cómo dos organizaciones, QuikTrip y Wawa, han desarrollado extraordinarios programas de branding internos, vea Neeli Bendapudi y Venkat Bendapudi, "Creating the Living Brand", *Harvard Business Review,* mayo de 2005, pp. 124–132.
44. James H. McAlexander, John W. Schouten y Harold F. Koenig, "Building Brand Community", *Journal of Marketing* 66 (enero de 2002), pp. 38–54. Para algunos análisis notables sobre comunidades de marcas, vea René Algesheimer, Uptal M. Dholakia y Andreas Herrmann, "The Social Influence of Brand Community: Evidence from European Car Clubs", *Journal of Marketing* 69 (julio de 2005), pp. 19–34; Albert M. Muniz Jr. y Hope Jensen Schau, "Religiosity in the Abandoned Apple Newton Brand Community", *Journal of Consumer Research* 31 (2005), pp. 412–432; Robert Kozinets, "Utopian Enterprise: Articulating the Meanings of *Star Trek*'s Culture of Consumption", *Journal of Consumer Research* 28 (junio de 2001), pp. 67–87; John W. Schouten y James H. McAlexander, "Subcultures of Consumption: An Ethnography of New Bikers", *Journal of Consumer Research* 22 (junio de 1995), pp. 43–61.
45. Albert M. Muniz Jr. y Thomas C. O'Guinn, "Brand Community", *Journal of Consumer Research* 27 (marzo de 2001), pp. 412–432.
46. Susan Fournier y Lara Lee, "The Seven Deadly Sins of Brand Community 'Management'", *Marketing Science*, Institute Special Report 08-208, 2008.
47. Harley-Davidson USA, www.hog.com; Joseph Weber, "Harley Just Keeps on Cruisin'", *BusinessWeek,* 6 de noviembre de 2006, pp. 71–72.
48. Scott A. Thompson y Rajiv K. Sinha, "Brand Communities and New Product Adoption: The Influence and Limits of Oppositional Loyalty", *Journal of Marketing* 72 (noviembre de 2008), pp. 65–80.
49. Deborah Roeddder John, Barbara Loken, Kyeong-Heui Kim y Alokparna Basu Monga, "Brand Concept Maps: A Methodology for Identifying Brand Association Networks", *Journal of Marketing Research* 43 (noviembre de 2006), pp. 549–563.
50. En términos de perspectivas empíricas relacionadas, vea Manoj K. Agrawal y Vithala Rao "An Empirical Comparison of Consumer-Based Measures of Brand Equity", *Marketing Letters* 7 (julio de 1996), pp. 237–247; y Walfried Lassar, Banwari Mittal y Arun Sharma, "Measuring Customer-Based Brand Equity", *Journal of Consumer Marketing* 12 (1995), pp. 11–19.
51. "The Best Global Brands", *BusinessWeek,* 19 de junio de 2009; el artículo califica y critica a las 100 mejores marcas globales utilizando el método de valuación desarrollado por Interbrand. Para más análisis sobre algunas marcas ganadoras y perdedoras, vea Matt Haig, *Brand Royalty: How the Top 100 Brands Thrive and Survive* (Londres: Kogan Page, 2004); Matt Haig, *Brand Failures: The Truth about the 100 Biggest Branding Mistakes of All Time* (Londres: Kogan Page, 2003); para un análisis académico sobre la valuación del brand equity, vea V. Srinivasan, Chan Su Park y Dae Ryun Chang, "An Approach to the Measurement, Analysis, and Prediction of Brand Equity and Its Sources", *Management Science* 51 (septiembre de 2005), pp. 1433–1448.
52. Mark Sherrington, *Added Value: The Alchemy of Brand-Led Growth* (Hampshire, Reino Unido: Palgrave Macmillan, 2003).
53. Para algo de análisis acerca de qué factores determinan el éxito de branding a largo plazo, vea Allen P. Adamson, *Brand Simple* (Nueva York: Palgrave Macmillan, 2006).
54. Nikhil Bahdur y John Jullens, "New Life for Tired Brands", *Strategy+Business* 50 (primavera de 2008).
55. David Lieberman, "Discovery Chief Takes a Network on a Wild Ride", *USA Today*, 2 de septiembre de 2009, pp. 1B–2B; Discovery Communications, www.corporate.discovery.com; Kenneth Hein, "Consumers Clinging to Old Favorite Brands", *Brandweek*, 20 de enero de 2009; Linda Moss y Linda Haugsted, "Discovery Times New Branding Campaign to 'Deadliest Catch' Debut", *Multichannel News*, 31 de marzo de 2008.
56. Natalie Mizik y Robert Jacobson, "Trading Off between Value Creation and Value Appropriation: The Financial Implications of Shifts in Strategic Emphasis", *Journal of Marketing* 67 (enero de 2003), pp. 63–76.

57. Larry Light y Joan Kiddon, *Six Rules for Brand Revitalization: Learn How Companies Like McDonald's Can Re-Energize Their Brands* (Wharton School Publishing, 2009).
58. Jeff Cioletti, "The Passion of Pabst", *Beverage World*, enero de 2007, pp. 24–28; Jeremy Mullman, "Conspicuous (Downscale) Consumption: Pabst Sees 25% Sales Growth", *Advertising Age*, 16 de septiembre de 2009.
59. Adaptado de www.doritosabrelaboca.com.mx/; es.wikipedia.org/wiki/Doritos
60. Rebecca J. Slotegraaf y Koen Pauwels, "The Impact of Brand Equity and Innovation on the Long-Term Effectiveness of Promotions", *Journal of Marketing Research* 45 (junio de 2008), pp. 293–306.
61. Keith Naughton, "Fixing Cadillac", *Newsweek,* 28 de mayo de 2001, pp. 36–37.
62. Elizabeth Woyke, "Paul Stuart Tries to Unstuff the Shirts", *BusinessWeek*, 8 de octubre de 2007, p. 86.
63. Peter Farquhar, "Managing Brand Equity", *Marketing Research* 1 (septiembre de 1989), pp. 24–33.
64. Steven M. Shugan, "Branded Variants", 1989 AMA Educators' Proceedings (Chicago: American Marketing Association, 1989), pp. 33–38; M. Bergen, S. Dutta, y S. M. Shugan, "Branded Variants: A Retail Perspective", *Journal of Marketing Research* 33 (febrero de 1996), pp. 9–21.
65. Adam Bass, "Licensed Extension—Stretching to Communicate", *Journal of Brand Management* 12 (septiembre de 2004), pp. 31–38; también vea David A. Aaker, *Building Strong Brands* (Nueva York: Free Press, 1996).
66. Jean Halliday, "Troubled Automakers' Golden Goose", *AutoWeek,* 14 de agosto de 2006; Becky Ebenkamp, "The Creative License", *Brandweek,* 9 de junio de 2003, pp. 36–40; "Top 100 Global Licensors", *License! Global*, 1 de abril de 2009.
67. Para lineamientos completos de branding corporativo, vea James R. Gregory, *The Best of Branding: Best Practices in Corporate Branding* (Nueva York: McGraw-Hill, 2004). Para algunas perspectivas internacionales, vea Majken Schultz, Mary Jo Hatch y Mogens Holten Larsen, eds., *The Expressive Organization: Linking Identity, Reputation, and Corporate Brand* (Oxford, Reino Unido: Oxford University Press, 2000); y Majken Schultz, Yun Mi Antorini y Fabian F. Csaba, eds., *Corporate Branding: Purpose, People, and Process* (Denmark: Copenhagen Business School Press, 2005).
68. Guido Berens, Cees B. M. van Riel y Gerrit H. van Bruggen, "Corporate Associations and Consumer Product Responses: The Moderating Role of Corporate Brand Dominance", *Journal of Marketing* 69 (julio de 2005), pp. 35–48; Zeynep Gürhan-Canli y Rajeev Batra, "When Corporate Image Affects Product Evaluations: The Moderating Role of Perceived Risk", *Journal of Marketing Research* 41 (mayo de 2004), pp. 197–205; Kevin Lane Keller y David A. Aaker, "Corporate-Level Marketing: The Impact of Credibility on a Company's Brand Extensions", *Corporate Reputation Review* 1 (agosto de 1998), pp. 356–378; Thomas J. Brown y Peter Dacin, "The Company and the Product: Corporate Associations and Consumer Product Responses", *Journal of Marketing* 61 (enero de 1997), pp. 68–84; Gabriel J. Biehal y Daniel A. Sheinin, "The Influence of Corporate Messages on the Product Portfolio", *Journal of Marketing* 71 (abril de 2007), pp. 12–25.
69. Vithala R. Rao, Manoj K. Agarwal y Denise Dalhoff, "How Is Manifest Branding Strategy Related to the Intangible Value of a Corporation?", *Journal of Marketing* 68 (octubre de 2004), pp. 126–141. Para un análisis del impacto financiero de las decisiones sobre carteras de marcas, vea Neil A. Morgan y Lopo L. Rego, "Brand Portfolio Strategy and Firm Performance", *Journal of Marketing* 73 (enero de 2009), pp. 59–74; S. Cem Bahadir, Sundar G. Bharadwaj y Rajendra K. Srivastava, "Financial Value of Brands in Mergers and Acquisitions: Is Value in the Eye of the Beholder?", *Journal of Marketing* 72 (noviembre de 2008), pp. 49–64.
70. William J. Holstein, "The Incalculable Value of Building Brands", *Chief Executive,* abril–mayo de 2006, pp. 52–56.
71. David A. Aaker, *Brand Portfolio Strategy: Creating Relevance, Differentiation, Energy, Leverage, and Clarity* (Nueva York: Free Press, 2004).
72. Christopher Hosford, "A Transformative Experience", *Sales & Marketing Management* 158 (junio de 2006), pp. 32–36; Mike Beirne y Javier Benito, "Starwood Uses Personnel to Personalize Marketing", *Brandweek*, 24 de abril de 2006, p. 9.
73. Jack Trout, *Differentiate or Die: Survival in Our Era of Killer Competition* (Nueva York: John Wiley & Sons, 2000); Kamalini Ramdas and Mohanbir Sawhney, "A Cross-Functional Approach to Evaluating Multiple Line Extensions for Assembled Products", *Management Science* 47 (enero de 2001), pp. 22–36.
74. Nirmalya Kumar, "Kill a Brand, Keep a Customer", *Harvard Business Review,* diciembre de 2003, pp. 87–95.
75. Para un enfoque metodológico para evaluar la medida y naturaleza de la canibalización, vea Charlotte H. Mason y George R. Milne, "An Approach for Identifying Cannibalization within Product Line Extensions and Multibrand Strategies", *Journal of Business Research* 31 (octubre–noviembre de 1994), pp. 163–170.
76. Mark Ritson, "Should You Launch a Fighter Brand?" *Harvard Business Review*, octubre de 2009, pp. 87–94.
77. Paul W. Farris, "The Chevrolet Corvette", Case UVA-M-320, The Darden Graduate Business School Foundation, University of Virginia, Charlottesville, 1988.
78. Byung-Do Kim y Mary W. Sullivan, "The Effect of Parent Brand Experience on Line Extension Trial and Repeat Purchase", *Marketing Letters* 9 (abril de 1998), pp. 181–193.
79. John Milewicz y Paul Herbig, "Evaluating the Brand Extension Decision Using a Model of Reputation Building", *Journal of Product & Brand Management* 3

(enero de 1994), pp. 39–47; Kevin Lane Keller y David A. Aaker, "The Effects of Sequential Introduction of Brand Extensions", *Journal of Marketing Research* 29 (febrero de 1992), pp. 35–50.

80. Valarie A. Taylor y William O. Bearden, "Ad Spending on Brand Extensions: Does Similarity Matter?", *Journal of Brand Management* 11 (septiembre de 2003), pp. 63–74; Sheri Bridges, Kevin Lane Keller y Sanjay Sood, "Communication Strategies for Brand Extensions: Enhancing Perceived Fit by Establishing Explanatory Links", *Journal of Advertising* 29 (invierno de 2000), pp. 1–11; Daniel C. Smith, "Brand Extension and Advertising Efficiency: What Can and Cannot Be Expected", *Journal of Advertising Research* (noviembre–diciembre de 1992), pp. 11–20; Daniel C. Smith y C. Whan Park, "The Effects of Brand Extensions on Market Share and Advertising Efficiency", *Journal of Marketing Research* 29 (agosto de 1992), pp. 296–313.

81. Ralf van der Lans, Rik Pieters y Michel Wedel, "Competitive Brand Salience", *Marketing Science* 27 (septiembre–octubre de 2008), pp. 922–931.

82. Subramanian Balachander y Sanjoy Ghose, "Reciprocal Spillover Effects: A Strategic Benefit of Brand Extensions", *Journal of Marketing* 67 (enero 2003), pp. 4–13.

83. Bharat N. Anand y Ron Shachar, "Brands as Beacons: A New Source of Loyalty to Multiproduct Firms", *Journal of Marketing Research* 41 (mayo de 2004), pp. 135–150.

84. Kevin Lane Keller y David A. Aaker, "The Effects of Sequential Introduction of Brand Extensions", *Journal of Marketing Research* 29 (febrero de 1992), pp. 35–50. Para implicaciones de procesamiento del consumidor, vea Huifung Mao y H. Shanker Krishnan, "Effects of Prototype and Exemplar Fit on Brand Extension Evaluations: A Two-Process Contingency Model", *Journal of Consumer Research* 33 (junio de 2006), pp. 41–49; Byung Chul Shine, Jongwon Park y Robert S. Wyer Jr., "Brand Synergy Effects in Multiple Brand Extensions", *Journal of Marketing Research* 44 (noviembre de 2007), pp. 663–670.

85. Maureen Morrin, "The Impact of Brand Extensions on Parent Brand Memory Structures and Retrieval Processes", *Journal of Marketing Research* 36 (noviembre de 1999), pp. 517–525; John A. Quelch y David Kenny, "Extend Profits, Not Product Lines", *Harvard Business Review,* septiembre–octubre de 1994, pp. 153–160; Perspectivas de los editores, "The Logic of Product-Line Extensions", *Harvard Business Review,* noviembre–diciembre de 1994, pp. 53–62.

86. Al Ries y Jack Trout, *Positioning: The Battle for Your Mind, 20th Anniversary Edition* (Nueva York: McGraw-Hill, 2000).

87. David A. Aaker, *Brand Portfolio Strategy: Creating Relevance, Differentiation, Energy, Leverage, and Clarity* (Nueva York: Free Press, 2004).

88. Mary W. Sullivan, "Measuring Image Spillovers in Umbrella-Branded Products", *Journal of Business* 63 (julio de 1990), pp. 309–329.

89. Deborah Roedder John, Barbara Loken y Christopher Joiner, "The Negative Impact of Extensions: Can Flagship Products Be Diluted", *Journal of Marketing* 62 (enero de 1998), pp. 19–32; Susan M. Broniarcyzk y Joseph W. Alba, "The Importance of the Brand in Brand Extension", *Journal of Marketing Research* 31 (mayo de 1994), pp. 214–228 (todo este número de *JMR* está dedicado a marcas y brand equity); Barbara Loken y Deborah Roedder John, "Diluting Brand Beliefs: When Do Brand Extensions Have a Negative Impact?", *Journal of Marketing* 57 (julio de 1993), pp. 71–84. Vea también Chris Pullig, Carolyn Simmons y Richard G. Netemeyer, "Brand Dilution: When Do New Brands Hurt Existing Brands?", *Journal of Marketing* 70 (abril de 2006), pp. 52–66; R. Ahluwalia y Z. Gürhan-Canli, "The Effects of Extensions on the Family Brand Name: An Accessibility-Diagnosticity Perspective", *Journal of Consumer Research* 27 (diciembre de 2000), pp. 371–381; Z. Gürhan-Canli y M. Durairaj, "The Effects of Extensions on Brand Name Dilution and Enhancement", *Journal of Marketing Research* 35 (noviembre de 1998), pp. 464–473; S. J. Milberg, C. W. Park y M. S. McCarthy, "Managing Negative Feedback Effects Associated with Brand Extensions: The Impact of Alternative Branding Strategies", *Journal of Consumer Psychology* 6 (1997), pp. 119–140.

90. Vea también Franziska Völckner y Henrik Sattler, "Drivers of Brand Extension Success", *Journal of Marketing* 70 (abril de 2006), pp. 1–17.

91. Para investigaciones recientes sobre evaluaciones de ampliación, vea Alokparna Basu Monga y Deborah Roedder John, "Cultural Differences in Brand Extension Evaluation: The Influence of Analytical versus Holistic Thinking", *Journal of Marketing Research* 33 (marzo de 2007), pp. 529–536; James L. Oakley, Adam Duhachek, Subramanian Balachander y S. Sriram, "Order of Entry and the Moderating Role of Comparison Brands in Extension Evaluations", *Journal of Consumer Research* 34 (febrero de 2008), pp. 706–712; Junsang Yeo y Jongwon Park, "Effects of Parent-Extension Similarity and Self Regulatory Focus on Evaluations of Brand Extensions", *Journal of Consumer Psychology* 16 (2006), pp. 272–282; Catherine W. M. Yeung y Robert S. Wyer, "Does Loving a Brand Mean Loving Its Products? The Role of Brand-Elicited Affect in Brand Extension Evaluations", *Journal of Marketing Research* 43 (noviembre de 2005), pp. 495–506; Huifang Mao y H. Shankar Krishnan, "Effects of Prototype and Exemplar Fit on Brand Extension Evaluations: A Two-Process Contingency Model", *Journal of Consumer Research* 33 (junio de 2006), pp. 41–49; Rohini Ahluwalia, "How Far Can a Brand Stretch? Understanding the Role of Self-Construal", *Journal of Marketing Research* 45 (junio de 2008), pp. 337–350.

92. Pierre Berthon, Morris B. Holbrook, James M. Hulbert y Leyland F. Pitt, "Viewing Brands in Multiple Dimensions", *MIT Sloan Management Review* (invierno de 2007), pp. 37–43.

93. Andrea Rothman, "France's Bic Bets U.S. Consumers Will Go for Perfume on the Cheap", *Wall Street Journal,* 12 de enero de 1989.

94. Roland T. Rust, Valerie A. Zeithaml y Katherine A. Lemon, "Measuring Customer Equity and Calculating Marketing ROI", Rajiv Grover y Marco Vriens, eds., *Handbook of Marketing Research* (Thousand Oaks, CA: Sage Publications, de 2006), pp. 588–601; Roland T. Rust, Valerie A. Zeithaml y Katherine A. Lemon, *Driving Customer Equity* (Nueva York: Free Press, de 2000).

95. Robert C. Blattberg y John Deighton, "Manage Marketing by the Customer Equity Test", *Harvard Business Review,* julio–agosto de 1996, pp. 136–144.

96. Robert C. Blattberg y Jacquelyn S. Thomas, "Valuing, Analyzing y Managing the Marketing Function Using Customer Equity Principles", Dawn Iacobucci, ed., *Kellogg on Marketing* (Nueva York: John Wiley & Sons, 2002); Robert C. Blattberg, Gary Getz y Jacquelyn S. Thomas, *Customer Equity: Building and Managing Relationships as Valuable Assets* (Boston: Harvard Business School Press, 2001).

97. Gran parte de esta sección se basa en: Robert Leone, Vithala Rao, Kevin Lane Keller, Man Luo, Leigh McAlister y Rajendra Srivatstava, "Linking Brand Equity to Customer Equity", *Journal of Service Research* 9 (noviembre de 2006), pp. 125–138. Este número especial se dedica al capital de clientes y contiene varios artículos provocativos.

98. Niraj Dawar, "What Are Brands Good For?" *MIT Sloan Management Review* (otoño de 2004), pp. 31–37.

Capítulo 10

1. Texto original de Andrezj Rattinger Aranda. Director General de Merca 2.0.

2. Al Ries y Jack Trout, *Positioning: The Battle for Your Mind, 20th Anniversary Edition* (Nueva York: McGraw-Hill, 2000).

3. www.amap.com.mx/noticia.php?id=2384

4. Michael J. Lanning y Lynn W. Phillips, "Building Market-Focused Organizations", Gemini Consulting White Paper, 1991.

5. Kevin Maney, "Hello, Ma Google", *Condé Nast Portfolio*, octubre de 2007, pp. 49–50.

6. David A. Aaker, "The Relevance of Brand Relevance", *Strategy+Business* 35 (verano de 2004), pp. 1–10; David A. Aaker, *Brand Portfolio Strategy: Creating Relevance, Differentiation, Energy, Leverage, and Clarity* (Nueva York: Free Press, 2004).

7. Elaine Wong, "Unilever Marketer Reveals Bertolli's Secret Sauce", *Brandweek*, 28 de agosto de 2009.

8. Allan D. Shocker, "Determining the Structure of Product-Markets: Practices, Issues, and Suggestions", Barton A. Weitz y Robin Wensley, eds., *Handbook of Marketing* (Londres: Sage, 2002), pp. 106–125. Vea también Bruce H. Clark y David B. Montgomery, "Managerial Identification of Competitors", *Journal of Marketing* 63 (julio de 1999), pp. 67–83.

9. "What Business Are You In? Classic Advice from Theodore Levitt", *Harvard Business Review,* octubre de 2006, pp. 127–137. Vea también el artículo de gran influencia de Theodore Levitt, "Marketing Myopia", *Harvard Business Review,* julio–agosto de 1960, pp. 45–56.

10. Jeffrey F. Rayport y Bernard J. Jaworski, *e-Commerce* (Nueva York: McGraw-Hill, 2001), p. 53.

11. Richard A. D'Aveni, "Competitive Pressure Systems: Mapping and Managing Multimarket Contact", *MIT Sloan Management Review* (otoño de 2002), pp. 39–49.

12. Para un análisis acerca de algunas de las implicaciones de largo plazo de las actividades de marketing, vea Koen Pauwels, "How Dynamic Consumer Response, Competitor Response, Company Support, and Company Inertia Shape Long-Term Marketing Effectiveness", *Marketing Science* 23 (otoño de 2004), pp. 596–610; Koen Pauwels, Dominique M. Hanssens y S. Siddarth, "The Long-term Effects of Price Promotions on Category Incidence, Brand Choice, and Purchase Quantity", *Journal of Marketing Research* 34 (noviembre de 2002), pp. 421–439; y Marnik Dekimpe y Dominique Hanssens, "Sustained Spending and Persistent Response: A New Look at Long-term Marketing Profitability", *Journal of Marketing Research* 36 (noviembre de 1999), pp. 397–412.

13. Kevin Lane Keller, Brian Sternthal y Alice Tybout, "Three Questions You Need to Ask about Your Brand", *Harvard Business Review,* septiembre de 2002, pp. 80–89.

14. Michael Applebaum, "Comfy to Cool: A Brand Swivel", *Brandweek,* 2 de mayo de 2005, pp. 18–19.

15. Thomas A. Brunner y Michaela Wänke, "The Reduced and Enhanced Impact of Shared Features on Individual Brand Evaluations", *Journal of Consumer Psychology* 16 (abril de 2006), pp. 101–111.

16. Professor Brian Sternthal, "Miller Lite Case", *Kellogg Graduate School of Management, Northwestern University*.

17. Scott Bedbury, *A New Brand World* (Nueva York: Viking Press, 2002).

18. Patrick Tickle, Kevin Lane Keller y Keith Richey, "Branding in High-Technology Markets", *Market Leader* 22 (otoño de 2003), pp. 21–26.

19. Jim Hopkins, "When the Devil Is in the Design", *USA Today,* 31 de diciembre de 2001.

20. Keith Naughton, "Ford's 'Perfect Storm'", *Newsweek,* 17 de septiembre de 2001, pp. 48–50.

21. Susan M. Broniarczyk y Andrew D. Gershoff, "The Reciprocal Effects of Brand Equity and Trivial Attributes", *Journal of Marketing Research* 40 (mayo de 2003), pp. 161–175; Gregory S. Carpenter, Rashi Glazer, y Kent Nakamoto, "Meaningful Brands from Meaningless Differentiation: The Dependence on Irrelevant Attributes", *Journal of Marketing Research* 31 (agosto de 1994), pp. 339–350.

22. Kerry Capell, "Thinking Simple at Philips", *BusinessWeek*, 11 de diciembre de 2006, p. 50; Philips, www.philips.com

23. Michael E. Porter, *Competitive Strategy: Techniques for Analyzing Industries and Competitors* (Nueva York: Free Press, 1980).
24. Francis J. Kelly III y Barry Silverstein, *The Breakaway Brand* (Nueva York: McGraw-Hill, 2005).
25. Willow Duttge, "Counting Sleep", *Advertising Age,* 5 de junio de 2006, pp. 4, 50.
26. Patrick Barwise, *Simply Better: Winning and Keeping Customers by Delivering What Matters Most* (Cambridge, MA: Harvard Business School Press, 2004).
27. www.axa.com.mx/sala/sala-de-prensa-noticia.aspx?file=SalaDePrensaING.xml&id=98c68ea5-7505-4725-86ad-8fb966717e94
28. "The 25 Best Sales Forces", *Sales & Marketing Management* (julio de 1998), pp. 32–50.
29. William C. Copacino, *Supply Chain Management* (Boca Raton, FL: St. Lucie Press, 1997).
30. Piet Levy, "Express Yourself", *Marketing News*, 15 de junio de 2009, p. 6.
31. James H. Gilmore y B. Joseph Pine II, *Authenticity: What Consumers Really Want* (Cambridge, MA: Harvard Business School Press, 2007); Lynn B. Upshaw, *Truth: The New Rules for Marketing in a Skeptical World* (Nueva York: AMACOM, 2007).
32. Owen Jenkins, "Gimme Some Lovin'", *Marketing News*, 15 de mayo de 2009, p. 19.
33. Heather Landi, "Raise a Glass", *Beverage World*, octubre de 2009, pp. 16–19.
34. Marc Gobé, *Emotional Branding: The New Paradigm for Connecting Brands to People* (Nueva York: Allworth Press, 2001).
35. Kevin Roberts, *Lovemarks: The Future Beyond Brands*, edición ampliada (Nueva York: Powerhouse Books, 2005); Kevin Roberts, *The Lovemarks Effect: Winning in the Consumer Revolution* (Nueva York: Powerhouse Books, 2005); "The Lovemarks Heart Beat: enero de 2010", *Lovemarks*, www.lovemarks.com
36. Hamish Pringle y Peter Field, "Why Emotional Messages Beat Rational Ones", *Advertising Age*, 2 de marzo de 2009, p. 13; Hamish Pringle y Peter Field, *Brand Immortality: How Brands Can Live Long and Prosper* (Philadelphia: Kogan Page, 2009).
37. Rajendra S. Sisodia, David B. Wolfe y Jagdish N. Sheth, *Firms of Endearment: How World-Class Companies Benefit Profit from Passion & Purpose* (Upper Saddle River, NJ: Wharton School Publishing, 2007).
38. Ronald Grover, "Selling by Storytelling", *BusinessWeek*, 25 de mayo, de 2009.
39. Randall Ringer y Michael Thibodeau, "A Breakthrough Approach to Brand Creation", *Verse, The Narrative Branding Company*, www.versegroup.com
40. Patrick Hanlon, *Primal Branding: Create Zealots for Your Brand, Your Company, and Your Future* (Nueva York: Free Press, 2006); ThinkTopia, www.thinktopia.com
41. Hillary Chura, "McD's Mass Marketing Loses Luster", *Crain's Chicago Business*, 16 de junio de 2004.
42. Douglas Holt, *How Brands Become Icons: The Principle of Cultural Branding* (Cambridge, MA: Harvard Business School Press, 2004); Douglas Holt, "Branding as Cultural Activism", www.zibs.com; Douglas Holt, "What Becomes an Icon Most", *Harvard Business Review,* marzo de 2003, pp. 43–49; vea también, Grant McKracken, *Culture and Consumption II: Markets, Meaning, and Brand Management* (Bloomington, IN: Indiana University Press, 2005).
43. Craig Thompson, "Brands as Culturally Embedded Resources", 43th AMA Sheth Foundation Doctoral Consortium, University of Missouri, 6 de junio de 2008. Vea también las investigaciones de John Sherry y Robert Kozinets, incluyendo a John F. Sherry Jr., Robert V. Kozinets, Adam Duhachek, Benét DeBerry-Spence, Krittinee Nuttavuthisit y Diana Storm, "Gendered Behavior in a Male Preserve: Role Playing at ESPN Zone Chicago", *Journal of Consumer Psychology* 14, Núms. 1 y 2 (2004), pp. 151–158; Stephen Brown, Robert V. Kozinets y John F. Sherry Jr., "Teaching Old Brands New Tricks: Retro Branding and the Revival of Brand Meaning", *Journal of Marketing* 67 (julio de 2003), pp. 19–33.
44. Nick Wreden, *Fusion Branding: How to Forge Your Brand for the Future* (Atlanta: Accountability Press, 2002); Fusion Branding, www.fusionbranding.com
45. Andrew Ross Sorkin y Andrew Martin, "Coca-Cola Agrees to Buy Vitaminwater", *New York Times*, 26 de mayo de 2007.
46. Jeffrey Gangemi, "Small Company, Big Brand", *BusinessWeek*, 28 de agosto de 2006.
47. Kurt Badenhausen y Christina Settimi, "What's New", *Forbes*, 27 de octubre de 2008, p. 133.

Capítulo 11

1. www.acad-mx.com/casos_exito/caso_jugos_del_valle.html; www.merca20.com/del-valle-reserva-su-nueva-linea-premium/#more-38188; www.merca20.com/del-valle-lanza-nueva-campana/; www.jvalle.com.mx/nuestras_marcas/home_marcas.php
2. Para un detallado tratamiento académico de una serie de números sobre la competencia, vea el número especial sobre Sensibilidad competitiva, *Marketing Science* 24 (invierno de 2005).
3. Sandra Ward, "Warming Up the Copier", *Barron's,* 1 de mayo de 2006, pp. 19, 21; William M. Bulkeley, "Xerox Tries to Go Beyond Copiers", *Wall Street Journal*, 24 de febrero de 2009, p. B5; Nanette Byrnes y Roger O. Crockett, "An Historic Succession at Xerox", *BusinessWeek*, 8 de junio de 2009, pp. 18–22.
4. Starbucks, www.starbucks.com/aboutus/overview.asp, 1 de diciembre de 2009.
5. Brian Wansink, "Can Package Size Accelerate Usage Volume?", *Journal of Marketing* 60 (julio de 1996),

pp. 1–14; vea también Priya Raghubir y Eric A. Greenleaf, "Ratios in Proportion: What Should the Shape of the Package Be?", *Journal of Marketing* 70 (abril de 2006), pp. 95–107; y Valerie Folkes y Shashi Matta, "The Effect of Package Shape on Consumers' Judgments of Product Volume: Attention as a Mental Contaminant", *Journal of Consumer Research* 31 (septiembre de 2004), pp. 390–401.

6. John D. Cripps, "Heuristics and Biases in Timing the Replacement of Durable Products", *Journal of Consumer Research* 21 (septiembre de 1994), pp. 304–318.

7. George Stalk Jr. y Rob Lachanauer, "Hardball: Five Killer Strategies for Trouncing the Competition", *Harvard Business Review,* abril de 2004, pp. 62–71; Richard D'Aveni, "The Empire Strikes Back: Counterrevolutionary Strategies for Industry Leaders", *Harvard Business Review*, noviembre de 2002, pp. 66–74.

8. Nirmalya Kumar, Lisa Sheer y Philip Kotler, "From Market Driven to Market Driving", *European Management Journal* 18 (abril de 2000), pp. 129–142.

9. Buena parte de la sección restante acerca de marketing proactivo se basa en un libro provocativo de Leonardo Araujo y Rogerio Gava, *The Proactive Enterprise: How to Anticipate Market Changes* (en impresión).

10. Jonathan Glancey, "The Private World of the Walkman", *Guardian,* 11 de octubre de 1999.

11. Estas seis estrategias de defensa, así como las cinco estrategias de ataque fueron tomadas de Philip Kotler y Ravi Singh, "Marketing Warfare in the de 1980's", *Journal of Business Strategy* (invierno de 1981), pp. 30–41.

12. Michael E. Porter, "Market Signals, *Competitive Strategy: Techniques for Analyzing Industries and Competitors*", (Nueva York: Free Press, 1998), pp. 75–87; Jaideep Prabhu y David W. Stewart, "Signaling Strategies in Competitive Interaction: Building Reputations and Hiding the Truth", *Journal of Marketing Research* 38 (febrero de 2001), pp. 62–72.

13. Roger J. Calantone y Kim E. Schatzel, "Strategic Foretelling: Communication-Based Antecedents of a Firm's Propensity to Preannounce", *Journal of Marketing* 64 (enero de 2000), pp. 17–30; Jehoshua Eliashberg y Thomas S. Robertson, "New Product Preannouncing Behavior: A Market Signaling Study", *Journal of Marketing Research* 25 (agosto de 1988), pp. 282–292.

14. Thomas S. Robertson, Jehoshua Eliashberg y Talia Rymon, "New-Product Announcement Signals and Incumbent Reactions", *Journal of Marketing* 59 (julio de 1995), pp. 1–15.

15. Yuhong Wu, Sridhar Balasubramanian y Vijay Mahajan, "When Is a Preannounced New Product Likely to Be Delayed?", *Journal of Marketing* 68 (abril de 2004), pp. 101–113; Barry L. Bayus, Sanjay Jain y Ambar G. Rao, "Truth or Consequences: An Analysis of Vaporware and New-Product Announcements", *Journal of Marketing Research* 38 (febrero de 2001), pp. 3–13.

16. Kevin Kelleher, "Why FedEx Is Gaining Ground", *Business 2.0,* octubre de 2003, pp. 56–57; Charles Haddad, "FedEx: Gaining on Ground", *BusinessWeek,* 16 de diciembre de 2002, pp. 126–128.

17. "Sara Lee Cleans Out Its Cupboards", *Fortune,* 7 de marzo de 2005, p. 38; Jane Sassen, "How Sara Lee Left Hanes in Its Skivvies", *BusinessWeek,* 18 de septiembre de 2006, p. 40.

18. J. Scott Armstrong y Kesten C. Green, "Competitor-Oriented Objectives: The Myth of Market Share", *International Journal of Business* 12 (invierno de 2007), pp. 115–134; Stuart E. Jackson, *Where Value Hides: A New Way to Uncover Profitable Growth for Your Business* (Nueva York: John Wiley & Sons, 2006).

19. Nirmalya Kumar, *Marketing as Strategy* (Cambridge, MA: Harvard Business School Press, 2004); Philip Kotler y Paul N. Bloom, "Strategies for High-Market-Share Companies", *Harvard Business Review,* noviembre–diciembre de 1975, pp. 63–72.

20. Robert D. Buzzell y Frederick D. Wiersema, "Successful Share-Building Strategies", *Harvard Business Review,* enero–febrero de 1981, pp. 135–144.

21. Linda Hellofs y Robert Jacobson, "Market Share and Customer's Perceptions of Quality: When Can Firms Grow Their Way to Higher versus Lower Quality?", *Journal of Marketing* 63 (enero de 1999), pp. 16–25.

22. John Downey, "FairPoint Struggles with Merger, Declining Stock", *Charlotte Business Journal*, 19 de marzo de 2009; John Downey, FairPoint Faces Enduring Debt, Service Headaches", *Charlotte Business Journal*, 15 de septiembre de 2009.

23. Jon Birger, "Second-Mover Advantage", *Fortune,* 20 de marzo de 2006, pp. 20–21.

24. www.merca20.com/28black-energia-y-envase-en-busca-del-segmento-premium/; www.merca20.com/la-energia-bebible-28black/

25. Venkatesh Shankar, Gregory Carpenter y Lakshman Krishnamurthi, "Late-Mover Advantage: How Innovative Late Entrants Outsell Pioneers", *Journal of Marketing Research* 35 (febrero de 1998), pp. 54–70; Gregory S. Carpenter y Kent Nakamoto, "The Impact of Consumer Preference Formation on Marketing Objectives and Competitive Second-Mover Strategies", *Journal of Consumer Psychology* 5 (1996), pp. 325–358; Gregory S. Carpenter y Kent Nakamoto, "Competitive Strategies for Late Entry into a Market with a Dominant Brand", *Management Science* (octubre de 1990), pp. 1268–1278.

26. Megan Johnston, "The Ketchup Strategy", *Forbes,* 13 de noviembre de 2006, p. 185.

27. Michael V. Copeland, "These Boots Really Were Made for Walking", *Business 2.0,* octubre de 2004, pp. 72–74.

28. Katrina Booker, "The Pepsi Machine", *Fortune,* 6 de febrero de 2006, pp. 68–72.

29. Theodore Levitt, "Innovative Imitation", *Harvard Business Review,* septiembre–octubre de 1966, p. 63. También vea, Steven P. Schnaars, *Managing Imitation Strategies: How Later Entrants Seize Markets from Pioneers* (Nueva York: Free Press, 1994).

30. tendenciamovil.com/moviles/voager-de-lg-una-copia-mas-de-iphone/gmx-niv20-con49.htm; www.sobrecelulares.com/noticias-celulares/lg-voyager/
31. ntek.com.mx/2010/06/24/cadbury-crece-gracias-al-uso-de-las-soluciones-de-sap/; www.clearchannel.com.pe/uploads/caso_exito/0155539001180456816.pdf
32. Jayne O'Donnell, "Family Rolling to Success on Tire Rack", *USA Today,* 8 de diciembre de 2003.
33. Mark Morrison, "This Wildcatter Feels Right at Home in Gabon", *BusinessWeek,* 5 de junio de 2006, p. 63.
34. Informado en E. R. Linneman y L. J. Stanton, *Making Niche Marketing Work* (Nueva York: McGraw-Hill, 1991).
35. Thomas A. Fogarty, "Keeping Zippo's Flame Eternal", *USA Today,* 24 de junio de 2003; Michael Learmonth, "Zippo Reignites Brand with Social Media, New Products", *Advertising Age*, 10 de agosto de 2009, p. 12; Zippo, www.zippo.com
36. www.ricardosalinas.com/blog/es/nov18_banco.html; www.bancoazteca.com/PortalBancoAzteca/publica/conocenos/historia/quienes.jsp
37. Algunos autores distinguieron etapas adicionales. Wasson sugirió una etapa de turbulencia competitiva entre el crecimiento y la madurez. Vea Chester R. Wasson, *Dynamic Competitive Strategy and Product Life Cycles* (Austin, TX: Austin Press, 1978). La madurez describe una etapa de crecimiento de ventas lento y saturado, una etapa de ventas planas después de que las ventas han alcanzado su nivel máximo.
38. John E. Swan y David R. Rink, "Fitting Market Strategy to Varying Product Life Cycles", *Business Horizons,* enero–febrero de 1982, pp. 72–76; Gerald J. Tellis y C. Merle Crawford, "An Evolutionary Approach to Product Growth Theory", *Journal of Marketing* 45 (otoño de 1981), pp. 125–134.
39. William E. Cox Jr., "Product Life Cycles as Marketing Models", *Journal of Business* (octubre de 1967), pp. 375–384.
40. Jordan P. Yale, "The Strategy of Nylon's Growth", *Modern Textiles Magazine,* febrero de 1964, p. 32. También vea Theodore Levitt, "Exploit the Product Life Cycle", *Harvard Business Review,* noviembre–diciembre de 1965, pp. 81–94.
41. Chester R. Wasson, "How Predictable Are Fashion and Other Product Life Cycles?", *Journal of Marketing* 32 (julio de 1968), pp. 36–43.
42. Ibid.
43. William H. Reynolds, "Cars and Clothing: Understanding Fashion Trends", *Journal of Marketing* 32 (julio de 1968), pp. 44–49.
44. Bryan Curtis, "Trivial Pursuit", *Slate.com,* 13 de abril de 2005; Patrick Butters, "What Biggest-Selling Adult Game Still Cranks Out Vexing Questions?", *Insight on the News,* 26 de enero de 1998, p. 39.
45. Robert D. Buzzell, "Competitive Behavior and Product Life Cycles", John S. Wright y Jack Goldstucker, eds., *New Ideas for Successful Marketing* (Chicago: American Marketing Association, 1956), p. 51.
46. Rajesh J. Chandy, Gerard J. Tellis, Deborah J. MacInnis y Pattana Thaivanich, "What to Say When: Advertising Appeals in Evolving Markets", *Journal of Marketing Research* 38 (noviembre de 2001), pp. 399–414.
47. Como se informó en Joseph T. Vesey, "The New Competitors: They Think in Terms of Speed to Market", *Academy of Management Executive* 5 (mayo de 1991), pp. 23–33; y en Brian Dumaine, "How Managers Can Succeed through Speed", *Fortune,* 13 de febrero de 1989, pp. 54–59.
48. Glen L. Urban *et al.*, "Market Share Rewards to Pioneering Brands: An Empirical Analysis and Strategic Implications", *Management Science* (junio de 1986), pp. 645–659; William T. Robinson y Claes Fornell, "Sources of Market Pioneer Advantages in Consumer Goods Industries", *Journal of Marketing Research* 22 (agosto de 1985), pp. 305–317.
49. Gregory S. Carpenter y Kent Nakamoto, "Consumer Preference Formation and Pioneering Advantage", *Journal of Marketing Research* 26 (agosto de 1989), pp. 285–298.
50. William T. Robinson y Sungwook Min, "Is the First to Market the First to Fail? Empirical Evidence for Industrial Goods Businesses", *Journal of Marketing Research* 39 (febrero de 2002), pp. 120–128.
51. Frank R. Kardes, Gurumurthy Kalyanaram, Murali Chankdrashekaran y Ronald J. Dornoff, "Brand Retrieval, Consideration Set Composition, Consumer Choice, and the Pioneering Advantage", *Journal of Consumer Research* 20 (junio de 1993), pp. 62–75. Vea también Frank H. Alpert y Michael A. Kamins, "Pioneer Brand Advantage and Consumer Behavior: A Conceptual Framework and Propositional Inventory", *Journal of the Academy of Marketing Science* 22 (junio de 1994), pp. 244–253.
52. Kurt A. Carlson, Margaret G. Meloy y J. Edward Russo, "Leader-Driven Primacy: Using Attribute Order to Affect Consumer Choice", *Journal of Consumer Research* 32 (marzo de 2006), pp. 513–518.
53. Thomas S. Robertson y Hubert Gatignon, "How Innovators Thwart New Entrants into Their Market", *Planning Review,* septiembre–octubre de 1991, pp. 4–11, 48; Douglas Bowman y Hubert Gatignon, "Order of Entry as a Moderator of the Effect of Marketing Mix on Market Share", *Marketing Science* 15 (verano de 1996), pp. 222–242.
54. Venkatesh Shankar, Gregory S. Carpenter y Lakshman Krishnamurthi, "Late Mover Advantage: How Innovative Late Entrants Outsell Pioneers", *Journal of Marketing Research* 35 (febrero de 1998), pp. 54–70.
55. Steven P. Schnaars, *Managing Imitation Strategies* (Nueva York: Free Press, 1994). Vea también Jin K. Han, Namwoon Kim y Hony-Bom Kin, "Entry Barriers: A Dull-, One-, or Two-Edged Sword for Incumbents? Unraveling the Paradox from a Contingency Perspective", *Journal of Marketing* 65 (enero de 2001), pp. 1–14.

56. Victor Kegan, "Second Sight: Second Movers Take All", *The Guardian,* 10 de octubre de 2002.

57. Peter N. Golder, "Historical Method in Marketing Research with New Evidence on Long-term Market Share Stability", *Journal of Marketing Research* 37 (mayo de 2000), pp. 156–173; Peter N. Golder y Gerald J. Tellis, "Pioneer Advantage: Marketing Logic or Marketing Legend?", *Journal of Marketing Research* 30 (mayo de 1993), pp. 34–46. Vea también, Shi Zhang y Arthur B. Markman, "Overcoming the Early Advantage: The Role of Alignable and Nonalignable Differences", *Journal of Marketing Research* 35 (noviembre de 1998), pp. 1–15.

58. Gerald Tellis y Peter Golder, *Will and Vision: How Latecomers Can Grow to Dominate Markets* (Nueva York: McGraw-Hill, 2001); Rajesh K. Chandy y Gerald J. Tellis, "The Incumbent's Curse? Incumbency, Size, and Radical Product Innovation", *Journal of Marketing Research* 64 (julio de 2000), pp. 1–17.

59. Sungwook Min, Manohar U. Kalwani y William T. Robinson, "Market Pioneer and Early Follower Survival Risks: A Contingency Analysis of Really New Versus Incrementally New Product-Markets", *Journal of Marketing* 70 (enero de 2006), pp. 15–35. Vea también Raji Srinivasan, Gary L. Lilien y Arvind Rangaswamy, "First In, First Out? The Effects of Network Externalities on Pioneer Survival", *Journal of Marketing* 68 (enero de 2004), pp. 41–58.

60. Trond Riiber Knudsen, "Escaping the Middle-Market Trap: An Interview with CEO of Electrolux", *McKinsey Quarterly* (diciembre de 2006), pp. 72–79.

61. Rajan Varadarajan, Mark P. DeFanti y Paul S. Busch, "Brand Portfolio, Corporate Image, and Reputation: Managing Brand Deletions", *Journal of the Academy of Marketing Science* 34 (primavera de 2006), pp. 195–205; Stephen J. Carlotti Jr., Mary Ellen Coe y Jesko Perrey, "Making Brand Portfolios Work", *McKinsey Quarterly* 4 (2004), pp. 24–36; Nirmalya Kumar, "Kill a Brand, Keep a Customer", *Harvard Business Review,* diciembre de 2003, pp. 86–95; George J. Avlonitis, "Product Elimination Decision Making: Does Formality Matter?" *Journal of Marketing* 49 (invierno de 1985), pp. 41–52; Philip Kotler, "Phasing Out Weak Products", *Harvard Business Review,* marzo–abril de 1965, pp. 107–18.

62. Kathryn Rudie Harrigan, "The Effect of Exit Barriers upon Strategic Flexibility", *Strategic Management Journal* 1 (febrero de 1980), pp. 165–176.

63. Laurence P. Feldman y Albert L. Page, "Harvesting: The Misunderstood Market Exit Strategy", *Journal of Business Strategy* (primavera de 1985), pp. 79–85; Philip Kotler, "Harvesting Strategies for Weak Products", *Business Horizons*, agosto 1978, pp. 15–22.

64. Rob Walker, "Can Ghost Brands . . .", *International Herald Tribune*, 17-18 de mayo de 2008, pp. 17–18; Peter Carbona, "The Rush to Grab Orphan Brands", *BusinessWeek*, 3 de agosto de 2009, pp. 47–48.

65. Stuart Elliott, "Those Shelved Brands Start to Look Tempting", *New York Times*, 21 de agosto de 2008.

66. Peter N. Golder y Gerard J. Tellis, "Growing, Growing, Gone: Cascades, Diffusion, and Turning Points in the Product Life Cycle", *Marketing Science* 23 (primavera de 2004), pp. 207–218.

67. Youngme Moon, "Break Free from the Product Life Cycle", *Harvard Business Review,* mayo de 2005, pp. 87–94.

68. Hubert Gatignon y David Soberman, "Competitive Response and Market Evolution", Barton A. Weitz y Robin Wensley, eds., *Handbook of Marketing* (Londres, Reino Unido: Sage Publications, 2002), pp. 126–147; Robert D. Buzzell, "Market Functions and Market Evolution", *Journal of Marketing* 63 (Special Issue, 1999), pp. 61–63.

69. Raji Srinivasan, Arvind Rangaswamy y Gary L. Lilien, "Turning Adversity into Advantage: Does Proactive Marketing During Recession Pay Off?", *International Journal of Research in Marketing* 22 (junio de 2005), pp. 109–125.

70. Jon Fine, "Why General Mills Marketing Pays Off", *BusinessWeek*, 27 de julio de 2009, pp. 67–68; Matthew Boyle, "Snap, Crackle, Pop at the Food Giants", *BusinessWeek*, 6 de octubre de 2008, p. 48.

71. Philip Lay, Todd Hewlin y Geoffrey Moore, "In a Downturn, Provoke Your Customers", *Harvard Business Review*, marzo de 2009, pp. 48–56.

72. John A. Quelch y Katherine E. Jocz, "How to Market in a Downturn", *Harvard Business Review*, abril de 2009, pp. 52–62.

73. Maria Bartiromo, "Facetime: Inside a Company Resetting for Recovery", *BusinessWeek*, 13 y 20 de julio de 2009, pp. 15–17.

74. Steve Hamm, "The New Age of Frugality", *BusinessWeek*, 20 de octubre de 2008, pp. 55–58.

75. Jane Porter y Burt Heim, "Doing Whatever Gets Them in the Door", *BusinessWeek*, 30 de junio de 2008, p. 60.

76. Ibid.

77. David Taylor, David Nichols, Diego Kerner y Anne Charbonneau, "Leading Brands Out of the Recession", *Brandgym Research Paper 2,* www.brandgym.com, septiembre de 2009.

78. Todd Wasserman, "Maverick CMOs Try Going without TV", *Brandweek*, 24 de enero de 2009.

79. Maureen Scarpelli, "Dentists Step Up Marketing Efforts as Patients Scrimp by Skipping Visits, *Wall Street Journal*, 11 de agosto de 2009.

80. Peter J. Williamson y Ming Zeng, "Value for Money Strategies for Recessionary Times", *Harvard Business Review*, marzo de 2009, pp. 66–74.

81. Burt Heim, "How to Sell Luxury to Penny-Pinchers", *BusinessWeek*, 10 de noviembre de 2008, p. 60.

82. Stuart Elliott, "Trying to Pitch Products to the Savers", *New York Times*, 3 de junio de 2009.

83. Andrew Martin, "In Tough Times, Spam Is Suddenly Appealing", *Boston Globe*, 16 de noviembre de 2008.

Capítulo 12

1. John Frank, "Beep! Beep! Coming Through", *Marketing News*, 30 de septiembre de 2009, pp. 12-14; David Kiley, "Ford's Savior?" *BusinessWeek*, 16 de marzo de 2009, pp. 31–34; Alex Taylor III, "Fixing Up Ford", *Fortune*, 25 de mayo de 2009, pp. 45–50; David Kiley, "One Ford for the Whole Wide World", *BusinessWeek*, 15 de junio de 2009, pp. 58–59; "Ford's European Arm Lends a Hand", *Economist*, 8 de marzo de 2008, pp. 72–73.
2. Este análisis está adaptado de un artículo clásico: Theodore Levitt, "Marketing Success through Differentiation: Of Anything", *Harvard Business Review,* enero–febrero de 1980, pp. 83–91. El primer nivel, beneficio central, se ha agregado al análisis de Levitt.
3. Harper W. Boyd Jr. y Sidney Levy, "New Dimensions in Consumer Analysis", *Harvard Business Review,* noviembre–diciembre de 1963, pp. 129–140.
4. www.tequiladonramon.com.mx/Tequila.html?day=3&month=3&year=1972&_send_date_=lr
5. Para algunas definiciones, vea Peter D. Bennett, ed., *Dictionary of Marketing Terms* (Chicago: American Marketing Association, 1995). También vea Patrick E. Murphy y Ben M. Enis, "Classifying Products Strategically", *Journal of Marketing* 50 (julio de 1986), pp. 24–42.
6. Algunas de estas bases se analizan en David A. Garvin, "Competing on the Eight Dimensions of Quality", *Harvard Business Review,* noviembre–diciembre de 1987, pp. 101–109.
7. Marco Bertini, Elie Ofek y Dan Ariely, "The Impact of Add-On Features on Product Evaluations", *Journal of Consumer Research* 36 (junio de 2009), pp. 17–28; Tripat Gill, "Convergent Products: What Functionalities Add More Value to the Base", *Journal of Marketing* 72 (marzo de 2008), pp. 46–62; Robert J. Meyer, Sheghui Zhao y Jin K. Han, "Biases in Valuation *vs.* Usage of Innovative Product Features", *Marketing Science* 27 (noviembre–diciembre de 2008), pp. 1083–1096.
8. Paul Kedrosky, "Simple Minds", *Business 2.0,* abril de 2006, p. 38; Debora Viana Thompson, Rebecca W. Hamilton y Roland Rust, "Feature Fatigue: When Product Capabilities Become Too Much of a Good Thing", *Journal of Marketing Research* 42 (noviembre de 2005), pp. 431–442.
9. James H. Gilmore y B. Joseph Pine, *Markets of One: Creating Customer-Unique Value through Mass Customization,* (Boston: Harvard Business School Press, 2000).
10. Nikolaus Franke, Peter Keinz, Christoph J. Steger, "Testing the Value of Customization: When Do Customers Really Prefer Products Tailored to Their Preferences", *Journal of Marketing* 73 (septiembre de 2009), pp. 103–121.
11. Gail Edmondson, "Mercedes Gets Back up to Speed", *BusinessWeek,* 13 de noviembre de 2006, pp. 46–47; Peter Gumble, "How Dr. Z Plans to Fix Mercedes", *CNNMoney.com*, money.cnn.com, 13 de julio de 2009; Chris Shunk, "Paradox: As Quality Improves, Mercedes-Benz Dealership Profits Decline", *Automotive News*, 27 de enero de 2009.
12. Bernd Schmitt y Alex Simonson, *Marketing Aesthetics: The Strategic Management of Brand, Identity, and Image* (Nueva York: Free Press, 1997).
13. Stanley Reed, "Rolls-Royce at Your Service", *BusinessWeek*, 15 de noviembre de 2005, pp. 92–93; *Rolls-Royce*, www.rolls-royce.com/civil/services/totalcare; "Rolls-Royce Secures USD 4.1 Billion Worth Orders During Paris Air Show", *India Defence,* www.indiadefence.com, 20 de junio de 2009; "Rolls-Royce Engine Support", *Aviation Today*, 1 de junio de 2006.
14. Para un análisis completo acerca de Cemex, vea Adrian J. Slywotzky y David J. Morrison, "Digital Innovator: Cemex", *How Digital Is Your Business* (Nueva York: Crown Business, 2000), pp. 78–100; vea también Mohanbir Sawhney, Robert C. Wolcott e Inigo Arroniz, "The 12 Different Ways for Companies to Innovate", *MIT Sloan Management Review* (1 de abril de 2006).
15. Cliff Edwards, "Why Tech Bows to Best Buy", *BusinessWeek*, 10 de diciembre de 2009; Jena McGregor, "At Best Buy, Marketing Goes Micro", *BusinessWeek*, 15 de mayo de 2008; Matthew Boyle, "Best Buy's Giant Gamble", *Fortune,* 3 de abril de 2006, pp. 69–75; Geoffrey Colvin, "Talking Shop", *Fortune,* 21 de agosto de 2006, pp. 73–80; "Best Buy Turns on the Geek Appeal", *DSN Retailing Today,* 24 de febrero de 2003, p. 22.
16. Esta sección está basada en un tratamiento completo de devoluciones de productos: James Stock, Thomas Speh y Herbert Shear, "Managing Product Returns for Competitive Advantage", *MIT Sloan Management Review* (otoño de 2006), pp. 57–62. Vea también J. Andrew Petersen y V. Kumar, "Can Product Returns Make You Money?" *MIT Sloan Management Review* (primavera de 2010), pp. 85–89.
17. Dave Blanchard, "Moving Forward in Reverse", *Logistics Today*, 12 de julio de 2005; Kelly Shermach, "Taming CRM in the Retail Sector", *CRM Buyer*, 12 de octubre de 2006; www.epinions.com, 28 de junio de 2010.
18. Bruce Nussbaum, "The Power of Design", *BusinessWeek,* 17 de mayo de 2004, pp. 88–94; "Masters of Design", *Fast Company*, junio de 2004, pp. 61–75; También vea Philip Kotler, "Design: A Powerful but Neglected Strategic Tool", *Journal of Business Strategy* (otoño de 1984), pp. 16–21.
19. Ravindra Chitturi, Rajagopal Raghunathan y Vijay Mahajan, "Delight by Design: The Role of Hedonic Versus Utilitarian Benefits", *Journal of Marketing* 72 (mayo de 2008), pp. 48–63.
20. Ulrich R. Orth y Keven Malkewitz, "Holistic Package Design and Consumer Brand Impressions", *Journal of Marketing* 72 (mayo de 2008), pp. 64–81; Mark Borden, "Less Hulk, More Bruce Lee", *Fast Company*, abril de 2007, pp. 86–91.
21. Steve Hamm y Jay Greene, "That Computer Is So You", *BusinessWeek*, 14 de enero de 2008, pp. 24–26; Damon

Darlin, “Design Helps H.P. Profit More on PCs”, *New York Times*, 17 de mayo de 2007.

22. “IDEA Design Gallery”, www.isda.org, 14 de mayo de 2010; “Design Winners: The List”, *BusinessWeek*, 22 de julio de 2009; David Carnoy, “The 20 Most Innovative Products of the Decade”, *CNET Reviews*, 10 de diciembre de 2009; Emily Lambert, “Splash”, *Forbes*, 23 de julio de 2007, pp. 66–68.
23. Virginia Postrel, *The Substance of Style: How the Rise of Aesthetic Value Is Remaking Commerce, Culture, and Consciousness* (Nueva York: HarperCollins, 2003).
24. Linda Tischler, “Pop Artist David Butler”, *Fast Company*, octubre de 2009, pp. 91–97; Jessie Scanlon, “Coca-Cola’s New Design Direction”, *BusinessWeek*, 25 de agosto de 2008.
25. Todd Wasserman, “Thinking by Design”, *Brandweek*, 3 de noviembre de 2008, pp. 18–21.
26. Jay Green, “Where Designers Rule”, *BusinessWeek*, 5 de noviembre de 2007, pp. 46–51; Deborah Steinborn, “Talking About Design”, *Wall Street Journal*, 23 de junio de 2008, p. R6.
27. En realidad, la línea de productos de Tide es más profunda y más compleja. Existen nueve productos en polvo, 16 productos líquidos, un producto para quitar manchas, un product Tide to Go portátil, un Tide Washing Machine Cleaner y nueve accessorios Tide.
28. A Yesim Orhun, “Optimal Product Line Design When Consumers Exhibit Choice Set-Dependent Preferences”, *Marketing Science* 28 (septiembre–octubre de 2009), pp. 868–886; Robert Bordley, “Determining the Appropriate Depth and Breadth of a Firm’s Product Portfolio”, *Journal of Marketing Research* 40 (febrero de 2003), pp. 39–53; Peter Boatwright y Joseph C. Nunes, “Reducing Assortment: An Attribute-Based Approach”, *Journal of Marketing* 65 (julio de 2001), pp. 50–63.
29. Adaptado de un informe de Hamilton Consultants, 1 de diciembre de 2000.
30. Esta ilustración se encuentra en Benson P. Shapiro, *Industrial Product Policy: Managing the Existing Product Line* (Cambridge, MA: Marketing Science Institute, 1977), pp. 3–5, 98–101.
31. Amna Kirmani, Sanjay Sood y Sheri Bridges, “The Ownership Effect in Consumer Responses to Brand-Line Stretches”, *Journal of Marketing* 63 (enero de 1999), pp. 88–101; T. Randall, K. Ulrich y D. Reibstein, “Brand Equity and Vertical Product-Line Extent”, *Marketing Science* 17 (otoño de 1998), pp. 356–379; David A. Aaker, “Should You Take Your Brand to Where the Action Is?” *Harvard Business Review,* septiembre–octubre de 1997, pp. 135–143.
32. Michael Carolan, “InterContinental Hotels Sales Up After 18 Months of Falls”, *Wall Street Journal*, 11 de mayo de 2010; Barbara De Lollis, “Holiday Inn Chain Upgrades With Style”, *USA TODAY*, 24 de junio de 2008; Bob Garfield, “What Makes This Commercial Great? The Bacon Bit Says It All”, *Advertising Age*, 25 de febrero de 2008.
33. Alex Taylor III, “Bavaria’s Next Top Model”, *Fortune*, 30 de marzo de 2009, pp. 100–103; Neal E. Boudette, “BMW’s Push to Broaden Line Hits Some Bumps in the Road”, *Wall Street Journal,* 25 de enero de 2005; Alex Taylor III, “The Ultimate Fairly Inexpensive Driving Machine”, *Fortune,* 1 de noviembre de 2004, pp. 130–140.
34. Steuart Henderson Britt, “How Weber’s Law Can Be Applied to Marketing”, *Business Horizons*, febrero de 1975, pp. 21–29.
35. Brett R. Gordon, “A Dynamic Model of Consumer Replacement Cycles in the PC Processor Industry”, *Marketing Science* 28 (septiembre–octubre de 2009), pp. 846–8967; Raghunath Singh Rao, Om Narasimhan y George John, “Understanding the Role of Trade-Ins in Durable Goods Markets: Theory and Evidence”, *Marketing Science* 28 (septiembre–octubre de 2009), pp. 950–967.
36. Stanley Holmes, “All the Rage Since Reagan”, *BusinessWeek,* 25 de julio de 2005, p. 68.
37. Nirmalya Kumar, “Kill a Brand, Keep a Customer”, *Harvard Business Review*, diciembre de 2003, pp. 86–95; Brad Stone, “Back to Basics”, *Newsweek,* 4 de agosto de 2003, pp. 42–44; Sarah Skidmore, “Designers, Makers Tune In to Collectors for New Trends”, *Associated Press*, 21 de enero de 2007.
38. Laurens M. Sloot, Dennis Fok y Peter Verhoef, “The Short- and Long-Term Impact of an Assortment Reduction on Category Sales”, *Journal of Marketing Research* 43 (noviembre de 2006), pp. 536–548.
39. Patricia O’Connell, “A Chat with Unilever’s Niall FitzGerald”, *BusinessWeek,* www.businessweek.com, 2 de agosto de 2001; John Willman, “Leaner, Cleaner, and Healthier Is the Stated Aim”, *Financial Times,* 23 de febrero de 2000; “Unilever’s Goal: ‘Power Brands’”, *Advertising Age,* 3 de enero de 2000.
40. “Volkswagen Brand Turnaround Drives Q1 Group Profits”, *Reuters*, 29 de abril de 2010; Andreas Cremer, “VW in ‘Last Attempt’ to Save Seat Amid Spanish Crisis”, *Bloomberg BusinessWeek,* www.businessweek.com, 14 de mayo de 2010; George Rädler, Jan Kubes y Bohdan Wojnar, “Skoda Auto: From ‘No-Class’ to World-Class in One Decade”, *Critical EYE* 15 (julio de 2006); Scott D. Upham, “Beneath the Brand”, *Automotive Manufacturing & Production*, junio de 2001.
41. Eric T. Anderson y Duncan I. Simester, “Does Demand Fall When Customers Perceive That Prices Are Unfair? The Case of Premium Pricing for Large Sizes”, *Marketing Science* 27 (mayo–junio de 2008), pp. 492–500.
42. Ricard Gil y Wesley R. Hartmann, “Empirical Analysis of Metering Price Discrimination: Evidence from Concession Sales at Movie Theaters”, *Marketing Science* 28 (noviembre–diciembre de 2009), pp. 1046–1062.
43. Connie Guglielmo, “Hewlett-Packard Says Printer Business is ‘Healthy’”, *Bloomberg News*, 22 de diciembre de 2009; “HP Annual Report 2008”, HP, www.hp.com/hpinfo/investor/; Ben Elgin, “Can HP’s

Printer Biz Keep Printing Money?" *BusinessWeek,* 14 de julio de 2003, pp. 68–70; Simon Avery, "H-P Sees Room for Growth in Printer Market", *Wall Street Journal,* 28 de junio de 2001.

44. Dilip Soman y John T. Gourville, "Transaction Decoupling: How Price Bundling Affects the Decision to Consume", *Journal of Marketing Research* 38 (febrero de 2001), pp. 30–44; Ramanathan Subramaniam y R. Venkatesh, "Optimal Bundling Strategies in Multiobject Auctions of Complements or Substitutes", *Marketing Science* 28 (marzo–abril de 2009), pp. 264–273.

45. Anita Elberse, Bye-Bye Bundles: The Unbundling of Music in Digital Channels", *Journal of Marketing* 74 (mayo de 2010), pp. 107–123.

46. Akshay R. Rao, Lu Qu y Robert W. Ruekert, "Signaling Unobservable Quality through a Brand Ally", *Journal of Marketing Research* 36 (mayo de 1999), pp. 258–268; Akshay R. Rao y Robert W. Ruekert, "Brand Alliances as Signals of Product Quality", *Sloan Management Review* (otoño de 1994), pp. 87–97.

47. Bernard L. Simonin y Julie A. Ruth, "Is a Company Known by the Company It Keeps? Assessing the Spillover Effects of Brand Alliances on Consumer Brand Attitudes", *Journal of Marketing Research* 35 (febrero de 1998), pp. 30–42; vea también, C. W. Park, S. Y. Jun y A. D. Shocker, "Composite Branding Alliances: An Investigation of Extension and Feedback Effects", *Journal of Marketing Research* 33 (noviembre de 1996), pp. 453–466.

48. Tansev Geylani, J. Jeffrey Inman y Frenkel Ter Hofstede, "Image Reinforcement or Impairment: The Effects of Co-Branding on Attribute Uncertainty", *Marketing Science* 27 (julio–agosto de 2008), pp. 730–744; Ed Lebar, Phil Buehler, Kevin Lane Keller, Monika Sawicka, Zeynep Aksehirli y Keith Richey, "Brand Equity Implications of Joint Branding Programs", *Journal of Advertising Research* 45 (diciembre de 2005).

49. C. W. Park, S. Y. Jun y A. D. Shocker, "Composite Branding Alliances: An Investigation of Extension and Feedback Effects", *Journal of Marketing Research* 33 (noviembre de 1996), pp. 453–466.; Lance Leuthesser, Chiranjier Kohli y Rajneesh Suri, "2 + 2 = 5? A Framework for Using Co-Branding to Leverage a Brand", *Journal of Brand Management* 2 (septiembre de 2003), pp. 35–47.

50. Basado parcialmente en una conferencia de Nancy Bailey, "Using Licensing to Build the Brand", Brand Masters Conference, 7 de diciembre de 2000.

51. Philip Kotler y Waldermar Pfoertsch, *Ingredient Branding: Making the Invisible Visible* (Heidelberg, Germany: Springer-Verlag, 2011).

52. Kalpesh Kaushik Desai y Kevin Lane Keller, "The Effects of Brand Expansions and Ingredient Branding Strategies on Host Brand Extendibility", *Journal of Marketing* 66 (enero de 2002), pp. 73–93; D. C. Denison, "Ingredient Branding Puts Big Names in the Mix", *Boston Globe,* 26 de mayo de 2002.

53. Joe Tradii, "Ingredient Branding: Time to Check That Recipe Again", *Brandweek*, 29 de marzo de 2010, p. 44; Piet Levy, "B-to-B-to-C", *Marketing News*, 30 de septiembre de 2009, pp. 15–20.

54. "DuPont Receives Corporate Innovation Award", DuPont, www.dupont.com, 13 de noviembre de 2009.

55. Kevin Lane Keller, *Strategic Brand Management,* 3a. ed. (Upper Saddle River, NJ: Prentice Hall, 2008); Philip Kotler y Waldemar Pfoertsch, *B2B Brand Management* (Nueva York: Springer, 2006); Paul F. Nunes, Stephen F. Dull y Patrick D. Lynch, "When Two Brands Are Better Than One", *Outlook,* enero de 2003, pp. 14–23.

56. Fred Richards, "Memo to CMOs: It's The Packaging, Stupid", *Brandweek*, 17 de agosto de 2009, p. 22.

57. Susan B. Bassin, "Value-Added Packaging Cuts through Store Clutter", *Marketing News,* 26 de septiembre de 1988, p. 21. Reimpreso con autorización de *Marketing News*, publicado por la American Marketing Association.

58. Stuart Elliott, "Tropicana Discovers Some Buyers Are Passionate About Packaging", *New York Times*, 23 de febrero de 2009; Linda Tischler, "Never Mind! Pepsi Pulls Much-Loathed Tropicana Packaging", *Fast Company*, 23 de febrero de 2009; Natalie Zmuda, "Tropicana Line's Sales Plunge 20% Post-Rebranding", *Advertising Age*, 2 de abril de 2009; Kenneth Hein, "Tropicana Squeezes Out Fresh Design with a Peel", *Brandweek*, 19 de enero de 2009, p. 30.

59. Mya Frazier, "How Can Your Package Stand Out? Eye Tracking Looks Hard for Answers", *Advertising Age,* 16 de octubre de 2006, p. 14.

60. Kate Fitzgerald, "Packaging Is the Capper", *Advertising Age,* 5 de mayo de 2003, p. 22.

61. John C. Kozup, Elizabeth H. Creyer y Scot Burton, "Making Healthful Food Choices: The Influence of Health Claims and Nutrition Information on Consumers' Evaluations of Packaged Food Products and Restaurant Menu Items", *Journal of Marketing* 67 (abril de 2003), pp. 19–34; Siva K. Balasubramanian y Catherine Cole, "Consumers' Search and Use of Nutrition Information: The Challenge and Promise of the Nutrition Labeling and Education Act", *Journal of Marketing* 66 (julio de 2002), pp. 112–127.

62. Robert Berner, "Watch Out, Best Buy and Circuit City", *BusinessWeek,* 21 de noviembre de 2005, pp. 46–48.

63. Tao Chen, Ajay Kalra y Baohung Sun, "Why Do Consumers Buy Extended Service Contracts", *Journal of Consumer Research* 36 (diciembre de 2009), pp. 611–623.

64. Chris Serres, "More Electronics Buyers Skip Extended Warranties", *Minneapolis Star Tribune*, 14 de julio de 2007.Para un estudio empírico, vea Junhong Chu y Pradeep K. Chintagunta, "Quantifying the Economic Value of Warranties in the U.S. Server Market, *Marketing Science* 28 (enero–febrero de 2009), pp. 99–121.

65. Barbara Ettore, "Phenomenal Promises Mean Business", *Management Review* (marzo de 1994), pp. 18–23; "More Firms Pledge Guaranteed Service", *Wall Street Journal,* 17 de julio de 1991; también vea

Sridhar Moorthy y Kannan Srinivasan, "Signaling Quality with a Money-Back Guarantee: The Role of Transaction Costs", *Marketing Science* 14 (otoño de 1995), pp. 442-446; Christopher W. L. Hart, *Extraordinary Guarantees* (Nueva York: AMACOM, 1993).

Capítulo 13

1. Leonard L. Berry, *On Great Service: A Framework for Action* (Nueva York: Free Press, 2006); Leonard L. Berry, *Discovering the Soul of Service: The Nine Drivers of Sustainable Business Success* (Nueva York: Free Press, 1999); Fred Wiersema, ed., *Customer Service: Extraordinary Results at Southwest Airlines, Charles Schwab, Lands' End, American Express, Staples, and USAA* (Nueva York: HarperBusiness, 1998).
2. Matt Krantz, "Tinseltown Gets Glitzy New Star", *USA TODAY*, 24 de agosto de 2009; Linda Tischler, "Join the Circus", *Fast Company,* julio de 2005, 53–58; "Cirque du Soleil", *America's Greatest Brands* 3 (2004); Geoff Keighley, "The Factory", *Business 2.0,* febrero de 2004, p. 102; Robin D. Rusch, "Cirque du Soleil Phantasmagoria Contorts", *Brandchannel.com*, (1 de diciembre de 2003).
3. *United States Department of Labor, Bureau of Labor Statistics*. www.bls.gov/emp/home.htm
4. Benjamin Scheider y David E. Bowen, *Winning the Service Game* (Boston: Harvard Business School Press, 1995); Leonard L. Berry, "Services Marketing Is Different", *Business,* mayo–junio de 1980, pp. 24–30. Para una reseña completa de las investigaciones académicas sobre servicios, vea Roland T. Rust y Tuck Siong Chung, "Marketing Models of Service and Relationships", *Marketing Science* 25 (noviembre–diciembre de 2006), pp. 560–580.
5. www.toyota.es/finance/rent/index.aspx; quieroinnovar.com/casos/toyota.pdf
6. Mayores clasificaciones de servicios se describen en Christopher H. Lovelock, *Services Marketing*, 3a. ed. (Upper Saddle River, NJ: Prentice Hall, 1996). También vea John E. Bateson, *Managing Services Marketing: Text and Readings,* 3a. ed. (Hinsdale, IL: Dryden, 1995).
7. Valarie A. Zeithaml, "How Consumer Evaluation Processes Differ between Goods and Services", J. Donnelly y W. R. George, eds., *Marketing of Services* (Chicago: American Marketing Association, 1981), pp. 186–190.
8. Amy Ostrom y Dawn Iacobucci, "Consumer Trade-Offs and the Evaluation of Services", *Journal of Marketing* 59 (enero de 1995), pp. 17–28.
9. Para un análisis acerca de cómo la línea borrosa que distingue los productos y servicios cambia el significado de esta taxonomía, vea Christopher Lovelock y Evert Gummesson, "Whither Services Marketing? In Search of a New Paradigm and Fresh Perspectives", *Journal of Service Research* 7 (agosto de 2004), pp. 20–41; y Stephen L. Vargo y Robert F. Lusch, "Evolving to a New Dominant Logic for Marketing", *Journal of Marketing* 68 (enero de 2004), pp. 1–17.
10. Theodore Levitt, "Marketing Intangible Products and Product Intangibles", *Harvard Business Review,* mayo–junio de 1981, pp. 94–102; Leonard L. Berry, "Services Marketing Is Different", *Business*, mayo–junio de 1980, pp. 24–29.
11. B. H. Booms y M. J. Bitner, "Marketing Strategies and Organizational Structures for Service Firms", J. Donnelly y W. R. George, eds., *Marketing of Services* (Chicago: American Marketing Association, 1981), pp. 47–51.
12. Lewis P. Carbone y Stephan H. Haeckel, "Engineering Customer Experiences", *Marketing Management* 3 (invierno de 1994), p. 17.
13. Bernd H. Schmitt, *Customer Experience Management* (Nueva York: John Wiley & Sons, 2003); Bernd H. Schmitt, David L. Rogers y Karen Vrotsos (2003), *There's No Business That's Not Show Business: Marketing in an Experience Culture* (Upper Saddle River, NJ: Prentice Hall Financial Times, 2004).
14. Chip Heath y Dan Heath, "Give 'Em Something to Talk About", *Fast Company,* junio de 2007, pp. 58–59.
15. Para algunos resultados emergentes de investigación acerca de los efectos de crear separación de servicios en el tiempo y el espacio, vea Hean Tat Keh y Jun Pang, "Customer Reaction to Service Separation", *Journal of Marketing* 74 (marzo de 2010), pp. 55–70.
16. Gila E. Fruchter y Eitan Gerstner, "Selling with 'Satisfaction Guaranteed,'" *Journal of Service Research* 1 (mayo de 1999), pp. 313–323. Vea también Rebecca J. Slotegraaf y J. Jeffrey Inman, "Longitudinal Shifts in the Drivers of Satisfaction with Product Quality: The Role of Attribute Resolvability", *Journal of Marketing Research* 41 (agosto de 2004), pp. 269–280.
17. Para una lista similar vea Leonard L. Berry y A. Parasuraman, *Marketing Services: Competing through Quality* (Nueva York: Free Press, 1991), p. 16.
18. G. Pascal Zachary y Dick Kovacevich, "Bank Different", *Business 2.0,* junio de 2006, pp. 101–103; Greg Farrell, "Banking on Success as a One-Stop Shop", *USA Today,* 26 de marzo de 2007.
19. El material en este párrafo está basado en parte en Valarie Zeithaml, Mary Jo Bitner y Dwayne D. Gremler, "Service Development and Design", *Services Marketing: Integrating Customer Focus across the Firm,* 4a. ed. (Nueva York: McGraw-Hill, 2006), capítulo 9.
20. G. Lynn Shostack, "Service Positioning through Structural Change", *Journal of Marketing* 51 (enero de 1987), pp. 34–43.
21. Vikas Mittal, Wagner A. Kamakura y Rahul Govind, "Geographical Patterns in Customer Service and Satisfaction: An Empirical Investigation", *Journal of Marketing* 68 (julio de 2004), pp. 48–62.
22. Jeffrey F. Rayport, Bernard J. Jaworski y Ellie J. Kyung, "Best Face Forward: Improving Companies' Service Interface with Customers", *Journal of Interactive Marketing* 19 (otoño de 2005), pp. 67–80; Asim Ansari y Carl F. Mela, "E-Customization", *Journal of Marketing Research* 40 (mayo de 2003), pp. 131–145.

23. W. Earl Sasser, "Match Supply and Demand in Service Industries", *Harvard Business Review,* noviembre–diciembre de 1976, pp. 133–140.

24. Steven M. Shugan y Jinhong Xie, "Advance Selling for Services", *California Management Review* 46 (primavera de 2004), pp. 37–54; Eyal Biyalogorsky y Eitan Gerstner, "Contingent Pricing to Reduce Price Risks", *Marketing Science* 23 (invierno de 2004), pp. 146–155; Steven M. Shugan y Jinhong Xie, "Advance Pricing of Services and Other Implications of Separating Purchase and Consumption", *Journal of Service Research* 2 (febrero de 2000), pp. 227–239.

25. Seth Godin, "If It's Broke, Fix It", *Fast Company,* octubre de 2003, p. 131.

26. James Wallace, "Singapore Airlines Raises the Bar for Luxury Flying, *Seattle Post Intelligencer*, 18 de enero de 2007; Justin Doebele, "The Engineer", *Forbes,* 9 de enero de 2006, pp. 122–124; Stanley Holmes, "Creature Comforts at 30,000 Feet", *BusinessWeek,* 18 de diciembre de 2006, p. 138; Anonymous, "What Makes Singapore a Service Champion?" *Strategic Direction,* abril de 2003, pp. 26–28; www.singaporeaire.com.

27. Diane Brady, "Why Service Stinks", *BusinessWeek,* 23 de octubre de 2000, pp. 119–128.

28. Mary Clingman, "Turkey Talker", *Fortune,* 27 de noviembre de 2006, p. 70.

29. Elisabeth Sullivan, "Happy Endings Lead to Happy Returns", *Marketing News*, 30 de octubre de 2009, p. 20.

30. Dan Reed, "United Makeover Aims to Refresh and Renew", *USA Today*, 17 de septiembre de 2009, pp. 1B–2B; Elisabeth Sullivan, "Happy Endings Lead to Happy Returns", *Marketing News*, 30 de octubre de 2009, p. 20.

31. Nikki Hopewell, "Moyer Is Committed to Delivering a Comcastic Experience", *Marketing News*, 15 de octubre de 2008, pp. 28–30; Hannah Clark, "Customer Service Hell", *Forbes,* 30 de marzo de 2006.

32. contenido.volaris.com.mx/SWA/Skins/VolarisSWA/es-MX/Informacion_reglasT.html

33. Stephen S. Tax, Mark Colgate y David Bowen, "How to Prevent Your Customers from Failing", *MIT Sloan Management Review* (primavera de 2006), pp. 30–38; Mei Xue y Patrick T. Harker, "Customer Efficiency: Concept and Its Impact on E-Business Management", *Journal of Service Research* 4 (mayo de 2002), pp. 253–267; Matthew L. Meuter, Amy L. Ostrom, Robert I. Roundtree y Mary Jo Bitner, "Self-Service Technologies: Understanding Customer Satisfaction with Technology-Based Service Encounters", *Journal of Marketing* 64 (julio de 2000), pp. 50–64.

34. Kimmy Wa Chan, Chi Kin (Bennett) Yim y Simon S. K. Lam, "Is Customer Participation in Value Creation a Double-Edged Sword? Evidence from Professional Financial Services Across Cultures", *Journal of Marketing* 74 (mayo de 2010), pp. 48–64.

35. Valarie Zeithaml, Mary Jo Bitner y Dwayne D. Gremler, *Services Marketing: Integrating Customer Focus across the Firm*, 4a. ed. (Nueva York: McGraw-Hill, 2006).

36. Stephen S. Tax, Mark Colgate y David Bowen, "How to Prevent Your Customers from Failing", *MIT Sloan Management Review* (primavera de 2006), pp. 30–38; Michael Sanserino y Cari Tuna, "Companies Strive Harder to Please Customers", *Wall Street Journal*, 27 de julio de 2009, p. B4.

37. James L. Heskett, W, Earl Sasser Jr. y Joe Wheeler, *Ownership Quotient: Putting the Service Profit Chain to Work for Unbeatable Competitive Advantage* (Boston, MA: Harvard Business School Press, 2008).

38. D. Todd Donovan, Tom J. Brown y John C. Mowen, "Internal Benefits of Service Worker Customer Orientation: Job Satisfaction, Commitment, and Organizational Citizenship Behaviors", *Journal of Marketing* 68 (enero de 2004), pp. 128–146.

39. Dan Heath y Chip Heath, "I Love You. Now What?" *Fast Company*, octubre de 2008, pp. 95–96.

40. Evan Hessel, "Kung Pao Chicken for the Soul", *Forbes*, 21 de abril de 2008, pp. 106–107.

41. Frances X. Frei, "The Four Things a Service Business Must Get Right", *Harvard Business Review*, abril de 2008, pp. 70–80.

42. Christian Gronroos, "A Service-Quality Model and Its Marketing Implications", *European Journal of Marketing* 18 (1984), pp. 36–44.

43. Leonard Berry, "Big Ideas in Services Marketing", *Journal of Consumer Marketing* (primavera de 1986), pp. 47–51. Vea también Jagdip Singh, "Performance Productivity and Quality of Frontline Employees in Service Organizations", *Journal of Marketing* 64 (abril de 2000), pp. 15–34; Detelina Marinova, Jun Ye y Jagdip Singh, "Do Frontline Mechanisms Matter? Impact of Quality and Productivity Orientations on Unit Revenue, Efficiency, and Customer Satisfaction", *Journal of Marketing* 72 (marzo de 2008), pp. 28–45; John R. Hauser, Duncan I. Simester y Birger Wernerfelt, "Internal Customers and Internal Suppliers", *Journal of Marketing Research* 33 (agosto de 1996), pp. 268–280; Walter E. Greene, Gary D. Walls y Larry J. Schrest, "Internal Marketing: The Key to External Marketing Success", *Journal of Services Marketing* 8 (1994), pp. 5–13.

44. Christian Gronroos, "A Service-Quality Model and Its Marketing Implications", *European Journal of Marketing* 18 (1984), pp. 36–44; Michael D. Hartline, James G. Maxham III y Daryl O. McKee, "Corridors of Influence in the Dissemination of Customer-Oriented Strategy to Customer-Contact Service Employees", *Journal of Marketing* 64 (abril de 2000), pp. 35–50.

45. John Batelle, "Charles Schwab, Back from the Brink", *Business 2.0,* marzo de 2006; "Q&A with Becky Saeger, CMO, Charles Schwab", *ANA Marketing Musings*, 11 de septiembre de 2006; Betsy Morris, "Charles Schwab's Big Challenge", *Fortune*, 30 de mayo de 2005; Rob Markey, Fred Reichheld y Andreas Dullweber, "Closing the Customer Feedback Loop", *Harvard Business Review*, diciembre de 2009, pp. 43–47.

46. Ad de Jong, Ko de Ruyter y Jos Lemmink, "Antecedents and Consequences of the Service

Climate in Boundary-Spanning Self-Managing Service Teams", *Journal of Marketing* 68 (abril de 2004), pp. 18–35; Michael D. Hartline y O. C. Ferrell, "The Management of Customer-Contact Service Employees: An Empirical Investigation", *Journal of Marketing* 60 (octubre de 1996), pp. 52–70; Christian Homburg, Jan Wieseke y Torsten Bornemann, "Implementing the Marketing Concept at the Employee-Customer Interface: The Role of Customer Need Knowledge", *Journal of Marketing* 73 (julio de 2009), pp. 64–81; Chi Kin (Bennett) Yim, David K. Tse y Kimmy Wa Chan, "Strengthening Customer Loyalty through Intimacy and Passion: Roles of Customer-Firm Affection and Customer-Staff Relationships, *Journal of Marketing Research* 45 (diciembre de 2008), pp. 741–756.

47. Michael Sanserino y Cari Tuna, "Companies Strive Harder to Please Customers", *Wall Street Journal*, 27 de julio de 2009, p. B4.

48. Jena McGregor, "When Service Means Survival", *BusinessWeek*, 2 de marzo de 2009, pp. 26–30.

49. Heather Green, "How Amazon Aims to Keep You Clicking", *BusinessWeek*, 2 de marzo de 2009, pp. 34–40.

50. Roland T. Rust y Katherine N. Lemon, "E-Service and the Consumer", *International Journal of Electronic Commerce* 5 (primavera de 2001), pp. 83–99. Vea también Balaji Padmanabhan y Alexander Tuzhilin, "On the Use of Optimization for Data Mining: Theoretical Interactions and ECRM opportunities", *Management Science* 49 (octubre de 2003), pp. 1327–1343; B. P. S. Murthi y Sumit Sarkar, "The Role of the Management Sciences in Research on Personalization", *Management Science* 49 (octubre de 2003), pp. 1344–1362.

51. Roland T. Rust, P. K. Kannan y Na Peng, "The Customer Economics of Internet Privacy", *Journal of the Academy of Marketing Science* 30 (2002), pp. 455–464.

52. Jena McGregor, "Customer Service Champs", *BusinessWeek*, 5 de marzo de 2007, pp. 52–64.

53. Jena McGregor, "When Service Means Survival", *BusinessWeek*, 2 de marzo de 2009, pp. 26–30.

54. John A. Martilla y John C. James, "Importance-Performance Analysis", *Journal of Marketing* 41 (enero de 1977), pp. 77–79.

55. Dave Dougherty y Ajay Murthy, "What Service Customers Really Want", *Harvard Business Review*, septiembre de 2009, p. 22; para un punto de vista contradictorio, vea Edward Kasabov, "The Compliant Customer", *MIT Sloan Management Review* (primavera de 2010), pp. 18–19.

56. Jeffrey G. Blodgett y Ronald D. Anderson, "A Bayesian Network Model of the Customer Complaint Process", *Journal of Service Research* 2 (mayo de 2000), pp. 321–338; Stephen S. Tax y Stephen W. Brown, "Recovering and Learning from Service Failures", *Sloan Management Review* (otoño de 1998), pp. 75–88; Claes Fornell y Birger Wernerfelt, "A Model for Customer Complaint Management", *Marketing Science* 7 (verano de 1988), pp. 271–286.

57. James G. Maxham III y Richard G. Netemeyer, "Firms Reap What They Sow: The Effects of Shared Values and Perceived Organizational Justice on Customers' Evaluations of Complaint Handling", *Journal of Marketing* 67 (enero de 2003), pp. 46–62; Jagdip Singh, "Performance Productivity and Quality of Frontline Employees in Service Organizations", *Journal of Marketing* 64 (abril de 2000), pp. 15–34; Barry J. Rabin y James S. Boles, "Employee Behavior in a Service Environment: A Model and Test of Potential Differences between Men and Women", *Journal of Marketing* 62 (abril de 1998), pp. 77–91.

58. Stephen S. Tax, Stephen W. Brown y Murali Chandrashekaran, "Customer Evaluations of Service Complaint Experiences: Implications for Relationship Marketing", *Journal of Marketing* 62 (abril de 1998), pp. 60–76; Stephen S. Tax y Stephen W. Brown, "Recovering and Learning from Service Failures", *Sloan Management Review* (otoño de 1998), pp. 75–88.

59. Amy Barrett, "Vanguard Gets Personal", *BusinessWeek*, 3 de octubre de 2005, pp. 115–118; Carolyn Marconi y Donna MacFarland, "Growth by Marketing under the Radar", Presentación realizada en el Marketing Science Institute Board of Trustees Meeting: Pathways to Growth, Tucson, AZ, 7 de noviembre de 2002.

60. www.tmm.com.mx/index3.html; *www.amib.com.mx/valores/boletines/Valores18_Octubre.pdf*

61. Roger Yu, "Sheraton Has Designs on Fresh Look", *USA TODAY*, 26 de agosto de 2008, p. 4B.

62. Robert Levine, "Globe Trotter", *Fast Company*, septiembre de 2008, pp. 73–74; Andrew McMains, "Q&A: Kayak's Robert Birge", *Adweek.com*, 2 de junio de 2009; Peter West, "Retail Medical Clinics Offer Quality Care: Study", *HealthDay*, 31 de agosto de 2009; "More Medical Clinics Opening in Retail Stores", *Associated Press*, 2 de febrero de 2006; Ellen McGirt, "Fast Food Medicine", *Fast Company*, septiembre de 2007, pp. 37–38; "Kenny Dichter: A Big Idea Takes Off", Special Advertising Supplement, CIT Behind the Business, *Condé Nast Portfolio*, septiembre de 2007.

63. Jessi Hempel, "Salesforce Hits Its Stride", *Fortune*, 2 de marzo de 2009, pp. 29–32.

64. www.elaguila.com.mx/

65. Susan M. Keaveney, "Customer Switching Behavior in Service Industries: An Exploratory Study", *Journal of Marketing* 59 (abril de 1995), pp. 71–82. Vea también Jaishankar Ganesh, Mark J. Arnold y Kristy E. Reynolds, "Understanding the Customer Base of Service Providers: An Examination of the Differences between Switchers and Stayers", *Journal of Marketing* 64 (julio de 2000), pp. 65–87; Michael D. Hartline y O. C. Ferrell, "The Management of Customer-Contact Service Employees: An Empirical Investigation", *Journal of Marketing* 60 (octubre de 1996), pp. 52–70; Linda L. Price, Eric J. Arnould y Patrick Tierney, "Going to Extremes: Managing Service Encounters and Assessing Provider Performance", *Journal of Marketing* 59 (abril de 1995), pp. 83–97; Lois A. Mohr, Mary Jo Bitner y Bernard H. Booms, "Critical Service Encounters:

The Employee's Viewpoint", *Journal of Marketing* 58 (octubre de 1994), pp. 95–106.

66. Dave Dougherty y Ajay Murthy, "What Service Customers Really Want", *Harvard Business Review*, septiembre de 2009, p. 22.

67. Glenn B. Voss, A. Parasuraman y Dhruv Grewal, "The Role of Price, Performance, and Expectations in Determining Satisfaction in Service Exchanges", *Journal of Marketing* 62 (octubre de 1998), pp. 46–61.

68. Roland T. Rust y Richard L. Oliver, "Should We Delight the Customer?" *Journal of the Academy of Marketing Science* 28 (diciembre de 2000), pp. 86–94.

69. A. Parasuraman, Valarie A. Zeithaml y Leonard L. Berry, "A Conceptual Model of Service Quality and Its Implications for Future Research", *Journal of Marketing* 49 (otoño de 1985), pp. 41–50. Vea también Michael K. Brady y J. Joseph Cronin Jr., "Some New Thoughts on Conceptualizing Perceived Service Quality", *Journal of Marketing* 65 (julio de 2001), pp. 34–49; Susan J. Devlin y H. K. Dong, "Service Quality from the Customers' Perspective", *Marketing Research* (invierno de 1994), pp. 4–13.

70. Leonard L. Berry y A. Parasuraman, *Marketing Services: Competing through Quality* (Nueva York: Free Press, 1991), p. 16.

71. A. Parasuraman, Valarie A. Zeithaml y Leonard L. Berry, "A Conceptual Model of Service Quality and Its Implications for Future Research", *Journal of Marketing* 49 (otoño de 1985), pp. 41–50.

72. William Boulding, Ajay Kalra, Richard Staelin y Valarie A. Zeithaml, "A Dynamic Model of Service Quality: From Expectations to Behavioral Intentions", *Journal of Marketing Research* 30 (febrero de 1993), pp. 7–27.

73. Roland T. Rust y Tuck Siong Chung, "Marketing Models of Service and Relationships", *Marketing Science* 25 (noviembre–diciembre de 2006), pp. 560–580; Katherine N. Lemon, Tiffany Barnett White y Russell S. Winer, "Dynamic Customer Relationship Management: Incorporating Future Considerations into the Service Retention Decision", *Journal of Marketing* 66 (enero de 2002), pp. 1–14; Ruth N. Bolton y Katherine N. Lemon, "A Dynamic Model of Customers' Usage of Services: Usage as an Antecedent and Consequence of Satisfaction", *Journal of Marketing Research* 36 (mayo de 1999), pp. 171–186.

74. Kent Grayson y Tim Ambler, "The Dark Side of Long-Term Relationships in Marketing Services", *Journal of Marketing Research* 36 (febrero de 1999), pp. 132–141.

75. Leonard L. Berry, Kathleen Seiders y Dhruv Grewal, "Understanding Service Convenience", *Journal of Marketing* 66 (julio de 2002), pp. 1–17.

76. "Help Yourself", *Economist*, 2 de julio de 2009, pp. 62–63.

77. Jeffrey F. Rayport y Bernard J. Jaworski, *Best Face Forward* (Boston: Harvard Business School Press, 2005); Jeffrey F. Rayport, Bernard J. Jaworski y Ellie J. Kyung, "Best Face Forward", *Journal of Interactive Marketing* 19 (otoño de 2005), pp. 67–80; Jeffrey F. Rayport y Bernard J. Jaworski, "Best Face Forward", *Harvard Business Review,* diciembre de 2004, pp. 47–58.

78. Matthew L. Meuter, Mary Jo Bitner, Amy L. Ostrom, y Stephen W. Brown, "Choosing among Alternative Service Delivery Modes: An Investigation of Customer Trial of Self-Service Technologies", *Journal of Marketing* 69 (abril de 2005), pp. 61–83.

79. Eric Fang, Robert W. Palmatier y Jan-Benedict E. M. Steenkamp, "Effect of Service Transition Strategies on Firm Value", *Journal of Marketing* 72 (septiembre de 2008), pp. 1–14.

80. Mark Vandenbosch y Niraj Dawar, "Beyond Better Products: Capturing Value in Customer Interactions", *MIT Sloan Management Review* 43 (verano de 2002), pp. 35–42; Milind M. Lele y Uday S. Karmarkar, "Good Product Support Is Smart Marketing", *Harvard Business Review,* noviembre–diciembre de 1983, pp. 124–132.

81. Para investigaciones acerca de los efectos de los retrasos en servicio sobre las evaluaciones de servicio, vea Michael K. Hui y David K. Tse, "What to Tell Consumers in Waits of Different Lengths: An Integrative Model of Service Evaluation", *Journal of Marketing* 60 (abril de 1996), pp. 81–90; Shirley Taylor, "Waiting for Service: The Relationship between Delays and Evaluations of Service", *Journal of Marketing* 58 (abril de 1994), pp. 56–69.

82. Byron G. Auguste, Eric P. Harmon y Vivek Pandit, "The Right Service Strategies for Product Companies", *McKinsey Quarterly* 1 (2006), pp. 41–51.

83. Goutam Challagalla, R. Venkatesh y Ajay K. Kohli, "Proactive Postsales Service: When and Why Does it Pay Off?" *Journal of Marketing* 73 (marzo de 2009), pp. 70–87.

Capítulo 14

1. Brian Burnsed, "Where Discounting Can Be Dangerous", *BusinessWeek*, 3 de agosto de 2009, p. 49; "Tiffany's Profit Tops Expectations", *Associated Press*, 26 de noviembre de 2009; Cintra Wilson, "If Bling Had a Hall of Fame", *New York Times*, 30 de julio de 2009; Ellen Byron, "Fashion Victim: To Refurbish Its Image, Tiffany Risks Profits", *Wall Street Journal,* 10 de enero de 2007, p. A1.

2. "The Price Is Wrong", *Economist,* 25 de mayo de 2002.

3. Xavier Dreze y Joseph C. Nunes, "Using Combined-Currency Prices to Lower Consumers' Perceived Cost", *Journal of Marketing Research* 41 (febrero de 2004), pp. 59–72; Raghuram Iyengar, Kamel Jedidi, y Rajeev Kohli, "A Conjoint Approach to Multipart Pricing", *Journal of Marketing Research* 45 (abril de 2008), pp. 195–201; Marco Bertini y Luc Wathieu, "Attention Arousal Through Price Partitioning", *Marketing Science* 27 (marzo–abril de 2008), pp. 236–246.

4. Rick Newman, "The Great Retail Revolution", *U.S. News & World Report*, marzo de 2010, pp. 19–20; Philip Moeller, "Tough Times Are Molding Tough Consumers", *U.S. News & World Report*, marzo de 2010, pp. 22–25; Steve Hamm, "The New Age of Frugality", *BusinessWeek*, 20 de octubre de 2008, pp. 55–60; Timothy W. Martin, "Frugal Shoppers Drive Grocers Back to Basics", *Wall Street Journal*, 24 de junio de 2009, p. B1; Daniel Gross, "The Latte Era Grinds Down", *Newsweek*, 22 de octubre de 2007, pp. 46–47.

5. Paul Markillie, "A Perfect Market: A Survey of ECommerce", *Economist,* 15 de mayo de 2004, pp. 3–20; David Kirpatrick, "How the Open-Source World Plans to Smack Down Microsoft, and Oracle, and . . .", *Fortune,* 23 de febrero de 2004, pp. 92–100; Faith Keenan, "The Price Is Really Right", *BusinessWeek,* 31 de marzo de 2003, pp. 61–67; Michael Menduno, "Priced to Perfection", *Business 2.0,* 6 de marzo de 2001, pp. 40–42; Amy E. Cortese, "Good-Bye to Fixed Pricing?" *BusinessWeek,* 4 de mayo de 1998, pp. 71–84. Para un análisis de algunas de las cuestiones académicas básicas implicadas, vea Florian Zettelmeyer, "Expanding to the Internet: Pricing and Communication Strategies when Firms Compete on Multiple Channels", *Journal of Marketing Research* 37 (agosto de 2000), pp. 292–308; John G. Lynch Jr. y Dan Ariely, "Wine Online: Search Costs Affect Competition on Price, Quality, and Distribution", *Marketing Science* 19 (invierno de 2000), pp. 83–103; Rajiv Lal y Miklos Sarvary, "When and How Is the Internet Likely to Decrease Price Competition?" *Marketing Science* 18 (otoño de 1999), pp. 485–503.
6. Daniel Fisher, "Cheap Seats", *Forbes*, 24 de agosto de 2009, pp. 102–103.
7. Bernard Condon, "The Haggle Economy", *Forbes*, 8 de junio de 2009, pp. 26–27.
8. Para una reseña completa de investigaciones sobre fijación de precios, vea Chezy Ofir y Russell S. Winer, "Pricing: Economic and Behavioral Models", Bart Weitz y Robin Wensley, eds., *Handbook of Marketing* (Londres: Sage Publications, 2002).
9. Basado en Pia Sarkar, "Which Shirt Costs $275?—Brand Loyalty, Bargain Hunting, and Unbridled Luxury All Play a Part in the Price You'll Pay for a T-Shirt", *Final Edition,* 15 de marzo de 2007, p. C1. Reimpreso con autorización.
10. Bruce Horovitz, "Sale, Sale, Sale: Today Everyone Wants a Deal", *USA Today*, 21 de abril de 2010, pp. 1A–2A.
11. Sbriya Rice, "'I Can't Afford Surgery in the U.S.,' Says Bargain Shopper", *CNN,* www.cnn.com, 26 de abril de 2010.
12. Jay Greene, "Selling $8 Soap in an Era of Frugality", *BusinessWeek*, 30 de noviembre de 2009, p. 66.
13. Peter R. Dickson y Alan G. Sawyer, "The Price Knowledge and Search of Supermarket Shoppers", *Journal of Marketing* 54 (julio de 1990), pp. 42–53. Sin embargo, para una calificación metodológica vea Hooman Estalami, Alfred Holden y Donald R. Lehmann, "Macro-Economic Determinants of Consumer Price Knowledge: A Meta-Analysis of Four Decades of Research", *International Journal of Research in Marketing* 18 (diciembre de 2001), pp. 341–355.
14. Para una reseña completa vea Tridib Mazumdar, S. P. Raj y Indrajit Sinha, "Reference Price Research: Review and Propositions", *Journal of Marketing* 69 (octubre de 2005), pp. 84–102. Para un punto de vista diferente, vea Chris Janiszewski y Donald R. Lichtenstein, "A Range Theory Account of Price Perception", *Journal of Consumer Research* 25 (marzo de 1999), pp. 353–368.
15. Para un análisis acerca de cómo los precios "incidentales" fuera de la categoría pueden funcionar como referencias contextuales, vea Joseph C. Nunes y Peter Boatwright, "Incidental Prices and Their Effect on Willingness to Pay", *Journal of Marketing Research* 41 (noviembre de 2004), pp. 457–466.
16. K. N. Rajendran y Gerard J. Tellis, "Contextual and Temporal Components of Reference Price", *Journal of Marketing* 58 (enero de 1994), pp. 22–34; Gurumurthy Kalyanaram y Russell S. Winer, "Empirical Generalizations from Reference-Price Research", *Marketing Science* 14 (verano de 1995), pp. G161–G169. Vea también Ritesh Saini, Raghunath Singh Rao y Ashwani Monga, "Is the Deal Worth My Time? The Interactive Effect of Relative and Referent Thinking on Willingness to Seek a Bargain", *Journal of Marketing* 74 (enero de 2010), pp. 34–48.
17. Gurumurthy Kalyanaram y Russell S. Winer, "Empirical Generalizations from Reference-Price Research", *Marketing Science* 14 (verano de 1995), pp. 161–169.
18. Glenn E. Mayhew y Russell S. Winer, "An Empirical Analysis of Internal and External Reference-Price Effects Using Scanner Data", *Journal of Consumer Research* 19 (junio de 1992), pp. 62–70.
19. Robert Ziethammer, "Forward-Looking Buying in Online Auctions", *Journal of Marketing Research* 43 (agosto de 2006), pp. 462–476.
20. John T. Gourville, "Pennies-a-Day: The Effect of Temporal Reframing on Transaction Evaluation", *Journal of Consumer Research* 24 (marzo de 1998), pp. 395–408.
21. Gary M. Erickson y Johny K. Johansson, "The Role of Price in Multi-Attribute Product-Evaluations", *Journal of Consumer Research* 12 (septiembre de 1985), pp. 195–199.
22. Wilfred Amaldoss y Sanjay Jain, "Pricing of Conspicuous Goods: A Competitive Analysis of Social Effects", *Journal of Marketing Research* 42 (febrero de 2005); Angela Chao y Juliet B. Schor, "Empirical Tests of Status Consumption: Evidence from Women's Cosmetics", *Journal of Economic Psychology* 19 (enero de 1998), pp. 107–131.
23. Mark Stiving y Russell S. Winer, "An Empirical Analysis of Price Endings with Scanner Data", *Journal of Consumer Research* 24 (junio de 1997), pp. 57–68.
24. Eric T. Anderson y Duncan Simester, "Effects of $9 Price Endings on Retail Sales: Evidence from Field Experiments", *Quantitative Marketing and Economics* 1 (marzo de 2003), pp. 93–110.
25. Eric Anderson y Duncan Simester, "Mind Your Pricing Cues", *Harvard Business Review,* septiembre de 2003, pp. 96–103.

26. Robert M. Schindler y Patrick N. Kirby, "Patterns of Rightmost Digits Used in Advertised Prices: Implications for Nine-Ending Effects", *Journal of Consumer Research* 24 (septiembre de 1997), pp. 192–201.

27. Anderson y Simester, "Mind Your Pricing Cues", *Harvard Business Review*, septiembre de 2003, pp. 96–103.

28. Ibid.

29. Daniel J. Howard y Roger A. Kerin, "Broadening the Scope of Reference-Price Advertising Research: A Field Study of Consumer Shopping Involvement", *Journal of Marketing* 70 (octubre de 2006), pp. 185–204.

30. Robert C. Blattberg y Kenneth Wisniewski, "Price-Induced Patterns of Competition", *Marketing Science* 8 (otoño de 1989), pp. 291–309; Katherine N. Lemon y Stephen M. Nowlis, "Developing Synergies between Promotions and Brands in Different Price-Quality Tiers", *Journal of Marketing Research* 39 (mayo de 2002), pp. 171–185; pero vea también Serdar Sayman, Stephen J. Hoch y Jagmohan S. Raju, "Positioning of Store Brands", *Marketing Science* 21 (otoño de 2002), pp. 378–397.

31. Shantanu Dutta, Mark J. Zbaracki y Mark Bergen, "Pricing Process as a Capability: A Resource-Based Perspective", *Strategic Management Journal* 24 (julio de 2003), pp. 615–630.

32. "To All iPhone Customers", *Apple Inc.*, www.apple.com/hotnews/openiphoneletter; Gary F. Gebhardt, "Price Skimming's Unintended Consequences", *Marketing Science Institute Working Paper Series*, MSI Report Núm. 09-109.

33. Michael Silverstein y Neil Fiske, *Trading Up: The New American Luxury* (Nueva York: Portfolio, 2003).

34. Christopher Lawton, "A Liquor Maverick Shakes Up Industry with Pricey Brands", *Wall Street Journal,* 21 de mayo de 2003.

35. Timothy Aeppel, "Seeking Perfect Prices, CEO Tears Up the Rules", *Wall Street Journal,* 27 de marzo de 2007.

36. Florian Zettelmeyer, Fiona Scott Morton y Jorge Silva-Risso, "How the Internet Lowers Prices: Evidence from Matched Survey and Automobile Transaction Data", *Journal of Marketing Research* 43 (mayo de 2006), pp. 168–181; Jeffrey R. Brown y Austan Goolsbee, "Does the Internet Make Markets More Competitive? Evidence from the Life Insurance Industry", *Journal of Political Economy* 110 (octubre de 2002), pp. 481–507.

37. Joo Heon Park y Douglas L. MacLachlan, "Estimating Willingness to Pay with Exaggeration Bias-Corrected Contingent Valuation Method", *Marketing Science* 27 (julio–agosto de 2008), pp. 691–698.

38. Walter Baker, Mike Marn y Craig Zawada, "Price Smarter on the Net", *Harvard Business Review*, febrero de 2001, pp. 122–127.

39. Brian Bergstein, "The Price Is Right", *Associated Press*, 29 de abril de 2007.

40. Thomas T. Nagle y Reed K. Holden, *The Strategy and Tactics of Pricing,* 3a. ed. (Upper Saddle River, NJ: Prentice Hall, 2002).

41. Para un resumen de estudios acerca de elasticidad, vea Dominique M. Hanssens, Leonard J. Parsons y Randall L. Schultz, *Market Response Models: Econometric and Time Series Analysis* (Boston: Kluwer, 1990), pp. 187–191.

42. Tammo H. A. Bijmolt, Harald J. Van Heerde y Rik G. M. Pieters, "New Empirical Generalizations on the Determinants of Price Elasticity", *Journal of Marketing Research* 42 (mayo de 2005), pp. 141–156.

43. William W. Alberts, "The Experience Curve Doctrine Reconsidered", *Journal of Marketing* 53 (julio de 1989), pp. 36–49.

44. Michael Sivy, "Japan's Smart Secret Weapon", *Fortune,* agosto 12, de 1991, p. 75.

45. Joseph Weber, "Over a Buck for Dinner? Outrageous", *BusinessWeek*, 9 de marzo de 2009, p. 57.

46. Reena Jane, "From India, the Latest Management Fad", *Bloomberg BusinessWeek*, 14 de diciembre de 2009, p. 57; Julie Jargon, "General Mills Takes Several Steps to Combat High Commodity Costs", *Wall Street Journal*, 20 de septiembre de 2007; Mina Kimes, "Cereal Cost Cutters", *Fortune*, 10 de noviembre de 2008, p. 24.

47. Jack Ewing, "The Next Wal-Mart?" *BusinessWeek,* 26 de abril de 2004, pp. 60–62; "German Discounter Aldi Aims to Profit from Belt-Tightening in US", *DW World.de,* www.dw-world.de, 15 de enero de 2009; Aldi, www.aldi.com

48. "Green Works Natural Cleaners and Sierra Club Celebrate Two Year Anniversary; Doubling of Natural Cleaning Category", *Green Works,* www.greenworkscleaners.com, 28 de junio de 2010; "This or That? Clorox Greenworks Cleaning Up in the Market Tip of the Day", *Green Daily,* www.greendaily.com, 24 de enero de 2009; "Annual GMA Award Recognizes Clorox and Kettle Foods for Innovation and Creativity", *GMA,* www. gmaonline.org/awardssurvey/cpg.cfm, 5 de agosto de 2008.

49. Kusum L. Ailawadi, Donald R. Lehmann y Scott A. Neslin, "Market Response to a Major Policy Change in the Marketing Mix: Learning from Procter & Gamble's Value Pricing Strategy", *Journal of Marketing* 65 (enero de 2001), pp. 44–61.

50. Timothy Aeppel, "Seeking Perfect Prices, CEO Tears Up the Rules", *Wall Street Journal,* 27 de marzo de 2007; Todd Shryock, "Parker Hannifin: Perpetual Motion", *Smart Business Cleveland*, 1 de octubre de 2005; Tom Brennan, "High-Tech Parker Hannifin?" *CNBC,* www.cnbc.com, 29 de abril de 2008.

51. Bruce Einhorn, "Acer's Game-Changing PC Offensive", *BusinessWeek*, 20 de abril de 2009, p. 65; Bruce Einhorn y Tim Culpan, "With Dell in the Dust, Acer Chases HP", *Bloomberg BusinessWeek*, 8 de marzo de 2010, pp. 58–59.

52. Tung-Zong Chang y Albert R. Wildt, "Price, Product Information, and Purchase Intention: An Empirical

Study", *Journal of the Academy of Marketing Science* 22 (invierno de 1994), pp. 16–27. Vea también G. Dean Kortge y Patrick A. Okonkwo, "Perceived Value Approach to Pricing", *Industrial Marketing Management* 22 (mayo de 1993), pp. 133–140.

53. multipress.com.mx/articulos.php?id_sec=17&id_art=5245&id_ejemplar=0; http://es.wikipedia.org/wiki/Comercial_Mexicana

54. Anupam Mukerj, "Monsoon Marketing", *Fast Company*, abril de 2007, p. 22.

55. Marco Bertini y Luc Wathieu, "How to Stop Customers from Fixating on Price", *Harvard Business Review*, mayo de 2010, pp. 85–91.

56. James C. Anderson, Dipak C. Jain y Pradeep K. Chintagunta, "Customer Value Assessment in Business Markets: A State-of-Practice Study", *Journal of Business-to-Business Marketing* 1 (primavera de 1993), pp. 3–29.

57. Bill Saporito, "Behind the Tumult at P&G", *Fortune,* 7 de marzo de 1994, pp. 74–82. Para un análisis empírico de sus efectos, vea Kusim L. Ailawadi, Donald R. Lehmann y Scott A. Neslin, "Market Response to a Major Policy Change in the Marketing Mix: Learning from Procter & Gamble's Value Pricing Strategy", *Journal of Marketing* 65 (enero de 2001), pp. 44–61.

58. Laurie Burkitt, "Take It All Off", *Forbes*, 29 de marzo de 2010, p. 59; Dan Beucke, "A Blade Too Far", *BusinessWeek*, 14 de agosto de 2006; Jenn Abelson, "And Then There Were Five", *Boston Globe,* 15 de septiembre de 2005; Jack Neff, "Six-Blade Blitz", *Advertising Age,* 19 de septiembre de 2005, pp. 3, 53; Editorial, "Gillette Spends Smart on Fusion", *Advertising Age,* 26 de septiembre de 2005, p. 24.

59. Elisabeth Sullivan, "Value Pricing", *Marketing News*, 15 de enero de 2008, p. 8.

60. Stephen J. Hoch, Xavier Dreze y Mary J. Purk, "EDLP, Hi-Lo, and Margin Arithmetic", *Journal of Marketing* 58 (octubre de 1994), pp. 16–27; Rajiv Lal y R. Rao, "Supermarket Competition: The Case of Everyday Low Pricing", *Marketing Science* 16 (invierno de 1997), pp. 60–80; Michael Tsiros y David M. Hardesty, "Ending a Price Promotion: Retracting It in One Step or Phasing It Out Gradually", *Journal of Marketing* 74 (enero de 2010), pp. 49–64.

61. Joseph W. Alba, Carl F. Mela, Terence A. Shimp y Joel E. Urbany, "The Effect of Discount Frequency and Depth on Consumer Price Judgments", *Journal of Consumer Research* 26 (septiembre de 1999), pp. 99–114; Paul B. Ellickson y Sanjog Misra, "Supermarket Pricing Strategies", *Marketing Science*, 27 (septiembre–octubre de 2008), pp. 811–828.

62. David Welch, "Haggling Starts to Go the Way of the Tail Fin", *BusinessWeek*, 29 de octubre de 2007, pp. 71–72.

63. mx.nielsen.com/press/Consumidoreshallanrefugioentiendasdevariedad.shtml; es.wikipedia.org/wiki/Waldo%27s_Mart; es.wikipedia.org/wiki/Tienda_de_todo_a_100

64. Ethan Smith y Sara Silver, "To Protect Its Box-Office Turf, Ticketmaster Plays Rivals' Tune", *Wall Street Journal,* 12 de septiembre de 2006.

65. "Royal Mail Drives Major Cost Savings through Free Markets", Free Markets press release, 15 de diciembre de 2003.

66. La utilización de las ganancias esperadas para fijar los precios tiene sentido para el vendedor que hace muchas ofertas. El vendedor que sólo hace ofertas ocasionalmente o que necesita determinado contrato no encontrará ventajas en el uso de las ganancias esperadas. Este criterio no distingue entre una ganancia de 1 000 dólares con una probabilidad de 0.10 y una ganancia de 125 dólares con una probabilidad de 0.80. Aun así, la empresa que desea que la producción continúe preferiría el segundo contrato al primero.

67. Bernard Condon, "The Haggle Economy", *Forbes*, 8 de junio de 2009, pp. 26–27; Sandy D. Jap, "The Impact of Online Reverse Auction Design on Buyer-Supplier Relationships", *Journal of Marketing* 71 (enero de 2007), pp. 146–159; Sandy D. Jap, "An Exploratory Study of the Introduction of Online Reverse Auctions", *Journal of Marketing* 67 (julio de 2003), pp. 96–107.

68. Paul W. Farris y David J. Reibstein, "How Prices, Expenditures, and Profits Are Linked", *Harvard Business Review,* noviembre–diciembre de 1979, pp. 173–184. Vea también Makoto Abe, "Price and Advertising Strategy of a National Brand against Its Private-Label Clone: A Signaling Game Approach", *Journal of Business Research* 33 (julio de 1995), pp. 241–250.

69. Eugene H. Fram y Michael S. McCarthy, "The True Price of Penalties", *Marketing Management*, octubre de 1999, pp. 49–56.

70. Joel E. Urbany, "Justifying Profitable Pricing", *Journal of Product and Brand Management* 10 (2001), pp. 141–157; Charles Fishman, "The Wal-Mart You Don't Know", *Fast Company,* diciembre de 2003, pp. 68–80.

71. P. N. Agarwala, *Countertrade: A Global Perspective* (Nueva Delhi: Vikas, 1991); Michael Rowe, *Countertrade* (Londres: Euromoney Books, 1989); Christopher M. Korth, ed., *International Countertrade* (Nueva York: Quorum Books, 1987).

72. Para un interesante análisis acerca de recargos por cantidades, vea David E. Sprott, Kenneth C. Manning y Anthony Miyazaki, "Grocery Price Settings and Quantity Surcharges", *Journal of Marketing* 67 (julio de 2003), pp. 34–46.

73. Michael V. Marn y Robert L. Rosiello, "Managing Price, Gaining Profit", *Harvard Business Review,* septiembre–octubre de 1992, pp. 84–94. Vea también Kusum L. Ailawadi, Scott A. Neslin y Karen Gedenk, "Pursuing the Value-Conscious Consumer: Store Brands versus National-Brand Promotions", *Journal of Marketing* 65 (enero de 2001), pp. 71–89; Gerard J. Tellis, "Tackling the Retailer Decision Maze: Which Brands to Discount, How Much, When, and Why?" *Marketing Science* 14 (verano de 1995), pp. 271–299.

74. Michael J. Barone y Tirthankar Roy, "Does Exclusivity Always Pay Off? Exclusive Price Promotions and Consumer Response", *Journal of Marketing* 74 (marzo de 2010), pp. 121–132

75. Jay E. Klompmaker, William H. Rogers y Anthony E. Nygren, "Value, Not Volume", *Marketing Management* (mayo–junio de 2003), pp. 45–48; Lands' End, www.landsend.com, 23 de junio de 2010.

76. Peter Burrows y Olga Kharif, "Can AT&T Tame the iHogs", *Bloomberg BusinessWeek*, 28 de diciembre de 2009 y 4 de enero de 2010, pp. 21–22.

77. Ramarao Deesiraju y Steven M. Shugan, "Strategic Service Pricing and Yield Management", *Journal of Marketing* 63 (enero de 1999), pp. 44–56; Robert E. Weigand, "Yield Management: Filling Buckets, Papering the House", *Business Horizons* 42 (septiembre–octubre de 1999), pp. 55–64.

78. Charles Fishman, "Which Price Is Right?" *Fast Company,* marzo de 2003, pp. 92–102; Bob Tedeschi, "E-Commerce Report", *New York Times,* 2 de septiembre de 2002; Faith Keenan, "The Price Is Really Right", *BusinessWeek,* 31 de marzo de 2003, pp. 62–67; Peter Coy, "The Power of Smart Pricing", *BusinessWeek,* 10 de abril de 2000, pp. 160–164. Para la reseña de algunos textos originales y de gran influencia que vinculan las decisiones de fijación de precios con perspectivas operativas, vea Moritz Fleischmann, Joseph M. Hall y David F. Pyke, "Research Brief: Smart Pricing", *MIT Sloan Management Review* (invierno de 2004), pp. 9–13.

79. Mike France, "Does Predatory Pricing Make Microsoft a Predator?" *BusinessWeek,* 23 de noviembre de 1998, pp. 130–132. También vea Joseph P. Guiltinan y Gregory T. Gundlack, "Aggressive and Predatory Pricing: A Framework for Analysis", *Journal of Advertising* 60 (julio de 1996), pp. 87–102.

80. Para más información acerca de tipos específicos de discriminación de precios que son ilegales, vea Henry Cheeseman, *Business Law,* 6a. ed. (Upper Saddle River, NJ: Prentice Hall, 2007).

81. Bob Donath, "Dispel Major Myths about Pricing", *Marketing News,* febrero 3, de 2003, p. 10. Para una interesante reseña histórica, vea Meghan R. Busse, Duncan I. Simester, Florian Zettelmeyer, "'The Best Price You'll Ever Get': The 2005 Employee Discount Pricing Promotions, in the U.S. Automobile Industry", *Marketing Science* 29 (marzo–abril de 2010), pp. 268–290.

82. Harald J. Van Heerde, Els Gijsbrechts y Koen Pauwels, "Winners and Losers in a Major Price War", *Journal of Marketing Research* 45 (octubre de 2008), pp. 499–518.

83. Para una reseña clásica, vea Kent B. Monroe, "Buyers' Subjective Perceptions of Price", *Journal of Marketing Research* 10 (febrero 1973), pp. 70–80. Vea también Z. John Zhang, Fred Feinberg y Aradhna Krishna, "Do We Care What Others Get? A Behaviorist Approach to Targeted Promotions", *Journal of Marketing Research* 39 (agosto de 2002), pp. 277–291.

84. Margaret C. Campbell, "Perceptions of Pricing Unfairness: Antecedents and Consequences", *Journal of Marketing Research* 36 (mayo de 1999), pp. 187–199.

85. Lan Xia, Kent B. Monroe y Jennifer L. Cox, "The Price Is Unfair! A Conceptual Framework of Price Fairness Perceptions", *Journal of Marketing* 68 (octubre de 2004), pp. 1–15; Eric T. Anderson and Duncan Simester, "Does Demand Fall when Customers Perceive That Prices Are Unfair? The Case of Premium Pricing for Larger Sizes", *Marketing Science* 27 (mayo–junio de 2008), pp. 492–500.

86. Eric Mitchell, "How Not to Raise Prices", *Small Business Reports,* noviembre de 1990, pp. 64–67.

87. Nirmalya Kumar, "Strategies to Fight Low-Cost Rivals", *Harvard Business Review* (diciembre de 2006): pp. 104–112. Vea también Michael F. Porter, *Competitive Strategy: Techniques for Analyzing Industries and Competitors* (Nueva York: Free Press, 1980); Adrian Ryans, *Beating Low Cost Competition: How Premium Brands Can Respond to Cut-Price Rivals* (West Sussex, England: John Wiley & Sons, 2008); Jack Neff, "How the Discounters Hurt Themsleves", *Advertising Age*, 10 de diciembre de 2007, p. 12.

Capítulo 15

1. www.mexicosgreatestbrands.org/Vol2/pdf/PagsSanborns.pdf; www.sanborns.com.mx/sanborns/historia.asp

2. Anne T. Coughlan, Erin Anderson, Louis W. Stern y Adel I. El-Ansary, *Marketing Channels,* 7a. ed. (Upper Saddle River, NJ: Prentice Hall, 2007).

3. Louis W. Stern y Barton A. Weitz, "The Revolution in Distribution: Challenges and Opportunities", *Long Range Planning* 30 (diciembre de 1997), pp. 823–829.

4. Para un resumen intuitivo de investigaciones académicas, vea Erin Anderson y Anne T. Coughlan, "Channel Management: Structure, Governance, and Relationship Management", Bart Weitz y Robin Wensley, eds., *Handbook of Marketing* (Londres: Sage, 2001), pp. 223–247. Vea también Gary L. Frazier, "Organizing and Managing Channels of Distribution", *Journal of the Academy of Marketing Sciences* 27 (primavera de 1999), pp. 226–240.

5. Kerry Capell, "Thinking Simple at Philips", *BusinessWeek,* 11 de diciembre de 2006, p. 50; Royal Philips Electronics Annual Report, de 2009; "Philips—Unfulfilled", *Brandchannel.com*, 20 de junio de 2005; Jennifer L. Schenker, "Fine-Tuning a Fuzzy Image", *TIMEeurope.com,* primavera de 2002.

6. Sarah E. Needleman, "Dial-a-Mattress Retailer Blames Troubles on Stores, Executive Team", *Wall Street Journal*, 14 de julio de 2009, p. B1.

7. es.wikipedia.org/wiki/Cinemex; www.matuk.com/2009/05/23/sirvase-usted-mismo-sus-boletos-de-cine/; cio.com.mx/Articulo.aspx?id=413

8. Chekitan S. Dev y Don E. Schultz, "In the Mix: A Customer-Focused Approach Can Bring the Current Marketing Mix into the 21st. Century", *Marketing Management* 14 (enero–febrero de 2005).
9. www.oracle.com, 9 de diciembre de 2010.
10. www.apple.com, 9 de diciembre de 2010.
11. Robert Shaw y Philip Kotler, "Rethinking the Chain", *Marketing Management* (julio–agosto de 2009), pp. 18–23.
12. Anne T. Coughlan, "Channel Management: Structure, Governance, and Relationship Management", Bart Weitz y Robin Wensley, eds., *Handbook of Marketing* (Londres: Sage, 2001), pp. 223–247.
13. Para información adicional sobre los canales de flujo inverso vea Marianne Jahre, "Household Waste Collection as a Reverse Channel: A Theoretical Perspective", *International Journal of Physical Distribution and Logistics* 25 (1995), pp. 39–55; Terrance L. Pohlen y M. Theodore Farris II, "Reverse Logistics in Plastics Recycling", *International Journal of Physical Distribution and Logistics* 22 (1992), pp. 35–37.
14. www.soyentrepreneur.com/reciclaje:-un-negocio-rentable-.html; avelop.com.mx
15. William M. Bulkeley, "Kodak Revamps Wal-Mart Kiosks", *Wall Street Journal*, 6 de septiembre de 2006, p. B2; Faith Keenan, "Big Yellow's Digital Dilemma", *BusinessWeek,* 24 de marzo de 2003, pp. 80–81.
16. www.hospitalangelespedregal.com.mx
17. Asim Ansari, Carl F. Mela y Scott A. Neslin, "Customer Channel Migration", *Journal of Marketing Research* 45 (febrero de 2008), pp. 60–76; Jacquelyn S. Thomas y Ursula Y. Sullivan, "Managing Marketing Communications", *Journal of Marketing* 69 (octubre de 2005), pp. 239–251; Sridhar Balasubramanian, Rajagopal Raghunathan y Vijay Mahajan, "Consumers in a Multichannel Environment: Product Utility, Process Utility, and Channel Choice", *Journal of Interactive Marketing* 19 (primavera de 2005), pp. 12–30; Edward J. Fox, Alan L. Montgomery y Leonard M. Lodish, "Consumer Shopping and Spending across Retail Formats", *Journal of Business* 77 (abril de 2004), pp. S25–S60.
18. Peter Child, Suzanne Heywood y Michael Kilger, "Do Retail Brands Travel?" *McKinsey Quarterly* (enero de 2002), pp. 11–13. Para otra taxonomía de los que van de compras, vea también Paul F. Nunes y Frank V. Cespedes, "The Customer Has Escaped", *Harvard Business Review,* noviembre de 2003, pp. 96–105.
19. John Helyar, "The Only Company Wal-Mart Fears", *Fortune,* 24 de noviembre de 2003, pp. 158–166. Vea también Michael Silverstein y Neil Fiske, *Trading Up: The New American Luxury* (Nueva York: Portfolio, 2003).
20. Susan Broniarczyk, "Product Assortment", Curtis Haugtvedt, Paul Herr y Frank Kardes, eds., *Handbook of Consumer Psychology*, (Nueva York: Lawrence Erlbaum Associates, 2008), pp. 755–779; Alexander Chernev y Ryan Hamilton, "Assortment Size and Option Attractiveness in Consumer Choice Among Retailers", *Journal of Marketing Research* 46 (junio de 2009), pp. 410–420; Richard A. Briesch, Pradeep K. Chintagunta y Edward J. Fox, "How Does Assortment Affect Grocery Store Choice", *Journal of Marketing Research* 46 (abril de 2009), pp. 176–189.
21. Anne T. Coughlan, Erin Anderson, Louis W. Stern y Adel I. El-Ansary, *Marketing Channels,* 7a. ed. (Upper Saddle River, NJ: Prentice Hall, 2007).
22. Louis P. Bucklin, *A Theory of Distribution Channel Structure* (Berkeley: Institute of Business and Economic Research, University of California, 1966).
23. Katrijn Gielens y Marnik G. Dekimpe, "The Entry Strategies Retail Firms into Transition Economies", *Journal of Marketing* 71 (abril de 2007), pp. 196–212.
24. Alex Frankel, "Magic Shop", *Fast Company*, noviembre de 2007, pp. 45–49; "Apple Reports Fourth Quarter Results", www.apple.com, 19 de octubre de 2009; Jerry Useem, "Simply Irresistible", *Fortune,* 19 de marzo de 2007, pp. 107–112; Nick Wingfield, "How Apple's Store Strategy Beat the Odds", *Wall Street Journal,* 17 de mayo de 2006; Alice Z. Cuneo, "Apple Transcends as Lifestyle Brand", *Advertising Age,* 15 de junio de 2003, pp. S2, S6; Tobi Elkin, "Apple Gambles with Retail Plan", *Advertising Age,* 24 de junio de 2001.
25. Allison Enright, "Shed New Light", *Marketing News,* 1 de mayo de 2006, pp. 9–10.
26. "Exclusives Becoming a Common Practice", *DSN Retailing Today,* 9 de febrero de 2004, pp. 38, 44.
27. "Trouser Suit", *Economist,* 24 de noviembre de 2001, p. 56.
28. www.stihlusa.com/corporate/corporate_facts.html
29. "Nike Says No to Blue-Light Specials", *Fortune,* 4 de mayo de 2005.
30. Robert K. Heady, "Online Bank Offers Best Rates", *South Florida Sun-Sentinel,* 22 de noviembre de 2004.
31. Anderson y Coughlan, "Channel Management: Structure, Governance, and Relationship Management", *Handbook of Marketing* (Londres: Sage Publications, 2002), pp. 223–247; Michaela Draganska, Daniel Klapper y Sofia B. Villa-Boas, "A Larger Slice or a Larger Pie? An Empirical Investigation of Bargaining Power in the Distribution Channel", *Marketing Science* 29 (enero–febrero de 2010), pp. 57–74.
32. Estas bases de poder fueron identificadas en John R. P. French y Bertram Raven, "The Bases of Social Power", Dorwin Cartwright, ed., *Studies in Social Power* (Ann Arbor: University of Michigan Press, 1959), pp. 150–167.
33. Joydeep Srivastava y Dipankar Chakravarti, "Channel Negotiations with Information Asymmetries: Contingent Influences of Communication and Trustworthiness Reputations", *Journal of Marketing Research* 46 (agosto de 2009), pp. 557–572.
34. Daniel Corsten y Nirmalya Kumar, "Do Suppliers Benefit from Collaborative Relationships with Large Retailers?

An Empirical Investigation of Efficient Consumer Response Adoption", *Journal of Marketing* 69 (julio de 2005), pp. 80–94; para algunas investigaciones relacionadas, vea Ashwin W. Joshi, "Continuous Supplier Performance Improvement: Effects of Collaborative Communication and Control", *Journal of Marketing* 73 (enero de 2009), pp. 133–150.

35. Russ Mitchell, "Can Dell Save Dell?" *Condé Nast Portfolio*, julio de 2008, pp. 84–90; Cliff Edwards, "Dell's Do-Over", *BusinessWeek*, 26 de octubre de 2009, pp. 37–40; Christopher Helman, "The Second Coming", *Forbes*, 10 de diciembre de 2007, pp. 79–86; David Whitford, "Uh . . . mayobe I Should Drive", *Fortune,* 30 de abril de 2007, pp. 125–128; Louise Lee, "It's Dell vs. the Dell Way", *BusinessWeek,* 6 de marzo de 2006, pp. 61–62; David Kirkpatrick, "Dell in the Penalty Box", *Fortune,* 18 de septiembre de 2006, pp. 70–78; Nanette Byrnes, Peter Burrows y Louise Lee, "Dark Days at Dell", *BusinessWeek,* 4 de septiembre de 2006, pp. 27–30; Elizabeth Corcoran, "A Bad Spell for Dell", *Forbes,* 19 de junio de 2006, pp. 44–46.

36. Para un ejemplo de caso de estudio, vea Jennifer Shang, Tuba Pinar Yildrim, Pandu Tadikamalla, Vikas Mittal y Lawrence Brown, "Distribution Network Redesign for Marketing Competitiveness", *Journal of Marketing* 73 (marzo de 2009), pp. 146–163.

37. Xinlei Chen, George John y Om Narasimhan, "Assessing the Consequences of a Channel Switch", *Marketing Science* 27 (mayo–junio de 2008), pp. 398–416.

38. Thomas H. Davenport y Jeanne G. Harris, *Competing on Analytics: The New Science of Winning* (Boston: Harvard Business School Press, 2007).

39. Junhong Chu, Pradeep K. Chintagunta y Naufel J. Vilcassim, "Assessing the Economic Value of Distribution Channels: An Application to the Personal Computer Industry", *Journal of Marketing Research* 44 (febrero de 2007), pp. 29–41.

40. Bruce Einhorn, "China: Where Retail Dinosaurs Are Thriving", *Bloomberg BusinessWeek*, 1 y 8 de febrero de 2010, p. 64.

41. "Unshackling the Chain Stores", *Economist*, 31 de mayo de 2008, pp. 69–70.

42. Richard Gibson, "U.S. Franchises Find Opportunities to Grow Abroad", *Wall Street Journal*, 11 de agosto de 2009, p. B5.

43. "Crossroads", *Economist*, 17 de marzo de 2007, pp. 71–72; "Shopped Around", *Economist*, 18 de octubre de 2008, p. 74; Carol Matlack, "A French Wal-Mart's Global Blitz, *BusinessWeek*, 21 de diciembre de 2009, pp. 64–65.

44. Michael Arndt, "Urban Outfitters Grow-Slow Strategy", *Bloomberg BusinessWeek*, 1 de marzo de 2010, p. 56; Michael Arndt, "How to Play It: Apparel Makers", *Bloomberg BusinessWeek*, 1 de marzo de 2010, p. 61.

45. Matthew Boyle y Michael V. Copeland, "Tesco Reinvents the 7-Eleven", *Fortune*, 26 de noviembre de 2007, p. 34.

46. es.wikipedia.org/wiki/C%26A; www.c-and-a.com/es/es/corporate/company/quienes-somos/historia/; www.icsc.org/srch/sctL/sctL0503/page9.php.

47. Stefan Wuyts, Stefan Stremersch, Christophe Van Den Bulte y Philip Hans Franses, "Vertical Marketing Systems for Complex Products: A Triadic Perspective", *Journal of Marketing Research* 41 (noviembre de 2004), pp. 479–487.

48. Russell Johnston y Paul R. Lawrence, "Beyond Vertical Integration: The Rise of the Value-Adding Partnership", *Harvard Business Review,* julio–agosto de 1988, pp. 94–101. Vea también Arnt Bovik y George John, "When Does Vertical Coordination Improve Industrial Purchasing Relationships", *Journal of Marketing* 64 (octubre de 2000), pp. 52–64; Judy A. Siguaw, Penny M. Simpson y Thomas L. Baker, "Effects of Supplier Market Orientation on Distributor Market Orientation and the Channel Relationship: The Distribution Perspective", *Journal of Marketing* 62 (julio de 1998), pp. 99–111; Narakesari Narayandas y Manohar U. Kalwani, "Long-Term Manufacturer- Supplier Relationships: Do They Pay Off for Supplier Firms?" *Journal of Marketing* 59 (enero de 1995), pp. 1–16.

49. Raji Srinivasan, "Dual Distribution and Intangible Firm Value: Franchising in Restaurant Chains", *Journal of Marketing* 70 (julio de 2006), pp. 120–135.

50. www.citizensbank.com, 9 de diciembre de 2010.

51. www.disney.com, 9 de diciembre de 2010; Joyceann Cooney, "Mooney's Kingdom", *License*, 1 de octubre de 2006.

52. Coach Inc. Forma 10-K ingresada en la SEC el 19 de agosto de 2009.

53. Rajkumar Venkatesan, V. Kumar y Nalini Ravishanker, "Multichannel Shopping: Causes and Consequences", *Journal of Marketing* 71 (abril de 2007), pp. 114–132.

54. Basado en Rowland T. Moriarty y Ursula Moran, "Marketing Hybrid Marketing Systems", *Harvard Business Review,* noviembre–diciembre de 1990, pp. 146–155.

55. Susan Casey, "Eminence Green", *Fortune,* 2 de abril de 2007, pp. 64–70.

56. Barbara Darow, "Oracle's New Partner Path", *CRN,* 21 de agosto de 2006, p. 4.

57. Anne Coughlan y Louis Stern, "Marketing Channel Design and Management", Dawn Iacobucci, ed., *Kellogg on Marketing* (Nueva York: John Wiley & Sons, 2001), pp. 247–269.

58. Nirmalya Kumar, "Some Tips on Channel Management", rediff.com, 1 de julio de 2005.

59. Matthew Boyle, "Brand Killers", *Fortune,* 11 de agosto de 2003, pp. 51–56; para un punto de vista opuesto, vea Anthony J. Dukes, Esther Gal-Or y Kannan Srinivasan, "Channel Bargaining with Retailer Asymmetry", *Journal of Marketing Research* 43 (febrero de 2006), pp. 84–97.

60. Jerry Useem, Julie Schlosser y Helen Kim, "One Nation under Wal-Mart", *Fortune* (Europe), 3 de marzo de 2003.

61. Sreekumar R. Bhaskaran y Stephen M. Gilbert, "Implications of Channel Structure for Leasing or Selling Durable Goods", *Marketing Science* 28 (septiembre–octubre de 2009), pp. 918–934.

62. Para un ejemplo de cuándo un conflicto puede percibirse como útil, vea Anil Arya y Brian Mittendorf, "Benefits of Channel Discord in the Sale of Durable Goods", *Marketing Science* 25 (enero–febrero de 2006), pp. 91–96; y Nirmalya Kumar, "Living with Channel Conflict", *CMO Magazine,* octubre de 2004.

63. Esta sección se toma de Coughlan, Anderson, Stern y El-Ansary, *Marketing Channels,* capítulo 9. Vea también Jonathan D. Hibbard, Nirmalya Kumar y Louis W. Stern, "Examining the Impact of Destructive Acts in Marketing Channel Relationships", *Journal of Marketing Research* 38 (febrero de 2001), pp. 45–61; Kersi D. Antia y Gary L. Frazier, "The Severity of Contract Enforcement in Interfirm Channel Relationships", *Journal of Marketing* 65 (octubre de 2001), pp. 67–81; James R. Brown, Chekitan S. Dev, y Dong-Jin Lee, "Managing Marketing Channel Opportunism: The Efficiency of Alternative Governance Mechanisms", *Journal of Marketing* 64 (abril de 2000), pp. 51–65; Alberto Sa Vinhas y Erin Anderson, "How Potential Conflict Drives Channel Structure: Concurrent (Direct and Indirect) Channels", *Journal of Marketing Research* 42 (noviembre de 2005), pp. 507–515.

64. Nirmalya Kumar, "Living with Channel Conflict", *CMO Magazine,* octubre de 2004.

65. Andrew Kaplan, "All Together Now?" *Beverage World,* marzo de 2007, pp. 14–16.

66. Christina Passriello, "Fashionably Late? Designer Brands Are Starting to Embrace E-Commerce", *Wall Street Journal,* 19 de mayo de 2006.

67. Greg Johnson, "Gray Wail: Southern California Companies Are among the Many Upscale Manufacturers Voicing Their Displeasure about Middlemen Delivering Their Goods into the Hands of Unauthorized Discount Retailers", *Los Angeles Times,* 30 de marzo de 1997. También vea Paul R. Messinger y Chakravarthi Narasimhan, "Has Power Shifted in the Grocery Channel?" *Marketing Science* 14 (primavera de 1995), pp. 189–223.

68. Joel C. Collier y Carol C. Bienstock, "How Do Customers Judge Quality in an E-tailer", *MIT Sloan Management Review* (otoño de 2006), pp. 35–40.

69. *Coremetrics Benchmark diciembre US Retail,* www.coremetrics.com/downloads/coremetricsbenchmark-industry-report-2008-12-us.pdf

70. Jeff Borden, "The Right Tools", *Marketing News*, 15 de abril de 2008, pp. 19–21.

71. Alexis K. J. Barlow, Noreen Q. Siddiqui y Mike Mannion, "Development in Information and Communication Technologies for Retail Marketing Channels", *International Journal of Retail and Distribution Management* 32 (marzo de 2004), pp. 157–163; G&J Electronic Media Services, *7th Wave of the GfK-Online-Monitor* (Hamburg: GfK Press, de 2001).

72. Martin Holzwarth, Chris Janiszewski y Marcus M. Newmann, "The Influence of Avatars on Online Consumer Shopping Behavior", *Journal of Marketing* 70 (octubre de 2006), pp. 19–36.

73. Ann E. Schlosser, Tiffany Barnett White y Susan M. Lloyd, "Converting Web Site Visitors into Buyers: How Web Site Investment Increases Consumer Trusting Beliefs and Online Purchase Intentions", *Journal of Marketing* 70 (abril de 2006), pp. 133–148.

74. Ronald Abler, John S. Adams y Peter Gould, *Spatial Organizations: The Geographer's View of the World* (Upper Saddle River, NJ: Prentice Hall, 1971), pp. 531–532.

75. "China's Pied Piper", *Economist,* 23 de septiembre de 2006, p. 80; Alibaba.com, www.alibaba.com, 9 de diciembre de 2010; Garry Barker, "The Treasure Keeps Coming for Alibaba", *The Age*, 27 de octubre de 2009; Jessica E. Vascellaro, "Alibaba.com Plans U.S Push", *Wall Street Journal*, 7 de agosto de 2009; Bruce Einhorn, "At Alibaba, Investors Come Last", *BusinessWeek*, 17 de agosto de 2009, p. 50.

76. Para un análisis académico a profundidad, vea John G. Lynch Jr. y Dan Ariely, "Wine Online: Search Costs and Competition on Price, Quality, and Distribution", *Marketing Science* 19 (invierno de 2000), pp. 83–103.

77. Andrea Chang, "Retailers Fuse Stores with ECommerce", *Los Angeles Times*, 27 de junio de 2010.

78. Anjali Cordeiro, "Procter & Gamble Sees Aisle Expansion on the Web", *Wall Street Journal*, 2 de septiembre de 2009, p. B6A; Anjali Cordeiro y Ellen Byron, "Procter & Gamble to Test Online Store to Study Buying Habits", *Wall Street Journal*, 15 de enero de 2010.

79. Xubing Zhang, "Retailer's Multichannel and Price Advertising Strategies", *Marketing Science* 28 (noviembre–diciembre de 2009), pp. 1080–1094.

80. Susan Fournier y Lara Lee, "Getting Brand Communities Right", *Harvard Business Review,* abril de 2009, pp. 105–111; "New Harley Davidson Accessory and Clothing Store", *PRLog*, 21 de julio de 2009; Bob Tedeshi, "How Harley Revved Online Sales", *Business 2.0,* diciembre de 2002–enero de 2003, pp. 44; John W. Schouten y James H. McAlexander, "Market Impact of a Consumption Subculture: The Harley-Davidson Mystique", Gary J. Bamossy y W. Fred van Raaij, eds., *European Advances in Consumer Research* (Provo, UT: Association for Consumer Research, 1993), pp. 389–393.

81. Nanette Byrnes, "More Clicks at the Bricks", *BusinessWeek*, 17 de diciembre de 2007, pp. 50–51.

82. Douglas Lamont, *Conquering the Wireless World: The Age of M-Commerce* (Nueva York: John Wiley & Sons, 2001); Herbjørn Nysveen, Per E. Pedersen, Helge Thorbjørnsen y Pierre Berthon, "Mobilizing the Brand: The Effects of Mobile Services on Brand Relationships and Main Channel Use", *Journal of Service Research*

7 (2005), pp. 257–276; Venkatesh Shankar y Sridhar Balasubramanian, "Mobile Marketing: A Synthesis and Prognosis", *Journal of Interactive Marketing* 23 (2009), pp. 118–129; Venkatesh Shankar, Alladi Venkatesh, Charles Hofacker y Prasad Naik, "Mobile Marketing in the Retailing Environment: Current Insights and Future Research Avenues", número especial, *Journal of Interactive Marketing*, coeditores Venkatesh Shankar y Manjit Yadav, por publicarse.

83. "The Mobile Internet Report", *Morgan Stanley,* www.morganstanley.com, 7 de mayo de 2010.
84. Adam Cahill, Lars Albright y Carl Howe, "Mobile Advertising and Branding", sesión como parte de la Britt Technology Impact Series, Tuck School of Business, Dartmouth College, 31 de marzo de 2010; Alexandre Mars, "Importing Mobile Marketing Tools", *Brandweek*, 15 de febrero de 2010, p. 17.
85. Reena Jana, "Retailers Are Learning to Love Smartphones", *BusinessWeek*, 26 de octubre de 2009.
86. Nanette Byrnes, "More Clicks at the Bricks", *BusinessWeek*, 17 de diciembre de 2007, pp. 50–51.
87. Dan Butcher, "Dunkin' Donuts Sweetens Dunkin' Run Campaign with Mobile", *Mobile Marketer*, 23 de junio de 2009; "Dunkin' Donuts Unveils 'Dunkin' Run' Technology to make Group Orders Faster, Easier and More Fun", *Dunkin' Donuts*, comunicado de prensa, 22 de junio de 2009, www.dunkindonuts.com; Rich Mathieson, "Mobile Marketing: Dunkin' Donuts Serves SMS", *Chief Marketer*, 19 de julio de 2006.

Capítulo 16

1. www.cnnexpansion.com/negocios/2007/12/27/mas-que-tornillos; www.homedepot.com.mx
2. Karsten Hansen y Vishal Singh, "Market Structure Across Retail Formats", *Marketing Science* 28 (julio–agosto de 2009), pp. 656–73.
3. "US Retail E-Commerce Down 3% in Q4, Up Just 6% in de 2008", *Retailer Daily*, 12 de febrero de 2009.
4. Richard Gibson, "Even 'Copycat' Businesses Require Creativity and Flexibility", *Wall Street Journal Online,* marzo de 2004; *Entrepreneur*, www.entrepreneur.com, 9 de diciembre de 2010.
5. Raymund Flandez, "New Franchise Idea: Fewer Rules, More Difference", *Wall Street Journal*, 18 de septiembre de 2007, p. B4.
6. Jena McGregor, "The Hard Sell", *BusinessWeek*, 26 de octubre de 2009, pp. 43–45.
7. Joseph Pereira y Ann Zimmerman, "For Toys "R" Us, Holidays Are Open and Shut", *Wall Street Journal*, 15 de septiembre de 2009, p. B8.
8. Eric Newman, "Retail Design for de 2008: Thinking Outside the Box", *Brandweek*, 17 de diciembre de 2007, p. 26.
9. Scott Cendrowski, "Extreme Retailing", *Fortune*, 31 de marzo de 2008, p. 14.
10. Cheryl Lu-Lien Tan, "Hot Kohl's", *Wall Street Journal*, 16 de abril de 2007.
11. "Reinventing the Store—the Future of Retailing", *Economist,* 22 de noviembre de 2003, pp. 65–68.
12. Matthew Boyle, "IBM Goes Shopping", *Fortune*, 27 de noviembre de 2006, pp. 77–78; Todd Wasserman, "The Store of the Future", *Brandweek*, 17 de diciembre de 2007, pp. 23–25; Emma Ritch, "Supermarkets Go Digital", *San Jose Business Journal*, 11 de abril de 2008; Tim Dickey, "Electronic Shelf Labels", *Retail Technology Trends*, 26 de febrero de 2010.
13. Michael C. Bellas, "Shopper Marketing's Instant Impact", *Beverage World*, noviembre de 2007, p. 18; Richard Westlund, "Bringing Brands to Life: The Power of In-Store Marketing", suplemento especial de publicidad de *Adweek*, enero de 2010.
14. Pierre Chandon, J. Wesley Hutchinson, Eric T. Bradlow, y Scott H. Young, "Does In-Store Marketing Work? Effects of the Number and Position of Shelf Facings on Brand Attention and Evaluation at the Point of Purchase", *Journal of Marketing Research* 73 (noviembre de 2009), pp. 1–17.
15. Anthony Dukes y Yunchuan Liu, "In-Store Media and Distribution Channel Coordination", *Marketing Science*, 29 (enero–febrero de 2010), pp. 94–107.
16. Michael Freedman, "The Eyes Have It", *Forbes*, 4 de septiembre de 2006, p. 70.
17. Amy Merrick, "Asking 'What Would Ann Do?'" *Wall Street Journal*, 15 de septiembre de 2006.
18. Charles Fishman, "The Anarchist's Cookbook", *Fast Company,* julio de 2004, pp. 70–78; "Whole Foods Market de 2009 Annual Report", *Whole Foods Market*, www.wholefoodsmarket.com/company/pdfs/ar09.pdf
19. Ann Zimmerman y Kris Hudson, "Chasing Upscale Customers Tarnishes Mass-Market Jeweler", *Wall Street Journal*, 26 de junio de 2006; Kris Hudson, "Signet Sparkles with Jewelry Strategy", *Wall Street Journal*, 26 de junio de 2006.
20. "JCPenney Transforms Catalog Strategy to Better Serve Customer Preferences", *BusinessWire*, 18 de noviembre de 2009; Robert Berner, "JCPenney Gets the Net", *BusinessWeek*, 7 de mayo de 2007, p. 70; Robert Berner, "Penney: Back in Fashion", *BusinessWeek*, 9 de enero de 2006, pp. 82–84.
21. Louise Lee, "Catalogs, Catalogs, Everywhere", *BusinessWeek,* 4 de diciembre de 2006, pp. 32–34; Michael J. Silverstein y Neil Fiske, *Trading Up: The New American Luxury* (Nueva York: Portfolio, 2003); "Victoria's Secret", Case #6-0014, Center for Digital Strategies, Tuck School of Business, Dartmouth College, 2002; www.biz.yahoo.com, 9 de diciembre de 2010.
22. Jessi Hempel, "Urban Outfitters, Fashion Victim", *BusinessWeek*, 17 de julio de 2006, p. 60.
23. Robert Berner, "To Lure Teenager Mall Rats, You Need the Right Cheese", *BusinessWeek,* 7 de junio de 2004, pp. 96–101; Aeropostale, www.aeropostale.com, 9 de diciembre de 2010; Jeanine Poggi, "Best in Class: Price Is Right at Aeropostale", TheStreet, www.thestreet.com/story/10514026/best-in-class-price-is-right-at-

aeropostale.html, 16 de junio de 2009; "Aeropostale, Inc. Seeks New Faces for Fall Ad Campaign with 'Real Teens de 2010' Contest", *PR Newswire*, 15 de marzo de 2010.

24. Robert Berner, "Chanel's American in Paris", *BusinessWeek*, 29 de enero de 2007, pp. 70–71.
25. Mark Tatge, "Fun & Games", *Forbes,* 12 de enero de 2004, pp. 138–144.
26. Vanessa O'Connell, "Reversing Field, Macy's Goes Local", *Wall Street Journal*, 21 de abril de 2008.
27. Diane Anderson, "RFID Technology Getting Static in New Hampshire", *Brandweek*, 23 de enero de 2006, p. 13; Mary Catherine O'Conner, "Gillette Fuses RFID with Product Launch", *RFID Journal*, 27 de marzo de 2006; "The End of Privacy?" *Consumer Reports,* junio de 2006, pp. 33–40; Erick Schonfeld, "Tagged for Growth", *Business 2.0,* diciembre de 2006, pp. 58–61; "Radio Silence", *Economist*, 9 de junio de 2007, pp. 20–21; Todd Lewan, "The Chipping of America", *Associated Press*, 29 de julio de 2007.
28. Uta Werner, John McDermott y Greg Rotz, "Retailers at the Crossroads: How to Develop Profitable New Growth Strategies", *Journal of Business Strategy* 25 (2004), pp. 10–17.
29. www.masaryk.tv/36543/delirio-de-monica-patino-y-micaela-miguel-regresan-a-la-roma; larevista.mx/2011/05/delirio/; thehappening.com/2353/delirantemente-chic; www.delirio.mx/index.html; www.soyentrepreneur.com/abre-tu-tienda-5-opciones.html?pag_num=2
30. Venkatesh Shankar y Ruth N. Bolton, "An Empirical Analysis of Determinants of Retailer Pricing Strategy", *Marketing Science* 23 (invierno de 2004), pp. 28–49.
31. www.cnnexpansion.com/negocios/2011/06/13/la-comer-apostara-por-cadena-fresko; impreso.milenio.com/node/8639493; eleconomista.com.mx/negocios/2009/09/14/comer-lanza-formato-fresko
32. Duncan Simester, "Signaling Price Image Using Advertised Prices", *Marketing Science* 14 (verano de 1995), pp. 166–188; vea también, Jiwoong Shin, "The Role of Selling Costs in Signaling Price Image", *Journal of Marketing Research* 42 (agosto de 2005), pp. 305–312.
33. Frank Feather, *The Future Consumer* (Toronto: Warwick Publishing, de 1994), p. 171. También vea David R. Bell y James M. Lattin, "Shopping Behavior and Consumer Preference for Retail Price Format: Why 'Large Basket' Shoppers Prefer EDLP", *Marketing Science* 17 (primavera de 1998), pp. 66–68; Stephen J. Hoch, Xavier Dreeze y Mary E. Purk, "EDLP, Hi-Lo, and Margin Arithmetic", *Journal of Marketing* 58 (octubre de 1994), pp. 1–15.
34. Sarah Fister Gale, "The Bookstore Battle", *Workforce Management* (enero de 2004), pp. 51–53.
35. Constance L. Hays, "Retailers Seeking to Lure Customers with Service", *New York Times,* 1 de diciembre de 2003.
36. Amy Gillentine, "Marketing Groups Ignore Women at Their Own Peril", *Colorado Springs Business Journal*, 20 de enero de 2006; Mary Lou Quinlan, "Women Aren't Buying It", *Brandweek,* 2 de junio de 2003, pp. 20–22.
37. Cecile B. Corral, "Profits Pinched, Kohl's Eyes Market Share", *Home Textiles Today*, 27 de febrero de 2009; Ilaina Jones, "Kohl's Looking at Spots in Manhattan", *Reuters*, 19 de agosto de 2009; Cametta Coleman, "Kohl's Retail Racetrack", *Wall Street Journal,* 1 de marzo de 2000.
38. Mindy Fetterman y Jayne O'Donnell, "Just Browsing at the Mall? That's What *You* Think", *USA Today*, 1 de septiembre de 2006.
39. "Reinventing the Store", *Economist,* 22 de noviembre de 2003, pp. 65–68; Moira Cotlier, "Census Releases First E-Commerce Report", *Catalog Age,* 1 de mayo de 2001; Associated Press, "Online Sales Boomed at End of de 2000", *Star-Tribune of Twin Cities,* 17 de febrero de 2001; Kenneth T. Rosen y Amanda L. Howard, "E-Tail: Gold Rush or Fool's Gold?" *California Management Review*, 1 de abril de 2000, pp. 72–100.
40. Velitchka D. Kaltcheva y Barton Weitz, "When Should a Retailer Create an Exciting Store Environment?" *Journal of Marketing* 70 (enero de 2006), pp. 107–118.
41. Para más análisis, vea Philip Kotler, "Atmospherics as a Marketing Tool", *Journal of Retailing* (invierno de 1973–1974), pp. 48–64. También vea B. Joseph Pine II y James H. Gilmore, *The Experience Economy* (Boston: Harvard Business School Press, 1999).
42. Jeff Cioletti, "Super Marketing", *Beverage World* (noviembre de 2006), pp. 60–61.
43. Ben Paynter, "Happy Hour", *Fast Company*, marzo de 2010, p. 34; Jessi Hempel, "Social Media Meets Retailing", *Fortune*, 22 de marzo de 2010, p. 30.
44. Carol Tice, "Anchors Away: Department Stores Lose Role at Malls", *Puget Sound Business Journal,* 13 de febrero de 2004, p. 1.
45. www.plma.com, 3 de abril de 2010; Emily Bryson York, "Don't Blame Private Label Gains on the Recession", *Advertising Age*, 21 de abril de 2009.
46. Kusum Ailawadi y Bari Harlam, "An Empirical Analysis of the Determinants of Retail Margins: The Role of Store-Brand Share", *Journal of Marketing* 68 (enero de 2004), pp. 147–165.
47. Para un análisis detallado sobre investigación contemporánea acerca de marcas privadas, vea Michael R. Hyman, Dennis A. Kopf y Dongdae Lee, "Review of Literature—Future Research Suggestions: Private Label Brands: Benefits, Success Factors, and Future Research, *Journal of Brand Management* 17 (marzo de 2010), pp. 368–389. Vea también, Kusum Ailawadi, Bari Harlam, Jacques Cesar y David Trounce, "Retailer Promotion Profitability: The Role of Promotion, Brand, Category, and Market Characteristics", *Journal of Marketing Research* 43 (noviembre de 2006), pp. 518–535; Kusum Ailawadi, Koen Pauwels y Jan-Benedict E. M. Steenkamp, "Private Label Use and Store Loyalty", *Journal of Marketing* 72 (noviembre de 2008), pp. 19–30.
48. www.farmaciasgi.com.mx/

49. Michael Felding, "No Longer Plain, Simple", *Marketing News*, 15 de mayo de 2006, pp. 11–13; Rob Walker, "Shelf Improvement", *New York Times*, 7 de mayo de 2006.

50. Sonia Reyes, "Saving Private Labels", *Brandweek*, 8 de mayo de 2006, pp. 30–34; Andrew Martin, "Store Brands Lift Grocers in Troubled Times", *New York Times*, 13 de diciembre de 2008.

51. Jim Chrizan, "Loblaw's Reverses Private Label Trend", *Packaging World*, 22 de enero de 2010; "Loblaw Launches a New Line of Discount Store Brands", *Store Brand Decisions*, 16 de febrero de 2010; John J. Pierce, "Private Label Stimulus", *Private Label,* marzo–abril de 2009.

52. Brett Nelson, "Stuck in the Middle", *Forbes*, 15 de agosto de 2005, p. 88; "Arrow Investor Fact Sheet de 2009", *Arrow*, www.arrow.com

53. James A. Narus y James C. Anderson, "Contributing as a Distributor to Partnerships with Manufacturers", *Business Horizons* (septiembre–octubre de 1987). También vea Hlavecek y McCuistion, "Industrial Distributors—When, Who, and How", pp. 96–101.

54. www.grainger.com/Grainger/wwg/start.shtml, 8 de mayo de 2010; Sean Callahan, "Close-up with Deb Oler, VP-Grainger Industrial Supply Brand, W.W. Grainger", *BtoB*, 3 de marzo de 2010; Ian Heller, "The Secret of Being Grainger", www.ezinearticles.com, 30 de abril de 2010.

55. "Who Has The Top Consumer Goods Industry Supply Chains for 2008?" *Supply Chain News*, 17 de diciembre de 2008; "Who Has The Top Retail Industry Supply Chains for 2008?" *Supply Chain News*, 5 de enero de 2009.

56. Johnson & Johnson 2007 Sustainability Report; conferencia por el panelista Chris Hacker, "Production Innovation and Supply Chains: Creating Value for the Next Generation", *Business and Society Conference*, Tuck School of Business at Dartmouth College, 15 de enero de 2009.

57. William C. Copacino, *Supply Chain Management* (Boca Raton, FL: St. Lucie Press, 1997); Robert Shaw y Philip Kotler, "Rethinking the Chain: Making Marketing Leaner, Faster, and Better", *Marketing Management* (julio–agosto de 2009), pp. 18–23.

58. "Shrink Rapped", *Economist*, 17 de mayo de 2008, p. 80.

59. "U.S. Logistics Cost 10% of GDP", *Logistics Today*, 26 de junio de 2008.

60. Pete Engardio, "Lean and Mean Gets Extreme", *BusinessWeek*, 23 y 30 de marzo de 2009, pp. 60–62; Traci Gregory, "ConMed Takes Lean Approach", *Central New York Business Journal*, 22 de mayo de 2009.

61. Daisuke Wakabayashi, "How Lean Manufacturing Can Backfire", *Wall Street Journal*, 30 de enero de 2010; para algunas discusiones adicionales sobre las desventajas de la manufactura esbelta, vea Brian Hindo, "At 3M, A Struggle between Efficiency and Creativity", *BusinessWeek*, 11 de junio de 2007.

62. La cantidad óptima de pedido está dada por la fórmula $Q^* = 2DS/IC$, donde D = demanda anual, S = costo de hacer un pedido e I = costo unitario anual de tener existencias. Conocida como la fórmula de cantidad económica de pedido, supone un costo constante de hacer el pedido, un costo constante de tener en existencia una unidad adicional en inventario, una demanda conocida y ningún descuento por cantidad. Para más lecturas sobre este tema, vea Richard J. Tersine, *Principles of Inventory and Materials Management,* 4a. ed. (Upper Saddle River, NJ: Prentice Hall, 1994).

63. William C. Copacino, *Supply Chain Management* (Boca Raton, FL: St. Lucie Press, 1997), pp. 122–123.

64. "Shining Examples", *Economist: A Survey of Logistics*, 17 de junio de 2006, pp. 4–6.

65. Renee DeGross, "Retailers Try eBay Overstocks, Returns for Sale Online", *Atlanta Journal-Constitution,* 10 de abril de 2004.

66. Chuck Salter, "Savvy, with Hints of Guile and Resourcefulness", *Fast Company*, febrero de 2007, p. 50; Heather Mcpherson, "Lots to Like about This Concept: As a Wine Négociant, Cameron Hughes Can Offer Premium Wines at Affordable Prices", *Knight Ridder Tribune Business News*, 21 de febrero de 2007, p. 1; Phaedrea Hise y Joanne Chen, "Sleeping with the Boss", *Forbes Small Business*, febrero de 2008, pp. 68–78; Maureen Farrell, "Wine Workout", *Forbes*, 30 de marzo de 2009, pp. 64–65.

67. "Manufacturing Complexity", *Economist: A Survey of Logistics*, 17 de junio de 2006, pp. 6–9.

68. Perry A. Trunick, "Nailing a Niche in Logistics", *Logistics Today*, 4 de marzo de 2008.

Capítulo 17

1. Ken Romanzi, "Reintroducing the Cranberry to America!" Talk at the Tuck School of Business at Dartmouth", 7 de enero de 2010; "Breakaway Brands: Ocean Spray Tells It Straight from the Bog", *MediaPost*, 9 de octubre de 2006; Francis J. Kelly III y Barry Silverstein, *The Breakaway Brand* (Nueva York: McGraw-Hill, 2005).

2. Xueming Luo y Naveen Donthu, "Marketing's Credibility: A Longitudinal Investigation of Marketing Communication Productivity and Shareholder Value", *Journal of Marketing* 70 (octubre de 2006), pp. 70–91.

3. Margaret Coker, "Dubai Pulls Out the Stops—for Naming Metro Stations, Lines Offered as Vehicles", *Wall Street Journal*, 8 de agosto de 2008; Linda Childers, "Can't-Escape TV", *Fast Company*, julio–agosto de 2008, p. 46; Louise Story, "Anywhere the Eye Can See, It's Likely to See an Ad", *New York Times*, 15 de enero de 2007; Laura Petrecca, "Product Placement—You Can't Escape It", *USA Today*, 11 de octubre de 2006.

4. Burt Helm, "Attention-Deficit Advertising", *BusinessWeek*, 5 de mayo de 2008, p. 50; "Motorola's 'Say Goodbye' Campaign at Hong Kong Airport", *MobiAD News*, 20 de febrero de 2008.
5. Vanessa L. Facenda, "Kimberly-Clark's Paper Trail Leads to Creative Marketing", *Brandweek*, 14 de enero de 2008, p. 11.
6. Stuart Elliott, "Covering Many Bases for a Brand of Blue Jeans", *New York Times*, 13 de agosto de 2009; Giselle Tsirulnik, "Gap Finds Right Fit with Mobile for New Jeans Campaign", *Mobile Marketer*, 5 de octubre de 2009; "Gap Introduces America's Best-Fitting Premium Jeans", *PRNewswire*, 13 de agosto de 2009; Jean-Claude Larreche, "Gap Lacked Momentum, So Rightly Cut TV", *Advertising Age*, 23 de junio de 2008, p. 26.
7. Algunas de estas definiciones fueron adaptadas de Peter D. Bennett, ed., *Dictionary of Marketing Terms* (Chicago: American Marketing Association, 1995).
8. Tom Duncan y Sandra Moriarty, "How Integrated Marketing Communication's 'Touch Points' Can Operationalize the Service-Dominant Logic", Robert F. Lusch y Stephen L. Vargo, eds., *The Service-Dominant Logic of Marketing: Dialog, Debate, and Directions* (Armonk, NY: M.E. Sharpe, 2006); Tom Duncan, *Principles of Advertising and IMC,* 2a. ed. (Nueva York: McGraw-Hill/Irwin, 2005).
9. Noreen O'Leary, "Mint's Fresh Approach: Marketing on $700 a Year", *Brandweek*, 12 de octubre de 2009, p. 4; Coloribus Global Advertising Archive, www.coloribus.com, 9 de diciembre de 2010.
10. www.merca20.com/un-sandwich-futbolero-con-mucho-exito/#more-50397; www.e-businessandmarketing.com/revista/?p=2668
11. Para un modelo alterno de comunicaciones desarrollado específicamente para comunicaciones de publicidad, vea Barbara B. Stern, "A Revised Communication Model for Advertising: Multiple Dimensions of the Source, the Message, and the Recipient", *Journal of Advertising* (junio de 1994), pp. 5–15. Para algunas perspectivas adicionales, vea Tom Duncan y Sandra E. Morarity, "A Communication-Based Marketing Model for Managing Relationships", *Journal of Marketing* 62 (abril de 1998), pp. 1–13.
12. Demetrios Vakratsas y Tim Ambler, "How Advertising Works: What Do We Really Know?" *Journal of Marketing* 63 (enero de 1999), pp. 26–43.
13. Esta sección está basada en el excelente texto de John R. Rossiter y Larry Percy, *Advertising and Promotion Management,* 2a. ed. (Nueva York: McGraw-Hill, 1997).
14. "GE Gets Smart with Energy Awareness", *Special Advertising Section to Adweek and Brandweek*, 14 de octubre de 2009; "GE Plucks an Online Winner with Smart Grid", *Special Advertising Section to Adweek and Brandweek*, 14 de octubre de 2009; "Smart Grid", *GE,* ge.ecomagination.com/smartgrid; "Augmented Reality: Real Meets Virtual", *BizTechTalk*, 25 de febrero de 2009.
15. James F. Engel, Roger D. Blackwell y Paul W. Minard, *Consumer Behavior,* 9a. ed. (Fort Worth, TX: Dryden, 2001).
16. John R. Rossiter y Larry Percy, *Advertising and Promotion Management,* 2a. ed. (Nueva York: McGraw-Hill, 1997).
17. James F. Engel, Roger D. Blackwell y Paul W. Minard, *Consumer Behavior,* 9a. ed. (Fort Worth, TX: Dryden, 2001).
18. Ayn E. Crowley y Wayne D. Hoyer, "An Integrative Framework for Understanding Two-Sided Persuasion", *Journal of Consumer Research* 20 (marzo de 1994), pp. 561–574.
19. C. I. Hovland, A. A. Lumsdaine y F. D. Sheffield, *Experiments on Mass Communication,* vol. 3 (Princeton, NJ: Princeton University Press, 1949); Crowley y Hoyer, "An Integrative Framework for Understanding Two-Sided Persuasion". Para un punto de vista alterno, vea George E. Belch, "The Effects of Message Modality on One- and Two-Sided Advertising Messages", Richard P. Bagozzi y Alice M. Tybout, eds., *Advances in Consumer Research* (Ann Arbor, MI: Association for Consumer Research, 1983), pp. 21–26.
20. Curtis P. Haugtvedt y Duane T. Wegener, "Message Order Effects in Persuasion: An Attitude Strength Perspective", *Journal of Consumer Research* 21 (junio de 1994), pp. 205–218; H. Rao Unnava, Robert E. Burnkrant y Sunil Erevelles, "Effects of Presentation Order and Communication Modality on Recall and Attitude", *Journal of Consumer Research* 21 (diciembre de 1994), pp. 481–490.
21. Sternthal y Craig, *Consumer Behavior,* pp. 282–284. Sternthal y Craig, *Consumer Behavior: An Information Processing Perspective* (Englewood Cliffs, NJ: Prentice-Hall, 1982), pp. 282–284.
22. Michael R. Solomon, *Consumer Behavior,* 7a. ed. (Upper Saddle River, NJ: Prentice Hall, 2007).
23. Algunas investigaciones recientes acerca del humor en la publicidad, por ejemplo, incluyen: Haseeb Shabbir y Des Thwaites, "The Use of Humor to Mask Deceptive Advertising: It's No Laughing Matter", *Journal of Advertising* 36 (verano de 2007), pp. 75–85; Thomas W. Cline y James J. Kellaris, "The Influence of Humor Strength and Humor Message Relatedness on Ad Memorability: A Dual Process Model", *Journal of Advertising* 36 (primavera de 2007), pp. 55–67; H. Shanker Krishnan y Dipankar Chakravarti, "A Process Analysis of the Effects of Humorous Advertising Executions on Brand Claims Memory", *Journal of Consumer Psychology* 13 (2003), pp. 230–245.
24. "Follies", *Advertising Age*, 14 de diciembre de 2009, p. 20.
25. Rik Pieters y Michel Wedel, "Attention Capture and Transfer in Advertising: Brand, Pictorial, and Text-Size Effects", *Journal of Marketing* 68 (abril de 2004), pp. 36–50.
26. Herbert C. Kelman y Carl I. Hovland, "Reinstatement of the Communication in Delayed Measurement of Opinion

Change", *Journal of Abnormal and Social Psychology* 48 (julio de 1953), pp. 327–335.

27. David J. Moore, John C. Mowen y Richard Reardon, "Multiple Sources in Advertising Appeals: When Product Endorsers Are Paid by the Advertising Sponsor", *Journal of the Academy of Marketing Science* 13 (verano de 1994), pp. 234–243.
28. C. E. Osgood y P. H. Tannenbaum, "The Principles of Congruity in the Prediction of Attitude Change", *Psychological Review* 62 (enero de 1955), pp. 42–55.
29. Brian Morrissey, "Traditional Ads Yield Social Traction", *Adweek*, 16 de mayo de 2010.
30. "Face-to-Face Report", American Business Media, enero de 2010; "John Deere Face-to-Face Campaign Races Past Competition", *Special Advertising Section to Adweek and Brandweek*, 14 de octubre de 2009; Gyro HSR, www.gyrohsr.com
31. Suzanne Vranca, "New to the TV Lineup: A Flat-Panel Teaser LG Uses Ruse of Show to Market Its Screen", *Wall Street Journal*, 29 de abril de 2008.
32. Adaptado de G. Maxwell Ule, "A Media Plan for 'Sputnik' Cigarettes", *How to Plan Media Strategy* (American Association of Advertising Agencies, 1957 Regional Convention), pp. 41–52.
33. Thomas C. Kinnear, Kenneth L. Bernhardt y Kathleen A. Krentler, *Principles of Marketing,* 6a. ed. (Nueva York: HarperCollins, 1995).
34. K. Sridhar Moorthy y Scott A. Hawkins, "Advertising Repetition and Quality Perceptions", *Journal of Business Research* 58 (marzo de 2005), pp. 354–360; Amna Kirmani y Akshay R. Rao, "No Pain, No Gain: A Critical Review of the Literature on Signaling Unobservable Product Quality", *Journal of Marketing* 64 (abril de 2000), pp. 66–79; Amna Kirmani, "The Effect of Perceived Advertising Costs on Brand Perceptions", *Journal of Consumer Research* 17 (17 de septiembre de 1990), pp. 160–171; Amna Kirmani y Peter Wright, "Money Talks: Perceived Advertising Expense and Expected Product Quality", *Journal of Consumer Research* 16 (diciembre de 1989), pp. 344–353.
35. Demetrios Vakratsas y Tim Ambler, "How Advertising Works: What Do We Really Know?" *Journal of Marketing* 63 (enero de 1999), pp. 26–43.
36. Levitt, *Industrial Purchasing Behavior: A Study in Communication Effects* (Boston, MA: Harvard University Division of Research, 1965).
37. "Let's Build a Smarter Planet", *Effie Worldwide,* www.effie.org/winners/showcase/2010/; "IBM Smarter Planet Campaign from Ogilvy & Mather Wins Global Effie", *PRNewswire*, 9 de junio de 2010; Jeffrey M. O'Brien, "IBM's Grand Plan to Save the Planet", *Fortune*, 21 de abril de 2009.
38. Prasad A. Naik y Kalyan Raman, "Understanding the Impact of Synergy in Multimedia Communications", *Journal of Marketing Research* 40 (noviembre de 2003), pp. 375–388. Vea también, Prasad A. Naik, Kalyan Raman y Russell S. Winer, "Planning Marketing-Mix Strategies in the Presence of Interaction Effects", *Marketing Science* 24 (enero de 2005), pp. 25–34.
39. Scott Neslin, *Sales Promotion*, MSI Relevant Knowledge Series (Cambridge, MA: Marketing Science Institute, 2002).
40. Markus Pfeiffer y Markus Zinnbauer, "Can Old Media Enhance New Media?" *Journal of Advertising Research* (marzo de 2010), pp. 42–49.
41. Ellen Neuborne, "Ads That Actually Sell Stuff", *Business 2.0,* junio de 2004, p. 78.
42. Sreedhar Madhavaram, Vishag Badrinarayanan y Robert E. McDonald, "Integrated Marketing Communication (IMC) and Brand Identity as Critical Components of Brand Equity Strategy", *Journal of Advertising* 34 (invierno de 2005), pp. 69–80; Mike Reid, Sandra Luxton y Felix Mavondo, "The Relationship between Integrated Marketing Communication, Market Orientation, and Brand Orientation", *Journal of Advertising* 34 (invierno de 2005), pp. 11–23.
43. Don E. Schultz y Heidi Schultz, *IMC, The Next Generation: Five Steps for Delivering Value and Measuring Financial Returns* (Nueva York: McGraw-Hill, 2003); Don E. Shultz, Stanley I. Tannenbaum y Robert F. Lauterborn, *Integrated Marketing Communications: Putting It Together and Making It Work* (Lincolnwood, IL: NTC Business Books, 1992).
44. Bruce Horovitz, "Super Bowl Marketers Go All Out to Create Hype, Online Buzz", *USA Today*, 8 de febrero de 2010.

Capítulo 18

1. www.cnnexpansion.com/especiales/2011/los-monstruos-de-la-mercadotecnia-2011; www.bayer.com.mx/bayer/cropscience/bcsmexico.nsf/id/cafiaspirinacampana_BayNEW; www.bayer.com.mx/bayer/cropscience/bcsmexico.nsf/id/Historia_BayESP
2. Paul F. Nunes y Jeffrey Merrihue, "The Continuing Power of Mass Advertising", *Sloan Management Review* (invierno de 2007), pp. 63–69.
3. Jack Neff, "'Broken' Ad Model Holds Big Advantages for P&G", *Advertising Age*, 5 de marzo de 2007.
4. Russell H. Colley, *Defining Advertising Goals for Measured Advertising Results* (Nueva York: Association of National Advertisers, 1961).
5. Wilfred Amaldoss y Chuan He, "Product Variety, Informative Advertising, and Price Competition", *Journal of Marketing Research* 47 (febrero de 2010), pp. 146–156.
6. Dale Buss, "OnStar First Aid", *Brandchannel,* www.brandchannel.com, 15 de febrero de 2010; "OnStar Expands TV Campaign Ads Based on Real-Life Stories", *Road & Travel Magazine*, 5 de noviembre de 2003.
7. "Responses to Comparative Advertising", *Journal of Consumer Research* 32 (marzo de 2006), pp. 530–540; Dhruv Grewal, Sukumar Kavanoor y James Barnes, "Comparative versus Noncomparative Advertising: A Meta-Analysis", *Journal of Marketing* 61 (octubre de 1997), pp. 1–15; Randall L. Rose, Paul W. Miniard,

Michael J. Barone, Kenneth C. Manning y Brian D. Till, "When Persuasion Goes Undetected: The Case of Comparative Advertising", *Journal of Marketing Research* 30 (agosto de 1993), pp. 315–330.

8. Rajesh Chandy, Gerard J. Tellis, Debbie MacInnis y Pattana Thaivanich, "What to Say When: Advertising Appeals in Evolving Markets", *Journal of Marketing Research* 38 (noviembre de 2001); Gerard J. Tellis, Rajesh Chandy y Pattana Thaivanich, "Decomposing the Effects of Direct Advertising: Which Brand Works, When, Where, and How Long?" *Journal of Marketing Research* 37 (febrero de 2000), pp. 32–46; Peter J. Danaher, André Bonfrer y Sanjay Dhar, "The Effect of Competitive Advertising", *Journal of Marketing Research* 45 (abril de 2008), pp. 211–225; Donald E. Schultz, Dennis Martin y William P. Brown, *Strategic Advertising Campaigns* (Chicago: Crain Books, 1984), pp. 192–197.
9. Demetrios Vakratsas, Fred M. Feinberg, Frank M. Bass y Gurumurthy Kalyanaram, "The Shape of Advertising Response Functions Revisited: A Model of Dynamic Probabilistic Thresholds", *Marketing Science* 23 (invierno de 2004), pp. 109–119; para una reseña excelente, vea Greg Allenby y Dominique Hanssens, "Advertising Response", Marketing Science Institute, *Special Report*, Núm. 05-200, 2005.
10. Leonard M. Lodish, Magid Abraham, Stuart Kalmenson, Jeanne Livelsberger, Beth Lubetkin, Bruce Richardson y Mary Ellen Stevens, "How T.V. Advertising Works: A Meta-Analysis of 389 Real-World Split Cable T.V. Advertising Experiments", *Journal of Marketing Research* 32 (mayo de 1995), pp. 125–139.
11. Greg Allenby y Dominique Hanssens, "Advertising Response", Marketing Science Institute, *Special Report*, No. 05-200, 2005; Jack Neff, "TV Doesn't Sell Package Goods", *Advertising Age,* 24 de mayo de 2004, pp. 1, 30.
12. Cleve Langton, "Searching for the Holy Global Ad Grail", *Brandweek*, 5 de junio de 2006, p. 16.
13. www.newscreativa.com/?p=617
14. Eric Pfanner, "When Consumers Help, Ads Are Free", *New York Times*, 22 de junio de 2009, p. B6; Elisabeth Sullivan, "H. J. Heinz: Consumers Sit in the Director's Chair for Viral Effort", *Marketing News*, 10 de febrero de 2008, p. 10; Louise Story, "The High Price of Creating Free Ads", *New York Times*, 26 de mayo de 2007; Laura Petrecca, "Madison Avenue Wants You! (or at Least Your Videos)", *USA Today*, 21 de junio de 2007; Eric Pfanner, "Leave It to the Professionals? Hey, Let Consumers Make Their Own Ads", *New York Times*, 4 de agosto de 2006.
15. Ruth Lamperd, "Vegemite Product Renamed Vegemite Cheesybite after iSnack 2.0 was Dumped", *Herald Sun*, 7 de octubre de 2009; "Follies", *Advertising Age*, 14 de diciembre de 2009, p. 20.
16. Daniel P. Amos, "How I Did It: Aflac's CEO Explains How He Fell for the Duck", *Harvard Business Review*, enero–febrero de 2010; Stuart Elliott, "Not Daffy or Donald, But Still Aflac's Rising Star", *New York Times*, 22 de abril de 2009; Kathleen Sampey, "Q&A: Aflac CMO Herbert", *Adweek*, 16 de octubre de 2006; Ron Insana, "Insurance Business Just Ducky for AFLAC", *USA Today*, 5 de julio de 2005; Chad Bray, "If It Quacks, It may Be an Insurance Ad", *Wall Street Journal,* 2 de abril de 2003; Stuart Elliott, "Why a Duck? Because It Sells Insurance", *New York Times,* 24 de junio de 2002.
17. "Scarborough Writes a Refreshing Headline for the Newspaper Industry: Three-Quarters of Adults Are Reading Newspapers, in Print or Online", *Scarborough Research,* www.scarborough.com; Joseph Plambeck, "Newspaper Circulation Falls Nearly 9%", *New York Times*, 26 de abril de 2010.
18. Jeremy Mullman, "Breaking with Bottle Fires Up Absolut Sales", *Advertising Age*, 18 de febrero de 2008; Andrew McMains, "'Absolut World' Debuts", *Adweek*, 27 de abril de 2007; Stuart Elliott, "In an 'Absolut World,' a Vodka Could Use the Same Ads for More than 25 Years", *New York Times*, 27 de abril de 2007; Theresa Howard, "Absolut Gets into Spirit of Name Play with New Ads", *USA Today*, 16 de enero de 2006.
19. "The Infinite Dial 2009", *Arbitron*, abril de 2009.
20. "Motel 6 Ad Earns Grand Prize at Radio Mercury Awards", Motel 6, www.motel6.com, 1 de julio de 2009; "Motel 6 Receives Hermes and Silver GALAXY Awards for 2002 Advertising Campaigns", Business Editors/ Travel Writers, *Business Wire,* 22 de noviembre de 2002.
21. Kim Bartel Sheehan, *Controversies in Contemporary Advertising* (Thousand Oaks, CA: Sage, 2003).
22. Sarah Hills, "McNeil and Sugar Association Settle Splenda Dispute", *Food Navigator-usa.com*, www.foodnavigator-usa.com, 18 de noviembre de 2008; James P. Miller, "Bitter Sweets Fight Ended", *Chicago Tribune*, 12 de mayo de 2007; Avery Johnson, "How Sweet It Isn't: Maker of Equal Says Ads for J&J's Splenda Misled; Chemistry Lesson for Jurors", *Wall Street Journal*, 6 de abril de 2007. Para un análisis acerca del posibles rol de la publicidad correctiva, vea Peter Darke, Laurence Ashworth y Robin J. B. Ritchie, "Damage from Corrective Advertising: Causes and Cures", *Journal of Marketing* 72 (noviembre de 2008), pp. 81–97.
23. Para más lecturas, vea Dorothy Cohen, *Legal Issues in Marketing Decision Making* (Cincinnati, OH: South-Western, 1995).
24. Jim Kavanagh, "Ad Council Gets Creative to Get Your Attention", *CNN*, www.cnn.com, 2 de septiembre de 2009.
25. Schultz et al., *Strategic Advertising Campaigns* (Chicago: NTC/Contemporary Publishing Company, septiembre de 1994), p. 340.
26. Prashant Malaviya, "The Moderating Influence of Advertising Context on Ad Repetition Effects: The Role of Amount and Type of Elaboration", *Journal of Consumer Research* 34 (junio de 2007), pp. 32–40.

27. AMAP Effie Awards 2010; www.merca2.0.cona/lista-completa-ganadores-do-los-ellie-2010; www.yrgrp.com

28. Sam Jaffe, "Easy Riders", *American Demographics,* marzo de 2004, pp. 20–23.

29. Max Chafkin, "Ads and Atmospherics", *Inc.,* febrero de 2007.

30. Stephanie Clifford, "Billboards That Look Back", *New York Times*, 31 de mayo de 2008.

31. Abbey Klaassen y Andrew Hampp, "Inside Outdoor's Digital Makeover", *Advertising Age: Creativity*, 14 de junio de 2010, p. 5.

32. Abbey Klaassen y Andrew Hampp, "Inside Outdoor's Digital Makeover", *Advertising Age: Creativity*, 14 de junio de 2010, p. 5.

33. Jon Fine, "Where Are Advertisers? At the Movies", *BusinessWeek*, 25 de mayo de 2009, pp. 65–66; "Advertisers Go Outside to Play", *AdweekMedia*, 9 de marzo de 2009, p. 1; Zack O'Malley Greenburg, "Take Your Brand for a Ride", *Forbes*, 2 de marzo de 2009, p. 67.

34. Jeff Pelline, "New Commercial Twist in Corporate Restrooms", *San Francisco Chronicle,* 6 de octubre de 1986.

35. Brian Steinberg y Suzanne Vranica, "Prime-Time TV's New Guest Stars: Products", *Wall Street Journal,* 13 de enero de 2004; Michael A. Wiles y Anna Danielova, "The Worth of Product Placement in Successful Films: An Event Study Analysis", *Journal of Marketing* 73 (julio de 2009), pp. 44–63; Siva K. Balasubramanian, James Karrh y Hemant Patwardhan, "Audience Response to Product Placements: An Integrative Framework and Future Research Agenda", *Journal of Advertising* 35 (2006), pp. 115–141; Cristel A. Russell y Barbara Stern, "Consumers, Characters, and Products: A Balance Model of Sitcom Product Placement Effects", *Journal of Advertising* 35 (2006), pp. 7–18; Cristel A. Russell y Michael Belch, "A Managerial Investigation into the Product Placement Industry", *Journal of Advertising Research* 45 (2005), pp. 73–92.

36. Stephanie Clifford, "Product Placements Acquire a Life of Their Own on Shows", *New York Times*, 14 de julio de 2008; "FCC Opens Inquiry into Stealthy TV Product Placement", *Associated Press*, 26 de junio de 2008; Chris Reidy, "Staples Gets an Office Encore", *Boston Globe*, 4 de noviembre de 2006; James L. Johnston, "Branded Entertainment: The Old Is New Again and More Complicated Than Ever", *Journal of Sponsorship* 2 (febrero de 2009), pp. 170–175.

37. Popai, www.popai.com, acceso el 22 de agosto de 2010.

38. Ram Bezawada, S. Balachander, P. K. Kannan y Venkatesh Shankar, "Cross-Category Effects of Aisle and Display Placements: A Spatial Modeling Approach and Insights", *Journal of Marketing* 73 (mayo de 2009), pp. 99–117; Pierre Chandon, J. Wesley Hutchinson, Eric T. Bradlow y Scott H. Young, "Does In-Store Marketing Work? Effects of the Number and Position of Shelf Facings on Brand Attention and Evaluation at the Point of Purchase", *Journal of Marketing* 73 (noviembre de 2009), pp. 1–17.

39. Bill Yackey, "Walmart Reveals 18-Month Results for SMART Network", *Digital Signage Today*, 23 de febrero de 2010; Mark Friedman, "Walmart's New In-Store Ads Turning Heads", *Arkansas Business*, 22 de septiembre de 2008; Laura Petrecca, "Wal-Mart TV Sells Marketers Flexibility", *USA Today*, 29 de marzo de 2007.

40. Daniel Terdiman, "McDonald's Is Lead Sponsor of Olympics-Themed ARG, 'The Lost Ring,'" *CNET News*, 6 de marzo de 2008; Stephanie Clifford, "An Online Game So Mysterious Its Famous Sponsor Is Hidden", *New York Times*, 1 de abril de 2008; Ben Arnoldy, "Wisdom of the Crowd Triumphs in Alternate Reality Games", *Christian Science Monitor*, 26 de marzo de 2008.

41. Brian Steinberg, "'Sunday Night Football' Remains Costliest TV Show", *Advertising Age*, 26 de octubre de 2009.

42. "4A's Television Production Cost Survey", *4A's*, www.aaaa.org, 15 de diciembre de 2009.

43. Para más acerca de otros efectos de contexto de medios, vea Michael A. Kamins, Lawrence J. Marks y Deborah Skinner, "Television Commercial Evaluation in the Context of Program-Induced Mood: Congruency versus Consistency Effects", *Journal of Advertising,* junio de 1991, pp. 1–14; vea también Jing Wang y Bobby J. Calder, "Media Transportation and Advertising", *Journal of Consumer Research* 33 (septiembre de 2006), pp. 151–162.

44. Kenneth R. Lord, Myung-Soo Lee y Paul L. Sauer, "Program Context Antecedents of Attitude toward Radio Commercials", *Journal of the Academy of Marketing Science* 13 (invierno de 1994), pp. 3–15; Kenneth R. Lord y Robert E. Burnkrant, "Attention versus Distraction: The Interactive Effect of Program Involvement and Attentional Devices on Commercial Processing", *Journal of Advertising* (marzo de 1993), pp. 47–60.

45. Roland T. Rust, *Advertising Media Models: A Practical Guide* (Lexington, MA: Lexington Books, 1986).

46. Hani I. Mesak, "An Aggregate Advertising Pulsing Model with Wearout Effects", *Marketing Science* 11 (verano de 1992), pp. 310–326; Fred M. Feinberg, "Pulsing Policies for Aggregate Advertising Models", *Marketing Science* 11 (verano de 1992), pp. 221–234.

47. David B. Montgomery y Alvin J. Silk, "Estimating Dynamic Effects of Market Communications Expenditures", *Management Science* (junio de 1972), pp. 485–501; Kristian S. Palda, *The Measurement of Cumulative Advertising Effect* (Upper Saddle River, NJ: Prentice Hall, 1964), p. 87.

48. Gerard J. Tellis, Rajesh K. Chandy y Pattana Thaivanich, "Which Ad Works, When, Where, and How Often? Modeling the Effects of Direct Television Advertising", *Journal of Marketing Research* 37 (febrero de 2000), pp. 32–46; Ajay Kalra y Ronald C. Goodstein, "The Impact of Advertising Positioning Strategies on

Consumer Price Sensitivity", *Journal of Marketing Research* (mayo de 1998), pp. 210–224; Anil Kaul y Dick R. Wittink, "Empirical Generalizations about the Impact of Advertising on Price Sensitivity and Price", *Marketing Science* 14 (verano de 1995), pp. G151–G160; David Walker y Tony M. Dubitsky, "Why Liking Matters", *Journal of Advertising Research,* mayo–junio de 1994, pp. 9–18; Abhilasha Mehta, "How Advertising Response Modeling (ARM) Can Increase Ad Effectiveness", *Journal of Advertising Research* (mayo–junio de 1994), pp. 62–74; John Deighton, Caroline Henderson y Scott Neslin, "The Effects of Advertising on Brand Switching and Repeat Purchasing", *Journal of Marketing Research* 31 (febrero de 1994), pp. 28–43; Karin Holstius, "Sales Response to Advertising", *International Journal of Advertising* 9 (septiembre de 1990), pp. 38–56.

49. Nigel Hollis, "The Future of Tracking Studies", *Admap*, octubre de 2004, pp. 151–153.

50. De Robert C. Blattberg y Scott A. Neslin, *Sales Promotion: Concepts, Methods, and Strategies* (Upper Saddle River, NJ: Prentice Hall, 1990). Este texto provee un tratamiento detallado y analítico de la promoción de ventas. Una reseña completa de trabajo académico sobre promoción de ventas se puede encontrar en Scott Neslin, "Sales Promotion", Bart Weitz y Robin Wensley, eds., *Handbook of Marketing* (Londres: Sage, 2002), pp. 310–338.

51. Kusum Ailawadi, Karen Gedenk y Scott A. Neslin, "Heterogeneity and Purchase Event Feedback in Choice Models: An Empirical Analysis with Implications for Model Building", *International Journal of Research in Marketing* 16 (septiembre de 1999), pp. 177–198. Vea también, Kusum L. Ailawadi, Karen Gedenk, Christian Lutzky y Scott A. Neslin, "Decomposition of the Sales Impact of Promotion-Induced Stockpiling", *Journal of Marketing Research* 44 (agosto de 2007); Eric T. Anderson y Duncan Simester, "The Long-Run Effects of Promotion Depth on New versus Established Customers: Three Field Studies", *Marketing Science* 23 (invierno de 2004), pp. 4–20; Luc Wathieu, A. V. Muthukrishnan y Bart J. Bronnenberg. "The Asymmetric Effect of Discount Retraction on Subsequent Choice", *Journal of Consumer Research* 31 (diciembre de 2004), pp. 652–665; Praveen Kopalle, Carl F. Mela y Lawrence Marsh, "The Dynamic Effect of Discounting on Sales: Empirical Analysis and Normative Pricing Implications", *Marketing Science* 18 (verano de 1999), pp. 317–332.

52. Harald J. Van Heerde, Sachin Gupta y Dick Wittink, "Is 75% of the Sales Promotion Bump Due to Brand Switching? No, Only 33% Is", *Journal of Marketing Research* 40 (noviembre de 2003), pp. 481–491; Harald J. Van Heerde, Peter S. H. Leeflang y Dick R. Wittink, "The Estimation of Pre- and Postpromotion Dips with Store-Level Scanner Data", *Journal of Marketing Research* 37 (agosto de 2000), pp. 383–395.

53. Para un buen resumen de las investigaciones sobre si la promoción erosiona la franquicia del consumidor de las marcas líderes, vea Blattberg y Neslin, "Sales Promotion: The Long and Short of It", *Marketing Letters* 1 (diciembre de 2004); vea también "Stephanie Rosenbloom, "In Recession, Even the Holdouts Use Coupons", *New York Times*, 24 de septiembre de 2009. Para un tema relacionado, vea Michael J. Barone y Tirthankar Roy, "Does Exclusivity Pay Off? Exclusive Price Promotions and Consumer Response", *Journal of Marketing* 74 (marzo de 2010), pp. 121–132.

54. Robert George Brown, "Sales Response to Promotions and Advertising", *Journal of Advertising Research* (agosto de 1974), pp. 36–37. También vea Kamel Jedidi, Carl F. Mela y Sunil Gupta, "Managing Advertising and Promotion for Long-Run Profitability", *Marketing Science* 18 (invierno de 1999), pp. 1–22; Carl F. Mela, Sunil Gupta y Donald R. Lehmann, "The Long-Term Impact of Promotion and Advertising on Consumer Brand Choice", *Journal of Marketing Research* 34 (mayo de 1997), pp. 248–261; Purushottam Papatla y Lakshman Krishnamurti, "Measuring the Dynamic Effects of Promotions on Brand Choice", *Journal of Marketing Research* 33 (febrero de 1996), pp. 20–35.

55. "2010 REGGIE Awards Shopper Marketing: P&G Gain—Project Gainiac", *Promotion Marketing Association*, www.pmalink.org

56. Magid M. Abraham y Leonard M. Lodish, "Getting the Most out of Advertising and Promotion", *Harvard Business Review,* mayo–junio de 1990, pp. 50–60. Vea también Shuba Srinivasan, Koen Pauwels, Dominique Hanssens y Marnik Dekimpe, "Do Promotions Benefit Manufacturers, Retailers, or Both?" *Management Science* 50 (mayo de 2004), pp. 617–629.

57. Leonard M. Lodish, Magid Abraham, Stuart Kalmenson, Jeanne Livelsberger, Beth Lubetkin, Bruce Richardson y Mary Ellen Stevens, "How T.V. Advertising Works: A Meta-Analysis of 389 Real World Split Cable T.V. Advertising Experiments", *Journal of Marketing Research* 32 (mayo de 1995), pp. 125–139.

58. Rebecca J. Slotegraaf y Koen Pauwels, "The Impact of Brand Equity Innovation on the Long-Term Effectiveness of Promotions", *Journal of Marketing Research* 45 (junio de 2008), pp. 293–306.

59. Para un modelo para fijar objetivos de promoción de ventas, vea David B. Jones, "Setting Promotional Goals: A Communications Relationship Model", *Journal of Consumer Marketing* 11 (1994), pp. 38–49.

60. Kusum L. Ailawadi, Bari A. Harlam, Jacques Cesar y David Trounce, "Promotion Profitability for a Retailer: The Role of Promotion, Brand, Category, and Store Characteristics", *Journal of Marketing Research* 43 (noviembre de 2006), pp. 518–536.

61. Emily Bryson York y Natalie Zmuda, "Sampling: The New Mass Media", *Advertising Age*, 12 de mayo de 2008, pp. 3, 56.

62. Sarah Skidmore, "Coupons Evolve for the Digital Age", *Associated ress*, 30 de agosto de 2009; "20 Most Popular Comparison Shopping Websites", *eBizMBA,* www.ebizmba.com, junio de 2010.

63. Miguel Gomez, Vithala Rao y Edward McLaughlin, "Empirical Analysis of Budget and Allocation of Trade Promotions in the U.S. Supermarket Industry", *Journal of Marketing Research* 44 (agosto de 2007); Norris Bruce, Preyas S. Desai y Richard Staelin, "The Better They Are, the More They Give: Trade Promotions of Consumer Durables", *Journal of Marketing Research* 42 (febrero de 2005), pp. 54–66.

64. Kusum L. Ailawadi y Bari Harlam, "An Empirical Analysis of the Determinants of Retail Margins: The Role of Store Brand Share", *Journal of Marketing* 68 (enero de 2004), pp. 147–166; Kusum L. Ailawadi, "The Retail Power-Performance Conundrum: What Have We Learned?" *Journal of Retailing* 77 (otoño de 2001), pp. 299–318; Paul W. Farris y Kusum L. Ailawadi, "Retail Power: Monster or Mouse?" *Journal of Retailing* (invierno de 1992), pp. 351–369; Koen Pauwels, "How Retailer and Competitor Decisions Drive the Long-Term Effectiveness of Manufacturer Promotions", *Journal of Retailing* 83 (2007), pp. 364–390.

65. James Bandler, "The Shadowy Business of Diversion", *Fortune*, 17 de agosto de 2009, p. 65; Rajiv Lal, John Little y J. M. Vilas-Boas, "A Theory of Forward Buying, Merchandising, and Trade Deals", *Marketing Science* 15 (invierno de 1996), pp. 21–37.

66. IBIS World USA, www.ibisworld.com; Noah Lim, Michael J. Ahearne y Sung H. Ham, "Designing Sales Contests: Does the Prize Structure Matter?" *Journal of Marketing Research* 46 (junio de 2009), pp. 356–371.

67. "Kraft's Oreo Takes Super Reggie", *Promo*, 12 de marzo de 2009; Elaine Wong, "How Kraft's Double Stuf Oreo Launch Trumped Expectations", *Brandweek*, 31 de agosto de 2009; "Oreo Double Stuf Racing League (DSRL), *Promotion Marketing Association*, www.pmalink.org

68. Kurt H. Schaffir y H. George Trenten, *Marketing Information Systems* (Nueva York: AMACOM, 1973), p. 81.

69. Joe A. Dodson, Alice M. Tybout y Brian Sternthal, "Impact of Deals and Deal Retraction on Brand Switching", *Journal of Marketing Research* 15 (febrero 1978), pp. 72–81.

70. *IEG Sponsorship Report*, as quoted in "Sponsorship Spending Revised, Growth Cut in Half: IEG", *Promo*, 18 de junio de 2009.

71. Philip Kotler, "Atmospherics as a Marketing Tool", *Journal of Retailing* (invierno 1973–1974), pp. 48–64.

72. Kathleen Kerwin, "When the Factory Is a Theme Park", *BusinessWeek,* 3 de mayo de 2004, p. 94; Vanessa O'Connell, "'You-Are-There' Advertising", *Wall Street Journal,* 5 de agosto de 2002.

73. Jeff Borden, "Tornado: Experiential Marketing Takes the Industry by Storm in de 2008", *Marketing News*, 15 de enero de 2008, pp. 23–26.

74. Michael Schmelling, "Creative Mischief", *Fast Company*, noviembre de 2008, pp. 134–138; "GE Profile Inflatable Product Replicas Hit Times Square", *Landmark Creations,* www.landmarkcreations.com; Laurie Sullivan, "GE Ads Show How to Lighten the Laundry Load", *Marketing Daily*, 27 de agosto de 2008.

75. "Personal Care Marketers: Who Does What", *IEG Sponsorship Report*, 16 de abril de 2007, p. 4.

76. Bettina Cornwell, Michael S. Humphreys, Angela M. Maguire, Clinton S. Weeks y Cassandra Tellegen, "Sponsorship-Linked Marketing: The Role of Articulation in Memory", *Journal of Consumer Research* 33 (diciembre de 2006), pp. 312–321.

77. Hilary Cassidy, "So You Want to Be an Olympic Sponsor?" *Brandweek*, 7 de noviembre de 2005, pp. 24–28.

78. "Brands Suit Up for 'Iron Man 2,'" *Adweek*, 14 de mayo de 2010.

79. "BB&T Continues Sponsorship with Clint Bowyer, Richard Childress Racing", *SceneDaily*, 14 de enero de 2010; "BB&T Puts Name on New Winston-Salem Ballpark", *Winston-Salem Journal*, 24 de febrero de 2010; "Bank's New Department, Deals Reflect Elevated Sponsorship Status", *IEG Sponsorship Report*, 16 de abril de 2007, pp. 1, 8.

80. La Association of National Advertisers tiene una fuente útil: *Event Marketing: A Management Guide,* la cual está disponible en www.ana.net/bookstore

81. T. Bettina Cornwell, Clinton S. Weeks y Donald P. Roy, "Sponsorship-Linked Marketing: Opening the Black Box", *Journal of Advertising* 34 (verano de 2005).

82. Constantine von Hoffman, "Buying Up the Bleachers", *Brandweek*, 19 de febrero de 2007, pp. 18–21.

83. William L. Shankin y John Kuzma, "Buying That Sporting Image", *Marketing Management* (primavera de 1992), pp. 65.

84. B. Joseph Pine y James H. Gilmore, *The Experience Economy: Work Is Theatre and Every Business a Stage* (Cambridge, MA: Harvard University Press, 1999).

85. "2006 Experiential Marketing Study", *Jack Morton,* www.jackmorton.com

86. "Do We Have a Story for You!" *Economist*, 21 de enero de 2006, pp. 57–58; Al Ries y Laura Ries, *The Fall of Advertising and the Rise of PR* (Nueva York: HarperCollins, 2002).

87. "*PRWeek* Campaign of the Year", *PRWeek*, 5 de marzo de 2009; "Man Lives in IKEA", *Ketchum,* www.ketchum.com; "Man Lives in NYC IKEA Store", *Associated Press*, 8 de enero de 2008.

88. "Ketchum and Dreyer's Win *PRWeek* Campaign of the Year Award", *PRNewswire*, 12 de marzo de 2010; "Dreyer's Slow Churned Dishes Out a Taste of Recovery with the Debut of 'Red, White and No More Blues' Flavor", *PRNewswire*, 23 de junio de 2009; "Beat the Blues with a Taste of Recovery", *CLIO de 2010*, www.clioawards.com

89. Arthur M. Merims, "Marketing's Stepchild: Product Publicity", *Harvard Business Review,* noviembre–diciembre de 1972, pp. 111–112. También vea Katherine D. Paine, "There Is a Method for Measuring PR", *Marketing News*, 6 de noviembre de 1987, p. 5.

Capítulo 19

1. Elaine Wong, "Pepsi's Refresh Project Drives Social Buzz", *Brandweek*, 9 de junio de 2010; Stuart Elliott, "Pepsi Invites the Public to Do Good", *New York Times*, 1 de febrero de 2010; Suzanne Vranica, "Pepsi Benches Its Drinks", *Wall Street Journal*, 17 de diciembre de 2009.
2. Los términos *marketing de pedido directo* y *marketing de relación directa* fueron sugeridos como subconjuntos para el marketing directo por Stan Rapp y Tom Collins en *The Great Marketing Turnaround* (Upper Saddle River, NJ: Prentice Hall, 1990).
3. Ran Kivetz e Itamar Simonson, "The Idiosyncratic Fit Heuristic: Effort Advantage as a Determinant of Consumer Response to Loyalty Programs", *Journal of Marketing Research* 40 (noviembre de 2003), pp. 454–467; Ran Kivetz e Itamar Simonson, "Earning the Right to Indulge: Effort as a Determinant of Customer Preferences toward Frequency Program Rewards", *Journal of Marketing Research* 39 (mayo de 2002), pp. 155–170.
4. www.the-dma.org homepage
5. L.L. Bean, www.llbean.com
6. Stan Rapp y Thomas L. Collins, *Maximarketing* (Nueva York: McGraw-Hill, 1987).
7. www.dma-echo.org; www.yellowtreehouse.co.nz; www.ameawards.com
8. "DMA Releases de 2010 Response Rate Trend Report", *Direct Marketing Association*, www.the-dma.org, 15 de junio de 2010.
9. Bob Stone y Ron Jacobs, *Successful Direct Marketing Methods,* 8a. ed. (Nueva York: McGraw-Hill, 2007).
10. Edward L. Nash, *Direct Marketing: Strategy, Planning, Execution*, 4a. ed. (Nueva York: McGraw-Hill, 2000).
11. La *longevidad promedio del cliente* (*N*) se relaciona con la *tasa de* retención del cliente (*CR*). Suponga que la empresa retiene a 80 por ciento de sus clientes cada año. Entonces, la longevidad promedio del cliente está dada por: $N = 1/(1 - CR) = 1/.2 = 5$ años.
12. "MCM 100", *Multi Channel Merchant,* www.multichannelmerchant.com, julio de 2009.
13. "Industry Overview: Internet and Catalog Retailers", *Hoovers*, www.hoovers.com, acceso del 22 de agosto de 2010.
14. "Biennial Report to Congress: Pursuant to the Do Not Call Registry Fee Extension Act of de 2007", *Federal Trade Commission*, www.ftc.gov, diciembre de 2009.
15. Charles Duhigg, "Telemarketing Thieves Sharpen Their Focus on the Elderly", *New York Times*, 20 de mayo de 2007.
16. Tony Case, "Growing Up", *Interactive Quarterly,* 19 de abril de 2004, pp. 32–34.
17. Por ejemplo, vea André Bonfrer y Xavier Drèze, "Real-Time Evaluation of E-mail Campaign Performance", *Marketing Science* 28 (marzo–abril de 2009), pp. 251–263.
18. Kenneth C. Wilbur y Yi Zhu, "Click Fraud", *Marketing Science* 28 (marzo–abril de 2009), pp. 293–308.
19. Ellen Byron, "Estée Lauder Tests Web-Ad Waters", *Wall Street Journal*, 19 de septiembre de 2006.
20. Asim Ansari y Carl F. Mela, "E-Customization", *Journal of Marketing Research* 40 (mayo de 2003), pp. 131–145.
21. Daniel Michaels y J. Lynn Lunsford, "Ad-Sales Woes Likely to Continue", *Wall Street Journal*, 4 de diciembre de 2006; Jack Neff, "Axe Cuts Past Competitors, Claims Market Lead", *Advertising Age*, 14 de mayo de 2006; Byron Acohido, "Rich Media Enriching PC Ads", *USA Today,* 25 de febrero de 2004.
22. Stuart Elliott, "Letting Consumers Control Marketing: Priceless", *New York Times,* 9 de octubre de 2006; Elizabeth Holmes, "On MySpace, Millions of Users Make 'Friends' with Ads", *Wall Street Journal,* 7 de agosto de 2006; "2009 Gold Effie Winner: 'Whopper Freakout'", Effie Awards, *Effie Worldwide*, www.effie.org
23. Allen P. Adamson, *Brand Digital* (Nueva York: Palgrave Macmillan, de 2008).
24. John R. Hauser, Glen L. Urban, Guilherme Liberali y Michael Braun, "Website Morphing", *Marketing Science* 28 (marzo–abril de 2009), pp. 202–223; Peter J. Danaher, Guy W. Mullarkey y Skander Essegaier, "Factors Affecting Web Site Visit Duration: A Cross-Domain Analysis", *Journal of Marketing Research* 43 (mayo de 2006), pp. 182–194; Philip Kotler, *According to Kotler* (Nueva York: American Management Association, 2005).
25. Jeffrey F. Rayport y Bernard J. Jaworski, *e-commerce* (Nueva York: McGraw-Hill, 2001), p. 116.
26. Bob Tedeschi, "E-Commerce Report", *New York Times,* 24 de junio de 2002.
27. Jan-Benedict E. M. Steenkamp e Inge Geyskens, "How Country Characteristics Affect the Perceived Value of Web Sites", *Journal of Marketing* 70 (julio de 2006), pp. 136–150.
28. Jessi Hempel, "The Online Numbers Game", *Fortune*, 3 de septiembre de 2007, p. 18.
29. Julia Angwin y Tom McGinty, "Sites Feed Personal Details to New Tracking Industry", *Wall Street Journal*, 31 de julio de 2010.
30. *eMarketer,* www.emarketer.com, mayo de 2010.
31. Emily Steel, "Marketers Take Search Ads Beyond Search Engines", *Wall Street Journal*, 19 de enero de 2009.
32. Paula Andruss, "How to Win the Bidding Wars", *Marketing News*, 1 de abril de 2008, p. 28; "Jefferson Graham, "To Drive Traffic to Your Site, You Need to Give Good Directions", *USA Today*, 23 de junio de 2008.
33. Peter J. Danaher, Janghyuk Lee y Laoucine Kerbache, "Optimal Internet Media Selection", *Marketing Science* 29 (marzo–abril de 2010), pp. 336–347; Puneet Manchanda, Jean-Pierre Dubé, Khim Yong Goh y Pradeep K. Chintagunta, "The Effects of Banner

Advertising on Internet Purchasing", *Journal of Marketing Research* 43 (febrero de 2006), pp. 98–108.

34. Brian Morrissey, "Big Money Bet on Display Ad Tech", *Adweek*, 1 de agosto de 2010; Brian Morrissey, "Beefing Up Banner Ads", *Adweek NEXT*, 15 de febrero de 2010, pp. 10–11; Robert D. Hof, "The Squeeze on Online Ads", *BusinessWeek*, 2 de marzo de 2009, pp. 48–49; Emily Steel, "Web Sites Debate Best Values for Advertising Dollars", *Wall Street Journal*, 13 de agosto de 2009, p. B7.

35. Elisabeth Lewin, "Podcast Audience Growing Faster Than Podcast Advertising", *Podcasting News*, www.podcastingnews.com, 13 de mayo de 2009.

36. Natalie Zmuda, "How E-mail Became a Direct-Marketing Rock Star in Recession", *Advertising Age*, 11 de mayo de 2009, p. 27.

37. Piet Levy, "An E-motional Call to Action", *Marketing News*, 30 de abril de 2010, p. 8.

38. Roger Cheng, "Mobile Ads Make Gains, But Pace Slows Sharply", *Wall Street Journal*, 7 de abril de 2009; Mark Walsh, "Gartner: Mobile Advertising to Grow 74 percent In de 2009", *MediaPost*, 31 de agosto de 2009; Amol Sharma, "Companies Vie for Ad Dollars on Mobile Web", *Wall Street Journal*, 17 de enero de 2007; "Mobile Advertising: The Next Big Thing", *Economist*, 7 de octubre de 2007, pp. 73–74.

39. Giselle Tsirulnik, "Bank of America Uses Mobile Banners to Drive App Downloads", *Mobile Marketer*, 4 de septiembre de 2009; Rita Chang, "Consumer Control Brings Brand Loyalty", *Advertising Age*, 30 de marzo de 2009, p. 26; Dan Butcher, "Bank of America Campaign Targets Students for Mobile Banking", *Mobile Marketer*, 28 de agosto de 2008; Mickey Alam Khan, "Bank of America Surpasses 1M Mobile Banking Customers", *Mobile Marketer*, 13 de junio de 2008.

40. Brian Morrissey, "2009 Really Isn't the Year of Mobile. Here's Why", *Brandweek*, 16 de noviembre de 2009, p. 6; Douglas MacMillan, Peter Burrows y Spencer E. Ante, "The App Economy", *BusinessWeek*, 2 de noviembre de 2009, pp. 44–49.

41. "VW Set for Launch in 8 Months", *WorldCarFans.com*, www.worldcarfans.com, 20 de marzo de 2007; Eleftheria Parpis, "Volkswagen's Public Polling Pays Off", *Adweek*, 19 de mayo de 2008; Andrew Grill, "Volkswagen Tiguan Mobile Advertising Case Study", *London Calling,* www.londoncalling.mobi, 20 de mayo de 2009.

42. Peter DaSilva, "Cellphone in New Role: Loyalty Card", *New York Times*, 31 de mayo de 2010.

43. Diana Ransom, "When the Customer Is in the Neighborhood", *Wall Street Journal*, 17 de mayo de 2010.

44. Don Clark y Nick Wingfield, "Intel, Microsoft Offer Smart Sign Technology", *Wall Street Journal*, 12 de enero de 2010; Andrew Lavallee, "Unilever to Test Mobile Coupons in Trial at Supermarket, Cellphones Will Be the Medium for Discount Offers", *Wall Street Journal*, 29 de mayo de 2009; Bob Tedeschi, "Phone Smart Cents-Off Coupons and Other Special Deals, via Your Cellphone", *New York Times*, 17 de diciembre de 2008.

45. Piet Levy, "Set Your Sites on Mobile", *Marketing News*, 30 de abril de 2010, p.6; Tom Lowry, "Pandora: Unleashing Mobile-Phone Ads", *BusinessWeek*, 1 de junio de 2009, pp. 52–53.

46. Elisabeth Sullivan, "The Tao of Mobile Marketing", *Marketing News*, 30 de abril de 2010, pp. 16–20.

47. Loretta Chao, "Cell Phone Ads Are Easier Pitch in China Interactive Campaigns", *Wall Street Journal*, 4 de enero de 2007.

48. Louise Story, "What We Talk About When We Talk About Brands", *New York Times*, 24 de noviembre de 2006.

49. Robert V. Kozinets, Kristine de Valck, Andrea C. Wojnicki y Sarah J. S. Wilner, "Networked Narratives: Understanding Word-of-Mouth Marketing in Online Communities", *Journal of Marketing* 74 (marzo de 2010), pp. 71–89; David Godes y Dina Mayzlin, "Firm-Created Word-of-Mouth Communication: Evidence from a Field Test", *Marketing Science* 28 (julio–agosto de 2009), pp. 721–739.

50. Jon Swartz, "Small Firms Dive Into Social Media", *USA Today*, 22 de julio de 2010, p. 3B.

51. Reena Jane, "How Intuit Makes a Social Network Pay", *Bloomberg BusinessWeek*, 2 de julio de 2009; Justin Smith, "Intuit's 'Super Status Contest' Aims for Product Placement in Facebook Status Updates", *Inside Facebook*, www.insidefacebook.com, 29 de enero de 2009; Christen Wegner, "How Intuit Stays Relevant Using Social Media", *KyleLacey.com*, www.kylelacy.com, 3 de marzo de 2010; Jon Swartz, "More Marketers Sign on to Social Media", *USA Today*, 28 de agosto de 2009, p. 1B.

52. *Effie Awards*, www.effie.org/downloads/2009_winners_list.pdf

53. Heather Green, "It Takes a Web Village", *BusinessWeek*, 4 de septiembre de 2006, p. 66; Paul Dwyer, *Measuring the Value of Word of Mouth and Its Impact in Consumer Communities*, MSI Report No. 06-118, *Marketing Science Institute*, Cambridge, MA.; Kelly K. Spors, "The Customer Knows Best", *Wall Street Journal*, 13 de julio de 2009, p. R5.

54. Claire Cain Miller, "The Sweet Spot", *Forbes*, 23 de abril de 2007, p. 41.

55. Para un análisis académico de las salas de chat, sitios recomendados y secciones de reseñas de clientes en línea, vea Dina Mayzlin, "Promotional Chat on the Internet", *Marketing Science* 25 (marzo–abril de 2006), pp. 155–163; y Judith Chevalier y Dina Mayzlin, "The Effect of Word of Mouth on Sales: Online Book Reviews", *Journal of Marketing Research* 43 (agosto de 2006), pp. 345–354.

56. Stephen Baker, "Looking for a Blog in a Haystack", *BusinessWeek*, 25 de julio de 2006, p. 38.

57. Heather Green, "The Big Shots of Blogdom", *BusinessWeek*, 7 de mayo de 2007; TreeHugger, www.treehugger.com/about

58. Kim Hart, "Angry Customers Use Web to Shame Firms", *Washington Post*, 5 de julio de 2006.

59. Para una reseña completa de literatura académica relevante, vea Christophe Van Den Bulte y Stefan Wuyts, *Social Networks and Marketing* (Marketing Science Institute Relevant Knowledge Series, Cambridge, MA, 2007), y para algunas consideraciones prácticas, vea "A World of Connections: A Special Report on Social Networking", *Economist*, 30 de enero de 2010.

60. Allen Adamson, "No Contest: Twitter and Facebook Can Both Play a Role in Branding", www.forbes.com, 6 de mayo de 2009.

61. "Profiting From Friendship", *Economist*, 30 de enero de 2010, pp. 9–12.

62. "A Peach of Opportunity", *Economist*, 30 de enero de 2010, pp. 9–12.

63. www. bbmundo.com; www.altonivel.com.mx/7364-martha-debayle-exito-maternal.html; www.endeavor.org.mx/index.php?id=401

64. Michael Learmonth y Rupal Parekh, "How Influential Are Angry Bloggers? Ask Johnson & Johnson", *Financial Week*, 19 de noviembre de 2008; Seth Godin, "We Feel Your Pain", *Seth's Blog*, 17 de noviembre de 2008; Jim Edwards, "J&J Triggers Mommy War With Motrin 'Anti-Baby Sling' Ad", www.bnet.com, 17 de noviembre de 2008.

65. Stephen Baker, "Beware Social Media Snake Oil", *Bloomberg BusinessWeek*, 14 de diciembre de 2009, pp. 48–51.

66. Ralf van der Lans, Gerrit van Bruggen, Jehoshua Eliashberg, Berend Wierenga, "A Viral Branching Model for Predicting the Spread of Electronic Word of Mouth", *Marketing Science* 29 (marzo–abril de 2010), pp. 348–365; Dave Balter y John Butman, "Clutter Cutter", *Marketing Management* (julio–agosto de 2006), pp. 49–50.

67. Emanuel Rosen, *The Anatomy of Buzz* (Nueva York: Currency, 2000).

68. George Silverman, *The Secrets of Word-of-Mouth Marketing* (Nueva York: AMACOM, 2001); Emanuel Rosen, *The Anatomy of Buzz* (Nueva York: Currency, 2000), capítulo 12; "Viral Marketing", *Sales & Marketing Automation* (noviembre de 1999), pp. 12–14.

69. *Will It Blend?* www.willitblend.com; Blendtec, www.blendtec.com; Piet Levy, "I Tube, YouTube", *Marketing News*, 30 de marzo de 2009, p. 8; Phyllis Berman, "Food Fight", *Forbes*, 13 de octubre de 2008, p. 110; Rob Walker, "Mixing It Up", *New York Times*, 24 de agosto de 2008; Jon Fine, "Ready to Get Weird, Advertisers?" *BusinessWeek,* 8 de enero de 2007, p. 24.

70. Renée Dye, "The Buzz on Buzz", *Harvard Business Review* (noviembre–diciembre de 2000), p. 139.

71. Robert Berner, "I Sold It through the Grapevine", *BusinessWeek*, 29 de mayo de 2006, pp. 32–34.

72. Barbara Kiviat, "Word on the Street", *Time*, 12 de abril de 2007; Dave Balter, "Rules of the Game", *Advertising Age Point,* diciembre de 2005, pp. 22–23; Scott Kirsner, "How Much Can You Trust Buzz?" *Boston Globe*, 14 de noviembre de 2005; Linda Tischler, "What's the Buzz?" *Fast Company,* mayo de 2004, pp. 76–77.

73. Matthew Creamer y Rupal Parekh, "Ideas of the Decade", *Advertising Age*, 14 de diciembre de 2009.

74. Amar Cheema y Andrew M. Kaikati, "The Effect of Need for Uniqueness on Word of Mouth", *Journal of Marketing Research* 47 (junio de 2010), pp. 553–563.

75. Jacqueline Johnson Brown, Peter M. Reingen y Everett M. Rogers, *Diffusion of Innovations,* 4a. ed. (Nueva York: Free Press, 1995); J. Johnson Brown y Peter Reingen, "Social Ties and Word-of-Mouth Referral Behavior", *Journal of Consumer Research* 14 (diciembre de 1987), pp. 350–362; Peter H. Riengen y Jerome B. Kernan, "Analysis of Referral Networks in Marketing: Methods and Illustration", *Journal of Marketing Research* 23 (noviembre de 1986), pp. 37–78.

76. Malcolm Gladwell, *The Tipping Point: How Little Things Can Make a Big Difference* (Boston: Little, Brown & Company, 2000).

77. Terry McDermott, "Criticism of Gladwell Reaches Tipping Point", *Columbia Journalism Review*, 17 de noviembre de 2009; Clive Thompson, "Is the Tipping Point Toast?" *Fast Company*, 1 de febrero de 2008; Duncan Watts, *Six Degrees: The Science of a Connected Age* (Nueva York: W.W. Norton, 2003).

78. Douglas Atkin, *The Culting of Brands: When Customers Become True Believers* (Nueva York: Penguin, 2004); Marian Salzman, Ira Matathia y Ann O'Reilly, *Buzz: Harness the Power of Influence and Create Demand* (Nueva York: Wiley, 2003).

79. Bob Greenberg, "A Platform for Life", *Adweek NEXT*, 14 de septiembre de 2009, p. 38.

80. Michael Trusov, Anand V. Bodapati y Randolph E. Bucklin, "Determining Influential Users in Internet Social Networks", *Journal of Marketing Research* 47 (agosto de 2010), pp. 643–658.

81. Dave Balter y John Butman, "Clutter Cutter", *Marketing Management* (julio–agosto de 2006), pp. 49–50; "Is There a Reliable Way to Measure Word-of-Mouth Marketing?", *Marketing NPV* 3 (2006), pp. 3–9.

82. Digital Buzz, www.digitalbuzzblog.com; Mashable, www.mashable.com; Atomic Ideas, www.atomicideas.com, accesos del 22 de agosto de 2010.

83. Keith Barry, "Fiesta Stars in Night of the Living Social Media Campaign", *Wired*, 21 de mayo de 2010; Matthew Dolan, "Ford Takes Online Gamble with New Fiesta", *Wall Street Journal*, 8 de abril de 2009.

84. Esta sección está basada parcialmente en un excelente resumen, "Is There a Reliable Way to Measure Word-of-Mouth Marketing?", *Marketing NPV* 3 (2006), pp. 3–9, disponible en: www.marketingnpv.com

85. Suzanne Vranica, "Social Media Draws a Crowd", *Wall Street Journal*, 19 de julio de 2010; Jessi Hempel, "He Measures the Web", *Fortune*, 9 de noviembre de 2009, pp. 94–98.

86. Adam L. Penenberg, "How Much Are You Worth to Facebook?", *Fast Company*, 1 de octubre de 2009.

87. Rick Lawrence, Prem Melville, Claudia Perlich, Vikas Sindhwani, Steve Meliksetian, Pei-Yun Hsueh y Yan Liu, "Social Media Analytics", *OR/MS Today*, febrero de 2010, pp. 26–30.

88. "Employment by major occupational group, 2008 and projected 2018", www.bls.gov/emp/ep_table_101.pdf

89. John Bello, "Sell Like Your Outfit Is at Stake. It Is", *BusinessWeek Online,* 5 de febrero de 2004; John Bello, "The Importance of Sales for Entrepreneurs", *USA Today*, 11 de febrero de 2004; Jeanine Prezioso, "Lizard King's Story", *Fairfield County Business Journal*, 10 de diciembre de 2001.

90. Shrihari Sridhar, Murali K. Mantrala y Sönke Albers, "Personal Selling Elasticities: A Meta-Analysis", *Journal of Marketing Research* 47 (octubre de 2010).

91. Adaptado de Robert N. McMurry, "The Mystique of Super-Salesmanship", *Harvard Business Review*, marzo–abril de 1961, p. 114. También vea William C. Moncrief III, "Selling Activity and Sales Position Taxonomies for Industrial Sales Forces", *Journal of Marketing Research* 23 (agosto de 1986), pp. 261–270.

92. Lawrence G. Friedman y Timothy R. Furey, *The Channel Advantage: Going to Marketing with Multiple Sales Channels* (Oxford, Reino Unido: Butterworth-Heinemann, 1999).

93. Michael Ahearne, Scott B. MacKenzie, Philip M. Podsakoff, John E. Mathieu y Son K. Lam, "The Role of Consensus in Sales Team Performance", *Journal of Marketing Research* 47 (junio de 2010), pp. 458–469.

94. Ashwin W. Joshi, "Salesperson Influence on Product Development: Insights from a Study of Small Manufacturing Organizations", *Journal of Marketing* 74 (enero de 2010), pp. 94–107; Philip Kotler, Neil Rackham y Suj Krishnaswamy, "Ending the War between Sales & Marketing", *Harvard Business Review*, julio–agosto de 2006, pp. 68–78; Timothy M. Smith, Srinath Gopalakrishna y Rubikar Chaterjee, "A Three-Stage Model of Integrated Marketing Communications at the Marketing-Sales Interface", *Journal of Marketing Research* 43 (noviembre de 2006), pp. 546–579.

95. Michael Copeland, "Hits and Misses", *Business 2.0,* abril de 2004, p. 142.

96. "Sales Performance Benchmarks", *Go-to-Market Strategies*, 5 de junio de 2007. Para implicaciones de impuestos internacionales en las compensaciones, vea Dominique Rouziès, Anne T. Coughlan, Erin Anderson y Dawn Iacobucci, "Determinants of Pay Levels and Structures in Sales Organizations", *Journal of Marketing* 73 (noviembre de 2009), pp. 92–104.

97. Tony Ritigliano y Benson Smith, *Discover Your Sales Strengths* (Nueva York: Random House Business Books, 2004).

98. Sonke Albers, "Sales-Force Management—Compensation, Motivation, Selection, and Training", Bart Weitz y Robin Wensley, eds., *Handbook of Marketing* (Londres: Sage, 2002), pp. 248–266.

99. Nanette Byrnes, "Avon Calling—Lots of New Reps", *BusinessWeek,* 2 de junio de 2003, pp. 53–54.

100. Michael R. W. Bommer, Brian F. O'Neil y Beheruz N. Sethna, "A Methodology for Optimizing Selling Time of Salespersons", *Journal of Marketing Theory and Practice* (primavera de 1994), pp. 61–75. Vea también Lissan Joseph, "On the Optimality of Delegating Pricing Authority to the Sales Force", *Journal of Marketing* 65 (enero de 2001), pp. 62–70.

101. Dartnell Corporation, *30th Sales-Force Compensation Survey* (Chicago: Dartnell Corp., 1999). Otros desgloses muestran que 12.7% se gasta en visitas de servicio, 16% en tareas administrativas, 25.1% en ventas por teléfono y 17.4% en espera/desplazamiento. Para un análisis de esta base de datos, vea Sanjog Misra, Anne T. Coughlan y Chakravarthi Narasimhan, "Salesforce Compensation: An Analytical and Empirical Examination of the Agency Theoretic Approach, *Quantitative Marketing and Economics* 3 (marzo de 2005), pp. 5–39.

102. Michael Ahearne, Son K. Lam, John E. Mathieu y Willy Bolander, "Why Are Some Salespeople Better at Adapting to Organizational Change?" *Journal of Marketing* 74 (mayo de 2010), pp. 65–79.

103. Willem Verbeke y Richard P. Bagozzi, "Sales-Call Anxiety: Exploring What It Means When Fear Rules a Sales Encounter", *Journal of Marketing* 64 (julio de 2000), pp. 88–101. Vea también, Douglas E. Hughes y Michael Ahearne, "Energizing the Reseller's Sales Force: The Power of Brand Identification", *Journal of Marketing* 74 (julio de 2010), pp. 81–96.

104. Gilbert A. Churchill Jr., Neil M. Ford, Orville C. Walker Jr., Mark W. Johnston y Greg W. Marshall, *Sales-Force Management,* 9a. ed. (Nueva York: McGraw-Hill/Irwin, 2009). Vea también Eric G. Harris, John C. Mowen y Tom J. Brown, "Reexamining Salesperson Goal Orientations: Personality Influencers, Customer Orientation, and Work Satisfaction", *Journal of the Academy of Marketing Science* 33 (invierno de 2005), pp. 19–35; Manfred Krafft, "An Empirical Investigation of the Antecedents of Sales-Force Control Systems", *Journal of Marketing* 63 (julio de 1999), pp. 120–134; Wujin Chu, Eitan Gerstner y James D. Hess, "Costs and Benefits of Hard Sell", *Journal of Marketing Research* 32 (febrero de 1995), pp. 97–102.

105. Noah Lim, Michael J. Ahearne y Sung H. Ham, "Designing Sales Contests: Does the Prize Structure Matter?", *Journal of Marketing Research* 46 (junio de 2009), pp. 356–371.

106. Lisa Vaas, "Oracle Teaches Its Sales Force to Play Nice", *eWeek*, 28 de julio de 2004; Lisa Vaas, "Oracle's Sales Force Reorg Finally Bears Fruit", *eWeek*, 17 de diciembre de 2003; Ian Mount, "Out of Control", *Business 2.0,* agosto de 2002, pp. 38–44.

107. Philip M. Posdakoff y Scott B. MacKenzie, "Organizational Citizenship Behaviors and Sales-Unit

Effectiveness", *Journal of Marketing Research* 31 (agosto de 1994), pp. 351–363. Vea también Andrea L. Dixon, Rosann L. Spiro y Magbul Jamil, "Successful and Unsuccessful Sales Calls: Measuring Salesperson Attributions and Behavioral Intentions", *Journal of Marketing* 65 (julio de 2001), pp. 64–78; Willem Verbeke y Richard P. Bagozzi, "Sales-Call Anxiety: Exploring What It Means When Fear Rules a Sales Encounter", *Journal of Marketing* 64 (julio de 2000), pp. 88–101.

108. Neil Rackham, *SPIN Selling* (Nueva York: McGraw-Hill, 1988). También vea su *The SPIN Selling Fieldbook* (Nueva York: McGraw-Hill, 1996); James Lardner, "Selling Salesmanship", *Business 2.0*, diciembre de 2002–enero de 2003, p. 66; Sharon Drew Morgen, *Selling with Integrity: Reinventing Sales through Collaboration, Respect, and Serving* (Nueva York: Berkeley Books, 1999); Neil Rackham y John De Vincentis, *Rethinking the Sales Force* (Nueva York: McGraw-Hill, 1996).

109. Algunos de los siguientes análisis se basan en un análisis clásico en W. J. E. Crissy, William H. Cunningham e Isabella C. M. Cunningham, *Selling: The Personal Force in Marketing* (Nueva York: Wiley, 1977), pp. 119–129. Para algunos consejos y perspectivas contemporáneos, vea Jia Lynn Yang, "How to Sell in a Lousy Economy", *Fortune*, 29 de septiembre 29, de 2008, pp. 101–106 y Jessi Hempel, "IBM's All-Star Salesman", *Fortune*, 29 de septiembre de 2008, pp. 110–119.

110. Stephanie Clifford, "Putting the Performance in Sales Performance", *Inc.*, febrero de 2007, pp. 87–95.

111. Joel E. Urbany, "Justifying Profitable Pricing", *Journal of Product & Brand Management* 10, (2001), pp. 141–159.

112. Jia Lynn Yang, "How Can I Keep My Sales Team Productive in a Recession?", *Fortune*, 2 de marzo de 2009, p. 22.

113. V. Kumar, Rajkumar Venkatesan y Werner Reinartz, "Performance Implications of Adopting a Customer-Focused Sales Campaign", *Journal of Marketing* 72 (septiembre de 2008), pp. 50–68; George R. Franke y Jeong-Eun Park, "Salesperson Adaptive Selling Behavior and Customer Orientation: A Meta-Analysis", *Journal of Marketing Research* 43 (noviembre de 2006), pp. 693–702; Richard G. McFarland, Goutam N. Challagalla y Tasadduq A. Shervani, "Influence Tactics for Effective Adaptive Selling", *Journal of Marketing* 70 (octubre de 2006), pp. 103–117.

Capítulo 20

1. Brad Stone, "Nintendo Wii to Add Netflix Service for Streaming Video", *New York Times*, 13 de enero de 2010; Eric A. Taub, "Will Nothing Slow Wii?", *New York Times Bits Blog*, 17 de octubre de 2008; John Gaudiosi, "How the Wii Is Creaming the Competition", *Business 2.0*, 25 de abril de 2007; Martin Fackler, "Putting the We Back in Wii", *New York Times*, 8 de junio de 2007.

2. Para algunas reseñas de eruditos, vea Ely Dahan y John R. Hauser, "Product Development: Managing a Dispersed Process", Bart Weitz y Robin Wensley, eds., *Handbook of Marketing* (Londres: Sage, 2002), pp. 179–222; Dipak Jain, "Managing New-Product Development for Strategic Competitive Advantage", Dawn Iacobucci, ed., *Kellogg on Marketing*, (Nueva York: Wiley, 2001), pp. 130–148; Jerry Wind y Vijay Mahajan, "Issues and Opportunities in New-Product Development: An Introduction to the Special Issue", *Journal of Marketing Research* 34 (febrero de 1997), pp. 1–12. Para una semblanza de diferentes enfoques en la industria, vea Frank T. Rothaermel y Andrew M. Hess, "Innovation Strategies Combined", *MIT Sloan Management Review* (primavera de 2010), pp. 13–15.

3. Scott Sanderude, "Growth from Harvesting the Sky: The $200 Million Challenge", conferencia en la Marketing Science Institute Conference: New Frontiers for Growth, Boston, MA, abril de 2005.

4. Stephen J. Carson, "When to Give Up Control of Outsourced New-Product Development", *Journal of Marketing* 71 (enero de 2007), pp. 49–66.

5. Elaine Wong, "P&G's '09 Success Hinged on Value, Affordable Luxury", *Brandweek*, 22 de marzo de 2010, p. 8.

6. Para algunos análisis académicos de los efectos de los lanzamientos de nuevos productos en los mercados, vea Harald J. Van Heerde, Carl F. Mela y Puneet Manchanda, "The Dynamic Effect of Innovation on Market Structure", *Journal of Marketing Research* 41 (mayo de 2004), pp. 166–183; y para un contraste con nuevos productos radicalmente diferentes, vea Khaled Aboulnasr, Om Narasimhan, Edward Blair y Rajesh Chandy, "Competitive Response to Radical Product Innovations", *Journal of Marketing* 72 (mayo de 2008), pp. 94–110.

7. "Enabling Multifaceted Innovation", *IBM Global Business Services,* www-935.ibm.com/services/us/gbs/bus/pdf/g510-6310-executive-brief-enablingmultifaceted.pdf, 2006.

8. Shuba Srinivasan, Koen Pauwels, Jorge Silva-Risso y Dominique M. Hanssens, "Product Innovations, Advertising and Stock Returns", *Journal of Marketing* 73 (enero de 2009), pp. 24–43; Alina B. Sorescu y Jelena Spanjol, "Innovation's Effect on Firm Value and Risk: Insights from Consumer Packaged Goods", *Journal of Marketing* 72 (marzo de 2008), pp. 114–132; Sungwook Min, Manohar U. Kalwani y William T. Robinson, "Market Pioneer and Early Follower Survival Risks: A Contingency Analysis of Really New versus Incrementally New Product-Markets", *Journal of Marketing* 70 (enero de 2006), pp. 15–33; C. Page Moreau, Arthur B. Markman y Donald R. Lehmann, "'What Is It?' Category Flexibility y Consumers' Response to Really New Products", *Journal of Consumer Research* 27 (marzo de 2001), pp. 489–498.

9. Stefan Wuyts, Shantanu Dutta y Stefan Stremersch, "Portfolios of Interfirm Agreements in Technology-Intensive Markets: Consequences for Innovation and

Profitability", *Journal of Marketing* 68 (abril de 2004), pp. 88–100; Aric Rindfleisch y Christine Moorman, "The Acquisition and Utilization of Information in New-Product Alliance: A Strength-of-Ties Perspective", *Journal of Marketing* 65 (abril de 2001), pp. 1–18. Vea también Raghunath Singh Rao, Rajesh K. Chandy y Jaideep C. Prabhu, "The Fruits of Legitimacy: Why Some New Ventures Gain More from Innovation Than Others", *Journal of Marketing* 72 (julio de 2008), pp. 58–75.

10. Gerard J. Tellis, Jaideep C. Prabhu y Rajesh K. Chandy, "Radical Innovation across Nations: The Preeminence of Corporate Culture", *Journal of Marketing* 73 (enero de 2009), pp. 3–23.

11. Steve Hoeffler, "Measuring Preferences for Really New Products", *Journal of Marketing Research* 40 (noviembre de 2003), pp. 406–420; Glen Urban, Bruce Weinberg y John R. Hauser, "Premarket Forecasting of Really New Products", *Journal of Marketing* 60 (enero de 1996), pp. 47–60.

12. Andy Grove, "Think Disruptive", *Condé Nast Portfolio*, diciembre de 2007, pp. 170–175; Ashish Sood y Gerard J. Tellis, "Technological Evolution and Radical Innovation", *Journal of Marketing* 69 (julio de 2005), pp. 152–168.

13. Para más análisis, vea Jakki Mohr, *Marketing of High-Technology Products and Innovations,* 2a. ed. (Upper Saddle River, NJ: Prentice Hall, 2005).

14. Carol Matlack, "How Danone Turns Bacteria into Bucks", *BusinessWeek*, 15 de noviembre de 2007, pp. 76–77; Jack Ewing, "The Bimmer, Plugged In", *BusinessWeek*, 23 y 30 de marzo de 2009, p. 78; Beth Kowitt, "Blackboard Rules the Schools", *Fortune*, 9 de noviembre de 2009, p. 28.

15. Steve Hamm, "Speed Demons", *BusinessWeek*, 27 de marzo de 2006, pp. 69–76.

16. Christina Passariello, "Brand New Bag: Louis Vuitton Tries Modern Methods on Factory Lines", *Wall Street Journal*, 9 de octubre de 2006.

17. www.SoyEntrepreneur.com; www.distroller.com; www.distrollerbisne.com/quienes.html

18. Tim Brown, *Change by Design: How Design Thinking Transforms Organizations and Inspires Innovation* (Nueva York: HarperCollins, 2009).

19. Clayton M. Christensen, *Disrupting Class: How Disruptive Innovation Will Change the Way the World Learns* (Nueva York: McGraw-Hill, 2008); Clayton M. Christensen, *The Innovator's Solution: Creating and Sustaining Successful Growth* (Boston: Harvard University Press, 2003); Clayton M. Christensen, *The Innovator's Dilemma: When New Technologies Cause Great Firms to Fail* (Boston: Harvard University Press, 1997).

20. Ely Dahan y John R. Hauser, "Product Development: Managing a Dispersed Process", Bart Weitz y Robin Wensley, eds., *Handbook of Marketing* (Londres: Sage, 2002), pp. 179–222.

21. Robert G. Cooper y Elko J. Kleinschmidt, *New Products: The Key Factors in Success* (Chicago: American Marketing Association, 1990).

22. Ibid., pp. 35–38.

23. Susumu Ogama y Frank T. Piller, "Reducing the Risks of New-Product Development", *MIT Sloan Management Review* 47 (invierno de 2006), pp. 65–71; A.C. Nielsen, "New-Product Introduction—Successful Innovation/Failure: Fragile Boundary", A.C. Nielsen BASES y Ernst & Young Global Client Consulting, 24 de junio de 1999; Deloitte and Touche, "Vision in Manufacturing Study", Deloitte Consulting y Kenan-Flagler Business School, 6 de marzo de 1998.

24. Para más análisis, vea Dipak Jain, "Managing New-Product Development for Strategic Competitive Advantage", Dawn Iacobucci, ed., *Kellogg on Marketing* (Nueva York: Wiley, 2001).

25. Steve Hamm, "Speed Demons", *BusinessWeek*, 27 de marzo de 2006, pp. 69–76.

26. Tom McNichol, "A Start-Up's Best Friend? Failure", *Business 2.0,* marzo de 2007, pp. 39–41.

27. Thomas N. Burton, "By Learning from Failures Lilly Keeps Drug Pipelines Full", *Wall Street Journal,* 21 de abril de 2004.

28. Amy Barrett, "J&J: Reinventing How It Invents", *BusinessWeek*, 17 de abril de 2006, pp. 60–61.

29. Virginia Gardiner, "Dyson Airblade", *Dwell*, 10 de marzo de 2010; Reena Jana, "Dyson's Air Multiplier: Flaw as Function", *Bloomberg BusinessWeek*, 12 de octubre de 2009; Chuck Salter, "Failure Doesn't Suck", *Fast Company,* mayo de 2007, p. 44.

30. Vijay Govindrajan y Chris Trimble, "Stop the Innovation Wars", *Harvard Business Review*, julio–agosto de 2010, pp. 76–83; Doug Ayers, Robert Dahlstrom y Steven J. Skinner, "An Exploratory Investigation of Organizational Antecedents to New-Product Success", *Journal of Marketing Research* 34 (febrero de 1997), pp. 107–116; David S. Hopkins, *Options in New-Product Organization* (Nueva York: Conference Board, 1974).

31. Brian Hindo, "Rewiring Westinghouse", *BusinessWeek*, 19 de mayo de 2008, pp. 48–49.

32. Danielle Sacks, Chuck Salter, Alan Deutschman y Scott Kirsner, "Innovation Scouts", *Fast Company*, mayo de 2007, p. 90; "Ongoing Innovation: Tom Malloy on Sustaining the Relevance and Impact of Adobe's Advanced Technology Labs", *Knowledge@Wharton,* 21 de marzo de 2007; Shantanu Narayen, "Connecting the Dots Isn't Enough", *New York Times,* 18 de julio de 2009.

33. Lisa C. Troy, Tanat Hirunyawipada y Audhesh K. Paswan, "Cross-Functional Integration and New Product Success: An Empirical Investigation of the Findings", *Journal of Marketing* 72 (septiembre de 2008), pp. 132–146; Rajesh Sethi, Daniel C. Smith y C. Whan Park, "Cross-Functional Product Development Teams, Creativity, and the Innovativeness of New Consumer Products", *Journal of Marketing Research* 38 (febrero de 2001), pp. 73–85.

34. Robert G. Cooper, *Winning at New Products: Accelerating the Process from Idea to Launch* (Nueva York: Perseus Publishing, 2001); Vea también Robert G. Cooper, "Stage-Gate Systems: A New Tool for Managing New Products", *Business Horizons,* mayo–junio de 1990, pp. 44–54; Robert G. Cooper, "The NewProd System: The Industry Experience", *Journal of Product Innovation Management* 9 (junio de 1992), pp. 113–127.

35. Robert G. Cooper, *Product Leadership: Creating and Launching Superior New Products* (Nueva York: Perseus Books, 1998).

36. Rajesh Sethi y Zafar Iqbal, "Stage-Gate Controls, Learning Failure, and Adverse Effect on Novel New Products", *Journal of Marketing* 72 (enero de 2008), pp. 118–134.

37. Ely Dahan y John R. Hauser, "Product Development: Managing a Dispersed Process", Bart Weitz y Robin Wensley, eds., *Handbook of Marketing* (Londres: Sage, 2002), pp. 179–222.

38. Otro enfoque alterno al proceso de embudo prefiere el "disparo". Vea David Nichols, *Return on Ideas* (West Sussex, England: Wiley, 2007).

39. Michael Zedalis, "Deploying Stage-Gate on a Global Scale—Critical Elements That Drive Performance" y Charles Gagnon, "Driving Value Creation with the Right Portfolio Mix", conferencias impartidas en la Stage-Gate Leadership Summit de 2007.

40. John Hauser, Gerard J. Tellis y Abbie Griffin, "Research on Innovation: A Review and Agenda for Marketing Science", *Marketing Science* 25 (noviembre–diciembre de 2006), pp. 687–717.

41. Byron Acohido, "Microsoft Cultures Creativity in Unique Lab", *USA Today*, 11 de julio de 2007; Erich Joachimsthaler, *Hidden in Plain Sight: How to Find and Execute Your Company's Next Big Growth Strategy* (Boston: Harvard Business School Press, 2007); Subin Im y John P. Workman Jr., "Market Orientation, Creativity, and New-Product Performance in High-Technology Firms", *Journal of Marketing* 68 (abril de 2004), pp. 114–132.

42. Erich Joachimsthaler, *Hidden in Plain Sight: How to Find and Execute Your Company's Next Big Growth Strategy* (Boston: Harvard Business School Publishing, 2007).

43. Henry Chesbrough, *Open Business Models: How to Thrive in the New-Innovation Landscape* (Boston: Harvard University Press, 2006); Eric Von Hippel, *Democratizing Innovation* (Cambridge, MA: MIT Press, 2005); Burt Helm, "Inside a White-Hot Idea Factory", *BusinessWeek*, 15 de enero de 2005, pp. 72–73; C.K. Prahalad y Venkat Ramaswamy, *The Future of Competition: Cocreating Unique Value with Customers* (Boston: Harvard University Press, 2004); Henry Chesbrough, *Open Innovation: The New Imperative for Creating and Profiting from Technology* (Boston: Harvard University Press, 2003).

44. Bruce Horovitz, "Marketers Zooming in on Your Daily Routines", *USA Today*, 30 de abril de 2007; Ashwin W. Joshi y Sanjay Sharma, "Customer Knowledge Development: Antecedents and Impact on New-Product Performance", *Journal of Marketing* 68 (octubre de 2004), pp. 47–59.

45. Abbie J. Griffin y John Hauser, "The Voice of the Customer", *Marketing Science* 12 (invierno de 1993), pp. 1–27.

46. Miho Inada, "Tokyo Café Targets Trend Makers", *Wall Street Journal*, 24 de agosto de 2008.

47. Peter C. Honebein y Roy F. Cammarano, "Customers at Work", *Marketing Management* 15 (enero–febrero de 2006), pp. 26–31; Peter C. Honebein y Roy F. Cammarano, *Creating Do-It-Yourself Customers: How Great Customer Experiences Build Great Companies* (Mason, OH: Texere Southwestern Educational Publishing, 2005).

48. Jeff Howe, *Crowdsourcing: Why the Power of the Crowd Is Driving the Future of Business* (Nueva York, Crown Business, 2008).

49. Guido Jouret, "Inside Cisco's Search for the Next Big Idea", *Harvard Business Review*, septiembre de 2009, pp. 43–45; Anya Kamentz, "The Power of the Prize", *Fast Company*, mayo de 2008, pp. 43–45; Cisco, www.cisco.com/web/solutions/iprize/index.html

50. Patricia Seybold, *Outside Innovation: How Your Customers Will Codesign Your Company's Future* (Nueva York: Collins, 2006).

51. Helena Yli-Renko y Ramkumar Janakiraman, "How Customer Portfolio Affects New Product Development in Technology-Based Firms, *Journal of Marketing* 72 (septiembre de 2008), pp. 131–148; Donna L. Hoffman, Praveen K. Kopalle y Thomas P. Novak, "The 'Right' Consumers for Better Concepts: Identifying and Using Consumers High in Emergent Nature to Further Develop New Product Concepts", *Journal of Marketing Research* 47 (octubre de 2010), en prensas.

52. Trabajos pioneros en esta área están representados por Eric von Hippel, "Lead Users: A Source of Novel Product Concepts", *Management Science* 32 (julio de 1986), pp. 791–805. También vea Eric von Hippel, *The Sources of Innovation* (Nueva York: Oxford University Press, 1988); Eric von Hippel, *Democratizing Innovation* (Cambridge, MA: MIT Press, 2005); y Pamela D. Morrison, John H. Roberts y David F. Midgley, "The Nature of Lead Users and Measurement of Leading Edge Status", *Research Policy* 33 (2004), pp. 351–362.

53. John W. Heinke Jr. y Chun Zhang, "Increasing Supplier-Driven Innovation", *MIT Sloan Management Review* (invierno de 2010), pp. 41–46; Eric (Er) Fang, "Customer Participation and the Trade-Off Between New Product Innovativeness and Speed to Market", *Journal of Marketing* 72 (julio de 2008), pp. 90–104. Observe que esta investigación muestra que la implicación del cliente también puede frenar el proceso de desarrollo si se requiere un alto nivel de interacción y coordinación en las diferentes etapas.

54. Kevin Zheng Zhou, Chi Kin (Bennett) Yim y David K. Tse, "The Effects of Strategic Orientations on Technology- and Market-Based Breakthrough

Innovations", *Journal of Marketing* 69 (abril de 2005), pp. 42–60; Michael Treacy, "Ignore the Consumer", *Advertising Age Point* (septiembre de 2005), pp. 15–19.

55. Sharon Machlis, "Innovation and the 20% Solution", *Computerworld*, 2 de febrero de 2009.

56. "The World's Fifty Most Innovative Companies", Special Report, *BusinessWeek*, 9 de mayo de 2007.

57. Darren W. Dahl y Page Moreau, "The Influence and Value of Analogical Thinking during New-Product Ideation", *Journal of Marketing Research* 39 (febrero de 2002), pp. 47–60; Michael Michalko, *Cracking Creativity: The Secrets of Creative Genius* (Berkeley, CA: Ten Speed Press, 1998); James M. Higgins, *101 Creative Problem-Solving Techniques* (Nueva York: New Management, 1994).

58. Philip Kotler y Fernando Trias de Bes, *Lateral Marketing: New Techniques for Finding Breakthrough Ideas* (Nueva York: Wiley, 2003).

59. NBC Research, "Friends", *Program Test Report,* 27 de mayo de 1994; y NBC's Failing Grade for "Friends", *The Smoking Gun*. 10 de mayo de 2004, www.smokinggun.com

60. Olivier Toubia y Laurent Florès, "Adaptive Idea Screening Using Consumers", *Marketing Science* 26 (mayo–junio de 2007), pp. 342–360; Melanie Wells, "Have It Your Way", *Forbes*, 14 de febrero de 2005.

61. David L. Alexander, John G. Lynch Jr. y Qing Wang, "As Time Goes By: Do Cold Feet Follow Warm Intentions for Really New Versus Incrementally New Products", *Journal of Marketing Research* 45 (junio de 2008), pp. 307–319; Steve Hoeffler, "Measuring Preferences for Really New Products", *Journal of Marketing Research* 40 (noviembre de 2003), pp. 406–420.

62. Min Zhao, Steve Hoeffler y Darren W. Dahl, "The Role of Imagination-Focused Visualization on New Product Evaluation", *Journal of Marketing Research* 46 (febrero de 2009), pp. 46–55; Raquel Castano, Mita Sujan, Manish Kacker, Harish Sujan, "Managing Customer Uncertainty in the Adoption of New Products: Temporal Distance and Mental Stimulation", *Journal of Marketing Research* 45 (junio de 2008), pp. 320–336; Dahl y Moreau, "The Influence and Value of Analogical Thinking during New-Product Ideation", *Journal of Marketing Research* 39; Michelle L. Roehm y Brian Sternthal, "The Moderating Effect of Knowledge and Resources on the Persuasive Impact of Analogies", *Journal of Consumer Research* 28 (septiembre de 2001), pp. 257–272; Darren W. Dahl, Amitava Chattopadhyay y Gerald J. Gorn, "The Use of Visual Mental Imagery in New-Product Design", *Journal of Marketing Research* 36 (febrero de 1999), pp. 18–28.

63. Steve Hamm, "Speed Demons", *BusinessWeek*, 27 de marzo de 2006, pp. 69–76.

64. Jon Fortt, "Heavy Duty Computing", *Fortune*, 2 de marzo de 2009, pp. 34–36.

65. Para información adicional, también vea David Bakken y Curtis L. Frazier, "Conjoint Analysis: Understanding Consumer Decision Making", Rajiv Grover y Marco Vriens, eds., *The Handbook of Marketing Research* (Thousand Oaks, CA: Sage, 2006); Vithala R. Rao y John R. Hauser, "Conjoint Analysis, Related Modeling, and Application", Yoram Wind y Paul E. Green, eds., *Market Research and Modeling: Progress and Prospects: A Tribute to Paul Green* (Nueva York: Springer, 2004), pp. 141–168; Jordan J. Louviere, David A. Hensher y Joffre D. Swait, *Stated Choice Models: Analysis and Applications* (Nueva York: Cambridge University Press, 2000); Paul E. Green y V. Srinivasan, "Conjoint Analysis in Marketing: New Developments with Implications for Research and Practice", *Journal of Marketing* 54 (octubre de 1990), pp. 3–19; *Sawtooth Software*. Para otro enfoque, vea Young-Hoon Park, Min Ding y Vithala R. Rao, "Eliciting Preference for Complex Products: A Web-Based Upgrading Method", *Journal of Marketing Research* 45 (octubre de 2008), pp. 562–574.

66. Jerry Wind, Paul Green, Douglas Shifflet y Marsha Scarbrough, "Courtyard by Marriott: Designing a Hotel Facility with Consumer-Based Marketing Models", *Interfaces* 19 (enero–febrero de 1989), pp. 25–47; para otra aplicación interesante, vea Paul E. Green, Abba M. Krieger y Terry Vavra, "Evaluating EZ-Pass: Using Conjoint Analysis to Assess Consumer Response to a New Tollway Technology", *Marketing Research* (verano de 1999), pp. 5–16.

67. El ejemplo de perfil completo fue tomado de Paul E. Green y Yoram Wind, "New Ways to Measure Consumers' Judgments", *Harvard Business Review,* julio–agosto de 1975, pp. 107–117.

68. Peter N. Golder y Gerald J. Tellis, "Will It Ever Fly? Modeling the Takeoff of Really New Consumer Durables", *Marketing Science* 16 (verano de 1997), pp. 256–70; Glen L. Urban, Bruce D. Weinberg y John R. Hauser, "Premarket Forecasting of Really New Products", *Journal of Marketing* 60 (enero de 1996), pp. 47–60; Robert Blattberg y John Golany, "Tracker: An Early Test-Market Forecasting and Diagnostic Model for New-Product Planning", *Journal of Marketing Research* 15 (mayo 1978), pp. 192–202.

69. Roger A. Kerin, Michael G. Harvey y James T. Rothe, "Cannibalism and New-Product Development", *Business Horizons*, octubre 1978, pp. 25–31.

70. El valor presente (V) de una suma futura (I) que se recibirá en t años de hoy y descontado a la tasa de interés (r) está dado por $V = I_t/(1 + r)t$. Así $\$4\,716\,000/(1.15)^5 = \$2\,345\,000$.

71. John Hauser, "House of Quality", *Harvard Business Review,* mayo–junio de 1988, pp. 63–73; la ingeniería impulsada por el cliente también es llamada "despliegue de función de calidad". Vea también Lawrence R. Guinta y Nancy C. Praizler, *The QFD Book: The Team Approach to Solving Problems and Satisfying Customers through Quality Function Deployment* (Nueva York: AMACOM, 1993); y V. Srinivasan, William S. Lovejoy y David Beach, "Integrated Product Design for Marketability and Manufacturing", *Journal of Marketing Research* 34 (febrero de 1997), pp. 154–163.

72. Tom Peters, *The Circle of Innovation* (Nueva York: Vintage, 1999), p. 96. Para un análisis más general, vea también Sethi, "New Product Quality and Product Development Teams", *Journal of Marketing* 64 (abril de 2000), pp. 1–14; Moorman y Miner, "The Convergence of Planning and Execution Improvisation in New-Product Development", pp. 1–20; MacChavan y Graver, "From Embedded Knowledge to Embodied Knowledge", pp. 1–12.

73. Kevin J. Clancy, Peter C. Krieg y Marianne McGarry Wolf, *Marketing New Products Successfully: Using Simulated Test Marketing Methodology* (Nueva York: Lexington Books, 2005); Glen L. Urban, John R. Hauser y Roberta A. Chicos, "Information Acceleration: Validation and Lessons from the Field", *Journal of Marketing Research* 34 (febrero de 1997), pp. 143–153; V. Mahajan y Jerry Wind, "New Product Models: Practice, Shortcomings, and Desired Improvements", *Journal of Product Innovation Management* 9 (junio de 1992), pp. 129–139.

74. Eyal Biyalogorsky, William Boulding y Richard Staelin, "Stuck in the Past: Why Managers Persist with New-Product Failures", *Journal of Marketing* 70 (abril de 2006), pp. 108–121.

75. Rajesh Chandy, Brigette Hopstaken, Om Narasimhany Jaideep Prabhu, "From Invention to Innovation: Conversion Ability in Product Development", *Journal of Marketing Research* 43 (agosto de 2006), pp. 494–508.

76. Remco Prins y Peter C. Verhoef, "Marketing Communication Drivers of Adoption Timing of a New E-Service among Existing Customers", *Journal of Marketing* 71 (abril de 2007), pp. 169–183.

77. Para más análisis, vea Feryal Erhun, Paulo Conçalves y Jay Hopman, "The Art of Managing New Product Transitions", *MIT Sloan Management Review* 48 (primavera de 2007), pp. 73–80; Yuhong Wu, Sridhar Balasubramanian y Vijay Mahajan, "When Is a Preannounced New Product Likely to Be Delayed?", *Journal of Marketing* 68 (abril de 2004), pp. 101–113; Raji Srinivasan, Gary L. Lilien y Arvind Rangaswamy, "First in First out? The Effects of Network Externalities on Pioneer Survival", *Journal of Marketing* 68 (enero de 2004), pp. 41–58; Barry L. Bayus, Sanjay Jain y Ambar Rao, "Truth or Consequences: An Analysis of Truth or Vaporware and New-Product Announcements", *Journal of Marketing Research* 38 (febrero de 2001), pp. 3–13; Thomas S. Robertson, Jehoshua Eliashberg y Talia Rymon, "New-Product Announcement Signals and Incumbent Reactions", *Journal of Marketing* 59 (julio de 1995), pp. 1–15; Frank H. Alpert y Michael A. Kamins, "Pioneer Brand Advantages and Consumer Behavior: A Conceptual Framework and Propositional Inventory", *Journal of the Academy of Marketing Science* 22 (verano de 1994), pp. 244–336; Robert J. Thomas, "Timing: The Key to Market Entry", *Journal of Consumer Marketing* 2 (verano de 1985), pp. 77–87.

78. Yvonne van Everdingen, Dennis Folk y Stefan Stremersch, "Modeling Global Spillover in New Product Takeoff", *Journal of Marketing Research* 46 (octubre de 2009), pp. 637–652; Katrijn Gielens y Jan-Benedict E. M. Steenkamp, "Drivers of Consumer Acceptance of New Packaged Goods: An Investigation across Products and Countries", *International Journal of Research in Marketing* 24 (junio de 2007), pp. 97–111; Marc Fischer, Venkatesh Shankar y Michael Clement, "Can a Late Mover Use International Market Entry Strategy to Challenge the Pioneer?", Marketing Science Institute Working Paper 05-118, Cambridge, MA; Venkatesh Shankar, Gregory S. Carpenter y Lakshman Krishnamukthi, "Late Mover Advantages: How Innovative Late Entrants Outsell Pioneers", *Journal of Marketing Research* 35 (febrero de 1998), pp. 54–70.

79. Philip Kotler y Gerald Zaltman, "Targeting Prospects for a New Product", *Journal of Advertising Research* (febrero 1976), pp. 7–20.

80. Mark Leslie y Charles A. Holloway, "The Sales Learning Curve", *Harvard Business Review,* julio–agosto de 2006, pp. 114–123.

81. Para detalles, vea Keith G. Lockyer, *Critical Path Analysis and Other Project Network Techniques* (Londres: Pitman, 1984); vea también Arvind Rangaswamy y Gary L. Lilien, "Software Tools for New-Product Development", *Journal of Marketing Research* 34 (febrero de 1997), pp. 177–184.

82. El siguiente análisis está basado en gran parte en Everett M. Rogers, *Diffusion of Innovations* (Nueva York: Free Press, 1962). También vea su tercera edición, publicada en 1983.

83. C. Page Moreau, Donald R. Lehmann y Arthur B. Markman, "Entrenched Knowledge Structures and Consumer Response to New Products", *Journal of Marketing Research* 38 (febrero de 2001), pp. 14–29.

84. John T. Gourville, "Eager Sellers & Stony Buyers", *Harvard Business Review,* junio de 2006, pp. 99–106.

85. Chuan-Fong Shih y Alladi Venkatesh, "Beyond Adoption: Development and Application of a Use-Diffusion Model", *Journal of Marketing* 68 (enero de 2004), pp. 59–72.

86. Michal Herzenstein, Steven S. Posavac y J. Josško Brakuz, "Adoption of New and Really New Products: The Effects of Self-Regulation Systems and Risk Salience", *Journal of Marketing Research* 44 (mayo de 2007), pp. 251–60; Christophe Van den Bulte y Yogesh V. Joshi, "New-Product Diffusion with Influentials and Imitators", *Marketing Science* 26 (mayo–junio de 2007), pp 400–421; Steve Hoeffler, "Measuring Preferences for Really New Products", *Journal of Marketing Research* 40 (noviembre de 2003), pp. 406–420.

87. Everett M. Rogers, *Diffusion of Innovations* (Nueva York: Free Press, 1962), p. 192; Geoffrey A. Moore, *Crossing the Chasm: Marketing and Selling High-Tech Products to Mainstream Customers* (Nueva York: HarperBusiness, 1999); Para una interesante aplicación a los servicios, vea Barak Libai, Eitan Muller y Renana Peres, "The Diffusion of Services", *Journal of Marketing Research* 46 (abril de 2009), pp. 163–175.

88. A. Parasuraman y Charles L. Colby, *Techno-Ready Marketing* (Nueva York: Free Press, 2001); Jakki Mohr,

Marketing of High-Technology Products and Innovations (Upper Saddle River, NJ: Prentice Hall, 2001).

89. Jordan Robertson, "How Nike Got Street Cred", *Business 2.0,* mayo de 2004, pp. 43–46.

90. Cliff Edwards, "Will Souping Up TiVo Save It?", *BusinessWeek,* 17 de mayo de 2004, pp. 63–64; Cliff Edwards, "Is TiVo's Signal Still Fading?", *BusinessWeek,* 10 de septiembre de 2001, pp. 72–74.

91. Fareena Sultan, John U. Farley y Donald R. Lehman, "Reflection on 'A Meta-Analysis of Applications of Diffusion Models'", *Journal of Marketing Research* 33 (mayo de 1996), pp. 247–249; Vijay Mahajan, Eitan Muller y Frank M. Bass, "Diffusion of New Products: Empirical Generalizations and Managerial Uses", *Marketing Science* 14 (verano de 1995), pp. G79–G89; Minhi Hahn, Sehoon Park y Andris A. Zoltners, "Analysis of New-Product Diffusion Using a Four-Segment Trial-Repeat Model", *Marketing Science* 13 (verano de 1994), pp. 224–247; Hubert Gatignon y Thomas S. Robertson, "A Propositional Inventory for New Diffusion Research", *Journal of Consumer Research* 11 (marzo de 1985), pp. 849–867.

Capítulo 21

1. Mehul Srivastava, "What the Nano Means to India", *BusinessWeek*, 11 de mayo de 2009, pp. 60–61; Steve Hamm, "IBM vs. Tata: Which Is More American?", *BusinessWeek*, 5 de mayo de 2008, p. 28; Manjeet Kirpalani, "Tata: The Master of The Gentle Approach", *BusinessWeek*, 25 de febrero de 2008, pp. 64–66; Kevin Maney, "Model T(ata)", *Condé Nast Portfolio*, febrero de 2008, pp. 35–36; David Welch y Nandini Lakshman, "My Other Car Is a Tata", *BusinessWeek*, 14 de enero de 2008, pp. 33–34; Robyn Meredith, "The Next People's Car", *Forbes*, 16 de abril de 2007, pp. 70–74; Pete Engardo, "The Last Rajah", *BusinessWeek*, 13 de agosto de 2007, pp. 46–51.

2. Michael Elliott, "The New Global Opportunity", *Fortune*, 5 de julio de 2010, pp. 96–102.

3. Alex Taylor III, "The New Motor City", *Fortune*, 27 de octubre de 2008, pp. 166–172.

4. David Kiley, "Baseball, Apple Pie . . . and Mihindra?", *BusinessWeek*, 5 de noviembre de 2007, pp. 61–63.

5. Michael Arndt, "Invasion of the Guatemalan Chicken", *Bloomberg BusinessWeek*, 22 y 29 de marzo de 2010, pp. 72–73.

6. Michael E. Porter, *Competitive Strategy* (Nueva York: Free Press, 1980), p. 275.

7. Alex Taylor III, "Hyundai Smokes the Competition", *Fortune*, 18 de enero de 2010, pp. 62–71; Moon Ihlwan y David Kiley, "Hyundai Gains with Marketing Blitz, *BusinessWeek*, 17 de septiembre de 2009; Moon Ihlwan y David Kiley", "Hyundai Floors It in the U.S.", *BusinessWeek*, 27 de febrero de 2009, pp. 30–31.

8. Charles P. Wallace, "Charge!", *Fortune,* 28 de septiembre de 1998, pp. 189–196; World Trade Organization, www.wto.org

9. Para un tratamiento completo, vea Philip R. Cateora, Mary C. Gilly y John L. Graham, *International Marketing* (Nueva York: McGraw-Hill/Irwin, 2009).

10. "US Export Fact Sheet", *International Trade Administration,* http:// trade.gov/press/press_releases/2009/export-factsheet_021109.pdf

11. Jan Johanson y Finn Wiedersheim-Paul, "The Internationalization of the Firm", *Journal of Management Studies* 12 (octubre de 1975), pp. 305–322.

12. Michael R. Czinkota y Ilkka A. Ronkainen, *International Marketing,* 9a. ed. (Cincinnati, OH: South-Western Cengage Learning, 2010).

13. Para una reseña completa de las investigaciones académicas sobre el marketing global, vea Johny K. Johansson, "Global Marketing: Research on Foreign Entry, Local Marketing, Global Management", Bart Weitz y Robin Wensley, eds., *Handbook of Marketing* (Londres: Sage, 2002), pp. 457–483. También vea Johny K. Johansson, *Global Marketing,* 5a. ed. (Nueva York: McGraw-Hill, 2009). Para algunas cuestiones de investigación de marketing global, vea C. Samuel Craig y Susan P. Douglas, *International Marketing Research,* 3a. ed. (Chichester, Reino Unido: John Wiley & Sons, 2005).

14. Marc Gunther, "The World's New Economic Landscape", *Fortune*, 26 de julio de 2010, pp. 105–106.

15. Según el *CIA World Factbook* www.cia.gov/library/publications/the-worldfactbook/index.html), existen 34 países desarrollados: Andorra, Australia, Austria, Bélgica, Bermudas, Canadá, Dinamarca, Islas Feroe, Finlandia, Francia, Alemania, Grecia, la Santa Sede, Islandia, Irlanda, Israel, Italia, Japón, Liechtenstein, Luxemburgo, Malta, Mónaco, Holanda, Nueva Zelanda, Noruega, Portugal, San Marino, Sudáfrica, España, Suecia, Suiza, Turquía, Reino Unido y Estados Unidos. Observan que los DC son similares al nuevo término del Fondo Monetario Internacional (FMI) "*economías advanzadas*" que incluye a Hong Kong, Corea del Sur, Singapur y Taiwan pero deja fuera a Malta, México, Sudafrica y Turquía.

16. Satish Shankar, Charles Ormiston, Nicolas Bloch, Robert Schaus y Vijay Vishwanath, "How to Win in Emerging Markets", *MIT Sloan Management Review* (abril de 2008).

17. "Kraft Revamps Developing Markets after Cadbury", *Reuters*, 30 de junio de 2010; Ned Douthat, "Tupperware Seals Up Growth in Emerging Markets", *Forbes*, www.forbes.com, 21 de abril de 2010.

18. Tom Mulier y Shin Pei, "Nestle's $28.1 Billion Payday Gives Google-Size Cash", *Bloomberg BusinessWeek*, 30 de junio de 2010.

19. "World Population to Exceed 9 Billion by 2050", comunicado de prensa, *Naciones Unidas*, www.un.org, 11 de marzo de 2009; "2008 World Population Data Sheet", *Population Reference Bureau*, www.pbr.org

20. Adaptado de Vijay Mahajan, Marcos V. Pratini De Moraes y Jerry Wind, "The Invisible Global Market", *Marketing Management* (invierno de 2000), pp. 31–35. Vea también, Joseph Johnson y Gerard J. Tellis,

"Drivers of Success for Market Entry into China and India", *Journal of Marketing* 72 (mayo de 2008), pp. 1–13; Tarun Khanna y Krishna G. Palepu, "Emerging Giants: Building World-Class Companies in Developing Countries", *Harvard Business Review,* octubre de 2006, pp. 60–69.

21. C. K. Prahalad, *The Fortune at the Bottom of the Pyramid: Eradicating Poverty through Profits* (Upper Saddle River, NJ: Wharton School Publishing, 2005); Niraj Dawar y Amitava Chattopadhyay, "Rethinking Marketing Programs for Emerging Markets", *Long Range Planning* 35 (octubre de 2002).

22. Bart J. Bronnenberg, Jean-Pierre Dubé y Sanjay Dhar, "Consumer Packaged Goods in the United States: National Brands, Local Branding", *Journal of Marketing Research* 44 (febrero de 2007), pp. 4–13; Bart J. Bronnenberg, Jean-Pierre Dubé y Sanjay Dhar, "National Brands, Local Branding: Conclusions and Future Research Opportunities", *Journal of Marketing Research* 44 (febrero de 2007), pp. 26–28; Bart J. Bronnenberg, Sanjay K. Dhar y Jean-Pierre Dubé, "Brand History, Geography, and the Persistence of CPG Brand Shares", *Journal of Political Economy* 117 (febrero de 2009), pp. 87–115.

23. David Michael y Arindam Bhattacharya, "The BCG 50 Local Dynamos: How Dynamic RDE-Based Companies Are Mastering Their Home Markets—and What MNCs Need to Learn from Them", Boston Consulting Group, *BCG Report*, marzo de 2008; "The Stay-at-Home Giants", *Economist*, 15 de marzo de 2008, p. 78; "In Emerging Markets 'Local Dynamos' Are Challenging Big Multinationals", *Manufacturing & Technology News*, 17 de abril de 2008.

24. Manjeet Kripalani, "Finally, Coke Gets It Right", *BusinessWeek,* 10 de febrero de 2003, p. 47; Manjeet Kripalani, "Battling for Pennies in India's Villages", *BusinessWeek,* 10 de junio de 2002, p. 22.

25. Carlos Niezen y Julio Rodriguez, "Distribution Lessons from Mom and Pop", *Harvard Business Review*, abril de 2008; "Sweet Surrender: Can Kraft's Cadbury Acquisition Help It Tap the Indian Market?", *Knowledge@Wharton,* 25 de febrero de 2010.

26. Clayton M. Christensen, Stephen Wunker y Hari Nair, "Innovation vs. Poverty", *Forbes*, 13 de octubre de 2008.

27. Ellen Byron, "P&G's Global Target: Shelves of Tiny Stores", *Wall Street Journal*, 16 de julio de 2007; "Not So Fizzy", *Economist,* 23 de febrero de 2002, pp. 66–67; Rajeev Batra, Venkatram Ramaswamy, Dana L. Alden, Jan-Benedict E. M. Steenkamp y S. Ramachander, "Effects of Brand Local and Nonlocal Origin on Consumer Attitudes in Developing Countries", *Journal of Consumer Psychology* 9 (2000), pp. 83–95.

28. Bruce Einhorn, "Grudge Match in China", *BusinessWeek*, 2 de abril de 2007, pp. 42–43; Russell Flannery, "Watch Your Back", *Forbes*, 23 de abril de 2007, pp. 104–105; Steve Hamm y Dexter Roberts, "China's First Global Capitalist", *BusinessWeek*, 11 de diciembre de 2006, pp. 52–57; "The Fast and the Furious", *Economist*, 25 de noviembre de 2006, pp. 63–64.

29. Jenny Mero, "John Deere's Farm Team", *Fortune*, 14 de abril de 2008, pp. 119–124.

30. Peter J. Williamson y Ming Zeng, "Value for Money Strategies for Recessionary Times", *Harvard Business Review*, marzo de 2009, pp. 66–74; Vikram Skula, "Business Basics at the Base of the Pyramid", *Harvard Business Review*, junio de 2008, pp. 53–57.

31. Johny K. Johansson, "Global Marketing: Research on Foreign Entry, Local Marketing, Global Management", Bart Weitz y Robin Wensley, eds., *Handbook of Marketing* (Londres: Sage, de 2002), pp. 457–483.

32. Jennifer Cirillo, "Western Europe Is Buzzing", *Beverage World*, junio de 2010, pp. 22–24.

33. Bernard Condon, "Babble Rouser", *Forbes*, 11 de agosto de 2008, pp. 72–77.

34. Bechtel, www.bechtel.com/overview.html; Jack Ewing, "Bechtel Drives a Highway through the Heart of Transylvania", *BusinessWeek*, 7 de enero de 2008.

35. Para una reseña académica, vea Leonidas C. Leonidou, Constantine S. Katsikeas y Nigel F. Piercy, "Identifying Managerial Influences on Exporting: Past Research and Future Directions", *Journal of International Marketing* 6 (verano de 1998), pp. 74–102.

36. Karen Cho, "KFC China's Recipe for Success", *Forbes India*, 28 de octubre de 2009; "Brands annual report de 2009", *Yum!* www.yum.com/annualreport/pdf/2009AnnualReport. pdf; Michael Arndt y Dexter Roberts, "A Finger-Lickin' Good Time in China", *BusinessWeek*, 30 de octubre de 2006, p. 50; "Cola down Mexico Way", *Economist,* 11 de octubre de 2003, pp. 69–70.

37. Claudia H. Deutsch, "The Venturesome Giant", *New York Times*, 5 de octubre de 2007.

38. Vikram Mahidhar, Craig Giffi y Ajit Kambil con Ryan Alvanos, "Rethinking Emerging Market Strategies", *Deloitte Review*, Issue 4, 2009.

39. "Burgers and Fries a la Francaise", *Economist,* 17 de abril de 2004, pp. 60–61; Johny K. Johansson, "Global Marketing: Research on Foreign Entry, Local Marketing, Global Management", Bart Weitz y Robin Wensley, eds., *Handbook of Marketing* (Londres: Sage, 2002), pp. 457–483; Shaoming Zou y S. Tamer Cavusgil, "The GMS: A Broad Conceptualization of Global Marketing Strategy and Its Effect on Firm Performance", *Journal of Marketing* 66 (octubre de 2002), pp. 40–56; "What Makes a Company Great?", *Fortune,* 26 de octubre de 1998, pp. 218–226; Bernard Wysocki Jr., "The Global Mall: In Developing Nations, Many Youths Splurge, Mainly on U.S. Goods", *Wall Street Journal,* 26 de junio de 1997; David M. Szymanski, Sundar G. Bharadwaj y P. Rajan Varadarajan, "Standardization versus Adaptation of International Marketing Strategy: An Empirical Investigation", *Journal of Marketing* 57 (octubre de 1993), pp.1–17; Theodore Levitt, "The Globalization of Markets", *Harvard Business Review,* mayo–junio de 1983, pp. 92–102.

40. Gail Edmondson, "Skoda Means Quality. Really", *BusinessWeek*, 1 de octubre de 2007, p. 46. Algunas de las bromas más populares del pasado: "How do you double the value of a Škoda? Fill up the gas tank". "What do you call a Skoda with a sunroof? A dumpster" y "Why do you need a rear-window defroster on a Skoda? To keep your hands warm when pushing it".
41. Para algunos ejemplares sobre métodos de investigación para adaptar encuestas a diferentes culturas, vea Martijn G. de Jong, Jan-Benedict E. M. Steenkamp y Bernard P. Veldkamp, "A Model for the Construction of Country-Specific Yet Internationally Comparable Short-Form Marketing Scales", *Marketing Science* 28 (julio–agosto de 2009), pp. 674–689.
42. Nigel Hollis, *The Global Brand* (Nueva York: Palgrave Macmillan, 2008); Nigel Hollis, "Going Global? Better Think Local Instead", *Brandweek*, 1 de diciembre de 2008, p. 14.
43. "U.S. Soft Drink Consumption on the Decline", *Reuters,* 24 de agosto de 2009; *The Economist: Pocket World in Figures* (Profile Books: Londres, 2009).
44. Para algunos ejemplos recientes, vea Ana Valenzuela, Barbara Mellers y Judi Stebel, "Pleasurable Surprises: A Cross-Cultural Study of Consumer Responses to Unexpected Incentives", *Journal of Consumer Research* 36 (febrero de 2010), pp. 792–805; Tuba Üstüner y Douglas B. Holt, "Toward a Theory of Status Consumption in Less Industrialized Countries", *Journal of Consumer Research* 37 (junio de 2010), pp. 37–56; Praveen K. Kopalle, Donald R. Lehmann y John U. Farley, "Consumer Expectations and Culture: The Effect of Belief in Karma in India", *Journal of Consumer Research* 37 (agosto de 2010), pp. 251–263.
45. Geert Hofstede, *Culture's Consequences* (Beverley Hills, CA: Sage, 1980).
46. D. A. Aaker y Erich Joachimsthaler, "The Lure of Global Branding", *Harvard Business Review*, 37 (noviembre de 1999), pp. 137–144.
47. Para algunos tratamientos a profundidad acerca del branding particularmente en Asia, vea S. Ramesh Kumar, *Marketing & Branding: The Indian Scenario* (Delhi: Pearson Education, 2007); Martin Roll, *Asian Brand Strategy: How Asia Builds Strong Brands* (Nueva York: Palgrave MacMillan, 2006); Paul Temporal, *Branding in Asia: The Creation, Development, and Management of Asian Brands for the Global Market* (Singapur: John Wiley & Sons, 2001).
48. Michael Arnt, "Knock Knock, It's Your Big Mac", *BusinessWeek*, 23 de julio de 2007, p. 36; Lulu Raghavan, "Lessons from the Maharaja Mac: Five Rules for Entering the Indian Market", *Landor Associates*, www.landor.com, diciembre de 2007.
49. Deepa Chandrasekaran y Gerard J. Tellis, "Global Takeoff of New Products: Culture, Wealth, or Vanishing Differences?", *Marketing Science* 27 (septiembre–octubre de 2008), pp. 844–860.
50. Leila Abboud, "Philips Widens Marketing Push in India", *Wall Street Journal*, 20 de marzo de 2009.
51. Walter J. Keegan y Mark C. Green, *Global Marketing*, 4a. ed. (Upper Saddle River, NJ: Prentice Hall, 2005); Warren J. Keegan, *Global Marketing Management,* 7a. ed. (Upper Saddle River, NJ: Prentice Hall, 2002).
52. Paulo Prada y Bruce Orwall, "A Certain 'Je Ne Sais Quoi' at Disney's New Park", *Wall Street Journal,* 12 de marzo de 2003.
53. Ralf van der Lans, Joseph A. Cote, Catherine A. Cole, Siew Meng Leong, Ale Smidts, Pamela W. Henderson, Christian Bluemelhuber, Paul A. Bottomley, John R. Doyle, Alexander Fedorikhin, Janakiraman Moorthy, B. Ramaseshan y Bernd H. Schmitt", Cross-National Logo Evaluation Analysis: An Individual-Level Approach", *Marketing Science* 28 (septiembre–octubre 2009), pp. 968–985.
54. F. C. (Frank) Hong, Anthony Pecotich y Clifford J. Shultz II, "Language Constraints, Product Attributes, and Consumer Perceptions in East and Southeast Asia", *Journal of International Marketing* 10 (junio de 2002), pp. 29–45.
55. Mark Lasswell, "Lost in Translation", *Business 2.0,* agosto de 2004, pp. 68–70; Richard P. Carpenter y personal del *Globe*, "What They Meant to Say Was . . .", *Boston Globe,* 2 de agosto de 1998.
56. Para una interesante distinción basada en el concepto de posicionamiento cultural del consumidor global, vea Dana L. Alden, Jan-Benedict E. M. Steenkamp y Rajeev Batra, "Brand Positioning through Advertising in Asia, North America, and Europe: The Role of Global Consumer Culture", *Journal of Marketing* 63 (enero de 1999), pp. 75–87.
57. Thomas J. Madden, Kelly Hewett y Martin S. Roth, "Managing Images in Different Cultures: A Cross-National Study of Color Meanings and Preferences", *Journal of International Marketing* 8 (invierno de 2000), pp. 90–107; Zeynep Gürhan-Canli y Durairaj Maheswaran, "Cultural Variations in Country-of-Origin Effects", *Journal of Marketing Research* 37 (agosto de 2000), pp. 309–317.
58. Geoffrey Fowler, Brian Steinberg y Aaron O. Patrick, "Globalizing Apple's Ads", *Wall Street Journal*, 1 de marzo de 2007; Joan Voight, "Best Campaign of the Year: Apple "Mac vs. PC", *Adweek*, 17 de julio de 2007.
59. Vea, por ejemplo, Haksin Chan, Lisa C. Wan y Leo Y. M. Shin, "The Contrasting Effects of Culture on Consumer Tolerance: Interpersonal Face and Impersonal Fate", *Journal of Consumer Research* 36 (agosto de 2009), pp. 292–304.
60. Aradhna Krishna y Rohini Ahluwalia, "Language Choice in Advertising to Bilinguals: Asymmetric Effects for Multinationals versus Local Firms", *Journal of Consumer Research* 35 (diciembre de 2008), pp. 692–705.
61. Normandy Madden, "Crossing Borders by Building Relationships", *Advertising Age*, 13 de octubre de 2008, p. 32.
62. Preeti Khicha, "Building Brands in Rural India", *Brandchannel,* www.brandchannel.com, 8 de octubre de 2007.

63. John L. Graham, Alma T. Mintu y Waymond Rogers, "Explorations of Negotiations Behaviors in Ten Foreign Cultures Using a Model Developed in the United States", *Management Science* 40 (enero de 1994), pp. 72–95.

64. Las percepciones de precios también podrían diferir, vea Lisa E. Bolton, Hean Tat Keh y Joseph W. Alba, "How Do Price Fairness Perceptions Differ Across Culture?", *Journal of Marketing Research* 47 (junio de 2010), pp. 564–576.

65. David Pierson, "Beijing Loves IKEA—But Not for Shopping", *Los Angeles Times*, 25 de agosto de 2009; Mei Fong, "IKEA Hits Home in China: The Swedish Design Giant, Unlike Other Retailers, Slashes Prices for the Chinese", *Wall Street Journal,* 3 de marzo de 2006, p. B1.

66. Sin embargo, las empresas por lo general se defienden y contienden legalmente la imposición de cualquier impuesto. Después de varios años y paulatinamente, el gobierno chino logró que retiraran los impuestos a los fabricantes de llantas todo terreno. Vea "Commerce Finds Unfair Dumping of Off-Road Tires from China", *International Trade Association*, febrero 6, de 2008; "Ministry: China Pleased U.S. Overturned Duties on its Off-Road Tires", *People's Daily*, 17 de agosto de 2010.

67. AGMA, "KPMG/AGMA Survey Projects Global 'Global Market' of $58 Billion for Information Technology Manufacturers", *KPMG,* www.kpmg.com, 11 de diciembre de 2008.

68. David Blanchard, "Just in Time—How to Fix a Leaky Supply Chain", *IndustryWeek,* 1 de mayo de 2007.

69. Kersi D. Antia, Mark E. Bergen, Shantanu Dutta y Robert J. Fisher, "How Does Enforcement Deter Gray Market Incidence?", *Journal of Marketing* 70 (enero de 2006), pp. 92–106; Matthew B. Myers y David A. Griffith, "Strategies for Combating Gray Market Activity", *Business Horizons* 42 (noviembre–diciembre de 1999), pp. 2–8.

70. Brian Grow, Chi-Chu Tschang, Cliff Edwards y Brian Burnsed, "Dangerous Fakes", *BusinessWeek*, 8 de octubre de 2008; Brian Burnsed, "The Most Counterfeited Products", *Businessweek,* www. businessweek. com, 8 de octubre de 2008.

71. "IPR Seizure Statistics", *US Department of Homeland Security,* www.cbp.gov/xp/cgov/trade/priority_trade/ipr/pubs/seizure/, 9 de diciembre de 2010.

72. Eric Shine, "Faking Out the Fakers", *BusinessWeek,* 4 de junio de 2007, pp. 76–80.

73. Deborah Kong, "Smart Tech Fights Fakes", *Business 2.0*, marzo de 2007, p. 30.

74. David Arnold, "Seven Rules of International Distribution",*Harvard Business Review,* noviembre–diciembre de 2000, pp. 131–137.

75. Ibid.

76. Katrijn Gielens, Linda M. Van De Gucht, Jan-Benedict E.M. Steenkamp y Marnik G. Dekimpe, "Dancing with a Giant: The Effect of Wal-Mart's Entry into the United Kingdom on the Performance of European Retailers", *Journal of Marketing Research* 45 (octubre 2008), pp. 519–534.

77. Noreen O'Leary, "Infiniti Plays Up Japanese Heritage in Global Campaign", *Brandweek*, febrero 15, de 2010, p. 5.

78. "The Shock of Old", *Economist,* julio 13, de 2002, p. 49.

79. "From Fantasy Worlds to Food", *Economist*, 11 de noviembre de 2006, p. 73; "A New Sort of Beauty Contest", *Economist*, 11 de noviembre de 2006, p. 68.

80. Flora Bagenal y John Harlow, "Borat Make Benefit Kazakh Tourist Boom", *Sunday Times*, 3 de diciembre de 2006; Lisa Minot, "Borat Causes Tourism Boom", *The Sun*, 5 de marzo de 2007; "Borat 'Boosted Kazakh Tourism'", *ABC News*, www.abc.net.au, 13 de noviembre de 2008.

81. Jim Rendon, "When Nations Need a Little Marketing", *New York Times,* 23 de noviembre de 2003.

82. Joanna Kakissis, "Vacationers Rethink Greece Amid Debt Crisis", *National Public Radio*, www.npr.org, 22 de junio de 2010; Elena Becatoros, "Greece's Tourism Industry Under Threat", *MSNBC*, www.msnbc.com, 15 de junio de 2010.

83. Zeynep Gurhan-Canli y Durairaj Maheswaran, "Cultural Variations in Country-of-Origin Effects", *Journal of Marketing Research* 37 (agosto de 2000), pp. 309–317. Para algunas cuestiones diferentes relacionadas, vea también Lily Dong y Kelly Tian, "The Use of Western Brands in Asserting Chinese National Identity", *Journal of Consumer Research* 36 (octubre de 2009), pp. 504–23; Yinlong Zhang y Adwait Khare, "The Impact of Accessible Identities on the Evaluation of Global versus Local Products", *Journal of Consumer Research* 36 (octubre de 2009), pp. 524–537; Rohit Varman y Russell W. Belk, "Nationalism and Ideology in an Anticonsumption Movement", *Journal of Consumer Research* 36 (diciembre de 2009), pp. 686–700.

84. Douglas B. Holt, John A. Quelch y Earl L. Taylor, "How Global Brands Compete", *Harvard Business Review* 82, septiembre de 2004, pp. 68–75; Jan-Benedict E. M. Steenkamp, Rajeev Batra y Dana L. Alden, "How Perceived Brand Globalness Creates Brand Value", *Journal of International Business Studies* 34 (enero de 2003), pp. 53–65.

85. Gürhan-Canli y Maheswaran "Cultural Variations in Country-of-Origin Effects"; Johny K. Johansson, "Global Marketing: Research on Foreign Entry, Local Marketing, Global Management", Barton A. Weitz y Robin Wensley, eds., *Handbook of Marketing* (Londres: Sage, 2002), pp. 457–483; "Old Wine in New Bottles", *Economist,* 21 de febrero de 1998, p. 45; Johny K. Johansson, "Determinants and Effects of the Use of 'Made in' Labels", *International Marketing Review (UK)* 6 (enero de 1989), pp. 47–58; Warren J. Bilkey y Erik Nes, "Country-of-Origin Effects on Product Evaluations", *Journal of International Business Studies* 13 (primavera–verano de 1982), pp. 89–99.

86. Kimberly Weisul, "Why More Are Buying into 'Buy Local'", *Bloomberg BusinessWeek*, 1 de marzo de 2010, pp. 57–60.

87. Jathon Sapsford y Norihiko Shirouzo, "Mom, Apple Pie and . . . Toyota?", *Wall Street Journal*, 11 de mayo de 2006.

88. Kenneth Hein, "Emerging Markets Still Like U.S. Brands", *Brandweek,* 16 de abril de 2007, p. 4.

89. Para un análisis adicional, vea "Strengthening Brand America", *The Burghard Group*, www.strengtheningbrandamerica.com, 9 de diciembre de 2010.

90. Joel Backaler, "Haier: A Chinese Company That Innovates", *China Tracker*, www.forbes.com, 17 de junio de 2010; Zhang Ruimin, "Voices from China", *Forbes*, 28 de septiembre de 2009.

91. Rajdeep Grewal, Murali Chandrashekaran y F. Robert Dwyer, "Navigating Local Environments with Global Strategies: A Contingency Model of Multinational Subsidiary Performance", *Marketing Science* 27 (septiembre–octubre de 2008), pp. 886–902. Christopher A. Bartlett y Sumantra Ghoshal, *Managing across Borders* (Cambridge, MA: Harvard Business School Press, 1989).

92. Moon Ihlwan, "The Foreigners at the Top of LG", *BusinessWeek*, 22 de diciembre de 2008, pp. 56–57.

93. Jim Murphy, "The Jack's Eye-View on Marketing a Global Brand Locally", conferencia impartida en *The Beverage Forum*, New York, 20 de mayo de 2009.

94. Betsy McKay, "Coke Hunts for Talent to Re-Establish Its Marketing Might", *Wall Street Journal,* 6 de marzo, de 2002.

95. David Kiley, "Ghosn Hits the Accelerator", *BusinessWeek*, 1 de mayo de 2008.

Capítulo 22

1. Mark Borden y Anya Kamentz, "The Prophet CEO", *Fast Company*, septiembre de 2008, pp. 126–129; Tara Weiss, "Special Report: Going Green", *Forbes.com.* Forbes.com, 3 de julio de 2007; Matthew Grimm, "Progressive Business", *Brandweek*, 28 de noviembre de 2005, pp. 16–26; Kate Galbraith, "Timberland's New Footprint: Recycled Tires", *New York Times,* 3 de abril de 2009; Aman Singh, "Timberland's Smoking Ban: Good Corporate Citizenship or Overkill?", *Forbes,* 3 de junio de 2010; Amy Cortese, "Products; Friend of Nature? Let's See Those Shoes", *New York Times,* 6 de marzo de 2007; Timberland, www.timberland.com

2. Christopher Vollmer, *Always On: Advertising, Marketing, and Media in an Era of Consumer Control* (Nueva York: McGraw-Hill, 2008).

3. Para un análisis adicional y su discusión, vea Philip Kotler, Hermawan Karatajaya e Iwan Setiawan, *Marketing 3.0: From Products to Consumers to the Human Spirit* (Hoboken, NJ: Wiley, 2010).

4. Devin Leonard, "The New Abnormal", *Bloomberg BusinessWeek*, 2 de agosto–10 de agosto de 2010, pp. 50–55; Noreen O'Leary, "CMOs Face New Reality", *Adweek*, 11 de agosto de 2010.

5. John Gerzema y Michael D'Antonio, *Spend Shift: How the Post-Crisis Values Revolution Is Changing the Way We Buy, Sell, and Live* (San Francisco: Jossey-Bass, 2010).

6. John A. Quelch y Katherine E. Jocz, *Greater Good: How Good Marketing Makes for Better Democracy* (Boston, MA: Harvard Business School Press, 2007).

7. Clay Chandler, "Full Speed Ahead", *Fortune,* 7 de febrero de 2005, pp. 78–84; "What You Can Learn from Toyota", *Business 2.0,* enero–febrero de 2005, pp. 67–72; Keith Naughton, "Red, White, and Bold", *Newsweek,* 25 de abril de 2005, pp. 34–36.

8. Para algunas perspectivas académicas consideradas sobre estrategia y tácticas de marketing, vea *Kellogg on Integrated Marketing,* Dawn Iacobucci y Bobby Calder, eds. (Nueva York: Wiley, 2003); y *Kellogg on Marketing,* Dawn Iacobucci, ed. (Nueva York: Wiley, 2001).

9. Para un amplio tratamiento histórico del pensamiento de marketing, vea D. G. Brian Jones y Eric H. Shaw, "A History of Marketing Thought", Barton A. Weitz y Robin Wensley, eds., *Handbook of Marketing* (Londres: Sage, 2002), pp. 39–65; para cuestiones más específicas relacionadas con la interfaz entre marketing y ventas, vea Christian Homburg, Ove Jensen y Harley Krohmer, "Configurations of Marketing and Sales: A Taxonomy", *Journal of Marketing* 72 (marzo de 2008), pp. 133–154.

10. Frederick E. Webster Jr., "Expanding Your Network", *Marketing Management* (otoño de 2010), pp. 16–23; Frederick E. Webster Jr., Alan J. Malter y Shankar Ganesan, "Can Marketing Regain Its Seat at the Table?", *Marketing Science Institute Report Núm.* 03-113 (Cambridge, MA: Marketing Science Institute, 2003); Frederick E. Webster Jr., "The Role of Marketing and the Firm", Barton A. Weitz y Robin Wensley, eds., *Handbook of Marketing* (Londres: Sage, 2002), pp. 39–65.

11. Jan Wieseke, Michael Ahearne, Son K. Lam y Rolf van Dick, "The Role of Leaders in Internal Marketing", *ournal of Marketing* 73 (marzo de 2009), pp. 123–145; Hamish Pringle y William Gordon, *Beyond Manners: How to Create the Self-Confident Organisation to Live the Brand* (West Sussex, England: John Wiley & Sons, 2001); John P. Workman Jr., Christian Homburg y Kjell Gruner, "Marketing Organization: An Integrative Framework of Dimensions and Determinants", *Journal of Marketing* 62 (julio de 1998), pp. 21–41.

12. Grant McKracken, *Chief Culture Officer: How to Create a Living Breathing Corporation* (Nueva York: Basic Books, 2009).

13. Todd Guild, "Think Regionally, Act Locally: Four Steps to Reaching the Asian Consumer", *McKinsey Quarterly* 4 (septiembre de 2009), pp. 22–30.

14. "State and Country Quick Facts", *U.S. Census Bureau*, quickfacts.census.gov/qfd/states/12/12086.html

15. "Category Management Goes beyond Grocery", *Cannondale Associates White Paper,* www.cannondaleassoc.com, 13 de febrero de 2007; Laurie Freeman, "P&G Widens Power Base: Adds Category Managers", *Advertising Age*; Michael J. Zenor, "The Profit Benefits of Category Management", *Journal of Marketing Research* 31 (mayo de 1994), pp. 202–213;

Gerry Khermouch, “Brands Overboard”, *Brandweek,* 22 de agosto de 1994, pp. 25–39; Zachary Schiller, “The Marketing Revolution at Procter & Gamble”, *BusinessWeek,* 25 de julio de 1988, pp. 72–76.

16. Para más lecturas sobre los orígenes de la gestión de categorías, vea Robert Dewar y Don Shultz, “The Product Manager, an Idea Whose Time Has Gone”, *Marketing Communications* (mayo de 1998), pp. 28–35; George S. Low y Ronald A. Fullerton, “Brands, Brand Management, and the Brand Manager System: A Critical Historical Evaluation”, *Journal of Marketing Research* 31 (mayo de 1994), pp. 173–190; Michael J. Zanor, “The Profit Benefits of Category Management”, *Journal of Marketing Research* 31 (mayo de 1994), pp. 202–213.

17. D. Gail Fleenor, “The Next Space Optimizer”, *Progressive Grocer*, marzo de 2009.

18. Larry Selden y Geoffrey Colvin, *Angel Customers & Demon Customers* [Nueva York: Portfolio (Penguin), 2003].

19. Para un análisis profundo sobre la implementación de una organización basada en el cliente sobre la cual se basa este párrafo, vea George S. Day, “Aligning the Organization with the Market”, *MIT Sloan Management Review* 48 (otoño de 2006), pp. 41–49.

20. Frederick E. Webster Jr., “The Role of Marketing and the Firm”, Barton A. Weitz y Robin Wensley, eds., *Handbook of Marketing* (Londres: Sage, 2002), pp. 39–65.

21. Para investigaciones sobre la prevalencia de los CMO, vea Pravin Nath y Vijay Mahajan, “Chief Marketing Officers: A Study of Their Presence in Firms’ Top Management Teams”, *Journal of Marketing* 72 (enero de 2008), pp. 65–81. Para una mayor discusión sobre la importancia de los CMO, vea David A. Aaker, *Spanning Silos: The New CMO Imperative* (Boston: Harvard Business School Press, 2008).

22. Para algunas perspectivas clásicas, vea Benson P. Shapiro, “Can Marketing and Manufacturing Coexist?”, *Harvard Business Review*, septiembre–octubre 1977, pp. 104–114. También vea Robert W. Ruekert y Orville C. Walker Jr., “Marketing’s Interaction with Other Functional Units: A Conceptual Framework with Other Empirical Evidence”, *Journal of Marketing* 51 (enero de 1987), pp. 1–19.

23. Para más acerca de la creatividad, vea Pat Fallon y Fred Senn, *Juicing the Orange: How to Turn Creativity into a Powerful Business Advantage* (Boston: Harvard Business School Press, 2006); Bob Schmetterer, *Leap: A Revolution in Creative Business Strategy* (Hoboken, NJ: Wiley, 2003); Jean-Marie Dru, *Beyond Disruption: Changing the Rules in the Marketplace* (Hoboken, NJ: Wiley, 2002); Michael Michalko, *Cracking Creativity: The Secrets of Creative Genius* (Berkeley, CA: Ten Speed Press, 1998); James M. Higgins, *101 Creative Problem-Solving Techniques* (Nueva York: New Management Publishing, 1994); y todos los libros de Edward DeBono.

24. Gary Hamel, *Leading the Revolution* (Boston: Harvard Business School Press, 2000).

25. Jagdish N. Sheth, *The Self-Destructive Habits of Good Companies . . . And How to Break Them* (Upper Saddle River, NJ: Wharton School Publishing, 2007).

26. William L. Wilkie y Elizabeth S. Moore, “Marketing’s elationship to Society”, Barton A. Weitz y Robin Wensley, eds., *Handbook of Marketing* (Londres: Sage, 2002), pp. 1–38.

27. “Special Report: Corporate Social Responsibility”, *Economist,* 17 de enero de 2008. Para una perspectiva académica más amplia, vea Michael E. Porter y Mark R. Kramer, “Strategy & Society”, *Harvard Business Review* (diciembre de 2006): pp. 78–82; Clayton M. Christensen, Heiner Baumann, Rudy Ruggles y Thomas M. Stadtler, “Disruption Innovation for Social Change”, *Harvard Business Review* (diciembre de 2006): pp. 94–101.

28. Walmart, walmartstores.com/Sustainability/7951.aspx; Monte Burke, “Mr. Green Jeans”, *Forbes*, 24 de mayo de 2010; Brian Grow, “The Debate over Doing Good”, *BusinessWeek*, 15 de agosto de 2005, pp. 76–78.

29. Brian Grow, “The Debate over Doing Good”, *BusinessWeek,* 15 de agosto de 2005.

30. MaryLou Costa, “P&G Marketing Boss Urges Brands to Move Beyond Traditional Advertising”, *Marketing Week*, 24 de junio de 2010; Elaine Wong, “P&G Shows Its Softer Side with Downy Cause Effort”, *Brandweek*, 1 de febrero de 2010, p. 6; Elaine Wang, “P&G Throws Values into Value Equation”, *Brandweek*, 9 de marzo de 2009, p. 5.

31. Raj Sisodia, David B. Wolfe y Jag Sheth, *Firms of Endearment: How World-Class Companies Profit from Passion and Purpose* (Upper Saddle River, NJ: Wharton School Publishing, 2007).

32. Gary Hirshberg, *Stirring It Up: How to Make Money and Save the World* (Nueva York: Hyperion, 2008); Marc Gunther, “Stonyfield Stirs Up the Yogurt Market, *Fortune.* www.cnnmoney.com, 4 de enero de 2008; Melanie D. G. Kaplan, “Stonyfield Farm CEO: How an Organic Yogurt Business Can Scale”, *SmartPlanet*, www.smartplanet.com, 17 de mayo de 2010.

33. Elisabeth Sullivan, “Play by the New Rules”, *Marketing News*, 30 de noviembre de 2009, pp. 5–9; para más lecturas, vea Dorothy Cohen, *Legal Issues in Marketing Decision Making* (Cincinnati, OH: South-Western College Publishing, 1995).

34. Sarah Ellison, “Kraft Limits on Kids’ Ads mayo Cheese Off Rivals”, *Wall Street Journal*, 13 de enero de 2005.

35. Shelby D. Hunt y Scott Vitell, “The General Theory of Marketing Ethics: A Retrospective and Revision”, John Quelch y Craig Smith, eds., *Ethics in Marketing* (Chicago: Irwin, 1992).

36. “Distrust, Discontent, Anger and Partisan Rancor”, *The Pew Research for the People & the Press*, 18 de abril de 2010.

37. Ronald Alsop, “How a Boss’s Deeds Buff a Firm’s Reputation”, *Wall Street Journal,* 31 de enero de 2007.

38. Mary Jo Hatch y Majken Schultz, *Taking Brand Initiative: How Companies Can Align Strategy, Culture, and Identity through Corporate Branding* (San Francisco: Jossey-Bass, 2008); Majken Schultz, Yun Mi Antorini y Fabian F. Csaba, *Corporate Branding: Purpose, People, and Process* (Køge, Denmark: Copenhagen Business School Press, 2005); Ronald J. Alsop, *The 18 Immutable Laws of Corporate Reputation: Creating, Protecting, and Repairing Your Most Valuable Asset* (Nueva York: Free Press, 2004); Marc Gunther, "Tree Huggers, Soy Lovers, and Profits", *Fortune,* 23 de junio de 2003, pp. 98–104; Ronald J. Alsop, "Perils of Corporate Philanthropy", *Wall Street Journal,* 16 de enero de 2002.

39. Emily Steel, "Nestlé Takes a Beating on Social-Media Sites", *Wall Street Journal*, marzo 29, de 2010, p. B5; Mya Frazier, "Going Green? Plant Deep Roots", *Advertising Age*, 30 de abril de 2007, pp. 1, 54–55.

40. Scott Kirsner, "An Environmental Quandary Percolates at Green Mountain Coffee Roasters", *Boston Globe*, 3 de enero de 2010; Natalie Zmuda, "Green Mountain Takes on Coffee Giants Cup by Cup", *Advertising Age*, 1 de junio de 2009, p. 38.

41. Angela M. Eikenberry, "The Hidden Cost of Cause Marketing", *Stanford Social Innovation Review* (verano de 2009); Aneel Karnani, "The Case Against Corporate Social Responsibility", *Wall Street Journal*, 23 de agosto de 2010.

42. Sandra O'Loughlin, "The Wearin' o' the Green", *Brandweek*, 23 de abril de 2007, pp. 26–27. Para una respuesta crítica, vea también John R. Ehrenfleld, "Feeding the Beast", *Fast Company*, diciembre de 2006–enero de 2007, pp. 42–43.

43. Pete Engardio, "Beyond the Green Corporation", *BusinessWeek*, 29 de enero de 2007, pp. 50–64.

44. Global 100, www.global100.org

45. Pete Engardio, "Beyond the Green Corporation", *BusinessWeek*, 29 de enero de 2007, pp. 50–64.

46. Noreen O' Leary, "Marketer of the Year: Jessica Buttimer", *Next*, 14 de septiembre de 2009, p. 32; Jack Neff, "Marketing 50: Green Works (Jessica Buttimer), *Advertising Age*, 17 de noviembre de 2008, p. S-2; Elaine Wong, "CPGs Watch as Clorox Crashes the Green Party", *Brandweek*, 21 de abril de 2008, p. 13; Anya Kamenetz, "Cleaning Solution", *Fast Company*, septiembre de 2008, pp. 121–125.

47. David Roberts, "Another Inconvenient Truth", *Fast Company*, marzo de 2008, p. 70; Melanie Warner, "P&G's Chemistry Test", *Fast Company*, julio/agosto de 2008, pp. 71–74.

48. Mark Dolliver, "Thumbs Down on Corporate Green Efforts", *Adweek*, 31 de agosto de 2010; Betsy Cummings, "A Green Backlash Gains Momentum", *Brandweek*, 3 de marzo de 2008, p. 6; Michael Hopkins, "What the 'Green' Consumer Wants", *MIT Sloan Management Review* (verano de 2009), pp. 87–89. Para algunas investigaciones sobre el consumidor relacionadas, vea Julie R. Irwin y Rebecca Walker Naylor, "Ethical Decisions and Response Mode Compatibility: Weighting of Ethical Attributes in Consideration Sets Formed by Excluding versus Including Product Alternatives", *Journal of Marketing Research* 46 (abril de 2009), pp. 234–246.

49. Jack Neff, "Green-Marketing Revolution Defies Economic Downturn", *Advertising Age*, 20 de abril de 2009, pp. 1, 23; Ram Nidumolu, C. K. Prahalad y M. R. Rangaswami, "Why Sustainability Is Now the Key Driver of Innovation", *Harvard Business Review*, septiembre de 2009, p. 57.

50. John A. Quelch y Nathalie Laidler-Kylander, *The New Global Brands: Managing Non-Government Organizations in the 21st. Century* (Mason, OH: South-Western, 2006); Philip Kotler y Nancy Lee, *Corporate Social Responsibility: Doing the Most Good for Your Company and Your Cause* (Nueva York: Wiley, 2005); Lynn Upshaw, *Truth: The New Rules for Marketing in a Skeptical World* (Nueva York: AMACOM, 2007).

51. Newman's Own Foundation, www.newmansownfoundation.org; Paul Newman y A. E. Hotchner, *Shameless Exploitation in Pursuit of the Common Good: The Madcap Business Adventure by the Truly Oddest Couple* (Waterville, ME: Thorndike Press, 2003).

52. "U.S. Charitable Giving Falls 3.6 Percent in de 2009 to $303.75 Billion", *Giving USA de 2010 Report,* 9 de junio de 2010.

53. Robert Berner, "Smarter Corporate Giving", *BusinessWeek*, 28 de noviembre de 2005, pp. 68–76; Craig N. Smith, "Corporate Social Responsibility: Whether or How?", *California Management Review* 45 (verano de 2003), pp. 52–76.

54. Larry Chiagouris e Ipshita Ray, "Saving the World with Cause-Related Marketing", *Marketing Management* 16 (julio–agosto de 2007), pp. 48–51; Hamish Pringle y Marjorie Thompson, *Brand Spirit: How Cause-Related Marketing Builds Brands* (Nueva York: Wiley, 1999); Sue Adkins, *Cause-Related Marketing: Who Cares Wins* (Oxford, England: Butterworth-Heinemann, 1999); "Marketing, Corporate Social Initiatives, and the Bottom Line", Marketing Science Institute Conference Summary, *MSI Report Núm.* 01-106, 2001.

55. Rajan Varadarajan y Anil Menon, "Cause-Related Marketing: A Co-Alignment of Marketing Strategy and Corporate Philanthropy", *Journal of Marketing* 52 (julio de 1988), pp. 58–74.

56. Minette Drumwright y Patrick E. Murphy, "Corporate Societal Marketing", Paul N. Bloom y Gregory T. Gundlach, eds., *Handbook of Marketing and Society* (Thousand Oaks, CA: Sage, 2001), pp. 162–183. Vea también Minette Drumwright, "Company Advertising with a Social Dimension: The Role of Noneconomic Criteria", *Journal of Marketing* 60 (octubre de 1996), pp. 71–87.

57. C. B. Bhattacharya, Sankar Sen y Daniel Korschun, "Using Corporate Social Responsibility to Win the War for Talent", *MIT Sloan Management Review* 49 (enero de 2008), pp. 37–44; Xueming Luo y C. B. Bhattacharya, "Corporate Social Responsibility,

Customer Satisfaction, and Market Value", *Journal of Marketing* 70 (octubre de 2006), pp. 1–18; Pat Auger, Paul Burke, Timothy Devinney y Jordan J. Louviere, "What Will Consumers Pay for Social Product Features?", *Journal of Business Ethics* 42 (febrero de 2003), pp. 281–304; Dennis B. Arnett, Steve D. German y Shelby D. Hunt, "The Identity Salience Model of Relationship Marketing Success: The Case of Nonprofit Marketing", *Journal of Marketing* 67 (abril de 2003), pp. 89–105; C. B. Bhattacharya y Sankar Sen, "Consumer-Company Identification: A Framework for Understanding Consumers' Relationships with Companies", *Journal of Marketing* 67 (abril de 2003), pp. 76–88; Sankar Sen y C. B. Bhattacharya, "Does Doing Good Always Lead to Doing Better? Consumer Reactions to Corporate Social Responsibility", *Journal of Marketing Research* 38 (mayo de 2001), pp. 225–244.

58. Paul N. Bloom, Steve Hoeffler, Kevin Lane Keller y Carlos E. Basurto, "How Social-Cause Marketing Affects Consumer Perceptions", *MIT Sloan Management Review* (invierno de 2006), pp. 49–55; Carolyn J. Simmons y Karen L. Becker-Olsen, "Achieving Marketing Objectives through Social Sponsorships", *Journal of Marketing* 70 (octubre de 2006), pp. 154–169; Guido Berens, Cees B. M. van Riel y Gerrit H. van Bruggen, "Corporate Associations and Consumer Product Responses: The Moderating Role of Corporate Brand Dominance", *Journal of Marketing* 69 (julio de 2005), pp. 35–48; Donald R. Lichtenstein, Minette E. Drumwright y Bridgette M. Braig, "The Effect of Social Responsibility on Customer Donations to Corporate-Supported Nonprofits", *Journal of Marketing* 68 (octubre de 2004), pp. 16–32; Stephen Hoeffler y Kevin Lane Keller, "Building Brand Equity through Corporate Societal Marketing", *Journal of Public Policy and Marketing* 21 (primavera de 2002), pp. 78–89. Vea también Special Issue: Corporate Responsibility, *Journal of Brand Management* 10, Núms. 4–5 (mayo de 2003).

59. Mark R. Forehand y Sonya Grier, "When Is Honesty the Best Policy? The Effect of Stated Company Intent on Consumer Skepticism", *Journal of Consumer Psychology* 13 (2003), pp. 349–356; Dwane Hal Dean, "Associating the Corporation with a Charitable Event through Sponsorship: Measuring the Effects on Corporate Community Relations", *Journal of Advertising* 31 (invierno de 2002), pp. 77–87.

60. Susan Perry, "KFC-Komen 'Buckets for the Cure' Campaign Raises Questions", *MinnPost.com.* www.minnpost.com, 20 de abril de 2010; Chuck English, "Cause Splash vs. Cause Marketing", *Doing Good for Business*, www.doinggoodforbusiness.wordpress.com, 17 de mayo de 2010; Nancy Schwartz, "Busted Nonprofit Brand: Anatomy of a Corporate Sponsorship Meltdown (Case Study)", *Getting Attention!* www.gettingattention.org, 28 de abril de 2010.

61. "Nike Announces Global Expansion of LIVESTRONG Product Collection as Lance Armstrong Rides for Hope", *Nike.* www.nike.com, 30 de junio de 2010; Reena Jana, "Nike Goes Green. Very Quietly", *BusinessWeek*, 22 de junio de 2009, p. 56.

62. Mya Frazier, "Costly Red Campaign Reaps Meager $18 Million", *Advertising Age*, 5 de marzo de 2007; Viewpoint: Bobby Shriver, "CEO: Red's Raised Lots of Green", *Advertising Age*, 12 de marzo de 2007; Michelle Conlin, "Shop (in the Name of Love)", *BusinessWeek*, 2 de octubre de 2006, p. 9.

63. Todd Cohen, "Corporations Aim for Strategic Engagement", *Philanthropy Journal*, 20 de septiembre de 2006; John A. Quelch y Nathalie Laidler-Kylander, *The New Global Brands: Managing Non-Governmental Organizations in the 21st. Century* (Cincinnati, OH: South-Western, 2005).

64. Ronald J. Alsop, *The 18 Immutable Laws of Corporate Reputation: Creating, Protecting, and Repairing Your Most Valuable Asset* (Nueva York: Free Press, 2004), p. 125.

65. Ronald McDonald House Charities, www.rmhc.org

66. Susan Orenstein, "The Selling of Breast Cancer", *Business 2.0*, febrero de 2003, pp. 88–94; H. Meyer, "When the Cause Is Just", *Journal of Business Strategy* 20 (noviembre–diciembre de 1999), pp. 27–31.

67. Christine Bittar, "Seeking Cause and Effect", *Brandweek,* 11 de noviembre de 2002, pp. 18–24.

68. Paula Andruss, "'Think Pink' Awareness Much Higher Than Threat", *Marketing News*, 15 de febrero de 2006, pp. 14–16; Jessi Hempel, "Selling a Cause, Better Make It Pop", *BusinessWeek*, 13 de febrero de 2006, p. 75; Elizabeth Woyke, "Prostate Cancer's Higher Profile", *BusinessWeek*, 9 de octubre de 2006, p. 14.

69. One Sight, www.onesight.org

70. Christina Binkley, "Charity Gives Shoe Brand Extra Shine", *Wall Street Journal*, 1 de abril de 2010; "How I Got Started . . . Blake Mycoskie, Founder of TOMS Shoes", *Fortune*, 22 de marzo de 2010, p. 72; Dan Heath y Chip Heath, "An Arms Race of Goodness", *Fast Company*, octubre de 2009, pp. 82–83; Toms, www.toms.com/movement-one-for-one

71. Philip Kotler y Nancy Lee, *Social Marketing: Influencing Behaviors for Good* (Thousand Oaks, CA: Sage, 2008); Alan Andreasen, *Social Marketing in the 21st. Century* (Thousand Oaks, CA: Sage, 2006); Michael L. Rothschild, "Carrots, Sticks, and Promises: A Conceptual Framework for the Management of Public Health and Social Issue Behaviors", *Journal of Marketing* 63 (octubre de 1999), pp. 24–37.

72. Vea Michael L. Rothschild, "Carrots, Sticks, and Promises: A Conceptual Framework for the Management of Public Health and Social Issue Behaviors", *Journal of Marketing* 63 (octubre de 1999), pp. 24–37. Para una aplicación, vea Sekar Raju, Priyali Rajagopal y Timothy J. Gilbride, "Marketing Healthful Eating to Children: The Effectiveness of Incentives, Pledges, and Competitions", *Journal of Marketing* 74 (mayo de 2010), pp. 93–106.

73. Para algunas investigaciones académicas relevantes y recientes acerca del desarrollo de programas de marketing social, vea Deborah A. Small y Nicole M. Verrochi, "The Face of Need: Facial Emotion Expression on Charity Advertisements", *Journal of Marketing Research* 46 (diciembre de 2009), pp. 777–787; Katherine White y John Peloza, "Self-Benefit versus Other-Benefit Marketing Appeals: Their Effectiveness in Generating Charitable Support", *Journal of Marketing* 73 (julio de 2009), pp. 109–124; Merel Van Diepen, Bas Donkers y Philip Hans Franses, "Dynamic and Competitive Effects of Direct Mailings: A Charitable Giving Application", *Journal of Marketing Research* 46 (febrero de 2009), pp. 120–133; Jen Shang, Americus Reed II y Rachel Croson, "Identity Congruency Effects on Donations", *Journal of Marketing Research* 45 (junio de 2008), pp. 351–361.

74. Para más acerca del desarrollo e implementación de planes de marketing, vea H. W. Goetsch, *Developing, Implementing, and Managing an Effective Marketing Plan* (Chicago: NTC Business Books, 1993). Vea también Thomas V. Bonoma, *The Marketing Edge: Making Strategies Work* (Nueva York: Free Press, 1985). Gran parte de esta sección se basa en el trabajo de Bonoma.

75. Para más ejemplos, vea Paul W. Farris, Neil T. Bendle, Phillip E. Pfeifer y David J. Reibstein, *Marketing Metrics: 50+ Metrics Every Executive Should Master* (Upper Saddle River, NJ: Wharton School Publishing, 2006); John Davis, *Measuring Marketing: 103 Key Metrics Every Marketer Needs* (Hoboken, NJ: Wiley, 2006).

76. Sam R. Goodman, *Increasing Corporate Profitability* (Nueva York: Ronald Press, 1982), capítulo 1. Vea también Bernard J. Jaworski, Vlasis Stathakopoulos y H. Shanker Krishnan, "Control Combinations in Marketing: Conceptual Framework and Empirical Evidence", *Journal of Marketing* 57 (enero de 1993), pp. 57–69.

77. Philip Kotler, William Gregor y William Rodgers, "The Marketing Audit Comes of Age", *Sloan Management Review* 30 (invierno de 1989), pp. 49–62; Frederick Reichheld, *The Loyalty Effect* (Boston: Harvard Business School Press, 1996) analiza el desgaste de las cifras.

78. Se pueden encontrar listas de verificación útiles para hacer una autoauditoría de marketing en Aubrey Wilson, *Aubrey Wilson's Marketing Audit Checklists* (Londres: McGraw-Hill, 1982); Mike Wilson, *The Management of Marketing* (Westmead, England: Gower Publishing, 1980). Un software para hacer auditorías de marketing se describe en Ben M. Enis y Stephen J. Garfein, "The Computer-Driven Marketing Audit", *Journal of Management Inquiry* 1 (diciembre de 1992), pp. 306–318.

79. Philip Kotler, William Gregor y William Rodgers, "The Marketing Audit Comes of Age", *Sloan Management Review* 30 (invierno de 1989), pp. 49–62.

80. Alfred R. Oxenfeldt, "How to Use Market-Share Measurement", *Harvard Business Review*, enero–febrero de 1969, pp. 59–68.

81. Existe una probabilidad de la mitad de que una observación sucesiva sea más alta o más baja. Por lo tanto, la probabilidad de encontrar seis valores más altos en forma sucesiva es dado por 1/2 a la sexta, o 1/64.

82. Alternativamente, las empresas necesitan centrarse en factores que afectan el valor de sus accionistas. La meta de la planificación de marketing es aumentar el valor de los accionistas, que es el valor presente del flujo de ingresos futuros creado por las actividades presentes de la empresa. El análisis de índice de rendimiento generalmente se centra solamente en los resultados de un año. Vea Alfred Rapport, *Creating Shareholder Value*, rev. ed. (Nueva York: Free Press, 1997).

83. Para lecturas adicionales acerca de análisis financiero, vea Peter L. Mullins, *Measuring Customer and Product-Line Profitability* (Washington, D.C.: Distribution Research and Education Foundation, 1984).

84. Robin Cooper y Robert S. Kaplan, "Profit Priorities from Activity-Based Costing", *Harvard Business Review*, mayo–junio de 1991, pp. 130–135; para una aplicación reciente a los envíos vea Tom Kelley, "What Is the *Real* Cost: How to Use Lifecycle Cost Analysis for an Accurate Comparison", *Beverage World*, enero de 2010, pp. 50–51.

Apéndice

1. Información de antecedentes y datos de mercado adaptados del comunicado de prensa de "Gartner Says Worldwide Mobile Phones Sales Grew 35 Percent in Third Quarter de 2010; Smartphone Sales Increased 96 Percent", 18 de noviembre de 2010, www.gartner.com; Joseph Palenchar, "Smartphone Sales Rise as Selection Grows", *TWICE*, 21 de junio de 2010; Sascha Segan, "Motorola RAZR2: The RAZR2 Cuts Four Ways", *PC Magazine,* 2 de octubre de 2007, pp. 32–33; Walter S. Mossberg, Apple's iPod Touch Is a Beauty of a Player Short on Battery Life", *Wall Street Journal,* 20 de septiembre de 2007, p. B1; "Roam If You Want To", *PC World,* septiembre de 2007, p. 134; Sascha Segam, "Exclusive: One RAZR2, Four Ways to Cut It", *PC Magazine Online,* 13 de agosto de 2007, www.pcmag.com; "Apple Unlikely to Budge Anytime Soon on iPhone Pricing", *InformationWeek,* 26 de julio de 2007; "Smartphones Get Smarter, Thanks in Part to the iPhone", *InformationWeek,* 21 de julio de 2007; "Nine Alternatives to Apple's iPhone",*InformationWeek,* 28 de junio de 2007; "Hospital Uses PDA App for Patient Transport", *Health Data Management,* junio de 2007, p. 14; Jessica E. Vascellaro y Pui-Wing Tam, "RIM's New Gear Fuels Profit Surge; Palm Sputters", *Wall Street Journal,* 29 de junio de 2007, p. B4; "Smart Phones Force Dell from Handhelds", *MicroScope,* 23 de abril de 2007; "2005 PDA Shipments Set Record", *Business Communications Review,* abril de 2006, p. 6; "Smartphone Market Grows Fast Despite Challenges", *Appliance,* marzo de 2006, p. 16.

Glosario

A

Abandono de clientes Índice elevado de deserción de clientes.

ABC vea Costo basado en actividades.

Actitud Evaluación, sentimiento y tendencias de acción de un individuo hacia algún objeto o idea. Es duradera y puede ser favorable o desfavorable.

Acuerdos vinculados Acuerdo en el que los productores de marcas fuertes acuerdan la venta de sus productos a los distribuidores sólo si éstos compran productos o servicios relacionados, como pueden ser otros productos de la línea de marca.

Adaptación de la comunicación Ajuste de los programas de comunicación para cada mercado local.

Adaptación del producto Alteraciones al producto para satisfacer condiciones o preferencias locales.

Adaptación dual Adaptar tanto el producto como las comunicaciones al mercado local.

Administración de la cadena de suministro *Vea* Gestión de la cadena de suministro.

Administración de relaciones con socios (PRM) Actividades de la empresa destinadas a crear relaciones mutuamente satisfactorias con los socios clave como proveedores, distribuidores, agencias de publicidad y proveedores de estudios de marketing.

Administración estratégica de la marca *Vea* Gestión estratégica de la marca.

Adopción Decisión por la que una persona se convierte en usuario regular de un producto.

Agrupación mixta El vendedor ofrece bienes tanto de manera individual como en paquetes.

Alianzas de marcas (co-branding) Dos o más marcas reconocidas se combinan en un producto conjunto o se venden juntos de alguna manera.

Almacenamiento de información Colección de datos actuales capturados, organizados y almacenados en el centro de contactos de la empresa.

Almacenamiento en contenedores Colocar los bienes en cajas o remolques para facilitar su transferencia entre dos medios de transporte.

Amenaza del entorno Desafío que representa una tendencia o desarrollo desfavorable que puede conducir a un descenso de las ventas o de los beneficios.

Ampliación de línea Cuando una empresa amplía su línea de producto más allá de su rango actual.

Análisis conjunto Método para derivar los valores de utilidad que los consumidores asignan a diferentes niveles de los atributos de un producto.

Análisis de escenarios Desarrollo de representaciones plausibles sobre el futuro posible de una empresa, en los que hacen diferentes supuestos sobre las fuerzas que impulsan el mercado y que incluyen diferentes factores de incertidumbre.

Análisis de la información (*Data mining*) Extracción de información útil sobre individuos, tendencias y segmentos de entre una gran cantidad de datos.

Análisis de microventas Análisis de productos y territorios específicos que no logran las ventas esperadas.

Análisis de oportunidad de mercado (MOA) Sistema utilizado para determinar el atractivo y la probabilidad de éxito en el mercado.

Análisis de precio neto Aquel que comprende el precio de lista, el descuento promedio, gastos promocionales y cooperación publicitaria de la empresa para llegar al precio neto.

Análisis de punto de equilibrio Medio mediante el cual la dirección estima cuántas unidades de producto tendría que vender la empresa para no tener pérdidas ni ganancias según su estructura específica de precio y costo.

Análisis de rentabilidad del cliente (CPA) Medio para calcular y clasificar la rentabilidad de los clientes mediante técnicas contables como el sistema de costos basado en actividades (CBA).

Análisis de riesgo Método con el cual las posibles tasas de rendimiento y sus probabilidades se calculan a partir de estimaciones para las variables inciertas que afectan la rentabilidad.

Análisis de valor del cliente Informe de las fortalezas y debilidades de la empresa en comparación con varios competidores.

Análisis de varianza de ventas Medida de la contribución relativa de diferentes factores a una diferencia en el desempeño de ventas.

Análisis de ventas Medición y evaluación de las ventas reales en relación a las metas.

Anuncios de pago por clic *Vea* Búsqueda pagada.

Anuncios en display Pequeños carteles rectangulares que contienen texto y tal vez una imagen para apoyar una marca.

Aprendizaje Cambios en la conducta de un individuo que surgen con la experiencia.

Arquitectura de marca *Vea* Estrategia de branding.

Asesoría para clientes Servicios de datos, sistemas de información y de asesoría que el vendedor ofrece a los compradores.

Asociaciones de marca Todos los pensamientos, sentimientos, percepciones, imágenes, experiencias, creencias, actitudes y demás relativos a la marca y que se vinculan con el nodo de marca.

Atención selectiva Proceso mental de discriminación donde se presta atención a algunos estímulos y a otros no.

Auditoría de marca Un ejercicio enfocado en los consumidores que implica una serie de procedimientos para evaluar la salud de la marca, descubrir sus fuentes de *brand equity* (capital de marca) y sugerir formas para mejorar y reforzar su capital.

Auditoría de marketing Examen exhaustivo, sistemático, independiente y periódico del entorno de marketing, objetivos, estrategias y actividades de una empresa o una unidad de negocio.

B

Banners (Internet) Anuncios rectangulares pequeños que contienen texto y tal vez una imagen para reforzar una marca.

Base de datos de clientes Una colección organizada de información exhaustiva sobre clientes individuales y potenciales que está actualizada, accesible y accionable para propósitos de marketing.

Base de datos empresarial Información completa sobre las compras anteriores de los clientes de la empresa, así como sus volúmenes, precios y ganancias.

Beneficio básico El servicio o beneficio que el cliente compra en realidad.

Beneficio total del cliente Valor monetario percibido de la agrupación de beneficios económicos, funcionales y psicológicos que los consumidores esperan de una determinada oferta de mercado y que se deben al producto, el servicio, las personas y la imagen.

Bienes de capital Bienes duraderos que facilitan el desarrollo o la administración del producto terminado.

Bienes de compra Bienes cuyas características compara el consumidor con base en su adecuación, calidad, precio y estilo durante el proceso de selección y compra.

Bienes de conveniencia Bienes que el consumidor adquiere frecuentemente, de inmediato y con un mínimo esfuerzo.

Bienes no buscados Aquellos que el consumidor no conoce o que por lo general no piensa adquirir, como detectores de humo.

***Brand equity* (Capital de marca)** Valor agregado intrínseco a los productos y servicios.

***Brand equity* basado en el cliente** Efecto diferencial que el conocimiento de la marca tiene sobre la respuesta del consumidor al marketing de dicha marca.

Branding Dotar a los productos y servicios del poder de una marca.

Branding interno Actividades y procesos relacionados con la marca que ayudan a informar e inspirar a los empleados.

Búsqueda pagada Cuando un consumidor realiza una búsqueda en Internet utilizando Google, Yahoo! o Bing, los especialistas de marketing ofrecen a estas empresas pago sobre los términos de búsqueda, sus anuncios aparecerán en la página de resultados y pagarán solamente si el consumidor hace clic en el vínculo de su empresa.

Cadena de valor Herramienta para identificar las maneras de crear mayor valor para el cliente.

Cadena de valor de la marca Enfoque estructurado para evaluar las fuentes y resultados de *brand equity* (capital de marca) y la forma en que las actividades de marketing generan valor de marca.

Calidad Totalidad de rasgos y características de un producto o servicio que tienen que ver con la capacidad para satisfacer necesidades explícitas o implícitas.

Calidad de ajuste Grado en el que todas las unidades producidas son idénticas y conforme a las especificaciones prometidas.

Calidad de resultados Nivel en el que operan las características principales de un producto.

Canal de marketing convencional Canal de distribución formado por un productor independiente, mayorista(s) y minorista(s).

Canales de comunicación personal Comunicación entre dos o más personas de manera directa, cara a cara, de cara al público, por teléfono o por correo electrónico.

Canales de marketing Conjunto de organizaciones interdependientes involucradas en el proceso de hacer que un producto o servicio se encuentre disponible para su uso o su consumo.

Canales híbridos Uso de múltiples canales de distribución para alcanzar a los clientes en un mercado determinado.

Capacitación a clientes Formación impartida a los empleados de los clientes para que utilicen el equipo del vendedor de manera adecuada y eficaz.

Capital de clientes La suma de valores de vida de todos los clientes de una empresa.

Características Aquello que realza la función básica de un producto.

Cartera de marcas (portafolio de marcas) Conjunto de todas las marcas y líneas de marca que una empresa pone a la venta dentro de una categoría específica.

Clases sociales Divisiones homogéneas y perdurables en una sociedad, que se ordenan jerárquicamente y cuyos miembros comparten valores, intereses y comportamientos similares.

Claves Estímulos que determinan cuándo, dónde y cómo responde una persona.

Cliente potencial Compra, voto o donativo de un cliente futuro.

Cliente rentable Una persona, hogar o empresa que con el paso del tiempo produce una cadena de ingresos que excede con un margen aceptable el flujo de costos de la empresa causados por atraer, vender y atender a dicho cliente.

Co-branding *Vea* Alianzas de marcas.

Codificación de la memoria Cómo y dónde accede la información a la memoria.

Cohortes Grupos de individuos nacidos durante el mismo periodo de tiempo que viajan juntos por la vida.

Comercio electrónico Una empresa o sitio se ofrece a realizar transacciones o facilitar la venta de productos y servicios por Internet.

Compensación Ofrecer artículos como pago por la adquisición de otros.

Competencia esencial Atributo que (1) es la fuente de la ventaja competitiva al hacer una contribución significativa a los beneficios percibidos por el cliente, (2) tiene aplicaciones en gran variedad de mercados, (3) es difícil que los competidores lo imiten.

Comportamiento del consumidor Estudio de cómo los individuos, los grupos y las organizaciones eligen, compran, usan y disponen los bienes, servicios, ideas o experiencias para satisfacer sus necesidades y deseos.

Compra organizacional Proceso de toma de decisiones en el que las organizaciones formales establecen la necesidad de adquirir productos y servicios e identifican, evalúan y eligen entre las diferentes marcas y proveedores disponibles.

Comunicación integral de marketing (IMC) Concepto de planificación de comunicaciones de marketing que reconoce el valor añadido de un plan exhaustivo.

Comunicaciones de marketing Medio por el cual las empresas intentan informar, persuadir y recordar a los consumidores, de manera directa o indirecta, sobre los productos y marcas que venden.

Comunidad de marca Comunidad especializada de consumidores y empleados cuya identificación y actividades se concentran en la marca.

Concepto de marketing Consiste en encontrar los productos adecuados para los clientes de la empresa y no los clientes adecuados para sus productos.

Concepto de marketing holístico Se fundamenta en el desarrollo, diseño e implementación de programas, procesos y actividades de marketing que reconocen su amplitud e interdependencias.

Concepto de producto Es una versión elaborada de una idea de producto expresada en términos del consumidor.

Conciencia de marca Capacidad de los consumidores para identificar la marca bajo diferentes condiciones, lo que se refleja en su reconocimiento o en el desempeño de su recuerdo.

Conflicto de canal Situación en la que las acciones de uno de los miembros del canal, le impiden a éste alcanzar sus objetivos.

Conocimiento de marca Todos los pensamientos, sentimientos, imágenes, experiencias, creencias y demás que se asocian con la marca.

Contabilidad mental Manera en que los consumidores codifican, clasifican en categorías y evalúan los resultados financieros de sus elecciones.

Contacto con la marca Cualquier experiencia que tenga con la marca un consumidor o cliente potencial y que lleve información sobre la marca, la categoría de productos o el mercado que se relacione con el servicio o producto del especialista en marketing.

Coordinación del canal Sucede cuando los miembros del canal persiguen en conjunto los objetivos del canal, en lugar de buscar el logro de sus objetivos individuales.

Costeo por objetivos Restar el margen de beneficio deseado del precio al que un producto será vendido, en base a su atractivo y a los precios de los productos de los competidores.

Costo basado en actividades (ABC, *Activity Based Cost*) Proceso de contabilidad que permite cuantificar la rentabilidad real de diferentes actividades mediante la identificación de sus costos reales.

Costo de ciclo de vida Costo de compra del producto más el costo descontado de mantenimiento y reparaciones menos el valor residual descontado.

Costo promedio El costo unitario para un nivel determinado de producción, es igual a los costos totales divididos entre la producción.

Costo total del cliente Conjunto de costos en que los clientes esperan incurrir al evaluar, obtener, usar o descartar una oferta de mercado determinada. Incluyen los costos monetarios, de tiempo, de energía y psíquicos.

Costos fijos (indirectos) Costos que no varían con la producción o con los ingresos por ventas.

Costos totales Suma de los costos fijos y variables para un nivel determinado de producción.

Costos variables Costos que varían directamente con el nivel de producción.

Creencia Pensamiento descriptivo que tiene un individuo sobre algo.

Cuestionario Conjunto de preguntas que se presentan a los encuestados.

Cultura Determinante fundamental de los deseos y el comportamiento de una persona.

Cultura corporativa Las experiencias, historias, creencias y normas compartidas que caracterizan una organización.

Cuota de mercado Proporción de las ventas en un mercado que corresponde a una empresa.

Cuota del mercado Proceso de investigación de la jerarquía de atributos que los consumidores examinan al elegir una marca si es que emplean estrategias de decisión por fases.

Cuota de mercado atendido Ventas de una empresa expresadas como porcentaje de las ventas totales de su mercado atendido.

Cuota de mercado general Las ventas de una empresa expresadas como porcentaje de las ventas totales del mercado.

Cuota de ventas Meta de ventas establecida para una línea de productos, una división de la empresa o un representante de ventas.

Cuota relativa de mercado Participación del mercado de una empresa en relación con su competidor más grande.

Curva de experiencia (curva de aprendizaje) Descenso en el costo medio unitario gracias a la experiencia por la producción acumulada.

D

Declaración de misión Declaraciones que las organizaciones desarrollan para compartirlas con sus gerentes, empleados y (en muchas ocasiones) sus clientes.

Demanda completa Los consumidores compran adecuadamente todos los productos que se colocan en el mercado.

Demanda de la empresa Participación estimada de la demanda del mercado de una empresa para diferentes niveles de esfuerzo de marketing durante un periodo determinado.

Demanda de mercado Volumen total de un producto que sería adquirido por un grupo definido de clientes en un área geográfica establecida, en un periodo de tiempo fijado y en un entorno de marketing determinado bajo un programa de marketing específico.

Demanda decreciente Los consumidores compran el producto con menor frecuencia o dejan de adquirirlo.

Demanda excesiva Existen más consumidores que quisieran adquirir el producto que los que es posible satisfacer.

Demanda inexistente Cuando los consumidores no están conscientes o no tienen interés en un producto.

Demanda irregular Las compras de los consumidores varían de acuerdo con la estación, el mes, la semana, el día o incluso según la hora del día.

Demanda latente Situación en la que los consumidores pueden compartir una necesidad fuerte que no puede ser satisfecha por un producto existente.

Demanda malsana Los consumidores pueden verse atraídos por productos que tienen consecuencias sociales indeseables.

Demanda negativa Los consumidores a los que les desagrada el producto y que hasta podrían pagar para evitarlo.

Dilución de marca Sucede cuando los consumidores dejan de asociar la marca con un producto específico o con productos muy similares, o cuando comienzan a pensar de manera menos favorable sobre la marca.

Dirección de marketing Arte y ciencia de seleccionar mercados meta (mercados objetivo) y de conseguir, mantener y aumentar el número de clientes a través de la creación, entrega y comunicación de un valor superior para el cliente.

Discriminación Proceso en el que se reconocen las diferencias en conjuntos de estímulos similares y ajustar las respuestas en consecuencia.

Discriminación de precios Situación en que la empresa vende un producto o servicio a dos o más precios que no reflejan una diferencia proporcional de costos.

Diseño La totalidad de características que afectan a cómo se ve, se siente y funciona un producto desde el punto de vista del consumidor.

Distorsión selectiva Tendencia a interpretar información de productos de manera que se ajuste a las percepciones del consumidor.

Distribución exclusiva Limitación severa del número de intermediarios para mantener el control sobre el nivel de servicio y los resultados ofrecidos por los revendedores.

Distribución intensiva Cuando el fabricante coloca sus bienes o servicios en el mayor número de puntos de venta posible.

Distribución minorista Todas las actividades relacionadas con la venta de bienes y servicios a los consumidores finales para su uso personal y no para hacer negocio.

Distribución selectiva Uso de más de un intermediario, pero no de todos ellos, entre los que están dispuestos a ofrecer un producto concreto de la empresa.

Dumping Situación en la que una empresa establece un precio inferior a sus costos o fija un precio menor en mercados extranjeros del precio establecido en el mercado nacional, con la finalidad de entrar o ganar un nuevo mercado.

Durabilidad Medida de la vida operativa esperada de un producto en situaciones naturales o extremas.

E

e-business Uso de medios y plataformas electrónicos para desarrollar el negocio de una empresa.

Ejecución del marketing Proceso que convierte los planes de marketing en tareas de acción y que asegura que dichas tareas se ejecuten de manera que se logren los objetivos establecidos en el plan.

Elementos de marca Aquellos elementos que pueden ser registrados y que sirven para identificar y diferenciar la marca tales como su nombre de marca, logotipo o personaje.

Embudo de marketing Identifica el porcentaje del mercado meta potencial en cada etapa del proceso de decisión, desde estar apenas consciente hasta muy leal.

Empresa conjunta (*joint venture*) Empresa en la cual múltiples inversionistas comparten la propiedad y el control.

Empresa global Aquella que tiene operaciones en más de un país y capta ventajas de investigación y desarrollo, de producción, logística, marketing y finanzas en sus costos y reputación, a las cuales no tienen acceso los competidores nacionales.

Empresas con presencia exclusiva online (empresas de sólo clic) Empresas que han lanzado un sitio en Internet sin haber existido previamente como empresa.

Empresas con presencia online y offline Empresas existentes que han añadido un sitio en Internet para dar información o para comercio electrónico.

Enfoque de producción Establece que los consumidores prefieren productos que están muy disponibles y de bajo precio.

Enfoque de la oferta Método para medir las actividades de patrocinio a través de aproximaciones a la cantidad de tiempo o espacio dedicado a la cobertura de medios de un evento; por ejemplo, el número de segundos que una marca está visible claramente en la pantalla de televisión o las pulgadas de columna en un recorte de prensa donde se le menciona.

Enfoque de ventas Establece que los clientes, si se les deja solos, no comprarán suficientes productos de la empresa.

Enfoque en la demanda Método para medir las actividades de patrocinio que identifica el efecto que tiene el patrocinio en el conocimiento de la marca por parte del consumidor.

Entrega Manera en que el producto o servicio es entregado al cliente.

Entretenimiento de marca Uso de deportes, música, arte u otras actividades de entretenimiento para generar *brand equity* (capital de marca).

Envasado (packaging) Todas las actividades de diseño y producción del contenedor de un producto.

Equipo de dirección de activos de marca (BAMT) Representantes clave de las funciones que afectan el desempeño de la marca.

Equipo de proyectos Grupo multifuncional encargado del desarrollo de un producto o negocio específico.

Escala de probabilidad de compra Escala que mide la probabilidad de que un comprador realice una compra determinada.

Escalada de precios Aumento en el precio de un producto debido a los costos adicionales provocados por su venta en diferentes países.

Especialista de marketing Persona que busca generar una respuesta (captar la atención, una compra, el voto, una donación) en otra de las partes, que se conoce como cliente potencial.

Estatus Posición de un individuo dentro de su propia jerarquía o cultura.

Estilo Apariencia y sensación de un producto según el comprador.

Estilo de vida Patrón de vida de una persona que se expresa mediante sus actividades, intereses y opiniones.

Estrategia Plan de juego de una empresa para lograr sus objetivos.

Estrategia de atracción Uso de publicidad y promoción por parte del fabricante para persuadir a los consumidores de solicitar el producto a los intermediarios, lo que los inducirá a realizar pedidos.

Estrategia de *branding* Número y naturaleza de elementos de la marca comunes y distintivos que se aplican a los diferentes productos que vende la empresa.

Estrategia de empuje Cuando el productor utiliza su presupuesto en el personal de ventas y en las promociones al canal de distribución para inducir a los intermediarios a ofrecer, promover y vender el producto a los usuarios finales.

Estudio de los efectos de la comunicación Estudio para determinar si un anuncio está comunicando de forma efectiva.

Estudios de seguimiento Recopilación de información de los consumidores de manera rutinaria a lo largo del tiempo.

Estudios de seguimiento de marca Recopilación en el tiempo de datos cuantitativos de los consumidores que proporciona información de línea base consistente sobre el desempeño de las marcas y el programa de marketing.

Etapa de la vida La preocupación mayor de una persona, por ejemplo, al divorciarse, casarse en segundas nupcias, cuidar de un padre anciano, decidir cohabitar con otra persona, decidir la compra de un nuevo hogar, etcétera.

Extensión de línea Utilización de la marca matriz para dar marca a un producto nuevo que se dirige a un nuevo segmento de mercado dentro de la categoría de producto actualmente atendida por la marca matriz.

Extensión de marca El uso que hace una empresa de una marca consolidada para introducir un nuevo producto.

Extensión de una categoría Aplicar la marca matriz a un producto nuevo que no pertenece a la categoría del producto actualmente atendida por la marca matriz.

Extensión directa Introducción de un producto en un mercado exterior sin cambio alguno en el producto.

F

Facilidad de pedido Lo fácil que es para el cliente hacer un pedido con la empresa.

Familia de marcas Situación donde la marca matriz ya se encuentra asociada a múltiples productos mediante extensiones de marca.

Familia de orientación Padres y hermanos.

Familia de procreación Cónyuge e hijos.

Fiabilidad Medida de la probabilidad de que un producto no tendrá mal funcionamiento o se descompondrá dentro de un periodo específico.

Fijación de precios basada en el valor Obtener clientes leales al cobrar un precio relativamente bajo por una oferta de alta calidad.

Fijación de precios basada en la competencia Precios basados en gran medida en los precios de los competidores.

Fijación de precios de descremado del mercado Estrategia de fijación de precios que establece inicialmente precios altos y que poco a poco van descendiendo por capas de mercado (descremado) para maximizar los beneficios a partir de los clientes menos sensibles al precio.

Fijación de precios de mezcla de productos La empresa busca un conjunto de precios que maximice la ganancia en la mezcla total.

Fijación de precios de penetración de mercado Estrategia de fijación de precios en la que éstos comienzan siendo bajos para impulsar un mayor volumen de ventas en los clientes sensibles al precio y producir así un aumento de productividad.

Fijación de precios en dos fases Una cuota fija más una cuota de uso variable.

Fijación de precios en función del rendimiento Situación que se produce cuando las empresas ofrecen (1) descuento limitado a las compras tempranas, (2) precios más elevados a compras tardías y (3) precios más bajos para el inventario no vendido justo antes de que caduque.

Fijación de precios mediante márgenes Fijar el precio de un artículo mediante un incremento estándar al costo del producto.

Fijación de precios para alcanzar una tasa de rentabilidad Determinación del precio que produciría la tasa de rentabilidad sobre la inversión (ROI) que espera la empresa.

Focus group *(Grupo de discusión o sesiones de grupo)* Grupo de seis a diez personas cuidadosamente seleccionadas según determinadas consideraciones demográficas, psicográficas u otras y que se reúnen para analizar varios temas de interés.

Forma Tamaño, silueta o estructura física de un producto.

Formación a clientes *Vea* Capacitación a clientes.

Formulación de metas Proceso de desarrollo de objetivos específicos para el periodo de planificación.

Fuerza de ventas contractual Representantes del fabricante, agentes de ventas e intermediarios que reciben una comisión sobre sus ventas.

Fuerza de ventas directa (o de la empresa) Empleados a tiempo completo o parcial que trabajan exclusivamente para la empresa.

G

Garantías Enunciados formales sobre el rendimiento esperado del producto por parte del fabricante.

Genéricos Versiones de productos comunes sin marca, con empaque sencillo y de menor precio, por ejemplo, espagueti, toallas de papel o duraznos enlatados.

Gestión de la cadena de suministro Obtención de las recursos necesarios (materias primas, componentes y bienes de capital), conversión eficiente de los mismos en productos terminados y envío hacia los destinos finales correspondientes.

Gestión de la calidad total Enfoque de toda la empresa para mejorar de forma continua en la calidad de todos los procesos, productos y servicios de la empresa.

Gestión de relaciones con clientes (CRM) Proceso de gestión detallada de información sobre los clientes y todos los "puntos de contacto" con los clientes para maximizar su lealtad.

Gestión estratégica de la marca Diseño e implementación de actividades y programas de marketing para construir, medir y administrar las marcas con el fin de maximizar su valor.

Grupo de discusión *vea* Focus group.

Grupo estratégico Empresas que siguen la misma estrategia y que se dirigen al mismo mercado meta.

Grupos de aspiración Grupos a los que una persona espera o le gustaría pertenecer.

Grupos de pertenencia Grupos que tienen una influencia directa en un individuo.

Grupos de referencia Todos los grupos que tienen influencia directa o indirecta en las actitudes o conductas de un individuo.

Grupos disociativos Grupos cuyos valores o comportamiento son rechazados por un individuo.

Grupos primarios Grupos con los que una persona interactúa de manera continua e informal, como familia, amigos, vecinos y compañeros de trabajo.

Grupos secundarios Grupos que tienden a ser más formales y que requieren menos interacción que los grupos primarios, tales como grupos religiosos, profesionales y sindicales.

H

Heurística Reglas generales o atajos mentales en el proceso de toma de decisiones.

Heurística de anclaje y ajuste Proceso por el cual los consumidores llegan a un juicio inicial y hacen ajustes a su primera impresión basada en información adicional.

Heurística de conjunto El consumidor fija un nivel mínimo aceptable para cada atributo y elige la primera alternativa que cumple el estándar mínimo para todos los atributos.

Heurística de disponibilidad Cuando los consumidores basan sus predicciones en la rapidez y facilidad con la que les viene a la mente un ejemplo de un resultado específico.

Heurística de eliminación por aspectos Situación en la que el consumidor compara una serie de marcas de acuerdo a un atributo seleccionado de forma probabilística y éstas son eliminadas si no cumplen con un nivel mínimo aceptable.

Heurística de representatividad Situación donde los consumidores basan sus pronósticos de cuán representativo o similar es un resultado respecto a otros ejemplos.

Heurística lexicográfica La elección realizada por el consumidor que se inclina por la mejor marca con base en el atributo percibido de mayor importancia.

I

Imagen Conjunto de creencias, ideas e impresiones que un individuo tiene respecto a un objeto.

Imagen de marca Percepciones y creencias que tienen los consumidores y que se reflejan en las asociaciones de su memoria.

Implicación del consumidor Nivel de compromiso y procesamiento activo que lleva a cabo el consumidor al responder a un estímulo de marketing.

Impulso Un fuerte estímulo interno que impulsa a la acción.

Índice de desarrollo de marca Índice de ventas de marca en relación con las ventas de la categoría.

Índice de penetración de la participación de mercado Comparación de la participación (cuota) de mercado actual de una empresa con la del mercado potencial.

Índice de penetración de mercado Comparación del nivel actual de demanda de mercado con el nivel de demanda potencial.

Industria Grupo de empresas que ofrecen un producto o clase de productos que son sustitutos cercanos unos de otros.

Industria global Industria donde las posiciones estratégicas de los competidores dentro de los mercados geográficos importantes o domésticos se ven afectadas de manera importante por sus posiciones globales generales.

Influencia personal Efecto que una persona ejerce sobre la actitud o probabilidad de compra de otra.

Ingrediente de marca Un caso especial de colaboración de marca que implica la creación de capital de marca para materiales, componentes o partes que necesariamente se encuentran dentro de otros productos de marca.

Innovación Cualquier bien, servicio o idea que se percibe como algo nuevo.

Instalación Trabajo realizado para que un producto sea operativo en la ubicación que se tenía planificada.

Integración vertical Situación en la que los fabricantes intentan controlar o ser propietarios de sus proveedores, distribuidores u otros intermediarios.

Intercambio Proceso de obtención de un producto deseado al ofrecer algo a cambio.

Intermediarios Mayoristas de pequeña escala que venden a minoristas.

Invención de productos Creación de un artículo nuevo mediante desarrollo de productos u otros medios.

Invención hacia delante Creación de un nuevo producto para satisfacer una necesidad en otro país.

Invención hacia el pasado Reintroducción de formas anteriores de un producto que se pueden adaptar bien a las necesidades de otro país.

Investigación de marketing Diseño, recopilación, análisis y presentación de informes de manera sistemática de datos y hallazgos relevantes a una situación específica de marketing a la que se enfrenta la empresa.

Investigación etnográfica Enfoque específico de investigación mediante la observación que utiliza conceptos y herramientas de la antropología y de otras disciplinas de las ciencias sociales con el fin de proporcionar un entendimiento cultural profundo de cómo viven y trabajan las personas.

Investigación experimental Investigación con mayor validez científica diseñada para captar las relaciones de causa y efecto mediante la eliminación de explicaciones divergentes de los hallazgos observados.

J

Jerarquía de valor del cliente Cinco niveles de producto que deben ser tratados por los especialistas de marketing al planificar una oferta de mercado.

L

Lealtad Compromiso de volver a comprar o a continuar siendo cliente habitual de un producto o servicio.

Líder de opinión Persona que en comunicaciones informales relacionadas a un producto, ofrece consejos o información sobre una categoría de productos o un producto específico.

Línea de marca Todos los productos, tanto originales como las extensiones de línea y categoría que se venden bajo un determinado nombre de marca.

Lista de correos de clientes Conjunto de nombres, direcciones y números telefónicos.

Logística de mercado Planificación de la infraestructura para satisfacer la demanda y entonces implementar y controlar los flujos físicos o de materiales y los bienes finales desde sus puntos de origen hasta sus puntos de uso final, a fin de satisfacer las exigencias del cliente obteniendo un beneficio.

Lote o paquete de productos Cuando una empresa solamente ofrece sus productos como un paquete.

M

Mantenimiento y reparación Programa de servicio para ayudar a los clientes a mantener los productos que han adquirido en buen estado de funcionamiento.

Manufactura esbelta Producción de bienes con el mínimo desperdicio de tiempo, materiales y dinero.

Mapa de producto Artículos de la competencia que compiten contra los artículos de una empresa X.

Marca Nombre, término, signo, símbolo o diseño, o combinación de ellos que pretende identificar los bienes o servicios de un vendedor o grupo de vendedores y diferenciarlos de los de la competencia.

Marca matriz Marca existente que da pie a extensiones de marca.

Marca principal Situación en la que la marca matriz ya se encuentra asociada con múltiples productos mediante extensiones de marca.

Marca privada o del distribuidor Marcas desarrolladas y comercializadas por los minoristas y los mayoristas.

Marketing Actividad, conjunto de instituciones y procesos para crear, comunicar, entregar e intercambiar ofertas que tengan valor para los consumidores, clientes, socios y la sociedad en general.

Marketing con causa Marketing que vincula la contribución de la empresa a una causa determinada con la participación directa o indirecta de sus clientes en las transacciones que generan ingresos a la empresa.

Marketing de base de datos Proceso de construcción, mantenimiento y uso de bases de datos de clientes y de otras bases de datos con el fin de contactar, realizar transacciones y construir relaciones con los clientes.

Marketing de pedido directo Marketing en el que los profesionales de marketing buscan una respuesta medible del consumidor, por lo general, un pedido.

Marketing de relaciones Construcción de relaciones satisfactorias y de largo plazo con partes estratégicas con el fin de capturar y retener sus negocios.

Marketing directo (Canal de nivel cero) Situación en la que el fabricante vende directamente al cliente final. Uso de canales directos al consumidor para entregar bienes y servicios a los clientes sin utilizar intermediarios de marketing.

Marketing integrado Combinación y ajuste de las actividades de marketing para maximizar sus efectos individuales y colectivos.

Marketing interno Elemento de marketing holístico que consiste en la tarea de contratar, formar y motivar a los empleados aptos que quieren atender bien a sus clientes.

Marketing multicanal Práctica en la que una empresa utiliza dos o más canales de marketing para llegar a uno o más segmentos de clientes.

Marketing social El que hace una organización sin fines de lucro o gubernamental para promover una causa, por ejemplo "di no a las drogas".

Marketing viral Uso de Internet para crear efectos que van de boca en boca par respaldar los efectos y objetivos de marketing.

Materiales y piezas Bienes que se introducen en el producto del fabricante.

Megatendencias Grandes cambios sociales, económicos, políticos y tecnológicos que son lentos en su formación pero que una vez que han tenido lugar, tienen una influencia de entre siete y diez años, incluso más.

Memoria a corto plazo Almacenamiento o repositorio temporal de información.

Memoria a largo plazo Depósito o *repositorio* permanente de información.

Mensaje informativo o racional Mensaje que se elabora según los atributos o beneficios del producto o servicio. Este término (del inglés *informational appeal*) también se usa como *Reclamo informativo*.

Mensaje transformativo o emocional Mensaje que se elabora según un beneficio o una imagen que no tienen relación con el producto.

Mensajes emergentes (pop-ups) Anuncios que generalmente llevan video o animación y que aparecen durante los cambios en un sitio Web.

Mercado Grupos diversos de clientes.

Mercado atendido Todos los compradores capaces y dispuestos a comprar el producto de la empresa.

Mercado disponible Grupo de consumidores que tiene interés, ingreso y acceso a una oferta específica.

Mercado gris Productos de marca que se desvían de los canales de distribución autorizados o normales tanto en el país de origen de un producto como en el extranjero.

Mercado institucional Escuelas, hospitales, residencias de ancianos, prisiones y otras instituciones que deben proporcionar bienes y servicios a las personas que se encuentran a su cuidado.

Mercado meta Parte del mercado disponible calificado al que la empresa decide dirigir su oferta.

Mercado penetrado Conjunto de consumidores que compran el producto de una empresa.

Mercado potencial Conjunto de consumidores que manifiestan un nivel de interés suficiente en una oferta de mercado.

Mercadólogo *vea* Especialista de marketing.

Mercados industriales Todas las organizaciones que adquieren bienes y servicios usados en la producción de otros productos o servicios que se compran, alquilan o suministran a otros.

Metáforas profundas Marcos u orientaciones básicos que tienen los consumidores hacia el mundo que les rodea.

Método de construcción de mercado Identificación de todos los compradores potenciales en cada mercado y estimación de sus compras potenciales.

Métrica de marketing Conjunto de medidas que ayuda a las empresas a cuantificar, comparar e interpretar su desempeño de marketing.

Mezcla de comunicaciones de marketing Publicidad, promoción de ventas, eventos y experiencias, relaciones públicas y *publicity*, marketing directo y ventas personales.

Mezcla de marcas Conjunto de todas las líneas de marca que un vendedor particular pone a disposición de los compradores.

Mezcla de productos *Ver* Surtido de productos

Micrositio Un área limitada en Internet administrada y pagada por una empresa o un anunciante externo.

Miembros de una categoría Productos o conjuntos de productos con los que compite una marca y que funcionan como sustitutos cercanos.

Minorista (o tienda minorista) Empresa cuyas ventas provienen fundamentalmente de la distribución minorista o venta al consumidor final.

Minorista empresarial Puntos de venta minoristas (al por menor) propiedad de una empresa que logran economías de escala, mayor poder de compra, mayor reconocimiento de marca y empleados mejor capacitados.

Moda pasajera Moda fugaz, de carácter impredecible, de corta duración y sin relevancia social, económica o política.

Modelo de memoria de redes asociativas Representación conceptual que entiende la memoria como un grupo de nodos y vínculos interconectados donde los nodos representan la información o los conceptos almacenados, y los vínculos representan la fuerza de asociación entre dicha información o conceptos.

Modelo de valor esperado Los consumidores evalúan productos y servicios al combinar sus creencias de marca (positivas y negativas) de acuerdo con su importancia ponderada.

Modelos no compensatorios En el contexto de las elecciones del consumidor, cuando éste no considera simultáneamente todos los atributos positivos y negativos al tomar su decisión.

Motivo Necesidad que una vez que alcanza un nivel suficiente de intensidad, impulsa a una persona a la acción.

Movimiento de protección de los consumidores Movimiento organizado de ciudadanos y gobiernos para reforzar los derechos de los compradores y su poder frente a los vendedores.

Multitarea Hacer dos o más cosas al mismo tiempo.

Objetivo publicitario Tarea específica de comunicación y nivel de logro que debe alcanzarse con un público específico en un periodo específico.

Oferta de mercado flexible (1) Solución sencilla que contiene los elementos del producto y servicio que todos los miembros del segmento valoran, y (2) opciones discrecionales que valoran algunos miembros del segmento.

Oportunidad de marketing Área de necesidad e interés de un comprador en la cual existe una alta probabilidad de que una empresa satisfaga la necesidad de manera rentable.

Organización Estructuras, políticas y cultura corporativa de una empresa.

Organización centrada en el mercado Empresas que se organizan de acuerdo a las líneas del mercado.

Organización de administración de clientes Organización que trata con clientes individuales más que con el mercado masivo o incluso con segmentos de mercado.

Organización de administración de mercado Un gerente de mercado que supervisa a varios gerentes de desarrollo de mercado, especialistas de mercado o especialistas en el sector industrial y que recurre a sus servicios funcionales conforme sean necesarios.

P

Participación de mercado *Vea* Cuota de mercado.

Participación de mercado atendido *Vea* Cuota de mercado atendido.

Participación de mercado general *Vea* Cuota de mercado general.

Participación de mercado relativa *Vea* Cuota relativa de mercado.

Patrocinio Apoyo financiero de un evento o actividad a cambio de reconocimiento y mención como patrocinador.

Percepción Proceso por el que un individuo elige, organiza e interpreta entradas de información para hacerse una imagen coherente del mundo.

Percepción subliminal Recepción y procesamiento de mensajes dirigidos al subconsciente y que afectan la conducta.

Percepciones de marketing Información de diagnóstico sobre cómo y por qué se observan determinados efectos en el mercado, y lo que esto significa para los profesionales de marketing.

Personalidad Grupo de características psicológicas distintivas del ser humano que generan respuestas relativamente consistentes ante los estímulos del entorno.

Personalidad de marca Mezcla específica de características humanas que pueden atribuirse a una marca determinada.

Personalización con origen en el cliente Combinación de la personalización masiva de origen operativo con el marketing personalizado de manera que permite a los consumidores diseñar a su elección la oferta del producto o servicio.

Personalización masiva Capacidad de una empresa para satisfacer las exigencias de cada uno de sus clientes.

Plan de marketing Documento escrito que resume lo que el profesional de marketing ha aprendido sobre el mercado, indica cómo la empresa planifica alcanzar sus objetivos de marketing y ayuda a dirigir y coordinar los esfuerzos de marketing.

Plan estratégico de marketing Definición de los mercados meta y de la propuesta de valor que se ofrecerá, fundamentada en el análisis de las mejores oportunidades de mercado.

Plan táctico de marketing Tácticas de marketing que incluye las características del producto, la promoción, la comercialización (*merchandising*), el precio, los canales de venta y el servicio.

Planificación de la cadena de demanda Proceso de diseñar la cadena de suministros basada en la adopción de una perspectiva del mercado objetivo y trabajando hacia atrás desde ese punto.

Poder del canal Capacidad para alterar el comportamiento de los miembros del canal para que lleven a cabo acciones que de otra manera no habrían hecho.

Porcentaje de penetración de producto Porcentaje de propiedad o uso de un producto o servicio dentro de una población determinada.

Portafolio de marcas *Vea* Cartera de marcas.

Posibilidad de reparación Medida de la facilidad de reparación de un producto cuando tiene mal funcionamiento o se descompone.

Posicionamiento Diseño de la oferta y de la imagen de una empresa para ocupar un lugar distintivo en la mente de los consumidores del mercado meta.

Potencial de mercado Límite al que se aproxima la demanda de mercado conforme los gastos en marketing de la industria se aproximan al infinito en un entorno de marketing determinado.

Potencial de ventas de la empresa El límite de ventas al que se aproxima la demanda de una empresa conforme aumenta su esfuerzo de marketing en relación al de sus competidores.

Potencial total de mercado Máximo de ventas disponibles a todas las empresas en un sector industrial durante un periodo determinado, dado un esfuerzo específico de marketing de la industria y en unas condiciones establecidas del entorno.

Precio de mercado El precio que cobra la competencia por un producto igual o similar.

Precio de transferencia Precio que una empresa cobra a otra unidad de la misma por bienes que le envía a las filiales en otros países.

Precios altos-bajos Cobrar precios más altos a diario para después llevar a cabo promociones frecuentes y ventas especiales.

Precios bajos permanentes En la venta minorista, un precio bajo constante con pocas o ninguna promoción de precios o descuentos especiales.

Precios de referencia Información de precios que un consumidor guarda en la memoria y que usa para interpretar y evaluar un nuevo precio.

Presupuesto de ventas Estimación conservadora del volumen esperado de ventas que se usa para la toma de decisiones de compra, producción y flujos de efectivo.

Previsión de mercado *Vea* Pronóstico de mercado.

Previsión de ventas de la empresa *Vea* Pronóstico de ventas de la empresa.

Principio de congruencia Mecanismo psicológico que estipula que los consumidores prefieren que los objetos aparentemente relacionados entre sí se perciban como parecidos en su nivel de preferencia.

Proceso de difusión de la innovación Diseminación de una idea nueva desde la fuente de su invención o creación hasta sus usuarios o adoptantes últimos.

Producto Cualquier cosa que pueda ser ofrecida al mercado para satisfacer un deseo o una necesidad, incluyendo bienes físicos, servicios, experiencias, eventos, personas, lugares, propiedades, organizaciones, información e ideas.

Producto básico Aquello que específicamente y en realidad es el producto.

Producto esperado Conjunto de atributos y condiciones que los compradores esperan cuando adquieren un determinado producto.

Producto fabricado bajo licencia Aquel producto de cuya marca se ha concedido una licencia a otros fabricantes que son los que realmente lo fabrican.

Producto mejorado Un producto que incluye características que van más allá de las expectativas del cliente y que lo diferencian de los productos competidores.

Producto potencial Todas las posibles mejoras y transformaciones que pueden realizarse en el futuro sobre el producto o la oferta.

Productos adicionales necesarios Productos necesarios para usar otros productos, como máquinas de afeitar o películas.

Productos de especialidad Bienes con características o identificación de marca únicas, para los cuales existen suficientes compradores que están dispuestos a hacer un esfuerzo especial de compra.

Programación de distribución Creación de un sistema de marketing vertical estructurado y administrado de manera profesional que satisface las necesidades tanto del fabricante como de los distribuidores.

Programación por la ruta crítica Técnicas de planificación en cadena para coordinar las muchas tareas necesarias para lanzar un producto nuevo.

Programas de lealtad Los diseñados para dar recompensas a los clientes que compran frecuentemente y en cantidades significativas.

Programas para miembros de un club Programas abiertos a todo aquel que compre un producto o servicio, o restringido a un grupo de afinidad cuyos miembros están dispuestos a pagar una pequeña cuota.

Promesa de marca Visión del especialista de marketing de lo que debe ser la marca y lo que debe hacer para los consumidores.

Promoción de ventas Conjunto de herramientas de incentivos, sobre todo a corto plazo, diseñado para estimular una compra mayor o más rápida de productos o servicios específicos por parte de consumidores o intermediarios.

Pronosticar Arte de anticiparse a lo que los compradores probablemente hagan en unas condiciones determinadas.

Pronóstico de mercado Demanda de mercado que corresponde al nivel de gastos de marketing de la industria.

Pronóstico de ventas de la empresa Nivel esperado de ventas de la empresa según un determinado plan de marketing y un supuesto entorno de marketing.

Propuesta de valor Conjunto total de beneficios que la empresa promete entregar.

Psicografía Ciencia que utiliza la psicología y la demografía para entender mejor a los consumidores.

Publicidad Cualquier forma de promoción y presentación no personal y pagada de ideas, bienes o servicios por un patrocinador identificado.

Publicidad exterior (también Publicidad fuera de casa) Anuncios que aparecen fuera del hogar, y donde los consumidores trabajan o se entretienen.

Publicity (Publicidad no pagada) Tarea que trata de asegurar espacio editorial (y no espacio pagado) en medios impresos y de difusión masiva para promover algo.

Público Cualquier grupo que tenga un interés real o potencial en la promoción o protección de la imagen de una empresa o de sus productos.

Punto de venta (P-O-P) Ubicación donde se realiza una compra, generalmente se piensa en términos de ventas minoristas.

Puntos de diferencia (POD) Atributos o beneficios que los consumidores asocian fuertemente con una marca, los evalúan positivamente y creen que no los podrían encontrar en la misma medida en una marca competidora.

Puntos de paridad (POP) Asociaciones sobre atributos o beneficios que no necesariamente son exclusivos de una marca y que pueden en realidad ser compartidos con otras marcas.

R

Reclamo informativo *Vea* Mensaje informativo.

Reclamos transformativos *Vea* Mensaje transformativo.

Recuperación de la memoria Cómo y desde dónde sale la información de la memoria.

Red de generación de valor (cadena de suministro) Red formada por la cadena de suministro de una empresa, asociada con proveedores y distribuidores específicos para fabricar productos y llevarlos al mercado.

Red de marketing Red formada por la empresa y los grupos de interés con los que mantiene relaciones rentables para ambas partes.

Red de valor Sistema de asociaciones y alianzas que la empresa crea para obtener, aumentar y entregar sus ofertas.

Relaciones públicas (PR) Variedad de programas diseñados para promover o proteger la imagen de una empresa o de sus productos individuales.

Relaciones públicas de marketing (MPR) Publicity y otras actividades que sirven para construir imagen corporativa o del producto para facilitar que se alcancen los objetivos de marketing.

Rendimiento del marketing Comprensión de los rendimientos financieros y no financieros para el negocio y la sociedad a partir de las actividades y programas de marketing.

Rentabilidad directa del producto (DDP) Método para medir los costos de manipulación de un producto desde que llega al almacén hasta que el cliente lo adquiere en la tienda minorista.

Resultados relacionados con el cliente Seguimiento de cómo funciona la empresa año tras año en función de una serie de medidas específicas basadas en los clientes.

Resultados relacionados con los diferentes grupos de interés Medida para dar seguimiento a la satisfacción de varios grupos que tienen un interés e impacto fundamental sobre el desempeño de la empresa.

Retención selectiva El cliente recuerda aspectos positivos que le agradan de un producto y olvida los aspectos positivos de los productos de la competencia.

Rol Actividades que se espera que una persona desempeñe.

Satisfacción Sentimientos de placer o decepción de una persona que se generan al comparar el resultado o el desempeño percibido de un producto en relación con sus expectativas.

Selección de medios Encontrar el medio que sea más eficiente en costos para entregar el número deseado y el tipo de exposiciones al público meta.

Servicio Cualquier acto o desempeño que una parte ofrece a otra, es esencialmente intangible y no da lugar a tener la propiedad de algo.

Sesgo hedónico Cuando la gente tiene una tendencia general a atribuirse a sí misma el éxito, y el fracaso a causas ajenas.

Sesiones de grupo *Vea* Focus group.

Sistema de canal de marketing Conjunto específico de canales de marketing empleados por una empresa.

Sistema de canal integrado de marketing Las estrategias y tácticas de venta mediante un canal reflejan las estrategias y tácticas de venta a través de uno o más canales diferentes.

Sistema de centro y radios Organización de administración de productos donde el gerente de marca o de producto se encuentra en el centro (de manera figurada), y los radios llevan a los diferentes departamentos y representan las relaciones de trabajo.

Sistema de consumo La manera en que el usuario desempeña las tareas de adquirir y usar productos y servicios relacionados.

Sistema de entrega de valor Todas las expectativas que el cliente tendrá en el trayecto de obtener y utilizar la oferta.

Sistema de información de marketing (SIM) Personas, equipamiento y procedimientos para recopilar, clasificar, analizar, evaluar y distribuir información a los responsables de la toma de decisiones de marketing.

Sistema de inteligencia de marketing Conjunto de procedimientos y fuentes que utilizan los directivos para obtener información cotidiana sobre los acontecimientos en el entorno de marketing.

Sistema de marketing horizontal Dos o más empresas sin relación alguna que comparten recursos o programas para explotar una oportunidad de mercado emergente.

Sistema de marketing vertical (SMV) Productor, distribuidor(es) y minorista(s) que actúan como un sistema unificado.

Sistema de productos Grupo de artículos diversos pero relacionados entre sí que funcionan de manera compatible.

Sistema de refuerzo de decisiones de marketing (MDSS) Colección coordinada de datos, sistemas, herramientas y técnicas con software y hardware adecuados, mediante los cuales una organización puede recopilar e interpretar la información relevante del negocio y del entorno y la transforma en el fundamento para desarrollar acciones de marketing.

Sistema integrado de logística (ILS) Gestión de materiales, de sistemas de flujos de materiales y distribución física mediante el uso de la tecnología de la información (TI).

Subcultura Subdivisiones de una cultura que proporciona una identificación y socialización más específica, como nacionalidades, religiones, grupos étnicos y regiones geográficas.

Submarca Marca nueva combinada con una existente.

Suministros y servicios a empresas Bienes y servicios de corto plazo que facilitan el desarrollo o la administración del producto terminado.

Suprasegmento Conjunto de segmentos que tienen alguna similitud aprovechable.

Surtido de productos Conjunto de todos los productos y artículos que ofrece un vendedor determinado.

T

Telemarketing Uso del teléfono y de centros de llamadas telefónicas para atraer a los clientes potenciales, vender a los clientes actuales y dar servicio tomando pedidos y respondiendo preguntas.

Tendencia Dirección o secuencia de eventos que tiene cierta inercia y durabilidad.

Teoría de la prospectiva Los consumidores enmarcan sus alternativas de decisión en términos de ganancias y pérdidas de acuerdo con una función de valor.

Transacción Intercambio de valores entre dos o más partes: A le da X a B y recibe Y a cambio.

Transferencia En el caso de regalos, subsidios y donativos: A le da X a B y a cambio no recibe algo tangible.

U

Unidades estratégicas de negocio (UEN) Negocio o conjunto de negocios relacionados que pueden planificarse aparte del resto de la empresa, con su propio conjunto de competidores y un gerente responsable de la planificación estratégica y de la obtención de beneficios.

V

Valor de vida del cliente (CLV) Valor presente neto (valor actual neto) del flujo de ganancias futuras esperadas por las compras de un cliente durante su vida.

Valor percibido Valor que promete la empresa en su propuesta y que el cliente percibe.

Valor percibido por el cliente (CPV) Diferencia entre la evaluación potencial de un consumidor sobre la totalidad de los beneficios y de los costos de una oferta y las alternativas percibidas.

Valor total del cliente Valor monetario percibido de la agrupación de beneficios económicos, funcionales y psicológicos que los consumidores esperan de una determinada oferta de mercado.

Valoración de marca Estimado del valor financiero total de la marca.

Valores esenciales Sistema de creencias que subyace a las actitudes y al comportamiento de los consumidores, y que determina las elecciones y deseos de la gente en el largo plazo.

Variantes de marca Líneas de marca ofrecidas de forma exclusiva a diferentes minoristas o canales de distribución.

Venta al menudeo *Vea* Distribución minorista.

Venta mayorista Todas las actividades relacionadas con la venta de bienes o servicios a aquellos que los adquieren para volver a venderlos o usarlos en su negocio.

Ventaja competitiva Capacidad de una empresa para desempeñarse de una o más maneras que sus competidores no pueden o no desean igualar.

Créditos de imágenes

Capítulo 1

Página 2: Newscom; página 4: Newscom; página 6: Newscom; página 7 (superior): Glowimage; página 7 (inferior): cortesía de U.S. Department of Transportation, National Highway Traffic Safety Administration (NHTSA) y el Ad Council; página 13: Glowimage; página 14: AP Wide World Photos; página 15: cortesía de H. J. Heinz Company; página 21: Newscom; página 24: cortesía de Ben & Jerry's Homemade Inc.; página 29: Newscom; página 30: Newscom.

Capítulo 2

Página 32: reproducido con autorización de Yahoo! Inc. ©2012 Yahoo! Inc. Yahoo!, el logotipo Yahoo! e IT'S Y!OU son marcas registradas de Yahoo!; página 35: cortesía de Pratt & Whitney; página 36: Newscom; página 40: cortesía de American Apparel, Inc.; página 41: cortesía de Liz Claiborne Inc.; página 43: Newscom, Inc.; página 44 (superior): Glowimage; página 47: Newscom; página 51: Glowimage; página 53: Newscom; página 57: Newscom; página 58: Glowimage.

Capítulo 3

Página 66: Glowimage; página 69: Glowimage; página 71: Newscom; página 78: Gowimage; página 80: Newscom; página 81: Reed Saxon/AP Wide World Photos; página 83: Newscom; página 84: Glowimage; página 93: Newscom; página 94: Newscom.

Capítulo 4

Página 96: Glowimage; página 100: Glowimage; página 101: cortesía de GDP; página 103: cortesía de Nottingham-Spirk; página 107: Erich Schlegel/The New York Times/Redux Pictures; página 109: Glowimage; página 114: Newscom; página 116: cortesía de Servus Credit Union, Ltd.; página 119: Glowimage; página 120: Newscom.

Capítulo 5

Página 122: cortesía de Steren; página 126: Seth Perlman/ AP Wide World Photos; página 128: cortesía de Volvo Car Corporation; página 132: cortesía de GDP; página 138: las marcas registradas y la publicidad de BURGER KING ® son utilizadas con autorización de Burger King Corporation; página 139: cortesía de Amy's Kitchen, Inc.; página 142: cortesía de Tri-Union Seafoods, LLC; página 149: Newscom.

Capítulo 6

Página 150: Newscom; página 154: cortesía de Hot Topic, Inc.; página 156 (superior): Glowimage; página 156 (inferior): Glowimage; página 158: Glowimage; página 164 (superior): Woolite® es una marca registrada de Reckitt Benckiser Inc.; página 164 (inferior): cortesía de State Farm Mutual Automobile Insurance Co.; página 169: Newscom; página 171: Newscom; página 173: cortesía de Savers, Inc.; página 177: Glowimage; página 178: Newscom; página 180: Newscom.

Capítulo 7

Página 182: Newscom; página 184: cortesía de Navistar, Inc.; página 190: cortesía de SAS Institute, Inc. Copyright © 2010 SAS Institute, Inc., Cary, NC, USA; página 193: Glowimage; página 195: Glowimage; página 197: cortesía de Ritchie Bros. Auctioneers; página 202: cortesía de Tellabs; página 205: cortesía de Chapman Kelly; página 208: digitallife/Alamy Images; página 210: Clynt Garnham/Alamy Images.

Capítulo 8

Página 212: cortesía de Muebles Pergo; página 217 (superior): cortesía de Avon Products, Inc.; página 217 (inferior): Newscom; página 219: cortesía de Procter & Gamble; página 220: Glowimage; página 221: Glowimage; página 222: Newscom; página 223: Newscom; página 225: Naum Kazhdan/The New York Times/Redux Pictures; página 227: Glowimage; página 234 (superior): © The Procter & Gamble Company. Utilizado con autorización; página 234 (inferior): cortesía de Toms of Maine; página 238: cortesía de GDP.

Capítulo 9

Página 240: © Smith/Retna Ltd./Corbis. Derechos reservados; página 242: Kristoffer Tripplaar/Alamy Images; página 243: Bloomberg/Contributor/Getty Images, Inc.- Bloomberg News; página 244: Cameron Spencer/Staff/ Getty Images, Inc.; página 245: H. Lorren Au Jr./Orange County Register/MCT/Newscom; página 249: cortesía de MasterCard Worldwide.Photograph © Julian Wolkenstein/ Bransch; página 250: cortesía de 42Below; página 251 (superior): John Kuntz/The Plain Dealer/AP Associated Press; página 251 (inferior): cortesía de Darden Restaurants, Inc.; página 253: AP Photo/Keystone, Arno Balzarinl; página 259 (superior): cortesía de Discovery Communications, Inc.; página 259 (inferior): Jeremy Noble/Flickr; página 262: cortesía de United Technologies Corporation; página 264: © 2010 Crayola. Oval Logo®, Chevron® design, Serpentine® design, Color Wonder®, Twistables® y Color Explosion® son marcas registradas; Smile design™, Pip-Squeaks™, Color Switchers™ and Glow Explosion™ son marcas registradas de Crayola. © Disney. © Disney/Pixar; página 269: PSL Images/Alamy Images; página 271: Paul Prescott/ Shutterstock

Capítulo 10

Página 274: cortesía de Grupo Comunicación Katedra; página 277: Newscom; página 281: © 2010 Visa Corporation; cortesía de Visa International, Lew'lara/TBWA y Timothy Hogan. Fotógrafo: Alexandre Catan; página 282: Newscom; página 285: Newscom; página 288: Newscom; página 293 (superior): Newscom. 293 (inferior): cortesía de Alex Polvi; página 295: Newscom; página 296: Glowimage.

Capítulo 11

Página 298: cortesía de Del Valle; página 301: Hannah Morse; página 302: Amanda Kamen; página 304: Newscom; página 306: cortesía de Ariat International, Inc.; página 307: Newscom; página 308: Bloomberg/Getty Images, Inc.; página 310: cortesía de Grupo Salinas; página 312: Newscom; página 314: cortesía de AB Electrolux; página 318: reproducido con la amable autorización de Sainsbury's Supermarkets Ltd.; página 319: cortesía de General Electric Company; página 321: Newscom; página 322: Newscom

Capítulo 12

Página 324: Newscom; página 329: Glowimage, Inc.-Getty News; página 330: cortesía de Cemex; página 332: Glowimage; página 333: cortesía de Bang and Olufsen; página 335: cortesía de Sub-Zero, Inc.; página 336: cortesía de Michelin North America, Inc.; página 342: Newscom; página 345: cortesía de Mohawk Industries. Carpet con DuPont™ Sorona®; página 347: cortesía de Sara Lee Corporation; página 348: Mary Altaffer/AP Wide World Photos; página 350: Glowimage; página 352: Newscom.

Capítulo 13

Página 354: Newscom; página 359 Newscom; página 361: John Raoux/AP Wide World Photos; página 362 (superior): Eric Piermont/Getty Images, Inc. AFP; página 363: Newscom; página 369: Glowimage; página 380: Newscom

Capítulo 14

Página 382: Newscom; página 388: Glowimage; página 390: Newscom; página 394: Glowimage; página 397: cortesía de Parker Hannifin Corporation; página 399: cortesía de GDP; página 407: Glowimage; página 411: Newscom; página 412 Newscom.

Capítulo 15

Página 414: cortesía de GDP; página 417: cortesía de GDP; página 418: cortesía de Nautilus, Inc.; página 421: cortesía de RedEnvelope®; página 422: cortesía de GDP; página 424: Newscom; página 425: cortesía de STIHL Incorporated; página 430: Newscom; página 431: Newscom; página 434: Newscom; página 436: Newscom; página 440: Newscom; página 443: Newscom; página 444: cortesía de GDP.

Capítulo 16

Página 446: Newscom; página 453: Glowimage; página 455: cortesía de Aéropostale, Inc.; página 457: cortesía de Bass Pro, Inc.; página 460: Glowimages; página 465: cortesía de ConMed, Inc.; página 468: cortesía de Cameron Hughes Wine; página 470: Newscom; página 471: Newscom.

Capítulo 17

Página 474: cortesía de Ocean Spray Cranberries, Inc.; página 477: cortesía de Motorola, Inc.; página 483: cortesía de General Electric Company. Photographer: Kai Uwe Gundlach; página 484: Glowimage; página 487: cortesía de Priceline.com Incorporated; página 488: cortesía de Deere & Company; página 493: cortesía de International Business Machines Corporation, © 2010 International Business Machines Corporation; página 498: Newscom; página 499: cortesía de GDP.

Capítulo 18

Página 502: Newscom; página 506: cortesía de GDP; página 508: Newscom; página 512: Newscom; página 514: Snickers es una marca registrada de Mars, Incorporated y sus afiliadas. Esta marca es utilizada con permiso. Mars, Incorporated no está asociada con Pearson. Publicidad impresa con autorización de Mars, Incorporated; página 522: cortesía de Coupons.com Incorporated; página 527: "The Crayola FACTORY® Tour", fotografía proporcionada por cortesía de Crayola LLC y utilizada con su autorización. © 2010 Crayola. The Crayola FACTORY, el personaje "TIP" y Serpentine Design son marcas registradas de Crayola LLC; página 528: Newscom; página 529: Dreyer's Grand Ice Cream; página 531: Newscom; página 532: Newscom.

Capítulo 19

Página 534: Newscom; página 537: cortesía de Martha Sophia®; página 538: Lucy Gauntlett; página 541: las marcas registradas y publicidad de BURGER KING ® son utilizadas con autorización de Burger King Corporation; página 544: marcas registradas utilizadas con autorización de Volkswagen Group of America, Inc.; página 547: © Intuit Inc. Todos los derechos reservados; página 548: cortesía de Treehugger; página 549: cortesía de Pistachio Consulting; página 550: cortesía de Blendtec; página 552: cortesía de Ford Motor Company; página 553: Natura; página 563: Newscom; página 564: Newscom.

Capítulo 20

Página 566: Glowimage; página 569; cortesía de Distroller, Amparín S.A. de C.V.; página 575: Jessica Rinaldi/Reuters Limited; página 576: Glowimage; página 578: Newscom; 586: Glowimage; página 587: Glowimage; página 589: Newscom; página 591: Newscom; página 593: Glowimage.

Capítulo 21

Página 594: cortesía de Grupo Modelo; página 596: Newscom; página 598: utilizado con autorización de Microsoft; página 599: cortesía de Grupo Salinas; página 603: Glowimage; página 605: Newscom; página 607: Newscom; página 609: Glowimage; página 612: Newscom; página 614: Newscom; página 615: Newscom; página 618: Newscom; página 619: Newscom.

Capítulo 22

Página 620: cortesía de The Timberland Company; página 625: Newscom; página 627: Newscom; página 630: cortesía de Procter & Gamble; página 635: cortesía de British Airways Plc; página 636: Newscom; página 638: Glowimage; página 639: Pepsi-Cola Company, división de Pepsi Co. International; página 643: Matt Rourke/AP Wide World Photos; página 649: Newscom; página 650: Newscom.

Índice

Nombres

Índice de temas

A

B

C

E

F

G

H

I

J

L

M

N

O

P

S

T

U

V

W

Z